上海市“十一五”重点图书

现代骨科学

主编　陈峥嵘
主审　戴尅戎

復旦大學出版社

特 邀 作 者

（以姓氏笔画为序）

王正国　第三军医大学野战外科研究所
王秋根　上海交通大学附属第一人民医院
王惠芳　同济大学附属东方医院
邓　力　四川大学附属华西医院
史其林　复旦大学附属华山医院
邓廉夫　上海交通大学医学院附属瑞金医院
孙玉强　上海交通大学附属第六人民医院
张长青　上海交通大学附属第六人民医院
张先龙　上海交通大学附属第六人民医院
张伟滨　上海交通大学医学院附属瑞金医院
李兵仓　第三军医大学野战外科研究所
肖建如　第二军医大学附属长征医院
吴海山　第二军医大学附属长征医院
罗从风　上海交通大学附属第六人民医院
陈世益　复旦大学附属华山医院
杨庆铭　上海交通大学附属医学院瑞金医院
杨志明　四川大学附属华西医院
周国民　复旦大学上海医学院
陈　亮　复旦大学附属华山医院
邱　勇　南京大学附属鼓楼医院
赵金忠　上海交通大学医学院附属第六人民医院
姜建元　复旦大学附属华山医院
侯铁胜　第二军医大学附属长海医院
袁　文　第二军医大学附属长征医院
钱不凡　上海交通大学医学院附属瑞金医院
顾冬云　上海交通大学医学院附属第九人民医院
顾玉东　复旦大学附属华山医院
贾连顺　第二军医大学附属长征医院
徐建光　复旦大学附属华山医院
梁国穗　香港中文大学矫形外科与创伤学系
黄煌渊　复旦大学附属华山医院
曾炳芳　上海交通大学附属第六人民医院
裴福兴　四川大学附属华西医院

国优教材　与时俱进　再铸辉煌

《大学英语》系列教材的再修订，以《大学英语课程教学要求（试行）》为依据，历经三年调研，汲取全国数百所高校师生的建议和意见，旨在发扬我国大学英语教学的优良传统，推广成功经验，为新时期人才培养再作贡献。

融合传统与现代教学理念：
强调打好扎实语言基本功，突出综合应用能力的提高

发挥综合优势，完善原有体系：
大幅度、全方位修订《精读》、《泛读》、《听力》、预备级《泛读》、预备级《听力》，重编《快速阅读》、预备级《精读》，删繁就简《语法与练习》

调整起点，充实优化素材：
1 800词起点（预备级1 300词）；选材全面完备，经典性与时代性、文学性与科普性完美匹配

革新练习，五种技能并重：
阅读材料丰富多彩，听力训练形式多样，词汇练习注重复现，语法操练循序渐进，翻译训练实用全面，口语活动精彩纷呈，写作训练由浅入深，四、六级口、笔试中学生常犯的语言错误讲解分析精辟实用

辅以现代教育技术手段，充分满足教学需要：
同步推出与纸质教材配套的电子教案和学生学习光盘，帮助教师构建新型的课堂教学模式，为学生创造自主式、交互式的学习环境

《大学英语》第三版 书目

精读： 1—6 册 学生用书 配套多媒体学习光盘
1—6 册 教师用书 配套电子教案
预备级 全一册 学生用书 教师用书

泛读： 1—6 册 学生用书
1—6 册 教师用书
预备级 全一册

听说： 1—6 册 学生用书 配套多媒体学习光盘
1—6 册 教师用书
预备级 全一册 学生用书 教师用书

快速阅读： 1—6 册 配套多媒体学习光盘

语法与练习： 上、下册

第三版
大学英语 精读 第六册 学生用书

责任编辑 梁泉胜
版式设计 王　懿
封面设计 卞骐真

ISBN 978-7-5446-0617-2
9 787544 606172 >
定价：34.00 元

外教社

参编作者

（以姓氏笔画为序）

马　昕　复旦大学附属华山医院
方涛林　复旦大学附属中山医院
王建华　复旦大学附属中山医院
王晓峰　复旦大学附属中山医院
王毅超　复旦大学附属中山医院
王斌梁　复旦大学附属中山医院
史国栋　第二军医大学附属长征医院
冯振洲　复旦大学附属中山医院
汪　方　上海交通大学附属第一人民医院
张光健　复旦大学附属中山医院
张　弛　复旦大学附属中山医院
张　晖　四川大学附属华西医院
张　键　复旦大学附属中山医院
孙　源　四川大学附属华西医院
孙静娟　复旦大学附属中山医院
李熙雷　复旦大学附属中山医院
陈中伟　复旦大学附属中山医院
陈云苏　复旦大学附属中山医院
陈峥嵘　复旦大学附属中山医院
邵云潮　复旦大学附属中山医院
杨　轶　复旦大学附属中山医院
杨兴海　第二军医大学附属长征医院
周建平　复旦大学附属中山医院
林建平　复旦大学附属中山医院
周晓岗　复旦大学附属中山医院
范隆华　复旦大学附属中山医院
杨蕊敏　复旦大学附属中山医院
霍建忠　山西医科大学附属第二医院
陈增淦　复旦大学附属中山医院
陈　颐　复旦大学附属中山医院
姜南春　复旦大学附属中山医院
姜晓辛　复旦大学附属中山医院
姚振钧　复旦大学附属中山医院
费琴明　复旦大学附属中山医院
施德源　复旦大学附属中山医院
夏　庆　复旦大学附属中山医院
栗景峰　第二军医大学附属长海医院
符伟国　复旦大学附属中山医院
崔　芳　同济大学附属东方医院
曾绍冲　复旦大学附属中山医院
阎作勤　复旦大学附属中山医院
梅振武　复旦大学附属中山医院
郭常安　复旦大学附属中山医院
谢　宁　第二军医大学附属长征医院
葛圣金　复旦大学附属中山医院
彭晓春　上海交通大学附属第六人民医院
蒋　淳　复旦大学附属中山医院
程　飚　复旦大学附属中山医院
蔡晓冰　第二军医大学附属长海医院
董　健　复旦大学附属中山医院
戴文达　复旦大学附属中山医院
潘惠娟　同济大学附属东方医院
薛张纲　复旦大学附属中山医院

学术秘书：林建平　姜南春　复旦大学附属中山医院

工作秘书：杭栋华　复旦大学附属中山医院

序

本书由复旦大学出版社组织出版，并由中山医院陈峥嵘教授任主编，还有很多在国内外有影响的专家受邀请参加编写。复旦大学附属中山医院、华山医院骨科已故的老主任李鸿儒、吴祖尧、裘麟、石一飞、陈中伟等教授都是我的老师和前辈，在我个人的成长过程中，深受他们的教诲和影响。这些前辈严谨的治学态度和渊博的学识对继承他们事业的中青年骨科学者、专家是一笔宝贵的财富。

人类在与疾病作斗争的过程中所积累的经验，通过一代又一代人的继承而系统化并保持下来，又通过不断的创新与超越而迅速进步。文献记载与交流在医学科学发展过程中具有不可替代的重要性。感谢陈峥嵘教授和他的同事们为我们贡献了这本专著，这对承上启下，推进骨科学的发展具有很大的意义。

20世纪末和本世纪初骨科学发展的重要特点之一，是多学科交叉更加受到重视。《现代骨科学》用不少篇幅介绍了理、工科发展和学科间交叉融合对骨科学进步的影响。在基础理论部分，除了从新的角度论述骨的发生、形态、代谢和力学性能外，还增加了组织工程学、解剖结构三维重建、现代科技在骨科中的应用和实验研究技术的介绍。临床部分介绍了各种治疗理念和技术新进展，包括内固定原理、微创技术等，并专篇介绍当前骨科领域的一些挑战性问题，如痛性营养不良、骨质疏松患者的内固定、骨折内固定失败、感染性骨缺损、脊柱内固定的手术策略与椎体成形术等，并专篇讲述了骨科康复。所有这些，构成了本书的一大特点，即在系统介绍骨科知识与技术的同时，及时反映了骨科学在近代发展中的新成果与面临的挑战。我深信这本专著将对广大骨科医师和相关专业的学者有所指导和启迪，也一定会为推动骨科事业的蓬勃发展作出贡献。

中国工程院院士 戴尅戎

2010年5月于上海

前　言

现代科学的全面发展,促进了医学的发展,也促进了骨外科学的发展。尤其是近 20 年来,与骨外科学相关的一些边缘学科的发展,特别是材料学、影像学和工艺学等学科的日新月异,直接促进了骨科学的诊断和治疗水平,使骨科学这一专业的发展有了质的飞跃。

随着我国经济的飞速发展,交通意外、工业和建筑业事故、各种自然灾害、战争以及运动伤所造成的高能量、复杂创伤越来越多,因此骨科专业医师队伍的素质也就更显重要。当前我国北京、上海等一些大中城市的三级医院骨科医疗技术水平基本已和国际同步,绝大多数的市、县级医院都已经成立了独立的骨科科室。我国已经形成了一支具有一定实力、医疗技术较为先进、庞大的现代骨科专业医师队伍。

在全国骨科医师水平普遍提高和各种手术疗法广泛开展的同时,手术并发症的增加、手术指征的扩大化以及术后疗效不理想等问题也逐渐增多。如何避免上述问题,使其尽可能少的出现,其中很重要的一点就是提高骨科专业医师的技术和理论素质。我们编写这本《现代骨科学》的初衷就是希望能在这方面起点作用。

复旦大学附属中山医院、华山医院和其他附属医院是全国一流的教学医院,一向以治学严谨和医术高超享誉海内外。中山医院骨科早在 1936 年建院时就已成立,一些国内外知名专家分别担任过科主任,如李鸿儒、吴祖尧、裘麟、石一飞、陈中伟、张光健、蒋知节和刘世杰等,他们虽已故去或退休,但他们的治学精神和渊博的学术知识至今还影响着中青年一代骨科医师,并继续传承下去,这也是我愿意担任本书主编的原因。作为这些前辈的学生,我应该认真努力做好这项工作,完成复旦大学出版社“现代系列”之一的《现代骨科学》编撰任务,为复旦大学附属中山医院、华山医院的骨科做些有益的工作。

尽管中山医院、华山医院的骨科在本领域内曾经作过很多贡献,但我们深感在当前知识更新速度极快的形势下,很难仅仅依靠我们两个医院的力量写好这本大型专著。为了保证本书质量,也为了使我们有更多的学习机会,特别邀请了国内骨科及骨科相关领域内具有知名度的专家、学者在本书中撰写了许多高水平的章节。

本书共分 15 篇 57 章,内容涉及骨科学涵盖的各个方面。限于篇幅,很多内容没有专门论述(例如影像学、手外科学等),有的内容属于不常见的也就不写或少写,好在这些内容都有其他专著可供参考。考虑骨科手术技术的广泛开展而引起的诸多问题,特意在最后一篇增加了骨科诊疗中常见的问题作专题讨论,希望对广大青年骨科医师有所帮助。

在一些重大的交通事故和地质灾害中,或者采矿业、建筑业的灾难性事件中,由于创伤性质的多发性、严重性,伤者不仅仅是单纯的骨折,还可伴发一系列创伤综合征。一个骨科医师在面临这些严重复合伤患者的诊治上,只具备一些处理骨折的技术和知识是远远不够的。因此扩大专科医师的知识面,提高救治多发伤、复合伤患者的水平是对每个专业骨科医师提出的新要求、新挑战。我们为此特别邀请我国创伤学界的权威王正国院士为本书撰写相关章节,王院士以极大的热情,支持和关心本书的出版,撰写了《创伤基础理论》一章。这些内容将对提高专科医师的业务素质有很大的帮助。

我还要感谢戴尅戎院士,感谢他接受邀请为本书作序。

感谢各位作者的大力支持,尤其是一些著名的骨科特邀专家,感谢他们按时交稿并两度修改稿件,保证了本书编写工作的顺利完成。

骨科学作为外科学的重要分支,进步之快可谓前所未有。进入21世纪后,又分出了许多亚学科,且有分支更加细化的趋势。这一形势也对本书的编写提出了挑战。要在有限的100多万字篇幅内,写成一部全面、准确且要反映最新进展内容的专著,实非易事,书中难免存在不足,希望同道和读者不吝指正。

陈峥嵘

2010年5月

目录

第一篇　绪　论

第二篇　骨科基础理论

第三篇　骨科临床基础

第四篇　创伤骨科

第九篇 骨与关节感染性疾病

第十篇 非创伤性骨与关节疾病

第十一篇 代谢性骨病

第十二篇 周围神经外科

第十三篇 运动医学新进展

第十四篇 骨科的康复医学

第十五篇 骨科常见问题

第一篇

绪　　论

1 骨科学的发展现状

骨科学的发展经历了由粗略走向精细的轨迹，随着材料学、生物力学、生物材料、光纤技术、激光技术的发展和成熟，骨科学成为当今临床医学中发展非常活跃的一个学科。跨入21世纪以后，随着细胞和分子生物学、组织工程学、材料学、影像学等相关技术的发展，骨科临床工作也取得了重大的发展，时至今日，它已经分为骨科基础、创伤骨科、脊柱外科、关节外科、微创骨科、关节镜外科、足踝外科、骨肿瘤及骨质疏松等多个研究领域。下面对这几个领域的发展现状作一回顾。

1.1 骨科基础

20世纪下半叶，以分子生物学、细胞分子生物学为核心的现代生物学的发展，形成了生命科学的理论基础，骨科基础研究正是以此为理论基础的。

近30年来，尽管骨折治疗技术有很大进步，骨折延迟愈合和不愈合仍时有发生。正常骨愈合是一个复杂的生理过程，其间发生的许多细胞和分子水平现象并不十分明确，促进骨愈合的作用机制也有待进一步深入研究。骨愈合方面的研究既是目前的热点，也是未来的方向，在骨愈合这个研究领域中还有许多工作要做。

组织工程(tissue engineering)是近十几年才发展起来的新兴学科。它是应用细胞生物学和工程学的原理，研究修复和改善损伤组织结构及功能的生物替代术的一门科学。其基本原理和方法是将体外培养扩增的正常组织细胞吸附于一种生物相容性良好的生物材料上形成复合物，将细胞-生物材料复合物植入机体组织、器官病损部位，细胞在生物材料逐渐降解吸收的过程中形成具有新的形态和功能的相应组织、器官，达到修复创伤和重建功能的目的。组织工程的核心是建立由细胞和生物材料构成的三维空间复合体。其有3个基本要素，即支架材料、种子细胞和生长因子。由于骨科领域中所涉及的骨、软骨、肌腱及神经组织均为单一结构组织，所以组织工程在骨科中的应用最早，也最活跃。虽然人工组织应用于临床还需要做大量的工作，但是可以想象其应用于临床的意义将是极其深远的。近年来，组织工程在骨与软骨组织方面研究的进展，使人们看到了骨与软骨修复的曙光。国内已有许多单位开展组织工程学研究，已在种子细胞、载体及信号因子等方面进行了大量的实验研究，展示了近年来国内在骨与软骨组织工程学方面的部分研究成果。组织工程研究的重点将集中在构建出与正常组织生物学特性及机械特性相近似的人造骨和软骨组织，可望为关节重建外科提供物质基础。

近年来，骨科生物力学的相关议题在各领域持续发展，同时亦有许多令人振奋的新发现。由于时代变迁与设备的改良，骨科研究的范围变得相当广泛，议题有小至细胞的力学刺激响应，亦有大至肢体的动作分析。生物学与力学间的关系可谓是近来最热门的课题，而相关的新兴研究报道包含应用骨与软骨病理学的遗传基础探讨骨质疏松及退化性关节炎等常见的发病机制。其他热门探讨的骨骼肌肉相关议题包括组织工程和生物医学材料的应用,肌腱与韧带的修补,人工植入物以及显微组织的力学性质。此外,目前有许多跨领域的骨科相关研究议题,如以不同形态的力学环境刺激细胞,观察其生理变化及回应。而部分新的研究方法包括以计算机(如有限元素模型)模型的模式模拟显微构造(如松质骨架构)的力学机制及一些相对长期的活体研究。骨科生物力学是一门相当广泛的科学,其主要目的是促进临床手术技术、手术器械以及人工植入物的进步,如骨折固定模式、人工关节组件设计、义肢等方面均是骨科生物力学对于临床的重要贡献。

1.2 创伤骨科

随着人类社会的快速发展,创伤已成为一个极其严重的医学和社会问题,也是骨科的常见问题。在骨折治疗原则上,主要体现在从生物学和机械力学两方面考虑进行骨结构重建,将生物固定与机械固定,髓内固定与髓外固定相结合。随着基础医学的发展,人们对骨折治疗的认识已从强调坚强内固定、绝对稳定和解剖复位上升为强调保留局部软组织血运,相对稳定的生物学内固定和解剖排列。近年来,创伤骨科日益趋向于微创化,适合微创化的内固定系统如锁定加压钢板(LCP)及微创手术系统(LISS)、微创钢板固定(MIPO)、非扩髓股骨髓内针(UFN)、非扩髓胫骨髓内针(UTN)广泛应用,微创技术日益推广普及,骨科导航系统也逐渐开始应用。

随着微创技术与理论的广为接受,更多的骨科医师在治疗骨折时倾向于采用闭合复位、交锁髓内钉和经皮钢板内固定技术。①交锁髓内钉在创伤骨科领域的应用使微创技术在骨干部位骨折的治疗效果发挥得淋漓尽致。髓内钉闭合穿针术主要优点就是不扩髓,靠与髓腔内点状接触固定骨折;小切口软组织损伤小,不破坏血运。②对于干骺端骨折,钢板治疗仍有不可替代的作用,尤其是角度固定和锁定理念的出现,以及经皮钢板微创固定骨折的结合使用,在临床上获得了较好的效果。微创钢板内固定术主要体现在点状接触钢板。它与骨的接触不是过去的面接触,而是点状接触,这样就大大减少了内固定物与骨之间的接触面积。上述两种设计减少了内固定对骨内膜和骨外膜血运的破坏,增加了局部组织抗感染和抗再骨折的能力。目前点状接触钢板已进入临床试用阶段,其效果满意,估计不久的将来,即可达到全面临床应用阶段。将来伴随着生物型内固定器材的发展,主要是生物型内固定手术技巧和手术顺序的发展,内固定手术将表现为间接复位、远离骨折端的小切口,通过皮下或肌肉下的管道放置内固定器材。

进一步提高创伤治疗的临床效果,促进骨折迅速愈合,加速关节功能的尽早恢复,将是本世纪创伤骨科的主要研究课题。

1.3 脊柱外科

脊柱外科仍然是骨科领域中发展迅速的热点之一。采用生物治疗促进融合以及人工椎间关节成形又是脊柱外科中的两个热点。随着脊柱内固定技术的快速发展,对原先认为难以手术治疗的疾患,如上颈椎手术或枕颈部手术、脊柱转移癌等,都积极地采用外科治疗的方法。这与手术器械的发展,以及影像学技术和监护技术、导航技术等应用有密切关系。脊柱内植入物的广泛应用对于重建脊柱的稳定性,促进脊柱植骨融合、骨愈合及矫正畸形有着非常重要的作用。

微创脊柱外科代表了现代脊柱外科的发展方向,微创技术的应用,符合有限化手术的趋势。近年来,已经有许多微创技术用于腰椎后路手术,如经皮穿刺切吸术、经皮激光间盘减压术(PLDD)、经皮内镜下激光间盘切除术和微创后外侧间盘切除术等。目前微创后路减压、融合和固定技术被广泛用于间盘摘除、多节段椎板切除减压、后外侧原位融合、腰椎后路椎间融合(PLIF)、经神经根管椎间融合(TLIF)等。随着内镜技术的发展,已经可以利用胸腔镜、腹腔镜做一些脊柱前路手术,如胸腹腔镜下脊柱前路松解、病灶清除及内固定置入等。然而,目前微创技术已有被曲解、被滥用的趋势。必须意识到,对于微创技术的效果、适应证、局限性、并发症目前知之甚少,仍缺乏长期随访结果,需要进行随机对照的临床研究以确定其临床效果。多数学者认为,应该做前瞻性的随机对照临床试验来比较上述方法,结论才更为可信。

脊髓损伤是当今世界上尚未解决的一大难题。目前对横贯性脊髓损伤、完全性截瘫尚无明显有效的治疗方法,国内外对此都在集中人力、物力进行研究。国内在基础研究方面(例如,脊髓损伤模型的建立、神经化学介质的测定、脊髓血流的改变及继发损伤的药物治疗等)也做了不少工作。国外报道对脊髓损伤的研究已取得突破性进展,使截瘫者站起来将是21世纪全体脊柱外科医师的奋斗目标。

脊柱生物力学研究是近20年兴起的,其研究重点包括脊柱结构生物力学测定、人体椎骨及椎间盘结构的应力分析、手术方式对脊柱结构稳定性的影响以及脊柱内固定器械的生物力学研究。脊柱生物力学研究的重要性正越来越为骨科医师所重视,进一步开展生物力学研究必将促进矫形外科的健康发展。

脊柱外科取得了惊人的进展,一些重要的诊断标准、治疗原则和治疗手段不断更新,朝着更科学的方向迈进;先进的诊疗设备和手术器械的更新及优秀的脊柱外科专业医师的不断涌现,使该学科的某些方面已接近或达到国际先进水平,预计本世纪在脊柱外科方面必将会有新的突破。

1.4 关节外科

全球有超过2亿人罹患关节炎,每年的医疗费用更超过1千亿美元。对此类患者,国际上用所谓的"5D"来描述,即痛苦(discomfort)、致残(disability)、死亡(death)、经济损失(dollar lost)及药物不良反应(drug reactions)。因此世界卫生组织启动"骨与关节的10年(2001～2010)",其主要内容是提高对骨关节病日益增加社会负担的认识,通过教育加强患者的自理能力,改进骨关节病的诊断和治疗,开展对骨关节病的预防、诊断和治疗的研究。目前关节外科的工作主要是针对晚期的骨关节病患者,对这类患者唯有进行人工关节置换才能重建关节的功能,减少痛苦。

经过数十年的发展,目前全髋关节置换的手术技术已普遍被掌握,随着全髋置换术的广泛应用,需行翻修手术的患者也逐年上升,究其原因主要是因假体松动,高分子塑料(聚乙烯)假体出现磨损、骨溶解、骨折、关节脱位等。翻修术的主要难点有两个:一是髋臼骨质缺损的修复;二是股骨上端缺损的修复。在人工髋关节方面,突出的是对人工髋关节置换术(THA)后的中、长期随访有较大的进步并予以重视。5～10年的随访资料表明,国内THA的效果接近国际水平,对于失败原因进行了探讨并提出了预防措施。而人工髋关节翻修术的病例增加、难度增加,对这些问题的处理也有较大的进展,包括应用组合式翻修假体,打压植骨/结构性植骨修复翻修术中骨缺损等,并取得了较好的效果。新技术的应用包括微创小切口THA、髋臼内陷截骨术。结合THA治疗先天性髋关节脱位的应用及股骨头表面置换术的应用等,显示了我国人工髋关节外科的进展速度,且与国际差距逐步缩小。

人工膝关节外科方面的突出表现在人工膝关节置换术(TKA)数量较以前明显增加,效果可靠,并对相关的问题,如软组织平衡、术中截骨定位状态的选择等进行深入探讨。新技术的应用表现为导航技术在TKA的应用,在我国已经开始应用。

人工肩关节置换术、人工全肘关节置换术、人工踝关节置换术病例都有明显的增加,并且取得了满意的临床效果。只要严格掌握适应证,熟练掌握有关技术,人工肩、肘及踝关节在临床有巨大的应用前景。

目前,人工关节置换手术还是一种对终极关节疾患唯一有效的治疗手段,但是仍然存在一些影响其被人们彻底接受的问题,这是目前,也是可预见的未来中需要共同努力解决的问题。首先是假体周围骨溶解的问题。需要我们进行更深一步的研究,找到骨溶解的根本原因,彻底预防骨溶解的发生。人们还在努力寻找非手术治疗骨溶解的手段,主要是通过抑制磨损颗粒引起的前期炎性信号的产生和传导,以及抗破骨细胞活性两个方向进行研究。手术治疗骨溶解方面的进展主要在非骨水泥固定假体方面,植骨材料研制有了很大进展,为翻修手术提供了一种超过以往任何材料的新的手段,打压植骨技术在翻修手术中的作用得到愈来愈多人的认可。组配式髋、膝关节翻修假体为适应多种情况成为可能,临床效果也令人满意。其他影响人工关节效果的问题还有感染、关节不稳定、假体周围骨折等。曾经被称为灾难性并发症的感染现在采用二期置换手术可以获得很好的效果,虽然需要耗费较多的金钱和时间。除了改进手术技术外,材料的发展使大口径股骨头假体成为可能,增加了髋关节置换术后的稳定性,而限制性髋臼假体的发展为因软组织松弛而反复脱位的患者提供了一个有效的选择。

在人工关节的基础研究中,最常见的假体松动问题仍是本世纪的研究热点。例如,如何减少磨损、研究人工关节的材料、改进假体的设计等,以便使人工关节更适合人体的正常生理和解剖特征，具有更好的生物相容性，以增加其使用寿命。同时加快研制适用于翻修的假体，并探索具有成骨作用的假体周围骨缺损填充材料。随着髋、膝人工关节技术的逐步完善，必将推动其他关节的人工关节的发展，从而将人工关节外科推向一个以假乱真的新高度。总之，在生物替代关节（如组织工程关节等）达到成熟以前，人工关节仍然在不断发展，并且近来的速度也非常快，我们要掌握其发展的方向，使我国在人工关节领域的工作接近或超过国外水平。

关节软骨修复术是一种新发展起来的手术，主要有两种方法：①促进软骨再生的手术；②组织移植术。组织移植术主要有自体软骨移植、同种异体软骨移植、自体软骨细胞加骨膜移植、骨髓或干细胞移植。人类在进步，科技在飞速发展，相信随着骨科基础领域研究新成果的不断涌现，必将推动临床骨科的进一步发展。

1.5 微创骨科

微创化是21世纪外科手术发展的方向。随着微创外科技术的日益普及，越来越多的医疗单位将微创外科技术引入骨科领域。微创骨科是微创外科技术在骨科领域中的应用。它与传统手术比较，具有手术切口更小、内环境更稳定、全身和局部反应更轻、骨组织愈合更快、功能恢复时间更短和心理效应更好的手术技术。

随着现代医学的发展，高精手术器械、生物计算机、影像数码成像、纳米材料、组织工程和基因技术在医学领域的应用，不仅促进了微创骨科的发展，也拓展了微创骨科的手术种类，尤其是以内镜、影像技术、计算机辅助等为介导的微创骨科发展迅速，使许多骨科疾病在过去的手术治疗和保守治疗两种选择上又增加了一种选择——微创诊断和手术。微创骨科技术促进骨折的治疗由生物力学模式向生物学微创固定的观念转变，在影像学快速发展的基础上，通过术前虚拟手术设计、模拟手术操作、术中精确定位等虚拟技术介导的微创骨科也初露端倪。

微创骨科技术发展最快的应属内镜技术。目前，在关节镜下可进行膝、肩、髋、腕、踝及指（趾）等关节的诊断、手术和重建，另外应用于普外科的腹腔镜和胸外科的胸腔镜也在骨科尤其是脊柱外科得到了广泛应用。可在胸腔镜辅助下行椎间盘切除、脊柱畸形的矫形及内固定、脊柱肿瘤切除和重建、脊柱骨折的治疗；可在腹腔镜辅助下行腰椎间盘摘除、椎间融合术以及人工椎间盘置换手术；可在内镜辅助下行颈椎、腰椎手术。通过循证医学的科学总结，微创骨科技术正逐步走向成熟。

微创技术在骨科领域的应用同传统外科一样，必须有良好的解剖和临床技能基础，以优越的疗效为前提；同时，以必要的传统手术为退路。因为，高新技术是悬在医生和患者头上的双刃剑，一旦陷入无序、失控或异化状态，就会招致可怕的后果。而且，由于微创外科的名称和理念，患者很容易被诱导接受某些所谓的微创外科手术。所以，当前从骨科医师角度来说，要防止出现技术滥用；从患者角度来说，也要正确认识微创技术。

小切口关节置换手术因为有瘢痕小、疼痛小、出血少、住院时间短、恢复快、效果满意等优点，被越来越多的人所采用，许多医生已经对大多数初次置换患者采用小切口手术（mini incision surgery，MIS）。当然，现在MIS已经不是单指将切口缩小到10 cm左右，而是要还原微创手术（minimally invasive surgery）的本意，即对软组织尤其是肌肉和筋膜侵犯要小，这是第二层次；更深层次的要求是不侵犯肌肉（muscle-sparing surgery，MSS）。由于小切口手术的可视性受到限制，相应的特殊手术器械也不断在更新。计算机辅助手术可以帮助医师将人工关节安放得力线更准确，而现在已经出现的虚拟导航系统简化了设备和注册手续。手术机器人人工关节置换术的临床应用证明其有着更准确的假体选择、更完美的股骨髓腔充填及更准确的假体安放等优点，得到了人们的注意。

随着微创技术在骨科领域的推广和普及，骨科医师在治疗四肢骨折时更倾向于采用闭合复位、交锁髓内钉和经皮钢板等微创技术，以达到生物学固定的要求，而不再主张行较大的手术切口下直接复位坚强内固定。由于经皮微创接骨术的手术切口较小，以恢复肢体长度、纠正骨折端的成角及旋转畸形为目的，在不直接显露骨折端的情况下，进行间接复位，然后进行髓内钉固定或通过两侧有限的皮肤切口间的皮下隧道，在肌肉下方放置钢板进行桥接固定。与传统的开放手术相比，可减少对骨折局部软组织和骨膜血供的破坏，也不干扰髓腔内的血液循环，提供了较理想的组织修复生物学环境，缩短了手术时间，降低了骨不连和感染的发生率，有利于患者术后康复，临床疗效较为满意。

1.6 关节镜外科

关节外科中发展活跃的另一分支为关节镜外科，关节镜手术是骨科技术的重大进步。尽管关节镜手术已有相当长的时间，但是近30年才得到飞速发展，使一些原来需要开放性关节的手术目前绝大部分可以在关节镜下完成。由于手术设备的改进，手术关节也从最先的膝关节发展到髋关节、肩关节、肘关节、踝关节、腕关节甚至掌指关节和指间关节，而且关节镜技术已经开始应用于关节以外疾病的诊断和处理，大大开发了关节镜的使用范围。随着关节镜器械的不断改进，操作技术的不断提高，以及基础研究的不断深入，关节镜外科必将会有更大的发展。

随着国内外学术交流广泛开展，国内关节镜微创外科技术的临床应用与研究较以往又有明显的进展。膝、肩、髋、肘、踝等的关节镜手术亦已逐步开展，同时，还开展了大量研究工作。突出表现在膝关节交叉韧带损伤的修复与重建、半月板损伤的修复与半月板移植以及关节软骨移植，尤其是交叉韧带重建技术的效果令人鼓舞，髌骨关节紊乱也受到很多学者的重视并经关节镜得以有效的治疗。肩关节镜的应用有了可喜的发展，镜下行肩峰成形术治疗撞击综合征、肩关节肩袖破损的缝合及肩关节不稳的治疗疗效肯定。踝关节镜下距骨骨软骨损伤及距后三角骨损伤的治疗、距下关节手术、跟距骨间韧带重建以及距下关节融合术取得了一定的临床疗效。此外，肘关节镜下松解手术、腕关节镜下腕骨间关节手术、髋关节镜下股骨头坏死的治疗等方面也有不同程度的开展。

目前，现代关节镜微创外科技术随着激光、超声、射频技术的开发已更趋于完善，能够完成关节内精细与复杂的手术。关节镜技术已成为现代微创外科的重要组成部分。

1.7 足踝外科

足踝部是人体站立和行走的支撑部，其结构和功能相对独立，因而，足踝外科学在国外很早就形成了一门独立的骨科亚专业，在我国也已成为一门相对独立的骨科分支学科。随着诊断方法的变革、手术技术的更新、器械设施的专业化，近年来足踝外科也取得了快速发展，其中关节镜技术的应用、关节置换以及畸形矫正是目前的研究热点。

随着关节镜技术的普及与推广，近年来关节镜技术在足踝外科领域得到了广泛运用。关节镜手术作为一项外科手段在诊断和治疗踝关节、距下关节、第一跖趾关节及部分关节外伤病方面起到越来越重要的作用。目前，除了严重的骨折及畸形矫正外，足踝部主要关节的大部分伤病均可以借助关节镜手术来完成。关节镜在足踝外科的使用尽管是目前的热点，但真正推广使用还需要一个过程。

踝关节与髋、膝关节相比活动范围明显要小，稳定性更好，踝关节最主要的功能是负重。踝关节疾患严重到难以支撑体重和步行时，踝关节融合则为治疗金标准，数十年没有受到挑战。随着材料学和生物力学的飞速发展，越来越多的医师开始重新认识和考虑踝关节置换，从早期的第1代到现在的第3代假体技术，假体基本上能满足踝关节置换的目的，即重建下肢的生物力线，恢复踝关节良好的稳定性与活动度，实现踝关节的功能重建，解除踝关节的疼痛。但踝关节置换的整体成功率尚不能与膝、髋关节置换相比，因此，踝关节置换与踝关节融合仍是足踝外科争论的热点问题之一。

近些年来，到医院接受足踝畸形矫治的患者也越来越多。即便是一些看似简单的疾病，其治疗方法也是层出不穷，有传统的开放手术、较新的微创手术。在矫治理念上，人们在追求矫治效果的同时，还要求具有美容效果。因而，在众多的治疗方法中，哪种手术效果更好、如何根据患者的具体情况选择合适的治疗方法等，都是目前足踝外科经常讨论的话题。

1.8 骨肿瘤

肢体恶性骨肿瘤发病率虽然并不太高，但是由于其发病年龄相对年轻、恶性程度大、转移早等特点严重危害人类健康。对于恶性四肢骨肿瘤，截肢并不能提高生存时间，因此目前对于肿瘤没有突破肌间隔的恶性骨肿瘤，普遍倾向于采用综合保肢治疗趋势，即在有效化放疗基础上，通过瘤段切除及功能重建等，去除肿瘤组织、保存肢体及其功能。

在恶性骨肿瘤保肢手术中，肿瘤广泛切除后骨重建技术的进步是增加保肢手术范围、改善功能效果以及降低手术并发症的关键。冷冻异体骨移植治疗骨肿瘤的研究显示，深低温保存异体骨具有许多优点：保留了骨的形态、大小及强度，降低了异体骨的免疫原性，具有与自体骨近似的骨传导性及骨诱导性，可保留韧带附丽以供软组织重建应用。

随着肿瘤学科的进展，骨肿瘤的化疗也有很大进步。目前，恶性骨肿瘤化疗不再是一种辅助性、姑息性的治疗，而是拯救生命的主要措施。化疗不但使治愈率得到提高，也为保肢治疗提供了前提条件。在有效的化疗控制下，肺转移癌已经不是绝症。通过肺转移癌清扫术，不但多数患者可以延长寿命，而且部分患者可获永久性治愈。

恶性骨肿瘤的生物治疗是最有前景的研究方向，主要有以下方面：①免疫治疗。②基因治疗，目前主要涉及目的基因、载体、受体细胞基因导入方式等的研究。③端粒和端粒酶是近年生命科学和肿瘤学研究的热点，调控端粒酶的活性以及其他癌基因成为肿瘤治疗的一种更具特异性和普遍性的新靶点。④阻断新生血管形成。⑤肿瘤浸润和转移的防治。生物治疗研究目前仅停留在基础研究阶段，今后将努力应用于临床。

骨肿瘤的基础研究非常活跃，主要有恶性骨肿瘤细胞的耐药性、DNA甲基化、导向化疗等，这部分工作需要大量的人力、物力和财力。

1.9 骨质疏松

随着人们生活水平的提高、人类寿命的延长，老龄化问题日益突出，老年病逐渐增多。骨质疏松症是一种常见的老年性骨骼代谢性疾病，它涉及骨科、妇科、内分泌科等多个领域，很多骨科医师已逐步认识到骨质疏松的严重性。有研究表明，骨质疏松症人群的骨转换、骨密度（BMD）以及骨骼结构与遗传学改变有一定关联，具体涉及的基因及其相互作用机制尚有待进一步研究揭示。有必要对一些具有家族史、明显遗传倾向的骨质疏松症类型进行有关候选基因的筛查，克隆易感、致病基因，以上遗传基础研究将为该病的基因治疗打下基础。

这些年在治疗骨质疏松性椎体骨折方面有了显著的发展，在椎体成形术的基础上，经皮穿刺球囊扩张后凸成形术（kyphoplasty）被用于治疗骨质疏松性椎体压缩骨折。经皮椎体成形术（PVP）也是脊柱外科的研究热点，术后疼痛于48 h内缓解，功能改善明显。应用生物活性自固化磷酸钙骨水泥（CPC）作为强化材料治疗骨质疏松性脊椎骨折，使用CPC行经皮椎体成形是治疗骨质疏松性脊椎骨折的一种有效方法。

1.10 展望

骨科学范围广博，专业不断细化，新的研究领域不断出现，仅凭一人之才智难以考虑到每一方面。但是展望未来，面对以信息技术、生命科学为特征和先导的21世纪，现代骨科的迅速发展对我们是个挑战，也是个机遇。

展望内镜下微创手术、单人骨科操作、远程疑难病例的会诊与手术方案的制订，以及由机器人实施的远程遥控手术已进入现实生活之中。但微创技术能否真正取得与传统手术相同、相似或更佳的疗效，需要运用循证医学方法对大样本病例进行综合评价，客观分析其可行性、安全性、近期和远期效果。在考虑到需要和可能的基础上，以提高治愈率、改善患者的生存质量、使患者获得最佳疗效为目标制订手术方案。展望今后，将有更多骨科教学、科研和临床的应用可以充分利用“数字化虚拟人体”这种基础研究框架。在基础医学领域，对于骨形态发生蛋白（BMP）的基础和临床研究进一步深入。随着分子生物学学科的飞速进展，应用分子生物学的方法进行骨科疾病的治疗也越来越引起重视，基因治疗也很快会成为骨科疾病治疗的新领域。组织工程研究的开展，预示着医学将超越组织和器官移植的旧模式，进入人工制造组织和器官的新时代。但是迄今为止，能过渡进入临床应用的组织工程化组织构件极为有限，有待努力突破。总之，未来骨科医师的双手将从传统开刀手术中解脱出来，进入操纵内镜和微创器械的微创手术时代，走向由骨科医师指挥机器人来完成的极微创或无创时代。

（张光健　周建平）

参考文献

［1］王满宜. 2007年中国骨科年度报告——创伤骨科. 中华骨科杂志，2007，27：885～886.

［2］邱贵兴. 2007年中国骨科年度报告——脊柱外科. 中华骨科杂志，2007，27：881～882.

［3］邱贵兴. 以人为本发展骨科. 中华外科杂志，2009，47(1)：4～5.

[4] 敖英芳. 2007年中国骨科年度报告——运动医学. 中华骨科杂志，2007，27：887～888.

[5] 秦岭，汤亭亭，谢鑫荟等. 骨科转化型研究. 中华骨科杂志，2009，29(1)：87～89.

[6] 裴福兴. 2007年中国骨科年度报告—关节外科. 中华骨科杂志，2007，27：883～884.

[7] Alade OA, Mizel MS. What's new in foot and ankle surgery. J Bone Joint Surg Am, 2007, 89:914～921.

[8] Bridwell KH, Anderson PA, Boden SD, et al. What's new in spine surgery. J Bone Joint Surg Am, 2007, 89:1654～1663.

[9] Gulotta LV, Hidaka C, Maher SA, et al. What's new in orthopaedic research. J Bone Joint Surg Am, 2007, 89:2092～2101.

[10] Hosalkar HS, Reddy S, Mariani C, et al. What's new in orthopaedic rehabilitation. J Bone Joint Surg Am, 2007, 89:2316～2324.

[11] Huo MH, Gilbert NF, Parvizi J. What's new in total hip arthroplasty. J Bone Joint Surg Am, 2007, 89:1874～1885.

[12] Lewis VO. What's new in musculoskeletal oncology. J Bone Joint Surg Am, 2007, 89:1399～1407.

[13] Lonner JH, Deirmengian CA. What's new in adult reconstructive knee surgery. J Bone Joint Surg Am, 2007, 89:2828～2837.

[14] Ramsey ML, Getz CL, Parsons BO. What's new in shoulder and elbow surgery. J Bone Joint Surg Am, 2007, 89:220～230.

[15] Sucato DJ, Kim YJ. What's new in pediatric orthopaedics. J Bone Joint Surg Am, 2007, 89:1141～1150.

[16] Treme G, Hart JA, Miller MD. What's new in sports medicine. J Bone Joint Surg Am, 2007, 89:686～696.

[17] Weinstein SL. 2000～2010: The bone and joint decade. J Bone Joint Surg Am, 2000, 82:1～3.

2 骨科医师的培训

2.1 骨科学历史、范畴和特点

骨科学(矫形外科)是一门古老的外科学分支学科,早在1741年,法国医师 Nicolas Andry 就在预防医学教学中使用了 *Orthopaedy* 这本书,书名由希腊字 Orthos(直)和 Paidon(儿童)合成,意为小儿矫形。尽管那时外科手术因尚未发明麻醉等原因还未问世,但已采用了一些简易支具来治疗小儿肢体畸形,具备了矫形外科的雏形。经过近300年的发展,在解剖学、病理学、医学生物学、生物力学、医学工程学、生物材料学等新老学科快速进展的不断推动下,骨科学已成为具有关节外科、脊柱外科、创伤外科、运动医学外科、手外科、骨肿瘤、足踝外科7个亚学科的独立的学科,在某些骨科为主的医疗机构,还出现了肩肘外科等骨科亚学科分支。许多发达国家的医学中心每年的手术量和医院内的病床数已经超过了普通外科。

中国的骨科起步于20世纪20年代。我国的骨科先驱牛惠生和胡兰生教授先后在上海任骨科医生并逐步将骨科从外科中独立出来,成立了我国第一个独立的骨科学科。后来,孟继懋教授在北京协和医学院、叶衍庆教授在上海圣约翰大学医学院任骨科教授并开设了骨科学的课程教学。1937年,牛惠生、胡兰生、孟继懋、叶衍庆、任廷桂和朱履中6位骨科前辈在上海成立了中华医学会上海总会骨科小组,成为我国骨科事业的创始人,也为今后我国骨科的发展奠定了基础。近年来,我国的骨科事业飞速发展,国外许多先进的理念和技术在第一时间被引入我国,使北京、上海等一些中心城市三级医院的骨科医疗技术水平基本与国际同步,绝大部分的县级医院都已成立了独立的骨科科室,各地的骨伤科医院亦是我国除牙科外数量最多的专科医院。

骨科之所以能得到迅速发展,与其专业所涉及的病种和人体的解剖部位有很大关系。从解剖部位来看,骨科涉及脊柱、四肢、骨盆;从人体系统来看,骨科涉及运动系统(骨骼、肌肉、韧带)、神经系统、血管系统、血液系统(骨髓瘤等一些造血系统肿瘤)、内分泌系统(甲状旁腺亢进等代谢性骨病);从疾病角度来看,骨科涉及创伤(骨折、软组织损伤等)、肿瘤(成骨肉瘤、转移性肿瘤等)、代谢性疾病(骨质疏松、肾性骨病等)、自身免疫性疾病(类风湿关节炎、强直性脊柱炎等)、遗传性和发育性疾病(先天性髋关节发育不良、先天性马蹄内翻足等)。手外科之所以能成为一个独立的亚学科,与其包含了骨科几乎所有的解剖结构(骨、肌肉、神经、血管)和几乎所有的骨科病种(损伤、肿瘤、风湿性疾病、代谢性骨病)有关。因此仅仅是手的损伤和疾病的治疗就值得一个骨科医师花毕生精力去研究和认识。

骨科不但涉及的范围很广,且有很强的专科特点。复杂繁多的专科理学检查方法,就是一名新的骨科医师感到难以掌握的难题。如诊断交叉韧带损伤就有抽屉试验、轴移试验、Lachman 试验等10余种,且每种检查方法均对判断哪部分交叉韧带损伤具有临床意义,能指导治疗甚至手术入路和重建方法的选择。由于骨科涉及的部位、病种非常广泛，衍生出许多功能评价和疾病诊断特殊的理学检查方法，加上神经系统检查方法，其数量之多居各外科专科之最。因此，掌握骨科的理学检查方法和意义，是每个骨科医师的基本功之一，对及时、准确地作出疾病和损伤的诊断，具有重要的临床意义。

正是由于骨科的涉及面非常广，所以手术的种类也极为繁多，著名的 *Campbell's Operative Orthopaedics* 自 1939 年问世以来，经过不断的补充和发展，至最近的第 10 版已有厚厚的 4 册之巨。同时，手术切口的种类也极其丰富，同一种手术可通过不同的手术径路去完成，如髋关节置换术可通过髋外侧切口、前外侧切口、后外侧切口等多种手术切口完成。

骨科治疗的主要目的之一是功能重建，体内植入物是完成功能重建的主要器械。骨科植入物亦是种类繁多，如钢板、螺钉、髓内钉、人工关节假体、椎弓根钉棒系统、椎间融合器、人工椎间盘等，且由不同的材料制造，如不锈钢、钛合金、钴铬钼合金、钽合金等。与之配套的骨科手术操作器械更是层出不穷，这些均是要成为一名优秀的骨科医师所要熟悉和学习的内容。

除外科手术之外，非手术治疗同样在骨科的临床实践中占有重要地位。在骨折治疗过程中，复位是最基本的治疗方法，其中手法整复构成了骨折非手术治疗的关键，在骨折成功复位的基础上，通过石膏、夹板、支具等材料固定，维持复位的骨折达到治疗的目的。现代骨折处理的原则越来越强调轻柔、间接复位技术，主张尽可能保留骨折部位的血液供应，为骨折的愈合提供良好的微环境。因此，手法或器械的闭合复位结合经皮或微创内固定已成为骨折处理的常用方法，赋予了以往只属于非手术治疗范畴的手法闭合复位更多的临床含义。此外，支具的迅速发展，不但代替了传统石膏的作用，还充分发挥了动静结合和人体生物力学的理念，使需固定处得到牢固固定，而不需固定处得到充分的功能锻炼，极大地扩大了保守治疗在骨科的应用。传统的骨骼、皮肤牵引仍在骨科临床发挥治疗作用，对一些无法耐受手术的老年和小儿骨折患者，牵引疗法还是很好的治疗选择。局部注射、康复理疗在骨科疾病和损伤的治疗和功能恢复中也具有重要的作用，并具有很强的专业性和针对性，骨科康复甚至已发展成康复医学领域的一门亚学科，对提高骨科临床疗效有重要意义。

可见，骨科是一门涵盖面很广，专业化程度较高，对医生专业素质要求极高的临床学科；是一门着重于运动系统损伤和疾病的治疗，并糅合内分泌、代谢等其他领域的知识，需要长期专业化训练，并逐步积累经验的学科；是一门发展迅速，理工结合十分紧密的新型学科。

2.2 骨科医师必须具备的基础和相关学科知识

中国当代骨科创始人之一的叶衍庆教授曾在教学查房时说过："一位优秀的骨科医师必须具备 3 种最基本的素质，即良好的外语能力、丰富的解剖学知识和灵巧的双手。"在国际交流日益频繁的今天，为快速、动态了解国外骨科学术发展的趋势和进展，将我国的骨科学术见解和成就推广到国际学术界，良好的外语阅读水平和交流能力是必不可少的工具。

过去 10 年间，有关肌肉骨骼系统如何发育的问题已取得了巨大的进展。许多在骨骼发育中起重要作用的细胞间信号转导机制可能用于疾病的治疗。认识这些关键的信号转导在肌肉骨骼疾病中的作用有助于迅速认识和发展新的治疗方法。

解剖学是外科手术的基础，不懂解剖学特别是局部解剖学，就不能成为一名合格的骨科医师。由于不熟悉解剖结构而手术误伤重要的神经最终导致患者终身残疾的医疗失误在实际工作中时有耳闻。此外，临床上许多疾病的诊断也需要扎实的解剖功底，如脊柱侧弯由许多因素形成，半椎体形成是导致该疾病发生的一种发育性解剖变异，如果在脊柱侧弯的诊断时充分认识了这一解剖变异，才能在治疗时选择畸形椎体切除矫形术这一合适的手术方式。良好的解剖学知识还有助于手术方法和切口的选择与改良，如 T_9 胸椎椎体的原发性肿瘤可通过前路手术、后外侧入路等途径作肿瘤切除，此时可根据肿瘤侵犯椎体的部位、是否累及椎弓根及附件、拟切除肿瘤方式(病灶刮除、分块切除或大块切除)、所选择的椎体重建技术选择手术切口。

人体的肌肉骨骼系统其实是个力学系统。脊柱等骨骼结构支撑起人的外形并承受着体重和人体活动时所产生的应力，而肌肉系统则通过收缩活动不断地运动着人体的各个部位以满足生理和生活所需。关节周围的关节囊、韧带维持着关节的稳定并吸收加载于其上的力量。诸如此类人体的力学现象造就了生物力学的产生，它与解剖学一样，是骨科医师要了解的基础知识。骨由水、有机物（胶原）和矿物质（钙、磷等）组成。有机成分和水组成了骨的柔韧性，矿化物质则构成了骨的刚性（硬度），两者间处于动态平衡。若有机成分过多，则骨的生物强度不足导致骨软化；反之则骨的刚性太大，尽管骨的硬度极高，但脆性增加反易于发生骨折。

许多骨科手术都要用到生物力学的原理，如某些关节内骨折可采用张力带来固定，这是典型的作用力与反作用力的原理，通过张力带钢丝使上述力量转变成骨折块间的纵向挤压力，同时，安置于骨骼张力侧的钢丝又将骨折块间挤压力形成的翻转力再转变成骨折块间的压力，最终使所有作用于钢丝上的合力均转化成有利于骨折愈合的作用力。诸如此类的例子还有很多，如钢板一般均宜放在长骨的张力侧，椎弓根钉棒系统多数适宜放在脊柱后路张力侧，以吸收相应骨结构承受的张应力。

除了骨科内固定的放置需要具备生物力学的知识外，许多骨科矫形手术也需要遵循生物力学的原理，否则将导致严重的后果。如膝内翻畸形可采用胫骨高位截骨以纠正膝关节的力线，但手术前需了解正常的膝关节并不是笔直的，而是具有轻度的外翻，股骨中轴线与胫骨中轴线间夹角（胫股角，FTA）为172°。因此，在术前需精确测量膝内翻时胫股角的角度，算出与172°正常胫股角的差值，此即为胫骨近端的截骨角度。不具有上述膝关节生物力学知识而随意截骨矫正膝内翻畸形，可能导致矫枉过正或矫正不足的现象，不利于畸形的纠正甚至加重畸形，进一步损害了膝关节的功能。

同一部位的两种材料所承受的应力是不一样的，质地硬、刚度强的材料吸收的应力大于质地软、刚度低的材料。20世纪70年代风靡骨科创伤学界的AO原理，提倡在骨折治疗中采用坚强内固定原理，但大量的临床实践显示坚强的内固定并不能造就良好的骨愈合，骨折愈合形式呈Ⅰ期愈合为主，即缺乏骨痂的骨愈合。内固定材料下的骨结构表现为骨质吸收，拆除内固定后由于其下骨质强度差，常易发生再骨折，此即著名的应力遮挡效应。正是在临床实践中认识了这种材料强度对骨愈合的影响，发展出当代骨折治疗的新理念，即生物学固定BO原理。其既要求固定材料有一定的强度，又要求固定材料有一定的柔韧性，使固定物下的骨也承受一定的应力，刺激骨痂的生长，使骨折呈Ⅱ期愈合模式，更符合骨骼自然的新陈代谢规律。这一理论的发展同时也促进了生物材料的发展。一批弹性模量适中，生物相容性好的材料被研制、开发用于骨内固定器材的制备，推进了骨科材料工程学的发展。

在骨科临床工作中，骨科医师每天接触最多的是各种放射影像学资料，如X线片、CT片、磁共振成像（MRI）片、正电子发射断层摄影（PET-CT）片等。一名优秀的骨科医师一定是位阅读肌肉骨骼放射影像学片子的好手，因为骨科医师除了熟悉影像学上显示的骨骼及其周围组织的解剖构造外，还应该熟悉相关肌肉骨骼的疾病特征，骨科医师在要求患者拍片前就应该知道放射学检查的目的是什么，希望通过检查发现什么异常，或排除什么疾病。此外，对于手术后放射影像学资料所显示的骨折、内固定位置、骨结构的变化等都是一般的放射科医师所不了解的，临床上骨科医师读得最多的由放射科医生打的报告是："骨折术后改变"、"人工关节术后改变"，但骨科医师却需要从同一张片子中看出"骨折复位是否理想、骨折愈合情况如何、内固定位置是否正确、有无内固定松动、软组织是否肿胀、人工关节有无磨损下沉、骨折或疾病的种类和分型等许多信息，并据此作出进一步的临床决定。所以，骨科医师必须具有高超的放射影像学知识，仅依赖放射科医师的一张纸质报告而不自行阅片是无法全面了解骨损伤和疾病的特点和类型的，会使骨科医师在临床治疗时无从着手，甚至导致严重后果。

病理学知识同样也是骨科医师必须了解的内容。对一些骨科疾病的诊断和治疗有赖于病理学的诊断和分型。骨与关节结核属于感染性疾病范畴，根据病变的部位，关节结核可分滑膜结核、骨结核和全关节结核。临床上对单纯的滑膜结核诊断有一定困难，常需与其他慢性滑膜炎相鉴别。显微镜下两者的滑膜一般都呈现为慢性炎性改变，但朗格汉斯巨细胞则是诊断结核的特征性依据。骨肿瘤的诊断同样需要依赖病理证据。至今，骨肿瘤的分类还是以病理诊断为主，即使2002年世界卫生组织新版的《WHO骨与软组织肿瘤分类》一书增加了许多分子遗传改变的内容，但其分类标准仍以肿瘤的组织起源为主。了解常见骨肿瘤的病理类型，针对不同类型肿瘤制订不同的治疗策略十分重要。因此，在年轻骨科医师的培养过程中不能忽视骨病理知识的学习。美国骨科住院医师都有临床骨病理内容的学习要求,并且是骨科专科住院医师毕业考试的必考内容之一,值得我们借鉴。

骨科手术的疗效与系统的康复理疗密切相关。这在肩关节手术后尤为明显。现代骨科治疗理念越来越提倡早期康复概念,所谓"三分手术七分康复"非常形象地反映了康复治疗在骨科中的地位。国外,康复专业是临床上最大的学科,每个患者的治疗小组中一定有康复医师的参与,术前即对患者的病变部位、功能伤害情况精心评估,术后根据手术医师解释的术中情况为患者制订合理的术后康复计划,并指导患者的康复训练。因此,骨科医师必须学习骨科康复知识,并直接指导患者的功能康复,告知患者何时开始主动训练、何时可实施被动操练,让患者了解什么动作是可行的,什么动作是需避免的,以免产生不必要的伤害。

2.3 年轻骨科医师成长过程中容易疏忽的问题

任何新手在学习过程中都会有一些容易疏忽的地方,骨科医师的成长也不例外。总结我国许多著名骨科专家成长过程中所体会的切身经验,一名年轻的骨科医师最常容易疏忽的地方主要有骨科基础知识不扎实,相关理论与知识不全面,对某些手术往往"知其然,不知其之所以然",手术原则拿捏不准等。具体表现在如下几个方面。

(1) 忽视基本的理学检查,过分依靠放射影像学的诊断

临床上,理学检查应该是最需要严格掌握的骨科基本知识。例如,骶骨肿瘤由于临床表现隐匿而易被误诊误治,许多患者因有骶神经根的刺激症状而被误诊为腰椎间盘突出症,因部分患者腰椎摄片、CT、MRI等影像学资料上可见椎间盘膨出等表现,部分患者被施行了相关椎间盘手术,毫无疑问,手术的疗效是不令人满意的。其实,只要仔细检查一下患者的神经定位、压痛点,就会发现这些患者的神经定位常是不够明确的,而压痛点也更多见于骶骨,肛门指检可清晰触及直肠前方的隆起和饱满,再对患者重点进行骨盆和骶骨影像学检查,就比较容易作出正确的诊断。此外,膝前撞击伤因X线片未见明显骨折脱位,又未仔细检查膝关节的稳定性而遗漏了交叉韧带的损伤诊断;不知如何应用牵指检查来区别掌部挫伤与掌骨骨折;不知用"Lift off"试验肩胛下肌功能;不了解肩峰撞击试验和确诊试验而将所有慢性肩关节疼痛均诊断为肩周炎。这些现象都是因为缺乏良好的骨科理学检查的知识学习和实际运用所致,必须加以重视,予以避免。

(2) 忽视放射影像学知识的学习,阅读X线、MRI、CT片能力差

骨科疾病的影像学表现是骨科临床诊断的难点,需要骨科医师掌握丰富的正常骨骼肌肉系统影像解剖知识,同时,对一些常见骨病变的影像学表现要有充分的认知。儿童髋关节发育不良由于股骨头未达到半脱位的程度,易被忽视为正常髋关节;对一些骨骼的解剖标志的X线表现不熟悉,易将一些正常的骨结构怀疑为骨肿瘤,如正常肱骨近端髓腔常略为稀疏,临床上却常被认为存在溶骨性病变而进行检查和治疗。此外,还要了解和掌握应用放射影像学资料进行手术设计、疗效评价和科学研究,如:骨科医师要掌握应用模板来预选人工关节的尺寸、用X线片进行股骨头坏死的分类和人工关节松动区域的评价等。

(3) 忽视非手术治疗,不熟悉和不遵循药物使用原则

非手术治疗是骨科治疗中最主要的部分之一,大多数的骨科损伤和疾病均可通过非手术治疗达到痊愈和改善。石膏、支具、手法、药物构成了骨科非手术治疗的主流。如果骨科医师不精通石膏技术,那对同样一种骨折,不同的骨科医师就可能会包出千奇百态的石膏。日常骨科临床工作中,偶尔也会发现一些基本的石膏技能,如"前臂石膏远端不超过近侧掌横纹,以保持掌指关节活动",未被部分年轻骨科医师所熟悉,一些患者因超过掌横纹的石膏限制了掌指关节的活动,几周后使得原本不该受影响的掌指关节功能因不当石膏技术而受到较大影响。此外,还有少数青年医师可能已经不知道布朗支架、肘关节Dunlop牵引的作用和操作法。

对药物的了解和如何正确使用是另一个难点。每天用得最多的是非甾体类消炎镇痛药,但有少数年轻骨科医师可能还不清楚这些非甾体类药物的化学类型,不了解"封顶效应"即两种类型的非甾体类药物联合应用只会加重不良反应而不会提高疗效。同样,还有少部分年轻骨科医师不了解环氧化酶同工酶-2(COX-2)选择性抑制剂对心血管的不良反应和美国食品药品管理局(FDA)有关这类药物的使用指南,不能够在临床实践中遵循"短疗程(30天

内)、小剂量、慎用于心血管事件高危人群”的 COX-2 选择性抑制剂使用准则。所以,一名年轻的骨科医师除要加强手术相关知识的学习外,不能偏颇有关药物临床使用的相关学问。

(4) 忽视交叉学科领域疾病知识的学习,不熟悉疾病诊断标准和治疗原则

现代骨科已经成为外科学范畴内最大的一门三级学科,并被分为脊柱、创伤、关节、足踝、肿瘤、小儿骨科、运动医学几个亚学科,许多疾病都会涉及内分泌、风湿免疫、肾脏内科、血液内科、骨质疏松、放化疗等领域,因此,在疾病的诊治过程中需要具有相关学科的理论和知识。但一些年轻骨科医师对代谢性骨病的相关知识重视还不够。有位年轻的骨科医师对此深有体会,他曾治疗过一位患者,年仅 17 岁,表现为典型的多发性骨纤维性发育不良、一侧颧骨隆起、皮肤斑片状色素沉着、性早熟及心血管方面的一些问题,由于经常骨折而在以往岁月里接受过 5 次骨科手术,并因性早熟等问题在内分泌科诊治多次,其中仅这位医师就为这位患者手术 3 次。这其实是一例非常典型的奥尔布赖特综合征(Albright-McCune-Sternberg syndrome)病例,但由于基本病变未被认识,17 年未得到相应的疾病治疗。另有一位年轻患者全身多处骨囊性溶骨性改变,病变进展较快,临床诊断为“多发性骨囊肿”,两处较大病灶被施以病灶刮除人造骨充填术,术后患者一直未醒,并伴发严重的高钙血症,最终死亡。仔细分析一下这例患者的临床表现,会发现有些疑点值得研究、深思。首先,临床上表现为多发性骨吸收、溶解,应该考虑这可能是个全身性疾病;其次,病变发展快意味着体内存在快速促进骨钙流失的因素。据此可以认为这可能是系统性、代谢性疾病,再好好查阅一下相关书籍,就不难发现这是一例典型的甲状旁腺功能亢进患者,其骨骼上的改变即为所谓的“棕色瘤”,其首要的治疗是要将病变的甲状旁腺摘除,降低患者体内的甲状旁腺素水平,大多数骨骼病灶可以自愈。在未纠正钙磷紊乱前提下进行手术可能会进一步激发患者的内分泌和电解质紊乱,严重时可导致患者死亡。所以,学习和掌握与骨科密切相关的一些交叉学科知识,有助于帮助骨科医师认识和治疗一些“疑难杂症”,对提高年轻骨科医师的临床水准十分必要。

有时还会有一些年轻骨科医师根据一张化验单、一张 X 线片就轻易对某个疾病作出诊断或制订手术方案。如仅凭化验单上类风湿因子阳性就诊断类风湿关节炎;见到 HLA-B27 阳性就诊断为强直性脊柱炎;看到 X 线片上一个关节结构严重损坏,就考虑对此关节进行人工关节的置换,却忽视了这个患者如此严重损坏的关节却活动自如,无任何疼痛的临床表现(夏科关节炎)。这都是对相关疾病临床诊断标准和治疗原则不了解所致,应认真对待加以避免。

(5) 忽视患者的需要与期望,盲目施行对患者不合适的治疗

骨科学是矫形外科学,骨科治疗的目的是解除患者的病痛,恢复患者的功能。为了达到上述目标,患者的身体状况、生活方式、职业能力以及患者的愿望都要充分了解和评估。单纯的前交叉韧带损伤,对大多数非职业运动员而言,可能只需要加强康复训练,强化膝关节周围肌肉力量和平衡能力,手术并非是必需的。但对于一名职业运动员而言,不完全重建前交叉韧带的功能可能意味着运动生涯的终结。一名年轻的髋关节股骨头缺血性坏死患者,Ficat Ⅳ期,行走时疼痛明显,人工髋关节置换是最合适的治疗手段,但患者的年龄使得他在有生之年可能因假体机械性失败、松动而面临多次关节翻修术,此时必须征求患者的意见,了解其对生活的要求、职业内容和对今后多次手术的接受程度,来决定是采用髋关节置换术还是其他治疗方式。医师只能在充分评估病情的前提下向患者介绍其病情、有哪些可采用的治疗方式及其利和弊,和患者共同制订最合适的治疗方式,切勿不顾患者的需求、对治疗的期望值和接受程度,强加给患者某种治疗方法,最终造成不必要的医患矛盾。

2.4 培养一名较成熟的年轻骨科医师的方法

(1) 建立完备的骨科专科医师培养和考核体系

目前,我们的骨科专科医师主要由各医院骨科自行培养,许多医学院校的附属医院由于已有一套完整的师资力量、系统的医学教学体系、强大的临床资源,培养了许多优秀的骨科人才,并形成了一套规范的且行之有效的骨科专科医师培养制度。但由于我国幅员辽阔,各地骨科发展水平还不完全一致。为此,大家已开始着手建立骨科住院医师培养基地,制订统一的培养标准和考核制度。国外在这方面已

经有些成功经验可以借鉴。如美国的骨科专科医师培养从住院医师开始,医学院毕业经过各科轮转实习并取得医师执照后即可申请骨科专科住院医师职位,一旦申请成功即开始在骨科专科住院医师培养基地开始为期3～5年的骨科住院医师学习,在培训过程中,他们不但每天必须承担大量的临床第一线的工作,每周科内还会根据骨科住院医师的考纲要求,安排学术讲座供住院医师学习。各有资质的医院在骨科住院医师培养过程中并没有统一的教材,只有统一的考纲,每位住院医师需要自己在工作中边工作边学习,从每个病例的实践中学到有用的临床理论和实用知识,同时需要阅读大量的骨科书籍和骨科专业杂志,从中接受骨科的基本知识和进展。每年都会组织统一的骨科住院医师考试,经过3～5年住院医师培养并通过考试后才能毕业成为一名骨科医师。我国现行的医疗体制与美国不尽相同,完全照搬美国的专科医师培养制度并不适合我国国情。要坚持我国在住院医师培养上取得突出成绩医院的经验,同时借鉴国外成熟的经验和教训,选择一些学术水平较高、具有教学能力的骨科医院作为住院医师和专科医师培训基地,并建立统一的培养标准和具有一定水准的考试,来培养成熟的骨科专科医师。

(2) 注重骨科临床基础学习和培养,提高查阅文献能力

骨科是一门实践操作性很强的学科,内容涉猎面极广,不容易快速掌握,需要不断积累。我国骨科创始人之一叶衍庆教授就曾讲过,一名好的骨科医师的职业生涯可分为3段,每段为10年。第1个10年是打基础的阶段,其中前3年的学习只能学得一些皮毛,5年才入门,10年左右的积累才初步成为一名可独立工作的骨科医师。第2个10年是不断强化完善的过程,将所学的知识通过临床大量实践并不断得到升华,经过这10年可成为一名有经验的骨科专家。最后是著书立说的10年,要将前20年累积的临床成败总结出来。

当然,在与时俱进的21世纪,骨科医师的成长不可能再按原来的模式,但骨科基础是不变的,视、触、叩、听还是骨科理学诊断的基本要素,即使在内外固定材料和器械高度发展的今天,石膏技术仍是骨科医师必须掌握的基本技术。“文如其人”,石膏技术的优劣则是一名骨科医师的基本功和发展潜力的写照。

在信息爆炸的今天,骨科理念和知识的进展日新月异,一名优秀的骨科医师应该具有熟练的电脑操作技术,除了书本知识学习外,还要善于通过网络获取信息,扩大自己的学术视野。要坚持阅读一些权威的国际骨科学术刊物,如 *Journal of Bone and Joint Surgery*、*Clinical Orthopeadics and Related Research*、*Spine* 等,使自己的专业理论和素养能与国际同步。

(3) 注意临床科研能力的培养,遵循循证医学准则

年轻的骨科医师要认识到,一名优秀的骨科医师应该是位临床学家,而不是一名开刀匠。有些医师手很巧,学手术很快也做得很漂亮,但只会老师教的手术,从来没有自己的发展和创新,充其量也只是位不错的手术医师。临床学家除了精湛的手术技巧外,还对“为什么这么做,应该怎么做”有着非常清楚的认识,同时,还能在前人的基础上提出自己的见解,发现新的问题并不断去解决新的临床问题。这里,需要年轻的骨科医师具有良好的临床科研能力。临床科研能力的培养不是一朝一夕的事情,一项好的临床科研往往源于临床医师在具体工作中发现问题,并经过大量的文献查阅,对这个问题有了清晰的认识,然后利用现代科学手段逐渐加以完善和解决。因此,在临床学习和实践中要多问问现在所实施的治疗是否对此患者最合适?还有些什么问题未解决?只有多刨根问底、多与同行讨论获得启发和灵感,才有可能找到临床科研方向和思路并最终予以解决。

病史随访和记录是临床科研重要的原始记录,一定要妥善保管。一项好的临床研究、一篇高质量的临床研究论文都需要很好的研究设计,以及真实、细致的临床随访、观察和记录。提高对患者的随访质量,以循证医学的观念,国际公认、通用的评价体系观察患者的疗效和安全性,用准确的统计方法对数据进行统计分析,才能得出有意义的、科学的临床结论。

(4) 掌握医患交流的技巧,重视语言能力的培养

扎实的骨科专业理论功底,良好的专业基本功训练,尤其是熟练掌握骨科专科体检及其临床意义,同时掌握足够的骨科基础医学理论和相关学科的知识,关心、了解交叉学科的发展,是成为一个优秀骨科医师的基础。但每一位骨科青年医师都必须了解

临床医学是门与人打交道的学科，需要足够的人际沟通的能力。由于现代医学尚有许许多多的医学之谜未被破解，因此，作为外科学领域的一个大的分支，骨科仍是一门高风险的学科，这也是医患纠纷居高不下的重要原因。尊重人的生命优先权、患者及其家属对患者病情和治疗方法的知情权，是希波克拉底宣言的重要内涵。只有站在患者的立场上，充分尊重患者的生命权和知情权，并以医师的一颗仁慈之心和同情心、责任心，与患者及其家属进行充分的交流，才能取得患者的足够信任，并放心地接受医师的治疗。一旦医疗过程中出现了不良事件，也由于医患间已建立了较好的关系和信任，且患者及其家属对相关的医疗风险有了足够的了解，才容易取得患者的谅解。

在这知识爆炸的时代，国际学术交流已成为一种学习、了解国际先进理论和进展，同时向世界展示我国的骨科学术发展的重要手段。国际交流需要共同的语言，因此，熟练掌握外语也成为一名优秀的年轻骨科医师的必要条件。正如我国骨科的创始人之一叶衍庆教授早年指出的那样，良好的外语能力是骨科医师必须具备的素质之一，每位有志于骨科事业的青年同仁一定要加以重视，使自己成为一名全面的骨科学家。

（钱不凡　张伟滨）

第二篇
骨科基础理论

3 骨的发生学

在解剖学上，人的骨分为颅骨、中轴骨和附肢骨，共206块，它们通过关节连成一个整体，构成机体重要的支撑和保护体系。此外，机体内的软骨，如分布于外耳、呼吸系统、胸廓的软骨，也具有支持作用；构成关节的软骨则具有连接、支持和保护的功能。每一块骨或软骨都是具有一定形态和功能的器官，它们分别由以骨组织或软骨组织为主体，外包骨膜或软骨膜及其分布其中的神经、血管和淋巴管所构成。

在胚胎学上，骨骼起源于外胚层及中胚层。其中，外胚层来源的骨骼只限于头部，由一群来源于脑神经嵴的间充质细胞迁入面部和下颌。身体其他部位的骨骼则起源于中胚层，包括体节的生骨节和其他间充质来源(图3-1)。间充质细胞是多能性的，可向不同的方向分化，在一定区域微环境下可以分化为成纤维细胞、成软骨细胞或成骨细胞。骨骼的发生在胚胎第4～5周时就已开始，但要到出生后20～25岁才最后完成，并且在此后还要不断更新和改建。

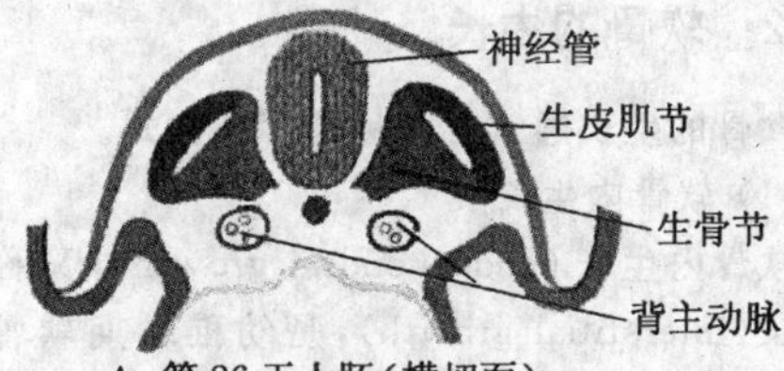

A. 第26天人胚(横切面)

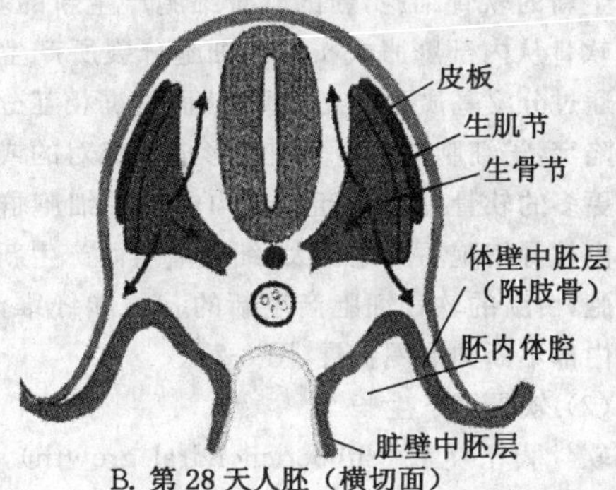

B. 第28天人胚(横切面)

图3-1 骨骼的起源

3.1 软骨的发生

3.1.1 软骨的组织发生

软骨来源于胚胎中胚层间充质的分化。人软骨的发生约从胚胎第 5 周开始,在将要形成软骨的区域,有突起的间充质细胞缩回其突起,细胞变圆,并增殖聚集成团,称为软骨形成中心(center of chondrification)。此时细胞分化为大而圆的成软骨细胞(chondroblast),可合成和分泌软骨基质及纤维。当基质的量继续增加时,细胞之间的距离越来越大,细胞被包埋在基质的陷窝内,并进一步分化为成熟的软骨细胞(cartilage cell)。软骨细胞能产生蛋白多糖,其中含有嗜碱性较强的硫酸软骨素,使细胞周围浓度高于其他部位,称为软骨细胞囊。囊内的软骨细胞可进一步分裂增多而构成同源软骨细胞群。基质内的纤维逐渐增多,根据纤维种类不同,可将软骨分为透明软骨、弹性软骨和纤维软骨。

包围在软骨组织周围的间充质,则分化为软骨膜。软骨膜内层细胞为骨原细胞,具有终身分化为软骨细胞的能力,但在成年以后,往往处于潜能状态。

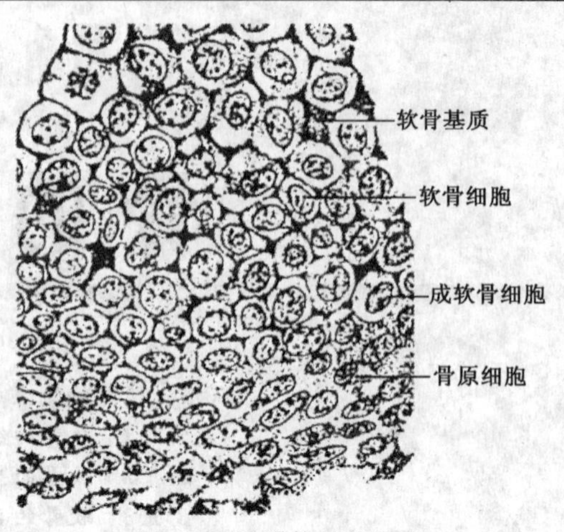

图 3-2 透明软骨的发生

3.1.2 软骨的生长

软骨的生长通常有两种并存的方式。

(1) 软骨内生长

软骨内生长(endochondral growth),又称间质内生长(interstitial growth),是幼稚时期软骨生长的主要方式。此种方式表现为软骨细胞不断分裂增殖产生新的软骨细胞,新的软骨细胞产生新的基质,致使软骨从内部膨胀式扩展。细胞分裂所产生的子细胞通过分泌基质而相互分开,从而占据相互分开的软骨陷窝,子细胞进一步分裂所形成的成对的或 4 个乃至更多的软骨细胞相互靠近构成同源细胞群。由软骨内软骨细胞不断地长大,细胞增殖而产生新的软骨细胞,由新的软骨细胞产生新的基质和纤维,使软骨从内部不断向周围扩展(图 3-2)。

(2) 软骨膜下生长

软骨膜下生长(subperichondral growth),又称附加生长(appositional growth),即在整个胚胎时期,由软骨膜内的骨原细胞经过细胞分裂和分化而成为软骨细胞,由此产生新的基质和纤维。新生的软骨组织附加在原有软骨的表面,使软骨从表面逐渐增生。软骨膜这种形成软骨的能力可延续至出生后,并终身保持这种能力,但在成年期一般处于相对静止状态。

3.1.3 软骨的再生

软骨具有一定的再生能力。软骨受伤后,如果软骨细胞保存完好,软骨基质可以迅速再生。例如,将粗制的木瓜蛋白酶注射入年幼家兔的外耳,可见耳塌陷,此时软骨基质的嗜碱性消失。电镜观察可见弹性纤维消失,但在 48 h 后,基质再生,耳也恢复到原有的形态。不过,软骨的再生能力比骨组织弱。软骨损伤或被切除一部分后,一般未见有直接的软骨再生,而是在损伤处首先出现组织的坏死和萎缩,随后由软骨膜或邻近筋膜所产生的结缔组织填充。这种肉芽组织中的成纤维细胞可转变为成软骨细胞,后者进一步分化为软骨细胞,从而产生新的基质,形成新的软骨。因此,成年哺乳动物软骨损伤后的修复主要表现为结缔组织化生,这种化生可在机械力作用的条件下产生,特别是在压力与摩擦相结合的部位。一般认为关节软骨的存在与关节运动时所承受的经常性机械作用有关;当这些机械影响消除时,例如脱臼,关节软骨便处于"解除分化"状态,即重新转变为结缔组织。

3.2 骨的发生

人体骨发生的基本方式可归纳为两类:大多数骨的发生都是先出现间充质细胞密集,形成透明软骨性雏形,继而经过软骨内成骨的方式骨化成骨;另有部分骨骼则通过膜内成骨方式直接发生于间充质。不论哪一种方式，在它们的发生和生长过程中都包括骨组织的形成和骨组织的吸收两种基本过程。

3.2.1 骨的组织发生

(1) 骨的组织发生基本过程

包括骨组织形成和骨组织吸收两方面，两者在骨发生过程中总是同时存在，相辅相成，保持动态平衡，使骨的生长发育与个体的生长发育相适应。成骨细胞与破骨细胞通过相互调控机制，共同完成骨组织的形成和吸收，骨形成和骨吸收之间存在耦联。两者在骨组织发生过程中总是同时存在，且不限于胚胎期，在成人骨组织仍继续进行，一方面在形成新骨组织；另一方面旧骨组织在不断被吸收和改建，以适应身体发育的需要。

1) 骨组织的形成　骨组织的形成经过两个阶段，首先是形成类骨质(osteoid)，然后是类骨质经过矿化(mineralization)为骨组织(图 3-3)。由成骨细胞合成和分泌前胶原蛋白分子，并在细胞外转变为Ⅰ型胶原蛋白分子，它们平行聚合而成胶原原纤维。胶原原纤维借黏合质连接组成胶原纤维，成骨细胞还分泌无定形基质，胶原纤维与无定形基质构成类骨质，当成骨细胞完全埋入类骨质就成为骨细胞。类骨质的矿化是无机盐有序地沉积于类骨质的过程。类骨质矿化包括细胞内和细胞外的复杂生物化学过程，其中最关键的是由无定形的磷酸钙形成羟基磷灰石结晶。一般认为，Ⅰ型胶原蛋白与骨钙蛋白等非胶原蛋白紧密结合，构成网格支架，为矿化提供结构场所，也就是说，如果没有骨有机质的形成，也就无从谈其矿化。Ca^{2+} 和 P^{3+} 是矿化的基本物质，其矿化形式是以羟基磷灰石结晶沉积于类骨质。Ca^{2+} 由成骨细胞、软骨细胞或血液提供。P^{3+} 主要来源于代谢产物焦磷酸的裂解，然后再与磷脂或磷脂蛋白相结合，构成血液循环中的 P^{3+}。

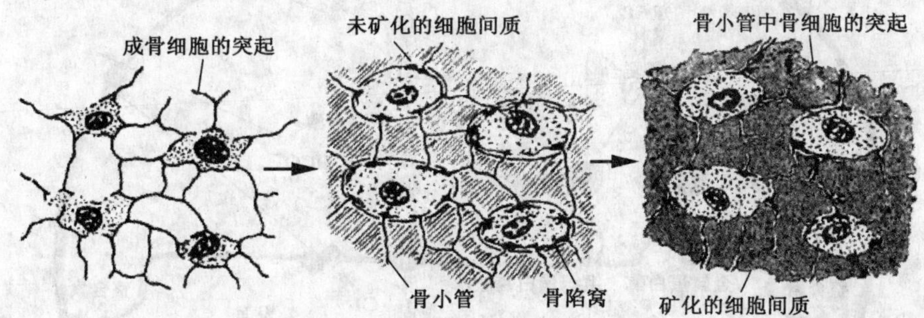

图 3-3　骨组织的形成过程示意图

成骨细胞和软骨细胞通过膜芽生方式产生基质小泡，并以类似顶浆分泌方式向类骨质中释放。基质小泡近似圆形，大小不一，直径 25～200 nm，有膜包被，膜内层有钙结合蛋白和碱性磷酸酶。钙结合蛋白把钙运送至基质小泡内膜的起始钙化点，这与碱性磷酸酶把无机磷酸盐运送到同一部位一样，钙结合蛋白在基质小泡膜内钙结合蛋白的位置与结晶最早沉积在小泡膜内层的部位是一致的。基质小泡为结晶形成提供一个稳定的小环境。然后，基质小泡破裂，将晶体释放到有机基质中，成为最初的羟基磷灰石结晶的晶核，并使矿化范围逐渐扩大，导致类骨质迅速矿化。基质小泡可能与类骨质矿化的启动、维持和停止有关。但是基质小泡如何从细胞转移到有机基质，晶体是怎样转至胶原蛋白结合位点目前尚不清楚。某些非胶原蛋白对羟基磷灰石有高度亲和力，既能促进又能抑制结晶的形成和生长。例如，酸性磷蛋白包括骨桥蛋白、骨唾液酸蛋白和骨酸性蛋白-75，通常仅分布于矿化组织，这些大分子是阴离子，能与钙和羟基磷灰石结合，参与结晶体形成。骨粘连蛋白能与羟基磷灰石结合，它与钙结合后本身构型发生变化，影响骨粘连蛋白与无机盐的相互关系。骨钙蛋白在二价阳离子(如 Ca^{2+})的存在下对羟基磷灰石有极高的亲和力，它的作用很可能是调节无机盐形成。

类骨质经矿化便成为骨组织，在形成的骨组织表面又有新的成骨细胞继续形成类骨质，然后矿化，如此不断地进行。新骨组织形成的同时，原有骨组织的某些部分又被吸收。

2) 骨组织的吸收　骨组织被侵蚀或溶解，称为骨组织的吸收，它涉及骨矿物质溶解和有机物的降解。在骨发生和生长过程中，不仅有骨组织的形成，同时也有骨组织的吸收。骨在不断增大时，尚需变形以适应胚胎时期其他器官的发育，因此已形成的骨组织需要通过再吸收以适应新环境的要求。参与骨组织吸收过程的细胞是破骨细胞(osteoclast)，它由多个单核细胞融合而成，其核不再分裂，但可以有新的细胞加入，故与巨噬细胞同源，属于单核-巨噬细胞系统。破骨细胞溶骨过程包括 3 个阶段：首先是破骨细胞识别并黏附于骨基质表面；然后细胞产生极性，形成吸收装置并分泌有机酸和溶酶体酶；最后使骨矿物质溶解和有机物降解。破骨细胞与骨基质黏附，是破骨细胞募集和骨吸收的关键步骤。功能活跃的破骨细胞，胞质亮区内肌动蛋白微丝的作用使细胞移向骨基质表面，并以皱褶缘和亮区紧贴骨基质表面，两者共同构成破骨细胞的吸收装置。目前认为，骨吸收装置的形成有赖于破骨细胞表面整合素与特异的骨基质蛋白成分之间相互作用(图 3-4)。整合素为连接细胞外环境与细胞内骨架之间的重要结构，是细胞膜表面黏附分子，亦是细胞膜表面糖蛋白受体。整合素主要通过识别配体的“精氨酸-甘氨酸-天冬氨酸”三肽序列(简称 RGD)介导黏附的骨基质中的骨桥蛋白，骨唾液酸蛋白和纤维连接蛋白均含 RGD 序列。破骨细胞膜上已鉴定出来的整合素主要有 $\alpha v\beta_3$、$\alpha_2\beta_1$ 和 $\alpha v\beta_1$ 3 种，其中以整合素 $\alpha v\beta_3$ 的表达水平最强，它是调节破骨细胞功能最重要的整合素，能介导破骨细胞与骨桥蛋白和骨唾液酸蛋白黏附，而膜内部分又可与 F-肌动蛋白结合，将细胞骨架与细胞外基质联系起来。此外，整合素参与破骨细胞的形成和募集过程。

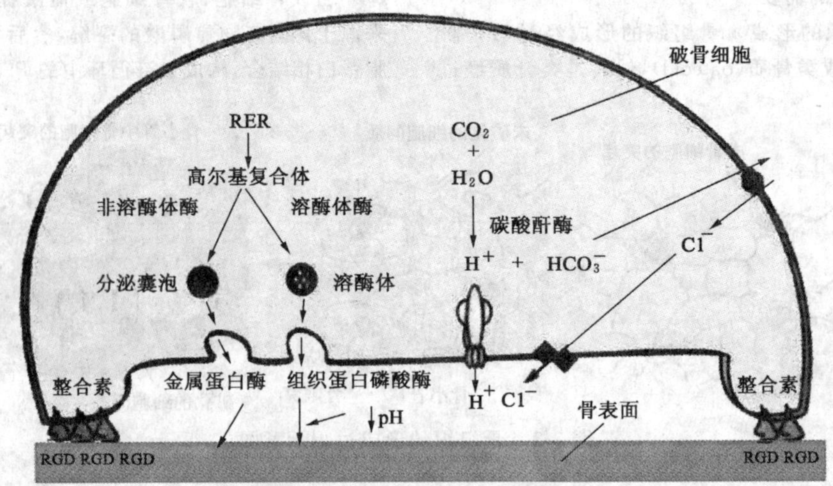

图 3-4 破骨细胞的骨吸收机制

破骨细胞通过皱褶缘排出大量有机酸，如碳酸、柠檬酸和乳酸，造成局部酸性环境(pH 为 4.5～5.5)，使骨基质中的不溶性矿物质转变成可溶的酸性盐而被溶解。近年研究发现，破骨细胞存在泌 H^+ 体系，由液泡 H^+-ATP 酶(vacuolar H^+-ATPase，V-H^+ ATPase)、碳酸酐酶Ⅱ(carbonic anhydrase-Ⅱ，CA-Ⅱ)和 Cl^--HCO_3^- 离子交换泵共同组成。破骨细胞存在碳酸酐酶Ⅱ异构体，它可催化 CO_2 和 H_2O，产生 H^+ 和 HCO_3^-。该酶的表达随破骨细胞功能状态的不同而变化，如在骨吸收状态下，破骨细胞 CA-Ⅱ呈高表达，若抑制该酶活性可降低破骨细胞性溶骨作用。细胞排泌 H^+ 后，胞膜上的 Cl^--HCO_3^- 离子交换将 HCO_3^- 泵出细胞外，维持细胞内环境稳定。V-H^+ ATP 酶主要分布在破骨细胞皱褶缘区细胞膜上，细胞内外离子的主动转运主要由 V-H^+ ATP 酶完成，并参与 H^+ 的排泌。使用特异性抑制剂巴佛洛霉素 A_1(bafilomycin A_1)和伴刀球霉素 B(concanamycin B)可显著抑制破骨细胞骨吸收，表明 V-H^+ ATP 酶在骨吸收中起重要作用。

骨有机质中的Ⅰ型胶原，主要由破骨细胞分泌半胱氨酸蛋白酶(CP)和基质金属蛋白酶(MMP)降解。CP 分布于溶酶体，CP 类中起作用的是组织蛋白酶，它在酸性条件下可作用于Ⅰ型胶原蛋白分子交联处的调聚肽段，使胶原蛋白解聚、变性、降解；同时还参与有机质其他蛋白的降解。目前发现有多种组织蛋白酶能降解骨有机质，如组织蛋白酶 L、B 直接参与有机质降解；组织蛋白酶D可能通过激活胶原酶间接参与骨吸收；组织蛋白酶K在酸性环境下可降解Ⅰ型胶原。间质胶原酶(interstitial collagenase, MMP)是参与降解有机质的另一类重要蛋白酶，包括胶原酶、明胶酶和基质分解素3类。胶原酶中的MMP-1直接参与Ⅰ型胶原降解。基质分解素中的基质分解素-1(stromelysin-1, Sl-1, MMP-3)参与MMP-1和明胶酶(gelatinase, GL)的激活，从而加强骨吸收。破骨细胞中呈特异性高表达分子量为92 000的明胶酶(GL-B, MMP-9)，它可降解Ⅰ、Ⅲ、Ⅳ、Ⅴ型胶原和明胶，且在酸性条件下仍可保持较高活性。因此，MMP-9与MMP-1和CP共同参与Ⅰ型胶原及其片段(Ⅰ型明胶)的降解吸收，亦可能降解Ⅳ型和Ⅴ型胶原，有利于破骨细胞在骨组织中聚集。

破骨细胞皱褶缘还能以胞吞作用摄取细胞外溶解的矿物质和降解的有机物，内吞小泡与初级溶酶体融合，成为次级溶酶体进行细胞内消化。研究发现，破骨细胞可通过细胞内转运，将降解的骨基质蛋白和无机盐运送到游离侧细胞膜顶端区并释放出，其机制可能是通过可溶性*N*-乙基马来酰胺敏感因子吸附蛋白受体(SNARE)实现的。这种胞内转运过程是细胞清除降解产物和骨吸收作用的重要调节机制。清除产物有利于维持骨吸收微环境的稳定，促进骨基质进一步降解，而且通过转运释放出骨基质的活性蛋白如β-转化生长因子(包括骨形态发生蛋白)，调节成骨细胞活性和骨改建。

体外实验证明，在骨吸收中成骨细胞也具有重要作用。骨基质表面有一薄层未矿化的类骨质，被成骨细胞分泌的酶降解后，破骨细胞才能黏附在矿化基质上。成骨细胞可分泌破骨细胞刺激因子(osteoclast-stimulating factor)，使附近的静止破骨细胞活跃；成骨细胞还分泌前胶原酶(procollagenase)和纤溶酶原激活剂(plasminogen activator)，后者使血清胞质素原成为纤溶酶(plasmin)；同时前胶原酶转变为胶原酶。这两种酶使类骨质降解，因此，破骨细胞的活动似乎直接依赖于成骨细胞释放的破骨细胞刺激因子和分泌这些酶。

骨的形成和吸收之间存在耦联，例如成骨细胞产生的IGF-Ⅰ，一方面以自分泌方式作用于成骨细胞前体细胞，分化为成骨细胞，并刺激成骨细胞分泌胶原蛋白分子，合成胶原纤维，促进骨形成；成骨细胞也合成IGF-Ⅱ，其作用与IGF-Ⅰ相似，但较IGF-Ⅰ弱。另一方面IGF-Ⅰ还可刺激破骨细胞的分化、形成和功能活性。

在胚胎时期，甲状腺发生和分化的时间比较早，并出现一定的生理功能，即分泌甲状腺素和降钙素。前者可使骨化按正常时间出现而不延迟，后者能激活成骨细胞，促进其线粒体摄取钙和降低细胞外基质中游离钙，有利于骨基质的进一步矿化。

(2) 骨的组织发生基本方式

由于骨的类型不同，骨的组织发生的方式有两种：从胚胎性结缔组织直接骨化形成骨组织，而不经过软骨阶段，称为膜内成骨(图3-5)；先由间充质形成软骨雏形，在此基础上再骨化形成骨组织，称为软骨内成骨。

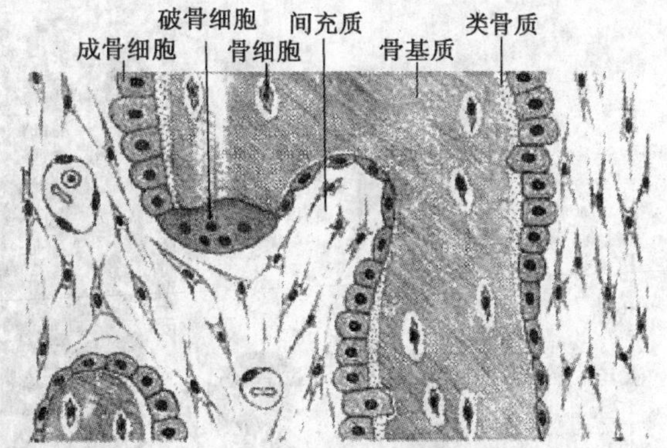

图3-5 膜内成骨模式图

1) 膜内成骨(intramembranous ossification) 只发生在扁骨，如顶骨、额骨、枕骨、颞骨等，以及上、下颅骨和锁骨的一部分。

在将要形成骨的区域，间充质聚集成富含血管的原始结缔组织膜，间充质细胞以细长突起相互接触。膜内某些部位的未分化间充质细胞，即骨原细胞分化为成骨细胞，彼此通过短突起互相连接。成骨细胞产生胶原纤维和基质，并包埋于基质中，即类骨质形成(见图3-5)。嗜酸性的类骨质呈细条索状，分支吻合成网。不久类骨质矿化，形成原始骨组织，称骨小梁。最先形成骨组织的部位，称骨化中心(ossification center)。颅顶骨通常有2个骨化中心，出现在胚胎第8周。骨小梁形成后，来自骨原细胞的成骨细胞排列在骨小梁表面，产生新的类骨质，使骨小梁增长、加粗。一旦成骨细胞耗竭时，立即由血管周围结缔组织中的骨原细胞增殖、分化为成骨细胞。膜内成骨是从2个骨化中心各向四周呈放射状地生长，最后融合起来，取代原来的原始结缔组织，成为由骨小梁构成的海绵状原始松质骨。与此同时，骨小梁内的胶原纤维由不规则排列逐渐转变为有规律地排列。由于破骨细胞的溶骨活动，将初建的骨松质吸收，改建形成具有骨板的骨密质和骨松质，即在骨的内外表面构成骨密质，其间为骨松质。在松质骨将保留的区域，骨小梁停止增厚，位于其间的具有血管的结缔组织，则逐渐转变为造血组织，骨周围的结缔组织则保留成为骨外膜。从骨膜内面分化来的成骨细胞又不断形成骨板，使骨不断加厚。在扁骨，其外表面往往以骨形成为主，内表面则以骨吸收为主，以适应脏器的发育。

2）软骨内成骨　是指在将要发生骨的部位，先由局部间充质细胞分裂增殖，并形成透明软骨，之后透明软骨逐渐退化。伴随血管的侵入，骨原细胞和成骨细胞自软骨膜进入软骨组织，在退化的软骨组织中成骨，并逐渐代替软骨组织的方式，为软骨内成骨(intracartilaginous ossification)。人体的部分颅底骨、脊椎骨、四肢骨和盆骨等，以软骨内成骨的方式发生。

其发生过程是，先由间充质形成透明软骨，其外形与将要形成的骨的外形近似，称软骨雏形(cartilage model)。然后，在软骨雏形中段的软骨膜出现血管增生，血供丰富，软骨膜内层的骨原细胞分裂增殖、并分化为成骨细胞，进行造骨，在软骨膜下形成同领圈样的环行骨组织，称骨领(bone collar)。此时，骨领外侧的软骨膜即改称骨膜(图 3-6)。

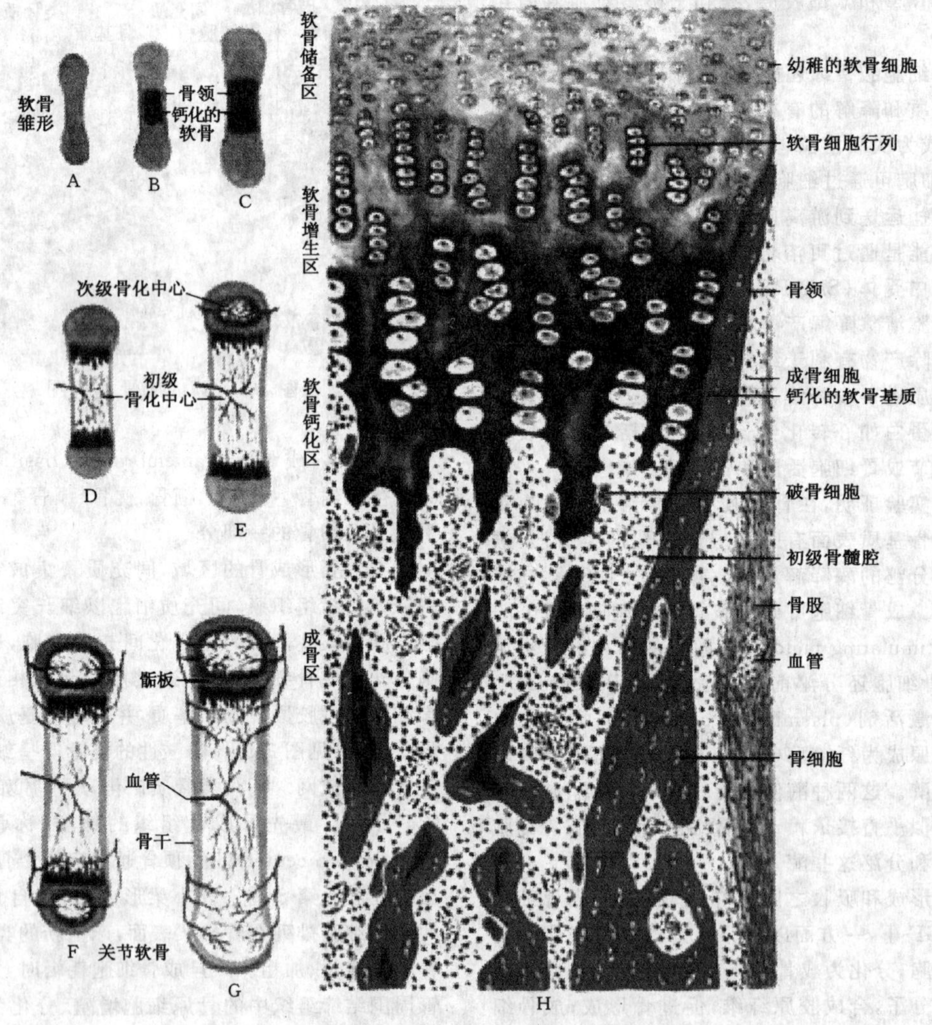

图 3-6　长骨的发生与生长示意图

在骨领形成后，由于软骨雏形中段的软骨组织一时缺乏营养而发生退化，软骨细胞肥大变性，细胞质呈空泡样，软骨基质钙化，继而软骨细胞退化死亡，残留互相通连的软骨陷窝。因此处为软骨内部最先成骨的部位，故称初级骨化中心(primary ossification center)。

初级骨化中心出现之初，外周的骨膜组织包括血管及骨原细胞和破骨细胞等，穿越骨领进入退化的软骨区。破骨细胞溶解钙化的软骨基质，形成一些较大的不规则腔隙，内含血管、骨膜组织和早期形成的骨髓，这些腔隙即称为初级骨髓腔(primary marrow cavity)。不久，腔隙内骨膜组织中的骨原细胞增殖分化为成骨细胞，细胞分布在残存的钙化软骨基质的表面进行造骨，形成许多初级骨小梁(primary bone trabecula)。在骨领和初级骨小梁形成的同时，破骨细胞也不断地溶骨。因此，骨领外表面的成骨细胞不断成骨，内表面的破骨细胞又不断溶骨，使长骨骨干部分不断增粗及骨髓腔横向扩大；与此同时，初级骨化中心从骨干中段向两端延伸，新形成的初级骨小梁又不断地被破骨细胞溶解吸收，使长骨不断增长及初级骨髓腔纵向扩大。初级骨髓腔逐渐融合扩大，形成较大的骨髓腔。

在初级骨化中心形成之后，在软骨两端，即骨骺，也相继出现新的成骨中心，称为次级骨化中心(secondary ossification center)。次级骨化中心的发生时间因骨而异，大多在出生后数月或数年，少数在出生前。每个长骨有2个或2个以上的次级骨化中心，如胫骨、腓骨、桡骨和尺骨各有2个，股骨有4个，肱骨有8个。同一长骨各骨化中心出现的时间和骨化完成的时间均不相同，并且存在性别差异。次级骨化中心成骨的过程与初级骨化中心相似，但它们的骨化不是沿着长轴，而是呈放射状向四周扩展。待骨化完成后，表面残存的薄层软骨即为关节软骨。关节软骨终身存在，不参与骨的形成。而在骨骺与骨干之间也保存一片盘形软骨，称为骺板(epiphyseal plate)。

3.2.2 骨的生长和改建

在人体发生和发育过程中，骨不断生长和改建。骨的生长既有新的骨组织形成，又伴随着原有骨组织的部分被吸收，两者之间保持一种动态平衡。同时在生长过程中还进行一系列的改建活动，骨内部结构不断地变化，使骨与整个机体的发育与生理功能相适应。

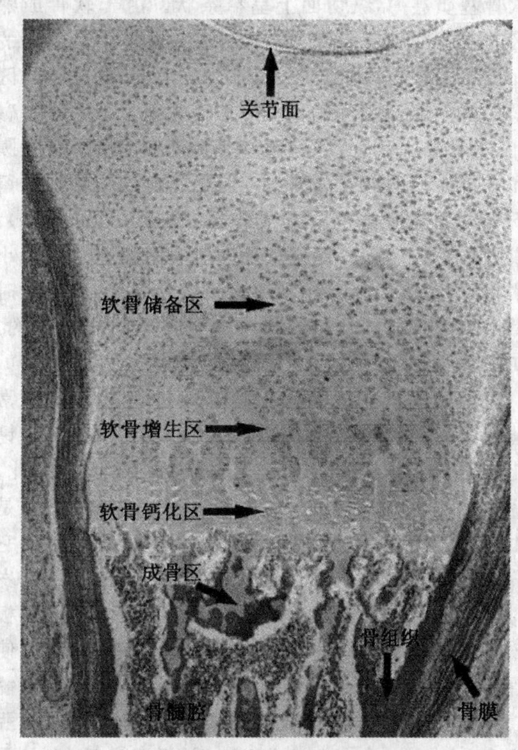

图 3-7 婴儿指骨纵切

(1) 长骨的生长和改建

1) 长骨的生长　主要通过骺板的成骨作用进行，该处的软骨细胞分裂增殖，并从骨骺侧向骨干侧不断进行软骨内成骨过程，使骨的长度增加，故骺板又称生长板(growth plate)。从骨骺端的软骨开始，到骨干的骨髓腔，骺板依次分为5个区(图3-6、3-7)。①软骨储备区(zone of reserve cartilage)：此区又叫静止区或小软骨细胞区，位于骨骺的骨干侧，并与之相邻接。软骨细胞小，呈圆形，细胞数量少，散在分布。软骨基质呈弱嗜碱性，含有类脂和蛋白多糖，水分较多，胶原纤维交织排列。软骨储备区基本上不存在间质性生长，新生软骨源于周围软骨膜的附加性生长。②软骨增生区(zone of proliferating cartilage)：位于储备区深面。软骨细胞迅速分裂并呈扁平形，细胞的长轴垂直于骨的长轴，形成多行并列的纵行软骨细胞柱(column of cartilage cell)。细胞在增殖的同时也产生一定量的基质。③软骨成熟区(zone of maturing cartilage)：位于增生区深面，又称软骨肥大区。软骨细胞呈圆形，体积明显增大，细胞仍呈柱状排列，但细胞不再分裂。细胞柱之间的软骨基质甚薄，纵切面上呈窄条状。由于软骨成熟区的软骨细胞增大，基质减少，成为骺板中最薄弱的部位。④软骨钙化区(calcified cartilage zone)：此区紧接成熟区，软骨基质纵隔有钙盐沉积，呈强嗜碱性，软骨细胞死亡，细胞膜和核膜全部破裂，细胞膜和线粒体上的钙完全消失。退化死亡的软骨细胞留下较大的软骨陷窝。⑤成骨区(ossification zone)：成骨细胞在残存的钙化软骨基质表面建造初级骨小梁，骨小梁表面附有成骨细胞和破骨细胞，表明此时骨组织的生成和骨组织的溶解吸收是同时进行的。初级骨小梁之间为初级骨髓腔。

上述骺板各区的变化是连续进行的。在正常情况下，骺板增生区内软骨细胞的增殖速度，与钙化区内软骨细胞变性和消除的速度相平衡。因此，骺板几乎保持稳定的厚度。骨干长度的增加，就是由于骺板增生区软骨细胞不断分裂增殖，并且当它们退化时又被骨组织所取代的结果。到17～20岁时，增生区内软骨细胞的增生减慢，最后停止，骺板软骨逐渐被骨组织取代，最终骺软骨完全消失，使骨骺的松质骨与干骺端的骨小梁连续，骨骺的骨髓腔与骨干的骨髓腔相通。骺板的消失过程称为骺闭合(closure of the epiphsis)。骺板消失后，在长骨的干骺之间留下线性痕迹，称为骺线(epiphyseal line)，此后，骨不能再进行纵向生长。一个长骨的两个骨骺的闭合时间可能并不相同，如胫骨的生长主要在近端骨骺，而股骨长度的增加主要发生在远端骨骺，这些知识对放射学和矫形外科学具有临床意义。

2) 长骨的增粗　长骨骨干横径的增大是由于骨外膜不断形成骨领所致(见图3-6、3-8)。骨外膜内层骨原细胞分化为成骨细胞，以膜内成骨的方式，使骨领不断加厚，骨干变粗；与此同时，在骨干的内表面，破骨细胞吸收骨小梁，使骨髓腔扩大。骨领表面的新骨形成与骨干内部的骨吸收速度是协调进行的，故骨干增长迅速，而骨干壁厚度的增大则比较缓慢。长骨骨骺的增大则与骨干不同，早在软骨雏形阶段，其两端依靠软骨间质性生长，使其迅速伸长变粗，骨干的两端已变得较大(见图3-8)。大约至30岁长骨不再增粗。

3) 长骨内部的改建　长骨生长过程中的重要变化之一是在骨干部形成骨密质，即骨单位的发生。胎儿长骨骨干部最初均为骨松质，以后通过骨小梁

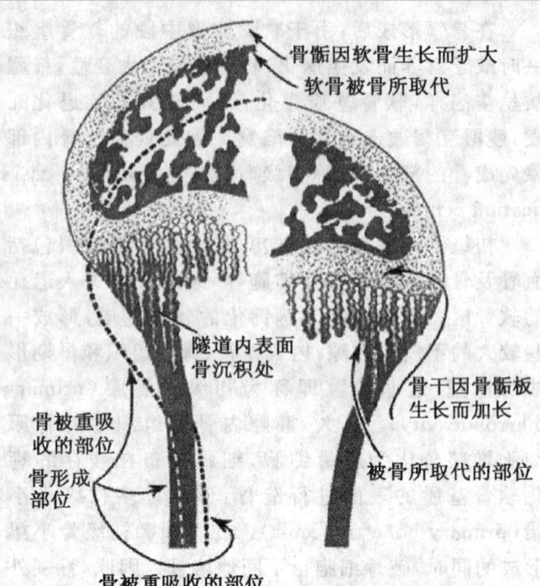

图 3-8　骨外形变化和骨骺发育模式图

的增多和增厚，小梁间的腔隙变小，逐渐形成初级骨密质。随着骨的生长和改建，骨干部的骨外膜下逐渐形成多层至数十层的外环骨板，骨内膜下形成较薄的内环骨板，此时尚无骨单位。骨单位的形成开始于胎儿出生后1岁左右，它的形成是以破骨细胞和成骨细胞的功能保持平衡为基础的。即先由破骨细胞溶解吸收骨质，形成一些纵列的沟或隧道，来自骨膜的血管及骨原细胞进入其中，骨原细胞分化而成的成骨细胞排列在隧道或沟的内表面进行造骨，由外向内逐层形成同心圆排列的骨单位骨板(哈弗斯骨板)，中央的纵行管道逐渐变窄，最终形成中央管，形成第1代骨单位(图3-9)。

在个体生长发育中，受支持、负荷和运动等因素的影响，骨单位不断地新生和改建，即原有的骨单位被溶解吸收，逐渐由新生的骨单位所取代。依此方式一代一代的骨单位逐次更新交替，前一代骨单位被溶解吸收的残余部分即为间骨板(图3-10)。在骨单位更新和改建过程中，内、外环骨板也同时进行改建，使长骨在增长增粗过程中，外形也不断变化和重塑。骨密质的更新和改建持续终身，但成年后其过程较为缓慢。

(2) 扁骨的生长和改建

以颅顶骨为例，胎儿出生后，颅顶骨生长主要是通过骨外膜在骨外表面形成骨组织，同时在骨内面进行骨吸收。从顶骨的中心到外周，骨形成和骨吸

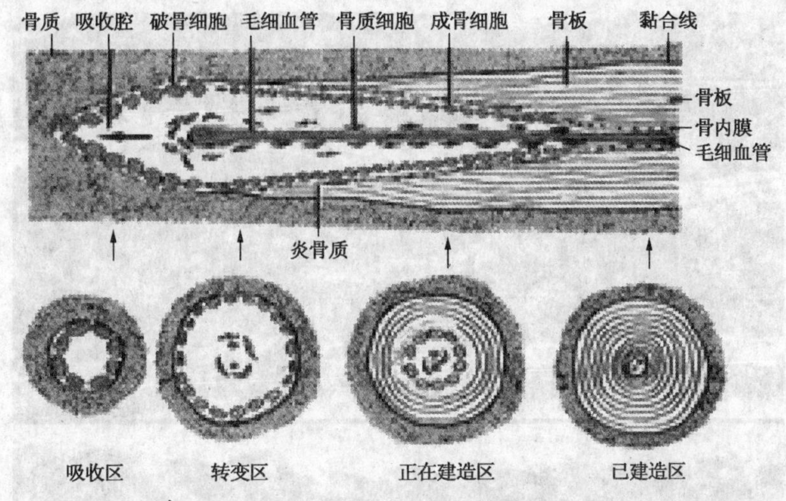

图 3-9 骨单位形成过程模式图

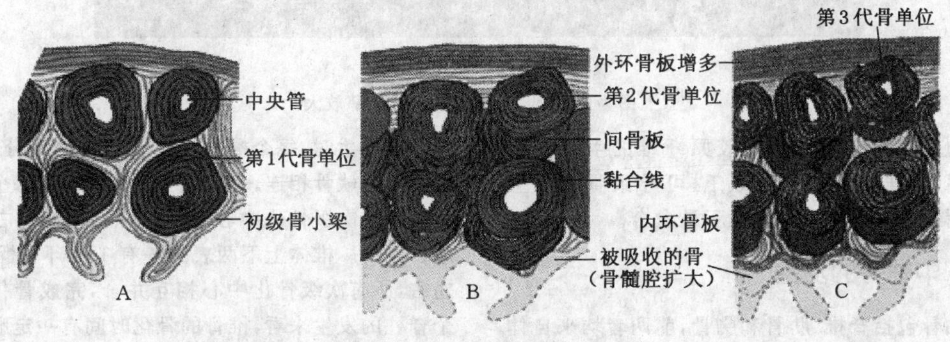

图 3-10 骨密质改建示意图

收的速率不同，致使颅顶逐渐扩大，顶的曲度变小，顶骨变得扁平。此外，骨缝处的原始结缔组织形成骨组织，也是颅顶骨扩大的原因。因为骨组织可塑性很大，以适应脑的发育，形成大小适宜的颅顶骨。从出生至 8 岁，颅顶骨由单层初级密质骨改建成内外两层次级密质骨，即形成内板和外板及其间的松质骨板障(图 3-11)。直至成年颅顶骨才发育完善，之后停止生长，但内部改建仍缓慢进行。

(3) 影响骨生长的因素

影响骨生长的因素很多，如遗传基因表达，营养和运动，以及药物、激素、诸多因子和应力作用等。遗传因素和(或)环境因素所致的软骨和骨的先天畸形，如软骨发育不全、短肢畸形、先天性成骨不全和先天性髋关节脱位等。激素对骨发育的影响甚大，骨的生长和代谢受多种激素调节，其中较显著的是垂体的生长激素、甲状腺激素、降钙素、甲状旁腺激素以及性激素等。生长激素和甲状腺激素可促进骺板软骨细胞增殖，使骨不断增长。若这两种激素分泌不足时，身体生长缓慢甚至停顿，成为侏儒症；若生长激素分泌过多，可致身体超长生长，成为巨人症。甲状旁腺激素和降钙素参与调节机体的钙、磷代谢，它们对骨生长的影响已如前述。性激素对骨的生长和代谢也有重要作用。性腺发育不良可致生长障碍；妇女绝经后，雌激素分泌低下，骨盐分解吸收过多，可导致骨质疏松症。

维生素 A、维生素 D、维生素 C 对骨的生长和代谢有重要影响。维生素 A 对成骨细胞和破骨细胞的活动起协调平衡作用，以保证骨的正常发育和改建；维生素 A 严重缺乏，可使骨生长和改建失调，导致骨骼畸形。维生素 D 可促进小肠吸收钙和磷，当此种维生素摄入不足时，尤其在小儿和孕妇易发生钙盐沉积不良，而导致骨质软化，出现脊柱骨、盆骨、

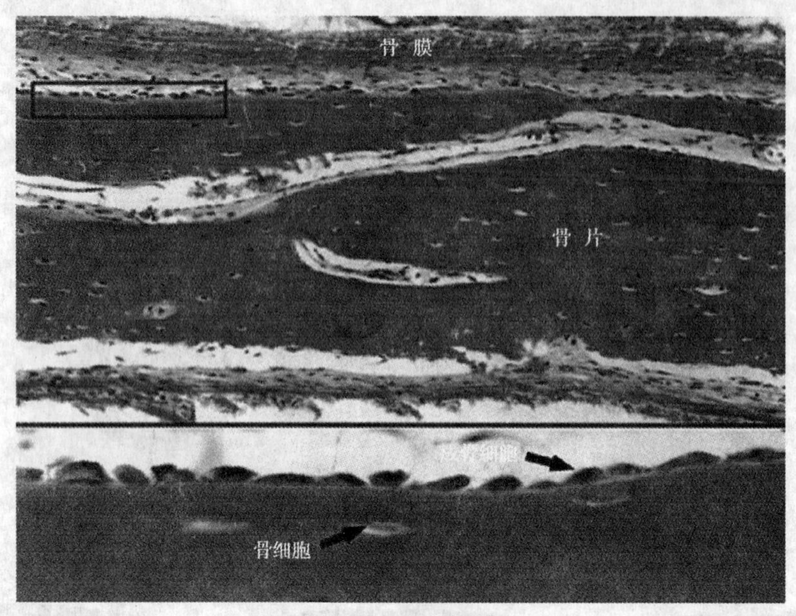

图 3-11　小儿颅骨

（上图为低倍观，下图为上图的局部放大）

四肢骨的变形。维生素 C 在胶原纤维的生成中起重要作用，若维生素 C 严重缺乏，可导致骨基质生成障碍，骨生长停滞，骨折后也不易愈合。

3.2.3　中轴骨的发生

中轴骨包括脊椎、肋骨和胸骨，前两者均来自体节的生骨节，后者则为局部间充质所形成。

(1) 脊椎的发生

脊柱主要由椎骨组成，所有椎骨均由体节腹内侧的生骨节分化而来。在胚胎第 4 周，生骨节细胞向中轴 3 个方向迁移。向内侧迁移，包绕脊索，先形成软骨，最后骨化成椎体，被椎体所包围的脊索退化消失。向背侧迁移的生骨节细胞，包绕神经管，形成椎骨的左右椎弓，以后还发生了棘突和横突。向腹外侧迁移的细胞形成肋突，并发育成肋骨。脊柱仍保留着节段性起源的痕迹。生骨节细胞迁移形成的各细胞团块之间有疏松的间充质，其内有节间动脉。每个生骨节细胞团的尾端部分致密，头端部分则较疏松，上一生骨节尾端致密部分和下一生骨节头端疏松部分连接，构成前软骨椎体，含有节间动脉的节间组织也并入了前软骨椎体内。在 2 个前软骨椎体之间有来自下一个细胞团头端疏松组织发育而成的椎间盘，其中的一段脊索膨大构成髓核，并有环形纤维环绕（图 3-12）。

在出生时，每个椎骨都由 3 个骨性部分构成，三者之间靠软骨相连。青春期开始后不久，每个椎骨内出现 3 个次级骨化中心：棘突顶端 1 个、左右横突尖端各 1 个。椎体上下两表面各有 1 个环状骺。25 岁左右，所有次级骨化中心相互并合，完成骨化。从整个脊柱的发生来看，椎骨的骨化时间有一定顺序。一般来说，椎体的初级骨化中心首先产生于下段胸椎，然后向上向下延伸。第 2 颈椎约在胚胎第 4 个月出现，次级骨化中心先出现于颈椎（除寰椎外），然后由上向下依次产生。腰椎约于胚胎第 3 个月出现。骶椎与尾骨的连合在青春期至 25 岁之间发生。

(2) 肋骨的发生

肋骨是由椎骨原基形成的肋突发生而成，故来源于生骨节间充质细胞。在正常情况下，只有胸区形成长肋。由肋突形成的肋骨原基在胚胎第 7 周成为软骨性肋，再经骨化形成肋骨。一般于胚胎第 9 周开始出现骨化中心，共有 3 个，分别位于肋骨干、肋骨结节和肋骨头。所有肋骨的远端终身为肋软骨。肋骨在发生之初，即与椎骨相连，当椎骨与肋骨形成之后，两者之间的直接连接变成为滑液性关节连接。肋骨的腹侧端与胸骨连接。颈、腰、骶、尾部的肋骨，在开始发生后不久即萎缩退化。在颈部，肋骨的一部分与椎骨横突合并，一部分合并于椎骨体，两者之间遗留一孔，称为横突孔。腰部的肋骨完全

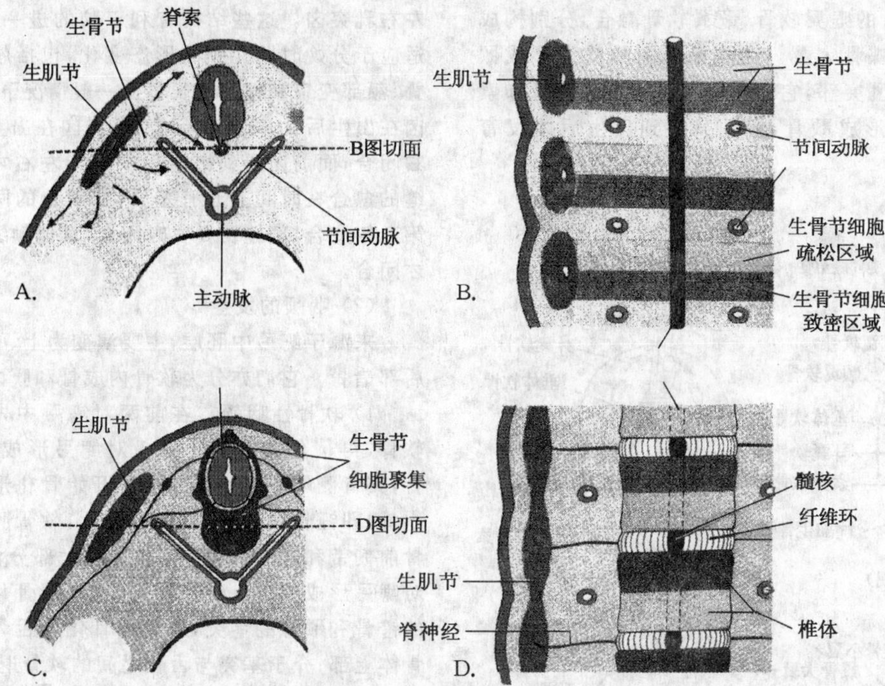

图 3-12 脊椎发生示意图

合并于腰椎横突，以后已无痕迹。骶部的肋骨完全与骶椎两旁的扁平骨融合为一体。尾骨除第1尾椎有发育肋骨的痕迹外，其余完全消失。

(3) 胸骨的发生

胸骨是由原位的间充质细胞密集、分化而成。开始发生于胚胎第6周，先形成左、右两条纵行的间充质细胞带，称为胸骨原基。以后从上而下彼此间在中线靠近融合。到胚胎第9周，两条胸骨原基完全愈合并软骨化，在此期间已有上位的约6对肋软骨附于其上。软骨化后，其头端出现一个细胞群，称为前胸骨柄，以后形成胸骨柄，并与两侧锁骨形成关节连接。其尾部演化为7～8个小段，称为胸骨段，形成胸骨体和胸骨剑突。胸骨体与肋骨形成关节连接。每一胸骨段各出现一个骨化中心，约始于胚胎第5个月，但全部出现骨化中心要到儿童时期，完成骨化过程则需到青春期。胸骨剑突在儿童时期才出现骨化中心。

3.2.4 颅骨的发生

颅骨是由多块骨组合而成，在种系发生上来源于脑颅(神经颅)和咽颅(内脏颅)，两者最初均属软骨。先由围绕脑的间充质形成雏形，脑颅的底部仍为软骨内成骨，尤在耳囊(听泡)和鼻囊周围所形成的软骨囊最为典型，而面部骨和颅盖骨则属膜内成骨。一般来说，位于颅底及直接由鳃弓演变来的骨骼均为软骨内成骨，而颅顶及面部侧上方的骨骼则为膜内成骨。

(1) 脑颅(神经颅)的发生

脑颅具保护脑的功能，可分为软骨性脑颅和膜性脑颅。

1) 软骨性脑颅　包括颅底诸骨，先形成软骨，后经软骨内成骨而形成骨性颅底。在颅底发生中，脊索起着重要的作用。约在胚胎第7周，脊索两旁间充质形成左右一对软骨条，名为索旁软骨，又叫基底板，它与来自枕部生骨节的软骨并合，形成枕骨的基部。以后这一软骨向背侧伸展形成枕骨顶盖，包绕脊髓的上端，形成枕骨大孔。与此同时，在脊索头侧亦出现左右2条软骨条，称为颅梁软骨，其前端与鼻软骨囊相互并合形成筛板。位于颅梁软骨后端、索旁软骨之前方的垂体区出现垂体软骨，它一方面与前方颅梁软骨融合，同时也与后方的索旁软骨前端融合，构成顶索软骨，垂体软骨左右并合成蝶骨体。筛板与顶索软骨之间原有一个较大的间隙，以后封闭消失，其前端部分形成筛骨，后端部分形成蝶鞍，与前方的眶翼软骨、颞翼软骨融合，分别构成蝶骨小翼和蝶骨大翼。在耳囊周围的软骨形成颞骨的岩部及乳突部，它们在以后又与颞翼软骨和索旁软骨并合形成颞骨，但乳突要到出生后才发育（图 3-13）。

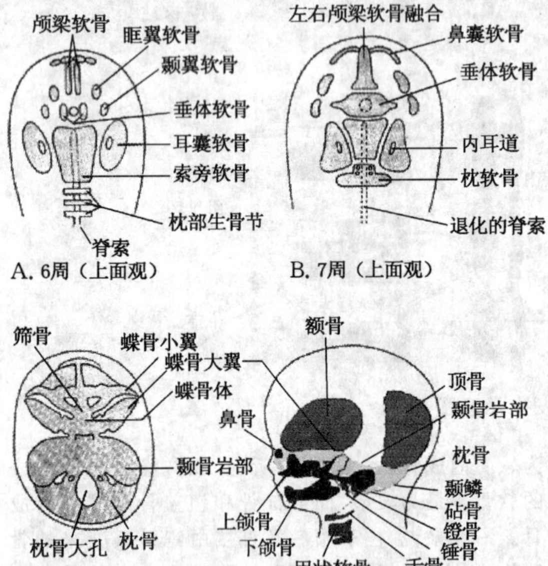

图 3-13 颅骨的发生示意图

在人胚第 9～10 周，软骨颅已可分出枕骨区、蝶骨区、颞骨区和筛骨区。随后各区出现骨化中心，每一中心代表一块小骨片，经愈合后分别形成枕骨、蝶骨、颞骨的岩部和乳突部以及筛骨。但枕骨有一部分为膜内成骨。

2）膜性脑颅　顶骨和额骨为膜内成骨。被覆在脑表面的间充质先形成间充质组织膜，于胚胎第 9～10 周时出现多个骨化中心，分别形成顶骨、额骨、鼻骨、泪骨、犁骨、蝶骨大翼的眶部、颈部和翼突、额骨的鳞部等。到出生时，头颅的柱扁骨间有致密结缔组织膜构成的颅缝，即额缝、冠状缝、矢状缝和人字缝，形成纤维性连接。在胚胎晚期和婴儿期有 6 个较大的纤维性连接区，称为囟门，它们是左右顶骨与额骨之间的菱形的前囟，左右顶骨与枕骨之间三角形的后囟，前外侧方的左右蝶囟和后外侧方的左右乳突囟。这些结构有利于脑的进一步发育，亦适应于分娩时胎儿颅的形态变化，包括颅顶骨的重叠、额部变扁和枕部拉长等。一般情况下，后囟和蝶囟在出生后 2～3 月内闭合，乳突囟在出生后 1 岁左右闭合，而前囟要到出生后 2 岁半左右才闭合。颅缝的愈合在时间上亦有差异，如额骨的两半在生后第 2 年愈合，额缝在 8 岁时闭合，其他颅缝到成年时才闭合。

（2）咽颅的发生

来源于鳃弓中胚层，主要演变为上、下颅骨和咽后部诸骨。它们亦分为软骨内成骨和膜内成骨。

1）软骨性咽颅　在前两对鳃弓中先形成一些软骨，再衍化为骨骼。第 1 对鳃弓形成 Meckel 软骨，其背侧端于胚胎第 4 个月开始骨化形成中耳的小骨，即锤骨和砧骨；其中部退化，软骨膜衍化为锤骨前韧带和蝶下颌韧带，腹侧端大部分消失。第 2 对鳃弓形成 Reichert 软骨，其背侧端骨化形成中耳的镫骨和颞骨的茎突，腹侧端骨化成舌骨小角和舌骨体上部；介于基突与舌骨之间的软骨退化，其软骨膜衍化为基突舌骨韧带。第 3 对鳃弓形成的软骨形成舌骨大角和舌骨体的下部。第 4 对鳃弓形成的软骨形成甲状软骨的一部分和楔状软骨。第 5、6 对鳃弓在人类不发达，尤其是第 5 对鳃弓有时可不存在，主要形成喉部诸软骨，包括小角状软骨、杓状软骨、环状软骨和甲状软骨的一部分。会厌软骨是由第 3 和第 4 对鳃弓衍生的鳃下隆起中的间充质发育而来。

2）膜性咽颅　第 1 对鳃弓的上颌突经膜内成骨形成上颅骨、颧骨和颞骨鳞部，颞骨鳞部构成了脑颅的一部分，上颌突的一部分骨化成腭骨和犁骨。第 1 对鳃弓的下颌突内围绕 Meckel 软骨的间充质经膜内成骨形成下颌骨和下颌颞关节的关节盘，但下颌骨的颏部和下颌小头属软骨内成骨。

人类颅骨的发生也反映了种系发生过程。在低等动物，每一个骨化中心代表了一块骨片，相互分开。进化到高等哺乳类动物，包括人类，每个骨片可出现多个骨化中心，且有的骨片可由软骨内成骨和膜内成骨共同形成，如枕骨、蝶骨、颞骨和下颌骨等。

新生儿的头颅与身体其他部位的骨骼相比，体积相对较大，面颅与头颅相比较小，这是由于上、下颌发育尚差，面骨小，鼻旁窦基本上还未形成所致。随着这些骨骼的发育和牙齿的出现，脸面随之增大。7 岁前是颅盖和面部迅速生长的时期。

3.3 关节的发生

关节是骨与骨之间借结缔组织使相邻骨彼此连接或可以活动的连接结构。关节一般分为滑液性关节、纤维性关节和软骨性关节。前者属活动关节，后两者为不动关节(图 3-14)。

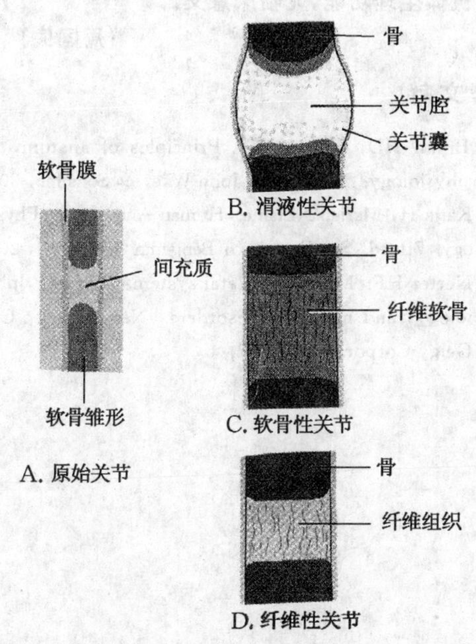

图 3-14 关节发生示意图

3.3.1 滑液性关节

由 2 块正在发生中的骨之间的间充质分化而成。周边的间充质分化为关节囊和关节韧带，中央的间充质退化消失而形成关节腔，被覆在关节囊内表面的间充质细胞分化为间皮，形成滑膜，但关节软骨表面不形成间皮。

3.3.2 纤维性关节

由 2 块发生中的骨之间的间充质分化为致密结缔组织而形成，如颅骨缝。颅骨缝在发育期间和发育完成后为何能继续存在而不发生骨化，推测是因局部结缔组织内有一种抑制骨形成的因子，也可能与碱性磷酸酶的作用有关。骨缝结缔组织中含有胶原纤维、弹性纤维和网状纤维。

3.3.3 软骨性关节

由 2 块发育中的骨之间的间充质分化为透明软骨或纤维软骨而形成，如椎体之间的关节和耻骨联合。

3.4 骨骼和关节的常见先天性畸形

3.4.1 侏儒

侏儒(dwarfism)是较常见的畸形。由于长骨骺板内的软骨内成骨过程受阻，致使上肢和下肢短小，而头颅相对较大，胸部往往脊柱后弯和腹部突出，颜面的中央区稍有发育不良。

3.4.2 隐性脊柱裂

由于左、右两半椎弓未能愈合所致，易发生于腰椎和骶椎，颈椎亦可发生。一般只累及一个椎骨，其表面的皮肤完整，故只有 X 线摄片才能确定。有脊柱裂的表面皮肤上有一撮毛发，并有一凹窝。颈椎裂易发生于第 1 颈椎(寰椎)。

3.4.3 脊柱裂

脊柱裂(spina bifida，cleft of vertebral column)多发生在腰骶部，多为复合缺损，包括神经管和椎弓均未闭合，涉及范围大小不一。由于胚胎早期发育时神经褶缺乏其下方脊索和周围间充质的诱导作用或由于致畸因子的作用，造成了脊柱裂。

3.4.4 半椎骨畸形

在正常情况下，发育中的椎体有两个骨化中心，以后融合在一起形成一个完整的骨性椎体。如果其中有一个骨化中心未发生，就会造成半椎骨畸形(hemivertetra)，它可引起脊柱侧凸。

3.4.5 无颅畸形

无颅畸形(acrania)是由于神经管的头端在第 4 周仍未能闭合，致使颅盖骨不能形成，常伴有无脑畸形和脊柱严重缺损。

3.4.6 颅缝早闭畸形

颅缝早闭畸形(craniosynostosis)又名颅狭小畸形(craniostenosis)，是由 1 个或几个骨缝过早关闭所引起的。

3.4.7 小头畸形

小头畸形(microcephaly)是一种由于脑发育不良而引起的头颅生长异常。出生时颅盖大小基本正常或略小,但囟门提早闭合,颅缝在出生后第1年内就闭合。这种畸形往往有严重智力障碍,但脸面大小正常。致病原因不甚明白,有的可能与遗传有关,有的则与环境因素有关,如电离辐射性损伤、胎儿期的感染等。

3.4.8 副肋

副肋(accessory rib)是由于颈椎或腰椎的肋突没有退化并继续发育所致,可能发育完好,也可能发育不全。腰肋比颈肋多见,有单侧副肋也有双侧副肋。当颈部副肋发生于第7颈椎时,有可能压迫臂丛神经或锁骨下血管而产生相应的症状。

3.4.9 并合肋

一个椎体的一侧可同时发生2个或2个以上的肋,这时2个肋的背侧部可以相互并合而形成并合肋,常伴有半椎骨畸形。

3.4.10 胸骨裂

严重的胸骨裂(cleft sternum)是由于左右2条胸骨原基未完全愈合所致,可伴有胸腔脏器如心脏的膨出。轻度的胸骨裂,如剑突区的裂孔或裂口,不影响机体生理功能,无临床意义。

(周国民)

参考文献

[1] Bryan HD, Tortora GJ. Principles of anatomy and physiology. New York: John Wiley & Sons Inc, 2005.
[2] Katja H, Marieb NElaine. Human Anatomy & Physiology. 7th ed. San Francisco: Benjamin Cummings, 2007.
[3] Netter HF. Musculoskeletal system: anatomy, physiology, and metabolic disorders. New Jersey: Ciba-Geigy Corporation, 1987.

骨的形态学 4

4.1 软骨

软骨(cartilage)由软骨组织和其周围的软骨膜构成。软骨组织由软骨细胞和细胞外基质构成,是一种特殊类型的结缔组织。软骨细胞被细胞外基质包埋,基质呈凝胶状态,其中含有纤维成分。依所含纤维成分的不同,可将软骨分为透明软骨、弹性软骨和纤维软骨3种类型。软骨内无血管、淋巴管和神经。软骨细胞的营养依赖基质的可渗透性从软骨外获得。

软骨具有一定的硬度和弹性,是胚胎早期的主要支架成分,但随着胚胎发育软骨逐渐被骨所取代。胎儿出生后,机体的主要支架是骨。至成年,永久性软骨所占比例极小,散在分布于外耳、呼吸道、椎间盘、胸廓及关节等处。软骨的作用依所处部位而异,如关节的软骨具有支持重量和减少摩擦的作用,耳和呼吸道的软骨可防止管状器官塌陷。此外,软骨对骨的发生和生长也有重要作用。

4.1.1 软骨膜

软骨外面所包裹的一层致密结缔组织,称为软骨膜(perichondrium)。软骨膜分为内层和外层。外层纤维较致密,血管少,细胞疏散,主要起保护作用。内层纤维较少,血管和细胞较多,其中一些较小的梭形细胞,称骨原细胞,或称前成软骨细胞,细胞可增殖分化为成软骨细胞或软骨细胞,在软骨的生长和修复中起重要作用。

4.1.2 软骨组织

(1) 软骨细胞

软骨细胞位于软骨基质的小腔——软骨陷窝(cartilage lacuna)内。新鲜软骨中的软骨细胞充满软骨陷窝内,软骨陷窝周围的软骨基质含较多硫酸软骨素,染色时呈强嗜碱性,称为软骨囊(cartilage capsule)。在固定后的切片标本中,软骨细胞的胞质皱缩,细胞变形,软骨陷窝壁与细胞间出现空隙。软骨细胞的形态、大小不一。靠近软骨表面的软骨细胞是从软骨膜内的骨原细胞增殖分化而来,细胞较小而幼稚,呈扁平椭圆形,大多单个存在。渐至软骨深部,软骨细胞逐渐增大,呈圆形或椭圆形,并在软骨陷窝内继续分裂增殖,形成2~8个细胞为一群的同源细胞群(isogenous group)(图4-1、4-2),但每个细胞仍有自己的软骨陷窝和软骨囊。成熟或较成熟的软骨细胞的核呈偏心位,较小,圆形或椭圆形,有1个或数个核仁。胞质弱嗜碱性。处于生长期软骨细胞的胞质嗜碱性增强。软骨细胞具有分泌基质的能力,软骨基质中的胶原原纤维和无定形基质成分均由软骨细胞产生(图4-3)。

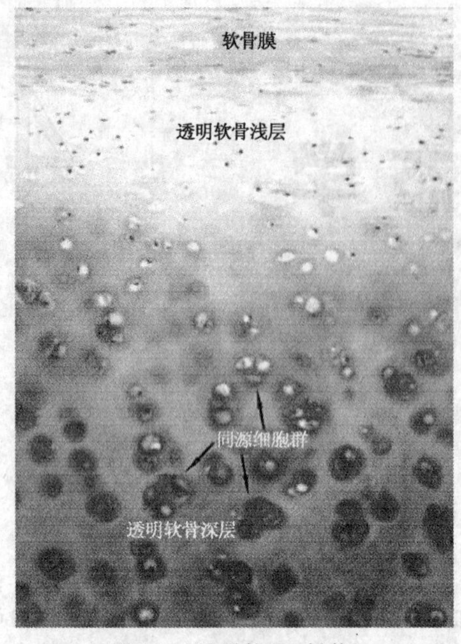

图 4-1 透明软骨(低倍)

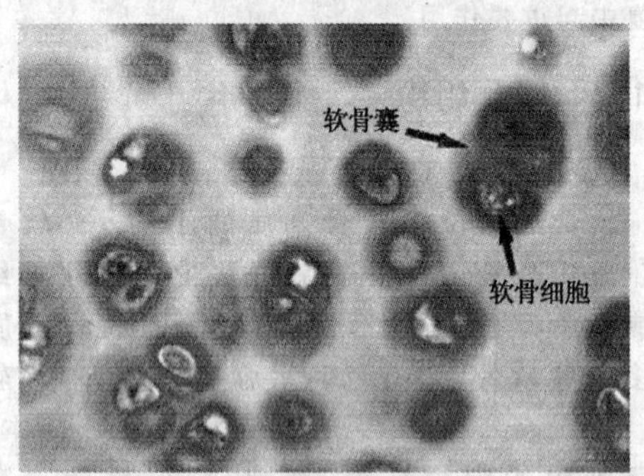

图 4-2 透明软骨(局部放大)

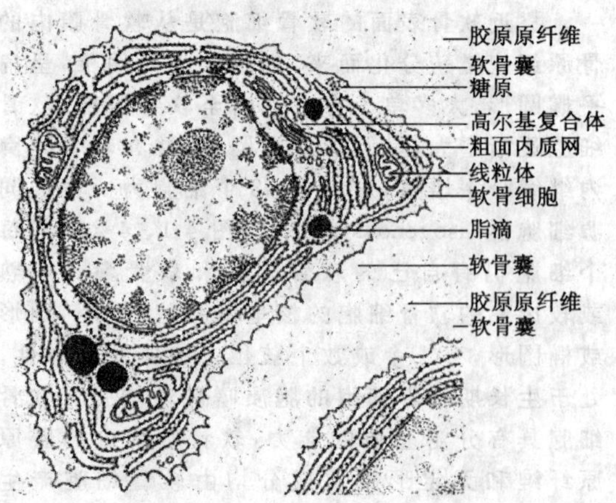

图 4-3 软骨细胞超微结构模式图

(2) 软骨间质

软骨间质由软骨基质和纤维组成。软骨基质呈凝胶状,具有韧性,内含由成软骨细胞或软骨细胞分泌的软骨黏蛋白,为蛋白多糖大分子物质。蛋白多糖由蛋白质和糖胺多糖组成,糖胺多糖中的透明质酸构成蛋白多糖的主干,干链上连接以蛋白质和其他糖胺多糖(硫酸软骨素和硫酸角质素等)构成的亚单位。软骨基质中的硫酸软骨素含量较多,故呈嗜碱性,且具有异染性,软骨囊的基质内含硫酸软骨素尤多。随着软骨细胞的不断增殖,软骨基质内的纤维也逐渐增多。

4.1.3 软骨的分类

根据软骨间质内纤维种类的不同,将软骨分为透明软骨、纤维软骨和弹性软骨 3 种类型。

(1) 透明软骨

透明软骨(hyaline cartilage)主要分布在关节、肋软骨和呼吸道等处,是体内分布最广的软骨类型。新鲜的透明软骨呈半透明的乳白浅蓝色。光镜下,同源细胞群较明显,基质含量较多,基质中无胶原纤维,但电镜下观察可见许多细小的胶原原纤维,无横纹,纤维相互交织成网。故其抗压性较强,有一定弹性和韧性。

(2) 纤维软骨

纤维软骨(fibrous cartilage)主要分布在椎间盘、关节盂、关节盘、耻骨联合的连接处,以及关节软骨的肌腱附着处。纤维软骨与周围的致密结缔组织相连续,两者之间无明显界限。纤维软骨的结构特点是软骨间质内含大量呈平行或交错排列的胶原纤维束,基质少,呈弱嗜碱性。软骨细胞较小而少,常成行分布于纤维束之间的软骨陷窝内。

(3) 弹性软骨

弹性软骨(elastic cartilage)分布在耳郭、外耳道、咽鼓管、会厌和喉软骨等处。因有明显的可弯曲性和弹性而得名,新鲜时呈不透明黄色。弹性软骨的组成成分和结构形式与透明软骨近似,但弹性软骨的纤维成分以弹性纤维为主,胶原原纤维较少。弹性纤维有分支,相互交织排列。软骨中心的弹性纤维排列密集,软骨膜下的弹性纤维排列疏松,并与软骨膜的弹性纤维相连续。软骨细胞呈球形,单个或以同源细胞群的方式分布,同源细胞群的细胞数量为 2～4 个。

4.2 骨

骨是有一定形状，并有多重功能的器官，由骨组织和骨膜构成。

4.2.1 骨组织

骨组织(osseous tissue)由细胞和矿化的细胞间质(骨基质)组成，是一种特殊的结缔组织。骨组织的特点是细胞间质有大量骨盐沉积，使骨组织成为人体最坚硬的组织之一。

(1) 细胞

骨组织中的细胞有骨原细胞、成骨细胞、骨细胞和破骨细胞 4 种类型。其中骨细胞最多，位于骨组织内，其余 3 种均分布在骨组织表面或附近(图 4-4)。

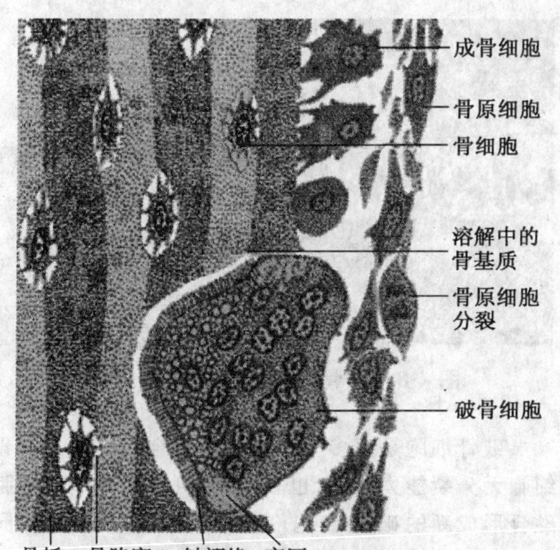

图 4-4 骨组织结构模式图

1) 骨原细胞 骨原细胞(osteoprogenitor cell)或称前成骨细胞(preosteoblast)，胞体小，呈不规则梭形，突起很细小。胞体内有一个椭圆形或细长形的核，染色质颗粒细而分散，故核染色甚浅。胞质少，呈嗜酸性或弱嗜碱性，细胞器很少。骨原细胞具有多分化潜能，可分化为成骨细胞、成软骨细胞或成纤维细胞(图 4-4)。

2) 成骨细胞 成骨细胞(osteoblast)主要来源于骨原细胞，分布在骨组织表面，呈立方状或矮柱状，像单层上皮样地排列，并借细短的突起彼此连接(图 3-11、4-4)。成骨细胞高 50～80 μm，核大而圆，核仁清晰。胞质强嗜碱性，高尔基复合体发达，线粒体丰富，大多呈细长形。胞质呈碱性磷酸酶强阳性，可见许多 PAS 阳性颗粒。当新骨形成停止时，这些颗粒消失，胞质碱性磷酸酶反应减弱，成骨细胞转变为扁平状。相邻成骨细胞突起之间以及与骨细胞突起之间有缝隙连接。在成骨细胞表面有甲状旁腺激素受体，雌激素受体，1，25-$(OH)_2D_3$受体，白细胞介素-1(IL-1)受体，白血病抑制因子(LIF)受体和整合素(integrin)等，它们影响骨组织的形成和吸收。

成骨细胞有活跃的分泌功能，能合成和分泌骨基质中的多种有机成分，包括Ⅰ型胶原蛋白、蛋白多糖、骨钙蛋白、骨粘连蛋白、骨桥蛋白、骨唾液酸蛋白等；还分泌胰岛素样生长因子Ⅰ、胰岛素样生长因子Ⅱ、成纤维细胞生长因子、白细胞介素-1 和前列腺素等，它们对骨生长均有重要作用；此外，还分泌破骨细胞刺激因子、前胶原酶和纤溶酶原激活剂，它们有促进骨吸收的作用。

3) 骨细胞 骨细胞(osteocyte)是位于骨组织内唯一的一种细胞，是一种长寿命的、无增殖能力的细胞(终末细胞)。细胞呈扁椭圆形，较小，单个散在分布于骨基质的骨板内或骨板间。细胞有许多细长突起，相邻细胞突起以缝隙连接相连，相互沟通信息；骨细胞胞体所在骨基质内的空隙称为骨陷窝(bone lacuna)，突起所在的空隙称为骨小管(bone canaliculus)(图 4-5)。

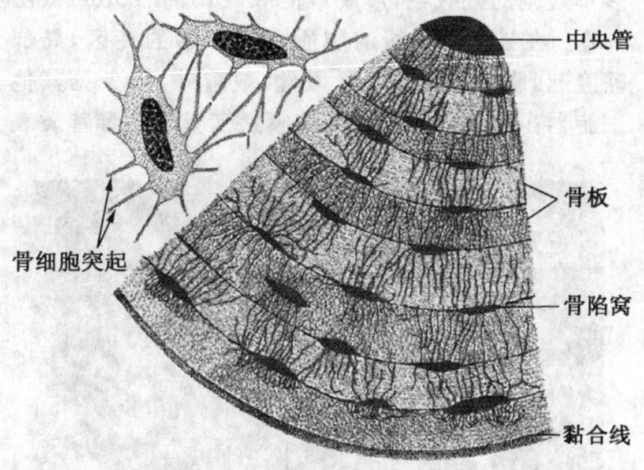

图 4-5 骨细胞与骨板结构模式图

骨组织内的骨陷窝借骨小管相互通连，其内含循环流动的组织液，为骨细胞提高营养和输出代谢产物。在甲状旁腺激素的作用下，骨细胞具有一定的溶骨作用，故在骨细胞周围可见薄层的类骨质(图 4-6)。骨基质中的 Ca^{2+} 释放入血，使血 Ca^{2+} 升高。此外，骨细胞还具有感受骨组织局部应变的功能。

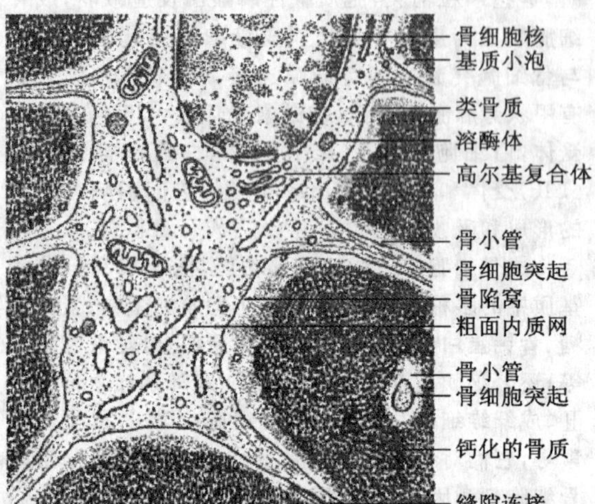

图 4-6 骨细胞超微结构模式图

4) 破骨细胞　破骨细胞(osteoclast)散布于骨组织表面，具有溶骨作用。破骨细胞体积大，直径 50～100 μm 不等，有多个细胞核，一般为 5～10 个，最多可多达数十个。较幼稚的破骨细胞的胞质呈嗜碱性，较成熟细胞的胞质则为嗜酸性，可呈泡沫状(图 4-7)。电镜下，破骨细胞的胞质内含较多溶酶体和大小不等的吞饮泡，细胞贴近骨基质的一面有许多不规则的微绒毛，形成皱褶缘(ruffled border)(图 4-8)。在皱褶缘周缘的胞质呈一环形的亮区，局部略隆起，胞质内除含大量微丝、微管外，很少见其他细胞器。破骨细胞亮区的质膜紧密吸附在骨基质表面，形成一道如同堤坝似的围墙，使包围的区域成为封闭的微环境。破骨细胞移动活跃，细胞从皱褶缘面释放乳酸、柠檬酸和 H^+ 等，使骨矿物质溶解和羟基磷灰石分解。它还可分泌多种蛋白分解酶，主要包括半胱氨酸蛋白酶(cysteine proteinase，CP)和基质金属蛋白酶(matrix metalloproteinase，MMP)两类，可降解基质中的Ⅰ型胶原蛋白。故破骨细胞具有很强的溶骨能力，破骨细胞完成吸收活动后，在原来骨组织边缘处留下一个吸收腔。同时，破骨细胞还可内吞分解的骨基质的有机成分和钙盐晶体。骨基质溶解后释放的 Ca^{2+} 被吸收入血，使血 Ca^{2+} 升高。研究表明，成骨细胞功能状态对破骨细胞有显著影响，在成骨细胞功能活跃时可抑制破骨细胞活性；成骨细胞有甲状旁腺激素受体，细胞在该激素的作用下可释放破骨细胞活化因子(osteoclast activating factor)，刺激破骨细胞使其功能活跃。

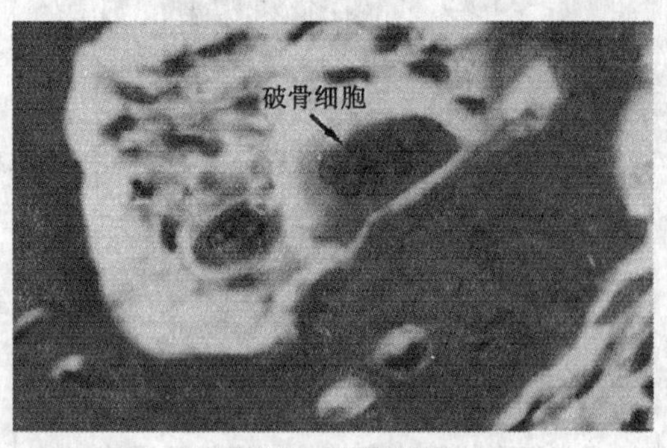

图 4-7 破骨细胞

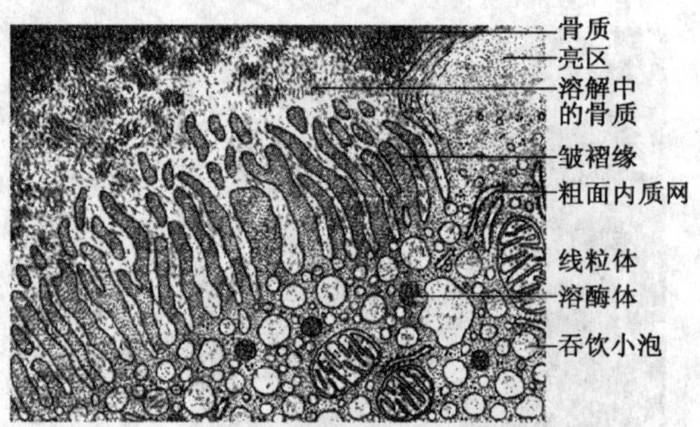

图 4-8 破骨细胞超微结构模式图

破骨细胞是由多个单核细胞融合而成的。破骨细胞无分裂能力，寿命也较短，但可不断由单核细胞融合形成新的破骨细胞。破骨细胞与巨噬细胞同源，也归入单核吞噬细胞系统。

(2) 细胞间质

骨组织的矿化细胞间质又称骨基质(bone matrix)或骨质，由有机成分及无机成分组成，含水很少。有机成分是由成骨细胞分泌形成，占骨干重的 35%，其中主要是胶原纤维(占 95%)，还有少量无定形凝胶状的基质(占 5%)。基质含中性或弱酸性糖胺多糖，具有黏合胶原原纤维的作用。基质中还含有钙结合蛋白(如骨钙蛋白，osteocalcin)，它与钙的运输及钙化有关。无机成分又称骨盐，占骨干重的 65%，主要为羟磷灰石结晶[hydroxyapatite crystal，$Ca_{10}(PO_4)_6(OH)_2$]。骨盐呈细针状，沿胶原原纤维长轴排列，并与之紧密结合。骨盐含量随年龄的增长而增加。有机成分使骨具有韧性，无机成分使骨坚硬。

骨组织中的胶原纤维有规律地分层排列，各层的胶原纤维与基质共同构成薄板状的骨板（bone lamella），厚 3～7 μm。同一骨板内的纤维平行排列，而相邻骨板的纤维则相互垂直（图 4-9），此种犹如多层木质胶合板似的结构，有效地增强了骨的支持能力。人体钙的 99%存在于骨内，骨内还含有大量的磷，因此骨是机体内钙和磷的贮存库。血液中的钙与骨中的钙不断进行交换，每分钟血液中有 1/4 的Ca^{2+}参与交换。

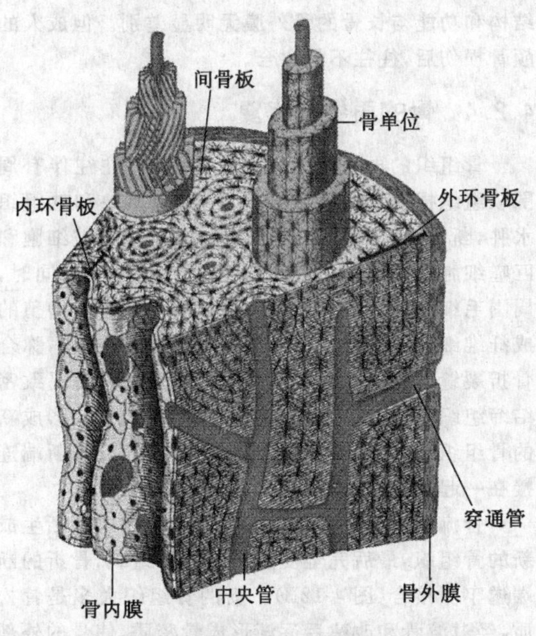

图 4-9 长骨骨干立体结构模式图

4.2.2 骨膜

除关节面以外，骨的内、外表面均被覆一层致密结缔组织的骨膜。外表面的称为骨外膜（periosteum），分为两层。外层较厚，胶原纤维粗大而密集，细胞较少，有的胶原纤维横向插入外环骨板，称为穿通纤维（perforating fiber），起固定骨膜和韧带的作用。内层较薄，结缔组织较疏松，纤维较少，含有较多的骨原细胞或成骨细胞，还有较多的小血管和神经。这些血管连同骨膜组织经穿通管进入骨密质，分支形成骨单位中央管内的小血管。骨膜不仅营养、保护骨组织，而且在骨的生长、改建和修复中具有重要作用。骨内膜（endosteum）被覆在骨髓腔面、骨小梁表面以及中央管和穿通管的内表面，为薄层的结缔组织膜。骨内膜含纤维少，成骨细胞常在骨表面排列成一层，颇像单层上皮，细胞间有缝隙连接，它们与骨细胞突起之间也可有缝隙连接。

4.2.3 骨的结构

骨可分为密质骨和松质骨两种类型。松质骨（spongy bone or cancellous bone）由大量针状或片状骨小梁相互连接的立体网格构成，骨小梁之间为相互通连的间隙，即骨髓腔，内含骨髓、血管和神经等。密质骨（compact bone）又称皮质骨（cortical bone），它与松质骨具有相同的基本组织结构，即均由板层骨构成，两者主要差别在于骨板的排列形式和空间结构，密质骨的骨板排列十分规律，并且所有的骨板均紧密结合，仅在一些部位留下血管和神经的通道，密质骨的主要功能是机械和保护作用，而松质骨主要起代谢作用。

（1）长骨的结构

长骨由密质骨、松质骨和骨膜等构成。典型的长骨，如股骨和肱骨，其骨干为一厚壁而中空的圆柱体，中央是充满骨髓的大骨髓腔。长骨骨干除骨髓腔面有少量松质骨，其余均为密质骨。密质骨的骨板有 3 种常见排列形式：环骨板、哈弗斯骨板和间骨板（图 4-9）。

1）外环骨板（outer circumferential lamella） 环绕骨干表面并与骨干表面呈平行排列的骨板，约十数层或数十层，比较整齐。外环骨板的外面与骨膜紧密相接，其中可见横向穿行的管道，称为穿通管（perforating canal），又称福克曼管（Volkmann canal），骨外膜的小血管由此进入骨内。

2）内环骨板（inner circumferential lamella） 居于骨干的骨髓腔面，仅由数层骨板组成，不如外环骨板平整。内环骨板表面衬以骨内膜，后者与被覆于骨松质表面的骨内膜相接续。内环骨板中也有穿通管穿行，管中的小血管与骨髓血管相通连。

3）骨单位骨板（osteon lamella） 又称哈弗斯骨板（Haversian lamella），位于内、外环骨板之间，是骨干骨密质的主要组成部分。骨单位骨板呈同心圆排列，中央的管道为中央管（central canal），又称哈弗斯管（Haversian canal）。骨单位骨板和哈弗斯管共同组成骨单位(osteon),又称哈弗斯系统(Haversian system)(图 4-10、4-11)。

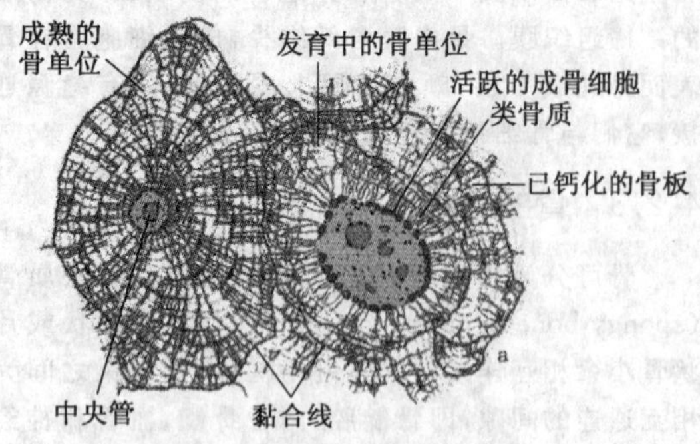

图 4-10　骨单位结构模式图

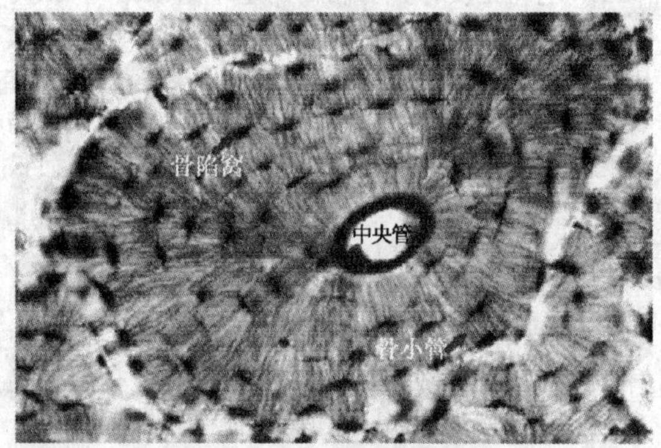

图 4-11　长骨磨片

骨单位是长骨干内主要起支持作用的结构和营养单位,呈长筒形,长 0.6～2.5 mm,直径 30～70 μm,由十数层骨板围成。长骨骨干主要由大量与骨长轴呈平行排列的骨单位组成(图 4-9)。各层骨板间的骨陷窝和骨小管互相通连,最内层骨小管开口于中央管,管内有骨膜结缔组织及血管和神经,骨细胞从中央管内的组织液获得营养,并排出废物。相邻骨单位之间可见黏合线(cement line),它是一层含骨盐多、含纤维少的骨基质,构成骨单位的边界,相邻骨单位的骨小管在黏合线处互不通连。相邻骨单位的中央管相互间以横行的穿通管相通连(见图 4-9)。

4) 间骨板(interstitial lamella)　为填充在骨单位之间的一些半环形或不规则的平行骨板,它是在骨生长改建中原有的骨单位或外环骨板未吸收的残留部分,其中除骨陷窝及骨小管之外,无其他管道(图 4-11)。

(2) 扁骨的结构

扁骨也有密质骨和松质骨。以颅顶骨为例,其内、外两层都是密质骨,两者之间夹一层厚度不一的松质骨。如中间的松质骨缺如,则两层密质骨融合。内、外两层密质骨分别称为内板和外板。外板厚而坚韧,弧度较小,耐受张力;内板薄而松脆,较易折损。内、外板之间的松质骨称为板障,有迂曲的板障管穿行,是板障静脉通行的管道。内、外板和板障及板障管有年龄性变化,一般在 6 岁以前和 50 岁以后,内、外板和板障不易分清;板障管在 2 岁后才可观察到,并随年龄增长逐渐明显,到 10 岁时,出现率可达 32%。扁骨的表面覆有骨外膜,颅骨外板表面的骨外膜叫颅外膜;内板表面由硬脑膜被覆,它们的结构和功能与长骨的骨外膜无明显差别。但成人的颅骨损伤后,往往不易愈合。

4.2.4　骨的再生与修复

骨组织的再生能力较强。骨折时,往往伴有周围软组织损伤和血管破裂出血,出现血块和软组织水肿,断端附近的骨细胞死亡。随即,中性粒细胞和巨噬细胞进入损伤处,吞噬坏死的组织碎片;同时,周围毛细血管分支伸入病变处。新生血管与增殖的成纤维细胞共同形成肉芽组织,逐渐取代血块,弥合骨折裂缝(图 4-12A)。不久,肉芽组织中出现致密结缔组织和软骨,随后又出现成骨细胞,开始形成新的骨组织,称为骨痂(callus)。骨痂将骨折的断端连接在一起,暂时起着固定和架桥的作用。

骨痂以膜内成骨和软骨内成骨的方式不断生成新的骨组织,最后完全变成新生的骨组织,骨折的断端遂牢固接合(图 4-12B)。新的骨组织大多是骨松质,经过溶骨和改建后逐渐形成骨密质,使骨的外部形状和内部结构恢复原状。骨痂周围的部分仍保留一层不骨化的结缔组织,成为骨外膜。在骨的修复与改建过程中,骨髓腔也随着形成。

4.3　关节

骨与骨之间借纤维组织、软骨或骨组织以一定的方式相互连接形成的结构称为关节(joint, articulation)。根据骨间连接组织的不同和关节活动的差异,可将关节分为动关节和不动关节两类。动关节(diarthroses)是指那些具有明显活动性的关节,它包括两种:一种是滑膜连接,这种关节具有很大的活

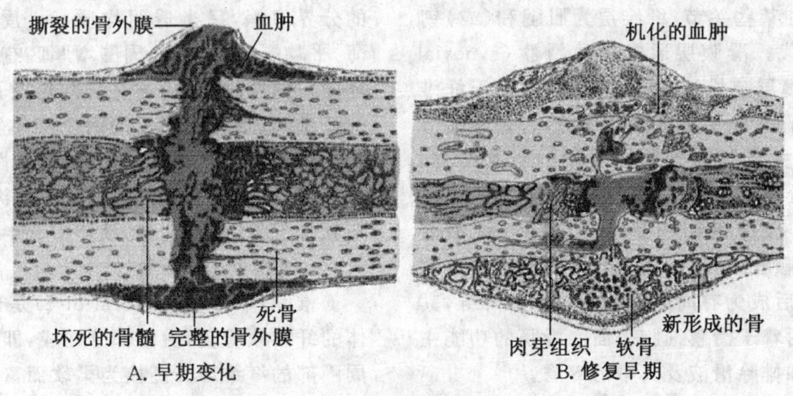

图 4-12 长骨骨折修复模式图

动性，一般情况下所说的关节即指这种关节；另一种是联合关节，如耻骨联合和椎间连接，这种关节具有一定程度的活动性，但活动幅度较滑膜连接要小，故也称为微动关节。不动关节(synarthroses)是指那些没有活动性或活动性极小的关节，它包括纤维性连接、软骨性连接和骨性连接3种。

4.3.1 滑膜连接

滑膜连接也称滑膜关节(synovial joint)，即平常所说的"关节"。它是一种高度特化的关节形式，分布广泛，活动性大，是肢体运动中最重要的关节类型。关节的基本结构包括关节面、关节囊和关节腔。关节面上有一薄层软骨覆盖，称为关节软骨。两骨间通过纤维性结缔组织即关节囊相连接，关节囊内层光滑，称为滑膜。滑膜产生滑液以润滑关节和营养关节内结构。除上述基本结构外，某些关节还有一些辅助结构，如关节盘或半月板、关节唇、滑膜壁和滑膜囊，以及关节内韧带等，它们具有维持关节面的相互适应、加强关节活动性或稳固性等作用(图 4-13)。

(1) 关节软骨

被覆于骨关节面的软骨称为关节软骨(articular cartilage)。除个别关节(如颞-下颌关节)的关节软骨为纤维软骨外，绝大多数关节软骨为透明软骨，但由于关节软骨所处的部位特殊，因而它在结构、功能、化学成分以及代谢活动等方面均有别于其他部位的透明软骨，具有明显的层次特点。关节软骨表面光滑，厚2～7 mm，其厚薄因不同的关节和不同的年龄而异，即使同一关节，不同部位的厚度也有不

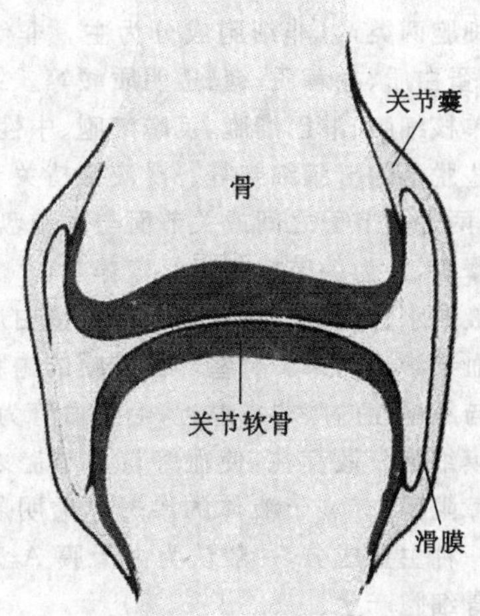

图 4-13 关节结构示意图

同，使相对应的关节更相适应。关节软骨具有弹性，能承受负荷和吸收震荡。关节软骨与其下方的骨端骨组织(也称软骨下骨)紧密相连，其中有纤维成分从软骨下骨穿入关节软骨，加强了关节软骨的稳定性，亦可使关节软骨所承受的应力更易于向骨转移。关节软骨间的摩擦系数<0.002，为关节活动提供了一个极低阻力的润滑面。

(2) 关节囊

在关节处包裹两骨端的结缔组织囊状结构称为关节囊(joint capsule)，由关节囊封闭的腔即为关节腔(articular cavity)。光镜下囊壁可分为两层：外层为纤维层(stratum fibrosum)，内层为滑膜层(stratum synovium)。纤维层为致密结缔组织，与骨端相接处的骨膜外层连续。纤维层富有韧性，可维持

关节的稳定。在某些关节，纤维层为肌腱和(或)韧带所加强或取代。滑膜层通常简称滑膜(synovial membrane)，由薄层疏松结缔组织构成，衬贴于纤维膜内面，其边缘附着于关节软骨的周缘，包被着关节内除关节软骨、关节唇和关节盘以外的所有结构。滑膜内细胞成分较纤维层多，细胞分散排列，胶原性间质穿插其间。胶原的结构特征由内向外逐渐变化，最内层为细颗粒状，然后转变为无周期性横纹的胶原原纤维，最后成为有周期横纹的胶原原纤维，其中有些原纤维附着于滑膜细胞表面。滑膜的功能主要为产生滑液和排除滑液及其中的碎屑。

(3) 关节液

关节液为关节腔内少量透明的弱碱性黏性液体，通称滑液(synovial fluid)。滑液的成分包括细胞和非细胞两类，以非细胞成分为主。非细胞成分包括水、蛋白质、电解质、糖、透明质酸等。细胞成分主要有单核细胞、淋巴细胞、巨噬细胞、中性粒细胞，还有一些脱落的滑膜细胞等。滑液维持关节面的润滑，减低两骨关节面之间或关节面与关节盘、半月板之间的摩擦，并为关节软骨提供营养。

滑液的水、电解质、糖和绝大部分蛋白质由滑膜血管的血浆渗透而来。有些部位滑膜的内膜下层毛细血管与细胞性内膜非常靠近，毛细血管为有孔型。加之滑膜细胞分散存在，使血管与关节腔之间无明显的屏障阻碍，有利于液体的渗透。透明质酸是滑液中的一种主要成分，一般认为由滑膜A型细胞和关节软骨细胞产生。

(4) 关节盘与半月板

关节盘(articular disk)是位于关节腔内两关节面之间的纤维软骨板，外周较厚，与关节囊的纤维层相连，中间较薄，向两骨关节面间伸展。关节盘呈圆形，盘状，完全分隔关节腔。若为新月形，不完全分隔关节腔者称为半月板(meniscus)。关节盘与半月板可使两关节面更为适合，减少冲击和震荡，并可增强关节的稳定性。

4.3.2 椎间连接

椎间连接为脊椎骨之间的连接结构。由软骨终板、纤维环和髓核3部分构成。软骨终板为覆盖在每个椎体上下两面的一层透明软骨、纤维环和髓核共同构成椎间盘。相邻两椎体通过椎间盘相连。

(1) 软骨终板

软骨终板(cartilage end plate)是椎间盘与椎体的分界组织，呈半透明均质状。周边较厚，中央较薄，平均厚约1 mm。周围增厚区有从椎间盘的纤维环而来的纤维穿过，这些纤维经此而与矿化区软骨的纤维相连续，使相邻的两个椎体牢固地连接在一起。软骨终板有许多微孔隙，渗透性好，有利于椎体与椎间盘之间代谢物质的交流，在沟通纤维环、髓核与软骨下骨组织之间的液体中起半透膜作用。

(2) 椎间盘

椎间盘(intervertebral disc)是连接相邻两个椎体的纤维软骨盘，由两部分构成，即中央部的髓核和周围部的纤维环。髓核为柔软而富有弹性的胶状物质，是胚胎时期脊索的残留物。纤维环由多层纤维软骨板以同心圆排列而成，韧性大，牢固连接各椎体的上下面，保护髓核并限制髓核向周围膨出。椎间盘既坚韧，又富弹性，对压力具有较大的缓冲作用，允许脊柱做屈伸、旋转等多个方向的运动。

(3) 髓核

髓核(nucleus pulposus)是软而具有弹性的高含水量的胶状物质，位于椎间盘的中央区。含有氨基多糖、胶原纤维、无机盐和水，以及分散于其间的细胞成分。正常髓核中含水量为80%～88%，40岁以后含水量逐渐减少，最后可减少至70%。髓核表面的胶原原纤维全都锚在软骨终板上。髓核中的胶原类型80%为Ⅱ型胶原。此外，髓核表面也有弹性纤维网，将其与软骨终板相连接。髓核的细胞成分较少，主要为脊索细胞(notochordal cell)和软骨样细胞(chondrocyte-like cell)两种类型。脊索细胞是一种残余的胚胎性细胞，随年龄增长而不断减少。细胞小而少，核深染，胞质中含有丰富的糖原颗粒，细胞多散在分布，彼此借细胞突起相互连接。软骨样细胞为髓核中常见的细胞类型，一般认为它来自纤维软骨，其形态与功能大致和软骨细胞相同。

(周国民)

参考文献

[1] 成令忠，王一飞，钟翠平. 组织胚胎学——人体发育和功能组织学. 上海：上海科学技术文献出版社，2003.

[2] 成令忠，钟翠平，蔡文琴. 现代组织学. 上海：上海科学技术文献出版社，2003.

[3] 刘斌，高英茂. 人体胚胎学. 北京：人民卫生出版社，1998.

[4] 赵定麟. 现代骨科学. 北京：科学出版社，2004.

5 骨的内分泌代谢

5.1 骨代谢

骨是一种器官,由骨组织(骨细胞、胶原纤维和基质)构成。基质中有大量钙盐和磷酸盐沉积,是钙磷的储存库。骨代谢是一个复杂的过程。从出生起至骨发育停止,一直进行着骨的生长和塑建,骨成熟以后又不断进行着骨重建。

5.1.1 骨塑建

骨塑建是指在骨发育停止之前,骨内、外膜在组织间隙的活动,引起骨骼的几何形状、尺寸和骨量的变化,形成一定的外形和内、外直径。骨未成熟时,在骨外膜面发生着皮质骨的沉积,而在骨内膜面有骨吸收。骨形成的速度快于骨吸收的速度,这使得骨的外径不断增加,而骨髓腔的直径(即内径)和皮质的厚度也同时增大。骨塑建的骨形成和骨吸收并不存在耦联关系,它们在不同的骨表面进行,彼此的活动没有联系。在骨成熟以后,当局部某块骨由于承受了过度的压力而发生超过塑建阈值的应变时,将重新激活骨塑建的骨形成而产生新骨,增加局部的骨量和骨强度。

5.1.2 骨重建

骨重建是骨组织进行新陈代谢和自我调整的重要生理过程。但骨重建与骨塑建不同,骨重建仅仅是骨的转换,不能改变骨构筑、大小及骨量。骨重建的骨吸收和骨形成过程耦联。在时间上的步骤表现为开始激活(activation),随之出现骨吸收(resorption),最后为骨形成(formation),简称 ARF 现象。这一过程依赖一个行使相应功能的细胞群组成的基本多细胞单位(basic multicellular unit, BMU)来完成。这些细胞群由破骨细胞、成骨细胞、骨细胞、骨祖细胞和骨衬细胞等组成。骨重建在所有的骨表面进行,包括骨外膜表面、哈弗管内表面、骨内膜表面和骨小梁内表面。

目前认为骨重建的过程如下。

1) 激活　破骨前体细胞向裸露的骨表面迁移、分化和融合成成熟的破骨细胞。

2) 骨吸收　成熟的破骨细胞(具有吸收功能的多核巨细胞)与骨表面接触,开始吸收骨组织。骨组织被吸收后在松质骨表面形成 Howship 陷窝,在皮质骨则称为切割锥形体。

3）耦联期 在骨吸收完成后1～2周骨形成才开始。由破骨细胞介导的成骨细胞成熟的耦联过程，其机制和调控机制仍未完全清楚。在此过程中，成骨前体细胞开始增殖、分化并成熟，启动了骨形成的过程。

4）骨形成 包括类骨质的分泌和类骨质的矿化2个阶段。成骨细胞在破骨细胞吸收的骨表面上出现，首先分泌一层黏合剂而形成黏合线，然后开始分层次地分泌类骨质带。类骨质分泌后，其中的胶原纤维相互交联，并在连接处形成孔腔结构而接受矿物质的沉积和结晶。

5.2 影响骨代谢的内分泌因素

5.2.1 降钙素

降钙素主要由哺乳动物甲状腺内的旁滤泡细胞产生，降钙素的分泌受血钙水平调控，血钙高时分泌增加，血钙低时分泌减少。降钙素可以直接作用于破骨细胞，降低其活性；还能抑制大单核细胞转化为破骨细胞，降低破骨细胞的数量，从而减少骨吸收。1994年，Kobayashi等研究显示，降钙素可直接作用于小鼠成骨细胞（MC3T3E1），刺激小鼠成骨细胞胰岛素样生长因子-Ⅰ（IGF-Ⅰ）、*fos*肿瘤基因（*c-fos*）、Ⅰ型胶原和骨钙素mRNA表达，刺激小鼠成骨细胞增殖和分化。

降钙素也是调节体内钙代谢的重要激素，它可抑制近端肾小管对钙磷的重吸收。还可以刺激1α-羟化酶，促进1，25-$(OH)_2D_3$的合成。大剂量的降钙素能够增加小肠对钙的吸收。

5.2.2 皮质类固醇

长期给予超过生理剂量的皮质类固醇能够增加破骨细胞的活性和数量，又可以抑制成骨细胞的形成和功能。适当剂量的皮质类固醇可以降低前成骨细胞对骨胶原的合成，还能减少前成骨细胞转化为成骨细胞，使骨量减少，增加发生骨质疏松性骨折的概率。

皮质类固醇能够降低活化维生素D_3的活性，抑制肠和肾对钙的吸收，使血清Ca^{2+}降低，这将促进甲状旁腺激素的分泌，间接促进破骨细胞的骨吸收。皮质类固醇促进蛋白分解，使骨基质的蛋白质合成障碍，抑制骨形成。

5.2.3 性激素

女性绝经期后雌激素水平下降，导致骨吸收的增加，这是公认的事实。原因在于雌激素对于骨代谢的重要作用。雌激素能够刺激成骨细胞，促进骨的形成，雌激素还能使甲状腺C细胞对钙的敏感性增加，促使降钙素分泌，抑制了破骨细胞的活性。雌激素能够促进1，25-$(OH)_2D_3$合成，并促进小肠对钙的吸收。绝经后雌激素的减少可使骨钙的释放增加，引起1，25-$(OH)_2D_3$的减少，导致肠钙吸收不良。不仅在女性，雌激素是骨代谢平衡的重要调节激素，在男性也发挥着相似的作用。同样，雄激素在男性和女性的骨代谢也是通过细胞因子直接或间接地作用于骨细胞，促进其分化和增殖，在抑制骨吸收的同时，促进骨形成。孕激素能够直接作用于成骨细胞，也可以通过与成骨细胞的糖皮质激素受体相结合，部分地拮抗糖皮质激素对成骨细胞生长的抑制作用。孕激素的作用可能是刺激已存在的成骨细胞，而抑制新生的成骨细胞。

5.2.4 甲状旁腺激素

甲状旁腺激素（PTH）由甲状旁腺主细胞和嗜酸性细胞合成。PTH在骨代谢中具有促进骨形成和骨吸收的双重作用，这两种作用主要由PKA和PKC信号转导通路介导，并通过对成骨细胞和破骨细胞的功能调节来实现。Jilka等对SAMRI和SAMP6两种品系小鼠用400 ng/kg的hPTH（1-34）皮下注射4周后，发现成骨细胞的凋亡率明显降低。表明PTH能直接抑制成骨细胞凋亡，从而延长其成骨作用时间。

Leaffer等发现PTH可促进骨小梁表面的衬里细胞向成骨细胞发生表型转换，恢复成骨细胞的功能。PTH能促进成骨细胞祖细胞（osteoblast progenitor）或未成熟的成骨样细胞增生分化。除直接作用外，PTH还可刺激成骨细胞产生胰岛素样生长因子和转化生长因子，后两者再以自分泌的方式来发挥成骨效应。有研究发现PTH还促进了破骨细胞的分化与激活。

5.2.5 1，25-二羟维生素D_3

1，25-二羟维生素D_3［1，25-$(OH)_2D_3$］可以促进小肠钙的吸收，还可以增加破骨细胞的活性和数量，促进骨吸收。它对骨形成和骨矿化的作用与其调节钙代谢的作用相关。1，25-$(OH)_2D_3$ 能够增加肾小管对钙、磷的重吸收。肠钙吸收随着血清25-(OH)D水平的逐渐上升而逐渐增加，当血清25-(OH)D水平升达 80 nmol/L 时，肠钙吸收不再增加。Chapuy 等发现血清 1，25-$(OH)_2D_3$ 为 70～110 nmol/L 时，血 PTH 水平最低。当维生素 D 和钙缺乏时，肠钙吸收减少，血钙水平下降，血 PTH 水平会立刻上升。因此认为这个范围的 1，25-$(OH)_2D_3$ 含量是人体较适宜的。

5.3 影响骨代谢的细胞因子

骨代谢不仅与内分泌激素有关，还受多种局部细胞旁分泌/自分泌的因子调控。

5.3.1 胰岛素样生长因子

胰岛素样生长因子(IGF)是依赖于生长激素的多肽。它是长骨生长的一个必需因子，在皮质骨和松质骨形成时，可刺激成骨细胞的增殖和分化，增加Ⅰ型胶原合成、碱性磷酸酶活性以及骨钙素的产生。还可以降低胶原的降解。在长骨干骺端可以促进软骨细胞的增殖和分泌。IGF-Ⅰ可加强骨吸收细胞的募集，是骨重建的主要调节剂，并参与骨折的愈合。IGF 参与骨吸收和骨形成的耦联过程，成骨细胞分泌的 IGF-Ⅰ储存在骨基质中，在骨吸收时被释放出来，并作用于成骨细胞和成骨细胞前体，促进骨骼的更新。

5.3.2 骨形态发生蛋白

骨形态发生蛋白(BMP)在间充质细胞向成骨细胞和成软骨细胞转化的过程中，起着重要的调节作用。在 MC3T3E1 小鼠成骨样细胞培养中，BMP 能增加碱性磷酸酶活性和胶原合成，但对成骨细胞增殖不起作用。还可以刺激原代成骨细胞或从骨组织中分离出的其他类型细胞分化为成骨细胞。BMP 能够诱导异位骨化，并可以促进骨折的愈合。BMP 可通过激活核结合因子(Cbfα1)来调节骨形成。它在骨发育和骨形成的过程中起着重要的作用。

5.3.3 血小板衍生生长因子

血小板衍生生长因子(PDGF)能够显著促进成骨细胞的增殖，却部分抑制成骨细胞的分化。还可以调节破骨细胞的骨吸收。在骨折修复的早期，PDGF 释放，吸附成纤维细胞进入血凝块，促进血管内皮细胞增殖和血管形成，对纤维性血痂的形成有重要作用。

5.3.4 成纤维细胞生长因子

成纤维细胞生长因子(FGF)在人体组织包括骨基质中广泛存在，分为酸性(aFGF)和碱性(bFGF)，可由骨髓基质细胞和成骨细胞等分泌，储存于细胞外基质中，通过受体介导以旁分泌/自分泌方式起作用。FGF 对成纤维细胞有明显促进增殖的作用。FGF 能够促进血管内皮细胞的增殖与分化，是毛细血管增殖的刺激剂。FGF 也能促进成骨细胞 DNA 的合成，刺激成骨细胞的增殖，从而导致骨形成。还可以刺激骨基质中其他生长因子的释放，起到协同刺激作用。

5.3.5 转移生长因子-β

骨基质中有大量的无活性转移生长因子-β(TGF-β)，当 pH 降低或纤溶酶及组织蛋白酶激活时，可将无活性的 TGF-β 激活。TGF-β 可以调节骨吸收区新骨的形成。TGF-β 刺激非转化的成骨细胞 DNA 合成及细胞增殖。在体实验中，实验动物接受 $TGF\text{-}\beta_2$ 系统性治疗能使其小梁骨的形成增加，并且在鼠股骨骨膜下注射 $TGF\text{-}\beta_1$ 和 $TGF\text{-}\beta_2$ 也能促使骨发生。

5.3.6 肿瘤坏死因子-α

肿瘤坏死因子-α(TNF-α)由破骨细胞样细胞及成骨细胞合成。可间接激活成熟的破骨细胞，并与 IL-1 一起共同促进其他细胞因子的产生，如白细胞介素-6(IL-6)、粒-巨噬细胞集落刺激因子(GM-CSF)和巨噬细胞集落刺激因子(M-CSF)，促进破骨细胞前体增殖，增强骨吸收。啮齿类动物实验证实，IL-1Ra 和 TNF 的抑制剂 TNF 结合蛋白(TNFbp)可以预防卵巢切除后的骨丢失；反之，如果去除具有生物学活性的IL-1R 或使 TNFbp 超表达则不会导致卵巢切除后的骨丢失。这证明了绝经后骨丢失与 IL-1 和 TNF 紧密相关。TNF 刺激吸收的作用是通过成骨细胞介导发生的，还能抑制成骨细胞合成Ⅰ型胶原。

5.3.7 白细胞介素-1

白细胞介素-1(IL-1)由单核-巨噬细胞和骨髓基

质细胞产生，可以刺激破骨细胞前体增殖分化，增加破骨细胞的数量，促进骨吸收。还可通过旁分泌/自分泌发挥作用，通过其他因子的介导对骨吸收和骨形成产生作用。IL-1的产生受全身激素的调控，雌激素能抑制成骨细胞分泌IL-1，而1，25-$(OH)_2D_3$作用于成骨细胞使其产生IL-1增加。

5.4 其他因素

5.4.1 钙

钙是人体内含量最丰富的无机元素之一，人体骨钙的总量为1.2～1.5 kg，其中99%储存在骨骼和牙齿，仅0.9%分布在细胞内和软组织，0.1%在细胞外液。美国饮食推荐方案规定：成年人每日钙摄入量应为800 mg，中青年每日宜为1 200 mg，而绝经后妇女每日应为1 500 mg。钙的吸收与维生素D密切相关。绝经期和绝经后妇女的肠钙吸收随着年龄增加而缓慢下降，70岁时肠钙吸收率较青年时期减少近50%。肠钙吸收的减少主要由于维生素D缺少，如摄入和皮肤合成维生素D均减少，肾脏1α-羟化酶的活性降低以及肠道1，25-$(OH)_2D_3$的受体数量减少和亲和力降低等。

如果细胞外液和血清内的钙浓度过低，则PTH合成增加，骨吸收增强。如长期钙摄入不足或钙排出过多，则发生负钙平衡，导致骨质疏松。

5.4.2 一氧化氮

在骨代谢环境中，一氧化氮(NO)可由成骨细胞、内皮细胞旁分泌，或者由破骨细胞自分泌产生。而催化NO生物合成的酶称为一氧化氮合酶(NOS)。NO和NOS对破骨细胞呈双向性调节：在NOS表达水平较低时，合成的NO浓度低，能够促进骨的吸收；在NOS表达水平较高时，合成的NO浓度高，能够抑制骨的吸收。NO对骨形成的作用也是双向性的，低浓度的NO是骨形成过程中所需要的，而高浓度的NO会抑制成骨细胞的骨形成功能。

5.4.3 他汀类药物

他汀类药物(statins)，即3-羟基-3-甲基戊二酰辅酶A(HMG-CoA)还原酶抑制剂，是广泛临床用于降低血胆固醇的药物。1999年，Mundy等从30 000多种化合物中发现他汀类药物是唯一能有效促进BMP-2 mRNA表达的物质。动物实验证实，他汀类药物可使新骨增加50%，骨小梁体积增加39%～94%。临床和实验室研究均表明，他汀类药物能促进骨形成，诱导成骨细胞分化和矿化。

（张光健　杨　轶）

参考文献

[1] 丁桂芝.类胰岛素生长因子对骨代谢的调节作用.中国骨质疏松杂志，1995，1：73～75.

[2] 孟迅吾.钙和骨质疏松症.中华内科杂志，2005，44：235～236.

[3] 郭世绂，罗先正，邱贵兴.骨质疏松基础与临床.天津：天津科学技术出版社，2001.

[4] Chen D, Harris MA, Rossini G, et al. Bone morphogenetic protein 2(BMP-2) enhances BMP-3, BMP-4 and bone cell differentiation marker gene expression during the induction of mineralized bone matrix formation in cultures of fetal rat calvarial osteoblasts. Calcif Tissue Int, 1997, 60:283～290.

[5] Garrett IR, Mundy GR. The role of statins as potential targets for bone formation. Arthritis Res, 2002, 4(4):237～240.

[6] Harris SE, Feng JQ, Harris MA, et al. Recombinant bone morphogenetic protein 2 accelerates bone cell differentiation and stimulates BMP-2 mRNA expression and BMP-2 promotor activity in primary fetal rat calvarial osteoblast cultures. Mol Cell Differ, 1995, 3:137～155.

[7] Jilka RL, Weinstein RS, Bellido T, et al. Increased bone formation by prevention of osteoblast apoptosis with parathyroid hormone. J Clin Invest, 1999, 104(4):439～446.

[8] Kimble RB, Bain S, Pacifici R. The functional block of TNF but not of IL26 prevents bone loss in ovariectomized mice. J Bone Miner Res, 1997, 12:935～941.

[9] Kobayashi T, Sugimoto T, Saijoh K, et al. Calcitonin in directly acts on mouse osteoblastic MC3T3 E1 cells to stimulate mRNA expression of c-fos, insulin-like growth facter I and osteoblastic phenotypes(type collagen and osteocalcin). Biochem Biophys Commun, 1994, 199(2):876～878.

[10] Leafer D, Sweeney M, Kellerman L, et al. Modulation of osteogenis cell ultrastructure by RS-23581, an analog of human parathyroid hormone(PTH)-related peptide(1-34), and bovine PTH(1-34). Endocrinol-

ogy, 1995, 136(8):3624～3631.

[11] Lorenzo J. Interactions between immune and bone cells: new insights with many remaining questions. J Clin Invest, 2000, 106:749～752.

[12] Ma YL, Cain RL, Halladay DL, et al. Catabolic effects of continuous human PTH(1-38) in vivo is associated with sustained stimulation of RANKL and inhibition of osteoprotegerin and gene-associated bone formation. Endocrinology, 2001,142(9):4047～4054.

[13] Mundy G, Garrett R, Harris S, et al. Stimulation of bone formation in vitro and in rodents by statins. Science, 1999, 286(5446):1946～1949.

[14] Rosen D, Miller SC, Deleon E, et al. Systemic administration of recombinant transforming growth factor beta 2(rTGF-β2) stimulates parameters of cancellous bone formation in juvenile and adult rats. Bone, 1994, 15:355.

[15] Thies RS, Bauduy M, Ashton BA, et al. Recombinant human bone morphogenetic protein-2 induces osteoblastic differentiation in W-20-17 stromal cells. Endocrinology, 1992, 130:1318～1324.

[16] Zheng MH, Wood DJ, Papadimitrion JM.. What's new in the role of cytokines on osteoblast proliferation and differentiation. Pathol Res Pract, 1992, 188:1104.

6 骨与关节的生物力学

6.1 简述

生物力学是利用力学的基本原理,结合生理学、医学和生物学来研究生物体,特别是研究人体的功能、生长、消亡及运动规律的一门分支学科。本章首先简述骨的力学性能、骨力学性能的测试和分析方法,并对新兴的骨力学生物学作一扼要介绍。接着,以下肢三大关节为例,从静力学、运动学与动力学 3 个方面,介绍关节的生物力学性能。本章内容将有助于临床医师了解并掌握骨与关节的基本生物力学知识与研究方法,从而更好地将这些知识应用于骨科临床。

6.2 骨的生物力学

6.2.1 骨的力学性能

骨的力学性能可以从材料(组织)和结构两个方面加以分析。骨的材料力学性能反映的是骨材料固有的力学特性,相对独立于骨的几何结构,通常用对标准和均匀骨样本的力学测试来确定。骨的结构力学性能,则是通过对完整骨进行力学测试来确定,它反映了骨的整体结构对力学负荷的响应。需注意的是,骨的材料力学性能和结构力学性能之间并无明显界限。如骨折,当整体骨的结构因受力而断裂时,不仅骨的结构力学性能被破坏,而且骨的材料力学性能也同样被破坏了。

(1) 骨的材料力学性能

应力(stress)和应变(strain)是骨材料力学性能中两个最基本的元素,它们描述了骨受力后所产生的内部效应。当外力作用于骨时,骨以形变来产生内部的抗力,即是骨的应力。骨应力的大小表示为作用于骨截面上的外力与骨截面面积之比,单位是帕(Pascal, Pa)或兆帕(MPa),即牛顿/平方米。骨应变是指骨在外力作用下的变形,大小等于骨受力后长度的变化量与原长度之比,是一个无量纲的单位,一般以百分比表示。

骨受力后产生的应力与应变可通过应力-应变曲线来描述,其中 y 轴坐标表示应力大小,x 轴坐标表示应变大小(图 6-1)。

应力-应变曲线可分为 2 个区:弹性变形区和塑性变形区。在弹性区内,骨受力后发生弹性变形,即外力一旦被卸载后,骨可恢复至原始形状大小。应力-应变曲线在弹性区的斜率定义为骨材料的弹性模量(elastic modulus)或杨氏模量(Young modulus),它表示材料抗形变的能力,单位是帕或兆帕,与应力单位相同。弹性区末端点或塑性区初始点称为屈服点(yield point)。该点对应的应力使骨产生了最大的弹性形变,亦称为弹性极限(elastic limit)。屈服点以后的区域称为塑性变形区,此时骨材料已发生结构的破坏和永久的变形。当外力超过一定数值时,骨发生断裂即骨折。导致骨折所需的应力称为骨的最大应力或极限强度(ultimate strength)。

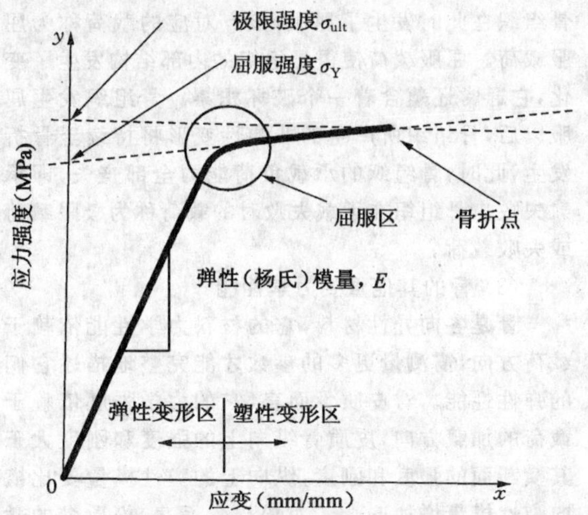

图 6-1 拉伸实验中松质骨典型的应变-应力曲线

包括弹性变形区(线形区)、屈服点和塑性变形区(屈服后区)

若骨受拉伸外力作用而发生骨折，则骨的极限强度又可称为极限拉伸强度(ultimate tensile strength)。相应的，骨在受压缩负荷、弯曲负荷和扭转负荷下的极限强度，可依次称为骨的极限压缩强度(ultimate compressive strength)、极限弯曲强度(ultimate bending strength)和极限扭转强度(ultimate torsional strength)。

应力-应变曲线中骨折点或骨断裂点对应的应变，可用于描述骨材料的柔软性(ductility)。整个应力-应变曲线下面的面积表示骨材料在断裂前积聚的应变能量，以焦耳表示，它也被称为骨的韧性(toughness)。在正常情况下，骨所受到的生理负荷使骨发生弹性变形，当外力负荷被卸载后，弹性区内的能量可同时被骨所释放，骨可恢复原状。若外力负荷被卸载后，应力-应变曲线下面的面积，即表示骨所释放的能量小于外力加载时骨所积聚的能量，其间丢失的能量被称为滞后。当骨不断受到外力重复作用时，其应变能量不能被完全释放，积累后可导致骨结构被破坏，表现为疲劳性骨折。

(2) 骨的结构力学性能

骨的结构力学性能通常用载荷-变形曲线来描述，其中 y 轴坐标表示载荷大小，x 轴坐标表示变形大小(图 6-2)。为了避免问题的复杂化，以形态近似圆柱状的骨标本为例，通过对其进行拉伸实验，讨论骨的结构力学性能。

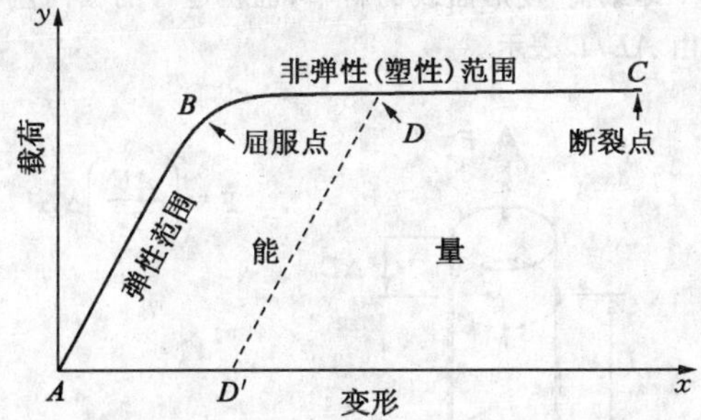

图 6-2 某一韧性材料的载荷-变形曲线

图 6-2 显示了圆柱状的骨标本通过拉伸实验获得的载荷-变形曲线。与应力-应变曲线相同，载荷-变形曲线首先包含一段线性区域(也称为弹性区域)，随后是一段非线性区域，分别对应骨组织在拉伸负荷作用下发生的弹性变形和塑性变形。在弹性区域内，载荷-变形曲线的斜率表示骨的轴向刚度(stiffness)。在该例子中，骨在弹性区域内承受的载荷(F)、发生的变形(x)、骨的轴向刚度(k)之间有如下的关系：

$$F = kx \tag{6-1}$$

从这一等式中可推知，在一定的外力负荷条件下，骨的弹性刚度越大，骨所产生的弹性变形越小。对于圆柱状的骨标本而言，其产生的弹性变形(ΔL)可表示为：

$$\Delta L = FL/AE \tag{6-2}$$

式中：L 表示骨标本的初始长度，A 表示截面积，F 表示外力，E 表示材料的弹性模量。

由方程 6-2 可知，骨标本受力后产生的弹性变形与外力的大小、骨标本的初始长度成正比，与骨标本的截面积、弹性模量成反比，由此可知，载荷-变形曲线是根据材料的几何结构，如截面积和初始长度的变化而变化，因此该曲线描述的是骨的结构力学性能。

例如，从成年人股骨干中提取一小块圆柱形骨，对其进行拉伸实验，输出的载荷-变形曲线见图 6-3，其中骨的截面积假定为 A，初始长度为 L，弹性模量为 E。如果将标本切成一半(即长度由 L 变成 $L/2$)，再重复上述实验，则结果将如何呢？由方程 6-2 可推知：

$$F = (AE/L)\Delta L \tag{6-3}$$

即载荷-变形曲线的斜率,也就是骨的轴向刚度可由 AE/L 表示。

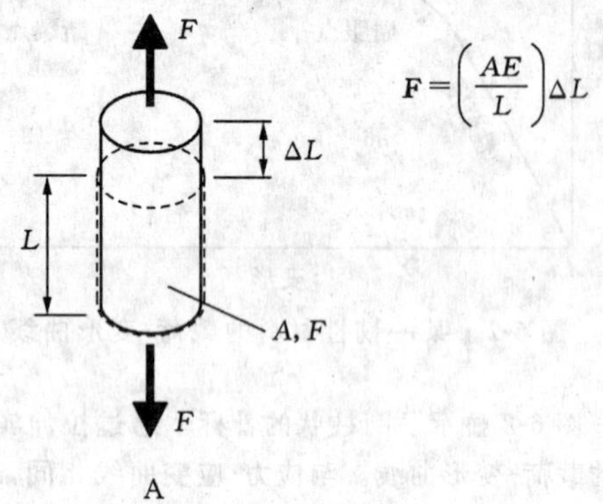

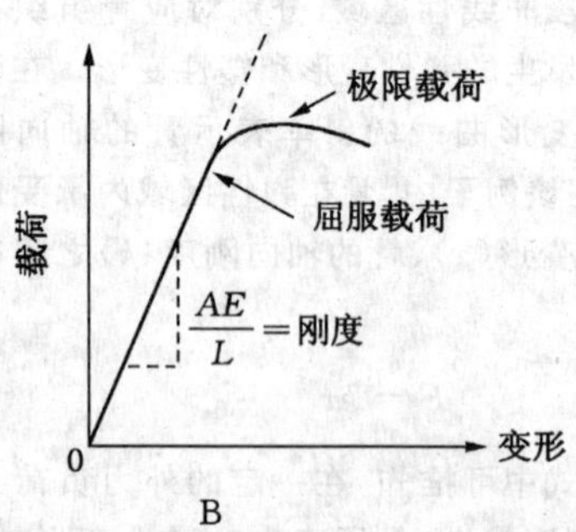

图 6-3　骨的结构力学性能

A. 圆柱状松质骨(长度为 L,面积为 A)经施加压缩载荷后产生了变形 ΔL　B. 载荷-变形曲线描述了骨的结构力学性能,标本的形状对刚度 AE/L 和极限载荷有影响

由方程 6-3 可知,骨的轴向刚度随骨的截面积(A)和弹性模量(E)的增大而增大,随骨标本的初始长度(L)的增加而减小。因此,当标本被切成一半后,标本的初始长度减小一半,由 L 变成 $L/2$,则载荷-变形曲线表示的轴向刚度将增大 1 倍。这个例子说明,即使被测标本来源于相同的骨组织,即弹性模量相同,但只要被测标本的体积不同,也将获得不同的载荷-变形曲线。因此,载荷-变形曲线是对骨组织结构力学性能的描述,它反映了整体骨结构的力学性能。相反,独立于标本几何形态的应力-应变曲线,则描述了标本的材料力学性能。

在载荷-变形曲线两段区域的连接点处,表示了骨组织在此时发生了屈服,该点对应的载荷称为屈服载荷。屈服载荷使得骨组织的内部结构发生了变化,它通常还蕴含着一个破坏积累。骨组织发生屈服以后,骨组织所产生的非弹性变形将持续至骨折发生,此时,骨组织的承载负荷能力全部丧失,即承载失败。骨组织在承载失败时的载荷称为极限载荷或失败载荷。

(3) 骨的其他重要力学性能

骨是各向异性材料,它的材料力学性能依赖于载荷方向,需测量更多的参数才能完整地描述它们的弹性性能。对皮质骨而言,它的力学强度依赖于载荷的加载方向,皮质骨纵向上的强度和刚度大于其横断面的强度和刚度,纵向上的弹性模量要比横向弹性模量增加 50%。对松质骨而言,松质骨的微观结构决定了它在每一个横断面上的弹性特征近似于各向同性,而在纵向上则为各向异性(图 6-4)。

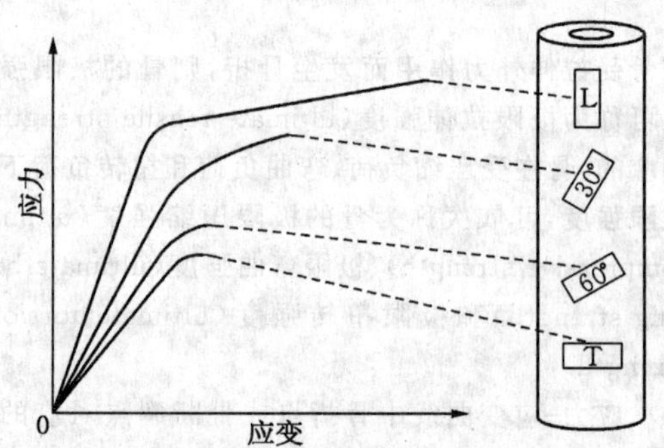

图 6-4　人股骨干皮质骨试样的各向异性特征

沿皮质骨的长轴方向弹性模量和强度都较沿骨的横轴方向高

杨氏模量和泊松比是用于描述各向同性材料弹性特征的 2 个参数。其中泊松比是指物体受挤压或拉伸时的膨胀率或收缩率。实验表明,松质骨的纵向弹性模量约为横向弹性模量的 1.5 倍,泊松比接近于 0.6,高于金属,说明骨在受力时体积增大较多。

骨是黏弹性材料,它的力学性能依赖于施加载荷的应变率大小和加载时间。日常生活中,活体骨的应变率相差很大。如慢步走时,应变率为 0.000 1/s,疾步走时,应变率为 0.01/s。活动越激烈,骨所产生的应变率越大。就松质骨而言,应力-应变曲线初始斜率随应变率增加而增大,表明松质骨在高应变率载荷下,弹性模量越高,同时屈服强度和最大强度也随着应变率的增加而增加(图 6-5)。如果应变率的变化范围相同,则松质骨强度的变化大于其弹性模量的变化(图 6-6),表明拉伸强度对应变率的变化要比弹性模量敏感。

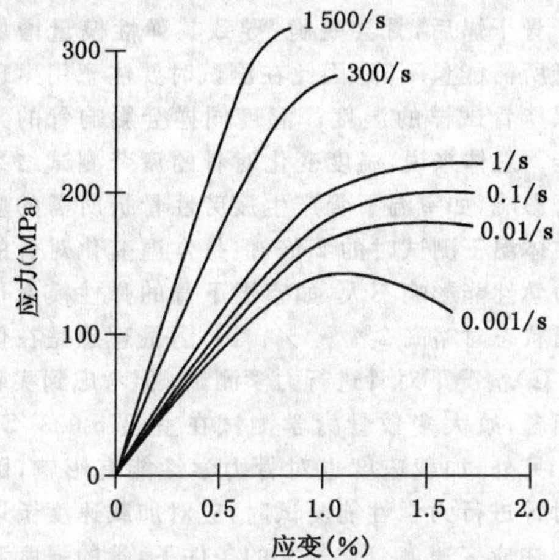

图 6-5 应力-应变曲线图

应变率的大小取决于松质骨材料特性。
应变率增加时,弹性模量和强度亦随之增加

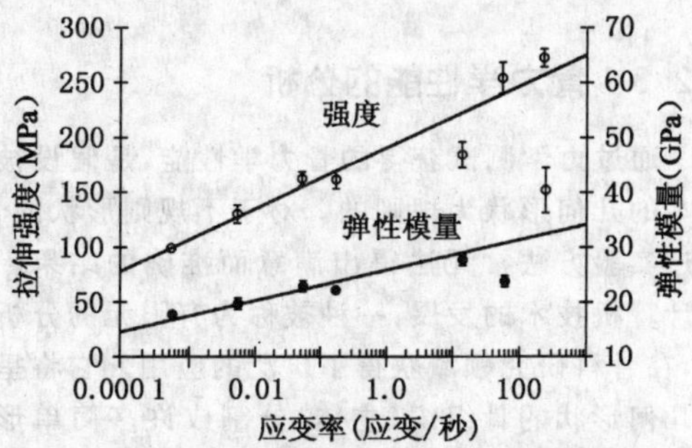

图 6-6 人体松质骨纵轴负载时的弹性模量与极限拉伸强度受应变率大小影响

对于黏弹性材料的骨来说,它具有蠕变和应力松弛特性。蠕变是指材料在恒力作用下,变形随时间增大,直至平衡。应力松弛则指材料在恒定的变形下,所需维持变形的力随时间减小,直至平衡。

图 6-7 是成人松质骨在承受不变张应力时,时间与应变之间的关系曲线。从该曲线中可发现,松质骨具有与其他工程材料相同的三段曲线特征。在初始阶段,样本承载后发生持续性应变,然后蠕变率随应变强度增加而逐渐下降。在第 2 阶段中,曲线蠕变率增加明显。尽管应变量仍低于屈服和最大载荷,但当对松质骨施加载荷并持续一定时间后即达第 3 阶段,也可能发生骨折。

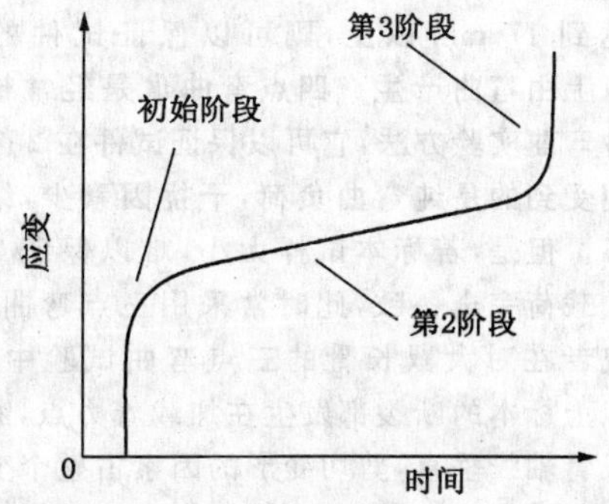

图 6-7 人体松质骨负荷蠕变特征的示意图

6.2.2 骨力学性能的测试

(1) 标本制备与保存

骨力学性能的实验测试结果取决于许多因素,如骨的类型(皮质骨或松质骨)、骨样本的取材部位、骨的年龄和体重差异,以及力学测试条件等。这些因素都应随时记录,以便测试后进行数据的对照和分析。骨组织标本取材后,应剔除附着于骨上的软组织。如果不能马上进行力学测试,则用浸透生理盐水的纱布包裹后放入塑料袋中,存入−20 ℃以下的冰箱中保存,待测试时,让其自然解冻。骨干燥或脱水对骨的强度和弹性模量都有较大影响。实验表明,干燥脱水后的骨应力-应变曲线几乎没有明显屈服阶段,骨破坏时的能量吸收也将大大降低,干燥骨的弹性模量也往往较湿骨高。因此,在力学测试时,保持骨试件的湿润是非常必要的。

(2) 力学测试方法

1) 拉伸试验(tensile test) 一般要求骨样本具有较大的体积。测试时要对骨的两端牢固固定,以保证测试结果的可靠性。拉伸实验是测试骨力学性能很好的一种实验方法,但是,加工试件有相当大的难度。一般可用油石将试件细磨成 1～2 mm 宽、5～10 mm 长、0.5 mm 左右厚的均匀试件,试件两端用 502 胶粘在特殊设计的夹具端部,即用线切割机切出的小缝中。由于骨主要起负重作用,即主要承受压力负荷,故拉伸试验的实际应用较少。

2) 弯曲试验(bending test) 该方法被大量用于骨干、皮质骨的力学性能测试,是一种应用非常广泛的力学测试方法。弯曲试验包括三点弯曲和四点弯曲。弯曲试验在理论上要求试件跨度达到试件直径(或宽度)的16倍,试件过短易受到剪切力的影响。一般的,大鼠长骨进行弯曲实验时的跨距若达到17 mm以上,则可以保证试件的变形90%以上由弯曲产生。四点弯曲也是经常被采用的一种弯曲实验方法,它可以保证试件在2个加载点之间受到的是纯弯曲负荷,干扰因素少,结果相对可靠。但是,若标本试样太小,难以保证2个加载点的载荷完全一致,此时常采用三点弯曲试验。有研究者在对大鼠长骨的三点弯曲试验中发现,90%以上标本的断裂都发生在加载着力点,断面基本与长骨轴线垂直,剪切变形的因素占整个变形因素的10%~15%。因此,主要是弯曲负荷而非剪切力导致了骨折。

弯曲试验中要注意让试件横截面的方向与载荷方向保持一致,以保证测试结果的精确。同时还应注意加载装置的设计。将试件支座和加载压头加工成马鞍形状是比较理想的。一方面,马鞍形的支座可以防止试件在加载过程中发生滚动;另一方面,马鞍形压头与试件之间是线接触而不是点接触,这样可避免接触部位的局部应力过大。进行弯曲试验时,宜选择形状相对规则的标本,如股骨和肱骨。一般不宜用胫骨为试件,因胫骨较大的弓状弯曲外形易使其在加载时发生滚动,造成受力状况的复杂,从而降低测试的准确性。

3) 压缩试验(compressive test) 该方法常用于松质骨的力学性能测试,其优点在于载荷加载方向与骨的生理受力方向基本相似,且操作也较容易。压缩试验需注意的是,骨试件的上下平面应与加载装置面保持平行,避免应力集中在试件的某个局部,从而减小了被测骨的整体力学强度和弹性模量。压缩试验时,一般要求试件的高度大于直径的1.5倍,同时为减小边界效应的影响,可在骨试件上下两端涂上润滑剂。对椎体标本来说,还应尽可能去掉椎弓、椎突及附着的软组织,使试件加工形成椭圆柱状,并在细砂纸上将其两端轻轻磨平,以保证试验精度。对松质骨的离体标本来说,由于取样时破坏了骨小梁的边界结构连接,离体松质骨的应力和弹性模量会小于在体的标本,为减小误差,在进行压缩试验时,常需事先对标本的上下断面进行包埋,在离体标本的上下断端黏合一个"帽子"。

4) 其他试验 对骨力学性能的测试,除以上3种最基本的方法外,还包括剪切试验、扭曲试验、疲劳试验和拔出试验等,需根据实际问题的需要,灵活加以运用。无论采用哪种方法,在进行骨力学测试时,必须充分考虑到测试时试样的湿度、温度和负荷的加载速度,因为这些因素会影响测试结果。由于骨干燥后,骨会变脆,导致其弹性模量增加和骨折所需能量下降,因此在测试时要注意用生理盐水保持骨试样的湿度。温度同样会影响骨的力学性能。总体来说,温度变化对骨的疲劳测试结果有显著影响,如室温下骨产生疲劳性骨折所需的应力是在体温下测试时的2倍,但是常温变化对骨的其他力学性能影响不大,如室温下骨的弹性模量仅比体温状态时略高2%~4%。因此,最理想是在体温(37 ℃)情况下对骨进行力学测试,但考虑到实际操作问题,故大多数骨力学测试在室温下(23 ℃)完成。另外,加载速度也对骨力学性能有影响,因此在对骨进行力学性能测试时,应对加载速度予以报道。在应变速度变化很大的条件下,骨的强度和弹性模量均会有较大的变化。在三点弯曲试验中,研究发现,当加载速度在1~5 mm/s范围内,则骨材料的结构与材料力学性能受加载速度影响的程度较小。

6.2.3 骨力学性能的分析

通过力学测试获得的骨力学性能,是假设被测标本的几何形状为规则的。对于不规则形状的骨,通过实验方法常无法得出满意而准确的结果。随着计算机技术的发展,一种被称为有限元的分析方法,在骨科研究领域获得了广泛的应用。它将呈复杂几何形状的骨组织(主体)分割成许多简单形状的单元,如针对二维主体,分割单元为三角形或四边形;针对三维主体,分割单元为四面体或六面体。在将骨组织分成相对简单形状的单元后,就生成计算机网格模型,用于描述单元节点的几何形态和单元之间的相互联系。在这些信息基础上,附上骨的一些生理性负荷条件后,则可计算出骨组织的应力和应变。如有限元程序可计算出在给定的一系列边界条件下,骨组织所发生的变形。边界条件表示了骨组织的载荷条件和约束条件,根据骨组织的材料参数和计算所得的变形量,可计算出骨组织的应力和应变。有限元分析的精度主要取决于分割的单元数。单元数增加,则物体真正的几何形状表达得越完善,应力、应变和变形量这些计算结果就越详尽。

迄今为止，在多数已进行的有限元分析研究中，都将松质骨表示为连续介质材料，通过骨的孔隙率变化调节单元的材料特性。近来已建立了可表达松质骨详细结构的有限元模型，即用大量的、形状相同的块状单元表示松质骨复杂的结构(图 6-8)。此类分析称为"微型有限元分析"或"大型"有限元分析，指的是用巨大数据量的块状单元，计算类似松质骨这样复杂结构物体的应力和应变，也就是说计算基于微结构的骨力学性能。

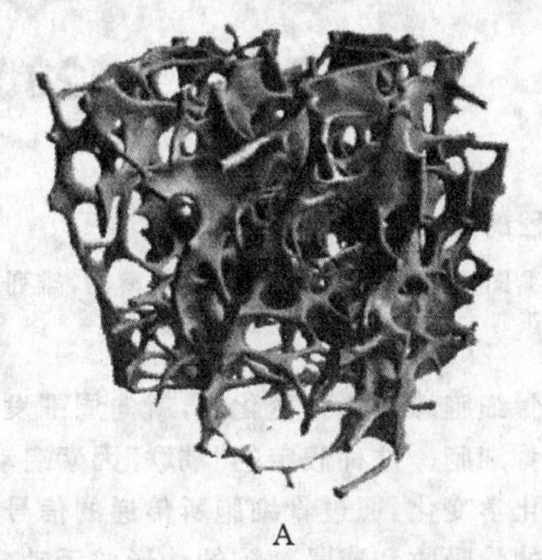

A

B

图 6-8　松质骨微型有限元模型

A. 松质骨骨小梁的微型结构　B. 在 2%压缩应变情况下，边长为 2.5 mm 立方体的微型有限元(μFE)模型的局部应力分布图

微型有限元法可用于阐明松质骨的结构对其强度所起的作用。通过建立骨标本的微型有限元模型，在该模型上施加一个逐步增加的外力，就可计算出跟随每一步外力变化，骨组织结构内部局部负荷的状况。

微型有限元分析技术也可用于提高对骨强度的诊断。利用 pQCT 扫描仪，有研究者建立了年轻志愿者桡骨远端的微型有限元模型。对该模型施加外力以模拟人摔倒时的受力情况，有限元分析计算得出的结果与临床诊断结果非常吻合，即他们发现了骨组织在摔倒时高负荷发生区域与典型的桡骨远端松质骨骨折的发生区域非常吻合。另有研究者应用相似方法，进行了桡骨远端骨折的预测。他们发现，力学测试获得的桡骨远端骨折发生时的载荷量，与微型有限元分析后得出的骨折预测值具有相当高的相关性 ($R^2=0.75$)，因此，微型有限元法可用于对骨折风险性的评估。

6.2.4　骨的力学生物学

近年来，随着细胞分子生物学的发展，生物力学研究已深入到细胞水平，应力-生长关系以及细胞力学行为，如黏附与运动等成了研究的焦点，逐渐形成了一个新兴的交叉学科"力学生物学"。虽然从字面上看，力学生物学仅改变了生物力学的词序，但是其概念和内涵与生物力学之间有区别。主要表现在：力学生物学将研究重心从力学移到生物学，侧重于研究机械力如何调控组织的形态和结构，即研究组织是如何通过细胞对力学刺激的反馈而生成、维持其形态结构并适应其环境。与之对应的生物力学，则是研究生物体中力的作用机制。两者之间的区分以下述例子说明：如果为了研究多大的应力作用于骨将导致其骨折，则属于生物力学研究范畴；反之，如果为了研究骨的形态结构如何跟随作用于骨的应力而变化，则属于力学生物学研究范畴。

骨力学生物学主要是从细胞分子水平研究和探讨力学环境对骨塑形、骨重建和骨适应性的作用或影响。骨塑形(bone modeling)指皮质骨和松质骨的微观结构适应力学环境而成形和生长的过程。现已证实，力学因素参与了骨塑形过程，通过骨吸收与骨形成的相互作用来调整骨的形状、大小及有机组成，使得骨骼结构朝着更有利于其承载负荷的优化方向生长，如松质骨具有顺应外力方向排列的结构模式(图 6-9)。

骨重建(bone remodeling)是指一种持续进行着的新骨替代旧骨的过程，其作用在于维持骨的力学

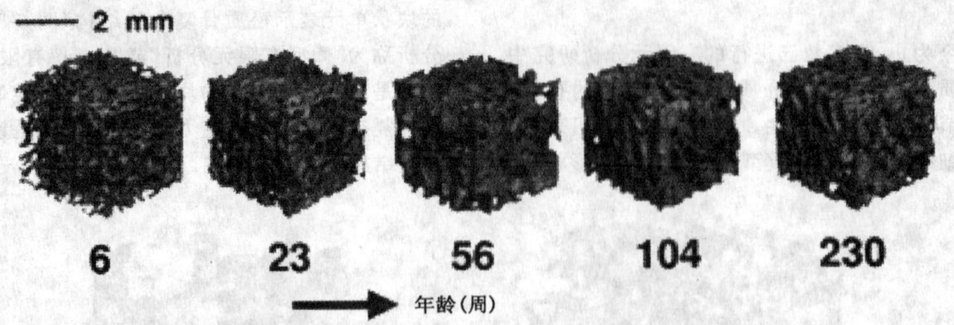

图 6-9 反映松质骨骨塑形过程的骨小梁微型 CT 图像

取自 6 周至 230 周龄的猪胫骨骨骺的小梁骨微型 CT 图像。初始时,小梁大多是薄的,排列方向紊乱。随年龄增长,小梁数减少,小梁变厚,并沿主要的受力方向排列

性能,防止骨组织内因微损伤或微裂痕的积累而导致骨结构被破坏。骨重建过程是破骨细胞和成骨细胞相互密切作用的过程,在骨形成与骨吸收之间存在着一种耦联的力学因素,它体现在破骨细胞吸收形成的“凹槽”内(图 6-10)。近年来的研究表明,因机械负荷而产生的微裂痕和微损伤对骨重建过程的启动十分重要,它可能诱导了某种增加破骨细胞产生的信号。一旦骨重建过程被启动,破骨细胞就沿着主要的机械负荷方向进行骨吸收。

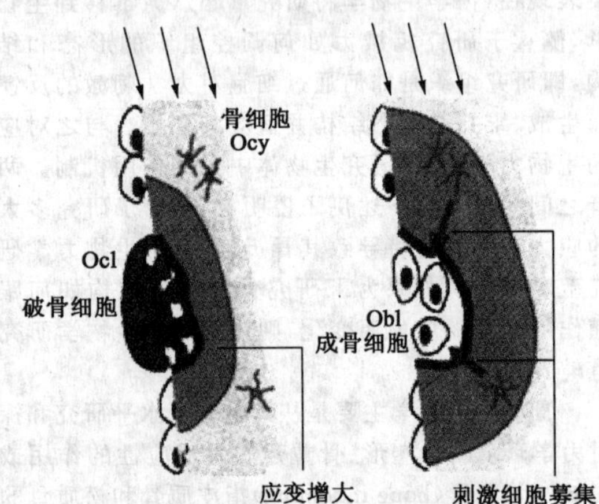

图 6-10 解释机械力学因素对骨重建影响的示意图

衬细胞覆盖在小梁的表面,骨细胞位于矿化组织内。骨基质中的微裂纹破坏了骨小管,导致骨细胞信号的阻断,从而引起破骨细胞的募集。募集后的破骨细胞吸收骨后形成空腔,通过所谓的“凹槽效应”(notching)引起局部应变的升高,吸收腔周围的骨细胞感知这种变化后,就向周围发送信号,吸引成骨细胞。这种假定的“耦联”因素启动一连串的生物化学变化,通过骨细胞所传递的信号,耦联破骨细胞的骨吸收和成骨细胞的骨形成活动。在骨形成的过程中,一部分成骨细胞被包绕在骨基质中,形成新的骨细胞。修复吸收腔后,残留的成骨细胞成为衬细胞,覆盖在新骨的表面。

骨的力学适应性概念,已通过 Wolff 定律而广为人知,许多骨科手术也依据这样的原理而开展,即“通过创建适宜骨组织愈合、适应和维持的力学和生物学环境,达到恢复骨功能的目的”。有关骨的适应性方面已形成了 3 个重要的结论:①骨是与周期性的应力而非静态应力相适应,其中负荷频度和应变速率的变化是影响骨适应性的重要因素,且只有超过 0.5 Hz 频率的力学负荷才能刺激骨形成的发生。②骨的力学适应性存在效力递减现象,即绝对延长对骨施加负荷的时间并不能同比例增加骨量。事实上,随着骨承载负荷时间的增加,骨形成效应将逐渐减缓。但若对骨组织进行间歇性加载,即在骨承载期间给予不同时间的暂停加载后,将能恢复骨组织对力学负荷的敏感性。依据负荷源的性能,该力学敏感性的恢复可能发生在数秒或数小时内。③骨细胞与其惯常的负荷条件相适应。当骨组织适应一种新的力学负荷时,骨细胞必须依据其对先前承载力学环境的记忆,判断新的承载力学环境有何不同,并作出相应反应。由于骨组织内的神经分布少,骨细胞只能对其局部力学加载环境的信息进行处理,且不同于其他力学感受细胞,骨细胞不能依靠中枢神经系统整合与分配其受到的力学刺激信息。

骨量和骨结构为了适应外在负荷，就需要使骨具备感知力学负荷的能力。现已证实，力学应变是实现骨动态平衡的一个重要调控因素。骨细胞是骨中最重要的力学感受器，它不直接对骨组织的机械应变作反应，而是对由负载引起的组织内(间)的液体流动间接作出反应，特别是骨细胞对液体流动的剪切力极为敏感。但是由于无法确定力学刺激的来源及影响信号转导通路的因素，因此目前尚无法精确地预测骨组织对力学刺激的适应性反应。

虽然有关骨力学生物学的研究目前才刚刚起步，尚存在诸多未知问题等待探索与解答，但是其发展前景和科学意义将是巨大的。通过对骨的力学生物学研究，将有望设计一种更适宜且更安全的锻炼方式来促进骨量的增加，降低骨折发生的危险概率，并且也有望为诸如骨质疏松症、骨关节炎、骨折愈合等与骨重建、骨改建和骨力学适应性相关的疾病，寻求一条预防和治疗的新途径。

6.3 关节的生物力学

关节的生物力学研究包含关节的静力学、运动学和动力学 3 个方面。静力学主要研究关节在平衡态时的受力状况；运动学研究关节运动的规律，包括关节活动幅度、关节表面活动、关节活动轴等；动力学研究关节在运动时的受力状况和关节在已知力作用下的运动。

6.3.1 关节的静力学

(1) 髋关节的静力学

髋关节是人体最大、最稳定的关节之一，属典型的球臼关节，由髋臼和包于其内的股骨头组成。其主要功能为负重，担负因杠杆作用而产生的强大压力，将躯干的重量传达至下肢。

正常作用于髋关节的力为体重 S_5 产生的力 K 与其力臂 h'的乘积，力臂 h'起于股骨头中心。力 K 由外展肌力 M 保持平衡，外展肌力 M 的力臂 h 的长度为力臂 h'的 1/3。力 K 和 M 合力 R 的力线相对于地面垂直线的倾角为 16°。合力 R 的力线与力 K 和 M 在 X 处相交，并通过股骨头中心。合力 R 的力线经过髋臼负重面的中心，产生压应力(图 6-11)。正常情况下髋关节压应力均匀地分布在髋臼负重面上。

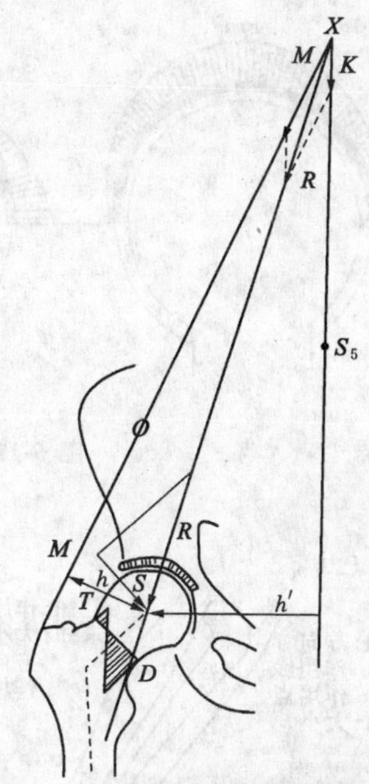

图 6-11 正常髋关节负重受力

髋关节软骨承重面的应力分布如图 6-12 所示：合力 R 通过关节软骨承重面中心，最大应力 Pin 位于合力 R 的力线处，并逐渐向承重面周围递减(图 6-12A)。当股骨头直径大于髋臼时，即使关节不负重或轻度负重，髋臼负重软骨面周围的压应力 Pic 仍然明显增加，而髋臼中心部分可能不负载(图 6-12B)。当这种不匹配的球臼关节负载时，髋臼负重软骨面的压应力 Pis 是上述两种应力 Pin 和 Pic 的总和(图 6-12C)。

(2) 膝关节的静力学

膝关节是人体最复杂的关节，由胫股关节和髌骨关节组成。对膝关节的静力学分析可采用自由体的简化分析法。以一侧下肢登梯为例，小腿可以作为自由体，从所有作用在自由体上的力中，确定 3 个主要的共面力：① 地面反作用力 W(等于体重)；②股四头肌收缩在髌韧带上产生的张力 P；③在胫骨平台上的关节反作用力 J。

将这 3 个力标示在自由体图上(图 6-13)。由于下肢处于平衡状态，3 个力的作用线将相交于一点。因为两个力作用线是已知的(W 力和 P 力)，第 3 个力(J 力)作用线可以求出。延长 W 和 P 的作用线直到两线相交。连接 J 力在胫骨表面的作用点和交点即可绘出 J 力的作用线(图 6-14)。

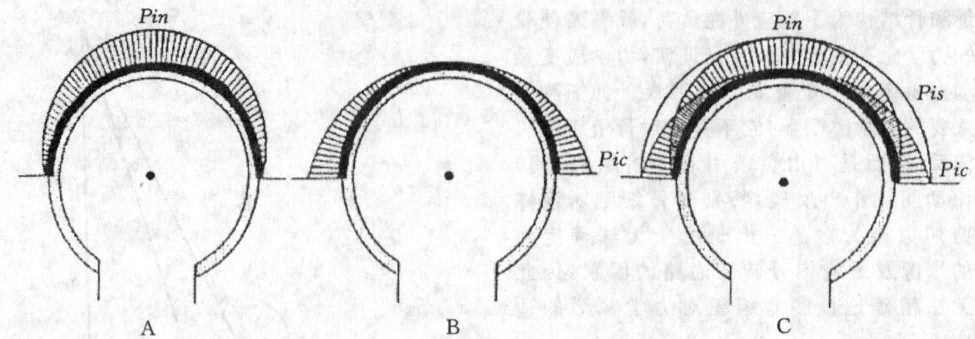

图 6-12 正常髋与病态髋关节应力分布

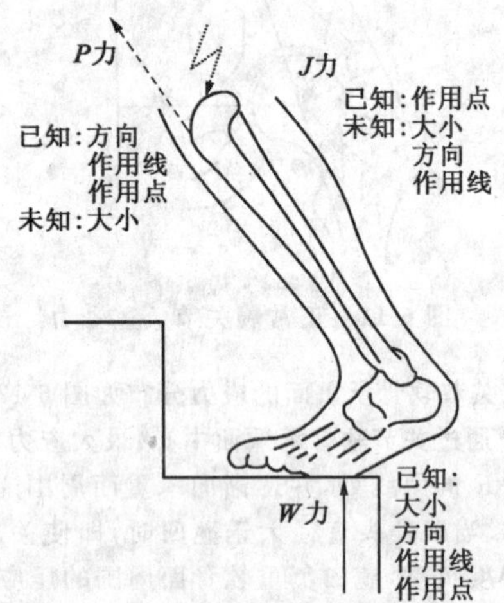

图 6-13 3 个主要的共面力作用在小腿上的情况被标示在自由体图上

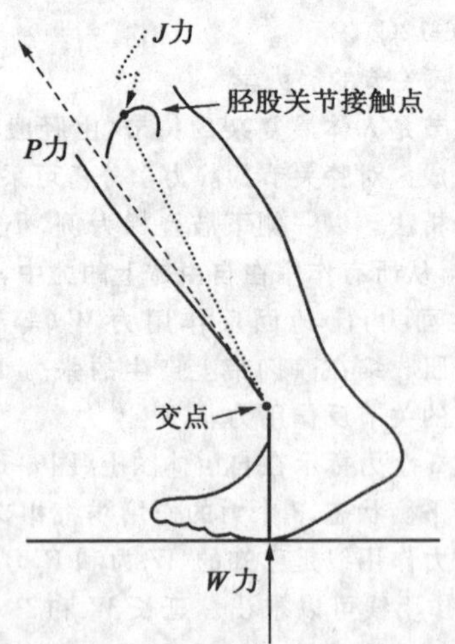

图 6-14 在小腿自由体图上,将力的作用线 W 和 P 延长,直至它们相交(交点)

定出了 J 力的作用线后,就可以建立力的三角形。首先画出代表 W 力的矢量。然后,从矢量 W 的顶端画出 P 力。P 力的作用线和方向可以表示出来,但它的长度不能确定,因为未知其大小。但由于下肢处于平衡状态,如画上 J 力三角形必须是封闭的(也就是说 P 力的顶端必定触及 J 力的起点)。接着从矢量 W 的起点画出 J 力的作用线。J 力与 P 力的交点就是矢量 P 的顶端和矢量 J 的起点。此时,P 力和 J 力的大小可从图中测得(图 6-15),这一例子中,髌韧带力(P)是 3.2 倍体重,关节反作用力(J)是 4.1 倍体重。

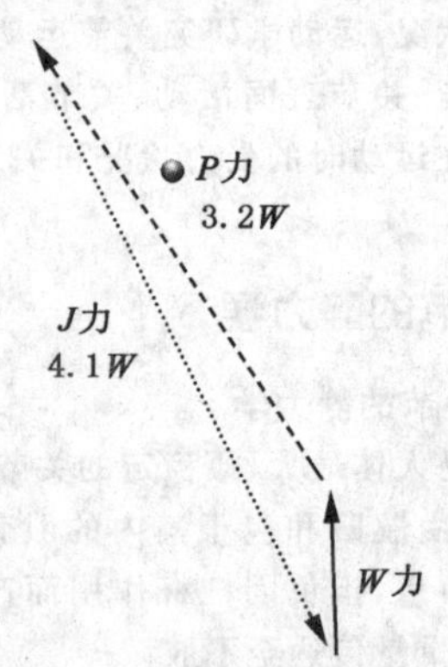

图 6-15 力三角形的构成

可以看出,主要肌力对关节反作用力大小的影响远远大于重力所产生的地面反作用力的影响。如果将其他肌肉力一并考虑在内,例如由腘绳肌为稳定膝关节而产生的收缩力,那么关节反作用力就要增加。

从这一例子中可以发现,即使在缓慢登梯及其他日常活动中,膝部仍然承受很大的力。

(3) 踝关节的静力学

当一个人双腿踮起脚尖时，踝部将受到大的作用力。这时一半体重($W/2$)将落在每个脚上，如图 6-16 所示，由地面反作用力所产生的踝后弯力矩(逆时针方向)为$+0.5W \times 16$ cm，此力矩与跟腱产生的足底屈曲向力矩(顺时针方向)平衡，该力矩大小为$-F_A \times 4$ cm。这些力的力臂大小均通过 X 线测试得到。为保持平衡，二力矩应相等，由此得到跟腱力 F_A 为 $2W$。若 $\theta = 75°$，则 $F_t = F_A \cos 75° = 0.52W$，$F_N = F_A \sin 75° + (W/2) = 2.43W$，因此关节力是

$$(F_N^2 + F_t^2)^{1/2} = 2.49W \qquad (6\text{-}4)$$

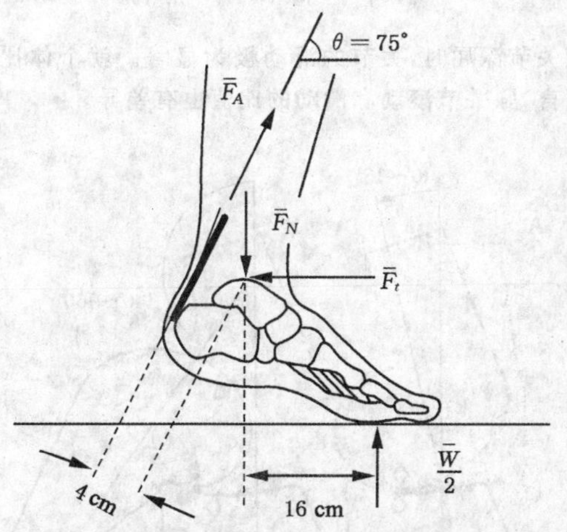

图 6-16 踝部受力的隔离自由体图

从这一例子中可以看到，关节面所受的较大的力 F_t 都是因为肌力为平衡相对较小的载荷所产生的杠杆作用导致的，如果载荷增加，则关节力将成比例增加。

6.3.2 关节的运动学

6.3.2.1 关节运动学中的常用定义

(1) 瞬时旋转中心

当一个二维物体旋转而无平动时(例如一固定的自行车的链条转动时)，可以观察到物体上任一标志点 P 围绕某一固定点做圆周运动，该固定点就称为旋转轴或旋转中心。当一个刚体既有转动又有平动时(例如，在行走时股骨的运动)，在任意时刻的瞬时，物体的运动可以看作绕某一旋转中心的转动，在瞬时时刻，此旋转中心点就称为瞬时旋转中心(ICR)。运用 Reuleaux(1876)法可求出同一平面内关节活动的瞬时旋转中心。根据这一方法，当环节从一个位置移动到另一位置时，可通过标记环节上 2 个点的位移求出瞬时中心。在图 6-17 上标出环节上两点的最初位置和移动后位置，并作两组点子的连线。接着分别画出这两条连线的垂直平分线，垂直平分线的交点就是瞬时中心。

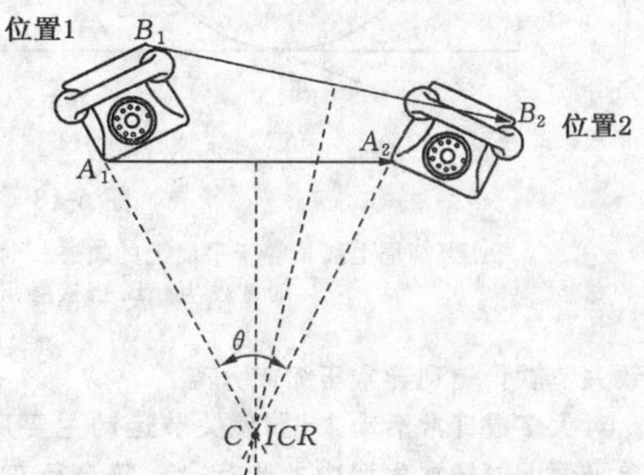

图 6-17 瞬时旋转中心的确定方法

瞬时旋转中心由图中两条直线 A_1A_2 和 B_1B_2 的垂直平分线的交点确定(A_1A_2 和 B_1B_2 表示位于图中电话机上 A 和 B 两点的平移矢量)

(2) 关节面上的相对运动

关节表面之间往往是有约束的相对运动，这是由关节面的几何构型、韧带和肌肉约束所导致的。当物体表面处于相互接触的状态下，物体间的相对运动模式可能是滑动或滚动。在滚动时(图 6-18A)，两物体之间的接触点具有零相对运动速度，即没有滑动。当接触点相对速度不为零时，则同时存在滚动和滑动(图 6-18B)，此时瞬时中心将位于形心和接触点之间。所有活动关节的运动既包含滚动也包含滑动。在髋关节和肩关节中，滑动占主动地位；而在膝关节中，滚动和滑动同时存在。

6.3.2.2 髋关节的运动学

髋关节的真实屈伸范围在 75°～80°之间。这一运动范围确实要小于没有关节韧带和关节囊时股骨在髋关节盂的运动范围，说明在正常人体运动过程中，这些软组织有被动约束作用。实际上，由于这些组织(结构)的力量和定位关系，髋关节绕任意轴的运动范围随大腿的位置不同而有变化。

关节表面活动可认为是股骨头在髋臼内的滑动。球与窝在 3 个平面内围绕股骨头旋转中心的转动产生关节表面的滑动。如果股骨头与髋臼不相适应，滑动将不平行于表面或不沿表面切向进行，从而

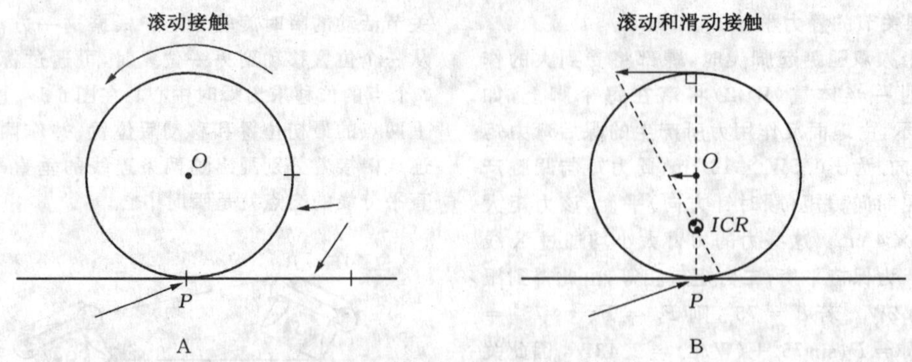

图 6-18 关节面上的相对运动

A.当圆周上弧长等于平面上的轨迹长时，此运动就是滚动，这仅在接触点 P 的相对速度为零时才发生 B.当接触点相对速度不为零时，则存在滑动接触

导致关节软骨受到异常压缩或分离。

对大多数日常活动来说，髋关节运动主要局限于单平面上。日常生活中的步行、跑、骑自行车，坐下和屈腿是以髋关节在矢状面上的屈伸活动为主；而"屈体跳起"练习通常包含有髋关节的收展运动。此外，在一些诸如足球射门类动作中可能同时包括髋关节的屈伸、旋内、旋外和收展运动。

6.3.2.3 膝关节的运动学

股胫关节在3个解剖轴上有6个自由度。在每一个轴(纵轴、前后轴和横向轴)，胫骨相对于股骨既可以平移也可以旋转，由此形成了6个成对运动：屈/伸、内/外翻和内/外旋转；关节压缩/拉伸、前后轴向平移以及横向平移。

(1) 矢状面上的运动范围

在矢状面上，屈伸弧线很大程度上受个体特征的韧带松弛状态以及身体习惯影响。在正常人群，膝关节伸展幅度从接近于0°至背伸到20°不一。膝关节屈曲幅度为125°～165°。

(2) 关节内运动

当膝关节从充分伸展位变为屈曲时，胫骨和股骨的关节表面接触点同时向后运动，但滚动和滑动的比值在整个关节屈曲范围内是变化的，因而造成两关节面的平移量差异。向前滑移的股骨髁缩小了继续向后滚动的效果，否则，股骨髁就会从胫骨的后面滑出。在最初的15°屈曲范围内，滚动与滑动的比值大约是1∶2，滚动特别显著；此后，滑动变得越来越显著，在屈曲范围的末端，滚动与滑动的比值达1∶4(图6-19)。以上结果的临床意义是膝关节屈曲以关节的滚动为主，同时伴随着负载重量的变化，在膝关节深屈时，关节的滑动极为显著。就个体比较而言，膝关节滚动和滑动的比值也有差异。

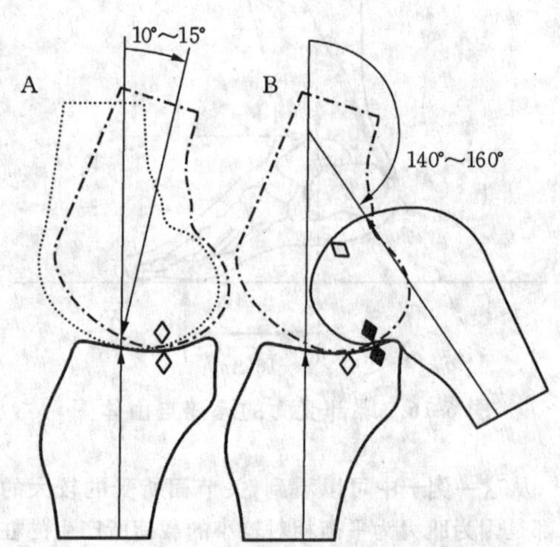

图 6-19 前后方向上的关节内部运动(滚动与滑动)

在膝关节屈曲时，半月板向后移动，内侧副韧带和半膜肌都有辅助内侧半月板向后移动的功能。在膝关节伸展时，半月板向前移动的部分原因是，较大的股骨髁表面推动前角向前运动。半月板向前平移量受股骨髁以及逐渐紧张的后方关节囊限制。半月板的平移使得关节面之间有最大的接触，在股骨转动过程的各个位置上能将压缩应力均匀分布在关节面上。

股骨与胫骨的表面接触点移动方向垂直于瞬时转动中心和表面接触点之间的连线(图6-20)。在正常膝关节，当股骨在胫骨关节表面上转动和滑动时，运动瞬时方向线总是平行于胫骨关节表面的。无论何种原因造成瞬时中心和表面接触点之间的关系改变，股骨的运动方向或者指向关节平面内，挤压关节表面；或者是离开关节表面，造成关节面分离（图 6-21）。关节内扰动、非生理的韧带重构或非正常约束（如膝关节固定等）都可能引起瞬时中心或者正常的接触点变异。

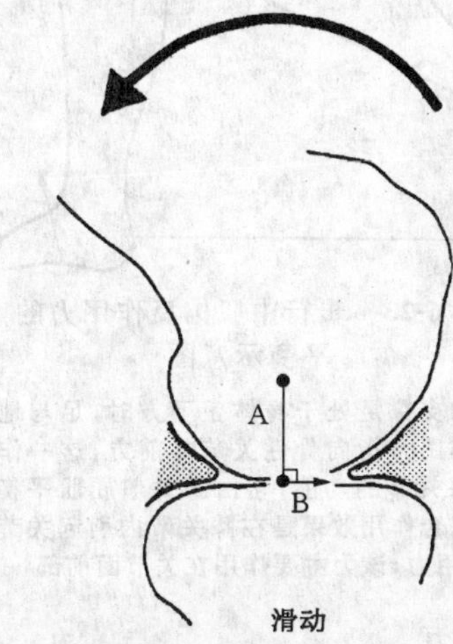

图 6-20 在正常膝关节，股胫关节的瞬时运动中心与股胫关节面的接触点之间的连线（A 线）与胫骨关节面切线（B 线）垂直

箭头指示的方向是接触点的位移方向。B 线是胫骨关节面切线，也是运动测量期间股骨相对于胫骨髁的滑动方向

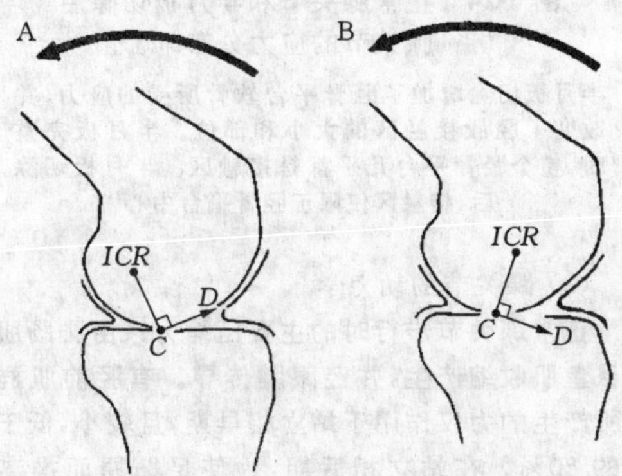

图 6-21 两个股胫关节的关节面随瞬时转动中心运动示意图

垂直于瞬时转动中心 ICR 和关节面接触点 C 之间连线的直线 CD，它指向关节面接触点的移动方向。A 箭头指向说明膝关节继续屈曲时，关节面相分离；B 箭头指向说明膝关节继续屈曲时，关节面之间压缩更紧

（3）额状面上的运动

胫骨在额状面相对于股骨的转动称为内翻和外翻，正常膝关节的外翻和内翻角度随关节屈曲程度以及患者韧带状态变化。被动试验中的正常膝关节，胫骨在膝关节伸展最大时，外翻、内翻幅度最小。最大的外翻和内翻是在膝关节屈曲约 30°时。

（4）水平面上的运动

膝关节充分伸展时，胫骨相对于股骨的内、外旋幅度最小。在被动试验中，胫骨内旋幅度随着关节屈曲程度增大而逐渐增大，在关节屈曲 90°～120°时，达到最大值。膝关节屈曲超过 10°～20°范围后，旋转才比较显著。膝关节的最大外旋范围在 0°～45°，而最大的内旋范围在 0°～25°。在人体正常行走时的摆动相，胫骨有一定程度的内旋，在支撑相时是外旋。

6.3.2.4 踝关节的运动学

踝关节基本上是个单向关节，距骨主要在矢状面上沿一横轴活动，此轴自冠状面向后偏离。此活动使足能背屈和跖屈。距骨在踝窝中也可以有几度绕纵轴的旋转或几度绕矢状轴的倾斜活动。因骨骺损伤、韧带损伤或胫骨骨折畸形所导致的任何踝关节轴线偏离，均可引起严重的关节病理改变。

（1）活动幅度

踝关节在矢状面上的总活动幅度约 45°，但个体差异和年龄差别均很大。在总活动幅度中背屈占 10°～20°，其余的 25°～35°为跖屈。

（2）关节表面活动

踝关节的转轴不是一个简单的瞬时转动轴，具有多个瞬时转动中心，它们都非常接近地落在距骨体内的某一位置上，在整个关节运动范围内，瞬时中心有 4～7 mm 的移动范围。在临床上，可借扪诊内、外踝来确定这一轴线（图 6-22）。

6.3.3 关节的动力学

（1）髋关节的动力学

髋关节动力学特性与关节承载的负荷有关。这些负荷包括关节组件之间的作用力以及作用于关节周围产生或制止转动的力矩。步行时，髋关节会出现两个受力峰值。一个峰值恰好发生在后跟着地时，约为体重的 4 倍；而另一个更大的峰值在脚趾离地前达到体重的 7 倍左右。当足放平时，关节受力下降到小于体重，这是因为身体的重心迅速降低。摆动相时，关节受力是由于伸肌收缩使大腿减速而

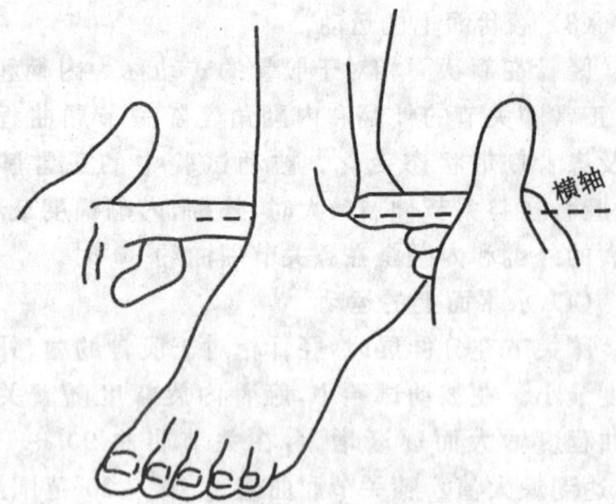

图 6-22 临床上借两踝扪诊来测定踝关节活动轴的位置

该轴自冠状面向后偏离且不固定，在背屈和跖屈活动中稍有改变

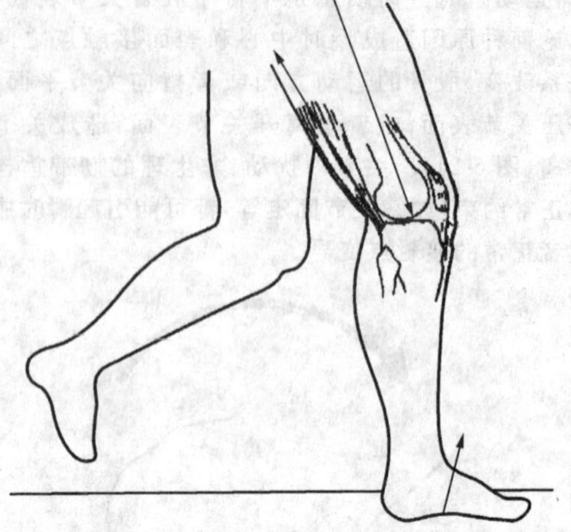

图 6-23 步行中肌肉反作用力的平衡示意图

步行中的支撑足处于身体正下方时，足与地面之间的反作用力指向骨性关节的前方，这一作用力有伸展膝关节的功能，它由膝关节屈肌平衡。这些力的综合作用效果是在膝关节内引起关节反作用力，该力主要作用在关节面前部

产生的，其数值相对较小而和体重相近。

研究表明，无论在站立相和摆动相，行走速度加快都会增加髋关节的反作用力。主动肌收缩是髋关节力矩产生的主要动力来源。特别是在一些体力消耗较大的活动中（如爬楼梯），几乎整个运动过程都需要主动肌收缩产生持续的关节力矩。

（2）膝关节的动力学

膝关节正常运动范围受骨和关节面接触力的约束和限制，抵制骨的轴向压缩位移。韧带张力和肌肉收缩力量有辅助限制关节其他运动的功能。下肢在步行中将地面反作用力通过胫骨传递。由这些作用力引起的关节力矩大小和作用方向取决于这些作用力自身的大小和力线相对于关节瞬时转动中心的距离。为了限制膝关节相反方向的运动，外部力产生的力矩在一定程度上是由肌肉反作用力平衡的（图 6-23）。由此，肌肉力与地面反作用力的共同作用效果引起关节反作用力。如果关节反作用力方向与关节面不垂直，胫骨相对于股骨的平移就会发生，假如没有其他被动软组织约束，就会产生关节剪切力。

在正常膝关节，关节反作用力由半月板及关节软骨承载。如半月板已切除，应力就不再分布于这样一个宽的面积上，而是局限于胫骨平台中心的接触区。因而，半月板切除不仅增加了胫骨平台中心处软骨所受的应力，而且也缩小了胫股关节接触区，并改变了接触区的位置（图 6-24）。长期过高应力作用于这一较小的关节接触区上，就可能损害受力的软骨，该处软骨通常是硬度低的。

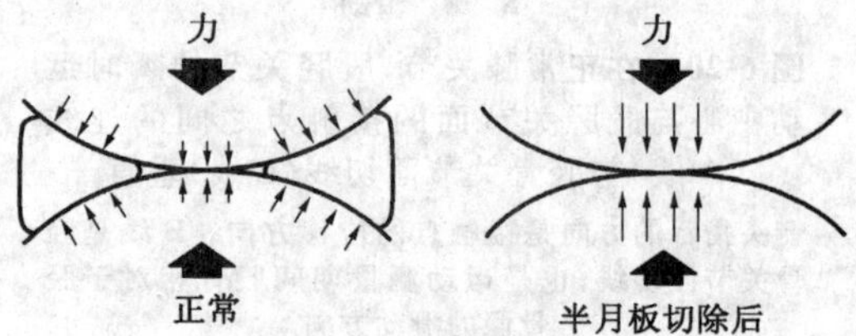

图 6-24 正常膝关节和半月板切除后膝关节的应力分布

半月板切除增加了胫骨平台软骨所受的应力，并改变了胫股接触区的大小和部位。半月板完整时，整个胫骨平台几乎都是接触区。半月板切除后，接触区仅限于胫骨平台中心

（3）踝关节的动力学

正常踝关节步行时的主要压缩力系由腓肠肌和比目鱼肌收缩产生，并经跟腱传导。有胫前肌群收缩所产生的力仅作用于站立相早期，且较小，低于体重的 20%。在站立相后期，为使足跖屈而推离地面，跟腱开始产生一扭矩，此时跟腱力达到高水平，在步态周期中的最高关节压缩力约为体重的 5 倍。当刚过站立相中期而足跟离地时，剪切力达最大值，约为体重的 0.8 倍。

正常踝关节在两种行走速度时的反作用力存在某些差异，但力的峰值相同，行走较快时力呈现 2 个

峰值,为体重的 3～5 倍,分别出现于站立相早期和站立相后期。行走速度慢时,只有 1 个峰值,约为体重的 5 倍,出现于站立相后期。应注意,这种动态研究是假定力全部经胫距关节传导,且未将关节的任何外加载荷考虑在内。

(顾冬云)

参考文献

[1] 陈艺,白波,顾冬云. 加载速率对大鼠股骨 3 点弯曲实验的影响. 广州医学院学报,2006, 34(3):56～58.

[2] 陈启明,梁国穗,秦岭等译. 骨科基础科学——骨关节肌肉系统生物学和生物力学. 第 2 版. 北京:人民出版社,2002.

[3] 周一新,蒋毅,张洪,等. 胫骨轴向旋转运动与膝关节屈伸运动耦合的研究. 中华骨科杂志,2004, 24(12):747～750.

[4] 周殿阁,吕厚山,方竟,等. 股骨远端关节面几何学特征在人工关节设计中的意义. 中华骨科杂志,2002, 22(5):288～292.

[5] 秦岭,梁国穗. 骨生物力学在防止骨质疏松药物开发中的应用基础(一). 中国骨质疏松杂志,2000, 6(1):23～25.

[6] 秦岭,梁国穗. 骨生物力学在防止骨质疏松药物开发中的应用基础(二). 中国骨质疏松杂志,2000, 6(2):73～78.

[7] 戴尅戎,王以进,周健勇等译. 骨骼系统的生物力学基础. 上海:学林出版社,1985.

[8] Bayraktar HH, Morgan EF, Niebur GL, et al. Comparison of the elastic and yield properties of human femoral trabecular and cortical bone tissue. J Biomech, 2004, 37: 27～35.

[9] Bjoern B, Michael H, Markus S, et al. Increased calcium content and inhomogeneity of mineralization render bone toughness in osteoporosis: Mineralization, morphology and biomechanics of human single trabeculae. Bone, 2009, 45(6):1034～1043.

[10] Bonewald LF, Mundy GR. Role of transformating growing factor-beta in bone remodeling. Clin Orthop Relat Res, 1990, 250:261～276.

[11] Burr DB, Robling AG, Turner CH. Effects of biomechanical stress on bones in animals. Bone, 2002, 30:781～786.

[12] Coughlin KM, Incavo SJ, Churchill DL, et al. Tibial axis and patellar position relative to the femoral epicondylar axis during squatting. J Arthroplasty, 2003, 18:1048～1055.

[13] Gabrielli F, Subit D, Ogam E, et al. Time-frequency analysis to detect bone fracture in impact biomechanics. Application to the thorax. Med Eng Phy, 2009, 31(8):952～958.

[14] Homminga J, McCreadie BR, Weinans H, et al. The dependence of the elastic properties of osteoporotic cancellous bone on volume fraction and fabric. J Biomech, 2003, 36:1461～1467.

[15] Hsieh YF, Turner CH. Effects of loading frequency on mechanically induced bone formation. J Bone Miner Res, 2001, 16:918～924.

[16] Huiskes R, Ruimerman R, van Lenthe GH, et al. Effects of mechanical forces on maintenance and adaptation of form in trabecular bone. Nature, 2000, 405:704～706.

[17] Jacobs CR, Yellowley CE, Davis BR, et al. Differential effect of steady versus oscillating flow on bone cells. J Biomech, 1998, 31:969～976.

[18] Pistoia W, van Rietbergen B, Lochmuller EM, et al. Estimation of distal radius failure load with micro-finite element analysis models based on three-dimensional peripheral quantitative computed tomography images. Bone, 2002, 30:842～848.

[19] Rodan GA. Mechanical loading, estrogen deficiency, and the coupling of bone formation to bone resorption. J Bone Miner Res, 1991, 6:527～530.

[20] Saxon LK, Robling AG, Alam I, et al. Mechanosensitivity of the rat skeleton decreases after a long period of loading, but is improved with time off. Bone, 2005, 36:454～464.

[21] Schriefer JL, Warden SJ, Saxon LK, et al. Cellular accommodation and the response of bone to mechanical loading. J Biomech, 2005, 38:1838～1845.

[22] Tanck E, Homminga J, van Lenthe GH, et al. Increase in bone volume fraction precedes architectural adaptation in growing bone. Bone, 2001, 2:650～654.

7 组织工程学

7.1 组织工程学总论

组织工程学概念提出至今已有近 20 年历史，经过世界各国科学家、工程技术人员、临床医师的共同努力，在基础理论、应用技术、临床实践等方面取得了很多进展，已成为维护人民健康、引领经济发展的重要领域，具有极大的科学意义及社会效益。

7.1.1 组织工程学的内涵

在组织工程学发展的过程中，对组织工程学的内涵也在不断增添新的内容。现在认为组织工程学的本质是应用工程学和生命科学的基本原理、基本理论、基本技术和方法，将活的功能细胞与支架材料结合构建一种新的有功能的组织，达到促进自身组织(器官)的愈合、再生，用于组织缺损的修复、器官的功能重建，使其永久成为人体组织(器官)的一部分。其核心是功能细胞，为细胞提供停泊、生长、新陈代谢的三维支架材料(人工细胞外基质)，以及细胞与支架材料间相互作用的信号分子。支架材料可以是天然的、合成的或天然材料与合成材料的复合物。细胞可从自体、同种异体或异种组织中分离、培养获得，可以是组织细胞或干细胞。细胞与支架材料的复合(或组装)可以在体外进行，也可在支架材料植入体内后接种。无论是在体外构建还是在体内组装细胞-支架复合物，植入体内后，在受区的营养环境、力学因素刺激下，逐渐发育成为所要替代(或修复)的组织或器官。在这一过程中，植入细胞自分泌、旁分泌一些生物活性因子或在构建细胞-支架复合物中添加外源性生物活性因子，起到细胞与支架材料间植入物与受体之间的信号传递，以充分发挥自身愈合、修复的能力。

7.1.2 组织工程学的发展

西方医学已存在几百年，传入中国也有 100 多年。对于各种伤、病的治疗除了传统的药物治疗以外，外科医师则采用手术方法。19 世纪中期，随着麻醉技术的出现，使外科手术得到快速发展，在四肢手术之后，先后出现了腹部手术、胸部手术、颅脑手术及心脏手术。但以单纯切除病损组织、肿瘤等为主，虽然能暂时治疗好伤病、维持生命，但生活质量不高，并由于切除手术而导致畸形、缺损、残废及社会心理影响,这不是医学的最终目标。对于组织缺损,则主要采用自体组织移植治疗,临床效果满意,挽救了不少肢体,减少了残废。尤其是在20世纪60年代出现显微外科以后,带血管蒂的组织移位及吻合血管的远位组织移植技术的成功与普及,大幅度提高了组织缺损修复的临床效果。但自体组织移植必须从健康部位切取组织修复病损的组织,虽然能治好伤病,但增加创伤,对供区制造了新的组织缺损,有可能遗留一定程度的功能障碍及形态损害,并有增加并发症的风险。显然这是一种以牺牲健康组织为代价的"以伤治伤"的办法。同时,自体组织来源极为有限,因此这不是一种最佳的治疗方式。在19世纪后期,出现了采用同种异体或异种组织移植技术修复组织缺损,1887年就有用新鲜同种异体骨移植修复骨缺损获得成功。1891年用异种骨(犬)移植治疗儿童骨髓炎后骨缺损,结果失败了。虽然同种异体或异种组织移植克服了自体组织的很多缺点,但由于克服移植后的免疫排斥反应,需长期使用免疫抑制剂,由此而产生的并发症有时是致命的,再加上同种异体移植的供体来源仍然有限,异种组织移植存在医学伦理学和社会伦理学方面的障碍,以及人畜共患疾病的诊断、治疗、预防均未能有效解决,因此使临床应用受到很大限制。人工材料替代是克服组织缺损的第3条途径。20世纪中期,人工材料主要用于骨折内固定。作为组织的修复材料以高分子合成材料为主,如人工肌腱、韧带、人造血管、腹壁缺损的补片材料等。人工材料可以克服自体、同种异体、异种组织移植的缺点,但材料本身没有生命,不能与受体组织愈合,不能改造成为人体组织的一部分参与正常的新陈代谢活动,且品种极少,对极为复杂的人体组织器官而言,传统的人工材料难以满足临床需求,然而在医疗实践中,存在大量患者需要各种组织移植修复。在美国,有超过400万烧伤、压疮、皮肤溃疡患者;有超过1 200万糖尿病患者;200多万结构组织缺损或缺失患者需要治疗;有至少6.5万器官功能衰竭患者等待器官移植,实际上能提供移植的器官不到10%,大量患者在等待器官移植过程中死亡。美国每年花在组织修复、器官衰竭治疗的费用在5 000亿美元以上。面对如此众多的伤、病,如何从根本上解决组织、器官来源,促进自身再生就成为生物学研究的热点。研究者设想,将活的细胞接种在可降解的三维支架材料上,在生物活性因子的调控下,随着材料的降解,细胞及其分泌的基质有可能形成新的组织,因此"组织工程学"概念应运而生。这一概念于1987年由美国加利福尼亚大学圣地亚哥分校的Fung YC教授在美国国家科学基金会会议上首先提出并被确定下来,很快得到世界各国科学家的认同,纷纷建立实验室,投入经费及设备进行研究,并在美国建立了组织工程学会,创办了*Tissue Engineering*杂志。以后世界各国也相继建立了各自的学术团体,大大促进了学术交流,并推动了研究进程。由于组织工程的发展,随后派生出了"再生医学"概念。在2005年,已将"再生医学"与"组织工程"联合建立了统一的国际学术机构,必将进一步推动这一领域的科技进步及学术交流。

7.1.3 组织工程学的主要科学问题

(1) 种子细胞

构建不同工程化组织的细胞为种子细胞。不同组织需要不同的功能细胞,可以单一细胞构建组织,如组织工程软骨为软骨细胞;也可以为多细胞共同构建一个工程化组织,如膀胱组织,需要上皮细胞、平滑肌细胞及成纤维细胞。细胞可以从组织中分离培养出组织细胞,如从软骨组织中分离培养软骨细胞;也可以分离培养出成体干细胞(MSC),如从骨髓中分离出骨髓间充质干细胞,再添加外源性因子定向诱导分化为所需的种子细胞,如向成骨、成软骨、成肌、成上皮多向分化等。对分离培养的细胞必须进行细胞生物学、功能状态、遗传物质等检测。近几年对胚胎干细胞进行了大量研究,由于其具有全能分化的优势,免疫原性低,在克服一些技术障碍及伦理学障碍之后,将是构建组织工程产品很有希望的种子细胞。

种子细胞可以从自体组织中获得,也可从同种异体或异种组织中获得。自体来源的种子细胞没有抗原性,是个体化治疗的最佳细胞。由美国FDA批准的软骨细胞移植修复小区域关节软骨缺损即属于此类。要形成通用型产品,需要采用同种异体细胞,如FDA批准的组织工程皮肤产品就是用同种异体成纤维细胞及上皮细胞生产的。同种异体来源的细胞需要重视其产生的免疫排斥反应。现在认为同种异体MSC构建的组织工程产品,由于其不表达重要组织相容性复合物-2(MHC-2)类抗原,其免疫原性较低,是较适合的同种异体种子细胞。异种细胞目前研究较多的是猪胰岛细胞及肝细胞,分别用于糖尿病治疗研究及生物人工肝装置研究。

临床应用时,往往需要大量细胞,这就需要对分离培养的细胞进行扩增、冻存、复苏、传代。通常采用的方式是应用生物反应器，在外源性生长因子作用下扩增细胞。有研究证实，从新生儿包皮中培养人角质形成细胞，经3次传代就能提供10^{10}的细胞作为一个细胞库。以后每传代1次，细胞数量增加10倍，足以制造同一来源100～200 m^2组织工程皮肤。细胞经过扩增、冻存、复苏后是否还保存原代细胞的生物学特性及遗传物质，需要对此进行相应的检测，以确保临床应用的安全性。

为使种子细胞具有长期、稳定的生物学特性，提供充足的细胞来源，常用的方法是导入某些基因，建立永生化细胞株。将SV40大T抗原ptsA58H导入肌腱细胞内，可连续传代70代左右，并能保持其生物学特性。另一途径是提高细胞的端粒酶活性，延长端粒长度，即可延长细胞寿命。建立永生化细胞株必须考虑其安全性，因为这种转化细胞有可能表现出某些肿瘤细胞的生物学特征。解决的办法是寻找一种调控机制，如温度敏感的或药物敏感的抑制基因来控制其永生化，增加其安全性。

(2) 支架材料

支架材料作为人工细胞外基质，是细胞停泊、生长、新陈代谢、发挥生理功能的场所。根据所要构建的工程化组织的不同，对支架材料的要求也不相同。一般要求是具有合适的孔径、孔隙率及孔间交通的三维结构；有良好的生物相容性；可降解性，降解产物无毒，并可排出；具有引导/诱导组织再生能力或释放生物活性因子能力；具有生物信息的可传导性；有一定的形状及力学强度；便于计算机辅助设计和制造。目前用于组织构建的主要材料分为陶瓷材料(用于硬组织构建)，主要成分为钙、磷；高分子合成材料(用于软或硬组织构建)，常用的为聚乳酸(PLA)、聚羟基乙酸(PGA)以及它们的复合物(PLGA)；生物源材料(用于软、硬组织构建)，如同种异体或异种组织经过脱细胞、脱脂、去抗原等处理，保存了天然的网架结构及活性成分；复合材料，如钙磷陶瓷材料与高分子材料复合，与生物源材料复合，与生物活性因子复合等。

为了有利于细胞在材料上的黏附、迁移、增殖及分化，常常需对支架材料进行改性处理，如对PGA无纺布进行水解以增强亲水性；涂层层粘连蛋白、纤连蛋白或精氨酸-甘氨酸-天冬氨酸肽及以增加细胞的黏附性；复合生长因子促进细胞的增殖、分化等。

合成材料或复合材料的设计应根据需要构建的目标组织来定。构建每一种组织所需要材料的理化性质及网架结构必须符合目标组织所应用的细胞的需要。如构建组织工程骨，则要求支架材料的孔隙率、孔径、孔间交通、生物力学强度尽可能与天然骨接近。同时材料降解的速率应与组织再生、愈合速度尽可能匹配。如果材料降解速度大于组织再生速度，则产生组织修复不良，形成组织缺损；若材料降解小于组织再生速度，材料就会成为组织再生的障碍，也会导致组织非生物性修复。然而，目前的知识水平还未能完全确定正常情况下不同组织的再生速度，也尚不清楚组织工程化组织植入体内后的再生速度，因此也很难确定支架材料的最佳降解时间，尚有很多科学问题待研究解决。

(3) 细胞与支架材料的复合培养

细胞与支架材料的复合培养方法大致可分为静态培养及动态培养。静态培养是将细胞以一定浓度滴加在经过预湿处理的支架材料上，静置几小时后，加入培养液进行培养。这种培养方法存在黏附的细胞数量有限，在材料中分布不均，可能有大量细胞漏出造成细胞浪费等缺点。后来有很多改进，如分次滴加细胞；用一定的负压吸附使细胞更多地接种在材料上，虽在一定程度上提高了细胞的接种率，但不能满足细胞在体内的力学环境。自生物反应器发明后，使这一问题得到了解决。根据构建组织种类不同，设计专用生物反应器，模拟体内力学环境进行动态培养，如使用旋转壁式生物反应器构建组织工程骨，不仅使细胞能较均匀地黏附在三维结构中，提高细胞的增殖、分化能力，而且能动态观察培养液的消耗情况，可随时添加营养成分。四川大学华西医院研制了一种可变应力场培养装置，将细胞接种在支架材料上，再将支架材料固定在一个用计算机程序控制的可转换拉伸、扭转、压缩应力的装置上。在这种条件下培养的细胞-材料复合体，具有较平面培养更好的细胞形态、胶原分泌及延展性。现在已有多家公司生产出了适应不同细胞与材料共培养的生物反应器，但在生物反应器内的营养物质交换、应力调控等方面尚需进一步研究。

(4) 细胞与细胞外基质的相互作用

过去认为作为人工细胞外基质的支架材料仅为细胞的停泊、生长、新陈代谢提供三维空间，是一种结构性支架物。1996年发现间质胶原可以促进成肌细胞转化为肌小管后，又发现黏多糖的作用，提出了细胞表面存在与特定细胞外基质分子结合位点的概念。根据这一理论，在支架材料上表衬多种物质作为配体，就有可能与细胞膜表面的受体结合，发生一系列级联反应，导致特定的基因表达，引起组织愈合、再生反应，主要是黏附/去黏附、迁移、增殖、分化和程序性死亡。在组织工程植入物的构建中，首先要使细胞更多地黏附在支架材料上，然后出现迁移、增殖、分化，逐渐形成新的组织，使病废组织得到修复或再生。在这一过程中，需要多种生物活性因子的参与，如在支架材料上表衬纤连蛋白、玻连蛋白、肌腱蛋白、Ⅲ型胶原等有利于角质形成细胞黏附及迁移，其中整合素起了重要作用。由于细胞自分泌、旁分泌或外源性生物活性因子的作用，促进了细胞的增殖及分化，随着支架材料的降解，细胞所发挥的组织修复、再生作用逐渐加强，直到损伤组织的完全修复(包括结构及形态)。待被修复的组织成熟后，植入细胞开始出现程序性死亡，细胞数量减少，基质成熟，使组织得到重塑。然而细胞与细胞外基质的相互作用非常复杂，它们调节发育和创伤愈合中的基本活动，对分化表型的维持和组织动态平衡起十分重要的作用。在这一过程中，细胞与细胞间、细胞与支架材料间的信号转导都尚待深入研究。一般认为，细胞与支架材料间的相互作用有 3 种类型：①整联蛋白和蛋白多糖受体以及它们在细胞迁移中的黏附/去黏附过程；②影响增殖、存活、分化及其表型的维持；③导致细胞死亡和上皮-间充质细胞转化的过程。尽管这 3 种类型并不是在发育和愈合过程中细胞与支架材料相互作用类型的全部，但涵盖了整个组织工程研究的大体方面。进一步研究需要弄清这一过程的起动、发展、终结的因素。

(5) 组织工程植入物的营养与代谢活动

体外构建组织工程植入物不可能形成血管化组织，只能依靠培养液中的营养成分而存活，尽管这种营养成分并不是体内的营养环境，但至少提供了基本营养素。植入体内后，早期只能依靠受区组织液获得营养，最终需要与受区组织建立血循环才能进行完全的新陈代谢活动，这就提出了组织工程植入物的血管化问题。如何在体内尽快实现血管化，一般有 3 条途径。一是使用具有诱导血管生成的支架材料，如胶原、小肠黏膜下层(SIS)等生物衍生材料；二是在体外构建时，添加促血管生长因子，如血管内皮生长因子(VEGF)、碱性成纤维细胞生长因子(bFGF)、肝细胞生长因子(HGF)等，在植入体内后诱导植入区的血管生长；三是在植入体内时，采用血管束植入，带血管蒂肌瓣、筋膜瓣包裹，依靠血管长入组织工程移植物内达到血管化。但这种方式的血管化需要 7 天或更长时间，长入的血管芽不能达到较厚的大块组织深部，因此血管化有时不够完善，导致部分植入组织缺乏营养而细胞死亡，影响修复效果，目前还没有很好的技术使大块组织快速血管化，这是需要深入研究的问题之一，同时也提示，在大块组织血管化难题未克服之前，以小块组织工程植入物修复组织缺损有更好的治疗效果。

(6) 组织工程植入物的神经支配

结构类组织工程植入物大多数在构建时不必考虑神经支配，如软骨、肌腱、韧带、半月板、骨等。但大多数由多细胞构建的组织工程植入物需要研究其神经支配，如皮肤、膀胱、食管、尿道、肠管等。Atala (2006)报道的组织工程膀胱虽然取得了一定成功，但仍未解决其神经支配问题，这是组织工程研究的难题之一。皮肤应当具有痛、温、触觉；膀胱、食管、肠管主要接受内脏神经支配，并接受中枢神经系统的控制，使肌层具有收缩、舒张功能。受周围神经植入恢复肢体感觉、运动功能的启发，内脏神经是否也可以以神经束植入肌层的方式，或通过神经生长因子、营养因子的诱导再生作用，使组织工程植入物具有神经支配是今后研究的方向之一。

(7) 组织工程中的免疫学问题

组织工程植入物与其他新技术一样，有由低级到高级、由简单到复杂发展的发展阶段，一是用有活性功能的支架材料引导(诱导)自体组织再生；二是用自体细胞构建组织工程产品；三是用同种异体细胞或异种细胞构建组织工程产品。第 3 个阶段应是最理想的、可以规模化生产的真正意义上的组织工程产品，但存在免疫排斥反应。一般认为使用干细胞或祖细胞其抗原性较弱，但为了临床应用的安全性，仍然需要研究其免疫反应及相应的对策。Faustman 和 Coe(1991)提出了一种新技术，称为“供者抗原修饰”或“组织器官设计”，试图通过对排斥级联反应中新的攻击点进行免疫干预，从而避免移植排斥反应。在移植前对供体组织和细胞进行处理，力求清除或隐蔽引起免疫排斥反应的抗原，其目标是在分子水平上修饰移植物以避免对宿主进行免疫激活，可以提高患者的安全性。目前对“供者抗原修饰”或“组织器官设计”主要采用的手段是抗原隐蔽技术和基因清除技术。抗原隐蔽技术是用针对靶抗原(如 MHC-1)的抗体片段进行修饰；基因清除技术是通过同源基因重组而使靶基因在培养的细胞中失活，这样可以永久性清除基因及基因编码的蛋白质胶原，从而永久清除该抗原在细胞表面的表达。免疫隔离技术是另一类降低免疫反应的技术。早在20世纪70年代就开始免疫隔离细胞治疗的研究。其基本原理是细胞用半透膜包裹，使其与宿主免疫系统隔离，细胞的分泌物及外界的营养等小分子物质可通过膜进行交换，而宿主的补体、抗原体、免疫效应细胞则无法通过包膜，因此不发生免疫反应。越来越多的研究倾向于用多微孔膜包被同种异体细胞。因为宿主免疫识别和反应的相关机制在本质上属于细胞免疫，因此只要避免宿主效应细胞激活就可有效防止移植排斥反应的发生。

对于组织工程中的移植免疫问题的研究虽然已取得一些进展，但离实用化还有很多问题需要研究，这也是组织工程研究的热点之一。

(8) 组织工程植入物的保存、包装、运输、复苏

组织工程植入物不同于单纯细胞及单纯材料，是一个细胞与支架材料的复合体，其保存、包装、运输、复苏技术有其特殊性。从实用角度考虑，希望组织工程产品保存条件简单，库存时间长，运输方便，成本低。组织工程产品的保存一般采用冻存保护剂，以二甲基亚砜为基础，在4 ℃一步法加入冷冻保护剂，或分步的室温渐降方法，可减少细胞内冰晶形成，使细胞较好地保持其活力。在保存期间，依靠保存液为细胞提供营养，如果保存期太长，提供的营养成分被消耗，代谢产物堆积会影响细胞的生存。如何在保存过程中维持细胞最低新陈代谢的需要是至今尚未完全解决的难题。终产品的包装必须满足冻存、储存、产品操作、多地区运输及医师使用的要求。采用铝箔外包装可以避免热传导、冻存液的气化。组织工程产品一般采用低温运输，如－70 ℃或4 ℃条件下的转运容器运输。临床应用应在无菌环境下进行，撕开包装后，应在温水浴中快速复温，在2 min内完成解冻，可以更好地保存其生物活性。根据组织工程植入物的类型不同，其保存、包装、运输、复苏条件应有区别，目前尚无较成熟的方法。美国FDA批准的组织工程皮肤的保存、包装、运输、复苏技术可以借鉴。

(9) 组织工程植入物的转归

在动物实验中，用细胞示踪技术已经证明植入体内的同种异体细胞可以长期存活，并发挥功能。在人体内应用组织工程产品修复组织缺损、重建功能如何证明植入细胞发挥了修复作用是一个尚待研究解决的问题。四川大学华西医院组织工程研究室采用法医物证技术，在2例骨折患者需要取内固定物时切取微量组织工程植入物，检测几个敏感的位点，在术后3～6个月均发现有非自体的等位基因存在，证明植入的同种异体细胞是存活的，其组织修复完全，功能恢复正常。但这一技术需取活体组织检查，为有创操作，使其临床应用受到限制。研制可用于活体的，无创的新检测设备、仪器已成为新的热点。另外，同种异体细胞在完成组织修复以后，在体内是否长期存在，以什么方式存在，与自体组织的关系如何均尚不清楚，值得深入研究。

(10) 伦理学问题及社会问题

组织工程是一项新的技术，将会对人类疾病的治疗产生非常重要的影响。在若干科学问题解决之后，随之而来的是社会问题及伦理问题。赋予组织工程产品生命力的活细胞如何获得？从自愿捐赠者获取细胞是否合法？如何保证其安全性？如果形成产品，如何保护捐赠者的权益？这种细胞构建的组织工程产品能否获得专利保护而成为私有财产？如果能获得专利保护，那么捐赠者是否也应有相应的权益？如果从胚胎组织获取细胞，那么胚胎组织的获取是否合法？胚胎组织所带来的出生缺陷或传播疾病的危险如何克服？如果从动物获取细胞，如何监测、检测人畜共患疾病？在这些问题解决之后，如果能形成产品用于治疗患者，如何控制产品的安全性及有效性，产品的质量标准如何制定？什么机构有权进行检测？这一类产品从国家的层面如何进行监管？如果这类产品中的某些产品是一些难治性疾病或过去常规方法无法治疗的疾病的有效方法，能挽救患者生命，或减少伤残，是否可能超越常规漫长的审批程序，缩短临床试验时间，更快用于临床治疗？由于组织工程是前人未曾经历过的新技术，没有现存的法律、法规、制度管理，应在研究组织工程相关科学问题的同时，需政府有关部门、社会学家、伦理学家参与同步进行研究，为组织工程产品的临床应用提供配套的行政管理措施，使组织工程产品较好地为患者造福。

7.1.4 组织工程学的临床应用

经过20多年的基础研究，在很多领域，如骨科、口腔颌面外科、心血管外科、普外科、烧伤整形科等显示了极好的临床应用前景。组织工程皮肤产品已

被美国 FDA 批准上市；自体软骨细胞移植治疗关节软骨小区缺损也被 FDA 批准临床应用；还有一批组织工程产品正在进行临床试验；已有一些组织工程植入物临床应用的个案报道。可以预见，今后将会有一系列的组织工程产品经过国家批准投放市场，产生良好的社会效益及经济效益。

(1) 组织工程皮肤

皮肤是人体最大的器官，也是第 1 个从实验室到临床应用、实现产业化的组织工程化器官。皮肤包括不断更新的表皮层和不更新的真皮层。表皮层中的角质细胞和朗格汉斯细胞带有 HLA-DR 表面抗原，可以导致同种异体移植中的排斥反应；真皮层的成纤维细胞则不会激发免疫反应。根据这一理论，设计了 Dermagraft ® 产品，用来源于新生儿包皮的成纤维细胞构建的供体通用的、有代谢活性的真皮植入物，用于促进伤口愈合与组织再生。在皮肤损伤、糖尿病溃疡、静脉性溃疡患者中应用，至少在术后 6 个月，在女性患者中检测到男性 Y 染色体，其伤口愈合速度显著优于常规治疗方法。

理想的组织工程皮肤应当同时恢复真皮和表皮的功能特性。1981 年，Bell 等介绍了双层组织工程皮肤的概念。在 Bell 的研究中，真皮层用Ⅰ型胶原和成纤维细胞复合构建而成，表皮层由自体表皮细胞构成，这种产品称为 Apligraf 或 Graftskin，这种产品修复烧伤、多种慢性溃疡后，组织学研究发现，具有正常人的皮肤结构，但没有汗腺、毛发及神经支配。后来，Eisenberg 将表皮层用来自新生儿包皮的同种异体表皮细胞，也取得了相似的临床效果。这种产品的主要适应证是静脉溃疡、烧伤、大疱性疾病、糖尿病溃疡、皮肤切除后的缺损等。在一项多中心的临床试验中的结果显示，Apligraf 治疗糖尿病溃疡的创面闭合率为 75%，对照组为 41%；创面愈合时间 Apligraf 组平均为 38.5 天，对照组为 91 天。用于治疗大疱性表皮松解症较传统方法治疗显著缩短了伤口愈合时间及降低了水疱再生率。

国内将组织工程皮肤最早用于临床的是王旭(1997)。其制作方法是用同种异体皮肤经一系列方法处理制成为胶原膜，在其两面分别接种同种异体表皮细胞和成纤维细胞，细胞量为 $0.5\times10^6/cm^2$，在体外培养 4～7 天，修复 10 例成人烧伤患者切痂创面。10 例病人中男 8 例，女 2 例，烧伤面积为 30%～70%，均为深Ⅱ°或Ⅲ°创面。术后有 3 例因全身及局部严重感染导致皮片液化，余 7 例全部存活。术后第 5 天即观察到血管生成。术后 30 天、60 天的组织学检查，有典型的复层鳞状上皮，基底细胞清晰，呈低柱状或立方状，排列整齐。经移植区活检标本、供者皮肤及受者血液进行 DNA 序列分析，均证实有供者的 DNA 分子片段存在。西安第四军医大学已研制成功新一代组织工程皮肤，并已形成产业化投放市场。

目前市场上出售的组织工程皮肤还缺少汗腺、毛囊、神经支配，这将是今后的研究目标，将现在的“皮肤替代物”或“皮肤等同物”提升到真正意义上的皮肤器官水平。

(2) 组织工程软骨

软骨是一种高度分化的、无血液供应及神经支配的结缔组织，因此缺乏自我修复能力。长期以来进行了大量组织工程软骨的研究，已取得不少进展，并已有少量临床应用的报道。1965 年，Chstman 和 Smith 首先将培养的软骨细胞用于软骨缺损的修复。1987 年瑞典医师首先报道将自体软骨细胞用于临床治疗关节软骨缺损。后来，Nixon 于 2000 年报道了在 1987～1996 年用软骨细胞治疗的 219 例临床随访结果，随访期为 2～9 年。其中股骨髁部软骨损伤修复术后的优良率为 90%，髌软骨为 69%，股骨滑车部为 58%。部分患者进行了活检，组织学证实为透明软骨组织。这种方法治疗恢复期较长，一般在 1 年左右才能有明显的修复效果，且修复面积在 15 cm^2 内。2001 年，Wakitain 用自体 MSC 与胶原凝胶复合治疗 4 例膝关节骨关节炎患者，与单纯胶原凝胶作对照，发现两组症状改善无明显差异，但组织学表现及关节镜下所见复合 MSC 组明显优于无细胞组，表明接种细胞是必需的。Cherubino (2003)用自体软骨细胞与双层胶原膜三维支架构建组织工程软骨，修复 13 例踝关节和膝关节软骨缺损，术后功能恢复满意，显示透明软骨影像，并有Ⅱ型胶原合成。Horas(2003)报道用自体软骨细胞与自体软骨栓移植作对比研究，在 40 例患者中，两组症状均缓解，术后 2 年细胞组的组织学表现为纤维软骨，近软骨下骨部分为透明软骨；柱状软骨移植组与受体周围有间隙，但组织学表现为正常软骨组织。最近，澳大利亚医师用自体软骨细胞与Ⅰ、Ⅲ型胶原支架复合修复关节软骨缺损，临床效果满意，新生软骨表达Ⅱ型胶原。

尽管已有一些组织工程软骨的临床应用报道，并显示了良好效果，但要形成通用型产品还需要深入研究防止细胞老化、细胞大规模扩增、同种异体细胞移植免疫以及最适支架材料等科学问题。

(3) 组织工程骨

骨修复是骨科医师、口腔颌面医师几乎每天都要遇到的临床问题。虽然已有很多治疗方法能达到骨修复的目的,但发展新的更好的修复材料是重要的研究方向。在1980年成骨细胞分离培养成功以后,为组织工程骨的研究提供了细胞生物学基础。经过20多年的努力,已解决了部分组织工程骨构建的科学问题。从20世纪初,已开始有一些临床应用报道,并显示了良好的应用前景。Quarto(2001)等报道了3例分别为骨延长失败所致的右胫骨中段4 cm缺损、右尺骨远段4 cm创伤性缺损以及右肱骨粉碎性骨折所致7 cm缺损病例,应用自体骨髓基质干细胞和羟基磷灰石构建的组织工程骨修复,取得了成功。经X线摄片和CT扫描显示,3例术后2个月植入组织工程骨都有丰富的骨痂形成,组织工程骨与宿主骨的界面也有很好的骨整合。Vacanti(2001)等报道了1例创伤性左拇指远侧指骨、伸肌腱及背侧皮肤撕脱伤,用组织工程方法修复指骨后的早、中期效果。伤指先用腹部带蒂皮瓣覆盖,断蒂后用自体左桡骨骨膜来源的成骨细胞培养扩增后和多孔珊瑚羟基磷灰石预制的指骨形植入物复合,再植入拇指皮肤袋内。修复后的拇指恢复了正常的长度、拿捏功能和一定的关节活动度。虽然植入10个月后的手术活检显示仅5%的植入物有新骨形成,术后28个月随访X线片检查指间关节有狭窄,检查拇指的捏压力只有正常的25%,指间关节仅15°的被动活动度,但这是一种十分有意义的临床实践。四川大学华西医院2000年报道1例因胸壁巨大韧带纤维瘤切除后合并软组织、肋骨缺损,采用自体骨髓间充质干细胞培养诱导分化为成骨样细胞,与生物衍生肋骨支架构建组织工程骨和带蒂皮瓣移位修复的效果。术后1年,经CT三维重建证实,修复的肋骨具有良好的骨愈合。术后5年CT三维重建,发现修复肋骨具有接近正常的形态,其CT值与同侧正常肋骨和健侧正常肋骨没有显著性差异,证明植入的组织工程肋骨具有接近正常的形态及成骨质量。以后又报道一组用同种异体骨膜来源的成骨细胞与生物衍生骨支架构建的组织工程骨修复四肢骨缺损,并由另一家医院作了组织工程骨和自体骨植骨的临床对照研究,证明组织工程骨具有自体骨植骨的相同效果,但没有自体骨植骨取骨的并发症,减少了创伤和失血量。上海交通大学附属第九人民医院临床应用组织工程骨修复颅骨、颌面骨及肢体骨缺损也取得了很好的临床效果。

组织工程骨的临床应用与研究的成熟度有关,除了保证其有效性、安全性以外,如何解决长管状骨的长段缺损、含关节软骨的关节端骨-软骨缺损的修复,以及如何评价种子细胞在人体的存活、功能状态及最终结局,均尚需深入研究。

(4) 组织工程肌腱

肌腱、韧带缺损的传统修复方法是切取自体肌腱或筋膜移植,虽然临床效果良好,但增加了创伤及并发症。组织工程方法为肌腱、韧带损伤的修复提供了新方法。四川大学华西医院在1999～2001年,应用同种异体肌腱细胞与碳纤维和聚羟基乙酸联合制成的支架材料复合,构建的组织工程肌腱修复17例喙锁韧带损伤患者,随访证实肩关节功能恢复正常。活检证实有明显的韧带形态的修复,并有血管化。其中2例患者用法医物证技术短患联重复位点检测,发现有非自体等位基因存在,为杂合态。表明植入的同种异体细胞存活,并发挥功能。该院于2005年报道一组采用组织工程肌腱修复陈旧性跟腱缺损的临床效果。该组7例,运动伤4例,玻璃切割伤2例,跌伤1例。病程1～3个月。2例玻璃切割伤患者在外院仅行皮肤清创缝合术。1例在外院行皮肤缝合后伤口裂开伴感染,经扩创、局部皮瓣移位修复创面,3个月后,再行组织工程肌腱移植修复跟腱缺损。全部患者术前经双侧超声和MRI对比检查,发现患侧均有明显跟腱缺损,缺损长度为5～7 cm。7例均于术后2周拆除缝线,其中6例伤口Ⅰ期愈合,1例于术后4周拆除石膏时发现伤口有1 cm裂开伴少量淡黄色液渗出,细菌培养无菌生长,经换药1周后伤口闭合。术后6周功能基本恢复。术后12周7例患者经超声和MRI双侧对比检查,见患侧跟腱已愈合,信号与正常一致。随访22～56个月,平均46.9个月。6例踝关节功能完全恢复,均能正常行走及用足尖走路,1例跖屈30°,背伸约10°,肌力稍差(Ⅴ级)。按尹庆水疗效标准评定:该组病例获优5例,良1例,可1例。

尽管组织工程肌腱已经取得临床应用的初步效果,但由于手指纤维鞘管区肌腱解剖结构、力学性质的特殊性,目前还不能用于手指肌腱的修复,这将是今后重点研究的目标。

(5) 组织工程膀胱

采用组织工程技术构建具有多细胞结构及复杂功能的膀胱也取得了成功，并有临床应用的初步报道。2006年，Atala在*Lacent*报道了7例4～19岁因脊髓脊膜膨出导致的膀胱功能障碍的患者。术前经活检取出自体膀胱平滑肌及黏膜，经体外培养、扩增，接种在膀胱样形状的可降解胶原支架上，或以胶原与聚乳酸的复合材料上，构建组织工程膀胱，7周后用于修复患者的膀胱，并用大网膜包裹重建血循环。经尿流动力学、膀胱造影、超声波及膀胱活检等检查，随访22～61个月(平均46个月)，术后膀胱的平均渗透压降低、膀胱容量及顺应性显著增加，没有发现结石，能正常分泌黏液，肾功能改善。活检证实组织工程膀胱接近正常结构及形态。这是世界上首次报道具有复杂结构的组织工程膀胱的临床应用结果，虽然还没有建立组织工程膀胱的神经支配，但已为进一步探索复杂结构及功能的内脏器官的组织工程产品提供了基础。

(6) 其他方面的临床应用

多种疾病的细胞治疗已取得一定的临床效果。采用自体MSC经冠状动脉注射，或直接注射到心肌壁上治疗心肌梗死，已观察到心电图及心功能的改善；对肢体缺血性疾病(如动脉闭塞症、血栓闭塞性脉管炎)用MSC局部注射，也观察到肢体血循环重建；用嗅鞘细胞悬液注射已观察到对帕金森病、脊髓侧索硬化、脊髓损伤的早期治疗效果；用肌卫星细胞局部注射治疗肌营养不良症也有早期疗效。此外，组织工程神经、角膜、尿道等均有较好的临床前研究成果，可以期望在不太长的时期内，将有更多的组织工程产品进入临床试验或以产品投放市场。

(杨志明)

7.2 软骨与肌腱组织工程学

7.2.1 软骨组织工程

引起软骨病理改变、功能丧失的原因和类型很多，但由于软骨组织缺乏再生能力，修复缺损软骨或重建软骨就成为医学界面临的重要问题。组织工程技术的发展为修复重建这些软骨组织的病变带来了新的希望。因此，寻找合适的重建软骨组织的细胞、载体、生长因子成为当前软骨组织工程研究的焦点之一。

7.2.1.1 细胞

确定合适的细胞种群是软骨组织工程最关键的一步。理论上用软骨细胞来修复软骨缺损是最理想的，因此，目前大量的研究都集中在以软骨细胞与可降解支架构建的组织工程软骨。研究发现构建的软骨组织工程复合物中软骨细胞的浓度通常仅有$(25\sim50)\times10^6$个/ml，远远不能满足重建外科病例所需要的几立方厘米的软骨量。虽然软骨组织具有抗原性弱，不易被机体免疫系统攻击和排斥反应较轻等特点，但是，不论是自体还是同种异体软骨细胞在人体的来源都有限，均属于增殖能力极弱的终末细胞，在体外培养过程中发生去分化。因此，改进软骨细胞培养方式和扩大种子细胞的来源成为软骨组织工程研究的重点内容之一。

(1) 改进培养方式

应用软骨细胞构建的组织工程软骨修复缺损的成败取决于早期细胞活力，已发现植入后仅有很少的细胞存活，这是因为细胞植入时有害细胞因子、受体机械力改变供给的养分和氧气所致。可见体外模拟软骨细胞在正常组织内的生长环境进行培养，是软骨细胞存活并保持表型的关键因素。1982年，Belay等发现单层培养去分化的软骨细胞如果在琼脂糖上进行再培养可重新恢复正常形态及分化表型，随后许多研究发现并证实三维立体培养可使已去分化的软骨细胞逆分化，美国利用藻酸盐凝胶珠作为载体使已去分化的软骨细胞逆分化，表达软骨细胞表型，还申请了专利。但是三维立体培养和高密度接种这些方法虽然提高了细胞的“群体效应”，同时也造成物质传输障碍，构建的组织工程软骨力学强度差以及难以精确塑形等问题，生物反应器则可以解决这些问题。已知软骨在体内主要发挥抗压、缓冲震荡和维持外形等功能，这些功能都与力学刺激直接相关。如关节软骨、骺板软骨、椎间盘主要承受压应力，它们的这种特性与软骨基质中的蛋白多糖有关；而气管软骨、耳软骨主要承受轴向的张力和剪切力，这些特性又主要与细胞外基质中胶原成分有关。因此，软骨生物反应器的设计需围绕其所处的力学环境而展开。比如研究最多的模拟关节软骨的力学环境的生物反应器，通过对机械搅拌式、直接灌流式到旋转壁式生物反应器的研究，发现旋转壁式生物反应器所提供的力学刺激和维持细胞生长的环境，可以将充足的氧气和营养成分输送到支架中央，保证内部细胞的生长代谢，最终形成的组织中的酸性黏多糖（GAG）和Ⅱ型胶原含量分别为正常软骨的68%和33%，组织总厚度达到5 mm，从而实现了提高组织工程软骨中细胞的活力和功能发挥的目标。

（2）种子细胞的来源

理论上软骨种子细胞的来源有3种：体内获得的软骨细胞在体外进行培养扩增，间充质干细胞诱导其分化成软骨细胞，建立软骨细胞系。这些途径来源的软骨细胞，在为构建组织工程软骨提供充足的“种子”，体外调控细胞的生长和增殖使其分泌正常的基质中各有所长。

1）软骨细胞 自体软骨细胞是最佳的种子细胞，但来源有限、增殖缓慢，而且对移植技术的要求较高，限制了其在软骨组织工程中的应用。同种异体软骨细胞来源广泛，取材方便，一次可获取大量软骨细胞，可在受体内长期生长并保持分泌基质的功能；在三维培养环境和生长因子作用下，可保持软骨细胞的化学特性；用于软骨缺损修复中免疫反应会随着时间的延长而逐渐减弱。而胚胎来源的软骨细胞具有比成体系统的软骨细胞可能引起的异体排斥反应要微弱得多的特征，提示在软骨组织工程中，以胚胎来源的软骨细胞作为种子细胞是最佳选择。

2）干细胞 干细胞是一种具有多分化潜能和自我复制功能的早期未分化细胞，它能在人体内分化成任何细胞类型，具有高度的自我更新能力和多向分化潜能，已成为软骨组织工程中首选的种子细胞。其来源有：胚胎干细胞、骨髓间充质干细胞和结缔组织的间充质干细胞。

胚胎干细胞：胚胎干细胞属于全能干细胞，理论上可以诱导分化为机体中所有种类的细胞。正因为如此，从20世纪80年代初建立了胚胎干细胞系（ES细胞）以来，人们就一直在寻找有效的体外诱导成软骨细胞的方法。研究发现胚胎干细胞在BMP-2及BMP-4作用下分化为软骨细胞；经TGF-β_1诱导形成的软骨细胞能产生肉眼可见的软骨微体，PDGF-BB能增强TGF-β_1的诱导作用；成纤维细胞生长因子（FGF）家族也可诱导软骨形成和软骨细胞特异基因的表达；其他诱导物如地塞米松、甲状腺素、1，25-$(OH)_2D_3$、前列腺素E_2和抗坏血酸等也被证实可引发软骨形成；而黏多糖、透明质酸、硫酸软骨素等胞外基质通过介导细胞间的相互作用，也能促进软骨细胞的分化和成熟，胚胎干细胞与肢芽前体细胞等细胞共培养可诱导成软骨细胞。虽然胚胎干细胞的研究已经取得这些令人瞩目的成就，但如何分离极为纯化的胚胎干细胞，控制干细胞向特别类型细胞分化，分化后的种子细胞在宿主体内是否具有致瘤性等难题还未解决。因此从能够调控体外培养的人胚胎干细胞到产生可用于修复特定分化细胞的终末分化细胞还有很长的路。

骨髓间充质干细胞（BMSC）：BMSC诱导形成软骨的方法已被广泛采用，其中Mackay等在加入一定生长因子条件下用小球培养人的BMSC后发现：BMSC可分化形成软骨组织，高糖培养条件还可促进BMSC向软骨方向分化，并证实三维培养方法有利于软骨细胞分化，该方法目前已被广泛应用于软骨诱导实验。随后的研究发现，人BMSC与牛软骨细胞按不同比例混合进行培养，软骨细胞的增殖速度和细胞外基质的合成与BMSC的比例呈正相关；兔自体BMSC与软骨细胞共培养能增加软骨细胞的增殖，促进细胞基质合成，与同种异体脱钙骨基质复合后可有效修复关节软骨缺损；软骨细胞还可诱导大量的BMSC向软骨细胞分化，并在体外形成成熟的软骨组织；构建组织工程软骨时，高密度细胞有利于BMSC成软骨分化；同时研究也发现自体BMSC与纤维蛋白凝块复合修复羊半月板效果不理想；自体BMSC-胶原海绵复合修复兔半月板部分缺损，虽然形成组织学上与正常半月板相似的纤维软骨，最终仍会出现关节的退行性改变。可见，BMSC体外诱导性培养和体内软骨的修复虽然均能有效地生成软骨，但只能达到组织形态及生化成分上类似，不能实现与原有软骨相同的再生。因此，目前采用的组织工程学方法获得软骨还需进一步模拟BMSC向生理状态下软骨分化的调控过程。

结缔组织的间充质干细胞：临床上，利用骨膜移植后能保留骨膜固有的成软骨的特性，已成功地治疗软骨、气管软骨缺损等疾病。从牛、鸡骨膜中分离的细胞在抗坏血酸盐、丙酮酸诱导下可向软骨方向分化；将自体骨膜细胞和软骨细胞分别种植在无纺布上并植入兔膝盖骨缺损处，发现骨膜细胞有和软骨细胞类似作用。表明骨膜细胞具有潜在的成软骨能力，有可能成为软骨组织工程的种子细胞。已知骨骼肌卫星细胞是哺乳动物体内唯一能大量分裂、增殖、分化的前体细胞；随后进一步发现从兔骨骼肌中可以分离得到成软骨分化的细胞；近年在骨骼肌中又发现了一群被称为肌源性干细胞（muscle-derived stem cell，MDSC)的细胞群体，有自我更新和成肌、成骨、成脂肪以及成软骨等能力。提示骨骼肌卫星细胞具备干细胞的可塑性，在一定条件诱导下能向成软骨方向转化，有望成为理想的软骨组织工程的种子细胞。而滑膜中分离的滑膜间充质干细胞也被发现能分化成软骨细胞；最新的研究进一步证实滑膜来源的间充质干细胞比骨髓、骨膜、骨骼肌、脂肪组织来源的间充质干细胞有更强的软骨形成能力，而且能用于制备组织工程软骨。

其他间充质干细胞：脂肪源性干细胞(ADSC)目前被证明具有与 BMSC 类似的多向分化潜能，用微球培养方法体外也可诱导分化软骨细胞的亚群细胞类型。由于 ADSC 可以通过抽吸脂肪的方式从患者身体获得，与抽取骨髓相比，患者更易接受，因此其可能成为构建组织工程软骨更佳的种子细胞来源之一。脐血干细胞(UMSC)属未分化细胞，有充足的来源，呈弱免疫原性，含有的干细胞种类丰富，而且可能是更早期的干细胞。其体外培养时可以保持未分化表型并不断增殖达到所需数目，而在体内不同环境中又能快速增殖并且定向分化为所需软骨表型；在体外经维生素 C、地塞米松、碱性成纤维细胞生长因子诱导后成软骨细胞的比例达到 85%。但是同时发现 UMSC 在形态学方面具有肿瘤细胞的特征，培养相对困难，要应用于临床还有很长一段路要走。

3) 软骨细胞系　培养具有低分化、高增殖又具有可表达Ⅰ、Ⅱ型胶原的正常软骨细胞特征的永生化细胞，是获得软骨种子细胞又一途径。研究人员分别由鼠胚胎癌和畸胎瘤克隆出软骨源性干细胞系 ATDC5 和 C_1 细胞；采用反转录病毒载体介导的方法将 SV40 大 T 抗原基因导入原代培养的兔髁突软骨细胞，建立了具有软骨细胞表型特征的永生化兔髁突软骨细胞系。这些研究不仅为软骨组织工程提供了标准细胞而有助于体外实验的标准化，还可将细胞系作为体内治疗的载体，长期而稳定地发挥我们所要求的不会引起不良反应的疗效。因此，建立细胞系有可能为软骨组织再生带来巨大的突破。

4) 皮肤成纤维细胞　原代培养的成纤维细胞置于低氧微重力的环境下培养，细胞分泌Ⅱ型胶原和蛋白多糖；人自体真皮成纤维细胞与具有骨诱导作用的脱矿物质骨基质共同培养可诱导软骨基质产生。提示，体外获取患者自体皮肤进行成纤维细胞培养，进行大量扩增，接种于载体材料上或利用生长因子诱导分化，可成为获取组织工程软骨种子细胞的一种较好的途径。

7.2.1.2　载体材料

单纯的细胞移植存在细胞固定不牢、细胞丢失、修复组织有限、愈合速度慢、容易钙化、远期疗效不确定等问题，因此具有生物相容性良好、生物可降解性、一定的三维结构的载体材料成为研究的热点。作为软骨组织工程的载体材料可分为天然和人工合成两类。

(1) 天然材料

透明质酸、胶原、几丁质、藻酸、小肠黏膜下层、纤维蛋白、碳纤维原等天然材料与细胞有着良好的组织相容性，与细胞外基质结构相似，参与组织的愈合过程，作为软骨种子细胞的载体已广泛用于修复各类软骨缺损。海藻酸钠溶于缓冲溶液中，通过 Ca^{2+} 或 Mg^{2+} 的改变即可形成任意塑形的凝胶，这项技术已经用于软骨细胞的植入和关节软骨、半月板的组织工程修复。人们设想载体材料在植入初期具备内源性诱导能力，其降解替代产物还可调控随后的修复过程，这一设想在透明质酸类载体的研究中获得了验证；支架的降解速度对骨软骨缺损修复进程是关键性的，降解慢的支架可以在其表面维持较厚的软骨，丝蛋白支架正是因为具有生物降解慢、孔隙率高等特征，与 BMSC 制备的组织工程软骨比胶原支架产生更高的葡糖胺聚糖(GAG)，所以特别适合用于制备组织工程软骨；Defail 等提出通过支架材料交联特定的成分控制其降解率的方法，试验证明这是一种可行的方法。研究发现单一成分构成的三维支架材料难以完全满足某一组织器官组织工程制备技术对支架材料的基本要求和特殊要求，人们就应用复合材料的原理和方法，设计构造了胶原-壳聚糖-透明质酸三聚体多孔支架材料，其具有保持软骨细胞增殖和分化的作用，同时机械强度、抗酶降解、水合性以及 GAG 含量均比单纯胶原支架提高；明胶-硫酸软骨素-透明质酸共聚体支架复合细胞移植于猪的全层软骨缺损及骨软骨缺损处，全层软骨缺损可见透明软骨修复，而无法修复软骨下骨板，提示这种支架对于骨软骨损伤修复能力有限；由此对于骨软骨损伤的修复，研究者又提出采用骨部支架材料由左旋及右旋聚乳酸并加入透明质酸，软骨部分支架材料为含有透明质酸及壳聚糖的聚电解质复合物(polyelectrolytic complex，PEC)的多相支架，并通过试验证实了这种支架在骨部及软骨部分别具有良好的成骨及成软骨性能。

尽管天然材料作为软骨细胞三维培养的载体并在体内合成软骨取得了很大的成功，但是还存在生物力学性能差、降解速度过快、制备技术不成熟以及免疫原性和致癌性等问题，仍需要进一步研究解决。

(2) 人工合成材料

人工合成材料是一类有机高分子聚合物，具有可塑性和有一定的强度，作为软骨组织工程支架材料能较好诱导、促进软骨细胞的黏附、增殖和分化，形成软骨组织。以聚羟基已酸(PGA)、聚乳酸(PLA)及两者的共聚体(PLGA)为代表，在组织工程中已广泛运用。PLGA 支架可以支持祖细胞分化并在体内成功诱导其成软骨；协助软骨细胞在软骨缺损处高表达硫酸化 GAG 和胶原。近年来发现通过改变制备方式以及对支架进行修饰可以增强其生物学效力：经氢氧化钠处理的 PLGA 支架可以有效提高软骨细胞增殖、合成和分泌细胞外基质的能力；经Ⅱ型胶原修饰后的 PLGA 支架与不修饰的 PLGA 支架相比可获得更多的细胞数及 GAG 和胶原含量，并且减少炎症反应。但是人工合成材料生物相容性差，为此研究者采用与天然材料复合来提高其对细胞吸附能力的方法：如植有软骨细胞的纤维蛋白与聚氨酯复合的支架材料中分泌的 GAG 和Ⅱ型胶原是无纤维蛋白的聚氨酯支架的 3 倍和2～6 倍；把胶原修饰过的聚左乳酸支架植入裸鼠皮下，结果复合支架有更多、更均匀的软骨组织形成，且软骨组织保持原有的支架形态，提示胶原-聚左乳酸支架具有一定的机械强度，能维持工程组织预定的形状，而胶原微粒有利于细胞接种和分布，为细胞分化增殖创造了良好的微环境。人工合成材料另一缺点就是降解快，降解产物积聚，造成局部 pH 下降，导致细胞中毒乃至死亡，出现支架崩解，整体塌陷。因此，提高材料的机械强度又不产生或减少酸性产物堆积是应用人工合成材料中需要解决的问题。对此研究者通过加入无机物 B 磷酸三钙与多孔钽复合制成复合支架并构建组织工程软骨，初步获得了预期效果，但其可降解性十分有限甚至不降解，与理想支架的要求仍存在一定距离，这势必将限制其在软骨组织工程中的运用。

为能获得与多阶段的软骨组织再生过程相匹配的载体材料，研究人员进行了深入研究，并已取得了一些令人鼓舞的结果。如：在支架表面装上标准化张力感受器，并与微型无线发射器相连，测量再生过程中缺损修复处的负荷及压强，为进一步研究力学环境调节支架的机械性能提供信息；通过计算机辅助设计技术模拟天然软骨组织形态，设计似软骨组织的层次性结构和几何形状支架，并已取得良好的效果；运用三维纤维沉降技术设计制造孔径梯度的载体材料，使其更加符合机体正常的软骨组织。相信随着这些技术的深入研究和应用，一定可以得到更理想的软骨组织工程载体，并广泛地将其应用于临床。

7.2.1.3 生长因子

仅有软骨细胞和生物材料支架是无法修复大于临界缺损的软骨缺损的，所以在生物材料支架上复合软骨细胞以及保持其一定细胞数量和表型成为软骨修复的关键。该关键问题的解决依赖于维持细胞正常软骨组织内生长的环境。正常软骨组织内含有多种生长因子，它们调控细胞的增殖、分化、迁移和基因的表达。因此，通过对各种生长因子的调整，就能促进细胞在较短时间内迅速达到组织工程所要求的数量，减少细胞功能老化以及调控组织中其他细胞参与缺损修复的目的。目前主要是通过外源生长因子的合理搭配和基因工程技术标记内源生长因子这两种方法来实现其调控的。研究表明，碱性成纤维细胞生长因子(bFGF)、转化生长因子-β(TGF-β)、胰岛素样生长因子(IGF)和血小板衍生生长因子(PDGF)等均能增加培养环境软骨细胞 DNA 的合成，促进软骨细胞的增殖；研究中常用通过释放单一有效的因子，如 TGF-β 或 bFGF 至缺损部位以触发特定的修复过程的方法；也有用载体材料被设计为可连续释放因子的组分，来达到促进特定组织再生要求的目的，如用胶原海绵复合 rhBMP-2 修复兔膝关节软骨缺损，修复的软骨厚度可达正常软骨的 70%，而且细胞的形态、结构以及与周围组织的连接均良好；为延缓细胞老化，扩大软骨细胞的来源，研究者通过外源性生长因子加入或基因转入细胞内的方法促进细胞增殖和分化；或将携带基因的细胞与载体材料复合、细胞与携带基因的载体材料复合，然后移植到靶部位产生持续的调节作用，帮助组织修复。目前运用生长因子进行软骨组织工程的修复还只局限于关节软骨、椎间盘和半月板缺损的修复。由于还有许多问题，如生长因子作用下引起的生物学特性的变化以及生物安全性等未解决，所以还需进一步的研究。

7.2.1.4 软骨组织工程与临床应用

临床医师至今也没改变250多年前就已经认识到的“软骨一旦破坏，即无法得到修复”的看法，认为是由于损伤区域内参与修复的软骨细胞数量有限、软骨组织没有血管使邻近组织提供大量参与创伤修复的细胞不能正常发挥作用，或者滑液中的滑膜细胞数量太少以及它们的生物性质有限而介导其有效修复很难所致。临床治疗成年关节损伤时发现，直径<3 mm可部分或全部修复，直径≥4 mm就不能自行修复，其治疗主要采用：①软骨下穿透术；②自体软骨移植；③异体软骨移植；④骨膜和软骨膜移植术，但发现通过这些治疗后存在修复组织的质量较差、可供软骨有限等缺点，导致患者生活质量下降。因此为了得到较好的长期修复，有必要寻找新的治疗方法。正常情况下，关节软骨细胞合成并维持关节面透明软骨，BMSC诱导纤维软骨形成，移植软骨膜或骨膜修复软骨缺损通常会发生骨化。这些迹象表明，也许利用自体关节软骨细胞介导修复过程是一种有效的治疗策略。随后大量的软骨组织工程实验研究和动物实验证实，这是一种可行的方案。瑞典人Britterg于1987年进行了第1例自体软骨细胞移植+骨膜或筋膜覆盖的临床应用，目前全世界已经有超过5 000例，临床有效率在70%以上。缺损处能生成透明软骨样软骨，但软骨基质含量、细胞数量及排列等均与关节透明软骨有明显差别。1998年从猪皮肤提取的Ⅰ～Ⅲ型胶原膜复合自体软骨细胞移植(MCI)应用于临床，2年的随访报道优良率16%，但长期效果尚无法定论；FAB公司研发的产品——透明质酸钠复合自体软骨细胞，1999年开始应用于临床，目前已经移植600余例。一组67例2～3年的随访结果表明，患者主观感觉改善97%，生活质量提高94%，膝关节外科功能检查87%获得最好的分数，修复组织活检组化分析主要为透明软骨样组织；2002年，Wakitani等首次报道将分离的12例骨性关节炎患者的自体BMSC体外扩增后与胶原凝胶结合，在行胫骨高位截骨手术的同时，分别移植到股骨内髁软骨缺损处，并覆盖自体骨膜。6周时，缺损处产生白色至粉红色的柔软组织，其中有少量的异染组织；42周后，修复组织呈白色，均一异染，可见部分组织为透明软骨样组织，尽管临床无明显改善，但组织学及关节镜评分均优于无细胞移植的对照组。总之，以软骨细胞为基础的治疗策略在关节软骨缺损中的治疗效果明显优于以其他细胞为基础的治疗策略，尤其自体软骨细胞移植已经取得了极有希望的治疗效果，同时也要注意到，组织工程软骨真正广泛应用于临床还面临许多问题。如：软骨细胞的发育过程有哪些因素和因子的参与，哪些因素影响间充质干细胞的成软骨能力，生长因子如何调控软骨细胞分化和细胞外基质的生物合成及表达，构建组织工程软骨的基质要求等，尚需要大量的理论和实验探索。

在软骨组织工程中，种子细胞和生物材料的应用呈多样性，由于来自自体、同种异体和经过生物工程技术诱导的软骨种子细胞在培养和增殖过程中受到包括培养液、培养环境、促生长因子、诱导添加剂和复合生物材料等多个环节的影响，还存在着许多问题没有解决。如：形成的软骨组织力学性能差、容易退化、聚合物支架的炎性反应、免疫原性和致癌性、转基因细胞基因表达的调控及安全性、修复的软骨组织内细胞分子学特性尚未完全清楚等，这就意味着研究者需要进一步探索简单易行、经济的分离和鉴定移植细胞的方法，移植细胞的适宜的诱导条件，阐明移植细胞间、细胞与基质间的复杂调控机制，研究各种细胞调节因子的作用机制及临床效果，改进细胞培养的载体和方法，研制优质的基因载体材料和多种材料复合等。相信随着分子生物学、生物材料学、计算机及纳米生物技术的发展，软骨组织工程在修复软骨缺损中将具有广阔的应用前景。

(邓　力)

7.2.2 肌腱组织工程

肌腱损伤或缺失是临床常见疾病，手术修复损伤肌腱后易发生粘连或术后断裂，造成肢体功能障碍，若肌腱缺失过多则必须使用替代物。目前替代物包括自体肌腱、同种异体肌腱和人工合成材料等。自体肌腱移植来源有限且使供区受损，异体肌腱移植存在免疫排斥反应，人工合成材料绝大部分因存在体内长期不能腱化、拉应力不足等缺点，限制了它们在临床上的应用。因此，寻找一种新的修复肌腱缺损的理想替代物成为治疗肌腱缺损的关键。近年来，随着组织工程学的发展使制备理想替代物和治疗修复肌腱缺损成为可能，其核心就是获取少量的肌腱种子细胞在体外培养扩增后和支架材料结合形成复合物，植入缺损部位，种子细胞增殖、分化、分泌基质，形成修复组织，材料逐渐降解，最终达到生物学意义上的完全修复。可见种子细胞、支架材料和肌腱构建技术是肌腱组织工程研究的主要内容。

7.2.2.1 *种子细胞*

肌腱是致密的结缔组织，由形态相似的梭形成纤维细胞和细胞外基质（ECM）组成。肌腱成纤维细胞是肌腱组织的基本功能单位，接受机体的神经-体液调节，主要合成和分泌Ⅰ型胶原纤维，维持肌腱组织的新陈代谢。肌腱组织工程的种子细胞主要来源有成熟机体细胞和干细胞。

（1）成熟机体细胞

肌腱细胞是肌腱组织中的成熟机体细胞，通过分离肌腱组织而获得，分化程度高，增殖相对缓慢，经多次传代后甚至丧失进入增殖期的能力。因此不论是自体还是同种异体肌腱细胞在人体的来源都有限，导致种子细胞的缺乏而成为肌腱组织工程的难题之一，寻找调控肌腱细胞生长和增殖的方法也就成为其研究和关注的焦点。生长因子由于可通过与细胞表面的特异性受体结合，激活定向生物反应而具有促进细胞生长、增殖、合成的作用，因此被广泛应用于调控肌腱细胞生长和增殖的研究中。目前已发现转化生长因子-β（TGF-β）、胰岛素样生长因子-1（IGF-1）等在肌腱愈合中起着重要作用。如体外细胞培养发现 IGF-1 能使培养的肌腱细胞提前进入平台期，加快 G1、G2 期的进程从而促进肌腱细胞的生长；能加快其 mRNA 的转录和各种蛋白的翻译合成、有丝分裂的完成，缩短肌腱细胞的形成周期；并对肌腱细胞的 DNA 合成及基质合成有剂量依赖性；在受损肌腱部位 IGF-1 的生物活性增加，外源性 IGF-1 基因转染能够促进肌腱细胞的分裂增殖和 ECM 的产生；重组人类的 IGF-1 和胎牛血清均能刺激肌腱的基质合成和细胞增殖，而且不影响基质更新，因而 IGF-1 被应用于促进肌腱细胞生长和增殖中。但发现，IGF-1 mRNA 在多次传代的肌腱细胞中表达将缺失，导致肌腱细胞增殖能力下降、胶原分泌明显减少、细胞衰老，为此人们又尝试通过转基因技术来调控细胞的生长。杨志明等将带有潮霉素 B 筛选标记的 SV40 温度依赖株质粒 ptsA-58H 导入人胚肌腱细胞，扩增后建立转化人胚腱细胞系，并成功传代培养了 65 代，冻存复苏后转化细胞的生长、形态与合成胶原能力无明显影响，且无致癌性；也有研究以重组腺病毒为载体转导 TGF-β 基因到肌腱细胞，发现刺激了肌腱细胞的增殖，胶原Ⅲ型蛋白的产量也相应增加。进一步的研究又发现，修饰后的细胞传代至 70 代以后，出现复制衰老现象，说明单纯质粒的转染仍不能使肌腱细胞永生化，还需要探索其他方法。

肌腱组织是一种能弯曲、有韧性、可承受一定拉应力等特殊要求的组织，因此，力学刺激必然对肌腱细胞的生物学特性产生极大的影响。为此，研究人员通过反应器给予肌腱细胞以顺应体内的力、电、机械的刺激，调控肌腱细胞的生长。研究证实，周期性机械应变直接作用于肌腱细胞可以刺激其生长，引起Ⅰ型胶原合成增加；适当参数的电磁场也能促进肌腱细胞增殖；用微型凹槽来模仿完整肌腱承受托力的环境培养细胞，并进行机械性拉伸，细胞具有沿托力方向排列的趋势，同时产生胶原基质；力学刺激的改变，肌腱细胞的部分 ECM 分泌情况也可以发生改变。同时也发现，上述这些方法虽然能一定程度地提高肌腱细胞的活力，但尚难以获得大量有功能活性的肌腱细胞，因此，探索更广泛的种子细胞来源成为肌腱组织工程研究的另一焦点。

在人的胚胎发育过程中，肌腱细胞和皮肤成纤维细胞均起源于胚胎时期的中胚层间充质细胞，两者在形态和功能上十分相似，在组织来源上均属成纤维细胞型；而且皮肤作为人体最大的器官，取材来源极为广泛，成纤维细胞数量众多，易于体外培养和扩增。因此，若能以皮肤成纤维细胞作为肌腱组织工程的种子细胞来源，就有可能基本解决肌腱组织工程种子细胞缺乏的问题。在研究肌腱修复中发挥重要作用的几种生长因子 TGF-β、bFGF、bFGFR、IGF-1 的相互作用时发现，肌腱细胞和皮肤成纤维细胞具有同源性。动物实验也表明：皮肤成纤维细胞接种至支架材料上是一种有效的修复肌腱缺损的替代物；在生物反应器中皮肤成纤维细胞的细胞密度比用普通培养瓶培养的要高 9 倍多；将编码人端粒酶反转录酶基因转染到正常人皮肤成纤维细胞，可以使该细胞突破极限，细胞寿命得以延长，细胞可在体外长期传代，无致瘤性，并保持正常的形态和功能。说明皮肤成纤维细胞极有可能成为肌腱组织工程的种子细胞。虽然皮肤成纤维细胞与肌腱细胞在形态上类似，但在贴壁时间、排列方式、细胞生物学特性方面均有所不同。前者贴壁时间短，排列紊乱，分泌Ⅰ型和Ⅲ型胶原；后者贴壁时间较长，排列规则，主要分泌Ⅰ型胶原。而且皮肤成纤维细胞诱导后表达肌腱特异性标记尚不明确，表明皮肤成纤维细胞作为肌腱组织工程的种子细胞还有许多问题尚待解决。

(2) 干细胞

干细胞工程分化获得相应种子细胞是肌腱组织工程种子细胞来源的另一条途径。肌腱组织工程研究的干细胞主要是骨髓间质干细胞(mesenchymal stem cell, MSC),其可在体内、体外分化为骨、软骨、肌肉、肌腱、脂肪等。虽然目前为止,还没有体外MSC向肌腱细胞定向诱导分化的成熟技术手段,但是体外培养扩增的MSC在体内可定向向肌腱细胞分化已被证实,MSC分别与聚羟基乙酸(PGA)、聚乳酸(PLA)、聚乳酸复合物、Ⅰ型胶原支架等复合植入体内,所形成的肌腱样组织在组织学及力学性能上明显优于无细胞材料组,接近正常肌腱的形态和功能,并且MSC不受供体年龄和冻存制约其低免疫原性,而不易激发T细胞免疫排斥反应等,都证明MSC是理想的修复肌腱缺损的种子细胞。不过,MSC定向诱导分化的机制尚不清楚,导致诱导效率不高,因此在组织工程化肌腱中的应用还有待研究。另一干细胞——胚胎干细胞因具有多种分化倾向,易于大量增殖和进行基因改造,能满足构建组织工程化肌腱所需足够数量细胞的要求,而具有成为组织工程化肌腱种子细胞的潜能。

7.2.2.2 支架材料

肌腱主要由肌腱细胞和ECM构成,其主要功能是将肌肉收缩所产生的力传递到骨与关节,因此,构建组织工程肌腱的支架材料不论是合成材料还是天然材料,其主要难点就是如何获得能承受强大力的功能组织的材料。目前,使用的肌腱组织工程支架材料大致有两类。

(1) 合成支架材料

合成支架材料有尼龙、碳纤维、涤纶、聚酯纤维、头发等,但绝大部分因存在体内长期不能腱化、吸收、粘连、拉应力不足、易引起异物反应、继发感染及裸露等不良反应的缺点,只能作为暂时代用品,限制了其在临床上的应用。随后开发的高分子合成材料如聚乳酸、聚羟基乙酸和聚乳酸与聚羟基乙酸共聚物(PLGA)及以它们为基础的复合材料,虽然在材料的张力、降解速度、超微结构、通透性等方面实现了可控制,一度成为研究最多的肌腱组织工程支架材料,但是其亲水性较差,降解产物可能对细胞的生存产生不良影响,使得提高支架的细胞亲和性成为肌腱组织工程研究的另一主要领域。人们通过在材料的表面裱衬蛋白质、多肽类物质、氨基酸及其衍生物、生长因子等一系列手段来增强细胞与支架材料的黏附。研究发现:TGF-β、血小板源性生长因子(PDGF)-AB、成纤维细胞生长因子-2(FGF-2)能增加支架上细胞数量和胶原产量;材料的表面裱衬Ⅰ型胶原蛋白和纤维粘连蛋白;或选择特定孔径的聚合物泡沫或特定直径的聚合物纤维制成支架材料;或选择卵磷脂和多聚赖氨酸共同包埋PGA+PLA;或用胶原对纤维状聚磷酸钙纤维(CPPF)表面涂层处理等都有助于细胞的黏附以及营养物质的渗入和降解产物的流出。这些实验研究表明,此类材料可能具有临床应用的前景。

(2) 天然支架材料

天然支架材料主要包括胶原、弹性蛋白、小肠黏膜下基质、藻酸盐、壳聚糖、纤维粘连蛋白及蛋白多糖等。肌腱中主要含有Ⅰ型胶原,常形成粗大的纤维束,具有较强的抗张强度;肌腱细胞特异性地分泌Ⅰ型胶原并沿着组织的纵轴方向生长。因此,理论上胶原是肌腱组织工程最佳的生物衍生支架材料,但是由于其力学强度还不足以作为生物支架种植到体内,目前很少应用。为此研究者将合成材料与生物材料复合或者加入生长因子,以保证降解过程中组织工程化肌腱的生物力学强度不发生降低。研究表明,胶原与聚乙烯醇共聚物具有良好的组织相容性和力学相容性,胶原的力学性能得以提高;弹性蛋白具有很强伸缩性和弹性,体内大多数细胞中都能合成、分泌,是常用的组织工程肌腱支架材料,纤维连接蛋白(fibronectin, FN)的FNα5α1能促进胶原与弹性蛋白等交联黏合,是肌腱损伤后早期修复所必要的ECM,bFGF能显著降低弹性蛋白mRNA表达和弹性蛋白原分泌水平、增强FNα5α1合成;加入bFGF后α5 mRNA水平均增加了2~3倍,bFGF通过硫酸类肝素共价结合于胶原基质上能增加支架上细胞数量和胶原产量,即使如此,要完全适应目标肌腱的要求仍然还有很长的路要走。

目前,天然支架材料研究的另一趋势是用人或动物来源的材料,经过去细胞、部分或完全去有机质、无机质、抗原等处理,制成生物衍生材料。其由于具有最接近人体的网架结构、生物力学性能以及部分活性因子和引导或诱导组织再生的能力,而成为肌腱组织工程最有临床应用前景的支架材料。人和动物的肌腱经过去细胞处理,植入免疫功能正常的动物体内修复肌腱缺损,能够再生出肌腱样组织,新生的肌腱组织在大体形态、组织学方面与正常肌腱相似。但是肌腱来源有限成为其应用的制约因素。另一种天然支架材料为小肠黏膜下层(small intestinal submucosa, SIS),其由致密的结缔组织构成,主要成分为Ⅰ型、Ⅲ型胶原,具有介导组织重塑、刺激细胞增生、诱导血管生成、无免疫原性和抗微生物活性。已证实 SIS 萃取物中有 bFGF 的存在,用其修复兔的肌腱缺损时发现,16 周后 SIS 为宿主肌腱完全替代,其组织结构和力学性能与正常肌腱极其接近;SIS 还可以促进韧带的愈合;能够为塑形提供胶原结构,增加细胞数量,因而成为备受关注的肌腱组织工程材料。但是,所有这些天然支架材料还存在生物力学性能差、降解速度不易控制、制备技术不成熟以及免疫原性等诸多问题,因此,解决这些问题也就成为肌腱组织工程研究的一大课题。

7.2.2.3 肌腱组织工程与肌腱重建

组织工程肌腱的构建即是肌腱种子细胞在体外培养扩增后和支架材料在一定环境中结合形成有功能的肌腱组织,由于肌腱种子细胞是在机体提供的复杂环境中生长的,其中应力或应变的作用极大地影响这些细胞的结构、形态和功能。因此在特定应力和三维培养环境下构建组织工程肌腱成为颇受关注的研究方向。肌腱细胞和支架在体外构建组织工程肌腱时,施加周期性的应力更有利于肌腱组织的形成和材料的降解,产生更大的力学强度;三维培养组的组织弹性模量、最大张力、硬度等较单纯材料组或单纯细胞组大,而在组织学和形态学方面两者并没有很大差别,表明三维培养环境有利于构建组织工程肌腱。但是,肌腱细胞复合物在长期的应变作用下,胶原纤维材料排列结构极有可能受到不可逆的损伤,导致组织工程肌腱的直径和力学强度远低于正常肌腱,因此,模拟体内肌腱细胞生长环境,设计、优化、构建具有三维结构和力学特征的人工活性肌腱至关重要。

组织工程化肌腱构建后进行移植时发现,人胚腱细胞与材料体外复合培养构建的组织工程肌腱初步试用于临床,取得满意疗效,进行短串联重复位点检测证实植入的组织工程化肌腱存活;而一系列动物实验研究也发现:虽然组织工程化肌腱在大体形态、组织学、胶原排列及生物力学性能等方面与正常肌腱相似,但组织工程化肌腱抗拉强度常达不到正常肌腱的数值;随后的实验证实,组织工程化肌腱在其材料迅速降解的同时胶原生成量并不多,导致修复肌腱抗拉强度低。可见,组织工程化肌腱植入体内后细胞的存活以及在体内的重塑过程等方面都需进一步研究和探索。

综上所述,虽然肌腱组织工程的研究近年取得了突破性进展,但在很多方面仍需进一步研究。如适用于临床应用的种子细胞筛选,细胞快速大量扩增技术,防止细胞衰老和控制细胞分化方向,免疫排斥反应,支架材料降解与细胞功能同步化、组织工程化肌腱植入体内,不激发免疫分子和细胞反应,而是启动愈合和组织、器官重建以及组织工程产品的标准化等问题均有待解决。随着组织工程学的进一步深入研究,组织工程化肌腱修复病损肌腱将不再是遥远的梦想。

(孙 源)

7.3 骨组织工程学

7.3.1 概述

组织工程学是基于对现代医学,尤其是细胞分子生物学再认识基础上,把工程学与生命科学有机结合,应用工程学原理,研究细胞、组织诱导因子和生物材料间相互作用的关系,研制生物性替代物以维持、恢复和改善病损组织或器官的功能。它是继细胞生物学和分子生物学之后,生命科学发展史上又一个新的里程碑,标志着医学将走出器官移植的范畴,步入制造组织和器官的新时代。目前,世界各国科学家和政府对组织工程学的基础与应用研究极为重视,组织工程相关产品正逐步形成高附加值的高科技产业,有些产品已开始进入临床,如人工皮 TransCyte、Apligraf,人工软骨 Carticel 等。其他领域如骨、膀胱、血管、角膜、神经、输尿管、肝、胰、心脏瓣膜等的研究也正处于积极的实验阶段。

骨组织由于结构和功能相对简单,是最有希望早期获得临床应用的领域之一。以下对骨组织工程学研究现状及亟待解决的关键问题予以介绍。

7.3.2 种子细胞

种子细胞是组织工程研究中最基本的环节。其核心问题在于如何获取适合临床应用需要的种子细胞。其中的热点问题在于新型种子细胞如干细胞的应用、种子细胞体外扩增技术的应用。

理想的骨组织工程种子细胞应具备:取材方便,对机体损伤少;体外培养中具有较强的增殖和向成骨方向定向分化的能力;植入体内后能耐受机体免疫,继续保持良好的生物学活性;安全性好。目前,用于骨组织工程的种子细胞有成骨细胞、组织干细胞以及早期胚胎来源的干细胞等,主要来源于自体,亦可来源于同种异体甚至异种。

(1) 成骨细胞

成骨细胞可来源于胚胎骨、新生骨或骨膜。其成骨能力较强,但取材不方便,可以造成新的创伤,且增殖能力较弱,限制了其在临床中应用。组织干细胞又称为成体干细胞,存在于机体的各种组织器官中,其中骨髓来源的间充质干细胞(MSC)来源方便,取材简单,对患者造成的损伤极小,分离和使用也不存在伦理学问题,是目前最有希望在临床广泛使用的骨组织工程种子细胞。

(2) 多能干细胞

MSC是多潜能干细胞,具有干细胞的共性,即自我更新和多向分化的能力。MSC只占骨髓中有核细胞的很小一部分,为了把它分离出来需要借助其表面标记,Stro-1是常用的用来鉴别非造血源性骨髓间充质细胞的抗体,SB-10抗体也可与未分化MSC表面的一种抗原反应,一旦MSC向成骨系分化或表达碱性磷酸酶(ALP),这种抗原随即消失。Bruder等发现SB-10抗原既是CD166(actived leukocyte-cell adhesion molecule, ALCAM)。SH-2、SH-3及SH-4等抗原也被用来分离MSC。Majumdar等发现MSC表达广谱的细胞黏附分子,这些黏附分子对以后细胞之间的连接以及定位有重要作用,MSC高表达粘连素α_1、α_5和β_1,低表达α_2、α_3、α_6、α_V、β_2和β_4,不表达α_4和α_L。MSC几乎不表达MHC Ⅱ类分子,同种异体MSC移植不发生或只发生程度很轻微的免疫排斥反应。另外,骨髓MSC在体外培养中具有比较强的增殖传代能力。因此,有必要在离体条件下将骨髓MSC进行培养、诱导、分离、纯化及扩增,以获得大量成骨细胞。一般采用10 ml抽取的骨髓,培养第2代,即可产生1×10^7～1×10^8个MSC。MSC在体外可进行(38±4)次细胞分裂,可传代达40代以上,而无明显的分化潜能改变,传代10次后,数量可增加1.2×10^9倍,培养12代以上仍能维持正常的核型和端粒酶活性。MSC在体外培养扩增的过程中不会自动分化,经过连续传代培养及冷冻保存后仍具有多向分化潜能。向培养液中添加生长因子如FGF-2等可以提高向骨源系分化的潜能。董健等将MSC在含有50 μg/ml *L*-维生素C、10 mmol/L β-甘油磷酸钠以及10 nmol/L地塞米松的标准细胞培养液中培养时,细胞可以获得成骨细胞形态同时有ALP活性上调和富含钙的ECM沉淀。研究表明,MSC还易于实现外源基因的导入和表达,为用转基因技术调控MSC增殖(如端粒反转录酶基因转染延长端粒长度)、向成骨方向定向分化(如生长因子基因转染)和抑制免疫排斥反应等创造了条件。到目前为止,已有大量研究证实MSC经诱导后能够分化为成骨细胞。作为种子细胞,MSC在裸鼠、大鼠、兔、羊、猪、狗等多种动物体内均能够有效地形成组织工程骨并成功修复多个部位的骨缺损。人MSC在适宜的诱导条件下也能够表现成骨细胞的形态和功能,在动物体内形成组织工程骨,并且目前少量的骨组织工程临床应用报道中使用MSC也取得了良好的疗效。

上述研究首先证实了MSC作为骨组织工程种子细胞的可行性,并对其诱导转化条件进行了初步的探讨,但总体来讲尚处于探索阶段,有必要对其细胞生物学进行更为深入的研究,主要在于寻找MSC的特异性标记;分离、纯化MSC并建立标准细胞株;研究多种调控因子的信号转导机制,寻找调控MSC向成骨方向定向分化的最佳条件;加快同种异体MSC移植的免疫学研究,建立通用型种子细胞库,核心问题在于建立MSC体外获取、诱导分化的标准化程序,尽早实现产业化。

(3) 诱导性骨祖细胞

近年研究其他组织来源的组织干细胞向成骨方向定向分化,为骨细胞工程种子细胞提供更广泛的来源。在皮肤、脂肪、肌肉等组织中均分离出能够向成骨细胞分化的MSC。这些细胞的共性在于为诱导性骨祖细胞,必须在诱导因子的作用下才能定向分化为成骨细胞。此类细胞与MSC的诱导条件非常类似。骨外组织中的多能干细胞的优点在于比MSC来源更充分、损伤更小、获取更容易。但由于此类研究刚刚起步,对此类细胞具体的成骨机制和性能还远未清楚,同时此类细胞定向分化为成骨细胞的能力相对于MSC较低,体内受区的适应能力也较低,因此限制了其在骨组织工程中的应用。

(4) 胚胎干细胞

胚胎干细胞(ES细胞)是指由胚胎内细胞团或原始生殖细胞分离出来的多潜能细胞系,具有发育全能性、分裂增殖能力强和易于基因操作性。特别是近年来用体细胞核转移技术研制的治疗性克隆，有可能为组织工程研究提供无免疫原性的通用型种子细胞，在种子细胞研究中占有重要的地位。Buttery等研究表明在ES细胞体外培养时加入地塞米松、维生素C等物质能够诱导ES细胞向成骨细胞分化。但是这一领域的研究才刚刚起步，如何建立极为纯化的细胞系，如何控制其向成骨方向定向分化，植入宿主体内是否具有致瘤性等是亟待解决的关键问题。

为了达到产业化的目的，需要在体外短期内获得充足的种子细胞，种子细胞的体外大规模扩增也就成为人们竞相研究的热点之一。使细胞快速增殖，方法一是在培养基或支架材料中加入有关的生长因子促进细胞增殖；方法二是改进培养技术。20世纪60年代末期出现了微载体培养，最早使用离子交换凝胶作为载体，轻微搅动即可悬浮在培养基中，这样增加了细胞附着的面积。后来对微载体又进行了改良，使其带有电荷或其他介质，更利于细胞附着和生长。类似超产培养技术还有微囊培养法和中空纤维培养法。传统单层静态培养构建不了立体组织。20世纪90年代初美国Johnson空间中心研制了一种旋转式细胞培养系统（rotatory cell culture system, RCCS），可置于37 ℃、5% CO_2 培养箱进行常规的开放式培养。该系统具有低剪切力、高物质传输效率及模拟微重力的特点。低剪切力对细胞造成的液流损伤很小，可为细胞培养提供一个静息的培养环境和三维生长的空间。Qiu等用3种生物活性的微球体在模拟微重力的旋转壁容器（rotating wall vessel, RWV）里作骨髓基质干细胞培养显示，细胞与中空微球体贴附并形成三维聚合体，聚合体内可观察到ECM产生和矿化。同样，复合可降解聚合物的生物活性玻璃微球体也有支持三维骨组织形成的能力，而单纯生物活性玻璃微球体却不支持。说明中空生物陶瓷微球体和可降解生物活性玻璃与聚合物复合微球体可用作微重力下三维骨组织工程的微载体，体外构建二维骨组织。促进细胞在材料中生长、增殖和分化的另一种方法是生物反应器的应用。长期以来人们已经认识到氧气及可溶性营养物质的提高是三维立体细胞培养的关键，在静止常态下的一般培养一般不能提供足够的以上物质。早期研究表明，在普通条件下直径>1 mm的细胞团中常常包含有一个缺血坏死中心，而使用生物反应器可在很大程度上解决这个难题。20世纪70年代以来，细胞培养用的生物反应器有了很大发展，种类和规模越来越大。常见的有贴壁培养生物反应器、悬浮培养生物反应器以及微载体细胞反应器。在成骨细胞培养中采用微载体的旋转生物反应器（rotating bioreactor）培养可以为细胞提供生长增殖的良好培养环境，可短时期内大量增殖细胞。大量实验证实，机械应力可明显增加种子细胞在支架材料的生物合成。在组织工程骨构建中，通过改进反应器的设计可以在培养系统中施加和调控应力，以生产需要的组织工程骨产品。Botchwey等用轻于水的中空聚合物支架在旋转生物反应器内作骨培养，旋转生物反应器的运动特征用数字模拟并用原位离子示踪体系来直接测量。初步研究显示成骨细胞很容易黏附在载体支架上，平均种植密度控制在 6.5×10^4 个/cm^2，对黏附细胞施加的最大剪切力在 3.9×10^{-5} N/cm^2。结果显示这种培养体系其7天后的细胞ALP表达和茜红染色较静态培养对照明显增加。用传统的细胞培养方法必须通过换液才能保证细胞生长所需要的营养。Sittinger, Wang等对灌注培养系统进行了研究，这种系统能恒定提供细胞所需要的各种养分，在长期培养过程中能保持培养基的pH和葡萄糖的稳定，用于三维生物材料聚合物-细胞的培养实验显示了较好的效果。董健等首先提出了低压力培养系统，将多孔羟基磷灰石（HA）和BMO复合物在低压装置中作骨培养，压力在10～760 mmHg之间变化，培养2周后移入同源性小鼠的皮下，4或8周后取出测定骨标记。结果表明应用低压力系统，特别是在100 mmHg时可以在体内提高骨的生成。最近Kihara等使用激光扫描共聚焦显微镜（confocal laser scanning microscopy, CLSM）对MSC分化为成骨细胞时所形成的羟磷灰石直接进行动态三维立体观测，而不需要将标本进行脱水、制成石蜡切片等处理，保存了细胞活性和在体内培养的真实状态，为研究新型的生物支架材料提供了新的手段。

7.3.3 支架材料

ECM是稳定组织结构的一种相对惰性的支架结构，但它在调节与其相联系的细胞行为方面却起着十分积极和复杂的作用。ECM成分包括不同类型的胶原蛋白、各种蛋白多糖、弹性蛋白及一些粘连蛋白。骨组织工程研究重点是寻求能够满足细胞移植和促进新骨生长的人工合成与天然的支架结构，作为ECM的替代物。理想的支架材料应有下列特性：①三维多孔且互通的网隙结构以利细胞生长及营养物质和代谢产物的运输流动。②生物相容性和可吸收性，其降解和吸收率可控制，与细胞组织的生长相适应。③材料的表面化学适合细胞黏附、增殖和分化。④材料的机械特性与植入部位组织相一致。⑤可塑性。⑥可加工性。⑦骨诱导性和骨传导性。骨诱导性是指使多潜能干细胞在非成骨条件下向软骨细胞和成骨细胞分化，最终生成骨的能力。具有骨诱导性的材料可以修复无法自愈的组织。而骨传导性指可允许毛细血管和细胞迁移入三维立体支架中形成骨，具有传导性的材料可促进组织修复。⑧可透X线，以使新骨与原种植体在放射影像上可以区分。⑨易消毒性。⑩骨组织的支架材料应具有一定的力学强度、韧性和接近人体正常骨的孔隙率和孔径。一般认为最佳孔径在200～400 μm。

(1) 天然生物衍生材料

骨组织工程支架材料可分为天然生物衍生材料和人工合成材料两大类。天然生物衍生材料包括胶原、纤维蛋白、珊瑚、藻酸盐、几丁质、氨基葡聚糖、脱钙骨基质(DBM)、骨基质明胶和经物理化学及高温处理的异体或异种骨等。天然材料具有体内可降解，生物相容性好，具有细胞识别信号，适宜细胞黏附、增殖和分化等优点，结构和孔径有利于引导骨再生。临床上，珊瑚已被成功地应用于骨的修复。以碳酸钙为骨架的天然珊瑚在20世纪80年代末期已被用作为人类骨髓细胞(human bone marrow cell，HBMC)的体外培养支架。将成骨细胞接种于滨珊瑚，植入裸鼠或兔的皮下，可形成骨组织。但因天然材料不能大量生产，来源有限，且材料的机械强度、降解速度等特性难以控制等原因，目前使用的大多是人工合成的聚合物。

(2) 人工合成材料

人工合成材料包括羟基磷灰石(HA)、磷酸三钙(TCP)、钙磷陶瓷(HA/TCP)、生物活性玻璃陶瓷(BGC)等无机材料类和以聚乳酸(PLA)、聚羟基乙酸(PGA)及两者的共聚物(PLGA)为代表的高分子有机合成材料。无机类材料与人骨组织无机结构及组成相类似，有生物相容性好，利于细胞黏附、增殖和分泌基质，发挥成骨功能等优点，在生物材料领域占重要的地位。可降解生物陶瓷包括碳酸钙陶瓷(calcium carbonate ceramic，CCC)、磷酸钙陶瓷(calcium phosphateceramic，CPC)。CPC可根据Ca/P比值分别为1.5、1.67和2，而分为β-TCP、HA和磷酸四钙等。对HA的研究始于20世纪70年代，人们普遍认为骨骼中的天然矿物成分即HA。但近来研究表明，骨骼中的矿物质是一种贫钙(Ca/P＜1.5)的碳酸盐磷灰石，除含有钙、磷外，还有镁、钠、磷酸氢根离子和一些微量元素。此外，骨骼中的矿物质晶体构型也较HA少而小。

(3) HA

董健等将HA泥浆中加入聚醚酰亚胺(PEI)并搅匀，使其泡沫化，因PEI之间的铰链从而可形成多孔，将多孔HA块在1 200 ℃下煅烧3 h。所制备的HA具有高的孔隙率(77%)，并且孔之间完全相通，平均孔径为500 μm，平均通道直径为200 μm。这种HA抗压缩性和3点的弯曲强度都很高，实验中将培养2周的HA-MSC复合物移植入同基因大鼠的皮下，8周后取出测量ALP、骨钙素(OCN)，并进行组织学分析，HA-MSC复合物组的ALP、OCN的值明显高于对照组。机制可能是诱导局部组织周围的骨钙蛋白基因上调以及骨形态发生蛋白(BMP)浓度增高。此种新型的多孔HA具有和人骨相类似的微结构，不但有骨引导作用，还有骨诱导作用，能促进MSC在体内向成骨系分化，具有良好的临床应用前景。

(4) β-TCP

目前研究较多的β-TCP的最大优势就是生物相容性良好，植入机体后与骨直接融合，无局部炎性反应及全身毒副作用，可因其表面构造、结晶构型、孔隙率及植入动物的差异而有不同的降解率。Ohgushi等将含60% HA与40% β-TCP的陶瓷浸入大鼠MSC悬液中，获得每块含(1～2)×10^7个细胞的复合材料。实验证明其有明显的异位成骨能力，用于修复同源近交系大鼠股骨缺损模型，发现陶瓷孔隙内直接成骨并增强与宿主骨干的结合，两者共同增加了植入物的抗压强度及刚性。随后又将经体外培养扩增后的MSC与CPC的复合体进行同源移植，其成骨作用明显快于未扩增的单纯细胞移植。生物玻璃植入机体后最显著的变化是富含非晶型磷酸钙表层的形成，可选择性地吸收诸如纤连蛋白等血清蛋白，有利于细胞吸附的成骨细胞表型表达。董健等假设将β-TCP和MSC混合培养可促进骨的形成，降低β-TCP的降解率。将事先制备好的孔隙率为75%的多孔β-TCP 5 mm^3与MSC混合培养2

周(有或无成骨生长介质),然后将其移植到大鼠皮下,24周后取出测定的ALP、OCN明显高于对照组。结果显示此种可降解的高孔隙率的β-TCP与MSC在成骨诱导培养液混合培养时,所形成的复合物具有良好的成骨活性和较高的生物机械特性,以及低的生物降解率,大大克服了一般生物陶瓷生物机械特性差和降解率高的缺点,成为一种新型的生物陶瓷活性材料,并且为寻找更可靠的骨替代材料打下基础。

(5) 高分子聚合材料

高分子聚合材料具有生物相容性好、可降解且降解速度易于调控、可大量生产等优点,但难以避免机械强度不足、体内导致无菌性炎症反应等。PGA和PLA是常用的组织工程的构建材料,它们可以根据降解时间的不同要求进行合成。

Vacanti等首先将PGA、PLA用作软骨细胞体外培养基质材料,通过组织工程方法获得新生软骨。此后,PGA、PLA及其共聚物被广泛应用于组织工程各种细胞的培养和组织的构建。但此类材料具有亲水性差、细胞黏附性能较弱的缺点,需要对材料表面进行修饰以适合细胞的黏附和生长。

Maquet等在PDLLA和PLGA中加入不同量(10%、25%、50%)的生物活性玻璃制成多孔复合支架材料,生物活性玻璃的加入降低了聚乳酸复合聚乙酸(PDLLA)和PLGA的降解率,同时增加了复合物的机械性能。Akay, Birch设计了一种由PHP(poly HIPE polymer)组成的新型微细胞三维支架系统,该系统材料可通过改变乳胶的添加量和处理途径,使孔的大小变化在不足一微米到几百微米,孔隙率在70%~97%之间。使用此种材料来研究骨的形成发现,细胞与PHP有良好的相容性,在三维支架上有多层细胞生长,并且在体外培养35天后细胞长入支架内达14 mm。除此之外,研究还证实能直接促使干细胞转化为成骨细胞。最近有人将BMP和PLAGA组成复合物,BMP-7不断地从PLAGA中释放出来,使从兔的骨骼肌分离出来的MSC分化为成骨样细胞,随之矿化。结果证明骨骼肌来源MSC在PLAGA的基质上增殖分化,从PLAGA中释放出来BMP-7诱导MSC高表达骨标记,促进骨的形成。

虽然组织工程材料学取得了巨大进展,但是各类材料均有各自的不足与缺陷。主要表现在以下几点:天然有机高分子材料不能大规模地生产、不同批次成品有差异、机械强度较差、某些材料体内降解速度不易控制、有传播某些传染性疾病的隐患、抗原性消除不确定等问题。人工合成高分子有机物材料亲水性差。细胞吸附力较弱、可引起无菌性炎症、机械强度不足、聚合物中残留的有机溶剂可引起细胞毒副作用,以及可能引起周围组织的纤维化、与周围组织发生免疫反应,更重要的是这类材料表面缺乏细胞识别信号,与细胞间缺乏生物性相互作用。无机材料的降解性和机械性能是这类材料迫切需要解决的问题。有些材料吸收过快,修复的形态不能维持;而有些材料吸收过慢,甚至不吸收,植入体内后可产生异体反应且机械性能差。

最近纳米技术的发展为发展新型生物材料提供了新的途径、新的思路。廖素三等采用提纯并去抗原的Ⅰ型胶原为模板,在钙、磷盐溶液中调制矿化而获得纳米量级的复合材料,研究结果表明该新型仿生骨材料具有良好的生物相容性,能够促进和加快骨创愈合。虽然目前纳米材料在骨组织工程中应用刚刚起步,但毫无疑问在骨组织工程研究中发展纳米生物材料将是非常有前途的。

今后研究的方向是与人类骨组织结构和性能相类似的材料,通过人工的改性,研制出具有降解和降解的可调节性、合适的机械强度,且其表面具有黏附、识别、引导、诱导等作用,并能根据人体不同部位的骨缺损,批量生产出相应的组织工程化骨支架材料。

7.3.4 生长因子

多种生长因子均可调节骨组织工程种子细胞的增殖与分化,如转化生长因子-β_1(TGF-β_1)、碱性成纤维细胞生长因子(bFGF)、骨形态发生蛋白(BMP-7、BMP-2)、胰岛素生长因子(IGF-1、IGF-2)、血小板衍生生长因子(PDGF)、他克莫司(FK506)等。它们可以是直接应用,或与细胞、基质材料复合,或通过基质材料或转基因种子细胞控制释放等,在骨缺损修复中占有重要的地位。

(1) bFGF

bFGF是一种有力的促进细胞有丝分裂剂,但这种作用与bFGF剂量有关,体外培养状态下bFGF抑制细胞向成骨细胞方面分化,对于这一种引起细胞增殖与分化的分离现象,尚没有明确的解释,但它表明体外单独应用bFGF的缺陷之处。bFGF的另一个作用是刺激组织局部毛细血管发生、形成,这不仅对骨折愈合有利，而且对骨组织工程的工程体植入体内成骨也十分有利，因为毛细血管的长入可增强新骨形成，促进载体的降解。

(2) PDGF

PDGF首先从血小板中分离出来。有研究表明其有以下几个特点：①对体外培养的成骨细胞抑制其ALP活性，表明PDGF没有促进MSC的成骨细胞方向分化的作用；②PDGF抑制胶原蛋白的合成，对骨形成是十分不利的；③PDGF提高破骨细胞的数量和功能，通过前列腺素介导刺激骨吸收，表明它有促进骨吸收的作用；④PDGF是强的血管收缩剂，对于成骨也产生不利影响。可见单独应用PDGF，既不适合体外刺激MSC向成骨细胞方向分化，也不适合将其作为信号分子与载体复合植入体内。

(3) TGF-β

TGF-β对于多种组织细胞的增殖分化、胚胎发育、组织损伤的修复和骨质再生等起关键性作用。在骨代谢骨愈合方面，TGF-β调节多种细胞如成骨细胞、成软骨细胞、破骨细胞的增殖、分化，并影响骨基质合成。TGF-β对成骨细胞增殖分化与影响的双向性，不主张单独应用TGF-β作用于MSC使之成为骨组织工程的工程细胞。鉴于bFGF、PDGF、TGF-β 3种因子分别对成骨细胞作用的双向性，我们不主张单独使用它们刺激MSC，使之成为骨组织工程的工程细胞，并且3种因子组合也不理想，而2种因子组合是否能成为最佳组合，尚需进一步探索。

(4) BMP

自从1988年Wozney等发现BMP以来，至今已经发现了超过30种同类分子，此类分子通过促进骨祖细胞的黏附、分化而刺激骨形成。它的细胞信号机制已有文献综述。尽管重组人BMP上市已超过10年，但在临床实践中其对骨的诱导和再生仍不太清楚，主要原因在于未找到一种适宜的生物材料载体来保证BMP的传递、剂量以及活性。最近的研究主要集中在寻找能把生长因子添加到其中的组织工程支架。

(5) 他克莫司(FK506)

他克莫司，又称藤霉素，是由链霉菌培养得到的大环内酯类抗生素，是近年来广泛应用于移植外科的新型免疫抑制剂。他克莫司通过抑制T淋巴细胞的活化和增殖从而抑制白细胞介素-2的合成。但近来发现他克莫司除了免疫抑制作用以外，还可以诱导成骨。董健等将原代培养的MSC连续培养16天，将含有左旋维生素C的酸性2-磷酸盐(AsAp)和β-甘油磷酸(β-GP)的α-MEM作为对照组，AsAp、β-GP加入他克莫司作为实验组。通过测定ALP、骨钙蛋白基因、体外骨结节形成从而评价他克莫司成骨诱导能力。结果表明他克莫司能促进MSC的增殖，诱导矿化骨样结节的形成，提高ALP活性和骨钙蛋白基因的表达。在α-MEM中含25 mmol/L AsAp、10 mmol/L β-GP和50 nmol/L他克莫司时可获得最佳成骨效应。实验数据表明免疫抑制剂他克莫司是一种成骨诱导因子，既可单独应用又可和地塞米松联合应用，并具有协同作用，而且价格低廉，具有良好的临床应用和研究前景。

7.3.5 组织工程骨的构建及临床应用

组织工程骨的构建包括单纯细胞-材料构建、血管化和神经化构建等3个主要方面。血管化的方法有血管束植入、使用VEGF或bFGF等生长因子或其基因转染、血管内皮细胞与成骨细胞复合种植、预构组织工程化血管、预构带血管蒂的组织工程骨肌骨瓣以及用带血管蒂筋膜瓣-肌瓣包裹人工骨等方法。

目前，国内外在积极进行骨组织工程基础研究的同时，已谨慎开始了临床试验研究。杨志明等应用自体骨髓基质干细胞、同种异体骨膜来源的成骨细胞复合同种异体骨在人体内构建组织工程骨，并对52例患者多个部位的骨缺损、骨不愈合进行了修复。经10～28个月随访，初步证实组织工程骨具有良好的成骨能力和修复效果，采用同种异体来源的成骨细胞未发现明显组织排斥反应及其他并发症。Quarto等用组织工程骨治疗3例长骨缺损患者，经术后随访14～26个月，其中2例5个半月及6个月去除外固定，6～7个月内完全恢复肢体功能。另1例由于外固定支架松动，6个月后改用其他外固定，再经6个月后去除外固定，获得功能恢复。

虽然仅有少数报道，修复质量和远期疗效和其他修复方法相比尚不能显示其优越性，但可以预计，在不太长的时间内，将会有更多、更成熟的组织工程骨产品应用于临床。今后应进一步加强骨组织工程基础研究，在完成免疫功能完全大型哺乳动物的基础上开展人骨髓MSC或其他类型种子细胞的建系、向成骨方向定向诱导和体外大规模扩增等关键技术，研制与开发具备临床实际应用标准的人组织工程骨的规模化体外构建技术和生物反应器，建立适应多种临床应用所需求的组织工程骨产品开发与工业化规模生产技术体系，制定产品的临床试验的安全性评价和质检标准，建立一套符合国际惯例和我国实际情况，且利于组织工程化骨产品生产和应用的国家标准或行业标准，以获得一批具有自主知识产权的关键技术和重大产品，提高我国组织（器官）工程研究的整体水平、创新能力和国际竞争能力。

（董　健）

7.4 周围神经的组织工程学

随着组织培养技术的完善，细胞生物学、分子生物学和生物医学材料的开发、利用产生了用组织工程技术修复周围神经缺损的新方法。组织工程神经是由具有良好生物相容性的可降解高分子载体，结合以神经膜细胞为主的活性细胞形成的具有特定三维结构的复合体。该领域的研究目前还处于起步阶段，主要研究内容包括：种子细胞的分离纯化培养；支架材料的开发；人工神经的组织还原。

7.4.1 种子细胞

（1）神经膜细胞的作用

周围神经缺乏特异的种子细胞，神经膜细胞是周围神经主要的胶质细胞，被广泛用作种子细胞。神经膜细胞在神经再生过程中发挥着以下几方面的关键作用：①神经膜细胞及其分泌合成的多种促神经生长物质，如：NGF、BDNF、CNTF 等，是构成再生微环境的主要成分；②吞噬作用，为神经再生通畅道路；③增殖迁移形成 Büngner 带，支持引导再生神经纤维的生长；④合成结构性细胞外基质层粘连蛋白、胶原（collagen）等，包绕有髓纤维形成髓鞘和基膜；⑤释放生物活性因子，表达多种细胞黏附分子和受体，如：L1、*N*-cadherin、INT-γ、*N*-CAM 等。

（2）神经膜细胞的体外培养

神经膜细胞能够在小牛血清的培养基中存活相当长时间，但它们的增殖却相当缓慢。为了获得大量纯净的神经膜细胞进行各种研究，长期以来进行了促神经膜细胞增殖的研究，但神经组织工程材料需要的细胞数量非常巨大，神经膜细胞移植要产生效果，细胞浓度需在 10^8/ml 以上，神经膜细胞传代以后形态和功能逐渐改变，不再适合组织工程的要求，解决问题的方法是培养永生化神经膜细胞系，使其分裂、增殖获得大量的细胞，Boutry 等的研究已取得初步成果，培养出 MSC80 永生化神经膜细胞系，可以传至 110 代，倍增时间在 17 h，具有正常神经膜细胞的形态，并在体内有形成髓鞘的能力。正常神经膜细胞移植后产生的神经营养物质非常有限，神经组织工程应利用基因工程技术，将神经生长因子、碱性成纤维细胞因子等神经营养物质的基因导入神经膜细胞，对其基因进行修饰，纯化后培养能分泌上述神经营养因子的细胞，将对神经组织工程的发展起推动作用。

7.4.2 人工神经的支架

常用的支架材料有两大类：一种是天然材料，主要有水凝胶、壳聚糖、胶原等；另一种是人工合成的聚合物，主要有聚羟基乙酸（polyglycolic acid，PGA）、聚乳酸（polylactic acid，PLA），聚乳酸聚羟基乙酸共聚体（copolymer of lactic and glycolic acids，PLGA）等。Strauch 认为对支架功能的要求不仅仅是暂时固定并支持缺损神经的两端，提供一个相对隔绝的微环境，引导神经元的轴突轴向生长，还要具有适当的孔径和孔隙率，允许组织液和营养物质自由交换，能为神经再生富集所需要的神经营养因子。

（1）工艺的改良

用有机高分子材料来制作三维支架，传统上主要有以下几种方法：机械制孔法、层压法、乳剂冻干法、成孔剂析出法、微粒浸析、气体发泡技术等。机械制孔由于孔间连接不够，孔隙率难以控制而不甚满意；层压法易破坏单层上的孔洞结构；乳剂冻干法易产生封闭孔结构；成孔剂析出法使用的有机溶剂不易清除。近年来在制作工艺上有不少改进和革新。

1）微粒浸析　2000 年 Shastri 等报道了一种改进方法，使用蜡状烃替代氯化钠作为制孔剂，使用这种技术可制作泡孔间相互连通并具有厚达 2.5 cm 的泡孔材料，孔隙率可达到 87%，而且泡孔的直径可达到甚至超过 100 μm。为了提高最终构造材料的强度和电导性，可以通过添加微粒到糊状物中来实现。

2）气体发泡技术　为了消除在制孔过程中有机溶剂的影响，Mooney 等早在 1996 年就提出了使用气体物质作为制孔剂的技术。2000 年，Nam 等进行改良，采用这种方法孔隙率可高达 90%，而且泡孔尺寸也可达到 200～500 μm 的范围。

3）热致凝胶化　Ma等采用该技术获得纳米级纤维基质，孔隙率高达98.5%，孔直径在50～500 nm之间，表面体积比沥滤技术制造的泡沫高出2～3个数量级。Miller等使用新工艺在PDLA材料表面构制出层粘连蛋白微槽，不仅能促进神经膜细胞的黏附迁移，而且能极大地改善细胞的微观排列。

(2) 新型材料

聚羟基丁酸酯(poly-3-hydroxybutyrate，PHB)是微生物在不平衡生长条件下储存于细胞内的一种天然高分子聚合物。目前常用提取技术有：有机溶剂法、次氯酸酸法、酶法、表面活性剂-次氯酸酸法、氨水法及机械破胞法等。Slater等利用基因工程法将可合成PHB的*A. eutrophus*菌(产碱杆菌属)的有关酶引入油菜、向日葵等植物中获得了转基因植物，从这些转基因植物的细胞质或质体中可克隆合成PHB。由于避免了细菌合成的分离提纯步骤，使合成成本降低成为可能。Hazari等将猫横断的放射状神经移植到以PHB为基材的薄片上进行培养，12个月后发现神经纤维直径变大，且在末梢神经中发现越来越多的有髓鞘的神经轴突。Hazari等还用10 mm鼠的坐骨神经片与PHB导管搭桥段移植入大鼠体内，30天后显示导管壁上生长了神经。

(3) 多功能基质

许多实验已证实层粘连蛋白、纤维连接蛋白和胶原蛋白等不溶性细胞外基质分子可以促进基质桥提早形成，从而加速神经再生过程。但目前在导管内填充基质已不仅仅是为再生过程中的细胞迁移提供有特殊亲和力的表面，随着工艺的发展，基质材料还应能不断为种子细胞提供各种营养因子。Murphy等使用控释技术将VEGF因子混合在PLG支架上，随材料的降解逐渐释放，实验显示有利于长间距神经再生。Yu等用一种微型脂质圆桶装满NGF后植入琼脂水凝胶中，体外证实这种控释系统能以生理剂量的浓度释放达7天之久，并能显著促进背根神经轴突再生。Wells等指出2%的甲基纤维素凝胶比Biomatrix或胶原更适合于用作血小板衍生生长因子(PDGF)、胰岛素生长因子(IGF)的载体。Bonadio提出将转染有特定目的基因的质粒掺入基质中，作为局部基因释放平台，以促进神经再生。另外，导管只在总体上限制和引导再生轴突及细胞取向，而Ceballos等发现经过高强度磁场胶原凝胶可形成线性排列，能有效防止再生轴突在导管内缠绕形成神经瘤。

7.4.3 构建人工神经

1979年，Aguayo首先将体外培养的乳鼠神经膜细胞种植到5 mm长的血管段中，用于桥接大鼠坐骨神经缺损，6周后发现有大量再生神经纤维，为组织工程人工神经的研究奠定了基础。

(1) 国内进展

2000年，戴传昌等采用将培养的高密度神经膜细胞分次滴注在15 μm粗的PGA纤维表面，发现神经膜细胞不仅能贴附在材料表面，而且能分裂迁移形成细胞链，同时分泌层粘连蛋白等细胞基质。将含层粘连蛋白、纤维连接蛋白、胶原Ⅳ等细胞外基质涂层于乙丙交酯(商品名Vicryl)生物纤维上，或与神经膜细胞混合后与多孔PLA纤维浸润，提高了细胞与生物材料的黏附率，增加了材料携带细胞的数量，并有利于细胞种植后的存活和在生物材料上的定向三维生长。随后戴传昌等制备了PGA支架，在其上接种体外培养扩增的神经膜细胞，形成一种桥接物，用于修复大鼠1.5 cm的坐骨神经缺损，术后结果与自体神经移植组相似，比单纯PGA组好得多。2000年，王光林等用PLA制成中空的纤维管和PLA无纺纤维布与神经膜细胞共同培养，观察到神经膜细胞生长良好。然后用BrdU标记的神经膜细胞-细胞外基质-PLA无纺布一起放入PLA管中，桥接10 mm长缺损的大鼠坐骨神经，21天后标记的神经膜细胞大量存活，再生轴突生长神经膜细胞组优于无神经膜细胞组。2001年，程飚等将成年兔神经膜细胞种植在医用生物膜和聚苷氨酸(polyglactin) 910纤维上，桥接2.5 cm长坐骨神经缺损，表现出与自体神经移植相当的疗效。

(2) 国外进展

2000年，Hadlock等用PLA和PGA按85∶15的比例聚合成棒状移植物，直径2.3 mm，其中有5条纵向排列的小管腔，小管腔直径500 μm，管腔经层粘连蛋白溶液(10 μg/ml)表面修饰后，引入浓度为5×10^5/ml的神经膜细胞，移植入大鼠坐骨神经7 mm缺损区。6周后神经组织通过移植物的切面平均面积优于自体神经移植组，其神经纤维的直径也比自体神经移植组的粗。2000年，Matsumoto等用内有胶原纤维丝的PGA导管成功修复80 mm长的犬腓总神经缺损，植入4～16个月组织切片显示切口处的再生神经组织已有滋养血管长入。2002

年，Evans 等用左旋 PLA 导管种植同种异体的神经膜细胞修复大鼠 12 mm 神经缺损，2 个月和 4 个月时检测神经修复的各项指标和同源神经膜细胞移植疗效相当，但是比自体神经移植效果略差。2002 年，Mosahebi 等用聚羟基丁酸戊酯导管种植同种异体神经膜细胞，发现在 6 周时同种异体神经膜细胞受到排泄，但神经轴突的长入情况与同源细胞移植相似，并且没有导致有害的免疫反应。Rutkowski 等通过一系列试验比较指出，对种植神经膜细胞的导管而言，孔隙率为 75%时可以获得最大的再生速率，4 周之内轴突延伸 3.2 mm。95%的孔隙率将使神经营养因子大量外渗，而 55%的孔隙率则导致氧浓度过低。提高管壁厚度和神经膜细胞浓度，可以增加管腔内神经营养因子的浓度，但若供氧不足，反而抑制神经再生。

7.4.4 存在的问题及展望

人工神经的发展给周围神经缺损的治疗带来了新的希望，动物实验显示用神经导管能有效修复短距离神经缺损，但目前还没有一种能够在临床上代替自体神经移植。生物工程技术的发展将会提供更好的支架，而近期制约临床应用的主要问题是同种异体神经膜细胞移植的排异反应。异体神经的抗原主要存在于神经膜细胞，虽然有报道说同种异体神经膜细胞较长时间扩增后和经冻存可以降低免疫反应和移植的排斥，但神经膜细胞的活性下降，促再生能力相应减弱。另外，受神经趋化和接触引导的限制，人工神经桥接的距离一般不超过 30 mm，而临床上面临的主要问题是长段缺损时自体神经的来源不足。最后，转基因技术的应用要充分考虑到可能产生的不良后果，如避免类似胚胎干细胞系增殖导致肿瘤的危险。

（程 飚 陈峥嵘）

参考文献

[1] 李玉宝，魏杰. 纳米生物医用材料及其应用. 中国医学科学院学报，2002，2:203.

[2] 陈兵，刘伟，邓丹，等. 皮肤成纤维细胞构建组织工程肌腱的实验研究. 中华医学杂志，2006，86(6):416～418.

[3] 林红，戴文达，方涛林，等. 间充质干细胞与其诱导血管内皮细胞联合种植构筑血管化组织工程骨修复兔大段骨缺损. 中华医学杂志，2008，88:337.

[4] 顾延，戴克戎. 猪小肠黏膜下层替代兔跟腱的实验研究. 中华医学杂志，2002，82:1279 ～1282.

[5] 董健，李熙雷，方涛林，等. Osteoset 人工骨修复四肢骨缺损及在脊柱融合中的应用. 中华外科杂志，2005，43:1035.

[6] 蔚凡，杨志明，彭文珍. 胚腱细胞体处培养及生物特性研究. 中国修复重建外科杂志，1995，9(3):161～164.

[7] 戴传昌，曹谊林，王炜，等. 施万细胞在聚羟基乙酸纤维上三维定向培养. 中华显微外科杂志，2000，23:286.

[8] Alastair WM, Macnicol MF. 10～16 years results of Leed-Keio anterior cruciate ligament reconstruction. Knee, 2004, 11:9～14.

[9] Athanasiou KA, Agrawal CM, Barber FA, et al. Orthopaedic application for PLA-PGA biodegradable-polymers. Arthroscopy, 1998, 14:726.

[10] Bauer TW. An overview of the histology of skeletal substitute materials. Arch Pathol Lab Med, 2007, 131:217.

[11] Benya PD, Shaffer JD. Dedifferentiated chondrocytes re-express the differentiated collagen phenotype when cultured in agarose gels. Cell, 1982, 30(1):215～224.

[12] Bodnar AG, Ouellette M, Frolkis M, et al. Extension of lifespan by introduction of telomerase into nor mal human cells. Science, 1998, 279:349～352.

[13] Bonadio J. Tissue engineering via local gene delivery: update and future prospects for enhancing the technology. Adv Drug Deliv Rev, 2000, 44:185.

[14] Boutry JM, Hauw JJ, Gansmuller A. Establishment and characterization of a mouse Schwann cell line which produces myelin in vivo. J Neurosci Res, 1992, 32(1):15～26.

[15] Buckwalter JA, Mankin HJ. Articular cartilage repair and transplantation. Arthritis Rheum, 1998, 41:1331～1342.

[16] Busse B, Hahn M, Soltau M, et al. Increased calcium content and inhomogeneity of mineralization render bone toughness in osteoporosis: Mineralization, morphology and biomechanics of human single trabeculae. Bone, 2009, 45(6):1034～1043.

[17] Cao YL, Vacanti JP, Ma X, et al. Generation of neo tendon using synthetic polymer seeded with tenocytes. Transplant Proc, 1994, 26(6):3390～3391.

[18] Carreras I, Rich CB, Panchenko MP, et al. Basic fibroblast growth factor decreases elastin gene transcription in aortic smooth muscle ceils. J Cell Biochem, 2002, 85(3):592～600.

[19] Ceballos D, Navarro X, Dubey N, et al. Magnetically aligned collagen gel filling a collagen nerve guide

improves peripheral nerve regeneration. Exp Neurol, 1999, 158:290.

[20] Chang CH, Kuo TF, Lin CC, et al. Tissue engineering based cartilage repair witIl allngenous chondrocytes and gelatin chondroitin-hyaluronan tri-copolymer scaffold:A porcine model assessed at 18, 24, and 36 weks. Biomaterials, 2006, 27(9):1876~1888.

[21] Defail AJ, Chu CR, lzzo N. et al. Controled release of bioactive TGF-beta I from microspheres embedded within biodegradable hydrngels. Biomaterials, 2006, 27(8):1579~1585.

[22] Dong J, Kojima H, Uemura T, et al. In vivo evaluation of a novel porous hydroxyapatite to sustain osteogenesis of transplanted bone marrow-derived osteoblastic cells. J Biomed Mater Res, 2001, 12:208.

[23] Dong J, Kojima H, Uemura T, et al. Stimulation of osteoblastic activity from bone marrow cells by in vitro application of FK506, a potent osteogenic agent. J Bone Miner Res, 2001, 16:496.

[24] Dong J, Uemura T, Shirasaki Y, et al. Promotion of bone formation using highly pure porous β-TCP combined with mesenchymal stem cells. Biomaterials, 2002. 23:4493.

[25] Dong J, Toshimasa U, Hiroko K, et al. Application of low-pressure system to sustain in vivo bone formation in osteoblastrporous hydroxyapatite composite. Mater Sci Engin, 2001, 3:37.

[26] Dressier MR. Effects of age on the repair abilitv of mesenchymal stem cells in rabbit tendon. J Orthop Res, 2005, 23(21):287~293.

[27] Frenkel SR, Brediea G, Brekke JH, et al. Regeneration of articular cartilage—evaluation of osteochondral defect repair in the rabbit Bing multiphasic implants. Osteoarthr Cartil, 2005, 13(9):798~807.

[28] Hazari A, Lungberg C, Terenghi C, et al. A resorbable nerve conduit as an alternative to nerve autograft in nerve gap repair. Br J Plast Surg, 1999, 52(8):653.

[29] Helen H, Michelle D, Kofron, SF, et al. In vitro bone formation using muscle-derived cells: a new paradigm for bone tissue engineering using polymer-bone morphogenetic protein matrices. Biochem Biophys Res Commun, 2003, 8:882.

[30] Heng BC, Cao T, Lee EH. Directing stem cell differentiation into the chondrogenic lineage in vitro. Stem Cells, 2004, 22(7):1152~1167.

[31] Ikada Y. Challenges in tissue engineering. J Royal Soc, 2006, 3:589.

[32] Jadlowiec JA, Celil AB, Hollinger JO. Bone tissue engineering: recent advances and promising therapeutic agents. Expert Opin Biof Ther, 2003, 3:409.

[33] Karen J, Porters LB, Kellam JF, et al. Biomaterial developments for bone tissue engineering. Biomaterials, 2000, 21:2347.

[34] Kihara T, Oshima A, Hirose M, et al. Three-dimensional visualization analysis of in vitro cultured bone fabricated by rat marrow mesenchymal stem cells. Biochem Biophys Res Commun, 2004, 8:943.

[35] Larry L, Hench, Julia M, et al. Third-generation biomedical materials. Science, 2002, 295:1016.

[36] Lee DA, Martin I. Bioreactor culture techniques for cartilage ~ tissue Engineering. Methods Mol Biol, 2004, 238:159~170.

[37] Lespessailles E, Jaffre C, Beaupied H, et al. Does Exercise Modify the Effects of Zoledronic Acid on Bone Mass, Microarchitecture, Biomechanics, and Turnover in Ovariectomized Rats?. Calcified Tissue Int, 2009, 85(2):146~157.

[38] Levine BR, Sporer S, Poggie RA, et al. Experimental and clinical performance of porous tantalum in orthopedic surgery. Biomaterials, 2006, 27:4671.

[39] Ma PX, Zhang R. Synthetic nano-scale fibrous extracellular matrix. J Biomed Mater Res, 1999, 46:60.

[40] Mackay AM, Beck SC, Murphy JM, et al. Chondrogenic differentiation of cultured human mesenchymal stem cells from marrow. Tissue Eng, 1998, 4(4): 415~428.

[41] Majumdar MK, Keane-Moore M, Buyaner D, et al. Characterization and functionality of cell surface molecules on human mesenchymal stem cells. J Biomed Sci, 2003, 10:228.

[42] Maquet V, Boccaccini AR, Pravata L, et al. Porous poly (alpha-hydroxyacid)/Bioglass (R) composite scaffolds for bone tissue engineering. I: preparation and in vitro characterization. Biomaterials, 2004, 25: 4185.

[43] Meirelles LD, Chagastelles PC, Nardi NB. Mesenchymal stem cells reside in virtually all post-natal organs and tissues. J Cell Sci, 2006, 5:152.

[44] Miller C, Shanks H, Witt A, et al. Oriented Schwann cell growth on micropatterned biodegradable polymer substrates. Biomaterials, 2001, 22:1263.

[45] Murphy WL, Peters MC, Kohn DH, et al. Sustained release of vascular endothelial growth factor from mineralized poly (lactide-co-glycolide) scaffolds for

tissue engineering. Biomaterials, 2000, 21:2521.

[46] Nam YS, Park TG. A novel fabrication method of macroporous biodegradable polymer scaffolds using gas foaming salt as a porogen additive. Biomed Mater Res, 2000, 53:1.

[47] Partridge K, Yang XB, Nicholas M, et al. adenoviral BMP-2 gene transfer in mesenchymal stem cells: in vitro and in vivo bone formation on biodegradable polymer scaffolds. Biochem Biophys Res, 2004, 11:93.

[48] Redman SN, Oldtield SF, Archer CW. Current strategies for articular cartilage repair. Eur Cell Mater, 2005, 14(9):23～32.

[49] Robert H, Herbert K, Arthur L. Orhopaedics. Health Searvice Asia, Elsevier Science. 2002.

[50] Shastri VP, Martin I, Langer R. Macroporous polymer foams by hydrocarbon templating. Proc Natl Acad Sci USA, 2000, 97:1970.

[51] Strauch B. Use of nerve conduits in peripheral nerve repair. Hand Clin, 2000, 16:123.

[52] Thomopoulos S, Harwood FL, Silva MJ, et al. Effect of several growth factors on canine flexor tendon fibroblast proliferation and collagen synthesis in vitro. J Hand Surg Am, 2005, 30(3):441～447.

[53] Thompson DM, Buettner HM. Schwann cell response to micro-patterned laminin surfaces. Tissue Eng, 2001, 7:247.

[54] Vacanti CA, Vacanti JP. The science of tissue engineering. Orthop Clin North Am, 2000, 31(3):351～356.

[55] Van Eijk F, Saris DB, Riesle J, et al. A comparison of bone marrow stromal cells, anterior cruciate ligament, and skin fibroblasts as cell source Tissue Eng, 2004, 10(5～6):893～903.

[56] Wang YC, Uemura T, Dong J, et al. Application of perfusion culture improves in vitro and in vivo osteogenesis of bone marrow-derived osteoblastic-cells in porous ceramics materials. Tissue Eng, 2003, 9:1205.

[57] Wei J, Li YB, Yan YG. Development of clinical cement of nanoapatite and polyamide composite. High Tech Let, 2001, 4:8.

[58] Wei J, Li YB. A study on nano-composite of nanoapatite/polyamide. J Mater Sci, 2003, 38:3303.

[59] Wells MR, Kraus K, Batter DK, et al. Gels matrix vehiles for growth factor application in nerve gap injuries repaired with tubes: a comparison of biomatrix, collagen, and methylcellulose. Exp Neurol, 1997, 145:395.

[60] Wang XJ, Li YB, Wei J. Development of biomimetic nano-hydroxyapatite/poly(hexamethylene adipamide) composites. Biomaterials, 2002, 23:4787.

[61] Yan YG, Li YB. Synthesis and properties of a copolymer of poly(1, 4-phenylene sulfide)-poly(2, 4-phenylene sulfide acid) and its HA reinforced composite. Eur Polym J, 2003. 2:411.

[62] Yoshimoto H, Shin YM, Terai H, et al. A biodegradable nanofiber scaffold by electrospinning and its potential for bone tissue engineering. Biomaterials, 2003, 24:2077.

[63] Yu X, Dillon GP, Bellamkonda RB. A laminin and nerve growth factor-laden three-dimensional scaffold for enchanced neurite extension. Tissue Eng, 1999, 5:291.

[64] Zandonella C. Tissue engineering: the beat goes on. Nature, 2003, 421:884.

[65] Zisch AH, Lutolf MP, Hubbell JA. Biopolymeric delivery matrices for angiogenic growth factors. Cardiovasc Pathol, 2003, 12:295.

骨科应用材料

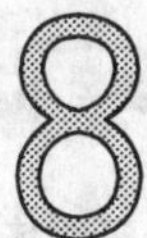

人工骨(artificial bone)材料必须能满足以下基本要求:①具有良好的生物相容性;②具有一定的机械稳定性;③有微孔结构,使新生骨组织得以长入;④其吸收速度与新骨生长速度大致保持同步;⑤易于加工成所需大小和形状。按其材料结构和性能大致可分为3类:无机材料、有机材料和复合材料。无机材料根据其是否能与受体骨组织结合又分为生物活性材料和生物惰性材料。

8.1 生物陶瓷

生物陶瓷是在人体内化学稳定性好,组织相容性好的一类陶瓷。其抗压强度高,易于高温消毒,是牙、骨、关节等硬组织良好的置换修复材料,但脆性大,成形加工较困难是其主要缺点。根据植入物与骨组织界面所发生的组织反应的类型,即植入物与组织连接的机制,可将生物陶瓷分为4类。

(1) 近乎惰性的晶体生物陶瓷

无生物活性,植入后与骨组织之间形成纤维膜,易松动脱落。临床上得到广泛应用的是氧化铝,可用作人工髋关节假体部件。

(2) 多孔陶瓷

包括多孔多晶氧化铝和羟基磷灰石(HA)涂层的金属。其特点为呈生物惰性,但在骨组织长入其孔隙时却形成高度迂曲的界面,从而提供了机械稳定性,具有良好的骨传导能力。目前在临床应用较多,如国内贝奥路多孔生物陶瓷。

(3) 表面活性陶瓷

包括生物活性玻璃(bioglass)、玻璃陶瓷(glass-ceramics)和HA。HA是构成人体硬组织的主要无机质,它无毒、无刺激、无任何不良反应,具有良好的生物相容性和生物活性。其表面带有极性,与人体细胞、多糖和蛋白质能以氢键结合,与机体组织有较强的亲和力。HA不但能起到钙盐沉积的支架作用,而且还能在新骨的形成上起传导作用,能直接和人体软、硬组织形成键合,在骨骼修复和替换中发挥越来越重要的作用。但HA植入后不吸收。因此,HA多与其他材料复合使用,如HA与自体骨、自体红骨髓、胶原、成骨蛋白(BMP)、同种异体骨(脱钙骨基质或去抗原自溶脱钙同种骨)、煅石膏、聚合物和氧化铝陶瓷等复合,可克服HA缺乏骨诱导性和颗粒性材料成形困难的缺点。

(4) 可吸收的陶瓷

具有可降解性能,能在宿主体内逐渐被吸收而被新骨替代,能达到完全愈合,是较为理想的人工骨。材料以磷酸三钙(TCP)和硫酸钙为其代表。TCP生物学特性与HA大致相同,力学强度较HA稍差,能在体内逐渐降解为钙、磷被代谢且对人体无毒。医用硫酸钙是目前可吸收陶瓷中应用较多的材料,美国Wright医疗公司已将其商品化,其商品名为“OSTEOSET”,其制剂形式多种,有包含DBM等骨诱导因子,能适应各种病例和手术的要求,已在国际上广泛应用。笔者曾在国内首先报道了OSTEOSET临床应用结果,发现其在四肢骨折、脊柱融合术中具有良好的成骨效应和较快的降解速度,而且结合抗生素的OSTEOSET硫酸钙还能应用于骨科感染如慢性骨髓炎引起的骨缺损,治疗效果较传统方法有显著提高。

可吸收陶瓷目前存在的问题之一是降解速度的调控有待进一步解决,对体内吸收时可能产生积液的处理，术后需将引流管多放置几天至引流量每天少于10 ml，一般不需敞开换药。

8.2 多聚体人工骨

多聚体是经多聚化过程，将许多低分子量的单体结构聚合在一起而形成。最常用的有聚乳酸(PLA)和聚乙醇酸(PGA)。PLA、PGA材料的合成是在一定温度、压力及催化剂作用下对其相应单体进行开环聚合而成，也可通过催化剂作用使相应的乙醇酯及丙交酯二酯发生聚合生成。其制作主要是利用了内在的热塑性能，提高温度能使其变软、熔化而很易获得所需的形状，主要包括注模、压模、铸造和挤压成形技术。PLA和PGA在体内主要以水解方式降解，降解产物乳酸参加三羧酸循环，乙醇酸经尿排出体外。人们利用其良好的骨传导作用，将之制成条块状，用作骨移植替代材料修复骨缺损。由于其缺乏骨诱导能力，一般将之作为载体与BMP复合成复合型多聚体人工骨。骨折和骨缺损疾病是骨科临床上的常见病，临床治疗的内置物材料基本上是不锈钢和钛合金，但金属内置物材料存在许多缺点。生物降解高分子材料用作骨科内固定材料，一个明显的优点是避免了二次手术对患者产生的身体上的痛苦和经济上的负担。生物降解材料用于骨折固定要求在创伤愈合过程中缓慢降解，在长时间缓慢降解过程的初期或某一特定时间内在材料上培养出组织细胞，让其生长成组织或器官。Kilpilari把PGA和PLA的熔融共混物制成棒材应用于兔子后腿骨折固定，材料初始弯曲强度为40～70 MPa。Christed和Vert首次报道聚乙丙交酯纤维增强PLA骨板用于骨折内固定，制成的板材初始弯曲模量由增强前的4 GPa提高到增强后的6 GPa。

8.3 天然材料

天然材料包括胶原、藻酸盐、纤维蛋白、天然珊瑚和甲壳素及其衍生物。这些材料的共同特点是生物相容性较好，而且与BMP复合后有良好的骨诱导活性。胶原与纤维蛋白有一定的黏附性，可有效地吸附骨诱导生长因子如BMP等大分子，延缓扩散速度和降解速率，维持植入区域骨诱导生长因子更长时间的有效浓度，提高其成骨诱导效能。纤维蛋白、藻酸盐等可以以注射方式应用，不仅可以用于手术治疗各种骨缺损，而且能使用于手法复位的闭合性骨折，具有广阔的临床应用前景。但是天然材料一般而言机械强度和抗压性能较差，与人体骨骼的生物学性能有较大差异，不适用于负重部位。此外，材料未经妥善处理在临床应用时有可能导致传染疾病的风险。

8.4 复合人工骨

(1) 生物无机与有机高分子复合骨修复材料

自20世纪70年代末，HA作为新型生物材料问世以来，已越来越引起医学界及相关学科浓厚兴趣。由于HA是由与人体硬组织无机质相近的物质组成，因此HA是骨和牙齿种植中最具潜力的生物材料。由于纯HA脆性较大，强度较低，所以人们都在通过各种途径对它进行改性制成复合材料。生物有机高分子复合材料，尤其生物无机和高分子复合材料的出现，为人工器官和人工修复材料、骨填充材料开发与应用奠定了坚实的基础。

自然骨是由磷灰石和高分子胶原纤维构成的无机-有机复合材料，具有良好的力学性能。基于仿生的概念，人们期望能研制出一种机械强度和韧性好，弹性模量接近自然骨的生物活性材料，一些聚合物具有较好的韧性和接近人骨的弹性模量，但缺乏生物活性。磷酸钙无机材料是构成人骨无机质的主要成分，因而与自然骨组织有天然的亲和性，磷酸钙无机材料生物相容性好，能与周围骨组织形成牢固的键合，但该种材料的脆性大、抗折强度低和成型困难。磷酸钙无机材料与高聚物复合，可以将两者性能充分结合起来，可望得到力学性能好(强度、韧性好)，弹性模量与人骨相近且具有良好生物相容性和生物活性的骨修复和重建生物材料。目前常见的生物无机与有机高分子复合材料主要有：HA、TCP、A-W玻璃陶瓷(BGC)生物玻璃与增强高密度聚乙烯(HDPE)、聚酰胺(PA)、聚甲基丙烯酸甲酯(PMMA)、PLA、PGA及PLA和PGA的共聚物(PLGA)等高分子化合物的复合材料。HDPE-HA复合材料随HA掺量的增加，密度也增加，弹性模量可从9 MPa提高到1 GPa，由于该复合材料的弹性模量处于自然骨杨氏模量范围之内，具有极好的力学相容性，并且具有引导新骨形成的功能。A-W玻璃陶瓷和生物玻璃增强HDPE复合材料具有与HA增强HDPE复合材料相似的力学性能和生物学性能。复合材料在 37 ℃ 的 SBF 溶液中体外实验研究表明，在其表面可形成磷灰石层，通过控制和调整 A-W 玻璃陶瓷和生物玻璃的含量，使其满足不同临床应用的要求。PLA 具有良好的生物相容性和可降解性，但材料还缺乏骨结合能力，对 X 线具有穿透性，不便于临床上显影观察。将 PLA 与 HA 颗粒复合有助于提高材料的初始硬度和刚性，延缓材料的早期降解速度，便于骨折早期愈合。随着 PLA 的降解吸收，HA 在体内逐渐转化为自然骨组织，从而提高材料的骨结合能力和材料的生物相容性；此外还可提高材料对 X 线的阻遏作用，便于临床显影观察。

(2) HA-胶原复合骨修复材料

胶原是机体生命的最根本的基质，它具有以脯氨酸等中性氨基酸和含有碱性或酸性侧链的氨基酸蛋白质的结构和特性。选用与自然骨有机质更接近的胶原与 HA 复合，这样植入材料就能和受骨的骨胶原末端的氨基和羟基相结合，形成具有生物活性的化学性结合界面，从而发挥其正常的生理功能。目前研究已证实，胶原与多孔 HA 陶瓷复合，其强度比 HA 陶瓷提高 2～3 倍，胶原膜有利于孔隙内新生骨生长，植入犬的股骨后仅 4 周，新骨即已充满所有大的孔隙。胶原与颗粒状 HA 复合已成为克服牙槽嵴萎缩的最理想材料。HA-胶原复合材料已得到广泛、深入的研究与开发。

当 HA 与胶原质量比为 4.5：1 时，HA 形成时间可由 4.5～5 h 缩短到 2.5～3 h。研究表明脱矿胶原基质对溶液中的钙、磷具有诱导吸附作用，并符合传统的成核理论，胶原表面的非均相成核可降低 HA 晶核的临界能或表面能，胶原纤维在溶胶中的出现缩短了 HA 形成的最初时间。冷冻干燥后的复合材料 SEM 分析表明，HA 晶粒沉积在胶原纤维表面，胶原纤维为 HA 的形成提供了成核的模板或成核的位置，并能降低其成核能，对 HA 形成起到加速作用。复合材料的抗弯强度达 7～12.5 MPa，弹性模量为 0.2～1.7 GPa，HA-胶原复合材料的断裂功为 0.51 kJ/m^2，与 HA 陶瓷和自然骨相比，高于纯 HA(0.07 kJ/m^2)，而略低于自然骨。

天津市口腔医院曾对控制析出法制备的纳米尺寸 HA 胶原复合人工骨材料进行修复家兔颅颌面实验性穿通型骨缺损研究。纳米 HA 晶体-胶原复合骨材料中，胶原蛋白占总质量的 35%，与天然骨成分接近，结构和形貌图谱分析亦与天然骨类似。该复合材料植入动物体内实验表明：术后 10 周发现骨创区形成一薄层骨片，中心区 0.2 cm 为骨性连合，形成硬纤维膜。术后 12 周，复合材料形成的骨创区形成骨性桥接，骨创关闭。组织切片观察，复合材料植入区成骨细胞、软骨细胞生长活跃，类骨质丰富，成骨细胞呈立方状成排或成环状排列于骨小梁表面，缺损区有骨性填充，有骨岛出现甚至形成骨性桥接。这是由于纳米级 HA 结晶均匀沉积于胶原蛋白上，便于被机体组织和细胞识别和利用，胶原蛋白诱导组织细胞生长的生物学特性以及作为骨组织的天然基质促进了细胞的分化、增殖、黏附、成熟，生成类骨质进而矿化，加快了骨创的愈合及骨折的生长。

(3) n-HA-聚酰胺复合骨修复材料

HA 是构成人体硬组织的主要无机质。它无毒、无刺激、无任何不良反应，具有良好的生物相容性和生物活性。其表面带有极性，与人体细胞、多糖和蛋白质能以氢键结合，与机体组织有较强的亲和力。HA 不但能起到钙盐沉积的支架作用，而且还能诱导新骨的形成，能直接和人体软、硬组织形成键合，在骨骼修复和替换中正在发挥越来越重要的作用。然而 HA 生物陶瓷的脆性和不易于手术赋形特点，限制了它在临床上的广泛应用。为提高 HA 的韧性和线型加工性能，可以把羟基磷灰石和高分子复合，制备新型有良好机械力学性能和生物活性的可承力的骨修复和替代材料。传统的复合方法很难实现既提高 HA 在复合材料中的含量，同时又保证复合材料两相间的界面结合和力学强度，因而有必要采用纳米级 HA 和聚合物复合来制备纳米生物医用复合材料。聚酰胺由于和人体的胶原蛋白在分子结构上十分相似，所以和人体组织有良好的相容性，是一类优良的医用高分子材料，且具有较高的韧性和强度，在临床有广泛而长期的应用，如医用缝线、复合人工皮等。由于在其主链上含有许多重复的极性酰胺基团(HN—C═O)，以及链两端的极性基团(—NH_2、—COOH)，因而它是一类极性聚合物，与极性的无机磷酸钙材料相容性好。

自然骨中磷灰石含量在 65 wt%左右，并有序沉淀于胶原基体中，但目前报道的一般合成方法很难获得一种高度 HA 含量的生物活性复合材料。李玉宝等用常压共溶法制备了磷灰石-聚酰胺复合材料。结果表明，磷灰石在复合材料中的含量可达 65 wt%左右，接近自然骨中磷灰石的水平。在复合材料的两相界面间形成了化学键。此种复合材料的性能,特别是抗压、抗弯强度和弹性模量与人体皮质骨类似。动物实验结果表明:磷灰石-聚酰胺复合材料具有优异的生物活性和力学性能,与自然骨能形成牢固的生物性的骨键合。在犬的软组织中还发现该种材料有诱导软骨的特性,是一种较为理想的新型骨修复材料。

在该复合材料中,n-HA含量高于同类产品,因而具有很高的生物活性;n-HA在复合材料中分布均匀;n-HA与PA66之间既有化学键合又有分子间的相互作用,使复合材料能更好地传递外应力,达到既增强又增韧的目的。n-HA/PA66复合材料具有良好的生物活性和力学性能,是一种优良的人工骨材料。该人工骨材料在骨的愈合、塑形整个过程可持续给予骨缺损(尤其是大段骨缺损)部位坚强的力学支持,可缩短住院时间,使成功修复大段骨缺损的临床愿望得以实现。对经过灭菌的n-HA/PA66复合材料进行毒性测试、溶血测试、刺激测试等,表明n-HA/PA66复合材料无毒,无刺激,生物安全性好。长耳兔的牙、脊椎、颅骨等植入实验显示,n-HA/PA66复合材料具有良好的生物相容性和生物活性,动物临床试验已完成。临床人体骨修复研究结果表明,20余例手术效果优良,并取得突破性成果。目前,该人工骨正进入临床使用阶段。

笔者应用间充质干细胞与其诱导血管内皮细胞联合种植构筑血管化组织工程骨修复兔大段骨缺损获得成功,效果理想。

(董 健 戴文达)

参考文献

[1] 李玉宝,魏杰. 纳米生物医用材料及其应用. 中国医学科学院学报,2002, 2:203.

[2] 林红,董健,戴文达,等. MSCs和其诱导ECs联合种植构筑血管化组织工程骨修复兔大段骨缺损. 中华医学杂志,2008, 88:337~341.

[3] 董健,李熙雷,方涛林,等. Osteoset人工骨修复四肢骨缺损及在脊柱融合中的应用. 中华外科杂志,2005, 43:1035.

[4] Athanasiou KA, Agrawal CM, Barber FA, et al. Orthopaedic application for PLA-PGA biodegradable-polymers. Arthroscopy, 1998, 14:726.

[5] Bauer TW. An overview of the histology of skeletal substitute materials. Arch Pathol Lab Med, 2007, 131:217.

[6] Dong J, Kojima H, Uemura T, et al. In vivo evaluation of a novel porous hydroxyapatite to sustain osteogenesis of transplanted bone marrow derived osteoblastic cells. J Biomed Mater Res, 2001, 57:208.

[7] Dong J, Uemura T, Shirasaki Y, et al. Promotion of bone formation using highly pure porous β-TCP combined with mesenchymal stem cells. Biomaterials, 2002, 23:4493.

[8] Karen J, Burg L, Scott Porter, et al. Biomaterial developments for bone tissue engineering. Biomaterials, 2000, 21:2347.

[9] Larry L, Hench, Julia M, et al. Third-generation biomedical materials. Science, 2002, 295:1016.

[10] Levine BR, Sporer S, Poggie PA, et al. Experimental and clinical performance of porous tantalum in orthopedic surgery. Biomaterials, 2006, 27:4671.

[11] Vashishth D. Small animal bone biomechanics. Bone, 2008,43(5):794~797.

[12] Wang XJ, Li YB, Wei J. Development of biomimetic nano-hydroxyapatite/poly(hexamethylene adipamide) composites. Biomaterials, 2002, 23:4787.

[13] Wang YC, Uemura T, Dong J, et al. Application of perfusion culture improves in vitro and in vivo osteogenesis of bone marrow-derived osteoblastic-cells in porous ceramics materials. Tissue Eng, 2003, 9:1205.

[14] Wei J, Li YB, Yan Ya. Development of clinical cement of nanoapatite and polyamide composite. High Tech Let, 2001, 4:8.

[15] Wei J, Li YB. A study on nano-composite of nanoapatite/polyamide. J Mater Sci, 2003, 38:3303.

[16] Williams SH, Vinyard CJ, Wall CE, et al. Mandibular corpus bone strain in goast and alpacas: Implications for understanding the biomechanics of mandibular form in selenodont artiodactyls. J Anat, 2009,214(1):65~78.

[17] Yan YG, Li YB. Synthesis and properties of a copolymer of poly(1, 4-phenylene sulfide)-poly(2, 4-phenylene sulfide acid) and its HA reinforced composite. Eur Polym J, 2003,2:411.

周围神经的三维重建研究 

9.1 人体组织、器官三维重建研究的现状

计算机技术的飞速发展带动了医学领域的不断进步，有效地推动了医学的发展。医学与计算机技术、信息技术等多学科的交叉结合，已经成为当前科学研究的热点和必然趋势。

1989 年，美国国立医学图书馆发起“可视人”计划(visible human project, VHP)。其特点是人体断层解剖学意义上的数字化“解剖人”，先后获得一男一女两组人体断面数据。这是人类利用信息技术进行数字化人体解剖的首次尝试。它向人们以三维的形式展示人体数千个解剖结构的大小、形状位置及器官间的相互空间关系。VHP 被广泛应用于教学、诊断、治疗计划、虚拟现实、艺术、数学及工业等方面，有着重要的应用价值。到 2000 年为止，美国已经建立了全身皮肤、肌肉、骨骼和心脏等部分器官的三维模型。但是由于难以提取其中的血管、神经信息，目前还未见到血管和神经的三维模型。

美国国家橡树岭实验室(ORNL)于 1996 年开始酝酿“虚拟人”计划(virtual human project)。其主要设想是将人类基因组计划、人体功能建模和“可视人”计划的研究成果结合起来，将数据、生物物理和其他模型以及高级计算算法整合成为一个研究环境，研究人体对外界刺激的反应，并将物理学和生物学结合起来构成一个平台，能预报对外界刺激的反应并且能够观察结果。其基础是“可视人”计划，现在正在积极开发提取血管、神经信息的方法以建立完整的数字化人体信息。1997 年，华盛顿大学发起的“生理人”计划，提出开发有助于对细胞、器官、有机体整体功能理解的数据库和数学计算机模型，其目标是综合生物物理、生物化学和生理学的研究成果，对有机体整体的性质和功能做出预测。

近年来，美国科学家联盟(FAS)提出“数字人”计划，它的目标是采用 21 世纪的信息技术实现人体从 DNA 分子和蛋白质到细胞、组织、器官系统和整体的精确模拟，被认为是有史以来最雄心勃勃的研究计划，是 21 世纪科技发展的新的制高点。

与此同时，世界各国对数字人体的研究也在蓬勃开展。韩国“可视人”计划于 2000 年开始，计划 5 年内完成，目标是完整地获取精度为 0.2 mm 的人体组织断层切片、CT 及 MRI 数据。其切片精度比美国的可视人高，但同样难以提取其中的血管、神经信息。在欧洲，德国汉堡大学利用 VHP 数据集开发了 Voxel-Man 人体虚拟解剖图谱。我国于 2001 年在北京香山科学会议上提出建立中国数字化虚拟人体的设想，目标是建立具有世界领先水平的中国数字化虚拟人，同时促进以人为中心的科学技术的发展，使国内与人体相关的研究走在世界的前列。目前，“数字化虚拟人若干关键技术的研究”已列入国家“863 计划”，并已正式启动，依据国内具有世界领先水平的血管铸型技术，争取比美国的“可视人”在血管信息的提取上有所突破，进一步的工作重点是研究神经信息的提取方法和建立神经模型。目前，人体神经信息的提取和神经模型的构建已成

为全世界“数字化虚拟人”构建的主要难点和研究的热点。

连续切片的计算机三维重建技术是指对某一组织结构进行连续组织切片，然后把这一系列切片的数字信息输入计算机进行处理，利用计算机图像处理理论、图形生成理论以及视觉心理学，在二维平面上形象地显示物体的三维图像，从而得到该组织结构的三维立体形态的一种方法。它在阐明生物体组织结构与生理功能之间的关系以及在形态学、比较解剖学、细胞化学定位、疾病诊断和外科手术模拟、手术导航等方面具有非常重要的现实意义，是目前国内外正在进行广泛研究的热点课题之一。

计算机三维重建技术是20世纪60年代末才开始发展的。早期医学领域内的三维重建，一般是利用显微镜投影仪或描绘器，将连续切片的内容，逐张绘制成图，然后雕刻在蜡版或纸板上，最后重叠起来形成立体模型。但是这种三维重建既费时又不够精确。由于计算机图形学的进步，能够对一系列二维图像进行分析、识别与处理，以建立三维立体图像。近10余年来，由于计算机软件和硬件的不断发展，利用计算机重建医学三维图像的能力得到了飞速发展。三维重建技术在医学领域的应用开始日益广泛，对于医学的发展起到越来越重要的作用。

9.2 各种三维重建手段的简介

目前，国内外利用生物组织的二维数据集来重建三维图像已在很多研究领域蓬勃开展，包括CT和MRI、超声、单光子发射计算机断层摄影（SPECT）、正电子发射断层摄影（PET）等图像的三维重建，利用连续组织切片的光学显微镜放大图像来进行显微结构的三维重建以及激光共聚焦和扫描电镜的三维可视化重建等。这些不同的重建手段各有不同的适用范围。

国内外目前在医学领域的三维重建大多是利用CT、MRI等进行重建，因为这些图像具有容易获得、图像的规整性好、自动匹配等优点，因而易于重建，在医学临床上发挥了重要作用。但是目前的CT、MRI图像由于受到扫描断层间距的限制，仅能达到毫米级水平，因此无法重建毫米级以下的组织结构，且分辨率有限，精确度较低，同时还受到图像灰度的制约，无法获得组织显微结构的精确信息，从而无法精确地重建组织的显微结构。目前国外正在发展显微CT（micro-CT，MCT），其分辨率可以达到为10～50 μm，但显微CT装置的视野只有50～100 mm，可对成人手指、四肢、婴儿和小动物做小范围的细胞级的成像；在此基础上可进行三维重建。显微CT成像技术能立体精确地显示皮肤表层5～10 mm，机体组织三维解剖结构，包括表皮、真皮、脂肪层、动脉、静脉的空间分布及其相互关系，其再现畸形或病体模型的程度可以达到亚微米级解剖学的精度，主要应用于美容和颌面整形领域。

激光扫描共聚显微镜（laser scanning confocal microscopy）是近代生物医学图像仪器的最重要发展之一。它是在荧光显微镜成像的基础上，利用共聚焦光路和激光扫描获得样品的显微图像，经过计算机进行图像处理，得到细胞或组织内部结构的荧光图像。激光扫描共聚焦显微镜具有高灵敏度和能观察空间结构的独特优点，从而对被检样品从停留在表面、单层、静态局面的观察进展到立体、断层扫描、动态全面的观察，广泛应用于细胞间通信研究，细胞内亚微结构的立体形态研究，对细胞内荧光标记的物质进行免疫荧光定量、定性和定位测量，细胞内离子分析，测定细胞膜流动性及作为激光显微外科平台进行切割染色体特定位点的基因等细胞外科手术等领域。但是它和扫描电镜一样仅适用于微米级超细结构的重建，无法进行大体标本的重建工作。

当前，研究人体组织显微结构最有效和实用的方法是利用组织的连续切片经光学显微镜放大后，摄取二维图像信息，然后进行显微结构的三维重建。利用连续组织切片进行三维重建的优点在于：能很好地显示人体内部的细微结构的高精度信息，在阐明人体组织结构与生理功能之间的关系以及在形态学、比较解剖学、细胞化学定位等领域的研究中有着重要的意义，它不但能精确地显示人体复杂的三维结构，并可进行任意旋转、剖切等观察和操作，还可对重建的三维结构进行测量，获得长度、面积、体积和角度等大量精确的解剖参数。缺点是：需要连续切片，切片难度较大、质量要求高，如果标本较大则需要专门的切片机等；重建难度大，在组织切片的配准、轮廓跟踪、切片变形的矫正等方面面临一系列问题。目前国内外利用在光学显微镜下获取的组织切片二维图像进行三维重建的技术远远落后于CT、MRI以及激光扫描共聚焦显微镜三维成像等其他技术的发展，有关这方面的研究正成为三维重建研究的热点。

9.3 连续组织切片的三维重建

(1) 定位问题

定位问题是连续组织切片三维重建所必须解决的首要问题，也是三维重建中的共同难题。它直接影响到三维重建结果的准确性。定位也称对位、配准(registration)，就是确定图像像素点在空间的位置，从而将二维序列图像合成为三维图像。在进行三维重建前必须先进行连续组织切片的准确定位(也称配准)，这一步是整个三维重建过程中最精细的也是最耗时的一步。不像CT、MRI和激光共聚焦，连续组织切片的配准不是自动完成的。在数据集内进行对齐和排序的工作必须由研究者来完成。在切片过程中，可能会产生组织切片的卷曲、压缩和拉伸等变化，个别切片可能出现破碎和皱褶等情况，在固定和脱水后的组织可能产生组织的收缩。因此配准包括纠正切片间的移位、旋转及图像变形等情况。此外，当切片的面积超过一个视野时，情况将会更加复杂，因此必须将图像分多部分拍摄后进行拼接，这样很容易产生图像的失真，影响切片的定位。而使用显微镜电动平台能够较为准确地获取和跟踪邻近视野的信息，有利于二维图像信息的准确还原。

定位方法一般可分为硬定位和软定位两种。所谓硬定位方法，是指采用各种机械的方法在连续切片图像上标记一些基准点，通过基准点的对齐达到定位效果；而所谓"软"定位方法，是指根据生物组织的连续性和完整性，通过一定的配准算法，通过计算机软件的方法达到两幅连续切片图像间的对齐。

1) 硬定位　硬定位常用的方法是用各种定位标记，包括用特定结构进行包埋，并沿着该结构进行切片。放置定位点的方法一般有以下几种：①在组织内打孔或在组织外的石蜡块上打孔并注入墨水或有颜色的石蜡。例如，采用垂直于切片平面的石蜡块激光打孔或利用细针、微电极穿孔贯穿整个包块等，或在孔中插入神经纤维或包埋以前以仙人掌茎刺穿过组织，包埋于石蜡块中。大多数定位是穿2～4个孔，用这些基孔来实现切片对位。Vuillemin等采用在石蜡块上钻3～4个孔，然后在孔内填入石蜡-木炭混合物的方法来进行定位，成功地进行老鼠心脏连续组织切片的三维重建。②在石蜡块的边上开槽，也有人采取用修块机修平或用刀切平标本块所要切的面，侧面修成平面，由于切面平行，这样就可以对图像进行定位。③在切片前在组织周围插入标记，Penczek等采用胶态金颗粒作为外定位的材料，通过透射电镜获取老鼠肝脏线粒体连续组织切片的图像进行三维重建取得较好效果。④采用在组织块外嵌入"领子"的方法，Williams等在采用连续组织切片重建老鼠胚胎时设计了一个新颖的外定位系统。他先将一个1 cm×1 cm的牛脑用石蜡固定，然后在中央挖一个比老鼠胚胎稍大的圆柱形的孔，在孔的内缘用一个特制的工具挖6个槽，将胚胎放入孔内，用石蜡包埋，这样就完成了一个外定位系统，好像给老鼠胚胎戴上一个领子一样，效果较为满意。

穿孔的方法虽然较为简便实用，但也有其固有的缺点，如：①穿孔可能会导致原有组织结构的破坏，影响图像的复原；②组织切片在高倍放大后，所穿孔位于显微镜的视野以外，故在镜下难以定位；③细针穿刺所穿的孔在高倍放大后显得过大而导致定位不准，若所重建的组织较长，激光打孔则不适用，因为组织越长，激光可致热效应，所打的孔可能呈长漏斗形，在高倍放大后影响定位的精确度，微电极穿孔在技术上难度很高，因而适用范围有限。采取在石蜡块的边上开槽或用修块机修平标本块切面的方法定位精度不高。此外，还可以采用根据对生物组织解剖学的先验知识进行判别的定位方法，比如解剖结构的边缘、血管或可辨认的群集细胞等。此法简单易行，但需要有丰富的解剖学知识且易使边界模糊，因而准确度较差。

2) 软定位　软定位法具有灵活、准确度高和可进行回溯性研究等优点，所以是较有发展前途的一类定位方法。它一般采用以下一些计算机高级算法来实现图像的准确定位：①重叠质心和连续切片的主轴法；②通过分析它们的自体相关和交叉相关功能；③使用最适法来匹配连续的轮廓；④根据图像的灰度水平分布和组织形态的独特特征进行连续切片的对齐等；⑤分割-计数法。但是这些方法并不足以解决一些非线性变形如切片的卷曲等情况。根据图像的形状，如质心和主轴来进行定位在遇到切片本身不对称时会产生错误对位，而且由于存在需要针对重建对象专门设计软件、人机交互工作量及计算量均较大等问题，该定位法还有待改进，目前还无法完全替代机械定位的方法。因此采用计算机辅助定位和机械定位相结合的方法，定位精度将更为理想，这是今后的发展方向。

(2) 图像的变形问题

图像的变形问题是三维重建过程中所遇到的又一难题之一。它包括线性和非线性变形。前者包括图像的旋转、偏移等，后者包括因组织发生皱褶、部分丢失等原因产生的图像变形。如何有效地解决各种原因产生的图像变形是一件很棘手但又很有意义的事情。

研究表明，固定可引起组织收缩，甲醛(福马林)使组织收缩 30%。利用冷冻切片机进行连续组织切片时较容易产生图像的畸变。其主要原因在于贴片过程中将组织切片吸附在玻片上时，组织切片很容易产生皱褶、破损或不规则畸变。由于这一步完全是手工操作，所以很难避免产生变形，而且这种变形往往是非线性变形，这就直接导致了后来图像配准上的困难。石蜡切片机也会碰到同样的问题，而且在切片后，组织切片漂浮在水面上准备捞片时也会引起变形。另外，组织染色也可能产生图像的变形，染色的次数和种类不同也会影响结构形态。虽然这些因素引起的变形一般很小，但是在实际过程中应尽量减少变形的影响。

在重建过程中，其中的线性变形可以根据定位点之间位置关系的变化进行校正，对于非线性变形只好依靠高级算法软件进行适当的调整。

第一军医大学在数字化虚拟人的数据采集的经验值得借鉴。他们采用将标本进行低温冷冻(－20～－45 ℃)，形成一个“钢体”，然后进行铣削。同时进行照相和扫描以获取二维图像信息。这样产生标本变形的概率很低，最多产生图像的旋转和偏移。因此这样的图像配准是很容易的事情。为了实现定焦距摄像扫描，他们采用采集系统和铣头固定的办法。铣头和采集系统同步运动，即和切削面的距离恒定不变。采集的顺序是先照相，后扫描，在铣头的左侧悬挂扫描仪右侧是相机。切削完(由左至右)后，暂不退刀，此时相机正好在断面的上方，照完相退刀后，此时扫描仪又在断面的上方，扫描后正好切一下。借助铣头的移动，恰好完成一个周期的数据采集。由于照相机、扫描仪和标本之间的距离是固定的，所以在图像采集过程中基本上不会产生图像的变形。因此，对于特定组织的重建可以根据他们的经验设计专门的切片和图像获取系统来进行，尽量减少图像的变形。

(3) 数据输入方法

组织切片后的图像处理，首先要将其转化为数字信号，通常有两种方法：一种是组织切片经显微放大，由摄像机摄取并直接由 A/D 转换器(如数字化板等)转化为数字图像存入计算机；另一种是将显微图像用照相机摄为底片，通过手工绘制或计算机扫描等方法，转化为数字信号，存入计算机。目前的方法一般直接采用高分辨率数码相机摄取组织切片图像直接输入计算机，这样避免了前述方法的一些中间环节，有助于减少误差。

(4) 图像分割技术

图像分割就是从复杂图像场景中分离出感兴趣目标物的方法，图像分割是提取影像图像中特殊组织的定量信息所不可缺少的手段，同时也是三维重建的预处理步骤和前提。由于图像的成像原理和组织本身的特性差异，而且图像的形成受到诸如噪声、场偏移效应、局部体效应等的影响，生物组织图像与普通图像比较，不可避免地具有模糊、不均匀性等特点。另外，生物组织的解剖组织结构和形状复杂，而且又存在个体差异，这些都给图像分割带来了困难。因此，图像分割技术也是三维重建过程中的又一难题。

生物组织图像分割主要有基于边界的分割方法和基于区域的分割方法两种。其他的方法包括结合区域与边界技术的方法、基于模糊集理论的方法以及基于神经网络的方法区域等。基于边界的分割是指通过寻找感兴趣区域的封闭边界描绘区域；基于区域则是将体图像分为若干不重叠的区域，各区域内部的体素相似性大于区域之间的体素相似性。基于边界的分割方法可以说是人们最早研究的方法，它试图通过检测不同区域间的边缘来解决图像分割问题。最简单的边缘检测方法是并行微分算子法，它利用相邻区域的像素值不连续的性质，采用一阶或二阶导数来检测边缘点。近年来还提出了基于曲面拟合的方法、基于边界曲线拟合的方法、基于反应-扩散方程的方法、串行边界查找、基于形变模型的方法等。基于区域的分割方法包括阈值法、区域生长和分裂合并、分类器和聚类算法，基于随机场的方法以及其他基于统计学的方法等。其中阈值分割是最常见的并行的直接检测区域的分割方法，也是图像分割中最直接和实用的方法。阈值分割的优点是实现简单，对于不同类的物体灰度值或其他特征值相差很大时，它能很有效地对图像进行分割。缺点是不适用于多通道和特征值相差不大的图像，对于图像中不存在明显灰度差异或灰度值范围有较大重叠的图像分割问题难以得到准确的结果。

基于边界的分割易受伪轮廓或边界空白的影响，另外由于分析环境限制，基于区域的分割易受分析对象内部组织之间的重叠干扰，于是 Niessen (1998)等提出了利用两者优点的超级堆栈(hyper stack)分割方法。

基于形变模型的方法综合利用了区域与边界信息，是目前研究最多、应用最广的分割方法，可以说是过去几年计算机视觉领域的成功关键。

一个好的分割方法应该是能进行分析对象容积计量分析、能进行形态分析(如能标记或确定形态随时间变化、能计算形态变化量)、分割算法直观、可视化程度高、利于判断和确定细胞组织结构的变化等。当前还不能彻底实现全自动图像分割，常见的是交互和半自动、准自动配合的分割算法。一般都是利用图像统计特性和轮廓、边缘、纹理等视觉特性等对图像进行分割分析。

正在研究中的分割方法还有基于图像统计特性的分割、基于图像多维谱分割等。通常基于图像统计特性的分割受到其利用的图像统计信息不足的影响，Saeed 等提出高斯混合模型多分辨率图像分割算法，1999 年，北卡罗来纳州大学提出的基于尺度空间的中间(medial)表示，它是一种构造和绘制三维实体的多尺度中间方法，用中间表示的模型捕捉的先验几何信息可用于形变模型分割方法中，使形变过程中曲面的几何和图像特征都向目标物体逼近，保证了三维对象分割的准确性。以上这些算法都或多或少需要用户的交互控制才能使得分割准确率达到较高要求。Nazif 提出了一种基于规则的图像分割的方法，这种方法虽实现了图像的自动分割，但有很多弊端。随着人工智能技术的发展，出现了基于知识的图像分割方法。这种显示方法保真度较高，同时也避免了三维重建过程中遇到的图像匹配问题，是一种很有前途的新方法。但该法在很大程度上取决于知识模型，而建立一个完整的知识模型是一项长期的内容。

目前任何一种单独的图像分割算法都难以取得令人满意的分割结果，因而在继续致力于将新的概念、新的方法引入图像分割领域的同时，更加重视多种分割算法的有效结合，是今后的发展方向。

(5) 三维重建方法的探讨

三维重建与显示是将物体在连续切片上的二维图像信息按照切片的空间位置关系依次叠加排列而组成物体的三维数据；再利用计算机图形学技术、图像处理技术或视觉心理学原理在二维平面上形象直观地显示出具有立体感的三维图像，它实质上是一个三维体数据的可视化问题。通常根据生物医学图像数据的特性、对可视化的应用以及所需的可视化结果来选择合适的重建方法。

目前的生物医学成像方法可以分为两类：一类是可见光成像，另一类是非可见光成像。依据可见光成像的主要是生物组织的光学显微成像，另一种就是组织切片的高分辨率数码相机成像，这主要是针对大的组织器官的，如美国的可视人计划和中国的数字化虚拟人计划。而非可见光的成像主要有 X 线断层扫描术、磁共振成像、正电子发射断层扫描术等。可见光成像获取的是物体表面的颜色属性或者物体经由染色增强后的颜色。而非可见光成像获取的是物体的某种属性，如对 X 线的吸收程度，不同物质在不同磁场中的不同反应特性(T1、T2、TWI 和 PWI)等，或者是不同物质对不同放射性核素引起的生化特异反应。可见光成像可以获得分辨率非常高的图像，但是由于目前计算机能力的限制，往往需要降低分辨率。生物医学成像一般生成规则的数据场，也就是说，能够在逻辑上组织成三维数组的空间离散数据。这种数据很适合计算机的处理。

三维重建的方法较多，各种重建方法大多是针对不同的研究对象而提出的特定算法，因而各有利弊，且均有一定的适用范围，但是主要分为两类，一类是基于中间几何图元的表面绘制方法，另一类是直接基于三维数据场的体绘制方法。表面重建方法是从三维体数据中抽取等值面，采用某一个值或几个值来提取感兴趣物体的等值面，由等值面生成三角面片进行显示。最早的方法是基于多边形技术，主要采用平面轮廓的三角形算法，用三角片拟合这组表面轮廓的曲面。Bussonnat 提出了另外一种基于表面轮廓的 Delaunay 三角形方法，解决了系列表面轮廓的三维连通性问题。用三角形或多边形的小平面(或曲面)在相邻的边界轮廓线间填充形成物体的表面，所得出的只是分片光滑的表面，Lin 采用从轮廓出发的 B 样条插值重建算法，得到了整体光滑的表面。Lorenesen 提出了一种称为“MarchingCube”的算法，这是一种基于体素的表面重建方法，该方法先确定一个表面阈值，计算每一个体素内的梯度值，并与表面阈值进行比较判断，找出那些含有表面的立方体，利用插值的方法求出这些表面，这其实是抽取等值面的过程。这些方法得到的效果显示不能反应整个原始数据的全貌和细节，但是可以对感兴趣的等值面生成清晰的图像，可以利用现有的图形硬件实现绘制功能，速度快。而且对图像分割要求质量高，对于磁共振图像或生物切片的显微镜拍摄的图像，需要仔细的分割，提取物体的轮廓线，往往是很困难的。但是由于目前的图像分割技术还不够成熟，往往需要人工干预，由医学专家勾画出感兴趣的区域，如血管、神经等。这时就必须采用由二维轮廓线重构三维形体的方法。在每层图像上画出感兴趣物体的轮廓线，将相邻两层图像的轮廓线用许多多边形面片连接起来，提取出所要查看的结构的表面轮廓，用算法把某种几何面片施加到每一轮廓点上，最后通过隐面消除、明暗处理、透明处理等方法获得组织结构的三维图像。其优点是轮廓数据量小，因此绘制速度相对较快，获得的图像直观效果好；此外还可以利用标准的计算机图形学技术以及专门的图形硬件以加快几何变换和绘制过程。还可以表达成几何学解析的描述，这样就可以利用其他的几何结构可视化软件包(例如 CAD/CAM 软件)。这种技术的缺点主要集中在抽取结构轮廓过程切断了结构轮廓与体数据的联系，而这种联系在切片生成或数据测量中可能是重要的，因而所获得的仅为表面轮廓的信息，而丢失所有其他的所需重建物体的内部图像信息，因此，显示的只是物体表面，难以显示出实体剖面图像，不利于形态参数的分析计算，而且这种技术不能实现交互的、动态的表面绘制。

体素重建法：它是以单个小立方体，即体素作为三维图像的基本单元的一种重建方法，其特点是保留了重建物体的内部特征。体绘制方法的重要特点是对三维数据场进行重采样生成二维数据场。体绘制方法包括最大强度投影法(projection)、光线追踪法(ray-casting)、错切-变形法等。投影法的原理是首先根据视点位置确定每一体素的可见性优先级，然后按优先级由低到高或由高到低的次序将所有体素投影到二维像平面上，在投影过程中，利用光学中的透明公式计算当前颜色与阻光度，当从不同角度去投影时，就可以获得物体三维结构的直观的显示。目前临床上常用的 CT 造影术、磁共振血管造影就是采用了最大强度投影法。光线追踪法是指在体数据进行分类后，从像空间的每一体素出发，根据设定的方法反射一条光线，在其穿过各个切片组成的体域的过程中，等间距地进行二次采样，由每个二次采样点的 8 个领域体素用 3 次线性插值方法得到采样点的颜色和阻光度值，依据光照模型求出各采样点的光亮度值，从而得到三维数据图像。体素重建法摒弃了传统图形学中必须由面来构造体这一约束，不需要先作表面或物体的分割就可以直接观看体图像，并保存了原始图像体数据值的前后关系，而且可以显示任意角度的图像，但表面直观效果稍差，重建工作量大，对硬件要求高，重建时间较长。由于三维医学体图像的数据量是很大的，对采用体绘制技术的系统要求有很强的计算能力和大量的内存，特别是当要求绘制过程保持结构的分辨率以使结构的可视化有足够的逼真度时更是如此。体绘制的优点是对分割的要求不高。体绘制方法的缺点是不能保留物体的几何信息，不能够测量物体的表面积和体积，而且容易混淆物体的前后关系，需要交互式操作才能分清物体的位置关系。

此外，还有几种其他重建方法：①线框模型法(wireframe model)：它是将切片中的物体轮廓线提取出来组成纬线，再用样条曲线插值组成径线，通过阴线消除，产生网状结构的三维物体图形的重建法。用这种方法形成的三维图像直观效果较差。②立体图对法(stereo pair)：该法是将处于不同深度层次的组织切片轮廓按照双眼视差原理重叠在一起，然后用双眼立体镜对重叠图像聚焦而获取三维图像。这种计算机三维重建方法得到的立体构形比较准确，但观察离不开立体镜的辅助。与立体图对类似的形式是红绿二色立体图，它将左、右半图分别用两种颜色画在同一张图上，然后用红、绿眼镜就可观察了。③深度彩色法(depth color)：此法的基本原理是对切片图像进行彩色分割，即用不同的色彩对不同的组织块图像进行编码处理，并对不同层次的组织块赋予不同的颜色(伪彩色)，也就是饱和度和色度，利用色度变化给人以由近及远的深度感觉。此法重建算法简单，易于硬件实现且重建速度可接近实时处理，对任意复杂形状的物体均可重建，因此使用范围广，但利用伪彩色人为地为特定组织指定颜色尽管提高了人眼对彩色的敏感度，但同时隐藏了组织内部的某些必要的三维信息。④真实立体图像显示法：此法是利用光学原理和人眼视觉暂留特性的一种三维重建方法，其图像直观、立体感强。⑤截面重建法：这种方法是利用画面上像点的明暗程度来表现模型，可见表面各部位的深浅而使人产生立体感觉的一种三维重建和显示方法。可观察物体不同剖面,算法简单,重建速度快,使用范围广,但旋转显示的可视侧面效果差,立体感不明显。⑥基于三角形面元以及 NURBS(非均匀有理 B 样条)曲面的三维重建方法:这种方法根据三角形面元以及 NURBS 曲面的三维重建算法,并将模式识别的原理和模式分类方法引入多目标识别过程,从而实现对多目标离散体或任意复杂形状物体的三维重建。此法获得的图像直观效果好,但计算量大,重建时间长,而且显示的只是物体表面,难以显示出实体剖面图像,不利于形态参数的分析计算。

由于生物组织的结构十分复杂,各有特点,因此在进行三维重建时应针对不同研究对象和目的选用不同的重建方法,现有的这些方法都有一定的适用范围,这要求我们对这些技术进行反复比较,并加以改进,最终可以快速地得到正确结果。

9.4 人体连续组织切片三维重建的现况和发展趋势

利用连续组织切片进行三维重建人体的大体器官目前已获得较好成果,如美国的可视人计划、正在进行的中国和韩国数字化虚拟人计划等,目前已经建立了全身皮肤、肌肉、骨骼和心脏等部分器官的三维模型,血管和神经系统的建模工作正在进行中。Whiten 等成功地重建人胚胎的心脏结构,并做成互动式的多媒体软件。对于组织和细胞水平的重建是目前的研究热点。Arnold 等重建了人胚胎和胎儿的膜迷路获得成功,Manconi 等重建了人子宫内膜的微血管和腺体的结构。最近,Hounnou 重建了人体胎儿的下腹腔神经丛的结构,同时 Yucel 等重建结构清晰地显示了人体阴囊的支配神经分布情况,但目前还没有人体四肢周围神经内部显微结构重建的报道。Steiniger 重建了人体脾脏白髓的精细结构,明确了 T 细胞和 B 细胞的分布情况。目前对于人体细胞内结构的研究较少,Eils 重建了人体内分裂间期活跃和休眠染色体的结构,结果显示它们虽然体积相同但形状和表面结构不同。在病理方面 Nakayama M 重建结果显示了喉癌的扩散情况,Maxwell 同样重建了肝外胆管癌的神经周围侵犯情况,重建结果增加了人们对于恶性肿瘤的理解。这方面的应用研究也是今后的发展方向之一。

总的来说,对于人体大体器官的重建已经较为成熟,由于利用在光学显微镜下获取的组织切片二维图像进行三维重建往往遇到定位、图像变形、图像分割等一系列困难,其技术远远落后于 CT、MRI、激光扫描共聚显微镜三维成像等其他技术的发展,有关人体组织细胞水平的研究正成为人体三维重建研究的热点。这也是目前国内外虚拟人计划的发展方向,同时也是医学发展的必然要求。

9.5 人体臂丛神经三维重建研究

臂丛神经损伤是骨科临床上的治疗难题之一,它往往导致肢体的残疾,给患者带来极大的痛苦,严重地影响了患者的生活质量。其损伤后的修复与再生一直是国内外学者重点研究的课题,迄今仍未找到令人满意的提高功能恢复率的方法。而周围神经解剖结构的完整性和连续性是其发挥正常神经传导功能的基础,臂丛神经损伤修复效果不佳的主要原因就是同一神经束的远近端不能准确对接所致的运动或感觉神经纤维之间的错向吻合。因此,如何解决神经束错向吻合与错向生长及如何控制神经纤维的生长方向是基础和临床研究中亟待解决的问题。所以在臂丛神经损伤修复术中,最理想的是能做到相同性质的神经束进行对接。这就对臂丛内各神经束的定性和定位研究提出了更高的要求。

1945 年,Sunderland 通过大体解剖学和组织学方法绘制了周围神经图谱,1984 年,Bonnel 对 100 例成人臂丛作了解剖测量,并对其中的 21 例臂丛作了间隔 1 mm 的连续组织切片并采用 Weigert-Landau 染色法研究了臂丛各断面神经束的数目、直径、结缔组织所占比例及神经纤维的数目。1989 年,陈中伟、徐林等对国人臂丛作了应用解剖学、断面乙酰胆碱酯酶(AChE)组织化学的研究,认为臂丛根、干、股、束各断面神经束中运动、感觉、交感神经 3 种纤维混合,难以分出单一的神经功能束。同年日本的横山一郎对臂丛神经作间隔 0.1 mm 的连续切片后采用计算机处理勾画出臂丛神经纤维的模式图,但未能对臂丛的内部结构进行三维重建。1995 年,张波等采用 AChE 组织化学方法研究了肌皮神经和臂丛神经各断面的面积、神经束数目和面积、结缔组织面积进行了测量。上述方法仅提供了周围神经在某一平面的二维图像信息,由于神经干内部神经束的组成在功能性质上互相混合、交叉、不断地重组,因此二维图谱难以反映此神经在其全长的内部结构中神经纤维的立体构型。而且国内外目前的研究仅提供臂丛神经在某一平面的二维图像信息，不能反映任意断面的感觉和运动神经纤维的精确分布情况。

目前，国内外对于周围神经连续组织切片三维重建的研究非常有限。Lyroudia 和 Guinard 分别用透射电镜和激光共聚焦显微镜所得图像重建了人体局部皮肤机械刺激感受器小体附近的神经末梢的分布情况和肺泡的微血管与神经末梢的伴行关系。Backenkohler 的重建结构显示了老鼠肩关节关节囊的感觉神经末梢的分布情况。最近 Hounnou 等重建了胎儿的下腹腔神经丛的结构，同时 Yucel 等重建结果清晰地显示了胎儿阴囊的支配神经分布情况，但目前国内外尚无人体四肢周围神经内部显微结构重建的报道。

笔者课题组近来通过臂丛神经的三维重建，对神经内部结构的重建作了一些探索。首先对臂丛神经全长进行连续冷冻组织切片，同时对切片进行 AChE 组织化学染色，然后将臂丛神经全长的连续切片的断面数码信息按顺序利用计算机辅助三维重建技术来进行立体的、准确的三维重建，真实地再现臂丛的三维立体结构(图 9-1～9-5)。臂丛神经的连续冷冻组织切片的三维重建精确地显示臂丛神经中

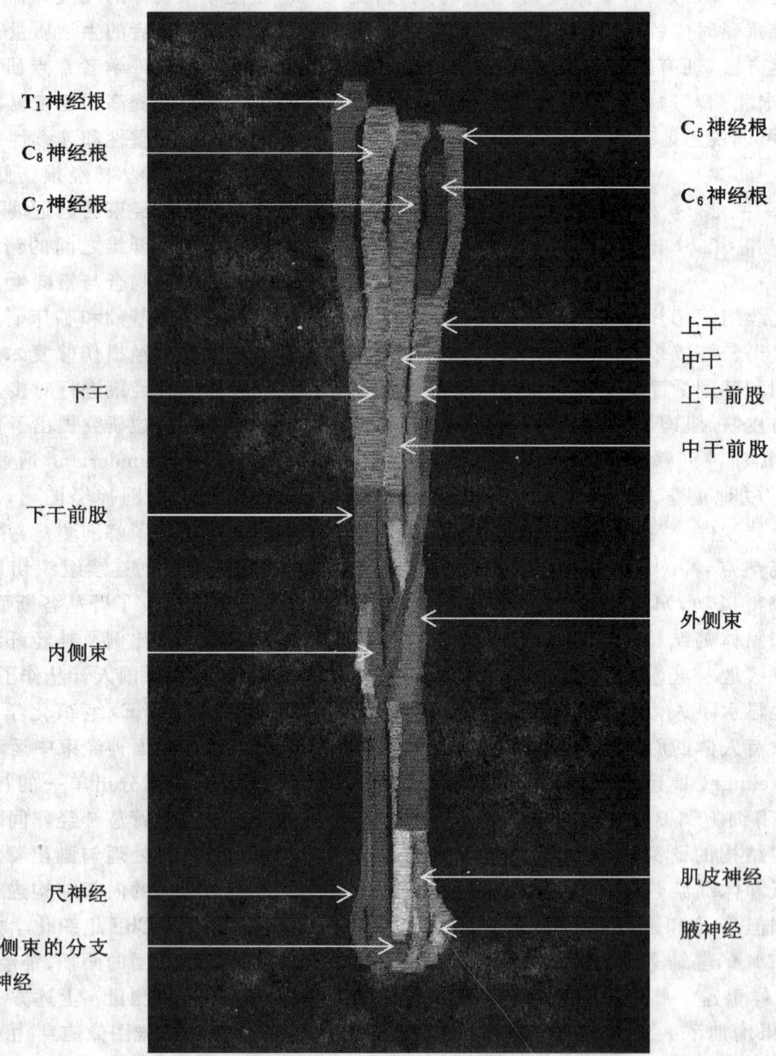

图 9-1 左侧臂丛神经外轮廓三维示意图(正面)

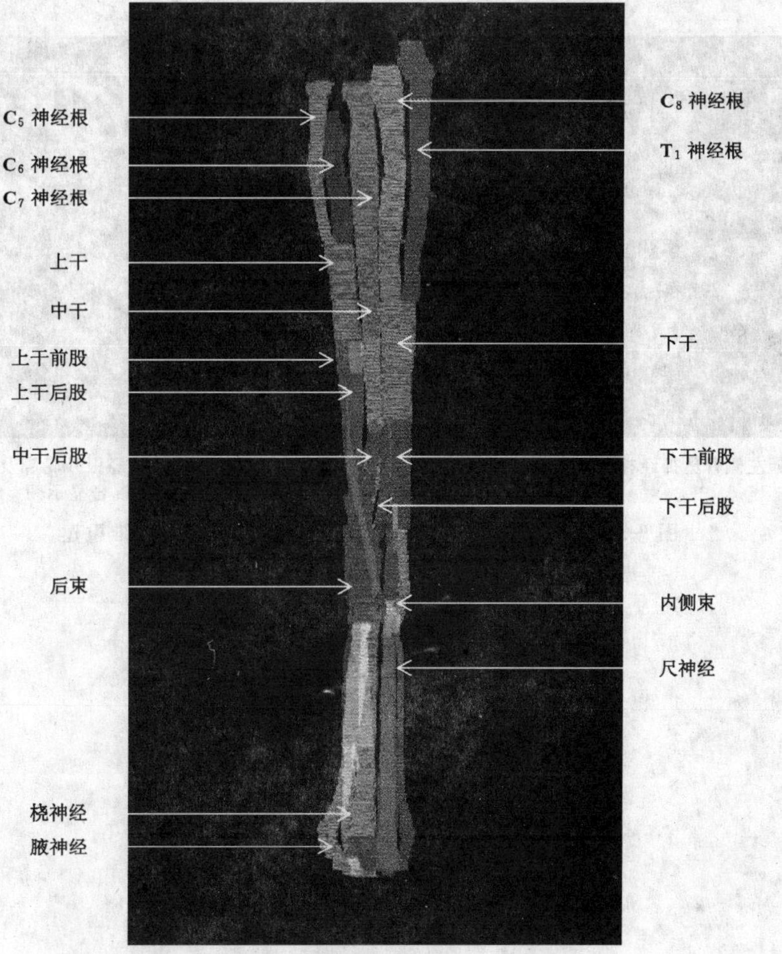

图 9-2 左侧臂丛神经外轮廓三维示意图(背面)

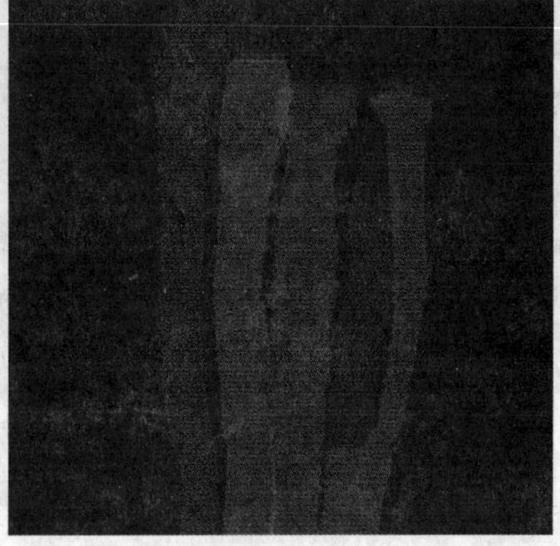

A. 左侧臂丛神经神经根外轮廓

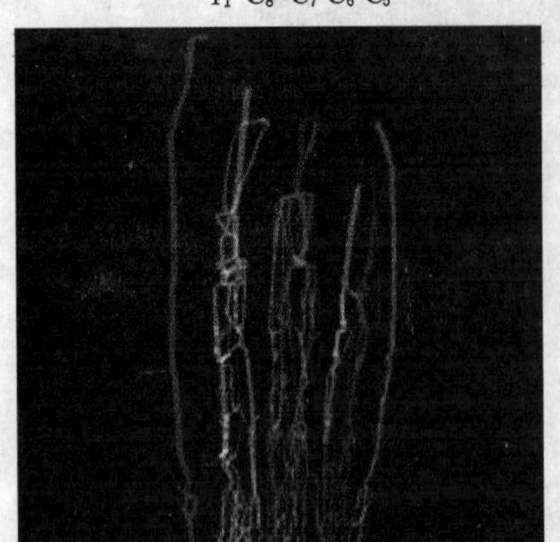

B. 左侧臂丛神经神经根内部神经束行径

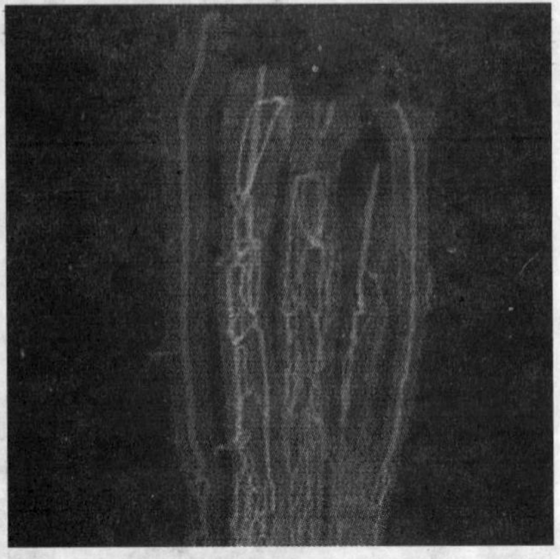

C. 左侧臂丛神经神经根外轮廓及内部神经束行径混合显示图

图 9-3 左侧臂丛神经根(C_5，C_6，C_7，C_8，T_1)的三维重建

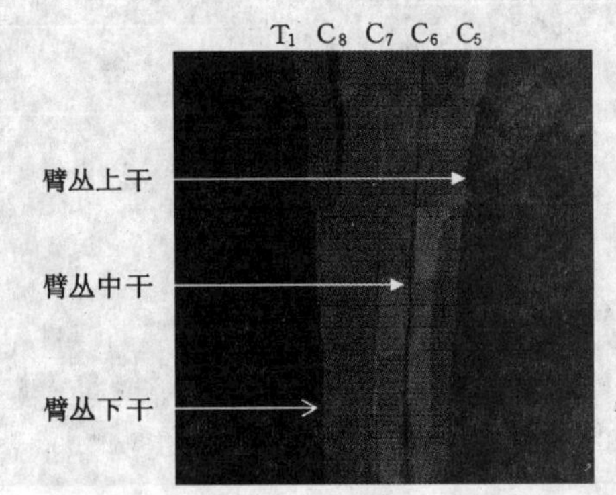

A. 左侧臂丛神经上、中、下干外轮廓

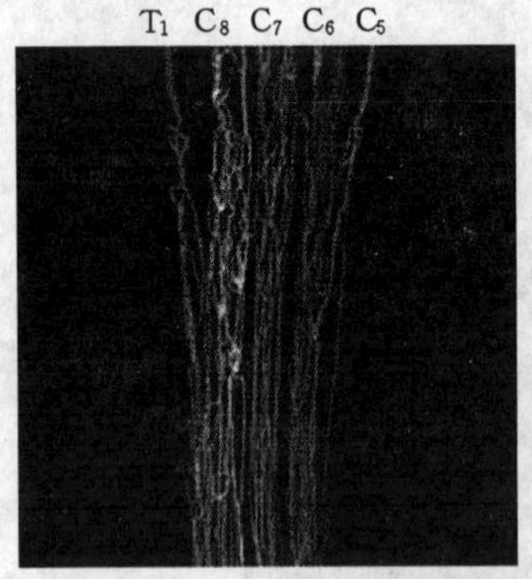

B. 左侧臂丛神经上、中、下干内部神经束行径

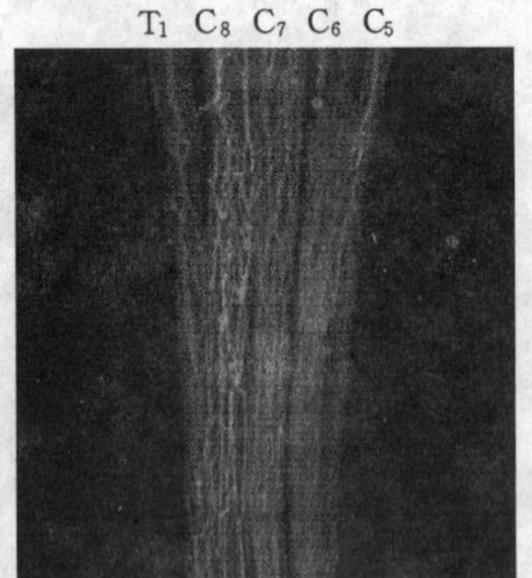

C. 左侧臂丛神经上、中、下干外轮廓及内部神经束行径混合显示图

图 9-4 左侧臂丛神经上、中、下干的三维重建

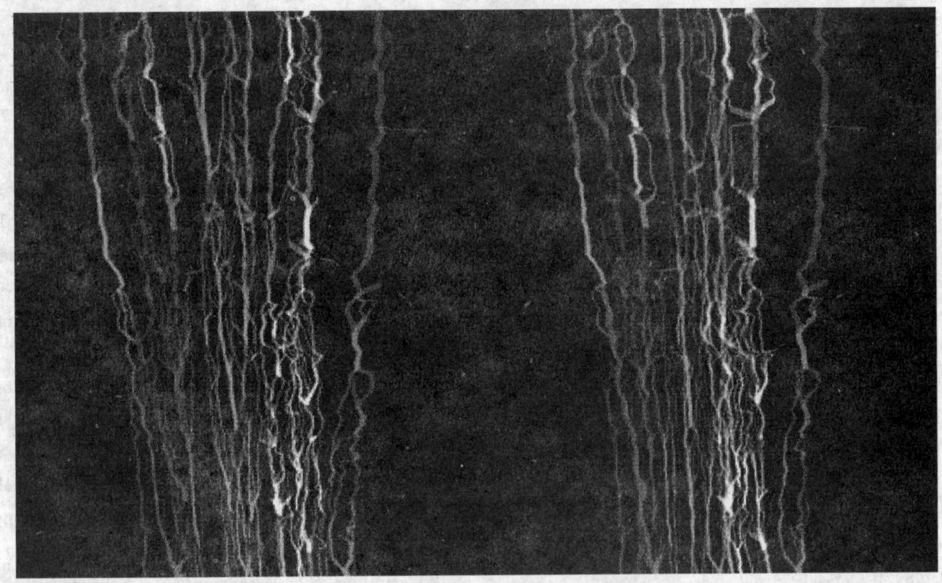

A B

图 9-5 左侧臂丛神经上、中、下干内部神经束行径不同角度三维显示结果

每一神经束的各个断面及其全长的解剖结构及其相互关系，各神经束中任意断面的感觉与运动纤维的准确定位资料，形象地展示臂丛神经中各神经束的交叉穿插、混合重组的束型变化规律，重建结果真实地再现臂丛神经的三维立体结构，既能单独显示臂丛神经外轮廓或内部神经束立体行径，又能两者一起混合显示(见图 9-3、9-4)，还能显示出臂丛神经内部神经束中任意一束的立体行径(用一光标自下而上走行来表示)。重建结构均能在空间位置上绕任意轴旋转任意角度(见图 9-5)，或者以不同的速度连续旋转，便于从不同的位置对各神经束的形态、空间位置及相互毗邻关系进行观察。同时还能对整个臂丛神经作任意剖割显示，精确地显示出任意断面的各神经束内感觉和运动纤维的准确分布情况。

在三维重建过程中，笔者采用不同的颜色来标识不同的神经束，束的粗细按内部各神经束的实际粗细进行适当缩小，这样可以看清臂丛内部的神经束三维行径，否则会出现神经束相互遮挡而导致无法看清臂丛内部的神经束三维行径。重建结果显示臂丛内部神经束结构相当复杂，它们相互间不断交叉重组，形成独特的神经束网络结构。

臂丛的外轮廓和内部神经束立体结构的三维重建大大增加了笔者对臂丛结构的进一步认识。它为临床上臂丛损伤修复方式的选择和组织工程化人工神经的构建以及自体神经信息控制多自由度电子假肢的研制提供有益帮助。目前笔者单位得到国家自然科学基金和上海市自然科学基金重点项目的支持，进一步开展人体上肢三大神经和下肢坐骨神经的三维重建研究已取得初步成果。这种神经组织切片三维重建的实用方法，为数字化虚拟人神经系统的构建作出有益的探索，所得的结果可以组合到中国数字化虚拟人数据库中，必将丰富我国数字化虚拟人的研究内容。

(张　键　陈增淦　陈中伟)

参考文献

[1] 吕维雪，段会龙. 三维医学图像可视化及其应用. 杭州：浙江大学出版社，2001.

[2] 李华. 数字化虚拟人. 科学，2001，54(5)：20～23.

[3] 张义，李时光，杨恬. 生物组织显微切片图像计算机三维重建的截面重建技术. 中国生物医学工程学报，1992，11(1)：17～21.

[4] 张玮，李杉. 生物组织连续切片图像的计算机三维重建研究的进展. 生物医学工程学杂志，1999，16(3)：377～381.

[5] 张波，于彦铮，鲍国正，等. 人肌皮神经和臂丛功能束定位的组织化学法研究. 解剖学报，1995，26(4)：341～345.

[6] 张绍祥,刘正津,何光篪,等.生物塑化薄层连续断面的计算机三维重建.解剖学报,1996,27(2):113～118.

[7] 陈增淦,陈统一,张键,等.臂丛神经显微结构的计算机三维重建研究.中华骨科杂志,2004,24(8):462～466.

[8] 钟世镇,牛憨笨,李华,等.中国数字化虚拟人体的发展和应用.香山科学会议第208次学术讨论会论文集.北京:科学出版社,2003.

[9] 徐林,陈中伟,杨俊华.臂丛各段的乙酰胆碱酯酶组化法研究.临床解剖学杂志,1989,7(4):218～222.

[10] Ackerman MJ. The Visible Human Project. Proceeding of IEEE, 1998, 86:504～511.

[11] Bonnel F. Microscopic anatomy of the adult human brachial plexus: an anatomical and histological basis for microsurgery. Microsurgery, 1984, 5(3):107～118.

[12] Buhmann C, Kretschmann HJ. Computer-assisted three-dimensional reconstruction of the corticospinal system as a reference for CT and MRI. Neuroradiology, 1998, 40(9):549～557.

[13] Chung MS, Kim SY. Three-dimensional image and virtual dissection program of the brain made of Korean cadaver. Yonsei Med J, 2000, 41:299～303.

[14] Heffernan PB, Robb RA. A new method of shaded surface display of biological and medical image. IEEE Trans Med Imaging, 1985, 4:25.

[15] Hounnou GM, Uhl JF, Plaisant O, et al. Morphometry by computerized three-dimensional reconstruction of the hypogastric plexus of a human fetus. Surg Radiol Anat, 2003, 25(1):21～31.

[16] Kubinova L, Janacek J, Ribaric S, et al. Three-dimensional study of the capillary supply of skeletal muscle fibres using confocal microscopy. J Muscle Res Cell Motil, 2001, 22(3):217～227.

[17] Montgomery K, Ross MD. A method for semiautomated serial section reconstruction and visualization of neural tissue from TEM images. SPIE Biomedical Image Processing and Biomedical Visualization Conference. 1993, 1905(1):114～120.

[18] NLM Long Range Plan: Electronic Imaging. Report of the Board of Regents. Bethesda; MD US Department of Health and Human Services, Public Health Service, National Institutes of Health, 1990. 90～2197.

[19] Rodriguez A, Ehlenberger D, Kelliher K, et al. Automated reconstruction of three-dimensional neuronal morphology from laser scanning microscopy images. Methods, 2003, 30(1):94～105.

[20] Spitzer V, Ackerman MJ, Scherzinger AL, et al. The visible human male: a technical report. J Am Med Inform Assoc, 1996, 3(2):118～130.

[21] Sunderland S. Nerves and never injuries. Edinburgh: Churchill, Linvingstone, 1978.

[22] Xu XG, Chao TC, Bozkurt A. VIP-MAN: An image-based whole-body adult male model constructed from color photographs of the visible human project for multi-particle monte carlo calculations. Health Phys, 2000, 78(5):476～486.

计算机导航技术在骨科中的应用 10

随着计算机技术的不断发展，尤其是计算机图像技术的快速发展，在医学领域中，20 世纪 80 年代出现了计算机辅助外科（computer assisted surgery，CAS）。它将空间三维立体导航技术、计算机图像处理及三维可视化技术与临床手术相结合，因此又称计算机辅助手术导航系统（computer aided surgery navigation system，CASNS）。

导航外科技术是利用信号传输及接收发射器的位置，通过计算机计算出各位置点的数据，得出各种所需的曲线和角度，使无形的和虚拟的人体各种参数转变成直接的和动画的图像，让参与手术的医师清晰地看到实时的操作状态，并可引导下一步操作，避免由于操作失误而造成不良后果，因而大大提高了手术质量。

导航外科最早应用于 1986 年，美国 Roberts 医师率先将导航系统应用于神经外科并获得成功。1992 年，计算机辅助骨科导航手术（computer assisted orthopedic surgery，CAOS）随之出现，Foley 将导航系统引入脊柱外科手术。此后，导航技术又在骨科的其他手术中迅速开展，如髋、膝关节置换术以及创伤骨科的各种内固定手术，并呈现方兴未艾的发展趋势。

10.1　手术导航系统的工作原理

手术导航系统的基本原理是将术前或术中获得的影像学资料通过计算机数据处理后形成三维可视图像。此三维图像被标记于一个坐标空间中，称虚拟坐标系（virtual coordinate system，VCS）。手术过程中，在导航系统的引导下，定位器可实时确定手术野的空间位置，此空间位置是在导航定位器帮助下建立的一个真正的实时坐标上，称为世界坐标系（world coordinate system，WCS）。两个坐标空间越匹配，导航手术的精确度越高。这是导航手术成功的基础。

10.2　手术导航系统的类型

手术导航系统一般分为三大类。

1）主动导航系统（也称机器人系统）　这种导航系统在进行预定的手术操作时不需外科医师参与。

2）半主动导航系统　应用此导航系统时，外科医师可在术前预定的范围内进行手术操作，但若手术超越此范围，该系统会自动终止操作。

3）被动导航系统　此导航系统是将手术野中

植入物准确位置的实时资料提供给外科医师，植入物准确位置的获得不需外科医生的判断。

目前应用最广泛的主要是被动式导航系统，包括CT或MRI导航系统、C臂机导航系统和通过运动学或解剖学标志获取数据的非影像学导航系统(image-free navigation)，但无论哪种导航方式，其基本途径都包括对手术器械与解剖结构的实时追踪，而最常用的追踪技术是基于发射红外线的二极管(LED)或者反射红外线的球体的光学追踪，手术操作则需依靠术者来完成。

10.3 目前计算机辅助外科手术中确定器械空间位置的信号

1) 光学(红外线)定位　相应的导航系统称为光电导航系统，如德国蛇牌Orthopilot系统。

2) 磁场(电磁场)定位　相应的导航系统称为磁电导航系统，如Ascension Technology公司的Flock of Birds系统。

3) 声学(超声)定位　相应的导航系统称为声电导航系统，如Ascension Technology公司的Flock of Birds系统。

4) 机械定位　如ISG公司的Viewing Wand系统。

10.4 手术导航系统设备及器械

手术导航系统设备及器械由4部分组成

1) 装有红外线发射二极管(LED)的器械　这些带有LED的器械坚固，不易弯曲，其上标有刻度，它们的几何参数测量值储存于计算机中(图10-1)。

2) 用于固定在手术部位的装有LED的动态参考基仪(dynamic reference base, DRB)　它保证系统能够正确把握外科部位的空间位置，以弥补患者呼吸或医师操作时引起的运动造成脊柱空间位置变化(图10-2)。

3) 红外相机系统(信号接收系统)　能精确识别手术野中器械和动态参考基仪(DRB)上配备的LED信号，并传输给计算机(图10-3)。

4) 中心控制器和监视仪(工作站)　由计算机图像处理系统和导航软件组成(图10-3)，它将接收到的图像资料通过计算机进行处理形成三维图像，并构建导航坐标系统。工作站根据手术入路中可能遇到的神经血管结构，制订导航手术计划，同时接收术中定位系统的信号，通过与图像资料对比、计算，确定手术位置及范围。

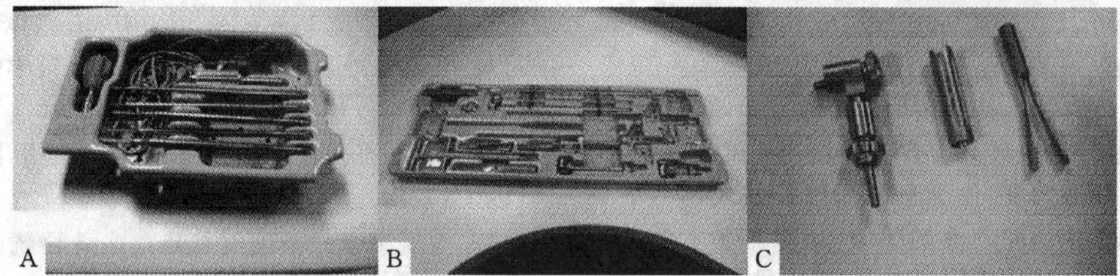

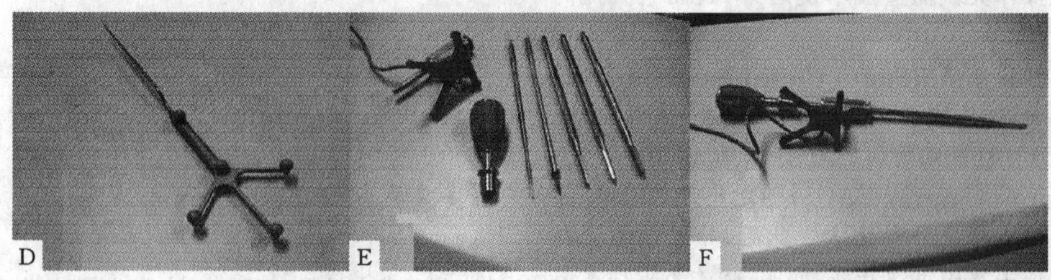

图10-1　带有LED的导航手术器械

A. 动态参考基仪及标有刻度的引导器械　B. 器械盒　C. 动态参考基仪固定夹
D. 带有LED的无线被动探针　E、F. 带有LED的螺钉锥

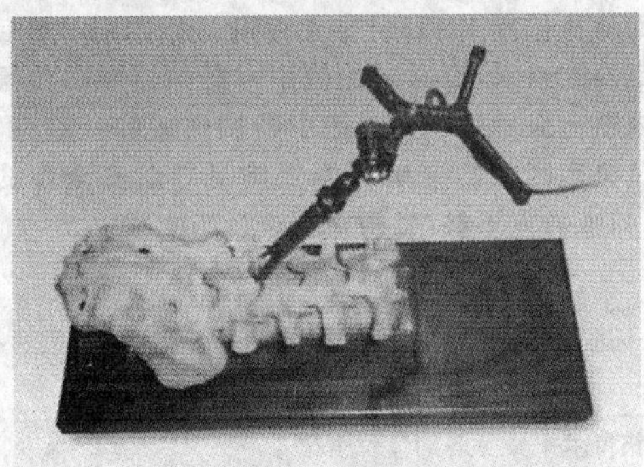

图 10-2 脊柱手术中将装有 LED 的动态参考基仪固定于棘突上

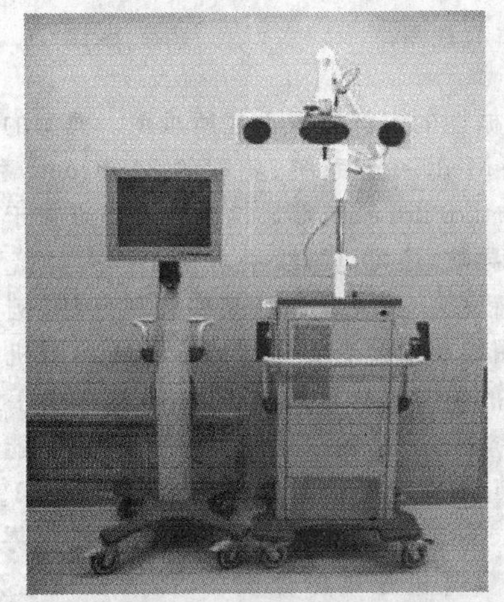

图 10-3 红外相机系统和中心控制器、监视器

10.5 计算机辅助手术导航系统在脊柱手术中的应用

手术导航系统在脊柱外科的应用和发展由以下3个因素推动:①现代影像技术的发展,尤其是计算机断层扫描(CT)和磁共振成像(MRI)技术使外科医师术前能够制订详细的手术计划。②脊柱外科手术过程和植入物日趋复杂迫使外科医师和患者都需要有一种新技术以确保手术的安全性,降低手术并发症。③微创脊柱外科的发展也需要有高准确性的引导设备。

(1) 术前准备

目前脊柱手术导航系统主要应用两种影像采集与传输方式:一是 CT/MRI 影像采集,多数在放射科完成。二是 C 臂机(2D 或 3D)X 线影像采集,在手术室完成,这是实时的影像采集和传输。

1) 采用 CT/MRI 影像资料的脊柱导航手术

以 CT 图像为基础的导航技术首先开始应用于腰椎椎弓根螺钉置入手术,随后打开了计算机辅助骨科手术的导航技术大门。这项技术主要是术前进行 CT 扫描,然后通过数字医学影像传输(digital imaging and communications in medicine, DICOM)和图片库及传输系统(picture archive and communication systems, PACS)技术将影像学资料与导航系统进行数据交换,其优点在于 CT 图像质量好,特别是在颈椎、上胸椎等解剖结构比较特别的区域,并且可以进行术前计划,然后在术中利用匹配或者注册技术,将 CT 图像与患者实际解剖结构相结合。典型的系统有 DiGioia 等开发的 HipNav 系统,Langlotz 等开发的脊柱导航系统。匹配或者注册技术是 CT 导航系统手术的最关键的步骤,主要有两种最常用的技术——点匹配及表面匹配(注册)。所有的注册方式都是依赖骨表面结构和术前影像学资料相应特征的确认,这个过程需要术者操作计算机进行,而目前这种技术还存在着匹配不精确的缺陷。

以三维 MRI 影像为基础的技术也是一种应用广泛且比较成熟的脊柱手术导航方法,它以三维重建数据为基础进行导航。术中 MRI 导航可以解决导航存在的最大弊端——影像漂移问题。目前制约该系统在脊柱手术中推广的因素:①价格昂贵,一般患者难以接受;②要求手术麻醉等所用金属器械必须防磁,必须有专用手术室,这在一般医院很难做到;③MRI 限制了手术医师的操作空间,给手术带来不便;④MRI 对骨性结构的显示不理想。

采用 CT 导航的工作流程(图 10-4)如下:术前对手术部位的脊柱进行 CT 扫描,并将影像资料输入导航系统的中心控制器,系统软件对脊柱影像进行三维重建,包括前后位、侧位、额状位和 3D 图像。在此基础上,外科医师根据监视器上手术部位的解剖图像制订手术方案,确定每个椎弓根螺钉植入的理想轨迹、长度和直径,储存于计算机中。并在每个需固定的脊椎上确定 3~6 个术中可分辨的解剖标志,用于术中匹配过程,并按照监视器上的图像引导进行手术操作。

手术过程:按传统后正中入路显露手术部位,尽量避免破坏骨表面结构,导航红外相机放在手术台尾端,术者将动态参考基仪固定于相应的脊柱后路骨结构上,固定必须牢固,防止松动。术中匹配包括点匹配和表面匹配两部分,术者应用空间导针在带有LED的动态参考基仪上注册，并在手术野内确定术前选择的解剖标记点，通过工作站进行数字化处理。工作站能将CT图像资料和患者解剖的实际情况进行匹配，这叫对点匹配。而后进行表面匹配，表面匹配可进一步改善匹配的准确率，术者可在脊柱表面随机选择1～15个点数字化进行匹配。然后需确定匹配效果，可通过比较手术野中器械的位置和监视器上显示的CT图像中器械位置的一致性，判断及决定匹配的准确度能否满足导航安全性的需要，如准确度不够，必须重新进行匹配过程。

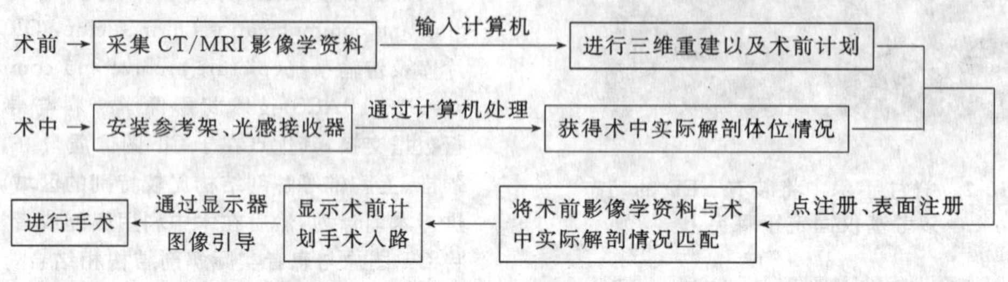

图 10-4 CT导航系统工作示意图

椎弓根螺钉轨迹的确定有两种方法：一是引导模式，监视器上显示预定的轨迹将椎弓根开路器置于预定螺钉入点处，按照监视器上显示的轨迹置入椎弓根探针，如探针进入轨迹满意，则便是螺钉要进入的轨迹。二是实时模式，此模式螺钉轨迹的确定无须事先预定，当带有LED的探针在动态参考基仪注册后，术者将探针尖端置于认定的螺钉入点处，监视器则会显示出器械不同深度的三维位置，包括轴面、矢状面、横截面。操作进行中，术者可根据患者的解剖调整器械方向，使螺钉轨迹安全通过椎弓根达到椎体前皮质。

2）采用C臂机的脊柱导航手术　C臂机脊柱导航手术工作流程（图10-5）与CT大致相同，其主要区别在于这种导航系统不需术前采集影像学资料，不需要进行术前计划，而是术中利用C臂机获得实时的影像学资料，通过C臂机的定标来完成注册过程，其匹配的准确性也直接影响到手术的成败。如果将这台笨重的设备在不同手术室中移动的话，这种机械性的定标错误也在所难免。典型的系统有瑞士的Medvision系统、美国的Medtronic系统、德国的OrthoPilot系统等。这种技术优点在于可以提供实时导航，还可以减少手术室工作人员接受X线辐射的程度。其缺点是在某些脊柱区域，例如上胸椎，其图像质量会受到限制。普通的C臂机导航系统利用的是二维的影像学资料，不能提供手术器械的三维空间定位，所以就需要一种新型的、能够提供近似CT图像质量的影像学资料的技术。1999年，德国Siemens Medical Solutions制造了世界上第1台移动C臂机三维影像设备，随后被命名为Siremobil Iso-C^{3D}（图10-6）。其C臂可自动沿轨道旋转190°，并利用一种特定的锥形束重建法获得高分辨率的三维影像学资料，从而能够应用于C_1～S_2的所有椎体水平。但是在经过多年的临床应用之后，发现其图像质量仍然不及CT图像。相信经过不断的改进和发展，将会有分辨率更高的新型C臂机出现。

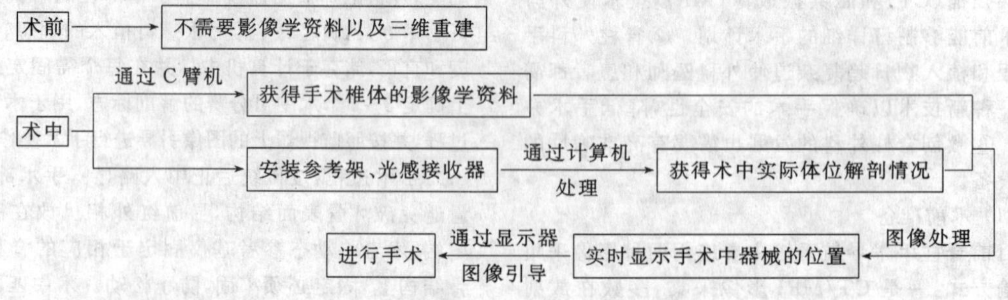

图 10-5 C臂机导航系统工作示意图

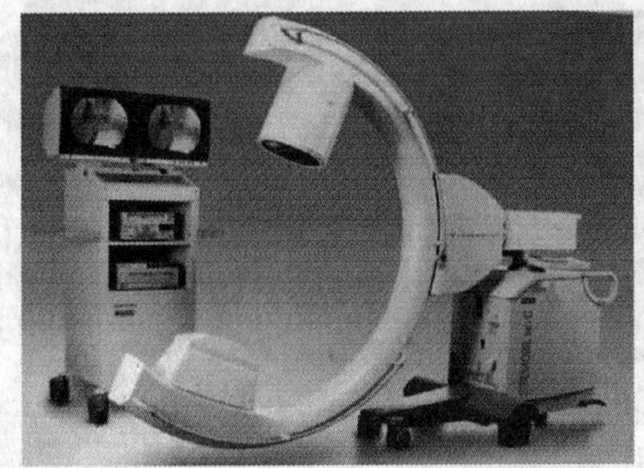

图 10-6 C 臂机 Siremobil Iso-C^{3D}

导航手术过程：按常规做后正中入路切口，显露棘突、椎板、关节突，利用棘突夹将动态参考架固定在手术野目标椎体的最上位或最下位棘突上，以不影响手术操作为宜(图 10-7)。

C 臂机扫描及图像采集：将 C 臂机放置于拟手术椎体部位，以拟固定目标椎体为中心，按下 C 臂机扫描按钮，此时，C 臂机会自动缓慢旋转 180°，并不断进行扫描、采集图像(图 10-8)，同时将扫描传输给导航计算机。在 C 臂机扫描图像时，安装于数据收集环的辅助传感器发出信号，系统可以自动存储图像，然后激活图像。在获取图像时，必须保证 C 臂机与动态参考架不能发生移动，以免影响图像质量。

进行注册过程：将装有 LED 的探针放置于动态参考架上的小凹内，尽量保持与参考架垂直，调节虚拟探针的直径与长度，使其接近于实际探针，便于准确选择螺钉(图 10-9)。

经过图像扫描、传输、计算机重建及注册过程，在导航监视屏上即显示出三维 CT 图像。此三维图像清楚展现了正确的进钉点、进钉方向及进钉轨迹(图 10-10)。

以上操作过程看似复杂，其实从 C 臂机自动扫描、图像采集及传输到完成注册过程，只需 5 min，操作熟练者只需 2 min 便可完成。

确定椎弓根螺钉的进钉点、进钉方向及进钉轨迹。导航系统设置了两种方式：一种是引导模式，即导航将术前的计划显示在屏幕上，术者可以根据计划将椎弓根开路器置于螺钉入点处，按照监视屏上显示的轨迹置入椎弓根探针，系统会将器械进入的深度反馈给术者，从而确定螺钉的轨迹；另一种称之为实时方式，系统不显示术前计划，而是显示器械或探针尖端的实际位置，术者可以通过高清晰度的液晶显示屏，从各个方位——轴位、矢状位、冠状位、术野前方透视层面等，观察当前的手术入路及各种参数如角度、深度、直径等，术者可以持装有 LED 的标钻(或称钻导引器)，看着面前工作站的屏幕，屏幕上展示了钻的最优化位置，术者可随时调整器械的位置和方向，从而最大限度地避开危险区域，安全准确地置钉(图 10-11)。

置入椎弓根螺钉：确定好椎弓根螺钉的入点之后，先用螺丝攻攻出螺纹，然后再用椎弓根探子沿虚拟屏幕显示的椎弓根方向开放椎弓根通道，根据屏幕显示，选择直径、长度合适的椎弓根螺钉，沿着已经开放好的椎弓根通道置入合适螺钉。

为验证椎弓根螺钉置入准确与否，螺钉置入后再用 C 臂机透视观察螺钉轨迹是否准确，长度是否合适(图 10-12)。术后 CT 扫描也证实了螺钉准确、安全通过椎弓根(图 10-13)。

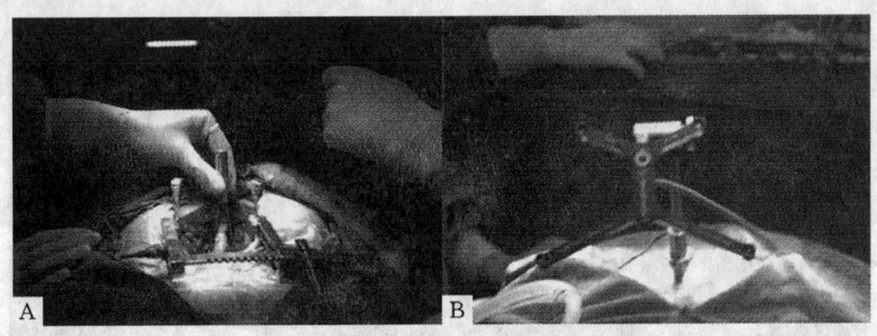

图 10-7 导航手术过程

A. 于棘突上安装固定夹 B. 固定带有 LED 的动态参考基仪及连接光感接收器

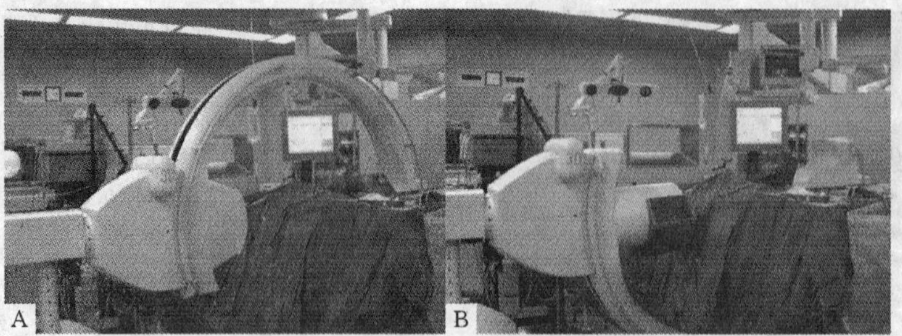

图 10-8　C 臂机自动旋转 180°并不断扫描、采集图像

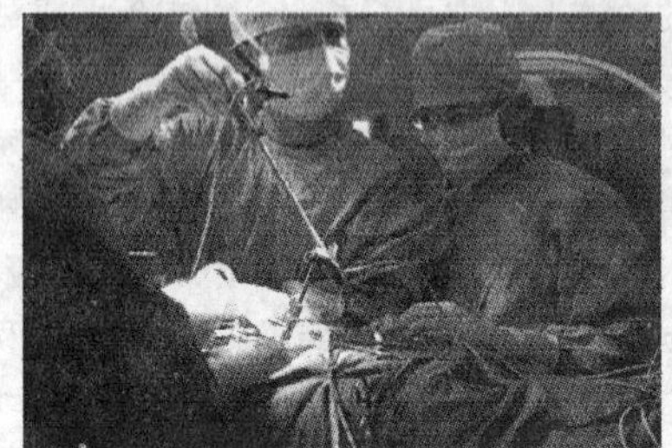

图 10-9　进行注册过程

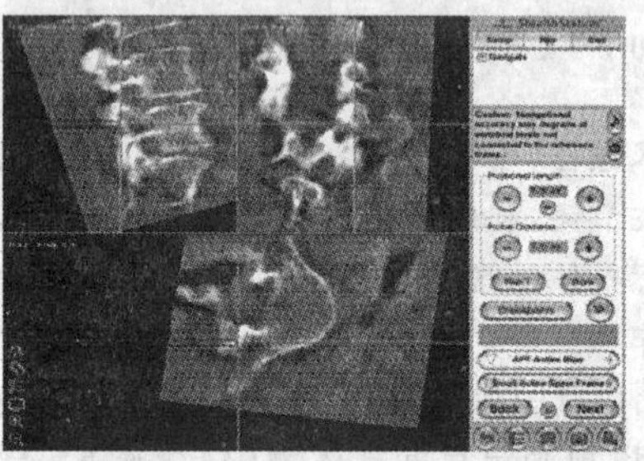

图 10-10　显示屏展现进钉点、进钉方向及轨迹

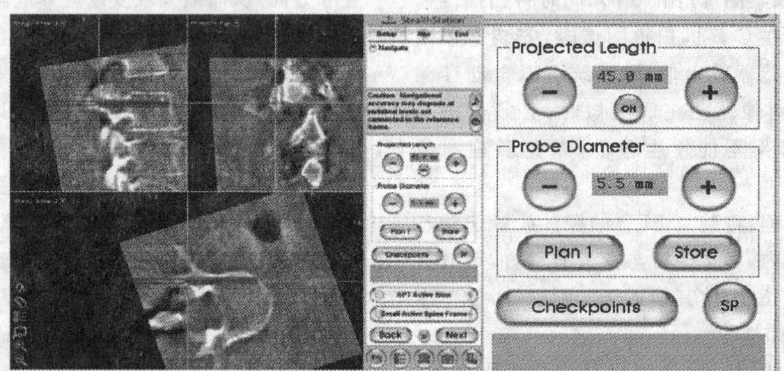

图 10-11　监视屏上不但展示进钉点、进钉方向及进钉轨迹，还可显示螺钉长度和直径

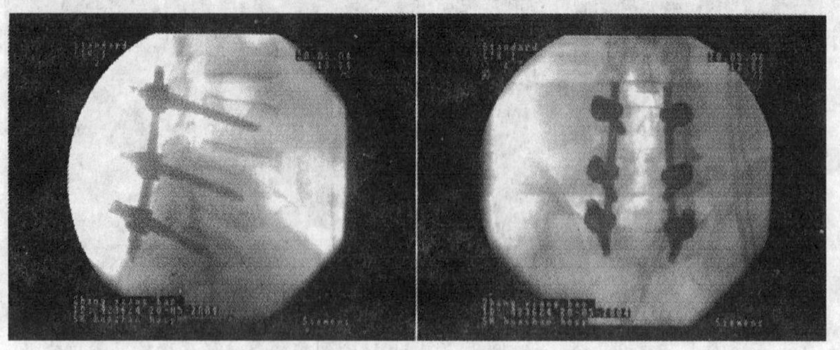

图 10-12　术中 C 臂机透视显示螺钉通过椎弓根达到椎体内图像

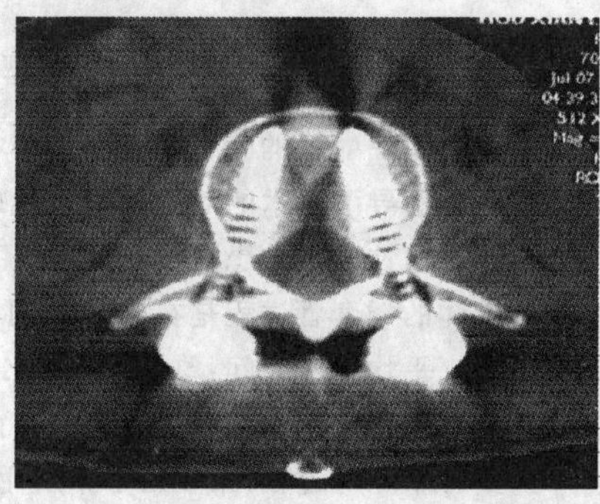
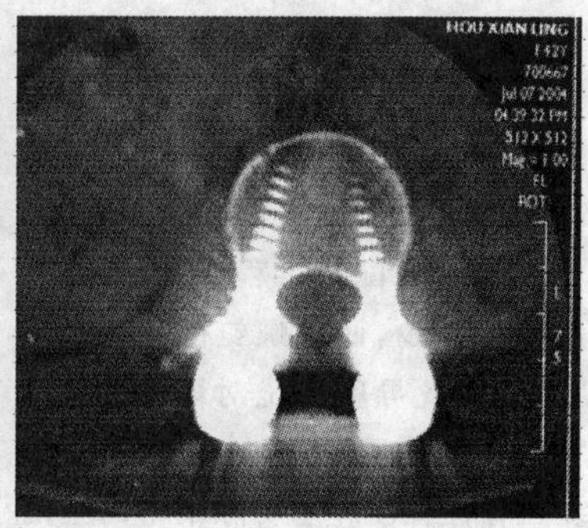

图 10-13 术后 CT 扫描显示椎弓根螺钉准确通过椎弓根

(2) 导航系统在颈椎手术中的应用

Deinsberqer 在手术导航系统的辅助下对 27 例患者进行颈椎前路手术，其中 22 例是单侧，5 例是双侧，有 21 例诊断为颈椎椎间盘突出，6 例为颈椎关节僵硬。整个扫描过程为 5 min，而实际所用只需 120 s。手术结果只有 2 例椎间融合器位置不准确，其他所有患者的椎间融合器、螺钉、钢板都成功置入。Foley 等报道了 24 例 CAOS 辅助的颈椎后路侧块螺钉固定术，术后 CT 显示所有病例螺钉位置正确。Bolger 等则报道了 27 例寰枢椎半脱位(C_2 骨折及类风湿关节炎)应用 CAOS 行 C_1～C_2 螺钉置入的情况，除其中 4 例术前检查发现解剖异常，不宜进行螺钉固定，1 例术中匹配出现问题，其余 22 例均成功应用导航系统进行螺钉固定。Welch 等报道了 11 例颈椎导航手术，包括经口齿状突切除、C_1～C_2 螺钉固定和肿瘤切除，未出现并发症。Klein 用 Kerrison 钻孔器，在手术导航系统辅助下完成了 12 具尸体的下颈椎椎间孔成形术，结果显示，从椎间孔到椎动脉的距离：C_3～C_4 为(5.8±1.2)mm；C_4～C_5 为(6.5±1.6)mm；C_5～C_6 为(7.9±1.4)mm；C_6～C_7 为(9.1±1.8)mm，空间耦合误差为 0.7 mm(0.46～0.92 mm)，除 C_3～C_4 与 C_4～C_5 之外，$P < 0.05$，没有统计学意义。Albert 利用手术导航系统引导，对 4 具尸体进行颈椎切除术，术后测量导航组的椎体外缘到横突孔内侧缘的平均距离为 4.34 mm(3.34～5.48 mm)，而传统方法组为 5.10 mm(1.72～7.71 mm)，耦合误差为 0.68 mm(0.48～0.93 mm)，以上都明显地展示出计算机辅助手术导航系统在颈椎微创手术中的优越性。郑燕平等报道了 2002 年 10 月至 2004 年 8 月在计算机导航及内镜下颈前路齿突螺钉固定术，全部 6 例均获得随访，随访时间 6～37 个月(平均 23.5 个月)，影像学检查所有病例复位固定及愈合满意。

(3) 导航系统在胸、腰椎手术中的应用

胸、腰椎是导航系统在脊柱手术中应用最多的部位，也是导航技术在脊柱手术中最具优越性的表现。Laine 等对 46 名 T_9～S_1 置入椎弓根螺钉的患者中采用 CAOS 和传统手术方法随机进行比较，结果 CAOS 组椎弓根螺钉穿破率为 4.1%(4/98)，而传统方法组穿破率是 15.9%(23/145)，统计学存在显著性差异($P = 0.004$)，同时还发现 CAOS 组 4 枚螺钉穿破椎弓根皮质均为外侧，而传统组 23 枚穿破椎弓根皮质的螺钉 14 枚为内侧，5 枚为尾侧，这些区域潜在神经损伤的危险更大。Schwarzenbach 等也报道应用 CAOS 方法置入的 150 枚螺钉中仅 4 枚(2.7%)穿破椎弓根皮质。Merioz 报道 66 枚 CAOS 方法置入的螺钉中有 6 枚(9%)位置不佳，而传统技术置入的 66 枚螺钉中有 30 枚(40%)位置不佳。Putzieil 回顾性比较了 100 例采用传统技术和 100 例采用光电导航系统的椎弓根螺钉置入情况，结果 CAOS 组椎弓根穿破率为4.8%，而传统组穿破率为 15.4%，穿破达 2 mm 以上者仅见于传统组。

(4) 导航系统在骶椎手术中的应用

在胸椎和腰椎区域验证了导航系统的可靠性和准确性后，导航系统就立刻被应用于骶椎手术。Laine 等应用导航对 2 例成年患者进行了单侧的松质骨螺钉固定骶髂关节手术，对 1 例继发于腰骶段脊髓空洞的脊椎侧弯的 14 岁女孩进行双侧骶髂关节和骶骨螺钉固定。术后 CT 扫描发现，此 3 例患者螺钉位置均符合术前计划，未出现神经并发症。Briem 在最新的三维影像增强器 Siremobil Iso-C^{3D}与导航系统的引导下，在尸体上实施第一骶椎经髂螺钉置入术，每一组共有 20 枚螺钉置入，术后经 Iso-C^{3D} 和 CT 扫描评估。结果显示，Iso-C^{3D}组因为不需要特殊的配对过程，手术时间和 C 臂机扫描的时间明显减少，而且螺钉的置入位置完全准确，效果明显。因此导航系统对骶椎的手术也起到了非常重要的辅助作用。

(5) 导航系统在脊柱脊髓肿瘤切除术中的应用

目前，对于大多数的脊柱脊髓肿瘤来说，最主要的治疗方式就是手术切除，但是传统的手术方式以及借助内镜的微创手术方式在肿瘤与周围正常组织分辨不清，病灶解剖复杂，结构变异，常常难以完整地切除瘤体，而且术后常常伴有不同程度的神经功能损伤。而手术导航系统就可以将病灶与周围正常组织三维地展现出来，提高术者对于脊柱解剖结构的辨认能力以及对手术精确定位，避免经验性的椎板切除范围过大，特别是有利于准确判断位于髓内或局限于椎间孔内的微小病变，减少损伤，缩短手术时间。Moore 报道了 2 例导航辅助的颈胸椎良性肿瘤的切除，体现出导航系统在使软组织以及附属结构损伤最小化的同时，精确地定位病变，指导瘤体的切除，并能够使患者得以尽快恢复的优点。Van Royen 报道了 5 例利用计算机辅助和伽玛探针引导的高速钻切术治疗胸腰椎骨样骨瘤的病例。术前应用以计算机断层影像为基础的光电导航系统，将术中平面与术前的计算机断层影像匹配，产生骨样骨瘤的实时虚拟图像。然后在计算机辅助高速钻和术中伽马探针的控制下，进行骨样骨瘤切除。这样的切除很完全，同时不会损伤更多的骨组织。术后 5 例患者原先的特征性疼痛在术后立即完全缓解，而且随访 6～33 个月没有复发，计算机断层影像的扫描、临床组织学评价以及影像学的随访观察都肯定了手术的效果。所以应用计算机辅助与伽玛探针引导的高速钻切术治疗脊柱骨样骨瘤，有助于精确定位，并且在最少切除脊柱后方骨组织的同时切除病灶。

(6) 导航系统在脊柱后凸矫正成形术中的应用

经皮脊柱后凸矫正成形术是一种治疗病理性椎体压缩性骨折的方式，而且手术通常是在二维 C 臂机影像的引导下进行的。最近没有报道有关评价三维影像导航技术引导这项手术的临床研究。Villavicencio 报道了一项临床研究来评价 Iso-C^{3D} 导航系统引导脊柱后凸矫正成形术的效果，并且将手术时间以及暴露于辐射线的量与一组(9 例)在二维 C 臂机导航系统引导下手术的对照组进行比较。11 例病理性椎体压缩性骨折的患者接受了这一手术，术中椎弓根与椎体的插套管过程是在 Iso-C^{3D}可视化的帮助下进行的。平均手术时间：单侧水平60 min(36～89 min)，双侧水平 68.5 min(65～75 min)。由于对手术设备需要有个适应过程，第 1 台手术所用时间明显比后面多，但即便如此，平均手术时间也比对照组单侧水平 69.2 min (44～113 min)短。平均 C 臂机 X 线辐射时间，Iso-C^{3D}组为 41.3 s(25～62 s)，还有 40 s 的三维 C 臂机旋转时间，二维 C 臂机组为 293.2 s(180～400 s)，$P = 0.02$，两组差别有统计学意义。两组术后都没有并发症。Iso-C^{3D}技术的主要优点是在没有增加平均手术时间的前提下明显减少了术者与患者的 X 线辐射量，是二维 C 臂机技术的一个发展。

10.6 导航系统在人工关节置换术中的应用

目前已有不少在导航系统引导下成功进行人工关节置换术的报道。DiGioia 等对应用导航下小切口的全髋置换术与传统后入路全髋置换术作了比较，每组各 35 例。结果发现：导航下手术组平均切口是 11.7 cm，而传统手术组是 20.2 cm；术后 3 个月随访，导航手术组肢体功能改善及登楼梯情况均比传统手术组满意；6 个月后随访，导航手术组患者的行走及登楼情况也比传统手术组好；术后输血，导航手术组平均为 0.7 单位，而传统手术组是 1.1 单位。

Sparmann 等则对各 120 例在导航下与非导航的传统全膝关节置换术进行随机对比研究，研究内容包括关节活动度及功能评定等，并作记录。研究结果表明：术后分析下肢股骨和胫骨的轴线，导航组仅 3 例患者其轴线偏差＞3°标准，而非导航组有 17 例患者＞3°，有些患者偏差达 6°～7°；从三维平面看，手术后导航组 80％患者膝关节屈曲位正确，而传统手术组仅 22％正确；导航组胫骨力线比较满意，而偏差 6°以上者发生在徒手手术组。

骨科导航系统还可利用计算机图像重构技术，术前采用 CT 或 X 线摄片扫描患髋或患膝，勾画出同患者真实骨骼尺寸相符的人工关节，这种个体化的人工关节同人体完全匹配。在安装过程中，导航系统可遥控医用机器人进行准确安装。医用机器人辅助操作系统在无骨水泥全关节置换手术中应用最多，手术要求精确设计股骨及胫骨髓腔形状以适合植入假体的形状。人工关节与人体关节的吻合程度直接影响手术效果。Ulf 报道说，用传统手术方法植入假体与骨髓腔的接触面积只有 20%～50%，存在较大间隙，而且髓腔尺寸常比设计尺寸大 30%，而用医用机器人设计加工的假体其接触面积达 90%以上。美国的 Taylor 小组开展的图像引导机器人可在术前进行 CT 扫描，并在重建的三维模型上进行手术规划，获得人工关节参数，手术中机器人通过图像坐标把实际坐标映射到机器人坐标系，指导机器人依靠规划数据完成手术，结果表明手术质量明显提高。1992 年，美国加州的综合外科系统设备公司推出了“机器医生”，该系统包括一个策划站，医师在此可以找到符合患者骨骼尺寸的人工关节，并计算必须去掉多少骨质，另外有一只巨大的机械手臂辅助操作，手术时这只手臂能到合适的位置，而且比任何医师的手都要稳当。目前世界各地的医院大约安装了 40 台“机器医生”。

在国内，也有关于导航下进行人工关节置换手术的报道。冯国璋等报道了 2003 年 3～4 月间在红外线导航下对 6 例(7 膝)患者进行全膝人工关节置换术，其平均手术时间为 108 min，术后 3 周行走步态正常，平路行走及上下楼梯无疼痛，术前 HSS 评分平均 52.3 分，术后 3 周 HSS 评分平均 94.5 分，膝关节活动范围术前平均 86.4°，术后平均为 115.3°。叶虹等报道了自 2004 年 1～7 月开展了 8 例导航下人工全膝置换术，并对其临床症状及影像学评估，结果显示导航进行全膝置换可使假体符合下肢力线，定位误差在 2 mm 以内，取得良好手术效果。

10.7 导航系统在创伤骨科内固定手术中的应用

创伤骨科手术有别于骨病，传统的开放手术虽然能进行良好的复位及内固定，但势必增加损伤。导航技术的出现使得骨科医师可借助现代科技进行手术，大大减少对患者的损伤。

对于脊柱骨折的复位及椎弓根螺钉钉棒/板内固定手术前面已有详细介绍，其优点不言而喻。而在其他部位的骨折内固定手术中，导航技术下的螺钉固定已有不少报道。

(1) 导航手术系统在骨盆、髋臼骨折内固定中的应用

20 世纪 90 年代末，基于 C 臂机的透视导航系统开始应用于创伤骨科，目前导航手术系统在骨盆、髋臼骨折内固定中的适应证主要集中在可闭合复位的骶骨骨折和骶髂关节分离的后骨盆环损伤，其方法是在 S_1 平面经皮固定骶髂关节。Parker，Starr 分别报道了采用导航技术经皮固定可闭合复位的髋臼前柱、后柱骨折及髋臼高位横形骨折。近期研究显示，导航下经皮固定术所需透视时间明显减少，平均每个螺钉的透视时间为 0.5 min，明显优于传统方法。

采用术前 CT 影像的导航系统准确性高，适用于无移位或轻度移位的骨盆骨折(骶骨骨折、骶髂关节脱位)、髋臼骨折(髋臼前柱、后柱骨折、髋臼横行骨折)、骶骨发育异常及骶骨肿瘤切除。Huegli 等还报道了在 CT 导航下经皮钻孔植骨、螺钉固定延迟愈合的骶骨骨折的初步经验，术后随访骨折顺利愈合。但由于骨盆有丰厚的软组织覆盖，术前注册比较困难。因此，术前必须沿患侧髂嵴选择成对注册点，易于术中正确注册并完成经皮固定。临床上约有 30%的骶骨骨折需通过 CT 明确诊断，经过断层扫描及三维重建影像才能评估骨盆环的复位质量，而术中 CT 影像导航系统可以提供实时的 CT 影像，但笨重的手术室 CT 设备会影响术中复位及操作。Stockle 等在透视导航系统下成功完成了 5 例骨盆标本的螺钉固定，并开始应用于临床。

透视导航系统有二维及三维透视导航系统之分，其区别在于二维透视导航系统采用的是二维 C 臂机透视，所得影像为二维图像，而三维透视导航系统则采用三维 C 臂机透视，所得影像为三维图像，其代表性的设备是 Siemens 公司制造的 Iso-C^{3D} C 臂机。它结合了 CT 和透视导航的优势，虽然其影像质量不如 CT，但足以评价后骨盆环的复位质量。

多数文献报道在透视导航下经皮固定骶髂关节螺钉位置准确，但也有文献报道 2 例螺钉穿透骶骨的腹侧皮质，虽然患者无神经症状。目前影响骨盆和髋臼骨折导航下经皮固定的主要障碍是骨折的闭合复位，因此研究者对骨盆和髋臼骨折进行了体外

及临床研究。Hufner等根据导航系统的软件模式，同时进行2个骨折块的独立注册和同步导航复位的体外实验，骨折模型包括耻骨联合和骶髂关节分离、合并耻骨联合分离和经骶骨孔骨折的骨盆骨折。结果表明导航下复位比直视下复位残留位移大，但两者差异小。同时进一步报道了髋臼横形骨折体外导航下复位的实验结果，导航下骨折残留移位为平移0.7 mm，旋转0.9°。表明在实验条件下，导航可以比较准确地复位关节内骨折。Crowl等报道了从1990～2002年采用闭合复位、经皮空心螺钉固定23例急性髋臼前柱骨折的临床经验，并提倡用Schanz螺钉钻入髂骨翼作为操纵杆复位骨折或临时用外固定器固定复位骨折，并用1～3枚空心钉经皮固定。其研究结果表明，平均术前和术后移位是8.9 mm和2.4 mm，在骨折愈合期间无一例发生再移位。

(2) 导航手术系统在四肢长骨骨折中的应用

导航系统可用于四肢长骨的多种内固定手术中。Grutzner等在实验室采用导航技术用PFN固定人造股骨并模拟远端交锁，成功率达100%，随后即应用于临床。他比较了经转子周围骨折采用导航和机械瞄准分别交锁髓内钉远端以及下肢骨干骨折采用单纯透视和导航下交锁髓内钉远端。结果表明，导航组与机械瞄准组的平均透视时间相同，而比单纯透视组的透视时间短。Suhm等报道了42例下肢骨折患者分别应用C臂机透视和导航下交锁髓内钉，结果透视下拧入一枚螺钉的平均时间是108 s，而导航下拧入一枚锁钉的平均时间为7.3 s，所需时间明显减少。王军强等报道医用机器人及计算机辅助导航手术系统在胫骨髓内钉手术中的设计与应用。该方法应用机器人双目视觉空间定位技术，进行医用机器人的模块化、小型化、实用化结构设计，开发医用机器人及计算机辅助导航手术系统，对30例胫骨骨折进行机器人辅助复位、计算机辅助导航定位髓内钉置入，30例手术均按照机器人及计算机导航系统的预定程序规定完成，但关键的操作(髓内钉置入点、远端锁钉锁孔)是在机械臂精确定位的辅助下由术者亲自完成。Grutzner等还报道了应用导航技术于股骨颈骨折的导针及空心钉的植入固定，结果位置准确，没有并发症发生。

20世纪90年代，在微创钢板接骨术(minimally invasive percutaneous plate osteosynthesis，MIPPO)理念指导下，已有成功经皮钢板固定的先例。2000年后，又进一步出现了新的角度稳定螺钉-钢板系统(LISS-LCP)。LISS是通过角度稳定，微创治疗干骺端骨折。但闭合复位和复位质量是影响MIPPO概念推广的主要障碍。导航技术和经皮复位工具的发展使LISS固定更加准确、可靠。研究者在导航下采用LISS系统治疗3例4处胫骨近端骨折，并随访18个月，骨折顺利愈合。

10.8 导航系统在骨科手术中应用的优越性

1) 三维性　随着影像学技术的发展，骨科导航系统可通过实时采集三维图像，展现骨骼三维影像，正确引导各种内固定物的置入，这在解剖结构变异的患者中应用的价值尤为最佳。

2) 辐射少　因为骨科导航手术系统只需术前或术中进行一次图像扫描，无须C臂机的反复透视定位，很大程度上减少了患者与术者的辐射量。

3) 精确性　术者可以根据虚拟探针的直径、长度，准确选择椎弓根螺钉的型号，模拟、存储手术路线，可测量角度和距离，使手术更加安全、准确。

4) 微创性　导航系统可以减小手术窗口，减少手术中的出血量，简化操作过程，缩短手术时间，减少术后并发症，利于患者术后恢复。

10.9 骨科导航手术的前景

计算机辅助导航系统对现代脊柱、关节及创伤外科的发展具有深远的影响，脊柱导航手术已大大提高了椎弓根螺钉置入的准确性和安全性。随着高新科技的发展与医学理论实践的相互渗透，基于微创理念、影像与介入技术的计算机辅助手术导航系统，其未来的发展方向为数字化、实时化、智能化。导航系统的自动认知模式将会进一步提高手术的效率与实用性。例如，采用电磁定位以避免瞄准线约束，使用激光扫描来代替标志点匹配。目前可用于配合导航的设备有超声、显微镜、内镜、CT、MRI、激光等，将来也可联合几种设备，以提高导航的精确度和灵活性。图像处理能识别出靶结构的容积，清晰地勾画其边缘，能将CT、MRI、血管造影和正电子发射断层摄影术(PET)等多模式三维图像融合在一起,利用消隐或透明等显示技术,形成含有解剖结构和生理功能信息的四维(或多维)图像。影像漂移是导航目前存在的最大问题,以往借助超声实现动态监测来解决,目前已成功地实现了与磁共振功能成像的融合,可以解决导航存在的影像漂移的问题。未来,手术导航系统将向机器人导航和模拟现实技术方向发展,机器人导航使得手术导航系统不再只是一种辅助工具,而是能够独立地完成外科手术;虚拟现实技术利用戴在手术医师头部的特殊视觉效果镜头,使手术医师感觉进入患者体内,置身于患者解剖结构之中,成为可视的模拟患者体内的一部分,因而得以从容地从各个角度彻底探索、认知患者的组织结构;随着网络远程高速通信技术的飞速发展,远程遥控骨科手术已不再是一个遥远的梦想。

(黄煌渊 姜建元 马 昕)

参考文献

[1] 王军强,苏永刚,胡磊,等. 医用机器人及计算机辅助导航手术系统在胫骨髓内钉手术中的设计与应用. 中华创伤骨科杂志,2005, 7(12):1108～1113.

[2] 叶虹,郑杰,杨永宏,等. 导航引导下的全膝关节置换术. 中国骨与关节损伤杂志,2005, 20(9):590～591.

[3] 冯国璋,戴号,钱不凡. 红外线导航下全膝关节置换的初步临床体会. 中华骨科杂志,2004, 24(9):572～574.

[4] 郑燕平,刘新宇,原所茂,等. 计算机导航及内镜下颈前路齿突螺钉固定术. 中华骨科杂志,2006, 26(3):175～178.

[5] Acosta FL, Thompson TL, Campbell S, et al. Use of intraoperative isocentric C-arm 3D fluoroscopy for sextant percutaneous pedicle screw placement: case report and review of the literature. Spine J, 2005, 5(3):339～343.

[6] Amiot LP, Labelle H, Deguise JA, et al. Computer-assisted pedicle screw fixation. A feasibility study. Spine, 1995, 20:1208～1212.

[7] Crowl AC, Kahler DM. Closed reduction and percutaneous fixation of anterior column acetabular fractures. Comput Aided Surg, 2002, 7:169～178.

[8] Gebhard F, Weidner A, Liener UC, et al. Navigation at the spine. Injury, 2004, 35(Suppl1):35～45.

[9] Grutzner PA, Suhm N. Computer aided long bone fracture treatment. Injury, 2004, 35:57～64.

[10] Hufner T, Pohlemann T, Tarte S, et al. Computer assisted fracture reduction of pelvic ring fractures: an in vitro study. Clin Orthop Relat Res, 2002, 399: 231～239.

[11] Laine T, Lund T, Ylikoski M, et al. Accuracy of pedicle screw insertion with and without computer assistance: a randomised controlled clinical study in 100 consecutive patients. Eur Spine J, 2000, 9(3):235～240.

[12] Moore T. McLain RF. Image-guided surgery in resection of benign cervicothoracic spinal tumors: a report of two cases. Spine J, 2005, 5(1):109～114.

[13] Notle LP, Beutler T. Basic principles of CAOS. Injury Int J Care Injured, 2004, 35:6～16.

[14] Olsen M, Davis ET, Chiu MM. et al. Imageless computer navigation without pre-operative templating may lead to malpreparation of the femoral head in hip resurfacing. J Bone Joint Surg(Br), 2009,91-B(10):1281～1286.

[15] Roberts DW, Strohbehu JW, Hatch JF, et al. A frameless stereotaxic integration of computerized tomographic imaging and the operating microscope. J Neurosurg, 1986, 65:545～549.

[16] Routt ML, Simonian PT. Closed reduction and percutaneous skeletal fixation of sacral fractures. Clin Orthop Relat Res, 1996, 329:121～128.

[17] Rubash HE, Pagnano MW. Navigation in total Hip Arthroplasty. J Bone Joint Surg(Am). 2009,91:17～21.

[18] Starr AJ, Reinert CM, Jones AL. Percutaneous fixation of the columns of the acetabulum: a new technique. J Orthop Trauma, 1998, 12:51～58.

[19] Stockle U, Konig B, Dahne M, et al. Computer assisted pelvic and acetabular surgery. Clinical experiences and indications. Unfallchirurg, 2002, 105:886～892.

[20] Suhm N, Messmer P, Zuna I, et al. Fluoroscopic guidance versus surgical navigation for distal locking of intramedullary implants. A prospective, controlled clinical study. Injury, 2004, 35:567～574.

[21] Taylor RH. An image-directed robotic system for precise orthopedic surgery. IEEE Trans Robotics Automation, 1994, 10:261～274.

[22] Tobiasl R, Markus T, Joachim G, et al. Computer-assisted total hip arthroplasty: coding the next generation of navigation systems for orthopedic surgery. Exp Rev Med Dev, 2009,6(5):507～514.

[23] Ulf T. Investigation of medical 3D rendering algorithms. IEEE Comput Graphi Appl, 1990, 2:41～43.

11 骨科学研究中的基本技术方法及原则

11.1 骨科学基础研究中的基本技术方法

骨科学基础研究随生命科学领域新理论、新技术涌现而快速发展，其技术手段不断更新与改进。因此，对骨科学基础研究中所使用的每一种方法都作出详尽的叙述是不可能的。现按必须、灵敏、高效、可靠、简便、经济的基本原则，仅概括介绍较普遍使用的方法，以期为研究设计时选择合适的技术方法提供参考和帮助。

11.1.1 一般观察

在术后1周内要每天测量，以后至少每周1次测量动物体重，记录饲养方式、每天排泄物的数量、伤口愈合情况、关节活动度等，观察动物的活动状况和规律。正常、健康的动物一般处于安静、舒适、整洁的状态，对环境的刺激有正常的反应，其疼痛反应常表现为：①活动的变化（过度活动、不活动或肢体蜷缩）；②声音的变化（提高或降低）；③饮食方式的改变；④好斗或防御行为；⑤行为模式的改变（如整洁度、觅食、活动或睡眠）；⑥体温的改变。

11.1.2 影像学观察分析

(1) X线摄片

X线摄片是了解骨与关节尤其是在活体观察骨正常或异常状态最常用的基本技术，可动态评价治疗措施的效果。

(2) 高分辨率X线摄片和显微X线显影

动物处死后的骨标本或整体小动物（如小鼠），可使用高分辨率X线机（如箱式微X线机）进行高精度放射线摄片。根据高分辨率X线片，通过使用数字光度计测定光密度或光照度，可对骨密度进行相对定量。这种技术通常被称为定量X线摄影密度测定法。

显微X线显影以薄的骨组织切片为基础，可提供骨结构详细的影像。在这一技术中，若在标本加工前动脉血管中注入硫酸钡、氧化铅等不透射线的物质，可使组织切片区域中的血管横断面显影，较大的切片可以显现血管树状结构。

(3) 放射自显影、骨扫描闪烁测定

放射自显影技术常用于示踪放射性核素标记细胞在体内的演变与迁移轨迹，或放射性核素标记的细胞合成代谢所需要的原料(如^{3}H-脯氨酸，脯氨酸是胶原合成的原料)，以定位了解细胞的代谢活性和功能状况。于动物处死之前，静脉注射放射活性物质；获取待检标本，将较小的完整组织标本或已制作的组织切片置于X线感光胶片上，于暗室内曝光一定时间后，显影观察；或将组织切片涂层感光乳剂，于暗室内曝光一定时间后，光镜下观察。是研究骨与软骨修复、骨关节炎或炎症性关节炎发生发展、植入性修复材料周围的骨形成、韧带修复等过程中，细胞迁移、演变或聚集、细胞代谢与功能状况的常用技术。为减少放射性核素的污染与危害，放射性核素标记的放射自显影技术，有逐渐被生物素标记的放射自显影技术所替代的趋势。

静脉注射放射性核素(如^{99m}Tc或^{67}Ca)，可用于骨扫描。注射放射性核素后几小时，应用闪烁检测仪检测放射活性物质在正常骨、坏死骨和骨折修复组织等区域的聚集量，以衡量骨的代谢状况。正常情况下，在血流丰富的骨修复或骨生长位点，放射性核素摄取率升高；在缺血性骨坏死区域，摄取率减少或缺失。常用于诊断或监测骨愈合、感染性骨折、炎症性关节炎、缺血性骨坏死、骨肿瘤、移植物周围的骨愈合和缺血性肌肉损伤等。

(4) 计算机断层扫描(CT)

CT本质上就是X线成像技术，通过X线对不同密度组织的透射力，再现扫描标本的解剖结构信息。与通常的单次曝光X线成像不同的是，CT需要对样本进行数百甚至上千次的断层解剖面曝光，得到不同角度、不同层次界面的影像信息，通过计算机后期处理后再现出样本的三维图像，以获取样本的全部解剖结构信息，大大改善了分辨率。用于检测动物模型中的骨结构、骨破坏、骨折愈合和骨延长过程中的新骨形成。由于非侵袭性，CT也用于评价股骨头坏死的犬动物模型中的血管再生(通过微量注射)。

定量CT(QCT)可分析骨结构和骨量，用于评价体内或离体骨密度和机械性能。在骨量测定方面，甚至被认为较双能X线吸收测量仪(DEXA)更灵敏。最近QCT发展到三维模拟图像，可用作多孔骨的三维重建。

微CT(micro-CT)通过类似临床CT的原理，使用X线对样本进行超高分辨率的三维结构扫描，其分辨率可达几个微米，较临床CT提高了50倍以上，从而获得亚微结构的解剖图像，并可对图像进行三维重建和定量参数测定。

(5) 磁共振成像(MRI)

MRI可提供除骨以外的软组织图像，能清晰辨别关节组织结构。在犬的模型中，MRI甚至能区分脱出的椎间盘软组织和瘢痕组织；缺血损伤4周内，MRI能发现股骨头的坏死性变化。因为能区分肌肉与骨的边界，乃至骨内皮质骨和多孔骨的边界，MRI用于此目的的研究被认为优于CT和超声的方法。最近研究表明，MRI也能高度重建骨小梁结构的三维图像，用来评价骨矿物密度(BMD)，预测骨的弹性系数。

11.1.3 尸检

常规摄影对记录手术或尸体剖检中的发现十分重要。

骨组织中应该注意骨痂的大小，骨干的对合，内植物和固定装置的位置以及周围的组织；在关节中，最重要的是观察关节软骨的形态及其病理现象，包括由骨关节炎、软骨缺损、骨折线和骨赘等引起的粗糙部位，另外还有关节的大小，关节囊，滑膜，关节液的性质和数量，韧带、半月板、关节周围软组织的外观。

收集机体的器官和组织，如肝、肾、肺和肌肉，以备测定植入生物材料所释放的离子浓度、毒性或不良病理反应等。

11.1.4 组织形态学观察

基本上属骨科学研究的常规技术，是评估骨与关节标本(包括活检标本)组织学结构的正常或异常表现、修复材料性能和治疗措施的重要观察指标，已被广泛应用于骨科学研究领域。观察和描述通常在光学显微镜下完成。

组织学观察技术的一般步骤为：①固定、脱水；②制备组织切片。对骨组织标本，有脱钙和不脱钙骨组织切片两种。常用的骨组织脱钙液有硝酸、盐酸(HCl)、甲酸和乙二胺四乙酸(EDTA)等。脱钙后的骨组织硬度下降,其切片制备与其他软组织切片一样,可用石蜡包埋切片。对一些特殊观察要求的骨组织(如显示钙离子螯合剂——四环素、钙绿素等标记的新生骨组织,生物材料种植体与骨结合界面等),需不脱钙骨组织标本的制片。不脱钙骨组织标本的制片可直接对已切割的小块骨组织进一步磨片,以达到可在显微镜下观察组织结构的厚度,但这往往难以符合要求,尤其对骨组织中有种植体的标本,磨片过程会导致种植体与骨的分离甚至脱落;不脱钙骨的塑料包埋、切片技术是现在常用的方法。依据备检标本的不同,其包埋技术主要有针对松质骨标本的低温塑料包埋和针对皮质骨尤其含种植体标本的硬塑料包埋两种,包埋介质的主体成分为甲基丙烯酸甲酯(MMA)。塑料包埋的骨组织标本,需应用特殊的切片机切片,现在常用的切片机包括Leica S-1600锯式切片机、Poly-cut重型切片机、Exakt锯-磨削系统等。③切片染色。依据观察的目标,选择不同的染色技术,如最基本的苏木精-伊红(HE)染色、显示矿化骨基质的von Kossa染色、显示蛋白聚糖基质的甲苯胺蓝和阿里新蓝染色等;对骨与关节组织中的酶(如碱性磷酸酶)、胶原或蛋白多糖中的核心蛋白、其他非胶原蛋白(如生长因子等)的定性、定位甚至定量分析,需免疫组化染色技术。④光镜观察。主要是对组织形态结构的定性描述。

11.1.5 超微结构观察

对细胞的超微结构、细胞外基质组分的分布与排列、表面平整度等观察,需借助电子显微镜技术。透射电镜(TEM)主要用于观察大分子(如蛋白多糖或胶原)、亚细胞成分(如细胞质内细胞器)、植入物-组织界面组织的超微结构和形态;扫描电镜(SEM)主要用于观察如关节软骨表面和结构、内植入物表面、骨小梁表面、破骨细胞-骨接触面等。

共聚焦激光显微镜是近20来建立起来的技术,使用的激光束可穿透300～500 μm厚的组织,因而可反映标本表面下的图像。计算机储存的多层二维图像可被重组以显示三维或横切面的图像。与传统的SEM相比,共聚焦激光显微镜的优点是可以观察标本或细胞内的图像,其用途多样,如矿化与未矿化骨基质的观察、细胞的生存和增殖状态、活细胞的定位和计量、胶原等大分子物质的分型和定位等。

11.1.6 形态学测量

形态描述和测量是组织器官研究的两种主要类型,分别反映组织结构定性或定量评价的两个方面。根据研究设计及其研究内容,可应用其中的一种或两者兼用的评价方法。

(1) 长度和面积的测量

对组织器官长度和面积的测量包括用尺子或测径器的直接测量,X线拍片测量,或使用特殊设计的装置进行的测量。测量方法间或观察者之间可能存在显著性差异,因此,可能需要几个观察者各自独立地进行相同的操作或使用一种以上的测量方法,以消减误差。

1) 直接测量　用传统技术测量绝大多数长度和面积都是可靠的(尺子或滑动数字测径器),如测量长骨的尺寸(长度、内径和外径)。

2) X线影像的测量　使用尺子或测径器可以对X线片进行二维测量。测量时应考虑X线片放大的百分率。标准的测角器可有效地测量X线影像的角度。

用连接有计算机图像分析处理系统的光镜,可对组织切片内不规则目标的长度、周长、面积等参数进行测量,并可利用软件的性能,进行定量计算;也可将已获取的研究图像(照片、X线片或印刷品)扫描至计算机,在屏幕上显示并直接描画轮廓和测量。在精确测量之前应仔细对软件进行校准。

3) 活体测量　活体测量可随时与长期跟踪了解躯体的变化,如肢体周长的测量可检测肢体肿胀的进展及肢体的生长速率的变化情况,但进行活体测量相对困难,尤其对清醒动物,其活体表面标记难以确定,从而影响测量结果的准确度和重复性。

(2) 解剖显微镜检查

放大5倍的解剖显微镜可用来检测和拍摄记录关节软骨、骨、软组织或植入物-组织界面的表面形态,其观察对象是不经固定、脱水、包埋等处理的湿性、近乎原始的标本,在这一点上比普通低倍扫描电镜观察更有优势。扫描电镜在标本制备过程中,由于关键性的干燥程序可能改变标本表面的形态。

(3) 相对定量和评分系统分析

针对研究目标,经显色反应的组织切片,在连接有计算机图像处理分析系统的显微镜下,可进行以背景为参考的灰度对比值,即相对(半)定量。

评分系统通常依据已积累的研究资料以及对资

料的分析结果，基于研究对象将遵循的演变规律和归宿所人为规定的相对计分标准。较之定性描述，可提高结果的客观性和可信度。现在，评价骨折愈合过程、骨缺损修复、软骨缺损修复和植入性生物相容性的评分分析系统，都有基本公认的文献可参考。如 Sommerlath 和 Gillqist 报道的解剖显微镜下评判骨关节炎严重程度的分级系统：正常软骨（0 级），原纤维形成（1 级），血管翳和原纤维形成（2 级），表面裂开（3 级），深部裂开（4 级），大的缺损（5 级），承重部位软骨的完全丧失（6 级）。

（4）组织形态学定量分析

判定组间（如实验组与对照组间）或个体间的差异，观察方法的定性描述和半定量分析存在相对失之客观的局限性，甚至有可能导致有用信息资料的丢失或忽略。

1）组织形态学定量参数及其定义　组织形态学定量及其由之发展而来的立体定量学分析，可对组织中所包含的内容如骨小梁、成骨细胞等类似的颗粒参数进行计数，通过计算和纠正的数学公式，得出参数的近乎绝对值，因为应用这种方法计算所获取的参数值，不受背景的干扰和制约。

组织形态二维图像测量的一般定量范围包括：①长度（周长或边界），如内植物的表面周长；②点之间的距离，如内植物-组织交界处的间隙或两个小梁骨中线的距离；③面积，如小梁骨面积或修复组织的面积；④研究目标的数量，如小梁接头数量、血管数量或细胞数量。

根据研究目的，可将二维图像的形态测量重建为三维图像参数或结构的立体定量。值得注意的是，在对参数资料统计分析过程中，其样本的选取应有足够的数量，以提高其代表性，因为绝大多数生物组织（包括骨与关节组织）的结构是异向的，即局部区域间有较大的差异。

有关松质骨中骨小梁立体定量参数的常用描述包括：骨小梁体积（BV，以 mm^3 为单位），骨小梁面积（TBA，以 mm^2 为单位）、骨小梁厚度（Tb. Th，以 μm 为单位）、骨小梁间隔（Tb. Sp，小梁间的距离，表示骨髓腔的分量，以 μm 为单位）；骨小梁空间连接性的常用参数有骨小梁数量（Tb. N，单位面积连续骨小梁的平均数量）、孔隙量（Ho. N，单位面积的平均空隙量），骨小梁结点数量（N. Nd）、骨小梁末端数量（N. Tm，骨小梁的终末端）和 Nd/Tm 比率。有关细胞的立体定量参数的常用描述包括：细胞剖面直径（D）、细胞剖面积（Sa）、细胞体积（Vv）、细胞体积密度（Vvt）、细胞数量密度（Nv）。绝大多数参数都可以使用专门的图像软件测量。

由于定量 CT、MRI 和共聚焦激光扫描显微镜、micro-CT 技术的发展，基本可获得与组织图像相同或类似意义的三维结构参数值。

micro-CT 在用于观察骨组织结构并可进行组织图像三维重建的同时，所能完成的组织形态定量参数：①松质骨。TV（total volume，mm^3），所选择区域全部组织的总体积；BV（volume of bone，mm^3），所选择区域组织中骨组织所占的体积；BMC（bone mineral content），小梁骨矿物质含量；BMD（bone mineral density），小梁骨密度；BVF（bone volume fraction），骨体积分数（BV/TV）；SMI（structure model index），结构模型指数，表明小梁骨结构是呈现“杆状”还是“盘状”，数值为 0～3，理想状态下“杆状”形态数值趋近 3，“盘状”形态指数趋于 0；Tb. Th，骨小梁厚度；Tb. Sp，骨小梁分离度；Tb. N，骨小梁数目。②皮质骨。平均厚度（mean thickness；mm）；内径（inner perimeter；mm）；外径（outer perimeter；mm）；髓腔面积（marrow area；mm^2）；皮质面积（cortical area；mm^2）；总面积（total area；mm^2）；皮质骨厚度（BMD）；皮质骨矿物质含量 BMC；mg）。

2）组织形态学定量分析的应用　量化参数可用以对骨折愈合组织、骨或软骨缺损的修复组织、异位骨形成（软组织钙化）、矿化骨、非矿化骨、新生骨、陈旧性骨、软骨组织、纤维软骨、透明软骨和纤维状血管组织等进行组织形态测定分析。

用来评价实验性骨关节炎的参数：关节软骨厚度、面积，滑膜细胞层厚度，软骨下骨板厚度，关节周围骨结构和空间性连接；滑膜或软骨形态的测量方法有滑膜细胞密度，软骨细胞和坏死细胞密度，脂细胞密度和关节软骨表面破坏的分级等。

在植入物-骨界面的组织形态测定分析中，可选用的参数：①骨的附着性生长（或表面生长），即植入物整个表面附着的骨组织长度；②骨组织的内向性生长，即植入物每单位表面积内所含的骨组织量和内向生长的骨组织深度，等等。

在检测韧带缺损处的瘢痕组织时，常用的分析对象有血管、脂肪细胞、胶原纤维的排列形式、炎性渗出细胞等。

对于血管修复的组织形态学测量对象有血管平

滑肌细胞、肌动蛋白染色阳性细胞的数量和内膜胶原的面积。

11.1.7 生物化学指标的检测

骨与关节代谢过程中，其代谢产物首先在原位聚集进而进入体液(血液、滑液)。病理状态的骨与关节，将引起原位代谢产物的异常累积或体液中相关代谢产物含量的异常变化。通过对代谢产物的检测，有助于了解骨与关节的代谢状况、诊断与监控病程进展以及评估防治措施的疗效等。

(1) 体液中生物化学指标的检测

常涉及3类生物化学指标：①软骨代谢产物，包括Ⅱ型胶原C端前肽、吡啶交联、糖胺聚糖(GAG)、透明质酸(HA)、硫酸软骨素(CS)、硫酸角质素(KS)；骨代谢产物，包括骨钙素(OC)、羟脯氨酸、脱氧吡啶交联等。②特殊的软骨酶类物质(如胶原酶、金属蛋白酶)和骨酶类物质(如骨特异性碱性磷酸酶、抗酒石酸盐酸性磷酸酶)。③激素类、生长因子或软骨修复相关的细胞因子。

对体液中骨与关节生物化学指标的检测，常采用酶联免疫吸附分析(ELISA)、放射免疫分析(RIA)和高效液相(HPLC)的方法。ELISA多用于检测滑液中的GAG、CS或KS，血清中OC、GAG和KS，尿中Ⅰ型胶原的端肽；RIA多用于检测滑液中的KS、OC和Ⅰ型胶原的端肽。免疫分析具有快速、高灵敏性和不需特殊设备的特点。HPLC对一些生物化学指标的定性也非常有效，如滑液中的HA，血清中的蛋白多糖(PG)和尿中的胶原吡啶交联。

(2) 组织中生物化学指标的定位、定性检测

组织化学染色方法(如苏丹红O和阿里新蓝染色可特异性地显示软骨中GAG)可定位细胞或组织中一些生物化学物质，但提供的只是定性资料；对一些蛋白类物质(如胶原、蛋白多糖核心蛋白、激素、酶、生长因子等)可采用免疫组化的方法。应用计算机图像处理系统，通过对组织细胞显色物质灰度比的测试，可获得相对(半)定量值。

11.1.8 分子生物学技术

分子生物学以迅速发展的态势引领生命科学的发展，已成为一门阐释生命现象与规律的独立学科。分子生物学的理论在生命科学领域得到广泛应用，其技术方法及其基本原理作为生命科学普遍意义上的研究工具，同样适用于骨科学研究，亦即并无特殊的分子生物学技术专门应用于骨科学研究。在骨科学研究中，常用的技术方法有聚合酶链反应(PCR)及其派生的反转录PCR(RT-PCR)、实时PCR(real-time PCR)和原位PCR(*in situ* PCR)技术等；分子杂交包括原位杂交(*in situ* hybridization)、DNA印迹(Southern blot)杂交、RNA印迹(Northern blot)杂交技术等；基因克隆、基因重组、基因转移(细胞过表达、转基因动物、基因治疗等)或与之相对应的基因敲除以及新兴的条件性基因敲除等技术。

11.1.9 生物力学性能测试

生物力学性能是活组织和生物材料基本参数，尤其在骨科学研究中，了解并依据骨、软骨、韧带、肌腱和其他组织的机械性能参数，有助于修复性生物材料的选用及其研发。表11-1列举了骨科学研究文献中报道的部分组织器官、骨科常用生物材料的力学弹性系数和强度参数，供参考。

对骨组织而言，生物力学测试技术有弯曲、压缩、拉伸、缩排、扭转、拔钉试验以及应变测量；对植入材料-骨界面的生物力学测试程序包括植入物的推出、拉出试验，拔钉试验及去除扭转技术；缩排和限定压应试验是检测关节软骨力学性能的常规试验；拉伸试验主要用于检测韧带和肌腱的力学性能。

表11-1 骨科研究中常用活组织和生物材料的力学性能参数

材料	极限强度(MPa)	弹性模量(GPa)
皮质骨	35～283	5～23
多孔骨	1.5～38	10～1 570(MPa)
肌腱	10～200	50～1 000(MPa)
皮肤	4～14	6～44(MPa)
透明软骨	—	0.41～0.89(MPa,压应力)
动脉壁	1.5～1.72	1(MPa)
Al_2O_3	—	550
钴合金	700	200
SS	850	180
锑合金	1 250	110
HA	600	19
PMMA	35	3
UHMWPE	27	1
合成橡胶	10～12	4(MPa)

11.1.10 其他特殊检测方法

(1) 双能X线吸收测量术(DXEA)

双能X线吸收测量术是测量BMC和BMD的非侵袭性方法，最常用于四肢骨骼，一般用于检测动物模型中的BMC、BMD和正常骨、愈合骨和骨质疏松骨等。

(2) 骨超声(US)

定量超声(QUS)参数，如宽带超声衰减，超声速率和超声衰减，可用于检查骨构筑。在体外研究小梁骨块中发现，超声参数与骨结构指数，如Tb.Sp或小梁连接性密切相关。

QUS在评价骨密度时是光子吸收测量术的替代选择，这在骨质疏松症诊断和治疗过程中十分有用。QUS对BMD的诊断敏感性与DEXA相似，对预测髋关节骨折的危险性十分有用。超声也是测量骨力学性能的重要工具，利用超声在不同介质和形态结构中传导速度不同的特点，可通过测量超声的传导速率，间接了解骨组织有机、无机成分的含量及其比例和形态结构，综合评价由有机和无机成分所决定的骨组织的力学性能，即骨强度。基于这一原理的技术，检测部位常选择表浅皮质骨，如指骨、桡骨和胫骨等。

(3) 关节镜检查

诊断性关节镜检查可观看到关节表面的大部分成分(关节软骨、关节内韧带、半月板和滑膜)。它也可用于关节内手术，如ACL切除。由于受可选用的型号限制，关节镜检查技术现仅用于大动物。

11.2 骨科学研究常用的动物模型

研究在骨科学领域的作用与其在所有医学领域一样，具有促进学科发展的重要地位，而实验则是达到研究目的必须的手段和途径。针对研究目的所采用的实验有多种方法，包括体外实验(如细胞培养、尸体标本、计算机模型和临床资料统计分析等)和体内实验。动物实验是研究过程中尤其在骨科研究中常用的体内实验方法，借助动物模型可了解人类相关疾病的自然进程或病理生理状况，建立新的或改进手术技能，评价与预测治疗措施的效果，具有体外实验与临床试验的桥梁作用。

11.2.1 常用动物的骨组织结构与代谢特点

在动物模型制作前有许多因素要考虑，包括动物模型要趋近于人的情况，动物有益的背景资料、实效、饲养需求、价格和易操作性等。在对动物模型指标的观测过程中，需了解动物与人的骨组织结构和代谢特点的异同性，以甄别结果资料的可信性和实用性。

(1) 大鼠

大鼠是迄今为止在骨质疏松的研究中使用最广泛的实验动物，具有如下优点：①分布广，繁殖快，花费低，体积小，易于饲养和管理；②有明显的生长期和成年期，容易观察年龄对骨组织的影响；③骨骼系统与人类有众多相似之处；④成年大鼠多个部位的松质骨骨量可在较长一段时间内保持稳定；⑤与人类相似的松质骨分布和重建功能及板层骨的骨小梁重构能力；⑥去卵巢大鼠能较好地模拟正常人绝经后高转换型骨质疏松，对于一些药物的反应性也与人类一致。

但大鼠作为骨质疏松的模型选择动物也具有一定的缺点：①大鼠终身维持活跃的骨重建；②骨骺闭合迟；③罕见皮质骨重建现象，组织结构缺乏哈弗斯系统(Haversian system)；④大鼠去卵巢后不易发生脆性骨折。

大鼠的自然寿命为2～3年，性成熟期2～3个月，性周期一般为4～5天，无自然绝经。雌性大鼠在6～9个月进入骨生长静止期，骨骺开始闭合，骨代谢处于相对稳定状态。6～9月龄的雌性大鼠在双卵巢切除3个月后，即形成骨质疏松的模型；如要制作老年性大鼠骨质疏松模型，应选择16月龄以上的大鼠。

(2) 小鼠

尽管小鼠是医学实验中用途最广泛和最常用的动物，但能够验证小鼠可作为骨质疏松模型的资料较少。由于小鼠的基因表型与人类有80%～85%的相似性，因此常利用转基因的小鼠模型，以鉴定和评估骨质疏松相关性基因的功能。

(3) 犬

犬的性成熟一般在8～12月龄，属季节性周期动物，每年春秋两次发情，每次发情期为8～14天。犬作为骨质疏松模型的最明显优势在于皮质骨组织存在哈弗斯系统，皮质骨和小梁骨的骨重塑过程与人类接近，可在同一个体的髂骨多次活检，便于长期观察。但去势后的犬，骨组织的反应性在个体间存在较大的差异，骨重塑过程相对短暂、简单，骨组织形态变化对雌激素缺乏的反应性不明显，缺乏骨量和生物化学指标改变的参数，从而限制了犬在绝经后骨松质丢失中的应用。目前较多的是用于制作废用性骨质疏松模型，一般选用杂交系的小猎犬，其大小适中，性格温顺，容易管理，是杂食性动物。

(4) 兔

兔的性成熟期为5～8月龄，成年兔骨组织的哈弗斯系统存在重塑活动，利用这一特点，可用于促进骨合成代谢的药物对松质骨及哈弗斯系统重建作用的研究，也可用于研究睾酮及雌激素对生长发育过程中骨量的影响，或作为糖皮质激素诱导骨质疏松模型。但因兔的松质骨含量少，会给骨计量学检测带来一定困难。

(5) 小型猪

小型猪有连续的发情周期，与人相似，每次持续18～21天。骨骼较大，有层状骨、骨小梁结构以及骨皮质重建的特性，可多次骨活检和采集血标本，最终可发生与骨量减少相关的自发性骨折。但由于小型猪的分布稀少、饮食要求严格、子宫的血管容易破裂、卵巢切除手术较为困难、同人类相比有较高的骨量和尚未理解的小梁骨网状结构，使其应用受到了限制。

(6) 绵羊

绵羊在秋冬季发情，发情期为14～21天，自发性排卵，激素分泌情况与人相似，但无自然停经期。年老的绵羊(7～9岁)，首先在股骨的远端，其次在肱骨和桡骨的骨干部位，可出现骨组织哈弗斯系统重建的现象。因此，与其他动物相比，绵羊可能是一种更具有实用价值、更经济的大动物模型，也能更好地模拟人类骨质疏松。但应用绵羊作为骨质疏松动物模型也具有以下缺点：属草食动物，维生素代谢和矿物质需要量以及钙磷代谢等与人相差较大；绵羊为反刍动物，如欲进行口服药物吸收实验，需建立胃瘘管；没有自然绝经；缺乏自发性骨折等。

(7) 灵长类动物

灵长类动物有骨生长和骨成熟两个时期。所有灵长类动物都有一个规律的月经周期，每28天一个循环，与人极为相似；身体保持直立位，骨组织形态结构和生物力学特性与人类也极其相似，同样会出现增龄性和制动性骨丢失现象。因此，灵长类动物能更好地模拟人类骨质疏松。但灵长类的驯养条件要求严格，传播动物源性疾病的危险性相对较高，养殖的费用高，试验周期长等。

由于动物实验是建立在以牺牲动物为基础上的，因此，在建立动物模型前，应首先明确使用动物是否为必须或不可替代的；在使用动物的过程中，应以伦理标准框架为指导原则。动物在研究中的应用与伦理学家的争论可追溯到2个世纪前，这种争论一直持续并影响到现在。鉴于伦理的考量，所遵循的一般原则为：尽量用体外研究的方法或低等动物替代(replacement)；降低动物的使用量(reduction)；精细实验操作技术和过程，以减轻对动物所造成的非必要(refinement)痛苦，即"3R"原则。

11.2.2 骨折和骨缺损动物模型

尽管有关正常或异常的骨折愈合过程及其影响因素的研究已积累了诸多的资料，但随着技术的进步和对解决骨修复相关问题的渴望，这一领域仍吸引着众多的研究者。建立一种重复性好、可允许多中心进行结果比对的标准骨折模型及其制作方法，是骨折愈合或骨折固定研究中的首要方面。

常用的有可自然愈合的骨折模型和骨不连模型(在一定范围意义上可视之为骨缺损模型)两种。许多哺乳动物如小鼠、大鼠、兔、猫、犬、羊、猪、灵长类和鸟类如鸡、鸽等，都可作为制作骨折愈合模型的候选动物。基于动物来源、价格和饲养条件等综合因素的分析，大鼠、兔、羊、犬是骨折愈合研究中最常选用的动物，其股骨、胫骨、桡骨、尺骨和颅骨等是被用来造模的常选部位。骨折愈合与年龄关系密切，生长期动物的骨折愈合时间比成年动物明显缩短。为减少这种误差，最好选用骨发育成熟的动物。

(1) 自然愈合骨折模型的制作

正常骨折自然愈合过程，据其组织学优势表现，基本可分为炎性渗出期、纤维骨痂期、软骨骨痂期和骨替代及其改建期。骨折愈合的机制因固定方式的不同而有所差异，主要包括早期直接成骨的(Ⅰ期)骨愈合和间接成骨的(Ⅱ期)骨愈合。对这些实验资料的认识，已成为骨折愈合模型制作目的之基础。自然愈合骨折模型的制作，主要包括闭合造模和开放造模两种方式。

1) 骨折的闭合造模方法　一般选用啮齿类小动物。现介绍一种较常用的大鼠标准骨折模型的制作方法(Bonnarens，1984)。骨折器具由4部分组成:①框架;②动物支撑台;③撞击截断系统;④500 g的砝码。操作过程:取膝关节完全屈曲位,髌内侧切口,纵行分离股四头肌肌纤维,暴露股骨髁,髁间打孔,将一0.45 mm的内固定针由孔逆行插入股骨干并于股骨大转子处穿出;在股骨大转子处切口,分离软组织至内固定针的近端,将针屈曲90°,留3 mm的针尾、截断,埋入肌肉内,缝合切口;置动物于动物支撑台中央,使其股骨处于外展、外旋位,支撑点位于大转子和股骨髁部位;500 g的砝码由35 cm的高度下落,下降的力量通过撞击截断系统造成大鼠股骨干骨折。经X线摄片证实,所有的大鼠均在股骨中1/3处产生横断或短斜形骨折,无移位或移位<1 mm。这一装置设计简单,使用方便,骨折的部位和形态可重复性好,软组织损伤小,可以使动物术后自由活动并能保持骨折的轴向稳定;骨痂标本在进行组织学和力学检查时,容易拔除内固定,是一种建立标准骨折模型的良好方法。

若选小鼠为造模对象,可先经皮胫骨内穿针,再用骨钳或手工折骨法致胫骨骨折,其骨折模型的制作更为方便。但存在骨折部位不衡定、骨折类型不统一的可能,而容易使结论出现误差。

2)骨折的开放造模方法 在直视下将骨切开或切除大小不等的骨组织。Fars NF等(1992)设计的兔桡骨骨折模型:皮肤切开暴露桡骨,在尺骨和桡骨之间放置一金属板以保护尺骨。用牙科锯在桡骨中部切除10 mm骨组织,保留缺损两端的骨膜,逐层缝合。

柴本甫(1962)用咬骨钳或线锯直接造成兔桡骨旋前圆肌止点远端处3 mm骨缺损的骨折,其骨折造模成功率100%。骨折部位基本一致,愈合过程中所形成的骨痂多处于骨缺损的间隙,不仅骨痂大小相近,且骨痂组织易于与骨折端正常骨组织辨认。为推荐的常规骨折自然愈合模型。

除长骨骨干外,非支撑骨如颅盖骨、下颌骨和髂骨也常用来作为骨折开放造模的候选部位。在骨折开放造模以应用于骨折自然愈合研究时,造成骨缺损的大小应限制在一定限度内,否则将发生骨不连。难以自然愈合的骨缺损的最小值,称为临界缺损值(CSD)。临界骨缺损值因不同动物、不同部位而异。长骨骨干的临界骨缺损值,当骨缺损达到自身骨干直径的2倍时,将会发生骨不连;对颅骨和颌面骨的临界骨缺损值列表如下(表11-2)。

表 11-2 不同动物颅骨和颌面骨的临界骨缺损值

动物	缺损部位	CSD(直径,mm)	观察时间
大鼠	下颌骨	4	10周
大鼠	颅盖骨	8	4周
兔	顶骨	15	24周
兔	肩胛骨	10	10周
猫	顶骨	25	6个月
犬	顶骨	20	6个月
小型猪	顶骨	14	16周
羊	顶骨	18~20	12周
恒河猴	顶骨	15	6个月
狒狒	颅盖骨	25	9个月

骨折的开放造模,可保证骨折类型均一、骨折部位一致,但需破坏骨折周围软组织和血液供应,与临床实际有所偏差。

(2)骨不连模型的制作

骨折愈合是一复杂的过程,影响骨折愈合的因素众多,任何一种骨不连模型都难以也不可能全面模拟人骨不连的真实状况。针对因骨局部因素影响而引起的骨不连,现有几种动物模型较为常用。

1)大于临界骨缺损的骨不连模型。

2)骨折不牢固内固定的大鼠骨不连模型 横行截断股骨中部,从股骨大转子后钻孔入髓腔,扩髓孔至11 mm;7 mm钢丝作为髓内针不牢固固定骨折;烧灼骨折处近断端和远断端各2 mm的骨膜。术后即进行无保护性承重,术后所有的大鼠均发生骨不连。

3)限制或去除参与骨折修复因素的兔胫骨骨不连模型 在胫骨中下1/3交界处横行截骨,同时切除骨折近、远断端的骨膜,扩髓后逆行插入髓内针;用纵行剖开的硅胶管包绕骨折部位,钢丝环扎固定硅胶管。所有的动物经检测均形成了萎缩性骨不连。这一模型容易制作,髓内针固定可以使实验动物完全承重并可限制骨折移位。

4)骨折端间软组织嵌入的大鼠胫骨骨不连模型 3点屈曲法致胫骨骨折,用手术方法将胫前肌嵌至骨折断端之间,术后6周组织学检查发现,两骨折端处有较多的骨痂形成,但缺乏桥接性骨痂。这一骨不连模型操作简单,可重复性强,不需要剥离骨膜和手术截骨。

多数骨折模型可采用内固定,但鉴于动物四肢支撑体重的特性,尤其单一桡骨、尺骨或腓骨、胫骨的骨折模型,因有对称骨的支撑,小动物的造模骨一般不需特殊固定。外固定支架仅常用于大动物如犬、羊等。

动物模型被广泛用来骨折愈合的各个方面，从治疗骨折的药物到组织工程材料。理想的动物模型是能够完全和真实地模拟人类的发病机制，但这种理想化的模型是不存在的，每一种(个)模型都有其优缺点。因此，动物骨折模型的选择没有固定的模式，可根据研究的目的，客观条件等方面，尽可能作出最佳选择。

(3) 骨折模型的常用评价方法

1) X线　X线是评价骨折愈合最基本的方法。对于长骨骨折愈合参数如骨膜反应(骨痂形成)、断端连接质量、骨塑形等，可依据X线评分予以定量(表11-3)。

表11-3　骨折愈合的X线评分系统

项　目	记分
骨膜反应	
全部(贯穿缺损)	3
中等	2
少量	1
无	0
骨连接	
连接	3
中度桥接(>50%)	2
少量桥接(<50%)	1
无桥接	0
骨塑形	
完全塑形的皮质骨	2
见骨髓腔	1
无塑形	0

2) 组织学和组织定量学　组织学是评价骨折愈合的又一最基本的方法。通常取骨痂及其周围部位的纵切片，HE或其他染色。测量的组织学参数一般包括：骨痂形成、骨连接、骨髓腔变化和骨皮质的塑形(表11-4)。

表11-4　骨折愈合的组织学评分系统

(续表)

项　目	记分
骨痂形成	
充填骨缺损	3
充填一半骨缺损	2
少量充填	1
无骨痂	0
骨连接	
连接(全部桥接)	3
部分桥接(>50%)	2
少量桥接(<50%)	1
骨折线无新骨(不连)	0
骨髓腔变化	
成年性黄骨髓	4
2/3为新生组织	3
1/3为新生组织	2
纤维组织	1
红骨髓	0
骨皮质塑形	
全部骨皮质塑形	2
见骨髓腔	1
无塑形	0

3) 力学实验　评价骨折愈合相关的力学特征，三点弯曲和扭力试验是最普遍的方法，常用于较大动物的管状骨如兔和犬的胫骨或股骨；压应力试验可用于评价骨痂的力学特征；张力试验偶尔用于评价骨折愈合的性能。

4) 其他评价方法　放射自显影、单光子吸收测量(SPA)、DEXA、骨扫描、QCT、MRI、血生化指标等。

11.2.3　关节软骨缺损动物模型

关节软骨属透明软骨，目前尚无证据表明在损伤后可完成完整的自身修复。影响关节软骨修复的因素主要包括：①缺损的深度；②软骨的成熟度；③缺损的位置和缺损面积的大小。关节软骨全层损伤后的修复现象，往往是通过纤维组织或纤维软骨的替代过程，一般存在以下顺序：纤维蛋白，肉芽组织，结缔组织，结缔组织中出现软骨细胞，纤维软骨和透明软骨。由于关节软骨结构、组分和力学性能的特性，以及不可自发完整修复性，现在关节软骨缺损尤其是自然愈合的模型相对缺乏。现主要有局部全层缺损(深度达软骨下骨)和非全层缺损(仅限于软骨层)两种模型，最常用的动物是兔和犬，主要用于评价植入性替代材料的修复性能。

(1) 兔远端股骨关节面软骨缺损的制作

侧路髌骨旁切口打开膝关节，髌骨中间脱位以暴露髌骨沟和股骨髁的关节软骨。在股骨髁间沟或股骨髁关节面的中央用钻头制造一个直径 3.5 mm、深 1.5～3.5 mm 的缺损。因为软骨和软骨下骨板的总厚度在兔股骨髁关节面平均 1 mm，因此制造全层软骨缺损时，其深度至少要达 1.25 mm，也许创建更深的创口(3.5～5.0 mm)更利于植入物的锚定。

(2) 软骨缺损修复的评价

1) 组织形态学　组织学和组织形态学对检查修复的数量和质量可能是最有用的方法，其组织学评分标准参见表 11-5。统计处理一般采用 Fisher 检验或 Chi-square 检验或 Kruskal-Wallis 检验(一种单侧非参数变异分析)。

表 11-5　组织学评分标准

项　目	记分
修复组织的类型	
透明软骨	4
大部分透明软骨	3
大部分纤维软骨	2
大部分无软骨	1
无软骨	0
基质染色	
正常	3
中等	2
轻微	1
无	0
结构完整性	
正常结构	2
轻微破坏	1
严重破坏	0
表面规整性	
光滑完整	2
轻微破坏	1
严重破坏	0
缺损的填充度	
100%	2
>50%且<100%	1
<50%	0
与宿主组织的连接	
紧密连接	2
部分连接	1
不连接	0
修复组织的退行性变	
正常的细胞结构和形态	3
细胞结构轻微破坏，中等基质染色	2
细胞结构中等破坏，基质染色浅淡	1
细胞结构严重破坏，基质无着色	0
最高可能得分(正常情况)	18

2) 力学性能测试　有限压力试验、缩排试验。

3) 其他方法　扫描电镜是检测关节表面和软骨横断面形态学、表面结构及其平整性的重要方法；对于检查软骨超微结构及其组分的变化，包括细胞外基质、软骨细胞、细胞器、膜结构和大分子(如蛋白多糖和胶原纤维)的变化，透射电镜或许是最好的技术方法之一。

11.2.4　骨质疏松动物模型

为了解骨质疏松症的病因、发病机制以及药物防治的动物模型，美国 FDA 在骨质疏松动物实验的指南中推荐至少应使用两种动物品种，包括去势大鼠及一种非啮齿类动物。小动物模型(啮齿类)主要用于筛选，而较大动物模型则主要用于观测骨皮质转换，进一步证实筛选的结果。同时强调在选择动物模型时应注意合适的品系、年龄、实验设计和方法，以及模型的可靠性、重复性、可行性、仪器设备费用等有关的因素。

(1) 骨质疏松动物模型的制作

骨质疏松症分为原发性和继发性两类。原发性骨质疏松占 90%以上，主要由增龄和性腺功能减退引起，分别称为老年性骨质疏松和绝经后骨质疏松。继发性骨质疏松常见于因各种原因长期卧床或长期使用皮质激素的患者，发病机制和特点与原发性骨质疏松不同。

1) 去势性骨质疏松动物模型

(i) 卵巢切除动物模型：该模型于 1969 年由 Saville 首先建立，后来被反复证实，现在已成为研究绝经后骨质疏松症的经典模型。造模的主要方法是选用 6～9 月龄雌性大鼠，无菌手术切除双侧卵巢，一定时间后处死，采集血、尿、骨(胫骨、股骨、椎骨)标本进行各项指标检测。若在处死动物前分 2 次注射能与新骨基质中钙螯合的荧光物质(如盐酸四环素和钙黄绿素等)进行双层荧光标记，则可测量新骨形成情况。这种模型骨代谢的特点和产生的结果与绝经后妇女骨质疏松的变化类似：骨转换率增加，骨吸收大于骨形成，骨丢失开始为快速阶段，随后为一较长时间的缓慢丢失阶段，松质骨丢失多于皮质骨，肠道对钙的吸收减少，尿钙排出增加。造模后 35 天，可出现明显的骨质疏松征象，成骨细胞活性、骨矿化沉积率、骨形成率的变化均达到最高水平。在造模过程中，动物体重会因卵巢切除有所增加(增重效应)，对骨质减少有部分防护作用，但并不影响整个病程进展。

(ii) 睾丸切除动物模型：雄激素可通过雄激素特异性受体作用于骨髓基质细胞或成骨细胞，抑制刺激破骨细胞分化的局部细胞因子的释放。雄激素的缺乏可导致大鼠尿吡啶啉及脱氧吡啶啉分泌增加，骨转换增加，破坏骨吸收与骨形成之间的动态平衡。选用4～6月龄的大鼠，睾丸切除（ORX）后发现，骨代谢转换率升高，骨量降低的速度很快，骨质疏松主要发生在松质骨，经雄激素补充治疗后，可以阻抑病程的进展，若不加以控制，则会进一步导致皮质骨骨量的进行性丢失。

2) 药物性骨质疏松动物模型

(i) 糖皮质激素：长期或大剂量应用糖皮质激素可抑制成骨细胞的分化和增殖，使成熟的、具有分泌基质功能的成骨细胞数量减少；影响成骨细胞向骨吸收部位的迁移与募集，导致骨形成过程延迟，久之将呈现骨丢失现象。目前，糖皮质激素诱发骨质疏松所采用的动物以大鼠为主，所用糖皮质激素有醋酸泼尼松、氢化可的松、地塞米松，用药途径有灌胃、肌内注射。一般用药5～6周即可成功造模。

(ii) 维A酸：维A酸是维生素A的衍生物，主要用于皮肤病的治疗。在对骨代谢的影响方面，维A酸既可刺激成骨细胞数量的增加，又可提高破骨细胞活性，从而使骨代谢呈高转换型改变，其总体趋势是骨吸收大于骨形成。虽然在病因上与人类骨质疏松症不同，但此模型在发病症状、组织形态学表现以及对雌激素的骨反应上与人类有较大的相似性，是大鼠急性骨质疏松症的常用造模方法。一般用维A酸70～105 mg/(kg·d)，连续灌胃14天，即可成功造模。

3) 废用性骨质疏松动物模型　废用性骨质疏松模型是指人工方法使动物部分肢体处于不负重状态而建立的活体动物模型。由于动物肢体的骨量和骨代谢与承重、肌肉活动、神经血管对肌肉和骨的营养等因素密切相关，所以该模型的制作方法较多，常用的有机械固定法、悬吊法、肌腱切除法和坐骨神经切除法等。

机械固定法是利用石膏、绷带等物品将动物肢体固定于特殊的不负重位置，使被固定肢体处于废用状态而造成骨质疏松；悬吊法是将动物尾部悬吊，双后肢悬空，让动物靠两前肢负重并在一定范围内活动，该模型与太空飞行使大鼠处于失重状态相似，常用来模拟航天航空人员失重研究；手术切除动物一侧坐骨神经或一侧膝腱或一侧跟腱也能成功制作废用性骨质疏松模型，但应预防术后动物舔咬伤口和可能出现的手术肢体水肿、营养不良性溃疡以及感染等问题。

4) 老年性骨质疏松动物模型　老年性骨质疏松症多发生在65岁以后，主要累及椎体和髋骨，与高龄、慢性钙缺乏、骨形成不良有关，属低转换型骨质疏松症。目前，尚无专门的老年性骨质疏松模型。SAM-P/6小鼠属快速老化型（senescence accelerated mouse, SAM）动物，其成骨细胞的骨形成能力低下、破骨细胞骨吸收亢进、甲状旁腺功能亢进，是仅有的一种能表明增龄性骨脆性骨折的实验动物。SAM-P/6小鼠的骨量及随增龄的骨量丢失在雌雄之间无差异。根据人骨量丢失的情况，SAM-P/6小鼠所表现骨质疏松可能相当于人老年性骨质疏松，是研究老年性骨质疏松症较实用的动物。

(2) 骨质疏松动物模型的常用判定指标

1) 骨密度变化的检测　骨密度的变化可应用DEXA、SPA、DPA、QCT、超声等测量手段进行检测。近年来发展起来的micro-CT不仅能准确地检测局部骨密度的变化，还能对选定区域的骨组织结构进行二维和三维重建，精确定量分析造模后骨密度的变化。

2) 骨组织计量学观测　将不脱钙骨组织切片和计算机图像分析有效地结合，直接测量骨皮质厚度、骨小梁厚度、骨小梁的分离度，还可以直接观察骨小梁和皮质骨的骨组织形态，尤其是骨组织显微结构的变化。如果结合荧光染料四环素、钙黄绿素等进行活体标记，还可以观察到新骨生长、新骨矿化和骨吸收的动态过程，定量地获得骨细胞水平、组织水平及器官水平的信息。

3) 骨生物力学指标分析　包括骨长度与直径测量、骨弹性极限载荷、最大载荷、断裂载荷和刚度测量、长骨抗弯力、扭力矩、抗扭转强度极限及线应变参数等指标的测试。另外，带有完整股骨头的股骨生物力学检测还应包括以下指标：最大负荷值(N)，施加于股骨头，使其发生骨折的力量值；变形程度(mm)，股骨头从受到外力挤压到骨折时的移动距离；结构刚性(df/dx)，负荷变形曲线的最大斜率；能量吸收能力(mJ)，负荷变形曲线下的面积。

4) 生物化学指标

(i) 血液生物化学指标：雌二醇、骨钙素、碱性磷酸酶、血清总钙、血清无机磷、血清酸性磷酸酶、血

清Ⅰ型原胶原羧基端(Pro-Ⅰ-C)

(ii) 尿液生物化学指标:羟脯氨酸、尿钙、尿磷、脱氧吡啶诺林(Dpyr)和吡啶诺林(Pry)、肌酐。

总之,在进行骨质疏松的研究中,必须根据研究目的和要求选取合适的动物模型和相应的实验动物,通过多种指标分析,进行综合性判断。另外,转基因小鼠的应用有助于骨质疏松的基因学研究,对于骨质疏松的预防和治疗将会起到积极的推动作用。

11.2.5 骨坏死动物模型

尽管,对骨坏死的综合特征已了解甚多,但尚无有效的防治措施,试图对骨坏死的病理分级也受到诸多问题制约。借助预测骨坏死发病或模拟骨坏死早期病理特征的可重复性骨坏死动物模型,以期明确骨坏死的病因和早期病理现象,并对早期骨坏死做出诊断,仍是当今须努力解决的问题。

从1960年起,即有创伤性骨坏死模型应用于实验的报道,如动脉注射碘化油、股骨头供养动脉结扎、石蜡或硅树脂髋关节囊内栓塞等。然而,上述方法形成的犬和兔骨坏死模型不能作为人非创伤性骨坏死的动物模型。1990年起,非创伤性骨坏死动物模型的制作方法不断出现,从中发现了许多重要的病理过程资料,现仅介绍其中的几种重复性好、较常用的骨坏死动物模型。

(1) 非创伤性骨坏死模型

1) 自发性高血压大鼠(SHR)骨坏死模型 SHR,常伴发骨质疏松和钙代谢异常,以及内分泌和自主神经系统的功能紊乱。20世纪80年代后期,偶然发现SHR股骨头骨骺自然发生广泛的骨坏死的现象,表现为SHR全身骨生长迟缓,骨坏死常出现于生长期的雌性大鼠。通过对其自然进程的病理组织学改变,可分3期。Ⅰ期:后侧骺血管在进入骨骺前消失,骨小梁和骨髓新鲜性坏死,无组织修复;Ⅱ期:血管肉芽组织侵入小梁间隙;Ⅲ期:于正常股骨头后侧骺血管相对应区域可见血管侵入骨化核,肥大骨小梁中心部位可见具有空陷窝特征的骨坏死修复区。

2) 类固醇激素诱发的兔骨坏死模型 单纯高剂量注射皮质类固醇可引起血小板减少症、低纤维蛋白血症、高脂血症等,出现多发性、局限性骨组织坏死。在骨坏死区,脂肪细胞体积增大,骨细胞发生脂肪样变,股骨头软骨下骨脂肪栓塞,局限性骨细胞死亡。

典型骨坏死组织学特征表现为骨髓细胞碎片聚集和骨小梁空陷窝,偶尔可见骨细胞浓缩核。皮质类固醇注射后不同时间点,修复组织如坏死区周围的肉芽组织和新生骨有所不同。4周时,坏死区周围可见小的肉芽组织;6周时,纤维组织及血管、细胞丰富的肉芽组织包绕坏死区,但新生骨不明显;10周时,坏死区被明显的新生骨和浓密的纤维肉芽组织环绕。

(2) 创伤性股骨头骨坏死(ONF)模型

ONF的临床影像和组织学表现与非创伤性相似。股骨颈横断骨折时,随着损伤严重程度增加,ONF的发生率和梗死面积增加。Ⅰ、Ⅱ型股骨颈骨折患者,创伤性ONF的发生率为11%~16%;Ⅲ、Ⅳ型则上升为20%~28%。股骨颈骨折的同时将伴有不同程度的血供障碍和股骨头的损伤,这在一定意义上被认为是制作股骨头骨坏死模型的基本依据。重复性好的创伤性骨坏死动物模型可用于寻找骨坏死的诊断和治疗方法。

深度冷冻的犬ONF模型:冷冻剥离软组织后的股骨头2 h,组织学检查即可见细胞碎片;2周后,骨组织学的变化趋于一致,骨陷窝变空或骨细胞呈离心性分布;骨髓腔可见无定形的碎片,骨小梁表面可见矿化;术后1个月,修复过程建立,骨髓腔内已无软组织残骸。自发性骨修复主要起源于邻近存活骨,其中的未分化间充质组织迁移至坏死区,纤维组织形成,最终新骨形成。荧光显微镜显示早期坏死区无荧光聚集,表明骨生成丧失活力;4周时,斑片状荧光标记出现于整个新骨生成区。

关节移位与血管结扎的犬ONF模型:通过髋关节移位和结扎后中部旋绕股骨的动脉和静脉,模拟创伤性髋关节移位导致的股骨头坏死。

单纯关节移位,尽管一些动物出现充血性改变和骨髓细胞数量减少,但在术后2周或4周均未见坏死;血管单纯结扎,2周或4周也均未见空陷窝及坏死;同时进行关节移位与血管结扎,术后2周和4周时,大部分动物的股骨头可见骨坏死的病理改变,坏死区分布类似人股骨头坏死,关节侧坏死较股骨颈侧广泛,股骨颈侧修复的表现较清晰。尽管骨坏死的程度因个体而异,但大多数病例坏死区集中于承重区。

通常认为,临床股骨头坏死一旦在股骨头软骨下骨启动,将遵循一定的过程发展。死骨区因不断的承重，将导致骨塌陷、关节变形、关节软骨退变，具有相对较大面积的骨坏死患者，会出现功能性疼痛。从这方面讲，若外科手术能很好控制骨坏死的大小和位置，创伤性模型可能具有借鉴和评价手术效果的优势。

11.2.6 骨关节炎动物模型

骨关节炎（OA）以关节软骨进行性退变为主要病理学特征，并伴有关节相关结构及软骨下骨的改变。由于目前缺乏骨关节炎特异性诊断方法以及可供研究的病变组织来源受限，骨关节炎动物模型则是探寻骨关节炎发生机制及提出有效尤其是早期防治措施的有利工具。如何选择适合的实验动物、应用恰当的造模方法及使用方便、快捷、准确的诊治指标，是成功制作骨关节炎动物模型的基础。

（1）骨关节炎动物模型的制作

根据是否人工干预，可将骨关节炎模型分为：通过人工筛选或基因改造获得的自发性骨关节炎动物模型和诱发性骨关节炎动物模型。

1）自发性骨关节炎模型　所有的脊椎动物都会发生骨关节炎，但发展速度不同，所累及的关节有时也不同。自发性骨关节炎模型的主要优点在于其自然发生性，在病变发生、发展进程方面更接近于人骨关节炎，但最大的弊端是难以确定发生时间、严重程度及其遗传背景。

许多品系的小鼠如 STR/ort 小鼠、C57 小鼠、C57BL/6 小鼠、BABc 小鼠等都可以自然发生骨关节炎。自发性骨关节炎的发生率与年龄存在着正相关性，随年龄增大而发病率明显上升。与人类骨关节炎多见于女性不同，在某些品系的小鼠骨关节炎仅发生于雄鼠。这些自发性骨关节炎模型的共同特征是，其病变早期的滑膜炎和关节囊纤维化比人类骨关节炎严重。

与其他骨关节炎模型比较，通过基因改造获得的骨关节炎模型，最大优势在于分子病因学明确，为研究骨关节炎的病因学尤其探讨特定蛋白在骨关节炎过程中的作用，提供了一个新的重要工具，有助于了解性别和环境因素等与骨关节炎间的关系。

2）机械性损伤造成关节不稳而诱发的骨关节炎模型　机械性损伤可提供快速的、可控的骨关节炎模型，也用以检验某些机械或环境因素在骨关节炎发展过程中的作用。交叉韧带和半月板是维持膝关节稳定的两个重要因素，任何原因造成的损伤均可改变膝关节正常的力学轴线，从而增加局部关节软骨的压应力，引起软骨退变。犬的前交叉韧带横断所诱发的骨关节炎模型被认为是金标准，发展到骨质致密一般需要 3～4 年。兔的部分内侧半月板切除提供了病程缓慢进展的骨关节炎模型，而羊的半月板完全切除，病情进展则相对迅速；兔的部分半月板与前交叉韧带联合切除，或与前交叉韧带或后交叉韧带横断相结合也产生了快速的、广泛的关节软骨病变，与单独切除半月板或前交叉韧带相比，联合手术需要的造模时间短，软骨病变程度重。

关节机械性不稳的手术造模是最常用的方法。它有 4 个主要的优点：骨关节炎发生率 100%，发病时间已知，骨关节炎发病部位已知，持续时间短。但也有不利因素：严重程度的差异，难以排除原有骨关节炎或自发性骨关节炎存在的可能。

3）关节腔内注射酶诱导的骨关节炎模型　关节腔内注射胶原酶可导致软骨细胞外胶原纤维基质和韧带胶原纤维降解，木瓜蛋白酶可诱发关节炎，进而引起关节软骨的退行性改变。这种由外源性酶诱发的骨关节炎模型，其关节软骨退变的发生机制与人骨关节炎不完全相同，软骨损伤程度常呈现酶剂量依赖性，轻度软骨退变存在可逆性，病变关节软骨主要出现于内侧关节间隙，而并非关节的承重部位或整个关节面。

4）关节制动而诱发的骨关节炎模型　适度的关节活动和负重对维持软骨的正常组成、结构和功能是必须的。大量研究表明，将实验动物关节制动后可导致关节软骨退变。兔膝关节于伸直位固定，1～2 周即出现早期软骨病变，4 周为中度改变，6 周出现重度变化。但该模型不适合小鼠等好动的小动物。

首先要明确的是，所有的模型都有缺陷。这通常涉及分子的靶向性是否与人体相同，尤其对于药物研究。对骨关节炎模型实用性的判断，应综合考虑：费用，前期背景研究资料及其公认程度，实验操作技术的难易性，动物的管理、年龄、大小、性别、解剖与生理学性质包括充足的关节组织和体液、关节的承重或非承重特性、生存期与疾病起始和进展时间的相关性、基因背景等。

（2）骨关节炎模型的评价方法

在模型选择之后，资料分析的选择将是下一步重要工作内容。对骨关节炎的评价指标应按照敏感性和特异性的原则，要与拟解决的问题相适应，这样才不失骨关节炎模型的制作价值，才能有助于提出骨关节炎防治措施。

1）一般检查　物理检查时的记录必不可少的组成部分，包括对大体健康、体重、体温、食物和水的摄入、毛发、创口愈合等记录，观察有无步态改变、关节膨胀、皮肤发红、体温升高、肢体主动和被动活动范围、关节僵硬和不稳定的出现等。

2）影像学检查　X线显示的常是骨关节炎发展进程中的中晚期特征。相对于X线难以分辨关节结构的局限，MRI可提供早期骨关节炎关节软骨和相关组成部分如半月板、滑膜、韧带等变化的影像学特征，且已被用于描述小鼠、大鼠、兔和犬的骨关节炎进展状况。

3）生物化学指标　关节软骨生物化学指标的变化早于组织形态学，更早于影像学的变化，因此可用作骨关节炎的早期诊断、监测病情进展、评价治疗效果，但至今尚缺乏特异性和敏感性的骨关节炎生物化学检测指标。

对骨关节炎动物模型分析发现，关节滑液和血清中透明质酸、硫酸角质素、硫酸软骨素中的特定硫酸化抗原决定簇、蛋白聚糖的降解产物的含量，随骨关节炎进展发生增加性变化，这些有望成为骨关节炎的评价指标。

4）关节软骨的组织学与免疫组织化学分析　对骨关节炎关节软骨组织学改变程度的描述至今仍常采用Mankin分级法。免疫组织化学技术常用于检测软骨细胞外基质组分的变化情况，主要针对基质中胶原组分的性质、含量、比率和蛋白多糖核心蛋白的含量等。

11.3　基于临床流行病学思想的骨科学临床研究方法与原则

基础医学对生命规律或现象等基本原理和实验结果的描述往往难以揭示和阐释临床治疗过程中出现的更为复杂的问题，甚至存在概念上的较大差异或分歧；在临床医疗实践中，即使有丰富临床经验的医学权威，也存在对某项诊断或治疗方法认知方面的局限性，对临床证据的判断或说明常带有个性及自身利益的偏见。因此，鉴别和判断临床医学中的真实性，以及所用的判断此真实性的方法本身是否正确，常制约着临床工作者的决策过程，难以把握使做出的对策利大于害。

利用流行病学的概念和原理去解决临床遇到的问题、指导决策过程，是迄今认为最有效的途径和最可靠的方法。临床流行病学不仅有助于理解个别临床医师所进行的观察，也有助于理解他人的科学报告，并从中汲取有益的经验。

11.3.1　临床流行病学的基本概念

临床流行病学将流行病学原理及其方法应用于解决临床医学遇到的问题，是用以制订研究计划并解释观察结果的一门方法学，也是应用流行病学方法统计和分析健康人群临床现象的一门科学。临床流行病学与其他有关的医学学科间的主要区别在于，所研究的对象是人群，直接在人群中研究所感兴趣的问题，而不是动物或个体。现在，将流行病学基本定义为“研究人群中疾病分布及其影响分布的因素”，其基本目的就是促使临床观察方法的发展和应用，从而得出可靠的临床结论。

由于许多临床决策是以有变异的临床资料为基础的，因此常以一种概率的方式来描述；对概率的估计最好是用同一类型患者的既往经历。因为临床观察往往由于临床医师不同程度的医疗技术和偏见以及观察对象的随心所欲（如退出观察或更换观察组等），从而受到各种系统误差的影响，歪曲事物本来的面目，导致错误的估计。为了避免产生错误的结论，临床观察应以严格的科学原理为基础，所以需要了解群体研究的设计方法。临床观察结果也可能受机遇的影响，所以需要利用统计学知识来解释临床结果。如同专职研究人员一样，对那些希望通过自己来判别和分析临床资料的医师来说，懂得这些科学原理，了解临床流行病学这一领域，与了解解剖学、病理学、生物化学学、药理学等一样，都是必不可少的。基于以上的认识，现已将其作为医学领域中一门独立的学科。

临床流行病学基本原理及其技术方法作为临床科学普遍意义上的研究工具，同样适用于骨科学的临床研究，亦即骨科学研究应在临床流行病学的原则指导框架内进行。

11.3.2　临床流行病学的基本原理

在临床观察和研究中，无论何种结果都可能存在3种解释，即临床结果可能由于偏倚或机遇的缘故而被歪曲，也可能是真实可靠的。

(1) 偏倚

偏倚是研究组间变量差异时产生的一种误差，它不是所研究的各组间变量的真正差别。尽管偏倚种类繁多，但对临床观察有影响的大多数偏倚都可分为三大类：对一组患者进行研究时，观察对象不正确的选择方法而造成的选择性偏倚；对两组患者采用的观察或测量方法不一致，而造成的测量性偏倚；分析结果时，由于存在其他变量而造成改变观察结果的混杂性偏倚。

选择性偏倚主要在选择患者作为观察对象时产生，因而在研究设计过程中，它具有重要意义。然而，当观察结束并准备分析资料时，混杂性偏倚就随之显露出来。

(2) 机遇

通常，在研究疾病时，被作为观察对象的患者只是一个样本，而非该疾病的所有成员。即使是一个无偏倚性的样本，也无法使该样本中的各种实际观察结果与该病所有成员(总体)的真实性相吻合。但是，假定在这种有代表性的样本中所进行的观察重复无数次，就可发现这些样本观察值是围绕总体值而变化的。这种在同一总体范围内的无偏倚性样本的离散，被称之为随机抽样误差，它是由机遇而造成的。

在进行临床观察过程中，机遇可能影响各个必要的环节。如研究甲、乙两种治疗方法时，选择患者作为观察对象，分配这些观察对象到不同的治疗组，以及测量他们对治疗的反应，都可能发生随机误差。

偏倚使各样本观察值呈一定方向偏离，或是增高，或是降低。随机误差则不然，它导致样本观察值在总体值上下周围分布。因此，从许多无偏倚性样本中得到的观察值均数，趋向于接近总体值。

统计学技术可用来估计临床结果受机遇或随机误差影响的可能性，并能够降低发生随机误差的可能性，但随机误差无法被彻底消除，在评价临床结果时，必须考虑机遇的影响。从理论上讲，恰当的临床观察研究设计，可以防止偏倚的产生，即使偏倚已经形成，正确的资料分析方法和统计方法也可使其得到纠正。虽然，机遇是不可被消除的，但是通过恰当的研究设计，仍可减轻其影响，剩余的误差还可用统计学方法来估计。

(3) 准确度(或正确性)

只有在排除干扰因素后，才能认为观察结果是正确的。对于准确的观察资料来说，它既不应存在偏倚，也不应存在因机遇而造成的错误。将准确度分成两种类型：内部准确度和外部准确度(或称普遍性)。

1) 内部准确度　指一项观察的各结果当推及所研究患者时其正确的程度。由于它只适用于所观察的某特定患者组的特定情况，而不必要推及其他人群，故称为“内部性”。临床观察的内部准确度也可受到前述的所有偏倚和随机变异的影响。有实际意义的临床观察资料必须具备内部准确度。

2) 外部准确度(普遍性)　指某批研究对象的观察结果应用于其他人群的正确程度。普遍性需要有一定的假设条件，即所研究的患者群体与其他患者之间具有可比性。

一个看来具有很高内部准确度的无可指责的研究，当其结果被推广至其他患者时，却可能是完全错误的。这是因为还存在另一种(只与普遍性发生关系的)偏倚，即样本偏倚。当将一特定的患者群体的观察结论推广至与其并不相似的另一患者群体中时，就有可能产生样本偏倚。

从理论上讲，合理的研究设计和实施可使内部准确度和普遍性获得最大的提高。然而在实际情况中，内部准确度较普遍性更易获得。因此，即使做到很好的临床观察结果，其中的普遍性也常常是个有争议的问题。

11.3.3 临床研究的主要方法与基本原则

诊断试验、临床研究(试验)、临床决策分析和循证医学是流行病学主要的研究内容。依据临床流行病学的基本原理和概念，现简要介绍在临床流行病学的原则指导下，临床研究(试验)所采用的主要方法(设计、测量、评价)及其实施过程中的注意事项。

(1) 设计

围绕研究目的，选择正确的研究目标，遵循临床流行病研究的基本原则，确定研究对象和内容，制订临床研究方案和计划，以科学、完整的技术路线和方法，达到分析问题、解决问题的预期结果。显然，研究目的是研究设计的核心；研究的基本原则是所获结果可靠性和科学性的保证；正确的研究设计应以遵循的基本原则为前提。

1) 严格制订研究对象的纳入标准，使临床研究结果体现代表性和具备重复性　为尽量减少在选择研究对象时偏倚和控制机遇对结果的影响，因此要求研究对象必须具备两个条件：研究对象的同质性，即对同一的研究目的，要求纳入具有相同范围、性质、特征的研究对象；足够的样本数量。

(i) 基于既往研究成果，规定研究对象的“同质性”：临床研究常是以疾病作为研究对象，对疾病的性质与纳入范围可据研究目的作规定。①据诊断标准规定疾病的性质：被公认的诊断标准包括国际标准，如关于骨关节炎、类风湿关节炎、骨质疏松症的诊断标准；国内统一标准，如全国性学术组织制订的诊断标准；地方性学术组织制订的诊断标准。②合格的受试者应具备的其他条件：在一项具体研究中，被纳入研究的对象，除应符合诊断标准外，研究者还必须根据具体的研究目的及实施的可行性，对纳入研究对象的其他条件作出规定（如年龄、性别、既往病史、遗传状况、生活环境、近期服药情况等），制订详细的纳入和排除标准。

(ii) 保证临床研究足够的样本含量：一项临床研究，样本含量应该多大才能使样本对总体具有代表性，这是一个极为复杂的问题。样本量过少，所给出信息量较少，结论缺乏依据，稳定性较差；样本量过多会增加实际工作中的困难。因此在设计研究方案，需对样本含量作出估计，以保证在一定的可靠性条件下，以最少的受试者例数获得所需的、体现总体代表性的可信研究结论。样本量的估计通常需要根据研究的主要目标、观察指标和统计学要求而确定。

2) 研究对象选取和分配时遵循的基本原则

(i) 随机：在研究对象符合纳入标准的框架内，抽取或分配样本时，每一个研究对象应有完全均等的机会被抽取或分配到某一组，而不受研究者或研究对象主观意愿所左右。只有这样，才能使被选取的研究对象有最大限度的代表性和外推性，使组内或组间具有最大限度的均衡性和可比性。

随机的方式主要包括：①采用抛掷硬币、抽签、查随机数字表等方式，分配研究对象至不同组别，这种方式为简单随机化，适用于样本量较少的临床研究（试验）；②为保持组间例数的均衡和可比性，根据研究对象被纳入的时间顺序，先分成例数相等的区组，而后区组内的受试者被随机分配至不同组别，这种方式为区组随机化，应用时宜控制选择性偏倚的产生；③根据纳入的研究对象的特征（如年龄、性别、病情、病程等），先将受试者分为若干层次，然后在层内再将受试者随机分配至不同组别，这种方式为分层随机化，往往适用于样本量较大、影响因素较多的临床研究（试验）。

遵循随机化原则分配研究对象，其目的在于达到组间的均衡。在总结临床研究报告时，应对随机分配的方法和组间均衡性（可比性）的资料和数据一并描述。

(ii) 对照：设立对照组的比较研究是临床研究（试验）的主要方法之一。为增加研究结果的准确度和可靠性，除对受试者所施加的试验因素外，应使实验组与对照组的其他条件相同、基本情况相似和合理的均衡，以避免研究中的偏倚。

对照的方法主要有：①空白对照，在对照组不加任何处理的空白条件下所进行的观察、研究。安慰剂、假手术等是空白对照的特殊类型，目的在于克服对照组患者由于心理因素所造成的偏倚。②实验对照，在一定实验条件下所进行的观察、对比，如不同治疗方法的相互对照等。③自身对照，实验前后的自身对比观察或对照与实验在同一研究对象进行（自身交叉对照）。④标准对照，以正常值或标准值作为对照。“标准”的建立或疗效的“公认”，是一个较为复杂的问题，应用标准对照的研究，在进行结论推导时要特别慎重。⑤历史对照，又称文献对照或回顾对照。在进行历史对照的研究设计中，应注意资料间的可比性，因为既往资料中的研究对象、条件、环境等难以与本次实验保持一致。但对于某种疾病（如癌肿）治疗过程中的非处理因素（如生活条件、心理、一般药物治疗）不易影响疗效，且误诊率低，评价疗效指标（如生存率、病死率）相当稳定，历史对照的结论还是可取的。

以上实验组与对照组的设立，是建立在研究对象随机分配的基础上的。当实验组与对照组的样本数比例为 1∶1 时，组间数据的统计效能最高（当 $\alpha=0.05$ 时，其统计效能达 95%）；随实验组例数的增加，统计效能会逐渐降低。然而，在临床研究（试验）中，为节省资源，在分配被纳入的研究对象时，常发生对照组样本量少于实验组的现象，即实验组和对照组间样本量不完全均衡。为降低这种不完全均衡性对结果判断的影响，实验组与对照组样本量的比例应限制在一定的范围。一般将实验组与对照组的例数比例控制在 2∶1 或 3∶2 的范围内，若超过 3∶1 的比例，则将使结论真实性受到较大影响。因此，有关法规关于组间例数比（3∶1）的要求只是一个“合格”线的要求，但不是最佳的比例。

(iii) 盲法：指临床研究过程指标的观测、数据的收集和结论的判断时，应在不知道研究对象分组的前提下进行。进行盲法的临床研究其主要目的就是为了克服可能来自研究者或受试者的主观因素所导致的偏倚。

盲法的主要分类：①单盲法，在实施试验方案时，对研究对象的分组或所施加的研究因素，只有研究者知道。单盲法可以避免来自受试者主观因素所导致的偏倚，但仍然无法克服来自研究者方面的偏倚。②双盲法，在实施试验方案时，对于研究对象的分组或所施加的研究因素，研究者（包括资料分析者）和研究对象双方都不知道。双盲试验大大减少了来自研究者和研究对象两方面主观因素所造成的偏倚。

双盲法并非适用于所有的临床研究，有些临床试验只能是非盲法的，如比较手术疗法与保守疗法对某些疾病的疗效，在这种情况下应采取措施使辅助检查或实验室的研究人员仍然在不了解研究对象分组的情况下检测和分析结果，以提高对观测指标判断的准确性。

(2) 测量

正确的测量，是降低测量性偏倚的基础。测量的内容主要包括：在临床研究（试验）基本原则指导下，研究实施进程中对疾病的发生频数及其后果等事件的数据描述，如发病率、死亡率等；为分析干预措施的有效性而必须获取的临床症状、体征和辅助检查指标等动态变化的计数或计量资料；对选择的诊断试验方法及其敏感度、特异度、准确度和可靠性的度量。

敏感度是指患病人群中具有试验阳性的比例，敏感度高的试验很少会遗漏真实的患者。特异度是指正常人群中具有试验阴性的比例，特异度高的试验很少会使无病者被误认为患病。理想的试验应具有高敏感度和高特异度，但这种情况通常是不可能的，现在常采用几种试验联合使用的措施，以弥补不足。准确度和可靠性常用于描述测量结果的质量，准确度是指测量结果与相应测定事物真实情况的符合程度，对准确度的衡量有些可用仪器测量确切表达，如血生化指标；有些则不能，如有关疼痛、恐惧等。可靠性又称重复度、再现度和精密度，是指重复测定一相对稳定的现象时，其多次结果彼此间的接近程度。准确度和可靠性并不一定彼此一致，如一种仪器测量或调查表的平均值有可能是准确的，但并一定可靠，这种情况可见于各次测量结果围绕其真正的值上下或左右散在分布较广；另一方面，一种仪器可能非常可靠，但可能会系统地偏离真正的值，因此不准确。

(3) 评价

对研究结果综合分析、比较，从而提供具有参考或指导意义的科学结论。主要包括对临床、诊断结果的准确性、可靠性评价；对治疗措施的疗效和预后以及高危因素致病性等评价；对成本与效果的卫生经济学分析和评价等。科学的评价将有助于作出临床决策。

11.3.4 循证医学的基本概念与方法

循证医学（evidence-based medicine，EBM）是临床流行病学思想和方法的提升，是临床流行病学、医学统计学、现代医学信息学等学科和技术的不断发展并综合应用于临床医学的结果，其核心就是遵循科学证据的医学，依靠既有的研究资料，结合医者的经验，针对患者的实际情况，提出最佳医疗决策。

由此可见，围绕循证医学的核心，其主题内容包含3个基本要素：在做出医疗决策前，首先寻求具有重要参考价值乃至指导意义的科学证据；以从群体或文献报道所获取的证据为基础，凭医者的临床工作经验和学术知识积累，对患者做出个体化的诊治判断，尤其在无足够的证据作为依赖时，医者的经验则显得极为重要；取得被医治者的配合和帮助，同时兼顾诊治条件和被医者的实际情况。

循证医学与传统医学的主要区别在于，循证医学强调任何医疗决策应以最佳科学研究证据为基础，而传统医学则是以个人的临床经验和技能作为指导临床实践的基础。按循证医学的思想主线，实现循证医学的主要步骤包括：①提出具体临床问题。②围绕临床问题，搜寻、分析相关的证据资料。其手段很多，尤其互联网的发展和普及，丰富了资料来源，使搜寻过程快捷、方便。③依据临床流行病学的基本方法和原则，对获得的证据资料进行科学性和实用性的判断与评估。④应用通过筛选而认为有价值、具备科学性的证据资料指导临床问题的处理。⑤提出针对具体临床问题的个体化临床决策。

循证医学之所以在当今受到重视，其进步意义在于应用科学的证据指导临床决策的制订，使处理结论和知识传播更具客观性，这在一定程度上克服了经验医学以个人技能和知识积累为基础处理临床问题的主观局限性，以言传身教甚至师带徒方式传授知识的缺陷。但个人处理临床具体问题的经验即使在循证医学中也不可被忽视或替代，因为正是个人专长决定外部证据是否科学、有效，辩证性地用于指导临床实践。

（邓廉夫）

参考文献

[1] 卫晓恩，杨庆铭，邓廉夫，等. 骨关节炎体液中蛋白多糖代谢改变的实验研究. 中华风湿病学杂志，2002，6:445.

[2] 肖德常，杨庆铭，邓廉夫. 骨折不连接过程中的血管生成. 中国矫形外科杂志，2004，12:251.

[3] 何川，邓廉夫，周来生，等. 自体成骨细胞——nBGC复合物修复犬胫骨骨缺损. 中国矫形外科杂志，2003，15:1047.

[4] 范永前，齐进，邓廉夫，等. 小鼠激素性股骨头坏死的组织学演变. 中华实验外科杂志，2006，23:980.

[5] 林果为，沈福民. 现代临床流行病学. 上海：上海医科大学出版社，2000.

[6] 董大明，王岩松，刘彬. 用循证医学的思维方式解决外科工作中的实际问题. 中华外科杂志，2005，43:1619.

[7] Anderst WJ, Les C, Tashman S. In vivo serial joint space measurements during dynamic loading in a canine model of osteoarthritis. Osteoarthr Cartil, 2005, 13:808.

[8] Bonnarens F, Einhorn TA. Production of a standard closed fracture in laboratory animal bone. J Orthop Res, 1984, 2:97.

[9] Hoegh-Andersen P, Tanko LB, Andersen TL, et al. Ovariectomized rats as a model of postmenopausal osteoarthritis: validation and application. Arthritis Res Ther, 2004, 6:R169.

[10] John PS, Jeffrey OH. The critical size defect as an experimental model for craniomandibulofacial nonunions. Clin Orthop Relat Res, 1986, 205:299.

[11] Kokubu T, Hak DJ, Hazelwood SJ. Development of an atrophic nonunion model and comparison to a closed healing fracture in rat femur. J Orthop Res, 2003, 21:503.

[12] Lane JM, Sandhu HS. Current approaches to experimental bone grafts. Orthop Clin North Am, 1987, 18:213～220.

[13] Mustumi M. Age-related changes in bone mass in the senescence-accelerated mouse (SAM). Am J Pathol, 1986, 125:276.

[14] Oakley SP, Lassere MN, Portek I, et al. Biomechanical, histologic and macroscopic assessment of articular cartilage in a sheep model of osteoarthritis. Osteoarthr Cartil, 2004, 12:667.

[15] Sackett DL, Rosenberg WM, Gray JA, et al. Evidence based medicine: what it is and what it isn't. Br Med J, 1996, 312:71.

[16] Sommerlath K, Gillqist J. The effect of a meniscal prosthesis on knee biomechanics and cartilage: An experimental study in rabbits. Am J Sports Med, 1992, 20:73.

[17] Thompson DD, Simmons HA, Pirie CM. FDA Guidelines and Animal Models for Osteoporosis. Bone, 1995, 17:S125.

[18] Wright CD, Vedi S, Garraham NJ, et al. Combined inter-observer and inter-method variation in bone histomorphometry. Bone, 1992, 13:205.

[19] Young MF. Mouse models of osteoarthritis provide new research tools. Trends Pharmacol Sci, 2005, 26:333.

第三篇

骨科临床基础

骨科临床基本知识与技术概述 12

12.1　临床流行病学与循证医学

临床流行病学(clinical epidemiology)是一门新兴的临床医学学科，其原理和方法学对临床医疗实践和临床科研工作有重要的指导意义。根据近10多年来发展的情况看，在内科各专业领域中应用临床流行病学的原理和方法学已较为普遍，但在骨科领域中应用临床流行病学的原理和方法学发展较为缓慢。

循证医学(evidence-based medicine，EBM)指的是在临床医疗实践中，对患者的诊治决策，应该建立在最新的科学依据的基础上。这意味着临床医师的专业技能应该与现代系统研究所获得的最佳成果(证据)有机地结合，用以指导临床诊治实践，这样才可能达到循证医学所取得的最佳结果。

由于现代临床流行病学的发展及应用，促进了临床医学研究，特别是随机对照试验(randomized control trail，RCT)日益被人们接受和应用，这样就产生了若干有科学价值的最佳研究成果，可为循证医学提供最佳证据，推广应用于临床实践，必然会提高临床决策科学化和医疗水平。

12.1.1　骨科学的特点

骨科学的特点是更多地强调利用手术的方法来达到治疗的目的，骨科医师往往对手术感兴趣，对如何改进手术方法感兴趣，而对用设置对照组的方法来评价手术的效果则不感兴趣，这是一种错误的认识，也是对临床流行病学原理和方法学的误解。有些手术的效果是显而易见的。例如，创伤的伤口应该缝合，畸形应该矫正，肿瘤应该切除等都是普通的常识。但是伤口应该怎样缝和用什么方法缝才能得到最满意的效果；矫正畸形也有许多不同的方法，这些方法孰优孰劣；肿瘤切除的范围应该要多大等问题则需进一步探讨研究，这时若没有对照（对比）则无法确定最佳的方法。因此，要进一步筛选出最佳手术方法，离开设置对照组的原理是无法实现的。

在骨科手术治疗与非手术治疗进行对比时，情况可能会变得复杂起来，因为围术期可能发生的各种事件，如术后感染、出血、关节功能障碍，术中各种意外事件等，使骨科手术治疗的相对危险性增加。因此，在进行骨科手术治疗与非手术治疗对照时，应避免简单地下“是与不是，好与不好”的结论，应从生命质量的提高、器官功能和症状的改善以及医疗费用等诸方面来比较优劣。

12.1.2 骨科应用临床流行病学的原则

(1) 选择研究组和对照组

如研究组为手术组，对照组为非手术组；研究组为改良手术组，对照组为传统手术组；研究组为A类手术方法组，对照组为B类手术方法组。

(2) 对手术适应证的交待

骨科手术是根据手术适应证给患者做手术的。有些疾病很难明确早期、中期、晚期的差别，而是根据临床表现的严重程度来决定手术适应证的。如腰椎间盘突出症很难明确患者是属于早期还是晚期，而是根据突出的椎间盘髓核对神经根卡压的程度来决定是否手术的。临床表现的严重程度意味着疾病病程的某一阶段。因此，对手术适应证必须清楚地交待，以说明研究组和对照组是属于疾病的同一阶段的，才有可比性。

(3) 手术步骤的描述

骨科手术治疗方法多种多样，特别是改良式的手术方法常因人而异，因地而异。就以股骨颈骨折的手术方法来分析，从文献统计来说就有几十种手术方法，故详细描述手术步骤十分必要。

(4) 疗效评价标准

对骨科手术的疗效评价是一项复杂的工作，切忌用单一的指标来判断手术的价值，应该用综合评价的方法来评价骨科手术的价值。许多国际公认的或国际性会议制订的疗效评价标准是我们临床科研应该遵循的。由国内专家或国内专业会议制订的某些评价标准也是应该遵循的。这些统一的疗效标准并非某一专家的意见而是集中了专家们的集体智慧。

综合性评价的原则是根据以下原则制订的：①根据评价目的（若评价一项骨科手术，则应根据手术欲达到的目的）选择恰当的评价指标。②根据各评价指标的特点选择恰当的评价测量方法，如临床检查法、实验室检查法、影像学检查法、问卷法等。③根据各评价指标各自的相对重要性或各指标的权重系数。④确定多指标综合评价的等级及数量界限。

12.1.3 评价骨科手术疗效的最佳设计方案

内科医师已习惯于用随机对照试验作为评价治疗的标准。特别是近年来发展起来的循证医学，主张在临床经验和遵循科学依据的基础上来作医疗决策，在医疗技术日新月异和医疗费用急剧上涨的形势下实行循证医学的原则有其迫切的现实意义。

骨科手术治疗和非手术治疗都是从不同角度和原理对患者进行治疗。骨科手术会给患者带来一定的痛苦和费用的增加，如果手术疗效很好，是值得患者接受的。如果疗效并非很好，这就不仅增加了患者的痛苦，而且是极大的浪费。因此对骨科手术的疗效进行科学的评价意义十分重大，也是非常必要。根据临床流行病学和循证医学原理，最科学、最可靠的研究设计方法就是随机对照试验。尽管各科有它自己的特点，但在进行骨科临床科研设计时，最佳方案仍然是随机对照试验。

12.1.4 循证医学的基础

(1) 当前最佳的临床科研成果（证据）

临床和有关基础医学科研所获得的真实、可靠、重要及实用的研究成果（证据）就是实践循证医学的最佳资源，最主要来源于医学期刊发表的学术论著，以及有关学术专著或专辑。鉴于论著的水平不一以及可能存在的发表性偏倚（publication bias），因而就需要有严格的质量评价。符合标准者，则为可取可用的最佳证据。

(2) 临床流行病学方法学基础

掌握与应用临床流行病学的基础原理和方法学，特别是对医学文献严格评价的标准和方法，有助于鉴别与有的放矢地应用最佳证据于患者的诊疗决策。

(3) 现代的医疗基本设施

创造和应用临床最佳的研究成果（证据），必然要涉及相应的硬件设施，方能有实践最佳证据的可能，因此，为了高质量的临床服务，相应的医疗设施是必要的。

(4) 患者的参与

患者有着强烈的恢复健康的期望和要求；而对医师的诊疗决策，也迫切地期望了解其利弊，同时还要考虑经济等承受能力；此外，医师的科学决策，也需要患者和家属的合作和支持，方能达到理想的目的。所以，实践循证医学，患者的积极参与和支持是十分重要的条件。

12.1.5 循证医学实践的目的

就临床医学而论，循证医学实践的目的是为了解决临床医疗实践中的难题，从而促进临床医学的发展。

1) 认清疾病病因和发病的危险因素，从而为疾病的防治提供证据。

2) 提高疾病早期的准确诊断率，为有效地治疗决策提供可靠的诊断依据。

3) 帮助临床医师为患者选择最真实、可靠，具有临床价值并且实用的治疗措施。

4) 应用患者的有利因素，改善患者预后和提高其生存质量。

12.1.6 循证医学实践的类别与方法

(1) 循证医学实践的类别

循证医学实践分为两种类型：最佳证据的提供者(doer)和最佳证据的应用者(user)。无论证据的提供者和应用者，除了都具有临床的业务基础之外，也要具有相关学科的知识和学术基础，只是要求的程度有所不同。当然，证据的提供者本身也可以是应用者；而应用者本身的深化发展，又可以成为提供者。

最佳证据的提供者，是由一批颇具学术造诣的临床流行病学家、各专业的临床学家、临床统计学家、卫生经济学家和医学科学信息工作者共同协作，根据临床医学实践中存在的某些问题，从全球的生物医学文献中，去收集、分析、评价以及综合最佳的研究成果(证据)为临床医生实践循证医学而提供证据。

最佳证据的应用者，为从事于临床医学的医务人员，为了对患者诊治决策，都应联系各自的实际问题，去寻找、认识、理解和应用最佳、最新的科学证据，做到理论联系实践，方能取得最好的结果。

(2) 循证医学实践的方法

1) 确定临床实践中的问题　在临床实践中，当遇到用传统理论知识和经验不易解决的问题时，就应该想办法弄清楚，否则有碍于对患者正确处理。应该强调的是临床医生必须准确地采集病史、查体及收集有关实验结果，掌握可靠的第一手资料，经过仔细分析论证后，方可准确地找出临床存在而需解决的疑难问题。这种问题的解决，除了有利于患者诊治决策外，而且有利于本人和本专业水平的提高。

2) 检索有关医学文献　根据提出的临床问题，确定有关关键词，应用各种检索系统检索相关文献，从这些文献中找出与拟弄清的临床问题关系密切的资料，作为分析评价之用。

3) 严格评价文献　将收集的有关文献，应用临床流行病学及循证医学质量评价的标准，从证据的真实性、可靠性、临床价值及其适用性作出具体的评价，并得出确切的结论以指导临床决策。如果收集的合格文献有多篇的话，则可以作系统分析(systematic analysis)和荟萃分析(meta analysis)。这样的评价结论则更为可靠。

4) 应用最佳证据，指导临床决策　将经过严格评价的文献，从中获得的真实可靠并有临床应用价值的最佳证据，用于指导临床决策，服务于临床。反之，对于经严格评价为无效甚至有害的治疗措施则否定；对于尚难定论并有期望的治疗措施，则可为进一步的研究提供信息。

5) 通过实践，提高临床学术水平和医疗质量　通过对患者的实践，必有成功或不成功的经验和教训，临床医师应进行具体的分析和评价，并可从中获益，达到提高认识、提高学术水平和医疗质量的目的，此为自身进行继续教育的过程。

12.1.7 循证医学对骨科临床的影响

循证医学对骨科临床的影响表现为：①促进骨科临床医疗决策科学化，避免乱医乱治，浪费资源，因而可促进骨科发展。②促进骨科医师业务素质的提高，紧跟科学发展水平。③发掘骨科临床难题，促进骨科临床与临床流行病学科学研究。④促进骨科教学培训水平的提高，培训素质良好的人才。⑤有利于患者本身的信息检索，监督医疗，保障自身权益。

12.2 骨科临床疗效评估

12.2.1 概论

衡量一种骨科手术或其他疗法的优劣，离不开相应的评价标准。在国内外骨科专业书籍和专业杂志(尤其是国外专业杂志)上，利用临床疗效评价标准评判治疗手段的有效性已经成为科研设计当中必不可少的组成部分。骨科医师对于疗效评价体系重要性的认识也在不断加深，越来越多的骨科临床医师开始重视疗效评价标准的科学性、实用性、可重复性和可比较性。随意设定疗效评价标准，不经过检验，并且在此基础上得出的疗效结果很难得到同行的认可。

骨科临床疗效评价包括功能性疗效评价、影像学评价、体格检查(身体功能如肌力检查)以及总体健康状况评价等方面。有时也设计成问卷的形式，侧重于患者主观评价调查，而基本上不包括客观性检查指标。实际上，应用比较广泛的是功能性疗效评价，因为如果评价体系合理，它基本上能够反映出治疗前后的功能改善程度，并且很容易在门诊复查时，在短时间内调查完毕。

近年来医学领域内对疗效评价的研究方兴未艾，主要原因是：医疗费用不断上涨；同一种疾病治疗的地域性差别比较大；评价、比较各种治疗手段优劣的现实需求。以往骨科的临床研究大部分属于小样本、回顾性研究，观察参数多数由研究者自己拟定。许多研究没有严密的统计学分析、合理的入组和排除标准、标准化的治疗方法和正确的评价方法。在评价标准的各个参数中，分值的权重分配带有相当大的随意性。绝大多数临床研究结果都是由从事该项目的专家本人报道的，而不是通过独立观察者或普通骨科医师作出的评价。

一种治疗措施可能带来比预期好或坏的临床结果，许多研究采用现有的方法评定骨科治疗的有效性。很显然，运动系统的手术疗效评价远比药物治疗评价要复杂得多。对药物治疗评价中，入组标准比较容易确定，评价方法直观，人为因素和具体操作对评价的影响不大。对治疗结果的评判既可以由患者来做，也可以由评价者自己来做，因此可以通过双盲的方式，对治疗的有效性进行比较。如果要骨科手术和非手术治疗的有效性进行比较的话，则无法运用上述方法。例如，许多这类文献报道都有各自的结果评价标准，每个研究都有不同的入组标准，评价方法各异。大多数研究并没有在手术前后进行评价，因此，无法对手术的成败进行量化分析，对于手术“成功”的标准各有不同。

骨科疗效评定标准一般都是根据临床和影像学资料，由临床医师进行评定。然而患者和医师所关注的焦点可能会不同，许多评价标准越来越注重将患者自己的感受纳入到评分系统中来。许多研究表明，患者对治疗效果的评判具有很高的信度和准确性。

国外有些研究汇集了多中心、大宗病例，但得出的结论却很少能反映出患者的舒适程度、功能或总体健康状况。有人采用荟萃分析相关文献的方法以期找出支持某种手术的强有力的证据。过去许多研究都是回顾性的，现在越来越多地采用前瞻性研究方法。有些学者建议使用统一的治疗规范和原则，尽量减少样本之间的偏差，以利于进行小样本研究分析。

国内以往的骨科文献里，对于疗效评价标准的重视不够，设置评价标准随意性较大。可喜的是，近年来，随着对该问题认识的不断加深，很多临床研究都把疗效评价标准列为研究中重要的组成部分。目前，国际上对于循证医学越来越重视，所谓的循证医学就是对严格的治疗目的提示出具有普遍性的疗效证据，并将这一证据作为日常医疗的指导方针。因此，为了获得证据而进行的流行病学调查和临床研究也越来越多。

12.2.2 疗效评定的目的

(1) 确认患者的功能状态

在诊断明确后、开始治疗前必须确定骨科患者的功能状态。选择一种通用性强，易于操作的评价标准，尽量将患者身体的功能状况以量化或分级的形式测量出来。如通过徒手肌力检查或肌力功能检查，发现是否存在运动障碍；通过关节活动度检查可以判定关节疾病的严重程度。

(2) 判定治疗的有效性

经过一段时间的治疗以后，必须对治疗方案的效果予以客观定量评定，以确定继续或修订原治疗方案，或更改治疗方法。通过评价，搞清楚治疗效果好还是不好？为什么不好？原因在哪里？今后如何避免和补救？

(3) 比较治疗方案的优劣

骨科患者个体病情差异千差万别，每个医院、医师的治疗方案不尽相同，同一个医院不同时期的治疗方案也不一定相同。为了比较不同治疗方案的疗效差异，必须采用统一的衡量标准。

(4) 确定新手术或新技术的适应证

新手术或新技术的设计基本上来自于 2 个方面：一是在原来基础上的改良，这一部分占大多数；二是原创性设计。这些都需要时间、临床实践的检验。采取一个优良的评分标准对手术治疗前后的疗效进行评价，同时与非手术治疗组进行比较，可以对手术的适应证做出一个比较客观的评价，缩短验证时间，有利于该手术技术的改进、推广应用。

(5) 进行预后评估

根据评价标准打分或分级，对于有些患者的预后可以做出判定。这样可以给患者和家属以心理准备，也可以作为进一步治疗的依据。

12.2.3 疗效评定及方法

功能评定大体上分为两类：一类是医疗评定，国外文献上被称之为依据临床结果(clinician based outcome, CBO)；另一类是问卷调查，国外文献称为患者报告结果(patient reported outcome, PRO)。医疗评定(或称医疗评价)是由医务人员完成的，主要指标包括体格检查所见(例如关节活动度、肌力等)、影像学分析(如不愈合、松动、畸形等)、并发症的发生率(如深静脉血栓、感染等)。相反，问卷调查(或称患者自我评价)主要包括患者整体上的自我感受，如身体功能、日常活动能力(ability of daily activity, ADL)。

(1) 医疗评定

1) 评分式评价标准(scoring evaluation)　这是最常用的评分方式，百分制最常见(如 Harris，HSS 评分系统)，其他有几十分制(如脊髓型颈椎病 17 分制的 10A 评分)，究竟应该采用多少分制没有特别规定，完全可以根据实际需要设置分值，但是应当兼顾到计算分值时的简便性。

评分项目一般根据评价目的而设置，如疼痛(分 3～5 级)、功能(ADL)、运动(包括行走能力和步态)、外观、稳定性、关节活动度、肌力、影像学表现和患者满意度等。

分值的权重(weight)分配对于评价结果的影响很大，多数评分标准都把主要症状和功能的权重设置为总分值的 50%～60%，影响患者实际生活能力较大的项目，权重也应该较大，这一部分的分数高低与疗效的好坏密切相关；反之，权重应较小。体格检查和影像学检查结果的分值权重比较低，因为最终结果主要还是看症状缓解和实际功能恢复程度。验证分值的权重分配是否合理，可将最后得分、优良率与一个自我评价标准得出的结果进行统计学检验，看看是否存在显著的统计学差异。如果无显著差异，则说明权重分配合理。

根据实际得分，一般把最终结果分成优(excellent)、良(good)、可(fair)、差(poor)4 个等级。各级结果的分数占总分的百分比是：优，占 90%以上；良，占 70%～89%；可，占 50%～69%；差，占 50%以下。

2) 分级式评价标准(scaling evaluation)　这是国内外比较常见、惯用的评价方法，如先天性髋关节脱位的 Severin 评分标准、评价腰腿痛的 Macnab 评价标准等。它的设计比较简单，使用方便，通俗易懂，有很强的可操作性，尤其便于门诊环境下使用。

一般分为 3～4 个等级，即：优、良、可、差。不设分数等级，每一个等级都有相应的功能表现、症状、体征。在无法利用分数分级的情况下，这种评价标准的确很实用。但是有时某些症状的表现并不完全按照我们的意愿去符合某一级标准，例如(Macnab 评价标准)，“良”的结果内有“差”的选项；反之，“差”的结果内有“良”的内容，评分的准确性就会打折扣。这就是分级式评价标准的最大缺点。

(2) 问卷式调查

问卷调查(questionnaires)主要强调患者对疗效的感受，侧重于主观感觉和运动、日常生活能力与社交能力等。问卷的设计中，客观检查都蕴涵在代表某些特定功能和动作的问题之中。这部分内容所占比例很小，通过询问功能和动作的完成情况，能从侧面反映出解剖、生理功能的恢复情况。

这些问卷的优点是简便易行，不需要返回医院检查，节省费用，并且避免了不同医务人员评价时的差异性。但是问卷调查受患者智力水平、文化水平、理解能力、生活水平和环境等因素的影响，不能完全替代医疗评定。

12.2.4 制订疗效评定标准的方法

(1) 临床疗效评价测量表的制订

对于骨科临床医师来说，对自己的手术效果和他人在文献上发表的治疗效果做出客观性评价，其意义不亚于了解这项技术本身，对于提高自身理论素养和开展新技术都是非常重要的。以往的疗效研究多数采用医疗评价。近年来，越来越多的临床研究采用患者自我评价，更加注重患者的意愿、要求和对自己健康状况的评价。是否在一个研究中同时采用医疗评价和患者自我评价，存在很大的争议。这样有可能两种评价方法得出的结果之间存在差异，最终，研究者必须重新评估研究的目的，分析造成差异的原因，增加了疗效分析的复杂性。但是，这样可以减少评价的误差，使疗效评价更接近客观。

每个医疗中心都可以自己设计自己的功能评定项目和量表，但是为了使自己单位的经验能与其他单位比较，最好使用统一的量表。任何量表均要经过信度(reliability)、效度(validity)、灵敏度(sensitivity)、可重复性的检验后方能推广使用。

每个临床疗效评价表都应该包括：①生活质量指标；②临床评分指标；③影像学测量指标。为了全面测量患者疾病的情况，测量表中应该包含有医疗评价和患者自我评价两方面的内容。

生活质量指标基本上由患者自己报告，一般项目应该包括症状、工作和学习情况、娱乐活动和运动、日常生活能力和生活方式等方面的内容。每个项目分为3～5个问题，每个问题分3～5个数量等级(答案)，答案从正常到不能完成。

临床评分指标中也有患者自我报告的内容，如疼痛、肿胀、僵硬、功能等。临床测定的内容需要参照相似或相关的临床疗效评价标准。对有用的测量内容进行取舍，筛选出测量项目，应注意这些观察和测量项目设置的合理性、语言描述的准确性、患者的理解和接受程度。临床测定项目一般包括活动度、步态、力量、稳定性、功能等项目。每个项目分3～5个数量等级。

有些骨科临床研究需要根据影像学改变进行判断，如骨折或骨融合的愈合程度、脊柱的稳定性、肢体力线、人工关节安放位置测量等。量化影像学资料比较困难，主观性很大，因为影像学可能受到影响的因素很多，如影像学质量、设备的性能、患者胖瘦、体位等。由于绝大多数影像学判定没有“金标准”，在某一种影像学改变需要精确分级时，不同的观察者之间结论的差异可能很大，即可重复性很差。再者，影像学改变与实际临床疗效的变化之间往往没有可靠的必然联系。因此，将影像学资料纳入测量体系的很少，多数作为一般性观察指标，在评价标准中分值所占的权重一般不超过20%。

因为每个学者设计测量表的侧重点不同，所以选择测量表时，尽量采用同类疾病的评价标准如评价股骨近端骨折的疗效评价，尽量不要选用髋关节骨关节炎的评价方法。如果要评价一个特定的治疗方法，最好选用一种针对性很强的患者自我评价方法，另外根据医务人员和患者的接受程度，再选用一种医疗评价和一种全身评价方法。在选用疗效评价标准以前，一定要弄清楚，这种方法是否真正适合这种患者。另外，还应该注意以下几点：①这种测量表的信度如何？②这种测量表的效度如何？③这种测量表的反应性如何？④这种测量表能否为患者所接受(包括患者的文化程度、生活水平、认知程度等)？⑤这种测量表是否易于临床使用？

(2) 如何检验评价标准

从严格的意义上讲，任何一种评定标准都应该经过验证程序才能投入使用。验证的内容主要包括：信度，效度，灵敏度，反应性(responsiveness)。只有通过了这些验证或者符合这些条件，这种评定标准才能达到临床使用的要求。制订出的疗效标准，不能立刻投入临床研究的结果评定，应该有一个检验过程，验证它的合理性、准确性和真实性。

12.3 骨移植

12.3.1 概论

骨移植是临床上除输血之外应用最为广泛的组织移植技术，骨移植在骨科领域中主要用于修复创伤、肿瘤、炎症及各种畸形所造成的骨缺损、骨不连的矫形手术。

移植骨可发挥以下3种生理作用：①骨诱导(osteoinduction)作用，即通过募集具有成骨潜能的细胞在局部诱导新骨形成。移植骨溶解释放的骨生长因子如骨形态发生蛋白(bone morphogenetic protein, BMP)，能通过骨诱导使受骨床附近的间充质细胞分化为成软骨细胞和成骨细胞。②骨传导(osteoconduction)作用，指移植骨作为支架引导来自受骨床的新生毛细血管、血管周围组织和骨原细胞长入移植骨，继之新骨组织沉积于其表面及周围。移植骨还可用以充填创伤或肿瘤切除后遗留的大的骨质缺损，作为支撑物起承重作用。③骨形成细胞的来源，如新鲜自体骨，其表面细胞部分能存活并产生新骨。各种植骨方法在不同程度上体现了其中一种或数种作用。

移植骨依其材料来源可分为自体骨、同种异体骨、异种骨和人工骨。在各种骨移植材料中，自体骨按其成骨效果应列为首选，但传统的游离骨块移植，特别是大块骨移植，疗效尚不满意。20 世纪 60 年代带蒂骨瓣应用于临床，移植骨瓣依赖与其相连的肌蒂获得血供。20 世纪 70 年代以来随着显微骨科的发展，可将移植骨瓣连同其血管一次移植到受区，与受区血管吻合，立即重建血运。这种骨移植不必经过缓慢的爬行替代过程完成骨愈合，即所谓"活骨移植"。在移植骨用量大而无合适供区或不适于行自体骨移植时，常采用同种异体骨移植，骨库的建立提供了可随时取用的深度冷冻、冷冻干燥和脱钙骨等同种骨，且超低温冷冻和冷冻干燥可有效地减弱同种骨的免疫排斥反应。异种骨移植已有近百年的历史，未经处理的异种骨由于强烈的免疫排斥反应根本无法应用于临床，经过处理的异种骨疗效也多不满意或仅能起支架引导作用，国内研制的重组合异种骨为异种骨移植的临床应用开辟了新的前景。近年来，人工骨材料的研究十分活跃，尤以生物陶瓷类受到瞩目，但单纯人工骨植入只能起支架引导作用，而并无诱导成骨活性。

12.3.2 自体骨移植

自体骨移植（bone autograft）是将取自个体自身某一部位之骨移植至自身另一部位。临床上自体骨常取自髂骨、胫骨和腓骨。自体骨移植无免疫排斥反应问题，其生物学潜能最大，骨诱导作用强，效果也最令人满意。但取骨增加患者创伤，取骨后有一定的并发症，且来源有限。

血管侵入移植骨是骨愈合的先决条件。受骨区发出血管并随之携来多能细胞，尔后可分化成具有骨形成或骨吸收作用的细胞群。在骨移植修复过程中，移植骨本身可被动地起支架或模板作用（骨传导），也可主动发出信号引起受骨区的反应以影响或调节修复过程（骨诱导）。

（1）非血管化自体骨移植的修复

在移植骨的修复过程中，受区骨和移植骨均可提供形成新骨的骨原细胞。因缺乏血供，移植骨中大多数细胞死亡，仅表面 0.1～0.3 mm 范围的少数细胞依赖受区组织液的弥散得以存活。存活细胞的数量与移植骨的处理及离体时间长短有关。骨松质移植后存活细胞数量较骨皮质为多。移植骨内的骨原细胞主要来自骨膜、骨内膜、骨皮质和骨髓，以骨膜的成骨能力为最强，骨内膜和骨髓次之，因骨松质富于骨髓和骨膜，故其成骨能力大于骨皮质。移植骨表面的细胞和隐窝内的骨细胞均有代谢能力，对早期形成交织骨的原始支架起重要作用，故应尽可能保护移植骨上的骨细胞，并争取有一个血供良好的受骨区。在这方面，用切骨刀切取的植骨片比用高速电锯取下的骨片好，手术灯照射、消毒药品、骨蜡和抗生素等均可影响骨细胞的活力。

骨松质与骨皮质移植后的早期反应相似，最初在移植骨周围出现炎症和水肿。骨松质植入 2 天后即被血管包围，随着血管的侵入，被诱导募集的受区间充质细胞转化为骨原细胞，再分化为成骨细胞，排列在坏死骨小梁的边缘形成新骨，并逐渐包绕坏死的骨小梁。被包绕的死骨进行内部改建，逐渐被破骨细胞吸收，继之新生骨内有红骨髓聚集，移植骨遂完全被新生骨替代。骨皮质移植后的替代过程与骨松质相反，移植后 2 周内有活跃的破骨活动，移植骨内存活的破骨细胞首先在周边坏死的哈弗斯系统和间板内活动，使哈弗斯管管腔扩大，间板内形成吸收腔隙。骨皮质在植入 6 天后方有血管侵入，血管侵入后间充质细胞首先被诱导分化成破骨细胞，参与移植骨的吸收。骨吸收由周边逐渐向内部扩展，4 周时周边和内部吸收量大致相同，6 周时吸收达到高峰，并持续至第 12 周骨沉积开始之前。当移植骨吸收形成一定大小的腔隙时，骨吸收停止，此时腔隙表面暴露的骨基质坏死细胞释放 BMP，诱导间充质细胞分化为成骨细胞，形成新骨充填于腔隙内。破骨和成骨活动交替进行，逐渐完成移植骨的修复。

移植骨的机械强度与其修复方式有关。骨松质移植后先在坏死骨表面形成新骨，这些坏死骨的机械强度在被吸收之前并无改变，X 线检查反而呈密度增高的征象，因此骨松质的机械强度在移植后初期增高，尔后随着死骨的吸收将逐渐恢复正常。在骨皮质移植早期，因破骨细胞活动增强，成骨细胞活动减少，致移植骨体积减小，其内部孔隙增加，导致机械强度减低。人体骨皮质移植后，前半年其强度仅为正常骨的一半，至第 2 年才逐渐恢复正常。因此，临床上采用骨皮质移植时，在 6～18 个月内应注意防止发生应力性骨折。

(2) 血管化自体骨移植的修复

与非血管化自体骨移植相比,血管化自体骨移植在修复方式、血运再建和机械强度等方面均有明显不同。由于带有自身的血供系统,血管化骨移植后不发生骨坏死和吸收,而能保持原有的形态和结构,移植骨内绝大多数骨细胞和骨原细胞存活,移植骨只需与受区骨发生愈合,其修复过程类似新鲜骨折,无须经过爬行替代。移植后3个月,移植骨的机械强度和组织学形态即与正常骨相似。

骨髓供血和骨膜供血的自体骨移植后均可存活,其血运再建和愈合过程并无差异。但在移植骨中央区域,常有少量坏死组织,多见于骨膜供血的自体骨移植。

(3) 自体骨移植的临床应用

1) 非血管化自体骨移植　行非血管化自体骨移植时,可根据不同情况选用骨松质、骨皮质和全骨。

骨松质:新鲜骨松质表面面积大,可提供大量的表面细胞,血管易于重建,可有效地发挥骨传导作用,引导新骨形成,促进骨愈合。骨松质移植应用很广泛,对移植骨强度无特殊要求时均可应用此法。全身各部位可供移植的骨松质有骨盆骨、脊椎骨、肋骨、足附骨、手腕骨及长骨两端,最常用的供骨部位是髂骨。根据需要可采取骨松质碎骨、全厚骨松质、髂骨外板和包括内外板的髂嵴长块。骨松质植骨主要用于治疗骨不连接、骨缺损、填塞骨腔和脊柱融合术等。

骨皮质:适于提供功能性支持,起骨传导和骨诱导作用。骨皮质植骨常用于替代内固定装置,治疗骨折畸形连接和不连接,并有助于促进关节融合。胫骨、腓骨和肋骨均可供骨。

全骨:通常取腓骨的中1/3段或上1/2段作为全骨移植材料。腓骨全骨移植用于修复儿童长骨如尺、桡骨缺损。

2) 血管化自体骨移植　如骨缺损较大(超过6 cm),或受骨床曾经放射治疗或曾有感染或血供不良者,则游离自体骨移植难成功,宜采用血管化自体骨移植。

带肌蒂骨瓣移植:在肌肉附丽于骨处取骨,保留移植骨的肌肉附着部及骨膜,移植骨有来自肌蒂的滋养血管或知名血管供应血液,其抗感染能力强,骨愈合快,适用于感染性骨缺损、难治性假关节和骨缺血性坏死的治疗。此法简单易行而可靠,但由于肌蒂长度的限制,只适用于邻近解剖部位的移植。常用的有带股方肌蒂骨瓣、带缝匠肌股直肌蒂骨瓣、带肌蒂骨段和带肌蒂骨皮质片等。

带血管骨移植:带血管骨移植用于受骨床瘢痕多、局部循环差、常规植骨不易愈合时。此外,在皮肤、肌肉和骨复合缺损时,通过带血管复合骨肌皮瓣移植可一次进行修复。常用的方法有带血管髂骨游离移植、带血管腓骨游离移植和带血管肋骨游离移植。

12.3.3　同种异体骨移植

同一种属内,两个体之间的骨组织移植称为同种异体骨移植(bone allograft)。与自体骨移植相比,同种骨移植材料来源较多,可满足移植骨形态和数量的要求,缩短手术时间,避免供骨区并发症的发生,易为患者接受,但有传播人类疾病如乙型肝炎、艾滋病等的危险。

同种骨移植前必须经过加工处理以消除其抗原性。但处理同种骨的目的并非单纯消除其抗原性,同时应保存其诱导成骨有效成分 BMP 的活性,并尽可能保持移植骨的机械强度,使其植入后不仅具有骨传导作用且能诱导新骨形成,主动参与受体的成骨活动,同时能提供机械支持作用。

(1) 同种异体骨的移植免疫

同种骨的愈合大多是通过爬行替代而实现,其与受体骨的结合过程与自体骨相似,唯血运再建及新骨形成较晚,数量较少,且更具有吸收倾向。宿主对新鲜同种骨的组织学反应与自体骨相仿。同种骨与受体骨的结合速度较慢,主要是由于免疫排斥反应。同种骨移植引起的免疫排斥反应,就是破骨细胞被激活并主动吸收移植骨的过程。

同种骨移植引起的免疫反应以活性淋巴细胞和细胞毒性抗体的产生为特征。一般认为,细胞膜表面的糖蛋白是引起免疫反应的主要抗原成分。受体对同种骨移植的免疫反应以细胞免疫为主,体液免疫不直接参与,只是一种附加效应,但多数情况下受体循环中出现针对移植骨的特异性抗体。检测受体的细胞免疫或体液免疫水平,可反映移植骨抗原性的强弱。

为消除受体对移植骨的免疫排斥反应,进行过多种尝试,使用免疫抑制剂对骨移植并无临床应用价值;组织配型因需要一定的条件,也不易做到。目前常用各种物理、化学方法处理同种骨,消除或减弱其抗原性，应用较多效果较好的方法有冷冻、冷冻干燥和脱钙。经过加工处理的同种骨，虽仍残留一定的抗原性，但植入受体后免疫排斥反应常较预期为小，有的甚至没有明显的免疫排斥反应。

（2）同种异体骨的临床应用

同种骨移植在骨科临床中主要用于骨腔充填、骨段移植术、关节融合和假体重建术等方面。

冷冻干燥骨较之冷冻骨抗原性更弱。同种冻干骨破坏了骨的抗原性，但同时也影响骨基质的骨诱导力。同种脱钙骨具有很强的成骨诱导力，可消除可溶性同种抗原，植入后新骨形成的发生率及其形成量更多。

冷冻骨的优点还在于保持了强度，移植时尚可带一些肌腱和韧带，有利于恢复肢体功能。国内报道用同种骨半关节移植治疗关节端肿瘤，取得较满意的疗效。特别是结合金属假体，如长柄人工股骨头插入同种异体骨行半关节移植，用于恶性骨肿瘤保肢手术，取得良好疗效。

12.3.4 异种骨移植

异种骨移植（bone xenograft）是指不同种属个体之间的骨组织移植，临床常用处理过的小牛骨作为骨移植材料。动物骨来源广，取材方便，避免了自体骨取骨手术可能引起的并发症，也可缩短手术时间，且无同种异体骨移植可能有传播疾病的危险。但异种间移植可引起强烈的免疫反应，这是异种骨移植面临的主要难题。

关于异种骨移植材料的处理以往并无一种方法能取得理想效果，如曾使用冷冻、冻干和脱钙牛骨等，均因效果不佳而不再使用。因此处理异种骨既要消除抗原性又要保留其成骨活性，这是解决异种骨移植难题的核心问题。

（1）重组合异种骨

由于异种骨抗原性和成骨活性具有共同的物质基础——蛋白质，有些处理过于温和，不足以消除异种骨的抗原性；有些处理又过于强烈，在去除移植骨抗原性的同时也破坏了其成骨活性物质。对异种骨的抗原性和诱导成骨活性分别进行处理，即从异种骨皮质中提取高效骨诱导物质——BMP，将异种骨松质制成无抗原载体，然后将两者重新组合，研制成重组合异种骨。重组合异种骨具有高效诱导成骨活性，而牛 BMP 与同源骨松质载体结合后，其诱导活性会显著增强。重组合异种骨应用于临床，也已取得预期的良好效果。

（2）异种骨移植的临床应用

由于用传统方法处理异种骨，移植失败率高，无法应用于临床。复合异种骨的应用，是异种骨研究的重要进展，但自体红骨髓来源受限，亦不能制成产品，复合异种骨未能在临床上推广应用。

重组合异种骨用具有高诱导活性的 BMP 与去抗原异种骨结合，为异种骨移植的临床应用开辟了新的途径。人 BMP 和无抗原异种骨载体的组合不仅更好地解决异种骨的免疫反应问题，还赋予异种骨以成骨活性，使其成为一种来源丰富疗效显著的新型骨移植材料，在骨缺损修复及骨折愈合方面显示出重要作用。

12.3.5 人工骨

近年来，采用人工材料修复骨的研究发展很快，随着 20 世纪 60 年代的氧化铝陶瓷、70 年代的玻璃陶瓷和羟基磷灰石相继应用于临床，人工骨的研究进入了一个新阶段。人工骨（artificial bone）按其材料结构和性能大致可分为 3 类，即无机材料、有机材料和复合材料。无机材料根据其是否能与受体骨组织结合，又分为生物活性材料和生物惰性材料，前者如生物活性玻璃、玻璃陶瓷和钙磷陶瓷，后者包括金属和氧化铝等。目前报道较多的是钙磷生物陶瓷、氧化硅生物玻璃和氧化铝等，用这些材料制成的人工骨生物相容性好，有一定的机械强度，但并无诱导成骨活性而只能作为支架起骨传导作用。有机材料是由动物结缔组织（骨、肌腱）或皮肤中提取并经过化学处理的蛋白质类，包括胶原、BMP 和其他成骨因子，具有较好的诱导成骨能力。近年来人工骨研究的趋向是发展复合材料，使之兼有无机材料和有机材料的某些优点。

12.3.6 骨生长因子

骨骼体积的调节是通过骨形成与骨吸收这 2 个过程的持续平衡而实现的。据认为有两种机制参与调节骨骼的体积：调节钙、磷代谢的激素对其进行全身调节，骨生长因子（bone growth factor）则发挥局部调节的作用。骨生长因子作为骨形成的自分泌和旁分泌效应物，通过促进成骨细胞增殖和骨基质的生物合成而起作用。现已从骨基质及骨细胞、骨器官培养基中分离出多种骨生长因子，具有各不相同的生物活性，主要有促有丝分裂作用、分化作用、趋化作用和溶骨活性。骨细胞分泌的生长因子可即时作用于相邻的成骨细胞(旁分泌作用)或其自身(自分泌作用)。此外,还有大量贮存于细胞外基质中。在众多骨生长因子中,BMP和自转化生长因子研究较多。

12.3.7 骨库

骨库的建立,是将事先采集、贮存并经过处理的同种骨甚至异种骨用于治疗,为临床使用安全有效的骨移植材料提供了保证。骨移植广泛应用于临床,是自20世纪50年代骨库建立之后开始的。随着供骨来源的增加和贮骨方法的改进,骨库在世界各国逐渐普及。国内骨库建设起步较晚,但近年发展较快,部分地区和医院已建立相当规模采用冷冻干燥和深低温冷冻等方法保存骨移植材料的骨库,特别是综合骨库的建立,除贮存同种异体骨外,还生产重组合异种骨和多种骨生长因子,在开辟新的骨移植材料的来源和骨库的发展方面迈出了一大步。

目前世界各地骨库主要贮存同种骨。库骨主要来源于尸体骨。供骨的另一来源为无菌手术中的切除骨,如胸腔手术开胸时切除的肋骨,人工髋关节置换术切除的股骨头和股骨颈,外伤性截肢后的骨骼等。

同种骨已广泛应用于临床,但如检疫疏漏有引起交叉感染如乙型肝炎、丙型肝炎和艾滋病的危险。使所供应的同种骨不致传播疾病,保证接受骨移植者的安全,是骨库工作人员的首要责任。

12.4 截肢

12.4.1 概论

截肢(amputation)是截除没有生机和功能或因局部疾病严重威胁生命的肢体。确切地讲截肢是经过一个或多个骨将肢体的一部分切除,而特别将通过关节部位的肢体切除称为关节离断(disarticulation)。

截肢手术是为截肢者创造一个良好的残肢,为能安装和佩戴假肢做准备,是截肢者康复(重返家庭和社会)的第1步,也是最关键的一步。因此,骨科医师肩负着重要的责任。

近20年来,造成截肢的原因在逐渐地发生着变化,因为外周血管病或同时合并糖尿病而截肢者已越来越多见,尤其是在西方国家,已上升到截肢原因的第1位,在国内此类截肢近年来也呈上升趋势。在我国因外伤而截肢者仍占截肢原因的首位,目前截肢手术也仍然是骨科处理严重肢体外伤的一种方法。

近年来,随着生物力学基础理论研究,生物工程学的发展,新材料、新工艺的应用,假肢制作技术水平的提高,截肢者康复的参与,尤其是假肢新型接受腔的应用,使传统的末端开放型插入式接受腔改变为闭合的、全面接触、全面承重式接受腔。它具有残肢承重合理、穿戴舒适、假肢悬吊能力强、且不影响残肢血液循环等优点。为了适合现代假肢的良好佩戴和发挥最佳代偿功能,对残肢条件提出以下要求:残肢为圆柱状的外形、适当的长度、皮肤和软组织条件良好、皮肤感觉正常、无畸形、关节活动不受限、肌肉力量正常、无残肢痛或幻肢痛等。很多以往与截肢水平、瘢痕部位、手术方法有关的旧观念已经被抛弃,或者按目前发展的观点看已经不再那么重要了。新的全面接触、全面承重式假肢接受腔能够满意地安装在软组织愈合良好的残肢上,通常都会获得良好的功能。

因此,在截肢部位的选择、截肢手术方法、截肢术后处理、截肢者康复以及假肢安装等方面都有了很大的改进与提高。它改变了传统的截肢观念,截肢即是破坏性手术,又是重建与修复性手术,截肢手术要为安装假肢作准备,因此要了解截肢者康复的知识,以创造良好的残肢条件,安装较为理想的假肢,发挥更好的代偿功能,给患者生活和工作更好的补偿。

12.4.2 截肢适应证

因疾病或外伤导致肢体血运丧失,且不可能重建和恢复是截肢手术的唯一绝对适应证。截肢虽然有总的适应证,但是对每一个病例,每一个肢体的具体情况都要进行更全面、更细致周密地考虑,才能作出最后的选择。

(1) 外伤性截肢

要严格掌握截肢手术的适应证,只有当外伤肢体确实无法修复存活才是外伤性截肢的绝对适应证;或者存活后无实用功能,给患者生活和工作带来不良影响,并且还不如截肢后安装假肢的功能好时,这才是截肢手术的适应证。

(2) 肿瘤截肢

对某些就诊较晚,肿瘤已侵犯范围较广或保肢手术后复发而不能采取保肢手术，或由于肿瘤造成肢体无功能者，截肢手术仍为骨科肿瘤的一种行之有效的治疗方法。

(3) 血管病性截肢

如阻塞性动脉硬化症，血栓闭塞性脉管炎，血液高凝状态血栓形成阻塞血管。

(4) 糖尿病性截肢

糖尿病性的血管病变使足的血运障碍，糖尿病性的周围神经病变使足的神经营养和感觉障碍，最后导致足溃疡、感染、坏死。

(5) 先天性畸形

对先天性异常的肢体，截肢后不管是否佩戴假肢都可能对功能有改善时，截除一部分或全部肢体有时也是适应证。

(6) 感染性截肢

严重感染威胁患者生命，如气性坏疽或因感染久治不愈导致不可修复的肢体功能障碍。

(7) 神经性疾病

如下肢神经部分麻痹，足皮肤神经营养障碍，促使足负重部位破溃形成溃疡，经久不愈合，对行走功能造成严重影响，这时就需要截肢。

12.4.3　截肢水平的选择

(1) 截肢水平选择的总原则

选择截肢水平时一定要从病因与功能两方面来考虑，病因水平是要将全部病变、异常和无生机组织切除，在软组织条件良好，皮肤能达到满意愈合的部位进行截肢。功能水平是首先应该对患者截肢后的康复能力做出比较符合实际的评估，要从年龄、认知能力及全身状态等方面来考虑，即截肢后是否能佩戴假肢，能否进行佩戴假肢后的康复训练，能否恢复到独立的活动和生活自理。在过去，为了安装适合的假肢，需要在特殊部位进行截肢，而近年来，随着假肢全面接触式接受腔的应用和精良的假肢装配技术，使得截肢部位的选择与以往有了显著的改变，当功能性截肢水平确立以后，截肢水平主要是以手术需要考虑来决定。一般的原则是在达到截肢目的的前提下，尽可能地保留残肢长度，使其功能得到最大限度的发挥。截肢部位对假肢装配、代偿功能的发挥、下肢截肢者佩戴假肢行走时的能量消耗、患者生活活动能力、就业能力等有着直接关系，所以骨科医师应该对截肢水平要极为审慎地选择。

(2) 上肢截肢部位的选择

每一位进行上肢截肢的骨科医师都要牢牢地记住上肢假肢与下肢假肢的代偿功能完全不同，上肢的主要功能是要完成人的日常生活活动和劳动，手具有非常灵巧和协调能力，可以从事精细的作业，并且手又是非常重要的感觉器官和与他人交流的器官。目前即使是最高级智能型的假手也不能完成上述要求，不能较好地代偿手的功能，因此在施行上肢截肢之前一定要慎之又慎。

1) 肩部截肢应尽可能保留肱骨头，而不进行通过肩关节的离断，因为肱骨头的保留，可以保持肩关节的正常外形，圆的肩关节外形有利于假肢接受腔的适配、悬吊和稳定，有助于假肢的佩戴。从假肢观点看，虽然保留了肱骨头，它仍需要安装与肩关节离断同样的肩关节离断假肢；而从生物力学观点，肱骨头的保留有助于假手的肘关节与手腕的活动。

2) 上臂截肢要尽量保留长度，因上臂假肢的功能取决于残肢的杠杆力臂长度、肌力和肩关节活动范围。长残肢有利于对假肢的悬吊和控制，因此，应尽量保留残肢长度。经过肱骨髁的截肢，其假肢装配和功能与肘关节离断是相同的，所以当条件准许通过肱骨髁水平截肢时就不要在肱骨髁上部位进行截肢，因为肘关节离断假肢在各个方面都要优于上臂假肢。

3) 肘关节离断是理想的截肢部位。由于肱骨内外髁部的膨隆，肱骨远端比较宽大，对假肢的悬吊及控制能力都是有利的，并且肱骨的旋转可以直接传递到假肢，而肘关节以上部位的截肢肱骨的旋转不能直接传递到假肢，因此，肘关节离断比肘上截肢更可取。

4) 前臂截肢要尽量保留长度，即使是很短的残端也要保留，仅保留很短的前臂残肢也比肘关节离断或肘上截肢要更可取。从功能的观点来讲保留患者自已的肘关节是非常重要的，残肢越长，杠杆功能越大，旋转功能保留得也越多。前臂远端呈椭圆形，有利于假手旋转功能的发挥。残肢肌肉保留得越多就越容易获得良好的肌电信号，对装配肌电假手是非常有益的。

5) 腕部截肢如可以实行的话，它确实要优于经前臂截肢，因为它保留了前臂远端的下尺桡关节，也可以保留前臂全部的旋转功能，这些运动对患者是非常重要和有价值的。

6) 腕掌关节离断时桡腕关节的屈伸运动应该

被保留，这些腕关节的运动可以被假肢应用，腕掌关节离断是可以选择的截肢部位。

7）手掌与手指截肢以尽量保留长度为原则，尤其是拇指更应想方设法保留长度。

（3）下肢截肢部位的选择

近年来，与上肢截肢同样，以保留较长残肢为其基本趋势，但是小腿截肢除外。截肢部位对假肢装配、代偿功能的发挥、下肢截肢佩戴假肢行走时的能量消耗、患者生活活动能力、就业能力等有着直接关系，所以骨科医师应该对截肢水平审慎地选择。

1）半骨盆切除假肢的悬吊功能差，行走时接受腔内的活动比较大。髂嵴对接受腔的适合及悬吊非常重要；缺少坐骨结节对负重非常不利，为此，应根据条件设法保留髂嵴和坐骨结节。

2）髋部截肢如果有条件应保留股骨头和颈，在小转子的下方截肢，而不做髋关节离断。从假肢观点看，它虽属于髋关节离断假肢，但有助于接受腔的适配和悬吊，增加假肢的侧方稳定性，增加负重面积。

3）大腿截肢要尽量保留残肢长度，即使是短残肢也应保留。

4）大腿远端截肢应尽量保留残肢长度，距离股骨髁关节面 5 cm 以内的截肢均可以安装膝关节离断假肢。大腿假肢的主要负重部位是在坐骨结节，坐骨结节承重的假肢，体重力线是通过坐骨结节的前外侧，引起骨盆前倾，同时伴有腰前突加大。与此相反，膝关节离断是残肢端负重，其负重力线是正常的，则不需要增加腰前凸，也没有侧倾步态。因此膝关节离断假肢的，代偿功能要明显优于大腿假肢。

5）膝关节离断是理想的截肢部位，膝关节离断提供了极好的残肢端负重，它是股骨髁的残肢端承重，而非坐骨结节承重，股骨髁的膨隆有助于假肢悬吊，对假肢的控制能力强，且残肢皮肤有软的内套与硬的假肢接受腔相隔离，而大腿截肢的残肢皮肤是直接与假肢接受腔相接触。

6）小腿近端截肢只要能保留髌韧带附着，在胫骨结节以下截肢即可安装小腿假肢，膝关节的保留对下肢功能是极其重要的，其功能明显优于膝关节离断假肢。尤其是在儿童的下肢截肢，保存胫骨近端的骨骺就更为必要。

7）小腿截肢以中下 1/3 交界为佳，一般保留 15 cm 长的残肢就能够安装较为理想的假肢。小腿远端因软组织少、血运不良，故不适合在此部位进行截肢。

8）踝关节离断是不可取的，而 Syme 截肢为理想的截肢部位，虽然截肢水平是相当踝关节离断，但残端是被完整、良好的足跟皮肤所覆盖，则稳定、耐磨、不易破溃，故残肢端有良好的承重能力，行走能力良好，有利于日常生活活动，其功能明显优于小腿假肢。

9）足部截肢同样要尽量保留足的长度，也就是尽量保留前足杠杆力臂的长度，这在步态周期中静止时相的末期使前足具有足够的后推力是非常重要的。当前足杠杆力臂的长度缩短时，将对快步行走、跑和跳跃造成极大的障碍。术后长期随诊观察发现中足截肢（Lisfranc 截肢和 Chopart 截肢）后残足发生马蹄内翻畸形，故应慎用，如果行此手术必须要进行肌力重新平衡的肌腱移位术和跟腱延长术。后足截肢（Boyd 截肢和 Pirogoff 截肢）主要应用于儿童，成人很少应用。

12.4.4 截肢技术的改进

截肢手术同样遵守矫形骨科手术的基本原则，要认真周密地设计、仔细地处理组织，为切口良好愈合，获得满意功能的残肢创造条件。截肢手术的骨科原则如下。

（1）止血带的应用

除了血管病缺血肢体的截肢不能应用止血带以外，其他的截肢手术都要应用止血带，由于手术视野清楚，不出血，使手术操作更容易进行。

（2）皮肤处理

不论在什么水平截肢，残端要有良好的皮肤覆盖是最主要的，良好的残肢皮肤应有适当的活动性、伸缩力和正常的感觉。伤口愈合所产生的瘢痕，在假肢接受腔的活塞运动中可能会造成残肢疼痛。外伤性截肢应根据皮肤存活情况进行处理，不要追求常规截肢手术时皮肤切口的要求而短缩肢体，对肿瘤截肢也是如此，经常采用的是非典型的皮肤切口和皮瓣。

1）上肢截肢皮肤的处理　残肢的前后侧皮瓣等长。但是，前臂长残肢或腕关节离断时，屈侧的皮肤瓣要长于背侧，使瘢痕移向背侧。

2）下肢截肢皮肤的处理　小腿截肢前长后短的鱼嘴形皮瓣目前已不再被普遍采用，而更多应用的是需要加长的后方皮瓣，其皮瓣带有腓肠肌，实际上是带有腓肠肌内外侧头的肌皮瓣，其皮瓣的血运比较丰富，并且给残肢端提供了更好的软组织垫。

(3) 肌肉处理

现代的肌肉处理方法是行肌肉固定和肌肉成形术，具体方法如下。

1) 肌肉固定术(myodesis)　将肌肉在截骨端远侧方至少 3 cm 处切断，形成肌肉瓣，在保持肌肉原有张力情况下，经由骨端部钻孔，将肌肉瓣与骨相邻侧通过骨孔缝合固定，使肌肉获得新的附着点，防止肌肉在骨端滑动和继续回缩。但是，当截肢部位的血液循环处于边界线时肌肉固定是被禁忌的。

2) 肌肉成形术(myoplastic)　将相对应的肌瓣互相对端缝合，截骨端被完全覆盖包埋，保持肌肉于正常的生理功能状态，形成圆柱状残肢，可以满足全面接触、全面承重假肢接受腔的装配要求。

(4) 神经处理

为了预防被切断神经伴行的血管出血和神经瘤的形成，目前主张将较大的神经干在切断前神经残端用丝线结扎进行处理的方法；或将神经外膜纵行切开，把神经束剥离，切断神经束，再将神经外膜结扎闭锁，使神经纤维被包埋在闭锁的神经外膜管内，切断的神经残端不能向外生长，防止神经瘤的形成。

(5) 骨骼处理

一般骨与骨膜在同一水平切断，禁止骨膜剥离过多，导致骨端环形坏死。小腿截肢为获得残端良好的负重，增加残端负重面积，避免腓骨继发外展畸形，并且增加残肢外侧方的稳定性，截骨端的处理方法是胫腓骨等长，用保留的胫腓骨骨膜瓣互相缝合，最好使其骨膜瓣带有薄层骨皮质，其骨膜瓣在胫腓骨端之间架桥，使胫腓骨端融合，称为骨成形术。

12.4.5　残肢的手术后处理

为了截肢后获得较为理想的残肢，适合假肢的良好适配，并且能使假肢发挥最佳代偿功能，从完成截肢手术一直到安装好假肢，对残肢的术后处理是非常重要的。

(1) 正确放置残肢体位

手术后合理的残肢体位摆放对避免发生关节挛缩是十分重要的，尤其是下肢截肢后残肢体位的摆放如膝上截肢，髋关节应伸直且不要外展；膝下截肢，膝关节应伸直位。

(2) 硬绷带包扎的应用

硬绷带包扎(rigid dressing)是截肢手术后用石膏绷带作为主要材料缠绕在已用敷料包扎好的残肢上，一般方法是用"U"形石膏固定，它可以有效地预防血肿和减少肿胀，促进静脉回流，固定肢体，对施以肌肉固定和肌肉成形术者将有利于肌肉组织愈合，使残肢尽早定型，为尽早安装正式假肢创造条件。

(3) 手术后即刻临时假肢的应用

临时假肢的安装是在手术台上完成，称为截肢术后即装临时假肢。目前这种方法在发达国家已广泛应用，尤其是小腿截肢的患者。由于接受腔的压迫，限制了残肢肿胀，加速了残肢定型，减少了幻肢痛，术后尽早离床，对患者心理也起到鼓舞作用。

(4) 弹力绷带的应用

为了减少残肢肿胀和避免过多的皮下脂肪沉积，使残肢尽早定型成熟，弹力绷带的正确使用是非常关键的。凡是穿戴假肢的患者，只要是脱掉假肢期间，残肢就要用弹力绷带包扎。

(5) 残肢的运动训练

在不影响残肢手术效果的情况下应该尽早地进行残肢运动训练，如在小腿截肢患者应该尽早进行股四头肌的等长收缩训练，大腿截肢者应该尽早进行臀大肌和内收肌的等长收缩训练，前臂截肢要进行屈伸肘肌和肩关节周围肌肉的训练。当硬绷带包扎去除以后应该尽早地进行恢复和增加肌肉力量及关节活动度的训练，这是预防关节挛缩、防止畸形的重要措施，也为尽早穿戴假肢创造有利的条件。同时应该对残肢端进行手法按摩，以加速残肢端对外界物体接触时的适应能力。对下肢截肢的残端还要进行残端承重训练，这些训练对穿戴假肢是非常有利的。

12.4.6　截肢的特殊问题

(1) 儿童截肢

儿童截肢，在操作技术上虽然与成人没有很大的差别，但是从儿童肢体解剖结构和生长发育的因素考虑，则截肢的原则有所不同。在儿童截肢的理想水平没有作为限定的常规，然而在儿童要比成人采取更加保守的方法，应尽可能保留残肢的长度。特别是关节离断和邻近骨骺部位的保留比在该部位以上水平的截肢是更可取的。而保留关节和关节远侧骨骺的截肢，比关节离断更可取。

长骨干截肢端的过度生长是由于新骨同位生成的原因，而与近端的骨骺生长无关，因此，试图用骨骺阻滞方法来防止骨端的过度生长决不会成功，并且是应该被严格禁止的。这种骨过度生长的长度在每个截肢的儿童差异很大，有 2%～8% 的患者需要进行一次或多次残端修整手术，这个并发症最经常发生在肱骨和腓骨，按顺序发生较少的是胫骨、股骨、桡骨和尺骨。对此最有效的治疗是将多余的骨切除。

由于儿童生长发育及代谢旺盛的原因，截肢后残肢的耐压和耐摩擦能力要比成人强得多，在成人不能耐受的而在儿童经常可以耐受，儿童的皮肤和皮下组织更耐受在张力下缝合关闭伤口，中厚层皮肤游离植皮比成人更容易提供永久的皮肤覆盖，即使是植皮的皮肤对假肢的耐压性能也较强。术后的并发症一般也不像成人那样严重，甚至可以耐受大面积的瘢痕。儿童截肢后很少有心理问题。断端肌肉的处理应行肌肉成形术，用以覆盖骨端，而不是行肌肉固定术，肌肉固定术对骨远端有损伤，可能造成骨端的过度生长，导致骨端呈钉尖样，可能穿破皮肤，造成感染。用骨膜骨皮质瓣覆盖骨端的方法可以限制骨端不良的过度生长。神经瘤一般很少引起不适，很少因神经瘤需要手术治疗。儿童截肢后的幻肢感很少有烦恼，当截肢者年龄较小时，幻肢感模糊不清，很少发生幻肢痛。儿童的小腿截肢残端胫腓骨不要行骨成形术，即胫腓骨端融合。因腓骨近端骨骺生长长度所占比例比胫骨近端骨骺生长长度所占比例大，如果胫腓骨端融合后，由于腓骨生长得比胫骨更多，则晚期可造成胫内翻畸形或腓骨头向近端脱位。

儿童对假肢的应用也比成人好，对假肢应用的熟练程度随着年龄增加而增加，由于儿童的活动能力强，再加上生长因素，所以假肢可能需要经常修理和调整，接受腔也要更换或安装新的假肢。

(2) 外伤性截肢

对严重创伤肢体试图确定保肢还是截肢经常是摆在创伤骨科医师面前的一个最困难问题，因为这些损伤相对比较少见，即使有经验的创伤骨科医师在这方面要获得广博的临床经验也是困难的，很多损伤肢体不是立即就能作出明确的判断，关于肢体损伤的原因、其他部位的合并损伤、患者的全身情况、生活状况、年龄以及社会因素等都对判定截肢与保肢起着重要的作用。

由于显微骨科技术的发展和对开放骨折处理水平的提高，已经可以使较严重和复杂的肢体开放损伤得以存活，然而一部分存活的肢体却无功能。往往骨科医师、患者及其家属对损伤肢体早期只考虑是否通过现代的骨科技术挽救肢体，而对后期肢体能否恢复有用的功能及对患者带来的一系列问题和痛苦想得较少。一个无功能的肢体将会对患者的身体健康、心理、经济和个人社会活动与交往造成严重的影响，这样一个无功能的残肢可能要拖累很长时间，给个人、家庭和社会造成负担，最后可能仍然面对的是截肢手术。假如这些患者在受伤当时就进行了截肢手术，可能反而会更好，问题是骨科医师与患者在受伤当时就能立即作出截肢的决定吗？

早期截肢的最理想和最佳适应证是排除了肢体成功存活的可能性。多年来，骨科医师一直进行着努力的探讨，试图在损伤初期作出比较正确的评定，确定出对哪种类型的损伤在早期最佳治疗方法是选择截肢手术。伴有严重软组织损伤，被评级较高的开放性骨折可能被考虑为截肢的适应证，它包括需要软组织重建的 Gustilo-Anderson ⅢB 型损伤和需要血管修复的 Gustilo-Anderson ⅢC 型损伤，但是这两种类型损伤之间的差别并不是很明确的。

在确定保肢的失败因素时，血管损伤被列为是最重要的失败因素之一。ⅢC 型开放骨折大多数病例发展的结果是截肢，一般在气温较高的条件下肢体缺血超过 6 h 就认为是截肢的绝对适应证。然而也有缺血超过 6 h 以上肢体存活的报道，因为血管损伤水平的不同和受伤机制等因素也是特别重要的。伴有严重肌肉软组织压榨伤的钝性血管损伤与没有严重肌肉软组织损伤的血管损伤是完全不同的。软组织损伤的程度是造成失败因素的第 2 个原因。为了避免感染，需要早期成功的覆盖创面，在没有良好血液供应的创面上进行皮肤覆盖很容易导致感染不愈合，很多病例最终仍要截肢。身体其他部位的合并损伤以及患者本身的因素对肢体的存活也有很大关系。患者年龄，休克程度，总的损伤评分，体液平衡，间室综合征和小腿手术前情况等对预后都有重要的意义。

当患者合并有其他的严重损伤时，更要考虑立即截肢，而不要为了再建肢体血运而延长手术时间。在面对一些合并有慢性疾病如糖尿病、心血管病或呼吸道疾病的患者，通过截肢来挽救生命是更重要的。

患者治疗的理想结果是恢复到损伤前的活动能力，但是有一些患者最终的结果可能截肢要比长期保肢更好，例如一些神经损伤的病例，特别是胫后神经损伤，因为胫后神经提供了足跖侧的感觉，假如这个神经损伤了则保肢是不可取的。单侧踝和足的损伤截肢也可能是更恰当的，严重足损伤的预后是很差的，当这类型的损伤如果合并有严重的胫骨开放骨折时，进行保肢就更困难了。

(3) 外周血管病截肢

外周血管病截肢患者的手术前评定非常重要。在糖尿病患者因为组织病变、深部感染、骨髓炎、慢性溃疡和缺血是截肢最常见的原因。对这些患者的手术前评定包括临床检查和组织质量的评定，如血液灌注、营养、免疫状况、组织坏死水平和功能能力。在糖尿病患者手术前的评定中临床判断仍然是极为重要的，虽然很多注意力被放到循环、灌注压和氧分压上，然而血流并不是唯一的考虑因素。在作出截肢水平选择的决定时除了血流因素以外还有一些其他因素也是非常重要的，包括软组织覆盖、畸形、皮肤感觉、挛缩以及康复目标等。

伤口愈合对外周血管病截肢伤口愈合是非常重要的问题，这些患者的肢体不但血供障碍，神经营养及免疫功能也存在不同程度的低下，这将严重影响截肢伤口的愈合。一旦发生伤口不愈合，继发的就是感染和骨髓炎，进一步的处理只能是在较高的水平再截肢。因此，对外周血管病截肢水平的选择要非常慎重。

截肢水平的选择有两个概念：其一是生物学上的截肢水平，它指的是可以使伤口提供愈合条件的最远的截肢水平，生物学的截肢水平是由临床检查来决定的，如超声多普勒血流测定、经皮氧饱和度测定、血浆蛋白测定，以及作为免疫功能的总的淋巴细胞计数的测定。其二是功能上的截肢水平，即截肢部位能够在患者的康复潜能下发挥残肢的最佳功能。因此，在选择截肢水平时一定要将两者结合起来，决定出使患者获得最佳功能的截肢水平。有时即使仅仅是一个足趾或前足感染和坏死，但是假如临床检查发现缺血指数、经皮氧饱和度测定、皮肤温度或营养等指标都指示在远端截肢伤口愈合的可能性很小时，从生物学的检查结果就要求医师必须做更高水平的截肢。

对可能保持行走的患者，选择截肢水平的目标是在患者成功康复的前提下，在能达到伤口愈合的最远水平进行截肢。在某些特殊情况下，偶尔在更高水平进行截肢将会得到更佳的功能，对不能离床的患者截肢的目标不是单纯为了伤口愈合，而且也要求尽量减少并发症，改善坐位平衡、转移和方便护理。因此，根据这些患者的临床状况和康复目标应该选择更近端水平的截肢才是比较明智的。

在老年人不能接受多次骨科手术时，作出在远端截肢的也是不恰当的。对长期卧床的患者，假如很难康复和恢复行走功能，对初期截肢水平的选择一定要慎重。

(周建平)

参考文献

[1] 胡蕴玉，陆裕朴，刘琼，等. 重组合异种骨的实验研究及临床应用. 中华外科杂志，1993，31:709～713.

[2] Dean GS，Kime RC，Fitch RD，et al. Treatment of osteonecrosis in the hip of pediatric patients by free vascularized fibular graft. Clin Orthop，2001，386：106～131.

[3] Gottschalk F. Transfemoral amputation：biomechanics and surgery. Clin Orthop，1999，361:15.

[4] Gulotta LV，Hidaka C，Maher SA，et al. What's new in orthopaedic research. J Bone Joint Surg Am，2007，89:2092～2101.

[5] Kim BS，Mooney DJ. Development of biocompatible synthetic extracellular matrices for tissue engineering. Trends Biotechnol，1998，16:224～234.

[6] Krajbich JI. Lower-limb deficiencies and amputations in children. J Am Acad Orthop Surg，1998，6:358.

[7] Li XD，Hu YY. The treatment of osteomyelitis with gentamicin-reconstituted bone xenograft-composite. J bone Joint Surg(Br)，2001，83(B):1063～1068.

[8] Pinzur MS，Sage R. Transcutaneous oxygen as a predictor of wound healing in amputations of the foot and ankle. Foot Ankle，1992，13:371.

[9] Prolo DJ，Rodrigo JJ. Contemporary bone graft physiology and surgery. Clin Orthop，1983，174:28～38.

[10] Weinstein SL. 2000～2010：The bone and joint decade. J Bone Joint Surg Am，2000，82:1～3.

13 骨科手术的麻醉

13.1 简述

骨科手术种类繁多,体位变化多样,患者包括先天畸形的新生儿、充满活力的运动员以及多种脏器衰竭的老年人等。因而,其所要求的麻醉方法也较其他科手术复杂,麻醉医师不但要有扎实的理论基础和熟练的麻醉操作技术,还要掌握纤维支气管镜插管、控制性降压、血液稀释和回收、不同体位下患者的保护以及体感和运动诱发电位监测等。另外,脂肪栓塞、静脉血栓形成或栓塞、骨水泥反应综合征、止血带反应等围术期突发情况也是麻醉医师必须时刻警惕的。骨科手术的麻醉总体上来说也就是局部麻醉(广义上包括椎管内阻滞)、全身麻醉或两者联合使用的方法。其中局部麻醉除了椎管内阻滞外,还包含局部浸润麻醉、表面麻醉、四肢和躯干多部位神经阻滞以及现今少用的局部静脉麻醉等。然而具体来说现在临床上由麻醉医师实施的骨科最常用麻醉方法也仅是全身麻醉、椎管内阻滞、颈丛神经阻滞、臂丛神经阻滞以及各种方法联合。椎管内阻滞和神经阻滞在骨科手术麻醉中具有独特的地位,其不仅能满足部分手术期间镇痛、制动的要求,还具有能提供术后良好的镇痛、方便早期功能锻炼、降低血栓形成或栓塞发生率、缩短住院天数等作用。本章仅就常见骨科手术的麻醉作一探讨和概述。

13.2 麻醉手术前准备

为了保障手术患者在麻醉手术期间的安全,增强患者对手术和麻醉的耐受能力,避免或减少围术期的并发症,应认真做好麻醉手术前准备工作。术前应对患者的疾病及全身情况有全面了解和评估。首先要复习病历,然后补充询问与麻醉有关的病史,如了解既往的麻醉与手术史、吸烟史、药物过敏史,药物治疗中是否使用过类固醇、降压药、强心药、单胺氧化酶抑制药、抗凝药、抗生素、抗胆碱酯酶药等可能对麻醉有影响的药物。接着还要进行体检,参照实验室检查和各种特殊检查的数据和结果,重点掌握心、肺、肝、肾、中枢神经系统等主要脏器的功能状态,特别注意并存疾病及治疗情况,发现能影响麻醉及手术危险性的异常情况。最后结合拟行的手术方式、体位及术中是否进行特殊操作(如唤醒试验),估计施行神经阻滞、穿刺和气管插管的困难程度等,全面分析和估计患者对麻醉和手术的耐受性和危险性,以便更充分地做好各项准备工作。骨科医师在遇到特殊、危重病例时最好请麻醉医师会诊,共同检查骨科疾病和全身情况,确定手术指征,补充必要的检查和治疗措施,从而提高医疗质量和工作效率。

(1) 心血管系统方面

1) 高血压 为骨科老年患者常见的并存疾病。未加以控制的高血压患者麻醉手术期间血压波动大，麻醉用药、心血管用药和输液有一定难度，且有可能发生心脑血管意外。术前应把血压降至适当水平，检查肾功能和眼底，评估心功能，了解高血压的严重程度。必要时请心血管专科医师会诊。术前抗高血压药一般继续使用至手术日晨，术前停药有可能促使高血压反跳和围术期心律失常。但因为抗高血压药可能加重麻醉期间低血压。目前有学者主张术前停用长效药物如血管紧张素转换酶抑制剂(ACEI)类药物，对曾有心脑血管意外的老年患者尤应注意。

2）室性期前收缩(早搏)　常见于老年患者，偶发期前收缩可见于正常老年人，如果是频发、多源性或“R on T”，围术期需用利多卡因等治疗，必要时请专科医师协助诊治。束支传导阻滞亦常见，左束支传导阻滞多数为病理性，须加注意；右束支传导阻滞可能为非器质性改变，应结合临床症状估计其心脏功能。老年患者心率相比年轻人较慢，如有心动过缓，须仔细询问病史，详细检查心电图。病态窦房结综合征和Ⅱ度以上房室传导阻滞者，选择性手术须做好充分准备，必要时安放临时心脏起搏器，手术中可以处于备用状态。

3）心肌梗死　术前有心肌梗死时间小于3个月者，手术危险大，手术麻醉医师应根据手术缓急、种类，认真考虑利弊，慎重决定手术与否。心肌梗死病史越久者，围术期再梗死发生率越小。术前有不稳定心绞痛者，也应高度重视。这类患者均应按照标准心脏病患者非心脏手术术前评估准备进行考虑，必要时需做各种心功能状况测定，并继续使用心血管药物。术中酌情给予硝酸甘油和β受体阻滞药等，并做好急救准备。

4）畸形性骨炎(Peget病)　为慢性骨骼系统疾病，多伴有心血管病变，如外周血管阻力降低，心排血量增加，脉压增大，重者可致心力衰竭。Howarth认为35%骨骼被侵犯后，可表现心脏改变，同时血碱性磷酸酶升高。此类患者常因长管骨病理骨折、骨新生物、股骨头萎缩而需手术治疗。

5）其他　多发关节挛缩需行矫形手术的小儿，应注意有无心血管畸形，如马方综合征(Marfan syndrome)常并存心血管病变。术前应全面衡量心功能。严重肌营养不良性疾病常并存心脏传导障碍，表现为心电图异常和心肌肥大。风湿性关节炎患者对麻醉医师而言是一个挑战，由于疾病进行性发展，患者出现全身关节畸形、不稳定和关节毁损，包括颈椎、肩关节、膝关节等。另外还有心脏瓣膜病变、心包炎和肺间质纤维化，患者的免疫系统也受到损伤，术后感染的发病率大大增加。

(2) 呼吸系统方面

1）慢性肺疾病　有无慢性肺疾病，如气管炎、肺气肿，有无咳嗽、咯痰、气喘和呼吸困难。这与术中的呼吸管理和术后的呼吸支持有关。

2）气管　有无呼吸道解剖畸形，对类风湿关节炎患者要检查脊柱活动受限程度，有无颈椎强直、张口障碍。颈椎结核患者有无咽后壁脓肿和颈部活动受限。颈椎的强直和活动受限有可能发生气管插管困难，术前应选定插管方案。估计气管有困难时，应保留自主呼吸气管插管，有条件时实施纤维支气管镜引导插管。有可能发生气管插管困难的疾病包括：强直性脊柱炎、类风湿关节炎、以前做过颈椎融合术、颈椎先天性畸形、骨骺发育异常、软骨发育不全、颈椎骨折或结核等。

3）呼吸功能障碍　如类风湿关节炎、脊柱侧凸畸形、肌营养不良性疾患，都可影响呼吸功能。强直性脊柱炎因脊椎间和脊肋关节固定，胸廓活动受限，肺活量降低，其降低程度取决于疾病严重程度。严重胸廓活动受限，可使胸式呼吸消失，此类患者应避免肌间沟或锁骨上臂丛神经阻滞，否则一旦膈神经阻滞，自主呼吸将无法维持。肌营养不良、肌强直、先天性肌无力患者，均可因呼吸肌无力而致肺活量降低。脊髓前角灰质炎后遗症多见于下肢，偶尔上肢亦可累及，并有肺活量下降，容易引发肺部感染。对骨科患者做胸部X线摄片有重要意义，可了解肺部情况，并可做术后对照。

(3) 其他

骨肿瘤和结核患者由于长期消耗，术前应尽量纠正营养状态，进行功能锻炼。骨肿瘤化疗后，可出现肝损害。肝病患者对麻醉和手术的耐受性减退，且术后肝功能可能进一步受损，术前术后应进行保肝治疗。骨肿瘤患者还必须了解电解质变化，骨髓瘤、骨癌、甲状旁腺功能亢进均有血钙升高，脊柱结核、截瘫长期卧床可有低血钙。肥胖患者的术前体位适应性锻炼也很重要。骨科患者术前还需了解肾上腺皮质功能，了解应激能力。脊柱结核可能合并肾上腺结核，表现为肾上腺皮质功能不足。类风湿关节炎、哮喘或股骨头无菌坏死患者，可能长期服用激素，术前必须了解肾上腺皮质功能，并恢复激素用药，以防术中出现皮质功能不足。另外，对部分患者还需进行神经功能检查。

小儿可由于脑瘫、先天性脊柱畸形、类风湿关节炎、骨生成缺陷、骨骺发育异常和脊柱侧弯等疾病，需要反复住院和多次手术。因残疾、疼痛以及与社会的隔离，患儿常性格孤僻，需要特殊的照顾和护理。

13.3 麻醉方法选择

骨科手术可选用局部麻醉(广义上包括椎管内阻滞)、全身麻醉或两者联合，主要取决于患者的健康状况、手术时间及方式、麻醉医师的技能和习惯，以及患者和手术医师的要求等。椎管内阻滞、神经阻滞与全身麻醉相比有以下优点：术后提供良好镇痛、恶心呕吐发生率低、呼吸循环抑制较轻、有利于患肢血供、减少静脉血栓形成的机会以及由于良好镇痛而可以尽早进行活动和功能锻炼等。为减轻患者的恐惧和焦虑，一般在椎管内阻滞或神经阻滞的同时进行清醒镇静。然而，如果阻滞效果不能满足手术要求时，不可一味使用多种镇静药物或全麻药辅助。临床实践证明，在没有确实的呼吸循环支持情况下，此种做法令麻醉医师感到相当劳累，且十分危险。对阻滞失败或有阻滞禁忌证的患者、复杂手术的患者及大多数患儿应选用气管插管(或喉罩等)全身麻醉。估计有气管插管困难时，应在表面麻醉和镇静下行气管内插管或用纤维支气管镜进行气管插管。麻醉维持可用全凭静脉或静吸复合的方法，常用药有异丙酚、咪达唑仑、氧化亚氮、恩氟烷、异氟烷、地氟烷、七氟烷、芬太尼、瑞芬太尼等。对短小的小儿手术，可使用氯胺酮麻醉。另外，联合使用浅全身麻醉和椎管内或神经阻滞，不仅具有局部阻滞的优点，还能确保气道通畅和术中意识丧失。

13.4 术中及术后管理

13.4.1 骨科手术的体位要求

骨科手术有多种体位要求。手术麻醉期间应注意体位可能导致的问题。当手术区在心脏平面以上时，可能出现空气栓塞。这种手术包括颈椎手术、坐位肩部手术、侧卧位全髋置换术和俯卧位腰椎手术等。在上述手术中发生不易纠正的循环抑制时，应考虑到空气栓塞的可能。麻醉中可能发生关节牵拉伤或错位；骨突起处受压，可引起组织缺血和坏死，尤其是应用控制性降压的长时间手术更易发生；俯卧位对眼眶周围软组织的直接压迫，可导致视网膜动脉的闭塞。对其他周围神经的直接压迫可导致术后功能性麻痹。侧卧位时，应在上胸部下面放置腋垫来缓解对腋动、静脉的压迫。长时间侧卧位手术的患者，患者的固定架必须仔细安置，以免影响股静脉回流。肢体动脉阻塞可通过氧饱和度监护仪或触摸末梢动脉来监测，静脉阻塞可致肢体水肿、功能性麻痹、术后血中肌酸磷酸激酶增高和肌红蛋白尿。类风湿关节炎患者的手术体位是非常重要的，不能过度屈曲颈部。俯卧位时更应注意呼吸循环管理，防止并发症(表 13-1)。

表 13-1 俯卧位的麻醉相关问题

气管

- 气管导管扭曲或移位
- 长时间俯卧位致上呼吸道黏膜水肿，可加重术后气管梗阻

血管

- 上肢动脉或静脉栓塞
- 髋关节过于屈曲导致股静脉回流障碍，易产生术后深静脉血栓
- 腰椎椎板切除术由于体位引起腹压及硬膜外静脉压增高，导致术中出血增加

神经

- 臂丛神经过度伸展或受压
- 在鹰嘴部位尺神经受压
- 腓骨上方压迫造成腓总神经受压
- 髂嵴部位受压致股外侧皮神经损伤

头颈部

- 长时间俯卧位颈部手术，压迫导致头颈部水肿
- 颈部大幅度过屈或过伸
- 眼部受压引起视力障碍
- 眼球缺乏润滑油和覆盖保护，导致角膜摩擦损伤
- 头托压迫致眶上神经损伤
- 颈部过度旋转造成臂丛神经损伤及椎动脉供血障碍

腰部

- 过度脊椎前凸导致脊髓损伤

13.4.2 术中监测

因为部分骨科手术体位特殊、手术持续时间较长、大量失血等，术中需要良好的监测和体液管理。

对大手术，除常规的无创动脉压、心电图、指末氧饱和度、呼气末二氧化碳、尿量监测等项目外，最好还进行有创动脉压和中心静脉压监测，有时更需用漂浮肺动脉导管或经食管超声心动图进行监测。对许多脊柱手术，需作脊髓功能监测，常用两种方法，即感觉诱导电位(SSEP)和唤醒试验。需要注意的是：强效吸入麻醉药使 SSEP 的潜伏期明显延长，幅度下降，且随吸入浓度的增加抑制作用增强。静脉麻醉药对 SSEP 的影响较小，氧化亚氮-芬太尼类药-肌松剂的麻醉方式对 SSEP 几无影响。目前尚不清楚控制性降压和中度低温对 SSEP 的作用，但是严重的低血压和休克会明显抑制 SSEP。SSEP 主要显示脊髓背侧的功能，而脊髓前动脉的血流减少会造成脊髓腹侧部缺血，有时 SSEP 监测不到。为了弥补 SSEP 的不足，可施行唤醒试验。常用具体做法为：术前对患者解释清楚，争取患者合作。采用氧化亚氮-芬太尼类药-肌松剂的麻醉方式，插管前进行充分的气管表面麻醉。使用神经刺激器监测，维持在较浅的肌松程度(即 4 个成串刺激中 T_1、T_2、T_3 或 T_1、T_2 存在)。不给予强效吸入麻醉药。当需唤醒患者时，停吸氧化亚氮，3～5 min 后患者常能听从指令，活动手和脚，如此可推断脊髓没有受到严重的缺血损害。试验完成后必须立即用静脉麻醉药加深麻醉。术后患者很少有回忆和不适。手术中一般不进行肌松剂和芬太尼类药的拮抗，因为这会导致患者在手术台上突然惊醒和危险的躁动，但有时为了确定脊髓是否受损，还是值得一用。唤醒试验需暂停麻醉和手术，可增加气管插管脱落的机会，且对小儿、精神病患者和不合作的患者不能应用。现在，部分国外医院在监测 SSEP 的同时监测运动诱发电位(MEP)，它不仅能更好地显示脊髓前动脉缺血，还避免了唤醒试验的烦琐和危险，值得推广使用。

13.4.3 术中术后的特殊处理

(1) 失血及处理

部分骨科手术会引起大量失血。骨组织血运丰富，手术时骨断面和骨髓腔的渗血不易控制。影响出血的因素包括手术部位、手术时间、操作技巧、患者的凝血功能及麻醉管理质量。脊柱手术时，如腹部受压，也会导致出血量增多。为最大限度地减少失血，减少异体血输入量，可采用多种措施(表 13-2)。

表 13-2 减少失血和异体血输入量的措施

术前自体血储备	麻醉技术
术前红细胞生成素的应用	保持正常体温
急性血液稀释	使用血浆代用品
术中、术后红细胞回收	高浓度氧吸入
抗纤溶药的应用	控制性降压
人工载氧溶液	外科技术的改进

(2) 骨水泥相关问题

骨水泥主要由甲基丙烯酸甲酯(MMA)和聚甲基丙烯酸甲酯(PMMA)组成。骨水泥对假体的固定作用是通过大块充填和微观的机械交锁实现，其显著的特点是假体可以获得即刻的固定。骨水泥的应用技术已从 20 世纪 70 年代的第 1 代发展到现在的第 3 代，它是根据股骨柄假体的骨水泥固定技术发展中的技术含量划分的，而不是根据应用时间划定的。第 1 代骨水泥技术包括指压填塞和手工搅拌；第 2 代骨水泥技术在第 1 代基础上，应用髓腔栓、髓腔冲洗和水泥枪；第 3 代技术包括第 2 代技术、真空搅拌和中位装置的应用。故现代骨水泥技术包括髓腔冲洗、髓腔栓、骨水泥枪、加压固定、假体柄的中心化、真空搅拌。最终目的是提高骨水泥的机械强度，包括抗疲劳强度、使假体周围的骨水泥涂布均匀和增加骨与骨水泥假体之间的结合力，从而增加骨水泥的固定效果，减少松动率。长时间临床麻醉实践中发现在填充骨水泥和嵌入股骨假体后部分患者可立即出现显著的低血压，甚至导致心搏骤停，而不用骨水泥修复的患者则无此种现象。骨水泥引起低血压的原因可能有两种：①骨水泥导致的血管扩张和心肌抑制；②骨髓腔压力骤增，导致空气、脂肪及骨髓进入静脉，导致肺栓塞。较多观点认为栓塞比骨水泥毒性作用更易导致低血压。为减少这一并发症的发生，可采取以下措施：①待骨水泥反应到成团阶段才填充；②在所填充区的邻近骨上钻孔排气、排液，避免封闭式填入；③填充骨髓腔时，应使接触面干燥无血，并将多余的骨水泥彻底清除；④局部冰水降温；⑤在应用骨水泥时，应保证患者无血容量不足，无麻醉引起的低血压。

有学者认为，一旦发现低血压，静脉注射肾上腺素(4～50 μg)是一个非常有效的方法，用药剂量应根据低血压的程度而定。在高危人群中，填充骨水泥后，只要发现动脉压下降，就应通过深静脉注入肾上腺素 10～20 μg。一旦出现心跳停止，则需要更大剂量的肾上腺素进行复苏。

植入骨水泥和假体后直至术后5天内都可能发生持续的低氧血症。应首先查明是否存在一些特殊原因，如肺不张、肺通气不足或肺水肿。然而，在没有特殊原因的情况下，低氧血症也会持续许多天，这可能与骨水泥栓子或脂肪栓塞有关。低氧血症处理应包括以下几点：①鼻导管吸氧；②指末氧监测；③术后用阿片类药物镇痛要谨慎，避免通气不足和气道梗阻；④仔细计算液体出入量；⑤利尿。持续低氧和液体过多会逐渐增加肺动脉压力，导致肺水肿和右心衰竭。术后低氧血症在打鼾的患者中更为常见。

(3) 止血带问题

止血带用于上、下肢手术以减少手术野渗血，提供良好的手术条件，缩短手术时间，并可以防止恶性细胞、脂肪栓子和骨水泥扩散。但上止血带是非生理性过程，有许多不利因素。

1) 局部反应　止血带充气后，止血带远端肢体的局部血液停滞，局部组织逐渐缺氧。充气后8 min，细胞线粒体内的氧分压降至零，引起无氧代谢。在随后的30～60 min内，烟酰胺腺嘌呤二核苷酸降低，磷酸肌酸酶明显增高且在肌肉中积蓄，很快产生细胞内酸中毒。缺氧和酸中毒导致肌红蛋白、细胞内酶和钾离子的释放。红细胞黏度将增加，从而出现聚集-解聚的失衡并向聚集方向移动，导致红细胞聚集性和刚性增加，毛细血管床血流停滞，红细胞"丸流、环流"现象消失，红细胞变形能力下降。继而促使血液黏度增加，循环减缓，组织氧饱和度下降。血液淤滞也促使毛细血管床通透性增加，致血液浓缩、血小板聚集度增加，在缺氧和酸性代谢产物、脂质过氧化物对内皮细胞引起损伤的基础上，容易导致血栓形成。随时间延长肢体温度逐渐下降，可与室温相同。另外，由于止血带下面的肌肉受压，可能延迟患者康复。

2) 松开止血带后全身反应　松开止血带后，缺血的肢体发生再灌注，可导致中心静脉压和动脉压降低，若血压显著下降可导致心搏骤停，原因包括缺血肢体血管明显扩张，外周血管阻力突然下降，急性失血以及回流的代谢产物对循环的抑制。曾有报道，静脉氧饱和度在30～60 s内下降20%，中心体温在90 s内降低0.7 ℃，呼气末二氧化碳明显增高。但除非有显著的肺内分流，一般很少发生动脉血氧饱和度下降。

3) 止血带疼痛　蛛网膜下隙或硬膜外阻滞的患者，止血带充气超过1 h后，可感到远端肢体疼痛或烧灼感，有时静脉使用吗啡类镇痛药也无效，但放松止血带后便可缓解，这可能与细胞内酸中毒有关。用长效局部麻醉药作完善的臂丛神经阻滞，即使3～4 h的手术也不引起止血带疼痛。需要在大腿上止血带的手术，如果使用局部神经阻滞，必须同时作股神经和股外侧皮神经阻滞；使用椎管内阻滞，则阻滞范围需在 T_{10} 以上。

4) 神经损伤　止血带使用超过2 h，或压力过大会产生神经损害。上止血带30 min内神经传导就会中断，说明轴索缺氧或在止血带下面的神经过度受压。为了减少神经损伤，必须在每90～120 min内放松10 min，再重新充气。另外，当患者收缩压在12.0～13.3 kPa(90～100 mmHg)时，止血带的压力可以降低到33.3 kPa(250 mmHg)，止血带和收缩压之间的压力梯度为20.0 kPa(150 mmHg)。这样既可以完全阻断肢体的血流，也减轻了对神经的压迫损伤。

(4) 脂肪栓塞

所有长骨骨折的患者都会产生不同程度的肺功能障碍，但临床上出现明显脂肪栓塞症状者仅占10%～15%，其表现为低氧血症、心动过速、意识改变以及在结膜、腋下、上胸部有出血点。在尿中查出脂肪滴还不能诊断脂肪栓塞，当X线胸片显示肺浸润者基本可诊断为脂肪栓塞。

脂肪栓塞的病理生理是毛细血管内皮细胞破坏导致毛细血管周围出血渗出，主要表现在肺部和脑部。肺血管渗出造成肺水肿和低氧血症，脑缺氧和脑水肿可导致神经功能障碍。

比较严重的脂肪栓塞常发生于股骨和胫骨骨折术后，延迟骨折固定和大幅度扩髓可增加其发病率和严重性。脂肪栓子可通过未闭的卵圆孔或肺循环进入体循环，导致心脑血管栓塞。因此，适当降低肺动脉压可减少通过肺循环的栓子数量，限制肺毛细血管的液体渗出量。

麻醉处理包括及早发现、充分供氧和控制输液量。大剂量激素在严重创伤后短期应用可减轻脂肪栓塞的临床症状，但大多数患者只要适当输液，充分通气以避免低氧血症，其预后通常都很好。

(5) 深静脉血栓形成

骨科大手术术后易发生深静脉血栓形成(DVT)，少数可造成肺栓塞(PTE)导致死亡。DVT系指血液在深静脉内不正常地凝结，属静脉回流障碍性疾病。好发部位为下肢，常见于骨科大手术后，其是PTE栓子的主要来源。根据下肢DVT栓塞的部位可分为远端和近端DVT，位于腘静脉内或以上部位的血栓称为下肢近端DVT。导致静脉血栓的因素包括静脉血流缓慢、静脉壁损伤和血液高凝状态。DVT的发生率各家报道不一，这与患者的一般情况、手术大小、手术时间长短、出血量大小以及诊断方法的不同等因素有关。第6届美国胸科医师协会（ACCP）报道了外科（骨科）患者静脉血栓栓塞症（VTE）的危险分级（表13-3）。

表13-3 外科(骨科)患者VTE的危险分级及发生率(%)

危险度	DVT		PTE	
	小腿	近端	临床性	致命性
低危				
年龄＜40岁，较小的外科手术(30 min以内)，无其他危险因素，长期卧床	2	0.4	0.2	＜0.01
中危				
有危险因素的较小手术；40～60岁，无危险因素的非大手术；年龄＜40岁，无危险因素的大手术	10～20	2～4	1～2	0.1～0.4
高危				
年龄＞60岁或有危险因素的非大手术；40～60岁，有危险因素(既往VTE病史、肿瘤、高凝状态)的大手术	20～40	4～8	2～4	0.4～1.0
极高危				
年龄＞40岁，既往有VTE病史的大手术；髋、膝关节置换术，髋部骨折手术，重度创伤，脊髓损伤	40～80	10～20	4～10	0.2～5.0

50%～80%的DVT可无临床表现，但由于可并发致命性PTE和远期下肢深静脉功能不全，其危害较大。及时发现和治疗都有赖于对疾病状态的早期发现和正确诊断。

有症状和体征的DVT临床特点是：①多见于手术后、创伤、晚期肿瘤、昏迷或长期卧床的患者。②起病较急，患肢肿胀、发硬、疼痛，活动后加重，偶有发热、心率加快。③血栓部位压痛，沿血管可扪及索状物，血栓远端肢体或全肢体肿胀，皮肤呈青紫色，皮温降低，足背、胫后动脉搏动减弱或消失，或出现静脉性坏疽。血栓延伸至下腔静脉时，双下肢、臀部、下腹和外生殖器均明显水肿。血栓发生在小腿肌肉静脉丛时，Homans征和Neuhofs征阳性。Homans征，即直腿伸踝试验。检查时嘱患者下肢伸直，将踝关节背屈时，由于腓肠肌和比目鱼肌被动拉长而刺激小腿肌肉内病变的静脉，引起小腿肌肉深部疼痛，为阳性。Neuhofs征，即压迫腓肠肌试验。④后期血栓机化，常遗留静脉功能不全，出现浅静脉曲张、色素沉着、溃疡、肿胀等，称为深静脉血栓形成后综合征。分为：周围型，以血液倒灌为主；中央型，以血液回流障碍为主；混合型，既有血液倒灌，又有回流障碍。⑤血栓脱落游走可致PTE。

DVT的辅助检查包括：加压超声成像、彩色多普勒超声探查、放射性核素血管扫描检查、螺旋CT静脉造影、静脉造影、阻抗体积描记测定以及血浆*D*-二聚体测定（*D*-二聚体＜500 μg/L可排除诊断）。诊断DVT时，应同时考虑有无PTE存在，反之亦然。

目前，临床上应对所有下肢大型骨科手术患者进行积极预防DVT。包括：在四肢或盆腔邻近静脉周围的操作应轻巧、精细，避免静脉内膜损伤；术后抬高患肢时，不要在腘窝或小腿下单独垫枕，以免影响小腿深静脉回流；鼓励患者尽早开始经常的足、趾主动活动，并多作深呼吸及咳嗽动作；尽可能早期离床活动，下肢可穿逐级加压弹力袜；足底静脉泵、间歇充气加压装置等机械预防措施；抗凝药物预防措施等。对于大部分接受低分子量肝素预防的患者，首剂既可在术前也可在术后给予。对于易发生深静脉血栓的极高危患者，可在术前安置腔静脉过滤器。

有学者认为硬膜外或蛛网膜下隙阻滞下行全膝置换术和全髋置换术时，DVT的发生率可分别降低20%和40%。如硬膜外麻醉下行全髋置换术时，同时使用小剂量肾上腺素输注可使其发生率降至10%。这一现象的机制尚不清楚，可能与肾上腺素能提高下肢血流速度有关。全身麻醉合用肝素时，DVT的发生率为33%，而硬膜外麻醉合用肝素时，发生率为19%，但硬膜外麻醉时能否使用肝素存在争论。硬膜外镇痛有利于患肢的早期活动，从而避免下肢DVT形成。

13.5 常见骨科手术的麻醉处理

(1) 全髋置换术

全髋置换手术病例多为老年患者，其麻醉处理必须依据外科手术的复杂程度、手术可能的并发症、患者的状况、外科医师和麻醉医师的技术水平以及医院的常规情况等。复杂手术例如髋骨移植、长段股骨植入、拆除人工假体以及有可能进入盆腔或损伤髂血管的手术，麻醉和术中管理要求高，风险较大。

大多数全髋置换手术由于患者活动受限，心肺功能难以准确估计。手术中常取侧卧位，对潜在肺功能障碍患者易产生体位性通气/血流比例失调引起低氧血症。老年患者多伴有全身性疾病，术中有一定量的出血，术中输液量和速度不易掌握，加上通气/血流比例失调和栓子导致的肺血管内膜损伤等因素，易产生低氧血症和肺水肿。为此，对老年或全身条件差的患者，尤其是复杂的手术，应使用有创血流动力学监测。

由于新材料和新技术的使用，髋关节手术的时间也大大缩短，因此选用简单、麻醉效果可靠、对患者全身影响小的麻醉方法完成手术是患者、外科医师和麻醉医师的共同追求。就具体麻醉方法而言，有连续硬膜外阻滞、单纯全身麻醉和硬膜外阻滞复合全身麻醉之分，在复旦大学附属中山医院常规选用硬膜外阻滞复合全身麻醉，针对疼痛致硬膜外穿刺有困难者，则直接选用单纯全身麻醉。

另外，侧卧位时肩部受压可能影响腋动脉和臂丛神经，股部加压影响股部神经血管，尤其在控制性降压患者容易发生。应在上胸部下边放置腋垫和谨慎安置股部的固定架，以避免或减轻对血管和神经的压迫。

(2) 全膝置换术

全膝置换术的患者通常患有类风湿关节炎和骨关节的退行性变，这些患者除了骨关节病变以外，一般还并存其他重要脏器的损害和功能不全，这给麻醉带来一定风险。而膝关节炎通常为双侧，一次性手术可免去2次住院的麻烦，受到患者的欢迎，但围术期的管理更为复杂，术后并发症的发生率也会增加。因此术中需加强血流动力学监测，术后提供满意的硬膜外镇痛以及24～48 h的密切监护。

当胫骨和股骨腔内置入骨水泥时，急性血流动力学改变并不常见，然而在大幅度扩髓后嵌入长干的股骨假体时却可发生。小幅度的扩髓可以减少栓塞的发生率。完成全膝置换放松止血带后，在右心房内可发现大量栓子，这可能引起全身麻醉中肺血管阻力的增加。

由于术中采用止血带，术中失血较少，但是术后引流每侧平均可达500～1 000 ml，因此，许多高危患者需要在监护室内监测24 h或更长时间，直到伤口引流量减少。在双侧膝关节同时施行手术的患者术后最初几小时低血压更为常见，保持术后血流动力学稳定将是术后处理的重点。全膝置换术与全髋置换术相比，术后疼痛更加明显，可采用硬膜外和股神经、坐骨神经阻滞或鞘内注射吗啡的方法进行术后镇痛。

(3) 胸椎手术

胸椎手术主要为畸形(如脊柱侧弯)矫正、骨折固定或肿瘤切除等。脊柱侧弯可分为先天性和继发性两类。矫正手术的目的是改善和维持姿势，防止脊柱弯曲和肺功能不全进一步发展。先天性脊柱侧弯患者常存在其他先天性疾病，如心脏病、气管畸形、先天性神经系统缺陷等。继发性脊柱侧弯主要继发于脊髓灰质炎、家族性自主神经异常、脊髓外伤、神经纤维瘤等疾病。这些都可能为手术体位的选择、脊髓功能监测、液体治疗、术后呼吸管理和镇痛带来困难。俯卧位手术时，由于唤醒试验或手术操作等，需改变患者的位置，所以应经常检查以防止气管导管扭曲、手臂和眼睛受压。

对矫正脊柱弯曲的手术，应作脊髓功能监测，因为牵拉脊髓可能影响脊髓前动脉血供，导致脊髓缺血。胸椎手术可能会大量出血，应考虑采用术前自体血储备、术中血液稀释、控制性降压及红细胞回收等技术。有创动脉压和中心静脉压监测是必要的。对合并有神经肌肉疾病、先天性心脏病及严重肺功能不全的患者，术后可能需要24 h或更长时间的机械通气支持，应在重症监护室(ICU)进行监测和镇痛。

(4) 颈椎手术

颈椎手术主要用于治疗颈椎损伤、肿瘤、结核、关节炎、椎管狭窄等,并发症的发生率较高。颈后部的解压术常需坐位或俯卧位,前者增加了空气栓塞的机会,而后者眼睛容易受压。对颈椎不稳定或强直的患者应在保留患者呼吸的状态下采用纤维支气管镜插管,并注意摆好体位。颈椎手术可能导致四肢瘫痪和呼吸功能障碍,术中可选择作脊髓功能监测。

(5) 腰椎手术

腰椎手术可从小切口椎间盘摘除到大范围的椎板融合术,部分手术时间长、失血多,术中应注意呼吸、循环、神经功能监测和手术体位等问题。常用麻醉方法也是硬膜外阻滞、全身麻醉或硬膜外阻滞复合全身麻醉。现在,由于特殊的手术部位、对椎管结构的破坏以及患者俯卧位不适感较强等原因,部分麻醉医师已经不再选择硬膜外阻滞,而仅仅使用单纯全身麻醉,术后经静脉镇痛(PCIVA)。

(6) 骨盆手术

骨盆手术与脊柱或全髋手术一样常在侧卧位或俯卧位下进行,必须注意监测呼吸、循环和特殊体位的相关问题(见前文)。若手术累及骨盆大血管或神经,可在足趾上监测氧饱和度以观察下肢循环情况。如需进行 SSEP 监测,则不能用硬膜外阻滞和吸入麻醉药。部分手术时间特长,出血量巨大,应建立中心静脉通路保证快速输血、输液,监测动脉压和中心静脉压,并且采取保温措施,术中酌情检查血细胞比容和血气。

(7) 四肢手术

大多数上肢手术根据是否上止血带和手术部位可在不同径路的臂丛神经阻滞、周围神经阻滞或静脉局部麻醉下完成。肩部手术可实施 C_6 横突神经阻滞、单独经肌间沟臂丛阻滞或臂丛加颈丛联合阻滞,若切口延到腋窝可补充皮下局部麻醉药浸润。肘部手术采用肌间沟或腋路臂丛神经阻滞。采用腋路臂丛神经阻滞应同时在腋下阻滞 $T_{1\sim2}$ 支配的臂内侧皮神经,以使麻醉效果更完善。手和前臂内侧手术,肌间沟法有时阻滞不全,最好采用经腋路臂丛神经阻滞。长时间手术可用持续臂丛神经阻滞或采用长效局部麻醉药如丁哌卡因(布比卡因)或罗哌卡因。双上肢同时手术的患者可选用全身麻醉或颈胸段硬膜外阻滞。颈胸段硬膜外穿刺技术和术中管理要求很高,易出现呼吸、循环抑制,现已少用。

绝大多数下肢手术可在蛛网膜下隙阻滞、硬膜外阻滞或两者联合阻滞下完成,也可采用神经阻滞、全身麻醉或阻滞与全身麻醉联合应用的方法。关节镜常常是门诊手术,有时可采用股神经阻滞联合关节内注射局部麻醉药的方法。单纯足部手术可采用踝关节处阻滞或坐骨神经阻滞,需要在大腿上止血带的手术必须同时作股神经和股外侧皮神经阻滞,硬膜外阻滞范围需包括 $T_{10}\sim L_5$。足部手术硬膜外阻滞时可能出现麻醉不全或作用出现较慢现象,可能系 $L_5\sim S_1$ 神经较粗大,麻醉药渗入较慢所致,多见于年轻患者,可适当加大局部麻醉药用量和浓度。蛛网膜下隙阻滞适用于下肢手术,与硬膜外阻滞比较,优点为作用出现快,效果确切,肌肉松弛满意;缺点为麻醉有效时间受麻醉药性能所限,如普鲁卡因仅能维持 1 h,只适用于短小手术。目前常使用丁哌卡因溶液,可维持 4 h 以上,但麻醉平面的固定时间较长,为 20～30 min。

(8) 显微骨科手术

各种显微外科手术,包括断指再植、手指转位、游离肌肉和皮瓣移植、游离腓骨移植、足趾移植及手再造术等日益推广,而且成功率不断提高。四肢显微手术的特点为手术时间长,要求手术野清晰和稳定,且要保持良好的末梢血供。为满足其需要,麻醉作用应完善,防止因疼痛而引起血管痉挛或手术野的移动;麻醉时间能根据手术需要而延长;术中循环稳定,防止低血压,忌用血管收缩药;术后能有持续的镇痛效果。区域阻滞联合轻、中度镇静可满足大多数四肢显微手术的要求,并有利于患肢的血供。双侧上肢手术最好直接选用全身麻醉。下肢可根据手术时间选用硬膜外阻滞或腰麻。复杂的手术也应直接选用全身麻醉。术中应注意失血补充和体液平衡。因手术时间长,应防止局部压迫引起的组织损伤、神经麻痹、关节强直和疼痛。必要时可以应用血液稀释或控制性降压,使出血减至最少并保持清晰手术野。

(9) 骨科患者的某些特殊问题

1) 类风湿关节炎　类风湿关节炎是一种起因不明的、以免疫为媒介的滑膜炎,这种疾病会使关节发生破坏而发生畸形和不稳定,并累及心脏瓣膜和心包,给临床麻醉带来很多难题。①腕关节的屈曲畸形以及桡动脉壁的钙化,使桡动脉穿刺变得异常困难;②颈椎关节炎的融合屈曲给中心静脉穿刺带来难度;③类风湿关节炎导致寰枢椎的不稳定,给气管插管带来一定困难。当颈部弯曲时可能引起半脱位,急性寰枢椎半脱位会导致脊髓压迫,甚至发生脊髓动脉压迫引起四肢瘫痪或者突然死亡。严重类风湿关节炎患者术毕由于麻醉剂和镇静剂的作用会引起术后呼吸道梗阻,因此术后采用镇痛镇静时,应进行氧饱和度监测,并持续吸氧。发生意外时对类风湿关节炎的患者进行心肺复苏比较困难,甚至气管切开也不可能,只能行环甲膜穿刺和喷射通气。

2) 强直性脊柱炎　强直性脊柱炎患者对麻醉医师同样是挑战,该病的男性发病率高于女性,由于脊柱韧带、椎间盘逐渐骨化,最终导致整个脊柱僵硬,同时还有髋关节、肩关节和肋椎关节病变。由于肋骨关节的强直,胸廓顺应性下降,肺功能下降,心脏会出现主动脉瓣反流和束支传导阻滞,而脊椎骨折和颈椎不稳定则非常危险,小心摆放体位很重要。强直性脊柱炎最好在患者清醒时摆放好体位。颈部不能活动的患者,椎骨往往已融合,施行椎管内麻醉很困难,甚至不可能,应选用全身麻醉。对于颈部活动度尚可的患者,椎骨的融合可能是不完全的,可成功地实施椎管内麻醉。上肢手术若用臂丛神经阻滞,应采用腋路法而不用肌间沟法。气管插管应考虑使用纤维支气管镜导引。

3) 小儿骨科手术特殊问题　脑瘫的患儿由于肌肉挛缩,手术体位的安置很困难。他们中大多数是早产儿,有时合并有气管软化、气管高敏和肺功能低下。当有下丘脑功能不全时,易发生围术期低温。类风湿关节炎或脊柱畸形的患儿,因颈部强直固定,常需纤维支气管镜引导气管内插管,中心静脉穿刺也较为困难。脊柱前凸和上肢不能外展的患儿,施行椎管内麻醉和经腋窝臂丛神经阻滞常有困难。对于短小手术,可用氯胺酮麻醉,也可考虑在适当的镇静下进行区域阻滞,必要时应用神经刺激器或超声协助定位。

13.6 术后镇痛

有效的术后镇痛能减少或消除患者身体和精神的痛楚,降低分解代谢,有利于进行早期康复锻炼,降低血栓形成及栓塞发生率,缩短住院天数等。用布比卡因或罗哌卡因行单次神经阻滞,可以达到12～24 h的镇痛。而置管行持续股神经、臂丛神经阻滞可以取得更长时间的镇痛。关节腔内注射局部麻醉药或阿片类药物也可以产生有效镇痛,且十分安全,特别适用于门诊关节镜手术的患者。硬膜外镇痛可联合使用低浓度局部麻醉药和阿片类药物行患者自控镇痛(PCEA),比如:0.05～0.125%丁哌卡因加2～5 μg/ml芬太尼,3～5 ml/h,单次3～5 ml,锁定时间8～15 min。另外,非甾体类抗炎镇痛药虽可提高镇痛效果,但不作为常规使用。

术后镇痛中应注意某些骨科手术可能的并发症,如胫腓骨骨折的患者术后可发生肌筋膜间隙综合征,其早期症状(剧痛、麻木、无力)在镇痛情况下往往不明显,因而术后应密切注意患肢的情况变化;复杂的全膝关节置换术、足外翻矫形术、高位胫骨截骨术等术后有可能发生腓总神经损伤,早期发现、早期诊断可通过屈曲膝关节、变换包扎方式的方法避免或减轻神经损伤。

(薛张纲　葛圣金)

参考文献

[1] 邱贵兴,戴尅戎,杨庆铭,等.预防骨科大手术后深静脉血栓形成的专家建议.中华骨科杂志,2005,25:636～640.

[2] 徐惠芳.脊柱、四肢手术的麻醉.见:庄心良,曾因明,陈伯銮主编.现代麻醉学.第3版.北京:人民卫生出版社,2003.1344～1359.

[3] Bernard JM, Pereon Y, Fayet G, et al. Effects of isoflurane and desflurane on neurogenic motor-and somatosensory-evoked potential monitoring for scoliosis surgery. Anesthesiology, 1996, 85:1013～1019.

[4] Capdevila X, Barthelet Y, Biboulet P, et al. Effects of perioperative analgesic technique on the surgical outcome and duration of rehabilitation after major knee surgery. Anesthesiology, 1999, 91:8～15.

[5] Capdevila X, Calvet Y, Biboulet P, et al. Aprotinin decreases blood loss and homologous transfusion in patients undergoing major orthopedic surgery. Anesthesiology, 1998, 88:50～57.

[6] Chelly JE, Ben-David B, Williams BA, et al. Anesthesia and postoperative analgesia: outcomes following orthopedic surgery. Orthopedics, 2003, 26(S): 865～871.

[7] Connolly D. Orthopaedic anaesthesia. Anaesthesia, 2003, 58:1189～1193.

[8] Geerts WH, Pineo GF, Heit JA, et al. Prevention of venous thromboembolism: the Seventh ACCP Conference on Antithrombotic and Thrombolytic Therapy. Chest, 2004, 126(S):338～400.

[9] McGrath BJ, Hsia J, Epstein B. Massive pulmonary embolism follow tourniquet deflation. Anesthesiology, 1991, 74:618～620.

[10] Miller RD. Miller's Anesthesia. 6th ed. Philadephia: Churchill Livingstone, 2005.

[11] Oldman M, McCartney CJ, Leung A, et al. A survey of orthopedic surgeons' attitudes and knowledge regarding regional anesthesia. Anesth Analg, 2004, 98:1486～1490.

[12] Popitz MD. Anesthetic implications of chronic disease of the cervical spine. Anesth Analg, 1997, 84:672～683.

[13] Raya J, Mikhail MS. Anesthesia for orthopedic surgery. In: Morgan GE, Mikhail MS, Murray MJ. eds. Clinical Anesthesiology. 4th ed. Lange Medical Books: McGraw-Hill Medical Publishing Division, 2006. 848～860.

[14] Schmied H, Schiferer A, Sessler DI. The effects of red-cell scavenging, hemodilution and active warming on allogenic blood requirements in patients undergoing hip or knee arthroplasty. Anesth Analg, 1998, 86:387～391.

[15] Winkler M, Marker E, Hetz H. The peri-operative management of major orthopaedic procedures. Anaesthesia, 1998, 53(S):37～41.

14 骨科临床用药

14.1 骨质疏松症

14.1.1 定义

骨质疏松症是一种以低骨量和骨组织微结构为特征,导致骨脆性增加和容易骨折的全身性疾病。2001年,美国NIH将骨质疏松定义为:骨强度下降导致骨质危险性增加的一种全身性疾病。而骨强度取决于骨质量。

14.1.2 流行病学

据资料统计,全世界1/3以上60~70岁的女性患有骨质疏松症,专家预计2050年全世界将发生600万例髋骨骨折,亚洲的髋部骨折将占全世界总数的50%以上。中国50岁以上妇女的1/3患有脊椎骨骨质疏松,是男性发病率的2倍。世界卫生组织将骨质疏松症列为与心脑血管同等重要的疾病。

14.1.3 分类

(1) 原发性骨质疏松症

随着增龄,骨组织发生生理性退行性改变,骨质中的钙逐渐流失,骨量减少。分为绝经后骨质疏松症(Ⅰ型),60岁以上男、女老年性骨质疏松症(Ⅱ型)。

(2) 继发性骨质疏松症

是指由医学原因引起的骨量减少及容易骨折的骨质疏松。

1) 内分泌疾病　如甲状腺功能亢进,甲状旁腺功能亢进,糖尿病,肾上腺皮质功能亢进,垂体瘤,性腺功能低下等。

2) 消化道疾病　慢性腹泻,胃大部分切除,肠切除,克罗恩病,慢性胰腺炎,慢性阻塞性黄疸等。

3) 医源性用药　糖皮质激素,抗癫痫药,利尿剂,环孢素等。

4) 结缔组织疾病　类风湿关节炎,红斑狼疮等。

5) 肝肾功能不全者。

6) 肿瘤　多发性骨髓瘤,转移性骨癌。

7) 先天性染色体变异或畸形所致的疾病　如马方综合征,糖原贮积症等。

继发性骨质疏松症还可因其他下列因素引起:营养不良,长期卧床肢体废用情况下,缺氧状态,乙醇中毒,妇女在妊娠期或哺乳期。

14.1.4 诊断标准

(1) 临床表现

毛发枯黄,身高缩短,周身疼痛,负重性疼痛,甚至发生骨折后被确诊。

(2) 骨矿含量测定(骨密度测量)

20世纪50年代以前是X线肉眼定性的估计,

观察骨组织与其旁的软组织之间的密度差，其差大则骨密度高，差小则骨密度低；再就观察骨小梁（骨纹）的粗细和密集度。60年代起单光子(SPA)问世，70年代采用^{153}Gd为放射源的双光子吸收法(DPA)，1987年双能量X线吸收密度仪问世(dual X-ray absorptiometry, DXA)，DXA弥补了SPA不能测量软组织厚度大和其密度不均的部位，消去全部软组织的计数，剩下单独的骨组织计数，经过计算后换算成相当于羟磷灰石的骨密度，单位为g，这个变数被该骨的面积除，则得BMD (g/cm^2)。此法沿用至今，仍被认为是诊断骨质疏松症的金标准。

(3) 定量CT(QCT)

它是唯一可以分别测量椎体骨皮质和松质骨的骨矿含量，可测出体积骨密度，可测出纯松质骨的BMD，椎间盘硬化或主动脉钙化者不影响密度。在有CT机的医院可用来评估松质骨的数量对骨折有无风险的方法。

(4) 定量超声(QUS)

它不是骨密度，是通过骨超声速率反映骨强度、骨密度、骨弹性和脆性，适宜于外周皮质骨的检测，如跟骨、指骨。优点是无辐射，便于携带，可作为人群体检的筛选。

(5) 磁共振成像(MRI)

它是近年来兴起的骨结构非侵入性检测方法，利用磁共振成像图和结构分析技术，可以计算出小梁骨组织形态结构学许多参数：小梁容积，小梁个数，小梁分离度，小梁厚度。

14.1.5 骨密度诊断骨质疏松标准(WHO推荐)

正常：T值(T-score)＞－1

骨量减低：－2.5＜T≤－1

骨质疏松：T≤－2.5

严重骨质疏松：骨质疏松＋脆性骨折

T值＝(被测者的BMD－青年人BMD)/青年人BMD的SD。

14.1.6 骨代谢生化标记

骨代谢生化标记是在骨转换过程中一些物质或因子所产生的代谢产物，分为骨形成标记，代表成骨细胞活动及骨形成时的代谢产物；骨吸收标记，代表破骨细胞活动及骨吸收时的代谢产物，特别是骨基质的降解产物。

(1) 反映成骨细胞功能

反映成骨细胞功能的是血骨碱性磷酸酶(BALP)、骨钙素(BGP)、血Ⅰ型胶原羟基段前肽(CICP)。

(2) 反映破骨细胞功能

反映破骨细胞功能的是尿钙排泄率，羟脯氨酶(HOP)，尿吡啶啉(PYD)，尿脱氧吡啶啉(DPYD)，尿Ⅰ型胶原氨基交联肽(NTX)，尿Ⅰ型胶原羟基交联肽(CTX)。

14.1.7 骨质疏松症用药

应以循证医学(evidence-based medicine)的方法和规范治疗。用药宗旨是控制疾病发展及防止并发症——骨折。

骨质疏松症的防治措施：建立健康的生活习惯，包括烟、酒嗜好；膳食平衡，包括蛋白质、钙、维生素；阳光与运动。

(1) 骨质疏松症药物治疗的适应证

根据美国1998年骨质疏松基金会的推荐：既往曾发生椎体骨质或髋部骨折；曾发生椎体外骨质骨折妇女且BMDT评分＜－1.5 SD；BMDT评分＜－2.0 SD不存在危险因素者；BMDT评分＜－1.5 SD存在危险因素者；≥65岁妇女，BMDT评分＜－1.0 SD也应用药。

危险因素：年龄、性别、低体重指数、吸烟、遗传史。

(2) 经美国FDA批准的药物

抑制骨吸收药物双膦酸盐、降钙素、选择性雌激素受体拮抗剂(SERM)和雌激素。促进骨形成的药物氟化物制剂、甲状旁腺激素(PTH)。

(3) 钙和维生素D

在2003年WHO发表的骨质疏松蓝皮书中明确指出，钙与维生素D不能单独作为骨质疏松的治疗。事实上在骨代谢过程中，应用任何一种抗骨质疏松药物时，都要同时以钙与维生素D作为基础用药。

14.1.7.1 钙与维生素D

钙是人体骨骼最重要的营养素，99%以上钙分布于骨骼和牙齿中，1%参与细胞外液中钙的交换。血清钙离子浓度与PTH有关，低血钙时刺激PTH分泌，高血钙时抑制其分泌，钙通过PTH分泌减少抑制骨吸收，参与骨代谢。在骨骼中，骨钙和钙循环钙不断缓慢交换，处于动态之中。20岁以前主要为骨的生长阶段，其后10余年骨量继续增加，30～35岁达最高值，称为骨量峰值。35岁之后，人体骨量开始下降，女性停经后骨丢失加速。钙的摄入是提高骨峰值和防治骨质疏松的重要营养素。我国营养学会定为每天钙需要量为800 mg。

市售钙剂每片的元素钙含量

钙尔奇D	碳酸钙	600 mg/片
乐力	氨基酸螯合钙	275 mg/片
活力钙	氧化钙	25 mg/片

维生素D在日照下可由皮肤生成，由于日照较少、饮食偏差、年龄等因素常会产生维生素D的缺乏。维生素D前体是7-脱氢胆固醇，皮肤组织中的7-脱氢胆固醇在日光中紫外线的照射下其B环9-10碳键断裂，变成了维生素D_3，维生素D_3经血循环到肝脏，经肝脏的25-羟化酶作用后变成25-(OH)D_3，再经肾的1-羟化酶作用而变成体内最具有生物学活性的1，25-$(OH)_2D_3$。1，25-$(OH)_2D_3$在维持机体钙、磷代谢具有很大作用：促进肠钙吸收；促进肾脏对钙磷的重吸收；可反馈抑制PTH的释放。近年来还发现骨骼肌上存在D-激素受体，与老人肌肉强度、功能和血清D-激素水平之间存在正相关性，可望提高骨强度。

国际上许多实验室已致力改变1，25-$(OH)_2D_3$的B环结构，合成更具生物学潜能的化合物，不下200余种。目前国内临床常用的是骨化三醇、阿法骨化醇、1α-羟基维生素D_3。制剂如下：

(1) 骨化三醇(罗盖全)1，25-$(OH)_2D_3$

它是唯一口服后就能直接在体内发挥生理作用的，不经肝肾作用，可增加骨骼的质量和强度，增加肌肉的力量和神经肌肉的协调性，预防跌倒。

(2) 阿法骨化醇(萌格旺)1α，25-$(OH)_2D_3$

小肠吸收后，经肝脏迅速代谢成1α，25-$(OH)_2D_3$，分布肠道及骨骼靶组织，与骨维生素D受体结合发挥生理活性。不需经过肾脏羟化。

(3) 阿法骨化醇(阿法迪三)

它与萌格旺剂型不同，不是片剂，是胶囊，生物活性相同。

2004年秋，欧洲联合管理委员会及2006年4月中国中华医学会骨质疏松和骨矿盐疾病分会专家共识是：钙和维生素D是维持骨骼健康的基本营养素。大量临床研究和荟萃分析证明，补充钙剂和维生素D有预防骨质疏松症的作用，与其他抗骨质疏松药物联合应用，可以治疗骨质疏松症。

14.1.7.2 双膦酸盐

早在1865首先在德国合成，它的分子式是2个膦和1个碳元素牢固地结合。近年研究证实在R_2侧链上含有氮分子，能大大提高双膦酸盐药物的抑制骨吸收的能力。

双膦酸盐经口服后在小肠吸收，半衰期可长达10年之久，与骨的螯合作用甚强，50%～80%吸收后由肾脏排泄。

(1) 各种双膦酸盐抗骨吸收能力比较及诊疗方法

eidronate	依替膦酸二钠(依膦)
clodronate	氯膦酸二钠(骨膦)
pamidronate	帕米膦酸二钠(阿可达)
alendronate	阿仑膦酸盐(福善美)

依替膦酸二钠，每日400 mg×14天，停药75天复始

氯膦酸二钠，每日400 mg×30天，60天复始

帕米膦酸二钠，每次150 mg静脉滴注，每3个月1次

阿仑膦酸钠，每日10 mg或每周70 mg

(2) 双膦酸盐类药物适应证

绝经后骨质疏松，老年性骨质疏松症，特发性骨质疏松症，青少年型骨质疏松症，类骨醇性骨质疏松症，制动性骨质疏松症，成骨不全，异位钙化与骨化，骨转移性肿瘤，多发性骨髓瘤，甲状旁腺功能亢进，变形性骨炎。

(3) FIT试验(阿仑膦酸钠降低骨质疏松症妇女的骨质危险性：骨折干预研究)

福善美骨质干预试验是一项具有里程碑意义的研究，为美国FDA认可。全球34个国家参与，是一个多中心随机、安慰剂对照组试验。对3 658例骨质疏松妇女使用福善美治疗3～4年，椎骨骨折组妇女(n=2 027)，另一组为无椎骨骨折妇女(n=1 631)。患者前2年服用5 mg/d，随后服用10 mg/d。研究结果：福善美能增加腰椎骨密度5%，全髋3.09%，与安慰剂组比较$P<0.01$；降低非椎体骨折危险性47%；治疗1年后降低临床椎骨骨折危险性59%，治疗18个月可降低非椎体骨折危险性63%，治疗3年可降低多发性椎体骨折危险性90%(在既往有骨折史的妇女中)。

(4) 阿仑膦酸钠

商品名福善美，早餐前2h空腹用150 ml水吞服，服用不再躺平，防止对食管黏膜刺激。口服后分布到骨组织，抑制破骨细胞活性，降低骨转移。

自2002年药品由10 mg/片改制每周口服一次的70 mg/片，方便患者，减少不良事件。研究证明70 mg/片的福善美，不是药物的缓释片，它的持续作用是与骨骼重建位点中的骨组织结合，故对抗骨吸收作用呈持续性。

14.1.7.3 降钙素

(1) 起源

1961年，Copp等首先发现，给犬甲状腺灌注高血钙之后，犬的全身血钙降低，推测有某种降低血钙的物质存在，命名降钙素。经研究证实降钙素是甲状腺内的滤泡旁细胞分泌的，它的基本结构是含有一个二硫键的32个氨基酸多肽，哺乳类由甲状腺滤泡旁细胞分泌，低等动物由腮体组织分泌。1968～1969年，人工合成了鲑鱼降钙素，它的生物活性是人体降钙素的40～50倍。

(2) 生物学作用

降钙素短期内快速抑制破骨细胞活性，从而抑制骨溶解，降低骨高转换，减少骨破坏。经研究发现降钙素还可以通过减少破骨细胞生成，减少破骨细胞数量来减少骨吸收与骨破坏，其机制是阻止破骨细胞前体转化为破骨细胞。降钙素通过抑制骨溶解可缓解疼痛；降钙素直接作用于中枢神经的特异性降钙素受体，该受体位于下丘脑调控疼痛区域；降钙素刺激垂体对β-内咖呔的释放，具有吗啡但不成瘾的镇痛效果。

(3) 降钙素制剂——鲑降钙素(密盖息)循证医学

1) PROOF研究(鲑降钙素在确诊骨质疏松的绝经后妇女中预防骨质疏松骨折再发的随机研究)

PROOF试验是一项前瞻性、随机、双盲、安慰剂对照，为期5年的多中心(美国42个中心和英国5个中心)临床研究。平均年龄68岁绝经后妇女1 255名入选，大多数曾发生过1～5处椎体骨折。每日鼻喷密盖息200IU，同时口服元素钙1 000 mg，维生素D 400 IU。其结果为：①与安慰剂组比较，可使再次发生椎体骨折的危险度减少36%，多发性骨折下降45%，髋部骨折下降48%。②年龄≥70岁组中，发生椎体骨折的人数相对危险度减少53%；年龄≥75岁组中，减少为62%。③可提高骨密度，腰椎5.2%、股骨颈2.8%。

2) QUEST研究(鲑降钙素对骨质量的作用研究) 这是一项里程碑式的试验，采用高分辨三维磁共振技术(HMRI)，研究鲑降钙素的治疗对骨质以及骨微结构的作用。

自2001～2003年为期3年，91例绝经至少5年以上，以往曾发生1～5次椎体骨折史者入选。每日鼻喷200 u鲑降钙素，同时口服元素钙500 mg与安慰剂对照。评价方法：采用高科技的磁共振成像(HMRI)；应用骨髓穿刺活检进行骨组织形态学检查；并对活检的骨标本进行显微CT检测；用DEXA测骨密度；生化指标评价骨转换。

试验结果：①BMD椎体上升0.8%。②CTX与基线相比显著下降($P<0.05$)。③HMRI成像结果：骨小梁数量增加1%～9%($P<0.005$)；骨小梁分离度明显降低3%～14%($P<0.05$)；骨小梁厚增加0.2%($P<0.05$)。以上结果证明每日鼻喷200 u鲑降钙素能改善骨微结构。④T_2弛豫时间(ms)：是磁共振的一个专业术语，已被广泛接受作为髋骨磁共振的评价指标，同时反映了骨密度和骨微结构。QUEST研究结构除Ward三角区域外，股骨颈、转子上区及下区域T_2弛豫时间未延长，证明鲑降钙素(密盖息)鼻喷剂使用能很好保持髋骨的密度和质量。

(4) 降钙素制剂

1) 鲑降钙素(密盖息，salcatonin) 有针剂50 IU/支，每日或隔日肌内注射。鼻喷剂200 IU/(ml·喷)，按降钙素的活性计算，鼻喷剂的生物利用度是针剂的50%。

肛栓及口服尚在研究中。

两种剂型配合使用更方便，针剂适于短期使用，快速起效，鼻喷适合长期使用，更适合老年患者的防治。

鲑降钙素安全性好，可能有潮红、恶心、轻微鼻炎。

2) 依降钙素(益盖宁，elcatonin) 是鳗鱼降钙素，含32个氨基酸的多肽，唯在二巯键改造为稀键。每支20 IU/ml肌内注射，每日或每周肌内注射。

3) 其他降钙素 鲑降钙素(依降钙素)，鲑降钙素(金尔力)，降钙素(考克，鲑鱼)。

14.1.7.4 雌激素

随着增龄，妇女卵巢功能衰退，体内雌激素水平降低，雌激素属类固醇激素，通过与细胞内雌激素受体结合，调控基因转录，雌激素受体存在于生殖系统上及第二性征器官，亦广泛存在骨骼，骨骼的成骨细胞和破骨细胞都有雌激素受体，因此，雌激素对维持骨形成和骨吸收的平衡起了重要作用。

绝经后骨质疏松发生的因素与雌激素关系：

①绝经后头3～5年雌激素迅速下降，是骨丢失加快的重要因素。②雌激素分泌减少之后削弱了对甲状旁腺的拮抗作用，而甲状旁腺却具有促进骨吸收、骨盐(钙)消溶及抑制成骨细胞作用。③雌激素减少之后降钙素也降低，抑制破骨细胞作用也减弱了。④雌激素对成骨细胞具有特殊的刺激作用，会使成骨细胞合成减少。

(1) 激素替代疗法发展史

1935年，德国Albrit医师首先认识雌激素与骨代谢有关，提出雌激素替代疗法(estrogen replacement therapy, ERT)可防治骨质疏松症。1943年上市了结合雌激素(倍美力)，发现了单用雌激素会增加子宫内膜癌的风险，于1980年后采取周期性的加用孕激素，认为是一种比较安全的激素替代疗法，将ERT改称为激素替代治疗(hormone replacement therapy, HRT)，1984年，第1个HRT产品诺更宁上市，是雌、孕激素的复合物。到1988年欧洲首先上市了雌、孕、雄3种激素的化合物产品替勃龙(利维爱)，增加了一种弱激素活性的21碳甾体类化合物，可进一步改善绝经后妇女的生活质量，还有促进肌肉骨骼强壮的作用，替勃龙的特点是可避免因单用雌激素发生乳腺癌、子宫癌的风险。

(2) 雌激素制剂

1) 尼尔雌醇　雌二醇，2 mg/2周一次，每3个月加服甲羟孕酮(安宫黄体酮)8 mg/d×5～10天，复始。

2) 结合雌激素(倍美力)　0.3 mg/片，是一种结合雌激素，含有硫酸钠结合物，17α-二氢马烯雌酮，17α-雌二醇，17β-二氢马稀烯酮，每日1片连续服用。

3) 诺更宁　2 mg/片，醋酸炔诺酮，以雌二醇为主要的雌孕复合物，每日1片，连续服用。

4) 替勃龙(利维爱，livial)　2.5 mg/片，主要成分为7-甲异炔诺酮，每日1片，每3个月为1个疗程，可连用。

注意：雌激素对更年期妇女综合征有明显改善症状的作用，对骨高转换型骨质疏松也有迅速阻止骨丢失的益处，但在临床应用过程中出现致癌的风险，单用雌激素发生子宫癌是不用者的2～12倍。2002年，美国健康行动机构进行了雌激素对绝经后妇女健康益/风险前瞻性研究，该研究对40个医疗中心，16 000名妇女采用结合雌激素(倍美力)和甲羟孕酮治疗，当观察到第5.2年时，虽髋骨骨折危险性下降34%，但乳腺癌危险上升26%，心血管意外事件上升39%，脑卒中上升41%，此项研究停止进行提出警告。

(3) SERM

SERM是一类人工合成的非激素制剂，不是雌激素、孕激素或其他激素，它可以与ER结合，通过ER调节因子、DNA反应元件等机制实现其组织选择性，在不同的靶组织分别产生类雌激素或抗雌激素的作用，保留对骨骼、心血管有益的作用，减少对乳腺及生殖系统的不良反应。1988年，Shiraki报道了雷诺昔芬能抑制破骨细胞，刺激成骨细胞，增加骨密度。

1) MORE研究(雷诺昔芬多重结果评估)　2002年完成了由25个国家，180个临床研究中心参与，7 705名绝经后妇女入组的研究，每日口服雷诺昔芬60 mg，4年观察结果是：①与安慰剂组比较，起效迅速，第1年新发临床椎骨骨折的风险下降68%。②预防首次骨折，3年内首次椎体骨折的发生风险降低55%。③预防多处骨折，3年内多处椎体骨折的发生风险降低93%。④预防非椎体骨折，3年内新发非椎体骨折的发生风险降低47%。⑤服用4年后诊断乳腺癌的发生风险降低72%。

2) 制剂　①盐酸雷诺昔芬片(易维特)，60 mg/片，每日1片，任何时间口服。罕见发生深静脉血栓。②新一代SERM WAy-140424正待临床评估，该剂发挥同效应的剂量为雷诺昔芬的1/3。

14.1.7.5　PTH

PTH对骨代谢的调节：成骨细胞上有PTH特异受体，PTH可促进成骨细胞分化增殖。研究认为PTH通过环磷腺苷(cAMP)而直接促进ALP的活性，从而刺激成骨细胞分化及骨形成。现已证实给适量的间歇性的PTH有促进成骨的作用，可快速刺激骨形成。如连续使用会导致骨吸收。

自1997年国际学者共有8项采用PTH片段或完整分子的对照临床试验，其中Neer对1 637名绝经后妇女采用皮下注射，每日rhPTH-34 20～40 μg/d，21个月后观察腰椎BMD，在20 μg/d组增加10%，40 μg/d组为15%；椎体骨折危险性下降65%～70%，非椎体骨折危险性下降40%～50%，国内临床尚未应用。

14.1.7.6　*氟化物与骨质疏松症*

氟对骨骼有特殊的亲和力，以氟碳灰石形式沉积在骨中，有较强大的抗破骨细胞作用，氟也能刺激成骨细胞有丝分裂,促进新骨形成。治疗制剂有以下几种。

1) 氟化钠 是治疗骨质疏松最早的氟制剂,由于氟对胃黏膜产生不能耐受的刺激性,未能沿用临床。

2) 一氟碳酸钠 水溶性,在胃肠中可离解成 Na^+ 和 FPO_3^{2-},FPO_3^{2-} 可与 Ca^{2+} 结合成可溶性的氟磷酸钙,减少了不良反应。

3) 一氟磷酸钠加钙制剂特定乐(tridin) 能增加骨密度,又不引起胃刺激,20 世纪 80 年代有较多的临床研究,认为是许多的骨质疏松防止药物中唯一用于促使骨形成的药物。特乐定为片剂,每片含一氟磷酸左旋酰胺 1 344 mg,左旋葡萄糖酸钙 500 mg,枸橼酸钙 500 mg,净氟 5 mg,钙 150 mg。每日推荐剂量为 3 片,饭后服用。

14.1.7.7 中医药

中医理论认为"肾主骨、生髓",肾主骨学说是"肾"对骨代谢复杂调控机制的概括,肾精不足可产生"骨痿、骨痹",其发病原因可因肾阳虚或肾阴虚所致,故治疗上采用补肾疗法,国内已开发多种单方或复方剂型的补肾中药,也有不少的临床与动物模型研究表明补肾中药具有减少骨量丢失,提高骨密度的功效。其中已验证了淫羊藿的提取成分具有与雌激素类似的化学结构,推测也有类雌激素的作用。制剂仙灵骨葆胶囊就是淫羊藿、续断、补骨脂等组成的复合物。固本壮骨胶囊是续断总苷制备而成的单味中药。

14.1.7.8 抗骨质疏松症药物风险与获益比较(表 14-1)

表 14-1 抗骨质疏松症药物的风险与益处

药 物	BMD	椎体骨折	非椎体骨折	骨微结构	益 处	风 险
雌激素	+	+	—	—	绝经症状	乳腺癌、子宫癌
鲑降钙素	+	+	±	+	快速止痛	潮热
双膦酸盐	+	+	+	—	—	消化道刺激症状
雷洛昔芬	+	+	±	—	不增加乳腺癌发生	深静脉血栓
氟化物	+	—	—	—	新骨形成	消化道刺激
PTH	+	+	±	—	成骨增加升高	—

(杨蕊敏)

14.2 镇痛药在骨科中的应用

14.2.1 骨科疼痛

疼痛是骨科患者最常见的症状。举凡因创伤、感染、炎症、代谢障碍、肿瘤等原因引起骨、关节及其周围软组织病变均可导致骨科疼痛。镇痛治疗是骨科医生经常需要处理的临床问题。

(1) 常见的病因

各类意外创伤,如骨折、外伤性关节脱位,软组织撕脱伤以及手术等常引起急性剧烈疼痛,严重时甚至可发生痛性休克。感染性骨、关节炎既可表现为急性疼痛,也可以慢性疼痛为主要表现。代谢障碍如痛风关节炎则以反复发作红肿剧痛为特征。各类骨关节炎性疾病如类风湿关节炎、强直性脊柱炎、骨关节炎等更是以慢性持续疼痛、反复加剧、病程迁延为临床主要表现,未经合理治疗甚至可能致残。以慢性疼痛表现的颈肩、腰腿疼痛综合征,筋膜、滑囊疾病,神经、运动系统疾病在骨科中十分常见。骨肿瘤更是表现以疼痛呈进行性加剧,严重威胁生命的疾病。

(2) 镇痛的意义

疼痛不仅造成患者痛苦,并常伴随心理和生理上损害,影响患者的生活质量,不利病情恢复,尚可增加并发症。对于急性疼痛在对病因治疗的同时,应积极提供快速、强效、持久的镇痛,尽量减轻患者痛苦,如对创伤引起的骨折、软组织损伤、手术后等,有效的镇痛使患者敢于深呼吸、咳嗽从而减少肺部感染,并有利于早期下床活动,防止下肢静脉血栓形成等并发症,利于康复。对于慢性疼痛、病程迁移反复发作者如类风湿关节炎、骨关节炎等炎性关节病,目前尚不能根治。治疗目标在于解除关节疼痛,防止关节破坏,改善关节功能,减少致残可能性。治疗越晚功能损害越大。有效的镇痛有利于关节活动、对保护关节功能至关重要。骨痛是骨质疏松的常见症状，患者常因疼痛减少活动，导致骨吸收增加，使骨质疏松加重。积极镇痛，鼓励并让患者增加活动可阻断骨质疏松的发展。颈肩、腰背痛因局部肌肉痉挛导致不良姿势引起疼痛加剧，有效镇痛以中止恶性循环是重要的治疗措施。骨肿瘤时骨痛呈进行性加剧，造成患者极度痛苦。“癌症疼痛治疗”推行三阶梯止痛治疗原则，旨在积极镇痛改善患者生活质量，已得到普遍赞同。镇痛治疗仍是当今骨科疼痛的基本对症治疗措施。

(3) 镇痛的方法

镇痛的方法很多，除了药物治疗外还需非药物治疗，两者结合可提高镇痛效果。非药物治疗如下。

1) 心理治疗　无论急性剧痛或慢性长期反复的疼痛，常会引起患者紧张、焦虑、抑郁、睡眠障碍等心理问题，进行疼痛治疗的同时，必须积极关注患者的心理障碍，采取相应的心理疏导，向患者进行知识教育、解释以消除紧张情绪，必要时辅以相应药物，有利于减轻疼痛，加速疾病好转，是处理过程中非常重要的环节。

2) 物理疗法　采用物理方法如电疗、光疗、磁疗、蜡疗、水疗、拔火罐等物理刺激导致人体神经系统、血液、循环系统、代谢等方面的反应，调节体内病理生理过程能有效地起到镇痛作用。

3) 推拿治疗　运用推、拿、按、摩、滚、揉、摇、扳、拍击等多样手法，在人体特定部位进行特定的肢体活动，具有滑利关节、疏理经络、调整脏腑气血的功能，能有效治疗扭挫伤、腰腿痛等多种骨科疼痛。

4) 针灸治疗　根据不同疾病引起的各种疼痛，选用合适的经络穴位，采用针灸的方法治疗疼痛是祖国医学的重要贡献。早年就已用以镇痛，积累了丰富经验，并取得明显疗效。以上治疗常可取得药物未能达到的效果。配合镇痛药物治疗更能提高疗效。

14.2.2 药物镇痛

药物镇痛被公认是一种简单、有效的方法。在非药物治疗无效时镇痛药是治疗疼痛的重要措施。

(1) 镇痛药的种类

1) 非甾体类抗炎药(nonsteroid anti-infammatory drugs, NSAID)　该类药物种类繁多，兼有镇痛、抗炎、解热的作用，广泛用于各种疼痛，如关节痛、肌痛、腱鞘炎、癌性疼痛，并适用于各种炎性骨、关节病，是临床应用最广泛的药物。根据其镇痛、抗炎、解热作用程度又分为如下。

解热镇痛药，具有较强的退热镇痛作用而抗炎作用微弱。该类主要是乙酰水杨酸盐类，如阿司匹林是最早应用的退热镇痛药。其他如乙酰氨基酚(扑热息痛、非那西丁)等临床主要用以退热止痛。

抗炎镇痛药，其抗炎镇痛作用强，能有效地缓解红肿热痛等炎性症状，改善某些肌肉，骨、关节炎症疼痛，是骨科及风湿病科的临床常用药物，按其化学结构可分为几大类：①乙酸类，如吲哚美辛(消炎痛)、阿西美辛(优妥)、舒林酸(奇诺力)；②丙酸类，如萘普生、布洛芬(芬必得)、萘丁美酮(瑞力芬)；③苯酰酸衍生物，如双氯芬酸(扶他林、戴芬)；④依托度酸类，如依托度酸(罗丁)；⑤吡唑类，如保泰松、羟布宗(羟基保泰松)；⑥灭酸类，如氯灭酸；⑦昔康类，如吡罗昔康(炎痛喜康)、美洛昔康(莫比可)，吡洛昔康(喜来通)；⑧磺酰苯胺类，如尼美舒力(怡美力)；⑨昔布类，如塞来昔布(西乐葆)、罗非昔布(万络)；⑩杂类，如异噁嗪(诺德论)等。

2) 麻醉性镇痛药　该类药物如吗啡、哌替啶、曲马朵、芬太尼等，其作用系与中枢神经系统内的阿片受体结合产生强大镇痛作用，主要用于缓解严重剧痛的骨科疾病，如创伤、肿瘤。常用的曲马朵系作用较弱的类阿片合成物，能抑制去甲肾上腺素和5-羟色胺重摄取。曲马朵与乙酰氨基酚联合应用的镇痛效果比单用疗效明显提高。

3) 相关药　肾上腺皮质激素，具有强大抗炎、降低炎症介质、减轻炎性疼痛的作用，如曲安奈德(氟羟强的松龙)、倍他米松(得宝松)，适用于炎性骨关节病，可局部关节腔内注射。

抗抑郁药，三环类抗抑郁药，如阿米替林、帕罗西汀，对肌肉、骨及神经病理性的慢性疼痛，当联合其他镇痛药时可提高镇痛效果。

(2) NSAID 的作用机制

不同种类的 NSAID 其作用机制基本相同，就是对花生四烯酸(AA)代谢的影响。当细胞膜受某种刺激，如炎性刺激时，AA 被释放，释出的 AA 经环氧化酶和脂氧化酶两条途径氧化成不同的代谢产物。经环氧化酶途径的最终产物为前列腺素；经脂氧化酶途径的最终产物为白三烯。前列腺素具有较强的扩血管作用，降低血管张力，提高血管通透性，加强缓激肽和组胺引起的水肿。白三烯具较强的白细胞趋化作用，使之聚集于炎症部位，同时也增强血管通透性,导致炎症部位水肿。NSAID具有抑制环氧化酶、脂氧化酶、磷酸酶等活性,并抑制炎症过程中缓激肽的释放,减少粒细胞和单核细胞的迁移和吞噬,从而具有抗炎镇痛作用。当口服NSAID取得抗炎镇痛作用的同时,由于抑制环氧化酶的活性,也减少内源性前列腺素的合成,前列腺素除使血管通透性增加外还有许多重要的生理功能,如抑制胃酸分泌,调节肾血流使肾滤过率增加,舒张气管、平滑肌,抑制血小板聚集等。因此治疗期间也可带来相应的不良反应。为了寻找疗效高而不良反应少的NSAID新药,1990年,学者提出存在两种不同的环氧化酶同工酶:COX-1(cyclooxygenase-1)及COX-2(cyclooxygenase-2)理论。COX-1存在于胃、肾、血小板、内皮细胞中参与基础合成的具有生理功能的前列腺素。COX-2仅在炎症和病理状态下受多种刺激因素如细胞因子、内毒素、白细胞诱导,催化致炎性的前列腺素合成。理想的NSAID如能高选择性地抑制COX-2,而不抑制或少抑制COX-1,可使疗效高、不良反应少,但迄今经临床实践应用,尚存在众多争议,有待进一步研究。

(3) 镇痛药的用法

在处理骨科疼痛中,不少疾病起病隐匿,进展缓慢,主要表现在疼痛、僵硬,随病情进展可产生关节骨性破坏、功能障碍,治疗越晚,病损程度越大,导致生活质量下降,甚至致残。缓解疼痛、减轻炎症、改善关节功能、减少致残是治疗的重要目标。

NSAID能提供有效的镇痛效果,是最为常用的药物。因品种繁多、特性不一,选择药物时应充分了解该药的药理和药代动力学的特性,根据患者个体状况及早应用。NSAID镇痛作用与麻醉性镇痛药不同,适用于轻到中度疼痛,对严重创伤、晚期肿瘤、内脏痛效果不著者需考虑应用麻醉性镇痛药或镇痛相关药。

用药途径:根据病情需要、药物剂型,分别给予口服、经皮外涂、局部注射(包括肌内注射、关节腔内注射),极少因急性剧烈疼痛而需静脉注射。以口服途径最为简便、常用。口服镇痛药时需了解该药的半衰期。半衰期短者一日需服3~4次。半衰期长者一日1~2次即可。口服剂型有片剂、胶囊、缓释片,为减少对胃肠道刺激,部分尚可采用栓剂肛塞。目前已有几种透皮性较好的NSAID可供经皮外涂(如双氯芬酸乳胶剂、优迈霜剂),较口服药具有不良反应低、安全性高、疗效明确等优点。以双氯芬酸乳胶剂为例,经皮渗透吸收后能在局部保持较高的有效药物浓度。而其血药浓度仅为口服剂量的1%~2%,因此不良反应很少,适用于多种肌肉、软组织和关节的炎性疼痛治疗。可单独用药,也可作为全身疾病局部症状的辅助用药。当局部关节炎症、疼痛积液肿胀者尚可经局部关节穿刺、抽出积液后注入皮质激素类如确炎舒松,具有良好的抗炎镇痛作用。

14.2.3 镇痛药的不良反应

麻醉性镇痛药主要用于缓解急性剧痛,其不良反应可见嗜睡、恶心呕吐、尿潴留等,多数患者经数天即可消失短暂反应,个别可引起持久便秘,应多摄取富含纤维素食物,多饮水,必要时予缓泻剂处理。慢性疼痛患者常需长期治疗,镇痛药的不良反应是影响治疗的重要因素。

(1) NSAID的不良反应

由于NSAID抑制前列腺素的合成,在起抗炎镇痛作用的同时也常造成不良反应,迄今尚无一种NSAID绝对安全,主要的不良反应发生在胃肠道、肾脏、血液系统、肝脏和中枢神经系统,其发生常与剂量有关;少数患者发生过敏反应,如皮疹、哮喘,则与剂量无关。

1) 对胃肠道的不良反应　是NSAID最常见的不良反应,存在于胃及十二指肠黏膜的局部前列腺素可增加碳酸氢根离子,对黏膜具有保护作用,服用NSAID因前列腺素合成减少导致胃酸增加,并使黏膜的防御能力减低,且NSAID多为弱酸性,在胃酸作用下多呈非离子型,易穿透胃黏膜细胞膜,进入细胞,解离为离子型。离子型药物则不易跨越细胞膜而潴留在胃黏膜细胞内,导致黏膜损伤。常表现为上腹不适、恶心呕吐,内镜下常可见黏膜损害和溃疡,甚至溃疡病出血等并发症。原有溃疡病史或上消化道出血史、尤其同时服用皮质激素或抗凝药者,服用NSAID具高度危险性,必须谨慎。

2) 对肾脏的不良反应　因肾脏前列腺素合成抑制,影响肾脏有效血流量的调节,导致肾灌注减少,可发生轻微的水钠潴留、高血钾,尚可引起间质性肾炎、肾坏死,少数甚至产生急性肾衰竭,临床检查可发现尿蛋白、管型、红白细胞、肾功能损害。高血压、糖尿病患者应用NSAID易引起肾脏受损,应予注意。

3) 对血液系统的不良反应　可引起多种血液

系统损害，包括各种血细胞减少和凝血障碍，如过去曾用的保泰松可引起致死性粒细胞缺乏症、再生障碍性贫血，现已少用。由于前列腺素抑制可导致血小板黏附功能减低，并由此因血小板参与的凝血功能障碍而导致出血倾向，尤其与抗凝剂（如华法林）并用时可增加抗凝作用，引起出血。

4）对肝脏的不良反应　可出现一种或多种肝酶升高，多数于停药后可恢复正常，少数可导致胆红素升高、凝血酶原时间延长的不良反应。治疗期间应定期检查肝功能，如出现严重肝损应停药，并予相应处理。

5）对神经系统的不良反应　发生率一般不高，可出现头痛、耳鸣、感觉异常，少数服用吲哚美辛（消炎痛）者出现中枢神经系统症状，曾有出现震颤、共济失调的报道，应予以注意。

6）过敏反应　皮疹的发生率较高，诸如红斑、荨麻疹等，多型红斑提示较重的皮肤反应，其他如哮喘、血管神经性水肿，个别曾有发生过敏性休克者。该类反应与剂量无关，过敏性体质者慎用。

（2）基本原则

镇痛药物的种类、品种繁多，除剧烈急性疼痛（癌症除外）需用麻醉性镇痛药外，NSAID 是能提供有效镇痛的最常用药物。选用哪个药最好，因疗效不能预测，最终需视患者应用的实际状况来判断，为了用药安全，选用时需从患者和药物两方面加以考虑。

1）患者方面　需综合考虑年龄、性别、病种、病情、用药史、并用药物和并发症等因素的个体化原则。老年人常并发心、肝、肾等慢性疾病，应注意并用药的相互作用，如正在用阿司匹林或抗凝剂，口服降糖药等或伴有高血压、肾功能不全等时对 NSAID 应慎用或禁用。对慢性疾病如骨关节炎常需较长时间治疗者，视疼痛程度而定。如轻至中度疼痛，以选用乙酰氨基酚类不良反应小的药物为宜；如中至重度疼痛，则可选用中等剂量的抗炎镇痛药。对类风湿关节炎及其他慢性炎症性关节炎患者通常需长期耐受剂量的 NSAID 治疗。应注意对年龄＞60 岁，有消化道疾病、溃疡病史、酗酒、吸烟与急速并用药物的患者易出现不良反应。

2）药物方面　应充分了解药物特性及危险因素，根据病种、疗程选用合适药物，需要长期用药的病种更须注意药物的安全性，掌握适应证、禁忌证、不良反应，须明确治疗目的，掌握剂量及疗程。老年患者宜选用半衰期短的药物以便调整。当选用一种 NSAID、足量使用 2～3 周确认无效时再更换，不主张同时使用两种 NSAID，因为不但不增加疗效，反而增加不良反应。当存在胃肠道、肾脏疾病等危险因素时，应慎用或禁用 NSAID。在治疗过程中，必须严密观察可能会发生的不良反应，进行必要的实验室检查，将不良反应降至最低限度，保证用药安全。

（梅振武）

14.3　围术期疼痛的处理

疼痛，不仅是最常见的临床症状之一，而且已经被列位与“血压、体温、呼吸、脉搏”一样的人体第五生命体征。而慢性疼痛，更是定义为一种疾病。医学界乃至整个社会对于疼痛和疼痛的处理越来越重视。

手术与疼痛，是一对孪生姐妹，总是形影不离。对于手术镇痛，医师总是关注术中（手术中的疼痛控制由麻醉医师对手术患者实施麻醉来完成）而忽视手术前后（临时注射或服用止痛剂和镇静剂等），而患者对疼痛的感受和关注却从手术前就已经实实在在地开始了（处于紧张焦虑状态之中，对于疼痛的感知体验往往处于过敏状态）。

目前，对于手术疼痛的关注和处理，已经贯穿于整个手术期和围术期。有文献报道，手术前采用镇痛措施，能使手术后的镇痛疗效更好并降低药物的使用剂量。其原理是要在疼痛周期启动前或处于初期时就予以阻断；而手术后镇痛措施应在麻醉效果消失前疼痛出现之前实施。对于手术疼痛的处理近来已呈现多元化趋势。所谓多元化，就是采用不同类型的镇痛措施，多途径、分阶段地进行。目前广泛推荐的平衡镇痛或多模式互补方法，亦属于此。

围术期的镇痛措施很多，采用药物镇痛无疑是最常用的（镇痛药很多，有关章节已经详细阐述，不再赘述）。术后镇痛给药途径很多，采用自助镇痛泵间歇给药（自控阵痛，PCA）通过留置的硬膜外导管（PCEA）或通过静脉（PCIA）等给药十分常用。镇痛泵内含的药物由麻醉医师配置，虽然配置的药物剂量具有一定的安全性，但为防止并发症的发生仍应加强随访监视管理。NSAID 也是十分常用的镇痛药，有口服、直肠和静脉 3 种给药途径，目前口服镇痛药大多是采用对乙酰氨基酚与其他镇痛药配伍的剂型，如及通安（ultract）就是曲马多与对乙酰氨基酚的复方制剂。目前不主张同时使用两种 NSAID 药。使用 NSAID 药应注意对各系统的不良反应。COX-1 抑制剂的主要毒性发生在血小板、胃和肾脏，COX-2 抑制剂在治疗剂量下胃肠道和肾脏毒性轻微，但仍可引起水钠潴留和肾功能损害，同时应注意其心血管不良反应。塞来昔布和罗非昔布是两种新的 COX-2 抑制剂，后者因明显的心血管不良反应已撤出市场，因此这类药物的应用应该谨慎。吲哚美辛可以直肠栓剂形式使用。乙酰氨基酚、氯诺昔康等可以静脉给药。还有一种药物剂型是通过皮肤给药的，如芬太尼透皮贴剂。另外，关节内给药也是一种途径。研究表明，阿片类受体是多层次、全方位分布的，关节内滑膜上亦具有此类受体，这一结果为关节腔内注射此类药物提供了理论依据。有研究结果显示，手术前关节腔内注射镇痛药（如吗啡、芬太尼等）甚至麻醉药（如波比卡因），可以增加关节腔内阿片受体的数量。除了药物外，还有很多镇痛措施，如冷疗可以减少出血并消除肿胀；如肾上腺皮质类激素（往往以冲击治疗方法给药）、甘露醇、七叶皂苷钠（迈之灵）等，具有明显消肿作用，对减轻疼痛具有辅助作用；各种手术后的物理治疗也具有很好的辅助镇痛疗效。

"消除疼痛是病人的基本权利"（2001 年亚太地区疼痛论坛提出），对于手术期和围术期疼痛和疼痛的处理是必须重视的一个问题。在整个治疗阶段实行安全的无痛化措施，是外科医师和麻醉医师等的共同努力方向。

（林建平）

参考文献

[1] 伍汉文. 口服钙剂应注意的问题. 中国新药与临床杂志，2000，19(3)：210～214.

[2] 许脉乐. 雌激素受体与绝经后骨质疏松. 国外医学·妇产科分册，2005，32(5)：274～276.

[3] 蒋明，朱立平，林孝义. 风湿病学. 北京：科学出版社，1995.

[4] Arnaud CD. Using the anabolic effects of parathyroid hormone to treat osteoporosis. Abstract Book from the International Conference on Osteoporosis and Bone Research，2003.

[5] Black DM，Thompson DE，Banar DC，et al. Fracture risk reduction with alendronate in women with osteoporosis：the fracture intervention trial. J Clin Endocrinol Metab，2000，85(11)：4118～4124.

[6] Chesnut C. Arandomized trial of nasal spray salmon calcitonin in postmenopausal woman with established osteoporosis：the provent recurrence of osteoporotic fractures study. Am J Med，2000，109：267～273.

[7] Chernut C. Effect of intranasal calcitonin on bone quantiative results of the quest study. Abstract book from the 4th European Congress on Clinical Aspects of Osteoporosis，2003.

[8] Delmas PD，Ensrud KE，Adadri JD，et al. Efficacy of raloxifene in vertebral fracture risk reduction in postmenopusal women with osteoporosis：Four-year results from a randomized clinical trial. J Clin Endocrinal Metab，2002，87(8)：3609～3617.

15 四肢外固定支架在骨科中的应用

15.1 骨外固定支架的发展史

1840 年，法国外科医师 Malgaigne 用钢针经皮穿入骨折一端，皮外的钉尾固定于金属带上，然后通过可调整周径的皮带带动金属带来控制骨折端移位，成为最早骨外穿针固定装置，但仅限于固定骨折一端。1850 年，Rigaud 用 2 枚螺钉分别钉入尺骨鹰嘴骨折的两骨段，用绳子拉拢骨断端和钢丝捆扎钉尾以固定骨折，2 个月后拔除螺钉。1898 年，美国 Parkhill 通过改进固定架的结构，使固定架便于调整控制骨折移位。Lambotte 于 1900 年设计了骨缝合装置——早期的外固定架雏形，使用能调整钢针的固定夹及金属连杆，扩大了外固定架使用范围；同时，首次提出“外固定器”的术语，指出外固定架可以加速骨折愈合，对开放骨折更有其独特优点。Hoffmann 于 1938 年首次将万向关节(universal joint)引入外固定架，使外固定支架只能单平面调整演变为多平面作用，增加了骨折复位、牵引、加压等功能，使骨折的复位和校正成为可能，并且疗效良好。Hoffmann 式外固定支架先经皮穿钉然后复位，而 Lambotte 的外固定器则只能开放复位后再使用。1954 年，Ilizarov 等发明了具有多向、多平面穿针，可牵伸、可加压的多种功能全环式外固定支架，使骨折的稳定性得到改善，加压骨折两端可以增加骨折端对位的稳定性。同时又发现，加压能促进骨折愈合，并倡导骨膜下皮质骨截骨方法，因而又适用于治疗肢体不等长、骨折对线不良和骨折延迟愈合、骨折不连(图 15-1)。1976 年，Boltze 报道了 Muller 发明的 AO 管状外固

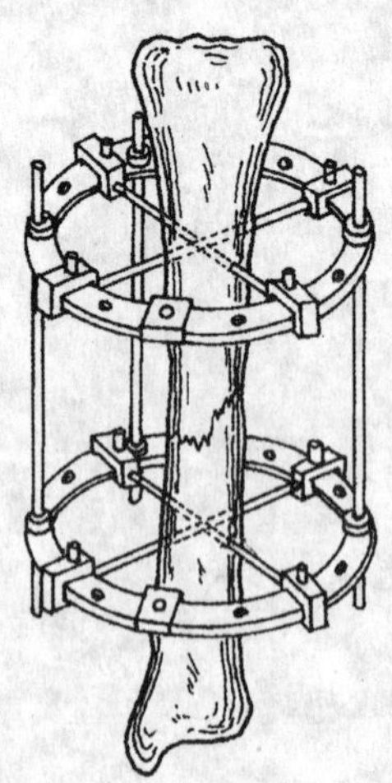

15-1 Ilizarov 全环式外固定支架

定支架。其后，外固定支架不断改进，适用范围也在不断扩大，如 Magerl 的脊柱外固定支架(1979)，Fisher 的半环式多向、多平面穿针的外固定支架(图 15-2)，Wagner 的直径 6 mm 螺纹钉外固定架以及螺纹位于针中段的 Bonnel 外固定支架。

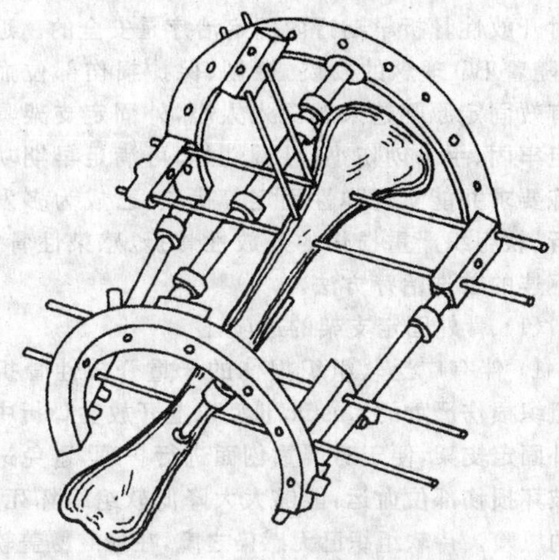

图 15-2 Fisher 半环式外固定器

1984 年，意大利的 Bastiani 设计出了一种单边动力加压式外固定支架；随后又提出了骨痂牵拉(callotasis)延长的概念，即在骨干截骨后延迟一段时间，待纤维骨痂形成后再行牵拉延长，降低了骨不连的发生率。随着人们对机械稳定与骨折愈合关系的深入了解，逐渐认识到使用外固定支架不可能消除骨折部位运动，骨折端局部承受 20 kg 重力就可产生循环的运动，而单侧多功能外固定支架安装有纵向伸缩的滑动装置，在骨折愈合的一定时期启用，通过负重和动力加压产生沿纵轴的生理加压作用，进一步加速骨折的愈合。故近年来，单侧外固定器得到临床广泛应用。

我国学者在继承发扬祖国骨伤科遗产的同时，借鉴吸收国外日益成熟的外固定技术优点，使我国的外固定技术有着突飞猛进的发展，具有操作简便、固定稳妥、穿针少、针径细、灵活等特点。其中最具有代表意义的有李起鸿的半环槽式外固定支架、于仲嘉的单边外固定支架和夏和桃组合式外固定支架。

总之，外固定架在其近百年的发展过程中，固定针由最初的圆针到现今的不锈钢螺纹针，由只能单平面调整到通过万向关节可多平面调整骨折端，由双边型外固定支架到充分固定但不绝对固定的单边型外固定支架等，不断改进，应用也越来越广泛。

15.2 骨外固定支架对骨折愈合的影响

骨折的愈合过程是骨折端间的组织修复过程，骨折区损伤组织刺激细胞增生，纤维组织在骨折端演变形成骨痂；同时，纤维组织的增生和成熟，加速骨的生成，但当骨折端存在不稳定因素时，这一过程难以进行，骨折端会发生纤维化等反应。根据 Pauwel 的组织发生学理论假说认为，单纯的流体静压力刺激间充质细胞和低分化的结缔组织细胞生长并且向透明软骨分化，而张应力则导致胶原结缔组织的形成。研究显示，0.4%的机械张力可引起增生率和分化过程活性的增加，1.5%张应力可引起细胞骨钙的增加。

在骨折的愈合过程中一直存在骨塑形反应，并且在骨折愈合后较长一段时间内仍然存在。最初塑形较快，当骨折牢固愈合后逐渐变慢。使骨折愈合处塑造结实，骨髓腔再通，骨髓组织恢复，骨折线消失，恢复以前的正常结构。Kummer 认为一定数量的正常压应力所致形变对骨形成(成骨细胞刺激)或骨吸收(破骨细胞刺激)是一种直接的刺激。受应力的影响，激活的破骨细胞在成骨细胞形成的骨痂上钻一小孔，有血管长入，随后成骨细胞形成新的骨单位。根据人体的需要，骨的结构按照力学原则改建为正常骨的结构。Wolff 认为骨的机械强度取决于骨的结构，正常和异常骨结构随着功能需要而发生变化。机械应力对维持和改变骨的结构很重要。因此，微量弹性形变对成骨细胞的增殖和骨的形成具有明显特殊的刺激作用。如有可能，显著的移动应尽量避免，而轻微的振动则是有益的，亦即动态接骨术的基本原则。骨外固定支架可保持骨折端的对位，即不使骨折端分离，也不造成骨折端压缩，维持骨折端的对位，而不产生移位的作用；骨折愈合早期，骨外固定支架可对骨折端间加压，骨折面接触紧密，稳定性增加，纵向载荷产生的压应力能刺激成骨细胞和成纤维细胞向成骨方向转化，有利骨折愈合；而剪切和扭转载荷产生剪应力，易造成骨断端动态摩擦，破坏已形成的毛细血管和骨痂，并可刺激成纤维细胞增殖，产生纤维组织而不利于骨折愈合。不同的愈合阶段,骨折所需的应力大小不同。早期,骨愈合区组织刚度低,承受外力能力差,所需应力水平亦低。随着愈合区组织刚度增加,其承受负荷的能力加大,所需刺激的应力水平也随之增加。只有当骨断端应力水平与愈合区组织刚度相互平衡协调时,组织才会良好分化和愈合。否则,应力过大,超过组织承受能力,会损害已形成的骨痂,使骨组织坏死吸收,导致骨萎缩。反之,不足以引起弹性形变,趋向于骨折愈合的组织分化难以产生,最终导致骨延迟愈合或骨不连。另外,骨外固定支架安装于负重力的一侧,实际力线分布于外固定支架与骨干之间;如果安装在远离负重力的一侧相同的骨折线上,应力会增大。如果超过骨组织的耐受范围,会引起骨质吸收和骨折延迟愈合。

骨折愈合过程中,作用于外固定支架和骨折端之间的应力负荷比例大小是不断变化的。骨折愈合早期,所有的力均通过外固定支架传导;随着骨痂的形成逐渐增多,外固定支架传导部分负荷,通过骨折端的负荷随着骨折骨痂的强度增高而逐渐增加;骨折愈合后期,大部分负荷通过骨骼传导。因此,在骨折愈合的早期,因骨折部位承受外力能力差,高刚度的外固定支架可传递大部分负荷,有利于骨折愈合。就单侧单平面外固定支架而言,支架为悬臂梁结构,钢针分布比较集中,对骨折端的约束较局限,致使整体结构的应力分布不均衡。可通过使用螺纹针、增加固定针和连接杆数量以及固定针直径、增大针组内间距、缩小针组间间距、缩小外固定支架与骨骼之间距离等来增加外固定支架的刚度。而对于环式外固定支架而言,可减小弓环直径、增加固定针数、选用较粗直径固定针;同时,同一弓环上的两根固定针相交夹角应$>60°$,固定骨位于弓环偏心位等。而在骨折愈合后期,高刚度的外固定支架就会产生较强的应力遮挡作用,阻碍骨折端应力的有效传导和刺激,影响骨痂的塑形,所以此时应逐步减少外固定支架的刚度,使骨折端处于有效的弹性固定中。另外,增加骨折端间压应力,提高静态摩擦,有利于骨痂形成及爬行替代作用,并且能够降低支架的应力遮挡效应。

综上可看出,骨折早期实施牢稳固定,在中后期要减小应力遮挡,实施弹性固定,即稳定的固定体系、骨折端间轴向微量活动<1 mm、避免弯曲应力、保持骨折端间恒定应力刺激。

15.3 骨外固定支架的适应证、禁忌证

早期认为在开放性骨折使用内固定会增加感染的机会。随着医疗实践的深入,内固定理论和器械的不断发展完善,尤其是AO理论的发展,逐渐认识到对开放性骨折早期行内固定治疗是安全的。近年来,随着BO理念的发展,微创、保护损伤部位血运的有效固定原则越来越深入人心,外固定支架具有固定牢固、手术创伤小、可调性好、可满足早期功能锻炼要求并能实现弹性固定等优点,已成为多发性骨折、软组织严重损伤的开放性骨折、感染性骨折、骨不连的首选治疗方法。

(1) 骨外固定支架的适应证

1) 伴有广泛软组织损伤的严重开放性骨折　软组织损伤严重的Gustilo Ⅲ型以上开放性骨折中使用外固定支架,便于对严重创面进行护理,避免进一步破坏损伤部位血运,能够大大降低软组织坏死、感染的风险。待软组织已无感染之虞,在最终覆盖软组织创面或闭合伤口时,可以考虑将外固定支架更换为内固定。但如骨外固定支架治疗期间,有针道感染迹象,绝对禁止使用扩髓的髓内钉。对于一些开放性骨折的转移运送,较石膏固定便于观察和处理伤口。

2) 骨折畸形愈合和骨折不连　骨外固定架可以使骨折端得到较好的制动,有利于骨不连的愈合;加压可以使夹在骨折端的软组织坏死而被吸收,有利于骨折端的接触和愈合;环形外固定支架可矫正多平面的畸形愈合或处于畸形位置的不愈合。外固定支架可稳定骨强度遭到破坏的罹患骨髓炎的骨骼,控制感染,使骨质破坏得以愈合。

3) 多段骨折、不稳定的粉碎骨折　长管状骨的多段粉碎性骨折,往往有短缩移位,不适宜断端加压,需借助外固定支架进行牵伸固定,以维持肢体的正常长度。对于一些发生骨筋膜室综合征的骨折,行筋膜间室切开减压的同时给予外固定支架治疗,可避免此时行内固定治疗的感染风险。胫骨中远1/3段骨折,钢板内固定治疗往往需要广泛剥离骨膜,容易发生骨折延迟愈合和不愈合,应用外固定支架可保护骨膜血运,降低骨不连的发生率。

4) 伴有严重软组织损伤的近关节或经关节骨折　如粉碎性Pilon骨折或桡骨远端粉碎性骨折,切开复位内固定往往引起灾难性的软组织并发症,包括皮肤坏死、感染,甚至截肢。应用外固定支架跨

关节牵伸固定，既可有效地固定骨折，又能够早期活动关节，防止关节僵硬。

5）有重要脏器损伤的多处骨折　此时抢救生命是首要的，而不是对骨折脱位的复位和最优、最终的固定，简单、快速、有效的固定更有利于救治患者。外固定支架此时因其有操作简单、手术时间短、患者可以耐受等的独特优势而成为首选，可大大降低死亡率。待患者情况允许时，更换为内固定。

(2) 骨外固定支架的禁忌证

对于多脏器损伤，生命体征不稳定的患者，应先积极抢救生命；对于伴有糖尿病的骨折患者，难以预防和控制针道感染；对于配合度差的精神病患者，因外固定支架治疗的时间往往较长应慎用，严重骨质疏松患者最好不要使用。

15.4 常用骨外固定支架的结构特点

临床上常用外固定支架外形各异，按固定方式分为平面、环形及混合外固定支架。平面固定支架又可分为单边半针外固定支架、双面半针外固定支架。

15.4.1 Bastiani 外固定支架

Bastiani 外固定支架属于单边单平面式外固定支架，由 Bastiani 等于 1984 年设计的一种单侧轴向加压外固定支架（unilateral axial dynamic fixation, UADF），结实而轻巧，易于装卸，手术操作方便；骨折两端的加压与撑开装置力很强，固定牢靠，可早期部分负重活动，可行骨折复位、固定、延伸和加压。固定针为半针固定，可根据固定部位选用相应的直径。连接杆中段为伸缩杆，与一端持针夹借助万向关节连接，可用于矫正部分成角移位和少许侧方移位；连接杆两端有持针夹（有 5 条夹针的齿槽）（图 15-3）。外固定架两端的关节可有约 20°的调节范围，在骨折远、近端穿入螺纹骨针后仍可调整骨折复位方向及力线角度，克服了先复位再穿骨针及外固定后难以调整骨折端力线和角度的困难。在骨折的治疗过程中，可施行间断加压方法，初期骨痂形成后可松动加压装置的锁钮，变坚强、稳固固定为弹性固定，以便产生纵向的压力，促进骨生长。但在斜形、螺旋形及粉碎性等不稳定长管骨骨折的治疗中，因该力学性能的不对称性，该固定支架在纵向压力不宜过大，否则易出现骨折复位的丢失、成角改变。

Bastiani 架适用于各种长管状骨折、骨盆耻骨间的分离、骨骺的延长、截骨、骨缺损植骨等。

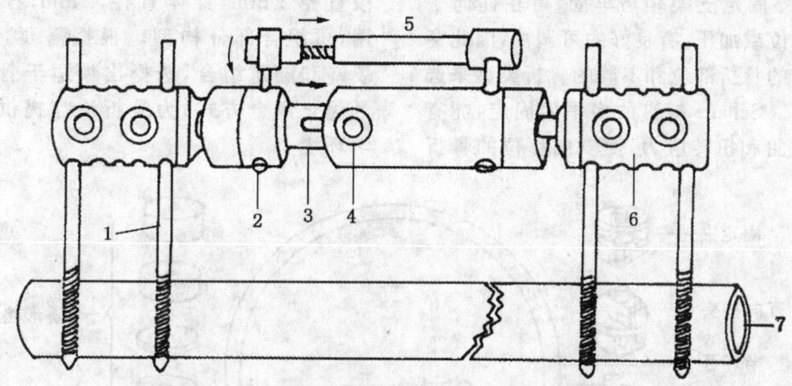

图 15-3　Bastiani 单平面半针固定架示意图

1. 6 mm 粗固定针钻入对侧骨皮质　2. 螺丝固定牵开/加压部连杆　3. 套入轴心，防止屈曲与旋转　4. 防止旋转及控制延长与缩短的螺丝　5. 牵开/压缩杆，箭头示旋转使骨折靠拢　6. 针固定器，可以调整针进人的方向　7. 骨皮质

15.4.2 Ilizarov 外固定支架

Ilizarov 外固定支架属于多平面固定型，为前苏联 Ilizarov 医师于 20 世纪 50 年代所设计，应用环形固定器及微创技术用于矫形和创伤的治疗。对于骨缺损、骨不连、骨关节畸形的治疗有突出贡献，被公认为 20 世纪矫形外科的里程碑。修复过程中的骨组织如施以缓慢牵伸，产生一定张力，刺激膜内骨化

形成新骨。

Ilizarov外固定支架结构见图15-1。固定主环分为圆环和半环式，通过环上均匀等距的孔或槽固定针、伸缩棒或其他装置，形成一个强有力的框架。固定针分为不带橄榄体和带橄榄体两种，交叉穿针可明显提高固定节段的稳定性，防止骨折端的旋转。伸缩棒支撑连接金属环形成框架，调整其长度，实现肢体延长、压缩、成角矫正等。生物力学研究发现，这种环形外固定支架弯曲刚度和扭转刚度与传统的单边外固定支架相仿，而其轴向刚度则较低，允许骨折部位有更大的轴向运动，并且这种轴向刚度随负荷值的增大而增大，特别适用于肢体缩短畸形及骨不连等的治疗。

15.4.3 AO外固定支架

AO管状外固定支架由瑞士 Muller 于1952年设计，1976年开始广泛应用于临床。固定针有两种类型：直径5 mm、长15～25 cm不等的斯氏针和直径5 mm、长10～20 cm不等、针尖段有螺纹的Schanz针。管状连接杆为不同长度（10～60 cm）的钢管（直径1.1 cm，管壁厚2 mm）。连接装置是可调式夹头，可沿钢管上下滑动，并且可沿金属管冠状面和矢状面作360°旋转，使固定针的位置选择不受限制。AO管状外固定支架轻巧牢固，可在任何平面对骨折进行复位或加压，有良好的可调性，因此穿针时可根据不同的骨折部位和不同的骨折类型来选择合适的进针点。Schanz螺钉的多平面固定，能有效中和多方向弯曲和扭转应力，使多向移位的骨折连成整体，呈中心型固定，通过元件的拆卸组装成单边单平面、双杆单边式、双边单平面、三角式和半环形等多种几何构形，固定稳定。

AO螺纹杆外固定支架由螺纹连接杆、固定夹、固定螺母、固定针、加压杆组成。因螺纹连接杆的操作比较复杂，目前多被管状外固定支架取代。

15.4.4 组合式外固定支架

组合式外固定器械据其生物力学特点可分为三大系列：用于治疗骨折以固定功能为主；用于矫形的除有固定功能外，兼有牵伸和加压功能；用于肢体延长的以牵伸功能为主。可根据需要选择不同直径（2.5～5 mm）和不同种类（全针、半针或有、无螺纹）的固定针，除能组成6种标准构型的外固定支架外，在特殊情况下，还可组成临床所需的各种几何学构型，是目前创伤骨科较为理想的外固定支架。

组合式外固定支架由钢针、固定夹、连接杆、半环弓、矫形垫、万向接头、连接杆固定夹、固定针（直径2.5～5 mm）组成（图15-4），除矫形垫由尼龙制成外，其余部件可分别采用铝合金、不锈钢或钛合金制成。固定针有3种类型：①无螺纹的斯氏针，用于全针固定；②Schanz针；③侧方加压针，针尖段直径2 mm，针体直径4 mm，拧紧后有加压作用，可组合部分构型。根据需要，可通过组件的装卸和随意组合，选择出最适于骨折实际情况的最优化组合方式，为骨折治疗提供一个理想的力学环境。

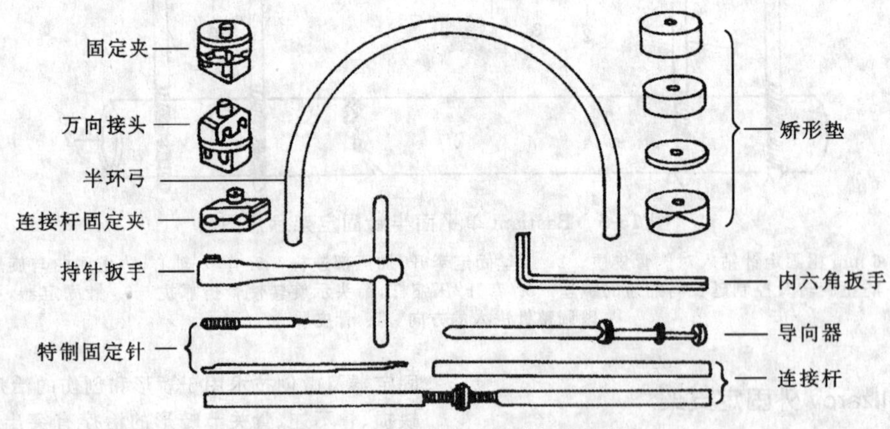

图15-4 组合式外固定支架的部件

15.5 骨外固定支架的并发症及术后注意事项

随着骨外固定支架的应用日益广泛，由此所产生的并发症也日益备受关注。正确掌握外固定支架手术适应证、选择适合的外固定支架类型、严格掌握穿针技术、注意术后护理等是降低并发症的关键。

15.5.1 针道感染

为外固定支架固定最常见的并发症，感染的固定针可能会发生松动而失去固定功能，并且可能带来慢性骨髓炎。另外，针道感染还可能带来二期采用髓内钉固定时较高的并发症发生率。临床表现为针道分泌物增多，呈脓性，细菌培养阳性，针孔周围皮肤和软组织红肿、局部疼痛。进一步发展至深部，可造成骨髓炎或关节感染。而针道无菌性炎症反应为针道口肿胀，有渗液，但细菌培养阴性，不涉及深部软组织和骨组织。诱发针道感染的因素既有全身性因素，如营养不良、糖尿病、心肾功能不全、免疫功能低下等；又有局部因素，如螺钉松动、骨急性感染、螺钉周围液体积聚以及局部污染等。

因此，在穿针过程中应按常规手术操作进行，严格遵守无菌操作原则；进针处先用尖刀切开皮肤及软组织，切口大小要合适，避免术后固定针压迫局部皮肤及软组织；拧入固定针时应使用定位外套管，保护周围软组织，术后于进针处皮肤与外固定支架之间填塞纱布防止皮肤沿固定针滑动；固定针一般应选择在距离骨折处 4～5 cm，太近容易引起感染，太远又降低了骨折固定的稳定性；局部采用抗生素，保持清洁。

对于无菌性炎症，主要处理针道口-皮肤界面的关系，将受压侧皮肤、筋膜切开，改善针道周围的无菌环境。仅靠大量应用抗生素则难以治愈。而当针道感染发生时，应停止患肢的功能锻炼，针道分泌物行细菌培养及药敏试验，选择敏感抗生素治疗；同时清除分泌物、充分引流和保持针道皮肤清洁和干燥。若固定针没有松动，暂时不要拔出感染处的固定针，可待骨折愈合后拔出；若钢针已松动但仍需继续固定时，则宜拔除钢针，设法保证针道引流通畅，并做患肢骨牵引治疗，或另选一合适部位穿针固定，但后者应距原针道 3 cm 以上。感染严重者应对针道周围进行彻底清创，同时结合系统的抗生素治疗。

15.5.2 固定针的松动

固定针松动较常见，影响外固定系统的稳定性，可导致针道感染或骨愈合不良。常见原因有固定针周围骨质吸收、固定针抗扭转能力弱、骨折不稳定和过早负重。外固定支架安置前骨折端良好的复位，减少骨折间隙、增加其间压应力，减少固定针松动；同时，根据不同要求提高外固定支架的刚度，采用双平面或多平面的固定支架，增加固定钢针的强度和数量，以及适当延长负重时间。

15.5.3 固定针的疲劳折断

外固定支架对骨折端间的轴向压应力，使骨折端紧密接触，有利于骨折愈合；同时，由于骨折端间吸收压应力，减少断针的发生。

15.5.4 骨愈合过程中的延迟愈合、骨不连、再骨折

以上情况均可发生于外固定支架治疗过程中。

15.5.5 神经血管的损伤

首先要熟悉肢体神经、血管解剖位置，在手术前应用亚甲蓝（美蓝）标记出肢体重要的血管、神经走向。术前要有周密计划，进针要避开危险区域，在进针中要限制电钻速度和压力，避免直接和热力损伤血管及神经。钻孔时务必使用保护套筒，避免进针过程中软组织缠绕，防止神经和血管的损伤。关键是要重视神经、血管损伤等严重并发症的预防。

15.5.6 关节挛缩、活动受限或脱位

外固定支架应用于肢体延长时，如胫骨延长时，腘绳肌和腓肠肌的牵拉产生屈膝挛缩或马蹄足畸形；股骨延长时，内收肌、腘绳肌、股四头肌等跨越髋、膝关节的肌肉张力增高，使髋、膝关节发生屈曲或伸直挛缩畸形。理疗、功能锻炼或使用超关节动力夹板可预防和治疗关节挛缩畸形的发生。而在关节发育不良、处于不稳定的状态下，容易出现关节脱位、半脱位，应用环形或半槽式外固定支架跨关节牵引复位、骨延长时超关节固定、铰链夹板固定、软组织（如髋内收肌）松解或先治疗关节发育不良，均有助于防止关节脱位的发生。关节活动受限多发生于外固定支架治疗股骨干骨折，因固定针影响了髂胫束的滑动，往往产生膝关节屈曲受限。

外固定支架安置后，日常的护理观察对减少并发症的发生很重要，常见的注意事项：①每天应检查钢针在固定处有无松动，以及固定针(钉)的螺丝是否拧紧，出院后的患者，也要告知其注意。②每天勤检查伤口，用湿的 1：1 000 氯己定(洗必泰)纱布包扎，以保护针口；为安全考虑，拔针前应先用 2 天抗生素。③要根据骨折及固定情况决定何时负重。

(霍建忠 陈峥嵘)

参考文献

[1] 李起鸿主编. 骨外固定原理与临床应用. 成都：四川科学技术出版社，1992.

[2] 夏和桃，张晓林，杜加明. 骨外固定支架治疗胫腓骨严重开放性骨折. 中华创伤杂志，1992，1：8～11.

[3] Augat P, Ignatius A, Simon U, et al. Die mechaniseh stimulierte Kallusheilung-Eine interdisziplinare Untersuchung Zum besserer Verstandnis der Knoehenheilung. Osteologie, 2000, 9(1): 53.

[4] Augat P, Merk J, lgnatius A, et al. Early full weight bearing with flexible fixation delays fracture healing. Clin Orthop, 1996, 328: 194～197.

[5] Behrens F. A primer of fixator devices and configurations. Clin Orthop, 1989, 241: 5～8.

[6] Cornell LN, Lane JM. Newest factors in fracture healing. Clin Orthop, 1992, 227: 297～311.

[7] Goldner JL, Fitch RD. Ideopathic conenital talipes eqlnovarus(clubfoot). In: Jahss MH, ed. Disorders of the foot and ankle: Medical and Surgical Management. Philadelphia: Saunders, 1991. 771～779.

[8] Ilizarov GA. The tension-stress effect on the genesis and growth of tissues: Part Ⅱ. The influence of the rate and frequency of distraction. Clin Orthop, 1989, 239: 263～285.

[9] Ilizarov GA. The tension stress effect on the genesis and growth of tissues. Part I. The influence of stability of fixation and soft tissue preservation. Clin Orthop, 1989, 238: 249～281.

[10] Kastner N, Stanford C, Brand R. Der Einflub der gleichmabigen, kontlnuierlichen in vitro Dehnungs belastung auf primare humane Osteologie, 2000, 9(1): 55.

[11] Mechanical Properties of the Pinless External Fixator on Human Tibiae American Academy of Orthopaedic Surgeons, 1993.

[12] Paley D. The correction of complex foot defomities using Ilizarov's distraction osteotomie. Clin Orthop, 1993, 293: 97～111.

[13] Sarmiento A, Sharpe F, Ebramzadeh E, et al.. Factors influencing the outcome of closed tibial fractures treated with functional bracing. Clin Orthop, 1995, 315: 8～24.

[14] Skaggs DL, Hale JM, Buggay S, et al. Use of a hybrid external fixator for a severely comminuted juxtxaarticular fracture of the distal humerus. J Orthop Trauma, 1998, 12(6): 439～442.

四肢骨折内固定技术 16

四肢骨折内固定技术的发展，与骨折愈合模式的深入研究以及麻醉学、放射学、生物力学以及材料科学等相关学科的发展密不可分。近年来，随着工业的迅速发展，无菌技术的不断提高，手术操作的日益完善，骨折内固定的方法和器材乃至骨折治疗的模式都得到了日新月异的发展。

16.1 骨折内固定治疗的适应证

切开(或闭合)复位内固定不仅可以获得准确的复位，而且可以依靠内固定较牢固地维持已整复的位置。无菌技术的发展大大减少了手术感染的机会，器材的改进又使得更多的骨折可以在术后完全免除外固定，提供了早期活动的条件，使得内固定法的优点更加明显。

尽管如此，手术本身毕竟是较大的创伤，骨折部位的骨膜剥离、髓腔的扩大、钻孔等操作又都不同程度地破坏了骨本身的血运，影响骨折的愈合。因此，仍然需要严格掌握手术的适应证。在条件较差、技术不够熟练的情况下，更应特别慎重。

只有在如下的情况时，手术内固定才是有意义的：

1) 有利于骨折愈合　如股骨颈骨折的闭合复位内固定。

2) 有利于简化治疗　如同一肢体多发骨折脱位行内固定治疗在治疗上的相互干扰，又便于护理。

3) 有利于合并的血管神经损伤的修复和皮肤缺损的修复　在手术当时，先固定骨折，使其恢复稳定，以利血管或神经的修复，并可使其在术后阶段，不致受到骨折移位造成的再度损伤。断肢再植更需先作内固定。

4) 有利于减少后遗症发生的机会　如关节内骨折，通过手术解剖复位并愈合后，晚期发生创伤性关节炎的机会将大为减少。

5) 有利于不适于长期卧床的患者早期离床活动，尤其是高龄患者。

6) 经保守治疗不能取得功能复位者。

上述各类情况并非绝对的，也不是只限于此，关键在于具体情况具体分析，充分权衡手术的得失后再作决定。

16.2 骨折治疗的 AO 原则

在相当长的时间内骨折治疗都重在关注骨连续性的恢复，石膏和牵引固定是 20 世纪上半叶以前主要的骨折治疗手段。1958 年，Muller 和其他一些瑞士骨科医师、外科医师及生产科研人员在瑞士建立了一个骨折处理研究组 AO(Arbeitsgemeinschaft für Osteosynthesefragen)。他们提倡一套崭新的骨折治疗原则，即通过折块间的加压而达到绝对的稳定性，从而实现坚强的固定，在那时就颇具革命性的意义。在 40 多年后的今天，AO 已成为全球最具影响力的学术组织之一，其对骨折愈合的新概念以及骨折手术治疗的发展在国际上得到了广泛的认可。

AO组织立志于为骨折及相关患者设计、提供可使其早日恢复活动及功能的治疗方法。这一理念的施行在于建立一套合理及有效的处理骨及软组织损伤的方案，从而促进患者功能的快速复原。

AO组织早期提出的内固定四大原则为：骨折的解剖复位；绝对可靠的符合生物力学的坚强固定；保护骨折的局部血供；早期活动骨折邻近关节，防止骨折病的发生。依据骨折固定的作用，可将固定方法分为折块间加压作用(compression)、夹板作用(splinting)和支撑作用(buttress)。其中加压作用是AO技术的核心。依靠折块间加压和骨折断端之间所恢复的稳定达到坚强固定，这是AO技术的第1个特征。骨干骨折在钢板的坚强固定下，往往出现骨折的一期愈合，这是AO技术的第2个特征。

然而经过长期实践，在证实AO原则疗效的同时，也逐渐暴露了AO技术的一些缺点和问题：首先，有些骨干骨折即使按照AO的原则进行了坚强固定，实际上也难以达到目的，肢体不仅无法早期使用，甚至连早期功能锻炼都需要极其慎重。其次，临床上不断出现使用加压钢板固定的骨干骨折愈合去除钢板后发生再骨折的病例，由此提出应力遮挡的观点和钢板下皮质骨因血供破坏而出现哈弗斯系统加速重塑的观点。此外，为获得解剖复位和坚强内固定常需要广泛切开直视下手术操作，导致骨血流灌注减少、骨折块血运降低和易发感染。这些问题促使骨折治疗生物学模式的诞生。

16.3 骨折治疗生物学模式概述

在对早期骨折治疗原则的深入研究基础上，AO学派从原来强调生物力学的观点，逐渐演变为以生物学为主的观点，即生物的、合理的接骨术的观点(biological osteosynthesis, BO)。BO理念的提出成为近年来骨折治疗理论上、原则上、方法上以及设备上最重要的进展之一。BO的内涵是充分重视局部软组织的血运，固定坚强而无加压。根据生物学模式修订的AO原则包括：通过骨折复位及固定重建解剖关系；按照骨折的“个性”及损伤的需要使用固定或夹板重建稳定性；使用细致操作及轻柔复位方法以保护软组织及骨的血供；全身及患部的早期和安全的活动锻炼。

以前，对于任何骨折均追求绝对的坚强内固定，而现在的共识是坚强内固定只适用于关节及其相关骨折，而且只有在此操作不会进一步损伤血液供应及软组织的情况下才施行。在处理骨干骨折时，必须考虑长度、对线及旋转问题。固定时通常会选择髓内钉，骨折通过骨痂形成而愈合。如因临床状况选择使用接骨板固定时，则需要制订详细的计划及使用微创技术尽量避免对骨折断片及软组织的血供造成损害。按照BO的理念，骨折治疗应尽可能在远离骨折的部位进行复位，保护骨折部位局部软组织的附着，恢复长度、力线和纠正旋转；使用低弹性模量，生物相容性好的内固定器材；减少内固定物与所固定骨之间的接触面(髓内及皮质外)；尽可能减少手术暴露时间。

16.4 四肢骨折内固定材料与方法

使用金属内固定器材治疗骨折有近百年的历史，但只是在20世纪初无菌技术开展以后这种方法才逐渐为人所接受。随着工业的迅速发展，无菌技术的不断提高，手术操作日益完善。内固定的方法和器材已有了很大的改进。

16.4.1 加压作用的固定

加压固定的方式有两种，即骨折块间的加压和沿骨干长轴方向的轴向加压。达到加压的途径共有4种，即螺钉固定、钢板固定、角钢板固定和张力带缝合固定。

(1) 螺丝钉固定

分为皮质骨螺钉与松质骨螺钉两类。

根据不同部位的骨折，使用不同直径、不同长度的螺钉。以最常用的AO皮质骨螺钉为例，其螺纹径为4.5 mm，而以3.2 mm的钻头钻孔。AO螺钉与以往螺钉根本区别是后者为自旋式，钉尾有沟槽以便旋入钉孔，而AO螺钉则为非自旋式，必须先用丝锥攻丝，然后旋入螺钉(图16-1)。丝锥不仅远较螺钉的螺纹切割锐利，而且还便于清除孔道内的碎屑。攻丝后，螺钉即可轻松地旋入。由于AO螺钉钉在螺帽侧的螺纹呈水平位，螺柱周围与孔道壁间隔仅1 mm，因此，其把持力大大增加。螺帽侧改锥槽为内六角形，不仅增加了改锥对螺钉的控制力，也保证了旋入螺钉时始终维持垂直位。

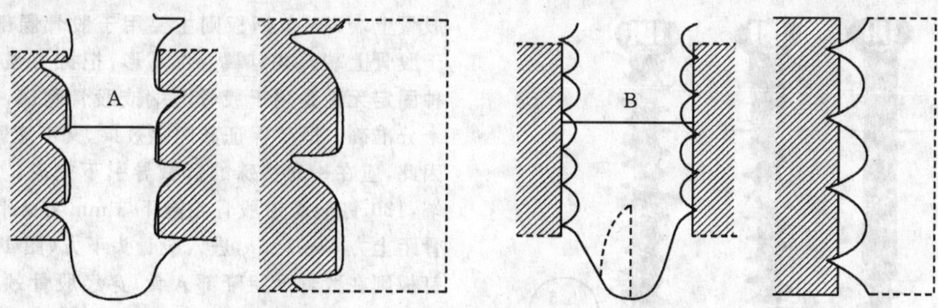

图 16-1　AO 螺钉(A)与普通螺钉(B)的比较

1）皮质骨螺钉加压　以皮质骨螺钉进行骨折块间加压，可用于斜形、螺旋形和蝶形骨折，或在钢板固定后，对骨折端之间尚存在的分离进行补充加压。加压是依靠入侧皮质的滑行孔而完成的。对侧皮质仍行常规钻孔（如钉螺纹为 4.5 mm 时，钻孔则为 3.2 mm），使钉抓紧对侧皮质。入侧孔则用和螺纹同径的钻头钻孔，使成为滑行孔，当旋紧时即产生折块间的加压(图 16-2)。螺钉必须垂直骨折面，并穿过折块周径的中央部(图 16-3)，否则即会在加压后出现移位。垂直骨折面的螺钉不能防止骨折短缩移位。因此，如固定的目的是防止短缩时，则螺钉应垂直骨干纵轴。对长斜面骨折加压时，其中央的螺钉也应垂直骨干纵轴。另一种做法是：先将对侧的皮质钻孔，再复位，然后用导钻引导将入侧皮质钻成滑行道。

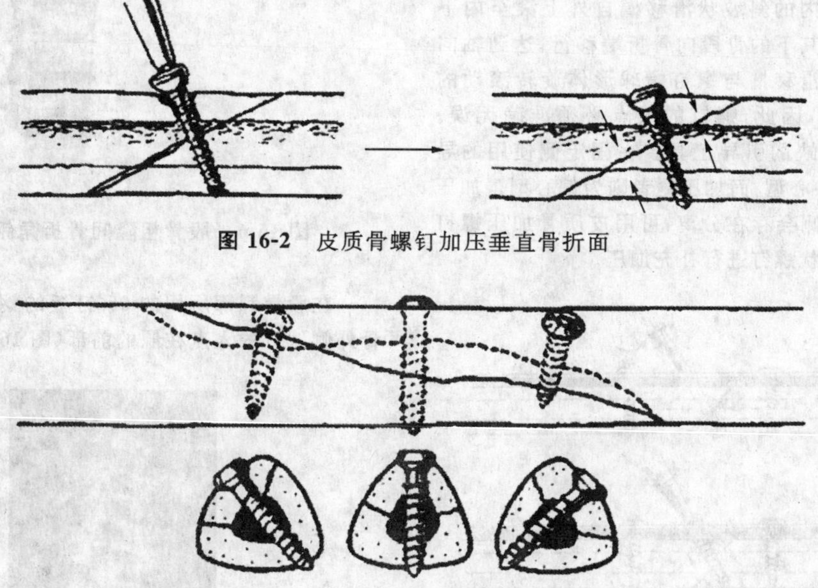

图 16-2　皮质骨螺钉加压垂直骨折面

图 16-3　皮质骨螺钉置放的方向及位置

2）松质骨螺钉加压　不同部位、不同大小的骨端骨折应选用不同型号的松质骨螺钉(图 16-4)。螺钉的螺纹必须超过骨折线，否则不能形成加压。在钉帽下需加垫圈保护，以免压入骨皮质内。

这两种螺钉在作为折块间加压固定时，统称为拉力螺钉。

（2）钢板固定

用于折块间加压的钢板固定有两种类型：加压器型钢板固定和动力加压型钢板固定（dynamic compression plate，DCP）。

1）加压器型钢板固定　在钢板的固定侧以螺钉固定后，另一侧依靠固定器的牵拉完成折块间的

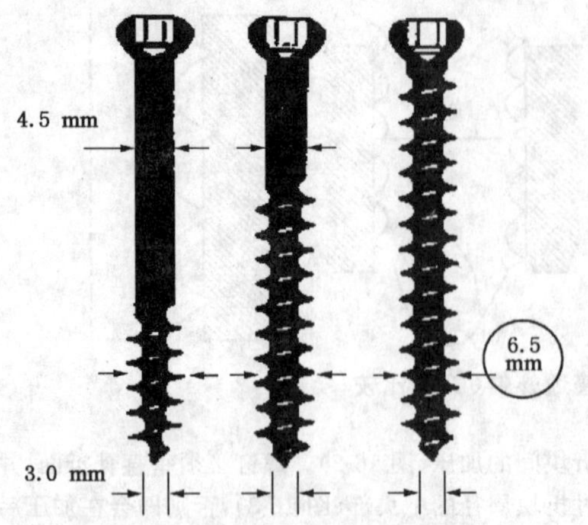

图 16-4 不同规格的松质骨螺钉

加压。由于此种加压需先将固定器用螺钉固定于骨干上，切口较长，近年来又已逐渐认识到折块间无须过大的加压力，因此，已很少使用。

2）动力加压型钢板固定 螺钉的钉帽为球状，旋入时沿钉孔内的斜坡状滑移槽自外上滚至内下的槽底。推动其下的骨段向骨折端移行，达到轴向加压。钉孔的滑移槽与螺钉帽球形体旋转滚动的轨迹严密吻合，因此，螺钉的入点必须准确无误。导钻是必不可缺的引导工具。在固定侧使用的导钻，其钻孔为中心型；而加压侧者则为偏心型。加压固定后有时对侧会存在分离，可用皮质骨加压螺钉（图 16-5）或杆状螺钉进行补充加压。

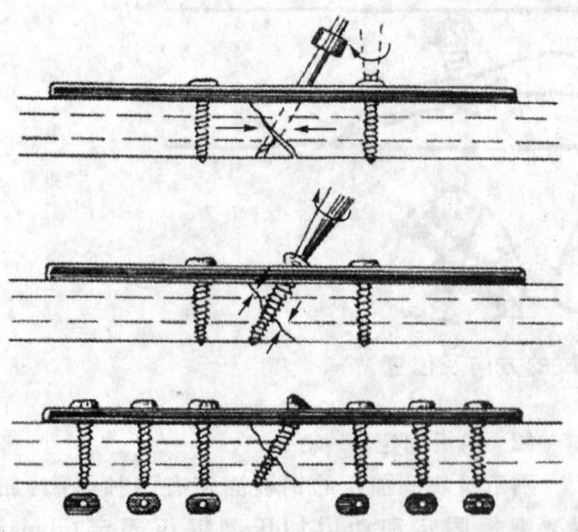

图 16-5 骨干骨折固定结合折块间皮质骨加压

（3）角钢板固定

用于股骨上下端骨折的固定，130°角钢板用于股骨上端，95°角钢板则主要用于股骨髁部，也可用于股骨上端。其钉翼呈“U”形，把持力强。由于此种固定无论是用于股骨上端或股骨髁部，占位必须十分准确。既要保证其固定效果，又不能影响关节。因此，应在一套特殊的器械导引下完成。在股骨上端，130°钉板需由股骨粗隆下 3 mm 处入骨，穿经股骨距上方 6～8 mm，进入股骨头下方（图 16-6）。95°钉板则在股骨大粗隆部入骨，穿经股骨颈外侧皮质下方，进入股骨头下部。并以一枚皮质骨螺钉将钢板固定在股骨距上。

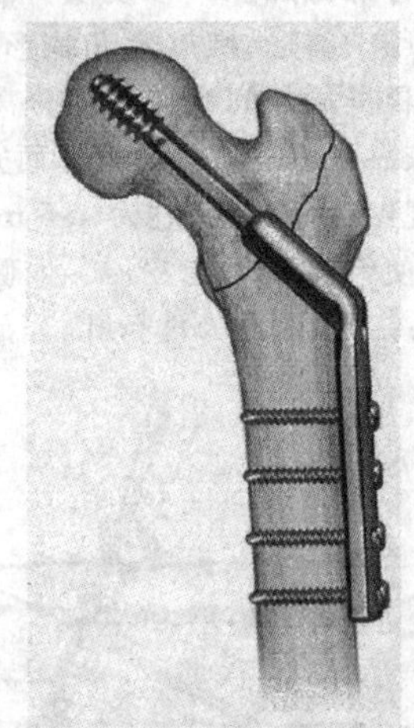

图 16-6 股骨粗隆间骨折角钢板固定

在股骨髁部所用的 95°钉板的钢板翼应紧贴股骨外侧。钉的入点在髁的前部（图 16-7）。固定股骨

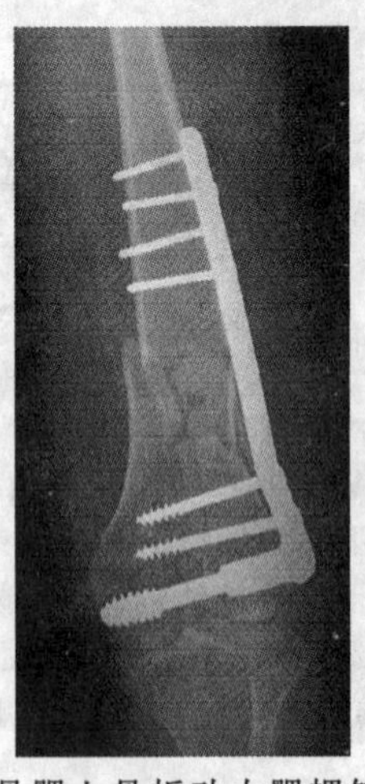

图 16-7 股骨髁上骨折动力髁螺钉(DCS)固定

髁间骨折时，则须以松质骨拉力螺钉将复位的骨折加压固定，然后再用95°角钢板固定，并以加压器对髁上骨折加压固定。这种固定操作较复杂，而且固定必须准确，因此，术前应根据标准的X线摄片对手术进行设计。

(4) 张力带缝合固定

因撕脱而形成的张力性骨折，如髌骨骨折、尺骨鹰嘴骨折均可行张力带缝合(图16-8)。

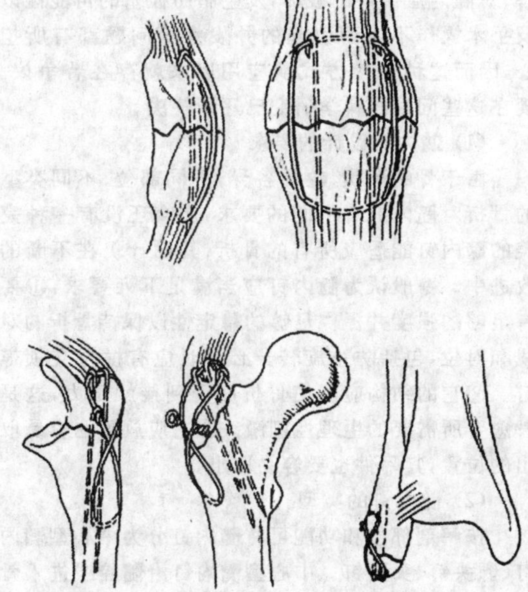

图16-8 克氏针张力带固定骨折

16.4.2 加压固定的原则

使用加压固定法治疗骨折必须遵循以下4项原则。

1) 骨折块之间最大程度的稳定　骨折在固定后是否稳定，固然与固定物本身及其与骨质之间的连接是否坚强直接相关，但同时也必然和复位后的骨折是否稳定有关。稳定型骨折在复位后容易获得稳定，但不合理的固定(包括加压固定)反而有可能削弱其稳定性。不稳定型骨折需通过某些手段增加复位后的稳定性，折块间的加压则是一种最有效的手段。

2) 符合张力带原则的固定　每个偏心位承重的骨骼都承受弯曲应力。典型应力分布是在凸侧产生张力，而在凹侧产生压力，为使偏心位承重的骨折能恢复承重能力必须利用张力带吸收张力。同时骨骼本身能接受轴向加压。股骨骨折固定后承重时，身体重力线落在骨干内侧，造成向外侧弯曲的应力，外侧为张力侧。因此，应在外侧行钢板固定。胫骨则不同于股骨，负重时身体重力线与胫骨轴线的关系在负重期不断改变，张力侧也随之而改变。如从肌肉作用所造成弯曲应力考虑，则在胫腓双骨折时，多向内成角，内侧为张力侧；而在胫骨单骨折时，则相反。骨端的撕脱骨折(如尺骨鹰嘴、内踝骨折)以及髌骨骨折，其张力侧更为明确，髌骨骨折在膝关节进行伸屈活动时，其前侧分离，即为张力侧。违反张力带原则的内固定，只能加重其移位趋势。

3) 保存骨折部的血运　保存局部血运是减少骨折端坏死程度，使骨折获得正常愈合的重要条件。在暴露骨折部时应尽量减少骨膜的创伤。置于骨膜下时，则推开骨膜的范围应非常局限。粉碎骨折的任何骨块均应慎重保留其血运。

4) 伤肢早期主动活动与使用　骨折在获得可靠的固定后即应早期主动活动；骨折局部十分稳定者，甚至可以早期使用，例如下肢部分逐渐增加负重。

16.4.3 支撑作用的固定

主要用于维持骨折的应有长度，以及对位对线关系，无加压作用。

1) 平衡钢板固定　又称为中和钢板固定。用于蝶形骨折的固定。先将蝶形骨折块以2枚皮质骨拉力螺钉固定于上、下骨折段上，再用非加压钢板在与拉力螺钉成90°的骨面上固定(图16-9)。

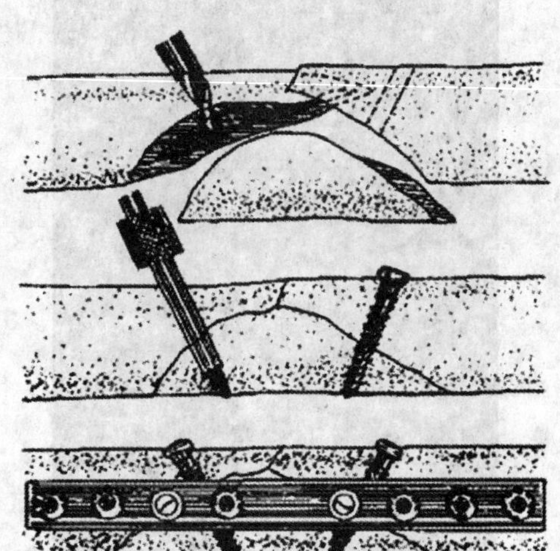

图16-9 用于蝶形骨块的平衡钢板固定

2）桥式固定　主要用于固定粉碎性骨折（图 16-10）。

桥接钢板固定：桥架于粉碎性骨折两端之完整骨干上，以维持长度及对位对线关系，粉碎骨块不与主骨干固定。

Weber 钢板固定：又称波形钢板，与前者类似，但其构形提供了更有利的力学特点。长扇形结构避免了应力集中，从而大大减少了钢板疲劳断裂的机会。

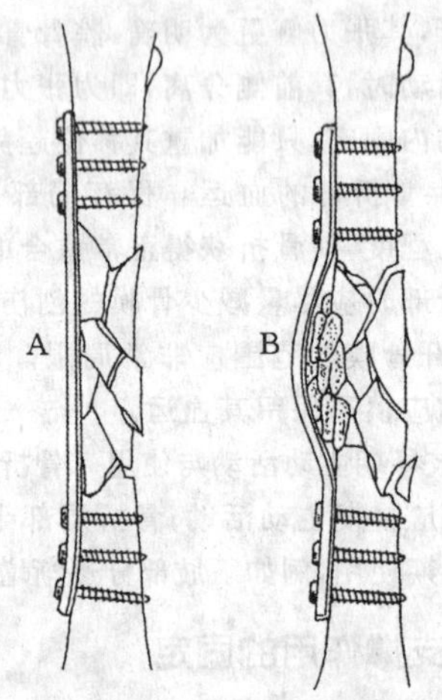

图 16-10　桥接钢板（A）和 Weber 波形钢板（B）固定

3）支撑钢板固定　主要用于容易滑移的骨端骨折。如固定 Barton 骨折的“T”形钢板，胫骨骨折的“T”形或“L”形钢板（图 16-11）。

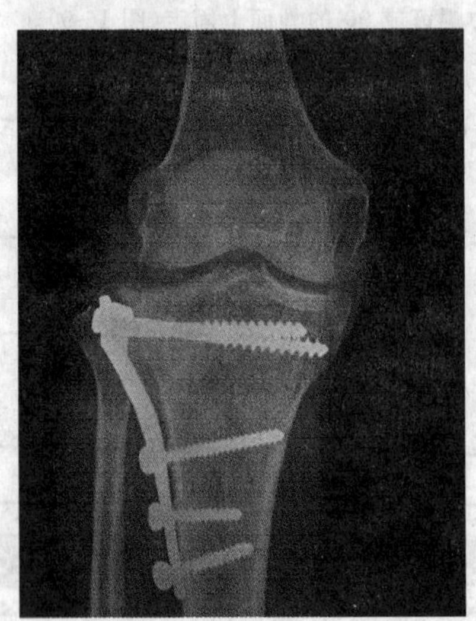

图 16-11　胫骨平台骨折支撑钢板固定

所谓夹板作用的固定即固定维持骨折的对位对线关系，但无加压作用。包括交叉克氏针固定、髓内钉固定和锁定钢板固定等，由于后两者既可达到支撑作用，又可起到加压作用，将在后面专题介绍。

16.4.4　髓内钉固定

过去 50 年间，骨折的髓内钉固定技术得到了广泛的应用。由于缺乏对髓内钉固定生物学原理的了解，对髓内血循环的破坏，发生脂肪栓塞的可能性以及手术操作不当而引起的并发症等问题都有所担心，因而这种治疗方式从应用以来就存在着争议。现在这些问题经科学研究已逐渐解决。

（1）髓内钉设计的要求

由于骨的形状、轮廓各异，不同部位、不同类型的骨折对髓内钉有不同的要求，迄今还没有一种完美的髓内钉能适应所有的骨折，其设计仍在不断的改进中。一般认为髓内钉应当满足下列要求：①要有足够的强度并提供足够的稳定性以保持骨折的对线和对位，包括防止旋转。必要时应有横行交锁螺钉。②它的结构应能使骨折面受到接触压力，这是骨愈合所需要的生理性刺激。③它应放置在容易取出的位置，其附件也要容易取出。

（2）髓内钉的类型

按解剖部位和功能可将髓内钉分为中心型髓内钉、髁头钉、头髓钉。中心型髓内钉沿髓腔线进入骨内，它们通过纵向多点抵触与骨接触，依靠恢复骨段间的接触和稳定性来避免骨折的轴向和旋转畸形。中心型髓内钉包括经典的克氏三叶钉和 Sampson 钉。髁头钉在骨骺的髁部进入骨内，通常进入对侧的骨骺-干骺区，经常打入一组髁头钉以增加旋转稳定性。髁头钉包括 Ender 针和 Hackenthall 针。头髓钉有一中央髓腔段，但也能向上进入股骨头内进行固定。

（3）交锁髓内钉技术

交锁髓内钉技术是髓内钉研究的重大进展，可分为交锁型中央髓内钉和交锁型头髓钉。交锁型头髓钉是为治疗复杂骨折而设计，通过螺栓、螺钉或专用拉力螺钉进行交锁固定。其应用已扩展到股骨近段，有轴向和旋转不稳定的复杂骨折，如复杂的转子下骨折、病理性骨折和同侧的髋部和股骨干骨折（图 16-12）。由于附加了交锁螺钉，交锁髓内钉具有较长的作用长度，可以对抗骨折的轴向和旋转畸形。

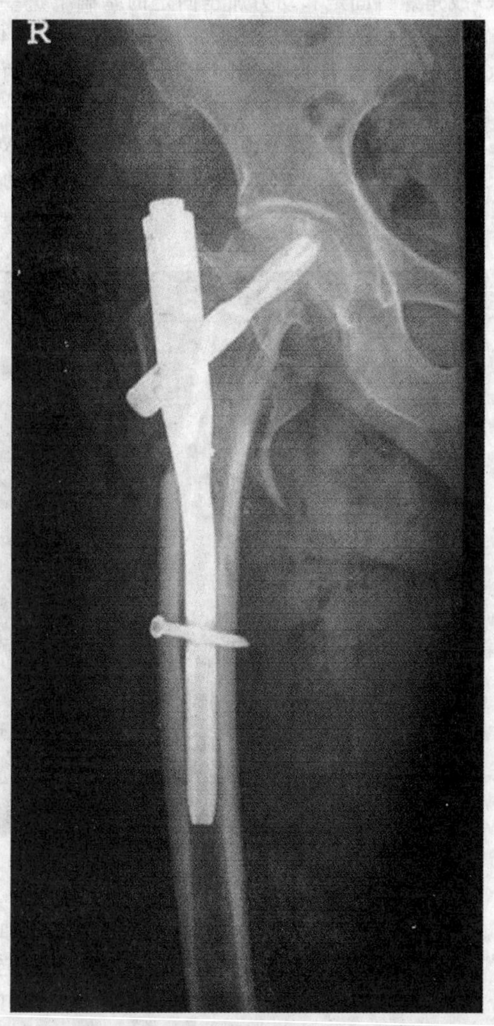

图 16-12 股骨粗隆下粉碎性骨折髓内钉固定

交锁固定可分为动力交锁、静力交锁和双重交锁。动力固定控制弯曲和旋转畸形，但允许骨进行接近完全的轴向负荷传递。动力固定适用于轴向稳定的骨折和某些骨折不愈合。静力固定控制旋转、弯曲和轴向负荷，能使植入物更多地承受负荷，但具有使疲劳寿命缩短的潜在可能。静力固定在胫骨、股骨的非峡部粉碎性骨折中尤其有用。双重交锁固定可控制弯曲力、旋转力和一些轴向畸形，因为螺钉仅在髓内钉内有轴向移动的能力，可能会有些短缩。这种类型的固定用于肱骨骨折，偶尔也用于骨延迟愈合或不愈合。

交锁髓内钉的动力作用最初被用来避免对骨折愈合的损害，这是因为从理论上讲静力交锁会使骨折修复中止。这种技术通过从最长的骨折段上除去交锁螺钉而使静态模式转为动态模式。已证实约2%的股骨骨折需用此法。动力作用由于减少了髓内钉承受的负荷，因而具有增加钉的疲劳寿命的潜力，但它同时也增加了骨折处的压力。然而如果在动力作用之前没有足够的皮质稳定或骨再生，会导致骨短缩。

(4) 髓内钉手术的准备

在选择髓内钉手术时，应当认识到，它不是一种可临时随意采用的手术方法，与任何其他内固定一样有发生并发症的可能。应考虑下列情况。

1) 要求有适当的术前计划，以确保在髓内钉的作用范围内使骨折相当稳定。金属钉并非骨愈合的替代物，如在恢复期发生过度的应变，将不可避免地发生弯曲或折断。

2) 手术前必须获得具有合适长度和直径的髓内钉，成功的髓内钉手术必须具有合适的器械、训练有素的助手以及最佳的医院条件。

3) 患者应能耐受大的手术操作过程，尽可能使用闭合穿针方法，以减低感染率和促进骨折愈合。但手术医师必须对切开和闭合两种手术方法都熟悉。在对闭合方法的经验增多之后，需要用切开复位的骨折将越来越少。

(5) 髓内钉手术中的选择

1) 髓腔狭窄段的非粉碎骨折可考虑用非交锁钉，它不仅能消除侧向力或剪切力，也能很好地控制旋转力。如一侧骨折段的髓腔较另一侧骨折段宽得多，通常难以控制旋转力，在这种情况下需要用交锁技术。一般来说，交锁螺钉应放在离骨折线至少2 cm以上，以便为术后主动的功能活动提供足够的稳定性。对于轴向不稳定骨折，最好用静力性或双重交锁髓内钉治疗。

2) 在选择钉的类型和决定扩髓的程度时，必须考虑骨的弧度。从生物力学上来说，非交锁髓内钉是依靠钉和骨之间的弧度不匹配而获得稳定的，从而形成纵向配合。如果弧度不匹配的程度较大，则需要更多地扩髓。髓腔有足够的直径和连续性是应用髓内钉技术的前提。但应避免过度扩髓，因为它会使骨质明显减少并且增加热坏死的危险。

3) 对所有的钉来说，入口都是关键，必须选在插入时用力最小的部位。对于胫骨和肱骨，入口与髓腔线间的偏距会对后侧和内侧皮质产生巨大的作用力。在胫骨,钉从腓骨头平面进入时用力最小。对于股骨,一般应选择梨状窝内与髓腔在同一条线上的位置,新近改良型髓内钉可从大粗隆顶端入口,为手术选择提供更大方便。

16.4.5 新型钢板螺钉系统

由于认识到无论是使用钢板,还是使用髓内针固定,在与固定物紧密接触部位(皮质骨外,髓腔内壁)的骨质,因血运破坏而出现面积一致的坏死,发生加速的哈弗斯系统重塑,表现出严重的骨质疏松。因此,工程人员设计了多种构形的钢板,以期减少固定物与骨之间的接触面。固定器材则选用低弹性模量的钢材。包括:有限接触钢板(LC-DCP)、点状接触钢板(PC-Fix)、非接触钢板(NCP)、桥接钢板等。

1990 年,AO 开发了一种新型内固定产品——微创固定系统(LISS)。由于使用体外螺钉孔瞄准器,使手术对软组织的损伤降低到最低程度。具有成角固定作用的自钻螺钉可以提供更可靠的固定。微创固定系统适合于股骨远端和胫骨近端粉碎性骨折的固定,尤其对骨质疏松患者和假体周围骨折的固定更有其独特的优势(图 16-13)。

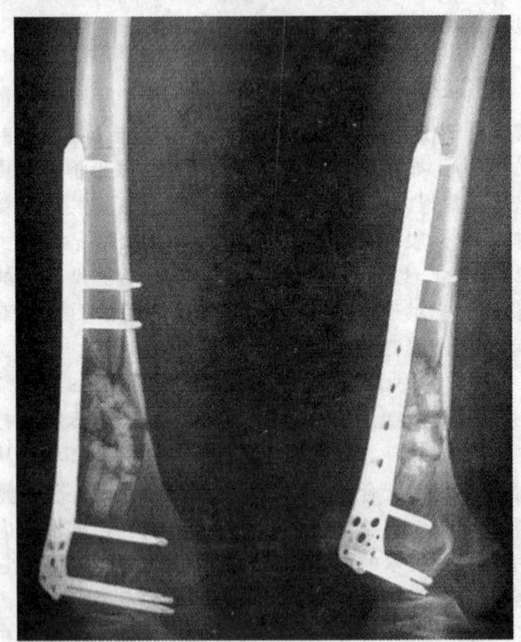

图 16-13 股骨远段骨折 LISS 钢板内固定

2001 年,AO 推出锁定加压接骨板(LCP)。在AO 成角螺钉固定和动力加压固定的基础上进一步研制具有加压、锁定结合孔的接骨板(图 16-14)。AO 锁定加压接骨板使医师在手术中有更多的自由来决定是选择 AO 标准螺钉、AO 锁定螺钉,还是两者的组合应用。锁定加压接骨板是 AO/ASIF 在骨折接骨板内固定研究历程中树立的又一座里程碑。

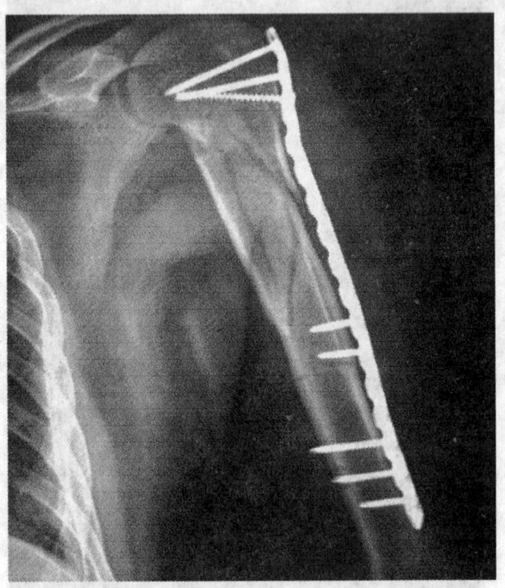

图 16-14 LCP 钢板用于肱骨粉碎性骨折

LISS 和 LCP 系统,由于其与骨之间的非加压式固定方式,被形象地称为“内固定支架”,其固定后骨折愈合类型与外固定支架固定相似。锁定螺钉增强了稳定性和安全性:它们不会被磨光(stripped),因为限制了应用到螺纹上的扭矩;它们也无须有双皮质。总的来说,第 2 层皮质更有利于角度稳定而不是对抗拔出力。单皮质螺钉改进了 MIPO 技术中的手术程序,但由于其依赖坚强的皮质骨,因此限用于骨干区。

对外科医师来说,从加压钢板到点接触内固定支架的技术变化太有必要了,这也导致了两者相结合技术的发展。将传统 LC-DCP 与内固定支架的完美结合克服了 PC-Fix 的潜在缺陷。螺钉可以根据传统原则应用:每个螺钉将钢板体加压到骨面的压力为 2 000～3 000 N,以产生摩擦力;用锁定螺钉钢板与骨界面没有压力;或维持一个小的间隙以保持原状的血供。钢板体下骨面不可避免的损伤不是来自小的孤立的点接触，而是有限接触(如 LC-DCP)。微创的植入物接触限制了界面上的应力，防止在传统应用中骨损伤的发生。此外的一个折中是，为稳定锁定，要求螺钉头下表面与钢板孔部分圆周接触，因此不得不放弃球面滑动原则。

LCP 的复合孔为一个植入物提供了两种应用可能：传统加压钢板和内固定支架。LCP 也提供了广泛的联合应用范围。但必须记住，加压和纯内固定支架夹板技术是根本不同的不相容的方法。当用一枚锁定螺钉保持钢板与骨面的距离时，接着用加压螺钉表示试图缩小距离(2 000～3 000 N 的力)，就对抗了距离的维持，但这样的操作对固定的强度有损害。相反，先用传统螺钉对钢板加压，再用锁定螺钉问题不大，但没有完全发挥两者的技术优势(图 16-15)。因此建议在同一骨折段避免两者的随意组合。并且，假如骨折仅通过夹板技术固定，后又由拉力螺钉复位骨折块，产生的风险是：骨折端有间隙，固定的可动性导致产生超过修复组织耐受的高张力。两种不同技术在同一骨折段的应用仅是一种希望而不应是规定。

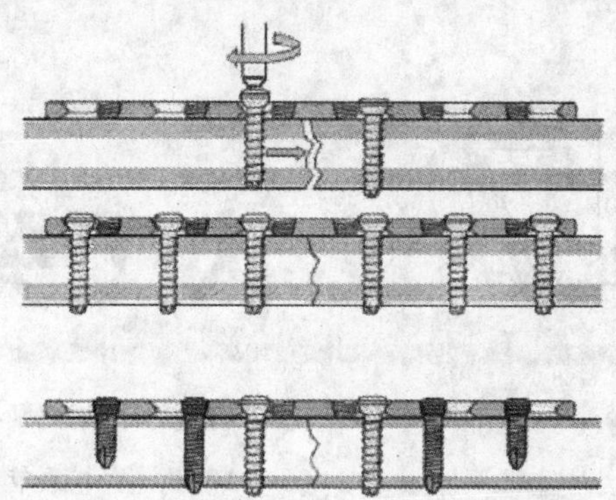

图 16-15　LCP 钢板可结合使用普通加压螺钉和锁定螺钉

(王秋根　汪　方)

参考文献

[1] 王亦璁. 骨与关节损伤. 第 3 版. 北京：人民卫生出版社，2001.

[2] 王满宜，杨庆铭. 骨折治疗的 AO 原则. 北京：华夏出版社，2003.

[3] Browner BD, Levine AM, Jupiter JB, et al. Skeletal Trauma: Basic science, Management and Reconstruction. 3rd. USA: Elsevier Science, 2003.

17 人工关节置换术

17.1 人工关节的历史和发展现状

过去的一个世纪中，以完美的人工关节替代病损关节一直是骨科医师和相关研究者孜孜以求的目标。随着现代生物材料、生物力学和生物工程学的进展，人工关节置换术获得了飞速发展。从理论上讲，全身各关节都可用人工关节来替代，但就目前而言，最成功和最实用的莫过于人工髋关节置换术和人工膝关节置换术。经历半个世纪发展，它已成为骨科学术领域中所取得非凡成就中的最典型代表之一，那么在近10年来这一领域又有些什么亮点为人们所关心的呢？下面就以下几个问题加以探讨。

17.1.1 人工关节发展和假体设计

Charnley设计的金属股骨假体与聚乙烯髋臼组合的髋关节假体开创了近代人工关节外科的新纪元。依据Charnley的理论，Gunston推出了金属-聚乙烯的骨水泥固定的人工膝关节假体，随之类似的关节设计很快被推广到全身其他关节，包括踝关节、肩关节、肘关节和腕关节。而就某一个具体关节假体而言，它的设计理念、制作工艺、适应证和术式等也在不断发展和完善。

髋关节置换手术中主要包括人工股骨头置换术、全髋关节置换术和关节表面置换术。双极人工股骨头假体早已取代单极人工股骨头。该手术具有操作简便、手术创伤小、可早期活动、近期效果好等优点。从理论上讲，双极股骨头对髋臼软骨磨损相对要少，但仍有部分患者后期出现疼痛而失败。因而它只适合高龄、生命预期较短、耐受手术能力较差的患者，或作为姑息性手术。而全髋关节置换术的中、长期疗效得到了世人公认。随着手术量扩大，翻修手术量也迅速增加，已成为全髋关节置换术最具挑战性课题。Lachiewitz和Soileau发现2000年以后的翻修更多的是假体柄翻修，且脱位病例更多，追其原因还是磨损和骨溶解。与磨损颗粒相关的假体周围骨溶解问题已经有很多文献证实。展望全髋关节的未来，两方面的改进可进一步减少骨溶解。其一是对关节承重面改进减少磨损颗粒的量；其次通过改善生物学固定限制颗粒物质进入骨-假体界面。金属对金属髋关节表面置换，是髋关节置换术在近期的一项显著进展。它保留了近端股骨，优化了股骨近端的力的传递，提供了更多的内在稳定性和理想活动范围。追溯20世纪七八十年代，髋关节表面置换的结果令人失望而被抛弃。随着全髋关节中金属对金属承重界面制作工艺以及操作器械工具的改进，出现了新的髋关节表面置换系统。许多假体制造厂商推出了这样的系统，早期结果令人鼓舞。既往普遍所见的并发症，如股骨颈骨折、早期假体松动已经少见。Amstutz报道了400例金属对金属混合式表面置换。主要针对术后活动量要求高的人群开展这项手术，平均年龄48岁，平均随访3.5年，总的假体保存率为94.4%。大部分患者术后疼痛消除、功能改善极佳。McMinn和Daniel报道了一组最大的单中心临床结果，平均随访5.8年，总的失败率为0.88%(19/2 167)。

膝关节置换术中主要包括单髁置换术、全膝置换术。1993～2003年的一项膝关节单髁置换术多中心随访结果显示，6～14年的成功率在87%～98%。将单髁置换术与全膝置换术比较，单髁置换术最主要优点在于手术失血少、术后康复迅速、活动度更好，更符合膝关节的生物力学。目前较公认单髁置换主要适合膝关节前内侧骨关节炎类型，前后交叉韧带结构与功能必须完整。该手术术式在欧洲较为推广与流行，并取得良好手术效果。尤其是与小切口导航技术相结合更显示其优势。目前，全膝关节置换在以往全髁型假体设计基础上作了许多技术创新，使设计系统更合理、更配套，除了后交叉韧带保留型和替代型以外，更出现了高屈曲度假体以适应东方民族需求。此外，还有旋转平台假体、限制性假体、旋转铰链假体以及适合翻修病例的组合式假体，以满足临床不同病例需要。由于手术技术日臻完善，初次全膝关节置换术的成功率较高，术后10～12年的优良率达98%。

20世纪50年代Neer采用肱骨头假体置换肱骨近端骨折获得了成功。之后他对肱骨头假体作了改进，将关节盂安装相匹配的假体，构成全肩关节置换，从而开阔了关节置换的手术适应证，不仅适用骨折，还包括肩关节骨关节炎、类风湿关节炎、创伤性关节炎、肱骨头无菌性坏死等。几十年经历，肩关节成形术无论在技术上还是在假体设计上，已积累了丰富的经验，取得了很大的发展。但是目前仍然存在分歧，包括肩胛盂表面置换指征、假体固定方法以及不同设计假体如何选择。不过最近的研究结果有助于使观点统一。无疑，单纯肱骨头置换技术操作比较容易，而肩盂的表面置换手术暴露比较困难，同时手术的时间比较长，会增加失血和患者的经济负担，还会带来以后的肩盂假体的松动和高分子聚乙烯的磨损。但全肩置换和肱骨头置换比较，由于消除肩盂病变，能缓解肩盂软骨损害出现的疼痛，肱骨头置换术后对肩盂的磨损而造成疼痛，也是其需要翻修的最常见原因。成功的全肩关节置换术，避免了对盂的后侧和内侧的侵蚀。全肩关节置换术正成为许多疼痛性肩关节非手术治疗失败后的主要治疗方案。短期结果显示这种手术可以有效地恢复关节功能和缓解疼痛。但对其还需要有长期的临床随访。

在过去1个世纪中，全肘关节假体的发展使得严重破坏的肘关节治疗有了一项疗效显著的替代方法。全肘关节可以分为非限制性或半限制性。Kudo在1972年最早推出一种无柄的非限制性表面置换假体(1型),但长期应用后,人们发现肱骨假体松动率很高。1999年推出的5型假体可以进行非骨水泥固定,其肱骨假体为钴铬合金,1/2的柄表面为微孔涂层。尺骨假体可以全聚乙烯的,需要骨水泥固定,或是微孔涂层的柄加金属托,不需要骨水泥固定。非限制性假体由于可能发生不稳定而受到挑战。使用非限制性假体后,假体依赖残留关节囊和韧带结构获得稳定。Rauhaniemi等随访了27位患者的28例肘关节置换的临床结果,所有患者采用Kudo非限制性、非铰链式的全肘关节假体(5型)。随访时间3～7年,发现类风湿关节炎中肘关节置换的结果令人满意,只发现少数并发症。

关节融合术曾被认为是踝关节严重骨关节炎的标准治疗方案,但踝关节融合后常可影响步态,长期随访病例可显示同侧下肢关节受到损害并影响其功能。全踝关节置换术相比踝关节融合术具有一定理论上的优势,步态影响少,对下肢的其他关节没有不良影响。由两个假体部件组成的完全限制性的全踝关节置换失败率很高,这种假体内在制约性使骨和假体界面之间产生很高的剪切应力和张应力。1988年,Pyevich等推出了两个假体部件组成的半限制性踝关节,疗效较好。非限制性的全踝关节置换采用3部件组成的活动承重面的假体,在机械和力学上具有一定优势。New Jersey低接触应力全踝关节假体是依据活动载荷面原理设计的踝关节假体早期代表。1989年以后逐步发展为现在的Buechel-Pappas假体。这两种假体均是非骨水泥固定。假体的设计者Buechel在2003年报道其长期随访结果令人满意。Kofoed和Lundberg-Jensen报道了采用活动载荷面的Scandinavian全踝关节置换(STAR)中期疗效良好。Anderson等报道了这种设计的中期结果,疗效欠佳,但他还是推荐在类风湿关节炎的患者中应用。Doets等采用上述两种假体随访了8年,假体的保存率达到84%。而无菌性松动和持续畸形是假体失败的两种主要形式。

近年来,腕关节置换或手部小关节置换在临床上仍很少开展,尽管假体设计有了明显改进,但由于磨损或畸形没有带来明显改观,假体可能发生松动和失败而不被广泛接受。

经历了半个多世纪,现代关节外科蓬勃开展,近10年来,人工关节手术呈现了以下几个发展趋势:①微创;②导航;③个性化假体。微创关节置换术与传统的、广泛暴露的关节置换术相比,中长期随访结果没有差异。但微创关节置换术通过更少的暴露、改进器械和手术技巧来达到更少出血、更小软组织损伤、术后更少疼痛和更快功能恢复。特别是导航技术与微创置换技术结合,可以有效地避免因暴露困难导致的假体位置对线不良等并发症。还有相当一部分骨科医师对微创小切口置换持保留意见。Gregg在因特网搜索了106个膝关节协会的成员,搜索每位成员对小切口全膝关节置换术的评价,约有26%的协会成员报道了风险,事实上只有小部分的成员提倡小切口技术。

导航技术可优化假体的放置位置和力线。从2001年11月至2005年7月,Lazovic评价了1 081例采用小切口全髋关节置换术的患者,导航可更好地调整髋臼杯放置的位置。如果髋臼杯和假体柄在放置过程中均采用导航技术则效果更好。假体柄安放时的导航系统可很好地控制假体的位置、方向以及肢体长度,对安全活动范围作出可靠预测。Perlick等在120例翻修的全膝关节置换术中分别采用导航技术和传统技术,应用导航技术后,95%的患者精确重建下肢的机械力线,而传统组只有80%。目前导航系统分为影像指导或非影像指导两种。较新的非影像指导的系统由电磁传导器和感应器组成,比问题较多的光线传导的非影像传导系统要好得多。

为了更好地符合患者个体的生物力学特点,研究者利用CAD/CAM技术来订制假体,对每一位患者进行特殊设计和制作。这样的人工关节可以提高关节与骨骼的匹配度,提高人工关节的长期稳定性,但由于价格昂贵、产能较少,很难在临床上大范围地推广。目前只适合于一些解剖结构特殊或某些翻修病例,而常规的标准化假体仍是设计的主流。那么近10年来全髋关节假体设计上有哪些问题值得关注呢?从股骨头设计演变可大致领略人工关节假体设计和选择的理念变化。

最初人们要求股骨头假体能够完全模拟人体股骨头大小和形状。最典型的代表是Judet假体,但不久就遭到淘汰。20世纪50～60年代,最初的人工股骨头直径为32 mm,以后又出现了42 mm和35 mm的股骨头。但是股骨头直径越大,所产生的磨损也越大。直到1960年Charnley推出了其经典的假体设计——采用直径22.25 mm的股骨头和骨水泥固定的超高分子聚乙烯髋臼杯组合低摩擦系数假体。以后研究者又发现，从 41.5 mm 到 22.25 mm 逐步减小股骨头直径，体内磨损随之明显减少。但是Charnley这种低磨损小直径全髋关节假体相比其他大直径的股骨头，脱位的概率明显增高。当时的美国，人们不得不在磨损和脱位之间寻找某种平衡。20世纪70～80年代推出表面置换的概念，选用的是大直径的股骨头和薄壁的超高分子聚乙烯。Clarke等对这种假体设计进行了随访，遗憾的是，由于产生大量超高分子聚乙烯磨损颗粒，假体翻修比例很高。可能当时以超高分子聚乙烯为材料的髋臼假体限制了骨科医师的选择，使得他们重又回到了Charnley的小直径股骨头的模式中。Estok和Harris报道了直径32、28和22 mm股骨头的实验结果和部分临床观察，提出直径28 mm磨损最小，活动灵活，保证了运动幅度和安全。在80年代后期，随着第2代金属-金属承重面的全髋关节的推出，鉴于金属承重面的低磨损特性，人们又重新考虑采用大直径股骨头，因为其可增加假体的稳定性和活动度。与28 mm的全髋关节置换比较，采用38 mm和54 mm的表面置换可增加30%～90%的额外关节活动度(每增加1 mm直径相应增加约1°的关节活动度)。而高强度的钴铬合金使得薄壁微孔涂层的髋臼杯制作成为可能。Weber与Sulzer公司合作生产了Metasul金属-金属关节面，这是一种精密机械加工的、高碳含量的、金属锻造的钴铬合金，具有出色的磨损特性。在欧洲已应用了大量的这种关节，早期效果良好。这种耐用、低磨损的关节可用于大直径关节。研究显示，光洁度在大直径的金属-金属关节的磨合期磨损起到关键控制作用。光洁度小减少了研磨时的磨损量，从而减少了金属磨损。表面接近150 μm的光洁度已经足够低了，实验室条件下，直径≥38 mm时，金属-金属的关节面中可以出现一种由一层连续的液体膜组成的润滑模式。150 μm的光洁度又足够高了，可以避免在应力情况下髋臼假体变形导致的关节卡住。该关节面还被发现能很好地对抗羟基磷灰石(HA)和钛磨损微粒的作用。显然由于制造工艺的改进，直径越大，磨损越大的传统概念得以改写，大直径股骨头的磨损问题得到较好解决。

在认识合理假体直径的过程中，人们又逐渐发现合适的头颈比例对稳定髋关节和髋关节良好活动密切关系。一般认为头直径与颈直径之间的比例为2∶1最合适。可以降低髋关节脱位的发生率，减少头臼之间的磨损。

在最初的人工髋关节中采用的是头颈一体化的设计，但是在安置假体时需要根据下肢长度和关节稳定性进行调节。Bobyn等将工业制件中的套插原理应用在头颈的套插件上，通过股骨头内阴锥面的长度调节头颈长。在此基础上，不同的厂商推出了不同头颈长的股骨头供骨科医师根据肢体长度进行调节。

人体关节和人工假体之间的最大区别在于人体内关节具有自我修复能力，而人工关节受限于材料，在使用过程中将会遇到一系列问题，材料在磨损后将无法得到修复。简单地来看，股骨头直径从最初的大直径到小直径，又重新回归到大直径，实际上是在设计理念上经历了从解剖型设计向符合机械力学原理的转变，其中蕴含了材料的改进、制造工艺的进步、磨损理念和生物力学研究的进一步认识。

17.1.2 人工关节应用生物力学

(1) 关节受力与传递

人体关节不仅能在高负荷、低速度、相对粗糙面情况下保持低摩擦，发挥它最大功能，而且还能运作几十年，关节面不出现明显磨损，这要归功于人体关节软骨面所具有的生理特性。与这些特性相关的有关节的摩擦、润滑和磨损。

以膝关节为例，它是一个典型的动关节，被一层坚韧的、封闭的关节囊所包裹。囊壁内紧贴一层代谢活跃的关节滑膜。股骨髁、胫骨平台和髌骨后关节面均有软骨覆盖，关节腔内含有关节滑液，如此形成一个"闭合的"生物力学系统，提供一个光滑的、几乎无摩擦的载荷结构。

根据Moro等的双相理论，认为关节软骨具有流动依赖性、压缩性和黏弹性特征，是一个相对的软组织，当关节软骨受力时，多孔的可渗透性固体间质即发生形变，与此同时，流体被迫在间质内发生流动，加上黏稠阻力内部摩擦，使大部分能量消耗。由于软骨的低渗透性，流体通过软骨间质过程中消耗能量。

人体关节除了具有关节的许多共性以外，还根据各个关节的特殊功能要求，形成各种形式的、具有特殊功能与结构的关节。例如，髋关节主要由股骨头与髋臼所组成，几乎呈球面状。两个关节面之间存在旋转滑动动作，并且在两关节面之间形成具有润滑作用的流体-膜润滑。与髋关节相反,其他关节可以有不同几何形态、不同类型的相对运动方式。例如,膝关节两个关节面之间除了滚动外还有滑动,因此这两个面之间流体膜出现挤压形式,对膝关节来说是一个十分重要的润滑机制,当正常关节结构形态发生变化时,就可出现异常载荷,对润滑机制构成不良影响,最终导致关节病变。

关节软骨发生损害时,可能是由于软骨内支撑负荷的固体基质能力的下降,引起基质断裂,载荷能力的进一步减退,最终软骨内部出现疲劳裂隙,关节软骨表面丧失。如果这一种损害速度超过软骨细胞修复进程,积累性损害必将引起组织严重损害,关节软骨面剥脱。除这种慢性的积累性软骨损害外,也可能是关节遭受多次严重创伤,足以引起关节软骨表面,也可以在软骨浅表层,或钙化软骨——软骨下骨连接区域内出现裂隙。这一种有缺陷的软骨结构,软骨内部固体基质应力和张力显著增加。因此应力从正常软骨流体相移向固体相,这足以引起剪切应力增加,最终引起胶原-蛋白糖基质微结构积累性损害,关节软骨面丢失。

关节滑膜分泌滑液,对缺乏血供的关节软骨提供所需的营养。它的流变学特征一直是研究的热点。正常滑液是一个具有非牛顿的黏弹性物质,受到剪切力时,滑液能储存形变能量。

不少学者认为,人体关节内存在混合性润滑机制,流体-膜润滑中非牛顿流体起主导作用,而润滑糖蛋白在边界润滑起主导作用。

(2) 摩擦与磨损

现在已有越来越多的依据表明,聚乙烯磨损颗粒所引起组织坏死、骨溶解是人工关节晚期假体松动手术失败的主要原因。这也促使更多的基础理论研究工作者进一步探索假体磨损的特征。

所谓磨损方式(wear mode)是指受累物体表面磨损形式。人工关节在负荷情况下,两相对关节面可认为原始载荷表面,而其他都称为继发负荷表面或称非负重表面。这里有4种磨损方式。①Ⅰ型磨损方式,仅仅指两个原始载荷表面之间磨损。②Ⅱ型磨损方式是指原始载荷表面与另一个非载荷表面之间磨损。③Ⅲ型磨损方式是指两个原始的载荷表面仍保持不变,而另有一物体称第三体陷入两原始载荷面之间产生磨损。第三体可包括骨水泥颗粒、骨碎片、聚乙烯颗粒或金属颗粒等。④Ⅳ型磨损方式指两个非载荷表面之间产生运动而磨损。这4种磨损方式所产生的磨损颗粒都可以是局部骨溶解重要因素。

作为人工关节磨损,最重要的机械磨损机制包括黏着力磨损、摩擦磨损和疲劳磨损。而金属表面腐蚀或聚乙烯氧化本身不是产生磨损的机制,但这一种化学程序可以使聚乙烯材料抗机械磨损能力减弱。

为了发挥人工关节假体功能,两个关节负重面之间的Ⅰ型磨损是不可避免的。相反,Ⅱ、Ⅲ和Ⅳ型磨损是非功能性。因此作为减少磨损的策略,应该尽可能避免Ⅱ、Ⅲ或Ⅳ型磨损,改善Ⅰ型磨损特性。具体地说,为了减少Ⅰ型黏着力磨损可以采用黏着力较小的材料,或者改变聚乙烯材料物理特征以改善黏着力推-拉力(即增加屈服强度)或使用最佳的抛光表面聚乙烯材料得到改善。

如果Ⅰ型磨损方式中磨损率减少,Ⅱ型磨损方式自然减少了。除此以外,改进假体设计,提高手术技术也可减少Ⅱ型磨损。而Ⅲ型磨损减少主要是消除第三体颗粒。例如,要改进表面喷涂工艺技术或手术操作尽可能清除骨碎片和多余的骨水泥。伤口闭关前尽可能多地冲洗伤口以减少第三体的发生。当然不可能完全清除第三体的存在,但可以增加关节负荷面材料对第三体黏着力损害的耐受性。从这一点看,陶瓷材料股骨头,或使用离子喷涂或其他方法改善金属头的硬度材料具有潜在优势,但必须注意这种表面处理不应该妨碍材料磨损特性。例如,表面硬度增加不应该使头粗糙,也不应该使头与聚乙烯臼面之间黏着力增加。

Ⅳ型磨损方式发生率或其严重性可以通过减少非负重接触面数或者尽可能减少两界面间活动而得到改善,当然一旦发生明显的假体松动,应尽早施行翻修手术。例如,尽可能少用组合式假体,除非有肯定的优点。如果要使用组合式假体,结合面必须稳固,以减少磨损和摩擦-腐蚀磨损。

17.1.3 生物材料学

人工关节的材料既要坚固耐用耐磨,减少其碎屑的产生,又要具有良好的生物相容性。从Charnley时代开始,许多骨科医师和材料学家就开始了对理想假体材料的不懈追求。目前假体所用的生物材料仍包括金属、陶瓷、聚乙烯和骨水泥。

(1) 金属

假体材料多选用金属,其中又以金属合金为主。

至于不锈钢材料，尽管具有杂质含量低、延展性好、容易加工等特性，但是由于抗疲劳强度、耐腐蚀性以及生物相容性较其他合金差，目前已不再采用。钛合金的优点是弹性模量低，生物相容性好，抗疲劳强度及耐腐蚀性好；缺点是摩擦系数高，耐磨性差。目前常用的钛合金为钛铝钒合金。由于摩擦系数高，容易产生磨损微粒，因此钛合金很少用于人工髋关节的关节面，而多用于髋臼的外壳和股骨柄处。膝关节的股骨髁也很少使用，而常用于胫骨金属托。钴铬合金载荷性能具有特别刚度和耐磨性能，并且显示出有自行愈合的特性，即在连续使用后，擦伤或第三体磨损会被重新抛光。不同的钴铬合金对磨损特性影响较小，有趋势显示高碳铸造和锻造材料在髋关节模拟器中受到极端的载荷情况下更耐磨。目前临床常用的钴铬合金是钴镍铬合金，虽具有更高的屈服强度和抗疲劳强度，但由于耐磨性不及钴铬钼合金，所以国外大量用于股骨柄和股骨髁的制造材料，也常用钴铬钼作为股骨头材料。在生物学固定的一项重要进展就是一种新的多孔钽生物材料，该材料是将商用纯钽使用化学蒸气浸润至玻璃碳基质上。沉积过程在材料的每条纤维上形成精细的钽纤维质地，其表面特性通过细胞培养和假体研究显示有良好的骨传导能力。多孔钽的总体孔隙率为75%～80%，较多孔涂层高2～3倍，允许更多量的骨长入以及更快建立固定强度，微孔的大小在骨长入最适合范围内，多孔钽的总体几何形状模拟松质骨，有规则微孔、高度互连的网状结构。有关多孔钽的动物研究显示其在不同假体模型中有快速骨长入和界面固定的特性。使用多孔钽底座背面的一体髋臼杯，作为压铸聚乙烯承重面的支架以及骨长入在动物研究中显示可重复的生物学固定。可能是因为其高孔隙率以及其与骨相似的弹性模量，该材料允许生理密度的骨长入和根据载荷分布骨塑形。多孔钽和其他微孔材料将被进一步研究，可作为骨传导和骨诱导因子的支架，增加生物学固定的可靠性和范围。

(2) 陶瓷

现有的陶瓷材料要优于原先全髋关节所用的陶瓷，因此，比以前并发症发生率要低得多。尽管如此，还存在一系列的问题。陶瓷-陶瓷关节并不是不会产生磨损或表面损坏。引起陶瓷磨损的情况包括髋臼杯的位置、股骨颈撞击和股骨头分离。一种特殊形式的条纹状磨损来自于步行中的微分离。灾难性失败尽管很少，但仍是被关注的一个焦点，并不是所有的假体碎裂可以通过试验来预测的。陶瓷碎裂常是广泛的，因而需要行翻修术，而残留的大量磨损微粒碎屑可以影响翻修手术的结果。另外关注的问题包括在组件界面产生的碎屑、股骨颈损坏、第2次无法将陶瓷头套在金属空轴上以及术中无法选择合适的头和内衬。尽管陶瓷显示出在低关节磨损方面令人振奋的一面，但仍需要在制造工艺和设计上进行改进与提高。正因为陶瓷脆性强，膝关节假体很少使用，个别用在单髁置换上。有学者研究指出，金属假体与陶瓷假体不能互为关节面，因为这种组合，可使金属有极大磨损。

(3) 聚乙烯

超高分子量聚乙烯由于其低摩擦系数的特点而常用于全髋关节内衬的制作和膝关节胫骨和髌骨关节面上。它是一种黏弹性材料，由乙烯聚合而成，受应力后发生蠕动形变，故不适合用于人工关节受折弯应力的部位。而高交联聚乙烯的主要目的是减少关节面磨损和氧化。现在，美国有6种不同类型的高交联聚乙烯被投入商业应用。它们的区别在于照射剂量、照射技术、去除氧自由基的热处理和最终灭菌技术。这种生产上的区别可影响到材料的磨损特性和机械性质。尽管各有不同，在髋关节模拟试验中，这些新材料的磨损显著减少。

(4) 骨水泥

骨水泥在骨科应用历史上已经超过半世纪。骨水泥的作用在于能在拉丝期被压入到骨小梁间隙内，待其固化后起到一种镶嵌作用。其特点是质硬而脆，能承受相当大的压力，但抗张力和抗剪力性能很差。关节置换术后的患者在多年后发生骨水泥断裂现象，可能是局部磨损微粒引起骨溶解，在骨水泥和骨接触面产生裂隙，骨水泥受到的应力由压力转变为张力和剪力，最终导致骨水泥断裂，引起假体松动。目前通过骨水泥技术改进，使得骨水泥假体的松动率明显减少。此外，在骨水泥中添加抗生素可以增加抗感染能力，但同时也削弱了骨水泥强度，并且可能导致全身对该抗生素的耐药。

17.1.4 假体固定

人工关节置换手术，特别是全髋和全膝关节置换术的疗效已经得到公认。随着研究的不断进展，关节假体不断推陈出新。然而在人工关节的发展过程中还存在许多问题，包括在假体固定技术上还存在不同观点。

(1) 骨水泥固定

理论上骨水泥固定是通过容积填充和微交锁固定来提供假体的即时机械稳定。相对于非骨水泥固定假体的方法存在早期微动和下沉问题，骨水泥固定的假体在假体-骨水泥-骨界面上几乎没有微动，因而允许早期负重而不必担心早期松动和下沉。由于对骨水泥固定的理论和实验研究的进展，在骨水泥的特性控制、真空搅拌以减少骨水泥微孔、高压脉冲冲洗、骨水泥枪的应用及假体的中置型设计等方面，骨水泥技术获得长足的进步。研究资料显示，骨水泥固定的 THA 能获得较好的随访结果。Harris 的 10 年随访研究证实，骨水泥性假体的松动率和翻修率均低于非骨水泥型假体。目前关于骨水泥固定假体柄的最佳表面处理还存在着争议。Callaghan 等回顾分析了 574 例全髋关节术后 10 年以上的临床结果，这些假体由同一医师操作完成，假体柄采用 3 种不同的表面抛光度(5，30，80 Ra)，翻修率分别为 0%、2%和 10.8%，翻修率和放射学失败的总比例为 0%、3.6%和 13%。在 5 Ra 和 80 Ra 组以及 30 Ra 和 80 Ra 组存在显著差别，5 Ra 和30 Ra 两组无明显差异。White 等回顾了 251 例全髋关节置换术后 2～5 年的结果。假体柄采用 4 种不同的表面处理技术(抛光表面、冰铜涂层、粗糙表面和骨水泥预涂层)。这 4 组临床和放射学结果无明显差异。Junick 等在 335 例全髋关节置换中采用冰铜预抛光假体柄，平均随访 7.4 年(5～11 年)，10 年假体柄保存率为 97.8%，其结果与以前报道这种特殊假体柄设计会加速早期脱黏正相反。表面处理可能是骨水泥固定寿命的一项关键因素，特别与假体柄的几何形状有关。

在全髋关节置换中，尽管近几年在骨水泥型髋臼假体方面做了许多改进，但是总体效果不佳。多数专家认为，髋臼假体使用非骨水泥型较好。膝关节假体固定方式也存在骨水泥和非骨水泥型两种。研究显示，由于早期活动等因素，人工膝关节的固定比较倾向于应用骨水泥型假体。

(2) 生物学固定

非骨水泥假体就是骨长入型假体，其目的就是利用生物性骨长入的特点来固定假体，从而避免使用机械强度有一定限制的合成介质材料(例如，丙烯酸骨水泥)。

目前主要有 3 种生物学固定假体：①通过在金属基质界面烧结金属颗粒粉末或纤维的微孔涂层金属假体；②在金属基质表面进行金属或陶瓷(HA)的匀浆喷涂；③应用特殊方法在假体表面形成不规则或编织状的表面。所有这 3 种手段都试图在假体表面形成三维微孔网状结构或不规则凹凸形态，从而允许骨长入并在假体和宿主骨之间形成机械性内在交锁。现在生物学固定的目标聚焦于增加生物学固定，其中一项主要研究方向在于促进更快和更可靠的假体骨长入。

非骨水泥假体在应用早期发生了一系列问题：①假体装配不当，从而影响了假体的初始固定，干扰了骨长入，可能造成患者的大腿疼痛和假体周围骨吸收。②由于坚硬假体柄所造成的应力遮挡，对缺乏正常应力刺激的近端股骨可造成损害，从而引起骨吸收。③由于假体磨损后产生的颗粒可导致骨溶解和松动。一方面是非骨水泥假体产生的磨损颗粒较多；另一方面是非骨水泥假体与宿主骨界面之间存在间隙，为微粒迁移提供了空间。

针对初期所发现的问题，研究者们根据应力遮挡等原理进一步合理调整了多孔结合面的部位、面积和形态，并通过紧密压配减少骨-假体界面的相对活动，从而允许早期骨长入。

有关非骨水泥全髋关节置换临床结果的新信息很少。采用 HA 涂层的假体被广泛应用。比较吸引人的是在假体表面加入一些化学或药物添加剂，目的是为了增加固定、防止松动或骨溶解、减少感染或缓解疼痛。Elmengaard 等作了一项配对试验，在 9 条犬的股骨髁植入了带或不带生长因子(TGF-β)和胰岛素样生长因子(IGF)的钛合金圆柱体。一侧膝植入体不带生长因子，另一侧膝植入的带生长因子。植入体插入后允许在每个步态周期作完全负重的载荷。4 周后处死动物，拉出试验显示涂有生长因子的完全拉出时需要更大剪切力和力量。植入体-骨界面组织学检查显示涂有生长因子的假体表面纤维组织明显要少。该研究和一些类似的研究提示在临床上非骨水泥固定还可有进一步发展。

(3) 混合式固定

人工髋关节假体松动机制在髋臼侧和股骨侧不同，髋臼松动多与生物效应有关，即磨损碎屑激活巨噬细胞产生多种与骨溶解、骨吸收相关的细胞因子，导致髋臼周围骨溶解吸收而发生松动。股骨假体松动多与机械效应有关。为避免骨水泥固定的髋臼假体和非骨水泥固定的股骨假体柄的问题，人们提出混合式固定，即采用骨水泥固定股骨假体，使大腿痛、下沉和骨吸收并发症得以减少，骨水泥可能起到保护作用，减少了高分子聚乙烯磨损微粒进入股骨髓腔造成假体柄周围的骨溶解；在髋臼侧，使用非骨水泥髋臼期望减少骨水泥固定的髋臼周围的高松动率。Bizot 等对 1990～1992 年植入的 71 例年龄在 50 岁以下的以氧化铝为承重面的混合式全髋关节置换术患者进行随访，将各种原因的翻修计算在内，9 年的假体保存率为 93.7%。他认为采用混合式固定可给活跃的患者带来满意的中期结果。Rasquinha 对 250 例杂交式全髋关节置换术患者做了 15 年的随访，没有股骨假体和髋臼假体因无菌松动而翻修，假体保存率达到 100%。

Illaqen 等提出采用混合式全膝关节置换术可取得出色的临床和放射学结果，随访 10 年，翻修率为 4.8%。Botter 等提出混合式全膝关节置换可作为翻修手术的一种选择；随访 3 年，翻修率为 6%。但在全膝关节置换术中还是以骨水泥固定为主流。

17.1.5 人工关节并发症

人工关节的发展非常迅速，尽管关节置换术有着很高的成功率，但还存在着潜在的并发症，尤其是随着手术数量的不断积累，手术人群扩展到更年老和更年轻的患者，以及整个人类寿命的普遍延长，使得人们不得不重新认识人工关节置换术的并发症。这些并发症主要分为围术期并发症和远期并发症。

(1) 围术期并发症

1) 骨水泥植入综合征　骨水泥植入综合征是指甲基丙烯酸甲酯注入以及假体插入后数分钟内全身出现连锁反应：低血压、心律失常、弥漫性肺微血管栓塞、休克直至心搏骤停或死亡。

在全髋关节置换术中猝死常与骨水泥植入联系在一起，而非骨水泥假体植入很少发生。目前关于骨水泥植入综合征的确切发病机制尚不清楚，可能骨水泥单体释放以及骨水泥加压和假体植入期间髓腔内压过高致使脂肪颗粒入血有关。由于需要全髋关节置换、人工股骨头置换或其他关节置换的患者多为老年患者，且多合并有心血管疾病、糖尿病以及肺脏损害，心肺功能储备不足，不能耐受剧烈的血流动力学紊乱，因此加强术前评估和准备是提高心肺功能应激能力的重要环节。在骨水泥灌注前进行正确的髓腔准备、及时纠正低血容量、合理使用扩血管药物、保证患者的氧气供应以及密切监测血压、氧饱和度、心电图和肺循环动力学变化均是比较有效的防治手段。

2) 深静脉血栓(DVT)形成　国外文献统计髋、膝人工关节手术后，DVT 的发生率可以高达 40%～70%；肺栓塞的发生率为 1%～5%。手术采用全身麻醉者较硬脊膜外阻滞者发生率为高。血流缓慢、静脉壁损伤和血液成分变化凝固性增高是引起静脉血栓形成的三大因素。

目前关于全髋和全膝关节置换术后预防深静脉栓塞已经达成共识，所存争议在于何种方法最安全和最有效。最新预防方法是用一种口服的直接凝血酶抑制剂。目前有一种直接凝血酶抑制剂希美加群(ximelagatran)在全髋和全膝关节置换术的患者中作 3 期临床试验。其在全膝关节置换术中比华法林更有效，但在髋关节置换术中并不优于低分子肝素。

Eriksson 等报道了正在作 2 期临床试验的另一种新的直接凝血酶抑制剂(dabigatran)。这项研究包括了接近 2 000 例的髋或膝关节置换术的患者，应用 dabigatran 的患者栓塞发生率(13.1%～16.1%)明显低于那些接受依诺肝素(enoxaparin)的患者(24%)，但在大剂量应用患者中，出血并发症发生率较高，目前该药的有效性和安全性正在作 3 期临床测试。

骨科大手术术后 DVT 预防已得到共识，但预防用药时间长短还有争议。Pellegrini 报道了超过 1 800 例的患者资料，研究包括在术后服用调节剂量的华法林(控制国际标准化比值 INP1.5～2.0)，在出院时行静脉造影。如果静脉造影为阴性，则不作进一步的预防治疗。如果静脉造影阳性，若是小腿栓塞，则继续服用调整剂量的华法林 3 个月，若是近段大腿栓塞，则继续服用 6 个月。髋关节置换术患者的栓塞发生率为 14.5%，膝关节置换术患者的栓塞发生率为 41.3%。静脉造影阳性的患者(术后一直应用调整剂量华法林)因为有症状的血管栓塞再次入院就诊的占 0.7%，而那些静脉造影阴性(不再继续应用华法林)的发生率为 1.9%。在髋关节置换组中，停用华法林后血管栓塞的发生率增高。虽然调整剂量的华法林不如那些新的抗凝药有效，但应用该药作延期预防确实可降低全髋关节置换术后有症状的血管栓塞的发生率。

Salvati 报道在髋关节置换术后静脉栓塞的患者中可发现遗传性和发育性异常血栓形成。在 43

例患者中检测了大量与血栓有关的基因突变或血清学标记。将这些患者与全髋关节置换术后未发生静脉栓塞的患者进行配对，两组之间在抗凝血酶缺陷、蛋白C缺陷蛋白S缺陷和前凝血酶基因突变有显著差异。在发生血管栓塞的患者中，以上3项发现中常可见至少1项阳性($P<0.0001$)。采用上述参数可作为血管栓塞的模型，其敏感性为50%，特殊性为93%。

3) 感染　人工关节手术后发生感染是极其严重的并发症，尤其是术后深部感染一旦发生，其结果是灾难性的。因此，充分认识人工关节置换术后感染的来源、预防和治疗措施具有重要意义。

Charnley早在20世纪70年代就认识到人工关节术后感染的主要来源是手术室的空气尘埃颗粒污染。他认为层流手术室和带排气管衣服对洁净空气的产生有相等作用。另外，封闭式手术衣也被认为有利于保持空气的洁净度。Johnston还提出一个实际存在的问题，即腰部以下部位细菌培养表明该部位为污染区域，教科书上明确这一观点，但确实有人将此理解为腰部以下污染是无关紧要的，因此出现了在全髋手术中对会阴部消毒、铺巾、封闭污染源不够规范。事实上，很多骨科手术野在腰部以下，重视这一点并减少手术室人员流动可能对减少感染有帮助。

20世纪70年代后人们逐渐认识到全身预防性使用抗生素的重要性，采用预防性使用抗生素后，Lidwell发现全髋关节置换术后感染率在普通手术室由3.4%降至2.8%；在层流手术室由1.2%降至0.3%。其他的预防措施还包括术前对患者有隐形感染灶(蛀牙、鼻窦炎、中耳炎)应先治疗，术中手术野大量生理盐水冲洗以及术后应警惕晚期血源性感染的发生与预防。关于预防性抗生素使用目前已得到共识，要求手术皮肤切开前，体内抗生素已达到有效血浓度。有一点需要注意的，如实施全膝关节置换时，预防性抗生素应在止血带生效前给药(究竟在生效前多少时间给药，应根据该药药代动力学而定)。

20年来，关节置换术后深部感染的治疗方案主要推荐二期手术。Goldberg等报道了31例病例采用二期手术方案，先取出假体，清创、放置含抗生素骨水泥间隔，术后待体温控制正常，静脉再维持滴注抗生素2周，改用口服4周，再植入非骨水泥假体。再植入后没有感染发生。Marculesca报道了43例耐甲氧西林感染的病例，采用二期手术，平均随访36个月，16%的患者发生再感染，7例再感染的病例中有6例是同种细菌引起的，7%的患者再植入时的组织学检查为阳性。这些患者通过长期抑菌治疗，没有1例发展为有明显临床症状的感染。笔者对全髋、全膝感染病例也都推荐二期手术，除了同意上述治疗模式外，更主张采用含抗生素骨水泥固定假体。术前红细胞沉降率(ESR)、C反应蛋白(CRP)检测是重要观察指标，要求每月检测一次，连续3个月，均为正常者，再实施终期手术，更为安全。

术后显性感染的诊断并无困难，但对于隐性感染还是无菌松动的区分还有难度。Di Cesaire等在58例患者中评价血清白细胞介素-6作为感染指标的有效性(17例有感染，41例无感染)。在感染患者中其水平显著增高($P<0.01$)，该水平增高的敏感性达到100%，特殊性为95%，阳性预测值为89%，阴性预测值为89%，准确率为97%。这项检查可作为排除感染所用。

4) 脱位　反复脱位现正成为全髋翻修常见原因的第3位，假体植入位置不良仍是脱位的重要因素，此外翻修病例髋关节周围软组织稳定性结构丧失，瘢痕组织挛缩等，也是脱位的重要原因。提高手术技术，改用大直径股骨头假体，增加股骨假体柄的偏距和改进康复模式是可行方案。一种常见的预防脱位方法是选用限制性的髋臼内衬。Callaghan等报道了31例髋关节的资料，应用骨水泥将限制性髋臼内衬固定在已经很好固定的髋臼杯内，随访平均3.9年，2例内衬失败：1例是由于内衬和骨水泥之间松动；另1例是由于锁扣装置失败。髋臼杯没有松动。这种特殊的内衬设计和手术技术在有一定难度的患者中可作为选择。Berend等报道了用限制性内衬的一组大样本的髋关节资料，在7年时间中共置入720例限制性内衬，91.4%的内衬是在翻修时置入，内衬的保存率仅为57.9%。尽管应用限制性内衬，总脱位率仍为17.5%，在既往有脱位的患者组中占28.5%。15%的患者因为松动需要行翻修术。

5) 其他并发症　包括神经血管损伤、假体周围骨折、异位骨化等。

(2) 远期并发症

1) 磨损与骨溶解　骨吸收或骨溶解是影响人工关节置换术长期保存的主要问题。以前把明显骨吸收或大块骨溶解与骨水泥假体部件和骨水泥碎屑联系起来，但以后的研究发现这个问题同样存在于非骨水泥假体。当发现有明确骨丢失时，假体可能仍固定良好，但骨溶解一旦发生，它必将不断进展，最终可能导致手术失败。目前认为机体对植入的假体和骨水泥所产生的碎屑是引发骨溶解的主要原因。事实证明磨损和骨溶解是绝大多数翻修的主要原因。从生物学观点来看，磨损碎屑有关的假体周围骨溶解是巨噬细胞产生的细胞因子的作用。此外，还包括其他细胞如纤维细胞，还有肿瘤坏死因子、白细胞介素和前列腺素等的作用。很多因素可影响骨溶解的产生，包括患者的年龄、活动水平、骨自身的质量、假体设计、制造工艺、多孔涂层范围、孔隙大小，以及聚乙烯材料质量、厚薄、假体固定方式等均可影响骨溶解发生的过程。

2）应力遮挡　人工关节置换术后引起机械学环境变化，从而激发获得性骨重塑。这种过程往往和应力遮挡有关，假体的刚性和弹性起到主要作用。骨的非受应力区常易发生骨吸收。虽然它并不显示与松动有关，但它对长期的稳定和是否需要翻修有着重要的关联。生物力学因素对理解骨重建以及针对骨质疏松治疗有着很大改善。除了在假体材料、假体设计等方面加以改进，减少不利的机械力学环境外，药物治疗方面也有很多尝试，尽管效果还有待进一步研究。目前治疗以增加活性维生素 D_3 抑制破骨细胞的骨吸收、改善骨重建为主。也有人推荐口服二磷酸盐预防骨质疏松以改善假体稳定性。

人工关节置换术可立即并明显减少患者的疼痛，改善患肢功能，获得健康的生活质量，其中全髋关节置换术和全膝关节置换术的疗效可以长期维持。近 20 年来，以全髋关节置换术为例，其并发症已明显下降，预防性抗生素应用对防止感染起了极大的作用。围术期的抗凝治疗可降低深静脉栓塞和肺梗死。同时由于生物型和骨水泥型假体固定方法的改进，机械原因的松动率已大大降低。由于技术的进步，翻修率减少了，但手术总量的增加，使得实施翻修手术的实际数目越来越多。为了进一步减少并发症，今后的重点问题是人工关节的设计、固定方法、手术技术、外科经验和康复手段。但更重要的是严格掌握关节置换的适应证和禁忌证，选择合适的患者，把握适当的手术干预时机。另外，建立和培养一批专业化的关节外科医师，护理、康复和研发队伍，用更科学化和更技术化的角度去看待关节外科所遇到的问题，将有利于减少并发症，有助于关节外科的学科发展。这是一条行之有效的途径。

（杨庆铭）

17.2　人工髋关节置换术

人工髋关节置换是骨科非常成功的手术之一，尤其是近年来手术技术、假体材料与设计得到飞速发展，几乎所有患髋关节疾病而引起疼痛和显著功能障碍的患者通过髋关节置换手术都可以获得明显的改善。过去置换手术指征控制在 60 岁以上，随着人工髋关节置换的广泛开展及其疗效的不断提高，对年龄限制有被逐步放宽的趋势，但必须重视的是人工关节具有一定的使用寿命，年轻患者进行人工髋关节置换后假体松动、骨溶解的发病率依然很高，因此，除类风湿关节炎、强直性脊柱炎、红斑狼疮激素性坏死等外，必须严格掌握手术患者的年龄，要综合考虑患者的功能要求，尤其是体力劳动者作人工关节置换要慎重考虑。

17.2.1　适应证

1）类风湿关节炎。

2）强直性脊柱炎、髋关节非功能位强直、融合手术失败。

3）原发性、继发性骨性关节炎的晚期。

4）先天性髋关节发育不良或脱位。

5）晚期缺血性坏死（Ficat Ⅲ或Ⅳ型）。

6）静止期的结核性或化脓性髋关节炎。

7）65 岁以上的移位型（Garden Ⅲ、Ⅳ型）股骨颈骨折、陈旧性股骨颈骨折不连接。

8）髋关节周围肿瘤。

17.2.2　禁忌证

1）感染是绝对禁忌证，包括活动性感染和慢性感染（如足部的慢性溃疡）、髋关节感染愈合后完全静止不超过 1 年。

2）严重影响手术后髋关节功能与康复的神经、精神系统异常，如 Charcot 关节、精神分裂症等。

3）全身一般情况差，不能耐受手术。

4）髋关节外展肌肌力不足是相对禁忌证，手术后并发症高，需慎用。

17.2.3　术前准备

手术前对患者的重要生命体征进行细致的评估，包括心血管功能、肝肾功能、凝血功能、血糖等，要进行全面的实验室检查，判断患者是否耐受人工全髋关节置换手术，若有相关问题要及时处理。

阿司匹林和其他 NSAID 抗炎药应于术前 7～10 天停药，抗凝药也应停用，以便出、凝血时间有足够的时间恢复正常。感染是关节置换手术的绝对禁忌证，但一些隐匿性的感染病灶容易忽视，要注意排除，如皮肤的疖子、牙龈炎、尿路感染、盆腔炎等必须根治。术中如果发现髋臼或股骨头软骨下骨被侵蚀或内固定物周围骨质吸收，需通过涂片与冷冻切片除外感染，才能进行关节置换手术。

17.2.4 术前计划

术前应拍摄髋关节和股骨干的正侧位 X 线片，了解患者髋关节的骨质量、股骨髓腔的形态、髋关节的解剖结构，确定假体的类型与尺寸、截骨平面与下肢的长度、髋臼旋转中心、是否需要植骨等。在某些患者还需拍摄髋、膝和踝的站立全长，前后位 X 线片，确定负重力线，如 Trendelenburg 体位片，评估臀中肌的状况。

目前，国内医院逐步采用数码片，放大比率不统一，差异较大，而假体厂家提供的测量模板通常是按照普通 X 线片的放大比例进行确定（115%～120%）。因此，要注意放大比率是否一致。

假体测量方法：用假体相应的透明塑料模板在 X 线片上进行测量。在双侧坐骨结节水平画线，与两侧股骨大多数相交在小粗隆的水平（图 17-4），测量两个交点在股骨上的位置差距，以确定肢体短缩程度。将髋臼透明模板覆于 X 线片上，髋臼假体的下缘在泪滴和闭孔水平（图 17-1），并在 X 线片上标明髋臼假体的中心。然后，将股骨透明模板覆于 X 线片上，选择合适尺寸的假体使之与近端髓腔完全匹配，确定股骨颈长以恢复下肢长度和股骨偏距，若没有短缩，则股骨头中心与先前标明的髋臼中心重叠。如果两者之间有差距，股骨头中心与髋臼中心的距离应通常与先前测量肢体长度的差异一致，在片子上标记假体的尺寸、股骨颈长与截骨平面。

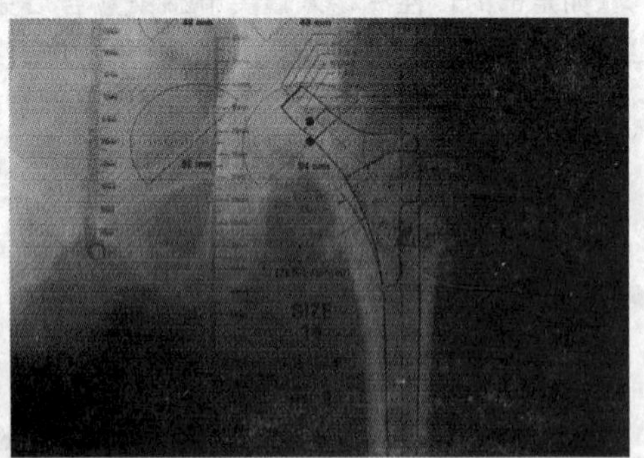

图 17-1 术前测量：髋臼的中心比股骨头的中心低（两个黑点），下肢有缩短

仔细做好术前计划，明确假体的类型与尺寸、截骨的平面、髋臼前倾角度等，充分做好相应的准备，能够显著缩短手术时间并减少手术中意外情况的发生，尤其是复杂的髋关节手术（如 DDH、髋关节翻修等），这一点尤为重要。

17.2.5 假体的选择

参见总论。

17.2.6 手术操作

（1）麻醉

手术可采用全身吸入麻醉、连续硬膜外阻滞或脊髓麻醉。麻醉方法的选择常依据麻醉师的偏好。

（2）手术入路和手术操作

1）手术入路　手术入路有很多种，常见的有前方入路（Smith-Peterson）、前外侧入路（Watson-Jones）、外侧入路（Hardinge）、后侧入路（Gibson 入路、Moore 入路）。目前的微创人工关节置换手术入路（两切口、OCM 入路）见《骨科微创技术》章节。现以最常用的后侧入路为例，介绍人工全髋关节置换的手术方法。

2）人工髋关节置换的后外侧入路（改良的 Gibson 入路）　取 90°侧卧位，在后方骶骨与前方耻骨联合处安放固定支架，将骨盆固定牢靠，前后活动髋关节，确保骨盆在手术中牵拉肢体时不会移动。消毒铺巾时注意会阴部的封闭。切口为弧形，从髂后上棘前方 6～7 cm 处开始，向远方经过大粗隆顶点，沿股骨轴线向远侧延伸，长 10～15 cm，以大粗隆顶点为标志，1/3 在其上方，2/3 在其下方。依次切开皮肤、皮下脂肪、臀大肌筋膜，沿臀大肌纤维方向将其钝性劈开，电凝肌肉内所有出血点，结扎臀上血管的分支。分离粗隆滑囊，并向后钝性剥离以显露外旋肌群及臀中肌的后缘，用湿纱布或纱布垫保护切口并牵开，内收、内旋髋关节，显露梨状肌、上下孖肌、闭孔内外肌，用湿纱布推开外旋肌表面脂肪，将外旋肌于其大粗隆止点处切断，股方肌的上半部分通常也需切开，直到能显露出小粗隆，注意处理沿梨状肌腱走行的血管及股方肌内的旋股内侧动脉终末支。用缝线在梨状肌肌腱、闭孔内外肌肌腱上缝合两针并与关节囊分开，保护其后方的坐骨神经，大多数情况下不需要显露坐骨神经，除非存在髋关节解剖异常。然后，钝性分离臀小肌和关节囊之间隙，使用 Hohmann 牵开器以充分显露关节囊的上部、后部及下部。沿关节囊于股骨的附着部分将其切开，切除显露的关节囊或牵开关节囊留作以后修补。屈曲、内收并轻轻内旋髋关节使之后脱位。在小粗隆水平股骨颈下插入提骨钩，将股骨头轻轻从髋臼内提出。脱位时圆韧带常从股骨头上撕裂下来，然而对于年轻患者，在将股骨头脱位之前可能需要将其切断。若髋关节不易脱位，勿用暴力内旋股骨，以免股骨干骨折。将关节囊上、下部分尽可能向前作充分松解，切除髋臼后缘所有可能阻碍股骨头脱位的骨赘。如果不能将髋关节脱位，则需先在合适的水平用摆锯将股骨颈切断，随后用取头器或将股骨头碎成几块后取出。根据术前计划，用电凝或用骨刀在股骨颈标记截骨水平和角度，截骨水平应与术前模板测量确定的小粗隆顶点至股骨颈截骨平面的距离相符。许多全髋系统都有截骨平面标尺，否则可用假体试样确定截骨水平。如果截骨未达到股骨颈外侧与大粗隆的结合部，则需作另一纵向外侧截骨，但要注意避免造成粗隆骨折。分离连于股骨头上的任何软组织，将其从伤口内取出，置于无菌区以备自体骨移植。

3）髋臼的显露与处理　如果前方关节囊有挛缩，需进行关节囊松解，将中弯钳伸入腰大肌腱鞘内游离前关节囊。用拉钩向前牵开股骨以拉紧关节囊，在弯钳的两齿之间仔细切开前关节囊。在髋臼前缘与腰大肌腱之间插入一髋关节拉钩。然后切除股骨头圆韧带并刮除髋臼切迹内软组织。有时可能会碰到闭孔动脉分支的出血，注意止血。对于显著的骨关节炎可能会出现增生性骨赘完全覆盖髋臼切迹（如先天性髋关节发育不良），从而无法判断髋臼内壁的位置，可用骨刀和咬骨钳除去骨赘以确定髋臼内壁，否则髋臼假体可能安装到过度偏外的位置。从最小号髋臼锉开始，向内侧磨削髋臼内壁。然后，以 1～2 mm 间隔逐步增大髋臼锉的型号，将髋臼软骨磨削至软骨下骨，呈点状出血面。反复冲洗髋臼以判断磨削程度和方向，确保髋臼周围受到均匀磨削，而且髋臼锉的方向要保持一致，否则，容易导致锉磨的髋臼不圆，髋臼假体不能压紧。偶尔髋臼横韧带有增生则需将其切除以使髋臼能容纳较大的髋臼锉。将该韧带从其骨性止点处向前、后仔细切除。注意勿切入过深，因为闭孔动脉分支从其下面通过，而且该区域的出血很难止住，通常可以采用双极电凝止血或填塞压迫止血。

4）安放髋臼假体　髋臼假体分生物型与骨水泥型两种。用髋臼拉钩完整显露出髋臼，去除髋臼周围多余的软组织。利用不同厂家假体产品的定位装置，植入髋臼假体，使之保持 10°～20°的前倾、35°～45°的外展。生物型髋臼假体一般比锉好的髋臼大 2 mm，如果髋臼骨质太硬，可选择 1 mm 的压配。绝大多数情况下，打入髋臼假体压配后非常稳定，无须螺丝钉固定，但如果骨质不好或髋臼形态匹配不佳，髋臼假体卡压不紧，就需要 2～3 枚螺丝钉固定，螺钉的方向为后上象限。然后，安装内衬。安装骨水泥假体时，聚乙烯髋臼与骨质之间的骨水泥要保持均匀，厚度以 2～3 mm 为宜。在放入骨水泥前，将髋臼骨面冲洗干净并擦干，骨水泥搅拌至面团期放入，然后用定位装置植入聚乙烯髋臼，加压并保持至骨水泥完全硬化，有术者喜欢在髋臼骨质上钻 3 个小孔，以增加骨水泥与骨质的结合与稳定。骨水泥完全硬化后，用挤压器在新植入假体周围多处推压以检查其稳定性。如果发现任何活动或有血液或小气泡从界面溢出，则提示假体松动，必须从髋臼中取出臼杯及骨水泥重新置换。骨水泥凝固后，彻底清除突出于边缘外的任何残留骨赘或骨水泥，否则可致碰撞和术后脱位，对于发育异常髋臼的处理在先天性髋臼发育不良中详述。

5）股骨的操作　髋臼用湿纱布覆盖保护，安放髋臼拉钩，屈曲、内收、内旋髋关节，显露出股骨近端。用髓腔开口器打开股骨近端髓腔，依次用髓腔锉扩髓，锉的方向与髓腔的轴线保持一致。以股骨颈的纵轴为标志，旋转髓腔锉控制前倾，使其方向与股骨颈的轴线一致，均匀打入髓腔锉。若打入困难，要判断远端扩髓程度以及锉的方向和旋转度，如果远端过小，需要按照假体尺寸的要求，进行远端扩髓，避免使用暴力。选用可能的最大号柄完全充满干骺端并达到旋转稳定。如果使用带颈领的假体柄则股骨髓腔锉的锯齿缘应到达股骨颈截骨平面以下，以利于股骨距的精确对合。如果有旋转活动，则应选用大一号的假体柄，用扩髓器作远端扩髓，直至髓腔锉能完全配合股骨近端，并达到充分轴向和旋转稳定性。若由于种种原因不能达到足够的初始稳定性，应采用骨水泥固定。采用有领的柄则需要处理股骨颈截骨面，用领锉将截骨面磨平整。采用无领柄时该步骤无关紧要。股骨颈截面的最终位置应与术前模板确定的小粗隆上方截骨平面一致。据术前模板选定股骨头颈的长短，据大粗隆顶点高度评判股骨头中心位置，并与X线模板测定的平面作比较。如果颈长满意，试行髋关节复位，按照股骨头脱位前定位标志，判断下肢长度，并根据情况作进一步调整。如果复位困难，检查有无残留紧张的关节囊，应将其切断，主要是前关节囊。如果仍不能复位，则需改用颈长较短的试样，并将内衬加长部分转至另一位置，对于术前已经有下肢短缩畸形的，需要进行松解或截骨，参见《先天性髋关节脱位》。活动髋关节，检查其稳定性、是否存在撞击，这一步容易被忽视。将髋关节伸直外旋40°、屈曲至少90°、内旋45°，注意是否会出现髋关节脱位、股骨与髋臼间有无发生碰撞。如果髋关节很容易脱位，常见的原因为髋臼或股骨假体的前倾角度不正确、软组织张力过于松弛，需要重新调整髋臼或假体的位置，改用长颈股骨头，重新检查，直至获得稳定的活动，若使用长颈假体后下肢过长，需采用偏距较大的假体柄。髋关节撞击常见的区域是髋臼、大粗隆或股骨颈前方的骨赘，如有撞击，必须切除多余的骨赘或骨质(图17-2)。

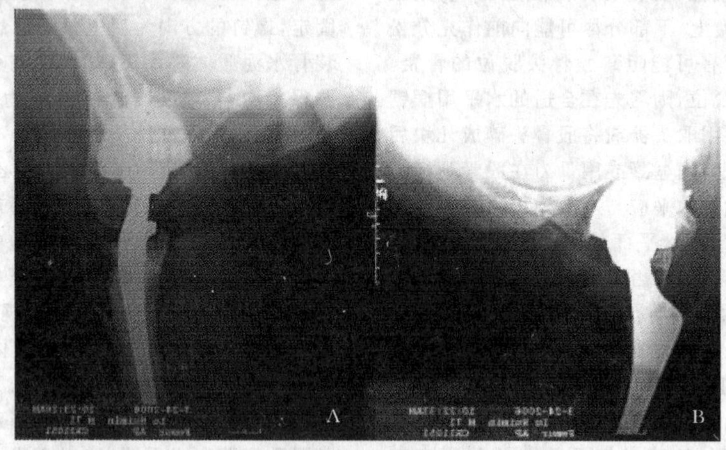

图17-2　髋关节撞击

A. 髋臼前方残留骨赘，会导致撞击 B. 前方没有骨赘

6）安装股骨假体　根据髓腔锉的大小和试装股骨颈的长度，安装正式股骨假体与相应头颈长度的股骨头。生物型假体直接打入，方向沿着髓腔的轴线。由于假体实际大小要比对应的髓腔锉大1～2 mm，偶尔会出现股骨颈周围的骨折，注意观察，发现后要停止操作，判断骨折的程度。对于股骨颈的骨裂，可用钢丝环扎后再置入假体，若骨折达到小粗隆以下水平，根据骨折的严重程度，采用长柄假体或钛缆钢板内固定。植入后的假体必须能获得初始稳定性，否则，需改为骨水泥型假体。骨水泥型股骨假体适用于年龄超过65～70岁以上患者，并且股骨皮质薄或骨质疏松，不能获得良好初始稳定性者。股骨锉锉髓后，用髓腔塞堵塞假体远端2 cm处的股骨髓腔，用髓腔冲洗器来彻底冲洗以清除碎屑、骨髓和血液，使骨小梁与骨水泥之间能达到最大的结合。吸净髓腔并用纱布填塞，打开选定的假体，勿触摸假体柄或任其沾染血液或碎屑，安装股骨假体中置器，再安装打入装置备用。显露好切口，在髋臼内填入纱布并用纱布保护周围软组织以阻挡溢出的骨水泥，摆好股骨的位置，确保周围组织不会干扰假体的植入。更换外层手套并开始准备骨水泥。正常情况下，40 g骨水泥足够，假体周围的骨水泥厚度为2～3 mm。准备骨水泥时使用真空搅拌或离心的方法减少其中的气泡，当骨水泥不再黏手套时，用骨水泥枪将其注入髓腔，封闭髓腔出口，对骨水泥进行加压，保证更多的骨水泥嵌入松质骨床。骨水泥的固化时间随骨水泥的类型、室温以及使用前是否冷冻而有显著不同，使用前必须了解清楚，以防安装假体时，时间判断失误，措手不及。插入假体过程中，要保持正确的前倾角度和内外侧位置不变，避免方向和旋转改变造成骨水泥中与假体之间出现空隙。用刮匙刮除颈领周围溢出的骨水泥，判断假体柄是否已完全插入，如未到位应将其置入。在骨水泥硬化过程中，应维持施加于股骨假体上的压力，并防止柄

发生活动。若采用股骨假体锁定的插入装置加压，手术者的微小活动均可传递至骨和假体之间的界面。再次检查并彻底清除多余的骨水泥，股骨颈的前方是最容易遗漏的地方。复位髋关节，进行前述的稳定性活动，如果存在撞击，必须处理。冲洗伤口，放置负压引流管一根，逐层关闭切口。现在虽然有人主张术后无需放置负压引流，但没有被普遍接受。

17.2.7 术后处理与康复

术后24～48 h，引流量在50 ml以内拔除引流。患者双下肢之间置梯形枕，保持髋关节外展中立位，同时避免髋关节过度屈曲。患者可以向健侧翻滚，短时侧卧，但双腿间必须置梯形枕，避免内收。术后第1天，允许进行床上锻炼和有限的活动，开始深呼吸、踝部活动、股四头肌等长收缩和轻微的旋转活动。根据全身情况，可以在床上半卧，当患者没有头晕时，在椅子上摆放1～2个枕头，患者可以下地，在枕头上坐一会，避免髋关节过度屈曲，时间以15～20 min为宜。一切稳定后，可以开始步态练习，大部分患者需要助行器、拐杖或他人帮助保持平衡和稳定。允许患肢负重的程度取决于假体的固定方法、有无植骨与截骨以及术中的初始稳定性等。如果假体为骨水泥固定，应允许患者在能忍受的情况下早期负重活动。对于生物型假体，许多学者建议限制负重6～8周。术后约6周时门诊复查，拍X线片。患者如为无并发症的初次置换手术，可停止使用双拐，并指导患者扶单拐行走，并可完全负重，直至自主行走。允许进行有限的体育活动，游泳、骑马等，但对髋关节造成反复冲击的运动如跑步是不合适的，将增加置换术失败的危险性。定期随访非常重要，术后3个月、6个月、1年进行随访复查，每隔1～2年常规拍摄X线片，并与先前的片子相比较，以便及时发现松动、移位、磨损和假体损坏的征象。

17.2.8 双极人工股骨头置换术

(1) 适应证

适用于X线和临床表现正常的髋臼。具体如下。

1) 65岁以上的移位型股骨颈骨折(GardenⅢ型、Ⅳ型)或陈旧性股骨颈骨折，术前没有骨关节炎的存在。

2) 股骨头缺血性坏死，但髋臼未累及者。

3) 外展肌力量丧失造成的髋关节不稳定是相对适应证。

4) 髋臼存在巨大骨缺损，固定型髋臼假体无法用骨水泥或螺丝钉固定于骨质时，双极置换可作为补救手术。

(2) 禁忌证

同全髋关节置换手术。

与全髋关节置换相比，虽然假体植入时所需手术显露并无明显差异，但双极假体植入相对简便，手术时间较短。因此，对于身体一般情况比较差的股骨颈骨折高龄患者，双极置换是一种简单实用的方法，具有操作简单、时间短的优点，但少数患者术后会出现疼痛与髋臼磨损、磨穿等不良后果。

麻醉、手术方法以及手术后处理同全髋关节置换手术。

17.2.9 髋关节表面置换术

髋关节表面置换术有很长的历史，早在1948年Smith-Peterson进行了股骨头单杯表面置换手术，因手术疗效不佳而被淘汰。1951年，Charnley采用特氟龙(teflon)制作的双杯假体，没用骨水泥固定，术后很快也出现失败。20世纪60年代开始，先后尝试了金属-金属、金属-聚乙烯臼杯假体，但失败率仍然很高。表面置换股骨头假体为大直径，臼杯或内衬薄，当时的加工材料比较差，容易磨损，形成大量磨损颗粒，导致骨溶解。此后，表面置换逐步被冷落。随着材料学与制造工艺不断发展，表面置换使用新一代的金属-金属假体，它是用耐磨性极佳的高碳钴铬合金精细加工而成，大大降低了磨损，显著提高了疗效。表面置换具有保留骨量、术后关节稳定、符合生物力学、活动范围大等优点，新一代金属-金属假体满意的早期疗效，重新激起了关节外科医师的兴趣。同时，表面置换对年轻患者是一个极具吸引力的选择。目前常用的金属-金属表面置换假体(图17-3)。主要有Conserve Plus假体、BHR假体、Comet假体、Durom假体和DePuy ASR™。固定方式均为：髋臼假体为生物型固定，股骨假体骨水泥固定。虽然新一代金属-金属假体的假体松动、股骨颈骨折及股骨头坏死等并发症的发生率显著减低，早期结果十分满意，但尚缺乏大量的中长期随访资料，应该采取比较谨慎态度，严格掌握好适应证。

从疾病的种类来看，表面置换的适应证、禁忌证和全髋关节置换手术是一致的，但表面置换术还需符合一些特殊要求。

A

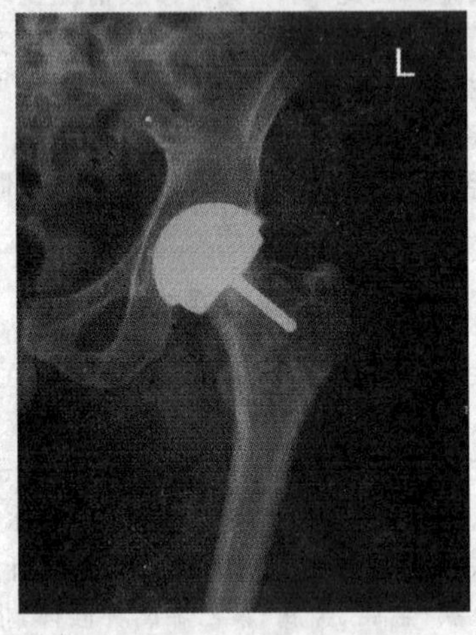

B

图 17-3 新一代金属-金属假体
A. 假体 B. 手术后的X线片

(1) 适应证

表面置换手术的适应证为骨关节炎、类风湿关节炎、股骨头缺血坏死、髋关节发育不良、Perthes病、创伤性关节炎、强直性脊柱炎等。最佳适应条件为：髋关节的骨质量好、骨缺损直径在1 cm之内、股骨头直径与股骨颈直径之比>1.2、肾功能正常的患者（男性年龄<65岁、女性年龄<55岁）。为了评估进行表面置换术的风险，国外有作者制订了表面置换风险指数（surface arthroplasty risk index，SARI）：股骨头囊性变>1 cm（2分）、体重<82 kg（2分）、髋关节手术史（1分）、UCLA活动评分6分以上（1分），共6分。如果风险指数>3分，表面置换术早期失败的风险将增加到12倍，这与疾病和所采用的假体类型没有关系。

(2) 禁忌证

除了全髋关节置换的禁忌证之外，下列情况也不适合表面置换术：①股骨头的骨质破坏明显（>40%）或假体不能获得可靠的固定；②严重的骨质疏松；③未生育女性；④肾功能减退及金属材料过敏；⑤表面置换术不能有效恢复外展肌的张力。

(3) 术前计划

基本方法同全髋关节置换手术，拍摄双侧髋关节正侧位X线片，可以确定假体的大小和股骨颈的前倾角度，以及双侧下肢的长度。手术要做好改行全髋关节置换的准备。

(4) 手术操作

1) 麻醉　手术可采用全身吸入麻醉、连续硬膜外阻滞或脊髓麻醉。

2) 体位　90°侧卧位。

3) 手术入路　通常采用后外侧入路，以大粗隆顶端为中心，向上、向下各6～8 cm。有作者建议采用大转子截骨入路，对股骨头的血供干扰最少，降低股骨头坏死的发生率。

4) 手术方法　手术显露同全髋置换手术，行髋关节后脱位，用特殊拉钩显露出股骨头与股骨颈，正确安放定位导针是成功的关键，保证导针位于股骨颈的中心，颈干角为135°～140°，避免股骨颈切迹和髋内翻，否则，术后容易形成骨折。国外作者建议将股骨假体放在5°～10°的轻度外翻位，即导向杆最好与股骨头内纵向骨小梁平行，将有助于避免股骨颈切迹，降低股骨颈和头部外侧的剪切力。初步锉磨股骨头后，用试模保护股骨头，将股骨头牵向髋臼的前上方，进行髋臼的准备。对于股骨头坏死的患者，要彻底清除坏死组织，在硬化骨上钻孔，若坏死范围过大（>40%），应改为全髋置换手术。髋臼操作是在保留股骨头的条件下进行的，技术要求高，既要保护好股骨头颈，又要保证髋臼的前倾角度。完成对髋臼的锉磨后，安放生物型髋臼假体，要保证假体能获得良好的初始稳定性，否则，应改为普通全髋置换。根据安装的髋臼假体，选择相应尺寸的股骨锉磨，进行股骨头最后的锉磨。大多数情况下股骨假体的大小与髋臼假体是相匹配的，若髋臼假体对应的股骨假体尺寸小于患者股骨头颈的大小，将导致股骨颈切迹，可选择大一号的髋臼与股骨假体。试装复位后，用骨水泥安装正式假体。建议股骨假体中央的导向杆不用骨水泥固定，以防止应力遮挡，除非股骨头缺损比较明显，可通过骨水泥固定导向杆增加稳定型。术后处理同全髋关节置换术。

(5) 并发症

除了人工全髋关节常见的并发症外(脱位、神经血管损伤等),金属-金属表面置换还有一些特有的并发症。

1) 股骨颈骨折　髋关节表面置换术最常见的并发症,文献报道发生率0%～12%。股骨颈骨折的危险因素包括患者、技术以及术后三方面。患者因素主要有性别和骨质量,女性发生率是男性的两倍,可能与绝经后骨密度下降及骨水泥在松质骨内充填过度有关。与手术技术有关的因素包括股骨颈切迹、髋内翻、股骨假体没有通过骨水泥完全安放在磨好的骨面上。此外,有作者认为骨折与手术本身造成股骨头血供降低存在一定的关系。对于没有移位的骨折可采用保守治疗,但移位骨折只有行全髋置换手术。

2) 假体松动与骨坏死　新一代表面置换假体失败主要是股骨假体,其机制基本与全髋相似,松动原因包括骨水泥固定不当、骨水泥-骨界面疲劳。表面置换术会对股骨头的血供造成损害,但血供减少的程度以及血供减少和股骨头坏死的相关性目前还没有统一意见,仍有待进一步研究。文献报道新一代金属-金属表面置换术股骨头坏死的发生率很低。

3) 金属离子水平升高　金属-金属假体会导致体内金属离子水平增高,可能存在金属离子过敏、增加肿瘤发生的风险,但目前还没有证据提示其危害性。

4) 股骨颈缩窄　指股骨颈直径与股骨假体直径之比缩小10%以上,半髋表面置换无该并发症的报道,主要见于金属-金属假体表面置换术后,原因不清,可能与炎性溶解、应力重建、撞击、缺血等有关。

5) 髋关节撞击症　在全髋关节置换术中,假体撞击是影响其活动范围和导致脱位的常见因素,表面置换手术保留了股骨颈,增加髋关节撞击的风险,对于继发于髋关节撞击的骨关节炎行表面置换时更加注意,否则,术后会出现股骨假体或颈部与髋臼假体或髋臼缘之间撞击,影响关节活动。

17.2.10 特殊情况下的人工全髋关节置换技术

髋关节置换术已经积累了丰富的经验,已经是骨科的常规手术。但某些疾病需要采用一些特殊手术技巧与围术期的处理方法。

(1) 类风湿关节炎

对于包括类风湿关节炎在内的自身免疫性疾病,如牛皮癣性关节炎、强直性脊柱炎、红斑狼疮等,常采用全髋关节置换术来缓解疼痛和增加关节活动范围,但患者常常存在皮肤脆弱、骨质疏松及肌肉萎缩,而且长期应用激素,抵抗力低下,容易感染。因此,围术期的处理很重要。患者手术前要病情稳定,包括全身情况、ESR、CRP,其中ESR最重要,最好连续3～6个月稳定在40～60 mm/h。手术前2周要停用非甾体类抗炎镇痛药。对于接受激素治疗者,术前应继续使用维持剂量。类风湿关节炎的部分患者可能同时存在上颈椎的病变,如颅底内陷、C_1～C_2不稳定等,术前应注意,避免麻醉插管而引起颈髓的损伤,最好采用支气管镜辅助的经鼻插管。患者可能存在严重的骨质疏松,手术操作过程中,应予注意,避免造成骨折。当髋关节和膝关节都需手术时,若两者病变严重程度差不多,一般应先行髋关节置换,但还需具体分析,如膝关节存在严重屈曲挛缩,而髋关节还有较好的活动度,如先行髋关节置换,术后容易出现髋关节脱位。

(2) 先天性髋关节发育不良

先天性髋关节发育不良(DDH)患者通常比较年轻,掌握合适的手术指征非常重要,要综合考虑其年龄、疼痛的严重程度、是否适合作骨盆截骨等因素。先天性髋关节发育不良髋关节解剖的异常程度变化很大,从非常轻度的覆盖不良到完全脱位,临床表现差异也比较大。一部分完全脱位的患者,尤其是双侧脱位,髋关节的疼痛与功能障碍并不严重,但手术复杂,难度高,风险大,因此,只有当疼痛引起功能障碍时,才应考虑手术治疗。先天性髋关节发育不良的临床按照其股骨头与髋臼之间解剖结构异常程度进行分类。常用的有两种分类方法:①Hartofilskidis的3型分类。Ⅰ型(发育不良)股骨头仍然在真髋臼内;Ⅱ型(半脱位)股骨头在假髋臼内,但假臼的下缘与真臼的上缘有重叠;Ⅲ型(完全脱位)股骨头完全脱位在外,向后上方移位,与真臼和假臼均无关系。②Crowe 4型分类。是目前使用最多的分类方法,具体见图17-4:Ⅰ型,股骨头移位<50%(b/a×100%);Ⅱ型,股骨头移位50%～74%;Ⅲ型75%～100%,Ⅳ型完全脱位。

先天性髋关节发育不良进行全髋关节置换存在以下特殊问题,需要相应的处理。

首先,髋臼过浅、骨量少、骨质量差,但骨质最厚的部位仍在真臼部，因此，大多数人主张将髋臼假体置于真髋臼内，而不要将臼杯安装于假臼内，假臼的厚度和宽度常不足以固定臼杯。另一方面，位于真臼内的髋关节与假臼相比，具有以下优点：可以降低关节之间负荷、延长短缩肢体、改善外展肌功能、降低髋关节撞击的发生。对于先天性髋关节发育不良应仔细作好术前计划，包括骨盆正位片和股骨上端的正、侧位片，必要时CT检查，明确将臼杯固定在什么水平，是否需要行股骨截骨以及确定髋臼与股骨假体的类型与尺寸，进行充足的术前准备，避免并发症的发生。

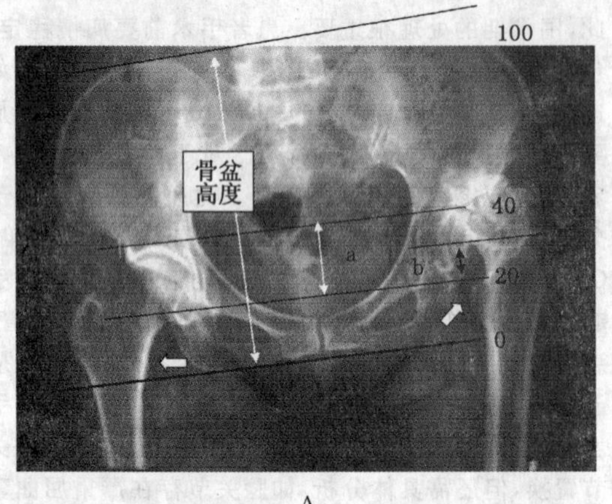

A

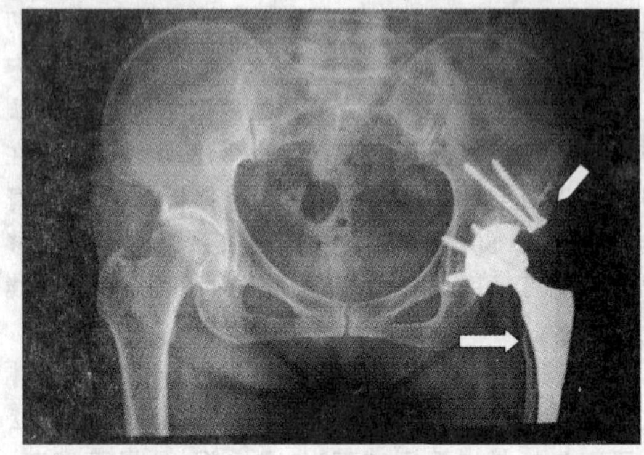
B

C

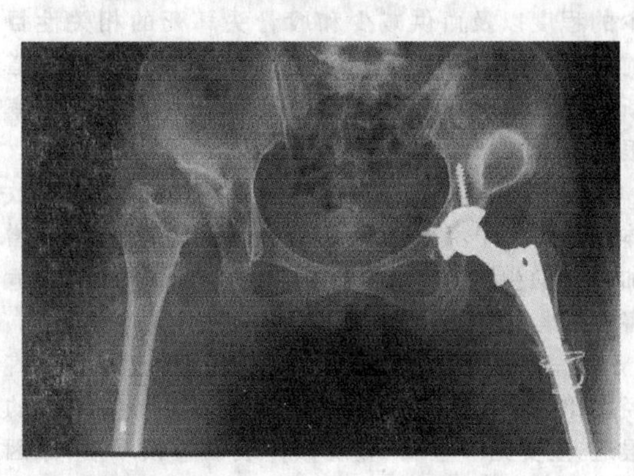
D

图 17-4 Crow 4 型分类

A. 左侧 DDH 患者术前 X 线片，Crow Ⅲ，注意小粗隆，旋转恢复正常，下肢等长，图中 b/a 为脱位发生的程度，b 为头颈结合处与髋臼下缘的距离，a 为髋臼的高度 B. 采用自体股骨头植入重建髋臼后上方，手术后 1 年照片，结构性植骨愈合良好 C. Crow Ⅳ DDH D. 行粗隆下截骨去旋后，AML 假体置入，44 mm 臼杯安放在真臼内，头 22 mm

手术切口显露通常比常规全髋关节置换手术要广泛，多采用后外入路。当将股骨头从假臼脱位切除后，通常看到的是假臼的位置，真臼位置还在其下方的深面，被骨赘与软组织覆盖，不易发现。清除这些覆盖组织，通常可见一骨嵴，需要加以保护，它是真假髋臼的分界线。牵开器置于髋臼横韧带下方的闭孔内，以确保向远侧所解剖的范围足以暴露出真臼的下缘。显露真臼后，根据其骨质缺损的程度，决定下一步的重建方案。对于髋臼上方的骨缺损不严重，对髋臼假体覆盖可以达到 70% 以上的，可以直接安装髋臼假体。否则，要解决髋臼覆盖问题。通常采用以下几种方案：①多数建议修补缺损，采用术中切除的股骨头或异体股骨头，修复髋臼上缘的骨缺损（图 17-4B），髋臼植骨块的愈合和吸收率是影响其疗效的关键因素。初步随访的结果显示，植骨块有较高的愈合率，且功能恢复良好。但是，随访 7 年时，髋臼假体有 20%发生松动。11 年随访时，自体和异体股骨移植的髋臼松动率均为 47%。放射性核素骨扫描不能用于评价骨吸收、骨不连和骨结构的丢失。如果髋臼大块植骨后出现髋臼松动进行髋关节翻修术时，多数情况下植骨块保持稳定，不需要另外植骨。多大面积的假体必须与有力的受体骨紧密接触，才能获得长期稳定，目前没有准确的答案，但临床经验显示当假体 40%以上依靠移植骨来支撑时，其松动率较高，因此，有学者建议采用椭圆形的髋臼假体(子母臼)进行置换(图 17-5)。②采用髋臼成形术，可以人为地使髋臼内侧壁骨折或用髋臼锉磨穿内壁，内侧缺损处植入碎骨，通过加深内侧髋臼以获得髋臼假体外侧的覆盖，但临床适用范围有限，并未得到普遍接受(图 17-6)。③高位髋臼：当髋臼上壁缺损时，采用植骨修补术后出现植骨块吸收、塌陷以致松动的发生率比较高，可将臼杯置于较高位置，以获得较好的自体活骨覆盖。只要髋关节中心向近端移位在 1.5 cm 以内，不向外移位，不会影响臼杯的生存寿命。但是，要注意避免发生股骨与骨盆的碰撞。

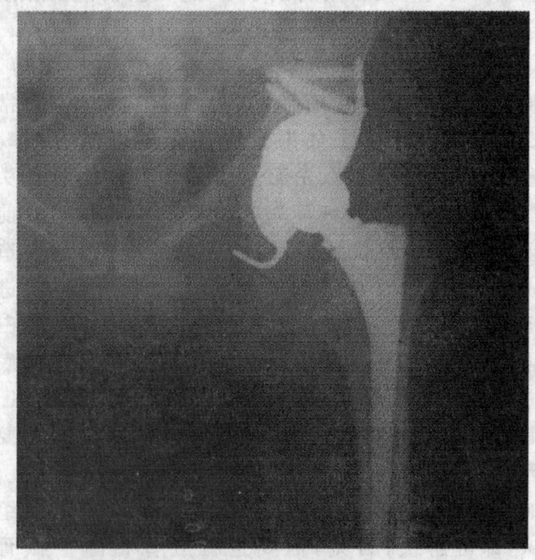

图 17-5 子母臼假体重建髋臼缺损

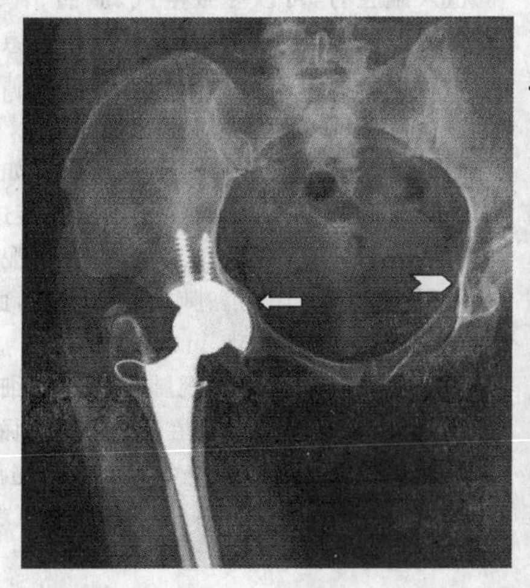

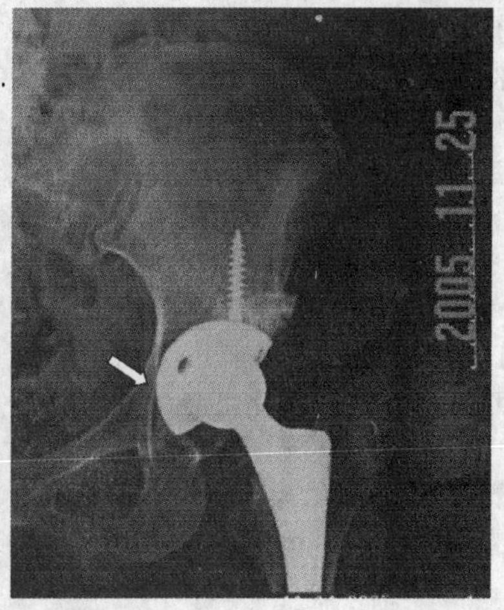

图 17-6 髋臼成形术后 1 年随访

植入骨质处已经骨愈合(⇦)。

正常的髂耻线、髂坐线完整光滑(⋙)

进行植骨修复时，供体骨和受体骨之间所有的软骨和软组织都必须清除干净，露出毛糙的骨面。可以用小号髋臼锉与刮匙来清除髋臼受区植骨床表面的软组织和软骨。采用切除的自体股骨头，通常与受区形态匹配良好，异体植骨块需要仔细修整，用摆锯、咬骨钳制备成合适的大小与形状，确保骨块与受区之间保持良好的接触面。髋关节发育不良者，头置于与其形状相符的缺损位置，植骨块的骨小梁应与承重力线一致。植骨块暂时用光面克氏针固定，最后用 2～3 枚带垫片的松质骨螺钉平行加压固定，螺钉方向要与负重力线一致。用锉磨时要特别小心避免在移植骨块上形成过大的扭矩。为此，有学者喜欢将植骨块用髋臼锉修整制备后再用螺钉固定。先天性髋关节脱位患者髋臼的骨质比较差，锉磨髋臼时每一步都要特别小心，避免损伤髋臼缘或穿通内侧壁。

股骨侧的处理：如果患肢不存在明显缩短，股骨没有显著发育畸形，其处理非常简单，同常规关节置换手术。如果患肢存在显著的短缩畸形（Crow Ⅲ、Ⅳ型），先天性髋关节脱位的股骨头小而畸形、股骨颈细而短，常伴有不同程度的前倾，大粗隆小且位置偏后，股骨髓腔变窄，容易造成扩髓困难，时常遇到需要特小号股骨假体，进行仔细充分的术前计划是十分必要的。当髋臼假体安放在真臼内时，通常患肢被延长。在彻底进行关节囊松解后，髋外展肌、内收肌、髂腰肌、腘绳肌和股直肌的短缩，是妨碍假体复位的主要因素。一般术前计划测量的数据有指导价值。如果缩短在4 cm以内，通常通过松解上述软组织，即可解决；否则，需要进行股骨粗隆下截骨术，以免损伤坐骨神经，粗隆下可切除2～3 cm，截骨面呈阶梯状或"V"形截骨（图17-4D），获得旋转稳定，每次切除骨质0.5 cm，然后反复试行复位，直至将股骨头复位，同时，以不引起软组织过高的张力为止。截骨后采用中段固定假体（如AML）或组配型假体（如S-ROM、ZMR）固定，截骨处周围采用切除的自体骨移植，同时假体柄必须在截骨的远近端髓腔内都保持旋转稳定，以保证截骨处的骨连接，手术操作中要注意避免发育差的股骨大粗隆发生骨折。术前过大的股骨颈前倾，可通过可调式假体或股骨粗隆下截骨旋转进行调节。

(3) 髋关节强直或融合

髋关节强直（ankylosed hip）可以是疾病发展的结果，也可以是手术融合。如果没有疼痛的髋关节强直，大多数功能良好，一般情况下无须进行髋关节置换，长期髋关节强直会造成同侧膝关节与对侧髋关节的磨损与疼痛。髋关节强直进行全髋关节置换手术的原因有以下几个方面：①双侧髋关节强直通常给患者带来严重功能障碍。②融合失败。③髋关节强直引起的下腰痛和膝关节疼痛。

髋关节强直进行髋关节置换手术操作难度较大，神经损伤、脱位、松动等并发症的发生率要显著高于普通的人工髋关节置换手术。对于自发性融合的髋关节置换效果显著优于髋关节多次手术的患者。因此，要注意以下几点：①对感染性疾病行髋关节融合术的患者，再次行全髋关节置换手术前，要排除感染的可能；②髋关节周围通常存在解剖结构异常，一定需要显露清楚，必要时需X线片或C臂机定位确保髋臼安放在正常的位置；③长时间强直会导致臀中肌萎缩，臀中肌肌力在手术前很难进行评价，肌电图没有太大的价值，髋关节置换手术以后可能会出现Trendelenburg征阳性，但随着时间的推移，需要2年左右的时间逐步恢复。如果臀中肌缺如，应该放弃髋关节置换手术。

17.2.11 人工全髋关节置换术的并发症及处理

人工全髋关节置换手术常见的并发症如下。

(1) 脂肪栓塞

典型的脂肪栓塞通常发生在长骨或骨盆骨折24～48 h后，患者出现呼吸困难、意识障碍和皮肤瘀斑。在人工髋关节置换术中，扩髓、锉髓腔及将假体植入髓腔时，可以导致空气、脂肪、骨髓成分等挤入骨的静脉腔，形成脂肪栓子，大多数患者可以承受让脂肪栓子经过右心房、右心室，进入肺循环而没有后遗症。然而，较大块的脂肪栓子可以引起明显的低血压、缺氧，甚至心搏骤停及死亡。如果患者存在卵圆孔未闭的情况，脂肪栓子可以直接进入左心，引起脑梗死的一系列症状。手术中骨水泥的毒性作用也可引起肺血管阻力和肺动脉压增高，血氧分压降低，导致低血压。

尽管对于术中出现肺栓塞的详细机制还存在争议，但大多数学者建议在进行股骨侧的操作中，要温和地扩髓或锉髓、冲洗髓腔、清除髓腔脂肪与碎屑等，预防脂肪栓塞。对于年老衰弱患者，不宜采用骨水泥过分加压技术。

(2) 深静脉血栓

全髋关节置换手术后深静脉血栓（DVT）的发生率为40%～70%，约有1%可能会出现致命性肺栓塞。术后2～3周发生致命性肺栓塞的风险最高，4周后发生的概率非常小。栓塞可单独发生在骨盆、大腿和小腿的深静脉内，以小腿深静脉多见。发生DVT的可能危险因素：栓塞病史、患肢不活动、术中大量的失血与输液等。

50%～80%的DVT无临床表现，及时治疗有赖于对疾病状态的早期发现和正确诊断。DVT的诊断一般依据以下症状体征：患者疼痛，小腿或大腿压痛，单侧腿部肿胀及红斑，低热和脉搏加快。Homans征阳性，即直腿伸踝试验。检查时嘱患者下肢伸直，将踝关节背屈时，由于腓肠肌和比目鱼肌被动拉长而刺激小腿肌肉内病变的静脉，引起小腿肌肉深部疼痛，为阳性。术后应每天仔细询问、检查患者。肺栓塞的临床诊断主要依据胸痛症状（特别是胸膜炎样疼痛）、心电图和胸部X线片检查及动脉血气水平分析。

目前，DVT的检查方法仍然是静脉造影术与彩超，静脉造影是确定诊断的“金标准”，但属于有创检查，且费用高。放射性核素肺扫描通常可以确定肺栓塞诊断。

DVT的防治措施：①采用腰麻和硬膜外麻醉比全麻引起深静脉血栓形成和肺栓塞的危险性略小。②在四肢或盆腔邻近静脉周围的操作应轻巧、精细，避免静脉内膜损伤；术后抬高患肢时，不要在腘窝或小腿下单独垫枕，以免影响小腿深静脉回流；鼓励患者尽早开始足、趾的主动活动与离床活动，并多作深呼吸及咳嗽动作。③机械预防措施包括足底静脉泵、间歇充气加压装置及逐级加压弹力袜，它们均利用机械原理促使下肢静脉血流加速，降低术后下肢DVT发生率。④药物预防：抗凝药包括维生素K拮抗剂（VKA）、低分子量肝素等。口服维生素K拮抗剂如华法林仍然是最常用的全髋关节置换术后血栓预防药物，最主要的优势在于它们作用的延迟发生。

2005年，中华医学会骨科学分会预防骨科大手术后DVT形成的专家建议，目前有下列3种方法（选其中之一）：①术前12 h或术后12～24 h（硬膜外腔导管拔除后2～4 h）开始皮下给予常规剂量低分子肝素；或术后4～6 h开始给予常规剂量的一半，次日增加至常规剂量。②戊聚糖钠2.5 mg，术后6～8 h开始应用（国内尚未上市）。③术前或术后当晚开始应用维生素K拮抗剂，用药剂量需要作监测，维持国际标准化比值（international normalized ratio，INR）在2.0～2.5，勿超过3.0。

上述任一种抗凝方法的用药时间一般不少于7～10天。上述药物的联合应用会增加出血并发症的可能性，故不推荐联合用药。不建议单独应用低剂量普通肝素、阿司匹林、右旋糖酐、逐级加压弹力袜、间歇充气加压装置或足底静脉泵预防血栓，也不建议预防性置入下腔静脉过滤器。

（3）股骨或髋臼骨折

全髋关节置换术发生股骨或髋臼骨折的高危因素有骨质疏松（高龄、类风湿关节炎等）、严重软组织挛缩与关节僵硬、翻修手术等，术中或术后股骨骨折发生率远远高于髋臼骨折，但髋臼骨折的实际发生率可能比被发现的要高。术中股骨骨折容易发生在脱位髋关节时用力过大，锉髓或置入假体时与髓腔的方向不一致，假体偏大；骨质疏松患者的骨质脆弱，在中度旋转力量作用下可发生骨折。

术中股骨骨折多发生于非骨水泥型全髋关节置换术与髋关节翻修手术。Mallory、Krause和Vollen术中骨折分类系统：Ⅰ型骨折包括小转子和股骨距区域；Ⅱ型骨折延伸超过小转子，至假体尖近端4 cm处；Ⅲ型骨折包括在这个4 cm标记以下，延伸至假体尖端以远的骨折。Ⅰ型骨折大多数无须处理，若范围较大，采用钢丝环扎。Ⅱ型骨折通常多采用钢丝环扎。Ⅲ型骨折处理要困难得多，可能需要用钢丝环扎、钢板或长柄假体内固定。最好行植骨加强，如果骨折范围较大可行钢丝环扎术，没有影响长期预后的危险，都顺利治愈。处理股骨骨折时，骨折必须完全暴露，包括其最远端的部位。如果先取出内置物，骨折裂缝可能消失，从而低估骨折范围，故显露骨折时髓腔锉或真的假体应保持在原位。准确判断骨折范围后，去除内置物，用一根或多根钢丝环扎股骨干周围，再植入原来假体或长柄假体。可将一个小一号的试柄放入髓腔，以防止钢丝过紧。如果准备使用骨水泥固定股骨假体时，骨折必须解剖复位，以防止骨水泥从骨折块之间溢出，导致骨折端不愈合。如果横行骨折，使用长柄股骨假体并加用环扎钢丝或内固定时，成功率提高，假体柄继发松动率降低。

（4）神经损伤

全髋关节置换手术可能造成坐骨神经损伤，初次关节置换时神经损伤的发生率为0.7%～3.5%，翻修手术神经损伤的发生率显著增加，因为翻修手术时坐骨神经可能被瘢痕组织包裹，解剖结构不清，在显露过程中就易直接损伤。引起神经损伤的常见原因有：过度的牵拉、压迫、延长、电刀烧伤、骨水泥灼伤、直接切割伤等，主要发生于坐骨神经，也可发生于股神经、闭孔神经和腓神经。

全髋关节置换术后坐骨神经、腓神经麻痹的危险因素有翻修手术和肢体显著延长。翻修术中监测坐骨神经,发现32%的患者出现神经损伤,但大多数不会出现临床症状,有学者建议行短潜伏期躯体感觉诱发电位(SSEP)监测,但由于设备昂贵,对麻醉有特殊的要求,并耗费时间,SSEP目前不应用于常规的初次全髋关节置换术中。

先天性或发育性髋关节脱位的患者,坐骨神经麻痹与肢体延长的长度相关。肢体延长在4 cm以内时,发生坐骨神经麻痹的概率不高。如果预期肢体延长超过这一范围时,应该进行股骨缩短术。也有报道提示,坐骨神经麻痹可由臀下血肿形成引起,如患者出现臀部和大腿疼痛、肿胀和压痛,同时出现坐骨神经麻痹表现应该怀疑有臀下血肿的形成。

(5) 血管损伤

髋关节置换血管损伤的发生率比较低,髋关节翻修手术时容易发生,最常见的是髂外动脉、股动脉。术中发生大血管损伤,常威胁到患者的生命安全,手术操作时应予注意。引起大血管损伤的常见原因:在松解前方关节囊时,尤其是翻修病例,可能损伤股血管;当髋臼内壁磨穿或螺钉过长,髋臼锉、螺钉以及骨水泥可能引起髂血管的刺伤或灼伤。采用生物型髋臼假体使用螺钉固定时,螺钉要尽量固定于髋臼后部,避免损伤血管。如果必须在髋臼前方两象限范围内进行螺钉固定,须用短钻头,钻孔时避免钻入过深。

大血管损伤分为破裂、髂血管血栓形成、动静脉瘘及假性动脉瘤,破裂导致术中大出血,可能需要腹膜后显露,夹闭髂血管,并及时进行血管修补。髂血管血栓形成、动静脉瘘及假性动脉瘤通常发生于术后。对于髋臼内壁缺损、假体或骨水泥内陷的患者,进行翻修手术前,一定要进行血管造影与CT扫描,了解血管与髋臼的关系,是否存在假性动脉瘤等情况,作好修补血管的准备。

(6) 脱位

髋关节脱位是全髋关节置换术后常见的并发症,分为前脱位与后脱位,以后脱位最为常见。髋关节脱位的发生与下列因素有关。

1) 髋关节有既往手术史,尤其进行全髋关节翻修术。初次关节置换术脱位发生率为0.6%,而翻修手术为显著增高,可能与翻修手术软组织显露广泛有关。

2) 手术入路 采用后外侧入路时,臼杯容易出现后倾,这常由于股骨向前牵拉不够,假体植入时髋臼放置装置被推移向后引起。另一方面,如果骨盆固定不牢靠,可能产生判断偏差。术中切断所有的短外旋肌群可能是另一个影响因素,仔细修补髋关节后部的软组织袖,可增进稳定性。

3) 软组织与肌肉张力不足或不平衡,尤其是外展肌薄弱。如髋关节不稳伴有神经功能障碍、酗酒与术后不配合的患者,应该慎重进行髋关节置换手术,可考虑双极股骨头或限制性全髋关节置换。手术治疗脱位多次失败的患者,最好考虑去除置换的假体,而不再进行重建手术。

4) 髋臼假体的位置不佳,术后髋关节假体之间或假体与周围骨质或骨水泥发生碰撞。髋臼假体的前倾角在15°±10°,外展角为40°±10°,股骨假体前倾为不超过15°为宜,在此安全范围不容易发生脱位。当髋臼杯前倾角过大时,髋关节伸直、内收并外旋时可发生前脱位。如果髋臼杯后倾,关节屈曲,内收并内旋时会发生后脱位。髋臼杯过度倾斜时,内收活动会导致上脱位,尤其伴有关节残留内收挛缩或股骨与髋臼下缘遗留的骨赘发生撞击时。相反,如果髋臼杯倾斜近乎水平位,稍屈曲关节就会出现撞击,因而会发生后脱位。

5) 大转子撕脱骨折或不愈合 多见于大粗隆截骨患者。

(7) 异位骨化

常规初次全髋关节置换术后发生异位骨化非常少见。异位骨化易发因素有男性、强直性脊柱炎、肥大性骨关节炎、创伤后关节炎手术后,确切原因尚不清楚,多见于大量的骨质切除和广泛的软组织解剖之后,如股骨上端切除肿瘤假体置换后,通常形成大量的异位骨化。异位骨最早于术后2～3周可有影像学变化,多于3个月内进展至广泛骨形成。

异位骨化的分型(Brooker分类法):Ⅰ度,关节周围软组织内骨岛。Ⅱ度,股骨近端或骨盆侧形成的异位骨之间至少有1 cm的间隔。Ⅲ度,股骨近端或骨盆侧异位骨之间不足1 cm。Ⅳ度,关节强直。

异位骨化通常无痛,但可造成不同程度活动受限,主要影响是活动度的丧失,它不造成跛行和影响肢体的力量,据报道明显的功能丧失仅有2%～7%。大多数异位骨化不产生疼痛,很少需切除异位骨。

预防异位骨化的方法是低剂量放疗、非甾体类抗炎药与二磷酸盐。采用600～700 cGy或1 000 cGy，单次照射疗法对术后恢复干扰小且更经济。非甾体类抗炎药(NSAID)特别是吲哚美辛(消炎痛)，可以减少异位骨化的形成，尽管有学者报道治疗短至2周也获得了成功，一般推荐剂量为每日75 mg服用6周，以类似的给药方法使用其他NSAID也有疗效。二磷酸盐也能防止异位骨化的形成。

(8) 假体松动

假体松动已成为全髋关节置换术后最严重的远期并发症，也是进行翻修手术最常见的原因。按照松动产生的原因分为感染性与无菌性松动，感染性松动参见并发症中感染的内容。无菌性松动主要由假体磨损引起的骨溶解所致。近年来，随着手术技术、假体设计、材料与工艺等方面的不断改进，假体无菌性松动发生率显著降低，但它仍然是影响髋关节置换远期疗效的主要原因。

诊断：目前对松动的诊断尚没有完全统一标准，其主要症状为疼痛，常表现为负重时疼痛，主要位于大腿或腹股沟区，休息后疼痛减轻，旋转时加重，可出现Trendelenburg征。如果影像学上表现明确，假体周围出现宽＞2 mm的透光带(图17-7)，同时患者在负重和活动时出现疼痛，休息后疼痛减轻，松动的诊断即可成立。但是，对于早期松动的疼痛常缺乏特异性，要明确疼痛是由松动引起还是由其他因素引起有时存在一定的难度，需除外髋外因素引起的髋部牵涉痛，如脊柱疾病、骨肿瘤、股骨转子滑囊炎等，不能仅根据股骨或髋臼骨水泥周围出现透光区，诊断松动或隐匿性感染，必须结合症状仔细复习患者的X线片，与以前的X线片相互对照，观察假体的柄、骨水泥、骨质以及它们之间界面的变化情况。对没有症状的假体周围的透亮线应该密切随访，如果骨质破坏进行性加重，也必须进行翻修，延迟手术会造成进一步的骨质丢失，使翻修手术更为困难。

放射性核素扫描有一定的帮助，关节置换手术后通常表现为假体周围浓聚，但6个月后恢复正常，如在假体周围骨质出现大量放射性浓聚，即说明存在松动或感染的可能。关节造影对确定诊断意义有限，因为很难看出造影剂与不透光的骨水泥之间的差别。

下述表现通常提示松动的可能，但X线表现并不一定都产生症状。

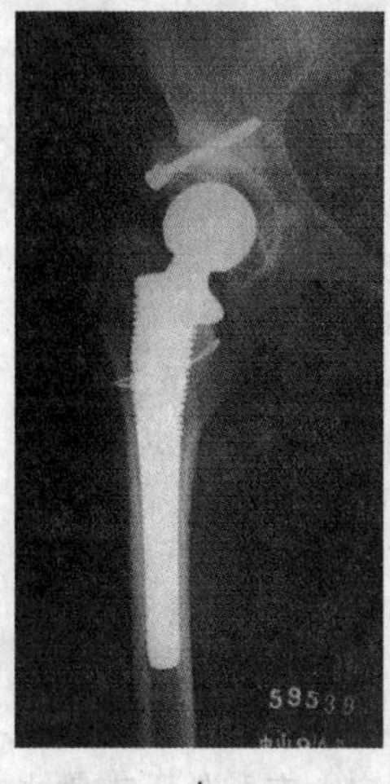

A

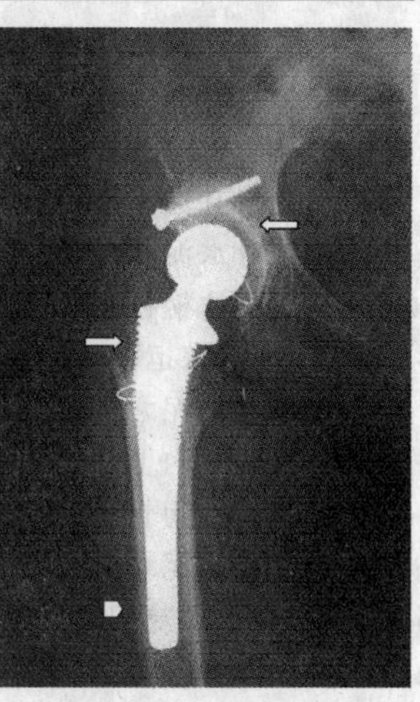

B

图17-7 全髋关节置换后假体松动

A. Ⅰ型DDH行国产珍珠面全髋关节置换，髋臼植骨
B. 10年后出现髋臼假体与股骨假体的松动，图中显示出X线透亮线(⟹)假体远端向外移位，尖端处骨质增生(▭⟩)

1) 骨水泥型股骨假体　柄的外上1/3与相邻的骨水泥壳之间出现透光带，提示柄与骨水泥分离；骨水泥外壳与周围骨质之间出现透光带；相对于骨水泥近端表面和股骨颈的近端位置股骨假体移位，包括柄和骨水泥一起下沉、柄在骨水泥中下沉以及柄的内翻角度增加；骨水泥壳出现变薄、碎裂或折断(图17-8)；在前后位或侧位X线片上出现柄的变形。

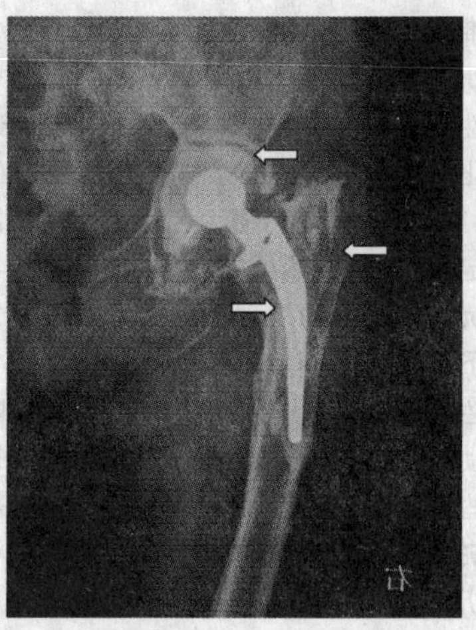

图17-8 骨水泥髋臼和股骨假体均出现松动，骨水泥断裂，出现骨溶解和骨缺损

上述影像学改变，尤其是打压植骨后的假体下沉，如果患者没有临床症状，且影像学不再发生进一步的变化，假体可以重新获得稳定。另一方面，少数患者可能没有透光带，但翻修术中却可证实在假体-骨水泥或骨水泥-骨界面存在松动。

股骨假体柄松动的机制如下。

Ⅰ型：活塞运动。假体柄在骨水泥中下沉，柄的外上部和骨水泥之间可见透光带，是由骨水泥包裹不完整或缺乏内上部支持及外侧中部固定不牢所引起的。另一种为骨水泥在髓腔内一起下沉，透光区见于整个骨水泥块周围。在透光区周围常伴有"晕圈"现象或出现薄层的反应性硬化骨细线(图 17-8)。

Ⅱ型：柄内侧支点作用，柄中部内侧的支点作用由柄的近端内移引起的，由于内上方和外下方骨水泥支持不够，柄的远端尖部向外移位。

Ⅲ型：股骨距支点作用，假体柄的远端向内或向外摆动作用引起，柄和骨水泥以此为支点在假体远端形成一种挡风玻璃刷样的活动。在柄的尖端水平皮质骨硬化增生(见图 17-8)。

Ⅳ型：假体折弯疲劳是由柄的近端丧失支持而远端固定牢固引起的。

在髋关节置换手术过程中，应该采用第 3 代骨水泥技术，要将骨面冲洗干净，并进行良好的骨水泥加压。

虽然股骨假体松动常发生于柄-骨水泥界面，髋臼假体的松动却很少发生于杯-骨水泥界面，更多发生于骨水泥-骨的界面(见图 17-8)。

2) 生物型股骨假体　假体松动的判定存在一定的困难，尤其是影像学上无明显改变时，主要依靠临床诊断。生物型假体影像学上不稳定的表现为假体进行性下沉或在髓腔内移动，假体至少部分由分散的硬化线包绕(见图 17-7)，两者由更宽的透光带隔开，但假体术后早期下沉，有利于柄在髓腔内重新获得稳定，骨长入仍然可以发生，所以术后早期发生假体下沉不属于松动表现。如果术后数月或数年出现假体下沉则表明固定不稳。

3) 生物型髋臼假体　大多数生物型髋臼假体早期松动是少见的，多发生于晚期。但带螺纹的假体和某些羟基磷灰石涂层、无孔表面假体，早期的失败率较高。对于髋臼假体，臼杯的移动、螺丝断裂、金属壳折断以及表面涂层或钛丝的脱落是松动发生的明确证据(图 17-9)。出现连续的透光线可能是稳定的纤维长入，并不一定是松动，因此临床上仍然可以保持良好的效果。

处理：有明显疼痛的假体松动应及早进行翻修手术。对于影像学有变化(透亮区)但无症状的患者严格随访，如果有进行性骨溶解或骨缺失，也应该及时翻修，以免造成严重的骨缺损，增加手术的难度，而且影响手术疗效。

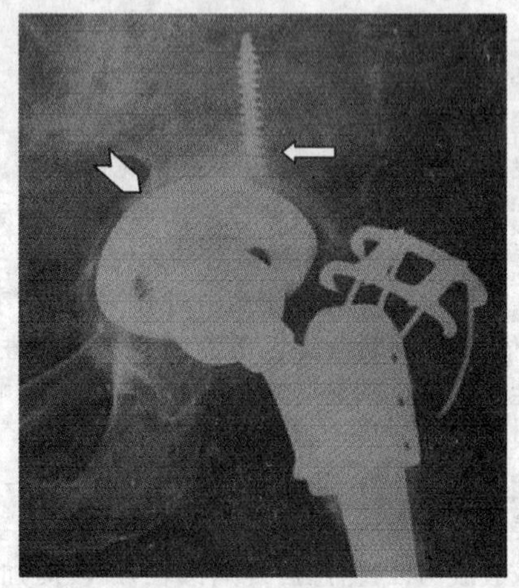

图 17-9　生物型髋臼螺钉断裂提示松动，髋臼周围透亮带

(9) 假体柄断裂

股骨假体柄的断裂由周期性负荷所引起，最多发生于使用不锈钢假体的患者。最早术后 6～18 个月即可发生，但通常手术后数年才发生，平均时间为术后 3.5 年。假体断裂多见于骨水泥型假体，也提示假体远端的固定非常牢固，而近端缺乏良好的支持，使得足够的应力作用于假体时才产生变形、断裂，与此相反，靠近端固定的生物型假体柄的折断非常罕见。因此，柄部损坏最常见的原因是近端 1/3 缺乏骨和骨水泥的支持，使柄受到导致金属疲劳的悬臂作用力。

假体断裂处多开始于柄的前外侧面，然后向内侧面延伸。不全断裂很容易被忽视，有时只在发生完全断裂后进行回顾分析时才能发现。可以将两张 X 线片重叠，观察柄是否已出现永久性变形。假体的弯曲和不全断裂通常不会引起疼痛，如果柄部完全断裂后通常会出现突然发作的剧烈疼痛，试图负重时可引起显著的疼痛。

如果柄出现任何程度的弯曲而且弯曲的确在进展，或者发现有不全性断裂，应尽早进行翻修处理，以便在发生完全断裂前，可以将柄整个取出。断裂假体要及早进行全髋关节翻修术。

(10) 感染

术后感染是全髋关节置换手术最严重的并发症之一，发生率<1%，导致手术失败、肢体残废甚至截肢等，其结果是灾难性的。随着髋关节置换手术技术的提高，手术室环境的改善(层流室的应用)，以及预防性抗生素的应用，大大降低了感染发生的危险，但并不能因此而降低对感染预防措施的重视。

术后感染的易发因素包括类风湿关节炎、糖尿病、免疫系统损害、翻修手术等，手术时间超过 2 h、皮肤坏死、血肿形成也大大增加了感染的可能性。

持续性疼痛是术后感染的主要临床症状，早期可伴有发热、切口红肿、渗液等，当髋关节置换手术1周后还存在持续疼痛或发热，要注意排除有无感染的可能。对于典型的影像学变化，诊断并无困难(图 17-10)，但多数情况下诊断存在困难，缺乏典型的影像学变化，需要实验室检查进行鉴别，在严格的无菌条件下行髋关节穿刺，进行关节积液的常规加细菌培养，明确诊断。为使穿刺准确，荧光屏监视必不可少。进行穿刺操作时，须遵守外科手术严格的无菌要求，进行彻底的刷洗和术前准备。皮肤上的菌落有可能被带入培养基而引起结果混乱，或更为糟糕地被带入关节内。

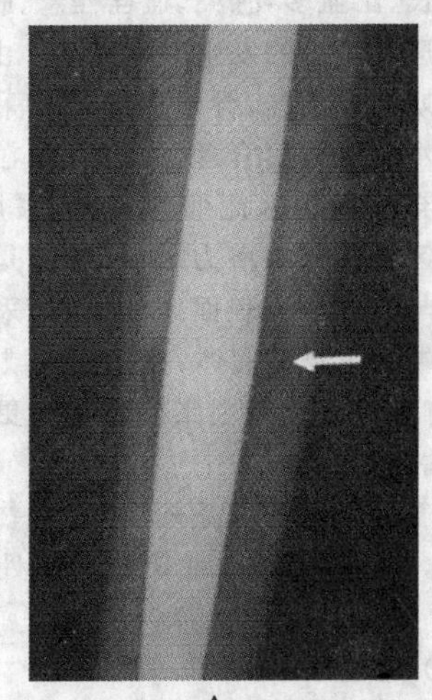

A

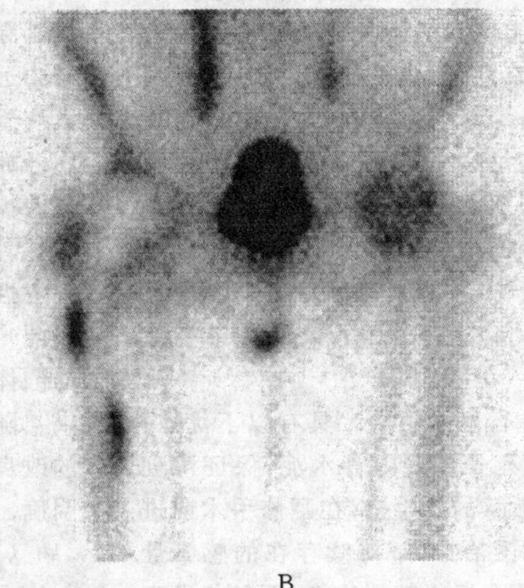

B

图 17-10　假体感染

A. X 线片显示有局灶性骨吸收　B. ECT 显示有浓聚，需注意 ECT 阴性有助于排除感染，但阳性结果的特异性不高

Coventry 根据感染出现的时间和特点将全髋关节置换术后感染分为 3 期。①Ⅰ期感染：术后 1 个月内，为急性感染，包括典型的切口感染、深部血肿感染及表浅感染。②Ⅱ期感染：为深部迟发性感染，病情发展缓慢，手术后 6～24 个月症状逐渐明显。③Ⅲ期感染或晚期感染：发生于术后 2 年以上，此前髋部无不适症状，晚期感染一般被认为是血源性感染。

Tsukayama 对上述分类进行了改良，分为 4 型。①Ⅰ型为术中培养阳性(PIOC)，即术中 2 次或以上培养同一致病菌阳性，通常静脉滴注抗生素 6 周；②Ⅱ型为术后早期感染(EPOI)，假体植入术后 1 个月内，需要清创手术，更换内衬，保留假体，静脉点滴抗生素 4 周；③Ⅲ型急性血源性感染(AHI)，即原来功能良好的关节出现急性感染症状，可进行保留假体的清创手术或取出假体；④Ⅳ型晚期慢性感染(LCI)，手术 1 个月后出现感染症状，感染存在已超过 1 个月，需要取出假体清创。

大部分全髋关节置换术后感染由革兰阳性细菌引起，尤其是金黄色葡萄球菌和表皮葡萄球菌。革兰阴性菌感染常见于血源性感染，尤其是源于泌尿系的感染。混合性感染一般见于窦道开放后，两种或多种细菌造成的重复感染。典型的影像学变化通常诊断并无困难(图 17-10)。处理如下。

1) 术中发现化脓性病变，全髋关节置换手术就应该放弃；如果发现浑浊的液体、肉芽组织，应进行革兰染色和滑膜的冷冻切片检查，如果每高倍视野内超过10个白细胞时，常常提示感染，其敏感性为84%，特异性为99%。必要时还应该申请进行真菌及结核杆菌培养。可疑部位的组织标本也应进行培养和药物敏感性试验。应该认识到仅仅革兰染色阴性并不能排除活动性感染的存在。肉芽组织增生且合并较多的急性炎细胞浸润，同时在组织切片上可看到组织坏死区，此时则高度提示有活动性感染存在。

2）抗生素治疗　单独抗生素治疗很少能获得成功，通常需要进行清创，如果是急性感染，清创手术在2～3周内进行的，可以考虑在彻底清创的基础上保留假体，但建议更换髋臼内衬。晚期感染通常需要取出假体，才能根除感染。翻修手术可以是一期翻修，也可以是二期翻修，目前绝大多数医师主张二期翻修。一期翻修必须有非常可靠的细菌学检查与药敏结果；否则，一期翻修的失败率要明显高于二期翻修。二期翻修通常采用抗生素骨水泥制作的Spacer或临时假体(prostalac)，通常采用的抗生素有庆大霉素、万古霉素等。对于全身情况不能耐受翻修手术，可以改良Girdlestone关节切除成形术。

3）二期或延迟施行翻修手术　具有以下优点：在翻修术前可以清除死骨和残留骨水泥，保证清创彻底；找到致病菌和敏感的抗生素，在翻修手术前进行较长时间正确的抗菌治疗；对持续存在的感染灶进行诊断分析，彻底治愈远隔部位感染，而且复发率低。但二期翻修术耗时、治疗费用高、拖延康复治疗。有不少学者推荐使用抗生素骨水泥，虽然这一方法在理论上具有优越性，但具有可靠对照的研究显示它并没有真正的疗效。

目前，一般低毒致病菌感染的翻修术在3个月后进行；但高毒、耐药菌株感染或多种细菌感染，一般将手术推迟约1年。在行翻修手术之前，要反复进行放射性核素扫描、红细胞沉降率(血沉)检查及穿刺培养。在极少数病例中，由于感染无法控制或出现血管并发症，需要行关节离断以挽救生命。只有在感染持续存在、引起疼痛、无法治疗而且肢体影响坐和走路时，才考虑采取这种极端措施。

4）预防措施　对存在易发因素的状况，术前予以纠正，如控制血糖、纠正营养不良、治疗常见隐匿的感染病灶；术前常规预防性应用抗生素，减少围术期感染，最佳的时间是在手术前1 h；术中要严格进行无菌操作，尽量缩短手术时间，使用层流手术室、防水的手术单、双层手套等。

17.2.12　人工全髋关节翻修术

随着初次全髋关节置换手术的患者数量日趋增加和患者的年轻化趋势，翻修手术的数量呈现出急剧增加。除了假体自然磨损导致骨溶解、假体松动而行翻修手术外，大部分患者全髋关节置换术失败的原因可以追溯至发生在初次手术时的技术问题。

全髋关节翻修手术比初次置换手术难度大、手术时间长、出血多，感染、血栓栓塞、脱位、神经麻痹、股骨穿透和骨折的发生率也更高。由于用骨水泥翻修中远期疗效不佳，骨缺损的治疗采用骨移植比用大块骨水泥填充更合理，许多医师在多数翻修手术中已放弃使用骨水泥假体，转而采用生物型假体。但缺损区骨长入的潜力很小，特别是把移植骨嵌入自体骨与假体多孔表面之间，如果采用多孔表面局限于近端的生物型假体，在多孔区域很难有骨长入，因此，有多位研究者主张使用带有更广泛多孔表面的假体。

随着翻修术的广泛开展，手术技术和假体设计的改良，其手术原则、对骨缺损的处理方法都逐步明确。

(1) 适应证

在决定疼痛的全髋关节假体是否需要翻修时，首先必须对患者进行分析，确定髋部或大腿的疼痛是由全髋关节置换失败引起的，还是由其他因素引起的，如椎间盘病变、脊柱关节炎、椎管狭窄、转移性或原发性肿瘤、血管阻塞或反射性交感神经营养不良等，手术前必须明确诊断。

全髋关节翻修术的适应证如下：

1）一部分或全套假体出现疼痛的无菌性松动。

2）进行性骨质丢失，即使没有疼痛，但如果伴随松动的骨吸收严重或进行性加重。

3）假体的断裂或变形。

4）反复发生的或无法复位的关节脱位；翻修后仍脱位，应考虑关节切除成形术。

5）全髋关节置换手术后感染。

6）假体周围骨折。

翻修手术最常见的适应证是出现引起疼痛的一部分或两部分假体松动，诊断通常可由连续拍片证实。鉴别机械性松动与感染性松动至关重要，所有的松动应该排除感染的因素。

(2) 禁忌证

同初次全髋手术。

(3) 术前准备

进行全髋翻修手术前必须明确患者的全身情况是否能够耐受手术、骨缺损的程度、假体与骨水泥取出的难易程度、翻修假体类型与尺寸、术中骨折的处理等，以避免术中出现意外情况而影响手术的进行，降低并发症的发生，复杂的全髋关节翻修手术尤其需要充分的术前准备。

翻修手术通常需要许多特殊的手术器械，如各种各样的骨水泥清除器械、生物型髋臼假体的弧形骨刀、异体骨(股骨头或节段异体骨)等。另外，还必须准备各种假体，没有这些必要的充分准备，进行翻修手术是非常危险的。

(4) 手术操作

1) 切口　应尽量使用原手术切口，注意皮肤切口的血供，避免坏死。如果初次手术是外侧切口，尽量不要采用，其显露比较有限。翻修手术切口通常比初次切口要大，尤其是复杂的翻修，需要广泛的显露和关节周围软组织松解。采用最多的还是后入路，只要紧贴股骨近端操作，大多数情况下，坐骨神经无须作常规显露。如果髋关节存在显著的短缩、移位等畸形，应显露神经或对神经进行触诊以确认神经未受到过度的张力，尽量减少坐骨神经损伤的危险。

2) 假体的取出　在取出假体前，将周围的瘢痕、增生骨质等阻挡组织彻底清除，显露出髋臼假体、股骨假体周围的骨质以及假体的界面。如果股骨与髋臼假体均需翻修，遵循先易后难的原则。在取出假体过程中，要尽量保护骨质，避免加重骨缺损。

(i) 生物型股骨假体：对于因松动进行翻修的近端固定股骨假体(近端涂层)取出并不困难。但对于因大腿痛进行翻修，而股骨假体良好的患者，取出就比较费时，比较好的方法是用一种很薄的弹簧骨刀将近端的假体骨质结合分离，同时可使骨质破坏降低到最小。

如果翻修固定良好的全涂层假体将是非常困难的，甚至会造成灾难性的后果。通常需要进行延长的股骨大粗隆截骨，显露出假体后，再用弹簧骨刀、线锯、小的球磨钻分离假体周围的骨质。

(ii) 骨水泥型股骨假体：骨水泥型股骨假体本身的取出通常并不困难，但骨水泥的清除操作比较费时，难度高，要避免产生股骨骨折、皮质穿孔和骨质的进一步破坏。通常在髋臼翻修完成后进行，因为股骨髓腔内不断的出血将影响髋臼的视野，而且增加术中失血量。如果骨水泥与股骨的界面松动，取出骨水泥就容易很多，但要注意将骨水泥与骨质之间的纤维膜刮除干净。对于结合比较紧密的骨水泥，清除时需要各种特殊的刮匙、弹簧骨刀，特殊设计的各种骨刀、倒勾型骨刀等，将骨水泥分片取出。取出远端的骨水泥，有时需要借助 C 臂机、纤维光源，避免股骨皮质穿孔。如果骨水泥过于坚强，可以用球磨钻，但球磨钻造成骨皮质穿孔的风险会更高，使用时要小心。目前有一种比较安全实用的工具是超声波骨水泥取出仪。如果股骨的翻修手术仍准备用骨水泥，只要原骨水泥层与股骨紧密结合，在 X 线片上两者之间无透光线，也无感染征象，在股骨内残留部分骨水泥是可以接受的，但残存的骨水泥必须固定良好，而且不影响翻修假体位置的摆放。但如果翻修假体为生物型或存在感染，必须彻底清除所有骨水泥，不能存留。

如果翻修是因为需要调整假体的角度，并非因为松动，术前 X 线显示骨水泥与骨的结合良好，就可以采用骨水泥加骨水泥技术(cement in cement technique)，不需要将原有骨水泥取出，不但手术操作简单，而且效果良好。这一技术的前提是抛光的假体柄可以从骨水泥套中顺利取出，然后，用球磨钻在骨水泥壳内磨去部分骨水泥，放入试模，直到位置满意，将骨水泥壳内碎屑冲洗干净，采用第 3 代骨水泥技术进行翻修。通常骨水泥枪需要特殊的细枪嘴，骨水泥要预先在冰箱冷藏室内预冷，而且不要等到拉丝期就可打入，否则，用细管注入可能会遇到困难。

(iii) 断裂假体的取出：近端固定的生物型假体很少发生断裂，断裂多生于骨水泥型假体，拔除断裂的股骨假体相当困难。近端部分常常已经松动，很容易与近端的骨水泥一起取出，而柄的远端部分仍牢固地固定于远端骨水泥套中。常需要光纤照明灯以观察假体的断裂面，使用一次性环钻和套紧式拔出器，钻透骨水泥取出折断的部分，不需要股骨开窗。没有配套的环钻，通常需要股骨开窗，取出断裂假体。

(iv) 髋臼假体：对于松动的髋臼假体，不论是生物型还是骨水泥型，只要显露好，髋臼假体没有中心脱位，髋臼假体的取出一般不会非常困难。通常采用弧形骨刀和球磨钻，如果遇到困难，可以先将内衬分割，逐块取出，尽量保护好骨质，避免加重骨缺损。

少数情况下，髋臼假体与骨质结合良好，由于感染、位置不佳等原因需要进行翻修，取出将会非常困难。通常采用一种带有股骨头器的弧形旋转骨刀(图 17-11)，切除假体与周围骨质的连接，并对骨质的破坏降低到最小。

当髋臼假体穿破髋臼内壁，可能与骨盆内的血管神经有关时，一定要作相应的准备，以防术中出现不必要的损伤，危及生命。

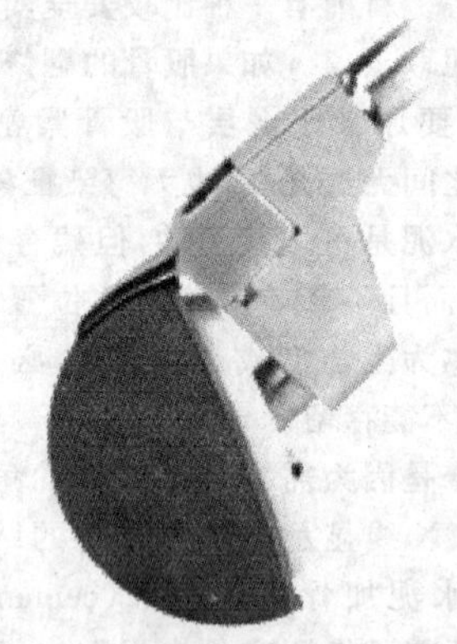

图 17-11 特殊的旋转骨刀可以用于生物型假体的取出

3) 骨缺损的处理　在取出假体与骨水泥、彻底清除周围的假膜后，要对股骨或髋臼的骨缺损情况进行评估，确定进一步的方案。常用的方法有骨水泥填充、自体骨或异体骨植骨、特殊假体等，对于植骨的方法有结构性植骨与颗粒打压植骨。每种方法都有其优缺点，要根据骨缺损的程度、对技术的掌握程度、手术条件以及患者的年龄、一般情况和功能要求综合考虑。对于轻度的骨缺损，一般通过调整假体的类型与尺寸就可解决。比较明显的骨缺损，需要特殊处理。具体方法如下。

Ⅰ) 髋臼骨缺损的处理　目前常用的髋臼骨缺损分类系统为美国骨科医师学会(American Academy of Orthopaedic Surgeons，AAOS)分类系统和Paprosky等的骨缺损分类方法，AAOS分类系统将髋臼骨缺损分为两大类：节段性骨缺损和腔隙性骨缺损(表 17-1)。节段型缺损是指髋臼支持性边缘的完全缺失，包括内侧壁的缺失；腔隙型缺损是指构成髋臼腔的骨质容量丢失。节段型和腔隙型缺损都可根据部位分为不同的亚型：前部、上部、后部和中央型。这些缺损可以孤立发生也可合并存在，内陷畸形是一种中央型腔隙型缺损。

表 17-1　AAOS 髋臼骨缺损的分类

类型	描　述
Ⅰ型	节段型骨缺损 周围型：上部、前部、后部 中心型：髋臼内壁缺损
Ⅱ型	腔隙型骨缺损 周围型：上部、前部、后部 中心型：髋臼内壁完整
Ⅲ型	混合型骨缺损(节段型+腔隙型)
Ⅳ型	骨盆不连续：前柱和后柱的骨折同时伴有髋臼上下部分的分离
Ⅴ型	髋关节融合后：髋臼的骨质没有真正的缺损，但真臼的定位可能会发生困难

髋臼翻修术大多数会选择多孔的生物型臼杯，配合数枚螺丝钉固定，髋臼假体在植入时应获得初始稳定性，因为翻修的成功与否取决于是否有骨长入，而骨长入的基本条件是假体的初始稳定，而且假体必须有大于 70%的覆盖面。因此，对于较小的节段型或腔隙型缺损，髋臼的完整性没有显著影响，安放臼杯后可获得良好的稳定性，可将缺损刮干净，用自体或异体松质骨填充，通常获得良好的疗效。

如果骨缺损比较大，影响到髋臼的完整性，臼杯无法获得良好的初始稳定性，就必须修补缺损，重建其稳定性。解决髋臼的骨缺损有以下几种方法。

(i) 骨水泥填充：能够迅速获得稳定性，操作简单，但中远期疗效不佳。因此，临床使用逐步减少。

(ii) 结构性植骨：在翻修手术中结构性植骨通常采用异体骨，存在传染性疾病的潜在危险，深低温冷冻骨不能防止传染性疾病的传播，但是经放射线照射后，乙型、丙型肝炎和艾滋病的发病率会显著下降。结构性植骨常用于影响假体稳定性的后方或上方大的节段型缺损，需要将髋关节的旋转中心下移数厘米来重建髋关节解剖中心，但植入的大块异体骨(包括自体骨)会随着其再血管化和再塑形出现强度减弱和塌陷，导致中远期随访时较高的失败率。对年轻患者，即使存在植骨块塌陷、吸收，对下一次手术却能提供较好的骨量。在髋臼重建时结构性植骨占髋臼假体骨性支撑的30%～50%时，可以用非骨水泥臼杯加多枚螺丝钉固定，如超过则要采用特殊的髋臼假体，如子母臼、增强杯等。假体的远期稳定性是靠宿主带血运的骨床骨长入假体表面获得。<30%的骨床缺损则通常无需使用结构性植骨。

(iii) 颗粒骨打压植骨(IBG)：Sloof 最早报道打压植骨技术(图 17-12)，通过将颗粒状异体骨打压填实，来修复髋臼骨缺损，中期随访效果良好。标准的打压植骨技术采用新鲜冷冻异体股骨头，把松质骨用咬骨钳制成 8～10 mm 的松质骨颗粒，植入骨缺损处，用专用工具将松质骨颗粒逐层夯实，必须满足承载负荷与初始稳定性的要求。然后，压实的松质骨床上植入骨水泥型臼杯。在术后的随访中，虽然部分臼杯出现移位，但多数能够重新获得稳定。

由于大的髋臼缺损，尤其是节段型缺损(髋臼内壁缺失)，对打压植骨的操作与效果以及臼杯的稳定性有明显的影响，现通过采用钛网与螺钉增强强度，提高颗粒骨打压植骨的稳定性。

(iv) 特殊的髋臼假体：由于结构植骨与颗粒骨打压植骨存在移植骨的塌陷或吸收，臼杯有产生移位的可能。因此，有学者主张将臼杯安放在高位的宿主骨上，以求与健康骨床的直接接触，假体则通过增加其颈长来恢复肢体的长度。但高位髋关节中心属于非生理性，有人认为这种方法将影响手术的长期随访结果。事实上不伴有髋中心外移的单纯髋中心上移的非骨水泥髋臼假体，其长期随访的松动率并无明显升高。

另外一种选择就是采用特殊的髋臼假体，包括髋臼增加杯、椭圆形臼杯(子母臼杯)。髋臼骨缺损通常以内壁与后上方多见，且影响髋臼的稳定性。采用防止内陷的髋臼增强杯可以避免产生移植骨的塌陷。椭圆形生物型臼杯适用于前后壁相对比较完整但上方为节段型骨缺损，可以恢复正常的髋臼中心，增加与正常宿主骨直接接触面积，但要获得假体与骨床之间良好的压配，不遗留空隙，技术上有一定的难度，而这恰恰会影响到其长期疗效。

(v) 髋的损毁性骨缺损伴有骨盆不连续：术前如果发现髋臼后柱的缺损，伴有 Köhler 线不连续或出现骨折时应该充分怀疑骨盆不连续的可能性，要进一步加拍骨盆斜位片或 CT 进一步明确，要做好充分的术前准备。否则，手术的失败率很高。选用髋臼后柱重建钢板固定加结构植骨或带坐骨翼的髋臼支持环加植骨，首先恢复骨盆的连续性，然后充填骨缺损。少数严重的骨缺损，可能要用定制假体。

Ⅱ）股骨骨缺损的处理　在大部分翻修手术中都存在不同程度的股骨骨质缺损。股骨骨缺损常用的分类方法有很多种，其中 AAOS 髋关节委员会提出的股骨缺损的分类方法比较全面，Ⅰ型为节段型缺损，股骨的支持性皮质骨壳的骨丢失，有近端、部分性、完全性、插入性、大转子亚型；Ⅱ型为腔内型缺损，属于包容性缺损，松质骨或皮质骨的内面形成凹陷，未累及股骨的皮质骨壳；Ⅲ型为混合型缺损；Ⅳ型为对线不良型，包括旋转和成角；Ⅴ型为股骨狭窄型；Ⅴ型为股骨连续性中断型。Gross 的分类方法简单，主要用于指导结构植骨；Engh 等和 Paprosky 等的骨缺损分类方法(表 17-2)主要用于对采用远端生物型假体翻修的指导，而 Endo-Klinik 的分类方法主要用于对骨水泥型翻修假体的指导。

表 17-2　Paprosky 股骨近端骨缺损的分类系统

分类	干骺端内侧	干骺端外侧	骨干
Ⅰ	轻微骨缺失	完整	完整
ⅡA	缺损累及到小粗隆水平	完整	完整
ⅡB	缺损累及到小粗隆水平	骨质缺失	完整
ⅡC	缺损累及到小粗隆下方	完整	完整
ⅢA	缺损累及到小粗隆水平	完整	骨质破坏
ⅢB	缺损累及到小粗隆水平	骨质缺失	骨质破坏
ⅢC	缺损累及到小粗隆下方	骨质完整或缺失	骨质破坏

股骨翻修的目的是要能达到可靠的假体固定、恢复股骨的完整性和骨量、平衡肢体长度、恢复髋关节的外展功能。目前股骨翻修假体的种类很多，各有其相应的优缺点，如何选择翻修假体取决于股骨的骨量情况、股骨的形态、患者的全身状态以及医师对翻修术的理念。其中股骨的骨量保留状态可以说是最重要的决定因素。

(i) 骨水泥型假体翻修：适用于存留的股骨近端松质骨良好、患者的预期寿命不长的高龄患者，感染的翻修、近端需要作大段的同种异体的骨移植。如果股骨近端存在皮质缺损、皮质很薄或股骨近端内的骨质为硬化骨，骨水泥不能获得良好的固定，建议不要使用骨水泥翻修假体。如果必须采用骨水泥型假体进行翻修，一定要通过彻底清除骨水泥和

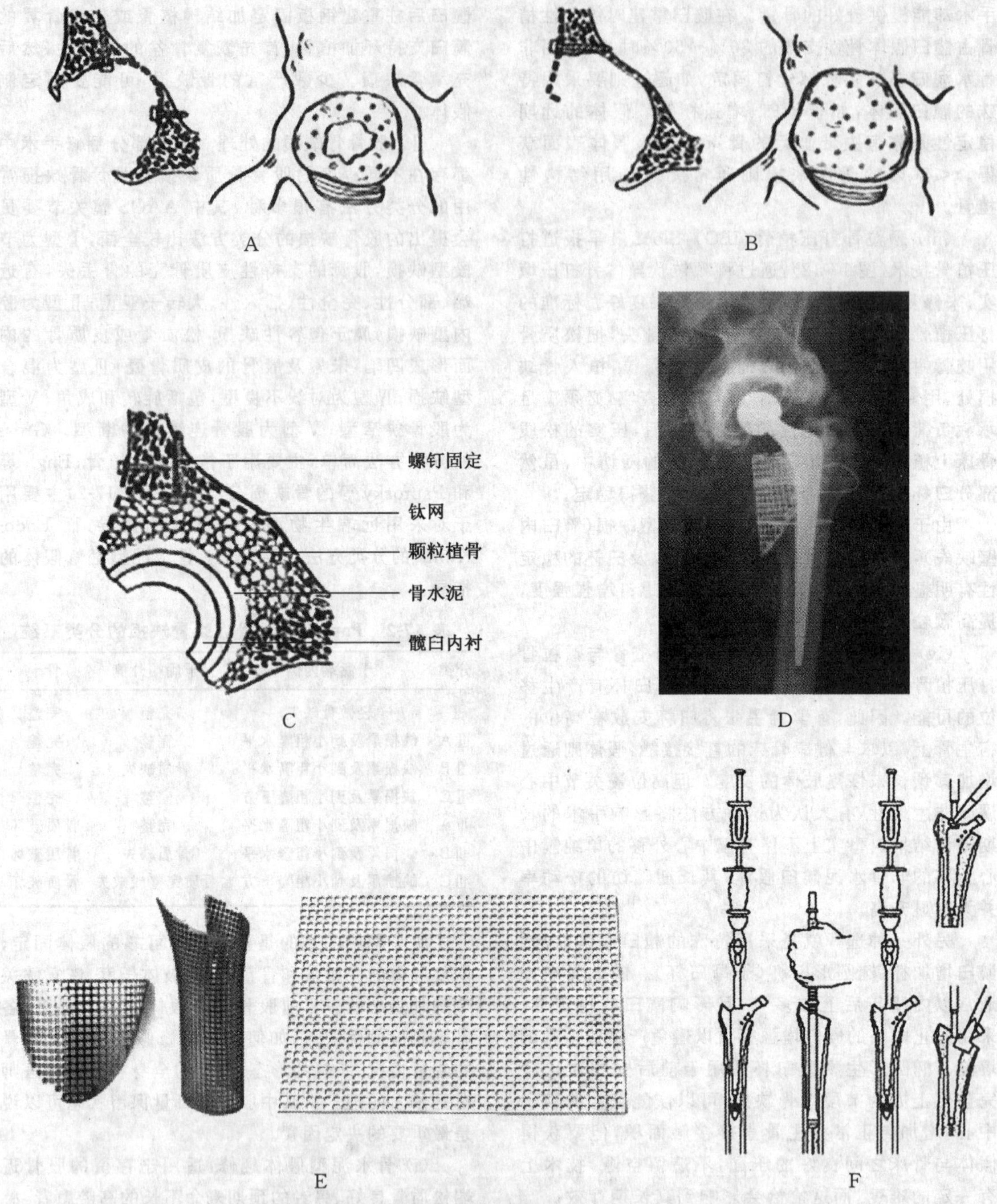

图 17-12　采用颗粒骨打压植骨技术

A. 髋臼底部缺损　B. 髋臼上部骨缺损　C. 重建后的剖面图　D. 髋臼与股骨侧翻修均采用打压植骨技术，股骨小粗隆采用钛网进行修补　E. 重建用的钛网　F. 打压植骨重建股骨缺损的方法：在距骨水泥远端最少 1 cm 处将带定位杆的髓腔塞塞紧，用远端冲击器先打入松质骨，再用近端冲击器进行近端加压植骨，冲击器的肩部至少低于大粗隆顶部 2 cm，放入试装假体，复位，位置良好就可安装骨水泥假体

残存的伪膜，股骨内光滑的骨面要用磨钻打毛，采用第3代骨水泥等手段，确保骨水泥与骨之间能够获得很好的结合。

(ii) 生物型假体翻修：早在20世纪80年代生物型假体出现之际，有作者尝试用于股骨翻修，但效果不佳，主要是因为股骨近端的骨质不佳，近端固定的生物型假体不能获得良好的固定。近年来生物型股骨假体的翻修术数量呈显著增加趋势，其原因在于这类假体改进、手术技术相对简单、能够提供生物固定、远期疗效好。近端固定假体经过改进，加强了假体抗旋转和抗沉降的能力，同时还能提供股骨距替代作用，则其远期效果能够显著地改善。远端固定型假体通过广泛涂层或锥形凹槽来达到抗旋与防止下沉，获得初始稳定，使假体远端与股骨干之间达到生物固定效果，翻修手术中通常股骨近端破坏严重，可以采用自体骨或异体骨填充骨缺损(图 17-13)，这种假体可以简化操作，具有优势。但远端固定假体或全涂层假体会引起应力遮挡，导致股骨近端骨质吸收，尤其当假体尺寸过大，超过 16.5 mm 时，近端的应力遮挡比较明显，不宜采用该类假体，此外，需要再次取出这类假体时非常困难。

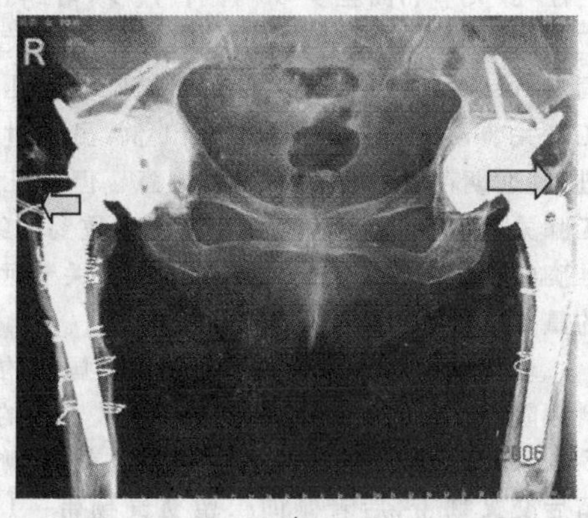

A

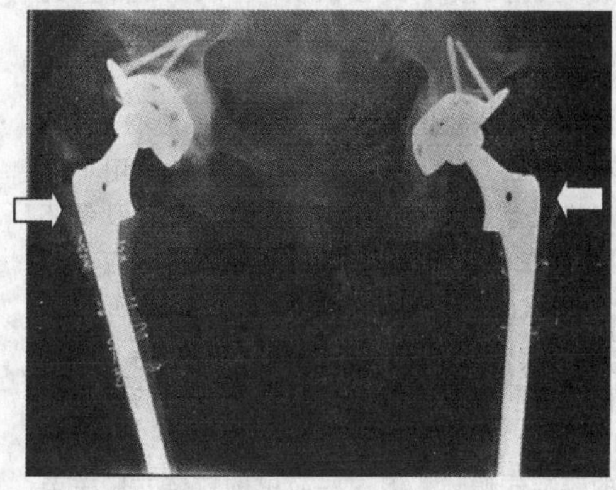

B

图 17-13 双侧髋关节翻修术后

A. 双侧髋关节第2次翻修术后再次出现松动 B. 第3次行带股骨距的全涂层假体＋植骨翻修术，术后1年的X线示植骨处愈合良好(图中箭头)

(iii) 股骨近端打压植骨及骨水泥固定假体：打压植骨技术是通过将颗粒状异体骨打压填实，来修复骨缺损，在前面髋臼缺损的修补中已经叙述。Ling 最早将这一技术应用在股骨缺损的修补，在用打压器械夯实后，安放骨水泥型表面抛光的锥形柄(图 17-12)。在髋臼侧效果良好，股骨侧的应用还存在争议，容易产生假体的下沉、股骨骨折，手术技术要求高，因此，对年轻患者具有恢复骨量的优点，对年老患者建议采用骨水泥型假体翻修。

(iv) 异体骨＋假体重建：如果患者股骨近端毁损严重，通过常规植骨和假体难以进行翻修，应考虑选择异体骨和假体复合重建，或采用肿瘤型假体来重建。异体骨与假体复合重建就是将非骨水泥型长柄假体的近半部分用骨水泥固定在异体股骨近端的髓腔内，远半部分通过压配方法直接插入宿主正常的股骨干内，原损毁严重的宿主股骨近端劈开后包绕固定在异体骨外，这种方法因为能够提供更好的软组织和骨的连接而优于选择肿瘤型假体，异体骨与自体骨之间连接处的愈合比较困难，至少需要3～6个月，异体骨将始终保持在死骨状态下，爬行替代是一个漫长的过程。主要并发症为术后脱位和感染，目前尚缺乏远期疗效的报道。

(v) 肿瘤型或特殊设计的股骨假体：肿瘤型假体主要适用于高龄的生活能力低下的患者，它能够缩短手术时间。

(阎作勤)

17.3 人工膝关节置换术

17.3.1 发展历史

膝关节成形术(arthroplasty)一词，最初仅指切除关节病变。1831年，Syme描述了关节切除的一般原则。1860年，Textor报道了膝关节切除的技术。1861年，Ferguson报道切除膝关节后形成一个活动的假关节，术后形成关节强直。为了在一定程度上恢复关节面。1860年，Verneil提出了插入物关节成形术(interposition arthroplasty)，切除的两端骨间插入软组织，以期恢复活动并减轻疼痛。1883年，他报道以关节囊为膝关节插入物。至20世纪30年代，有文献报道使用的插入物有肌肉、筋膜、皮肤、脂肪组织、猪膀胱，甚至卵巢囊肿壁等。1950年，Kuhns等以尼龙膜为插入物。但这些方法均因为较高的失败率而被放弃使用。虽然直到1991年Murry等仍有插入物应用的报道，但总体结果均不满意。

1940年，Campbell以钴铬合金代替股骨远端，因效果不佳而放弃。之后，又有多位学者使用不同的设计代替股骨或胫骨，但无论是单独置换股骨还是胫骨，都存在植入物沉入骨质，并导致相对应关节面的软骨破坏，从而使人们考虑全关节置换的必要性。

最初考虑同时置换股骨和胫骨关节面的设想出现在1950年代，有Walldius、Sheir等学者设计了带髓内柄的铰链式假体。但这些简单的铰链式膝关节无法实现复杂的膝关节活动。并且，因为其金属-金属的接触面导致其无法接受的高失败率和感染率。1970年代，法国医师Deburge设计的Guepar型铰链式膝关节作出了改良，将铰链的旋转轴向后上方移动，以接近生理旋转中心，股骨假体增加了髌骨轨道并且有外翻7°的髓内柄，重建正常的力线。但由于全限制铰链膝缺乏生理膝关节的运动学机制，所有负荷的传导、运动过程的调节以及单轴屈伸运动均通过铰链机制，因此，骨-骨水泥或骨-骨界面的负荷增加，故松动率高。因此，一般学者认为，无论旋转轴位置、活动范围或植入物的固定方式如何，铰链膝由于不能转化生理轴向旋转负荷，必然导致固定部位负荷的增加，原则上终会导致松动、部件断裂而失败。由此，出现了新型的铰链型膝关节，即旋转铰链膝关节。代表产品有ENDO型旋转铰链膝(Fa. Waldemar Link)、Kinematic Ⅱ旋转铰链膝(Countesy Howmedica)，除了可以模拟膝关节生理屈伸运动，还可有一定程度的旋转运动。这些假体在感染、松动和髌骨并发症方面较早期的Guepar铰链膝有很大程度的改善。在一些肌肉、韧带功能不全，膝关节严重不稳定的患者中，以及肿瘤患者保肢手术中仍然被很多医师采用。

1971年，Gunston接受了Charnley低摩擦髋关节的理念，提出了多中心人工膝关节设计理念，成为人工膝关节向现代新型人工膝关节过渡的雏形。他提出使用假体的设计模拟生理膝关节多中心旋转功能，使步态正常，减少松动率。由于其改良的动力学，获得了较好的早期疗效，但中远期失败率仍然很高。

1970年，Mark、Converty等(Mayo诊所)认为，理想的人工膝关节应该是非铰链型，但具有内在稳定性，膝关节屈曲至少90°，截骨量少，可纠正畸形，应用生物相容性好的材料，可避免使用粗大的髓内固定，保留髌骨。为此设计了Mark Ⅰ型几何型人工膝关节，并于1971年植入第1例，虽经过多次改进，其远期存活率仍然不尽如人意。但在几何型人工膝关节应用的经验中，提出了一条重要的经验，即准确的软组织平衡是非限制型人工膝关节远期疗效的重要条件。

现代全髁型人工膝关节主要由美国纽约特种外科医院(HSS)的Insall、Ranawat与波士顿的Scott、Thornhill医学研究机构设计研发。前者倾向不保留后交叉韧带，后者倾向保留交叉韧带。1970年，上述两个研究组均从代表新型表面全髁型膝关节-双髁人工膝关节(duocondylar)基础上分别进行了侧重点不同的研究。

在双髁人工膝关节基础上出现两个设计模式，即：①HSS组保留后交叉韧带的双髁人工关节膝；②切除后交叉韧带的全髁人工膝关节，股骨髁假体上均有髌骨轨道的设计。波士顿组则在双髁人工膝关节的基础上发展了保留后交叉韧带的Kinamatic型和Robert-Brigham型假体。HSS组于20世纪70年代中期在双髁基础上设计出Insall-Burstein后交叉韧带替代型膝关节。之后，各个公司在此基础上对人工膝关节假体的设计进行进一步的改善，现代人工膝关节设计拉开了崭新的一幕。

17.3.2 人工膝关节的理论基础

(1) 膝关节的重要解剖

膝关节由股骨、胫骨和髌骨组成，股骨、胫骨由关节囊相连，胫骨平台上有半月板与股骨接触，关节中央有前后交叉韧带，两侧有内外侧副韧带，前方有髌骨及其上方的股四头肌及下方的髌韧带组成伸膝装置。

1）股骨 股骨髁为两个凸起的圆形隆起，向后约呈20°角，但两髁不相同，其前后轴也不平行。内髁轴的斜度较大。内、外髁形状不尽相同，外髁前部较后部宽，而内髁则前后宽度接近。内髁尚有一沿垂直轴的弯曲称旋转弯曲（图17-14），内、外髁虽然大小形状不同，但由于股骨轴线的倾斜，站立时内外关节面处于同一水平。

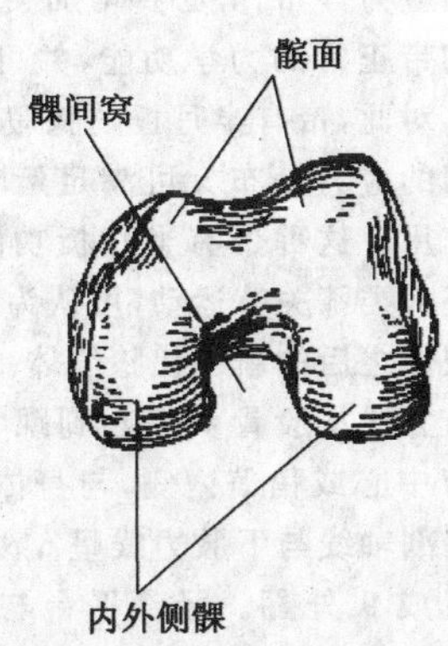

图 17-14 股骨远端解剖

从冠状面看，股骨内外髁与胫骨关节面相匹配。矢状面股骨髁关节面呈多中心渐屈线（evolute），即：股骨髁关节面的半径，后髁较股骨髁前、中部分短。而以股骨髁中份半径最长（图17-15）。

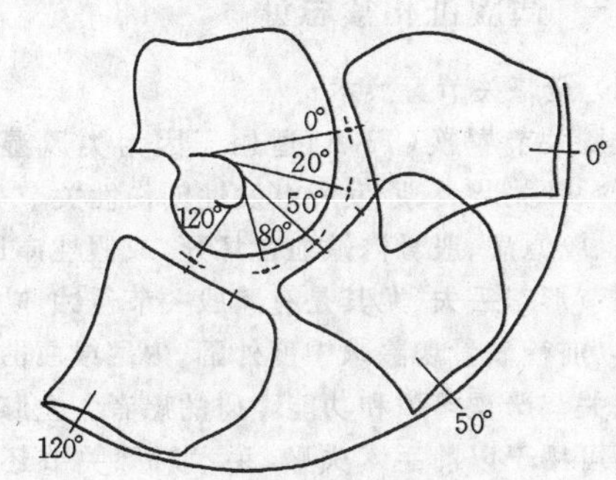

图 17-15 膝关节矢状位多中心"渐屈线"

2）胫骨 胫骨近端的外形内侧较外侧大，由平台关节软骨、较坚实的软骨下骨及周围的皮质骨组成。平台下最坚强的骨质，内侧为靠近中央及内侧，外侧为后外侧。总的来说，内侧骨质较外侧坚强。胫骨近端越往下，骨质的强度越差。成人胫骨平台呈4°～10°后倾，使股骨髁有向后滑动的倾向，但此滑动受韧带、关节囊和半月板的限制。胫骨平台中央有凸起的髁间棘，突入股骨髁间凹，与前后交叉韧带一起形成膝中央稳定结构。胫骨内外侧平台关节面在矢状面上形状不同，内侧胫骨为凹面，而胫骨外侧平台为凸面。因此，内侧平台关节面是双凹形，而外侧平台关节面冠状面为凹面，矢状面为凸面。所以，股骨内髁与胫骨内侧平台之间的关系较稳定，而外髁因关节面不匹配则相对不稳定，需要前交叉韧带加强其稳定性。尽管股骨和胫骨的关节面的匹配并不完善，但它借助半月板、交叉韧带以及关节滑液却能达到完善的匹配和稳定。

3）下肢轴线 膝关节为下肢的中间关节，于站立位传导体重和其他负荷，其轴线有解剖轴（anatomy axis）与机械轴（力线轴，mechanic axis）。

解剖轴为股骨、胫骨骨干的中心轴。机械轴为膝关节伸直位髋关节、膝关节和踝关节中点的连线（图17-16）。在正常的生理条件下，此轴线大体为一条直线，亦与站立时的负重线大体一致。股骨的机械轴是股骨头的中心与膝关节中心连线，胫骨机械轴为膝关节中心与踝关节中心的连线，小腿部分的机械轴与解剖轴基本一致，而股骨解剖轴与机械轴形成－5°～10°的外翻角，平均6°左右。股骨上髁轴（epicondylar axis）为股骨内、外上髁中点的连线（图17-17）。该轴线与下肢力线几乎垂直，屈曲时与膝关节屈曲轴线平行，为膝关节屈伸的旋转轴。

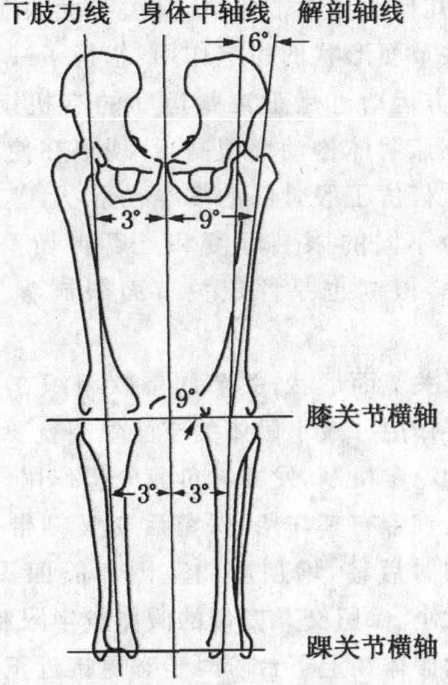

图 17-16 下肢解剖轴线和机械轴

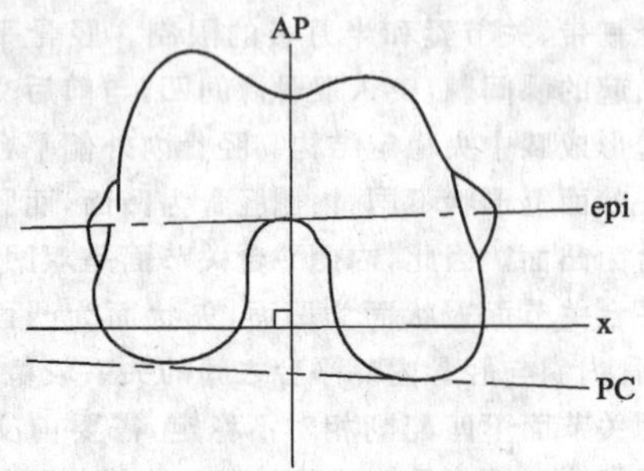

图 17-17　膝关节旋转轴线

4) 髌股关节　髌骨的主要功能是增加伸膝装置的杠杆力臂，从而提高股四头肌收缩的效率。在膝关节的运动过程中，伸膝杠杆力臂的长度是不断变化的，股骨的滑车外形、髌骨股骨接触面积的改变以及膝关节旋转中心的变化决定了杠杆力臂长度的改变。

(2) 功能解剖和生物力学原则

要恢复关节复杂的运动，对人工膝关节假体关节面几何形状就有很高的要求。正常膝关节在负荷下提供屈伸、轴向旋转、前后移动、内收外展和对抗内外向剪力。膝关节为多半径关节，关节面自身限制小，承受应力较小。早期人工膝关节假体采用铰链式、单半径形关节面，远不能满足上述要求，这些假体松动失败的教训成为随后设计的经验借鉴。

关节面形状与关节稳定机制和假体骨界面受力有关。关节面形状的限制可以增加假体松动的危险(如几何型膝关节假体，其关节面限制很大，单纯重视关节面形状的稳定作用，忽视了一定程度的旋转，侧方运动也是正常膝运动的有机组成部分，因此其临床假体松动率很高)。现仍在使用的膝假体中多数模仿了股骨髁的多半径形状，差别主要是胫骨平台不同的限制程度和是否保留交叉韧带。另外，旋转限制也是评定关节面限制程度的重要指标。

除了关节面形状，关节周围软组织在关节稳定中起重要作用。减小假体关节面限制就要充分利用韧带等的稳定机制，发挥其负荷分担作用。

交叉韧带有其作用，保留后交叉韧带可使股骨髁在屈曲时后移，增加屈曲范围和股四头肌力矩。限制程度小、保留交叉韧带的假体较半限制、切除交叉韧带的假体在上下台阶时步态更接近正常。保留交叉韧带时要注意考虑韧带和假体的配合，避免因两者不配合而产生应力失衡。几何型假体保留交叉韧带，却采用单半径关节面，后交叉韧带的张力限制了屈膝范围，因此易产生假体松动。运动型假体也保留后交叉韧带，但采用了多半径关节面，胫骨平台较为平坦，关节面限制小，允许前后向移动，使膝关节不仅可完全屈曲，韧带应力也接近正常。减少对膝关节的运动限制，要求假体关节面吻合度要小，这会产生点或线性接触，引起应力集中，加速假体磨损。如要平均应力分布，势必要增加关节面吻合度，这又会影响韧带正常的力学功能，并可能产生额外的界面应力。对此，带有半月板的膝假体，既平均胫股骨关节面间的应力分布又可满足运动需要，起到很好的协调作用。这种带有半月板功能的膝假体，更好地模拟了人类膝关节运动，可认为是继铰链型、髁型膝关节假体之后的新一代膝假体。

正常下肢力线从股骨头中心到踝关节中心，此线经过膝关节中心或稍偏内侧，与身体重心线成 3°外翻。股骨解剖轴线与下肢力线呈 6°外翻，换言之，与身体重心线成 9°外翻。胫骨平台与距骨的两者中心的连线构成小腿力线，与身体重心线也有 3°的外翻角(见图 17-16)。不同个体这些角度略有变化。人工关节置换术的长期疗效有赖于下肢正常力线的恢复。假体安置最理想的角度是使术后双下肢站立时，膝关节横轴平行于踝关节和地面，恢复关节面的正常力学分布。

17.3.3　适应证和禁忌证

(1) 全膝关节置换术

全膝关节置换(TKA)适用于因为类风湿关节炎(RA)、骨关节炎、原发和继发性创伤性关节炎、多关节炎、胶原病、股骨髁缺血性坏死，或假性痛风、创伤后关节形态丢失(尤其是有髌股关节侵蚀，功能障碍，或以前行髌骨切除)、中度外翻、内翻或屈曲畸形等有膝关节严重疼痛和功能障碍的患者。全膝关节置换还可用于以前手术失败、手术时膝关节还有满意的平衡和稳定性的情况，用于拯救膝关节。

禁忌证：受累关节以前有感染病史；胫骨、股骨、或髌骨表面骨量不够、骨骼不成熟和(或)神经性关节病。

明显的感染是绝对禁忌证。有以下异常的患者必须尽全力排除术前感染的可能性：发热和(或)局部炎症征象；X线片上快速关节破坏或骨吸收表现和无法用其他疾病解释的红细胞沉降率(血沉)增快,白细胞数增高或明显的白细胞分类偏移。另外,远处感染病灶,如泌尿生殖系统、肺、皮肤(慢性病灶或溃疡)和其他部位,为相对禁忌证,因为可能发生植入物部位的血源性播散。在植入前、中、后必须治疗感染灶。

在任何部位有活动性感染的患者,如泌尿生殖道、呼吸系统、皮肤(慢性病灶或溃疡)或其他部位,是使用假体的禁忌证。必须对感染灶进行治疗并且在手术前治愈感染。常规的术前、术中和术后预防性抗生素治疗对这些患者可能尤其重要。

RA的患者有较高的术后感染危险性,尤其是男性。RA患者使用激素同样可能增加感染的风险。RA患者的晚期感染报道可发生在术后24个月后。由于有较高的迟发性感染的风险,全膝关节置换在RA患者伴有皮肤溃疡或有皮肤反复破溃病史时是禁忌证。只要假体在体内,就必须继续对新发或复发感染进行监测,并在手术过程中预防性使用抗生素。

患肢有骨质疏松、失去肌肉或神经肌肉疾病影响[如无肌肉韧带支持结构和(或)关节神经病]的情况,是使用假体的禁忌证。稳定的无痛的功能位关节融合可能是全膝关节置换的相对禁忌证。继发于侧副韧带缺损的严重不稳定是使用非限制型假体的禁忌证。

(2) 单髁置换

1) 适应证　患者的选择是手术成功的关键,尤其是单髁置换术。Kozinn和Scott等认为单髁置换术的患者应该是单髁的骨关节炎或骨坏死;影像学检查提示没有对侧间室的病变,髌股关节不受累或只是轻度退变;术前膝关节屈曲至少90°;屈曲挛缩<5°,内翻畸形<10°,外翻畸形<15°;患者休息时疼痛轻微;活动量小,年龄最好在60岁以上。

2) 禁忌证　对于肥胖患者、活动量大的年轻患者以及有炎症性关节炎、血色素沉着病、软骨钙化、血友病、严重髌骨关节炎、髌旁软组织疼痛以及膝关节不稳者一般不考虑行单髁置换术。同时在手术中应检查对侧间室的关节软骨,如有软骨钙化或剥脱者,也不宜行单髁置换术。另外,如患者前交叉韧带不完整也不宜行单髁置换。

17.3.4 术前评估

全膝关节置换术前对患者的详细正确评估可直接影响手术的过程和术后的效果。除了常规对患者一般情况和手术难度的评估外,对患者的原发病、疾病严重程度的评估,各种畸形、骨质疏松的程度、骨缺损的情况、关节活动度以及肌肉萎缩情况的评估都是至关重要的。因此在全膝关节置换前,必须对以下各个方面进行正确的评估。

(1) 膝关节活动范围

无论是屈曲受限,还是屈曲挛缩,都会不同程度影响手术操作。膝关节屈曲受限将影响手术中的显露、定位装置的安装以及胫骨平台和股骨后髁的截骨,膝关节后方的骨赘清除也会相当困难。<30°的轻度屈曲挛缩较常见,一般不会影响手术的操作,但严重屈曲挛缩,尤其是长期不能行走,需卧床或依靠轮椅RA患者,固定膝关节屈曲挛缩甚至超过90°,往往还伴随内、外翻或旋转畸形。单纯采取多切除胫骨、股骨并不能完全解决屈膝挛缩畸形,往往需要依靠后关节囊松解手术,甚至需要松解腓肠肌、腘绳肌等结构,术后发生神经、血管牵拉伤和屈曲挛缩复发等并发症的可能性也大大增加,必须在术前有正确的认识。

(2) 下肢力线与畸形

主要指膝内外翻畸形。人工膝关节置换旨在恢复下肢力线,平衡软组织,重建关节稳定性。下肢力线的异常必然伴随关节周围软组织的挛缩和拉伸。对于严重的内外翻畸形,影响膝关节韧带平衡的情况,必须增加假体的限制性以获得稳定性。必要时,应选择具有内在稳定性的旋转铰链型假体。

(3) 骨质缺损

是人工膝关节置换术中经常遇到的棘手问题之一。如膝内外翻股骨髁破坏缺损、囊性变、髁发育不良、平台塌陷等,往往导致假体支撑的减弱、应力集中、假体早期松动等后果。根据骨缺损的程度不同,可采用骨水泥填充、植骨、金属垫片和定制假体等方法。术前作出合理的评估,准备必要的手术器械和假体。

(4) 骨骼质量

骨质疏松对全膝关节置换患者是影响其疗效的一个危险因素。对手术的要求也较一般骨关节炎患者高,必须避免因为操作不当造成的骨质缺损、骨折等并发症。同时,骨质疏松还影响膝关节周围软组织重建时韧带附着点的结构强度。严重的骨质疏松可能影响对假体的支撑,必要时需要考虑带柄的假体,以增加假体的稳定性。

(5) 局部软组织及血循环

在RA病中尤其重要。这些患者往往皮肤抵抗力低,愈合能力差。血管炎引起皮肤缺血、贫血。低蛋白血症造成局部软组织营养不良、静脉壁脆弱。长期使用激素和免疫抑制剂可使术后感染率明显升高。据统计,RA患者的术后感染率约为骨性关节炎的2.7倍。另外,术前长期使用NSAID药物,可能降低血小板功能,增加术中、术后出血,并增加术后应激性溃疡的危险。

(6) 术前X线评估

如上所述,膝关节周围骨质疏松、骨缺损情况是影响全膝关节成形术难易程度的重要因素之一。术者应根据膝关节正侧位X线片,进行认真的术前评估。此外,还必须仔细观察关节缘骨赘和后关节囊游离体的生长情况,前者能影响术中膝关节内外侧韧带的平衡,有时也会让术者对截骨面的真实大小产生错觉。关节囊后方骨赘、游离体则能影响术后伸膝功能。在所有术前X线评估的内容中,对患侧下肢力线评估是最为重要的内容之一。

和人工全髋关节置换术不同,全膝关节置换术对下肢的力线要求很高。目前一致认为,全膝关节置换术术后膝关节应外翻5°～7°,误差不超过2°,股胫角(FTA)应为174°左右。以前,全膝关节置换术术后下肢力线的测量均采用卧位X线片,不能正确反映某些膝关节的力线异常,特别是术后软组织不平衡的膝关节。从1985年开始,Scott首先认识到站立位X线片对评价全膝关节置换术术后关节力线的重要性,而且主张尽可能包括髋关节和踝关节,以正确测量出下肢力线。因此笔者建议采用负重位全下肢X线检查。

根据全下肢X线片,术前可以比较准确地计算出股骨髁远端截骨平面与股骨解剖轴线间夹角。方法如下:首先在X线片上画出下肢机械轴线M(股骨头中心、膝关节中心连线)和股骨解剖轴线A(股骨干中点的髓腔中心与膝关节线上10 cm处股骨髓腔中心连线),可测得下肢力线轴和股骨解剖轴之间的夹角。采用上述方法术前可以利用X线片比较准确地计算出每一个体实际的股骨髁远端截骨面角度。

上述方法适用于目前绝大部分人工膝关节置换术手术器械,这些器械的特点是要求胫骨平台近端截骨面与下肢机械轴线垂直。但也有个别器械要求胫骨平台截骨面与下肢轴线有3°内翻,与正常解剖相似,需要引起注意。

通过术前X线片上绘制股骨髁远端截骨线可帮助我们事先了解术中股骨内外髁远端骨组织的切除情况。

分析术前全下肢X线片,还能帮助术者判断导向杆在股骨髁间窝处的入点。正常股骨干有一向前外侧方的弧度。术者可根据此弧度的大小,相应地将进杆点适当向股骨髁间窝前外侧移动。

胫骨近端截骨面与胫骨力线垂直或内翻3°,虽然术中胫骨、内外踝等位置明显,但是由于胫骨上端有时存在膝内翻畸形,长期出现踝关节代偿性外翻改变,这使得术中定位和术中胫骨近端截骨面位置有时并不容易掌握,甚至有经验的医师也会有误差。术前对膝关节X线片胫骨平台侧的分析,不仅在于分析截骨平面位置高低,还要注意一般髓外定位是否可靠,必要时,还要进行胫骨的髓内矫正。

17.3.5 手术操作

术前严格的皮肤准备、麻醉诱导前30 min给予一定剂量的静脉抗生素、严格的无菌操作等对防止术后感染十分重要。膝关节置换术应该在层流手术室内进行,并且应当尽量减少室内人员的走动。

(1) 手术切口

手术切口的选择根据医师的喜好选择膝前正中切口、内侧髌骨旁切口以及近来比较流行的内侧小切口。膝关节正中切口仍然是最常用的切口。切口自髌骨上缘约一个髌骨高度起,至胫骨结节内侧缘。因为皮肤切口与关节囊切口不在一个水平,即使有伤口愈合问题也不易直接影响到关节内。如原有膝关节纵行手术瘢痕,宜采用原切口;如有多个纵行手术切口,宜采用较外侧的切口以减少对皮肤血供的影响;如原有横行切口瘢痕,仍应采用正中切口。由于膝关节表层只覆盖皮肤和少量软组织,手术中操作皮肤及皮下组织时应轻柔,避免人为造成皮瓣缺血损伤。

(2) 手术入路

切开皮肤、皮下组织及深筋膜浅层,向内侧作分离至髌骨内侧缘约1 cm。一般不作外侧皮肤的分离,以免影响皮瓣的血供造成术后皮瓣坏死及感染,影响伤口愈合及术后功能锻炼,对RA患者尤其重要。沿股四头肌肌腱中内1/3劈开,绕过髌骨内侧缘向下至胫骨结节内侧缘。髌骨内侧缘应保留1～1.5 cm的软组织以方便关节囊缝合。将髌骨向外侧翻转前，应切断髌骨外缘至股骨髁的皱襞（髌股韧带），可减少髌韧带上的张力，减少髌韧带撕脱的机会。翻转髌骨显露整个膝关节前部，必要时可切除部分脂肪垫。屈膝 90°，松解内侧关节囊胫骨附着部至内后角。切除前交叉韧带，对骨关节炎的患者，如果滑膜增生不严重，可不行滑膜切除，但对 RA 患者，应尽量做完整的滑膜切除，以免影响术后的疗效。

Insall 提倡使用关节囊正中入路。切口自股四头肌腱顶部，经股内侧肌髌骨止点的边缘跨过髌骨，至胫骨结节内侧 1 cm 处，然后自髌前将其内侧附着的骨膜剥离，并将胫骨结节的部分骨膜剥离。Insall 认为，这一入路的优点在于：对于膝关节近乎强直的患者，可以避免胫骨结节撕脱骨折，即使发生撕脱，由于髌韧带仍和部分胫骨骨膜相延续，可重新固定；其次，缝合关节囊时，由于骨膜上附有鹅足纤维，可免于缝线撕脱，而且，由于胫骨骨膜、髌韧带、鹅足相互连续，可保证内侧的稳定性，关节囊愈合较快。

近来，随着微创关节置换技术的开展，许多医师选择使用股内侧肌下入路或经股内侧肌入路进入关节。这些入路的优点是不干扰股四头肌，关节入路完全是关节囊切开，对于患者的术后近期恢复是十分有利的。但缺点是不能翻转髌骨，关节的显露不充分，对于没有经验的医师，容易发生假体定位的误差。

对于屈曲度很小，股四头肌严重挛缩的膝关节，特别是翻修手术的患者，可使用股四头肌“V”～“Y”成形入路，避免髌韧带胫骨止点撕脱和伸膝装置的失败。但此方法术后早期由于股四头肌乏力会出现伸展滞缺，影响术后功能锻炼，一般术后经过专门训练可在 6 个月后恢复正常。

对于翻修全膝关节置换，股四头肌肌腱或软组织纤维化严重，术中髌骨翻转困难，无法充分显露关节，估计或已经通过股四头肌肌腱部分切断术不能充分显露者。有学着主张采用胫骨结节截骨进行关节显露。截骨方法：截骨近端始于胫骨平台下 1 cm，作宽 2 cm、厚 1 cm 阶梯截骨，然后沿胫骨内侧向远端作长 8 cm 截骨，逐渐变薄。保留外侧骨膜及软组织瓣。手术后，将截骨片复位，用钢丝环扎或螺丝钉固定截骨块。采用这一方法不破坏股四头肌的连续性，允许早期膝关节功能锻炼，对于患者膝关节功能的恢复十分有利。同时，由于截骨后骨性愈合，不造成股四头肌瘢痕，以及手术后患者大腿部不适。

(3) 关节表面切除截骨

关节表面的切除截骨是膝关节置换手术的主要环节，决定了关节假体的安放位置。手术的操作细节，根据所使用假体的不同各不相同，但基本原则基本一致。现以 Zimmer NexGen 人工膝关节为例，简述截骨操作过程。

在股骨远端的髌骨沟中心钻一个孔。此孔在前后位及侧位方向都平行股骨干。孔约位于后交叉韧带附着点前方 1 cm 处。用扩孔钻扩孔至 12 mm，这样可减少在插入髓腔导引器时的髓内压力，再把髓内物吸出。把髓内导引器按术前 X 线测量，调节到正确的外翻角度，并算好左右方向，然后把方位固定。把标准型切割指示块连接到导引器上，将髓内导引器插入股骨。以内外上髁轴线作导向，旋转导引器柄，使之方向与上髁轴线平行，打紧，并与股骨髁紧贴。将股骨远端截骨模块安装于导引器上并固定于股骨前方。拆卸导引器连接。沿股骨远端截骨模块的截骨槽进行股骨远端截骨。在此截骨模块上有增加或减少截骨量的选项，医师可根据患者的需要，选择增加或减少截骨量。完成股骨远端截骨后，使用股骨前后径测量器测量股骨前后径大小，以选择正确大小的股骨截骨板进行股骨的前后和倒角截骨。测量器上有股骨截骨模块的旋转定位孔，对于没有严重骨缺损的骨关节炎患者，可参照后髁连线，进行外旋 3°的定位。如果有股骨髁发育不良，或有较严重骨缺损的情况，应参照 Whiteside 线（股骨髁的前后截骨垂直于该线）或上髁轴线（股骨髁的前后截骨平行于该线）进行旋转定位。安装正确大小的股骨截骨模块，依次完成前方、内外后髁以及前后倒角截骨。在 NexGen 全膝系统中，还有滑车部分的截骨，也可在此时完成。对于不保留后交叉韧带的后稳定型假体，安装股骨髁间窝截骨模块，完成股骨髁间窝截骨。这样，股骨部分的截骨就基本完成。

将膝关节极度屈曲，胫骨向前半脱位，显露胫骨关节面，切除内外侧半月板。胫骨近端截骨的定位可采用髓外定位和髓内定位，对于胫骨没有严重畸形的患者，可采用髓内或髓外定位，但对于胫骨有明显畸形患者，髓外定位是较好的选择。这里以髓外定位为例，将胫骨髓外定位装置固定于小腿前面，远端对准踝关节中点（距骨中点，内外踝最高点中点内侧约 0.5 cm 处），近端对准胫骨结节中内 1/3 交界处。以受累间室关节面为参照，作 2 mm 截骨，也可参照未受累间室关节面进行截骨。使用胫骨截骨模板测量胫骨大小，以最大限度覆盖截骨面，但不超出截骨面为标准。截骨板旋转定位标准一般将中心对准胫骨结节中内1/3交界，也有医师主张安装股骨和胫骨试装假体，活动膝关节，让胫骨自行定位。固定胫骨截骨板，使用粗钻头反向开中央孔（可最大限度保留骨量），然后用打击器作两翼开槽。取下截骨板，完成胫骨截骨。伸直膝关节，将髌骨翻转，仔细行髌骨周围软组织环切，使用髌骨测量卡尺测量髌骨厚度。如果去除髌骨截骨厚度（即髌骨假体厚度）后的厚度＜10 mm，髌骨骨折的危险性较大，不宜行髌骨置换。髌骨截骨有全面积截骨和嵌入截骨两种方法。

使用髌骨表面锉磨导引器测量髌骨大小，尽可能使用最小量尺圈量髌骨，与之匹配。根据测量的髌骨厚度，选择保留髌骨的厚度，使用相应大小的髌骨锉磨进行髌骨表面的锉磨。再次测量髌骨厚度，确认截骨的厚度。测量髌骨大小，选择相应的髌骨定位钻孔板进行髌骨定位钻孔。髌骨安放的位置应当尽可能靠内侧，这样可有较好的髌股轨迹。

(4) 假体试装

当完成股骨、胫骨和髌骨截骨后，选择相应的股骨、胫骨和髌骨假体试装件，安装于截骨表面，进行力线、软组织平衡和假体大小以及关节活动度和髌股轨迹的评估。关节活动度的评估必须在髌骨复位后进行。此时，应当伸直屈曲膝关节，检查其活动范围。值得一提的是，关节活动度不会在手术后得到进一步的改善，手术中应当尽可能达到最大的关节活动度。髌骨轨迹的检查一般建议使用“无拇指”技术，即在没有任何外力的情况下，髌骨复位后能在关节活动的整个范围内，不出现脱位或半脱位的情况。如果出现髌骨脱位或半脱位的情况，必须检查股骨假体的旋转定位以及髌骨假体的厚度和安放位置，并确认无误。必要时需作外侧支持带的松解。

(5) 软组织平衡

1) 内翻矫正　韧带的平衡包括松解紧的韧带或收紧松弛的韧带。松解是处理畸形较常用的手段，但是，Krackow提供了一种采用骑缝钉收紧韧带的技术。该技术在外翻膝中收紧内侧副韧带(MCL)的效果较在内翻膝中收紧外侧副韧带(LCL)的效果好。总的来说，最好开始采用松解的技术逐渐延长MCL和内侧相关结构矫正内翻畸形至外翻。标准的内侧髌旁关节切开术包括了胫骨侧半膜肌止点附近MCL深部的松解。随着畸形的加重，下一步松解半膜肌止点。松解MCL浅部是第三步。MCL浅部的松解一般使用骨膜剥离器从鹅足下方开始。下一步是沿胫骨干内侧松解MCL/骨膜结合部4～5 in(1 in＝2.54 cm)。同样，这可以使用骨膜剥离器完成。最后的松解包括关节线以远2～3 in的胫骨干骺端MCL反折。这时通常使用刀片，并显露下方的比目鱼肌肌腹。松解所谓MCL反折部只在极度严重的畸形矫正中使用，并且必须有限制性较高的胫骨假体和聚乙烯垫片（图17-18、17-19）。

在适当的韧带平衡完成后，必须处理存在的骨畸形。如果残留的缺损＜5 mm，可用骨水泥或植骨填充。如果缺损＞5 mm并累及皮质骨，必须事先用大块植骨、加强的骨水泥或金属楔形垫片修补。

2) 外翻矫正　外翻畸形包括了韧带的不平衡和股骨外侧髁的缺损。偶尔，胫骨平台外侧可有塌陷，但股骨缺损通常是主要的问题。外翻的韧带不平衡可通过收紧MCL和延长LCL纠正。Krackow的技术最适用于MCL，但是，严重的外翻畸形，除了收紧内侧，外侧结构仍然需要松解。外翻畸形的松解曾被描述为“由内向外”和“由外向内”两种。外侧最主要的3个变形结构为LCL、髂胫束和腘肌腱。次要结构为后外侧关节囊和股二头肌肌腱。“由内向外”的方法从股骨侧的LCL-腘肌腱复合体开始，向关节囊和髂胫束松解。“由外向内”则从髂胫束开始。笔者采用先松解LCL（股骨侧），再松解至胫骨侧的后外侧关节囊和髂胫束，然后是腘肌腱，最后是股二头肌肌腱在腓骨头上的止点处的松解。在松解的顺序中将腘肌腱保留至最后，保持了屈曲间隙平衡，从而允许完全伸直时的外翻畸形的矫正。屈曲和完全伸直下腘肌腱的张力不平衡可能反映股骨外侧髁的畸形后方较远端严重。在韧带平衡后，如内翻膝一样，需要处理骨缺损。

3) 屈曲挛缩　膝关节的屈曲挛缩可以是腓肠肌和腘绳肌过紧和与骨赘增生相关的关节囊挛缩的结果。标准的初次膝关节置换技术要求屈曲间隙和伸直间隙相等。一旦决定了屈曲间隙，就可通过处理软组织和骨获得相应的伸直间隙。引起畸形的原始因素通常是软组织挛缩。因此，必须先处理软组织。MCL深部的胫骨侧在标准的膝关节显露时已经得到松解。半膜肌在胫骨近端后内侧的止点通常在膝关节内侧关节切开时常规可以看到。松解其止点是处理屈曲挛缩的下一步骤。在松解半膜肌止点后，继续在腓肠肌内外侧头止点附近的股骨后方松解关节囊。除非切除后交叉韧带，否则很难在中线松解后关节囊。随着畸形的增加，就必须松解

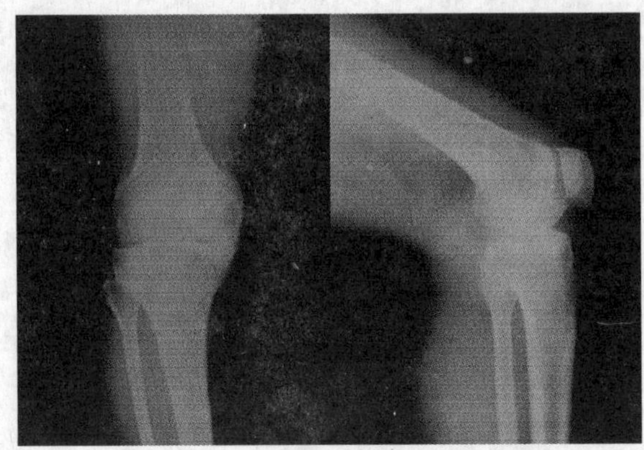
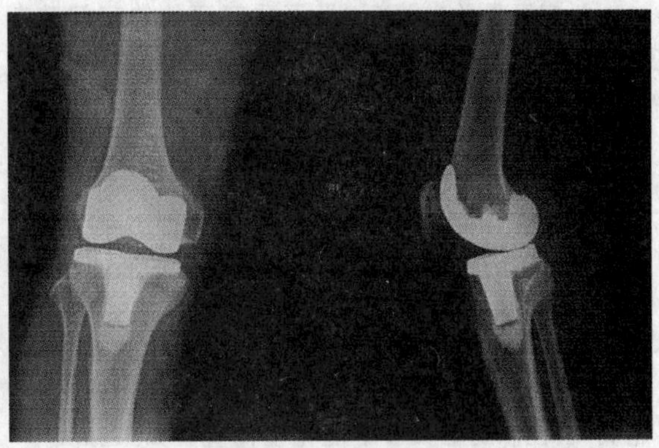

图 17-18 男性，65岁，右膝骨性关节炎，内侧关节间隙狭窄明显，髌股关节面毛糙。全膝关节置换术后，下肢力线恢复，假体与骨骼匹配，固定可靠

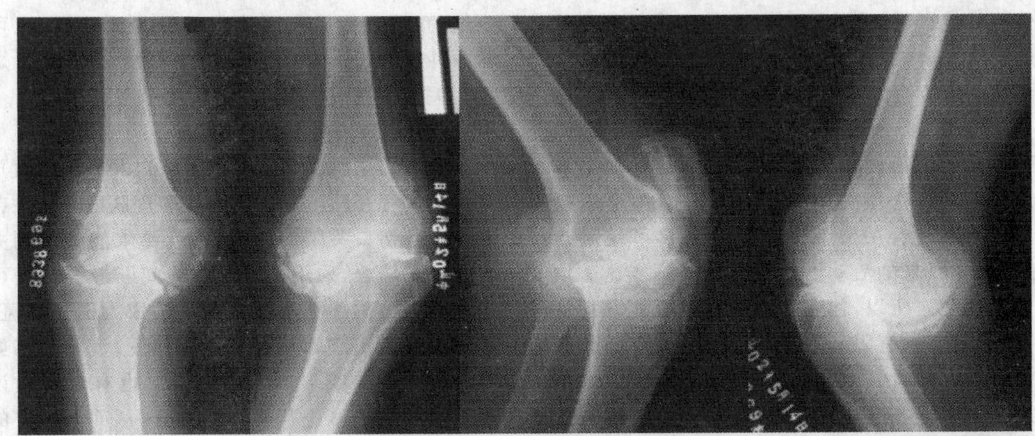
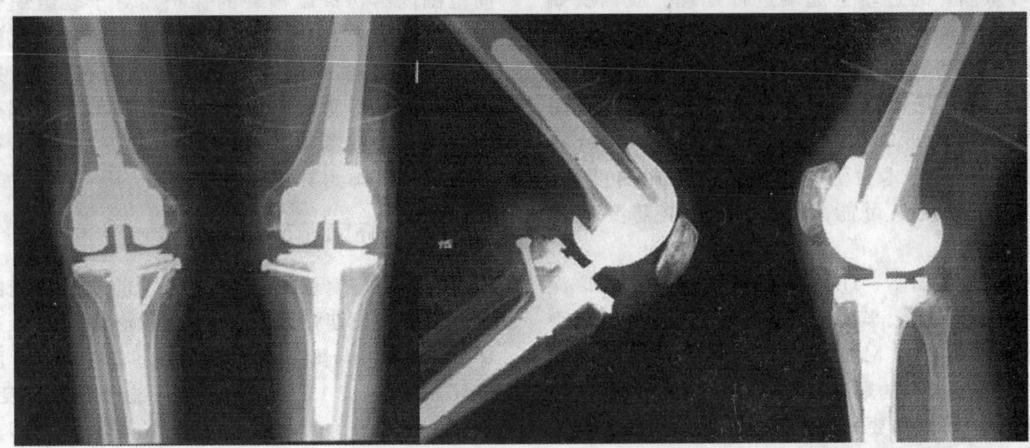

图 17-19 女性53岁，双膝类风湿关节炎，严重内翻畸形，屈曲挛缩继续。双侧全膝关节置换，（IBⅡ-CCK，Zimmer）内侧骨缺损使用自体骨植骨。恢复自体力线和关节活动度

后交叉韧带而使用后交叉韧带替代型假体。

松解股骨关节囊后，必须重新评估伸直间隙。如果需要进一步松解，可能需要切除股骨远端。虽然这有助于纠正屈曲挛缩，但过多的截骨可导致关节线的上移，改变髌骨的力学，损伤侧副韧带的止点。因此，在作股骨远端额外 5 mm 的截骨前，建议先松解胫骨后方的关节囊。在一些屈曲挛缩＞90°的极端严重的病例，腓肠肌在股骨后方的止点也可松解。

医师一般会忽略 5°～15°的轻微挛缩。随着全膝关节置换患者年龄逐渐年轻化，患者的要求越来越高，会注意到膝关节不能完全伸直。如果膝关节存在 45°～90°的屈曲挛缩畸形，医师可以在手术台上完全矫正畸形，但患者在手术后一年通常不能保持完全的矫正。因为软组织松解的限度以及截骨水平受侧副韧带水平的限制，90°以上的挛缩一般不能完全矫正至完全伸直。尽管存在这些限制，医师必须尽可能纠正所有的畸形至完全伸直。

4）伸直挛缩　伸直挛缩可能是最难矫正的畸形之一。畸形包括伸膝装置的过紧，骨骼的畸形和膝关节侧副韧带周围关节囊的过紧。膝关节置换不是主要为了改善关节活动。关节置换可缓解疼痛，通常保持原来的活动度。关节置换不能显著增加关节活动度。所以，伸直挛缩的松解可能增加活动度，但一般效果有限。如果畸形是继发于股骨和(或)胫骨后方的骨赘，切除骨赘当然可有助于增加活动度。这必须在软组织松解前进行。伸膝装置过紧可从髌骨的近端至远端进行处理。股四头肌肌腱可用几种方法处理，包括“V”～“Y”成形术、股四头肌部分切断、“Z”形延长，或外侧支持带松解。在远端，由于胫骨结节截骨允许很好的显露，而胫骨结节可向近端轻微移位以增加屈曲。所有的技术均可在手术台上增加膝关节的屈曲度数。手术后，活动度只可能减小，并且可能需要数月来改善。

松解顺序如下。①内翻松解的顺序：MCL 深部、后内侧关节囊、半膜肌、MCL 浅部、胫骨内侧骨赘、比目鱼肌上的 MCL 反折(可能需要增加限制性)。②外翻松解的顺序：LCL、后外侧关节囊、髂胫束、腘肌腱(可能需要增加限制性)、股二头肌。③屈曲松解的顺序：MCL 深部、股骨后方关节囊、后交叉韧带(增加限制性)、股骨远端截骨、胫骨后方关节囊、腓肠肌止点。

(6) 假体安装前骨表面的清洗和干燥

取下所有试装部件，使用脉冲冲洗枪对截骨表面的松质骨面进行脉冲冲洗，清除截骨面上所有的骨碎屑、软组织以及血块。这对于骨水泥的渗透具有相当重要的意义，将直接影响到假体的固定及寿命。冲洗完毕后，使用干纱布或纱垫干燥截骨表面。

(7) 假体的固定

和全髋关节骨水泥固定有所不同的是，全膝关节假体的骨水泥固定一般在骨水泥进入面团期才和假体一起安装至骨面，这样可减少骨水泥单体的吸收。并且，许多医师建议使用高黏度骨水泥，这样可以有更多的操作时间。假体固定的顺序一般为：髌骨→胫骨→股骨。安装假体完毕后，可使用试装垫片放入胫骨和股骨假体间，将膝关节复位并放于伸直位进行假体的加压，待骨水泥固化后，取出试装垫片，清理假体表面残留的骨水泥碎屑，也可用脉冲冲洗枪进行冲洗。最后，安装胫骨聚乙烯垫片。关节假体安装完毕，将膝关节复位。

(8) 切口的关闭

常规的全膝关节置换手术切口关闭包括置放引流、关节囊的缝合、皮下层缝合和皮肤缝合。关节囊的缝合是切口关闭的关键，一般要求能够做到关节囊的密闭缝合，采用不可吸收线间断缝合。既可防止术后关节内出血渗漏至皮下形成大面积瘀斑，更重要的是当出现术后伤口愈合问题，浅表的感染不容易进入关节腔形成深部感染。也有学者建议使用带抗生素缝线进行切口的缝合，从而在一定的时间范围内给切口以额外的保护。对于软组织覆盖有困难的患者，应当选择合适的旋转皮瓣或肌瓣进行关节的覆盖，具有良好血供的软组织覆盖，是关节感染的最好防御。切口关闭完成后，关节部分应使用无菌敷料覆盖，为防止术后的下肢肿胀，有学者建议使用弹力袜或弹力绷带。

17.3.6 临床和放射学评价

为了更好地总结，分析患者术前术后功能的改变以及随访长期疗效。手术前后，必须对患者进行评分。1989 年，国际膝关节协会公布的修订后膝关节评分标准(表 17-3)是目前国际上使用最广泛的。该评分标准分为两个部分：膝关节评分 100 分，其中疼痛 50 分，活动范围 25 分，稳定性 25 分；膝关节功能评分 100 分，其中上下楼梯功能 50 分，行走距离 50 分，行走需要辅助时减分。

表 17-3 国际膝关节学会膝关节计分方法

患 者 分 类

A. 单侧、双侧(对侧膝关节置换成功)
B. 单侧,对侧膝关节有症状
C. 多发性关节炎或一般状况差

膝关节情况	分数	功能	分数
疼痛程度		行走距离	
无	50	不受限	50
轻度或偶尔	45	＞10 个街区	40
仅在上下楼梯时出现	40	5～10 个街区	30
行走与上下楼均出现	30	＜5 个街区	20
中度		不能外出	10
有时	20	不能行走	0
持续	10	上下楼梯	
严重	0	正常上下楼梯	50
活动范围		正常上楼,下楼需扶栏	40
(5°＝1 分)	25	上下楼均需扶栏	30
稳定性(任何位置的最大活动度)		上楼需扶栏,不能下楼	15
前后方向上		均不能	0
＜5 mm	10	小计	—
5～10 mm	5	扣除(减分)	
10 mm	0	扶手杖	5
内外方向上		扶双手杖	10
＜5°	15	需腋杖或步行器	20
6°～9°	10	总计扣除	—
10°～14°	5	功能分数	—
15°	0		
小计	—		
扣除(减分)			
屈曲挛缩			
5°～10°	2		
10°～15°	5		
16°～20°	10		
＞20°	15		
伸直延迟			
＜10°	5		
10°～20°	10		
＞20°	15		
对线			
5°～10°	0		
0°～4°	每度 3 分		
11°～15°	每度 3 分		
其他	20		
总计扣除	—		
膝关节分数	—		
(如果合计为负数,分数为 0)			

注:摘自 Insall JN, Dorr LD, Scott RD, et al. Clin Orthop, 1989, 248:13。

X线评价：1989年，国际膝关节学会发表了全膝关节置换术后X线评价和计分系统（表17-4）。该评价系统规定了全膝置换术后X线评价所需测定的内容、假体对线、胫骨表面的覆盖情况、X线透光区以及髌骨问题相关的指标。

表17-4 全膝关节置换术计分方块

评价者姓名________ 日期________

患者姓名/序号________ 术前□ 术后□

术者姓名________ 医院序号________

X线检查日期________ 先前的假体________

关节：左膝□ 右膝□

轴线：卧位□ 站立位□

前后位 测量角度

股骨屈曲（α）________

胫骨角（β）________

总的外翻角（Ω）________

18吋胶片________

3吋胶片________

侧位 测量角度

股骨屈曲（γ）________

胫骨角（σ）________

假体/骨面面积

假体覆盖胫骨表面面积的百分比

X线透光区：每个区域深度以毫米表示

X线透光区

1 ____
2 ____
3 ____
4 ____
5 ____
6 ____
7 ____
总计 ____

X线透光区

1 ____ 5 ____
2 ____ 6 ____
3 ____ 7 ____
4 ____ 总计 ____

前侧 后侧

X线透光区

1 ____
2 ____
3 ____
总计 ____

内侧 外侧

X线透光区

1 ____ 4 ____
2 ____ 5 ____
3 ____ 总计 ____

髌骨的问题

假体的角度________ 半脱位________

内-外侧位置________

上-下位置________ 脱位________

注：详见《坎贝尔骨科手术学》相应章节。

17.3.7 并发症

(1) 感染

尽管感染不是全膝关节置换中最常见的并发症,但其所造成的后果是十分严重的。对于患者,感染可造成疼痛、功能受限、住院天数的延长以及再次手术的可能性。对于医师,感染是手术失败的象征,医师处于诊断和治疗的矛盾中,并且往往需要大大增加医疗费用,导致医患矛盾。随着人们生活水平的提高,患者对生活质量的要求提高,越来越多的患者开始接受全膝关节置换,据保守的估计,感染的发生率约1%,而每个感染的患者将增加治疗的费用平均为60 000美元。

由于任何手术都存在感染的可能,对于感染的及时诊断、规范治疗以及积极的手术治疗是获得满意效果的关键。以下着重讨论全膝关节置换后深部感染。根据感染发生的时间,可分为围术期感染或早期感染,以及血源性或晚期感染。早期感染为手术后3个月以内的感染,而晚期感染为手术后3个月以后的感染。也有作者将术后6周作为划分早期感染和晚期感染的时间。早期感染多由手术污染造成,而晚期感染多为血源性感染。

1) 感染发生率 对于全膝关节置换后感染发生率的报道差异很大,从0.5%~12%。当然较高的感染率发生在早年,当时还没有预防性使用抗生素,通常植入的假体为铰链型膝关节假体,不能代表目前的状况。最近的研究显示,初次全膝关节置换术的感染发生率为1%~2%,而翻修的全膝关节置换术的感染发生率为2%~4%。而且,这些感染大多数为晚期血源性感染。对于感染相关因素的研究显示,RA、相关皮肤破损、以前做过手术的骨关节炎,以及男性RA患者具有较高的感染发生率。另外,患者的肥胖、泌尿系统感染以及使用激素的RA患者也被列为感染的高危因素。理论上讲,肾功能不全、恶性肿瘤和糖尿病也会增加感染的发生率,但目前尚无足够的资料证实。与早期感染相关的主要为伤口问题,包括引流时间的延长、伤口裂开和皮肤坏死等,皮肤坏死多见于翻修手术。当以前的手术切口位于外侧时,使用前正中切口可能因破坏了膝内上血管以及外侧的侧支循环导致皮肤缺血。

2) 感染的预防 预防感染的方法包括系统使用抗生素、晚期抗生素预防、手术室的无菌、仔细的手术操作、抗生素冲洗和采用抗生素骨水泥等。感染的致病菌据时间和地域的不同而有差异。最常见的致病菌仍然是金黄色葡萄球菌、表皮葡萄球菌和各种链球菌。近年来,耐甲氧西林的金黄色葡萄球菌、表皮葡萄球菌和肠球菌,甚至耐万古霉素的粪肠球菌感染增多。这些耐药菌株对常规使用的预防性抗生素耐药是值得注意的。

3) 全身抗生素的使用 在关节置换术围术期使用预防性抗生素已经为大多数医师所接受。根据个人不同的经验,使用的药物可能有所不同,但大多集中于第1代头孢类抗生素。对于关节置换术后口腔手术、胃肠道以及泌尿生殖系统等的侵袭性操作,目前大多数学者认为需要常规使用预防性抗生素。

4) 手术室环境 为了进一步改善手术室的无菌条件,对人工关节置换的手术室有了一些改进。包括紫外线2537A、垂直层流、水平层流、“太空服”等。除了水平层流会增加全膝关节置换的感染外,其余的设施都被证明能降低手术的感染发生率。但是,手术室环境的改善,并不能代替预防性抗生素的使用。

精细的手术、抗生素冲洗、抗生素骨水泥、正规的手术技术和常规使用抗生素冲洗对预防手术后感染具有十分重要的意义。而抗生素骨水泥通常使用在翻修的全膝关节置换以及高危的初次全膝关节置换中。使用抗生素骨水泥的适应证包括免疫抑制的患者、有系统感染的患者、有前面提及的高危因素的患者和翻修手术。一般使用药物和剂量为庆大霉素0.5~1.0 g/40 g骨水泥;头孢孟多1.0 g/40 g骨水泥;妥布霉素600 mg/40 g骨水泥。

5) 治疗 全膝关节置换术后感染分为浅表感染和深部感染。术后的浅表伤口感染或蜂窝织炎,不与关节假体相通者,需要积极的手术治疗并使用静脉抗生素,但其预后较深部感染好。全膝关节置换感染的处理选择包括保留假体、更换假体以及补救措施。保留假体的方法包括了穿刺冲洗,关节镜下关节冲洗清创和关节切开清创术。更换假体的方法包括一期更换假体翻修和二期更换假体翻修。补救措施包括关节融合、关节切除成形术以及截肢术等。

保留假体对于已经形成的深部感染很少使用。如果致病菌为对青霉素敏感的葡萄球菌,发病后48 h发现,反复关节冲洗和抗生素治疗可能有效。单独使用冲洗和抗生素治疗的疗效较差,据瑞典的一项研究报道,成功率仅为15%。

使用关节镜冲洗的疗效目前不清楚。使用关节镜可以作出更准确的组织学诊断，同时较穿刺冲洗更彻底。但关节镜下滑膜切除没有关节切开彻底，同时也无法在关节镜下更换聚乙烯垫片和作组件界面间的冲洗。

对于一些特殊的深部感染，可采用关节切开滑膜切除、冲洗、更换胫骨聚乙烯垫片的方法治疗。但保留假体必须符合下列条件，即在感染发生前、假体固定稳定、对线正确、关节功能良好；X线片上无假体松动、骨溶解和骨膜反应的证据；感染致病菌必须对治疗的抗生素敏感；患者的免疫功能正常。但采用该治疗方法必须十分谨慎。一项对42例全膝关节感染采用该方法治疗后43个月的随访研究显示，其失败率为45%，其中金黄色葡萄球菌感染的预后较差。另一项研究显示，31例全膝关节置换后感染治疗后随访8.8年，复发率为77%。

一期更换：随着抗生素骨水泥、彻底的手术清创和新的抗生素治疗方案的发展，出现了更多的全膝关节置换后感染一期更换的方案。但疗效各家报道不一，成功率从35%～84%不同。

二期更换：目前，取出假体，彻底清创，一段时间的静脉抗生素治疗后二期再植假体手术仍然是治疗全膝关节置换后感染的标准方案，大多数的病例应按此方案治疗。近年来一些方案采用抗生素骨水泥填充，既可局部释放抗生素，又可维持关节间隙，在有些病例还可允许两次手术期间关节活动。由于手术中显露、骨缺损、韧带平衡和关节屈曲的恢复等问题，使再植手术变得十分复杂，对手术技术的要求也较高。大多数报道，感染的根治率可接近90%。对于抗生素使用的时间和翻修时重建骨缺损的方法目前仍然存在争议。在大多数二期更换的方案中，静脉使用抗生素的时间为6周。

关节融合、关节切除成形、截肢：对于耐药菌或免疫系统缺陷患者的严重感染，需要使用更积极的治疗。另外，对于伸膝装置缺损，或皮肤软组织缺损的患者，关节再植手术为禁忌证。据报道，采用关节融合术或关节切除成形根治感染的成功率达90%左右。截肢术是在出现危及生命的感染时最后的选择，尤其是产气菌感染时。由于再植手术后带来的良好疗效和关节功能，使这些方法局限于治疗难治性病例和有软组织缺损的严重感染。

(2) 骨折

1) 股骨髁上骨折　尽管全膝关节置换后可能出现膝关节周围任何骨折，但股骨髁上骨折是最常见的部位。股骨前方皮质的切迹、骨溶解、屈曲障碍、翻修术和神经障碍等是骨折发生的危险因素。骨折的部位与假体的类型相关，不带柄的股骨部分假体较易发生髁上骨折，而带柄的假体由于应力传递至骨干部分，较易发生股骨干骨折。髋关节置换假体与全膝关节置换假体间的骨折，由于应力集中，股骨血供的破坏以及过度的限制，其处理相当棘手。处理骨折的方法很多，应根据患者的情况而定。早期的报道提倡闭合复位保守治疗，认为手术的风险较大，且获得坚强内固定的难度较大。但结果显示骨折对线不佳、肢体短缩、关节僵硬和假体的松动发生率较高。

研究显示，稳定的内固定优于保守治疗。内固定的方法包括髁钢板、DCS钢板、支持钢板等。最近的研究显示，逆行髓内钉固定能获得很好的疗效。手术通过一个小的关节切口，于股骨髁间窝逆行插入股骨髓内钉，通过骨折线，然后用交锁螺钉锁定。由于具有手术创伤小，不暴露骨折端，尤其是在处理严重粉碎骨折病例，髓内钉具有较大的优势。更积极的治疗包括立即翻修为带柄的股骨假体、定制的肿瘤型假体翻修以及异体股骨髁移植等。

2) 胫骨骨折　①全膝关节假体下的胫骨骨折不常见。胫骨近端的应力骨折可能与假体的对线不佳和松动有关。带柄的胫骨假体在处理这一问题时是十分有用的。②同侧的股骨颈骨折和耻骨支应力骨折在全膝关节置换术后的数周至1年内均有报道。所有的患者在关节置换前均有较严重的残疾、严重的骨质疏松、往往接受激素的治疗。这类骨折的治疗较简单，耻骨支骨折卧床休息一段时间后保护下负重，股骨颈骨折多根钉固定或关节置换。

(3) 神经血管损伤

血管损伤尽管十分罕见，但一旦发生就是灾难性的。直接损伤和血栓并发症均有报道。腓总神经损伤是全膝关节置换术后最常发生的。在几乎所有的报道中均提到严重外翻膝及固定的屈曲挛缩纠正后可能出现腓总神经麻痹。发生率从0.002%～9.5%不等。

处理这一问题的方法可在术前告诉患者神经损伤的风险，尤其是准备纠正严重的外翻和屈曲挛缩畸形的患者。一旦发现腓总神经麻痹，应立即松开过紧的包扎，屈曲膝关节。膝关节置换后采用保守治疗的神经恢复，报道不一，目前仍有争论。最近的研究显示，手术探查腓总神经并减压麻痹的神经是十分有效的，即使在手术后的几个月后仍然有效。

(4) 伤口愈合

伤口问题往往与深部感染有关。伤口的延迟愈合的处理必须积极。关节穿刺能帮助我们判断是否存在关节感染，并决定如何处理。关节液须送实验室做细胞计数、细胞分类计数、培养和药物敏感试验。在确定存在深部感染前，不可使用抗生素。尽管许多因素可能影响伤口的愈合，包括手术技术和患者的健康状况等。手术切口的选择对伤口愈合的影响可能是一个重要的因素。目前比较公认的是膝关节的手术切口应尽可能采用原来的手术切口。在两条手术切口间的皮瓣分离将导致皮肤坏死从而引起感染。一旦发生了伤口愈合的问题，如皮肤坏死和引流增多等，手术治疗是重要的选择。文献报道，8 例患者在全膝关节置换后平均 12.5 天因伤口引流增多进行清创术，其中 2 例细菌培养阳性，术后没有 1 例出现感染。目前比较一致的意见是，早期手术干预可以避免深部感染的发生，意义高于因清创手术导致的关节深部感染的危险性。

当人工关节因为全层软组织缺损而暴露时，一般考虑取出假体，进行清创、抗感染治疗，二期再植手术。也有报道使用腓肠肌肌瓣覆盖软组织缺损，保留假体获得成功的方法。肌瓣移植，以前仅用于处理难以控制的局面。事实证明，在软组织问题尚未发展至难以控制的局面时，肌瓣移植能够有效地解决问题。对于浅层皮肤坏死、患者情况差、软组织条件不好的膝关节感染，清创术后患者伤口持续渗液而关节培养阴性，以及手术中筋膜层关闭困难的情况，肌瓣移植这一方法均是不错的选择。

(5) 出血

如果使用止血带，在手术过程中是几乎没有出血的，因此，全膝关节置换手术是一个出血很少的手术，平均术中出血量为 100 ml。然而，许多学者报道，骨水泥固定的全膝关节置换术后，引流量为 500～1 000 ml。如果采用手术前后的血细胞比容估计出血量，平均出血量为 1 500 ml，为引流量的 3 倍。研究还发现，使用非骨水泥固定的膝关节假体，出血量显著高于骨水泥假体。骨水泥能有效地减少骨面出血。研究显示，单侧非骨水泥全膝关节置换手术平均估计出血量为 2 000 ml。因此，进行全膝关节置换的患者，其平均出血量达到了人体总血量的 30%以上，所造成的急性贫血和低血容量血症对老年患者的心血管储备有较大压力，一般需要手术后输血防止并发症的发生。因此在手术前做好备血工作，尤其是对双侧膝关节置换的患者，就显得十分的重要。

近年来，随着手术技术的改进以及微创手术的开展，手术的时间和创伤均有不同程度的减少，配合血液稀释、自体血回输等技术的开展，减少了术中和术后的输血和危险性，但对于年龄较大、心功能较差的患者，治疗仍以补足患者的血容量为主。

(6) 伸膝装置断裂

股四头肌或髌韧带断裂是全膝关节置换中较少的并发症，发生率为 1%～2.5%。股四头肌断裂较多发生于外侧支持带松解的病例，这可能是由于血供破坏或松解过靠前方所致。手术修补的效果一般不尽如人意，常造成伸膝装置松弛、无力、再断裂或关节活动度受限。

髌韧带断裂常见于以前有膝关节手术史或为增加显露做部分髌韧带松解的病例。另外，做膝关节手法或进行胫骨结节截骨的病例髌韧带断裂的危险性会增加。治疗的方法很多，包括石膏固定，肌腱缝合，钢丝、骑缝钉或螺钉固定，肌腱加强以及伸膝装置移植等，但没有一种方法效果肯定。

伸膝装置断裂仍然是全膝关节置换术中最棘手的并发症，除了手术中仔细操作以防止其发生外，尚无很好的治疗方法。

(7) 髌骨骨折

髌骨骨折是全膝关节置换术较少发生的并发症。造成髌骨骨折的病因很多，如创伤、髌骨半脱位、髌骨截骨不当、血供破坏、假体设计问题、假体位置不佳、过度屈曲、热坏死、翻修全膝关节置换术等。生物力学研究提示髌骨股骨对线不良是造成髌骨骨折的主要因素。

过多的髌骨截骨，减弱了髌骨的强度，导致髌骨骨折。不对称截骨，影响髌骨的作用力，也会导致髌骨的骨折。相反，残留髌骨过厚，或使用过厚的髌骨假体，会增加伸膝装置和髌股关节的作用力，增加髌骨骨折的机会。

手术中破坏髌骨的血供，可导致髌骨骨折。常规的全膝关节置换术中，内侧髌骨旁关节切开可损伤内侧膝上、膝下动脉，外侧支持带松解可能损伤外侧膝上动脉。髌骨钻孔可能进一步破坏髌骨骨内血供。

假体安放位置不佳可影响髌骨骨折的类型、严重程度和预后。关节线的位置、假体位置和对线的不当，以及髌骨覆盖不当均可导致髌骨骨折。越严重的位置不良可导致越复杂的骨折，也就产生越差的预后。

其他如全膝关节置换术后过度屈曲、使用骨水泥造成热坏死以及翻修全膝关节置换术也是造成髌骨骨折的危险因素。

(8) 血栓性疾病

静脉血栓性疾病(TED)仍然是关节置换患者致残和致死主要的原因。TED的发生率很难估计，因为它由一系列临床表现组成：致死性肺栓塞(PE)、非致死性有症状PE、无症状PE、近端深静脉血栓(DVT)形成、远端DVT等等，而其中的一些情况只能估计其发生率。全膝关节置换术后TED的发病率见表17-5。

表17-5 无预防下全膝关节置换术后TED的发病情况

发病情况	发病率(%)
致死性肺栓塞	<1
有症状非致死性肺栓塞	<5
DVT	50～70
近端DVT	10～15
远端DVT	30～60

1) 静脉TED的危险期　发生DVT的危险期始于手术或受伤的即刻。在没有预防措施的条件下，全髋关节置换患者在手术后24～48 h可检测到近端血栓形成，高峰为术后5～7天，10天后消退，尤其在卧床患者。当然，也有证据证实，有些患者在手术后2个月仍有发生DVT的危险。

2) 静脉TED的诊断　静脉血栓的临床诊断十分困难，尤其是在关节置换术后的患者，因为临床表现，如水肿、疼痛、Homan征、血栓处的压痛，或静脉扩张均为非特异性表现，而很多的患者并无任何临床症状。

DVT诊断的最佳方法仍然是静脉造影。但静脉造影有很明显的缺点，首先这是一种侵入性检查，其次3%的患者会引起造影剂所致血栓。另外，造影剂仍然较昂贵，不利于动态观察。彩色血供超声波检查日益成为检查DVT的主要手段，因为它是一种非侵袭性检查，可重复，并相对便宜。但是，这一检查的可靠性在很大程度上依赖于操作者的技术和经验。尽管该检查的敏感度为60%～98%不等，但其特异性均高于95%。

对于肺栓塞的临床检查手段目前仍只能靠通气/灌注扫描和肺血供造影。普通的X线胸片、心电图和血气分析对诊断PE的敏感性和特异性均太低。

3) TED的治疗　DVT治疗的目的是防止致死性PE、反复静脉血栓形成和阻塞性血栓形成。目前规范的治疗为静脉使用肝素治疗5天后，口服华法林3个月。对于急性髂股血管阻塞威胁肢体的患者，必须准备静脉血栓取出术。对于联合使用溶栓抗凝药物治疗有症状的患者，目前仍有争议。

在治疗远端DVT方面，也存在不同的意见。目前大多数专家建议口服抗凝治疗3个月或对有出血倾向的患者做动态彩色超声波检测。

4) 预防　在关节置换术中的患者中采取预防措施是为了防止DVT及其并发症、PE和静脉炎后综合征的发生。患者在进行全髋关节或全膝关节置换后一般没有DVT的症状和特殊体征，初始表现就可能是致死性PE或严重的静脉炎后综合征。髋关节或膝关节置换的患者是DVT的高危人群，对于这些患者的预防较待出现并发症时再进行治疗所需的花费要低得多。

i) 早期活动和康复：关节置换术后的处理在近20年来有了很大的改变。现在，几乎所有的外科医师都认识到早期活动的好处。术后的康复也较以前更早更积极。

下肢锻炼：研究显示，下肢直腿抬高可增加下肢静脉回流5倍。将足跟抬起离开床面的锻炼可明显降低DVT的发生。

踝关节的主动活动可使股静脉的回流峰值加倍，被动活动可使其增加50%。后者被证明对降低DVT是有效的。这两种方法都是简单而有效的，可配合有效的药物预防同时使用。

ii) 弹力袜：自1950年代起，弹力袜就被广泛应用于住院患者。实验证明它可有效增加股静脉的流量峰值1.5倍。值得注意的是，弹力袜必须有压力梯度，即足部的压力最高(15～18 mmHg)，逐渐降低至大腿近端约5 mmHg(1 mmHg = 0.133 kPa)。

持续被动活动(CPM)：CPM目前多被用于改善关节活动度和减轻疼痛。CPM可增加股静脉回流峰值2.5～4倍。但没有资料显示CPM在预防DVT上有任何显著的疗效。

iii) 外部气压泵(EPC)：EPC加速下肢静脉的排空并刺激局部和全身的纤溶系统。对于神经外科手术患者和有凝血功能障碍的患者，EPC显得尤其有意义。在关节置换术的患者中，EPC能降低DVT

的发生，但与小剂量华法林比较，疗效略差。仪器不能正确使用和患者的顺应性问题占了50%。

iv) 静脉滤网：经皮放置Greenfield滤网已经代替了直接手术结扎。其使用的适应证为在适当的抗凝预防下反复发生PE的患者或PE高危但无法接受抗凝治疗的患者。

v) 药物预防：主要指右旋糖酐，阿司匹林、华法林、肝素、低分子肝素等。

右旋糖酐：认识到右旋糖酐具有抗血栓形成的作用已经30年以上。由于高分子右旋糖酐不良反应较多，目前主要使用的是低分子右旋糖酐。使用的方法为手术中10 ml/kg，术后1～3天每天7.5 mg/kg。由于其价格、不良反应(主要是出血和充血性心力衰竭)和静脉用药的途径，低分子右旋糖酐没有被广泛应用于DVT的预防。

阿司匹林：阿司匹林是一种家用常用药物，容易使用，不需要任何监测。它通过阻断刺激血小板凝集的血栓素A_2的形成影响血小板的功能。阿司匹林对静脉系统血栓形成的预防作用曾经存在争议。最近的治疗显示，阿司匹林在预防血栓形成中仍有一定的作用。

华法林：华法林干预肝脏维生素K代谢。它阻断维生素K环氧化物还原酶和维生素K还原酶，这两种酶阻断了维生素K环氧化物(非活性)转变为维生素KH_2(活性)。活性维生素K对于合成凝血因子Ⅱ、Ⅶ、Ⅸ和Ⅹ以及C蛋白和S蛋白是必需的。

华法林的剂量效应是很难预测的，因为其受多种因素影响，包括饮食、肠道菌群、活动量、服用的药物等。因此，在用药前必须仔细了解患者肝脏和凝血状况、凝血酶原时间、部分凝血酶原时间、血小板计数、血清GOT等指标。华法林可能导致致命的损害，禁用于孕妇。

华法林对凝血系统的作用通过一期凝血酶原时间(PT)测试来监测，因为其对凝血因子Ⅱ、Ⅶ和Ⅹ的减少十分敏感。抗凝的效果用国际标准化比率INR值来表示。INR纠正了不同试剂在敏感性上造成的差异。

在近年的临床研究中发现，华法林对于预防关节置换术后PE和DVT的发生具有十分明显的效果，小剂量华法林的预防性应用没有出现严重出血的并发症。华法林是目前在全髋和全膝关节置换术患者中最广泛使用的预防静脉TED的药物。

肝素：从分子水平上，肝素通过诱导AT-Ⅲ构象的改变遮盖了精氨酸中心，抑制凝血酶的丝氨酸中心和其他凝血酶的活性。之后，肝素与AT-Ⅲ分离重复使用。目前使用的肝素是分子量在3 000～30 000(平均15 000)异源硫酸多糖链的混合物。低分子量肝素(LMWH)与AT-Ⅲ结合起抗凝的作用。高分子量肝素对血小板更具亲和力并抑制其聚集。

由于肝素在胃肠道的吸收很差，一般静脉或皮下注射给药。小剂量肝素，每8～12 h 5 000 u，在胸外科和普外科手术患者中用于预防血栓性疾病已经得到证实是有效的，但其作为关节置换后的预防性用药仍存在争议。文献报道，小剂量肝素皮下注射能够减少全髋关节置换术后DVT和PE的发生率，但大多数学者认为，由于存在更有效和安全的预防方法，肝素不作为这些患者预防DVT和PE的首选药物。

LMWH：与普通肝素相比，具有更强而可靠的抗血栓效果，更长的半衰期和较少引起出血的优点。LMWH作为一种抗凝药物，由于其独特的药物动力学、生物可利用率、疗效、安全性以及不需要监测等特点，受到关注。临床研究发现，LMWH能显著减少近端和远端DVT的发生，不存在出血的危险性。在与华法林的比较中，对全髋关节置换后患者TED的预防，其疗效和安全性相近，而全膝关节置换后，其疗效优于华法林。

17.3.8 进展

(1) 围术期疼痛处理

随着近来对微创技术和加速康复的兴趣的升温，全膝关节置换术围术期疼痛管理成为备受关注的问题。提出了多模式镇痛、超前镇痛等新的疼痛管理理念。多模式镇痛是希望通过使用不同途径的镇痛方式，使镇痛方式间具有协同作用，但减少了大剂量单一镇痛药物带来的不良反应。而超前镇痛旨在提高患者对疼痛的阈值，从而阻止疼痛瀑布效应的发生。一些临床报道讨论围术期疼痛的治疗。Renawat在《高级围术期疼痛处理》中报道的方案包括术前服用罗非昔布(vioxx)和羟考酮，用吗啡(duramorph)进行脊柱麻醉、术中局部组织注射以及术后服用罗非昔布和对乙酰氨基酚(泰诺)。在6个月的随访后，作者发现，与历史对照相比较，采用这种技术处理减少了麻醉药物的需求，减少了手法矫正的发生率，并迅速恢复功能和活动度。Szczukowski等研究了使用0.5%丁哌卡因加肾上腺素进行单次股神经阻滞在40例随机全膝关节置换中的疗效(20例使用股神经阻滞，20例不用股神经阻滞)，发现在使用股神经阻滞的组中，有较少的吗啡用量($P=0.003$)、较低的镇静评分($P=0.045$)和较低的平均疼痛感($P=0.002$)。

局部注射有两项研究涉及。Lombardi等回顾性比较了181例术中不接受局部注射的初次膝关节置换术和197例(171人)在手术部位注射丁哌卡因加肾上腺素和吗啡的膝关节。作者报道接受注射组疼痛控制有改善，表现为较少的突破性麻醉药需求量($P=0.0278$)、较低的麻醉药翻转需求和较少的失血量($P<0.0001$)。Browne等报道了60位全膝关节置换患者，随机接受关节囊关闭后关节腔内注射20 ml丁哌卡因(0.5%)或生理盐水。作者报道丁哌卡因组有较低的疼痛评分、较少的麻醉药使用以及麻醉后复苏室停留时间缩短23 min($P=0.02$)。

Breit和van der Wall进行了一项随机、双盲、安慰剂对照试验。仅接受患者控制止痛、患者控制止痛加经皮神经电刺激，或患者控制止痛加假经皮神经电刺激。作者报道没有麻醉药需求的显著差异，并认为经皮神经电刺激在全膝关节置换术后疼痛的治疗中无效。

(2) 围术期血液处理

有几项研究综述了减少全膝关节置换术后使用异体血制品可能性的各种方法。为了确定当前的趋势，Cushner等问卷调查433位美国膝髋关节医师协会成员，发现60%常规使用自体输血方案，53%报道使用促红素阿尔法，仅11%试图使用抗纤溶以减少手术失血。Bong等回顾性综述了1 402例初次全膝关节置换，发现术后使用异体输血可能性最大的是较大的年龄($P<0.001$)、较低的术前血红蛋白水平($P<0.001$)、术后使用低分子肝素($P<0.01$)者。

Nazarian和Booth选了109个患者进行联合使用促红素阿尔法和入院前自体献血与仅使用入院前自体献血的有效性比较评估研究，发现术前使用促红素结合自体输血可减少异体输血至11%(与仅使用促红素的28%和仅入院前自体献血的35%相比)。Dearborn综述了使用OrthoPAT(Haemonetics, Braintree, Massachusetts)，一种允许术中和术后血液回收自动细胞恢复系统。在他的研究中，830个患者进行全膝关节置换，作者观察到没有并发症，报道初次全膝关节置换异体输血率为5.7%，双侧全膝关节置换者为9%，全髋关节置换者为4.8%。Pierson等综述500例连续进行单侧初次全髋或全膝关节置换的患者单一备血计划，包括选择性使用促红素阿尔法而不使用入院前自体献血，报道异体输血率分别为2.8%和1.4%。

(3) 单间室(单髁)膝关节置换

随着微创技术发展和生存率的改善，单间室膝关节置换变得越来越流行。Sisto综述了34个患者的37例UniSpacer关节置换后，报道平均8个月的随访后，没有优异的结果，10例为良好，15例为一般，12例为差(包括6例UniSpacer脱位)。所有12例结果差的膝关节均进行了翻修。作者认为UniSpacer关节不应被推荐用于内侧间室关节炎的治疗。

比较传统的单间室关节置换在适当选择的患者中有更好的结果。Gardner等报道了103位老年患者(平均年龄70.9岁)136例骨水泥Marmor单间室关节置换，随访至少21年。19例膝关节在平均10.6年进行了翻修(12例因为疾病进展，7例因为松动)。在19例随访至少20年的单间室膝关节置换中，75%患者有疾病进展，20%有胫骨下沉或磨损。Naudie等对113例内侧Miller-Galante单间室关节置换(Zimmer, Warsaw, Indiana)平均10年结果进行评估，报告4例翻修，5年和10年生存率分别为94%和90%。Berger等研究59例单间室关节置换，发现在15年时，10%的患者有髌股关节症状，26%的患者有髌股关节炎放射学征象，2例因为疼痛需要翻修为全膝关节置换。Emerson和Higgins综述了他们59例内侧Oxford活动垫片单间室关节置换(Biomet, Warswa, Indiana)，报道没有脱位，1例股骨松动，4例在至少10年随访后因为关节炎进展而翻修。关于固定，Manley等研究了113例羟基磷灰石涂层单间室膝关节置换，报道平均6.9年随访，没有翻修，1例有反应性胫骨X线透亮线。Tabor报道76个患者93例连续内侧单间室关节置换5～20年的结果，在平均74个月时10个患者12例失败。60岁以上和60岁以下患者没有差异，在肥胖患者中假体生存率与正常体重者相等或更高。

单间室膝关节置换本身发展为微创技术。

Tria研究了57个患者63例使用小切口的单间室关节置换，报道在至少2年的随访后，有1例无移位的胫骨平台骨折，1例因为治疗髌骨半脱位而翻修，2例膝关节有无进展的胫骨X线透亮线。Muller等比较了38例开放单髁置换和30例小切口单髁置换，发现使用微创方法有较好的功能结果和HSS评分(92∶78)，没有假体位置X线片的不良反应。Lomardi等综述了79例使用微创技术的单间室关节置换(包括48例使用器械手术和31例不使用器械手术)，报道平均34个月随访中，13例失败(6例因为胫骨松动，2例因为胫骨平台骨折，3例因为持续疼痛，2例因为感染)。作者认为如果排除肥胖(体质指数＞32)和胫骨平台骨折，可获得可靠的结果。

前交叉韧带在单间室关节置换中的作用是数个研究的项目。Hernigou和Deschamps综述了99例单间室关节置换平均6年随访的结果，手术时前交叉韧带分别为完整(50例膝关节)、损伤(31例膝关节)，或缺如(18例膝关节)。他们发现较大的后倾角度伴随较高的失败率，尤其是没有完整前交叉韧带的，认为必须避免胫骨后倾角度＞7°。Suggs等在一项尸体膝关节单间室关节置换的体外机器人研究中发现，内侧单间室关节置换不改变膝关节的前方稳定性，但有功能的前交叉韧带对确保正常稳定性是必须的。Price等使用动态X线透视比较了Oxford活动沉重面单间室关节置换(Biomet，Warsaw，Indiana)、固定沉重面全膝关节置换以及正常膝关节体内矢状面动力学，发现单间室关节置换保留了正常的矢状面动力学，提示前交叉韧带在10年时仍保留了功能。

聚乙烯磨损仍然是单间室膝关节置换最常见的失败原因。Collier等综述了100例单间室关节置换8年的随访，发现聚乙烯架上时间低于中位架上时间(1.7年)，6年生存率为96%，高于中位架上时间仅为71%，提示聚乙烯在空气中经伽马射线消毒和较长的架上时间会有加速的疲劳效应。Price等在一项7例使用完全吻合活动沉重面单间室关节置换患者的体内研究中，使用X线实体测量分析检测聚乙烯磨损，发现在平均10.9年的随访中平均线性穿透0.25 mm(线磨损率每年0.02 mm)。

(4) 初次全膝关节置换的临床结果

尽管全膝关节置换的临床结果始终是优良的，仍然存在不同固定技术和不同假体设计何者更优越的争论。Duffy等研究53位年龄＜55岁患者的72例初次骨水泥全膝关节置换，报道15年和20年生存率分别为96.7%和92.2%。Colwell等研究了156例保留交叉韧带压配髁全膝关节置换(PFC；Johnson and Johnson，Raynham，Massachusetts)14～17年的结果，报道以任何理由翻修作为结束点的生存率为91.9%。Wright等综述523例Kinemax全膝关节置换(Stryker，Allendale，New Jersey)至少10年的结果，报道以任何理由翻修作为结束点的10年生存率为96.1%。Maruyama等进行了一项前瞻性随机研究，比较了20例双侧全膝关节置换，一侧为后稳定型设计，另一侧为保留交叉韧带型设计。作者发现平均31个月时膝关节评分没有差异，但后稳定型组有较好的关节活动度。Aebli等研究了134例非骨水泥低接触应力活动半月板全膝关节置换术后平均7.5年随访的结果，报道在有X线透亮线的病例中，99%的膝关节情况无进展，没有因为治疗松动而翻修的病例。Cross和Parrish综述了1 000例使用羟基磷灰石涂层假体的初次全膝关节置换术的患者，发现平均6.6年翻修率为0.5%(仅1例因为无菌性松动而翻修)。

活动承重面全膝关节置换在近年受到很多关注。Dennis等研究了活动沉重面全膝关节置换的体内动力学(包括保留后交叉韧带型、后稳定型和后交叉韧带切除型假体)，发现在所有研究的设计中，聚乙烯承重面相对胫骨底座旋转和移位。Catani等使用X线透视三维分析研究11例患者，发现保留交叉韧带活动沉重面膝关节有较小的活动承重面活动量(平均3.8°)和前后位移(平均0.1 mm)。Spitzer等发现与他们使用的固定承重面全膝关节置换相比，使用活动承重面并不减少外侧支持带松解的需求。Pagnano等在一项前瞻性随机研究中发现，旋转平台全膝关节置换不减少外侧支持带松解的需求或髌骨倾斜或半脱位的发生率，也不增加关节屈曲或爬楼梯的能力。Thornhil等比较100例固定承重面全膝关节置换和113例旋转平台全膝关节置换，发现术后2年平均关节活动度没有显著差异。Ridgway和Moskal综述了25例半月板承重面或旋转平台全膝关节后早期不稳定的病例，认为任何会带来潜在远期效益的设计改进必须考虑到已知的导致早期失败的问题。Sansone等综述了他们最初110例旋转平台全膝关节置换术后5～9年随访的结果，作者报道了4例翻修(2例因为不稳定,1 例因为松动,1 例因为胫骨内衬脱位),以任何原因翻修为结束点的生存率为 93.7%。Woolson 和 Northrop 比较了 57 例旋转平台全膝关节置换和 45 例固定承重面全膝关节置换,发现在膝关节评分、关节活动度以及平均术后 41 个月随访的 X 线表现方面没有差异。但是,需要早期翻修的活动承重面膝关节是因为旋转髌骨和胫骨聚乙烯假体失败所致。Renawat 等在一项 26 例患者的研究中比较了固定承重面的 PFC Sigma 全膝关节置换(DePuy, Warsaw, Indiana)和同一设计的旋转平台假体,发现短期随访没有任何参数的显著差异。Barrack 等在一项 82 例轻至中度畸形膝关节非骨水泥活动承重面全膝关节置换的报道中,发现在至少 2 年随访中有 8%的翻修率,分别因为治疗胫骨骨长入失败,和研究组与历史对照比较,较低的膝关节协会评分(161∶184, $P < 0.05$),较高的分级为轻度以上的疼痛的发生率(23%∶7%, $P < 0.01$),以及较小活动弧(106°∶115°, $P < 0.2$)。Aiger 等进行了一项 50 例使用 LCS-Universal 假体(DePuy)全膝关节置换的前瞻性随机双盲研究。患者随机接受深蝶形旋转平台或允许前后位移的活动承重面(后者需要完整的后交叉韧带)。经 1 年随访,作者报道后一种设计不能常规恢复股骨后滚,也不增加关节活动度。Kim 进行了一项 190 例双侧全膝关节置换患者的研究,患者一侧接受前后导向 LCS 全膝关节置换(DePuy),另一侧接受旋转平台 LCS 全膝关节置换。在至少 5 年的随访中,作者发现没有任何临床和影像学评价结果的差异。

(5) 微创全膝关节置换和计算机辅助骨科手术

尽管目前对微创手术还没有统一的定义,许多报道都针对该主题以及手术室内计算机辅助发表文章。Koyonos 等使用无射线手动器械导航系统,发现对线误差最常发生在手工用针固定胫骨和股骨截骨板时。Mondanelli 等研究了 50 例通过股内侧肌下入路不翻转髌骨的微创全膝关节置换和与之配对的对照组进行了比较。手术操作的时间延长 10 min,而微创手术组的出血量减少 150 ml。微创手术组有较少的疼痛,较快恢复 90°屈曲,以及较短时间内进行直腿抬高。但是,微创手术组有较多的并发症(包括 1 例髌韧带损伤和 1 例股骨外侧髁骨折)和较高的放射学异常值(2 例内翻胫骨)。同样,Dalury 比较了两组 30 例膝关节,分别使用微创手术入路和标准入路。微创手术组的膝关节关节活动度进展较快并使用较少的止痛药物,但他们有较长的手术时间,增加了较小伤口愈合并发症,以及较多的胫骨假体对线不良(30 例膝关节中发生 4 例)。Scuderi 等报道了连续 100 例通过<14.0 cm 切口进行的初次全膝关节置换术(排除膝关节畸形屈曲<90°,或有以前手术切口的),发现小切口组血红蛋白水平下降较小(31 g/L∶42 g/L),并且住院时间较短(3.9 天∶4.4 天),并且报道在术后力线、活动度、行走能力、疼痛评分方面没有差异。Bonutti 等报道 219 例微创全膝关节置换至少 2 年随访的结果,经国际膝关节协会标准评定,其中 98%被评为优和良,6 例手法矫正,5 例再次手术(包括 2 例因为治疗感染翻修,2 例因为治疗疼痛胫骨翻修和 1 例因为治疗后交叉韧带撕裂翻修)。Laskin 等评估了 51 例使用经股内侧肌小切口不翻转髌骨患者,发现与使用标准切口的患者相比,患者恢复直腿抬高时间短,使用较少的硬膜外止痛,较快恢复膝关节屈曲,并且住院时间少 18%。Hungerford 却认为现在没有证据证实微创手术技术有实际意义的好处,并且减少手术显露会更难获得正确的力线,尤其对不常做膝关节置换手术的医师,将会增加技术误差。

一些研究综述了计算机辅助在全膝关节置换中的价值。Victor 进行了一项前瞻性、随机对照试验以评估使用基于影像学的计算机辅助的全膝关节置换手术,报道手术时间有显著差异,但在失血量、髌骨对线、胫骨后倾或术后评分等方面没有差异。他发现在冠状位上对线的显著改善,使用计算机辅助手术的所有膝关节均获得了中立的力线($P < 0.0001$)。Bolognesi 和 Hofmann 描述了一项研究,比较了 50 例使用无影像计算机辅助手术系统的全膝关节置换和 50 例使用标准器械的全膝关节置换。作者发现计算机辅助组 98%的股骨和 100%的胫骨假体对线在目标位置的 3°以内,而标准组 90%的股骨假体和 92%的胫骨假体达到该标准。Kim 和 Wixson 进行了一项相似的比较,发现在手工组 58%的假体在中立位对线的 2°以内,而计算机辅助组为 78%($P = 0.008$)。

(6) 全膝关节置换的技术

股骨假体的旋转对线是一些报道的题目。Vaidya 等发现与使用通常错误定义的上髁轴线参照的方法相比,使用先进行的胫骨截骨参照进行股骨后髁截骨的方法更可靠(使用术后 CT 决定),并且有更好的功能评分。Stulberg 等使用术前和术后

CT,发现后髁轴线与上髁轴线的平均夹角为内旋4.69°。同样,Whiteside线和上髁轴线的关系为0.07°。作者发现术中使用表面注册技术决定后髁轴线和上髁轴线是不可靠的,建议使用Whiteside线更可靠。Blaha使用尸体模型计算5个标本的平均屈伸轴线,发现该“功能平面”刚好经过髂前下棘外侧至股骨远端的中央,经过胫骨结节和距骨颈。据此,他认为在临床操作中,通过股骨外翻3°截骨建立的“功能对线”(相对于通常的6°)将有助于重建正常的屈曲和伸直平面。Sodha等评估了外侧支持带松解作为股骨假体旋转功能的必要性,发现与使用相等量后髁截骨方法相比,采用上髁轴线参照的旋转对线方法显著降低了外侧支持带松解的需求($P < 0.0001$)。Hanada等在一项12例尸体膝关节的研究中比较使用张力间隙技术组和使用测量截骨技术组6例膝关节的对线和稳定性等特性。在使用张力间隙技术组,所有6例膝关节在屈曲时趋于内翻,而髌骨沟相对中立位外移;在使用测量截骨技术组,所有6例膝关节均有接近正常的内外翻和旋转稳定性、力线、髌骨沟位置和负荷传导特性。Incavo等在一项50例全膝关节置换的研究中比较了这两种截骨技术,发现与测量截骨技术相比,屈曲间隙平衡技术在56%的膝关节中导致较小尺寸的选择($P < 0.05$),尤其在内翻膝中。作者指出,较紧的屈曲间隙可导致较差的临床结果。

另一些报道是关于软组织平衡的。Politi和Scott报道的一项研究中,35例外翻≥15°的膝关节使用外侧十字松解技术。所有病例均获得稳定的屈曲和伸直间隙。Lombardi等描述了外翻膝全膝关节置换的松解顺序并讨论了从轻至重度畸形的治疗技术。Clarke等综述了60例成人膝关节的MRI以确认与“馅饼皮”技术相关的腓总神经损伤的解剖风险,发现截骨水平骨与神经的平均距离为1.49 cm。Dixon等报道一项12例严重内翻膝关节(平均内翻24°),使用胫骨假体减小、外移并切除内侧未覆盖胫骨技术的临床结果,没有翻修的病例,临床效果良好。

关于同时进行双侧全膝关节置换和单侧全膝关节置换并发症发生率的问题,Sporer等比较了514例单侧全膝关节置换和510例同时双侧全膝关节置换,发现双侧组失血量、需要输血的概率、住院时间、心肌梗死的发生率、术后意识障碍的发生率和需要监护的计划均增加。但是,3天和1年的死亡率、感染和肺栓塞是相同的。Ritter报道了4 100例双侧全膝关节置换,指出有优异的临床结果。他报道同时双侧全膝关节置换可能造成术后早期较高的死亡风险,一般与患者手术时年龄较大相关。在同一个讨论中,Hanssen指出目前有关同时双侧全膝关节置换的安全性和有效性的文章均存在明显的患者选择上的系统误差,因此还不能确认这种手术的安全性。

(7) 全膝关节置换术后DVT形成问题

全膝关节置换术后血栓病的预防仍然存在争议。*Chest*刊登了第7届美国胸科医师学院大会有关抗血栓和血栓治疗的文章。这篇有关血栓预防的循证医学综述提出了1A级推荐低分子肝素、方达帕林(fondaparinux),或调整剂量的维生素K拮抗剂(华法林,目标国际标准化比2.0~3.0)用于选择性全髋或全膝关节置换术。推荐治疗周期至少10天。Colwell等报道了一项多中心临床试验,比较固定剂量希美加群(ximelagatran, exanta)和华法林(目标国际标准化比2.5),发现口服希美加群(36 mg,每日2次)在预防全静脉血栓发生方面优于华法林($P = 0.003$)。希美加群是口服药物,并且不需要监测凝血,大大方便了预防治疗。

(8) 特定患者的全膝关节置换

一些作者报道了畸形或关节僵硬患者的全膝关节置换结果。Elkus等报道54例全膝关节置换(35例患者),采用由内向外软组织松解后外侧关节囊,“馅饼皮”技术松解髂胫束治疗术前>10°的外翻膝。在最少5年的随访后,平均膝关节协会评分为93分,3例膝关节翻修(分别因为感染、更换聚乙烯和髌骨松动),没有膝关节有晚期不稳定。Lachiewicz在一项42例限制型初次全膝关节置换治疗严重外翻畸形(27例膝关节)、严重屈曲挛缩(12例膝关节)和其他原因(3例膝关节)的研究中,报道以假体松动翻修作为结束点的10年生存率为96%(95%可信区间,90.6%~100%)。Ritter等在一项75个患者82例初次保留交叉韧带全膝关节置换治疗术前至少20°内翻或外翻畸形的研究中,报道与配对对照组相比,膝关节评分、对线或翻修率没有差异。Sheth等在一项9个血友病关节患者14例全膝关节置换的研究中,报道平均随访77个月后,膝关节协会评分显著改善,有6例膝关节9项并发症。Bae等在一项32例完全或部分强直的膝关节的全膝关节置换的研究中,报道平均10年的随访后,膝关节协会评分86分,并发症发生率12.5%(2例感染,1例骨折和1例腓神经麻痹)。

有一些肥胖患者全膝关节置换的报道。Namaba等前瞻性比较了肥胖患者(体质指数>35)和非肥胖患者(体质指数<35)初次全膝关节置换的结果,发现肥胖组有较高的感染率(优势率,6.7%)。Foran等进行了一项相似的比较,比较27例肥胖患者和30例非肥胖患者初次全膝关节置换的结果。报道平均15年随访后,非肥胖患者组有较高的膝关节评分和较低的翻修率(3∶9)。同组学者进行的另一项研究中,68个肥胖患者(78例全膝关节置换)和对照组非肥胖患者进行了临床和放射学比较。发现肥胖组膝关节协会评分>80分的比例明显降低(88%∶99%),较非肥胖组有显著高的翻修率($P=0.02$)。

一些报道讨论了某些术前诊断对临床疗效的影响。Saleh等比较了23例接受Worker Compensation的初次全膝关节置换与21例年龄配对对照组全膝关节置换平均56个月随访的临床结果。作者报道对照组有明显高的膝关节协会评分,并指出Worker Compensation组21例患者中仅5例重返他们原先的职业。Rose等在一项10个Ehlers-Danlos综合征患者12例全膝关节置换的研究中,报道平均随访65个月的平均膝关节协会评分70分,认为全膝关节置换术是治疗这些患者膝关节关节炎和不稳定的有效手段。Shih等比较了51个肝硬化患者的60例全膝关节置换与对照组的结果,发现肝硬化组的失血量、住院天数、并发症(包括21%的感染率)和死亡率显著高于对照组(所有比较均$P<0.006$)。Parvizi等综述了118例以前接受过高位胫骨截骨患者的骨水泥髁全膝关节置换,报道平均随访15年,膝关节协会评分和关节活动度显著改善。术后平均5.9年有13例翻修、17例胫骨假体和7例股骨假体可观察到进行性X线透亮带。

(9) 全膝关节置换中的髌股关节问题

初次全膝关节置换中髌骨表面置换的问题仍然存在争议。Butnett等在一项髌骨表面置换的随机试验中发现,至少10年随访中,非置换组翻修率为15%(7例中的3例翻修是进行髌骨置换),而置换组的翻修率为5%(1例翻修是为了治疗髌骨骨折)。膝关节协会评分,Western Ontario McMaster器械评分(WOMAC评分),Short Form-12(SF-12)评分,髌前痛或放射学结果均没有显著差异。Khatod等综述了28例不进行髌骨置换的初次全膝关节置换,之后因为膝前痛进行再次置换的病例。作者报道在平均随访2.9年后,研究组的膝关节协会评分低于历史对照。

对于单独置换髌股关节治疗局限于髌股关节的症状又成为热门。Argenson等综述了57例单独髌股关节置换,报道有14例因为胫股关节疾病进展翻修,11例因为股骨假体松动翻修,4例因为关节僵硬翻修,6年生存率为58%。Merchant研究了15例进行髌股关节置换的患者,报道平均3.75年随访,93%的结果优良。Rand等研究了9例全膝关节置换术后髌骨切除治疗髌骨骨折的病例,平均膝关节协会评分81分,4例患者有轻度伸膝装置松弛,2例有严重并发症(髌韧带撕裂和伸膝装置不稳)。

(10) 全膝关节置换术后并发症

许多报道是关于全膝关节置换术后并发症的发生率和处理的。Katz等分析了Medcare初次全膝关节置换术患者索赔资料,发现在全膝关节置换术手术量大的医院和医师对患者有较低的围术期不良事件风险。Dalury和Jiranek综述了500例连续初次全膝关节置换,发现15%与异位骨化的进展有关。异位骨化在体重较重患者和男性患者中较常见。仅在4例患者中,异位骨化影响了结果。Bezwada等综述了30例假体周围髁上骨折使用逆行髓内钉(18例)或传统钢板固定(12例)的病例,认为在可能的情况下,逆行髓内钉是较好的治疗选择,但是,两种方法均能获得满意效果。

全膝关节置换术后关节僵硬仍然是难以处理的问题。Haidukewych等在一项16例因为初次全膝关节置换术后关节僵硬而进行固定良好股骨翻修的病例研究中报道,满意率为73%,膝关节协会疼痛评分从28分提高到65分。Maloney等综述了23例膝关节因为治疗关节僵硬(包括12例进行了聚乙烯更换和软组织松解,8例胫骨假体翻修,8例进行了胫骨和股骨假体的翻修)进行的再次手术,报道平均活动度从60.5°提高到82.5°。Kim等报道全膝关节置换术后关节僵硬发生率1.3%[定义为>15°屈曲挛缩和(或)屈曲<75°],发现在这个亚群患者中,翻修手术为可获得满意效果的手术选择,93%的患者获得关节活动弧一定程度的改善。

Burnett等在一项全膝关节置换术后伸膝装置断裂治疗的研究中发现,使用同种异体伸膝装置移植(包括使用胫骨结节-髌韧带-髌骨-股四头肌肌腱),当移植时移植物张力在伸直位置略紧较成功。Kollender等报道7例患者使用Gore-Tex条和腓肠肌肌瓣加强初步修复,所有患者均获优良功能效果。

Rand 发表了一本标题为《全膝关节置换术后伸膝装置并发症》的指导教程讲义，提供了许多髌股关节并发症较完整的综述。

(11) 全膝关节置换部位的感染

感染是全膝关节置换最可怕的并发症。Deirmengian 等报道了基于中性粒细胞基因表达诊断感染的一个新方法。作者发现，与中性粒细胞对痛风的反应相比，很多基因在感染时有明显高水平的表达($0.000\,000\,1 < P < 0.000\,1$)。该方法在帮助临床感染的诊断上有很高的诊断率。该技术的进一步研究正在进行。

一些报道的题目是关于全膝关节置换部位感染治疗的。Haleem 等报道了 94 例进行二期翻修治疗感染平均随访 7.2 年的结果，发现 15 例膝关节(16%)需要因为治疗再次感染(9 例膝关节)或松动(6 例膝关节)而再次翻修。Yonekura 等发现，二期翻修手术可成功治疗 91%的初次全膝关节置换手术部位的感染和 82%的翻修全膝关节置换手术部位的感染。成功率最高的是治疗术后早期急性血肿感染。患者年龄、性别、体质指数、诊断和伴随疾病对成功或失败没有影响。Durbhakula 等使用可活动骨水泥填充治疗 24 例因为感染而进行二期翻修患者，报道成功率为 92%，软组织挛缩和骨缺损最小化。在 Meek 等的一项研究中，使用活动抗生素填充进行二期翻修治疗感染的患者的功能结果与没有感染的标准翻修患者相比较，作者报道感染的复发率为 4%，两组的临床和功能结果十分接近。

(12) 聚乙烯磨损和骨溶解

磨损和骨溶解仍然是全膝关节置换术后主要关注的问题。Conditt 等研究了 124 个取出的聚乙烯胫骨垫片，分别为 12 种设计，植入时间 0～180 个月。无论锁定机制如何，在所有设计中经常发现非关节面(背面)中度至严重的磨损，提示需要对设计加以改进。Tomek 等评估了 97 例取出的限制型胫骨垫片，尽管感染、松动和不稳定为失败的最常见形式，发现都存在磨光、刮擦、凹痕和变形情况。

关于骨溶解，Mirua 等报道对于检测股骨后髁的 X 线透亮线，股骨后髁斜位 X 线片明显优于完全侧位($P < 0.000\,5$)。Reish 等发现，在 26 例全膝关节置换中，应当使用多检测器断层扫描作为标准，X 线平片仅能检测 20%的骨溶解病灶。

Collier 等在至少 5 年随访的 365 例交叉韧带保留型全膝关节置换(解剖组配膝 AMK，DePuy)中，研究了背面界面的因素和聚乙烯消毒方法。作者发现在抛光底座上摆动移位以及不采用空气中伽马射线照射聚乙烯可显著降低该设计的骨溶解发生率，从 24%下降至 2%。Lachiewicz 和 Soileau 综述了 131 个患者 193 例使用 Insall-Burstein Ⅱ后稳定假体(Zimmer，Warsaw，Indiana)的结果，报道平均 7 年的随访中，没有胫骨松动，8 例胫骨骨溶解病灶，16%的非进展性 X 线透亮线发生率，以及 3 例再次手术。Fehring 等报道了 1 278 例初次全膝关节置换至少 5 年随访的结果，放射学分析由 1 名独立放射科医师进行，与磨损相关的失败率为 8.4%，13 年生存率为 82.6%。有 5 个变量与磨损相关失败显著相关：患者年龄、性别、聚乙烯原材料生产商、聚乙烯抛光方法和聚乙烯架上时间。

(13) 翻修全膝关节置换

随着年轻患者全膝关节置换的数量逐渐增加，翻修的频率将持续增长。Mahomed 等发现在参加医疗保险人群中，53%的初次全膝关节置换是由每年总手术量(包括初次和翻修手术)低于 25 例的医师手术的，11%的病例是在年手术量低于 50 例的医院手术的。在年手术量>200 例的医院进行初次全膝关节置换，其死亡率、肺炎和深部感染的风险较年手术量低于 25 例的医院。Gioe 等报道 5 670 例全膝关节置换后 168 例翻修(发生率 2.9%)，还发现骨水泥全膝关节较混合型、非骨水泥和单间室膝关节置换的生存率高($P < 0.05$)。Berend 等评估了初次全膝关节置换术后非模块化金属底座骨水泥胫骨假体失败的相关机制，报道 1.3%的翻修率，主要失败机制与术前畸形、假体对线的技术因素、总体下肢力线和韧带平衡相关。Saleh 和 Schwartz 使用北美膝关节翻修研究的资料确定需要全膝关节翻修的失败模式和频率，作者报道 17%的翻修是因为感染，83%的翻修是感染以外的因素。失败最常见的因素是伸膝装置不稳(33%)、聚乙烯磨损(27%)、胫骨假体失败(26%)、股骨溶解(24%)、胫骨溶解(24%)、胫骨垫片失败(21%)和股骨失败(21%)。Meding 等在一项 9 475 例全膝关节置换的研究中报道，外翻足与失败间存在相关。作者指出，14 例需要翻修的病例中，12 例后外侧不稳定是有胫骨后方肌腱缺损的患者。他们认为成人进行性平足必须治疗，以防止对全膝关节置换可能的伤害，尤其是有外翻膝的患者，其胫骨后方肌腱缺损的发生率高达 15%。

显露是翻修全膝关节置换重要因素。Mendes

等报道了67例翻修全膝关节置换中使用胫骨结节截骨的结果,确认其常规愈合,没有髌股关节并发症,没有假体对线不良发生,没有韧带撕脱,并发症发生率为7%。Sharkey等综述了270例仅因为伸膝装置肌腱松解进行的翻修手术,报道与其他显露方法相比,并发症发生率较低。Smith等对39例使用股四头肌翻转技术的翻修进行了髌骨改变的放射学评估。作者报道,8例髌骨有骨坏死的证据,认为在可采用其他方法时,应避免使用该技术。

Kassab等报道使用同种异体股骨远端治疗12例骨质量差的假体周围股骨髁上骨折。3例患者需要再次手术。Fehring等报道了8例部分翻修(翻修仅包括胫骨或股骨),发现平均膝关节协会评分为73分,而两个假体均翻修者为85分($P=0.001$)。作者认为,在不稳定和磨损失败的病例中,必须着重考虑完全伸直。Stulberg报道在43例翻修全膝关节置换中使用非骨水泥钽加强的结果,发现早期随访没有机械失败。Chin等综述了39例因为初次全膝关节置换后髌骨脱位的翻修病例,发现纠正对线后髌骨轨迹改善,但指出2/3的患者有残留的病症和疼痛。Dowd等报道了32例以前进行活动半月板初次全膝关节置换(LCS; DePuy),因为磨损或脱位而单独更换聚乙烯部件的翻修手术病例,发现4例膝关节需要再次翻修。

(陈云苏)

17.4 人工肩关节置换术

肩关节置换术最早由法国外科医师Juls Pean于1892年用铂和橡胶假体植入替代因感染而损坏的肱盂关节,改善了患者肩关节疼痛和功能,但因结核感染复发而不得不将假体取出。近代人工肩关节发展始于20世纪50年代。1951年,Neer首先采用钴铬钼合金成功研制出Neer Ⅰ型肩关节假体,为第1代假体,由于单一固定的假体柄,肱骨头不能调整,现很少应用。70年代初期,Neer在其人工肱骨头原有的基础上,用高分子聚乙烯制成肩盂假体,设计了Neer型全肩关节假体(Neer Ⅱ型),此后以NeerⅡ型假体为代表的一些非限制性和半限制性全肩关节假体问世并应用于临床,属于第2代假体,其假体柄和肱骨头是组配式,满足不同的需要。90年代初,在NeerⅠ、Ⅱ型的基础上,综合考虑了肱骨颈干角、肱骨头的偏心距等因素,设计了解剖型的第3代肩关节假体,如Aequalis假体。近年来,文献报道了"三维型"肩关节假体,能更好地满足不同的解剖需求。因此,随着假体的设计和制造工艺不断提高,使用最为普遍的非制约型全肩关节假体已由早期的肱骨头假体和肩盂假体,发展成肱骨柄、肱骨头、肩盂假体多元组合的可调节式系统,可通过分别调节不同部件的尺寸,保证肱骨头中心位于肩袖和肩关节囊组成的软组织窝的中央,有利于术后肩关节周围软组织张力的平衡而减少肩关节的不稳定,使肩盂假体的偏心性负荷可降至最低以延长假体使用寿命。固定方式也由单一的骨水泥固定发展成骨水泥紧密压配、骨组织长入等多种方式。

假体的类型:分为非制约型、半制约型和制约型,非制约型包括人工肱骨头和人工全肩关节2种置换技术。制约型人工全肩关节假体头位于肱骨为顺置式,位于肩盂侧称为逆置式,制约型假体只有在肩袖失去功能无法重建时才应用,如破坏范围广的肱骨肿瘤。

肩关节是全身活动范围最大的一个关节,因为肱骨头并不包容于关节盂内,它不是一个真正的球窝关节,肩关节的稳定性主要取决其周围的肌肉,其中肩袖是最重要的结构,由三角肌内层的冈上肌、冈下肌、肩胛下肌和小圆肌4个短肌的肌腱组成联合肌腱。联合肌腱与关节囊紧密相连,附着于肱骨上端如袖套状,故称为肩袖。肩袖不仅能稳定盂肱关节和允许关节有极大的活动范围,还能固定上肢的活动支点。当假体不能依靠肩袖的作用而获得稳定,即使三角肌功能正常,患侧上肢仍不能完成肩外展和上举动作。因此,设计了制约型或半制约型假体,以提供机械方式来弥补肩袖功能丧失,防止半脱位或脱位,使患肢获得稳定的外旋、外展、前屈等功能。但存在假体与骨界面应力过高,易导致松动、脱落或断裂。

17.4.1 人工肱骨头置换术

(1) 适应证

1) 老年人新鲜的肱骨近端3部分以上骨折。

2) 肱骨头坏死,包括特发性缺血性坏死、镰状细胞梗死、放射性坏死等。

3) 肱骨近端骨不连,伴有严重的骨关节疼痛的功能障碍。

4) 肱骨近端肿瘤。

(2) 禁忌证

1) 感染。

2）肩袖和三角肌功能缺失或严重障碍。

3）肩盂存在严重病变。

4）神经性关节病。

（3）手术操作

国内进行人工肱骨头置换手术的大多数原因是肱骨近端粉碎骨折和肱骨近端肿瘤，下面以骨折为例介绍手术方法。

1）体位　平卧或30°～40°半卧位。为保证良好地暴露肩关节上方区域，可在肩下垫一小枕。

2）麻醉　全身麻醉。

3）手术入路　采用肩关节前入路，切口起自肩锁关节上方，越过喙突，向下沿着三角肌胸大肌间沟的方向，延伸到三角肌的止点，长约14 cm，注意保护胸大肌和二头肌之间的头静脉。必要时可部分游离二头肌在肱骨干的止点或分离三角肌在锁骨的起点。外展外旋上肢，将二头肌拉向外侧，联合肌腱拉向内侧。肱骨头脱向联合肌腱的前方或后方时，可以作联合肌腱松解。

4）肩关节前方的显露　在肩胛下肌的下后方可以找到旋肱前动脉，予切断结扎。在联合肌腱内侧可找到肌皮神经，于喙突下4～5 cm进入肌肉，该神经有时会穿入联合肌-肌腱复合体，注意不要损伤。然后沿肩胛下肌找到并保护腋神经。在松解和切除关节囊前下部时同样也要注意神经的保护。在肩胛下肌背面分离关节囊，前方关节囊从肩盂处切开。处理病变肱骨头将肱骨头脱出肩盂，充分暴露肱骨头。如果脱位困难，说明下方的关节囊松解不够。截骨平面最好位于股骨解剖颈，应根据所用假体的头部基底进行相应角度的截骨。打开肱骨髓腔，逐步扩髓，最后的尺寸即为假体的大小。肱骨假体植入必须注意以下3个方面：①恢复肱骨的长度，对解剖标志缺失的骨折患者更要注意，以二头肌腱为解剖标志，识别、分离大小结节骨折块，大小结节必须修复，可以采用可吸收缝线缝合。如果假体放置太低，可能导致永久性的半脱位；位置太高可能导致修补的大结节和肩袖因张力过高而失败。②确保肱骨头正确的后倾角度，如果大小结节骨折，可参照前臂，后倾25°～30°。③合适的肱骨头大小和偏距。

5）骨水泥固定　安装假体时注意将患肩外展外旋后伸在手术床一侧。彻底清理髓腔，然后用骨水泥枪将骨水泥缓缓注入髓腔，将选择好的假体插入髓腔，注意按标记调整假体的旋转位置以及假体露出肱骨近端的距离。

6）复位并固定大小结节　骨水泥固化后，将关节复位，将先前取出的松质骨填入到骨干和假体的颈领之间，以促进大小结节之间和结节与肱骨干之间的愈合。将原已穿过大小结节和肱骨近端钻孔的缝线打结，将大小结节骨折块牢固地连接到肱骨干近端。打结前将部分缝线穿过假体上的小孔，使骨折块可更好地包绕在假体上（图17-20）。然后用不可吸收缝线修补撕裂的肩袖，固定肱二头肌长头腱。

7）关闭伤口　冲洗伤口，逐层缝合，留置负压引流。

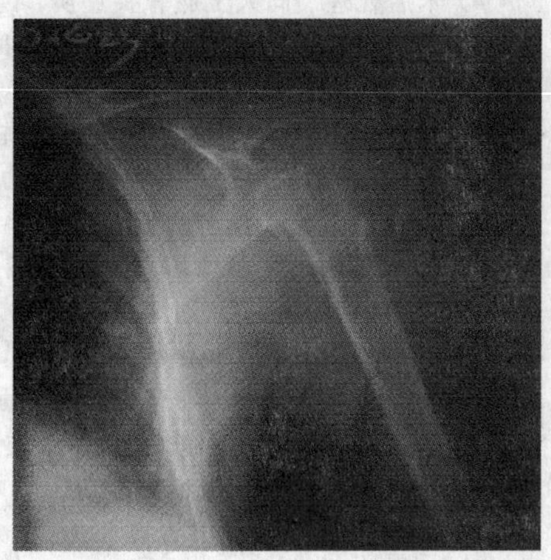

A

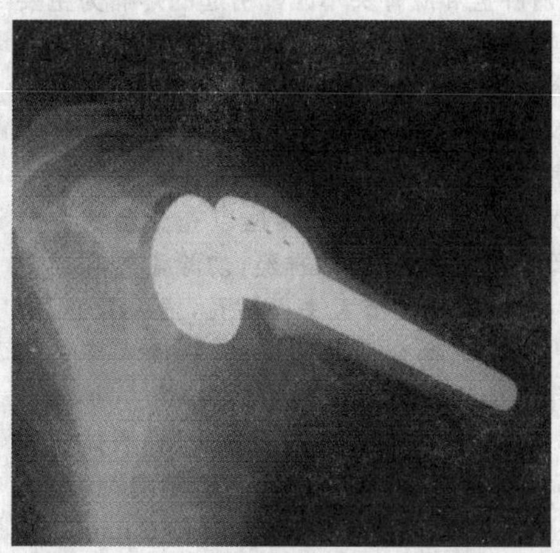

B

图 17-20　肱骨外科颈4部分骨折伴有肱骨头脱位，人工肱骨头置换手术，注意大小结节缝合固定在假体的侧翼上，重建肩袖功能

(4) 术后处理

1) 术后第2天,无异常可拔除引流。在医师指导下用健肢帮助患肩进行康复锻炼,也可以采用床架上的滑轮吊绳装置进行训练。患者能够站立后即应弯腰进行术肢钟摆式锻炼,进行关节屈曲、外展、后伸、旋转,每个动作持续5 s,每天锻炼4~6次,锻炼间隙应用肩关节吊带保护。手术4天后开始主动活动锻炼,鼓励患者在术后尽早恢复生活自理,如自己进食、刷牙、喝水等。

2) 术后3周渐进性加强三角肌和肩袖力量的训练。同时加强稳定关节肌群的训练。如耸肩运动锻炼斜方肌,推墙运动锻炼前锯肌和菱形肌等。

3) 在术后的初始6周内,患者应注意避免主动屈曲和外展肩关节。

17.4.2 人工全肩关节置换术

全肩关节置换术可以分为非制约型、半制约型和制约型。能够精确地维持软组织张力并易于翻修的组合式假体一度被认为很有希望,但较快的磨损限制了它的应用。最近出现的关节面非一致性假体能产生平移运动同时减少关节盂边缘的载荷和聚乙烯的磨损,可能是未来发展的方向。

(1) 非制约型全肩人工关节置换术

目前来讲,在临床上已经取得成功的是非制约型假体。下面以Neer非制约型假体为例,介绍非制约型全肩人工关节置换术。

1) 适应证 病变同时累及肱骨头和肩胛盂,手术以解除肩胛盂和肱骨头不匹配引起的疼痛为主要目的。疼痛消除后,肩部功能有望部分恢复。

2) 禁忌证 同肱骨头置换术。

3) 体位和手术操作 与人工肱骨头置换基本一致,全肩关节置换增加肩盂部分的操作。

(i) 关节盂准备:手臂外展位以充分暴露关节盂,将肱骨牵向后方,保护腋神经,切除盂唇和前下方增厚的关节囊,于关节盂中心钻孔,插入骨锉,磨去关节盂软骨,选择合适的假体试模,插入导钻模块,中央孔用长钻头,边缘孔用短钻头钻孔。插入合适的假体试件。选择与盂窝匹配的假体,假体应与盂窝大小相同或略小,假体过大会影响肩袖功能。正常肩关节的肱骨头可有前、后方向各6 mm的移动度,盂假体比相应肱骨头的曲率直径大6 mm,从而允许肱骨头在盂假体上移动。

(ii) 假体安装:肱骨头假体应该可以向后移位达到盂窝的50%。肩胛下肌肌腱应该在保持足够的张力下进行修复,并保证使肩关节至少有30°外旋。如果肱骨头太紧,内外旋不满意,那么必须松解后方关节囊或使用短头。如果有明显的前、后方不稳定,可以使用长颈的肱骨头。合适长度的肱骨侧假体有利于保持肩关节周围软组织的张力;合适大小的肱骨头可以避免关节前方或后方不稳定。

取出假体试件,将肱骨向后牵,暴露盂窝,先安装盂假体。大多数盂假体均需使用骨水泥加固,骨水泥不要太多,夹在假体和肩盂之间,假体用手指加压并保持位置直到骨水泥硬化。如果此时发现肩胛盂假体有松动,应重新用骨水泥固定。

在安装肱骨假体前,必须先将肩胛下肌肌腱缝回肱骨近端。肌腱的松解部位位于小结节止点处,将其上点内移可以获得更多的外旋。用一个小钻在肱骨颈前方钻3~4个小孔,使用穿孔器将缝线穿过这些小孔,这些带襻缝线可以将手术开始时缝入肩胛下肌肌腱的编织线引过小孔,并将肌腱固定在肱骨近端。将肱骨假体插入骨髓腔,注意假体的位置要和试件的位置一致。肱骨头内取下的松质骨可以用来填塞肱骨近端的骨缺损区。骨水泥固定或压配固定均可,对于老年患者,常规应用骨水泥。如果患者年轻,骨质状况较好时,可采用压配型肱骨假体。

(iii) 关闭切口:再次检查腋神经,确保其未受损伤。冲洗伤口,安放负压引流后缝合伤口。术后上肢以绷带悬吊贴胸固定。如果肩袖修复较紧张时,可使用上肢外展架固定。

4) 术后处理 同人工肱骨头置换。

5) 手术并发症 常见并发症有血管神经损伤、假体安放位置不当、肩关节不稳定伴发半脱位或脱位、肩关节功能不佳等,手术中三角肌、旋转袖、肩胛下肌进行认真修复或重建。其中肩关节功能不佳是最常见的并发症,除了没有掌握合适的手术适应证外,术后锻炼不当是主要原因。常由于锻炼不足导致肌肉萎缩和关节粘连。如果锻炼过早与过于激烈,可导致软组织修复部位的撕裂。因此,术后最初3周避免过分的被动锻炼。3周后逐渐增加主、被动活动范围,6周后可允许和鼓励患者作较用力的主动活动,但3个月内禁止做投掷运动。

(2) 半制约型全肩关节置换术

半制约型全肩关节置换术是由Gristina和Webb提出的,基本设计思想是无关节、半制约型和单球面全肩关节置换术。这种假体的肱骨头较小,呈球面,头颈角为60°,以获得较大的活动度。肩胛盂假体与肱骨头假体相匹配,两部分假体的关节面可以持续接触。肩胛盂假体有一个金属衬垫用于减少关节面在载荷下的变形。有一个特点是不用塑料而是将一个金属的突起插入肩胛盂穹隆来固定肩胛盂假体。聚乙烯肩胛盂假体关节面呈梨形,在其上方有一唇样突起,当三角肌收缩、外展肩关节时可用以防止肱骨头向上方半脱位。此类关节的临床应用尚不多。

(3) 制约型全肩关节置换术

制约型假体又称球-窝假体,最早在1980年由Post等报道。但是此类假体目前仍处于实验阶段。目前的制约型全肩关节假体是由半球面金属肱骨头和聚乙烯材料的肩胛盂窝相组成。此类假体的设计存在严重不足,只要扭矩超过耐受或患者试图过度活动肩关节时,假体即可发生脱位。

17.5 人工肘关节置换术

肘关节成形术开始于19世纪初。现代人工肘关节发展始于20世纪70年代,经历了从简单的单轴铰链发展到复杂的无限制型或半限制型关节,术后功能得到明显改善。根据肱骨假体对尺骨假体固定程度的不同,可将假体植入关节成形术分为完全限制型、半限制型与非限制型3类。

Verneuil和Olier等于19世纪初首先开展了肘关节成形术,目的是将僵硬、强直或畸形的肘关节重建成无痛的、功能正常的关节。Dee于1970年左右报道骨水泥固定型金属铰链式肘关节假体在临床的使用,这种假体短期效果令人满意,但松动率高。目前已很少使用。

17.5.1 解剖及生物力学

肘关节由肱骨下端、桡骨小头和尺骨近端所组成,即包括肱尺关节、肱桡关节和近端尺桡关节。3个关节共在一个关节囊内。肘关节关节囊附着于前方的冠状突窝上缘和后部鹰嘴窝的上缘,关节囊两侧肱骨内、外上髁的下方及半月切迹两侧、外侧部分与环状韧带相连。关节囊内的滑膜层紧贴关节囊的纤维层。

肘关节旋转主要通过肱桡关节完成。肱桡关节有两个运动轴,伸屈运动的横轴与肱尺关节运动轴一致,另一个为前臂旋转运动轴,上下方分别通过桡骨小头和尺骨小头。肘关节的伸屈运动与前臂的旋转往往是联合运动,运动过程是一种复杂的生物力学作用。正常的肘关节依靠关节几何形状和关节匹配的结合、关节囊和韧带的完整性以及肌肉系统的平衡完整来保持其稳定性。其中肱二头肌、肱肌、肘肌和肱三头肌尤为重要。肘关节的外侧副韧带复合体是由桡侧副韧带、外侧尺骨副韧带、辅助性外侧副韧带和环状韧带组成。外侧尺骨副韧带由桡侧副韧带的后部纤维组成,当肘关节受到内翻应力时,呈紧张状态。环状韧带起止于尺骨的小乙状切迹的前后缘,起到将桡骨头稳定地紧贴于尺骨的作用。内侧副韧带复合体包括前、后和横向三部分韧带纤维,前部纤维沿着冠状突内侧缘附着,在肘关节屈、伸时维持紧张。后部纤维只在肘关节屈曲时维持紧张。实验研究表明,内侧副韧带的前斜纤维断裂可导致肘关节的后外侧不稳和脱位。肘关节的运动大部分产生外翻应力,因此,内侧副韧带和桡骨小头的完整对防止肘关节的后外侧脱位至关重要。

肘关节成形术成功与否,取决于能否将肘关节恢复成无痛、活动、稳定、耐用且能承受巨大的压力和扭转力的关节。另外有作者提出肘关节假体必须尽可能地小,并且获得尽可能多的骨组织覆盖,手术中必须保留肱骨的内外上髁和鹰嘴,假体应有携物角。大多数学者认为设计假体的携物角和内在松弛度是十分重要的。手术中切除的骨组织越少,将来补救或重建手术将越容易进行。

17.5.2 关节置换术的分类

肘关节置换术可以分为以下几种:关节切除置换术、生物材料间置关节置换术、桡骨头切除关节置换术和假体植入关节置换术。根据肱骨假体对尺骨假体固定程度的不同,可将假体植入关节置换术分为限制型、半限制型与非限制型3类:①完全限制型全肘关节假体。完全限制型肘关节假体于20世纪70年代初期起源于欧洲,为骨水泥固定型铰链式假体,仅能完成关节的屈伸活动,无侧向松弛度。代表性的假体有Dee假体、GSB(Gschwend-Scheier-Bahler)假体和Swanson假体。这类肘关节假体的应力直接传递到骨-骨水泥界面,因此,松动率高达8%,目前已经很少使用,仅在肘关节骨性或软组织广泛损伤造成关节严重不稳时使用。②半限制型全肘关节假体。半限制型肘关节假体为金属和高分子聚乙烯材料组配而成。代表性假体有Mayo假体、Pritchard-Walker假体、Tri-Axial假体、GSB Ⅲ假体和Coonrad-Morrey假体。这些假体有一定的松弛度,有利于外力的消散，能完成内外侧方和旋转活动。③非限制型全肘关节假体。其特点是肱骨和尺骨两部分假体间有咬合匹配关系，为解剖型假体。它要求肘关节具有完整的韧带和前部关节囊结构。代表性假体有 Kudo 假体、Suoter 假体和 Ewald 肱骨小头-肱骨髁假体。骨与软组织严重缺损和关节严重畸形时，效果不佳，肿瘤患者不宜使用。

(1) 适应证

各种疾病引起肘关节疼痛、关节不稳和双侧肘关节的僵硬。

1) 严重创伤引起肘关节疼痛、畸形及强直者。

2) 类风湿关节炎致肘关节畸形和强直者。

3) 肘关节创伤或置换术后形成的梿枷关节。

4) 肱骨下端良性或低度恶性肿瘤。

(2) 禁忌证

既往有肘关节的脓毒感染病史是绝对禁忌证。

1) 肘关节屈伸肌肉瘫痪无动力。

2) 肘部没有健康皮肤覆盖。

3) 感染。

4) 肘部有大量骨化性肌炎。

5) 神经性关节病变。

6) 不伴疼痛的关节畸形。

非制约型表面关节置换术的相对禁忌证还包括骨质缺损过多、创伤性和退行性关节炎。

(3) 麻醉

采用臂丛神经阻滞麻醉或全麻。

(4) 手术操作

1) 患者仰卧位，同侧肩下垫一小枕，患肢置于胸前。常规消毒肘，铺手术单，必须暴露整个肘部和前臂。上臂置消毒气囊止血带，驱血，将止血带充气至 250 mmHg。

2) 手术入路　可取肘后正中、后内或后外侧切口，以肘后内切口为佳。

3) 游离尺神经并加以保护，术中将尺神经前置。于尺骨近端和尺骨鹰嘴骨膜下剥离肱三头肌，应保持肱三头肌的完整性，避免切断肱三头肌。继续向远端剥离肘关节，切除病变的关节囊、关节内的瘢痕组织、增生的滑膜及骨赘。显露的范围包括肱骨远端、尺骨近端和桡骨头。切除肱骨远端关节面及骨组织，切除尺骨鹰嘴窝的皮质骨，将髓腔扩大至髓腔锉能进入。切除尺骨鹰嘴关节面，打开肱骨髓腔，保留肱骨内、外髁，在扩髓时也要小心以免骨折。切除桡骨头，保留环状韧带。扩大股骨和尺骨骨髓腔，试装人工肘关节满意后，冲洗髓腔，充填骨水泥，插入正式的股骨和尺骨假体。充填骨水泥时要小心，避免灼伤尺神经。多余的骨水泥应清除干净，避免留下锐利的边缘以免术后活动时损伤肘部软组织。尽可能缝合内侧副韧带，并注意内外侧副韧带的张力平衡，修复肱三头肌，彻底止血，冲洗伤口，尺神经常规前置肘前皮下。放置引流管，缝合皮肤。

(5) 术后处理

石膏托将肘关节固定于 45°屈肘位，术后患肢抬高 4～5 天，保持肘关节高于肩关节，24～36 h 拔出引流条。颈腕带悬吊 4 周，每天定时进行肘关节非负重锻炼，术后 3 个月内避免用患肢提携重物。

(6) 疗效评价

目前还没有统一的肘关节假体植入置换术疗效评价标准，常采用 Momy 等的评价标准，采用了 3 项指标，即 X 线影像表现、疼痛的程度和关节活动度。利用这一标准将手术疗效分为好、中、差 3 个等级。①好：X 线片上，骨-骨水泥-假体交界面间无异常改变，无疼痛，肘关节屈曲＞90°，旋前、旋后活动度达 60°。②中：X 线片上，骨-骨水泥-假体交界面间出现超过 1 mm 的透亮区，中等程度的疼痛，肘关节屈伸活动度在 50°～90°，旋前和旋后活动度＜60°。③差：X 线片上，骨-骨水泥-假体交界面间出现超过 2 mm 的透亮区，因疼痛而显著影响肘关节的活动，屈伸活动度＜50°，旋前和旋后活动度＜40°，肘关节置换术失败，需要进行翻修术。

17.5.3 人工桡骨头关节置换术

1941 年，Speed 最早报道了金属桡骨头的临床效果。现代则采用 Swason 的硅橡胶桡骨头假体。在肘关节脱位伴桡骨头骨折的情况下，如果桡骨头有严重的粉碎性骨折，通常要切除桡骨头。但桡骨头的切除会造成肘关节的不稳，桡骨头假体的植入有助于稳定肘关节，尤其当桡骨头骨折伴下尺桡关节脱位、内侧副韧带损伤或缺损时，桡骨假体植入也可减轻因桡骨头切除后发生的桡骨向近侧的移位。但这种假体在术后可发生折断和碎裂，造成桡骨和患肘发生显著的不稳定。

(1) 手术方法

患者仰卧位或侧卧位，患肢在上。消毒患肢，铺手术单，暴露肘关节。将患肢置于胸前。使用充气止血带。切口自肱骨外上髁以上开始，在尺侧腕伸肌和肘后肌间隙通过肘关节向远侧延伸，长约 6 cm。沿这两块肌肉之间的间隙分离，显露肘关节外侧关节囊。垂直于纤维走行纵向切开环状韧带并在靠近肱二头肌结节处切断桡骨颈部。用磨钻或骨锉修整桡骨近侧骨髓腔，以便假体植入。平整地切除桡骨近端关节面，使得桡骨与假体颈之间能完全吻合。假体柄在髓腔内应达到紧密相贴，并确保假体与肱骨小头的接触令人满意。要避免假体受到过大的压力。被动活动前臂，通过不同角度的屈伸和旋转运动观察肱骨小头与桡骨假体之间的关系。在使用试验性假体证实肱骨小头与假体间有满意的接触和假体与桡骨髓腔的大小合适后，用无接触技术和钝性击入技术将假体植入。缝合环状韧带，留置一个负压吸引管，分层关闭切口，肘关节屈曲 90°，加压包扎以保护患肘。

(2) 术后处理

术后 3～5 天去除加压包扎，换成较薄的敷料包扎。开始肘关节轻微地活动。应避免肘关节过于粗暴的功能锻炼。如果合并其他损伤，包括下尺桡关节脱位、韧带损伤或肘关节不稳，肘关节必须连续制动 3 周。当有下尺桡关节损伤时，要根据治疗和是否曾采用克氏针进行暂时性固定的情况来决定肘关节的功能运动。随后要在医生指导下开始肘关节的主动运动练习。

17.5.4 并发症及处理

(1) 感染

人工肘关节术后感染确诊后，应尽早清除所有异物。包括假体、骨水泥和磨损碎屑，彻底切除假体周围的界膜和肉芽组织，充分引流。混合性感染较单一感染预后差，如经过 6 周抗生素治疗，细菌培养为阴性，骨与软组织无明显缺损，可考虑再次手术植入假体。如感染未能完全控制，或局部条件不允许，可行关节切除置换术。一般不考虑肘关节融合术。

(2) 脱位和不稳

表面置换型假体如发生脱位，通常与软组织结构丧失局部张力或术后未能充分恢复软组织平衡有关。因此，术中保持软组织合适的张力和假体的正确安放对防止脱位至关重要。如软组织失代偿可改用铰链式肘关节假体进行翻修，或重建侧副韧带。软组织重建的效果很难预测，术后肘关节的活动虽有改善，但常造成肘关节不同程度的强直。对于固定牢固的表面肘关节假体实施翻修术十分困难。因此，最为谨慎的方法是修复侧副韧带，并用石膏固定，术后肘关节可获得一定程度的稳定。

半制约型假体的脱位主要因关节对线不良以及假体设计不合理等因素所致。判断脱位的原因非常重要，由于聚乙烯等假体部件损坏而导致的肘关节不稳或脱位，可更换假体的部件。如因假体位置不佳、旋转中心偏移、关节线对位不好而造成聚乙烯部件破坏或脱位，应行翻修术重新安放假体，恢复旋转中心的位置。

(3) 松动

主要由于假体位置不佳或骨水泥使用不当造成。患者感觉肘部疼痛，运动范围减少，运动轨迹异常。一经确诊，应行翻修术，防止松动的假体进一步破坏周围的骨质。如肱骨的内髁或外髁与骨干分离，手术时应重建肱骨髁，以恢复韧带的附着点。改善内外翻负荷的动力性限制。如尺侧副韧带遭到破坏，必须选用内在限制的假体以防止脱位。

17.6 人工全腕关节置换术

腕关节活动是由 8 块相互关联的腕骨以及腕掌、桡腕、腕间和远端尺桡关节完成。其活动方式基本上是双轴关节形式，作屈伸和尺桡偏运动。腕部两条运动轴线交汇处恰好位于头状骨的头部，此点被称为腕运动中心。全腕关节置换术是最早进行的关节假体置换手术之一，早期因失败率高，一直未能广泛应用于临床。随着假体的改进和外科技术的发展，应用新一代假体的全腕关节置换术疗效已有了很大的提高。人工腕关节有铰链式 Swanson 硅胶全腕人工关节、Volz 半环式全腕人工关节、Meuli 球臼式全腕人工关节、Biaxial 全腕人工关节。

17.6.1 适应证

1) 腕关节由于骨折、脱位、严重类风湿关节炎等原因引起的显著疼痛、功能障碍和畸形。

2) 腕关节非功能位强直和融合。

17.6.2 禁忌证

1) 体力劳动者。

2) 局部或全身有感染灶。

17.6.3 手术操作

(1) 麻醉

臂丛麻醉。

(2) 体位

仰卧位，术肢外展于手术桌上，手术在气囊止血带下进行。

(3) 手术方法

取腕背部正中直切口,依次切开皮肤及皮下组织,直至伸肌支持带,注意保护尺神经和桡神经的感觉支。于腕背侧伸肌支持带尺侧"Z"形切断支持带,然后将支持带向桡侧分离牵开显露腕背侧伸肌腱。将拇长伸肌腱与指总伸肌腱分离,将肌腱向两侧牵开,显露腕关节背侧关节囊。如有必要,可行伸肌腱鞘切除术。桡侧腕短伸肌必须保持完整,桡侧腕长伸肌应该功能完好。将关节囊作"U"形切开,形成一个矩形关节囊筋膜瓣,并将其向远端的基部逆行掀起,显露腕关节。

1) Swanson硅胶全腕人工关节置换术 切除舟状骨、月骨、头状骨和三角骨的近侧部分,切除桡骨和尺骨远端,一般情况下桡骨远端仅需将关节面修整平整即可,只有在切除以上诸骨后关节间隙仍嫌过小时,才需再切除部分桡骨。扩大并修整桡骨骨髓腔,以便能接纳人工关节近端的柄,修整头状骨的远端部分,使其通至第三掌骨的骨髓腔,以接纳人工关节远端的柄。修整尺骨远端以便接纳尺骨头假体。选择大小合适的Swanson硅胶全腕人工关节,将其近端柄插入桡骨髓腔内,远端柄经头状骨插入第三掌骨髓腔内。矫正腕关节的活动轴心,调试腕关节的活动状况。将硅胶尺骨头假体套在尺骨残端上。将向远端翻转的关节囊回复,通过桡骨背侧边缘的钻孔,将关节囊的近端固定于桡骨背侧。重建的腕关节应允许其有屈曲45°、伸展45°、尺桡偏各10°的活动范围。于拇长伸肌和指总伸肌腱深面将桡侧的伸肌支持带瓣牵向尺侧,尺侧的伸肌支持带瓣通过尺侧腕伸肌腱深面,将两者予以缝合,并用一小片伸肌支持带瓣固定尺侧腕伸肌,必要时可行伸肌腱缩短。

2) Meuli球臼式全腕人工关节置换术 手术方法同Swanson,不同的是Meuli球臼式全腕人工关节需在骨髓腔内打入骨水泥,再将假体置入,至骨水泥完全固定为止,之后缝合固定关节囊韧带,将伸肌支持带的桡侧半于伸肌腱深面,尺侧半于伸肌腱浅面分别予以缝合。

3) Volz半环式全腕人工关节置换术 手术方法同Swanson,不同的是Volz人工腕关节为金属制成,在将关节柄插入骨髓腔时应根据其在骨髓腔内的稳定程度,决定是否需骨水泥固定,且在尺骨头切除后无需安装尺骨头假体。

4) Biaxial全腕人工关节置换术 手术方法同Swanson,不同的是Biaxial全腕人工关节需在骨髓腔内打入骨水泥,再将假体置入,至骨水泥完全固定为止,之后缝合关节囊,复位肌腱,缝合伸肌支持带。

(4) 关闭切口

仔细止血,冲洗伤口,伤口内放置引流,缝合皮肤,包扎伤口。

17.6.4 并发症

最常见的并发症是软组织不平衡、关节不稳定和假体松动,感染较为少见。软组织不平衡在球臼型和铰链型假体中都很常见,主要造成屈曲和尺偏畸形。关节不稳定主要是由于软组织不平衡和(或)关节松弛造成的,非限制性关节接触面小,更易脱位。假体松动主要发生在假体腕骨部分。

17.6.5 术后处理

1) 腕关节于中立位前臂掌侧石膏托固定,术肢抬高,以利于消肿。

2) 3天后在医师指导下开始无负荷功能锻炼,2周后拆线,4周后逐渐开始负载锻炼。

3) 术后应避免有害应力和强度过大的运动。

17.7 人工手部关节置换术

手部人工关节置换主要指掌指关节和近侧指间关节的置换。制作材料有硅橡胶和金属两种。硅橡胶人工指在临床的应用较多,其近、远期疗效较好,主要有Swanson式、Niebauer式和Calnan-Nicolle式,其中以Swanson式最为常用。

17.7.1 适应证

1) 严重的类风湿关节炎伴畸形。

2) 骨关节炎或创伤性关节炎所致的关节强直。

17.7.2 禁忌证

1) 局部存在感染性病灶。

2) 严重骨质疏松。

3) 关节部位软组织条件不良。

17.7.3 手术操作

(1) 麻醉

臂丛麻醉。

(2) 体位

仰卧位，术肢外展于手术桌上，手术在气囊止血带下进行。

(3) 手术方法

人工掌指关节置换术采用掌指关节背侧纵弧形切口，如为类风湿关节炎多个掌指关节受累，准备一次手术者，可采用掌指关节背侧横切口，切开皮肤、皮下，分离保护浅静脉和神经，纵行切开伸肌腱指背腱膜，横形切开关节囊，增厚的滑膜要切除，很好显露掌骨头和近节指骨基底。人工近侧指间关节置换术采用近侧指间关节背侧纵弧形切口，纵形分开伸肌中央束，保留止点，其余步骤与掌指关节类似。

(4) 截骨

截除近节指骨基底部的关节软骨面和掌骨头，掌骨头截骨时截骨面从背侧向掌侧倾斜，间隙要能容纳假体的大小。选用适当型号的髓腔扩大器对掌骨远端与近节指骨进行扩髓。

(5) 安装假体

选择与髓腔扩大器同样型号的人工掌指关节，分别插入髓腔内，试装并活动，满意后安装假体，彻底止血，修复关节囊和伸肌腱，缝合伤口。

17.7.4 并发症

并发症的发生与术前软组织情况、假体材料、设计等有关。术后切口感染、裂开多与术前局部软组织的营养状况有关；磨损颗粒特别是聚乙烯碎屑颗粒的溶骨作用是大关节假体松动的主要原因，在小关节假体中也可能起同样的作用；假体设计以及材料的不同，其折断率也不同。此外，硅胶假体容易发生颗粒性滑膜炎，造成局部疼痛、肿胀、关节僵硬，严重影响功能，处理方法可再行关节成形术或关节融合术。

17.7.5 术后处理

术后用石膏托功能位固定掌指关节或指间关节3周，去除固定后进行关节功能锻炼。

(阎作勤)

参考文献

[1] 王慰年. 人工膝关节——理论基础与临床应用. 上海：复旦大学出版社，2004.

[2] 吕厚山. 人工关节外科学. 北京：科学出版社，2001.

[3] 曲彦隆，杨卫良，陆晓峰，等. 自锁铰链型人工全肘关节置换假体的临床应用分析. 中国矫形外科杂志. 2005，13(9)：648～650.

[4] 邱贵兴，戴克戎. 骨科手术学. 第3版. 北京：人民卫生出版社，2005，10.

[5] 贾斌，张波. 人工全髋关节翻修术的治疗现状. 黑龙江医学，2001，25(1)：30～31.

[6] 蒋协远，李庭，张力丹，等. 人工桡骨头置换治疗肘关节不稳定的桡骨头粉碎性骨折. 中华骨科杂志，2005，25(8)：467～471.

[7] 戴克戎，郑泽坤，洪汉洲. 逆置型人工全肩关节的研制与临床应用. 中华外科杂志，1988，26：113.

[8] Anderson MC, Adams BD. Total wrist arthroplasty. Hand Clin, 2005, 21(4): 621～630.

[9] Bassi RS, Simmons D, Ali F, et al. Early results of the acclaim elbow replacement. J Bone Joint Surg Br, 2007, 89(4): 486～489.

[10] Bickel KD. The dorsal approach to silicone implant arthroplasty of the proximal interphalangeal joint. J Hand Surg Am, 2007, 32(6): 909～913.

[11] Bong MR, Patel V, Chang E, et al. Risks associated with blood transfusion after total knee arthroplasty. J Arthroplasty, 2004, 19: 281～287.

[12] Browne C, Copp S, Reden L, et al. Bupivacaine bolus injection versus placebo for pain management following total knee arthroplasty. J Arthroplasty, 2004, 19: 377～380.

[13] Cheung EV, O'Driscoll SW. Total elbow prosthesis loosening caused by ulnar component pistoning. J Bone Joint Surg Am, 2007, 89(6): 1269～1274.

[14] Collier MB, Engh CA, Engh GA. Shelf age of the polyethylene tibial component and outcome of unicondylar knee arthroplasty. J Bone Joint Surg Am, 2004, 86: 763～769.

[15] Cook SD, Beckenbaugh RD, Redondo J, et al. Longer term follow-up of pyrolytic carbon metecarpophalangeal implants. J Bone Joint Surg Am, 1999, 81: 635～648.

[16] Demiralp B, Komurcu M, Ozturk C, et al. Total elbow arthroplasty in patients who have elbow fractures caused by gunshot injuries: 8 - to 12-year follow-up study. Arch Orthop Trauma Surg, 2007, 128(1): 17～24.

[17] Edwards TB, Kadakia NR, Boulahia A, et al. A comparison of hemiarthroplasty and total shoulder arthroplasty in the treatment of primary glenohumeral osteoarthritis: results of a multicenter study. J Shoulder Elbow Surg, 2003, 12: 207～213.

[18] Gardner JJ, Callaghan JJ, Goetz DD, et al. Unicompartmental knee replacement: a minimum twenty-one year follow-up end result study. Annual Meeting of the American Academy of Orthopaedic Surgeons, 2005, (2):23～27.

[19] Gartsman GM, Roddey TS, Hammerman SM. Shoulder arthroplasty with or without resurfacing of the glenoid in patients who have osteoarthritis. J Bone Joint Surg Am, 2000, 82:26～34.

[20] Geerts WH, Pineo GF, Heit JA, et al. Prevention of venous thromboembolism: the Seventh ACCP Conference on Antithrombotic and Thrombolytic Therapy. Chest, 2004, 126(3 Suppl):S338～S400.

[21] Glabbeek F, Riet RP, Baumfeld JA, et al. Detrimental effects of over-stuffing or understuffing with a radial head replacement in the medial collateral ligament deficient elbow. J Bone Joint Surg Am, 2004, 86: 2629～2635.

[22] Haddad FS, Masri BA, Garbs DS, et al. Femoral bone loss in total hip arthroplasty: classification and preoperative planning. J Bone Joint Surg Am, 1999, 81:1483～1500.

[23] Haidukewych GJ, Jacofsky DJ, Hanssen AD, et al. Intraoperative fractures of the acetabulum during primary total hip arthroplasty. J Bone Joint Surg Am, 2006, 88:1952～1956.

[24] Hamadouche M, Kerboull L, Meunier A, et al. Total hip arthroplasty for the treatment of ankylosed hips. J Bone Joint Surg Am, 2001, 83:992～998.

[25] Hernigou P, Deschamps G. Posterior slope of the tibial implant and the outcome of unicompartmental knee arthroplasty. J Bone Joint Surg Am, 2004, 86: 506～511.

[26] Hicks DC, Horton G. Acetabular revision using pelvic reinforcement devices. Curr Opin Orthop, 2002, 13(1):43～47.

[27] Howard MB, Bruce WJM, Walsh W, et al. Total hip arthroplasty for arthrodesed hip. J Orthop Surg, 2002, 10(1):29～33.

[28] Iannotti JP, Norris TR. Influence of preoperative factors on outcome of shoulder arthroplasty for glenohumeral osteoarthritis. J Bone Joint Surg Am, 2003, 85:251～258.

[29] Joshi AB, Markovic L, Hardine K, et al. Conversion of a fused hip to total hip arthroplasty. J Bone Joint Surg Am, 2002, 84:1335～1341.

[30] Kassab M, Zalzal P, Azores GM, et al. Management of periprosthetic femoral fractures after total knee arthroplasty using a distal femoral allograft. J Arthroplasty, 2004, 19:361～368

[31] Katz JN, Barrett J, Mahomed NN, et al. Association between hospital and surgeon procedure volume and the outcomes of total knee replacement. J Bone Joint Surg Am, 2004, 86:1909～1916.

[32] Kistler U, Weiss AP, Simmen BR, et al. Long-term results of silicone wrist arthroplasty in patients with rheumatoid arthritis. J Hand Surg Am, 2005, 30(6): 1282～1287.

[33] Lawler EA, Paksima N. Total wrist arthroplasty. Bull NYU Hosp Jt Dis, 2006, 64(3～4):98～105.

[34] Lombardi AV, Dodds KL, Berend KR, et al. An algorithmic approach to total knee arthroplasty in the valgus knee. J Bone Joint Surg Am, 2004, 86(Suppl 2):62～71.

[35] Mendes MW, Caldwell P, Jiranek WA. The results of tibial tubercle osteotomy for revision total knee arthroplasty. J Arthroplasty, 2004, 19:167～174.

[36] Michener LA, McClure PW, Sennett BJ. American Shoulder and Elbow Surgeons Standardized Shoulder Assessment Form, patient self-report section: reliability, validity, and responsiveness. J Shoulder Elbow Surg, 2002, 11:587～594.

[37] Miura H, Matsuda S, Mawatari T, et al. The oblique posterior femoral condylar radiographic view following total knee arthroplasty. J Bone Joint Surg Am, 2004, 86:47～50.

[38] Morrey BF, Adams R. Semicon strained elbow replacement for distal humeral nonunion. J Bone Joint Surg Br, 1995, 77:67～67.

[39] Morrey BF, Adams RA. Semi-constrained arthroplasty for the treatment of rheumatoid arthritis of the elbow. J Bone Joint Surg Am, 1992, 74 (4):479.

[40] Morreyt BF. Joint replacement arthroplasty(Ⅱ). Philadelphia: Churchill Livingstone. 2003.

[41] Murray PM. Surface replacement arthroplasty of the proximal interphalangeal joint. J Hand Surg, 2007, 32(6):899～904.

[42] Mutimer JN, Giddins GE. Maintaining wrist function in severe rheumatoid arthritis: a case study of revision Swanson wrist arthroplasty staged via a wrist fusion in rheumatoid arthritis. Hand Surg, 2002, 7(2):183～185.

[43] Nagels J, Valstar ER, Stokdijk M, et al. Patterns of loosening of the glenoid component. J Bone Joint

Surg Br, 2002, 84:83～87.

[44] Naudie D, Guerin J, Parker DA, et al. Medial unicompartmental knee arthroplasty with the Miller-Galante prosthesis. J Bone Joint Surg Am, 2004, 86: 1931～1935.

[45] Neer CS 2nd. Articular replacement for the humeral head. J Bone Joint Surg Am, 1955, 37:215～228.

[46] Olsen I, Gebuhr P, Sonne-Holm S. Silastic arthroplasty in rheumatoid MCP-joint: 60 joints followed for 7 years. Acta Orthop Scand, 1994, 65:430～431.

[47] O'Donovan TM, Terrono AL, Millender LH. Silicone rubber arthroplasty of the wrist. Semin Arthroplasty, 1991, 2(2):85～90.

[48] Parsons IM 4th, Millett PJ, Warner JJ. Glenoid wear after shoulder hemiarthroplasty: quantitative radiographic analysis. Clin Orthop Relat Res, 2004, 421: 120～125.

[49] Pelicci PM, Tria AJ, Garvin KL. Orthopaedic Knowledge Update: Hip and Knee reconstruction. Washington: Amer Acad of Orthopeadic Surgery, 2000.

[50] Pierson JL, Hannon TJ, Earles DR. A blood-conservation algorithm to reduce blood transfusions after total hip and knee arthroplasty. J Bone Joint Surg Am, 2004, 86:1512～1518.

[51] Politi J, Scott R. Balancing severe valgus deformity in total knee arthroplasty using a lateral cruciform retinacular release. J Arthroplasty, 2004, 19:553～557.

[52] Price AJ, Rees JL, Beard DJ, et al. Sagittal plane kinematics of a mobile-bearing unicompartmental knee arthroplasty at 10 years: a comparative in vivo fluoroscopic analysis. J Arthroplasty, 2004, 19:590～597.

[53] Rand JA. Extensor mechanism complications following total knee arthroplasty. J Bone Joint Surg Am, 2004, 86:2062～2072.

[54] Rizzo M, Beckenbaugh RD. Proximal interphalangeal joint arthroplasty. J Am Acad Orthop Surg, 2007, 15(3):189～197.

[55] Robert H. Campbell's opertative orthropaedics. 9th ed. Mosby-Year Book, Inc, 1998.

[56] Robins GM, Masri BA, Garbuz DS, et al. Primary total hip arthroplasty after infection. J Bone Joint Surg Am, 2001, 83:601.

[57] Sanchez-Sotelo J, Driscoll OS, Morrey BF. Periprosthetic humeral fracture after total elbow arthroplasty: treatment with implant revision and strut allograft augmentation. J Bone Joint Surg Am, 2002, 84: 1642～1650.

[58] Sharkey PF, Homesley HD, Shastri S, et al. Results of revision total knee arthroplasty after exposure of the knee with extensor mechanism tenolysis. J Arthroplasty, 2004, 19:751～756.

[59] Shepherd DE, Johnstone AJ. Design considerations for a wrist implant. Med Eng Phys, 2002, 24(10): 641～650.

[60] Sneftrup SB, Jensen SL, Johannsen HV, et al. Revision of failed total elbow arthroplasty with use of a linked implant. J Bone Joint Surg Br, 2006, 88(1): 78～83.

[61] Soballe K, Christensen F, Kristensen SS. Ectopic bone formation after total hip arthroplasty. Clin Orthop, 1998, 228:57～62.

[62] Szczukowski MJ, Hines JA, Snell JA, et al. Femoral nerve block for total knee arthroplasty patients: a method to control postoperative pain. J Arthroplasty, 2004, 19:720～725.

[63] Torchia ME, Klassen RA, Biaco AJ. Total hip replacement with cement in patients less than twenty years old. J Bone Joint Surg Am, 1996, 78:995～1003.

[64] Tsumaki N, Kakiuchi M, Sasaki J, et al. Low-intensity pulsed ultrasound accelerates maturation of callus in patients treated with opening-wedge high tibial osteotomy by hemicallotasis. J Bone Joint Surg Am, 2004, 86:2399～2405.

[65] Valstar ER, Nelissen RGHH, Reiber JHC, et al. The use of roentgen stereophotogrammetry to study micromotion of orthopaedic implants. J Photogramm Remote Sens, 2002, 56:376～389.

[66] Wall B, Walch G. Reverse shoulder arthroplasty for the treatment of proximal humeral fractures. Hand Clin, 2007, 23(4):425～430.

[67] Wang CT, Lin J, Chang CJ, et al. Therapeutic effects of hyaluronic acid on osteoarthritis of the knee. A meta-analysis of randomized controlled trials. J Bone Joint Surg Am, 2004, 86:538～545.

[68] Williams GR, Rockwood CA. Hemiarthroplasty in rotator cuff-deficient shoulders. J Shoulder Elbow Surg, 1996, 5:362～367.

18 关节融合术

18.1 概述

关节融合术是用手术的方法使关节永久骨性融合于功能位。通过手术使丧失功能的关节获得稳定、消除疼痛或促使关节病变稳定和痊愈，使整个肢体恢复一定的功能。关节融合术经过百余年发展日益成熟，成为一种重要治疗手段。随着人工关节置换术的出现和发展，关节融合术的应用越来越少。确实人工关节能重建关节，使患者在消除疼痛的基础上保持关节的大部分功能。但是人工关节也存在很多问题，如出现感染、松动、断裂等并发症；也可能因骨缺损而无法修整；人工关节也不能应用于感染关节及因神经肌肉麻痹导致的不稳定关节。相比之下，关节融合术有稳定持久的优点，对年轻患者、体力劳动者相对更适合。

18.1.1 适应证

1）由于关节外伤、炎症、退行性病变等原因发生对应关节面严重破坏，引起严重的关节功能障碍，或顽固的关节疼痛，影响工作和生活，经非手术治疗无效，又不适合用其他手术来保留关节活动度者，宜施行关节融合术。例如，严重损伤性关节炎、化脓性关节炎后周围软组织有大量瘢痕，不宜行关节成形术等手术者。

2）成人全关节结核，关节面破坏，估计不能保留关节功能，可在病灶清除的同时施行关节融合术；合并畸形者，可同时矫正畸形。

3）陈旧性关节脱位非手术疗法无效，或关节邻近的骨肿瘤切除手术后。

4）由于神经病变或损伤而致肌肉瘫痪，引起关节严重不稳，影响整个肢体功能，而单纯肌腱转移又不足以维持关节稳定和恢复足够的有效功能，固定局部关节可以改善肢体功能者，宜施行关节融合术。

5）关节成形或人工关节置换术失败者。

18.1.2 禁忌证

除一般择期手术的禁忌证以外，有下列情况者也应禁忌融合。

1）邻近关节已有骨性强直者，不宜做关节融合术。如髋关节融合后，其活动可由正常的腰椎及膝关节来代偿，以适应工作与生活活动的需要。若下腰椎或膝关节已经僵硬，髋关节融合将会给患者造成极大困难。

2）两侧肢体的相同关节中，一侧已有强直者，对侧不宜施行关节融合术。如髋关节两侧均融合，起、卧、行、坐均会有很大困难。

3）儿童关节软骨丰富，关节融合不易发生骨性融合，还容易损伤骨骺，影响生长发育；同时，儿童在肢体发育阶段和肌肉的持续作用下，融合了的关节可以再发生变形。因此，年龄在12岁以下的儿童，不宜施行关节融合术。

18.1.3 分类

关节融合术分为以下三大类。

（1）关节内融合术

指切除病废关节的关节软骨面，使粗糙的骨面对应并紧密接触。一般在融合关节周围植骨以增加融合率。关节内融合方法可以对畸形做更大的矫正。

（2）关节外融合术

在关节的相邻骨间植骨融合达到关节固定。关节外融合方法适合于儿童的治疗，因为儿童的关节面大多数是软骨；也适合于有大量坏死骨或有活动性感染的患者，如结核患者。

（3）关节内、外融合术

上述两种方法联合运用，清除病灶，矫正畸形，增加融合关节的骨接触，融合效果最佳。

18.2 肩关节融合术

随着人工关节技术的发展，肩关节融合术的适应证逐渐减少。但对于不适合做关节成形术的病例，融合术是很好的治疗手段。肩关节融合时上臂的合适位置非常重要，具体融合位置仍有很大争议。目前普遍认为应该减少外展及前屈，增加内旋。决定前臂位置时需参考躯干，肩胛骨必须保持在解剖位置。Rowe很早认识到减少外展和屈曲的优越性。他认为外展和屈曲应为20°～25°，而内旋应该增加到40°。过多外展和屈曲会造成上臂休息位时肩胛骨过度旋转，并会导致肩胸肌群疲劳不适。笔者赞同Rowe的意见，推荐在一般情况下肩关节融合的适当位置是外展15°～25°，内旋45°（图18-1），能使手触到口部，站立时上臂自然下垂。当然具体融合位置还需根据患者年龄、性别、职业等实际情况，制订合适的融合角度。

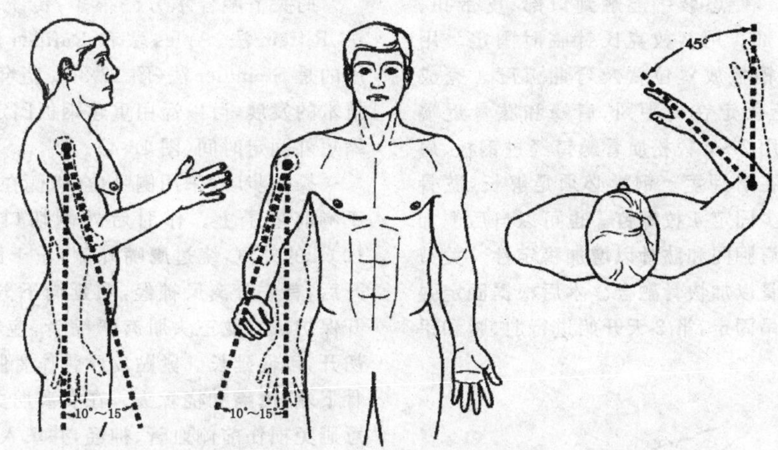

图18-1 肩关节融合位置

外展及屈曲10°～15°，内旋45°

18.2.1 适应证

1）臂丛神经损伤引起的肩肱间肌肉瘫痪，小儿麻痹症后遗肩肌瘫痪。

2）严重肩袖损伤并无法修补重建，影响肩关节功能；习惯性肩关节脱位其他治疗失败。

3）肿瘤切除后或严重创伤造成肩关节骨缺损，且不适合关节置换者。

4）人工肩关节失败，且无法行修整手术者。

5）慢性感染造成肩关节破坏导致疼痛，关节功能丧失。

18.2.2 禁忌证

斜方肌、肩胛提肌、前锯肌、菱形肌及背阔肌麻痹。同侧肘关节强直或对侧肩关节融合。

18.2.3 手术方法

在选择手术方法时,应考虑将肩峰包括在手术范围内,可显著增加关节融合时盂肱关节的接触面。使用坚固的内固定可以减少植骨和外固定。肩关节融合术包括关节外融合、关节内融合、关节内外融合。目前最常用的方法是关节内外融合配合钢板内固定,松质骨植骨。坚强内固定可以保持融合位置,缩短外固定时间。

18.2.4 操作步骤

患者取侧卧位,沿肩胛冈切口跨过肩峰,然后沿肱骨干的前部向下至三角肌的止点。从锁骨和肩峰前外侧将三角肌起点部分切开,保护好头静脉,将三角肌牵向外侧,显露关节,包括肩胛冈、关节盂窝和肱骨近端。去除关节盂窝和肱骨头软骨,去除肩峰下面及肱骨外侧拟与肩峰相接触处的骨皮质。将肱骨头放置盂窝内合适的位置,肱骨头必须与肩峰和肩胛盂紧密接触。同时调节肩关节位置在屈曲外展15°～25°、内旋45°,使患肢手能触到口部、皮带扣、会阴部及对侧肩部。用2枚克氏针临时固定。用一弹性模板确定钢板放置位置及弯曲弧度。完成钢板折弯,将钢板固定在肩胛冈、肩峰和肱骨近端(图18-2)。必须用2～3枚松质骨螺钉经过钢板、肩峰将肱骨头固定在肩胛盂。钢板必须足够长,肱骨干及肩胛冈上至少固定4枚螺钉。也可以自后侧加一辅助钢板固定肩胛冈和肱骨以增加稳定性。关节周围可以植松质骨以加快骨融合。术后根据固定强度决定支架或悬吊固定,第2天开始进行肘、腕和手部功能锻炼。

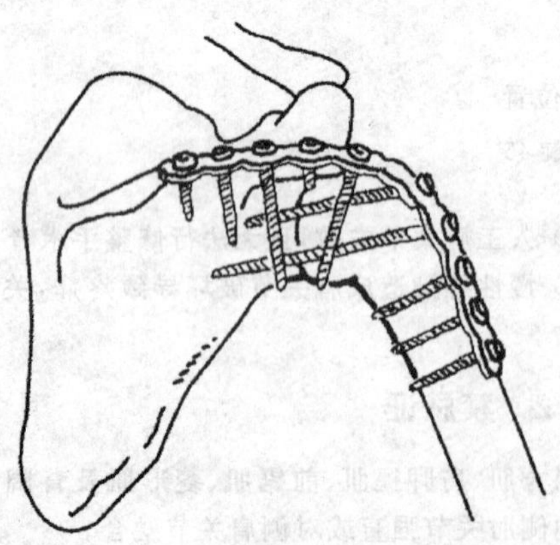

图18-2 重建钢板固定肩关节融合术

18.3 肘关节融合术

虽然全肘置换尚未像髋、膝、肩置换那样被普遍接受,肘关节融合术的适应证仍然在逐渐减少。肘关节的常见问题是关节强直。如果没有疼痛,一般不会产生严重功能障碍。由于肘关节是非负重关节,关节成形术在周围肌肉功能良好的情况下有很好效果。目前,肘关节融合术适用于肘关节破坏严重、不稳定并有疼痛的患者,尤其是体力劳动者。肘关节融合也适用于持续性感染,主要是结核。肱骨远端严重骨折无法修复,肘关节周围肿瘤切除术后骨缺损也是肘关节融合术指征。全肘置换失败后也可行肘关节融合术。

单侧肘关节融合的功能位是屈肘90°位。双侧肘关节融合术极其少见,如果确实需要,应该考虑患者日常生活需要。一侧肘融合在110°左右时,手可以触及脸部,另一侧融合在70°左右以便处理会阴部卫生。确切位置应在术前与患者具体测试决定。

肘关节融合术方法很多,传统方法有Steindler法、Rittain法、Aples法和Rafilies法。其中比较常用的是Steindler法(图18-3)。近年来,随着内固定技术的发展,可以运用重建钢板固定保持融合位置,缩短外固定时间(图18-4)。

操作步骤:采用侧卧位,患侧在上,上肢前伸,置于胸前垫子上。作肘后外侧切口,起自肘关节上10 cm的外侧,绕过鹰嘴外侧,止于鹰嘴下3 cm。切开后,首先分离尺神经,顺延向下分离,用胶皮条拉开保护。对肱三头肌有挛缩者,应将其腱膜作舌状切开,以便延长。紧贴皮质骨作骨膜下剥离,显露肱骨下端、鹰嘴和桡骨头。在剥离肘关节前侧时,要注意避免损伤前侧血管、神经,并填入纱布隔离保护后才能继续以后的关节内操作。对关节呈骨性强直者,应用骨凿凿开,不要用暴力屈曲,以免骨质折裂,造成手术困难。关节分离后,屈肘即可显露关节组成骨。切除软骨面和桡骨头。如关节腔有病灶,应先作清除,然后凿除肱骨滑车及鹰嘴的软骨面再用线锯在桡骨颈部切除桡骨头,锉平其残端,用周围筋膜缝合覆盖以保证前臂旋转功能。关节外融合将肘屈曲90°,在滑车上部的肱骨下段后面凿一长4 cm、宽2 cm的纵行浅骨槽,在骨槽延长线上相应的鹰嘴顶部凿一短槽,取大小合适的植骨片嵌入槽内,两端用螺钉内固定于肱、尺骨上,取松质易碎片填充关节间和植骨片下的空隙。在关节后方可以用重建钢板固定。松开止血带，彻底止血。缝合肱三头肌腱膜；挛缩者给予延长。前移尺神经，将尺神经向上、向下扩大分离，并移至肘关节的内前方皮下，防止迟延性尺神经麻痹的发生。然后冲洗伤口，逐层缝合切口。用前、后长臂石膏托外固定肘关节于功能位（屈肘90°、前臂中立位）。用三角巾悬于颈部，直至骨性愈合为止。

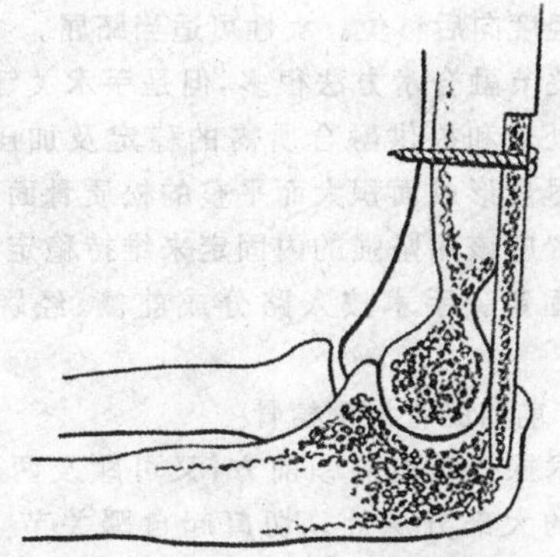

图 18-3 Steirdler 法肘关节融合术

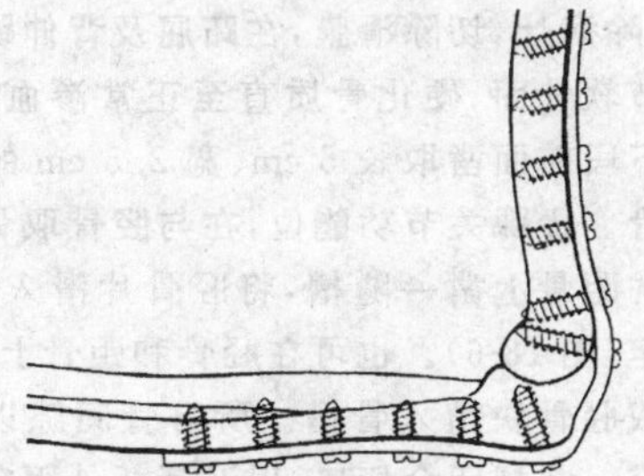

图 18-4 钢板固定肘关节融合术

18.4 腕关节融合术

腕关节融合术主要适用于创伤性关节炎、风湿性关节炎等造成的关节疼痛，并且经其他治疗效果不佳。其他适应证包括感染或肿瘤切除术引起的关节破坏；与肌腱转移术连用、稳定瘫痪的腕关节和手；也可用于脊髓灰质炎后遗症需要稳定腕关节以改进手的功能和脑瘫的患者；腕关节置换术失败，既往有限的腕关节融合术失败者也是手术指征。

腕关节应融合在不易产生疲劳、握拳最有力的位置，一般为背伸 10°～20°，这一角度是指第三掌骨干长轴与桡骨干长轴形成的角度。

腕关节包括 3 排关节，即桡骨与近排腕骨之间、近排与远排腕骨之间、远排腕骨与掌骨基底部之间的关节。临床常见的腕关节结核多累及全部关节，融合时也应包括全部 3 排关节。但如桡骨下端粉碎性骨折、舟状骨折引起的损伤性关节炎等，病变仅累及近端 1～2 排关节时，只需有限融合该排关节，可以保留腕关节的部分活动。术中对不需融合的关节，应注意避免损伤。

传统的腕关节融合术是去除所融合关节的软骨和皮质，随后进行植骨，术后需进行长时间的腕部固定以利于融合。常用的方法如 Haddad 融合术和滑行植骨融合术。目前随着内固定技术的提高，特别是 AO 技术的普及，使用加压钢板螺钉使腕关节融合效果更好。本文介绍的是使用钢板固定的腕关节融合术（图 18-5）。

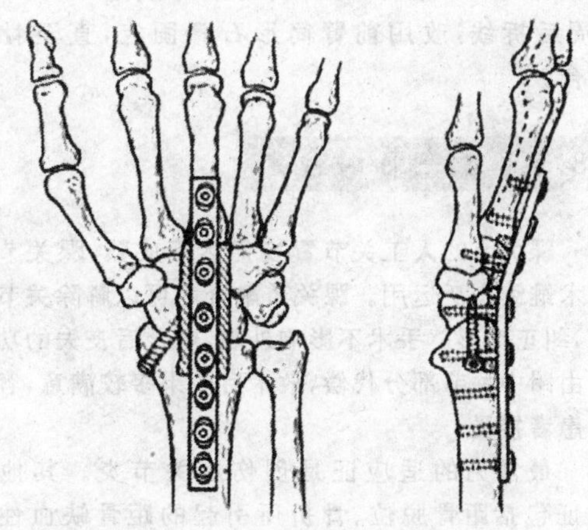

图 18-5 钢板固定腕关节融合术

操作步骤：仰卧位，上肢外展、旋前放在手术台旁小桌上切口，显露腕背正中纵切口或“S”形切口，从桡骨尺侧缘腕上 5 cm 经 Lister 结节至第三掌骨基底，辨认并保护桡神经浅支的分支。自拇长伸肌腱与指总伸肌腱之间切开分离，将前者牵向桡侧，后者牵向尺侧。“I”形切口切开关节囊，用骨刀切除 Lister 结节及腕骨背侧皮质与钢板的弧度一致，便于钢板的平整放置，切除腕关节的关节囊，显露关节组成骨。凿除桡、腕、掌骨的软骨面，彻底清除病灶。腕骨小而多，四周均为关节面。严重结核患者的软骨面比较容易清除。创伤性关节炎等疾病，软骨面基本正常，凿除比较费时，可利用相应的圆凿耐心细致地凿尽，以免影响愈合。下尺桡关节应注意保存，如病变已呈僵硬，应同时行尺骨远端切除术，恢复前臂的旋转功能。

利用切下的骨块或自桡骨远端取骨，在间隙中填塞松质骨。用一枚 3.5 mm 皮质骨加压螺钉穿过桡骨茎突至头状骨，将腕骨拉向桡骨茎突，以免影响远侧尺桡关节。将腕关节维持于背伸 20°左右，选取合适的预塑形钢板，一定要保证钢板远端置于第三掌骨中央。在掌骨上标记螺钉的位置，再移去钢板。直视下，在掌骨的中线上自背侧向掌侧钻直径 2.0 mm 的孔。植入钢板，测深，攻丝，拧入掌骨侧最远端的 2.7 mm 螺钉。再植入掌骨上的其他螺钉。于钢板桡骨侧次远端的螺孔上，按加压的方式拧入一枚 3.5 mm 螺钉，以对桡腕关节、腕骨间关节加压固定。再植入其他螺钉，放置引流，闭合切口。术后自肘上至掌骨头部行石膏托外固定于屈肘 90°、前臂中立位和腕关节背屈 20°～25°。2 周后拆线，改用前臂筒形石膏固定，直至骨性愈合。

18.5 踝关节融合术

踝关节的人工关节置换仍然不成熟，踝关节融合术继续广泛运用。踝关节融合术可以解除关节疼痛，纠正畸形。手术不影响外观，融合后丧失的功能可由跗中关节部分代偿，故术后效果多较满意，容易为患者接受。

最常见的适应证是创伤后关节炎。其他适应证包括距骨脱位、骨折所引起的距骨缺血性坏死，类风湿关节炎，感染如结核性或化脓性关节炎后期遗留严重关节疼痛者，全踝关节成形术失败后的补救，肌腱替代不能完全解决的僵硬足下垂畸形，踝关节周围肿瘤。目前，踝关节固定术更多地被用于伴有严重畸形的神经病性关节炎患者，但是在这些患者中并发症更常见，尤其是感染和骨不愈合。

踝关节融合应维持于功能位，男性一般为直角中立位即 90°，同时可以外翻 5°～10°、外旋 5°～10°及距骨轻度向后移位。女性可适当跖屈。

踝关节融合术方法很多，但是手术关键在于融合面的处理和提供融合所需的稳定及加压。术中融合面尽量形成面积大而平整的松质骨面，关节固定的位置应该用坚强的内固定来维持稳定，可结合使用外固定。手术按入路分成前侧、经踝和后侧入路。

(1) 前路胫骨滑槽植骨

手术探查既能照顾前方，又可顾及两侧，能清除关节的大部分病灶。切口起自踝关节上 10 cm 的胫骨外侧，纵形向下直达第三楔骨。沿肌腱间隙进入，显露胫骨下端和踝关节囊前方。横行切开关节囊，清除病灶，切除滑膜，在跖屈及背伸踝关节时切除关节软骨面、硬化骨质直至正常渗血松质骨。于胫骨下段前面凿取长 5 cm、宽 2.5 cm 的全厚胫骨皮质骨。置踝关节功能位，在与胫骨取骨片处相应位置的距骨上凿一隧槽，将胫骨片滑入槽中，以螺钉固定(图 18-6)。也可在胫骨和距骨上开槽，另取髂骨或胫骨块植入骨槽。所有骨间隙以松质骨紧密填充。常规闭合切口，以石膏托外固定踝关节于功能位。

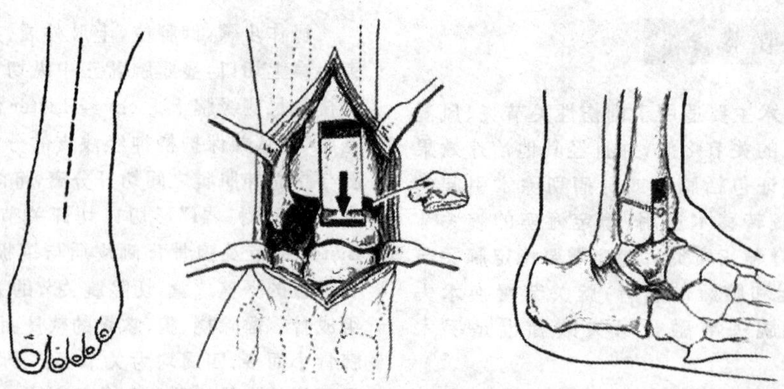

图 18-6 前路胫骨滑槽植骨

(2) 髂嵴骨移植踝关节加压融合术

在踝关节前方作一纵形切口，在𧿹长伸肌腱和趾长伸肌腱之间进入。将胫前血管神经向内侧拉开，从胫骨前缘剥离踝关节囊。用骨凿和锤子在水平方向从胫骨和距骨上去除关节软骨，但是不去除胫骨和距骨的垂直关节面和腓骨关节面上的软骨，适当楔形切除骨面以矫正畸形。在儿童要小心避免损伤胫骨远端的骺板。用与踝穴宽度等宽的骨凿从髂嵴前部切取一块全层移植骨块，宽度与踝穴相等，长度与踝关节前后径相等，但不要包括髂前上棘。修整骨块适应踝穴大小，并用骨钻在其上钻一些孔。用手分开踝关节间隙，打入植骨块，使其宽面向前、植骨面与胫骨和距骨表面紧密接触。检查足的位置，调整以使其位于中立位。用取自髂骨的松质骨填充残留的所有空隙。分别在胫骨和距骨上打入 2 枚固定钉，安装外固定支架，加压固定。术后 2 周拆线，8～10 周视骨愈合情况拆除外固定支架(图 18-7)。

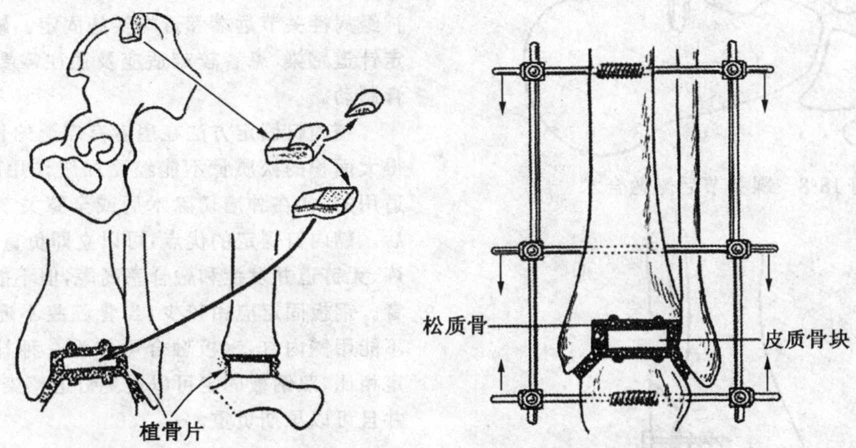

图 18-7　踝关节加压融合术

(3) 踝及距下关节后侧融合术

在踝关节后侧跟腱的内侧，与跟腱平行作一个 7.5 cm 长纵形切口。向内侧牵开𧿹长屈肌腱以暴露踝关节和距下关节后关节囊。如果手术是在关节囊外操作，就不要切开关节囊。否则横向切开关节囊并去除距骨后部的大部分和踝及距下关节后部关节面，用骨凿从胫骨后侧凿取骨片移向远侧，插入跟骨上端(图 18-8)。踝关节用从膝上部到足趾的管型石膏制动，维持足的正确角度。为适应局部的肿胀，在足及踝的背侧石膏上开一个长方形的窗，将锯下的石膏再盖回原位，然后用绷带松松地包扎。术后 4 周更换一个妥帖的石膏靴，如果手术反应较轻，行走完全可以满足要求。小心逐渐开始负重，术后 8～12 周才可以完全负重。筒形石膏要到踝及距下关节牢固融合后才可以去掉。后侧关节固定术的制动时间通常要比其他手术长。患者常可以恢复到几乎完全正常的步态，但是在不平的路面上行走可能会有困难。

(4) 外侧路踝关节融合术

手术可清楚显露和清除踝关节前、后、外侧的病灶，适用于主要病灶在外方的踝关节结核，也适用于非结核性的踝关节病。取踝关节外侧长弧形切口，起自踝上 8 cm，沿腓骨下段后下缘弧形切开，绕过外踝直至股骨前缘。牵开腓骨肌腱，骨膜下剥离腓骨，但不剥离下端的距腓、跟腓韧带附着之处，在踝上 6～7 cm 处锯断腓骨并下翻之，显露踝关节外侧及胫骨外侧面。胫骨外侧面骨膜下剥离并凿一浅槽以备承受植骨用。切开关节囊，内翻足部扩大关节间隙，清除病灶，切除关节软骨面，将软骨下骨面凿毛糙。修整关节面，纠正内、外翻畸形。将翻开的腓骨下端胫侧面凿毛，切除距腓软骨面。确认踝关节于功能位，将腓骨嵌入胫骨骨槽。踝关节面紧密加压后，用 1～2 枚螺钉将腓骨下段固定，1 枚固定腓骨下端于距骨(图 18-9)，植骨周围辅以松质骨填充。闭合切口。术后用石膏托将踝关节固定于功能位。注意观察趾端血运。10～14 天后拆线，改用小腿筒形石膏外固定，直至骨性愈合(一般需 3 个月)。

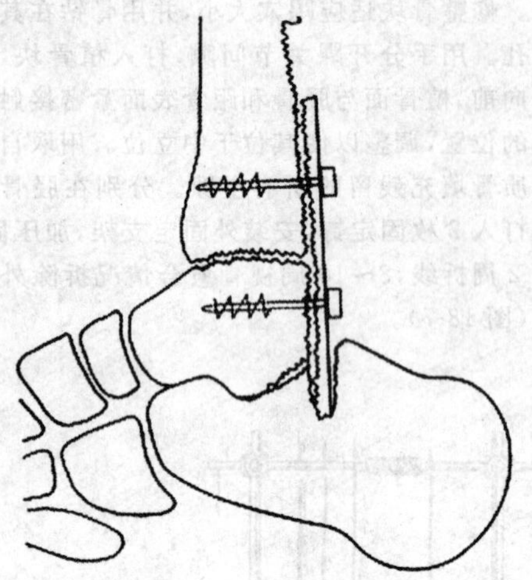

图 18-8 踝关节后侧融合术

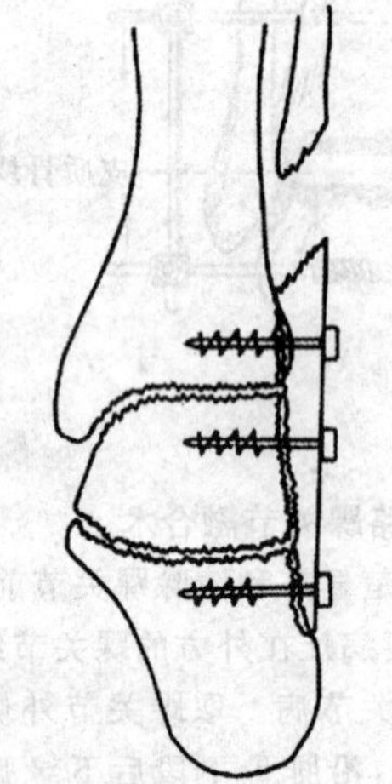

图 18-9 外侧路踝关节融合术

18.6 膝关节融合术

由于全膝关节置换术成功地广泛开展，膝关节融合术现已很少使用。早期适应证主要是严重的骨性关节炎、创伤性关节炎、感染性关节炎、脊髓灰质炎。目前最常见的适应证是全膝关节成形术失败后的补救。主要是全膝关节置换术后感染无法行翻修术。此外，膝关节融合术可用于胫骨近端及股骨远端恶性肿瘤切除术后重建。偶尔也用于患有严重关节病的青年，因为有时考虑到他们的体重、职业或活动量，关节固定术比关节成形术更为适合。

膝关节融合位置为屈曲 0°～15°、外翻 5°～7°、外旋 10°。膝关节融合于伸直 0°位时可以减少肢体缩短，但行走时需要髋关节代偿。融合于屈曲 15°时步态好，但会增加短缩。

膝关节融合术的手术方法很多，主要区别在于内固定方法不同。外固定支架加压膝关节融合术通常适用于膝部骨丢失较少、松质骨表面积较大并且有足够的皮质骨的患者，这样可以有很好的骨接触并且还可以耐受加压。加压固定的优点包括：通过融合部位可获得良好而稳定的加压及可在感染性或神经病性关节远端和近端实施固定。缺点包括外固定针道感染、患者较难适应及往往需要早拆除和石膏制动。

髓内钉固定方法在患者有广泛的骨质缺失而使得大面积的松质骨不能经受加压作用时，可能是最适用的，如在肿瘤切除术后或全膝关节成形术失败后。髓内钉固定的优点：可以立即负重、易于康复锻炼、无钉道并发症和融合率高等，但不能用于感染患者。钢板固定应用较少，当骨髓腔不通畅或变形时不能用髓内钉，钢板融合可作为一种补充。与外固定相比，双钢板固定可以避免钉道感染和钉的松动，并且可以早期负重。

18.6.1 外固定支架加压膝关节融合术

取仰卧位。手术步骤如下(图 18-10)。

1) 切口，显露在充气止血带下进行手术。用膝关节正中或前内侧切口，“∧”形切开股四头肌肌腱，沿髌骨两侧切开关节囊，连同髌骨下翻，即可显露膝关节腔前面，也可切断髌韧带，连同髌骨上翻，显露关节腔。

2) 清除病灶，先切除前侧有病变的关节囊、滑膜、髌下脂肪垫及髌骨，髌骨健康部分可保留不切，作植骨备用。然后，屈曲膝关节，将两侧皮瓣拉向后侧，紧贴骨外面，锐性剥离内、外侧副韧带，再切断前后交叉韧带，切除半月板，即可将关节完全脱位。用纱布绕过股骨下端将其提起，彻底清除后侧病灶。注意防止损伤后侧的腘窝内血管与神经。

3) 切除骨端，根据病变的范围及切除平面的设计，将骨端周围的软组织作适当的骨膜下剥离，特别是后侧关节囊附着处要分离好，使股、胫骨的端部至少露出 2～3 cm。拉开并妥善保护周围软组织后，用板锯或宽骨刀切除骨端。一般先切除股骨，然后切除胫骨。切除时，可互用对侧骨端来保护，以免损伤软组织及后侧的重要血管、神经。此外，还须注意：①骨端切除范围应尽量缩小，以保存肢体的最大长度，但又要彻底切除病骨。因此，对各种不同的骨破坏，应个别设计。对破坏较小的可以一次平面切除；对两端骨面破坏不匀的，应予以补缺；如有较大腔洞的，可作局部切除，利用髌骨或取髂骨块填充。②膝关节融合的功能位笔者认为以微屈约 10°为最合适，骨端切除应呈水平位，不要倾斜，以免加压后发生移位。因此，为达到这一理想角度，锯骨时，可先将股、胫骨干互放在 85°屈位，然后将两个关节面互成直角切除，使切断平面与骨干纵轴的角度成为微屈 5°。③切骨面要平整，才能使接触面大、愈合快、愈合牢靠。用锯操作比较简便，也可用宽扁凿凿除。

4）穿钉加压固定　将股、胫骨断面密切对合，由专人保持位置。在距离骨断面 3～5 cm 处选定股骨、胫骨穿钉点，上、下穿钉点的连线必须与骨断面垂直。因此，穿钉点不一定要在骨前后径的中心，可稍行偏前或偏后以适应切断平面。穿钉前先将皮肤的切口对合，在相应骨穿钉点的皮肤上用刀尖刺破一小口，将钉刺入皮下各层软组织（股骨穿钉由内向外，胫骨由外向内，以免损伤神经、血管）。将钉尖放在预定的骨穿钉点，用锤轻轻捶入，或用手摇钻慢慢钻入，使之穿出对侧皮肤小切口，并使两边露出钉的长度相等。进钉时应注意钉的方向，两钉必须平行，又垂直于骨干的纵轴线，否则容易发生膝内、外翻或股骨、胫骨旋转移位。然后，套上膝关节加压融合器，拧紧螺丝，加压固定。一般加压至钢钉稍有弯曲，轻轻抬起小腿时骨断面比较稳定而不移位即可。压缩过度会引起骨质吸收。在加压前，应注意在两骨之间勿夹入软组织；加压后，应再检查骨面的对合情况，如有骨突起应加以修整，如有缝隙应加以植骨充填。最后冲洗伤口，放开止血带，彻底止血后逐层缝合，石膏托外固定。术后抬高患肢，肢体下方要均匀垫平，并注意肢端血运，有障碍时应立即松开石膏。术后 10～14 天拆线，4～6 周可除去加压器，改用长腿筒形石膏固定 4 周。固定期间可负重行走。X 线片证实骨性愈合后，即可除去外固定。

18.6.2　髓内钉膝关节融合术

在患侧髋和肢体下垫一沙袋，以便触到大转子。切口及融合骨端处理与外固定支架加压膝关节融合术相同。

在邻近大转子处作一 5～7 cm 长的切口。切开臀大肌筋膜，纵向分开肌纤维，找到转子间窝，用弯锥钻开。用一"T"形手柄钝头扩髓钻将股骨近端髓腔打开，顺髓腔插入一根球形头的导针到膝。同样用"T"形手柄钝头扩髓钻打开胫骨髓腔，插入球形头的导针到胫骨远端的干骺端。逐渐扩大胫骨髓腔，扩大的程度通常由术前胫骨和股骨正侧位 X 线片上的测量来决定。大多数情况下，使用直径为 12～14 mm 的髓内钉。钉的长度应该在术前从标准的下肢全长正侧位 X 线片上或透视上测量确定。

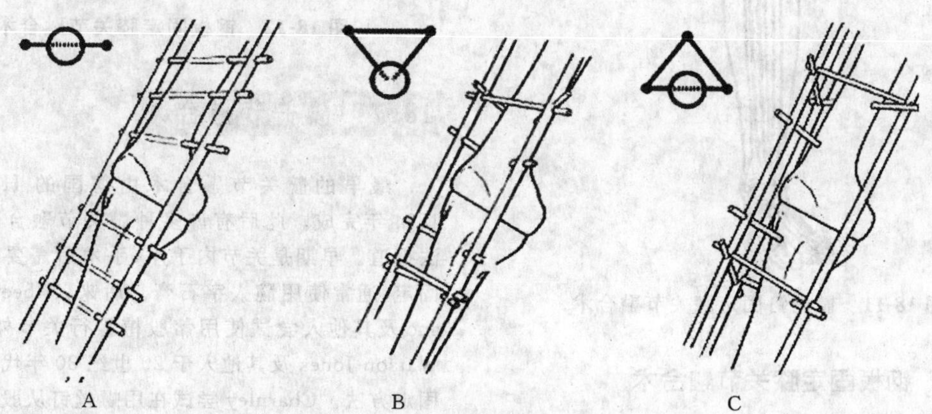

图 8-10　外固定支架加压膝关节融合术

A. 平行穿针　B. 三角形半侧穿针　C. 三角形全长穿针

将髓内钉从大转子处套入导针顺行插入。维持关节固定部位的压力以免髓内钉穿入胫骨时使其分离。钉应该向外侧弯以重建正常的膝关节外翻角和更接近下肢的正常轴线。将髓内钉一直穿到胫骨远端干骺端。钉端不要终止于骨干处，以免引起应力集中和胫骨的疼痛或骨折。将钉尾埋入大转子尖下以避免刺激外展肌。最后将髌骨和按常规取得的自体髂骨填塞在关节固定处周围。在髋部和膝部放入负压引流管，缝合两处切口。加压包扎伤口，用后侧石膏夹板从臀到足趾固定。引流管于术后 2～3 天拔除，可以扶拐行走，术侧下肢可以点地负重。如果 6 周后有明显的愈合，可以逐渐负重。一直扶拐行走直到临床和 X 线愈合为止(图 18-11)。

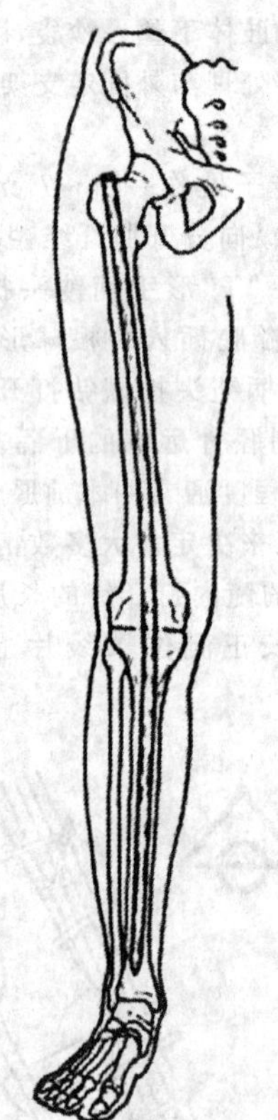

图 18-11 髓内钉固定膝关节融合术

18.6.3 钢板固定膝关节融合术

股骨和胫骨可以临时用斯氏钉贯穿固定。用钢板折弯器将两个宽的 8～12 mm 孔 AO 钢板折成适应股骨和胫骨外侧及内侧轮廓的形状。使螺钉通过两侧的皮质，用标准的 AO 钢板使之适应于外侧和内侧。在干骺端使用全螺纹松质骨螺丝钉是有益处的。将髌骨切成小片并且将其填塞到关节边缘周围的缺损处，或用螺丝钉将其固定到关节固定部位。逐层缝合切口，长腿管型石膏固定。只要患者能够耐受就可以让患者部分负重行走，在以后的 10～14 周中逐渐增加负重。石膏一直戴到融合牢固为止。钢板在彻底融合后取出(图 18-12)。

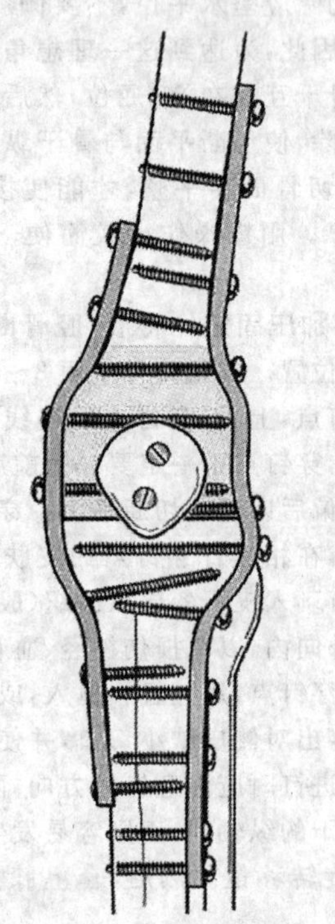

图 18-12 钢板固定膝关节融合术

18.7 髋关节融合术

最早的髋关节融合术由德国的 Huesner 在 1894 年完成。此后有许多种髋关节融合的手术方法报道。早期是关节内手术，手术后需要大范围的固定，通常使用髋人字石膏。后来，Albee、Magliano 及其他人尝试使用髂股植骨行关节外固定术。Watson-Jones 及其他人于 20 世纪 30 年代引入了内固定方法。Charnley 尝试在用螺丝钉从股骨头顶部加压固定的同时，通过使股骨头中心性脱位到骨盆内来增加稳定性。这些早期的内固定方法的不愈合率仍然很高，并且需要长期外固定制动。1966 年，

Schneider 设计了一种使用眼镜蛇头形钢板的固定方法，可以取得融合部位更大的稳定性。

随着髋关节置换技术的普及和完善，髋关节融合术的适应证日益减少。目前主要适应证是患有严重关节炎（通常是创伤性关节炎）的年轻患者。其他还包括髋关节结核、陈旧性髋关节化脓性感染、麻痹性髋关节脱位、髋关节成形术后失败等。关节固定术的绝对禁忌证是髋关节的活动性化脓性感染，在控制感染 12 个月后才可以行关节固定术。相对禁忌证包括腰骶椎、对侧髋关节或同侧膝关节的严重退行性改变。

髋关节可以通过多种方法获得成功的融合。不论选择哪种手术方法，髋关节均应该融合于屈曲 30°、内收 0°～5°及外旋 0°～15°的位置上。

(1) 眼镜蛇头形钢板固定关节固定术

自从 Schneider 研制出眼镜蛇头形钢板用于髋关节固定术以来，这种方法日益完善。手术方法包括髋臼内移截骨术和蛇形钢板坚强内固定（图 18-13）。

手术方法：患者取仰卧位，同侧臀下垫一沙袋，双侧下肢和髂前上棘皮肤消毒、铺巾，使双侧髂嵴和踝部显露。沿股骨干作一个直的纵形切口，下方到大转子远端 8 cm 处，按切口全长沿阔筋膜张肌肌纤维走向打开阔筋膜张肌。术中找到坐骨神经并加以保护。用自动牵开器将切口牵开显露。切断股外侧肌的起点，将其从大转子和股骨粗线上翻转向下 6 cm。分辨出臀中肌的前后边缘。用摆动锯作大转子外侧截骨，使近端骨块带有臀中肌和臀小肌止点。借助股骨大转子端的骨块将外展肌群向上拉开，并用穿入髂骨翼的两枚大的斯氏钉维持其在上方的位置。在髋关节上方切开关节囊，剥离用于牵开的斯氏钉的上方髂骨翼外板的骨膜，前方到髂前上棘和髂前下棘，后侧到坐骨切迹。在坐骨切迹处的骨膜下放一个钝的 Hohmann 牵开器以保护坐骨神经和臀上动脉，将另一个牵开器放在髂耻隆起前方。在髂耻隆起与髋臼上端的坐骨切迹之间作横行髂骨截骨。从股骨头上端去掉 0.5 cm 的骨薄片。用摆动锯行髂骨截骨，并用骨刀使其完全断开。用骨凿和刮匙清除股骨头上方负重表面和髋臼上所有残留的软骨和硬化的骨皮质。用钝的弯骨刀放在截骨处，将半骨盆远端部分和股骨近端部分向内侧错开一个髋骨全厚度的距离，并将远端半骨盆橇起 1 cm。

去掉沙袋并在两髂前上棘上各穿入 1 根斯氏钉，用斯氏钉与长臂量角器确定下肢的内收和外展。通过观察髌骨和内外踝与两根垂直的斯氏钉的相对位置评定下肢的内外旋。将髋关节置于 25°屈曲、内外旋中立位及内收和外展中立位上。将一个 9 孔眼镜蛇形钢板适当折弯与相应部位骨的轮廓一致，近端用一枚 4.5 mm 的皮质骨螺丝钉将钢板固定到髂骨上，通过 Thomas 试验检查髋关节的屈曲。在钢板的远端，用一个 4.5 mm 的单侧皮质骨螺丝钉将 AO 加压器固定到股骨的外侧。在钢板最远的螺丝孔中插入一枚螺丝钉，用加压器进行加压以确保髋关节处有满意的骨接触，然后用 4.5 mm 的双侧骨皮质螺丝钉通过钢板上 9 个孔中的 8 个孔将钢固定于股骨外侧，然后去掉加压器。在钢板近端上拧入 4.5 mm 的皮质骨螺丝钉，注意保护好骨盆内板上的神经血管结构。去掉牵开器和斯氏钉，在股骨大转子近端骨块中心钻一个 4.5 mm 的孔。在近端股骨钻孔并通过蛇形钢板的第 3 或第 4 个孔拧入一枚 3.2 mm 的双侧皮质骨螺丝钉，用一枚 4.5 mm 的皮质骨螺丝钉和垫圈将股骨大转子复位固定。在髋关节周围填塞所剩下的带皮质骨的松质骨。拍摄前后位骨盆 X 线片检查钢板、螺丝钉和髋关节的位置。彻底冲洗伤口后逐层缝合切口，留置引流管，术后无须制动。在术后第 2 天或第 3 天鼓励患者部分负重活动。使用双拐部分负重行走 6 周。

(2) 松质骨螺丝钉固定关节融合术

Benaroch 等为青年患者设计了一种简单的髋关节固定方法。通过前外侧入路，从前方切开关节囊，将股骨头脱位，去除关节两侧关节面上的关节软骨和坏死的骨组织。用纱布套过股骨颈拉向后外侧，维持在外旋位后，用骨凿凿除股骨头与髋臼相对应的软骨面。再用阴阳锉修整，使两者能密切相合，以利愈合。用大量盐水冲洗伤口。将下肢放在能够使股骨头和髋臼达到最大接触的位置上，再从髂骨内侧表面拧入 1 枚或 2 枚松质骨螺丝钉固定股骨头，在拧紧螺丝钉使股骨头与髋臼间加压之前，先作股骨转子下截骨，以减小股骨长杠杆臂的压力。

(3) 股骨头缺失的关节固定术

1) 大转子与髋臼融合的髋关节融合术　1931 年，Abbott 和 Fischer 为髋关节感染后股骨头和颈完全破坏的患者设计了一种髋关节固定的手术方法。这种方法也被用于股骨颈不愈合、股骨头坏死、股骨头置换术失败后和转子部特制假体置换术后感染的患者。

手术方法：为了矫正严重的畸形，首先要从髂骨翼上将股骨大转子游离下来，在股骨远侧干骺端穿斯氏钉进行强力牵引。逐渐将下肢牵引到大角度外展位，使得大转子与髋臼接近，在固定时可以互相对合。

完全外展位固定髋关节：通过前侧髂股入路暴露髋臼和股骨近端。从前上方切开关节囊，行髋关节清创，清除所有的髋臼关节软骨直到出现正常的松质骨为止。加深髋臼以利于更好地容纳股骨大转子。从股骨颈基底切除颈残留部分并从大转子和附近股骨干上剥离下外展肌群，去除大转子表面的骨组织直到有出血的松质骨为止。使下肢完全外展，用力将大转子完全插入到已准备好的髋臼中，用自体髂骨移植填满任何残留的间隙。

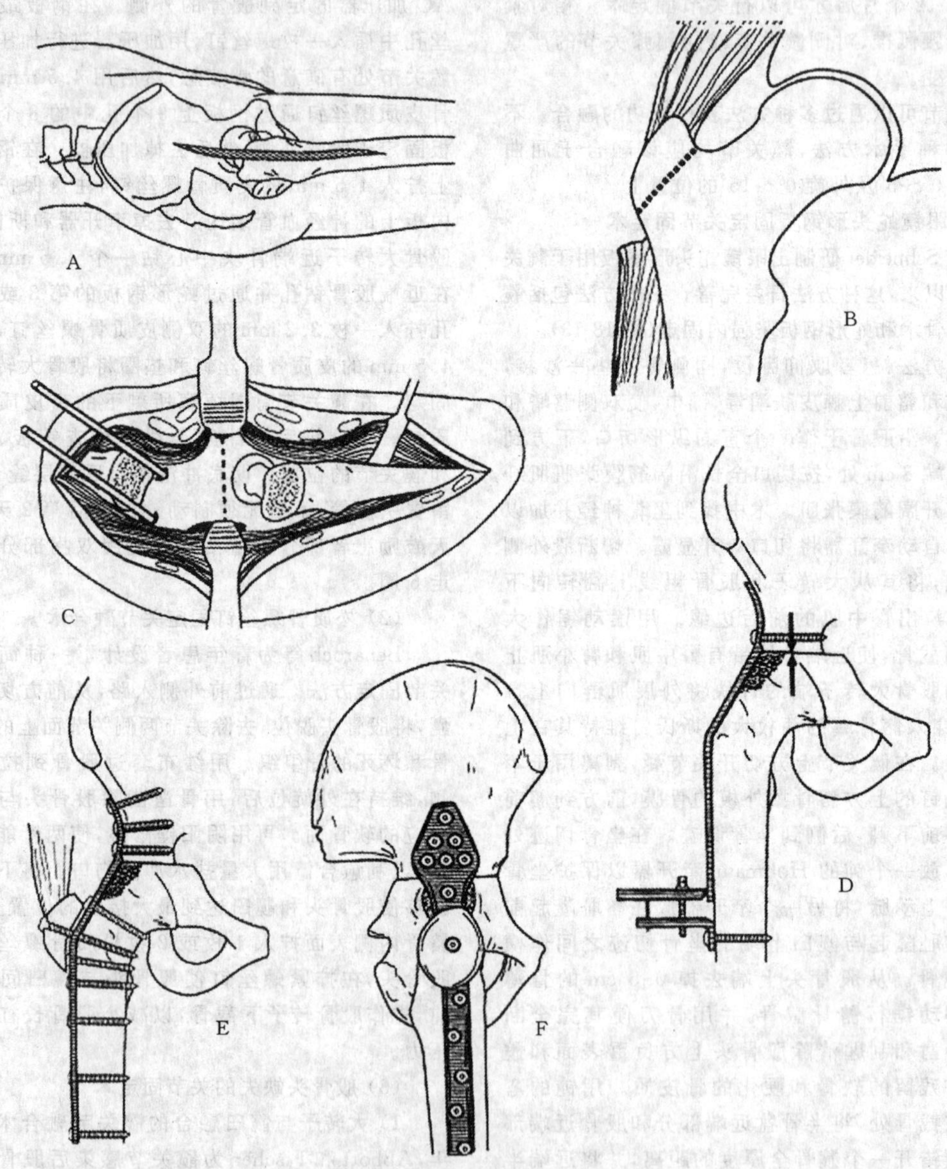

图 18-13 眼镜蛇头形钢板固定关节固定术

A. 外侧切口 B. 股骨大转子截骨 C. 显露截骨部位 D. 加压固定 E. 固定后的正面观 F. 固定后的侧面观

外展的程度：因人而异。有些患者45°已经足够了，而另一些患者则需要70°～90°外展才能使骨面准确对贴以确保很好的接触。然而，外展的角度必须充分以使相对的骨面获得牢固的加压。术后用髋人字石膏固定，固定范围上方从乳头线开始，下方患侧到足趾，对侧到膝关节。

转子下截骨固定最后的位置：当临床和X线证实融合牢固后，切开原髂股切口的远侧部分，并向内侧牵开股直肌，在股直肌和股外侧肌之间切开骨膜。如果需要可以结扎旋股外侧动脉分支。在小转子下5 cm处横形截骨，截断股骨干的3/4，小心使股骨内侧皮质骨折。使股骨干内收并轻度向内侧移位，以使骨折近端部分的内侧皮质能插入骨折远端的髓腔中。通常不需要内固定。Abbott和Lucas报道常将髋关节固定于5°～10°外展、35°屈曲及10°外旋的位置上。

术后处理：用双侧髋人字石膏固定，如果石膏的X线通透性可以令观察满意的话，可以让患者制动到截骨处愈合牢固为止。

2）股骨近端与坐骨融合的髋关节融合术 1942年Bosworth发表了一种用于股骨头严重病损或缺失的髋关节固定方法，术中将股骨近端与坐骨融合。

通过髋关节外侧入路暴露股骨近端（图18-13A～C）。在刚好位于坐骨结节水平近端截断股骨干，这样远端部分的上内侧便形成一个尖端。必须选择好截骨部位，如果截骨过高，下肢长度要增加，以致肌群及筋膜的张力增加，从而迫使股骨端刺入预先做好的坐骨沟槽中。牵开股骨，钝性分离显露坐骨结节的远侧和外侧部分。在坐骨结节适当的部位剥离完表面后，用大刮匙刮出一个沟槽。然后屈曲髋关节约90°，在坐骨沟槽中放一块大的骨块垫，伸展髋关节约30°，将股骨端插入坐骨槽中。将原来覆盖坐骨剥离部位的骨膜和纤维组织如袖套样包裹股骨干的末端。

术后处理：用双侧髋人字石膏固定到X线显示有牢固骨性融合为止。

（夏 庆）

参考文献

[1] Beaule PE, Matta JM, Mast JW. Hip arthrodesis: current indications and techniques. J Am Acad Orthop Surg, 2002, 10(4):249～258.

[2] Chammas M, Goubier JN, Coulet B, et al. Glenohumeral arthrodesis in upper and total brachial plexus palsy. A comparison of functional results. J Bone Joint Surg Br, 2004, 86(5):692～695.

[3] Claiborne A, Frederick M. Campbell's Operative Orthopaedics. 9th ed. St Louis: CV Mosby, 2001. 145～206.

[4] Clare DJ, Wirth MA, Groh GI, et al. Shoulder arthrodesis. J Bone Joint Surg Am, 2001, 83(4):593～600.

[5] Conway JD, Mont MA, Bezwada HP. Arthrodesis of the knee. J Bone Joint Surg Am, 2004, 86(4):835～848.

[6] Donley BG, Matthews LS, Kaufer H. Arthrodesis of the knee with an intra-medullarynail. J Bone Joint Surg Am, 1991, 73:907～913.

[7] Hayden RJ, Jebson PJ. Wrist arthrodesis. Hand Clin, 2005, 21(4):631～640.

[8] Hopgood P, Kumar R, Wood PL. Ankle arthrodesis for failed total ankle replacement. J Bone Joint Surg Br, 2006, 88(8):1032～1038.

[9] Janet DC, Michael AM, Hari P. Bezwada arthrodesis of the knee. J Bone Joint Surg, 2004, 86:835～848.

[10] Safran O, Iannotti JP. Arthrodesis of the shoulder. J Am Acad Orthop Surg, 2006, 14(3):145～153.

[11] Shibata T, Tada K, Hashizume C. The results of arthrodesis of the ankle for leprotic neuroarthropathy. J Bone Joint Surg Am, 1990, 72(5):749.

[12] Zarutsky E, Rush SM, Schuberth JM. The use of circular wire external fixation in the treatment of salvage ankle arthrodesis. J Foot Ankle Surg, 2005, 44(1):22.

第四篇

创 伤 骨 科

19 创伤基础理论

创伤定义有广义和狭义两种：当人体受到外界某些物理（如机械力、高热、电击等）、化学（如强酸、强碱及糜烂性毒剂等）和生物（如虫、蛇、狂犬的咬伤等）因素作用后所引起的组织器官破坏为广义创伤；机械能作用于人体所造成的组织器官破坏为狭义创伤，即通常所说的创伤。

虽然目前尚无创伤情况的精确统计，但仅从有临床救治意义的角度估算，全世界每年发生创伤的人数以千万计，死亡人数以百万计。我国每年死于创伤的人数 10 余万人，伤数百万人。创伤已成为继心脏疾病、恶性肿瘤、脑血管疾病之后的第 4 位死亡原因。如从社会劳动力损失的方面考虑，创伤则居各种疾病之首。

创伤学的主要研究内容为各种创伤的发生机制、诊断和救治，但随着跨学科综合研究的兴起和发展，其研究范围不仅扩大，研究手段也趋于新颖和多样化。创伤既涉及病理生理、病理解剖、生物化学、营养、代谢、感染、免疫等基础医学理论，也涉及分子生物学、生物力学等边缘学科，还包括火器伤、烧伤、冷伤、冲击伤、复合伤等军事医学内容，同时又和预防医学挂钩，如创伤流行病学等。另外，创伤救治与防护密不可分。以交通伤为例，如能提高交通管理水平、优化道路建设、强化安全意识、促进司机的职业精神和专业能力、改进车辆结构以提高其安全性，车祸和交通伤就必然大为减少；又如工业创伤，如能改善劳动保护条件、增加安全设备、严格操作规则、提高工人技术水平和安全生产意识，则工业创伤肯定显著减少。由此看来，现代创伤学不仅是临床与基础密切结合的医学门类，也是与医学外领域密切相关的综合性学科。

限于篇幅,本章只从创伤流行病学、创伤分类、创伤评分、创伤后感染、创伤早期急救和治疗、创伤性休克和创伤后内脏并发症7个方面,简要叙述了创伤学的基本理论和技能。有关治疗仅作原则性介绍,以偏重理论性。

19.1 创伤流行病学

创伤流行病学是应用流行病学原理和方法,研究人群中创伤的发生、影响因素、流行规律和预防措施的一门分支学科。此处仅简单介绍道路交通创伤流行病学。

19.1.1 基本概念

(1) 交通事故

广义交通事故(traffic accident,或 traffic crash)包括公路、铁路、航空和水上等所有交通所发生的意外事故;狭义交通事故一般仅限于公路或道路交通意外事故。由于道路交通事故(亦称车祸)频繁发生,有人将其称为世界第一大公害。

(2) 车辆死亡率

指每年每万辆机动车的车祸致死人数。它以机动车拥有量为基础,用以表示交通安全水平。死亡率越高,表示交通安全水平越低。

(3) 人口死亡率

指每年每10万人口的车祸致死人数。通常以社区人口为基数,用以表示人身安全的水平。死亡率越高,说明人身安全越差,但由于未包括车辆数,因而不能全面反映人身安全的水平。

(4) 行程死亡率

指每年每亿千米(公里)的车祸致死人数。它以全部机动车全年行驶的千米(公里)数为基数,说明某一地区机动车在行驶过程中发生车祸致死的严重程度。

(5) 机动化程度

指同一时期内平均每1 000人口年拥有的机动车数。

人身安全 = 交通安全×机动化程度。

(6) 潜在寿命损失年数

潜在寿命损失年数(years of potential life lost, YPLL)指预期寿命与死亡年龄之差。为了克服地区差异,有时需进行标准化处理,即标准化潜在寿命损失年数(adjusted years of potential life lost, AYPLL)。预期寿命通常按70岁计算,YPLL越高,则损失的寿命越多,即早死者越多。YPLL概念的引入主要是因为车祸对健康的影响不能单纯从人群死亡人数、死亡概率和死因排序来衡量,还应考虑到它所造成的寿命丧失情况。显而易见,早殒者寿命损失多,晚殒者寿命损失少,也即社会劳动力损失少。

(7) 潜在寿命损失工作年数

潜在寿命损失工作年数(work years of potential life lost, WYPLL)指退休年龄与死亡时年龄之差。如死亡时年龄尚未达到工作年龄,则以工作最低年龄计算。一般将20岁界定为工作年龄的下限,如男性的工作年限为60－20＝40年,女性为55－20＝35年。这一指标能够更准确地反映车祸对社会劳动力的影响。

19.1.2 流行病学因素

(1) 人的因素

人的因素在道路交通事故原因中占61%～95%。西安市的一份流行病学资料表明,事故原因的65.6%为司机责任。

1) 精神状态和技术水平　人的精神状态是影响车祸发生的重要原因之一,但驾驶技术和经验与车祸的关系还难以肯定。

2) 事故倾向性　调查资料表明,多数交通事故通常发生于少数人群中,证实驾驶员存在着事故倾向性。有鉴于此,从而出现了驾驶适性测评。该测评主要采用心理学、医学和计算机检测手段,检测内容主要为驾驶员的心理素质和生理能力,以淘汰不适合者。

3) 品德和纪律　平时工作认真、品行端正和遵纪守法的人,车祸发生的概率较低;反之,则易于发生事故。

4) 年龄　不同年龄段驾驶员的体质、生理和心理特征不同,因而事故发生率也不相同。根据大量实际经验和统计资料所得,驾驶员年龄与车祸关系如下。

16～26岁(特别是16岁)的男性青少年是车祸的高危人群。此期虽然生理已经成熟,但心理并未完全成熟,思想品质与修养也尚未完善。虽然青年人具有反应快、动作灵巧的优点,但情绪不稳,沉着不够,自控能力较差,同时部分青年人过于自信,喜欢超速冒险,加之经验不足,遇到危险情况时处理不当或失误,从而容易造成车祸。

26～40岁者多有一定的驾驶经验和生活积累,并有稳定的家庭和较强责任感,此时的体质和各部位功能常处于最佳状态,心理较为稳定,判断力也强，遇意外情况能沉着应付，不致惊慌失措，因此发生车祸的机会最小。

40～55 岁者驾驶经验更趋丰富，情绪稳定，对意外情况多能沉着应付，但视力、反应能力等可能略有下降，因此有时对突如其来的险情不能作出快速而有效的反应。但总的说来，有利因素占主导地位，故发生车祸的机会仍较少。

55～65 岁者的生理功能普遍出现不同程度的下降，如听力、视力减退，反应迟钝，认知能力减弱等。但这些变化逐渐而缓慢，一般不易察觉，对于责任心很强的人来说，可因自己的努力而在很大程度上避免这些变化带来的负面影响。

65 岁以上者因生理功能、体力和健康状况的下降，发生车祸的机会有所增多，但在西方国家，这类驾驶员仍为数不少。

5）生理状况　驾驶员的生理状况与车祸密切相关。少数司机因存在生理缺陷而不适于做驾驶员工作，如视力低下、红绿色盲、听觉障碍、血压异常，显然会影响驾驶工作。另外，智力水平对驾驶也有影响。优秀司机的智商（intelligence quotient，IQ）多较高，而肇事司机的智商多较低。

6）心理素质　司机的心理素质与事故的关系很大。心理素质除了遗传和性格因素外，也和所受教育、自律程度和责任感有关。易导致车祸的危险心理状态有无意识心理、侥幸心理、靠山心理（即试图通过靠山和关系而逃避罪责和处罚的心理）、逆反心理、保险心理（即“买了保险也就买了安全”的心理）、报复心理和恐慌心理。

7）不良行为　驾驶员的不良行为始终是交通事故最常见的危险因素，也是酿成车祸的主要原因。

疲劳：长时驾驶、睡眠不足和天气炎热等都能使驾驶员疲劳。司机在驾驶过程中处于高度紧张状态，加之环境限制、姿势固定不变、震动、噪声等因素，容易造成脑缺血、缺氧，进而昏昏欲睡，无法接受和处理外界信息，失去对车辆控制，以致发生事故。

饮酒：乙醇（酒精）能造成自主神经功能紊乱，视觉和触觉功能下降，反应迟钝，判断力和操作的准确性降低，甚至出现不能控制的意识和行为。据统计，血液乙醇浓度（BAC）达到 0.58 g/L 时，工作能力已略有下降；0.8 g/L 时，误操作增加 16%；超过 0.96 g/L，判断力下降 25%；达到 1.1 g/L 时，驾驶能力下降 15%；1.5 g/L 则下降 30%；1.56 g/L 时的肇事概率约为 0.58 g/L 的 10 倍。

吸烟：吸烟可产生视力模糊、反应迟钝等现象。黄昏时如连续吸 4 支烟，视力则下降 20%～30%，夜间吸烟对视觉的影响更大。边开车边吸烟常影响操作，以往曾发生过因司机抛掷烟头而造成大型车祸的实例。

药物：药物对驾驶行为有明显影响。镇静药使人困倦、眩晕、无力、视觉模糊、色觉改变、意识恍惚；中枢兴奋剂令人情绪激动，产生过分自信以至幻觉；感冒药使人乏力，注意力分散，反应灵敏度下降；含颠茄碱药物可造成视力模糊；饮浓茶会先兴奋后疲劳；酒后服用安眠药会加大乙醇的毒性作用，若把镇静剂与乙醇混合服用，则发生事故的概率上升 70%；鸦片、大麻等毒品可导致药物依赖或急性中毒，使司机丧失自制能力，从而引发车祸。

噪声：恰当而适量的音乐可消除行车疲劳，但音量过大或出现噪声，则会分散注意力，降低判断力。长时收听轻音乐使人易产生倦意，激昂音乐则会情绪激动，悲伤音乐又会使人情绪低落，反应迟钝，因此要对车内音响作适当选择与控制。

安全带使用情况：安全带是一种有效的保护装置，高速公路上效果更好。有研究证实，在未用安全带致死的人员中，每 4 人就有 1 人是被抛向车外所致，而抛出车外的致死概率 4 倍于未被抛出者。使用腰肩安全带后死亡率可减少 42%，如伴有气囊，则可减少 47%。

（2）车辆因素

1）车辆类型　车辆类型不同，车祸发生概率也有所不同。一般来说，物体越重，车祸的概率越低，重量增加 1 倍，车祸概率降低 50%。质量较轻的汽车发生车祸时，其乘员损伤更重，致死的可能性更大。较长的车体前部或稍后的前排座位也可提高安全性。

摩托车在机动车辆中属于“弱势”群体，其车祸发生率相当于一般汽车的 22 倍，戴上头盔后降至 18 倍，死亡危险性也降低 80%。

2）车内部件　车体内部结构与人员伤亡有关。就致伤作用大小而言，依次为车内突出结构 ＞ 方向盘 ＞ 挡风玻璃 ＞ 仪表盘。车内所衬的软质材料可减轻碰撞造成的损伤。

3）车速　汽车的撞击力与其速度的平方成正比。速度越快，撞击力越大，伤亡的危险性亦越大。受伤概率与车速的平方成正比，死亡概率则与车速的 4 次方成正比。故限速已成为各国普遍采取的交通管理措施之一。

(3) 道路因素

1) 路面宽度和分界　宽阔和中间有分界的路面,发生车祸机会大为减少。1979 年,美国将州际公路加上分界物后,死亡人数由未加前的 4.8 人/百万英里下降到 1.6 人/百万英里(1 英里＝1.609 3 公里),前者恰好是后者的 3 倍。

2) 路的弯曲度和坡度　急转弯和下坡处易发生翻车,但笔直的道路使司机不易长期集中注意力,故道路有一定弯曲反而更安全。

3) 路面　雨雪天气或路面结冰易使车辆打滑。据统计,每 10 次车祸就有 1 次是因车辆打滑所致。但很滑的雪地路面可使车速大减,致死性车祸反而因此减少。高速公路由光滑的柏油路面改为较粗糙的水泥路面后,车祸发生率也显著降低。

4) 路旁物体　距公路＜12 m 的树、电线杆、木桩、岩石等,常会妨碍司机的视力,并易被车碰撞,造成人员伤亡。

(4) 时间因素

时间与车祸的关系因国家和地区不同而有所差异。

在我国,一年中以 11 月份和 12 月份车祸居多,2 月份和 3 月份较少。前者是因为年终前生产任务和经济活动较繁忙,出车机会多;后者是因为春节前后交通管理十分严格,节后出车次数也较少。

一月中每天无明显差别,但数年统计均显示,每月 26 日车祸较多,原因不清。

一周中每天的差别也不大,周末并无明显增加的趋势。

一日中,上午 8～10 时、下午 2～6 时、晚上 8～10 时,属于车祸较多时段。以往夜间车祸较少,近年来随着夜间出车次数增多,司机多较疲劳,故午夜 12～1 时,车祸发生率也较高。在西安市,午夜 12～2 时为交通事故的高发时段。

19.2 创伤分类

根据诊断、救治和基础研究的需要,可从不同角度对创伤进行分类。

19.2.1 按伤口是否开放分类

依体表结构是否完整,分为开放性和闭合性两大类。一般说来,开放性创伤易于诊断,但易发生伤口污染以至感染;闭合性创伤的诊断有时很困难(如某些内脏伤),多数感染不明显,但肠破裂等情况下,也可发生严重腹腔感染。

(1) 开放性创伤

1) 擦伤　为皮肤与粗糙物体摩擦后而产生的浅表损伤,是最轻的一种创伤。通常仅有表皮剥脱,少许出血点和渗血,继而可出现轻度炎症。

2) 撕裂伤　系钝性暴力造成皮肤以及皮下组织撕开和断裂所形成的创伤。此类伤口形态各异,斜行牵拉者多呈瓣状,平行牵拉者多呈线状,多方向牵拉者多呈星状。其伤口常见特征性的丝状物为抗裂强度较大的胶原性纤维组织。该类伤口污染多较严重。

3) 切伤和砍伤　切伤为锐器切开体表所致,其创缘较整齐,伤口大小及深浅不一,严重者可切断深部血管、神经或肌肉。因锐器对伤口周围组织无明显刺激,故切断的血管多无明显收缩,出血常较多。砍伤与切伤相似,但刃器较重(如斧)或作用力较大,因而伤口多较深,并常伤及骨组织,伤后炎症反应较明显。

4) 刺伤　为尖锐物体刺入软组织所造成的损伤。一般伤口多较小,但较深,有时会伤及内脏。此类伤口易被血凝块堵塞,容易感染,尤其是厌氧性感染。

(2) 闭合性创伤

1) 挫伤　系钝性暴力(如枪托、石块)或重物打击所致的皮下软组织损伤。主要表现为伤部肿胀,皮下淤血,局部压痛明显,严重者可有肌纤维撕裂和深部血肿。如致伤为螺旋方向,形成的挫伤称为捻挫,其损伤更为严重。

2) 挤压伤　系外部重物(如倒塌工事或房屋)挤压肌肉丰富的肢体或躯干而造成的肌肉组织损伤,有时固定体位的自压也可造成。伤部受压后可严重缺血,解除挤压后液体自血管内渗出而造成局部严重肿胀,使血管外间质压力增高,从而进一步阻碍伤部血循环。此时,血管内可发生血栓,组织细胞则可能变性坏死。大量血红蛋白、肌红蛋白等细胞崩解产物被吸收后可造成急性肾衰竭,即挤压综合征。

挤压伤与挫伤相似,但受力和致伤物与体表接触面积更大,压迫时间更长,故损伤常较挫伤更重。

3) 扭伤　系关节一侧受到过大牵张力,相关韧带超出正常活动范围而造成的损伤。关节可有一过性半脱位和部分韧带纤维撕裂,并伴有出血、局部肿胀、青紫和活动障碍。严重者可伤及肌肉和肌腱,以至发生关节软骨损伤和骨撕脱,治愈后可因韧带或关节囊薄弱而复发。

4) 震荡伤　头部受重力打击所致的意识暂时

丧失,无明显或仅有轻微脑组织形态学变化。此外,冲击波或强压力波作用于体壁后也可造成心脏震荡伤,即暂时性心律减慢或节律不齐。

5) 关节脱位和半脱位 关节部位受到不匀称暴力作用后所引起的损伤。骨骼完全脱离关节面者称为完全性脱位,部分脱离者为半脱位。肩关节的稳定性较差,易发生脱位;髋关节的稳定性较好,不易脱位。

6) 闭合性骨折 强暴力作用于骨组织所产生的骨断裂,因致伤力和受力骨组织的局部特性不同,骨折可表现出不同的形态和性质,如横断形、斜形或螺旋形,粉碎性、压缩性或嵌入性,完全性或不完全性,一处或多处等。骨折断端受肌肉牵拉后会位移,并能伤及神经、血管。

7) 闭合性内脏伤 强暴力传入体内所造成的内脏损伤。如头部受撞击后,能量传入颅内,形成应力波,迫使脑组织产生短暂压缩和变位,并可能使神经元轻度损伤,重者则发生出血和脑组织挫裂,形成脑挫伤。腹部遭撞击后,有时体表完好无损,但肝、脾等实质脏器或充盈的膀胱等却发生破裂。人员佩戴腰安全带而突然停车时,因人体惯性运动受到安全带阻挡,可发生闭合性安全带伤,表现为内脏破裂、出血,甚至造成脊柱压缩性骨折。

19.2.2 按致伤部位分类

(1) 颅脑伤

常见为颅骨骨折、脑震荡和脑挫伤。如仅伤及头部皮肤、皮下和肌肉等软组织而未伤及颅骨及脑组织,则称为头部软组织伤。严重颅脑伤是死亡率最高的一种损伤。

(2) 颌面颈部伤

发生于颌面部的创伤常影响容貌、语言、咀嚼和进食,其处理不仅关乎患者日后仪表,还关乎患者的心理和生活质量。颈部损伤时,因内含气管、食管、大血管、甲状腺和甲状旁腺,易造成窒息和危及生命的大出血。此外,也可影响进食和内分泌功能。

(3) 胸部伤

胸部既可因车祸、坠落、爆震、挤压和冲击波作用造成闭合性损伤,也可因锐器、枪弹和破片等物体作用导致开放性损伤。胸部有心、肺等重要脏器,伤后极易发生严重的呼吸、循环功能障碍,如不及时有效处理,患者可迅速死亡。

(4) 腹部伤

腹部含有肝、脾、胰、肾等实质脏器,也有胃、肠等空腔器官,伤后容易发生脏器破裂、内出血和腹腔感染。下消化道破裂更易发生感染,上消化道破裂则因胃液和胆汁强烈刺激腹膜而引起剧痛,并造成腹肌紧张、压痛、反跳痛等典型腹膜炎表现。

(5) 骨盆部伤

骨盆内容纳膀胱、结肠、直肠和进入盆腔内的小肠,女性还有子宫和阴道。在骨盆会阴部,前为泌尿生殖器,后为直肠末端,因而骨盆骨折时,易引起相应脏器损伤,如耻骨支骨折易引起后尿道损伤,女性骨盆骨折易发生阴道和子宫损伤,大小便容易污染伤部。

(6) 脊柱脊髓伤

脊柱损伤累及脊髓时,除发生不同高度和范围的截瘫外,也可发生排尿、排便、性功能、体温调节等功能障碍以及压疮等并发症,从而导致患者终身痛苦。救护时,必须让患者平卧,并用平板搬运,以免加重损伤和增加后续治疗难度。

(7) 上肢伤

常见损伤为肱骨、桡骨和尺骨骨折,重者可发生断肢,常伴有上肢周围神经损伤。

(8) 下肢伤

常见有股骨和胫腓骨骨折以及挤压伤等,挤压伤时应注意骨-筋膜综合征(筋膜间室综合征,深筋膜综合征)。

(9) 多发伤

除按解剖部位分类外,还有多个解剖部位同时损伤。凡有 2 个或 2 个以上解剖部位出现的损伤,而其中一处可危及生命者称为多发伤。也有人不同意这一定义,认为只要出现 2 个或 2 个以上解剖部位损伤,不论损伤程度如何,都应视为多发伤。至于同一部位(如下肢或腹部)发生多处损伤,应称为多处伤而非多发伤。

19.2.3 按致伤因子分类

(1) 冷兵(武)器伤

习惯上将刀、剑、戟、长矛等不用火药发射的武器称为冷兵器,由这类兵器的利刃或锐利尖端所造成的损伤称为冷兵器伤。

(2) 火器伤

火器伤是指火药燃烧、炸药爆炸等化学能迅速转变为机械能过程中,将弹丸、弹片、弹珠等物体向外高速抛射,击中人体所造成的损伤。

(3) 烧伤

烧伤是因热力作用而引起的损伤。战时常由凝固汽油弹、火焰喷射器、磷弹、铝热弹、镁弹等燃烧武器引起，大威力的常规炸弹和炮弹也具有燃烧作用，新型气浪弹和燃料空气炸弹的烧伤作用更强，当大量核武器爆炸时，光辐射引起的烧伤更为严重。平时多由火灾和炽热物体（如烙铁）所引起，沸水可造成烫伤。

（4）冻伤

寒冷环境所造成的全身或局部损伤称为冻伤。依损伤性质可将其分为冻结性和非冻结性两类。前者包括局部冻伤、冻僵和冻亡，后者包括冻疮、战壕足和浸泡足。导致冻结性损伤的环境温度为组织冰点以下，并造成局部组织冻结；在非冻结性损伤中，造成冻疮的环境温度为 0～10 ℃，浸泡足为在 0～10 ℃水内浸泡 12 h 以上。

（5）冲击伤

冲击波作用于人体后所产生的损伤。冲击波超压常引起鼓膜破裂、肺出血、肺水肿和其他内脏出血，重者可引起肺组织和小血管撕裂，使空气入血，形成气栓，出现致死性后果。冲击波动压也可造成不同程度的软组织损伤、内脏破裂和骨折。除空气冲击波外，水下冲击波和固体冲击波也可造成各种损伤。

（6）化学伤

化学伤主要由化学战剂引起。但由于制造化学武器的部分毒剂也是工业生产的重要原料，因而生产事故同样可以造成化学伤。按化学战剂的临床特点或毒理作用可分为以下几类。

1）神经性毒剂（nerve agent） 以塔崩（tabun）、沙林（sarin）、梭曼（soman）、维埃克斯（VX）为主要代表。为抑制乙酰胆碱酯酶（AChE）活性的有机磷酸酯衍生物，可迅速致死。

2）糜烂性毒剂（blister agent） 以芥子气（mustard）和路易剂（Lewisite）为代表。能引起皮肤、眼睛和呼吸道黏膜的炎症和坏死，吸收后则全身中毒。

3）全身中毒性毒剂（systemic agent） 主要代表有氢氰酸和氯化氰。进入机体后解离出氰离子，并与细胞色素氧化酶结合，从而阻断细胞呼吸链的电子传递和氧利用，使全身组织缺氧而迅速死亡。

4）窒息性毒剂（asphyxiant） 以光气（phosgene）为代表。主要经呼吸道染毒，可损伤肺血气屏障而致急性中毒性肺水肿，重者造成窒息死亡。

5）失能性毒剂（incapacitating agent） 如毕兹（BZ），也经吸入中毒，可引起思维、情感和运动功能障碍，降低人员的作战能力。

6）刺激剂（irritant） 以苯氯乙酮（CN）、亚当氏剂（DM）、西埃斯（CS）和西阿尔（CR）为代表。对感觉神经末梢有强烈刺激作用，接触或吸入后可迅速出现灼痛、流泪、打喷嚏、咳嗽等表现，一般不导致死亡。

（7）放射性损伤

平时主要由肿瘤放疗和核辐射事故引起，战时则由核爆炸时的电离辐射所致。

（8）复合伤

凡两种或两种以上致伤因素同时或相继作用于机体所造成的损伤称为复合伤，如放射线与热力作用造成的放烧复合伤等。通常将主要损伤列于前，次要损伤列于后，如烧冲复合伤是以烧伤为主，冲击伤为次。

19.2.4 其他分类

（1）按火器伤的伤道形态分类

1）切线伤 投射物从体表切线方向通过，使伤道呈沟槽状，此为切线伤。

2）反跳伤 动能接近耗竭的投射物击中颅骨或肋骨等坚硬部位时，无力穿入深层组织而从原入口处反跳弹出，形成集入口和出口于一点的损伤，称为反跳伤。

3）非贯通伤 仅有入口而无出口的伤道称为非贯通伤，小破片特别是钢珠致伤时，非贯通伤的发生率很高，约为贯通伤的 4 倍。

4）贯通伤 既有入口又有出口的伤道称为贯通伤。因射击距离、投射物种类和稳定性的不同，贯通伤可见入口大于出口、出口大于入口、入口与出口同样大 3 种情况。

（2）按是否穿透体腔分类

按是否穿通胸腔、腹腔、盆腔等分为穿透伤和非穿透伤。

（3）按相邻体腔是否联合损伤分类

当胸腹腔同时发生损伤并伴有膈肌破裂时，称为胸腹联合伤。

19.3 创伤评分

创伤评分对患者伤情的分析、评估、后送、治疗以及预测结局都具有十分重要的作用。一般分为院前和院内两大评分系统。

19.3.1 院前评分

院前评分是从受伤现场到医院的过程中，医护人员对患者伤情进行定量判断的方法。特点是简便易行，较为粗略，多以生理参数为评判指标。

(1) 院前指数

以收缩压、脉搏、呼吸和意识 4 项生理指标为依据(表 19-1)，每项指标根据程度不同分别记 0～5 分，总分 20 分。伤情愈重分值愈高。总分 0～3 分为轻伤，4～20 分为重伤。如伤员合并有胸部或腹部穿透伤，则总分加 4 分。

表 19-1 院前指数(prehospital index, PHI)

项目	测定值	分值
收缩压(mmHg)	＞100	0
	86～100	1
	75～85	2
	0～74	5
脉搏(次/min)	＞120	3
	50～119	0
	＜50	5
呼吸(次/min)	正常	0
	费力，浅	3
	＜10，需插管	5
意识	正常	0
	模糊，烦躁	3
	所述语言不能被人理解	5

(2) 创伤指数

根据受伤部位、损伤类型、循环、呼吸和意识状态 5 个方面对患者进行创伤指数评分(表 19-2)，每项指标分 1、3、5、6 分 4 个级别记分，以积分总和评定损伤严重程度。总分越高，伤情越重。通常总分≤9 分为轻度或中度伤，10～16 分为重度伤，≥17 分为极重伤。

表 19-2 创伤指数(trauma index, TI)

项目	分值			
	1	3	5	6
受伤部位	四肢	背部	胸部	头、颈、腹
损伤类型	撕裂伤	挫伤	刺伤	钝器伤，子弹伤
循环状态				
外出血	有			
血压(mmHg)		60～97	＜60	测不到
脉搏(次/min)		100～140	＞140	＜50
呼吸状态	胸痛	呼吸困难	发绀	无呼吸
意识状态	嗜睡	恍惚	半昏迷	深昏迷

(3) 病伤严重度指数

以患者的 8 项指标(表 19-3)为评定依据，各项指标评分相加得 IISI 总分。年龄＜2 岁或＞60 岁的患者加 1 分。0～6 分为轻伤，7～13 分为重伤，14～24 分为极重伤。25 分以上的患者救治难度极大。

表 19-3 病伤严重度指数(illness injury severity index, IISI)

项目	分值				
	0	1	2	3	4
脉搏(次/min)	60～100	100～140	＞140	无	
血压(mmHg)	90～150/60～90	83～90/90～120	＜83/＞120	无	
		150～203/90～120	＞203/＞120		
肤色	正常	浅红	苍白(潮湿)	发绀	
呼吸(次/min)	12～19	≥20	＜12，胸痛，费力	无自主呼吸	
意识	能定向，回答切题	语无伦次，反应迟钝	嗜睡	丧失	
出血	无	能止住	止血困难	止不住	
受伤部位		四肢	背部	胸部	头、颈、腹
受伤类型		撕裂伤，挫伤	骨折	刺伤	钝伤，子弹伤

(4) CRAMS评分

以患者循环(circulation)、呼吸(respiration)、腹-胸部(abdomen-thorax)、运动(motor)和言语(speech)5个方面为评定依据,并以每个英文单词的第1个字母组成CRAMS。每项指标分计0、1、2分,相加后得CRAMS总分(表19-4)。总分愈高,伤情愈轻。高于9分者为轻伤,低于8分者为重伤。

表 19-4 CRAMS评分

项 目	测定结果	分值
循 环	毛细血管充盈正常,收缩压≥100 mmHg	2
	毛细血管充盈缓慢,收缩压85~99 mmHg	1
	无毛细血管充盈或收缩压,<85 mmHg	0
呼 吸	正常	2
	费力,浅表或呼吸次数>35次/min	1
	无自主呼吸	0
胸腹部	胸腹部无压痛	2
	胸或腹部有压痛	1
	腹肌紧张、连枷胸、胸或腹部穿透伤	0
运 动	正常	2
	对疼痛刺激有反应	1
	无反应或去脑强直	0
言 语	正常	2
	含混	1
	语言不可理解	0

(5) 创伤评分

创伤评分(trauma score, TS)是依据患者呼吸频率、呼吸动度、收缩压、毛细血管充盈和格拉斯哥昏迷(Glasgow coma)程度等5项生理指标来评定伤情的。由于其灵敏度较低,特别对颅脑伤患者的严重性往往估计不足,于1989年进行了修正,即修正的创伤评分(revised trauma score, RTS)。修正后简化了指标,增加了格拉斯哥昏迷评分(Glasgow coma scale, GCS)的权重,取消了毛细血管充盈和呼吸动度两项指标。RTS总分为0~12分,分值越低,伤情越重(表19-5)。

GCS依据以下3项指标进行。①睁眼:自动睁眼4分,呼唤睁眼3分,刺痛睁眼2分,不睁眼1分。②语言反应:回答准确5分,回答含混4分,用词不当3分,答非所问2分,不能言语1分。③运动反应:按吩咐动作6分,刺痛能定位5分,刺痛能躲避4分,刺痛后肢体能屈曲3分,刺痛后肢体能过度伸展2分,无运动反应1分。上述3项分值相加为GCS总分。

表 19-5 创伤评分

项 目	测定结果	分值
GCS昏迷评分	13~15	4
	9~12	3
	6~8	2
	4~5	1
	3	0
收缩压(mmHg)	>89	4
	76~89	3
	50~75	2
	1~49	1
	0	0
呼吸(次/min)	>29	4
	10~29	3
	6~9	2
	1~5	1
	0	0

(6) 分类核查

分类核查(triage checking, TC)有助于把生命危险的患者尽快分检出来,并优先后送。优先后送的条件为:收缩压<90 mmHg、脉搏>120次/min、呼吸次数>30次/min或<12次/min,头、颈、胸、腹或腹股沟部穿透伤,意识丧失或意识不清,腕或踝以上创伤性断肢,连枷胸,有2处或2处以上长骨骨折,3 m以上高空坠落伤。

19.3.2 院内评分

患者到达医院后,根据损伤类型和严重程度对伤情进行定量评估的方法为院内评分。院内评分虽然复杂,但能对患者预后进行量化预测,并能比较各医疗单位的救治水平。

(1) 简明损伤定级

简明损伤定级(abbreviated injury scale, AIS)有多个版本,此处主要介绍AIS-90,并与AIS-85作

一比较。

AIS利用数字编码来表示损伤类型和严重程度,以便评分标准化和使用简单化,并方便计算机管理。由于增加了内容,AIS-90由AIS-85的6位编码升为7位,如轻度肝撕裂伤的AIS-85编码为61806.2,AIS-90则为541822.2。此外,AIS-90还引入了"未进一步详细说明"(not further specified,NFS)概念,表示虽发生某一损伤,但严重程度不明确,如虽有肝撕裂伤,但程度不详,即为肝撕裂伤NFS。为尽量明确,用"00"表示严重程度不明的损伤或某一解剖结构只有1种损伤,用"99"表示严重程度和损伤类型都不明的损伤。在AIS-85中,皮肤损伤被单独列为一个区域,AIS-90则把皮肤损伤分散到有关区域内,以使体表伤在编码上更接近所在的损伤区,只有在轻度多处体表损伤时才单独和烧伤及其他创伤归在"9"这一区域内。AIS-90在损伤条目上也做了极大扩展,由原来的1 400多条增至能用于闭合伤和穿透伤的2 000多条,颅脑伤则由原来的82条增至240条,同时重视了失血量的作用。

AIS-90给每个损伤条目以6位数编码,并加一个AIS严重度评分,共7位数。第1位数表示身体区域,第2位数表示解剖结构的类别,第3、4位数表示具体解剖结构或在体表损伤时表示具体损伤性质,第5、6位数表示具体部位和解剖结构的损伤程度,小数点后的数字是AIS评分。其编码前6位数的具体内容如下。

1) 身体区域　头、面、颈、胸、腹、脊柱、上肢、下肢和未特别指明的部位,共9区。

2) 解剖结构　全区域、血管、神经、器官、骨骼及头、意识丧失,共6类。

3) 具体解剖结构或损伤性质

全区域

02	皮肤	擦伤
04	皮肤	挫伤
06	皮肤	撕裂伤
08	皮肤	撕脱伤
10	断肢	
20	烧伤	
30	压砸伤	
40	脱套伤	
50	损伤-NFS	
60	穿透伤	
90	非机械伤	

头部(loss of consciousness, LOC)

02	LOC的持续时间
04、06、08	意识水平
10	脑震荡

脊柱

02	颈椎
04	胸椎
06	腰椎

血管、神经、器官、骨、关节都从02开始用两位数字顺序编排

4) 损伤程度　从02开始,用两位数字顺序编排以表示具体的损伤程度。

AIS分值按损伤严重度分为6个等级,即AIS 1——轻度伤,AIS2——中度伤,AIS3——较严重伤,AIS4——严重伤,AIS5——危重伤,AIS6——最严重伤。AIS9指损伤虽已发生,但不知具体器官或部位,如虽发生闭合性腹部损伤,但不知哪个器官,即编码为AIS9。不应将AIS9与NFS相混淆,后者是对已发生损伤、但损伤类型不详的器官或部位进行编码,如发生了肾损伤,但不清楚是挫伤还是撕裂伤,这样就编码为NFS。

(2) 损伤严重度评分

AIS虽然在损伤的严重性和致死性(AIS＞3)上与死亡概率密切关系,但不能评价多发伤的综合影响,尽管最高AIS(MAIS)已被用来描述多发伤的总严重度,可其与死亡率呈非线性关系。另外,MAIS值相同,其第2位严重伤的AIS不同,死亡率也明显不同。因此,有人提出了损伤严重度评分(injury severity score, ISS)。此法更适合于评价损伤严重程度和活存率间的关系,其在评价多发伤严重程度中的作用已被公认,并广泛用于临床。

ISS把人体分为以下6个区域:

1) 头、颈部　包括脑或颈椎损伤、颅骨或颈椎骨折。

2) 面部　包括口、耳、眼、鼻和颌面骨骼损伤。

3) 胸部　包括膈肌、肋骨架、胸椎和胸腔内所有脏器损伤。

4) 腹部和盆腔　包括腹部和盆腔内所有脏器和腰椎损伤。

5) 四肢和骨盆　包括四肢、骨盆和肩胛带损伤(扭伤、骨折、脱位和断肢均计入内)。

6）体表　发生于身体任何部位的体表损伤，包括擦伤、撕裂伤、挫伤和烧伤。但体表伤的ISS评分要遵守的规则是，如AIS-90中标有“＊”号的皮肤损伤是某部位的唯一损伤，将其定位于该部，但应按ISS规则划定体表区域；如A1S-90中标有“＊”号的皮肤损伤合并深部组织损伤，就在该皮肤损伤所在部位编码；如轻度皮肤损伤发生在身体多个部位，且是唯一损伤，则作为单一损伤在体表一节进行编码。

ISS分值是身体3个最重损伤区最高AIS值的平方和，其范围为1～75。当有3个AIS为5或其中1个为6的损伤，为75分；当任何1个损伤为AIS 6时，ISS自动确定为75分。AIS为9的伤员则不能计算ISS。

虽然ISS在损伤严重度特别在多发伤严重程度评估方面具有简单易行的优点，但以解剖损伤为依据的评定标准不能反映伤员的生理变化，也不能反映年龄和伤前健康状况对伤情的影响。在身体某区域内只取1个损伤最严重的部位编码，难以反映该区域内多脏器损伤时的严重程度。另外，它对重度和特重度颅脑伤伤情严重度的表达也不够充分。针对这些不足，以生理指标和解剖部位相结的TRISS法和ASCOT法则相继被提出。

（3）修正创伤评分与损伤严重度评分结合法

修正创伤评分与损伤严重度评分结合法（combination of RTS and ISS，TRISS）结合了生理变化和解剖部位损伤，并考虑到年龄因素的影响，主要被用来预测患者存活率（probability of survival，*Ps*），也可用于评估每个患者的治疗结果和不同救治单位的治疗水平。

下列为计算创伤患者*Ps*的公式：

$Ps_{(TRISS)} = 1/(1+e^{-b})$，$e$为常数（2.718 282）

$b = b_0 + b_1(RTS) + b_2(ISS) + b_3(A)$，$b_0$为常数，$b_{1\sim3}$为不同伤类时不同参数的权重值。钝器伤的$b_0$、$b_1$、$b_2$、$b_3$分别为－1.247 0、0.954 4、－0.076 8和－1.905 2，穿透伤的依次是－0.602 9、1.143 0、－0.151 6和－2.667 6。

由于TRISS以生理参数、解剖部位和年龄3种因素为评定依据，因此计算*Ps*时要首先求出RTS和ISS的分值，并知道患者的年龄。RTS＝0.936 8GCS＋0.732 6S＋0.290 8R。式中：0.936 8、0.732 6、0.290 8为各项参数的权重值，GCS（昏迷）、S（收缩压）、R（呼吸）为当时各参数的测定值。ISS则参照上述ISS分区计算。年龄参数（A）规定年龄≥55岁时为1，年龄＜55岁时为0。

现以年龄40、遭受钝器伤、RTS和ISS分别为3.81和45的患者为例计算其*Ps*。

先计算b值：

$b = -1.247\,0 + (0.954\,4 \times 3.81) + (-0.076\,8 \times 45) + (-1.905\,2 \times 0) = -1.066\,7$

再计算*Ps*：

$Ps = 1/[1 + 2.718\,282^{-1.066\,7}] = 1/(1 + 2.905\,77) = 1/3.905\,77 = 0.256$。

该患者的*Ps*为0.256，即$Ps < 0.5$。

TRISS的不足在于其计算公式中包含ISS参数，当身体同一区域出现多种严重损伤时，ISS的固有缺陷就会显现；只划分两个年龄分段，似乎过于简单。此外，TRISS对坠落伤患者的存活常预测过多，也未考虑到性别和伤前健康状况的影响。

（4）创伤严重度法

创伤严重度法（a severity characterization of trauma，ASCOT）也是一种生理变化和解剖部位相结合的预后评估方法。该法用逻辑函数和回归权重对头伤和昏迷在预测患者结局中的重要性加以确认，其在预测*Ps*方面优于TRISS法。

与TRISS相同的是，ASCOT需要计算RTS值，也分钝器伤和穿透伤两种伤；不同的是其年龄分段更为细致，计有0～54（分值1）、55～64（分值2）、65～74（分值3）、75～84（分值4）、≥85（分值5）几个年龄段。

ASCOT也引入了解剖轮廓（anatomic profile，AP）分类的概念。AP分类法把身体分为4个区域：A区为受到严重损伤的头、脑和脊髓部分，B区为受到严重损伤的胸和颈前部，C区包括所有其他部位的严重损伤，D区为无严重损伤（表19-6）。

表19-6　AP分类和AIS严重度评分

AP分类	损伤部位	AIS严重度评分	ISS身体区域
A	头、脑	3～5	1
	脊髓	3～5	1、3、4
B	胸部	3～5	3
	颈前	3～5	1

（续表）

AP 分类	损伤部位	AIS 严重度评分	ISS 身体区域
C	腹、盆腔	3～5	4
	脊柱(不含脊髓)	3	1、3、4
	骨盆骨折	4～5	5
	股动脉	4～5	5
	膝上挤压	4～5	5
	膝上截肢	4～5	5
	腘窝	4	5
	面部	1～4	2
	其他所有部位	1～2	1～6
D	无严重损伤		

用 ASCOT 预测创伤患者 Ps 的公式如下：

$$Ps_{(ASCOT)} = 1/(1 + e^{-k})$$

$$K = K_1 + K_2G + K_3S + K_4R + K_5A + K_6B + K_7C + K_8\text{Age}$$

$K_1 \sim K_8$ 为不同伤类的权重系数(表 19-7)，G、S、R 为 GCS、收缩压和呼吸频率的编码值，A、B、C 为每个区域内 AIS>2 各损伤器官所有分值平方和的平方根。例如，A 区有 3 处损伤，其严重程度分别为 AIS＝3，AIS＝4，AIS＝5，A 区的分值即为 $3^2+4^2+5^2=50$，再将 50 开平方得 7.1，即 A 区的分值为 7.1 分。B 和 C 区分值的计算与此相同，所有分值相加即为 K 值。

表 19-7 $Ps_{(ASCOT)}$ 的权重值

系数	钝器伤	穿透伤
K_1	−1.157 0	−1.135 0
K_2	0.770 5	1.062 6
K_3	0.658 3	0.368 3
K_4	0.281 0	0.333 2
K_5	−0.300 2	−0.370 2
K_6	−0.196 1	−0.205 3
K_7	−0.208 6	−0.318 8
K_8	−0.635 5	−0.836 5

(5) ICU 评分

ICU 疾病严重程度评定系统主要有 3 类：第 1 类是急性生理学和慢性健康评价(acute physiology and chronic health evaluation，APACHE，简称 AP)系统；第 2 类是简化的急性生理学评分(simplified acute physiology score，SAPS)；第 3 类是死亡概率模型(mortality probability model，MPM)。此处仅简单介绍国际上应用较为广泛的 AP 系统。

AP 系统由急性生理学评分(acute physiology score，APS)和慢性疾病情况(chronic health status，CHS)两部分组成。前一部分反映的是患者急性疾病的严重程度，后一部分则是患者既往或伤前的健康状态。该系统有 API(1981 年提出)、APII(1985 年修订)、APIII(1991 年制订)3 个版本。API 要求记录患者入 ICU 后第 1 个 24 h 内最差的 33 项生理或化学测量参数，每项 0～4 分，相加后即为 APS，最高分值 128。伤前慢性疾病则用 A、B、C、D 4 个等级来表示严重程度。虽然 APⅠ是一个有用的评分系统，但要求采集的数据多而繁杂，往往容易遗漏反而使结果有误，由此提出了 APⅡ版本。该版本根据疾病早期 12 项生理指标评分、年龄评分和伤前慢性疾病评分之和对疾病严重度进行评定，并可分析患者预后、比较治疗效果、评估医院资源利用和比较不同医院加强医疗病房的作用等。APⅡ沿用了患者入 ICU 后 24 h 内最差的生理参数分值，也提供了患者死亡危险性(R)的预测公式：

$$\ln[R/(1-R)] = -3.517 + AP\text{Ⅱ 分值} \times 0.146 + 0.603(\text{仅在紧急外科手术后用}) + \text{诊断目录权重}$$

APⅢ共有 17 项急性生理学评分参数，界于 APⅠ和 APⅡ之间。每项参数的分值和总分(0～299 分)均高于 APⅠ和 APⅡ，且各项参数分值大小不同。另外，APⅢ的 pH 和 PCO_2 不单独评分，两者共同决定分值。不用 GCS 评估神经系统的反应，取而代之的是用疼痛和语言能否刺激睁眼来评定。APⅢ的年龄分段更细，伤前慢性疾病的分类也更具体。

19.4 创伤的早期急救和治疗

19.4.1 早期急救

(1) 现场急救

所谓现场急救就是迅速评估伤情，发现并紧急处理危及生命的创伤，同时避免开放性创面再受污染，并防止损伤进一步加重。如现场有批量伤员，则应对所有伤员的伤情迅速作出评估，以重点施救。

评估伤情时，可依A、B、C、D、E的顺序进行，A为气道情况(airway)，B为呼吸情况(breathing)，C为循环情况(circulation)，D为神经系统障碍情况(disability)，E为充分暴露(exposure)，即充分暴露伤员各部位，以免遗漏危及生命的重要损伤。

通气、止血、包扎、固定和转运是现场急救的五大基本技术。

(2) 院内急救

1) 胸腹腔大出血的判断与处理　多发伤伤员特别是伴有昏迷或高位截瘫者，胸腹腔出血常易漏诊或误诊，易导致死亡，应予高度重视。如体表出血已被控制、且快速输入大量液体和全血后仍处于休克状态者，或休克无外出血、输液输血后血压回升但很快又下降者，要高度怀疑胸腹腔严重出血，应迅速作胸腹腔穿刺以明确诊断。因腹腔穿刺常有假阴性，此时需行诊断性腹腔灌洗术，诊断一经明确，要立即手术止血。血胸或血气胸者一般不需开胸止血，只行胸腔闭式引流即可，进行性血胸时则需探查止血。

2) 维持呼吸功能　上呼吸道梗阻是严重创伤早期死亡的主要原因之一。昏迷患者的呼吸道梗阻多为舌根后坠和异物、血凝块、黏稠痰液或呕吐物堵塞；清醒患者则多由颌面、咽喉部损伤或喉部水肿所致。如患者到达时烦躁不安、呼吸困难、痰鸣、发绀等，应迅速使患者仰卧，头偏向一侧，或取侧卧位，用手指或吸痰器清除口腔和咽喉部闭塞物；对昏迷而呼吸困难者、严重颌面伤或严重胸腹伤所致呼吸功能障碍者，应果断行气管插管或气管切开术，清除呼吸道分泌物，以呼吸机辅助呼吸，并做好呼吸道管理。

3) 维持循环功能　严重出血是导致循环功能不全的重要原因，故应首先控制内、外出血。张力性气胸和心脏压塞可严重影响心泵功能，使患者短期内死亡，应予火速处理。前者须立即用粗针头在伤侧第2或第3肋间穿刺放气或行闭式引流术，后者应在心电监护下行心包穿刺抽血或经剑突下行心包开窗置管引流术。

对明显休克的患者，应选择颈部或上肢建立2～3个静脉补液通道，先快速输注等渗盐水或平衡盐液1 500～2 000 ml，再适量补充全血、血浆或其代用品。扩充血容量时，应测中心静脉压和记录尿量，有条件者可测肺动脉楔压，如＜1.3 kPa (13 cmH_2O)，则较为安全；＞2.4 kPa(24 cmH_2O)，需控制输液速度和量。

创伤性失血性休克时，用血管收缩药替代补充血容量以提升血压十分有害，因患者自身已有代偿性血管收缩，再用血管收缩药虽使血压上升，却增加了外周血管阻力，反而使组织血流灌注降低，加重组织细胞缺血缺氧性，从而引起严重内脏并发症，甚至死亡。如患者经快速大量输液输血后血压仍很低，为避免冠状动脉供血不足引发心搏骤停，可使用血管收缩药物暂时提升血压。后负荷过重所致心功能不全，可给予妥拉唑林等α受体阻滞剂，以扩张外周血管，降低血管阻力，减轻心脏负担；前负荷过重所致心功能不全，可静脉注射呋塞米或依他尼酸钠等利尿剂，增加尿量，减轻心脏负荷；心肌收缩无力所致心功能不全，可用洋地黄类药物。

4) 心脏复苏　临床上，心跳停止包括心搏无力和无效，心室颤动，表现为意识丧失，颈、股动脉等大动脉搏动消失，呼吸停止，瞳孔放大，皮肤和黏膜呈灰色或发绀等。常用复苏措施有胸外心脏按压、开胸心脏按压以及强心药物和除颤。

5) 呼吸复苏　对呼吸停止者应迅速进行口对口人工呼吸，如有2名抢救人员，人工呼吸可与胸外心脏按压同时进行，并准备气管内插管取代人工呼吸，正压给氧，自主呼吸多在心脏复跳后恢复。如呼吸恢复迟缓或恢复后呼吸缓慢，可用呼吸中枢兴奋剂如洛贝林、尼可刹米、二甲弗林，也可用呼吸三联针(即洛贝林12 mg、二甲弗林16 mg、哌甲酯20 mg，加入5%葡萄糖液500 ml中静脉滴注)。

19.4.2 早期治疗

(1) 局部治疗

污染较轻的切割伤和某些挫裂伤，可在无菌条件下清洗、缝合，多可一期愈合。污染较重但时间较短的伤口，细菌入侵后尚未造成感染，无菌下清洗或进行必要清创后缝合，多数亦能一期愈合。火器伤伤口应遵循“早期清创，延期缝合”的原则，但面、手和外阴等少数部位可作早期缝合。已感染的伤口需清除坏死组织和脓液，并充分引流，以肉芽组织充填创面后达到二期愈合。

(2) 全身治疗

1) 防治感染　对污染较重、失活组织较多的开放性创伤，特别是枪弹伤和爆炸伤，伤后应尽早使用抗生素。对颌面、胃肠道和会阴部损伤，或组织缺氧时间较长，或有免疫抑制、缺陷者，应于伤后

3 h内给予抗生素。如发生感染,应及时使用广谱抗生素,同时仔细查找感染灶,彻底清除脓液或坏死组织,并根据细菌培养和药物敏感试验结果选用抗生素。对休克时间较长的患者,应慎用或不用损害肾功能的抗生素(如氨基糖苷类),以防急性肾衰竭。

2) 纠正水、电解质失衡　对口渴、尿少、血液浓缩的创伤后脱水者,一定量的平衡盐液和葡萄糖液多可缓解脱水症状。如血质丢失较多,要及时补给胶体液,同时应监测血清钠和氯,以确定有无稀释性低钠血症。创伤早期,因组织细胞破坏和输入大量库存血,血钾常增高,如有急性肾衰竭,则高血钾持续时间更长,应及时处理,以防心搏骤停。创伤稍后期,因肠瘘、胰瘘、不能进食或肾衰竭进入多尿期,容易发生低血钾,表现为肌无力和腹胀等。以往认为,伤后2~4天内不需补钾,但目前主张无论是伤后早期还是后期,只要存在引起血清钾异常的原因,就应动态监测血清钾浓度,根据结果及时处理。严重创伤后还可发生镁、钙、磷、铁、锌、铜的缺乏,亦应及时补充。

3) 纠正酸碱失衡　严重创伤后容易发生酸碱失衡,如通气不足可引起呼吸性酸中毒,换气过度可导致呼吸性碱中毒。伤后低灌注状态和缺氧可造成体内乳酸积聚,脂肪分解后可引起酮症,胰瘘、小肠瘘和胆汁瘘可使碱性消化液大量丢失,凡此都可导致代谢性酸中毒。伤后呕吐和胃肠减压所致的低氯血症以及醛固酮释出后的保钠排钾效应,可导致代谢性碱中毒。通常代谢性酸中毒较代谢性碱中毒更为常见,持续时间也长,应在补液、补血时给予适量碳酸氢钠,以纠正酸中毒,但应防止给药物过量而发生代谢性碱中毒。

4) 营养支持

(i) 估计能量消耗:根据基础能量消耗公式计算。

男性:[66+13.7×体重(kg)+5×身高(cm)−6.8×年龄]×4.184

女性:[66.5+9.6×体重(kg)+1.7×身高(cm)−4.7×年龄]×4.180

单位为kJ/d,所得结果乘以下述相应数值等于实际消耗能量。轻度创伤乘1.0,中度创伤乘1.2,重度创伤乘1.4,再乘1.5即为实际消耗能量。例如,某30岁男性患者,身高170 cm,体重65 kg,重度创伤,实际消耗能量:

(66+13.7×65+5×170−6.8×30)×4.184×1.4×1.5=14 080.2 kJ/d

(ii) 估计氮平衡:根据下列公式计算。

24 h氮平衡(g)=24 h摄入蛋白数(g)÷6.25−[24 h尿素氮(g)−3 g−1 g/24 h大便次数]

若计算结果为±1,则氮平衡正常;若为正值,且>1 g,则为正氮平衡;如为负值,为负氮平衡,且绝对值越大越严重。1~10 g为轻度,10~15 g为中度,15 g以上为重度。伤后24 h内,由于水代谢的影响,测算结果可能不够准确。

(iii) 评定营养状况:以血清白蛋白和转铁蛋白的测定结果来评定。血清白蛋白的正常值为45 g/L。30~35 g/L为轻度营养不良,25~30 g/L为中度营养不良,25 g/L以下为重度营养不良。由于白蛋白的半衰期为16~18天,因而难以直接反映创伤急性期的变化。血清转铁蛋白的正常值>2.0 g/L,轻度营养不良为1.5~2.0 g/L,中度营养不良为1.0~1.5 g/L,严重营养不良<1.0 g/L。血清转铁蛋白的半衰期为6~8天。

对中、重度负氮平衡或中、重度营养不良的患者,应给予营养支持。轻度营养不良者,通常不需要特殊营养支持。为节约体内蛋白质的消耗,创伤早期以供给热量为主。不能口服的患者,可静脉输注一定量的葡萄糖液和脂肪乳剂,但应争取早日口服,以满足患者对热量和蛋白质的需要。如不能口服,可经管饲补充营养,即使胃肠消化功能未完全恢复,但只要小肠有吸收功能,也是理想的营养补充途径,可给予高热量、高蛋白和高维生素饮食。

19.5 创伤后感染

19.5.1 病原学

(1) 主要病原体演变

20世纪30年代,创伤感染的病原体以链球菌为主,40年代为对青霉素敏感的葡萄球菌,50年代则为对青霉素耐药的葡萄球菌。从60~70年代始,以大肠埃希菌、铜绿假单胞菌(绿脓杆菌)为代表的革兰阴性(G^-)杆菌逐渐取代以链球菌、金黄色葡萄球菌为代表的革兰阳性(G^+)球菌,成为创伤感染的主要病原体。70~80年代,无芽胞厌氧菌(如脆弱类杆菌)在创伤感染中明显增多,各种真菌、黏质沙雷菌、克雷白菌、产气杆菌、阴沟杆菌和不动杆菌等机会致病菌和所谓的"非致病菌"不断出现,有厌氧菌参与的混合感染和真菌(如白念珠菌、曲霉、毛雷菌等)感染也日渐增多。

病原体演变的首要原因是抗菌药物的广泛应用。该类药物虽可有效杀灭细菌,但同时引起了耐药菌株的繁殖。另外,滥用抗生素可引起人体正常生理菌群失调,引发内源性感染。微生物检验技术的进步也使新病原体不断被发现,如 20 世纪 60 年代被公认无害的黏质沙雷菌,不但被证实可以致病,且可致死。改进的厌氧菌培养技术使其在创伤感染中的作用日益受到重视,以往的漏诊可能仅仅因为培养和检测手段限制所致。清创技术的进步,使以往相当普遍的梭状芽胞杆菌感染明显减少。呼吸装置、弹性敷料、动静脉导管、传感器等新设备、新技术的应用,可通过医源性感染而引入新的病原体。

(2) 病原体来源和入侵途径

创伤时随致伤因子以及衣物、泥土和其他污物带入体内,是病原体的主要来源和入侵途径,由此造成的感染称为外源性感染。另一来源是分布在皮肤汗腺、毛囊、口咽部、呼吸道、胃肠道和泌尿生殖道常驻菌群,生理条件下它们并不致病,当皮肤和腔道受损时,可随之入侵,有时虽无结构破损,但防御屏障功能降低也可使其穿过皮肤、黏膜进入深部组织而导致感染,这类感染称为内源性感染。如创伤不严重,通常只发生外源性感染,严重创伤常在外源性感染的基础上,发生内源性感染,特别是肠源性感染。

(3) 感染菌量的临界值

就数量而言,污染伤口或创面的细菌越多,形成感染的机会就越大。公认感染的临界数量为 10^5～10^6 个细菌/每克组织或每毫升液体,该临界值适于任何细菌,就是沙雷菌、表皮葡萄球菌、枯草杆菌等非致病菌,如在组织或体液内的数量超过这一界限,也导致感染。当然,这一临界值并非绝对,当细菌毒力特别强(如β溶血性链球菌)时,即使 $<10^5$ 个/每克组织,也能引起感染。另外,当患者全身抵抗力下降,局部又有利于细菌滋生的条件,当菌量低至 10^2 个/每克组织,感染也会发生。某些特殊情况下该临界值也可能增高,如高原地区细菌感染的临界数量为 10^8 个/每克组织。一般认为,菌量低于 10^5 个/每克组织,清创后立即缝合也不致发生伤口感染,且愈合率很高;超过 10^5 个/每克组织,即使彻底清创,早期缝合后的伤口感染率仍很高,有时超过半数。

19.5.2 创伤后厌氧菌感染

(1) 病因

以往人们对厌氧菌的认识仅限于梭状芽胞厌氧杆菌,它们广泛分布于土壤、尘埃和人畜粪便中,可导致破伤风、气性坏疽和肉毒中毒,其实这只占厌氧菌很小的一部分,在人畜皮肤和体腔黏膜(如口腔、肠道、生殖道等)表面,寄生着品种繁多、数以亿万计的厌氧菌,占正常菌群的 99%～99.9%,其绝大多数不带芽胞,称为无芽胞厌氧菌。应当说明,这些厌氧菌是人体的正常菌群,一般并不致病,只有当人体免疫功能下降或皮肤、黏膜受到损伤时,才可导致厌氧菌感染。

创伤不仅破坏了皮肤、黏膜的屏障结构,也造成局部组织水肿、坏死以及凝血块与异物积聚,从而为需氧菌和厌氧菌繁殖提供了场所,故易发生混合感染。混合感染与细菌协同致病性有关,如脆弱类杆菌对青霉素敏感菌有保护作用,类白喉杆菌产生维生素 K 来协助产黑素类杆菌代谢而致病等。另外,需氧菌与厌氧菌混合感染时,前者可耗竭环境中氧而利于后者进入组织繁殖和造成感染。皮肤、口腔、胃肠道和泌尿生殖道是厌氧菌寄生的四大菌库部位,一旦损伤,极易发生无芽胞厌氧菌感染,其中最常见者为 G^- 杆菌(脆弱类杆菌),其次为 G^- 球菌(如消化链球菌)。

(2) 临床表现

局部产气是厌氧菌感染的重要特征,其中以产气荚膜杆菌最甚,可造成局部组织严重肿胀和坏死(气性坏疽),胸、腹腔可有大量积气,皮下有捻发音。由于也有不产气的厌氧菌,因而无气体并不排除厌氧菌感染。

当脓液或分泌物有腐败性臭味时,应高度怀疑厌氧菌感染。铜绿假单胞菌的脓液为姜味,变形杆菌的脓液则为霉味,而以往认为大肠埃希菌或葡萄球菌引起脓液发臭,实际上并不臭。

厌氧菌感染还有缓发特点,原因是机体组织内、外都是有氧环境,所以感染早期总是需氧菌占优势,待需氧菌逐渐耗尽氧气而造成无氧环境时,则厌氧菌生长繁殖。

(3) 诊断

厌氧菌感染的诊断依据为细菌培养。但传统培养过程需时3～7天，且要保持细菌的厌氧性，因而难以及时为临床治疗提供细菌学依据。直接或间接免疫荧光法、免疫酶标组化法都可在数小时内对厌氧菌作出诊断。气相色谱法则用时更短，从收取标本到作出诊断约1 h，具有简便、灵敏、高效、快速等优点，其与厌氧菌培养符合率也高达90%。

(4) 治疗

创伤后为防止厌氧菌感染，清创应彻底，并充分引流脓液和排出气体，消除管道梗阻，改善局部血液循环，提高组织内氧张力。如为气性坏疽或坏死性筋膜炎，更应严格清创和彻底清除坏死组织，必要时截肢，以控制感染扩散。对胸、腹腔严重感染，除联合应用足量抗厌氧菌和需氧菌药物外，还应置管引流。厌氧菌感染的治疗药物有以下几种：

1) 硝基咪唑类化合物　以甲硝唑(商品名灭滴灵)为代表，可选择性杀灭厌氧菌，并具有效力强、抗菌谱广、耐药菌少、安全和穿透血-脑屏障等优点，因而是治疗厌氧菌感染的首选药。

2) 青霉素G　对消化球菌、产气荚膜杆菌和破伤风杆菌等作用强，但对脆弱类杆菌无效，因该菌产生的β-内酰胺酶能使青霉素灭活。该药常用于口咽部和皮肤等处的厌氧菌感染。

3) 头孢菌素　虽能抑制大多数厌氧菌，但对脆弱类杆菌的作用较差。第2代头孢菌素如头孢西丁对包括脆弱类杆菌在内的大多数厌氧菌有效。第3代头孢菌素如头孢噻肟对大多数厌氧菌有抗菌活性，但对脆弱类杆菌的作用不如头孢西丁。

4) 林可霉素与克林霉素　林可霉素虽对许多厌氧菌有抑菌活性，但对脆弱类杆菌和某些梭菌抑菌作用差，并能导致严重的假膜性肠炎而被国外淘汰。克林霉素是林可霉素的衍生物，抗脆弱类杆菌的活性比林可霉素强，可取而代之，但血-脑屏障的穿透力差，不能用于中枢神经系统厌氧菌感染，常用于呼吸系统、口腔、骨与关节处厌氧菌感染。

5) 氯霉素　对需氧菌和厌氧菌都有良好效果，且对组织和血-脑屏障有良好的通透性，但能引起骨髓抑制，故慎用。

除药物治疗外，高压氧可抑制厌氧菌的生长与繁殖，并减少毒素产生，可用于治疗厌氧菌引起的疾病，如气性坏疽、放线菌病、厌氧性链球菌感染等。过氧化氢能通过释放新生氧而杀死厌氧菌，可作为创伤后感染和污染伤口的外洗药。

19.5.3 创伤后肠源性感染

(1) 病因

肠源性感染是创伤后内源性感染的主要原因，它不但与严重创伤引起的顽固性休克、难控性早期暴发性脓毒症的发生、发展有关，在多器官功能不全综合征(MODS)的发病机制中亦起重要作用。

健康机体携带微生物的总量为1 270 g之多，其中肠道独有1 000 g，余者皮肤200 g，肺20 g，口腔20 g，其他部位30 g，可见肠道是人体最大的储菌库。正常情况下，肠道细菌并不致病，只有当肠道屏障作用和机体防御功能遭到严重破坏时，它们才通过细菌易位而在新的栖居地生长、繁殖，造成肠源性感染，并成为全身感染、脓毒症和多器官功能衰竭的潜在诱发因素。所谓细菌易位是指寄生于肠道的微生物及其毒素越过肠黏膜进入无菌的肠壁组织、肠系膜淋巴结、门静脉及其他远隔脏器或系统的过程。

创伤后肠源性感染的常见致病菌除大肠埃希菌外，还有肺炎克雷白杆菌、肺炎球菌、铜绿假单胞菌、黏质沙雷菌、变形杆菌、肠杆菌、肠球菌、不动杆菌、阴沟杆菌等肠道常驻菌，且多为两种以上细菌的混合感染。

(2) 临床表现

由于细菌经肠道易位是一个渐进过程，因此创伤后肠源性感染的临床表现也有一个逐渐显现的过程。当细菌易位仅限于肠系膜淋巴结，或细菌与机体防御功能之间处于相持阶段时，并无明显临床表现，可能只有发热反应；当细菌突破肠系膜淋巴结，并侵入肝、脾等网状内皮系统脏器时，机体对细菌、内毒素等抗原刺激会产生包括心血管反应在内的强烈反应，但由于此时多为休克期，故临床表现为休克加重，或虽补充血容量，休克难以纠正，同时伴有意识障碍、呼吸窘迫等全身性感染征兆。

(3) 防治

由于肠源性感染由正常菌群引起，所以对其治疗不能像外源性感染那样以杀灭病原菌为主要目的，而应根据肠源性感染的发生环节采取综合治疗措施。如创伤性休克与发生肠源性感染密切相关，创伤后尽早纠正休克，以预防感染。

创伤后尽早实施肠道营养，不仅刺激肠道生理功能，而且维护肠黏膜正常结构和屏障功能，同时还有防止肠道菌群紊乱、增强机体抗感染能力和阻止创伤后高代谢等作用。

选择性消化道去污也有助于防治肠源性感染，即给危重患者口服不易吸收的窄谱抗生素，直接杀伤肠腔内潜在致病菌。通常方法是多粘菌素 E、妥布霉素和两性霉素 B 联合使用。

为肠道补充生理性厌氧细菌如口服双歧杆菌（肠道无芽胞厌氧菌中的优势菌）制剂，可维护肠道微生态平衡，从而防止发生创伤后肠源性感染。

钙通道阻滞剂（如硫氮唑酮）、前列腺素 E 类、氧自由基清除剂（如超氧化物歧化酶、过氧化氢酶、二甲基亚砜、别嘌醇）等，能在创伤后保护肠黏膜结构和功能的完整性，故可防止肠源性感染。

免疫增强剂和确实有效的细胞因子能增强机体免疫功能，因而可预防肠源性感染。

根据缺氧可损害肠黏膜屏障，进而促进细菌易位和肠源性感染这一理论，高压氧舱治疗应该具有防治作用。

针对常见肠道易位细菌，选择性短期应用抗生素，则具有预防和治疗肠源性感染的双重作用。

19.5.4 创伤后脓毒症

（1）发生机制

病原微生物及其毒素是创伤后脓毒症的触发因素，像脂多糖、肽聚糖、磷壁酸等细菌胞壁成分和链球菌溶血素 O、金黄色葡萄球菌肠毒素 B、毒性休克综合征毒素（toxic shock syndrome toxin，TSST-1）等毒素都可参与脓毒症的致病过程，但是否发生脓毒症及其轻重程度，则很大程度上取决于机体对致炎物质的反应，这一反应广泛涉及神经-内分泌-免疫网络、补体、凝血、纤溶、激肽及血管内皮细胞系统。

创伤后脓毒症可逐渐累及内脏功能，肺功能往往首先受损。内脏损害经常是两次打击的结果。第 1 次打击（创伤、大手术、感染等）可使中性粒细胞、单核-巨噬细胞、淋巴细胞等免疫细胞以及内皮细胞被激活而处于一种激发状态；第 2 次打击（继发感染、手术、医源性错误或刺激等）即使程度不严重，也易使处于激发状态的免疫细胞及内皮细胞出现超强反应，过量释放体液介质，产生所谓放大效应。最初释放的体液介质只不过是机体反应的初级产物，当靶细胞被激活后还可产生二级、三级乃至更多级的次级产物，即所谓瀑布效应。这些参与炎症反应的介质大致可分为两类：一类具有细胞毒性，可直接杀伤靶细胞，如溶酶体酶、弹性蛋白酶、髓过氧化物酶、阳离子蛋白、氧自由基等；另一类为各种细胞因子，如肿瘤坏死因子-α（TNF-α）、白细胞介素-1（IL-1）、白细胞介素-6（IL-6）、白细胞介素-8（IL-8）、γ-干扰素（IFN-γ）、血小板活化因子（PAF）、粒细胞-巨噬细胞集落刺激因子（GM-CSF）、花生四烯酸代谢产物等。这些体液介质对机体的不利影响主要表现为“高排低阻”的高动力型循环状态，心肌抑制，内皮损伤及血管通透性增加，血液高凝及微血栓形成，强制性和“自噬”性高代谢，并最终将导致多器官功能损害。

以往认为只有内毒素才可引起脓毒症，实际上内毒素并非发生脓毒症所必需，细菌细胞壁的其他成分如肽聚糖、磷壁酸等亦可导致脓毒症。过去也曾认为 G^- 菌造成的脓毒症更为严重，但在严重程度评分、休克发生率、病死率等指标上，G^+ 菌与 G^- 菌引起的脓毒症并无统计学差异。值得一提是，内毒素可加重 G^- 菌脓毒症症状。

（2）诊断

当宿主体内存在感染，又同时出现以下 2 个或 2 个以上症状或体征时，即可诊断为脓毒症。

1）体温 > 38 ℃ 或 < 36 ℃。

2）心率 > 90 次 /min。

3）呼吸急促，频率 > 20 次 /min，或过度换气，$PaCO_2 < 32$ mmHg。

4）外周血白细胞数 $> 12 \times 10^9$/L，或 $< 4 \times 10^9$/L，或未成熟白细胞总数 $> 10\%$。

所谓严重脓毒症是指出现脓毒症的同时，还伴有器官功能障碍和低灌流状态（乳酸中毒、少尿、意识障碍）等表现。脓毒症休克是指脓毒症患者在充分液体复苏后仍存在难以纠正的低血压（收缩压 $<$ 90 mmHg，或比基础血压下降 40 mmHg 以上），并有低灌流状态或器官功能障碍表现。应当注意，菌血症不能单独作为脓毒症的诊断依据，脓毒症患者只有 45%～48% 出现菌血症，菌血症患者也不一定表现为脓毒症，约 26% 体温正常。

（3）防治

脓毒症发生、发展过程中，缺氧性损害始终占重要地位，因此治疗时要注意维持正常的心肺功能，严重者应机械辅助呼吸，以防缺氧性损害。

注意早期肠道营养，保护肠黏膜结构和功能完整，增强机体免疫功能，尽量避免和减少肠源性感染的发生与发展。

尽管只有半数脓毒症患者血培养阳性，仍要合理使用抗生素，避免继发性感染加速脓毒症的发展，但抗生素治疗只是辅助措施，关键还是彻底清创，及时封闭伤口和去除感染源。

应用 E5(针对内毒素类脂 A 的鼠 IgM 抗体)和 HA-IA(针对内毒素核心糖脂的人单克隆抗体)进行抗内毒素治疗对 G^- 杆菌脓毒症有效，但其特异性不强，不能全部与内毒素选择性结合，早期也常难确定病原体种类，因而该法有一定局限性。

抗细胞因子治疗有两种对策，一是抑制或减少细胞因子的合成与释放，二是削弱或阻断细胞因子的作用。如己酮可可碱、氨力农(氨吡酮)、某些 β 受体拮抗剂和皮质类固醇等，均可通过抑制 TNF 基因的转录和翻译而阻止 TNF 合成。削弱或阻断细胞因子的物质目前有 3 类：①抗细胞因子抗体或抗受体抗体，如抗 TNF 抗体、抗 IL-1 抗体、抗 IL-1 受体抗体等。②可溶性受体(与细胞因子结合，阻断其生物效应)，如可溶性 TNF 受体、可溶性 IL-1 受体等。③受体拮抗物，如 IL-1 受体拮抗剂、PAF 受体拮抗剂等。也可应用抗炎介质抑制剂或减少炎症介质合成与释放的制剂，如 PGE_2、GM-CSF、IL-4、IL-10、IL-13 等可抑制 IL-1、IL-6、IL-8、TNF 等炎症介质的释放。抗细胞因子治疗具有双向性，可抑制过度炎症反应而保护机体，又可削弱免疫力而损害机体。

减轻靶效应疗法，如抗 CD11/CD18 单抗能阻断内毒素、IL-1、TNF 诱发的中性粒细胞-内皮细胞的黏附。内皮细胞间黏附分子(ICAM-1)、内皮细胞白细胞黏附分子(ELAM-1)抗体和抗 P、E 选择素抗体可防止中性粒细胞黏附到内皮细胞上。氧化酶抑制剂(布洛芬、吲哚美辛)、白三烯抑制剂、补体抑制剂(C1 抑制剂、C5a 抗体)、凝血酶抑制剂(抗凝血酶Ⅲ)、钙通道阻滞剂、磷脂酶 A_2 抗体、自由基清除剂(超氧化物歧化酶、维生素 E、铅化合物 U-74006F 等)以及中性粒细胞抑制剂(腺苷、氨苯砜、去铁胺等)等，可缓解细胞因子的靶效应，减轻器官损害。

血液滤过可清除血循环中的细胞因子，能不同程度改善脓毒症患者的肾功能、血流动力学和氧合作用，但该法对血液中有益或无益物质均不加选择地予以清除，其作用有待探讨。多粘菌素 B 对内毒素有解毒作用，将其吸附固定到 α-氯乙酰胺-甲基聚苯乙烯纤维的氨基上，含内毒素的血液经过该纤维后可以解毒。

19.5.5 破伤风

(1) 病因与发病机制

破伤风是由破伤风杆菌侵入伤口，并增殖、分泌毒素而致的一种特殊感染。该菌属 G^+ 厌氧性梭状芽胞杆菌，主要存在于人和动物的肠道，随粪便排出后污染泥土，故粪便和泥土是重要传染源。该菌尤其是芽胞对环境有很强的抵抗力，须煮沸 40～60 min、高压蒸气 10 min 或在 5% 的苯酚中 10～12 h 才能将其杀灭。如破伤风杆菌污染深部组织(如非贯通伤、深部刺伤等)，加之入口较小，伤道内有大量坏死组织、凝血块，或机械性紧塞过紧导致局部缺血等，容易形成适合该菌生长繁殖的缺氧环境；若同时有其他需氧菌混合感染，伤道内的残留氧将被将进一步消耗，从而更易发生本病。

破伤风杆菌所产生的外毒素是造成破伤风症状和体征的原因。外毒素有痉挛毒素和溶血毒素两种。溶血毒素对发生本病意义不大。痉挛毒素是一种高度毒性蛋白质(130 μg 足以致命)，对中枢神经系统有特殊的亲和能力，可破坏中枢神经系统反射活动的抑制性调节功能，是引起肌肉紧张和痉挛的直接原因。痉挛毒素是如何到达脊髓和脑干运动神经元的，有神经传导和血液传导两种学说。前者认为毒素沿着神经内膜和外膜的淋巴间隙或运动神经轴突上行而达其靶细胞；后者认为毒素吸收后经血液循环(附着于血清球蛋白)和淋巴系统到达脊髓前角神经元和脑干运动核团。毒素到达中枢神经系统后主要与突触小体膜的神经节苷脂结合，阻止其释放抑制性介质，以致 α 和 γ 运动神经元失去控制，从而导致特征性的全身横纹肌痉挛和强直，运动不协调。此外，痉挛毒素还在周围阻断神经肌肉接头，并能直接使肌肉收缩。破伤风毒素也能阻断脊髓内交感神经抑制而使其过度活动，导致血压升高、心率增快、心动过速、末梢血管收缩、出汗、体温过高、血和尿中儿茶酚胺增加等。

(2) 临床表现和诊断

1) 潜伏期　长短不一，多数为 5～14 天，也有短于 1 天或长达数月乃至数年者，有的仅在摘除遗留多年的异物时才发病。潜伏期越短，预后越差，伤后 2～3 天内发病者，死亡率接近 100%。

2) 前驱期　多在 12～24 h 之间出现全身乏力、头晕、头痛、烦躁不安、咀嚼无力、局部肌肉紧张、扯痛、下颌僵硬、张口不便、吞咽困难、咀嚼肌和颈项肌紧张或酸痛等症状。

3）发作期　通常在最初症状后24～72 h发作，受累肌肉呈阵发性痉挛。最先受累的是咀嚼肌，出现牙关紧闭；随之累及面部表情肌和颈、背、腹、四肢肌肉；最后是膈肌和肋肌。面部肌肉群的持续收缩可形成特征性的“苦笑面容”，患者蹙眉，口角下缩；颈、背、腹和四肢肌肉痉挛时，出现颈部强直，头后仰，因项背肌肉较腹侧的强大而使躯干扭曲成弓，形成角弓反张或侧弓反张；膈肌受累时可造成呼吸困难或呼吸停止。任何轻微刺激如光、声、震动等都可诱发强烈的痉挛发作，从而使患者面容青紫，大汗淋漓，呼吸急促，流涎或口吐白沫，牙齿摩擦有声，头频频后仰，手足抽搐不止，表情痛苦不堪。每次发作时间长短不一，短者数秒，长者数分钟。两次发作期间肌肉一直紧张，患者意识始终清楚。痉挛发作多在3天内达到高峰，5～7天保持稳定，10天后发作次数逐渐减少，程度减轻，间歇期延长，持续性全身肌肉收缩也逐渐减轻和缓解。

4）恢复期　病程通常为3～4周，重者可6周以上。第2周以后，症状可随病程延长而逐渐减轻，但在治愈后的较长时间内，某些肌群仍可有紧张和反射亢进现象。

5）并发症　肺不张和肺炎是常见并发症，50%～70%的患者死于肺炎。骤然而强烈的肌肉痉挛可引起肌肉撕裂、出血、骨折脱位和舌咬伤等，另外还可出现凝血功能不良和激动、失眠、肌肉震颤或痉挛、体位性低血压等神经系统后遗症。

较为典型的破伤风诊断并不困难，主要依据是临床表现。若外伤后出现肌肉紧张、牙关紧闭、颈项强直、阵发性全身肌肉痉挛等现象，应高度考虑本病。早期仅有前驱症状时诊断较为困难，应密切观察病情变化，并在诊断时注意与脑膜炎、低钙性抽搐、狂犬病、癔症、精神病以及士的宁中毒和吩噻嗪、甲氧氯普胺等引起的张力障碍性反应等相鉴别。

(3) 预防

1）伤口处理　对污染严重的伤口必须彻底清创，要清除一切坏死和无活力的组织，摘除异物，并用3%过氧化氢溶液和甲硝唑溶液反复冲洗，敞开伤口。对小而深的伤口，应充分扩创、引流。

2）主动免疫　用破伤风疫苗（为破伤风杆菌经多代特殊培养后产生的类毒素）进行主动免疫是预防本病的有效措施。具体方法是前后共注射3次，每次0.5 ml。首次皮下注射，间隔4～8周注射第2次，即可获得基础免疫力，半年至1年后注射第3次，便可获得保持10年以上的免疫力，若随后5年再追加注射一次（0.5 ml），就能保持足够的免疫力。

3）被动免疫　伤前未接受主动免疫者应尽早皮下注射破伤风抗毒素（TAT）1 500～3 000 u，注射后血液中抗体浓度迅速增高，但仅能维持10天左右。由于破伤风潜伏期长，因此对深而污染严重的伤口，可在1周后重复注射1次。破伤风抗毒素是马血清制剂，容易导致变态反应，注射前必须常规进行敏感试验，若阳性，应行脱敏法注射。

(4) 治疗

1）控制并解除肌肉痉挛　患者应隔离在安静、避光的室内，以减少声、光刺激，并视病情给予地西泮（安定）、水合氯醛、冬眠合剂（Ⅰ号或Ⅱ号）、硫喷妥钠，以减少和控制痉挛。对于重型破伤风患者也可用肌肉松弛剂进行治疗，如左旋筒箭毒碱、氯化琥珀酰胆碱、氨酰胆碱、戈拉碘铵（弛肌碘）、粉肌松等。一般静脉给药，效果较好。由于这些药物能造成呼吸肌麻痹，故须具备呼吸控制设备和人员时方可应用。

2）保持呼吸道通畅　对重型破伤风患者应尽早行气管切开术，并注意吸出分泌物，清洁导管，吸入雾化气体和定期滴入抗生素溶液，要特别注意预防喉痉挛和窒息，痉挛发作期尤应防止舌咬伤出血而造成窒息。

3）中和游离毒素　原则上TAT应是小剂量，一般5万～10万u（轻型5万u，中型7万u，重型10万u）的总量即可达到治疗目的。由于TAT肌内注射后6 h血中浓度才逐渐上升，故静脉用药效果较好，但静脉用药不能有效地通过血-脑屏障，因而常需蛛网膜下隙注射（鞘内注射），其优点是控制抽搐快、疗程短、用药少，一般用TAT 5 000～10 000 u。TAT制剂中含有少量的甲苯和苯酚，可能损害神经和产生炎症反应，因而注射时可用脑脊液稀释并加用肾上腺皮质激素。有条件时也可使用人体破伤风免疫球蛋白（TIG），其疗效远远超过TAT，且无变态反应，一般静脉注射500 u或深部肌内注射3 000～6 000 u，即可保持有效抗体效价达8～12周，因此仅需一次用药。

4）全身支持和中医中药治疗　肌肉反复痉挛和持续性收缩可严重消耗患者能量，因而要注意补充营养（高热量、高蛋白、高维生素），维持水、电解质平衡，必要时可采用鼻饲、胃造口和静脉营养，并定时翻身、拍背，以利排痰，预防压疮，防止交叉感染。应当指出，精心护理是早期发现和减少并发症、降低死亡率的重要措施之一。

中医认为破伤风为风毒内蕴、肝风内动，治以平肝祛风、安神解痉为主，并可配合针灸治疗。

19.5.6 气性坏疽

(1) 病因与发病机制

本病多见于创伤所致肌肉组织严重开放性挫伤，不经治疗的死亡率达 100%，治疗后死亡率为 20%～40%。产气荚膜梭状芽胞杆菌、败血梭状芽胞杆菌、恶性水肿梭状芽胞杆菌、产芽胞梭状芽胞杆菌和溶组织梭状芽胞杆菌等 G^+ 梭状芽胞杆菌是气性坏疽的病原菌（故又称为梭状芽胞杆菌性肌炎或肌坏死），但以产气荚膜梭状芽胞杆菌最常见和最重要，其生物特性是易在缺氧和失活的组织中生长繁殖。梭状芽胞杆菌广泛存在于泥土和人畜粪便中，极易污染伤口，常发生于开放性骨折、臀部或大腿部肌肉广泛性挫裂伤、压榨伤等较深的创伤，以及存有死腔和异物或血管损伤所致血供不良的伤口。条件适宜时，这类细菌可在局部生长繁殖，并产生多种外毒素和酶，其中 α 毒素是致命的坏死性溶血毒素，能裂解卵磷脂，破坏红细胞、血管内皮细胞和其他组织细胞的细胞膜，造成溶血、组织坏死和血管通透性增加。所产生的胶原酶、透明质酸酶、溶纤维酶和脱氧核糖核酸酶则导致局部组织广泛坏死和严重毒血症。糖类被酶分解可产生大量气体，蛋白质被分解则产生恶臭的硫化氢。毒素和酶的协同作用可使感染迅速扩散，造成组织分解与液化，进而危及生命。

(2) 临床表现与诊断

创伤并发气性坏疽的时间一般在伤后 1～4 天，也有短至 6 h 以内者。

1) 局部表现　伤口剧痛为最早症状。早期常感伤肢沉重，以后由于气体和液体导致组织压力增高而出现胀裂样剧痛（伤后 6～12 h 即可出现，24～72 h 最为突出），且止痛药无效。伤口中有大量恶臭的浆液性或血性渗出物，并出现气泡。伤口周围水肿、皮肤苍白、紧张和发亮。触诊有捻发音（又称握雪感，气体积聚在组织间隙所致）。由于浅静脉回流障碍，皮肤可出现大理石样斑纹。伤口肌肉大量坏死，呈砖红色，无弹性，切割不收缩、不出血，最后成黑色腐肉。

2) 全身表现　局部症状出现不久，就出现口唇皮肤苍白、表情淡漠、神志恍惚、烦躁不安、呼吸急促、脉快无力和节律不整、体温与脉搏不成正比（体温不高但脉搏很快）等症状。此后，随着毒血症加重，体温可高达 40 ℃以上，进而发生昏迷、严重贫血和多脏器衰竭。

3) 实验室检查　血常规检查患者明显贫血，红细胞数降至（1.0～2.0）$\times 10^{12}$/L，血红蛋白下降 30%～40%，白细胞数升高，但一般不超过（12～15）$\times 10^{9}$/L。尿液检查出现血红蛋白尿。厌氧培养可明确诊断，但需时 2～3 天，无助于早期诊断。

4) 诊断　早期诊断非常重要，迅速进展的病变即使耽误 24 h，也足以致命。伤口周围捻发音、伤口渗出液涂片可见 G^+ 短粗杆菌和 X 线平片显示肌群内积气阴影是早期诊断的 3 项主要依据。临床上组织间积气并不限于梭状芽胞杆菌感染，厌氧性链球菌和脆弱类杆菌感染时也可产生气体，并出现皮下气肿和捻发音，甚至筋膜坏死，但病情发展较慢，疼痛和全身中毒症状较轻，预后也较好。伤口渗出液涂片检查可发现链球菌和 G^+ 短粗杆菌。

(3) 治疗

1) 手术治疗　诊断一经确立，即使患者处于濒死状态，也应在抢救休克的同时立即进行清创手术，彻底切除坏死组织和切开筋膜减压十分关键，并彻底引流。术前静脉给予大量抗生素（青霉素＋甲硝唑），术前准备时间要尽量缩短，一般不超过 30～45 min。采用全身麻醉，伤肢严禁用止血带。具体方法是在病变区作广泛、多处的纵形切开，迅速切除所有不出血的坏死的组织，直至显露颜色正常、出血良好的正常组织。因感染范围常超出肉眼病变范围，所以切除范围要足够大，乃至包括起止点的整块肌肉。如感染限于某一筋膜间隙，可将受累肌肉和肌群从起点到止点全部切除；如累及整个肢体的肌肉，应在健康部位进行高位截肢，残端开放，不予缝合。术中用大量 3%过氧化氢溶液或 1∶4 000 的高锰酸钾溶液反复冲洗创腔，以改善无氧状态。术后开放伤口，并以 3%过氧化氢和高锰酸钾溶液浸泡的纱布轻轻覆盖，每日更换数次，直至伤口感染控制为止。大剂量青霉素和甲硝唑应在术后继续使用。

2) 高压氧舱疗法　在高压氧舱内吸入 3 个大气压的纯氧能使患者血液和组织中的氧含量较正常大 15 倍，组织内的氧张力＞90 mmHg(12 kPa)，从而抑制梭状芽胞杆菌的生长繁殖和产生毒素，甚至可能杀灭细菌。但高压氧舱治疗仅仅是辅助疗法，其治疗基础是彻底清创、血容量足够和无严重贫血，抗生素治疗和支持疗法不能因高压氧舱治疗而中断。

3）其他　根据贫血情况，多次少量输血。维持水、电解质和酸碱平衡。给予高热量、高蛋白和高维生素饮食。保护心、肺、肝、肾功能。每日尿量需＞1 500 ml，以利排出毒素。

19.6　创伤性休克

19.6.1　发病机制

（1）微循环障碍

微循环障碍是导致创伤性休克的重要环节。创伤后微循环经历收缩期、扩张期和衰竭期 3 个变化阶段与休克的发生发展密切相关。收缩期是创伤早期的微循环表现，主要由交感-肾上腺髓质兴奋而释放大量儿茶酚胺，并与肾素、血管紧张素和花生四烯酸代谢产物等共同导致皮肤、肌肉和内脏血管强烈收缩，从而使回心血量代偿性增加，以保证心脑的血液灌注。但如此代偿的负面影响是造成组织缺血缺氧和内脏血液灌流不足，从而成为发生休克的始动因素。扩张期是机体失代偿表现。微动脉持续性收缩使缺血不能及时纠正，组织无氧代谢增强，乳酸生成过多并在体内堆积，使毛细血管前括约肌松弛而开放毛细血管，但毛细血管静脉端对酸性环境的耐受性较强，仍处于收缩状态，血液大量积聚在扩张的毛细血管内，加之升高的静水压促使水和小分子血浆蛋白渗出血管外，血液浓缩，同时缺血和内毒素等又使肥大细胞释放大量组胺，进一步加重血管扩张，从而导致回心血量急剧减少，血压下降，终使休克病情恶化。衰竭期是机体失代偿后的恶果。持续淤血、缺氧与血液浓缩等使红细胞聚集和血管内皮细胞损伤，从而释放促凝物质而启动内、外源性凝血系统，进而诱发弥散性血管内凝血(DIC)，造成各脏器微循环血流阻塞和器官组织广泛变性坏死，结果发生多系统器官功能障碍，使休克难以逆转。

（2）缺血-再灌注损伤

强烈的血管收缩和休克时的低血压使所有组织都缺血、缺氧，因此增强的无氧代谢导致细胞内酸中毒，进而抑制线粒体呼吸功能。另外，细胞外 Ca^{2+} 在缺血时可大量内流，并促使内质网的 Ca^{2+} 释放，造成细胞内 Ca^{2+} 超载，导致线粒体氧化磷酸化脱耦联和激活生物膜上的磷脂酶 A_2 而降解脂膜，结果加重损伤线粒体的结构和功能，使 ATP 合成急剧减少，细胞膜的离子运转因此受阻而发生通透性改变，K^+ 外流，Na^+、Cl^-、Ca^{2+} 内流，Na^+-ATP 酶、K^+-ATP酶、Ca^{2+}-ATP 酶活性下降，形成细胞水肿。这就是所谓的缺血性损伤。

血液再灌注时也可发生损伤。组织恢复血供虽然增加了缺血组织的氧供，但在一定条件下（主要取决于缺血时间）反而加重组织损伤，这与氧自由基作用有关。缺血-再灌注时体内氧自由基主要来源于黄嘌呤氧化酶生成系统、中性粒细胞和线粒体。休克时间越长，复苏时产生的氧自由基越多，其在创伤休克发病机制中具有以下作用：①使膜脂中的不饱和脂肪酸发生脂质过氧化而被大量消耗；②使膜蛋白和磷脂发生交联而造成蛋白质的不可逆性改变；③膜结合酶活性位点巯基被氧化，导致酶失活；④改变膜受体、膜蛋白酶和离子通道的脂环境，影响其结构和功能。

（3）细胞因子作用

休克的发病机制除与神经递质和内分泌激素类介质有关外，细胞因子也在休克的发生发展中具有重要作用。影响休克进展和严重度的细胞因子主要有 TNF、IL-1、IL-6、IL-8 和 PAF。它们可以抑制血管平滑肌收缩，引起外周循环阻力降低，造成血压下降；诱导黏附分子表达而促进粒细胞的黏附和趋化，并使其脱颗粒，释放溶酶体酶、花生四烯酸和自由基等；抑制内皮细胞表面血栓调节素的表达和辅因子活性，并诱导内皮细胞表面组织因子的生物合成，激活外源性凝血途径；促进脂肪组织、肌蛋白和糖原的分解代谢；诱导急性期蛋白质的合成。此外，细胞因子还与激素、神经肽和神经递质以网络形式协同作用，共同构成体内介质连锁反应。

（4）内源性感染

创伤性休克与脓毒症有着密切关系。感染源可以来自创面以及为治疗或监测而留置的各种人工管道，也可来自胃肠、呼吸和泌尿道。胃肠道细菌是创伤后内源性感染的重要来源，其发生机制与肠道菌群过度繁殖、肠黏膜机械屏障破坏和免疫功能下降有关，其中肠黏膜机械屏障破坏是导致内源性感染的关键。休克时所见的肠黏膜出血、糜烂、坏处和脱落,无疑是肠黏膜机械屏障破坏的直接证据。

肠源性感染的常见致病菌以肠道埃希菌为主,且多为两种以上细菌的混合感染。但在创伤休克的发病机制中,内毒素的作用可能比细菌更为重要。因为创伤后内毒素血症的发生要早于和高于菌血症;创伤休克后内毒素血症虽为一过性,但内毒素在组织内大量聚积,且创伤和休克本身具有增敏内毒素的作用;内毒素具有激活单核-巨噬细胞系统、补体系统和凝血系统等生物学作用。

19.6.2 临床表现

(1) 一般情况及意识

早期因中枢神经系统血液灌注不足和缺氧,从而导致自主神经兴奋,表现为烦躁不安、呼吸浅快、皮肤苍白、出黏汗、口渴、头晕、畏寒等,此时收缩压多已降至 80 mmHg(10.6 kPa)左右。随着休克程度加重,收缩压继续下降,至 50 mmHg(6.7 kPa)时,中枢神经系统灌流量进一步减少,精神状态则由兴奋和烦躁不安转为淡漠、抑郁、反应迟钝、意识模糊,乃至昏迷。

(2) 皮肤

一般情况下,肤色和肢体末梢温度直接反映了外周微循环的灌流状态,因而可作为休克的主要诊断依据。面颊、口唇、甲床等为常用皮肤观察部位。当肤色由红润转为苍白,则外周血管收缩和血流量减少,应视为休克的重要体征;如果口唇和甲床发绀,说明微循环淤滞,休克在继续恶化;用手指轻压前额或胸骨柄处皮肤 2~3 s,然后移去手指观察皮肤由苍白逐渐恢复红润的时间(正常 5 s 内完全恢复)。如明显延长,表明休克较为严重且正在逐渐恶化;如肤色苍白、皮肤温度下降并伴有冷汗等,说明交感神经由极度兴奋趋向衰竭,病情已相当危重;如皮肤由苍白转向红润,停止冷汗,四肢厥冷范围缩小,表浅静脉由萎陷变为充盈,表明外周循环低灌注状态已得到改善,病情好转。

(3) 脉搏与血压

1) 休克指数 休克指数是脉搏与收缩压之比值,常用来判断休克的严重程度。该指数正常为 0.5,当其为 1.0~1.5 以上时,表明已发生休克;2.0 以上时,说明发生严重休克。

2) 血压 低血压是诊断休克重要指标,但不是早期诊断指标。因为休克早期的机体代偿可维持血压于正常范围,但此时脉搏已明显加快,脉压缩小,极有可能迅速发展为严重休克,应予积极防治。

(4) 尿量

尿量变化直接反映了肾脏血液灌流状况。正常尿量约 50 ml/h。尿量在 30~40 ml/h 以上时,表明有较充分的肾脏血液灌流,机体有效血容量及其他器官组织的血液灌流也尚可。休克时由于肾灌流不足,尿量可下降至 20 ml/h,甚至无尿。如充分液体复苏后仍无尿或尿量甚少,需警惕发生急性肾衰竭,并应注意控制输液量。

19.6.3 临床诊断和实验室监测

(1) 临床诊断

通常将休克分为 3 期:轻度休克(休克前期)、中度休克和重度休克。

1) 轻度休克(休克前期) 失血量约占全身血容量的 20%。患者意识清楚,甚至有些兴奋,定向能力尚好,但有时意识模糊。瞳孔大小、对光反射仍正常。脉搏有所加快(约 100 次/min),强度正常或稍弱。压迫前额或胸骨处皮肤,颜色恢复在 5 s 之内。血压正常或稍低,脉压略低(30~37.5 mmHg)。尿量 36~50 ml/h。

2) 中度休克 失血量约占全身血容量 35%。患者意识有时模糊,回答问题反应慢,定向能力尚在。主诉口渴,烦躁不安,呼吸急促。瞳孔对光反射正常。脉搏快(约 120 次/min),较弱。肢端厥冷,颈静脉充盈不明显或仅见充盈形迹。压迫前额或胸骨皮肤常需 5 s 以上才能恢复皮肤颜色。脉压低至 19.5~30 mmHg。尿量仅 24~30 ml/h。

3) 重度休克 失血量超过全身血容量的 45%。意识多模糊,不能正确对话,甚至昏迷,定向能力丧失。瞳孔仍可正常,但有时扩大,对光反射迟钝。脉搏弱而快(> 120 次/min),有时难以数清。颈静脉不充盈,压迫前额及胸骨皮肤始终苍白,肢端厥冷范围向近端扩大,冷汗。血压常低至测不出。尿量低于 18 ml/h,甚至无尿。

(2) 实验室监测

1) 平均动脉压 血压变化可直接反映休克的轻重变化,应定时测量休克患者的动脉血压。

2) 中心静脉压 测定中心静脉压可了解有效循环血量及右心功能。如中心静脉压和动脉血压都低,尿量少,说明血容量不足,应继续快速补充血容量;如中心静脉压接近正常或偏低,动脉压正常,尿量增加,说明血容量接近正常,应放慢扩容速度;

如中心静脉压和动脉压都偏高，尿量已正常，说明心功能良好，输液已过量，应限制输液量；如中心静脉压正常，动脉压偏低，尿量少，说明右心排血功能不全，应限制输液量，查找并消除病因（如张力性气胸等）。

中心静脉压正常值为 5～12 cmH_2O。中心静脉压 2～5 cmH_2O 或更低，提示右心充盈欠佳或血容量不足；中心静脉压 15～20 cmH_2O 或更高，提示右心功能不全或右心负荷过高。

3）肺动脉楔压　监测肺动脉楔压（PAWP）主要用于评价左、右心室功能，区别心源性或非心源性肺水肿（特别适用于高原条件下监测肺水肿），也可为扩容，使用心肌收缩药、血管收缩剂或扩张剂等药物治疗提供依据，并判断治疗效果。

4）心排血量　心排血量（CO）为每搏量与心率的乘积，正常值为 4～8 L/min。除每搏量和心率外，影响心排血量的因素还有前负荷、后负荷及心肌收缩性能等因素。测定 CO 有助于判断心功能与前后负荷的关系，也可用于心力衰竭和低排综合征的诊断和治疗，对判断严重创伤患者的预后也帮助。

5）心脏指数　测定 CO 后，再根据患者身高和体重计算出体表面积（BSA），然后用下式求出心脏指数（CI）：

$$CI = CO/BSA$$

正常 CI 为 2.5～4 L/(m^2 · min)。休克时周围血管阻力降低，心脏指数代偿性升高；如外周血管阻力增高，则 CI 代偿性降低。

6）血气分析　下述 3 项为常用监测指标，但不能满足于一次监测，应根据病情变化定时监测，以确定酸碱平衡失调的本质。

(i) 动脉血氧分压（PaO_2）：正常 PaO_2 为 80～100 mmHg。>80 mmHg 为正常，75～80 mmHg为轻度低氧血症，60～74 mmHg 为中度低氧血症，<60 mmHg为重度低氧血症。PaO_2 在创伤休克早期仍可维持正常，随休克加重而明显下降，当<20 mmHg时，脑组织即丧失由血液摄氧的能力。

(ii) 动脉血二氧化碳分压（$PaCO_2$）：正常 $PaCO_2$ 为 36～44 mmHg，静脉血 $PaCO_2$ 较动脉血高，为 46～50 mmHg。严重休克时，$PaCO_2$ 下降。

(iii) 动脉血酸碱度（pH）：正常动脉血 pH 为 7.37～7.43。休克时 pH 可逐渐下降。

7）肾功能监测　①尿量：见上述。严重创伤休克时应常规留置导尿管，以监测每小时尿量。尿量是输液治疗的重要参考依据，尽管休克复苏，观察每小时尿量仍很重要。②尿相对密度（比重）：尿浓缩是肾脏的重要功能之一。如尿相对密度 ≥1.020，呈高渗尿液时，提示肾脏血液灌流不足，但肾功能尚好，尚未肾衰；如尿密度 <1.020，呈等渗或低渗尿液时，则已发展为肾性肾衰竭。③尿液：若尿液镜检有血尿，极有可能为尿路损伤；如镜检发现有管型，则可能为肾小管坏死或肾衰。

19.6.4　防治

(1) 现场急救

1）止血、通气、固定　是防治休克的重要措施，毋庸忽视。失血量可参照表 19-8 估计。

表 19-8　各部位损伤出血量估计

损伤部位	失血量(ml)	损伤部位	失血量(ml)
前臂骨折	400～800	骨盆骨折	1 500～2 500
肱骨骨折	500～1 000	胸腰椎骨折	500～1 000
胫腓骨骨折	750～1 200	胸腔伤	1 000～4 000
股骨骨折	1 000～1 500	腹腔伤	1 000～4 000

2）使用抗休克裤　抗休克裤利用充气加压原理制成，对保证休克时重要生命脏器的血液灌流和稳定心血管动力学状态有其独特效果，同时可减缓和制止腹内与下肢活动性出血。一般情况下，囊内压达 40 mmHg 即有明显的抗休克效果。

(2) 容量复苏

各种休克均存在有效血容量和微循环灌流不足的共同特点，因此容量复苏是休克治疗的重要措施。以往主张恢复丢失的容量，现在不仅要补充丢失血容量，且要填补扩大的毛细血管床，因而补液量常比正常血容量高 500～1 000 ml，但逾量补液一定要视患者的具体情况而定，特别在高原或肺功能不全的情况下，过度容量复苏可导致肺水肿。

1）液体复苏　传统休克液体复苏主张晶体液与胶体液兼补，现认为葡萄糖液或等渗盐水都不能单独作为扩容剂。单纯葡萄糖液可导致脑或肺水肿、高血糖、低钾和低钠血症，而单纯等渗盐水则导致高氯血症，加重酸中毒。平衡盐液和高渗盐水虽效果较好，但也不能单纯使用，提倡及时输浓缩红细胞，不主张早期输全血和过多胶体溶液。

(i) 平衡盐液（乳酸林格液）：该液的渗透压、电解质、缓冲碱含量和 pH 与血浆相似，是一种有效维持循环血量、提高血压、降低血黏度、增加血液流速、改善微循环的休克复苏液体，但并不能代替输血。单纯用大量平衡盐液抗休克，可导致血红蛋白急剧下降，对危重患者不利，必须及时输血。

(ii) 高渗氯化钠：国内外均有用高渗氯化钠(7.5% NaCl)急救失血性休克的报道，优点是输注量少，仅 4 ml/kg 体重；缺点是少数病例输注后出现凝血功能障碍所致的出血倾向，因而应注意监测出凝血参数。

(iii) 血浆代用品：主要用于提高胶体渗透压和维持血容量，但因无携氧能力而不能满足生命器官代谢需要，故不能代替必要的输血。目前常用以下两种：①右旋糖酐(常用右旋糖酐 70)。胶体渗透压较强，每输注 1 g 可使 20～25 ml 的组织间液渗入血管内，并能较长时间维持胶体渗透压。其血循环中的半衰期为 12～24 h，因而扩容效果好，且输注后能降低血黏度及血小板黏附性，有利于疏通微循环，故是临床抗休克的常用胶体液。右旋糖酐的缺点是少数患者输注后出现变态反应，并改变凝血因子Ⅷ和血小板的特性而影响血凝，易使部分创伤特别是广泛软组织损伤的患者渗血，所以输注量一般不超过 1 500 ml，以免造成出血倾向。②羟乙基淀粉。国产代血浆，分子量 60 000～70 000，具有良好的血浆增容、减少血浆黏度和改善微循环作用，输注后变态反应发生率比右旋糖酐低，且不影响配血。

2) 输血　对严重创伤失血性休克患者必须在容量复苏基础上输注一定量的全血，以提供红细胞、白细胞、血浆蛋白质等，从而满足携氧和凝血功能等需要。输注同型血较为理想，但条件不允时也可先输注 O 型全血或 O 型 Rh 阴性血 400～800 ml，以应急。库存血储存时间一般不易超过 2 周，否则易破坏红细胞，并导致血小板减少、pH 下降、血钾上升和氧解离曲线左移，从而不利于组织细胞摄取氧。

3) 液体复苏原则　以往强调严重创伤休克的液体复苏要充分扩容，并强调早期输注胶体液及全血。现在有人把严重创伤休克的病程分为 3 个阶段，根据各阶段的病理生理特点采取不同的复苏原则与方案。

第 1 阶段为活动性出血期，时间从受伤到手术止血，约 8 h。其主要病理生理特点是急性失血、失液。复苏原则为平衡盐液和浓缩红细胞(比例为 2.5∶1)，不主张用高渗盐液、全血及过多的胶体溶液复苏。理由是高渗溶液增加有效血容量和提高血压是以降低组织间液和细胞内液为代价，这对组织细胞代谢不利；早期使用全血和过多胶体液容易使一些小分子蛋白质在第 2 阶段进入组织间隙，引起血管外液过多扣押，对后期恢复不利。如患者大量出血和血红蛋白很低，可增加浓缩红细胞的输注量。由于此期交感神经系统强烈兴奋，血糖水平并不低，可不给葡萄糖液。

第 2 阶段为强制性血管外液扣押期，历时 1～3 天。其主要病理生理特点是全身毛细血管通透性增加，大量血管内液进入组织间隙，致全身水肿、体重增加。治疗原则是在心肺功能可耐受下积极复苏，维持足够的有效循环血量。也不主张输注过多的胶体溶液，特别是白蛋白。由于大量血管内液体此期进入组织间隙，有效循环血量不足，会有少尿甚至无尿现象，但不能大量使用利尿剂，而是补充有效循环血量。

第 3 阶段为血管再充盈期。该期机体功能逐渐恢复，大量组织间液回流血管内。此时的治疗原则是减慢输液速度，减少输液量，并在监护心肺功能情况下使用利尿剂。

4) 液体复苏时间　传统认为创伤性休克低血压应立即进行液体复苏，并用血管活性药物尽快提升血压。但有人提出延迟复苏的概念，不主张对创伤失血性休克(特别是有活动性出血的休克)患者快速输注大量液体，主张在彻底止血前给予少量的平衡盐液，以维持机体基本需要，在彻底手术处理后再行大量复苏。过早使用血管活性药物、平衡盐液或高渗盐液提升血压，不但不能提高患者存活率，反而有增加死亡和并发症的危险。

5) 氧供、氧摄取超常值复苏　CO 和 CI 是以往休克患者的复苏指标，但严重创伤休克和脓毒休克患者，其组织细胞的缺血、缺氧并非单纯血供不足所致，而与组织的氧供(DO_2)和氧摄取(VO_2)有密切关系，故除用 CI 作为复苏标准外，也有学者提出以 DO_2 和 VO_2 作为休克复苏标准，并强调 DO_2 和 VO_2 复苏达超常值。标准是 CI ＞ 4.5 L/(m^2 · min)，DO_2 ＞ 600 ml/(m^2 · min)，VO_2 ＞ 170 ml/(m^2 · min)。常用提高 DO_2 和 VO_2 的方法包括：①充分扩容，提高有效循环血量；②使用多巴胺、多巴酚丁胺等正性肌力药物；③应用肾上腺素、去甲肾上腺素、去氧肾上腺素等血管收缩剂；④改善通气，维持动脉血氧饱和度。

(3) 血管活性药物

1) 缩血管药物　去甲肾上腺素、重酒石酸间羟胺、麻黄碱等是以往常用缩血管药物,可使大多数休克患者血压回升,症状改善,但动脉血压升高为减少组织灌注所换取,因而组织灌注明显减少,仅为权宜之计。现场急救时,缩血管药物只用于血压急剧下降危及生命者,以赢得时间输血、输液。必须应用时,宜用小剂量、低浓度,但应尽快输血、输液,以恢复有效血容量。

2) 扩张血管药物　常用血管扩张药物有肾上腺素β受体兴奋剂(异丙肾上腺素)、肾上腺素能α受体阻滞剂(酚苄明、苄胺唑啉、妥拉唑啉)、莨菪类药(阿托品、山莨菪碱、东莨菪碱)和均衡性血管扩张剂(硝普钠)。在充分扩容的基础上,血管扩张剂可扩张毛细血管前括约肌,增加微循环血流量,从而使外周组织得到充分灌流。

(4) 改善心功能

经充分补液和应用血管活性药物,如创伤休克仍不能得到纠正,中心静脉压较高而动脉压较低时,可使用下列心功能增强药物。

1) 异丙肾上腺素　肾上腺素能β受体强烈激动剂。可兴奋心脏 β_1 受体,使心率明显加快,传导加速,收缩力加强,输出量增多;可兴奋血管 β_2 受体,使血管扩张,外周阻力下降,表现为收缩压升高而舒张压下降,脉压增大。

2) 多巴胺(儿茶酚乙胺)　能激动α和β肾上腺素能受体,也能激动多巴胺受体。能增加心肌收缩力和心输出量,提高心肌耗氧量,扩张冠状动脉,并在扩张肾、肠系膜血管的同时,收缩骨骼肌和皮肤血管,以使血液分配到重要生命器官。

3) 洋地黄　治疗休克并发充血性心力衰竭时效果好,可增加衰竭心脏排血量,减慢心率,减少心室舒张末期容量,节约心脏耗氧量。由于休克时心脏总有一定程度缺氧,故对洋地黄特别敏感,易发生心律失常,应缓慢慎用。

4) 胰高血糖素　可中等度地提高心肌收缩力,对外周阻力无明显影响,也不易引起心律失常。

(5) 改善代谢及纠正酸中毒

1) 三磷腺苷(ATP)　ATP 在 ATP 酶及其辅助因子 Mg^{2+} 的参与下分解为 ADP 和磷酸,并释放能量。Mg^{2+} 除参与 ATP 酶的辅助因子外,还能催化腺苷酸环化酶,使 ATP 生成 cAMP,增强心肌收缩力,扩张血管,促进糖原和脂肪分解,以提供更多能量。动物实验表明,ATP 和 $MgCl_2$ 合用可显著提高休克动物的存活率,因而两者具有协同作用。

2) 葡萄糖、胰岛素、氯化钾联合疗法(GIK)　休克早期因交感-肾上腺髓质系统兴奋,糖原分解,血糖升高,但晚期可因糖原耗竭而产生低血糖。动物实验表明,GIK 联合治疗可改善代谢,明显提高内毒素休克和出血性休克的存活率。

3) 1,6-二磷酸果糖(FDP)　FDP 是葡萄糖代谢的中间产物,在乏氧酵解时可比葡萄糖多产生 2 分子 ATP。动物实验证明,与摩尔质量(等克分子量)的葡萄糖相比,FDP 能显著提高出血性、内毒素和心源性休克动物的生存率。

4) 纠酸药物　休克时因血液灌流不足而无氧代谢增强,产生乳酸增多,加之细胞内失钾,故常出现酸中毒和高血钾。碳酸氢钠可纠正因乳酸聚积所导致的代谢性酸中毒。高血钾除采用碳酸氢钠纠正外,可静脉滴注葡萄糖酸钙,以钙离子拮抗钾离子对心脏的毒性作用,也可通过葡萄糖、胰岛素和碳酸氢钠联合静脉滴注,使血 K^+ 进入细胞内以降低血钾。

(6) 维持肾功能

在扩容基础上,创伤休克可用小剂量多巴胺和普鲁卡因增加肾脏灌流;用呋塞米或依他尼酸增加尿量;用碳酸氢钠碱化尿液,以促进毒性物质排泄,维持肾脏功能。

(7) 皮质类固醇(氢化可的松,地塞米松)

该类药物不仅增强心肌收缩力和保护肝肾功能,也可增加细胞内溶酶体膜的稳定性,防止蛋白水解酶释放,减少心肌抑制因子产生,还可降低细胞膜的通透性,减少毒素进入细胞,并具有中和毒素的作用。较大剂量应用可阻断α肾上腺素能受体,使血管扩张,降低外周阻力,改善微循环。但皮质类固醇激素使用后 24 h,仍有免疫抑制作用,易使感染扩散和产生应激性溃疡。

(8) 抗生素

休克伴有感染或广泛组织损伤者应早期、足量使用抗生素,并及时清除感染源。对已知菌种,可根据药物敏感度以及病情和机体状况选用抗生素。菌种暂不明者,则应选择广谱抗生素。对未发生感染的休克或严重创伤患者,也可应用广谱抗生素进行非特异性预防。

19.7 创伤后内脏并发症

19.7.1 创伤后心功能不全

(1) 病因

创伤后急性心功能不全有急性左心功能不全和急性右心功能不全之分,临床上以急性左心功能不全较为常见,表现为急性肺水肿、心源性休克或心脏骤停。主要原因如下。

1) 心脏直接损伤　约占胸部外伤的3.5%。既可因暴力的直接作用而造成,也可因暴力的间接作用而导致压力传导性损伤,从而撕裂心内结构。

2) 心肌收缩力下降　创伤后失血及休克都可影响冠状动脉循环血量,心肌可因此而收缩力下降。此外,创伤后机体释放的心肌抑制因子以及酸中毒、水电解质紊乱、细菌毒素、药物、激素类物质等也可降低心肌收缩力。

3) 急性机械性阻塞　创伤本身或持续输入缩血管药物可导致外周血管收缩,从而增加左心室后负荷而使左心室排血功能障碍;创伤并发肺功能不全可使肺循环阻力增高,从而加重右心室后负荷而致右心室排血功能障碍。

4) 心室舒张受限　无论是心包积液、心脏压塞,还是纵隔及胸腔内大量积血、积液及积气,都可使心脏舒张受限而降低心排血量。若冠状动脉受压,则造成心肌缺血,收缩力下降。

5) 急性循环血量增加　短期大量输血、输液可使循环血量骤增,迅速增加心脏前负荷,严重创伤本身已有心肌收缩力下降或后负荷加重,若前负荷迅速增加可引起心功能不全。

6) 严重心律失常　创伤并发严重休克或感染时,可先出现室性自动节律和心房纤颤,然后发生心功能不全。

7) 细菌感染　严重创伤后期如发生全身严重感染,可引起急性心肌炎、心包炎或心包积液,甚至心肌坏死和脓肿,从而造成心肌收缩力减弱。

(2) 临床表现

早期症状较轻,可能被创伤本身的症状所掩盖,加之创伤后心功能不全多有心排血障碍,易与创伤本身、休克、感染的临床表现混淆,早期较难鉴别。

创伤后心功能不全与其他非创伤性的临床表现相似,表现为乏力、烦躁不安、心慌、气急、阵发性哮喘、端坐呼吸、夜间阵发性呼吸困难、心率增快、心律失常、舒张期奔马律、肺动脉瓣区第二音增强、颈静脉怒张、急性肺水肿、周围性水肿及心室肥大等。

创伤后心功能不全的症状也与其他休克所引起的心功能不全类似,如苍白、湿冷、尿少、血压不稳或降低等,但病因不同而有其持独特症状和体征,如心肌伤可有胸部创口和心脏压塞症状,同时会有心界扩大或(听诊)四音律。当心间隔或瓣膜损伤时,心前区可闻及相应杂音,甚至触及震颤。

纽约心脏学会曾将心功能分为4级。①Ⅰ级:体力活动不受限制,一般活动时无任何心力衰竭的症状和体征;②Ⅱ级:体力活动稍受限,一般活动时有心悸、气促等症状;③Ⅲ级:体力活动明显受限,稍事活动即有心力衰竭症状和体征;④Ⅳ级:丧失体力活动能力,静息时亦有心力衰竭症状和体征。该分类法虽简单实用,但欠精确,加之创伤所致原发伤痛干扰判断,故难以正确评价心功能受损程度。用Swan-Ganz气囊漂浮导管技术持续监测患者血流动力学变化,能对心功能作出客观而准确的评价。心功能不全的血流动力学变化特点为:心脏容积增大,左室舒张末期压、肺毛细血管楔压(PCWP)和外周静脉压升高,每搏量、心排指数和射血分数减低,其中PCWP能正确反映左心房和左心室舒张末压,是判断左心功能的一项敏感指标。

(3) 诊断

有明确创伤史,伴有下列临床表现之一者,应考虑创伤后心功能不全。

1) 出现典型心力衰竭的症状和体征。

2) X线胸片显示心影扩大或呈烧瓶状,肺门增宽,肺纹阴影加重。

3) 心电图呈严重心律失常且合并心肌供血不足,或显示心室扩大或肥厚。

4) 原因不明的窦性心动过速(>140次/min),且一般处理无效,心电图QRS波低电压、心肌缺氧及劳损。

5) 中心静脉压>15 cmH_2O, PCWP>18 mmHg,心排血量下降[CI<36.7 ml/(m^2·s)或2.20 L/(m^2·min)], PaO_2<40 mmHg。

6) 超声心动图显示左心室舒张末直径增大,心室壁运动幅度极度减弱,左室射血分数明显降低。心脏如有损伤,则伤部出现异常通道或血流。

(4) 治疗

1) 积极消除病因　对心脏创伤者应迅速建立

循环与呼吸通道，边抗休克边行剖胸探查，及时解除心脏压塞和修补损伤心脏。心脏外创伤应在抗休克的同时，积极去除病因，如心脏压塞应予心包穿刺，严重者开胸止血。纵隔与胸腔积血、积液或积气者，应引流减压。

2）改善心脏前、后负荷　中心静脉压或 PCWP 增高，特别伴外周血管收缩时，可用速效 α 受体阻滞剂如苄胺唑啉，以扩张血管，降低阻力，减轻心脏负担，缓解肺水肿。因快速大量补液致循环血量骤增，引起血压升高、心率快而有力、颈静脉怒张、肺充血、中心静脉压和 PCWP 增高而心排血量不降低者，宜用利尿剂（呋塞米或依他尼酸钠）降低心室充盈压力，另外可硝普钠与多巴胺合用，随血压调节；合并外周循环衰竭者应合用多巴酚丁胺；合并交感张力增高者可用酚妥拉明。当中心静脉压 ≥ 11.0 mmHg，PCWP ≥ 18 mmHg，CI ≤ 36.7 ml/(s·m^2)，且尿量 < 0.5 ml/(kg·h)，用多巴胺 > 20 μg/(kg·min) 仍不能维持血压时，可考虑应用主动脉内球囊反搏术，但主动脉瓣或颅脑损伤时禁用。

3）改善心肌收缩力　可给予洋地黄类强心药物，亦可用毒毛花苷。心功能不全伴血压不稳时，可应用多巴胺；若心率 ≤ 90 次/min，可用异丙肾上腺素。

4）纠止酸中毒及水、电解质紊乱　因呼吸频速所致呼吸性碱中毒可不必特殊处理。严重呼吸性酸中毒可气管插管行间歇或持续正压呼吸。代谢性酸中毒可用碳酸氢钠等碱性药物，但应防止补碱过量而加重肺水肿和液体潴留。

5）其他　为降低组织耗氧量，应保持安静和避免骚扰，保证患者休息。烦躁不安和气促过度者，应静脉滴注哌替啶、吗啡或其他镇静药物。补充心肌能量可用葡萄糖、胰岛素、腺苷三磷酸、辅酶 A、肌苷和细胞色素 C。心源性哮喘可静脉给予氨茶碱或地塞米松，以解除支气管痉挛，减轻呼吸困难。

19.7.2　创伤后呼吸功能不全

（1）病因及病理机制

1）创伤后呼吸功能不全的病因及病理生理机制　创伤后呼吸功能不全系创伤引起的肺泡通气或换气功能严重障碍，致使静息状态下出现 PaO_2 低于正常范围或 $PaCO_2$ 高于正常范围，是创伤后最常见和最重要的并发症之一。如伴有明显症状和体征，则习惯上称之为呼吸衰竭。

凡是造成肺泡通气和换气失调的因素都可导致呼吸功能障碍。如高位截瘫、多发性肋骨骨折、血气胸可使通气动力减弱，肺泡因此不能正常扩张而发生限制性通气不足。误吸和吸入伤使呼吸道大量黏性分泌物滞留和支气管痉挛，从而造成阻塞性通气不足。肺水肿、肺淤血可降低肺的顺应性，增加吸气时的弹性阻力，使呼吸受限。循环灌流不足、脂肪栓塞可使肺泡Ⅱ型细胞分泌表面活性物质减少，肺顺应性下降而呼吸受限。肺实变和肺不张可使肺泡膜大面积减少，从而引起换气障碍。肺水肿、肺泡透明膜形成和肺毛细血管扩张可导致肺泡表面血浆层变厚，气体弥散效率可因此降低。

通气和换气障碍实质上反映了通气/灌流（V/Q）比例失调。严重肺水肿和肺实变时，只有灌流而无通气（即换血不换气），其特点是 PaO_2 降低，$PaCO_2$ 不升甚至降低，辅助通气无明显帮助。肺栓塞、部分血管收缩、毛细血管床广泛破坏和 PAWP 下降，可使部分肺泡灌流减少，甚至缺失，此时如通气无相应下降，则肺泡 V/Q 增高，形成死腔样通气（即换气不换血），其特点是 PaO_2 下降，$PaCO_2$ 升高。

2）急性肺损伤和急性呼吸窘迫综合征的病因及病理生理特征　急性肺损伤（ALI）是创伤后呼吸功能不全中最主要的类型，通常由肺挫伤、多发伤、休克、大量输血输液、脂肪栓塞或血栓、严重感染、烟雾吸入伤、烧伤、误吸及体外循环、氧中毒等引起。其病理基础是肺泡毛细血管膜损伤，导致微血管通透性增加，引起弥散性蛋白性肺水肿。早期病变主要为严重肺水肿、肺出血、透明膜形成、肺不张、肺微栓形成，以及肺血管内皮细胞与肺泡Ⅰ型上皮细胞肿胀、变性与坏死等，以后血管中膜增生、内膜发生纤维变性，甚至大量肺血管床闭塞。后期以支气管周围和间质纤维化伴有不同程度的慢性炎症反应为特征。ALI 病理演变的最后阶段即为急性呼吸窘迫综合征（ARDS），其病理特征由 ALI 的膜损伤加重致弥散性肺泡损伤。所有 ARDS 患者都有 ALI，但并非所有 ALI 都是 ARDS。

3）ALI 及 ARDS 肺损伤的机制　ALI 实际上是一类急性炎症，为全身炎性反应综合征（SIRS）在肺部的表现。少数情况下由上述误吸、氧中毒、脂肪栓塞等直接损伤肺上皮或内皮而引起，因炎性反应进而加重；多数情况下则由创伤等因素激活内源性介质，然后通过不同途径造成继发性损伤。原发伤仅在 ALI 早期起作用，继发损伤则持续全过程。

ALI 的发病机制是：原发刺激因素激发炎性级联反应，导致单核细胞、巨噬细胞、中性粒细胞、内皮细胞及血小板等释放介质，如前列腺素类药物(prostanoids)、PAF、细胞因子、蛋白酶、氧自由基、凝血酶和激活的补体等，这些介质既可进一步放大级联反应，又可直接损伤肺脏，结果增加内皮和上皮的通透性以及肺血管的压力，并改变肺力学和肺泡表面活性物质的功能。这一过程中如参与机械通气，肺可能会因为过度膨胀而加重损伤。由于这种介质是相互激活、互为因果的网络系统，因而难以确定何种因素在肺损伤机制中占主导地位或为关键步骤。

(2) 诊断

1) 病史　明确的创伤史，尤其合并休克、感染、大量输血、补液和经手术治疗者。

2) 呼吸困难　急性进行性呼吸困难，呈窘迫状。呼吸次数常 >30 次/min。如有胸壁损伤或中枢抑制，可增加不多。

3) 低氧血症　轻者可无症状和体征。重者发绀，并产生中枢神经症状，如注意力不集中，定向力减退，兴奋，进而烦躁不安，神志恍惚，谵妄，甚至昏迷。

4) 血气分析　不吸氧时 PaO_2 < 60 mmHg 即为低氧血症。吸氧时 PaO_2 与吸入氧分数(FiO_2)比值正常为 300 mmHg 以上，低于此值则提示呼吸功能不全。$PaCO_2$ 早期多下降或正常，后期可升高。肺泡-动脉氧压差($A\text{-}aDO_2$)正常为 5～10 mmHg，ALI 时显著升高，吸入纯氧后仍 > 200 mmHg。肺分流量(Qs/Qt)正常≤5%，ALI 时显著增加，严重时 > 20%。

5) 肺部 X 线检查　早期基本正常或仅有纹理增粗，中、后期出现斑片甚至片状阴影。

6) 肺功能改变　通常出现潮气量增加，功能残气量和肺顺应性下降，气道压力上升。

7) 肺泡灌洗液蛋白质含量检查　如肺泡灌洗液蛋白质含量显著增加，提示肺血管内皮和上皮通透性增加。

8) 国内 ARDS 诊断标准　国内诊断标准强调有诱发 ARDS 的原发病因，由于创伤患者病因明确，因而符合下述标准即可诊断。

先兆期：①呼吸 20～25 次/min。②FiO_2 = 0.21，PaO_2 ≤ 70 mmHg。③PaO_2/FiO_2 > 300 mmHg。④FiO_2 = 1.0，$A\text{-}aDO_2$ = 25 ～ 50 mmHg。⑤X 线胸片正常。具备上述 5 项中的 3 项者即可诊断。

早期：①呼吸窘迫，呼吸 > 28 次/min。②FiO_2 = 0.21，PaO_2 ≤ 60 mmHg，且 > 50 mmHg。③$PaCO_2$ < 35 mmHg。④PaO_2/FiO_2 ≤ 300 mmHg，且 ≥ 200 mmHg。⑤FiO_2 = 1.0，$A\text{-}aDO_2$ > 100 mmHg，且 < 200 mmHg。⑥X 线胸片未见实变或实变 ≤ 肺野。具备上述 6 项中的 3 项者即可诊断。

晚期：①呼吸窘迫，呼吸 > 28 次/min。②FiO_2 = 0.21，PaO_2 ≤ 50 mmHg。③$PaCO_2$ > 45 mmHg。④PaO_2/FiO_2 ≤ 200 mmHg。⑤FiO_2 = 1.0，$A\text{-}aDO_2$ > 200 mmHg。⑥X 线胸片肺实变 ≥ 肺野。具备上述 6 项中的 3 项者即可诊断。

9) 国外 ALI 和 ARDS 诊断标准

ALI：①急性发作的呼吸窘迫。②PaO_2/FiO_2 ≤ 300 mmHg，不论是否使用呼气未正压通气。③正位胸片显示两侧肺浸润。④肺动脉楔压 < 18 mmHg，或没有左房压升高的临床证据。

ARDS：除第 2 项为 PaO_2/FiO_2 ≤ 200 mmHg 外，其他标准同 ALI。

上述诊断标准都可能出现假阳性或假阴性，最可靠的方法是病理检查，当出现双侧弥散性肺泡水肿、肺血管通透性增加、弥散性肺泡损伤 3 种现象时，诊断即可成立。

(3) ARDS 预后

ALI 发展为 ARDS 后，其死亡率接近 60%。高龄、原有疾病和脓毒症(无论是 ARDS 诱因还是其并发症)等危险因素将使预后更差。伴有 2 种或 2 种以上危险因素(如年龄 > 60 岁，且有脓毒症)时死亡率高达 70%～90%。若病变进程中出现肝肾等新的器官衰竭，死亡率会进一步增加，超过 3 个器官衰竭时，死亡率则高达 80%～90%。尽管随着机制和治疗研究的深入，ARDS 患者的生存率有所提高，尤其显著增加了年轻且创伤后没有明显感染患者的生存机会，但高危患者(如高龄或有多危险因素者)的生存率基本无变化。

下列指标有助于 ALI 和 ARDS 的预后判断，但其中部分仅有实验室结果，尚无临床验证。

1) 凝血因子Ⅷ相关抗原(vWf-Ag)　为内皮细胞损伤标记。当血浆中 vWf-Ag 显著升高(> 450%)时，预测 ALI 的灵敏度为 87%，特异性为 77%。如肺水肿液或灌洗液中 vWf-Ag 升高，对肺内皮损伤的预测价值更大，不过其对处于 ARDS 高危状态脓毒症患者的判断意义不大。

2）血浆中不饱和脂肪酸（亚油酸盐和油酸盐）与饱和脂肪酸（棕榈酸盐）的比值　若以1.45为标准，其预测ARDS的灵敏度为84%，特异性为87%，阳性率和阴性率分别为75%和92%。

3）血清过氧化氢酶和锰超氧歧化酶　过氧化氢酶以>30 u/ml为标准，预测灵敏度为83%，特异性65%，阳性率42%，阴性率93%。如锰超氧歧化酶（MnSOD）>450 ng/ml，其预测的灵敏度为67%，特异性为88%，阳性率和阴性率分别为67%和（或）88%。

4）铁蛋白　ARDS患者血清浓度显著升高，男性判断标准为680 ng/ml，女性为270 ng/ml。

5）血中肺表面活性物质蛋白-A（SP-A）　>500 ng/ml，预后不佳；>800 ng/ml，死亡危险性增高。

6）肺泡灌洗液炎性细胞因子（TNFα，IL-1β，IL-6，IL-8）　若发病之初就升高并持续者预后不佳，反之随着病程发展下降者预后较好。其他介质如血浆弹性蛋白酶、L-选择素、CD11b/CD18、LTB_4等对预测ARDS也一定有帮助。

（4）治疗

1）去除病因　①防治感染：感染可引起创伤后呼吸功能不全，也可加剧已有病变，是影响死亡率的重要因素，因此要早期、足量、联合应用抗生素，并注意二重感染和出现耐药菌群。②预防输血性ALI（TRALI）：新鲜冷冻血浆、全血和库存红细胞富含人体白细胞抗体（HLA），以及机体的粒细胞周围池（主要存在于肺脏）反应后激活补体途径，导致炎症反应而引发ALI。由于经产妇和曾接受输血治疗者最有可能提供HLA，因此可通过筛选供血者来预防TRALI。③预防化学性和细菌性吸入性ALI：吸入胃内容物和继发性细菌感染是ALI的常见病因，故应加强护理，及时用药，严加预防。

2）支持疗法

（i）保持气道通畅。

（ii）吸氧：一般可吸入高浓度氧或纯氧，有条件时可用高压氧舱治疗，PaO_2维持在60～65 mmHg以上。如氧疗效果不佳，应及时进行机械通气，以免长时间吸高浓度氧导致氧中毒和贻误治疗时机。

（iii）机械通气：是目前治疗ARDS的主要方法。该法虽可提高PaO_2，但不能改善肺功能，同时还有降低心排血量，导致氧中毒、损伤肺泡-毛细血管膜、肺泡过度膨胀等不良反应。因而选择机械通气方式时应根据患者具体情况而定，不能用常规方法去设定通气参数。常用机械通气方法有以下几种。①间歇正压通气（IPPB）：适用于肺顺应性无明显改变者。潮气量10～15 ml/kg体重，正压20 cmH_2O，吸氧浓度0.4～0.5，吸气与呼气比1∶2。②呼气末正压通气（PEEP）：是ARDS治疗的标准通气方法。适用于IPPB无效、PaO_2不能维持在70 mmHg的患者。其应用原则是用最小压力和氧浓度达到最大顺应性、最小分流通量和最大氧输送量。通常以控制FiO_2在50%以下、$PaO_2 \geqslant 60$ mmHg为度。呼气末压力从3～5 cmH_2O开始，逐步增加，但不得超过15 cmH_2O。吸气与呼气比1∶2，也可1∶1，甚至2∶1。应当注意，PEEP有增加气道压力而导致气压伤、纵隔气肿、减少静脉回流量和心排血量以及升高颅内压等作用，有时会产生较大危害。③反比通气（IRV）：是限制气道压过高的一种方法。在PEEP$\leqslant$15 cmH_2O而氧合不足，或用PEEP时肺动脉压太高，可考虑使用。④高频通气（HFV）：对心脏影响小，可明显提高血氧和改善缺氧，适用于心功能不全、低血压休克和有气压伤危险而不能用PEEP的ALI患者。HFV包括高频正压通气（HFPPV）、高频喷射通气（HFJV）、高频震荡通气（HFO）和复合高频通气（CHFV）。⑤容许性高碳酸血症通气（PHV）：为了限制峰膨胀压不超过高膨胀点，只能减少潮气量，而潮气量减少在正常呼吸频率下可引起高碳酸血症。这种以轻度酸中毒为代价，避免呼吸机所致肺损伤的机械通气称为PHV。为达治疗目的而允许$PaCO_2$逐渐升高，然后通过肾重吸收阴离子代偿呼吸性酸中毒则称为容许性高碳酸血症。ARDS早期使用PHV为佳，但可引起脑血管扩张和脑水肿，因此颅内高压时禁用。⑥俯卧位通气：在50%～70%的早期ARDS患者中，俯卧位通气可以明显改善氧合。其机制可能是俯卧使背侧受水肿压迫的肺组织改善通气，使通气重新分布而减少分流量，进而改善氧合。俯卧位也可以改变仰卧位时胸腔由腹侧向背侧递增的内压差梯度，避免因压差梯度带来的正常肺泡过度通气和塌陷肺泡复张时的剪切力，从而减少机械通气引起的肺损伤。

（iv）体外气体交换技术：体外膜式氧合器是一种密闭的体外血循环管路，可使血液和薄膜接触而氧合血液，排除二氧化碳，如结合超滤以去除有害物质，则前景较好。在PEEP和HFV无效时可考虑使用。

(v) 液体通气:该法将氟碳溶液滴入支气管中,为气体交换提供氟碳/血液交换界面,使其溶解的氧进入血液并排出 CO_2。由于氟碳溶液密度高,表面张力低,具有表面活性物质的作用,因此还可改善肺膨胀性能,防止肺萎陷,并降低肺泡内出血、肺血管充血及肺微血管通透性。

(vi) 吸氧化亚氮(NO):NO 是一种内源性舒血管因子,吸入后可舒张肺通气区的局部血管,并对抗由低氧血症和其他因素引起的血管收缩,使血流重新分布,减少分流,从而改善氧合。约 70% 的 ARDS 患者吸入 NO 后 PO_2 升高,且肺动脉高压降低 20%以上,其对伴有高肺血管阻力 ARDS 患者的作用尤为突出。

(vii) 表面活性剂:ALI 患者肺表面活性物质有异常改变,应用肺表面活性物质进行替代治疗效果较好。

3) 抗感染治疗

(i) 前列腺素:前列腺素 E_1(PGE_1)可阻止血小板聚集,调节炎症反应和舒张血管。前列环素(PGI_2)有稳定溶酶体膜,抑制血小板黏附、聚集和降低血液黏度的作用,同时可改善微循环和肺的通气与换气。

(ii) 花生四烯酸产物抑制剂:酮康唑为强力血栓素合成酶抑制剂,也可抑制白细胞介素的生物合成。己酮可可碱能抑制中性粒细胞的趋化和激活,可减轻炎性反应和防治肺水肿。布洛芬为环氧化酶抑制剂,具有抗细胞因子、抗前列腺素类药物、抗氧化作用。

(iii) 抗氧化剂:危重患者肺及全身抗氧化剂显著下降已被证实,故应补充外源性抗氧化剂,如硒、维生素 C、维生素 E。超氧化物歧化酶(SOD)作为自由基清除剂的作用未被临床肯定。乙酰半胱氨酸(痰易净)作为谷胱甘肽前体而充当自由基清除剂,能减少器官衰竭的数量和时间,并有逆转衰竭器官的趋势。

(iv) 特异抗炎剂:此类制剂主要用于阻断炎性介质引起的级联反应,中断恶性循环,从而控制过度炎性反应。抗内毒素抗体如脂多糖(LPS)抗体通过阻断 LPS 引起的系列级联反应而减轻炎症。抗细胞因子抗体如 TNF 单克隆抗体也具有类似作用。

(v) 拮抗有害因素受体:IL-1 受体拮抗剂(IL-1ra)可阻断 IL-1 的作用而控制急性炎症。白细胞黏附糖蛋白 CD18 单克隆抗体可拮抗黏附分子受体而调节炎性反应。

(vi) 调节各种致炎与抗炎物质的信号转导:G 蛋白、酪氨酸激酶以及 cAMP 等第二、第三信使可调控信号分子的活性和数量,从而控制多种细胞活性物质,但有关研究仍在进行之中。

(vii) 血液透析和过滤:可去除血液内毒素和炎性细胞因子,从而减轻炎症反应,改善预后,但也有不少不良反应。如:诱发胃肠道出血;血中多形核白细胞通过透析膜时可被激活,进而扣押于肺毛细血管内,然后释放炎性介质使肺泡-毛细血管膜受损。

(viii) 糖皮质激素:具有阻止补体激活、抑制花生四烯酸代谢、减轻炎性反应、抑制活化白细胞释放溶酶体酶及自由基等作用。常用甲泼尼龙、氢化可的松和地塞米松。但必须彻底排除或充分治疗全身感染后,方可使用激素。

4) 控制血流动力学

(i) 控制肺动脉高压:降低肺动脉高压可减轻肺水肿和 ARDS 的严重性。但不宜用硝普钠、PGF_1、硝酸甘油等扩张体循环的药物来降低肺动脉压。可使用前列环素,既可降低肺动脉压,对体循环影响也小,同时可对抗 TXA_2 及其他介质。

(ii) 缓解后阻力血管:α 受体阻滞剂、右旋糖酐 40、山莨菪碱等有助于缓解血管痉挛和改善微循环,可考虑应用。

(iii) 液体管理:预防和治疗肺水肿是救治 ARDS 重要手段,液体的使用因此会受到限制。但创伤患者又常有低血容量,心脏前负荷和心排血量降低,需要补充液体。因此,补液应该根据血流动力学的监测结果进行。

5) 其他疗法 血流动力学稳定者可通过改变体位来改善肺下垂部分的水肿。酸碱平衡和电解质紊乱者,应根据血气分析予以积极纠正。加强营养支持,以改善预后,促进恢复。

19.7.3 创伤后急性肾衰竭

(1) 病因和发病机制

急性肾衰竭(acute renal failure, ARF)是创伤后常见综合征之一,指各种原因所致双肾功能短时间内(数小时至数周)迅速下降,肾小球滤过功能降至正常 50%以下，临床出现血肌酐、尿素氮迅速升高，水电解质和酸碱平衡失调及尿毒症。根据病因，ARF 分为肾前性、肾性和肾后性(梗阻性)。肾前性 ARF 是有效循环血量下降、心排血量减少和血压急剧下降所致，常见于创伤和休克；肾性 ARF 由直接损伤、肾中毒等造成；肾后性 ARF 则由尿路梗阻引起。根据发展过程以及肾脏结构与功能，ARF 又可分为功能性肾衰竭和器质性肾衰竭。前者因创伤、休克导致肾血流不足，从而尿量减少和血生化改变，如及时纠正，则可逆转，否则将发展为器质性肾衰竭。

创伤性 ARF 的发病机制如下。

1) 肾血流动力学改变　创伤时因应激反应、失血或心排量下降、全身血管紧张性下降等因素导致平均动脉压下降，当 < 80 mmHg 时，肾灌注压下降，肾血流量减少。内皮缩血管肽、前列腺素和肾素-血管紧张素-醛固酮系统对肾血流动力学也具有重要影响，并在创伤性 ARF 发生中起着关键作用。

2) 肾小管损伤　肾缺血可使肾小管上皮细胞缺血、缺氧和能量供应不足，尤其是髓襻粗段的上皮细胞，因担负着重吸收功能而对缺血、缺氧更为敏感，易发生坏死，使该处基膜裸露或断裂，小管内液回漏入间质，临床上出现少尿。间质水肿可进一步压迫髓质毛细血管网，使缺血更为严重。肾缺血也可诱发凋亡基因(如 *bcl-2*、*c-myc* 等)表达，导致肾小管上皮细胞凋亡。

细胞缺血性损害机制以缺血→代谢障碍→钙内流→细胞损害学说为主。其核心是，细胞缺血造成线粒体功能障碍，ATP 生成减少，细胞内 H^+、Na^+ 浓度升高致细胞水肿，继之产生大量自由基而损伤膜脂质体，使膜通透性改变，钙离子通道开放造成 Ca^{2+} 内流，最终破坏细胞骨架，导致细胞坏死。

缺血再灌注损伤和肾缺血时所产生的某些炎性介质(如 IL-1、IL-6)也在创伤性 ARF 的发生、发展中发挥了作用。

(2) 临床表现

1) 少尿期　创伤后数小时至数日可出现少尿(< 400 ml/24 h 或 < 17 ml/h)或无尿(< 100 ml/24 h)。部分患者尿量减少不明显，但血肌酐、尿素氮明显升高，称之非少尿型肾衰竭，常易误诊。

2) 多尿期　少尿期后尿量渐增至 400 ml/24 h 以上，6～7 天可达 3 000～5 000 ml/24 h，说明肾功能在逐步恢复。由于肾小球滤过功能较肾小管重吸收功能恢复得快，故此期尿浓缩功能差，代谢物排泄率低。多尿早期血肌酐和尿素氮仍然升高，1 周后才开始下降。此期易出现脱水、低血钾和低血钠等表现。

3) 恢复期　随着肾小管上皮细胞的再生与修复，经半年左右肾功能可恢复至正常，但少数患者仍可遗留不同程度的肾功能损害。

除尿量外，临床也可出现由钠潴留、电解质紊乱(高钾血症、高磷血症、低钠血症、低钙血症)、酸碱平衡失调以及氮质血症(肌酐、尿素氮升高)所导致的相关症状。

(3) 诊断与鉴别诊断

1) 诊断　①有创伤引起肾脏低灌注史。②少尿或无尿，且在纠正血容量和心排血量不足后尿量仍无改善。③血清肌酐和尿素氮升高。肌酐清除率较正常下降 50%，或血肌酐较正常升高 50%。

2) 鉴别诊断　因功能性少尿和器质性少尿的治疗措施截然不同，故需参照表 19-9 进行鉴别。

表 19-9　功能性少尿和器质性少尿的鉴别

项　目	功能性少尿	器质性少尿
浓缩尿相对密度	> 1.020	< 1.010
尿渗透压(mmol/L)	> 500	< 350
GFR(ml/min)	> 20	< 20
尿 Na^+(mmol/L)	< 20	> 40
尿 BUN/血 BUN	> 8	< 3
尿肌酐/血肌酐	> 40	< 20
利尿试验	尿量增加	无变化

注：GFR，肾小球滤过率；BUN，尿素氮。

3) 预警诊断　肾小管上皮细胞对肾脏缺血最为敏感，变化也最早，损害时其微绒毛可断离、脱落，在肾小管内形成囊泡，可梗阻肾小管，也可参与构成颗粒管型，因此尿中囊泡的数量可反映肾小管上皮细胞微绒毛的损害程度，并预示能否发生 ARF；肾小管上皮细胞缺血可使溶酶体破坏而释放溶酶体酶，导致某些尿酶升高，因而可将尿酶作为 ARF 的预警诊断指标；肾缺血时肾小管上皮细胞黏附因子表达减少，导致细胞脱落，故检查尿液细胞黏附因子和肾小管上皮细胞数量的动态变化，可反映肾脏损害的早期发展状态。

(4) 治疗

1) 病因治疗　创伤所致疼痛、应激反应、感染、血容量减少等都可通过影响血流动力学而在 ARF 的发生中发挥重要作用,因而应尽早采取止痛镇静、止血扩容、清创固定等针对病因的措施进行治疗,以防止 ARF。肾血流量不足时,可用多巴胺扩张肾血管,增加肾血流,但大量输入多巴胺虽可升高血压,但肾动脉收缩,肾血流量反而减少。

为防止脱落的肾小管上皮细胞及其微绒毛堵塞肾小管而加重 ARF,可用甘露醇快速静脉滴注,或呋塞米静脉注射,以增加尿量,防止堵塞。如器质性肾衰竭一旦形成,再用甘露醇可致肾小管上皮细胞脱水而引发渗透性肾病,反可促进发生 ARF,故宜早用。如用后尿量不增加,说明已进入器质性肾衰竭,不宜再用。

2) 纠正内环境紊乱

(i) 血液透析:可代替肾脏维持机体内环境平衡,有效地排出体内多余水分和代谢产物,是少尿期的主要治疗措施。透析指征:ARF 成立,无尿 2 天或少尿 3～4 天;高分解状态;有明显尿毒症表现;水潴留严重,有肺水肿及脑水肿先兆;血钾增高。停止透析的指标:已确定进入多尿期,尿量 > 2 000 ml/24 h;透析期间尿素氮稳定在 15 mmol/L 或肌酐稳定在 400 μmol/L 以下,且不再升高。

(ii) 降低血钾:高血钾是少尿期主要死亡原因,应将血钾控制在 6 mmol/L 以下。

3) 纠正酸中毒　紧急抢救可用 5%碳酸氢钠 2～4 ml/kg 体重于 0.5～1 h 内快速静脉滴注,以后则根据 CO_2CP 值计算 5%碳酸氢钠用量:

$$5\%\ NaHCO_3(ml) = [CO_2CP\text{ 下降值(容量 \%)}/2.24] \times \text{体重(kg)} \times 0.5$$

因机体有一定的调节能力,每次按计算量的 1/2 补充。三羟甲基氨基甲烷为不含钠的强碱性缓冲剂,既能纠正代谢性酸中毒,又能纠正呼吸性酸中毒。该药从尿中排泄,有利尿作用,已经少尿或无尿则不宜再用。

4) 治疗感染　感染是 ARF 的常见并发症,死于感染和败血症者占 50%。抗感染药物的应用原则:①选用无肾毒性或肾毒性小的抗生素,如 β-内酰胺酶类药物;②根据细菌药敏试验联合用药;③根据肌酐清除率调整剂量和给药时间,防止药物中毒。

5) 多尿期及恢复期的治疗　多尿早期,肌酐和尿素氮可能继续上升或者不降,故仍需进行适当的透析治疗。大量利尿后要防止脱水、低血钾、低血钠,并及时调整水、电解质入量。肌酐和尿素氮正常后,可逐步增加蛋白质摄入量,以利组织修复。恢复期无需特殊治疗,但应尽量避免损害肾的因素,如肾毒性药物、再次大手术创伤等。

19.7.4 创伤后肝功能不全

(1) 发生机制

严重创伤所致失血及由此引发的交感-肾上腺髓质系统和肾素-血管紧张素系统兴奋,都可使肝血液灌流量减少,加之创伤时肥大细胞释放 5-羟色胺(5-HT),使门静脉小分支和肝血窦收缩,肝血流量进一步减少。若并发感染,内毒素和氧自由基既可损伤血管内皮细胞,也可使其释放内皮素。内皮细胞损伤后可释放 TXA_2 和 PAF,TXA_2 一方面引起肝微血管强烈收缩,加重肝微循环障碍;另一方面和 PAF 一起促进血小板聚集,使血流缓慢,血液黏稠度增高,肝脏微血栓形成,进而加重肝微循环障碍。内皮缩血管肽则使血管平滑肌强烈而持续收缩,结果同样影响肝微循环。肝缺血、缺氧本身也可损伤肝窦内皮细胞,使之肿胀甚至坏死、脱落,肝血窦变窄。另外,感染也能使肝库普弗细胞以及白细胞体积增大、数量增多,使肝血窦进一步变窄,肝血流量因此减少。此时,红细胞不仅易于聚集,红细胞膜也变得僵硬而变形能力降低,无法顺利通过肝窦,从而造成堵塞而严重影响肝微循环。内皮细胞损伤不仅引发上述变化,也导致微血管通透性升高,使血浆大量渗出,血液浓缩,黏度升高,进而加剧微循环障碍,结果必然无法满足肝脏代谢需要,最终造成肝细胞损害。当然,微循环障碍并非肝细胞损害的唯一因素,并发感染时的细菌内毒素和病理生理演变过程中所产生的 TNF、IL-1、IL-6、白三烯、NO 等多种活性物质,也是造成肝细胞损害的重要因素。

(2) 临床表现

严重创伤时肝脏虽然受到实质性损害,但因其具有很强的代偿和储备能力,因而除氨基转移酶或许升高外,临床上可能无特异性症状。患者有时会出现疲乏无力、食欲不振、恶心、厌油及腹胀等,但因常与创伤后出现的其他症状相混杂,故难以早期作出诊断。如出现黄疸,则可能是肝功能不全的症状之一。有时患者出现凝血机制障碍,表现为皮肤紫癜,牙龈、口腔黏膜和消化道出血,甚至 DIC,也有可能出现少尿和肝臭。病变后期的突出症状为意识障碍,并逐步进入肝性脑病。肝性脑病第 1 期(前驱期)表现为性格改变,反应迟钝,嗜睡,欣快或抑郁,注意力不集中;第 2 期(昏迷前期)表现为神经精神异常,如委靡不振,烦躁不安,甚至谵妄抽搐,回答问题含糊不清,扑击样震颤;第 3 期则进入昏迷,但早期反射仍正常,以后消失。

(3) 诊断

1) 有明确创伤史并有上述临床表现。

2) 黄疸持续存在。

3) 血清胆红素 $>34\ \mu mol/L$ 具有重要诊断意义。

4) 谷氨酸氨基转移酶和乳酸脱氢酶超过正常 2 倍以上具有重要诊断意义;碱性磷酸酶和 γ-谷酰转肽酶升高亦有诊断意义,但因其变化出现较晚,因而难以反映肝功能的早期损害。

5) 血清酮体比值是比较敏感的诊断指标,当血清酮体比值 >0.7 时,病情常稳定;<0.4 时不仅发生肝功能不全,而且全部发生多器官功能衰竭。

6) 因肝细胞合成功能受到损害,可出现血白蛋白降低,甚至发生低蛋白血症。当凝血因子合成障碍时,凝血酶原时间明显延长。

(4) 治疗

1) 处理创伤、防治感染、补充血容量、改善微循环 参见本章“创伤的早期急救和治疗”、“创伤后感染”和“创伤性休克”等内容。

2) 保护肝功能 创伤早期适当应用糖皮质激素可减轻创伤后应激反应,阻断体内多种因子释放,因而具有减轻细胞损害的作用。通常用氢化可的松或地塞米松静脉注射,但至多使用 48 h。合并严重脓毒症的患者可用血浆交换疗法去除血中内毒素和炎性介质,以保护脏器功能。给予保肝药物如 ATP、辅酶 A 及肌酐,注意补充白蛋白和多种维生素,避免使用损害肝脏的药物。输注新鲜冷冻血浆或血浆冷沉淀具有补充因肝功能不全而减少纤维结合蛋白、增强血液免疫调理和改善单核-吞噬细胞系统廓清功能的作用。

3) 防治肝性脑病 谷氨酸结合氨形成谷氨酰胺,可降低血氨水平,一般静脉滴注谷氨酸钠。精氨酸可促进鸟氨酸循环,变血氨为尿素,从而降低血氨水平。支链氨基酸能和芳香族氨基酸竞争性地通过血-脑屏障,减少后者进入脑内,从而具有防治肝性脑病的作用。

4) 人工肝支持疗法 该法是严重病变肝脏的暂时辅助或替代疗法。对不需要肝移植的患者,可使其过渡到肝脏再生而康复;对需紧急肝移植的患者,则是等待供体期间的临时替代。人工肝有以下几种类型。①非生物型:如血液滤过和(或)透析、血液或血浆灌流,原理是血液中的毒性物质通过膜透析装置进入吸附剂悬液,从而被吸附消除。②中间型:如血浆置换疗法、交换输血及整体洗涤,既能去除毒性物质又能补充生物活性物质,但不具备肝脏的生物合成与转化功能。③生物型:如利用培养肝细胞在体外循环系统中制成生物反应器,当患者血液或血浆流经反应器时与肝细胞作用,因而具有肝脏合成、解毒和生物转化等功能。④组合型:组合型人工肝由非生物型和生物型组合而成,通常由生物反应器、血浆灌流(活性炭吸附)和循环辅助系统组成,可集非生物型的解毒和生物型的合成、代谢与转化功能于一体,为人工肝的重要发展方向。

19.7.5 创伤后应激性溃疡

(1) 发病机制

创伤后应激性溃疡是机体遭受严重创伤或继发感染与休克等危重情况下发生的,以胃、十二指肠黏膜糜烂、溃疡和出血为主要特征的急性应激性病变。为创伤后最为常见的并发症之一。其发生机制颇为复杂,可能与神经、体液等诸多因素有关。致病因子不同,发生机制的侧重点也不尽相同。如脑外伤后的库欣(Cushing)溃疡,与胃酸、胃蛋白酶的分泌亢进密切相关,而严重创伤和烧伤后的应激性溃疡,则是各种应激因素作用于神经、内分泌、免疫和消化系统的结果。事实上,无论具体致病因子的作用如何,都表现为其对胃黏膜的破坏与黏膜防御功能的削弱。其中胃黏膜防御功能削弱在创伤后应激性溃疡的发生中占主导作用。

胃黏膜防御功能包括胃黏膜-碳酸氢盐屏障、胃黏膜细胞屏障、细胞保护机制和胃黏膜血流量等。在这些防御因素中,胃黏膜血流量是基本环节,直接影响防御机制的其他方面。正常静息状态下,胃血流量约 50 ml/(min · 100 g),其中 70%分布于黏膜。创伤所致急性血容量丧失以及休克时,内脏血管剧烈收缩而使胃血流量减少 60%,当减少至 50%以上,即可造成胃黏膜严重糜烂。另外,创伤时的应激因素也可通过大脑皮质和下丘脑使交感神经系统功能亢进，引起内脏血管强烈收缩，并通过交感-肾上腺髓质系统释放儿茶酚胺类物质造成胃黏膜小血管痉挛性收缩。创伤和感染所引起的 PAF、白三烯、内皮素等炎性介质释放，同样也直接和间接地收缩胃黏膜血管，结果和其他因素共同导致胃黏膜血流灌注不足，使能量代谢障碍，ATP 合成下降，胃黏膜分泌黏液及碳酸氢盐减少，致胃腔内酸碱平衡失调，加之脂质过氧化反应增强，氧自由基增多，使血管通透性增强，黏膜水肿，并破坏间质中透明质酸和胶原纤维网，最终发生应激性溃疡。

胃酸是胃黏膜的损害因素，且一直被认为是发生应激性溃疡的先决条件。但有关研究表明，胃酸在应激性溃疡的发病中似乎不是主导因素，可能只有加重和恶化黏膜损害的作用。其主要依据：①急性应激性溃疡不仅发生于胃，也发生于无酸分泌的大肠和小肠；②除 Cushing 溃疡外，无论实验动物和患者，应激状态下的胃酸分泌量减少而非增多；③临床上使用抗酸剂仅能降低黏膜的病变程度，而不能减少黏膜病变的发生率；④临床上抗酸剂以外的治疗措施，也能预防和降低应激性溃疡的发生。也有研究证实，将胃黏膜单独暴露于胃酸并不造成损害，只有胃蛋白酶参与后才能导致胃黏膜损害。胃血流量正常情况下，胆汁反流入胃并不造成损伤。但胃黏膜缺血时，胆酸和胆盐可使胃黏膜通透性增加，反向弥散的 H^+ 增多，从而加重胃黏膜损害。

(2) 临床表现

由于创伤后急性应激性溃疡常发生于严重创伤、烧伤、出血、休克、败血症之后，因而其症状常被原发病症状所掩盖，需仔细加以鉴别。

1) 呕血和黑便　首发症状为突发性上消化道出血，表现为呕血和黑便，呕血呈间歇性发作，大出血者伴有休克表现。

2) 局部表现　患者可有上腹部隐痛、恶心、呕吐、食欲减退、上腹部压痛等症状，多于出血前一日至数周出现。

3) 并发症表现　急性应激性溃疡偶尔导致胃和十二指肠穿孔，表现为剧烈腹痛、恶心、呕吐。腹部有明显压痛、反跳痛、腹肌紧张等急性腹膜炎表现。X 线检查腹腔内有游离气体。

4) 其他　烧伤并发的急性应急性溃疡(Curling 溃疡)一般较深，出血率较高。重型颅脑外伤后的 Cushing 溃疡多在颅内大手术后数天出现上消化道大出血，病情严重，死亡率较高。如患者有溃疡病史，再遭受创伤或大手术等应激性损害时，静止的溃疡可被激活而出现溃疡病症状和出血。

(3) 诊断

1) 严重创伤、大手术和感染后出现上述临床表现。

2) 纤维胃镜检查　直视下看到胃黏膜溃疡并出血是最可靠的诊断依据。胃黏膜糜烂是应激性溃疡最常见的病变，特点是病变表浅，散在分布，直径 0.1～1 cm，伴点状、片状或条状出血，或呈大小不等的瘀点、瘀斑。糜烂底部多有出血或被覆血痂，外观有时呈黑褐色。这种黑褐色血痂是黏膜组织坏死凝固后，残存于组织中的血红蛋白受盐酸作用变成高铁血红蛋白所致。

胃黏膜急性溃疡多由胃黏膜糜烂发展而成，以多发性、浅表性为特征。胃部溃疡的直径多＜0.5 cm，位于十二指肠者多为 0.5～1 cm，形态以圆形或卵圆形居多，也有条形或不规则形。溃疡边缘清晰，平坦柔软，基底无纤维化，多覆盖一层厚的白苔，有时可看到溃疡内有出血改变。

弥散性胃黏膜出血是在充血、水肿、糜烂和溃疡等多种病变的基础上，胃黏膜出现广泛密集的点、片状渗血。胃镜检查时黏膜质脆，触之易出血。

(4) 治疗

1) 非手术治疗　80%～90%的患者经非手术治疗后可暂时止血，需手术治疗的只有 10%～20%。①积极治疗病因，特别注意有无感染灶，及时控制感染常使出血停止。②及时补充血容量，改善组织血流灌注。③可通过胃管注入碱性溶液，或用加入去甲肾上腺素的冰盐水洗胃，以调节胃内酸碱度和止血，出血控制后应尽早拔除胃管。④抗酸剂和酸分泌抑制剂：抗酸剂有氢氧化铝凝胶和硫酸镁合剂，酸分泌抑制剂有 H_2 受体拮抗剂西咪替丁、雷尼替丁等。⑤经上述治疗后如仍有出血倾向，可行胃、十二指肠纤维胃镜检查，不仅可以了解黏膜病变范围和程度，也可直接对出血部位进行电灼、激光止血和喷洒止血药物。⑥其他非手术疗法无效而又有条件时，可试用经胃左动脉插管滴注血管加压素或去甲肾上腺素，以使胃黏膜小动脉收缩而止血。

2) 手术治疗　有下列情况之一者应考虑手术治疗。①积极非手术治疗后仍需 1 h 输血 600 ml 以上才能维持中心静脉压者。②年龄在 50 岁以上，

8 h内已输血500 ml,循环状态仍不稳定者,或24 h内明确出血1 000 ml以上者。③3天内每天输血1 000 ml以上仍未止血者。④凡伴有应激现象,24～48 h内每小时输血100 ml,胃内仍见鲜血和血红蛋白与血细胞比容仍不上升者。

(5) 预防创伤后应激性溃疡大出血

急性应激情况下数小时内即出现的黏膜病变很难预防,预防的重点是阻止病变发展。预防的根本措施在于尽早纠正血容量不足,保护重要脏器功能,预防和控制严重感染,这些因素与黏膜急性病变关系密切。

严重创伤和感染患者胃肠运动功能差,肠麻痹、胃扩张和胆汁反流入胃比较常见,此时可行胃管负压减压,以减轻胃扩张,改善胃壁血运,并可抽取对胃黏膜有害的H^+和胆汁。利用抗酸剂中和胃酸与利用H^+受体阻断剂抑制胃酸分泌,也有预防作用。

19.7.6 创伤后多器官功能不全

(1) 诱发创伤后MODS的早期危险因素

1992年,美国胸科学会和危重病学会共同倡议将沿用多年的多系统器官衰竭(multiple system organ failure, MSOF)更名为多器官功能不全综合征(multiple organ dysfunction syndrome, MODS)。创伤后MODS的发病率约为10%,但死亡率高达50%～100%。虽然目前尚无治愈MODS的特异方法,但认识诱发创伤后MODS发生的早期危险因素,对防止其发生,提高创伤患者的治愈率具有重要意义。这些因素包括严重创伤、感染、休克、缺血/再灌注损伤、延迟复苏或复苏不完全、过度炎症、血肿、年龄65岁以上、以前曾发生过器官功能障碍、类固醇治疗、慢性健康疾病(如乙醇中毒、营养不良、糖尿病或肿瘤等)以及进入ICU时有严重的生理异常,其中创伤后感染、休克和过度炎症反应是诱发MODS的重要危险因素。

1) 创伤　主要为多发伤、烧伤、复合伤、创伤较大的手术等,其诱发MODS的机制可能为直接损害器官或系统的结构和功能;导致低血容量休克和再灌注损伤;削弱或破坏机体的局部屏障和全身防御系统,导致感染;激活多种细胞和体液因子,引发过度炎症和免疫反应;改变神经内分泌功能,引起持续高代谢反应和营养不良;启动凝血系统紊乱,促发DIC。

2) 感染　以往感染的概念过于强调感染因子的作用,而忽视了机体对感染因子的反应。确定感染不能只以感染灶和细菌学检查为依据,还要看患者是否存在对感染的全身反应。脓毒症实质上就是机体对感染因子的全身反应。在MODS患者中,约50%患者的细菌血培养为阳性,但几乎所有的患者都有脓毒症表现。在死于感染的创伤患者中,30%以上的菌血症在尸检中找不到明确的感染灶。创伤后感染途径有外源性和内源性两种,前者直接来自开放创面以及为治疗或监测而安置的各种人工管道,主要为G^+细菌感染;后者来自胃肠、泌尿和呼吸道,创伤削弱或破坏了局部黏膜屏障和全身免疫功能,使这些空腔器官内的正常寄生菌易位而导致感染,其中肠道是主要内源性感染源,病原菌主要为G^-细菌。感染不仅与创伤协同诱发MODS,还是其直接诱因。

在诱发MODS的感染因子中,内毒素的作用比细菌更重要,因为创伤后内毒素血症的发生要早于和多于菌血症;MODS患者和动物血浆内毒素水平高于未发生MODS者;创伤后尽管只发生一过性内毒素血症,但内毒素可大量聚积在组织内,并与局部器官功能损害密切相关;创伤和休克本身使脂多糖结合蛋白和CD14的表达增加,它们具有增敏内毒素的作用;内毒素是G^-细菌的主要致病因子,具有激活单核-巨噬细胞系统、补体系统、凝血系统等多种生物学作用。MODS发病过程中出现的过度炎症、异常免疫、高代谢状态和器官损害都可能由内毒素间接诱导产生。

3) 低血容量性休克和再灌注损伤　严重创伤常伴有低血容量性休克,从而导致组织缺氧、酸中毒和微循环紊乱,进而引起细胞代谢障碍,炎症细胞激活。休克复苏后的再灌注过程则又通过氧自由基脂质过氧化和大量释放其他炎症介质而加重组织、细胞损伤。休克时间越长,再灌注损伤也越明显。除此之外,休克以及复苏后的再灌注也破坏了局部和全身防御功能,从而诱发以内源性为主的感染。因此,休克和再灌注损伤也与创伤后MODS的发生密切相关。

4) SIRS　SIRS本质是机体对创伤、感染等外来刺激产生的一种炎症反应状态,强调的是一系列病理生理反应,而非一种疾病。与MODS一样,SIRS的发生显然与感染有关,也是机体炎症失控后多种体液介质共同作用的结果,两者有着必然的内在联系。但若将SIRS作为预测MODS的指标又过于敏感,因为几乎所有创伤患者均有SIRS表现,但并非都发生MODS。

(2) 发病机制

MODS的发病机制非常复杂,目前认为和以下因素有关。

1) 免疫炎症反应　创伤后诱发的免疫炎症反应主要与应激、休克和感染有关。虽然三者在致病因素上并不相同,但都能从本质上引起机体全身炎症反应,从而使介质的连锁反应紊乱,再通过级联放大效应,炎症反应则不断加剧,从而使组织细胞损伤逐渐加重,最终发生MODS。

2) 细胞代谢障碍　严重创伤后必然导致细胞代谢障碍,表现为持续性高代谢和供能途径异常。持续性高代谢与创伤后应激激素(如儿茶酚胺、胰高血糖素、皮质激素)和细胞因子(TNF、IL-1)分泌增多有关,表现为体温升高,代谢率增加,能量消耗增多,出现持续性负氮平衡。供能途径异常是细胞线粒体损伤后氧化磷酸化障碍的结果,使能源(糖类)利用受阻,此时机体在应激激素和细胞因子的作用下大量分解自身蛋白质,以支持机体高代谢和器官功能的需要(即所谓自噬代谢),且外源性营养物质很难纠正这一异常供能途径,这与机体通常以分解脂肪和良好的外源性营养物质有着根本不同。

持续性高代谢和异常供能途径相互协同,使患者于短时间内陷入极度蛋白质营养不良,造成器官结构和功能受损,达到一定程度则发生MODS。

3) 器官间相互影响　如本章“创伤后感染”所述,肠道是体内最大的细菌和内毒素库,也是最重要的内源性感染源。创伤后肠道内细菌和毒素的易位,以及所产生的各种炎症介质和经肠道循环而激活的中性粒细胞,都可引起肝、肺和其他器官损伤,肠道因此被认为是创伤后发生MODS的始动器官。但体内各器官之间有着复杂的内在联系,往往相互影响,互为结果。

(3) 临床特征

1) 临床类型　①单相速发型:起病于伤后1周内,最早可发生于伤后36 h;②双相迟发型:发病于伤后2周左右,患者在创伤和休克复苏后往往有一个稳定期,之后由于受以全身性感染为特征的“二次打击”而诱发MODS。

2) 过度炎症反应　机体遭受各种致伤后虽然都有炎症反应和免疫应答过程,但MODS时这种反应更为迅速、持久和强烈,表现为循环和组织内各种炎细胞活化,血中和组织内炎性介质水平明显升高。病理检查则见大量炎细胞在微血管中聚集和在组织中浸润。

3) 高动力型循环状态　MODS患者心排出量可数倍于正常,但外周阻力很低,血压正常或偏低,伴高乳酸血症和混合静脉血氧分压增高、动-静脉氧梯度降低等。有的患者早期为“高排低阻”,后期因心脏失代偿成“低排高阻”,但多数患者呈“高排低阻”状态,直至死亡。

4) 持续高代谢反应和供能途径异常　如上所述,持续性高代谢和供能途径异常是MODS两个重要的代谢特征。血生化检查可有高血糖、高乳酸血症、低蛋白血症、血浆芳香族氨基酸增加、支链氨基酸降低。

5) 与低血容量性休克和感染密切相关　具有低血容量性休克或(和)感染的创伤患者是MODS高危人群。在MODS的创伤患者中,一半甚至更多的患者曾出现过低血容量性休克或(和)脓毒症。此外,创伤后MODS多来势凶猛、进展迅速、死亡率极高(50%~100%),显然不同于暴力所致的器官衰竭或慢性器官功能不全。

(4) 诊断标准

1) 分期诊断标准　根据患者的一般状况、循环、呼吸等8项指标,可将MODS病程分为4期(表19-10)。

表19-10　MODS分期诊断标准

指标	第1期	第2期	第3期	第4期
一般表现	始于原发病2~7天后,无明显体征	原发病7~14天后出现“病态”,情况相对稳定	原发病2周后,明显不稳定	濒死状态,需强心剂支持心脏收缩
心血管功能	补液需要量增加	高排(与输液量有关)	休克,心排出量减少,水肿	血容量超负荷

（续表）

指标	第1期	第2期	第3期	第4期
呼吸功能	轻度呼吸性碱中毒	轻度增快，低碳酸血症，缺氧	严重缺氧	高碳酸血症，气压伤
肾功能	反应有限	尿量固定，轻度氮质血症	氮质血症	少尿
代谢	胰岛素需要量增加	分解代谢严重	代谢性酸中毒，高血糖症	严重酸中毒，氧耗量增加
肝功能		实验室检查有黄疸	临床见到黄疸	肝性脑病
血液学		血小板减少，白细胞增加或减少	血凝障碍	幼稚细胞，血凝障碍
中枢神经	精神恍惚	易激惹	反应迟钝	昏迷

2）分级诊断标准　采用评分法将 MODS 分为 3 级，各级分别评分，总分最低为 0 分，最高为 14 分（表 19-11）。

表 19-11　MODS 分级诊断标准

衰竭脏器	0分	1分	2分
肺	肺 X 线片可见轻度弥散或叶间渗出，$FiO_2=0.5$，呼吸 ＞ 30 次 /min	一侧或双侧肺泡渗出，呼吸 ＞ 35 次 /min，$PaCO_2$ ＜ 55 mmHg，$FiO_2=0.5$，需 PEEP（＜ 5.5 mmHg）	双侧肺泡渗出，$PaCO_2$ ＜ 50 mmHg，$FiO_2=1$，需 PEEP（＞ 5.5 mmHg），肺动脉压升高
心	血压偏低，需补充血容量	血压低，收缩压 ＜ 80.5 mmHg，CO ＜ 3 L/min	CI ＜ 2.2 L/(min·m²)，容量超负荷
肾	血尿素氮 14.2～28.5 mmol/L，尿量开始减少，血肌酐 132.6～176.8 μmol/L	氮质血症，尿量明显减少，血肌酐 ＞ 176.8 μmol/L，血尿素氮 28.5～42.8 mmol/L，	血肌酐 ＞ 442 μmol/L，血尿素氮 ＞ 42.8 mmol/L，尿量 ＜ 300 ml/ 天，需血压或腹膜透析
肝	血胆红素 20.5～34.2 μmol/L，甚至更低	临床可见黄疸，血胆红素 ＞ 35 μmol/L	肝性昏迷，血清白蛋白 ＜ 0.028 g/L，血清氨 ＞ 正常的 25%
血液	血小板减少（＜ 50×10^9/L），白细胞升高或降低	血小板减少 10×10^9/L，血细胞比容 ＜ 0.33，白细胞 50×10^9/L	DIC，出现不成熟细胞
代谢	分解代谢加速	代谢性酸中毒，血糖升高（需临时用胰岛素）	严重酸中毒，肌无力
神经功能	不稳定	迷糊，嗜睡，格拉斯昏迷评分 ＜ 7 分	深昏迷，格拉斯昏迷评分 ＜ 3 分
一般表现	病态	显著不安	终末期表现

（5）防治

目前对 MODS 尚缺乏行之有效的治疗措施，因此预防就显得十分重要。

1）积极治疗休克　休克是诱发 MODS 的重要因素之一，因而及时复苏休克既有助于预防 MODS，也能减轻组织细胞损伤而降低 MODS 的病变程度。具体措施请见本章“创伤性休克”有关内容。

2）预防和控制感染　感染也是诱发 MODS 的重要危险因素，因而有效的预防和控制感染当是治疗 MODS 的重要措施之一。但既要通过对原发创伤的正确处理来预防和控制原发性感染，也要积极预防肠道细菌易位而避免内源性感染。

3）控制过度炎症反应　一是要及时阻断启动炎症反应的刺激物，包括清除感染灶和控制已发生的感染；二是拮抗各种炎症介质，这类药物种类较多，包括前列腺素类拮抗剂、内啡肽拮抗剂、血小板激活因子拮抗剂、磷脂酶 A_2 拮抗剂、氧自由基清除剂、抗氧化剂、细胞因子合成抑制剂、细胞因子抗体、可溶性细胞因子受体、细胞因子受体拮抗剂等。

4）代谢支持　根据 MODS 的代谢特点而不宜使用高营养液，非蛋白质能量每天不超过 146.4～167.7 kJ/kg（35～40 kcal/kg），其中糖输入不宜超过 5 mg/(kg·min)。氨基酸用量每天 2～3 g/kg，其中支链氨基酸含量应提高，芳香族氨基酸含量应降低，保持热/氮比值在 100 以下。脂肪制剂可减少非蛋白质热量中糖的用量，并补充必需脂肪酸和减少 CO_2 的产生，后者对呼吸功能不全患者有益，但每天用量宜<3 g/kg。在此期间，要经常检测患者的血糖、CO_2、血氮和呼吸商，以便随时根据机体代谢状况调整代谢支持。但应注意，静脉营养毕竟属非生理途径，同时也易削弱胃肠黏膜屏障功能和导致肠源性感染，因而要尽早恢复经口饮食。

5）循环和呼吸支持　是目前治疗 MODS 的主要方法。循环支持的原则和方法与休克复苏相同。但应注意，危重患者的交感张力增加而使心血管的顺应性下降，故实际血容量要比中心静脉压、肺动脉楔压等压力数值所反映的要低，再加上代偿需要，因而应维持各种压力参数略高于正常水平，以符合机体的实际需要。

呼吸支持和创伤后呼吸功能不全的治疗方法相同。但应说明，呼吸支持的目的不是追求最高氧分压，而是保持最恰当的氧输送。

（王正国　李兵仓）

参考文献

[1] 王正国. 王正国创伤外科学. 上海：上海科学技术出版社，2002.

[2] 朱佩芳. 损伤严重程度评分的演进. 中华创伤杂志，2005，21(1)：36～39.

[3] 朱理珉. 人工肝支持系统的研究进展. 中华急诊医学杂志，2003，12(4)：282～284.

[4] 任军，李朝林. 医务人员职业暴露的危害及其对策. 中华劳动卫生职业病杂志，2005，23(4)：314～315.

[5] 刘思坤，王君，刘德尧. 梭状芽胞杆菌性肌坏死早期诊断体会(附 14 例报告). 滨州医学院学报，2000，23(3)：224.

[6] 刘雅洁，蔡伟明. 鼻咽癌放疗后放射性脑损伤研究进展. 中华放射医学与防护杂志，2001，21(1)：67～68.

[7] 邱嵘，李莎，周红梅，等. 放射性肺损伤防治的研究进展. 中华放射医学与防护杂志，2005，25(3)：291～293.

[8] 张连波，高庆国，王国君. 放射性臂丛神经损伤的研究进展. 中华手外科杂志，2002，18(3)：172～173.

[9] 虎晓岷，尹文，宋祖军，等. 1998～1999 年西安市道路交通事故伤流行病学分析. 第四军医大学学报，2001，22(7)：645～647.

[10] 周继红，王正国. 我国交通伤研究进展. 中华创伤杂志，2005，21(1)：71～73.

[11] 段钟平，陈煜. 人工肝技术的进展. 中华肝脏病杂志，2005，13(11)：845～846.

[12] Hazen A，Ehiri JE. Road traffic injuries：hidden epidemic in less developed countries. J Natl Med Assoc，2006，98(1)：73～82.

20 骨关节损伤总论

20.1 骨折治疗的理念

20.1.1 AO的理念及原则

(1) 骨折内固定治疗的基本理念形成过程

骨折内固定治疗始于19世纪末、20世纪初。至20世纪40年代，在总结成功与失败两方面经验的基础上，比利时医生Danis提出了较为系统的内固定思想及骨折一期愈合理论。在Danis等的影响下，1958年以Müller为召集人，15名瑞士外科医师聚在一起讨论骨折治疗所面临的问题，在此基础上由Müller等发起并成立了内固定研究会，简称AO或ASIF。建立40多年来，形成了在骨折内固定治疗的基本理念和思想体系，其影响遍及全球。

(2) AO学派提出的骨折治疗原则

AO学派于20世纪60年代提出骨折治疗的四大原则。①早期无痛性功能解剖复位：通过骨折复位及固定重建解剖关系；②坚强内固定：按照骨折的“个性”及损伤的需要使用固定或夹板重建稳定性；③无创外科技术：使用细致操作及轻柔复位方法以保护软组织及骨的血供；④术后早期无痛活动：全身及患部的早期和安全的活动训练。

这些原则对骨折治疗产生了深远的影响，其早期理论强调骨折块间的加压固定和骨折端的坚强固定，追求骨折一期愈合。

(3) AO理念的局限和若干探讨和改进

早期的AO理念也存在自身的局限，包括早期AO技术在内的传统骨折治疗的观点、理论、原则、方法、器械等方面建立了一套完整的体系，影响了很多骨科医师，在临床实践方面获得了很大成功，尤其是对于复杂的骨折，取得了前所未有的优良治愈率。但同时也出现了一系列新的问题，引起较多学者的重视，并进行了若干探讨和改进，主要如下。

1) 应力遮挡和骨质疏松　任何内、外固定器材只要通过骨骼进行固定，当肢体活动负重时，都要产生应力重新分配，部分通过固定器材，骨受力减少，这就是应力遮挡，是毋庸置疑的。根据Wolff定律，骨受力减少，必然产生骨质疏松和骨萎缩。但根据试验，接骨板固定钢板下及周围骨质的改变主要是血运障碍骨缺血造成的，而且可以恢复，只是一种暂时的骨改建过程，与应力遮挡无关。钢板固定下的骨质疏松的原因在很长一段时间内还存在着争议，但不管骨质疏松的原因如何，临床上确实存在钢板固定下的骨质疏松和骨丢失，取出钢板后发生再骨折。

2) 坚强固定与保护血运、软组织完整之间的矛盾　传统的坚强固定是以骨折块间的加压作为基础的，而要达到骨折块间的加压，获得骨折端的最大稳定，经常不得不过多地破坏原有的血运。例如，粉碎骨折的复位，一味追求绝对解剖复位，大面积剥离骨折区及周围软组织，以致破坏骨折区域血供而导致骨折愈合延迟、骨不连、术后伤口深部感染，患者常需二次手术及一期或二期自体植骨。

3) 是否早期无痛功能锻炼和早期负重　坚强固定是满足肢体早期功能锻炼、早期负重活动的前提和保证，但实际上难以达到目的，不仅无法早期负重，甚至连早期功能锻炼都需要极其慎重。

4) 直接愈合和二期愈合　AO最初提出的骨折块间加压固定，是由螺钉、钢板、张力带固定来完成的，这种绝对的坚强内固定的结果大多是骨折的直接愈合，特征是骨折端之间无吸收，无外骨痂，通过骨小梁直接愈合，但直接愈合绝对不是“加速”愈合和“稳定”愈合。临床研究和实验证明，有外骨痂出现的二期愈合，经正常应力刺激，逐渐改建重塑，才是骨折的“稳定、牢固”的自然愈合过程。

传统的骨折治疗原则中，尽管大部分是科学的、合理的，但是临床实际操作中，难以达到十全十美，而且很多骨科医师对其理解和掌握尚不到位。实际上包括AO学派的许多理论是在不断反思、改进，逐渐充实、完善；但一些新理论尚未被普遍接受，甚至很多骨科医师片面认为在骨折的固定中，钢板固定才是唯一有效、稳定的手段。过分强调早期肢体练习、负重而忽视骨折愈合过程中的变化和基本规律，盲目追求解剖复位而忽视无创原则，过分强调内固定而忽视对其他固定手段的探索和研究，都是对骨折治疗原则的曲解和对逐渐发展的骨折治疗新技术的认识不足。

20.1.2 从AO到BO

由于骨折一期愈合理论存在的缺陷，生物学固定(biological osteosynthesis，BO)概念的提出恰好填补了这一空白。BO，顾名思义是一种骨折治疗手段，主要强调保护骨折部位的血液供应，进行微创操作，远离骨折部位进行复位，而不强求骨折的解剖复位，通过外骨痂的作用来完成骨折愈合。BO固定下骨折愈合是二期愈合，这种愈合骨痂强度不够，需较长时间的塑形才能满足功能的需要。BO观念补充了AO学派早期对骨痂的认识。近年来AO组织对BO理论做了更深入的研究并结合了新的手术器械才提出了微创骨折固定手术操作。这既是一种思想解放，又是一种技术进步。尤其对复杂骨折的处理，取得了令人满意的治疗效果。

20.1.3 BO的应用

(1) 应用原则

临床中新型内固定物的设计及应用，手术切口的改良，复位方法、固定技术的调整等，都是骨折BO观念的具体体现，统称微创术式(minimal invasive procedure，MIP)。MIP的主要技术要点如下。①复位：利用间接复位技术，对粉碎性骨折进行非解剖复位，主要恢复骨骼的长度、轴线、矫正扭转。②固定：骨折愈合的主要条件并非一期的稳定，而是依靠存在活力的骨块(living bone)通过骨痂形成与主骨的迅速连接，钢板对侧获得支撑，防止植入物的疲劳断裂。③植骨：早期在粉碎骨折部剥离局部骨膜的植骨，不仅无必要甚至有害。④关节内骨折：仍然要求解剖复位。

(2) 主要技术

在MIP中，间接复位技术(indirect reduction)改变了骨折开放复位和内固定的方法，在骨折BO中应用间接复位技术迅速引起广泛关注。间接复位技术通常应用牵引器、外固定架或固定于一个主要骨段的钢板联合应用牵引器械牵引软组织，与X线检查同时使用，通过联合应用点复位钳进行骨碎片复位。复位的目标是实现解剖学上纠正成角、旋转和肢体长度复位的操作远离骨折部，更加安全而且不易失掉位置。当上下主骨折段复位，以及长度恢复后，再对其间的粉碎骨折块以针装钩牵引复位的间接复位方法避免了骨折的广泛暴露，使骨折碎片得以与相邻软组织保持连接，这是促进骨愈合的关键。正确使用该技术后，可以看到早期骨折骨痂生成，通常不需要植骨，提高了骨折的愈合率。

(3) 临床中的具体应用

目前，体现骨折生物学固定的MIP已广泛在临床中应用，并取得了前所未有的优良效果，虽然应用时间较短，很多的新技术尚未被普遍接受和推广，但在临床实践中却日趋成熟。下面介绍有代表性的几项BO技术。

1) 带锁髓内钉闭合复位治疗长骨干骨折　带锁髓内钉(interlocking nailing)将传统的钢板偏心固定转变为更符合生物学特点的中央应力分享式轴向固定，固定更加稳定。术中配合C臂机及骨科牵引床，对大多数骨折可以闭合复位，两端的交锁钉均固定在长骨远离骨折部的两端，避免了对骨折区血供的破坏和软组织的侵袭。虽然在上肢骨折及部分开放骨折的治疗中还存在争议，但实践证明，除前臂外，在肱骨使用带锁髓内钉仍有很高的成功率。对 Gustilo Ⅱ至ⅢA 型的开放骨折，使用带锁钉技术可以更加有效、确切地固定骨折，降低术后感染率。在老年骨质疏松患者的骨折病例中应用带锁髓内钉技术，可避免钢板固定中较多螺钉对疏松骨质把持力较弱的缺点。带锁髓内钉经过一系列技术改进，在长骨的干骺端骨折中也可应用（例如股骨近端的 Gamma 钉），可满足生物学固定要求，早期负重，减少手术创伤，降低一期植骨及术后感染、骨不连等并发症的发生率，其优势地位不言而喻。

2）微侵袭钢板接骨术　微侵袭钢板接骨术（minimally invasive plate osteosynthesis，MIPO）是以生物学内固定为基础的新的骨折治疗方法，在骨折区的近、远两端各作一小切口（3～5 cm），切口间在 C 臂机显示下作肌肉下隧道，插入钢板，并自两端小切口处拧入螺丝钉固定。此方法不直接剥离、暴露骨折区，骨折区软组织及其血供影响小。MIPO 仅近几年应用于临床，在治疗股骨干长段粉碎性骨折或累及粗隆下、髁上、股骨远端粉碎性骨折中，崭露头角，降低或减轻了传统内固定治疗的并发症，无手术过程中大出血及损伤的报道，但对 C 臂机显示功能及骨科医师操作技术有较高要求。

3）结合固定技术　结合固定技术（combined fixation technique，CFT）是非常有效和必要的固定技术，在治疗骨折中应用 2 种或 2 种以上创伤小的简单固定结合应用，相互以长补短，更加有效地固定骨折。例如开放小腿骨折治疗中，骨折区有限切开，拉力螺钉固定碎骨块，再辅以外固定架固定骨折。在人工髋关节术后股骨干骨折治疗中，应用带自锁钉的假体柄配合翻修手术，使固定更加稳定，手术操作难度降低。

4）生物学钢板固定技术　尽管带锁髓内钉已广泛应用于骨折的治疗，但钢板接骨术仍在关节内骨折及一些特殊解剖部位的骨折治疗中发挥重要作用。实验数据和临床经验表明，符合生物学固定原则设计的生物学钢板（biological plating），是实现生物学固定的一个重要方式，相对于其他方式，钢板接骨术的优势在于植入物可用来复位。下面介绍已应用于临床的几种生物学钢板。

（i）有接触动力加压钢板（limited contact-dynamic compression plate，LC-DCP）：AO 率先在临床试用纯钛 LC-DCP，目前已在临床逐步推广。LC-DCP 下有多个凹陷沟槽，可最大程度减少骨膜及皮质骨血供影响，消除应力遮挡造成的骨质疏松，沟槽下形成的骨痂作为一种生物性的张力带，可增加骨强度。全钢板等孔设计，较大的椭圆孔及下切割（90°＋40°）便于通过钢板的螺钉在最佳位置及角度拧入，也可使钢板在骨的纵轴上移动，有利合理固定。梯形横截面较小，减小了骨接触，取钢板时对骨痂破坏小，两端均有加压，也可双向加压。因此，LC-DCP 更能顺应骨箭的解剖形态和骨折愈合的生物力学特性，适合治疗各种类型的长管状骨骨折。

（ii）点状接触钢板（point contact fixator，PC-fix）：钢板与固定骨仅以点状接触，而且螺钉只穿过一层皮质，螺钉帽通过特殊的自锁装置与钢板锁定相当于位于皮下的骨外固定架，可避免应力集中，促进骨愈合。

（iii）桥接钢板（bridging plate）：桥接钢板跨越粉碎骨折区，远近两段分别用 3 枚以上螺钉，可分为自式和波型钢板，特别适合复杂的粉碎性骨干骨折或确有骨缺损者，主要是维持其长度和对线，它不属于稳定固定，但可以充分保存粉碎骨折部位软组织的附着及血供，以期获得一期愈合。目前，生物学钢板的设计很多，如轴动滑移钢板、非接触钢板、滑槽钢板等，但应用于临床尚有一段距离，其设计的核心都是以低弹性模量材料植入，不以牺牲局部软组织血运来强求达到坚强固定。

20.1.4　AO 与 BO 技术的关系

BO 的提出是包括 AO 学派在内的学者对原有骨折治疗技术的优势和精华加以提高，逐渐构成并日趋成熟的又一重大进展，不可错认为 AO 已被 BO 所取代，临床如何正确应用 AO 或 BO 技术，关键在于对两者的深入认识，对适应证的科学选择，以及对各自方法的严格掌握和正确使用。内固定治疗的原则和方法不是一成不变的，它们将随着对事物本质不断的发现和理解而不断改进。对 BO 的结论如下。

（1）BO 是一完整的概念

有别于机械接骨术，应该贯彻于骨折治疗的始终，遵循以下原则：①远离骨折部位进行复位，以保护局部软组织的附着。②不以牺牲骨折部的血运来强求粉碎骨折块的解剖复位，如必须复位的较大骨块，也应尽力保护软组织蒂部。③使用低弹性模具，生物相容性好的内固定器材，减小固定物与所固定骨之间的接触面(髓内及皮质外)。④能减少手术暴露时间。

(2) BO还存在的问题

如许多生物学钢板的强度和刚度都比较低,固定效果值得怀疑。带锁髓内钉的扩髓与不扩髓,还存在较大争议。扩髓带来的肺动脉栓塞及局部热效应等并发症对患者有较大危害;BO所要求的内固定材料及加工工艺费用昂贵,患者难以承担,不利于迅速普及;BO对C臂机依赖较高,术中X线对医师和患者的放射损伤的精确评估,还未得到足够的重视。骨折固定时稳定性和血运哪个更重要?如何保持两者的平衡?尽管问题较多,但BO正处于一个发展阶段,虽尚不属成熟的体系,但已成为多数学者所接受的一种新的治疗观念。

20.2 骨折治疗原则

20.2.1 骨干骨折

(1) 概述

骨干骨折的治疗正在不断取得进展,基于对骨折修复生物学和软组织在骨折修复中作用的更深认识,不断出现新的复位和固定方法。目前已经认识到对于恢复肢体的正常功能,并不需要将每一个骨折块精确地解剖复位。由于有更多的治疗方法,选择治疗方案就越发复杂。对于每一个骨干骨折,其正确治疗的相关因素必须与最新的治疗观念相一致。

(2) 骨折手术固定治疗指征

在不同的国家,由于可使用的设备不同,骨干骨折内固定或外固定的指征有所不同。但是,有一些绝对的指征必须围绕两个首要的问题进行归类,即拯救生命和保留肢体。

1) 绝对指征

(i) 拯救生命:对于多发伤患者,立刻进行股骨干骨折内固定可以明显降低并发症的发生率和死亡率。但是,也有一些报道对于使用髓内钉或接骨板固定尚有争议,但采用外固定架可作为一种临时性固定措施。

(ii) 保留肢体:对于存在急性血管损伤、筋膜间室综合征以及开放性骨折的患者,稳定骨干骨折是急诊保肢手术治疗的一部分。骨折端的移动不但妨碍血管的修复,而且不利于损伤的软组织愈合。

2) 相对指征　通过保守治疗无法复位或无法保持骨折的稳定性。

股骨干骨折很难通过牵引进行复位和保持稳定。非手术治疗只有在极特殊的情况下才能采用,通常是在无适合手术器械时采用。

胫骨干骨折通过手法很容易使之复位,复位后稳定性与骨折类型有关。横形骨折复位后,在轴线负荷方向是稳定的,但是愈合时间常常较长。不稳定的多段骨折采用非手术治疗,尽管愈合较快,但有可能导致肢体短缩和畸形愈合。

肱骨干骨折通常很难通过非手术治疗复位和稳定,但是,即使明显的畸形愈合也能保持良好的功能,手术固定有利于邻近关节早期活动,减少病残时间。

非手术治疗很难使前臂骨折达到解剖复位和稳定,因为即使小的畸形愈合也会损害前臂的功能,因此,通常建议进行手术治疗。

3) 患者早期固定

早期固定对于患者有很大的益处,特别是对老年患者。骨干骨折固定后可以允许邻近关节的早期活动,避免骨折病的发生或者由于长期的固定引起的痛性营养不良。成功的固定可以使患者较早恢复工作、缩短住院时间、减少治疗费用。

早期固定也有出于经济方面的考虑。例如,股骨干骨折采用非手术治疗需要住院很长时间,而采用髓内钉固定则只需要数天。在很多发达国家,股骨干骨折非手术治疗的费用非常昂贵。一旦出现严重的并发症,费用则更为可观。

(3) 手术治疗总则

1) 手术治疗时机　骨干骨折的手术治疗时机是复杂的,只有当全面检查、分析患者的总体情况后,才能考虑手术治疗。血管损伤和开放性骨折需要特殊处理,应急诊手术治疗。

总的来讲,如果有切开复位内固定的指征,越早实施越好。伤后组织将出现肿胀,通过肿胀的组织手术,将导致缝合切口出现困难,并且有继发性伤口裂开的可能,直接切开复位应当在伤后6 h内进行。有时很快出现明显肿胀,此时应当采取临时固定措施,等待7～10天肿胀消退后再进行手术治疗。

股骨和胫骨干骨折常常采取闭合间接复位、髓内钉固定。在这种情况下,软组织不被侵及,骨折周围的肿胀就不再成为问题。每一个手术都要求有复杂的手术准备以及人员保证。不论什么原因,如果手术没有在头 48 h 内进行，最好等待 7～10 天后再手术治疗，因为在伤后 3～7 天内有增加成人呼吸窘迫综合征(ARDS)发生的可能。

2）术前计划和手术入路　所有骨干骨折的手术固定都应当进行仔细的计划，术前计划必须对治疗有事先的预见。如果不能得到需要的人员和设备，手术医师就不能进行手术。

手术时机依赖于患者的状况、软组织条件、器械及设备情况。对于开放性骨折，第 1 次手术时就要考虑到最终的皮肤覆盖问题。这一点是至关重要的，否则采用外固定器作为临时性的固定就可能妨碍软组织瓣的位置。

必须依据骨折的部位、软组织条件和固定器械的选择来确定手术入路。解剖知识是非常重要的，分离时应当轻柔。当计划中的入路不熟悉时，要参照标准的手术入路进行。并建议复习尸体解剖。

采用微创技术经皮操作时，通常需要 X 线的监视，这项技术造成软组织损伤的程度最小，但是技术要求较高。熟练地掌握相关的解剖更为重要，因为医师在手术时不可能直接看到操作下的组织和结构。

(4) 术后治疗

术后是否存在其他损伤常常影响一个特定患者的活动，采取何种方式的活动不但依赖于骨折的类型，而且还受全身情况的影响。

决定活动和功能负载最重要的单一因素是医师对固定方式稳定性分析。当存有疑问时，应当延期负重和严密监护。

术后即应当尽可能早地进行针对肌肉康复的物理治疗，直到肢体获得正常的功能。早期肌肉和关节最好进行主动功能锻炼，不过可能会引起疼痛。如果进行持续被动运动，应当与肌肉主动锻炼相结合。

下肢骨中段横形骨折完美复位后，采用紧密加压(tight-fitting)动力型带锁髓内钉固定是负重与固定最稳定的组合。而最不稳定的组合是几乎从干骺端到干骺端多段骨折所采用的外固定架治疗。

只要有可能，就应当使骨折与内植物结合后，在活动时允许骨折部位有一定的负荷。负荷的传递能够刺激骨生长，长期的不负重会导致明显的废用性骨萎缩、关节软骨萎缩和肌肉消瘦。术前详细的计划是避免固定不够坚强而导致不能部分负重的关键。

(5) 结果

患者的治疗结果随着损伤的严重程度而变化，并发症也是如此。不伴有软组织损伤的低能量损伤施以正确的治疗后，可以重新获得全部的功能。伴有软组织缺失的高能量损伤将不能重新获得正常的功能，但是，通过仔细的分析，制订合理的术前计划，术中仔细操作，强调保留软组织，结合术后认真的康复，能够使每一个患者获得最佳的效果。

20.2.2　关节骨折

(1) 概述

运动性关节为四肢骨骼提供了平滑、稳固的完成特殊功能的能力。各种关节在结构上有很大的差别，但是它们有着共同的功能特性。滑膜关节由骨的两端组成，并由关节囊相连接。在某些部位，关节囊形成相互不连续的韧带。骨端的关节表面覆盖有弹性、无血供的透明软骨，它的作用是分布应力于软骨下骨。尽管每一个关节面都很光滑，但是，相对应的关节面可能并不完全相称。这样，在关节活动的范围内，只是在小的区域内发生有限的接触。关节的稳定性依赖于被动稳定结构，即骨与关节的形态和周围的韧带，跨过关节的肌肉能够提供主动的稳定。关节囊内衬一层膜结构，分泌渗透液，其中含有丰富的透明质酸，能够润滑和营养关节软骨。维持正常关节的功能依赖于关节的运动和不断的负荷作用。关节任何结构的破坏，都将通过关节纤维化和骨性关节炎而改变关节的功能。例如，关节内骨折时关节面常常出现的裂隙或台阶，关节结构的这种改变很快会影响关节的稳定性，并产生疼痛和影响关节的运动。伴随关节的这种损伤而出现的炎性反应会导致关节内更为广泛的纤维化，不熟练的制动或者不恰当的手术都会加重这种病理变化。由于这种原因，采取闭合复位和外固定进行关节内骨折的早期治疗常常会失败。骨折稳定后早期的结果常常是骨性畸形，伴随关节僵硬、疼痛和丧失功能。尽管通过牵引和关节活动可以使关节的运动有所改善，但仍存在关节的不稳定和关节的不相适合。为了避免闭合治疗的并发症，Charnley 提出只有通过内固定才能达到完善的解剖复位和关节活动的随意性。随着抗生素的进展、处理软组织损伤技术的提高、新的内植物的设计和医师在骨折治疗过程中对损伤的进一步认识，切开复位和内固定已确实安全可靠，越来越得到广泛应用。AO 小组提出治疗的最初原则后，早期的治疗结果肯定了坚强内固定和早期关节活动，明显提高了治疗效果。这也是目前关节内骨折手术治疗最早的理论基础。

通过对实验和临床研究的回顾，1987 年 Schatzker 阐明了关节内骨折的治疗原则：①关节内骨折制动将引起关节僵硬。②关节内骨折切开复位、内固定后制动将引起更为严重的关节僵硬。③关节塌陷的关节骨折块，通过手法或牵引的闭合方法使之复位。④较大的关节面塌陷后不会填充纤维骨组织，由于骨折移位造成的关节不稳定将永久存在。⑤为了恢复关节的适合性，必须对关节内骨折块进行解剖复位并采取稳定固定。⑥干骺端的骨缺损必须进行骨移植，以防出现骨折块再次移位。⑦干骺端及骨干的骨折移位也必需得到矫正，以防力线异常、关节过度负荷。⑧尽早关节活动，防止关节僵硬和保证关节面愈合、恢复功能，这需要稳定的内固定。⑨直接轴向应力能够产生关节的粉碎或爆裂，即所谓完全性关节骨折。

(2) 治疗原则

1) 损伤的认识　要求获知损伤机制、损伤前的功能和工作状态、患者期望等全面的病史。必须进行全身及肢体的体格检查。软组织损伤，特别是肿胀、水疱、皮肤擦伤、裂伤等情况必须进行分析和记录。进行 X 线检查使医师能够了解骨折的类型。

2) 术前计划　术前计划是关节内骨折切开复位、内固定重要的先决条件。充分的 X 线分析能使外科医师既了解损伤的总体情况，又了解为了达到解剖复位所需要的手术操作。在手术之前，确定详细的步骤、所需的手术台、患者体位、手术入路、特殊器械、内植物和术中 X 线检查，可以使医师更有效地进行手术。在关节内骨折手术之前，必须制订详细的计划和策略，可以避免冒险，同时，这也是医师接受教育的手段和质控所必须的。

3) 手术时机　总的来说，大部分关节内骨折原则上应早期手术，但鉴于我国目前的医疗急救条件，患者就医时间较晚，往往因肢体肿胀明显而丧失了早期手术的有利时机。但并非所有关节内骨折都需急诊手术，譬如髋臼骨折应在伤后 1 周左右手术为佳。因为髋臼骨折的解剖位置深在、复位时间长，因此急诊手术会造成更多的松质骨渗血，威胁患者的生命。跟骨骨折由于皮肤的问题也可根据情况暂缓手术。

4) 手术入路　对于大多数四肢骨折，皮肤切口应当是纵向的，与关节的轴线垂直，不应当直接越过骨突。不应当随意地暴露敏感结构使之干燥（如神经、肌腱）。考虑手术入路时，尽管该入路不会限制骨折的复位与固定，也要想到进一步实施其他手术的可能。为了进一步的显露，皮肤切口要具有可延伸性，以使伤口回缩时减少皮肤的张力。尽管皮肤有来自于浅筋膜的丰富血供，但是，在创伤区域应当避免形成大的皮瓣。可以形成全厚筋膜皮瓣来移动软组织，使得更易显露骨折。一旦到达骨折处，应当避免不必要地剥离皮质骨上任何的软组织附着。可以通过骨折平面和相应的关节囊裂口进入关节，也可以进行计划内的关节切开术。应当避免广泛的剥离关节骨折块上的关节囊，以保持足够的血运。清除关节的积血和所有的碎片，以便于大量冲洗。操作时牵引肢体可以更清晰地观察关节面。

5) 术后治疗　术后关节用大量松软绷带包扎。如果固定是稳定的，可以进行早期持续性被动活动(CPM)锻炼，或在帮助下进行主动活动，活动的范围要在医师的指导下进行。

早期活动对软骨及韧带的修复作用是很明显的，关节内骨折要尽一切可能稳定骨折，早期活动。但是，如果骨折没有获得足够的稳定性，术后肢体仍然需要制动，直到 X 线检查出现早期愈合的征象，骨折块间已发生连接。但术后关节僵硬的可能大大增加。另外，经常性的 X 线监控是非常重要的。可以接受 5～10 kg 的限制性负重。随着负重的开始，可以进行跨关节肌肉的力量锻炼。

(3) 结果

由于关节骨折的独特性，在治疗上不同于骨干骨折。关节骨折的治疗原则是保证关节面达到解剖复位，这一项应作为最为严格的要求。同时必须恢复肢体的轴线。关节骨折总的处理原则要求有一个周密设计的术前计划和熟练的实施手术技术，术后恰当的治疗，才能保证获得最佳的治疗效果。

20.3 内固定方式的选择

20.3.1 内固定绝对稳定的方法

(1) 拉力螺钉

螺钉是骨折块之间加压和将接骨板、髓内钉或固定器固定到骨骼上的一种非常有效的工具。只有认真研究螺钉的特性,并在应用中充分考虑其特点,才能充分发挥它的作用。首先,我们要概括了解螺钉的力学性质。当然,螺钉的生物学特性应权衡于力学性质,其生物学方面的特点将在不同的应用中加以考虑。轴向力是螺钉顺时针旋转时,在螺纹斜面与骨的结合面之间产生的。螺纹的倾斜角不能太大以免松脱,这就是所谓螺钉的自锁。另一方面,倾斜角应够大以便拧入一定的合理圈数就可以拧紧。

螺钉的作用力有两个分量,一个是沿螺纹圆弧的切线方向,另一个沿轴向。前者由拧入螺钉的扭矩产生,后者产生轴向拉力。拧入螺钉过程中,只有大约40%转换成轴向力,50%用来克服螺钉顶部钻进的摩擦力,余下的约10%用来克服螺纹表面的摩擦力。在工作台试验中,接骨板螺钉拧紧时大约是单独螺钉可承受的扭矩的2倍。在标准的4.5 mm皮质骨螺钉上,施加的扭矩与其产生的轴向力之间的关系为6.7 kg/(kg·cm)。

在内固定的应用中,螺钉的抗拔出应力(pull out stress)十分重要。螺钉不论是单独应用于骨折块固定或是通过钢板与骨折固定,固定是否成功很大程度上取决于螺钉能否抵抗拔出力。螺钉的抗拔出力与螺纹的面积成正比。螺距越小,螺纹面积越大,抗拔出力越强。

螺钉的压力对其周围骨的影响面积相对很小,因而单个螺钉固定斜形骨折时不能有效地阻止沿螺钉轴向骨块的旋转。螺钉轴向压力的杠杆作用很小。即使单个螺钉对一个平面施力,同样不能阻止截骨面间的扭力。这时,应在固定螺钉的一定距离以外再加上一个固定螺钉,形成2倍螺钉压力。

对于应用钢板进行长管状骨折内固定时螺钉的最少数目,AO经过大量临床研究,做出了明确规定,在骨折线一侧最少需要固定的骨皮质数目:股骨7层,胫骨、肱骨6层,尺、桡骨5层。

螺钉固定的注意事项:一般来讲,螺钉不要拧到其强度和韧性的极限,而是到其2/3,以便可以对抗其他载荷。安全的应用原则可以指导医师追求最好的轴向加压力,但正如以上所述,这并不意味着最大的轴向力。

螺钉应用的新趋势:带锁螺钉内固定器。采用新方法并称之为内固定器(PC-Fix和LISS)进行BO固定,其优点是用短的穿过一侧皮质的螺钉固定。单侧皮质骨螺钉固定的优点是操作简便和可以安全地使用自行钻入和自攻螺钉(自攻自钻螺钉)。这种螺钉的螺帽可以锁定在内固定器(或接骨板)上,螺钉与固定器纵轴垂直。界面呈陡峭的圆锥形设计,圆锥形螺纹可以将螺钉锁定,可传递骨质内螺纹的载荷。PC-Fix的临床研究表明,短的单侧皮质骨螺钉不需要倾斜入角就可以安全地用在长骨干而不会损坏骨质内螺纹。将螺钉在固定器上锁住的一个最基本的好处就是限制螺钉拧入时的扭矩,因而螺钉螺纹没有弹性变形,这就可以安全地使用一些低展延性的内植入物,如钛合金。Hass观察了387例PC-Fix内固定,平均每例使用5～6个螺钉,成功随访了96%的患者后,没发现螺钉断裂现象。单侧皮质骨螺钉一定可以用在骨干,但最好不要用在干骺区。干骺区的皮质骨太薄,螺钉的握持区域短,所以固定的着力点太小。自锁螺钉也可以是长螺钉,那样就可以与角接骨板(angle blade plates)结合在干骺区使用。

(2) 接骨板

1) 概述　使用接骨板来提供坚强固定在治疗骨折的方法中仍然占据牢固的地位。牵涉关节的骨折治疗最好是绝对的坚强内固定,通常要用接骨板来实现。对这类骨折,首先进行解剖复位,而不需要形成骨痂。由于某些原因而不能采用髓内钉固定的横断和短斜形骨折,可以采用接骨板固定。当患者伴有局部感染或合并胸部创伤的多发创伤时,接骨板固定与外固定架竞相使用。

牢固接骨以后的骨折愈合时间,特别是普通接骨板下面的部位,其愈合时间要比下面介绍的其他技术相对长一些。当接骨板直接与骨表面接触并压在其上,就对下面骨的血运产生了长期的干扰。骨的再建和血管的再生过程在接骨板压力下变得缓慢,而且可见到接骨板下形成对应的多孔结构。这种对皮质骨血运的干扰,可用尽量减少对骨膜的剥离来降低。接骨板可以放在骨膜的外面。在骨折复位时要小心地使用小点状钩和尖头复位钳,只要可能均应采用间接复位,间接复位可以减少对骨和软组织的损伤。LC-DCP固定器与骨的接触面积较小,对血运的影响要比旧的DCP固定器少,在这方面,PC-Fix或LISS的效果更加明显。以往,接骨板被称为所谓应力遮挡,这一概念目前已不再使用,因为过去提到的影响循环血运的理论似乎更为合理。接骨板拆除后的再骨折同样被解释为接骨板下皮质骨再建缓慢。与形成骨痂而产生骨愈合模式的接骨术(BO)相比,提供坚强固定的传统接骨板技术需要严格的限制在骨折块之间加压的原则。传统接骨板的一个最大的缺点就是对皮质骨血供的破坏。技术上的错误或原则使用不当都可能产生一些并发症,如愈合缓慢、内植物断裂或不愈合。

2) 钢板的生物力学功能

(i) 中和钢板:在长管状骨骨折以拉力螺钉固定时,虽然骨折端获得的压力提高了固定的稳定性,但不足以抵抗骨骼所承受的弯力、扭力和剪力。在中和钢板的保护下,肢体可以进行早期的活动,而生理应力由中和钢板来承担,以保证骨折端稳定的力学环境。

(ii) 支持钢板:主要应用于关节内及干骺端骨折。骨折复位后支持钢板的应用以维持复位并抵抗轴向应力引起的作用于骨折端的弯力、加压和剪力。支持钢板应用时需要良好的塑形,使其形态与钢板下一致,否则钢板固定后会发生骨折移位。

(iii) 加压钢板:加压钢板用于长管状骨横形或短斜形骨折。先在钢板一侧中心拧入螺钉,再于另一侧偏心拧入螺钉,骨折端可获得加压力。加压钢板在行加压固定前一定要预弯,即事先将钢板弯曲后再置放于骨骼上。当螺钉拧紧后钢板的弹性回缩力可使对侧骨皮质同样获得加压,否则对侧骨皮质骨折线会张开。

3) 用接骨板内固定的传统原则　绝对的稳定性取决于对骨折块间加压,这种固定可以由拉力螺钉或轴向的接骨板加压,或两者之间的结合来实现。两个骨折端之间的静态加压可以保持几周以上而不会引起骨的再吸收或坏死。骨折块间加压使摩擦力增加从而增加稳定性。但是,这种加压并不直接影响骨的生物学或者骨折的愈合。

为了达到绝对的稳定性,骨折处的加压主要是在横截面上产生的,而且这种加压力应该足够强大以中和各种其他的应力(弯曲力、张力、剪切力和旋转力)。

实现骨折块间的加压可以有以下 4 种方法:①用张力加压装置;②动力加压原理(DCP/LC-DCP);③接骨板塑形(过度弯曲);④通过接骨板孔附加拉力螺钉。

(3) 张力带

1) 应用原则　早在 1892 年 Berger 首先提出用钢丝环形固定,其后有多种改良方法,钢丝与克氏针或螺钉合用,克氏针或拉力螺钉稳定骨折端对抗扭转应力同时也可以作为张力带的锚固处。合并撕脱骨折的关节部位骨折可按上述张力带原则固定,这一原则同样也可用于骨干骨折的延迟愈合或不愈合。通常成角畸形的凸侧为张力侧,因此,在张力侧上接骨板可以抵消张力,最终可以达到骨愈合。克氏针、钢丝、环扎带、不吸收缝线、接骨板、外固定架以及可吸收材料都可以按照张力带原则将张力转换为压力。张力带可以产生压力。例如,内踝称之为静力张力带,因为在踝关节活动时骨折部位受力保持恒定,但髌骨骨折在关节活动时压应力增加,称之为动力张力带。

2) 注意事项与并发症　最常见的并发症是内植物断裂,钢丝在纯张力下是十分坚固的,但如附加弯曲应力,在疲劳下可以迅速发生断裂。如在对侧骨皮质存在缺损,接骨板单独承担负荷,持续的弯曲应力导致接骨板的疲劳断裂。这种情况下应该在接骨板对侧皮质骨处进行植骨,在一定的时间内形成支持。

20.3.2 内固定相对稳定的方法

(1) 髓内针

1) 固定原则

i) 选择最佳适应证:①髓内针最好的指征是发生于髓腔峡部的横形、短斜形或螺旋形以及一骨多处骨折。对于此类骨折,髓内针固定术可以发挥最好的内固定作用,不仅能控制旋转,而且也能消除剪切应力。在髓腔较宽处的各类骨折,以及峡部的粉碎性、长斜形和长螺旋形骨折,髓内针如不是带锁类型则难以得到牢固的固定,控制旋转的作用较差,固定后活动度较大,影响骨愈合。②除应用于新鲜骨折端以外,髓内针固定可用于延迟愈合、畸形愈合、不愈合以及病理性骨折。

ii) 年老和年幼患者不宜使用:①儿童和少年骨干骨折采用闭合复位及石膏固定就能够取得较满意的效果。即使移位不能完全矫正,稍有畸形愈合,因自行塑形能力强大,除有特殊移位外,很少需要行髓内针固定治疗。②老年人因骨质疏松,髓内针固定后易松动,不易达到牢固的固定,且在操作过程中,易于发生劈裂,故使用髓内针固定应注意避免医源性骨折。

iii) 选择合适的髓内针:在施行髓内针固定前,先精确地测定患肢长管状骨的髓腔长度和峡部宽度，这是极为重要的。在选针时，尽可能选粗针或带锁针，以增加强度和抗旋转能力。还应考虑应用所必需的器械和设备，技术上操作容易，拔出方便。

iv）尽可能采用闭合穿针：髓腔扩大后插入髓内针，会造成与髓内针等长的内侧2/3皮质骨的血供操作。由于血供的操作和髓内针存在于髓腔内，影响内骨痂的形成。骨折本身造成骨膜的损伤，如果再采用开放穿针，尽管细心操作，骨膜的剥离总是难免，加重了骨膜血管的损伤，骨折断端形成了程度不同的缺血区，缺血的骨折断端，新骨难以形成。因此应尽可能地应用闭合穿针技术，增加愈合率，降低感染率。

v）开放骨折不用髓内针固定：髓内针固定后一旦发生感染，后果是严重的。骨愈合常延迟至数年之后。只有在针拔除以及死骨去除之后，感染才有可能控制。为了预防感染发生，大多数学者反对在开放性骨折行清创术后行髓内针固定术（少数前臂骨折例外），应延迟几天证实伤口无感染后，再决定用髓内针或其他内固定方法治疗。

2）多发肢体骨折的固定顺序　股骨→胫骨→骨盆或脊柱→上肢。为了使用这个顺序，不同的方法已被用于同侧或双侧下肢骨折。在下肢多发骨折中，标准化的骨折稳定流程有利于根据患者的情况制订固定的顺序和方法。近来所采用的髓内针技术不再依赖手术床而更注重骨折牵开器，因此对于多发骨折的患者，可一次完成手术体位的摆放和铺巾。

3）禁忌证　用于不同指征的新髓内针的发明大大扩展了髓内针的使用范围，如骨折的位置、类型、软组织损伤和某些伴随的损伤。尽管如此，仍存在某些生物学上和力学上的考虑或禁忌证，包括：①感染在入点、髓腔内、针的位置或败血症。②多发损伤的患者伴股骨骨折和肺部创伤。推荐暂时使用外固定架或接骨板固定。③干髓端骨折锁定钉不能控制对线。

（2）桥接接骨板

生物学的或桥接的接骨板是以一种髓外的夹板将骨折两端固定，实际上未触及复杂骨折的区域，而是用接骨板桥接。这个概念是接骨板提供的充分力学稳定以及未破坏骨折局部生物环境的结合，从而达到骨折片间骨痂迅速形成和骨折牢固愈合。桥接接骨板用于长骨有严重骨折碎片存在而又不适于髓内针固定的骨折。

用典型的直接切开复位和坚强的接骨板内固定，不仅破坏了软组织的血运，而且骨折片的血运也遭到破坏。这种危险在复杂骨折中高于简单骨折。的确，在明显粉碎的骨折类型、考虑骨折位置的血运情况下使用桥接接骨板有很强的指征。

发生在骨干的C形骨折，通常骨折片的内骨膜血供中断，骨折片的血供主要依赖于外骨膜，这也是骨折愈合的基本条件。在两主骨间缺乏力学的连续性，稳定是通过桥接接骨板的功能完成。广泛的暴露、骨膜剥离、骨折精确复位和骨折片间的加压固定，在C形骨干骨折中有很高的骨折并发症的危险。在力学与技术上以及对骨折片间加压原则的错误应用和理解可能是手术失败的大部分原因。

试图解剖重建和坚强固定广泛的骨折区域是危险的举措，极可能引起某些并发症，如稳定的丧失、接骨板的折断和最坏的结果——感染。

然而在波及关节的干骺端C形骨折伴不同程度的骨折碎块，关节面的解剖复位和牢固固定是首要的。干骺端的骨质有良好的愈合质量，与骨干相比有较高的承受医源性复位造成的软组织损害的能力。危险区并不在干骺端而是它与骨干的连接处。这些移行区始终处于持续的弯曲载荷下，其发展趋势是延迟愈合及不愈合。任何血运受到破坏的骨，其骨痂形成能力低下，内固定可能失败。因此，过去曾推荐使用积极的植骨技术。如果忽略生物学技术，骨移植是解决问题的良好方法。

C形骨折不仅仅累及两端主骨，还包括其间的大量碎片。固定装置必须允许在不同的骨折片间产生某些微动，以此刺激骨折的愈合过程。例如骨痂形成。在微小范围内的组织应变，通过产生骨痂加强骨愈合。如果一个复杂、粉碎的骨折，不是解剖复位，采用夹板式固定。例如使用管型石膏固定，除有血运骨折片外，其间的活动减少，虽然整个固定系统承受大量的变形应力，但此种方式使骨折片间的组织分化和骨痂形成迅速，即使是在骨折片有很大分离时亦如此。在此种情况下骨折顺利愈合的先决条件是保护骨折片的血运、恰当的固定和骨痂生长的细胞环境。一旦骨折片从软组织附着处剥离（骨膜、肌肉等），将延缓骨痂形成。

因此，医师在复位和固定复杂和粉碎骨折时，尽可能减少对骨的血运干扰。与此同时，使用的固定装置既能提供可靠的稳定又可刺激骨痂的愈合。

20.3.3 内固定架系统

(1) 概述

10 年前所引用的生物学接骨板结合间接复位技术被认为是非常重要的和备受欢迎的革新。有些医师认为是针对 AO 坚强固定原则的一种改革。

事实证明,在接骨板下的骨皮质与髓内针相邻很小的范围内有相当大的骨结构改变发生。这些变化归属于所谓由于金属内固定物强于骨所产生的应力保护。进一步的研究证实,螺钉将接骨板固定在皮质骨上的压力造成接骨板下皮质骨血运障碍,从而引起皮质骨的再塑形。

减少接骨板与皮质骨接触区域。例如低接触性接骨板的设计,明显减少了由于压力造成的皮质血运变化。但是,低接触性接骨板的固定仍然通过接骨板与骨的摩擦阻力原理达到固定作用,因此必须有压力施加在皮质骨上。

为了消除接骨板与骨接触的不良作用,必须选择完全不同的方法。一个全新的系统被选择,即内固定器。这个新装置起皮下或肌肉下的外固定架功能。随着接骨板孔螺钉体外试验的使用可获得与外固定架的稳定结构相等的固定效果,类似于外固定架的原理,称为内固定架系统。作为内植物的功能,与接骨板相比更像固定架,它的全部结构被软组织和皮肤包绕。

该装置由于在设计上避免了常规接骨板的不良反应,也许具有较高的抗感染作用和预防其他并发症的作用。

(2) PC-Fix

此种新技术的设计与实施是首先运用在前臂骨折小的 PC-Fix。PC-Fix 是由窄接骨板与接骨板下特殊设计的与骨点状接触的小接触点构成。螺钉为自攻和单皮质,只有一种尺寸、一螺钉头有细小的螺纹牢靠地锁定在接骨板孔上。

像生物学接骨板一样,要使用长接骨板和尽可能少量的螺钉固定已经良好复位和对线的骨折,因为这种接骨板可作为复位的工具和获得骨折片间的加压。由于医师习惯于常规接骨板技术,他们需要一些时间适应这种主要的变化。PC-Fix 接骨板在必要时可轻柔地与骨塑形。到目前为止,这种新的内固定器系统已有几个临床医院在前臂试验使用,已超过 1 000 例,结果良好。一旦掌握此种操作,骨愈合率和可靠性将大大提高。

(3) 微创固定系统

在 PC-Fix 使用于干骺端和上区域的同时,精确地用于这些区域的微创固定系统的构想已开始实施,最初用于股骨远端,以后用于近端。它的轮廓要与骨的解剖轮廓一致。因此,内植物需要分左右,无须附加的轮廓,接骨板固定器没必要与骨接触。除了单皮质螺钉锁定外,内植物采用肌肉下微创放入并有相应的器械。

如同使用 PC-Fix,在使用 LISS 前要使骨折有良好的复位和对线。特别是股骨远端或胫骨近端的关节面部分必须解剖复位,并经接骨板拉力螺钉固定。LISS 能够提供全螺纹的自攻螺钉,该螺钉拧紧时可与接骨板孔锁定,因此需要固定角度装置配套使用。

长接骨板肌肉下插入手柄也可起到经皮小切口钻头导向器的作用。

总之,新的内固定器系统 LISS 和 PC-Fix 作用如下:①建立一个全新的内固定系统,是常规接骨板理想的替换物。②以最佳方式保护骨的血运。③较常规接骨板有较好的抗感染能力。④被设计以微创方式放入(仅 LISS 能够做到)。⑤提供固定角度的接骨板螺钉导向装置,由两部分构成,在复杂骨折中容易使用。因为它们是自攻单皮质螺钉,很容易快速应用于骨折的复位。

(罗从凤)

参考文献

[1] 王军强,王满宜. 骨折的生物学固定. 中华外科杂志,2002, 40:(7), 543~546.

[2] 王满宜. 重视关节内骨折的治疗. 中华创伤骨科杂志,2005, 7:(3), 201~202.

[3] 刘振东,马梦然. 从坚强内固定到生物学固定——历史的回归. 中华创伤骨科杂志,2004, 6(8):910~912.

[4] 胥少汀,葛宝丰,徐印坎. 实用骨科学. 第 3 版. 北京:人民军医出版社,2005. 3.

[5] Thomas P, Rüedi William M. Murphy AO Principles of Fracture Management. AO publishing, 2000.

21 骨折内固定理念的进展

骨折愈合是一个复杂而协调的生物学过程。绝大多数骨折病例可获得正常愈合,并且没有并发症。骨折治疗的进展与多年来人们对骨折生物学理解的深入以及手术方法的改进息息相关。内固定治疗可以维持良好的骨折复位,并利于伤后康复及功能恢复,是现代骨折外科治疗中的重要环节。随着骨折类型的复杂化,以及患者对早期功能恢复和更好的临床预后期望的提高,外科手术已成为现代骨科创伤治疗最常用的治疗方法之一。

21.1 历史

骨折的内固定治疗在20世纪初已有零星报道。比利时医师 Lambotte A(1866～1955)提倡并记录了采用内固定及外固定治疗骨折的方法(图 21-1)。Sherman W 在1912年发明了钢板固定系统,迄今为止,Sherman 钢板在许多国家都被应用(图 21-2)。1956年,美国 Mayo 医学中心的 Bagby G 设计了一种采用加压固定的钢板(图 21-3)。比利时的 Danis R(1880～1962)提出了现代骨折内固定治疗的理念,在他的著作 *Theory and Practice of Osteosynthesis*(图 21-4)中提出了无骨痂形成的自发性愈合的概念(soudure autogène)。其后,他的骨折内固定治疗理念及方法被一群德国和瑞士的外科医师所采纳并创建了其后的 AO 组织。AO 认为,骨折处理的原则以及内固定治疗的3个要点为:解剖复位、早期康复功能锻炼、无骨痂的骨折一期愈合。依据这些原则,AO 对大量的病例进行了系统性研究,并规范了内固定技术及器械。在此基础上,AO 理念成了骨折处理方法和技术的主导。加上与生产厂商的密切合作(开始时的 Mathys 以及后来的 Synthes),使 AO 理念在全世界范围内获得了进一步的推广。近年来,解剖复位以及坚强内固定的概念受

图 21-1 Lambotte A(1866～1955)

图 21-2　Sherman W(1912)

图 21-3　Bagby G(1956)

图 21-4　Danis R(1880～1962)

到越来越多的置疑，目前人们广泛接受的观点为，关节内骨折以及一些邻近关节的骨折应当坚持解剖复位及坚强内固定，以利早期活动。对于骨干骨折，解剖学对线以及稳定内固定是治疗的标准，而髓内钉固定为最佳选择。近年来引起大家重视的锁定钢板技术，很好地反映了 AO 理念在切开复位内固定治疗后骨折愈合理解方面的进展。

21.2　骨折内固定治疗的 AO 原则——钢板和螺钉的使用

在过去的 30～40 年里，AO 所推崇的解剖复位、坚强固定及早期活动的骨折治疗理念占据了主导地位。其侧重于通过骨折块间的加压以获得最大程度的力学稳定性，从而利于早期活动和负重。采用骨折块间加压后，骨折可获得理论上的一期愈合，即不形成外骨痂和内骨痂。由于骨折间隙很小且相互加压，骨折愈合通过骨的重建来完成，同时骨块间具有充分的力学稳定性，符合坚强固定的原则。骨折块间的加压可通过不同的器械来完成(图 21-5)，其后更出现了动力加压钢板、加压器、拉力螺钉、张力带钢丝(图 21-6)等专用器械。解剖复位是另一个影响骨折局部稳定性以及骨块间加压的因素，所有的骨折块必须解剖复位以保证骨与骨之间的接触，这要求在手术中进行广泛暴露和剥离，有可能严重影响骨块的血供。此外，人们很快发现加压钢板坚强固定需要在骨与钢板之间有最大的剪切力才能保证其力学稳定性，而该剪切力需要螺钉将钢板紧压在骨表面。较大的压力可导致皮质骨的缺血和坏死，并可导致如内固定后骨折、骨质量减少、感染，甚至骨折不愈合等并发症的发生。由于这些不良反应与钢板和骨之间的接触直接相关，因此减少钢板与骨的接触面可以减少这些并发症的发生。限制接触型动力加压钢板就具有这样的优点(图 21-7)。随着限制接触型动力加压钢板的使用，坚强固定以及骨折块间加压的概念受到了很大挑战，而且使用限制接触型动力加压钢板的骨折愈合亦靠产生外骨痂来完成。近年来，微创手术以及 BO 的概念更进一步挑战着传统的 AO 理念。随着骨质疏松性骨折发生率的增加，如何在脆弱的骨上获得坚强固定成了新的挑战。因此，在传统的 AO 技术之外，必须另有一种能避免相关并发症，又可以有效地处理骨质疏松性骨折的方法。

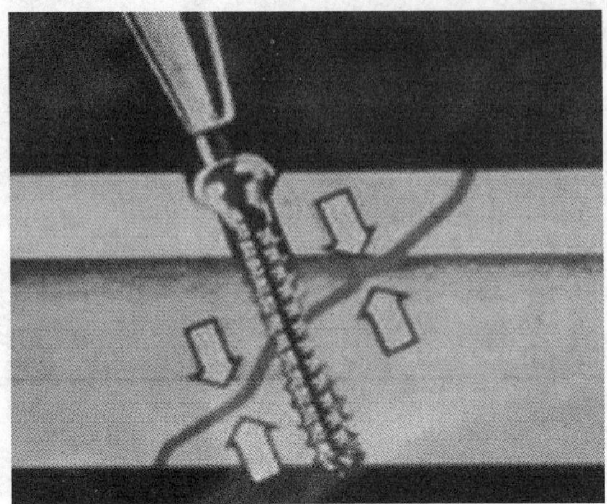

图 21-5 通过骨折块间的加压获得了坚强的固定

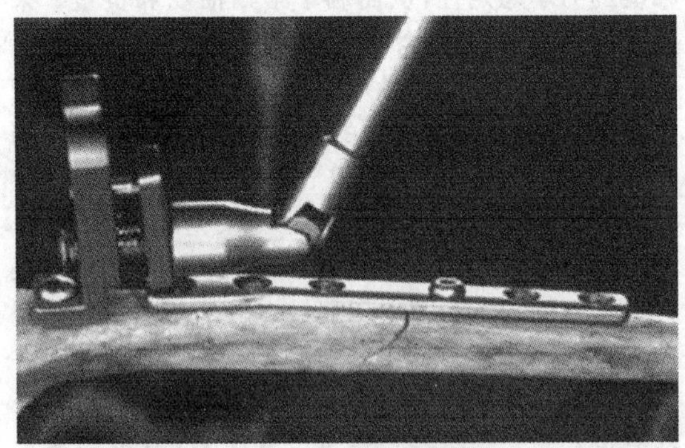

图 21-6 术中加压器械

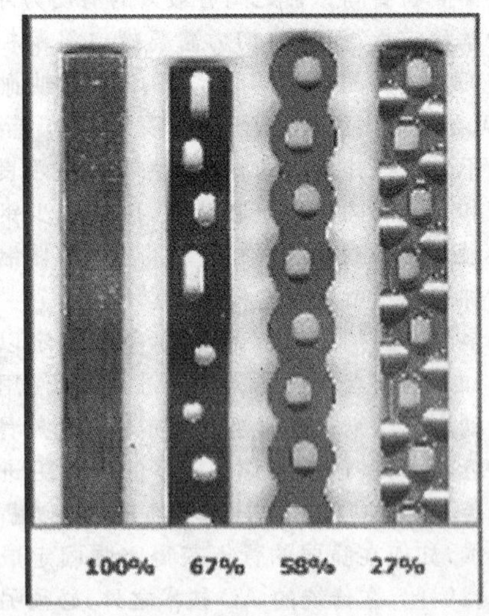

图 21-7 低接触型的动力加压钢板仅有 27% 的区域与骨接触

21.3 钢板和螺钉内固定治疗骨折的现代理念

21.3.1 力学考虑

标准 AO 钢板固定技术中，固定的稳定性由以下 3 个关键因素决定：①钢板与骨之间的剪切力，由螺钉的轴向负荷产生，易受骨质量的影响。②骨折形态，解剖复位可保证恢复骨与骨的接触。③钢板依据骨皮质外形进行精确的折弯。

在许多临床情况中，上述 3 点无法完全实现，因此内固定的稳定性会受以下因素的影响：①患者骨质量较差时（例如骨质疏松性骨折），由于螺钉无法产生足够的轴向负荷，可能导致退钉及内固定失败（图 21-8）。②为获得解剖复位，往往需要广泛剥离软组织，这可能导致骨折块血供受损（图 21-9）。该情况往往出现于骨干骨折，因为皮质骨更易受缺血的影响并发展成为骨折不愈合。因此，对骨干骨折，仅要求解剖对线，以免过分剥离软组织。③钢板需精确折弯，尽量消除骨与钢板间的空隙，这样可产生充分的剪切力并维持内固定的稳定性。如何兼顾钢板的强度以及允许骨科医师进行轻松的折弯一直是一个两难的问题。高硬度的钢板，由于无法充分折弯，往往导致并发症（图 21-10）。④在现代骨折处理理念中，不提倡进行广泛剥离，而倾向于微创操作，这正在改变骨折内固定治疗的操作方式。

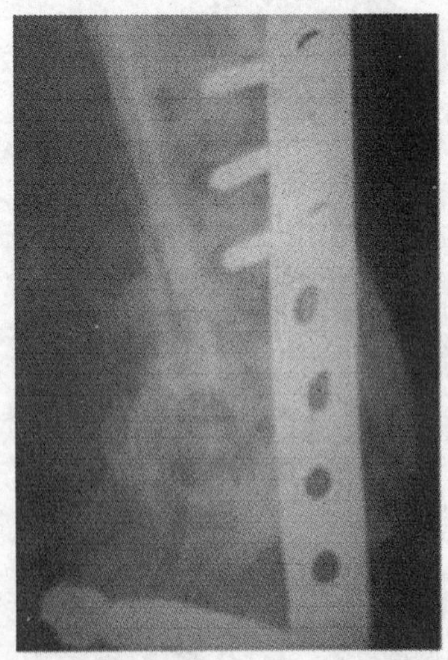

图 21-8 骨质疏松性骨折中的螺钉退出

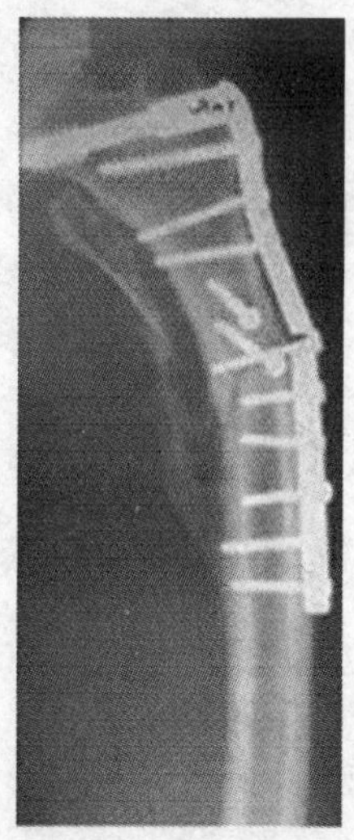

图 21-9 为了解剖复位而行的广泛软组织剥离，破坏了局部血运，导致骨干骨折的不愈合

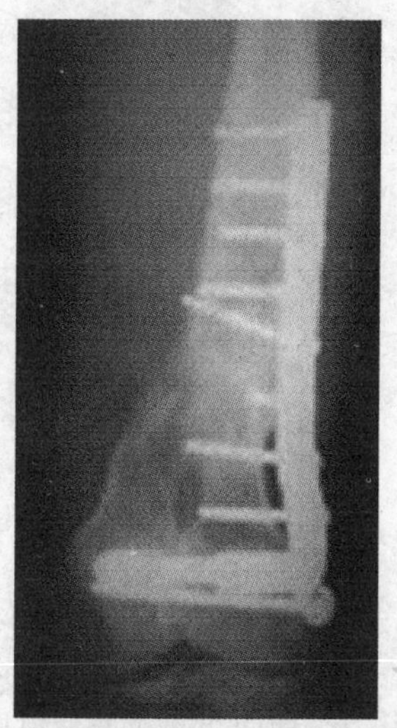

图 21-10 钢板折弯不佳导致骨折的畸形愈合

21.3.2 生物学考虑

1）为获得力学稳定性，需要钢板与骨皮质之间有最大的压力，这往往导致一定程度的皮质缺血并影响骨折愈合。与钢板接触的骨皮质，可出现变薄及骨矿密度下降（图 21-11）。

2）为获得解剖复位而进行的广泛剥离，会影响骨折块的血供并引流血肿，而后者富含与骨折愈合密切相关的生长因子等。这些均会影响骨折的愈合。

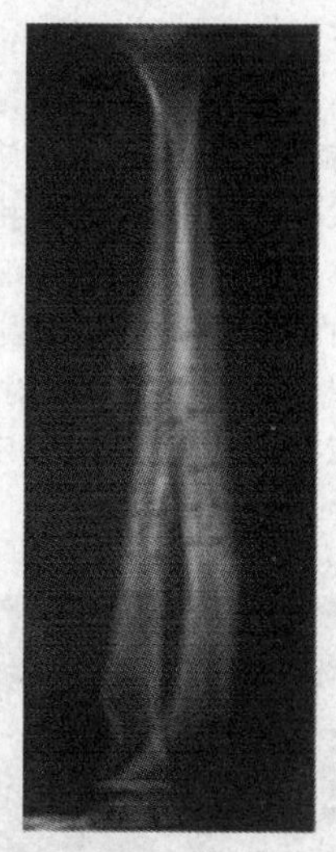

图 21-11 前臂内固定钢板下出现显著的骨吸收

3）减少手术创伤无疑有利于术后康复，因此BO的概念在现代骨折处理理念中占主导地位。

考虑上述情况以及降低骨质疏松性骨折发生率的提高，6 年前出现了锁定钢板的设计。事实上，在 1953 年法国医师 Paul Reinhold 已经提出了将螺钉与钢板固定在一起的概念，尽管不同于锁定钢板，但其单皮质固定以及成角固定的理念却与现代锁定钢板的设计很相似（图 21-12）。

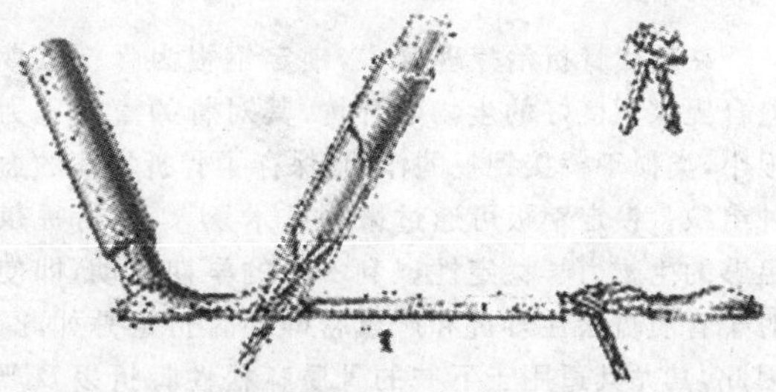

图 21-12 Paul Reinhold(1935)设计的锁定钢板

将螺钉与钢板锁定后，内固定形成一个单柱系统，其稳定性取决于所有螺钉与骨固定的力的总和，而普通钢板及螺钉固定系统的稳定性则由离骨折线最近的螺钉提供。锁定钢板的这一优点可弥补骨质疏松性骨折骨质量差所导致的内固定稳定性差的情况。对于严重粉碎的骨折，锁定钢板可避免为了达到充分骨与骨接触所必须的广泛组织剥离。由于螺钉与钢板锁定，整个固定系统的稳定性由螺钉螺

纹与骨之间的压力所决定，而不由钢板与骨之间的剪切力所决定。由于骨对于压力的承受能力是最强的，因此锁定钢板固定系统的稳定性优于普通钢板螺钉固定。从生物学角度来讲，由于避免了钢板与骨之间的加压，骨皮质的血供可得到充分的保存，避免了骨缺血和坏死的可能性。由此可见，锁定钢板系统类似于内固定器（相对于外固定器而言），而该内固定器的力臂很短，稳定性有明显提高（图 21-13）。

图 21-13 内固定器的概念，其力臂较外固定器小

在现代骨折治疗理念中，锁定钢板为骨折二期愈合提供了良好的生物学环境，其对骨的直接压力很小，类似于桥接钢板的作用，保存了骨折块间的血肿组织。锁定钢板可通过微创技术置入，并可提供足够的生物力学稳定性以利术后的早期活动，即使对于骨质疏松性骨折和严重粉碎性骨折也是如此。因此，其尤其适用于下肢的骨质疏松性骨折以及严重粉碎的骨干骨折，也可通过微创技术运用于闭合复位以及无须严格解剖复位的骨折（图 21-14）。锁定钢板通过稳定的单皮质固定，可运用于假体周围骨折的病例（图 21-15）。

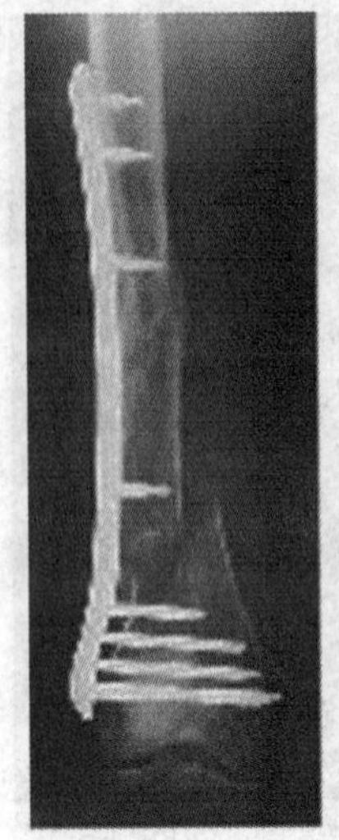

图 21-14 经皮置入钢板固定骨干骨折

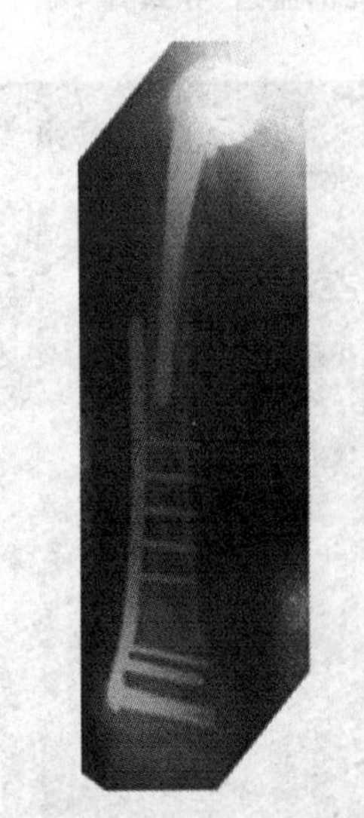

图 21-15 采用锁定钢板固定假体周围骨折

21.3.3 锁定钢板的技术要点

由于螺钉与钢板锁定，外科医师在手术中往往不易感觉到螺钉与骨之间的咬合感，应尽量避免将螺钉与钢板锁定得太紧。由于感觉不到咬合感，医师往往无法判断螺钉置入的程度，从而在一些关节内或邻近关节的骨折手术中存在穿入关节腔的风险。此外，锁定钢板仅用于固定骨折，而无法起到复位的作用，因此在钢板固定前对骨折进行充分复位是必须的。由于钢板的硬度很高，固定后可能导致骨折线被拉开或是对位不佳等情况（图 21-16），甚至影响切口愈合。骨折愈合后，锁定钢板的取出可能有一定的难度，尤其是钛螺钉，过度拧紧时可能导致螺钉与钢板嵌合。

锁定钢板的临床运用日益增多的同时，以下几点仍然存在着争论。

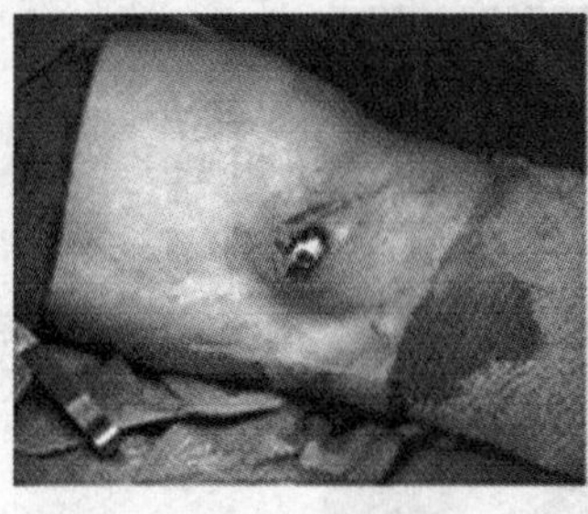
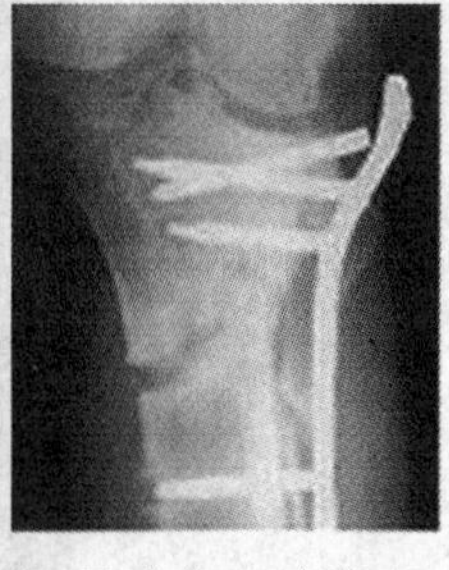

图 21-16　锁定钢板不易折弯，导致伤口破溃

1）单皮质固定还是双皮质固定　对于骨密度正常的骨，单皮质固定已足够提供稳定性，但对于骨质疏松性及严重粉碎性骨折，双皮质固定更加稳定（图 21-17）。

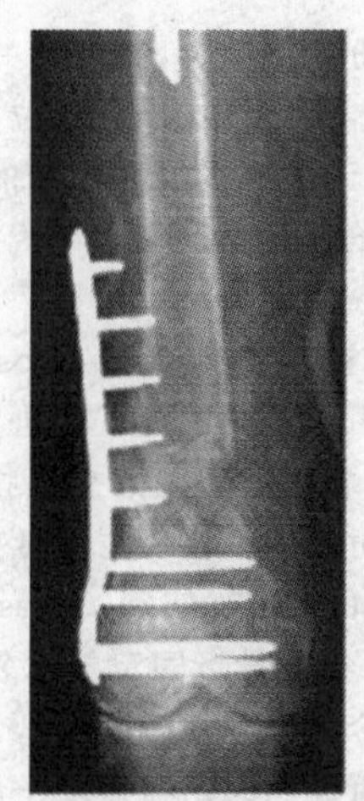

图 21-17　骨质疏松性骨折中采用锁定钢板的单皮质固定，导致螺钉退出

骨折的每一端所需要的螺钉数量（或固定骨皮质的数量）仍未标准化。非锁定钢板用于下肢骨折，建议每个骨折端固定 10 层骨皮质。由于锁定钢板和单皮质固定的力学稳定性存在差异，要多少固定螺钉（固定多少层骨皮质）需通过进一步的生物力学检测及临床研究来决定。

2）骨质疏松性骨折内固定的原则　是将螺钉固定于骨量最大的区域，并由此获得最大程度的固定稳定性。在锁定钢板的设计中，允许螺钉以不同的角度置入，有利于达到上述目的。另一方面，不同的螺钉置入角度可影响内固定整体的稳定性。目前，针对某一特定骨折区域的螺钉置入方向尚缺乏科学依据。例如，对于肱骨头骨折，向哪一个方向置入螺钉可获得与骨最大程度的咬合，并且对骨量的破坏最少，目前仍不明确。

3）锁定钢板不允许像动力加压钢板那样进行轴向加压，而在骨折固定时又要求通过加压来尽量缩小骨折间隙。因此从力学角度来讲，钢板只可以用做动力加压钢板或是锁定钢板来使用，两者无法结合。

21.3.4　骨折钢板和螺钉固定的发展方向

明确了骨折钢板内固定的适应证和技术之后，骨折钢板和螺钉内固定的发展方向如下：①进一步寻找钢板固定技术的微创方法。经皮钢板置入技术（图 21-18）需要进一步了解解剖、器械和图像引导等方面的知识。②更好地闭合复位，以及在术中维持骨折复位，对于良好的手术效果是必须的。③结合图像导航技术，可以提高螺钉固定以及微创手术的准确性。④新技术的产生，例如使用聚合物的骨焊接技术等，将进一步增强锁定钢板固定技术。

综上所述，钢板固定技术适用于下肢关节内骨折、部分邻近关节的骨折、假体周围骨折以及上肢骨干骨折。下肢骨干骨折采用钢板固定需有明确的适应证，髓内钉固定仍然是首选。

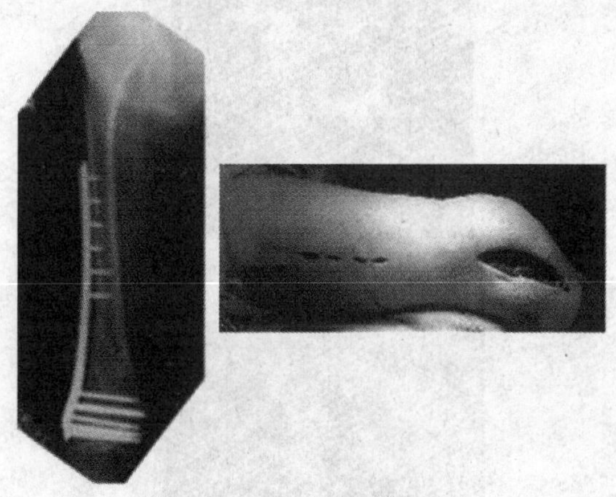

图 21-18　经皮置入钢板

21.4　骨折的髓内固定

髓内钉固定是骨折内固定的重要方式之一。尽管已有超过 50 年的历史，但其固定原则依然符合现代的骨折治疗理念，尤其是闭合治疗以及微创手术的原则。

21.4.1 发展

很早就有使用髓内钉的零星报道，Hey-Grooves EW(1872～1944)在20世纪初即采用开放式髓内固定治疗骨折(图21-19)。然而直到20世纪50年代初，Gerhard Kuntscher(1900～1972)才系统地将髓内固定技术运用于长骨骨折(图21-20)，其有关骨折闭合治疗的观念满足了现代微创技术在骨折固定方面的要求。Kuntscher在髓内固定技术的开发设计及生物力学方面做了大量的研究，使得髓内钉固定技术成为长骨骨折的标准治疗方法。他认为，扩髓并置入直径较大的髓内钉后，通过髓腔挤压，可以获得骨折的稳定固定并提供足够的力学强度。通过置入髓内钉，骨折可得到复位并恢复解剖学对线和原来的长度，旋转畸形也可得到纠正。髓内钉的置入可通过小切口完成，不会影响骨折部位的血肿(图21-21)。

图 21-19 Hey-Groves EW(1872～1944)

图 21-20 Kuntscher G(1900～1972)

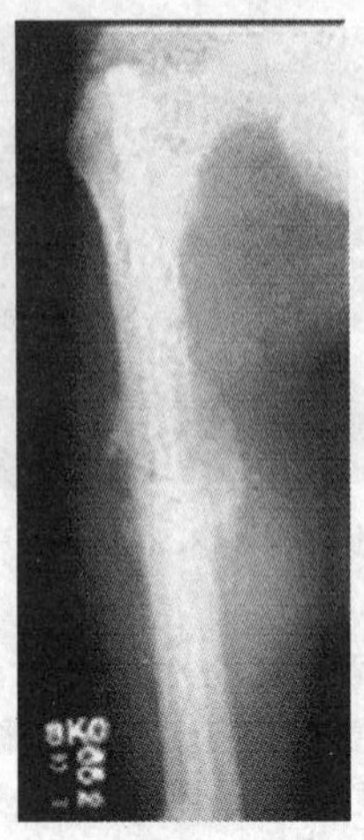

图 21-21 采用髓内钉固定长骨骨折

然而对于粉碎性骨折，髓内钉并不能通过髓腔挤压完成固定，骨折可发生移位、短缩及旋转。Kuntscher曾设计了一些较为原始的交锁固定装置以改进这些缺陷。20世纪70年代初，德国法兰克福的Schelmann和Klemm采用了Kuntscher的设计。其后，法国斯特拉斯堡的Grosse和Kempf对这一技术及内固定器械进行了改进，发明了C臂机辅助的、使用远端瞄准装置的交锁技术(图21-22)。他们通过工作坊和学术会议在世界范围内对该技术进行了系统性的推广，使得Grosse-Kempf钉(即GK钉)成为80年代骨折固定技术领域内最重要的进展之一。迄今为止，GK钉在世界范围内依然是使用最多的骨折髓内固定器械之一。

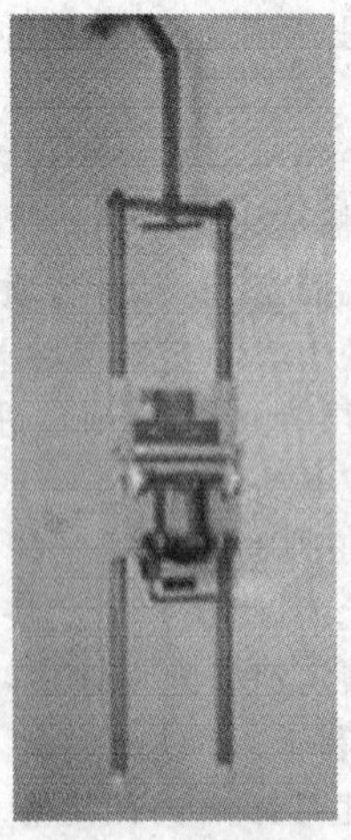

图 21-22 Grosse设计的C臂机辅助远端瞄准装置

21.4.2　扩髓与不扩髓

扩髓的生理学影响在几年前曾引发激烈的争论。针对扩髓后肺部脂肪栓塞风险的详细调查表明，许多时候扩髓后可发生骨髓脂肪渗入血管并引起肺部栓塞。然而，这在绝大多数患者并不会产生严重的临床后果，除非患者伴有肺部损伤或心脏的畸形（右向左分流）。尽管如此，目前认为扩髓时应采用允许骨髓逆向流动的钻头，以免髓内压的过度增高。扩髓操作应缓慢进行，不可用力推进，因为后者可导致髓腔内压增高（图 21-23）。

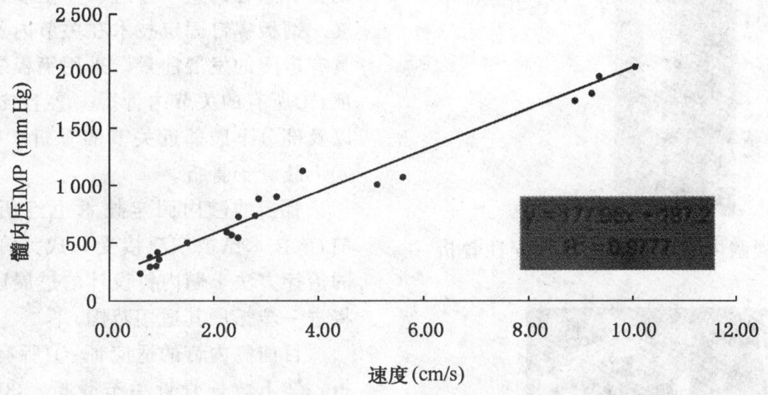

图 21-23　髓腔内压与扩髓速度呈正相关

扩髓也可损害髓内血供。正常骨皮质的内 2/3 是由髓内血管供血的，而外 1/3 则由骨膜血管供血。扩髓后，绝大多数骨皮质的血供变为离心性，骨膜血供受刺激而增生。加之骨折血肿得到保存、扩髓组织进入骨折血肿，采用扩髓及髓内钉固定的骨折往往可以看到明显的骨膜骨痂形成（图 21-24）。

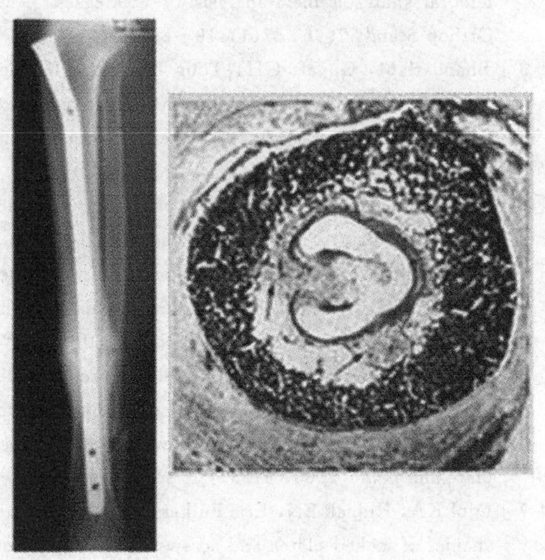

图 21-24　扩髓髓内钉固定可见大量骨痂形成

扩髓利于置入直径较大的髓内钉，从而提供更好的力学稳定性。使用非扩髓髓内钉的唯一优点是其可能减少脂肪栓塞的发生率，然而，这也增加了内固定失败以及延迟愈合和不愈合的发生率。

21.4.3　交锁髓内钉

随着近端及远端交锁技术的使用，闭合髓内固定技术的适应证已拓大至所有的骨干骨折，而不受骨折粉碎程度及移位情况的影响（图 21-25）。事实上，所有的骨干骨折和一些特殊的关节附近骨折也可采用闭合髓内固定治疗。依据骨折类型，交锁可采用静态或动态。交锁髓内钉保存了骨折血肿，且为骨折愈合提供了充分的力学稳定性。相对弹性的固定以及负荷可使骨折端获得一定的压力刺激，从而促进骨痂形成和软骨内骨化。采用交锁髓内钉治疗闭合骨干骨折（图 21-26），愈合率高达 90%。随着交锁髓内钉的进一步发展和改良，更多的复杂骨干骨折也可采用这一技术进行治疗。目前，交锁髓内钉的适应证：①远端、近端、和骨干骨折，以及这几种骨折的结合。②长骨开放性骨折。③某些特定的上肢骨干骨折。④股骨近端骨折-转子区域骨折。

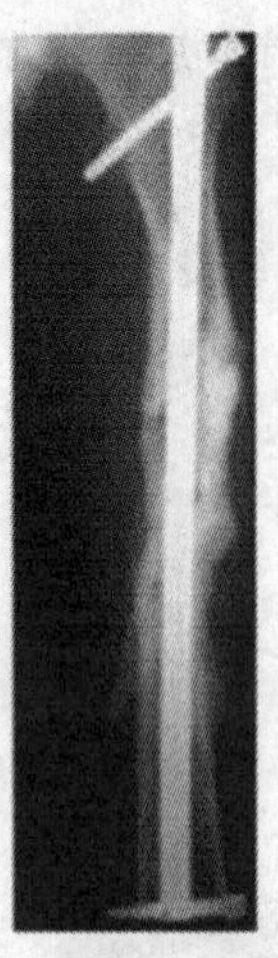

图 21-25 交锁髓内钉治疗股骨干粉碎性骨折

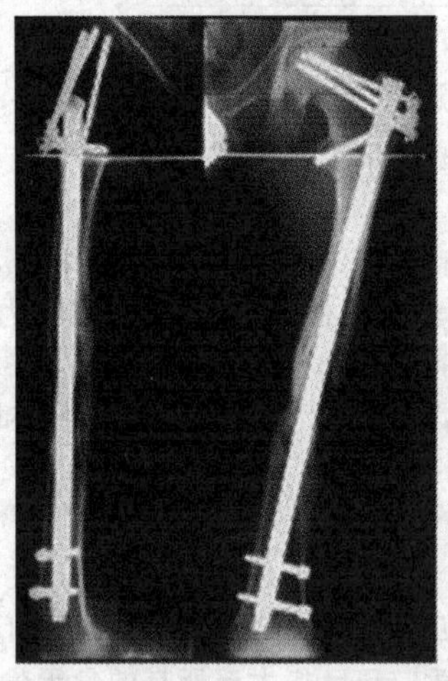

图 21-26 复杂的骨干骨折可采用交锁髓内钉治疗

交锁髓内钉内固定技术需要丰富的骨折闭合复位的知识、正确 C 臂机的使用以及远端交锁的技术。随着技术进步，骨折复位、髓内固定以及交锁均可采用计算机辅助以及图像引导(图 21-27)。

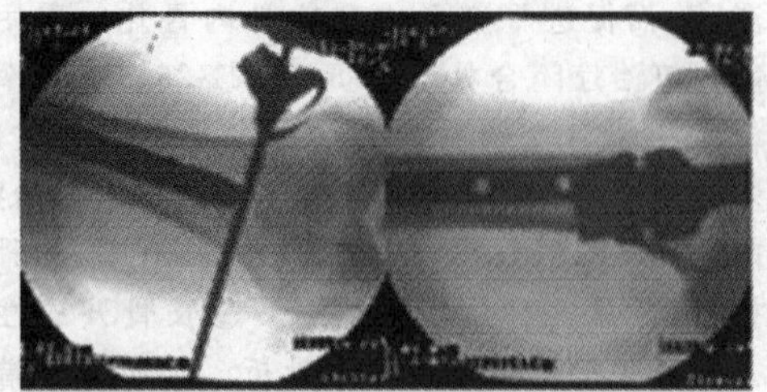

图 21-27 计算机导航下行远端交锁

21.5 总结

骨折内固定可采用钢板和髓内钉。随着人们对骨折愈合及适用范围有更深入理解，骨折的钢板螺钉固定技术经历了几次变革，而对于微创技术和二期骨折愈合的追求将进一步推动钢板固定技术的发展。钢板螺钉固定技术在关节内及邻近关节骨折中具有广阔的发展前景。采用钢板螺钉内固定的适应证：①所有的关节内骨折。②上肢邻近关节的骨折，以及部分下肢邻近关节的骨折。③前臂骨干骨折。④下肢骨干骨折。

骨折的髓内固定技术也经历了许多改变。目前，该技术已被广泛接受并成为许多骨干骨折首选的治疗方法。髓内钉设计的进展以及新技术的运用将进一步拓展其适用范围。

目前髓内钉的适应证：①所有下肢长骨骨干骨折。②下肢长骨近关节骨折。③部分上肢骨干骨折。④病理性骨折。

(梁国穗)

参考文献

[1] A Grosse, J Christie, G Taglang, et al. Open adult femoral shaft fracture treated by early intramedullary nailing. J Bone and Joint Surg, 1993, 75(4):562～565.

[2] Alho A. Concurrent ipsilateral fractures of the hip and femoral shaft: a meta-analysis of 659 cases. Acta Orthop Scand, 1996, 67(1):19～28.

[3] Bhandari M, Guyatt GH, Tong D, et al. Reamed versus nonreamed intramedullary nailing of lower extremity long bone fractures: A systematic overview and meta-analysis. J Orthop Trauma, 2000, 14(1):2～9.

[4] Burstein AHWT. Fundamentals of Orthopaedic Biomechanics. Baltimore: Williams and Wilkins, 1994.

[5] Chapman MW. The effect of reamed and nonreamed intramedullary nailing on fracture healing. Clin Orthop Relat Res, 1998, 355(Suppl):s230～s238.

[6] Cordey J, Borgeaud M, Perren SM. Force transfer between the plate and the bone: relative importance of the bending stiffness of the screws friction between plate and bone. 2000, 31(3):21～28.

[7] Egol KA, Kubiak EN, Eric Fulkerson, et al. Biomechanics of locked plates and screws. J Orthop Trauma, 2004, 18(8):488～493.

[8] Farouk O, Krettek C, Miclau T, et al. Minimally

invasive plate osteosynthesis: does percutaneous plating disrupt femoral blood supply less than the traditional technique. J Orthop Trauma, 1999, 13:401～406.

[9] Haidukewych GJ. Innovation in locked plate technology. J Am Acad Orthop Surg, 2004, 12:205～212.

[10] Keating JF, O'Brien PI, Blachut PA, et al. Reamed interlocking intramedullary nailing of open fractures of the tibia. Clin Orthop Relat Res, 1997, 338:182～191.

[11] Perren SM, Cordey J, Rahn BA, et al. Early temporary porosis of bone induced by internal fixation implants. A reaction to necrosis, not to stress protection. Clin Orthop, 1988, 232:139～151.

[12] Perren SM. Evolution and rationale of locked internal fixator technology. Introductory remarks. Injury, 2001, 32(2):3～9.

[13] Perren SM. Physical and biological aspects of fracture healing with special reference to internal fixation. Clin Orthop, 1979, 138:175～196.

[14] Shepherd LE, Christopher J, Ioannis DG, et al. Prospective randomized study of reamed versus unreamed femoral intramedullary nailing: An assessment of procedures. J Ortho Trauma, 2001, 15(1):28～32.

[15] Tornetta Paul III, Tiburzi Douglas. Nails with and without intramedullary reaming: A preliminary report. J Orthop Trauma, 1997, 11(2):89～92.

22 上肢骨折

上肢损伤对肢体功能的影响,不仅取决于骨骼的情况,也取决于周围软组织的状况。相对而言下肢骨折愈合后,即使伴有挛缩畸形、邻近关节活动障碍或其他的软组织损伤,肢体仍会有很好的功能。而上肢损伤后,即便骨愈合良好,但如果并发上述后遗症时,仍常引起严重的功能障碍。上肢创伤,无论是骨折、骨折合并脱位,还是严重的软组织损伤或血管神经损伤,对矫形外科医师都是真正的挑战。

22.1 锁骨骨折

锁骨骨折是最常见的骨损伤之一,极少需要切开复位。摔倒时上臂外展和直接暴力是锁骨骨折最常见的原因。有移位的锁骨骨折,常不易整复和保持复位,但外形是可以接受的,且功能均很好。因骨折断端重叠或呈刺刀样愈合而产生的骨性突起大部分会随时间的推移而被吸收,包块将会缩小。不要仅仅因为改善外观而试图对锁骨骨折进行切开复位治疗。

22.1.1 骨折分类

锁骨骨折一般按骨折部位分为外 1/3 骨折、中 1/3 骨折和内 1/3 锁骨骨折。

1) 锁骨中 1/3 骨折　最为多见,占锁骨骨折总数的75%～80%。中1/3移位骨折发生典型的移位。骨折可为横形、斜形或粉碎性。

2）锁骨外1/3骨折 较为少见，占锁骨骨折总数的12%～15%。根据喙锁韧带与骨折部位相对关系，可再分为几种类型（图22-1）。

Ⅰ型：骨折位于喙锁韧带与肩锁韧带之间，或位于锥形韧带与斜方韧带之间。韧带未受损伤，因此骨折断端相对稳定，骨折没有明显的移位，是锁骨外1/3骨折中最为常见的类型。

Ⅱ型：锁骨外1/3骨折，喙锁韧带与内侧骨端分离。可再分为A、B两型。ⅡA型：锥形韧带和斜方韧带与远骨折段保持连接，近骨折块不与喙锁韧带相连，并向上移位。ⅡB型：骨折线位于锥形韧带与斜方韧带之间，锥形韧带断裂，斜方韧带与骨折远段仍保持联系。锁骨外1/3Ⅱ型骨折，由于近骨折段失去喙锁韧带的稳定作用，又因受胸锁乳突肌和斜方肌的牵拉，发生向上向后方的移位。而远骨折段由于受肢体的重力作用以及胸大肌、胸小肌、背阔肌的牵拉，向下向内移位。肩关节活动时可带动骨折远端一起活动。因此这种类型的骨折难以复位和维持复位，易发生骨折不愈合。

Ⅲ型：为锁骨外端关节面的骨折。喙锁韧带保持完整。如骨折没有移位，早期诊断有一定困难。有时易与Ⅰ度肩锁关节脱位相混淆。必要时需行CT检查才能诊断。

Ⅳ型：主要发生于年龄<16岁的儿童。由于青少年骨与骨膜连接较松，因此锁骨外端骨折后，骨与骨膜易发生分离，骨折近端可穿破骨膜袖，受肌肉的牵拉向上移位。而喙锁韧带仍与骨膜袖甚或部分骨块相连。易与Ⅲ度肩锁关节脱位、远端Ⅱ型锁骨骨折相混淆。因此有时称为假性肩锁脱位。

Ⅴ型：见于老年人，为楔形骨折或粉碎性骨折。喙锁韧带与远、近两主骨折块失去连接，但保持与主骨块之间的小骨块的连接。

3）锁骨内1/3骨折 最为少见。占锁骨骨折总数的5%～6%。

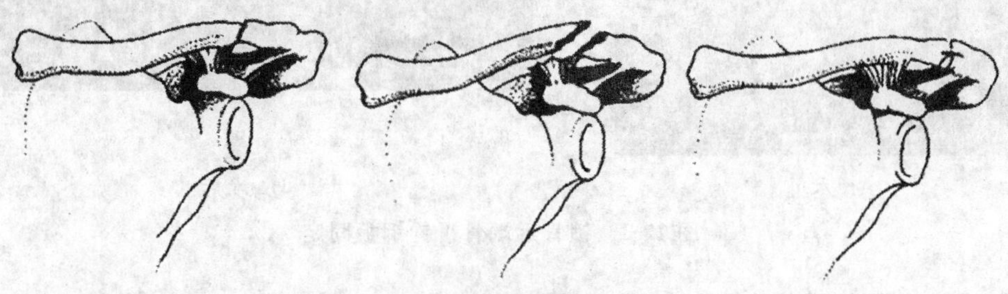

Ⅰ型：骨折无移位　　Ⅱ型：喙锁韧带损伤，骨折移位　　Ⅲ型：关节面骨折

图22-1 锁骨远端骨折分型

22.1.2 锁骨骨折的治疗

锁骨骨折主要以非手术治疗为主，"8"绷带可缓解大部分疼痛和允许早期活动。非手术治疗虽然难以达到解剖复位，但骨折大多可达到愈合。非手术治疗骨折不愈合率仅为0.1%～0.8%。而手术治疗骨折不愈合率则可高达3.7%。

锁骨骨折切开复位和内固定的适应证如下。

1）骨折不愈合 锁骨的疼痛性不愈合，不论是否存在过度的骨痂生长刺激锁骨下的神经血管结构，均可切开复位。应注意区分是因臂丛神经损伤还是因骨痂的刺激而导致的疼痛。可用髓内钉或钢板做内固定，并需要做植骨术（图22-2）。

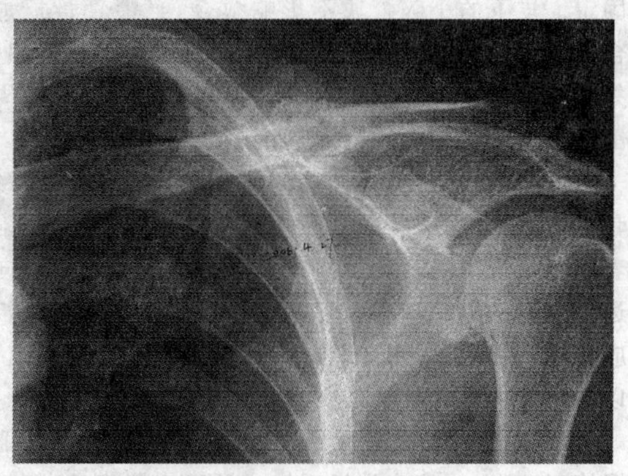

图22-2 锁骨中段骨折不愈合

2）神经血管受累　闭合复位无法解决的神经血管受累，需立即切开复位和内固定。

3）成人锁骨远端骨折合并喙锁韧带撕裂　锁骨骨折内侧段的远端常向后上方移位，小的外侧骨块（一般仅为 2.5 cm 长）由于有完整的肩锁关节连接而无移位。采用闭合复位和“8”字绷带固定常不易成功，必须采用吊带将外侧骨块拉向后上方才能获得满意的复位。对成人的治疗与肩锁关节分离相似。儿童锁骨内侧端由骨膜袖中脱出并有骑跨重叠，但不需要切开复位，通常骨膜袖会有新骨充填，锁骨可被重新塑形。成人骨折在切开复位后，可用髓内钉通过肩峰，经肩锁关节穿入远端骨块，再穿入近端骨块将骨折固定或采用钩钢板进行固定（图 22-3）。因为骨质能牢固愈合，所以没有必要修复喙锁韧带。

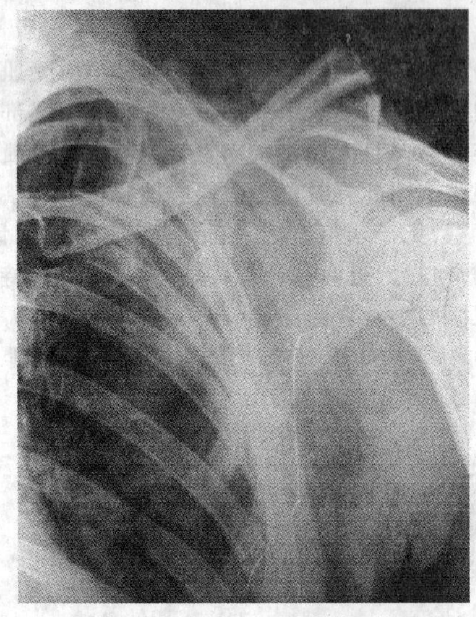

A. 术前

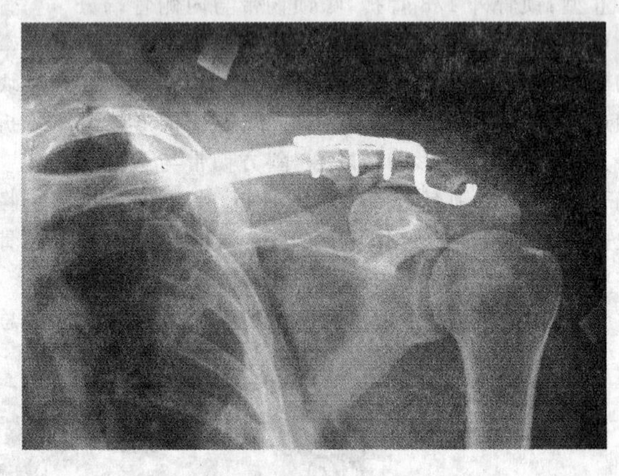

B. 术后

图 22-3　锁骨远端骨折钩钢板固定

4）由于软组织嵌入，骨折端之间存在较宽的分离，如果三角肌或斜方肌被主要骨折块的尖端刺穿，闭合复位可能不会成功。这样的尖端几乎穿透其上面的皮肤。闭合复位失败后就需考虑切开复位和内固定。皮下的小碎骨块不影响愈合，当锁骨骨折愈合后再将其切除。切开复位时，移除嵌入的软组织，并用钢板螺丝钉或髓内钉固定骨折，同时在骨折周围行松质骨植骨，骨折愈合后可取出内固定物。

5）漂浮肩　锁骨骨折同时伴有肩胛骨外科颈骨折，可以造成肩胛骨骨折不稳定，上肢的重量和附着于肱骨近端的肩胛带肌肉使肩胛关节盂骨折块向远端和前内侧旋转移位（图 22-4）。对此型锁骨骨折应行切开复位，并用 3.5 mm 钢板和螺丝钉内固定，以防止肩胛骨骨折畸形愈合及肩下垂。

6）其他　如多发性损伤，肢体需早期开始功能锻炼时；患者并发有神经系统或神经血管病变，如帕金森病等，不能长期忍受非手术制动时。

22.1.3　锁骨骨折手术治疗的方法及注意事项

锁骨骨折采用手术治疗时，应注意减少创伤和骨膜的剥离。对锁骨进行髓内固定时，髓内钉必须有足够的强度和硬度，才能承受无支持的上肢的重量而不至于折断或弯曲。新鲜骨折可采用 Knowles 针或直径 3.2 mm、一半长度带螺纹的 Steinmann 针或粗克氏针固定。钉的一半长度应具有螺纹，或其外侧端应弯成 90°，以防髓内钉向内侧移动进入身体重要结构。为减少不愈合的发生，可考虑同时行自体松质骨植骨。术后以三角巾或吊带保护 6 周，8～10 周骨折初步愈合后，可拔除内固定。

对于粉碎的锁骨中段骨折，因为锁骨的外形要求将钢板弯曲和塑形，可用小型动力加压钢板或小型重建钢板（图 22-5）。钢板至少应有 6～7 孔，以保证固定效果，钢板最好置于锁骨上方。在钻孔和拧

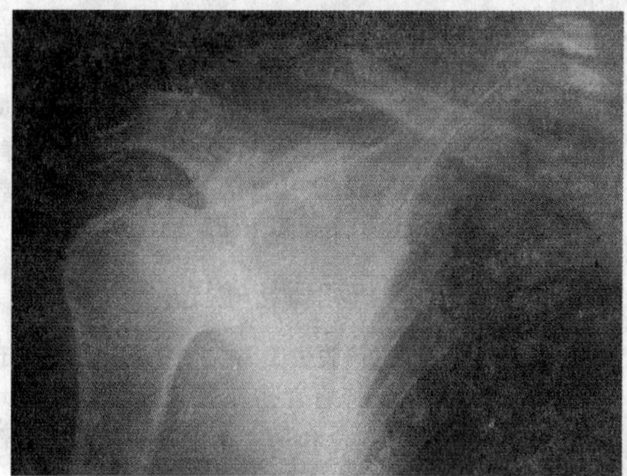

A. 术前 X 线片

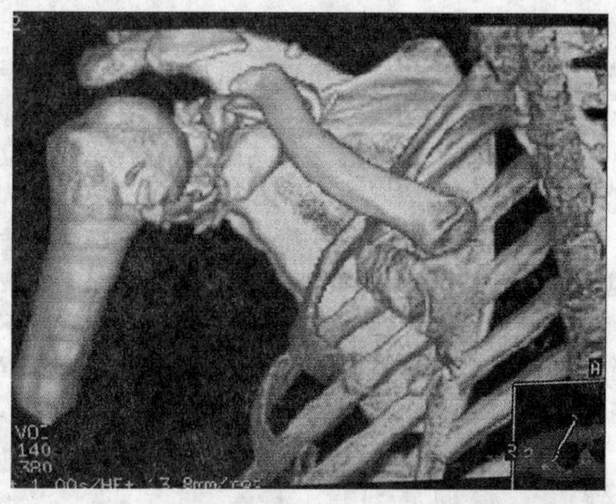

B. 术前三维 CT

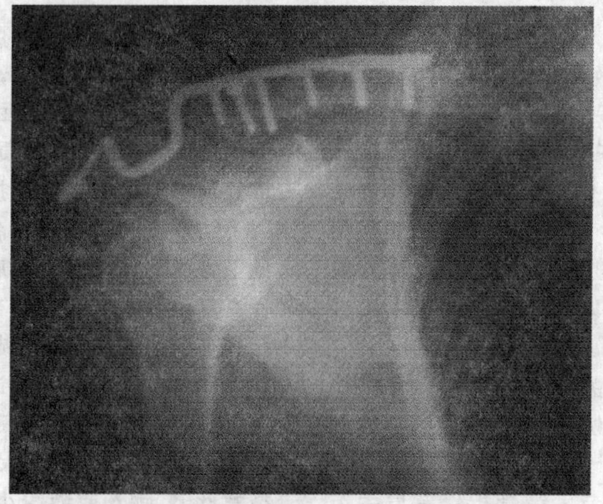

C. 术后 X 线片

图 22-4 漂浮肩患者采用锁骨钩钢板固定

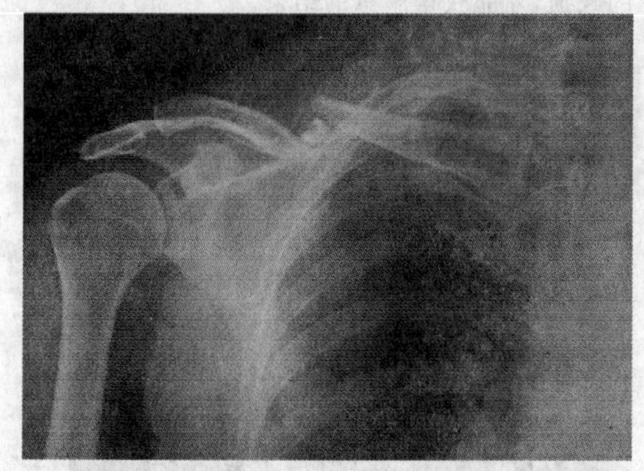

A. 术前

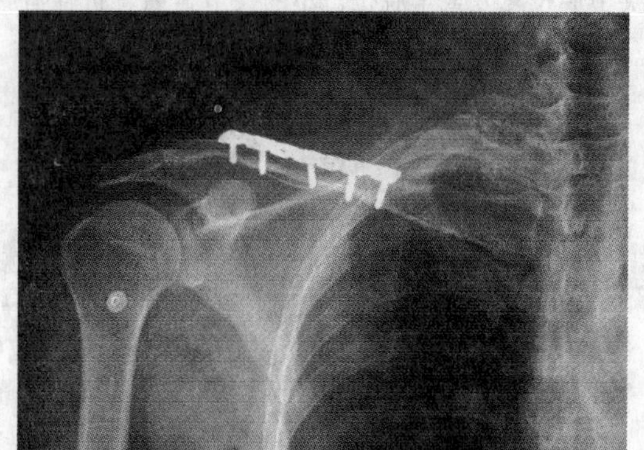

B. 术后

图 22-5 锁骨中段骨折重建钢板内固定

螺丝钉时应极其小心，避免损伤锁骨下静脉和胸腔内容物。在钻孔时要在锁骨下面放置一保护性器械，以防钻头刺入胸腔。

锁骨外侧 1/3 骨折尤其是合并肩锁关节脱位者，可采用锁骨钩钢板固定。

锁骨骨折也可采用外固定支架固定，其主要适应证是开放性骨折、严重错位的闭合性骨折伴有表面皮肤损伤、多发性创伤、伴有疼痛的延迟愈合或不愈合以及骨折合并胸廓出口综合征。固定器保留 7～8 周，主要并发症为钉道轻微感染。

22.2 肩部骨折

22.2.1 肩胛骨骨折

肩胛骨骨折极少需要做切开复位和内固定，大多数病例的处理为吊带悬吊上肢和早期主动活动。偶遇以下情况可能需要切开复位和内固定。

1）肩峰骨折明显移位，伴有骨折块回缩并进入肩峰下间隙　这种情况极少见。当三角肌功能受到损害或肩峰下间隙受到明显影响，造成肩关节外展肋骨大结节发生碰撞时，可以做切开复位和克氏针内固定。

2）喙突骨折伴有肩锁关节分离　喙突骨折伴有锁骨外侧端脱位时，应行切开复位，并做喙突内固定和修复肩锁韧带。

3）关节盂缘骨折　关节盂缘骨折伴有肩关节外伤性脱位或许较已发现的损伤更为常见。当盂缘骨折达到关节表面 1/4 时，须切开复位内固定，防止肩关节脱位复发或半脱位。小的关节盂缘骨折伴有

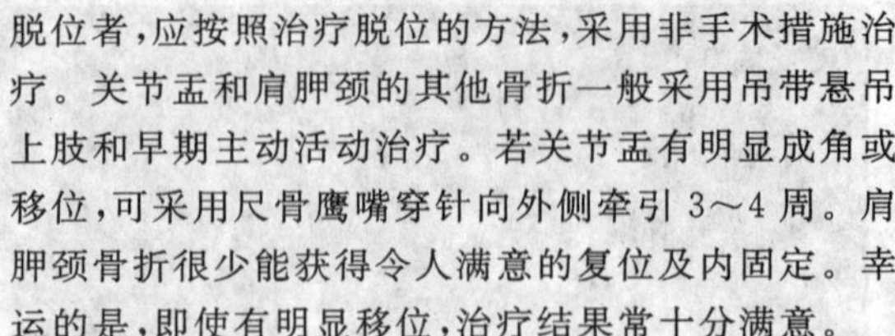

脱位者，应按照治疗脱位的方法，采用非手术措施治疗。关节盂和肩胛颈的其他骨折一般采用吊带悬吊上肢和早期主动活动治疗。若关节盂有明显成角或移位，可采用尺骨鹰嘴穿针向外侧牵引 3～4 周。肩胛颈骨折很少能获得令人满意的复位及内固定。幸运的是，即使有明显移位，治疗结果常十分满意。

22.2.2 肩部骨折和骨折-脱位

肩部骨折和骨折-脱位是常见的损伤，可发生于任何年龄段，儿童骨折通常伤及肱骨近端骨骺。大多数患者应用闭合复位和保守治疗即可，偶尔也需切开复位。

22.2.3 成人肱骨近端骨折

成人肱骨近端骨折可以分为：结节撕脱骨折，外科颈或解剖颈嵌入骨折，移位骨折，骨折-脱位，关节面凹陷骨折。年轻患者的此类骨折通常是由于高能量创伤所致，而在有骨质疏松的老年患者中不太严重的创伤即可引起明显损伤。

结节撕脱骨折可由各种损伤机制所致，但最常见于癫痫发作或继发于肩关节脱位。这种情况在肱骨头复位后常能获得解剖复位，可用非手术方法治疗。当撕脱的结节移位超过 1 cm 时，需做切开复位和内固定(图 22-6)。不论是大结节或是小结节撕脱骨折，均可采用标准的三角肌-胸大肌切口或肩峰成形术切口，根据骨折块大小、粉碎程度或骨质情况选择螺丝钉、钢丝或缝线小心地将结节整复至原来位置并固定。若结节部有移位或回缩，同时也明显存在肩袖撕裂损伤的机制，则应仔细辨认和修复肩袖的缺损，才能获得满意的结果。

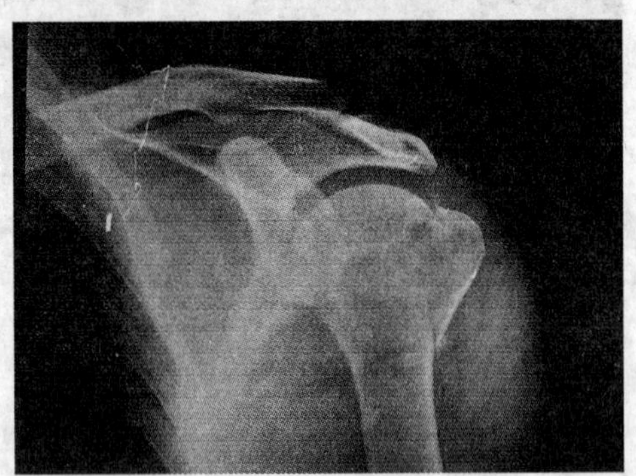

A. 手法复位后

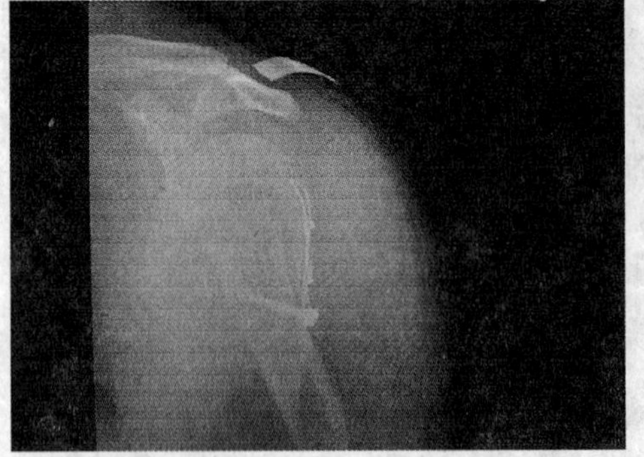

B. 对结节撕脱骨折予切开复位内固定

图 22-6　肩关节脱位大结节撕脱骨折手法复位后大结节移位采用 Neer 钢丝内固定

嵌入骨折大部分发生于老年人,很少需要用手法整复或手术治疗来改善位置,因为这样做会使功能恢复更加困难。由于这种骨折患者容易形成肩关节周围炎,所以应该采用早期活动和早期恢复功能的治疗方法。即使有明显的成角畸形,其功能结果常比X线片显现的要好得多。

(1) 肱骨近端骨折分类

很多移位骨折和骨折-脱位的分类法是根据损伤机制或移位而分型的。现常用的是Neer(1970)四部分骨折分类法(图22-7),和AO分类法。

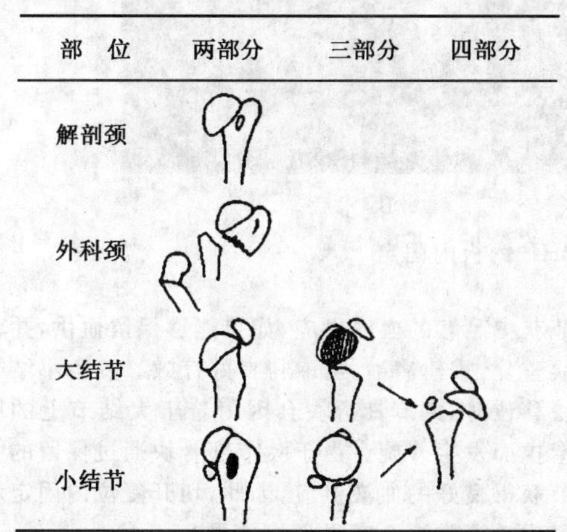

图22-7 肱骨近端骨折Neer分型

Neer是按照移位骨块的数目(移位超过1 cm或成角超过45°)而不是骨折线的数目分类的。他观察到肱骨上端骨折可出现1个或4个主要骨折块:关节部或解剖颈,大结节,小结节,骨干或外科颈。这些骨折块中有3个与其在肱骨近端的骨化中心一致(1个在肱骨头,大、小结节各有1个)。这些骨化中心在结合部的融合形成易在骨折的薄弱部位。

理解和使用Neer的四部分骨折分类法需要良好的原始X线片和关于作用在各个骨块上肌力的知识。为了准确判断和进行分类,必须拍摄腋窝侧位或真正的肩胛骨侧位X线片。X线片确定Neer分类时,观察者之间的可靠性和重复性均较低。CT有助于评价这些损伤,尤其是在用X线片不能确定的骨折类型时更为有用。

在各种类型损伤中肱骨近端的血供及其破坏是预测肱骨头存活可能性的关键。旋肱前动脉是肱骨头的主要供血动脉,其进入骨内的分支称为弓形动脉,为整个肱骨头供血。旋肱后动脉只供应关节面后下方的一小部分。通过肩袖附着点进入肱骨头的血管同样重要。

根据损伤的程度和缺血性坏死的危险性,AO组织将骨折分为3个主要类型(A、B和C),每一类型又分为许多亚型,以进一步界定严重程度。这种分类法非常复杂,也不如Neer分类法可靠。

(2) 肱骨近端骨折治疗策略

以下是基于Neer分类系统的肱骨近端骨折治疗策略。

1) 无移位骨折　不管骨折线的数量或所损伤的解剖结构如何,无移位骨折本质上属于一部分(one part)骨折,可采用吊带悬吊和逐步的功能锻炼治疗。合并肩关节脱位的肱骨解剖颈无移位骨折在整复脱位之前,应该给予预防性固定,以防止解剖颈骨折医源性移位。

2) 两部分骨折　伤及肱骨结节的有移位的两部分骨折可按治疗撕脱骨折方法处理。两部分骨折伤及解剖颈时,可使关节面骨块血供丧失,从而可能需做假体置换术。如果能够使骨折复位并愈合,应暂缓置入假体,因为许多患者的症状并非严重到必须做假体置换。两部分骨折伤及外科颈通常可采用吊带悬吊、上臂悬垂石膏或其他保守疗法。手术疗法的适应证为开放性骨折、闭合整复失败、伴有腋动脉损伤和有选择的多发性创伤患者。若骨折能复位但不稳定,可采用经皮穿斯氏针固定和吊带悬吊制动3～4周。如果需要切开复位,可采用髓内钉结合张力带或近端带锁髓内钉做内固定,这样固定允许肢体进行早期被动活动。带锁定螺钉的肱骨近端钢板(LPHP)钢板,尤其适用于骨质疏松的患者(图22-8)。这些骨折切开复位和内固定的手术途径与移位的三部分骨折手术途径一样。

3) 三部分骨折　三部分骨折最好采用切开复位和内固定治疗。在三部分骨折中,有一个结节还与肱骨头关节面骨折块相连,因而仍有血管供血。采取准确复位、固定和强化的康复训练,可以获得良好的结果。内固定方法与两部分骨折的内固定方法相似。螺丝钉、粗缝合线或钢丝张力带与一些髓内固定物或钢板联合应用于骨质疏松的患者可提供稳定的固定。

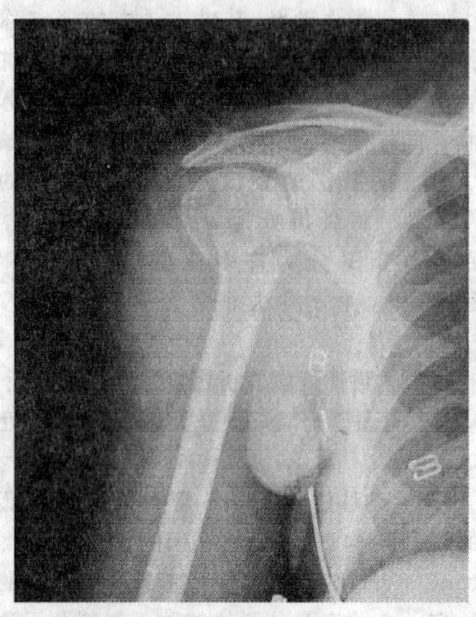

A. 术前

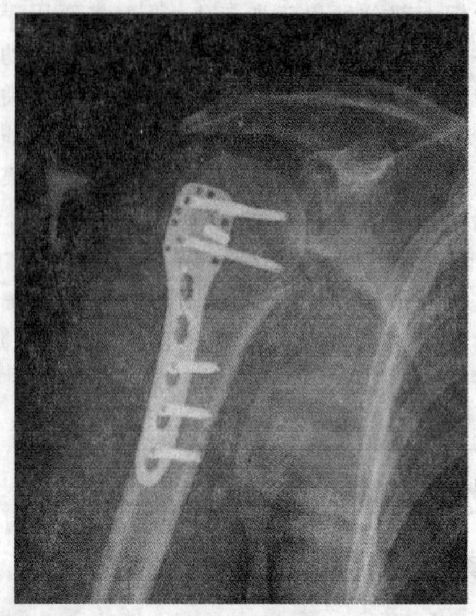

B. 术后

图 22-8　肱骨近端骨折 LPHP 钢板内固定

4）四部分骨折　在四部分骨折中肱骨头部已经失去血供，如果患者愿意手术并要求保持良好的肩部功能，假体置换术可达最佳效果。在开放性骨折和骨折伴有表面皮肤严重损伤的情况下，也可采用经皮整复和外固定治疗移位的肱骨近端骨折。

肱骨头关节面凹陷缺损通常是由于肩关节脱位时肱骨头顶撞关节盂缘所致。脱位整复后的治疗取决于肱骨头缺损的大小和是否明显地影响肩关节的稳定性。若肱骨头缺损在后面，而且外旋时容易发生肩关节习惯性脱位或半脱位，可以行肱骨近端截骨术以增加肱骨头的后倾。如肱骨头缺损在前面，内旋时发生肩关节习惯性脱位或半脱位，可将肩胛下肌止点转移到缺损处。如凹陷缺损超过关节面的40%时，肱骨头假体置换术是首选方式。

在肱骨头劈裂骨折中，若骨折块之一或两者都缺乏血供，会发生缺血性坏死，假体置换术效果最佳。

(3) 肱骨近端骨折手术治疗方法及注意事项

1）三部分骨折切开复位和内固定　肱骨近端移位的三部分骨折很少能整复，最好的治疗方法是切开复位和内固定。为此需要对肩关节的解剖结构、软组织的影响及各个骨块上的肌肉附着点有全面了解。大结节骨块移位时，由于肩胛下肌失去作用于小结节的对抗牵拉力，关节骨折块会因肩胛下肌的牵拉而发生内旋。此外，关节骨折块可通过小结节获得足够的血液供应，如果能够保留血供，并将骨块整复，重建肩袖，可取得良好疗效。发生小结节骨块移位时，关节骨折块会因附着于大结节上的肌肉牵拉而发生外旋。由于关节部骨块通过保留的大结节获得良好的血液供应，因此，切开复位内固定和修复肩袖通常也会获得良好效果。

向前或向后三部分骨折-脱位也需行切开复位和内固定。如果患者全身情况允许，应尽早手术，若延迟数天会使复位更加困难。患者麻醉后在手术室内认真进行皮肤准备，手臂彻底洗刷，以预防术后感染。为保证获得最好的疗效，必须制订长期积极的术后功能恢复锻炼计划。如果患者的全身情况和合作能力不好，则达不到最好的效果。

修复肱骨近端骨折可选择多种内固定物或联合应用，如张力带钢丝、粗缝合线、螺丝钉、手弯钢板、刃钢板、肱骨近端髓内钉及这些器材的多种组合，它们都有各自的适应证，如果正确使用会取得同样满意的效果。一般来说，骨质好的患者用钢板和螺丝钉效果满意，骨质疏松的患者最好结合髓内固定和张力带技术。不能修复的复杂骨折或骨折-脱位常需要做半关节成形术。

对可修复的两、三、四部分骨折，可采用如下文所述的方法。

2）肱骨近端骨折切开复位和内固定　手术方法：做较大的三角肌胸大肌间沟切口显露肩关节。

肌肉薄弱的患者可能不必从锁骨上剥离三角肌前缘。将肩关节外展 70°～90°，把三角肌前缘拉向外上方，显露肱骨头、结节部和盂肱关节。如果不能显露，可将三角肌锁骨缘剥离，便可以更早和更积极地进行功能锻炼。肌肉发达的患者或显露有困难时，可以从锁骨上分离三角肌前部 7.5～10 cm。此外，也可松解三角肌前部在肱骨上的止点和肱二头肌长头腱外侧的胸大肌近端间隙。将三角肌拉向外侧，胸大肌拉向内侧，确认肱二头肌长头腱，顺着该肌腱可找到大结节和小结节的间沟。应记住大结节骨块移位时，肱骨头会因肩胛下肌的无对抗牵拉而内旋。大结节通常向后上方移位，用持骨钳把大结节整复到原有的位置，以 20 号不锈钢丝、结实的不吸收缝线、螺丝钉或其他固定物将其固定到肱骨头上。在大结节复位前彻底冲洗肩关节，去除所有的松质骨碎片和血肿。Neer 应用双重钢丝做固定，将其中一根钢丝穿过肱骨干骨块近端，这种固定单独使用便可以使骨折稳定。

如果固定不够牢固或需要牢固的内固定时，可应用三叶草形钢板，将它置于肱骨外侧面，把肱骨头、结节部骨块和肱骨干固定在一起(图 22-9)。对骨质疏松的患者，可采用髓内固定加张力带钢丝或缝线，也可将肱骨头和结节部固定到肱骨干，锁定钢板在此类型骨折固定中优势明显。用间断缝合仔细修复冈上肌前缘和肩胛下肌上缘之间的旋转间隙。

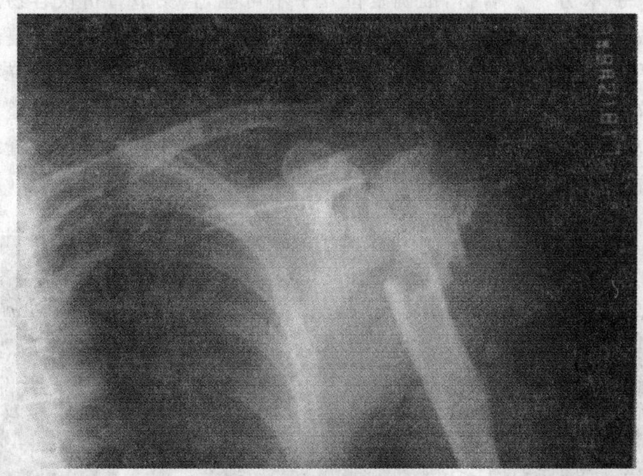

A. 术前 X 线片

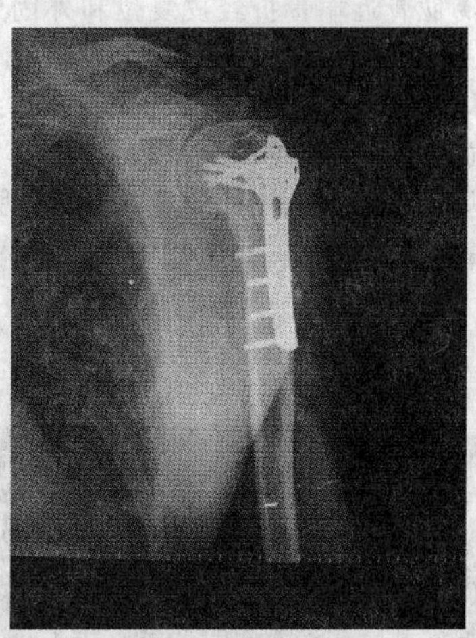

B. 术后半年骨折愈合良好

图 22-9　肱骨近端骨折采用三叶草形钢板固定

如前所述的同样方法处理小结节移位的三部分骨折。肱骨头骨块由于外旋肌肉的无对抗牵拉而发生外旋，肩胛下肌和小结节骨块向内侧移位。复位后用 20 号不锈钢丝作双重缝合，将小结节固定在正确位置上。如果双重钢丝还不能将肱骨干与近侧骨块固定，则可应用“T”形钢板或其他合适的固定物。与处理大结节一样，间断缝合，仔细修复旋转间隙。

固定得越牢固，就能更早和更积极地进行功能锻炼。应可能采用钢板和螺丝钉将肱骨干与近侧骨块固定。但有时会因粉碎性骨折、骨质疏松或其他因素不允许做牢固的固定。

包括关节面骨折块脱位的三部分骨折的手术方法和前述相同。首先将关节面骨块和其上附着的结节复位到关节盂，再用上述方法将结节部和肱骨干重新整复在一起。如手术在损伤后立刻进行，肱骨头通常很容易复位。用一枚螺纹针钻入粗糙的松质骨面，轻轻地牵拉和撬拔，即可使肱骨头复位。如手术已延迟了数天，由于软组织挛缩和瘢痕组织形成及骨折块已骨质疏松，肱骨头的复位可能相当困难，通常需做更多的组织松解。在这种情况下，要注意防止肱骨头和结节部进一步破碎。

通常要切除喙肩韧带和肩峰前外侧的下部，因其容易卡压修复的肩袖及大结节。不必全切除肩峰，因为它很少成为妨碍结构，而且去除肩峰会使三角肌的重新修复十分困难和不牢固，也可能导致明显的三角肌功能缺陷，直接造成肢体功能不良。

术后处理：肢体首先用吊带悬吊和绷带包扎 10 天。拆线后，如果固定牢固，可开始做轻柔的Codman或钟摆式功能锻炼。此时需要仔细判断，如果患者有严重的骨质疏松及固定不够牢固，就必须推迟功能锻炼。在进行被动活动预防粘连形成与充分保护避免骨折块再度移位两者之间必须加以权衡。这只能由手术医师决定。若骨块固定牢固，通常到术后第 2～3 周可开始做钟摆式活动，第 3～4 周可以做轻柔的被动前屈和内外旋活动，第 4～6 周才可以做一些主动或对抗性锻炼。应该认识到，这些骨折后的恢复过程常常是很慢的，需要患者了解和配合。只要进行有规律的和持续的伸展和力量的锻炼，在数月内运动和力量就会不断改进。

3）肱骨近端骨折经皮复位和外固定　手术方法：在 X 线影像增强器监控下经皮肤把 1 枚斯氏针插入大的肱骨头骨块，将此针作为操作把手以使骨折复位。由一助手维持复位，将 2 枚半螺纹针钻入肱骨头，针在肱骨头中的放置取决于骨块的数量、大小和稳定性。在肱二头肌沟的外侧插入，直到对侧骨皮质，但注意不要穿透关节面。如位置靠前有可能刺伤肱二头肌膜或肩峰下滑囊，使内旋活动受限。若大结节有移位，用 1 枚钢针把它复位固定到肱骨头骨块，将第 2 枚针直接钻入肱骨头。把 2 或 3 枚半针钻入肱骨干外侧，并用中立位杆连接。远端 3 枚针插入的位置限制在距骨折线以远 2 cm 至三角肌结节之间。注意观察这个进针区，避免损伤旋肱血管、近端腋神经和远端桡神经。

术后处理：术后处理与切开复位和内固定的术后处理相同。锻炼的强度取决于手术的牢固程度，同时必须做钉道护理。4～6 周后去除钢针和外固定器。

4）肱骨近端假体置换　有移位的四部分骨折-脱位、面积＞40％的关节面压缩骨折和肱骨头劈裂骨折，准确复位几乎不可能，且关节骨折块容易发生缺血性坏死。早期假体置换重建手术比切开复位后再行晚期重建手术更容易，效果也更好。在有移位的四部分骨折中，必须小心地保留结节部，并整复于肱骨头假体之下，用 20 号钢丝或其他不吸收缝线牢固固定（图 22-10）。

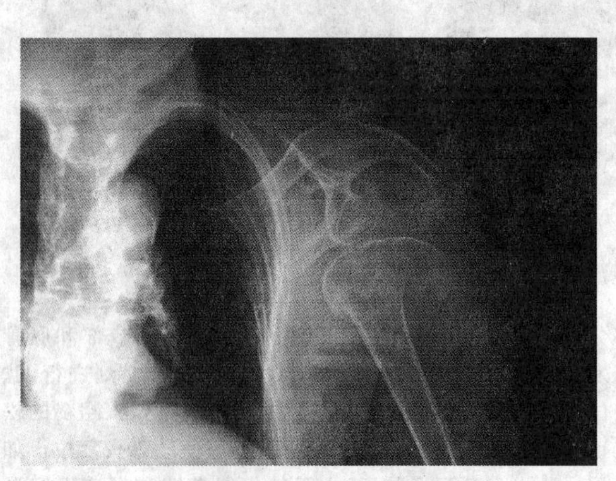

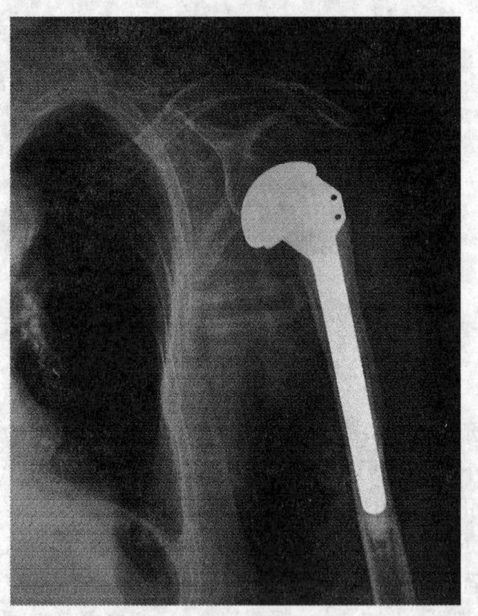

图 22-10　肱骨近端粉碎性骨折假体置换

22.3　肱骨干骨折

肱骨干骨折一般系指肱骨外科颈以下 2 cm 至肱骨髁上 2 cm 之间的骨折。约占全身骨折总数的 1.31％。大多数肱骨干骨折可以采用非手术治疗。采用上臂悬垂石膏的非手术治疗方法比切开复位和内固定治疗的愈合率高，且并发症少。如果能容易地复位，但又不能耐受上臂悬垂石膏固定时，可应用接骨板固定。

22.3.1 肱骨干骨折移位的创伤解剖

肱骨干骨折后，可因附着于骨干远、近骨折段肌肉的牵拉作用而使骨折段产生不同形式的移位。当骨折位于三角肌止点以上时，近骨折段受胸大肌、背阔肌和大圆肌牵拉而内收，远骨折段受三角肌牵拉外展，但因同时受肱三头肌、肱二头肌和喙肱肌的牵拉而使两骨折段重叠。当骨折位于三角肌止点以下时，三角肌牵拉近骨折段外展，远骨折段受肱三头肌和肱二头肌牵拉而向上移位(图 22-11)。偶尔骨折断端以不同程度的成角维持接触，但更常见的是断端的移位和重叠畸形。

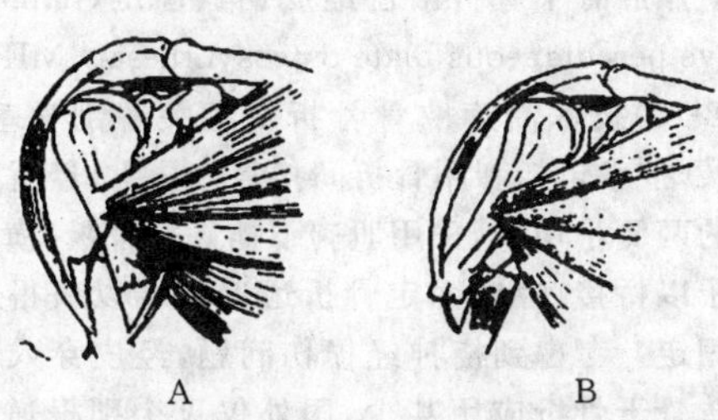

图 22-11 肱骨干骨折时不同骨折部位形成不同的移位方式

22.3.2 肱骨干骨折的闭合复位治疗

肱骨属非负重骨，轻度的畸形愈合可由肩胛骨代偿，其复位标准在四肢长骨中最低，其功能复位的标准为：2 cm 以内的短缩、1/3 以内的侧方移位、20°以内的向前、30°以内的外翻成角以及 35°以内的旋转畸形。

目前，肱骨骨折闭合复位治疗仍相当多地应用悬垂石膏法。此法比较适合于有移位并伴有短缩的骨折或者是斜形、螺旋形的骨折。悬垂石膏应具有适当的重量，避免过重或过轻，其上缘至少应超过骨折断端 2.5 cm 以上，下缘可达腕部，曲肘 90°，前臂中立位，在腕部有 3 个固定调整环(图 22-12)。在石膏固定期间，前臂需始终维持下垂，以便提供一向下的牵引力。患者夜间不宜平卧，而采取坐睡或半卧位(这是使用悬垂石膏的不便之处)。吊带须可靠地固定在腕部石膏固定环上，向内成角畸形可通过将吊带移至掌侧调整。反之向外成角则通过背侧的固定环调整。后成角和前成角可利用吊带的长短来调整，后成角时加长吊带，而前成角时则缩短吊带。使用悬垂石膏治疗应经常复查 X 线片，开始时为 1～2 周，以后可改为 2～3 周或更长的间隔时间。石膏固定期间应注意功能锻炼，如握拳、肩关节活动等，减少石膏固定引起的不良反应。对某些患者，如肥胖或女性，可在内侧加一衬垫，以免由于过多扭曲皮下组织或乳房造成成角畸形。当骨折的短缩已经克服、骨折已达到纤维性连接时，可更换为“U”形石膏。

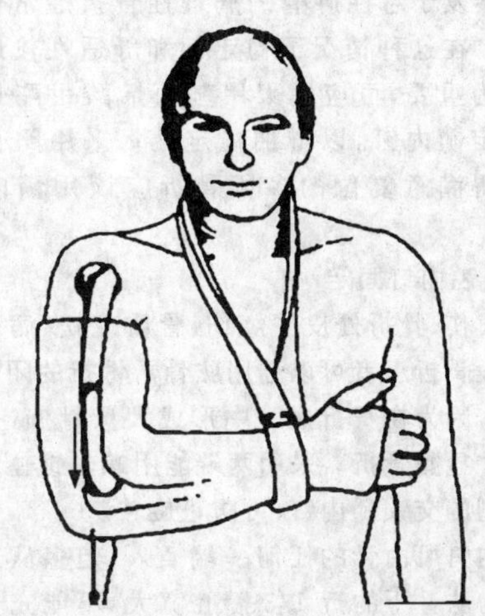

图 22-12 肱骨干骨折悬垂石膏固定

22.3.3 肱骨干骨折切开复位内固定的适应证

适应证：保守治疗不能达到满意的对位和对线；合并的肢体损伤需要早期活动；大段骨折；病理性骨折；骨折伴有大血管损伤；肱骨远端螺旋骨折中，采用手法复位和夹板或石膏后出现桡神经麻痹；伴发损伤的治疗要求卧床休息。有些肱骨干骨折伴有肘关节骨折，需要早期活动该关节，是内固定的相对适应证。

不适用于闭合复位的严重的神经功能障碍，如不能控制的帕金森病，也可能是手术的适应证。同时做上肢和下肢牵引常很困难，在这种情况下，对肱骨干骨折也可选用切开复位内固定治疗。

22.3.4 肱骨干骨折的手术治疗

肱骨干骨折可应用钢板螺丝钉、髓内钉内固定或外固定器。横形或短斜形骨折，可使用 4.5 mm 的 AO 加压钢板。用 6 孔或 8 孔钢板固定这类骨折通常很牢固，术后仅需要用吊带悬吊支持上肢 3～4 周。根据骨骼的大小和骨折的形状选择植入物，3.5 mm 较小的钢板尤适用于更为远端的骨折，建议在粉碎性骨折的上、下方固定8处皮质骨。长斜形和螺旋形骨折可使用拉力螺丝钉固定，但必须加用某种类型的外固定如肱骨外展支架。若技术条件允许，这种情况使用髓内钉更好。

肱骨开放性骨折可以应用外固定架治疗，因为在这种情况下置入内固定可能发生感染或其他并发症。继发于恶性肿瘤的病理性骨折通常使用髓内固定。在这种情况下稳定性和舒适性较最终的愈合更为重要，可应用聚甲基丙烯酸甲酯骨水泥嵌合固定髓内钉，以增加稳定性。采用闭合方法不能获得满意复位的多段骨折应该用髓内钉固定治疗。

(1) 髓内钉固定

多发伤、骨折处皮肤烧伤、骨质疏松、病理性骨折及多段骨折患者可以选用肱骨干骨折的闭合髓内钉治疗。因为在骨折血肿中形成大量骨痂，只有在必要时才显露骨折。采用两端能用螺丝锁住的截面为闭环型的交锁髓内钉，可防止旋转。

髓内钉可由骨的任何一端插入，但多从近端插入。因为肱骨干的近1/3髓腔宽大，不能充分固定髓内钉，若从远端插入，髓内钉必须有足够的长度以进入肱骨头的松质骨部。髓内钉的远端必须与后侧皮质紧贴，否则可能刺激肱三头肌。

用于肱骨的交锁髓内钉系统有数种，基本概念、适应证和技术操作适用于大多数交锁髓内钉。这些钉的不同之处主要在于近端锁钉的方向、钉的横断面形状和远端锁钉的方法。Russell-Taylor交锁髓内钉远、近交锁螺钉，可将肱骨干骨折包括多段或严重粉碎性骨折做髓内固定，增加了肱骨干骨折闭合穿钉的适应证。此系统也可用于治疗从鹰嘴窝上3 cm至肱骨外科颈下2 cm以内的肱骨干骨折、骨折不愈合及病理性骨折。由于远、近端均被锁住，很少需加用骨水泥固定病理性骨折。Russell-Taylor肱骨髓内钉可以顺行或逆行插入，并有扩髓和不扩髓两种类型。顺行髓内钉有肩袖损伤的可能，而逆行髓内钉则可引起医源性的肱骨下端骨折。与股骨或胫骨不同的是，其近端锁钉一般不穿过对侧皮质(避免损伤腋神经)，而远端锁钉最好采用前后方向(避免损伤桡神经)。

(2) 肱骨干骨折微创经皮钢板固定技术

临床上，大部分肱骨干骨折应用非手术疗法都可以取得成功。然而对于闭合复位不满意、多发伤、多发骨折，伴有桡神经损伤以及开放性骨折应采用手术治疗。肱骨干骺端骨折，尤其是累及骨干的干骺端粉碎骨折以及多段骨折等复杂骨折，由于其解剖特征限制了交锁髓内钉的应用，另外顺行髓内钉固定对肩关节的影响以及逆行髓内钉固定导致医源性骨折的风险都限制其临床应用。外固定架技术治疗此类骨折有时也能取得良好的效果，但是长期固定会合并钉道感染、固定钉松动，引起骨折延迟愈合和不愈合从而影响生活以及功能。传统的钢板固定手术方法由于肱骨解剖特点、钢板塑形困难、难以完全服帖、导致复位1期丢失，加上广泛地剥离骨膜和使用直接复位常可造成伤口愈合不良、感染、桡神经损伤和骨延迟愈合等不良后果。

应用肱骨干骨折微创经皮钢板固定(minimally invasive percutaneous plate osteosynthesis，MIPPO)(图22-13)技术治疗肱骨骨折及相关解剖学基础：MIPPO技术包括利用骨折间接复位技术，经远离骨折端的两侧小切口，采用肌肉下插入接骨板，横跨骨折端予以桥接，螺钉固定骨折远近两端以获得骨折有效固定。考虑到桡神经损伤问题，经皮穿入钢板固定肱骨干骨折应用甚少，国外仅见个别报道。以往对肱骨干骨折的手术有4种入路：后方入路、前外侧入路、前方入路和前内侧入路。切开复位钢板固定通常采用前外侧或后方入路。前外侧入路适于处理肱骨近端和中1/3段骨折，远1/3段多采用后方劈开肱三头肌入路。前内侧入路由于涉及神经血管结构而应用甚少。前方入路的应用则更为罕见。考虑到肱骨表面形状以及桡神经走行，肱骨MIPPO技术通常选用外侧或前侧入路。

上臂解剖学基础研究表明，桡神经起于臂丛后束，经肩胛下肌、大圆肌和背阔肌表面，斜向下外绕过肱骨后方，紧贴桡神经沟走行。神经从肱三头肌长头与大圆肌下方肱骨干之间的三角形空隙中穿出，并不穿过肱骨的前表面，横过肱骨干前方的位置平均距肱骨内上髁(20.7±1.2)cm，距外上髁(14.2±0.6)cm。然后穿过肌间隙进入肱桡肌和肱肌的前间隙中。

Apivatthakakula报道应用前方入路的MIPPO技术。尸体解剖研究证实前方入路MIPPO技术应用于肱骨干骨折是可行的。在肱骨近端，桡神经位于肱骨干后中侧，因此前方入路MIPPO技术的近端切口对桡神经是安全的。在肱骨中段，神经位于肱骨后方，故经前方入路插入钢板亦安全。在此水平，螺钉不应采用前后位穿透双皮质以避免在桡神经

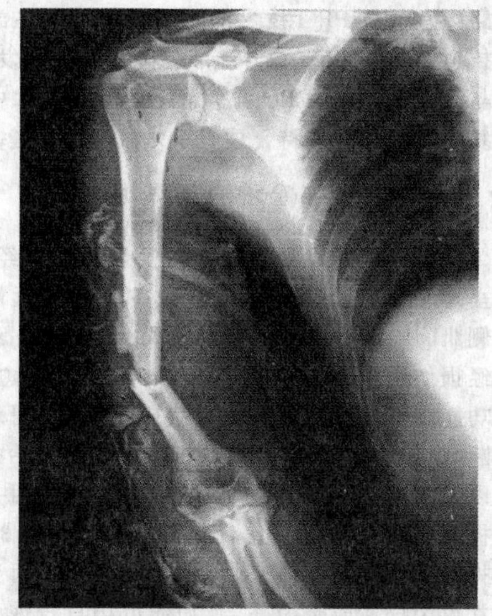

A. 术前X线片

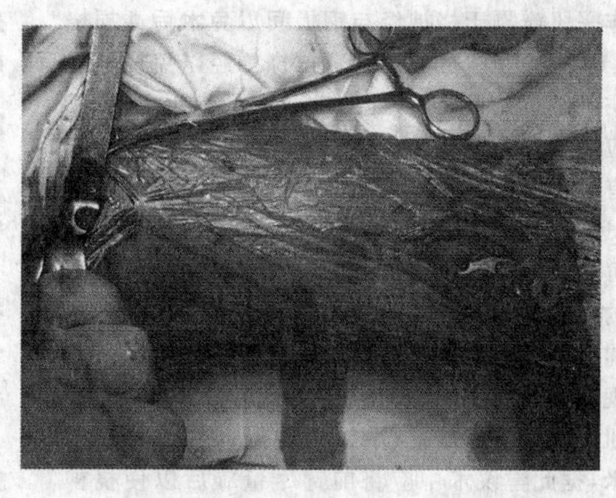

B. 术中切口

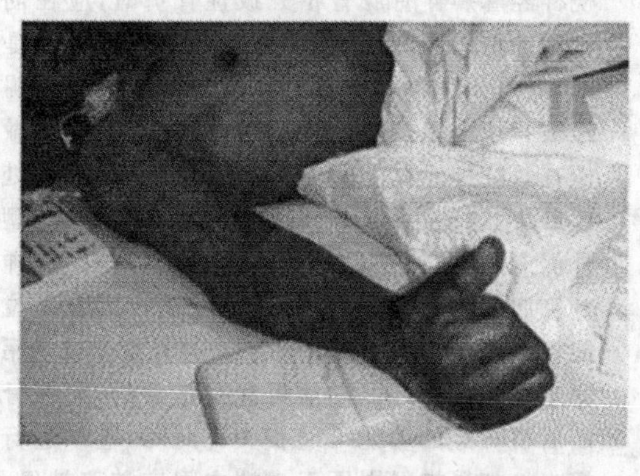

C. 术后检查桡神经功能良好

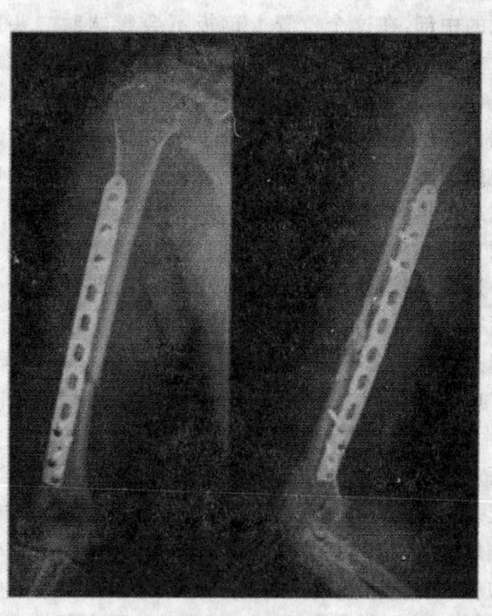

D. 术后X线片

图 22-13 应用 MIPPO 技术治疗肱骨骨折

沟处损伤神经，因此应选用桥接钢板。肱骨干远端，桡神经位于肱骨外侧，在肱桡肌与肱肌之间，如果从肱肌中线处切开，肌肉的外侧缘将在拉钩与桡神经之间形成保护。在外侧不能使用 Hohmann 拉钩，以免其尖部损伤桡神经。

外侧入路时，近端切口位于肩峰下方，此处桡神经位于肱骨干后中侧，劈开部分三角肌即可到达骨膜外，入路方便安全。在肱骨中段，神经位于肱骨后方，故经外侧方入路插入钢板亦安全。肱骨干远端，桡神经位于肱骨外侧，在肱骨干中远 1/3 交界处桡神经位于肱桡肌与肱肌之间，由外斜向前侧绕过肱骨远端。外侧入路钢板过长有可能损伤桡神经。对于外侧入路应用长钢板来讲，远端桡神经的保护是必要的。在插入钢板前，设计远端切口位置，然后切开，先于肱肌与肱桡肌间寻找桡神经并加以保护，钢板插入时可直视下避免损伤桡神经，钢板固定后在此处作一肌瓣隔于桡神经与钢板间以免术后磨损桡神经。术中操作注意勿过度牵拉桡神经以免桡神经牵拉伤。经过此种处理，外侧入路肱骨骨折 MIPPO 技术应该是安全可行的。

有学者报道，利用肱骨双入路(即肱骨近端外侧入路，远端前侧入路)，采用扭转钢板插入，尽管从理论上可最大限度降低桡神经损伤的风险，但双入路钢板的扭转塑形及插入均较困难。

前臂的姿势对桡神经的位置有一定影响。研究中发现所有的病例中桡神经与钢板之间均存在一薄层肱肌。前臂处于旋前位时，桡神经向中线移动了数毫米，据此建议术中应将前臂尽量旋后以使桡神经更靠近外侧。前入路中，前臂旋后、远端切口从中线处切开肱肌和牵开外侧肌肉对桡神经形成了 3 层保护措施。近端钢板位于肱二头肌长头腱外侧和三角肌的中部，在这个位置上钢板不会影响肱二头肌的功能或压迫到腋神经，远端钢板位于肱骨干远端前面，此为肱骨最为平坦开阔区域，对肘关节无任何影响。外侧入路中，近端钢板位于肱骨大结节下和三角肌的上部，在这个位置上钢板不会影响肩袖的功能或压迫到腋神经，钢板经三角肌止点部穿过，位于肱三头肌外侧头下的潜在间隙中，不会压迫桡神经。远端钢板位于肱骨干远端外侧面，此处肱骨为前后变扁，不易固定，因此远端钢板不宜过长，最好不超过肱骨全长远端 1/4。

应注意的问题及初步体会：从生物力学的角度来看，此型桥接钢板类似于骨外表面的夹板。钢板的两端都通过 3～4 枚螺钉与主要的骨折块固定在一起。广泛跨越骨折块区域的长型钢板若其固定部位偏短则易受到明显的剪力。应用长钢板，由于弯曲的应力分散于整块钢板，单位面积的压力减小，降低了钢板固定失败的风险。考虑到肱骨表面的不平整以及钢板塑形困难，加之上述生物力学原因，建议应用 LCP 锁定钢板。由于螺钉头与钢板锁固，钢板不必直接压迫在骨表面，两者的间隙使得桡神经更为安全。

综上所述，尽管技术复杂，但 MIPPO 技术应用于简单或粉碎性肱骨干骨折，或老年病理性骨折是完全安全可行的。骨折部位在三角肌止点以下至滑车上方之间，采用前方入路，远近端允许至少 3 枚螺钉固定。骨折位于肱骨近端或累及中段，应用外侧入路为宜。MIPPO 技术的主要优势并不在于缩短骨折愈合时间，而是减少感染、骨不连等并发症；二是与其他部位 MIPPO 技术的使用一样，术中良好的复位以及临时维持复位是手术成败的关键。

22.3.5 肱骨干骨折合并桡神经麻痹

桡神经是肱骨骨折最常发生损伤的神经，因为它呈螺旋形经过骨干中部背侧，它在上臂远端穿过外侧肌间隔前行进入前臂的位置相对固定。通常桡神经损伤是挫伤或轻度牵拉伤。随着骨折愈合，神经功能有可能恢复。虽然神经有被尖锐的骨块边缘切断、损伤的可能，但这种情况很少发生。治疗原则是以通常的非手术方法治疗肱骨干骨折，用一功能夹板固定腕关节和手指。如骨折已愈合，经 3～4 个月神经功能还没有恢复，可做神经探查。因为神经常常仅为挫伤或牵拉伤，其功能可望自行恢复。常规神经探查有可能增加不必要的手术和并发症。早期探查和修复断裂的神经的效果并不比后期修复效果好。

这项总的非手术原则有 3 种例外情况。当发生桡神经麻痹伴有肱骨干开放性骨折时，应在创口清创和冲洗的同时探查桡神经，若发现桡神经是完整的，仅需要观察等待骨折愈合。如有证据表明桡神经被骨块卡住或被嵌入于骨端之间，则需要做早期探查。桡神经在上臂下 1/3 穿过外侧肌间隔处活动度最小，这些远端 1/3 骨折通常是斜形的，典型地向外侧成角，并伴有远侧骨块向近侧移位。桡神经被外侧肌间隔固定于近端骨块，在进行闭合复位时可能被嵌压于骨块之间。在手法整复或上臂悬吊石膏固定之前桡神经的功能可能是正常的，而在骨折整复后桡神经的功能可能丧失。此时，应该进行神经探查。如果神经嵌压于骨端之间应游离神经，并对骨折做内固定，这种情况下选择加压钢板固定骨折。如果因为一些其他适应证，如多发伤、粉碎性骨折、漂浮肘或大血管损伤等，需要切开复位和内固定早期修复肱骨骨折时，也应该做早期神经探查。

22.4 肱骨远端骨折

肱骨远端骨折可分为髁上骨折、经髁骨折、髁间骨折、髁骨折(外髁和内髁)、关节面骨折(肱骨小头和滑车)和上髁部骨折。为便于讨论，这些骨折也分为成人骨折和儿童骨折。本章主要讨论成人肱骨远端骨折。

累及肘关节的骨折-脱位除骨损伤以外，通常还有广泛的软组织损伤。无关节内损伤的髁上骨折时，对成人和儿童一般都可用非手术治疗。骨折累及关节者通常需要做切开复位和内固定，但治疗方法应根据每个患者的具体情况而定。在关节表面有损伤时，非手术治疗往往无效。即使闭合复位已经成功，但起源于肱骨髁部的前臂肌肉也容易引起旋转性再移位。手术前应仔细研究X线片，并尽早制订恰当的治疗方案。因犹豫不决或因闭合复位失败而耽误切开复位手术，就可能失去最佳手术时间，还存在软组织挛缩、骨化性肌炎和重建手术的困难。然而，如有软组织损伤、皮肤擦伤、开放性创口、多发性损伤，或患者全身情况不佳，则可能需要延期手术。

不管采用什么治疗方法，肱骨远端的结构性损伤常常造成肘部活动受限、疼痛、无力和可能的不稳定。与肩关节相反，肘关节表面即使有很小的异常也常会造成一定的功能丧失。早期准确的切开复位及使用牢固的固定以允许立即活动，通常能够减少这种情况的发生。

关节活动受限是这些骨折后功能丧失的最常见原因，通常由以下一种或多种情况引起：机械性阻挡；"T"形或"Y"形骨折后，肱骨部呈倒"V"形畸形；没有整复的关节面剪切骨折后形成的骨性突起；由于未整复的粉碎性髁部骨折引起的整个关节面不平整；由于肱骨髁部移位，大量骨痂或纤维组织形成，造成鹰嘴窝消失；由于损伤、不良的外科技术、笨大的螺丝钉、钢针或钢板及其位置不良，造成关节周围纤维增生、感染；在康复期对肘关节进行强力手法被动活动，反复牵拉和撕裂粘连；固定时间过长。

22.4.1 髁上骨折

成人肱骨髁上骨折和成人肱骨干骨折的治疗方法通常是相似的，可用上臂悬垂石膏或接骨夹板治疗。只有在神经血管损伤或闭合复位不能取得满意的位置时，才使用切开复位和内固定。

必须仔细检查上臂的神经血管，特别是对伸直型肱骨髁上骨折(尖端向前成角)。在损伤当时或在复位时，动脉可被近端骨块撕裂，可能产生筋膜间隙综合征。通过肘关节的3根主要神经都可能受损伤，但桡神经和正中神经损伤是最常见的。

使用交叉螺丝钉或交叉螺纹针固定能够取得成功。螺丝钉或钢钉应从肱骨髁内侧柱和外侧柱进入并固定住后侧骨皮质。如肱骨髁有1个柱或2个柱都是粉碎性骨折，可以用手工塑形的钢板重建肱骨髁柱(图 22-14)。若行切开复位，就必须做到稳定的、牢固的内固定，否则就应该选用非手术治疗。

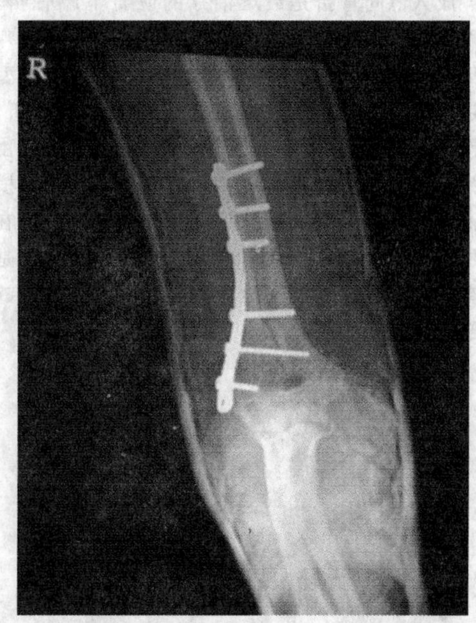

图 22-14 肱骨髁上骨折钢板内固定

若由于严重肿胀、皮肤挫伤或患者的全身情况不允许手术治疗，有移位的髁上骨折可以先使用臂外展或过头鹰嘴骨牵引而有效地治疗，直到可以进行手术。如果牵引是最终的治疗，就必须延长住院时间。

22.4.2 经髁骨折

经髁骨折较为少见，需要特殊处理。骨折线一般横行穿过髁部，且常在关节内。用保守治疗结果常常很不稳定，且愈合很慢。用上臂悬垂石膏肘关节常需制动，在延迟愈合时肘关节功能常明显受损，此部位大量骨痂也一定会导致关节活动明显减少。这些骨折常用由外侧髁和内上髁经皮插入带螺纹的斯氏针进入肱骨远端干骺端，进行整复和固定。采用空心螺丝钉系统可以先临时经皮穿针固定，然后不必去除临时的钢针就可用螺丝钉固定。以上各法一般都能达到良好的固定，可早期在保护下进行活动，愈合后能取得更接近正常的关节活动度。这种损伤，尤其是在关节内损伤且骨折固定丧失时，可以并发缺血性坏死。

22.4.3 髁间骨折

(1) 骨折分型

成人髁间骨折是最难治疗的肱骨下端骨折，下面以 Riseborough 和 Radin 提出的分类法为治疗依据(图 22-15)。根据 X 线片结果分为 4 型：Ⅰ型骨折是延伸于肱骨小头和滑车之间的无移位骨折；Ⅱ型骨折是有移位的"T"形或"Y"形骨折，骨折线由滑车关节面的沟部向近侧在两髁之间延伸，然后横形或斜形分裂肱骨干，使两髁和肱骨干互相分离，在前后位 X 线片上无可见的髁部有旋转；Ⅲ型骨折是髁部有旋转移位的骨折；Ⅳ型骨折关节面严重粉碎且髁部分离较宽。

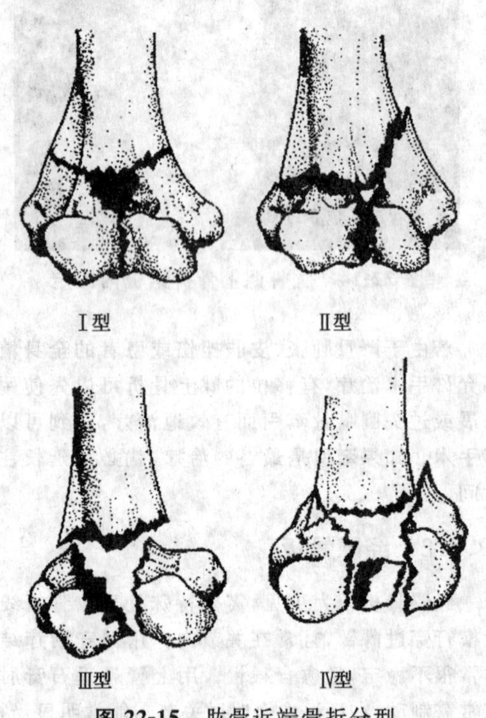

图 22-15 肱骨近端骨折分型

(2) 治疗方法的选择

Ⅰ型骨折一般用石膏夹板固定治疗，一旦骨折有足够的愈合时就逐渐进行关节活动锻炼。Ⅱ型和Ⅲ型骨折，特别是年轻的、活跃的患者，若局部皮肤条件允许，可切开复位和内固定治疗。手术最好在伤后 24～48 h 内进行。当Ⅱ型或Ⅲ型骨折伴有开放性创口时，应根据具体情况进行判断，确定治疗措施。必须考虑到所有涉及或影响感染可能性的因素，如伤口类型、手术时间、伴有的血管损伤和创伤发生时的环境。如伤口为 Gustilo Ⅰ型或 Gustilo Ⅱ型，所有因素均合适时，对这些关节内骨折做牢固的内固定。固定稳定可以减少此类创伤中感染的发生。然而，由于担心增加感染机会，对Ⅲ型开放性创伤、发生于广泛污染区的损伤或没能及时进行手术时，不应该广泛使用内固定。在此种情况下，建议对创口进行冲洗和清创，在切开复位和内固定之前，观察软组织感染的情况。

严重粉碎性Ⅳ型骨折经常被描述为"袋子碎骨头"。通常采用非手术治疗，如果是老年患者，可采用吊带悬吊和早期活动；如是年轻的患者，可用尺骨鹰嘴穿针骨牵引。应尽可能地把关节面塑形到可以接受的位置，允许进行早期活动，并静观其结果。对这类骨折的完全重建，在技术上一般是不可能的。如果患者年轻，可将 2 个或 3 个主要关节骨块切开复位和内固定，再做骨牵引并早期活动。对于不可能完全重建的髁间骨折，使用能进行早期活动的铰链型牵引外固定器进行治疗，其早期治疗是令人满意的。

对Ⅱ型和Ⅲ型闭合性骨折多采用切开复位和牢固的内固定。想要疗效满意，必须做到肱骨远端关节面的近乎完全的恢复，内固定也须足够牢固，以允许肘关节早期活动。显露必须充分，以便骨块对位和置入内固定。Campbell 后侧手术入路具有以下优点：它是唯一能显露整个肘关节面的手术入路；良好的显露可以更为自由地选用内固定的类型；在确认尺神经并将它向内侧拉开后，切口区内没有大的血管或神经。术前要仔细研究肱骨髁间骨折的 X 线片，应该充分准备好各种内固定器械，包括长螺丝钉、普通钢板、可塑形钢板、细克氏针、大和小的有螺纹的钢钉或钢针。主要并发症包括异位骨化、感染、尺神经麻痹、固定失败和不愈合。

(3) 肱骨髁间骨折切开复位和内固定

1) 手术方法　取俯卧位，肘关节屈曲成直角，上臂外展置于一块短的托板上。为显露肘关节后侧，切口始于鹰嘴尖端远侧 5 cm，沿上臂中线内侧向近端延伸，止于鹰嘴尖端上方 10～12 cm。仔细将皮肤和皮下组织翻向一侧，显露鹰嘴和肱三头肌腱。取 Campbell 后侧手术入路或经鹰嘴手术入路显露肱骨远端。

2）切口选择原则　尺骨鹰嘴截骨：具有显露充分、不破坏伸肌结构，将肌肉愈合变成了骨性愈合的优点。适于各型关节内骨折。但可能引起骨折不愈合、内固定物脱出、创伤性关节炎。三头肌皮瓣翻转：具有不损伤尺骨鹰嘴及关节面的优点。适于C1及部分C2型骨折。但对肘关节的前方及远端显露不佳，不利于早期活动。三头肌两侧劈开：具有不损伤肱三头肌的优点。但对肱骨滑车的显露不足。适于肘关节置换，A型、B型、C1型、C2型骨折。

3）肱骨远端骨块整复步骤　将两髁整复并固定在一起；如内、外上髁有骨折，将内或外上髁嵴部整复并固定在肱骨干骺端；将已组合在一起的髁部固定于肱骨干骺端。

4）具体操作

整复和固定髁部：将髁部整复，并用持骨钳牢牢地保持它们复位。如有必要将小骨块用电钻以细克氏针临时性固定。尽管有的小关节骨折块可能必须去除，但大的骨块牢固固定后常使更小的髁部和关节骨块获得稳定。如果患者骨质疏松，要用特殊的垫圈，防止螺丝钉头部经皮质骨陷入。通常在肘关节及其周围应将螺丝钉头部埋入骨中，以免露在骨皮质外的部分过多。

整复和固定内、外上髁嵴部：内或外上髁嵴部通常在干髁端发生骨折，由于它们形成后髁部必需附着的两个侧柱，应把它们准确和牢固地固定到近端骨块上。首先将该骨块整复，用持骨钳夹住，暂时用克氏针固定，然后用拉力螺丝钉将骨块固定于干骺端。若螺丝钉插入的位置是在尖锐的边缘或骨嵴，则在螺丝钉固定前先用咬骨钳去除一小块骨嵴。最后，在拉力螺丝钉打入后，去除临时固定用的克氏针。

已组合在一起的髁部整复和固定于干骺端：髁部整复以后，可用螺丝钉、螺纹针或钢板，将它们牢固地固定于干骺端。如果螺丝钉能斜行从每侧上髁部进入对侧完整的骨皮质，固定会更牢固。偶尔骨折线向骨干延伸很远，此时单独用螺丝钉就不能提供适当的固定。不要依靠长而窄的骨块去固定主要的固定装置，这些骨块可能发生碎裂或螺丝钉脱出，骨折的髁上部分也可能发生分离。没有严重粉碎的双髁关节内骨折也可采用双张力带钢丝治疗。通常将手工塑形的1/3管形钢板应用于肱骨内侧柱的内侧缘，将可塑形的3.5 mm重建钢板应用于肱骨外侧柱的后面，与前者呈90°（图22-16、22-17）。如内侧柱不是严重粉碎的，可在外侧柱单独使用一个牢固的、预弯的钢板。

要特别小心地整复髁部，固定装置不能侵占鹰嘴窝或冠状窝，否则，肘关节部分伸或屈的功能将会丧失。还必须注意横穿髁部的螺丝钉切不可穿透滑车关节软骨或潜入其下。滑车呈卷轴状，周围部较中间部宽，如不了解这个解剖特点，刚好位于髁部前后界的横向螺丝钉有可能穿过滑车关节面。彻底冲洗关节，去除所有的碎屑，如有必要可于缺损处植骨。若采用Campbell后侧手术入路，应间断缝合修复肱三头肌腱的舌形缺损。若用横断鹰嘴的手术入路，可将近端骨块复位，在预先钻孔并攻丝的髓腔内拧入松质骨螺丝钉做固定，再在尺骨截骨部位的远侧钻一个横向的孔，将一20号钢丝穿过此孔，再环绕螺丝钉的颈部，以“8”字形结扎的方式扎紧。

术后处理：以腋后皱襞至手掌的轻质石膏后托固定。手术的目的是恢复关节面，对骨折做牢固的内固定，以利早期关节活动。如果术后第7天创口愈合满意，可定期取下后侧石膏托，做轻柔的主动和被动练习，在锻炼间隔期间仍用后侧石膏托固定上肢。术后3周可去除后侧石膏托，上臂用一吊带悬吊固定，如疼痛可忍受，可主动活动肘关节。禁忌由理疗师强力伸肘、进行主动或被动的活动以及麻醉下行手法操作。强行伸肘和用力活动通常会增加关节周围出血和纤维化，增加对关节的刺激，降低而不是加强关节的活动能力。

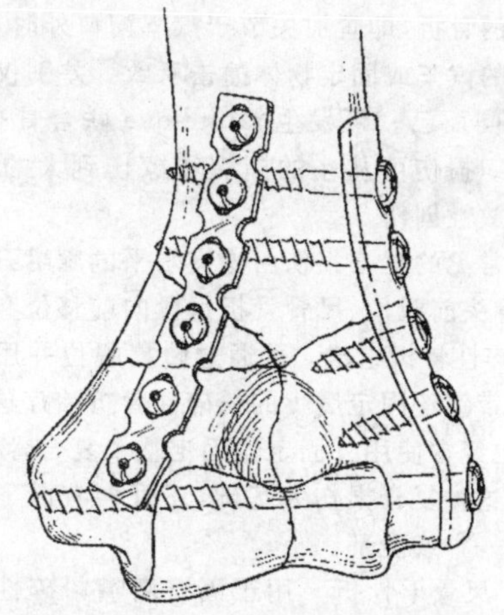

图 22-16　肱骨髁间骨折双钢板内固定示意图

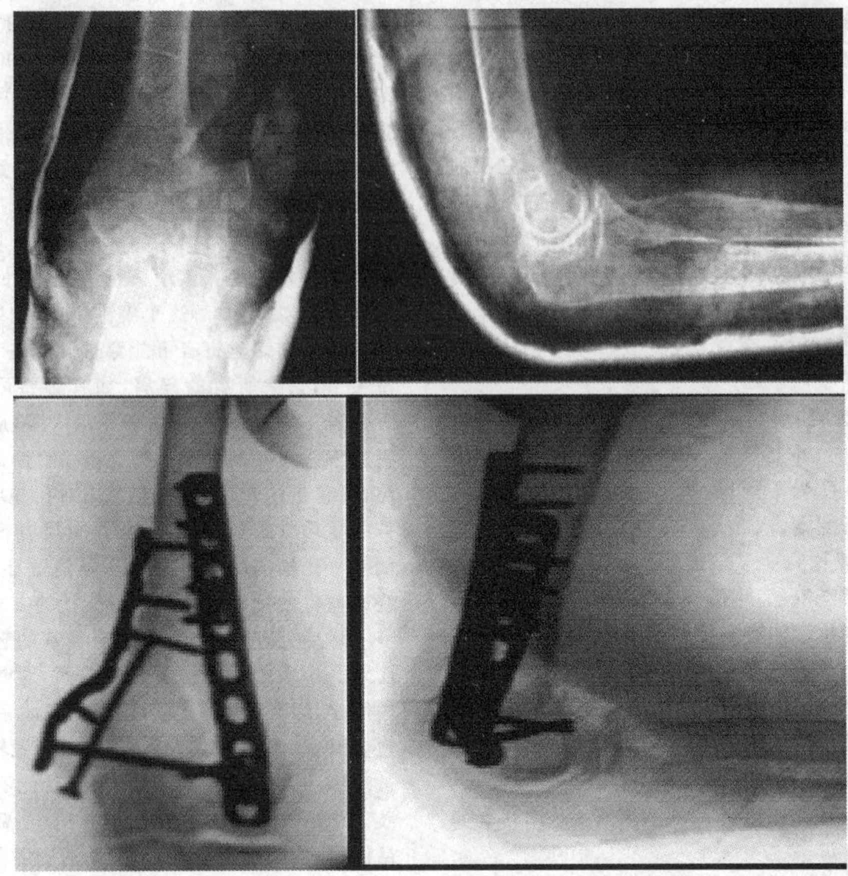

图 22-17 肱骨髁间骨折双钢板内固定

22.4.4 擦撞骨折

擦撞骨折是临床上唯一一种所有患者致伤方式都相同的骨折，即置肘关节于汽车窗口外时，被从对面驶来的汽车或固定物体撞击所致。差别仅是严重程度不同而已。可发生 Grotesque 联合骨折，伴随的软组织损伤可从小的撕裂和擦伤到大的 Gustilo Ⅲ型开放性创伤。

最常见的复合损伤由喙突水平的鹰嘴开放性骨折、桡骨头前脱位、尺骨骨折远段向前移位和肱骨下1/3粉碎性骨折组成。可通过整复脱位并用髓内钉和张力带钢丝固定鹰嘴的粉碎性骨折治疗这种复合损伤，也经常使用外固定器固定整个复合骨折。

以这种复合损伤为基础，还可伴有以下骨折中的任何一种或全部。

1）尺骨干骨折　用于固定鹰嘴粉碎性骨折的髓内钉，也可用来固定尺骨骨折。髓内钉应由尺骨干骨折处逆行打入，避免把污染物质带入髓腔内。

2）桡骨头粉碎性骨折　Boyd 手术入路可充分显露鹰嘴和桡骨头骨折，治疗方法是桡骨头切除术。

3）桡骨干骨折　通常不是开放性的，如果尺骨骨折已牢固地固定，最好延迟10～12天再对桡骨骨折做切开复位，然后用加压钢板或髓内钉固定。

4）肱骨髁部粉碎性骨折　固定方法如前节所述。

损伤后所致的种种骨折并不是都能立即引起充分注意，注意力最先集中在处理开放性创伤和肘关节重建上。必要时可以推迟长骨干骨折的治疗。如此多的损伤发生在同一肢体时，很有可能出现移位、感染或不愈合。严重的肘关节损伤通常会导致残疾。预后差异也很大，从关节仍有相当大的活动度到重者关节完全僵直。广泛的关节周围软组织钙化常使肘关节只有几度的活动范围（图 22-18）。即使如此，也要尽可能地恢复肘关节接近正常外形，以利于后期做关节成形术。

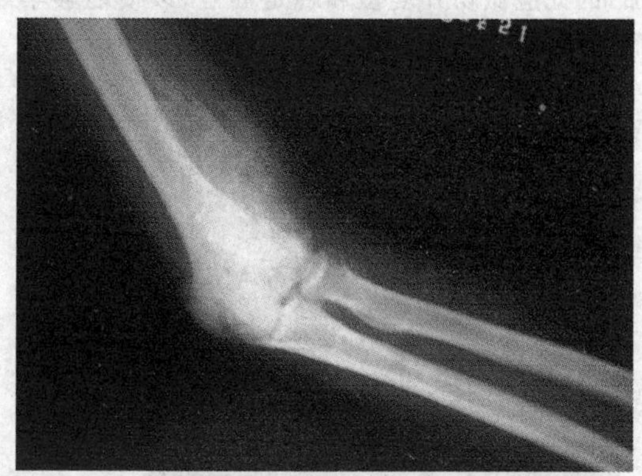

图 22-18 肘关节损伤后骨化性肌炎

22.4.5 肱骨髁骨折(内侧或外侧)

成人单纯的肱骨内髁或外髁骨折不常见。如髁部骨折有移位,最好的治疗方法是切开复位和内固定。根据骨折部位选用内侧或外侧切口显露骨折和关节面,用拉力螺丝钉将骨折的髁部固定到未受损伤的髁部。固定通常已足够牢固,可以进行早期主动活动。术后处理与髁间骨折的术后处理相似,但功能恢复通常进展更快。

22.4.6 肱骨远端关节面骨折

肱骨小头骨折是最常见的肘部单纯关节内骨折之一,通常是由于跌倒时上肢处于伸直外展位,桡骨头撞击肱骨外髁(肱骨小头)的前部而造成不同大小的剪切骨折。肱骨小头骨折与肱骨外髁骨折的鉴别非常重要,因为后者常造成肱尺关节明显的不稳定,肱骨小头骨折仅影响关节面,产生一个关节内骨块,但仍能保持肘关节的稳定性。

根据关节骨块的大小及其粉碎程度,对肱骨小头骨折分类。Ⅰ型骨折由大的骨块和关节软骨组成,Ⅱ型骨折的特点是一个小骨片和关节软骨,Ⅲ型骨折是粉碎性骨折。肱骨小头骨折的诊断需要质量良好的侧位X线片。一般在前后位X线摄片中不能明确发现骨折,尤其是在Ⅱ型骨折和骨折块较小时。位于关节上部的小骨折块可能与桡骨头的骨折相混淆,但由于某些原因,桡骨头骨折块很少移位到关节的这个部位。因此,如果小骨折块位于肱骨小头的上部,更常见的是来自肱骨小头的前部骨折,而很少发生于桡骨头骨折。

治疗方法包括闭合复位、切开复位内固定或不用内固定、骨块切除或假体置换术。主张做切除术者认为切除术是一个简单确切的方法,可以早期进行功能锻炼,避免发生缺血性坏死和骨折不愈合;而且,骨块常很难固定。另一方面,主张做切开复位和内固定者认为手术可避免形成粗糙的骨性关节面,避免发生晚期外翻畸形和不稳定。闭合复位几乎从未成功过,仅有的几篇文献报道还无法证实假体置换的实用性和成功率。因此,通常用骨块切除术治疗Ⅱ型骨折。在Ⅱ型骨折中,如果滑车受影响或骨块较大,建议做切开复位和内固定,尤其是对年轻患者。所有Ⅲ型骨折都用骨块切除术,并进行早期功能锻炼。

关节面其他部位骨折的治疗方法取决于骨折块移位和关节面损伤的程度。X线片可能造成对骨块的大小估计错误,因为被剪切下来的一大块关节软骨可能只带有一小块骨组织。最常见的是肱骨小头的前半部骨折,但关节面的任何部位都可能发生骨折。如果骨折块很小并有移位,治疗方法和关节内游离体一样。一般外侧手术入路常足以显露并去除游离骨块,彻底检查关节内有无小块软骨或骨组织,冲洗去除所有的碎屑,尽可能使骨折表面光滑。如前所述,若关节面的大部分有移位,骨折块包含较多的骨性组织能做内固定时,则可解剖复位和内固定,尤其是对年轻的患者。

手术方法:采用外侧手术入路,从外上髁上锐性分离伸肌群并将其翻向远侧。切开外侧关节囊,去除所有游离的骨和软骨碎片,并仔细地将大的关节骨折块整复到正常位置。内翻肘关节可取得更好的显露。将肱骨小头骨块解剖复位后,恰在关节面的近侧由后向前钻一个孔通过外髁,钻头指向游离骨块的中心,用一个小型拉力螺丝钉将骨块固定,扩大后侧皮质螺钉入口,使螺丝钉头部沉入骨组织内。用X线片检查骨块的位置及螺丝钉的长度和位置,螺丝钉的尖端不可穿透关节面。用 Herbert 螺丝钉也可得到同样的成功。将伸肌群重新附着于肱骨外上髁,术后用上臂后侧石膏托固定。

术后处理:与肱骨髁间骨折的术后处理相同。

22.4.7 肘关节骨折-脱位

成人肘关节骨折-脱位通常需要手术治疗,因为大多数损伤的骨折各部分都是不稳定的。冠状突骨折或桡骨头骨折或两种骨折一起发生,可使复位后的肘关节明显不稳定。肘关节恐怖三联征(terrible triad)是一种严重的肘关节骨折-脱位，在肘关节脱位的同时还伴有桡骨头和尺骨冠状突的骨折(图 22-19)。长期固定则导致关节僵直明显增加，因此应做切开复位和稳定固定，以便能够早期活动。

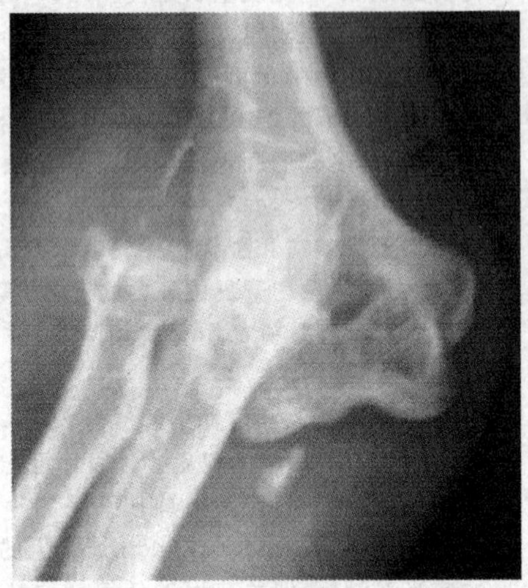

A. 正位 X 线片

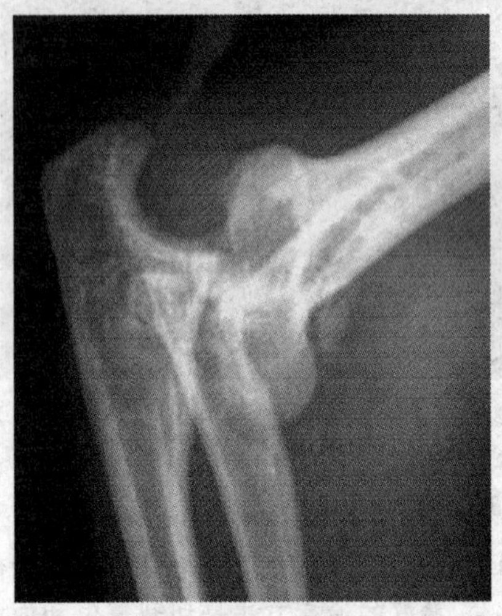

B. 侧位 X 线片

图 22-19 肘关节恐怖三联征：肘关节脱位、桡骨小头骨折、尺骨冠状突骨折

这些损伤常常是由于跌倒时手伸出由剪切作用所致。大多数脱位是后脱位，当近端尺桡关节复合体被向后撞击时，可以发生桡骨头、桡骨颈或冠状突骨折，也可同时发生上述各种骨折。外翻应力可以造成肱骨内上髁撕脱，这种情况在青少年中更为常见。

(1) 神经血管损伤

肱动脉损伤幸亏在肘关节脱位时很少发生，它是一个灾难性的并发症。动脉损伤可从轻度的内膜撕裂后血栓形成的延迟阻塞到严重的动脉立即完全横断。各种血管损伤的机制均为血管被牵拉，特别是在闭合性脱位时。

早期判断很重要，如果闭合复位后动脉血流没有恢复，就应立即移植大隐静脉做血管重建。在手术室做术前准备时应拍摄血管造影 X 线片，而不是在血管造影室。若治疗已经延迟，则须行前臂筋膜切开术，以减少发生筋膜间室综合征的概率。由于内膜撕裂可以引起延迟的动脉血栓形成，因此对所有肘关节脱位的患者应进行密切观察。复位后严重肿胀是常见的，对所有患者应密切注意有无筋膜间室综合征。

肘关节脱位可以损伤正中神经、尺神经或骨间前神经。大多数病例只是简单的神经麻痹，可以很快恢复。如在复位前和复位后均有神经功能缺失，最好先等待并观察有无恢复的迹象，若伤后 3 个月还没有恢复，可能需要做手术探查。在复位后出现神经损伤的症状，则需立即行神经探查术。

(2) 治疗

尽快行闭合复位，复位后常需 X 线摄片，以便完全明确骨损伤情况。可通过弧形的屈伸活动小心地调整肘关节。当伸直 30°或＞30°直到完全伸直时有半脱位或悬挂脱位，说明不稳定，需要做手术固定。若肘部是稳定的，可用长臂后侧石膏托将肘关节屈曲 90°固定。密切观察患者，如发生半脱位或自发性再脱位，应行手术稳定肘关节。无移位的稳定的骨折-脱位患者在伤后 2～3 周可以开始进行早期主动功能锻炼。如果需要手术处理，应行骨折切开复位和内固定。

(3) 尺骨冠状突骨折分型

Regan 和 Morrey 将冠状突骨折分为 3 型(图 22-20)。Ⅰ型骨折是单纯的冠状突尖端撕脱；Ⅱ型骨折冠状突损伤＜50％；Ⅲ型骨折冠状突损伤＞50％。Ⅲ型和某些Ⅱ型骨折尤其是伴有桡骨头骨折时，肘关节非常不稳定。Ⅰ型和Ⅱ型冠状突骨折用粗缝合线固定，缝线穿过肱肌与冠状突的附着点，并通过尺骨近端的两个钻孔，然后牢固扎紧。Ⅲ型冠状突骨折时采用螺丝钉行碎骨块间固定技术。桡骨头和桡骨颈骨折的修复，见桡骨近端骨折部分的描述。

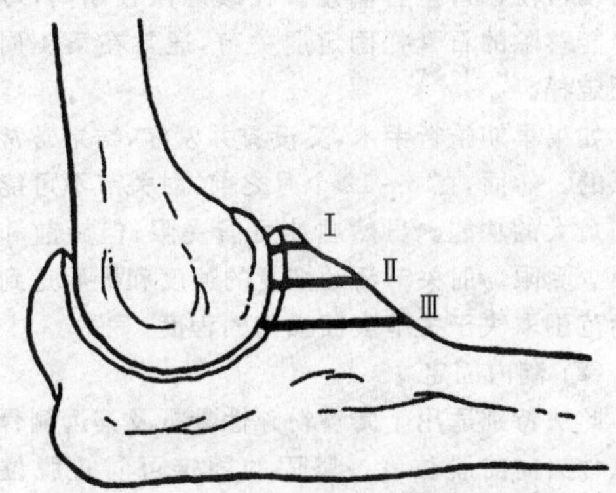

图 22-20 尺骨冠状突骨折分型

对肘关节脱位伴有桡骨头和桡骨颈骨折的治疗是有争议的。桡骨头和喙突一样，是肘关节的一个重要稳定结构。如桡骨头可以保留，最佳的选择是切开复位和内固定，而不是桡骨头切除。

术后处理：用后侧石膏托将肘关节固定在 90°的屈曲位，于第 2～3 周在限制伸直的支架控制下，开始主动功能锻炼。

(4) 并发症

僵直和创伤后关节炎是肘关节骨折-脱位后的常见并发症。关节内骨折的解剖复位对防止关节炎改变是必要的，但可能会有一定程度的关节伸直受限。

异位骨化在骨折-脱位后很常见，最早可于伤后 3～4 周在 X 线摄片上看到，它的严重程度似乎与损伤的大小及固定时间的长短有关，也与肘关节早期被动牵拉有关。牢固的内固定、骨折修复后彻底冲洗软组织、早期活动也许可减少异位骨化。

由于手术切口很难与放射部位分开，为避免影响创口愈合，放射治疗不适用于肘关节骨折-脱位。但可以考虑应用吲哚美辛以减少异位骨化。

由于可以再形成异位骨，所以早期切除异位骨(在其成熟以前)会大大增加关节僵硬程度。为改善关节活动而做异位骨切除时，应该延迟到伤后 12 个月时进行。而到那时患者常常能够做到一定功能范围的活动，异位骨切除术已无必要。

22.5 桡骨和尺骨骨折

需要手术的成人和儿童的前臂骨折包括鹰嘴骨折、桡骨头或桡骨颈骨折和尺骨上 1/3 骨折伴有桡骨头脱位，还有成人的尺骨干骨折、桡骨干骨折及尺桡骨双骨干骨折。

22.5.1 尺骨鹰嘴骨折

成人的尺骨鹰嘴骨折中骨块分离者，需做切开复位和内固定。复位必须明确，因为任何残留的关节面不整齐会引起活动受限、恢复延迟和创伤性关节炎。固定应足够牢固，以便进行轻度的主动功能锻炼，甚至在 X 线摄片显示骨折完全愈合以前能开始活动。尺骨鹰嘴骨折最常见的并发症是不愈合和活动受限，尤其是伸直受限，或内固定装置的问题，例如局部皮下疼痛。

尺骨鹰嘴骨折可以由直接暴力引起，如肘端部跌伤，也可由间接暴力所致，如部分屈肘位跌倒时，肱三头肌收缩的间接力量使鹰嘴撕脱。根据骨折损伤的鹰嘴切迹关节面的部位将这些骨折进行分类(图 22-21)。Ⅰ型骨折影响关节面的近侧 1/3，Ⅱ型骨折影响中侧 1/3，Ⅲ型骨折影响远侧 1/3。此外，Ⅲ型骨折可以伴有桡骨近端向前移位。

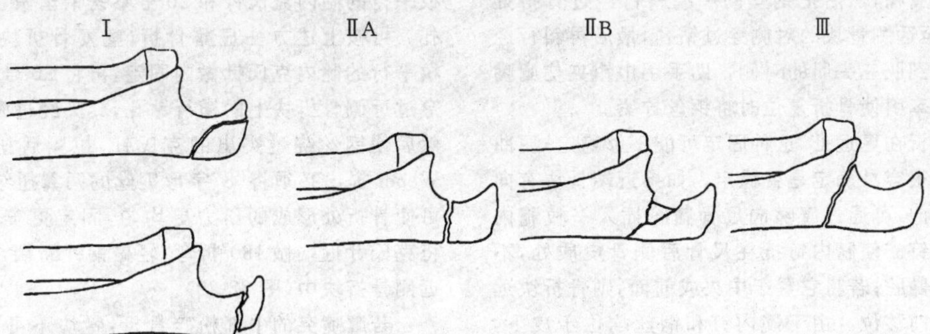

图 22-21 尺骨鹰嘴骨折分类

常用的手术治疗方法：切开复位和“8”字形钢丝固定；髓腔内固定；髓内钉或螺丝钉与张力带联合应用；手工塑形的钢板和螺丝钉；近侧骨块切除。

通常要联合使用两种方法，其选择取决于骨折的性质和部位、粉碎的程度和患者的年龄。切开复位内固定以及鹰嘴骨块的切除各有其倡导者。

主张切开复位内固定者认为：这个方法可使骨块达到解剖复位，并获得平滑的关节面；牢固的固定可行早期活动；可保持肘关节稳定性；肱三头肌的伸直力量得到保持。

主张切除鹰嘴骨块者认为：由于骨块已被切除，消除了可能的关节面不平整；可以避免发生固定装置失败及以后去除内固定装置的问题；骨块切除不会损害肘关节的稳定性和伸肌力量；可以早期进行肘关节活动。这些手术治疗方法的适应证和原则如下。

(1) 切开复位和“8”字钢丝内固定

此法适用于冠状突近端的非粉碎性鹰嘴骨折。最常用于撕脱骨折和横形骨折，但对粉碎性骨折和骨折-脱位可加用髓内钉固定。单纯的结扎不如“8”字形结扎为好。鹰嘴的张力面是它的外表面，置于表面的“8”字形钢丝以滑车为支点，在鹰嘴骨折线上产生压缩力。如果做单纯的钢丝结扎，尤其当钢丝位于鹰嘴轴心的前面时，肱三头肌的拉力会使骨块向后分离。近侧骨块倾斜可造成肘关节伸直受限。应用张力带的原则要求进行早期肘关节主动活动，这样可以产生通过骨折线间的压力。

手术方法：切口起于鹰嘴近侧 2.5 cm 并与鹰嘴外侧缘相平行，紧贴尺骨骨干的外侧缘向远侧延长 7.5 cm。显露骨折部位，在尺骨远侧骨块上横向钻孔穿透对侧，在肱三头肌腱膜下穿过 18 号不锈钢钢丝后包绕鹰嘴，然后把钢丝的一端斜行经过骨折处的后面，至远侧骨块的对侧穿过钻孔，最后再斜行经过骨折处到肱三头肌的对侧。助手用巾钳夹住鹰嘴并向远侧牵引使骨折复位时将钢丝拧紧。

若骨折在更远处，这种固定可能不够稳定，屈曲肘关节便很容易确定是否稳定。如果近端骨块有向后成角倾向，可通过鹰嘴向尺骨髓腔插入一枚髓内钉或螺丝钉。使髓内钉抵在尺骨后侧骨皮质处，不可以充满髓腔；若将它置于中央或前面，则骨折块远端可能向前移位。由于髓内钉和钢丝均位于皮下，以后需将它们去除。

术后处理：用上臂后侧石膏托将肘关节屈曲 90°固定。在术后 7～10 天开始轻度主动和辅助主动活动可使创口愈合满意。在锻炼停顿期间，可用一个能移除的石膏托固定肘关节，通常在第 4 周除去固定托。

如果早期施行手术，又没有并发症，结果常常是满意的。然而，在 6～12 个月之前，肘关节不可能恢复到最大的功能。虽然屈伸可能受限，但旋前和旋后很少受限。肘关节活动恢复的速度和最后达到的活动范围取决于关节表面损伤的程度。

(2) 髓内固定

此法特别适用于鹰嘴粉碎性骨折及其远侧骨段和桡骨头向前脱位者。坚固的固定可防止脱位复发。如果骨折是粉碎性的，必须小心避免鹰嘴的弓形关节面减小。如除鹰嘴骨折外还有尺骨干骨折，同样可用髓内钉固定两处骨折。然而，用一枚长的螺钉把远侧骨块固定防止因肱三头肌牵引所致的鹰嘴骨折分离是不够的。在这种情况下，笔者将髓内钉固定与“8”字形张力带钢丝结合使用。

手术方法：如前所述显露骨折。若为单独的鹰嘴骨折，用大螺钉或 10～12.5 cm 长的 6.5 mm AO 螺丝钉可获得极好的固定。手术时前臂横置胸前，肘关节呈 90°，将髓内钉钻入鹰嘴髓腔，直到其尖端出现在骨折处。然后整复骨折，将髓内钉钻入远端骨块的髓腔。对粉碎性骨折不能对合得过于紧密，否则会使滑车上的压力过大。为控制旋转和增加强度，可按前面所述的方法，加用“8”字形张力带钢丝结扎固定。

鹰嘴粉碎性骨折伴有尺骨干骨折时，助手保持鹰嘴骨折复位时，逆行打入髓内钉，附加“8”字形张力带钢丝，使钢丝穿过髓内钉的近侧端。AO 学组建议根据联合应用髓内钉和张力带的原则，使用 2 枚平行的髓内克氏针和 20 号不锈钢丝做“8”字形结扎。可按上述方法显露骨折，整复骨折块。先用 2 枚平行的髓内克氏针做内固定，再将 20 号不锈钢丝穿过远侧骨折块上的横行钻孔，交叉经过鹰嘴后面，然后使钢丝绕过突出的克氏针，拉紧后扭转结扎。Weber 提出必须将“8”字形钢丝的两翼扭结，此方法可使骨折处形成的压力更均匀，固定更牢固。最后将克氏针近端做 180°折弯，轻敲钢针断端，使其进入近侧骨折块中(图 22-22)。

若鹰嘴突的中部粉碎骨折，骨块不可能整复在一起时，可切除粉碎的骨块。如要重建光滑的弧形滑车切迹，截骨方向是非常重要的。必须沿着滑车切迹曲线的半径，在两侧准确地进行截骨。常见的错误是把半径做大了，而不是做小。如前所述，用克氏针或髓内螺丝钉和“8”字形张力带，将近侧骨块与远侧骨折块相固定。

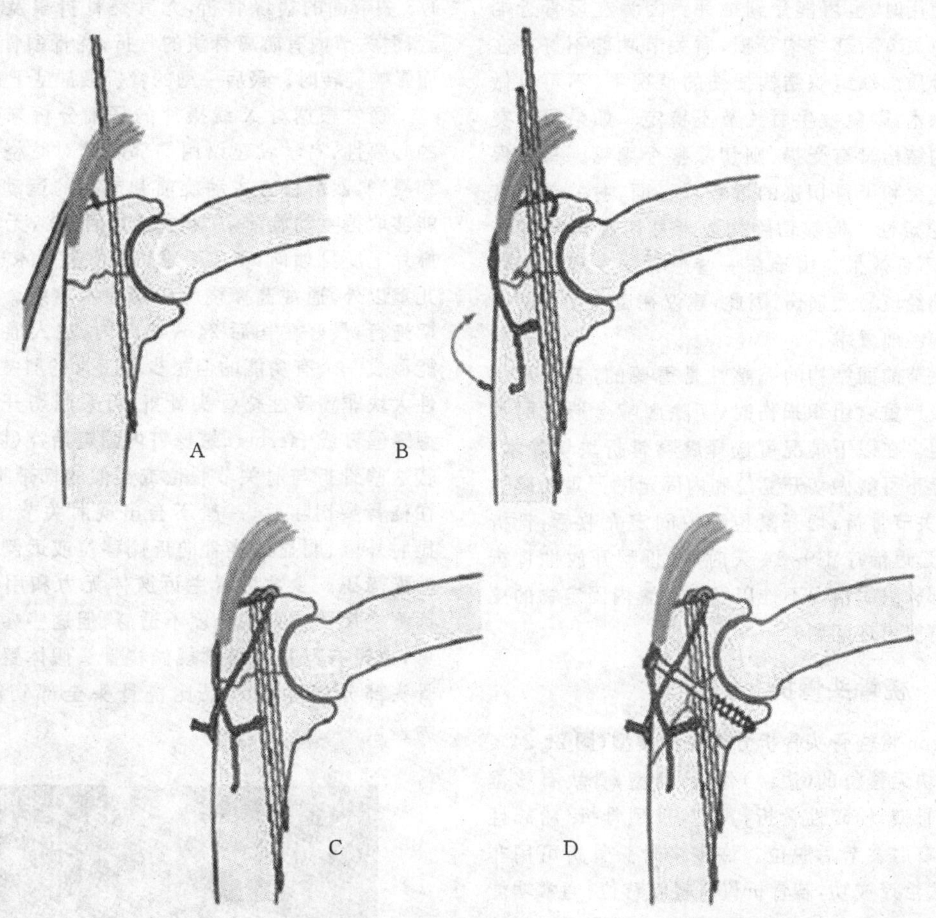

图 22-22 尺骨鹰嘴骨折克氏针张力带固定

A. 置入克氏针 B. “8”字钢丝固定 C. 完成固定 D. 附加螺钉固定冠状突骨折

(3) 钢板内固定

粉碎性骨折伴有骨缺损时，由于可能造成鹰嘴短缩而无法使用张力带加压技术时，应用手工塑形的半管状钢板或尺骨鹰嘴解剖型钢板可获得牢固的固定(图 22-23)。钢板放于鹰嘴后面操作最容易，在近关节面处用单侧皮质螺丝钉固定。必要时可进行骨移植。

(4) 近端骨块切除

该治疗方法有两个优点。首先，排除了不愈合的可能性，仅需将肱三头肌腱固定于远端骨块；其次，减少了因关节面不平整而发生创伤性关节炎的可能性。只有当余留的鹰嘴足够能为滑车构成一个

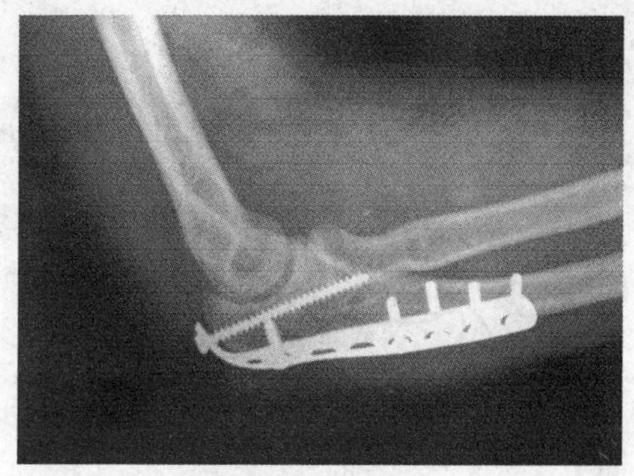

图 22-23 尺骨鹰嘴骨折解剖型钢板内固定

稳定的基底时，才能使用这个方法。因此，当粉碎性骨折向远侧延伸到冠状突时，不宜用此方法。即使在正确使用时，也可能受到批评。因为在尺骨近端缺失时肘关节后部结构受损，肘关节功能不好。在有前侧骨质或软组织结构损伤的情况下，不可以做鹰嘴切除术，以免发生肘关节不稳定。如果冠状突和前面的结构没有受损，则切除整个鹰嘴。只要保存了冠状突和半月切迹的远侧垂直面，肘关节就有足够的稳定性。能够切除构成半月切迹 80% 的骨块，且无不良效果。由于在一些患者中发现鹰嘴切除后尺神经较易受损伤，因此，建议在鹰嘴切除的同时做尺神经前置术。

肘关节前面结构的完整性是重要的，若有冠状突骨折或严重软组织损伤时，切除鹰嘴会造成肘关节不稳定。在以下情况可选择鹰嘴骨折块切除术：在技术上不可能做切开复位和内固定的严重粉碎性骨折；非关节骨折；切开复位和内固定失败后；骨折不愈合；延迟治疗 10～14 天时；在Ⅲ型开放性骨折或当局部软组织情况不佳以及在放置内固定物的皮下部位可能出现问题时。

22.5.2 桡骨头骨折

Mason 将桡骨头骨折分为 4 种类型(图 22-24)：Ⅰ型，骨块无移位的(边缘)骨折；Ⅱ型，骨块有移位的骨折；Ⅲ型，粉碎性骨折；Ⅳ型，Ⅲ型骨折(粉碎性骨折)伴有肘关节后脱位。许多桡骨头骨折可用非手术方法治疗成功，若骨折仅有轻度移位，通常功能是极好的。任何骨折若使桡骨头变为椭圆形或影响桡骨头内侧 1/2 的光滑外形时，将造成前臂旋转受限、活动时疼痛及近侧尺桡关节和肱桡关节创伤性关节炎。桡骨颈骨折在不正常的轴线上愈合时，也会产生同样的后果。以下骨折通常由于功能不好而需要手术治疗：桡骨头和桡骨颈严重粉碎性骨折；超过 1/3 关节面的边缘骨折，尤其是骨折累及尺桡关节者；肘关节内有游离骨块的骨折；桡骨颈骨折有成角而影响旋转时。最后一型的骨折最常见于儿童。

通常根据对 X 线摄片的仔细分析来决定手术的必要性，有学者建议用局部麻醉对肱桡关节抽吸和浸润，然后检查主动旋前和旋后的运动弧。如果能够取得主动旋前 70°和主动旋后 70°，无论在 X 线摄片上所见如何，不应手术。如果有手术适应证，除儿童以外，通常选择桡骨头切除术治疗。手术应早期施行，最好在伤后 24～48 h 内，成人通过手术常能形成一个有功能的但极少是正常的肘关节。孤立性大块非粉碎性桡骨头骨折，可采用切开复位和小型螺丝钉或 Herbert 螺丝钉内固定治疗(图 22-25)。若这些骨折与肘关节脱位或类似的韧带损伤无关，在桡骨头切除后，一般不会出现肘关节不稳定、明显肘外翻、明显的桡骨向近侧移位或远侧桡尺关节功能障碍。少数患者主诉肢体无力和用力活动时远侧桡尺关节有些轻度不适感，但这些症状均不常见，也没有严重到需常规做桡骨头假体置换术。桡骨头部分切除的效果比桡骨头全部切除的效果为差。

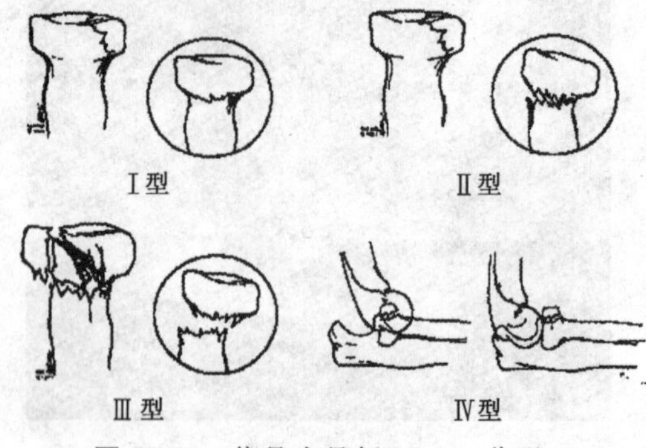

图 22-24 桡骨头骨折 Mason 分型

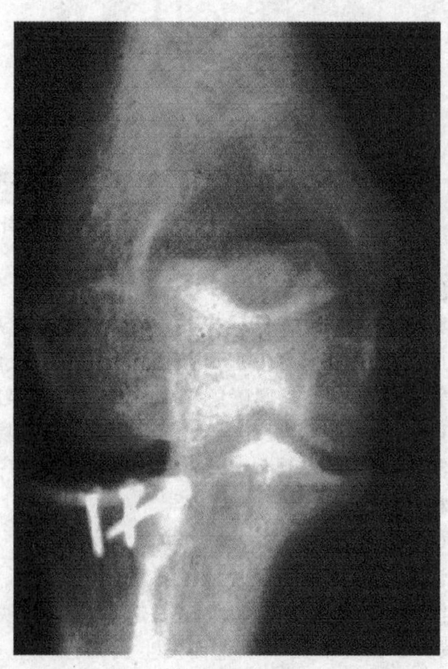

图 22-25 桡骨头骨折切开复位内固定

桡骨头骨折伴有肘关节脱位和冠状突骨折时，不应先做桡骨头全切术。在这种情况下肘关节是极其不稳的，若将桡骨头全部切除，肘关节可能会再脱位。因此在这种Ⅳ型骨折-脱位中，冠状突的情况将在很大程度上确定如何治疗桡骨头骨折。若冠状突是完整的且桡骨头骨折有移位，可整复脱位和早期切除桡骨头。若冠状突骨折且是一大块完整的骨折块，则行切开复位固定，并做桡骨头切除术。如冠状突骨折是粉碎性的，可先行肘关节复位，我们更倾向于在冠状突骨折与软组织愈合之后再做桡骨头切除，通常在3～6个月后行延迟桡骨头切除术。无法重建的桡骨头骨折，尤其是波及肘关节稳定性的情况下应进行桡骨头假体置换，使肘关节能保持一定程度的稳定性。人工双极桡骨头关节面可随肘关节活动变换位置，与肱骨小头达到良好匹配，为粉碎性桡骨小头骨折的治疗提供了一个新的选择(图 22-26)。

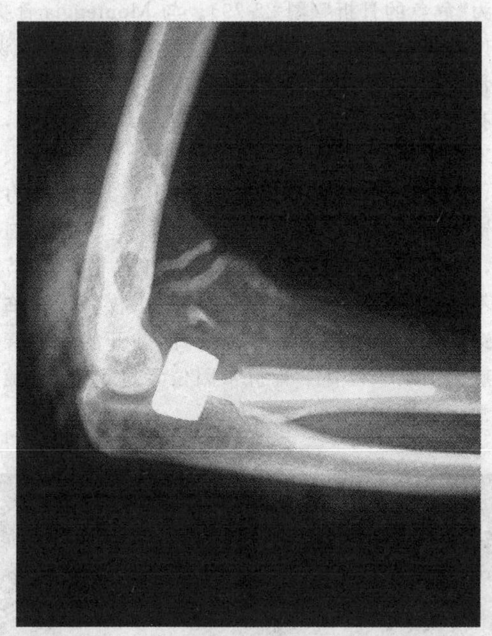

图 22-26 粉碎性桡骨小头骨折采用人工双极桡骨小头置换

术后处理：屈肘 90°，用后侧石膏托固定，1 周后去除石膏托，改用吊带悬吊上臂。此时即可开始做主动或辅助下主动功能锻炼。3 周时去除吊带，在能耐受的情况下可逐渐增加锻炼，但绝不可对肘关节做强力的手法治疗。

22.5.3 桡骨颈骨折

为了指导治疗和估计预后，O'Brien 根据桡骨头骺向外下倾斜角度大小分为 3 级：倾斜＜30°为轻度移位，30°～60°为中度移位，＞60°为重度移位(图 22-27)。长斜形桡骨颈骨折可采用小骨折块间固定技术，用小的皮质骨螺丝钉固定。任何影响前臂旋前和旋后的有移位或成角的桡骨颈骨折，如有可能都应解剖复位及固定，否则必须切除桡骨头。

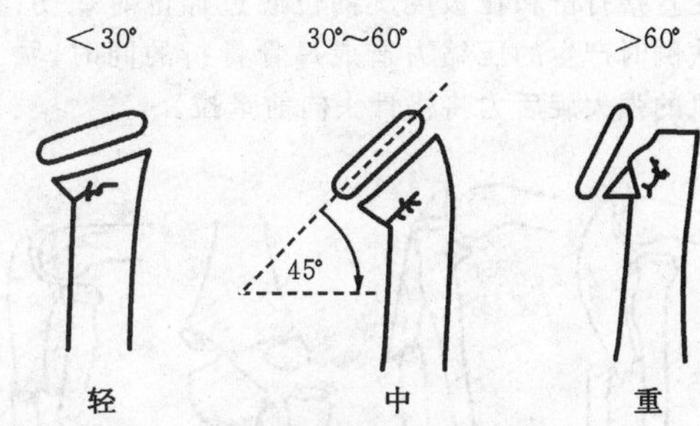

图 22-27 桡骨颈骨折 O'Brien 分级

22.5.4 桡骨头或桡骨颈骨折合并桡尺关节脱位

上肢伸直时严重跌伤可造成桡骨头或桡骨颈骨折、远侧尺桡关节破坏和近侧很长一段骨间膜撕裂。由于骨间膜纤维对桡骨近端的栓系作用消失，若切除桡骨头，可很快发生桡骨向近端移位，造成因尺-腕撞击所致的腕部疼痛和因桡骨与肱骨头撞击所致的肘部疼痛。必须在发生桡骨移位以前早期诊出远侧尺桡关节的撕裂。如果已经出现移位，则晚期修复不能取得满意的效果。有移位的桡骨头或桡骨颈骨折合并远侧尺桡关节疼痛(Essex-Lopresti 骨折-脱位)，则提示外科医师必须注意有这种联合损伤的可能。应做切开复位，对近端桡骨骨折做内固定，对远端尺桡关节做穿钉固定，钢钉保留 6 周。若桡骨头骨折属不可能修复的情况，可做桡骨头置换术。远侧尺桡关节仍必须穿钉固定，以便骨间膜愈合，因为单独使用硅橡胶桡骨头假体不能完全恢复轴向稳定性。

22.5.5 尺骨近侧 1/3 骨折合并桡骨头脱位

尺骨近侧骨折合并桡骨头脱位，伴有或不伴有桡骨骨折，称为 Monteggia 骨折-脱位，在治疗上比较复杂。这种复合性损伤发生在儿童时一般可用保守治疗，但发生于成人时则需常规切开复位。

Bado将这类骨折分为4型(图22-28)：Ⅰ型，尺骨中或上1/3骨折伴有桡骨头前脱位，其特点是尺骨向前成角；Ⅱ型，尺骨中或上1/3骨折(通常向后成角)伴有桡骨头后脱位，常有桡骨头骨折；Ⅲ型，尺骨骨折恰位于冠状突远侧，伴有桡骨头前脱位；Ⅳ型，尺骨中或上1/3骨折，桡骨头前脱位，肱二头肌结节下桡骨上1/3骨折。在各型骨折中最常见Ⅰ型骨折。可能存在几种损伤机制，包括前臂尺侧缘受直接打击和在极度旋前位或过伸位时跌伤，在由跌倒时产生的压缩力造成尺骨骨折的同时，肱二头肌的强大旋后力将桡骨头向前牵拉。

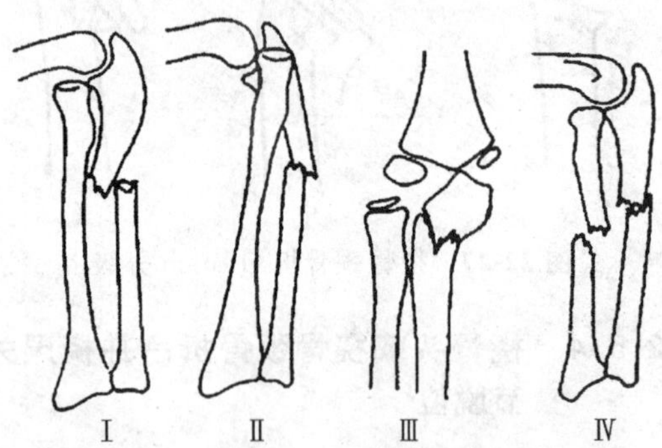

图22-28 Monteggia骨折-脱位Bado分型

对这种损伤的治疗，尤其是桡骨头脱位的治疗，一直是有争议的。大多数桡骨头脱位均可用手法复位，急性损伤采用此法治疗，效果优良者几乎达80%。对于大多数Ⅰ型损伤可采用尺骨骨折做牢固的固定，桡骨头做闭合复位，并将肘关节屈曲≥90°，前臂旋后位悬吊固定6周。尺骨不愈合、骨性连接、肘关节活动受限是效果不好的主要原因。对这种复杂的复合性损伤要仔细诊断，并迅速给予恰当的治疗。长骨骨折的X线摄片必须包括远端和近端关节，无论肢体处于什么位置，在所有X线摄片上桡骨头与肱骨小头必须总是在一条线上。对于有轻度移位的尺骨近侧1/3骨折患者，必须密切随访注意有无尺骨成角增加和继发的桡骨头脱位或半脱位。

根据上述情况，笔者常用的治疗方法如下：

1) 对于急性损伤，桡骨头脱位可用闭合方法复位者，则不应做切开复位，但尺骨骨折需做牢固的内固定。尺骨上1/3处髓腔较大，可用加压钢板。尺骨中1/3处髓腔较小，用加压钢板或三角形髓内钉。在固定尺骨干骨折之后，再对肱桡关节的X线摄片仔细分析，桡骨头半脱位需做切开复位。

2) 对于急性损伤因环状韧带或关节囊嵌入阻碍了桡骨头复位的患者，则需要对桡骨头脱位做切开复位，修复或重建环状韧带，对尺骨骨折做牢固的内固定。

3) 对于陈旧性损伤(6周或更长时间)从未复位的桡骨头脱位，或尺骨骨折固定不牢导致骨折成角和桡骨头再脱位的患者，应做桡骨头切除。若尺骨有明显成角或不连接，则需做牢固的固定(通常用加压钢板)，并做松质骨移植。

22.5.6 桡骨干远侧1/3骨折合并远端桡尺关节脱位

桡骨干远侧1/3骨折合并远端桡尺关节脱位(Galeazzi骨折-脱位)，这种复合性损伤被Campbell称为“危急的骨折”(图22-29)。与Monteggia骨折-脱位一样，Galeazzi骨折-脱位常不为人们所认识。桡骨干远侧1/3骨折有移位时必须考虑远端桡尺关节有无脱位。用闭合复位和管型石膏固定治疗，效果不满意者很多，在成人可通过前侧Henry手术入路，对桡骨干骨折做切开复位和用3.5 mm动力加压钢板做内固定。对桡骨干骨折做坚固的解剖固定，一般可使远端桡尺关节脱位复位。如该关节仍然不稳定，应置前臂于旋后位并用1枚克氏针临时横穿固定。在6周后去除克氏针，并开始做前臂主动旋转活动。桡骨干骨折常因位置过于远侧，髓内针常无法固定。

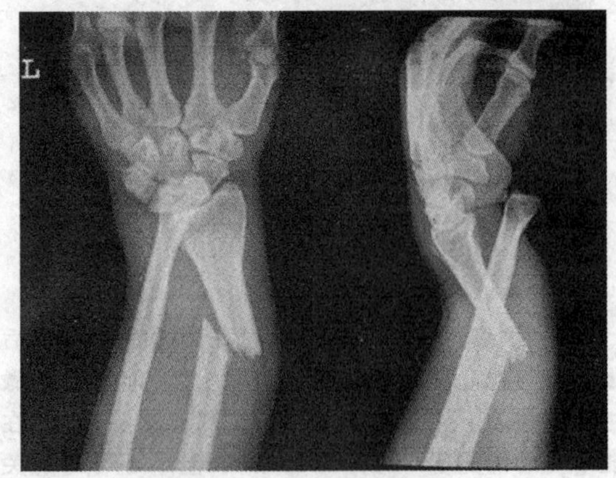

图22-29 Galeazzi骨折-脱位

22.5.7 桡骨和尺骨干骨折

前臂骨折若治疗不恰当，可造成严重的功能丧失。即使骨折愈合很满意，也会发生严重的功能障碍。肱桡、近端尺桡、肱尺、桡腕和远端尺桡关节及骨间隔必须恢复正常解剖关系，否则会发生一些功能受损。除所有长骨骨干骨折常见的问题外，尺桡骨骨干骨折还存在一些特殊问题。除恢复肢体长度、对位和轴线外，如果要达到良好的旋前和旋后活动范围，还必须取得正常的旋转对线。因为有旋前和旋后肌的存在，对成角和旋转有影响，要整复和保持两个平行骨骼的复位比较困难，所以常发生畸形愈合和不愈合。由于这些因素，对成人有移位的尺桡骨骨干骨折，虽然闭合复位可能取得成功，但一般仍认为切开复位和内固定是最好的治疗方法。肱二头肌和旋后肌通过其止点，对桡骨近侧 1/3 骨折段施加旋转力。旋前圆肌在稍远侧止于桡骨干中段，旋前方肌止于桡骨远侧 1/4，都具有旋转力和成角力。尺骨骨折主要易受成角应力的影响，因为近端骨块常向桡骨移位。前臂近端的肌肉使闭合复位难以保持。桡骨远端骨折由于旋前方肌的活动和前臂长肌的牵拉，易向尺骨成角。虽然闭合复位可以获得愈合，但如果成角和旋转对线不良没有完全矫正，仍会发生功能障碍使最后的结果不满意。

尺桡骨骨折对位、稳定性与愈合密切相关，骨折块必须用足够大和足够强度的髓内针固定住，以防出现侧方、成角和旋转活动，骨折髓内固定后，必须用管形石膏固定 12～16 周。

笔者现在使用 Sage 髓内钉和其他髓内钉系统，对前臂双骨非粉碎性或轻微粉碎性骨折进行闭合髓内穿钉，取得了良好的效果。若骨折是闭合的，无须做骨移植。目前还有几种新的前臂交锁髓内钉系统可以使用。

由于闭合复位方法效果不满意及各种髓内固定物的效果也不十分理想，许多学者都尝试使用钢板和螺丝钉取得更牢固的固定。用加压钢板固定，可以进行早期主动活动，有助于防止肌肉萎缩和关节僵直，而肌肉萎缩和关节僵直常是治疗效果不满意的原因。固定越牢固，不愈合与延迟愈合的发生率越低，功能恢复也越好。通过髓内固定或钢板和螺丝钉固定，可取得牢固的内固定。

在复位和固定期间，恢复和保持骨间隙非常重要。桡骨弓的正常数值和位置的恢复与前臂旋转功能的复原及握力的康复有直接关系。

(1) 内固定

满意的内固定器械必须能牢固地固定骨折，尽可能地完全消除成角和旋转活动。笔者认为用牢固的髓内钉或加压钢板均可达到此目的。较薄的钢板和螺丝钉或圆形可弯的髓内钉效果是不满意的。选用结实的髓内钉，还是选用结实的钢板，主要根据各种因素来确定。每种器械均有其优点和缺点，在某些骨折中使用其中一种可能比另一种更为成功。在许多尺桡骨骨折中，用钢板或髓内钉均能得到满意的效果，可根据外科医师的训练和经验选用。

1) 钢板和螺丝钉　3.5 mm 动力加压钢板，比半管状钢板能提供更牢固的固定，不需再用管形石膏保护，不必为了安装标准加压钢板而增加手术显露范围。适用于治疗尺桡骨任一位置有移位的骨折，但主要用于桡骨干远侧 1/3 或近侧 1/4 骨折和尺骨干近侧 1/3 骨折。

为减少对骨组织血供的进一步损伤，应尽量少剥离骨膜，能放置钢板即可。仔细地整复骨折，可利用交错的骨尖刺进行对合整复。粉碎性骨折块即使没有软组织附着，也应尽可能地准确复位。在使用钢板之前，可用拉力螺丝钉将较大的粉碎性骨块固定到主要骨块上，以产生骨块间的压缩力。尺骨和桡骨都有骨折时，在用钢板固定任一骨之前，应显露两个骨折处，并作暂时性复位。否则，在对另一个骨折复位时，会使已经复位和固定的骨折再移位。必须将钢板准确地置于整复的骨折中央，钢板应有足够的长度，允许在骨折的每一侧应用至少 4 枚、最好 6 枚螺丝钉固定在骨皮质上。如螺丝钉太靠近骨折处，则拧紧螺丝钉时或钢板加压时会造成骨劈裂。因此，比需要的略长的钢板比较短的钢板为好。应将钢板塑形以适合骨的原形，特别是对桡骨，因为要想恢复正常的功能，必须保持桡骨弓正常。

若有明显的粉碎性骨折，骨折处应做自体髂骨移植。注意不要将移植骨置于尺桡骨的骨间隙，否则，可能造成尺桡骨骨性连接或旋转受限。在粉碎骨折累及骨的周径 1/3 以上时做骨移植。

为最大限度地恢复正常功能，内固定必须足够牢固，术后不一定需要石膏固定。建议对前臂骨折使用 3.5 mm 的加压钢板，而不用 4.5 mm 钢板，因为后者较厚，会产生过多的应力屏障。在临床及实验中均已证实，在坚固的钢板下，皮质骨由于应力屏障而变薄弱、萎缩，几乎具有松质骨的特征。如果软组织剥离范围较大，缺血性坏死和再血管化可进一步削弱骨皮质。在术后 2 年内不应将钢板取出，推迟时间越长，再骨折的机会越少。建议不必常规取出前臂钢板，仅对由于处于皮下位置的钢板而引起症状的病例，才将钢板取出。若钢板已被取出，须用石膏托保护前臂 6 周，以避免严重的压力和扭转力 6 个月。应对已取出钢板和螺丝钉的患者强调，即使在 6 个月之后仍有发生再骨折的危险性。

桡骨骨折的手术方法：当骨折位于桡骨远侧 1/2 时，可用 Henry 前侧手术入路显露，将钢板置于掌侧面。这与将钢板置于骨的张力侧的原则相反，张力侧位于桡骨的背面。由于掌侧面的软组织覆盖较好，骨面较平，在此处放置钢板更容易。将钢板放在骨的压力侧，对骨折愈合还没有产生过任何问题，作者认为对覆盖的软组织也不会产生过多的刺激。当骨折位于桡骨近侧 1/2 时，可用 Thompson 背侧手术入路显露，将钢板置于背侧面，这个手术入路比前侧手术入路损伤桡神经的可能性小。将钢板置于桡骨近侧背侧面所产生的机械性旋前受阻，也比将钢板置于前侧面为少。对于桡骨中 1/3 骨折，上述两个手术入路均可使用。根据骨折类型及所用的钢板类型和长度，确定切口的长度。最好先直接于骨折处做一个较短的切口，再根据需要向近侧或远侧延长。尽量减少剥离骨膜，但不要从骨膜上分离肌肉，以免影响骨的血供。清除骨折断端的血凝块，如有可能，粉碎性骨折块上的所有软组织附着应予保留。尽量将骨折解剖复位，并整复所有蝶形骨块。若有较大的蝶形骨块，应仔细整复，并用拉力螺丝钉将它们固定到主要骨块上以对骨块间加压。注意在放置拉力螺丝钉时，不要影响应放钢板的位置。可经动力性加压钢板上的大椭圆形孔中的拉力螺丝钉将蝶形骨块固定。然后选择一长度合适的钢板，用两把小的 Lane 持骨钳将钢板牢固地固定到两个主要骨块上。为牢固固定前臂骨折，常需要用 5 孔或 6 孔的钢板，4 孔钢板固定不可靠。最后可将肌肉复回原位，但不缝合深筋膜。曾有在前臂骨折切开复位后较紧的筋膜间隙发生水肿造成 Volkmann 挛缩的报道。最好在缝合皮肤前放松止血带，彻底止血，然后缝合皮下组织和皮肤。

尺骨骨折的手术方法：尺骨骨折的手术方法和以上介绍的桡骨骨折的手术方法相似，但由于尺骨位于皮下而且较直，所以手术操作更为容易。沿尺骨的皮下缘做一切口，显露骨折。钢板放在前面或后面并不重要，要选择最好固定的面。如果其他条件都相同，钢板最好放在后面，因为后面是尺骨的张力侧。若在前面或后面有粉碎性骨折，通常将钢板放在有粉碎的一侧，因为钢板可以将游离的骨块固定。同处理桡骨骨折一样，如果粉碎骨折超过尺骨的周径 1/3 以上，应做自体髂骨移植。将肌肉回复到原位，仅将皮下组织和皮肤缝合。

尺骨和桡骨骨折的手术方法：尺骨和桡骨都有骨折时，应先将两骨骨折显露，并在固定其中任一骨折之前，将两骨骨折复位。如先将一个骨折牢固地固定，再显露另一个骨折，会使复位第 2 个骨折时的困难增加。此外，在整复第 2 个骨折用力牵引和手法复位时，则第 1 个骨折的钢板固定可能会受到破坏。在两骨均已显露和整复后，首先用钢板对一个骨折(常为尺骨)固定较为容易(图 22-30)。

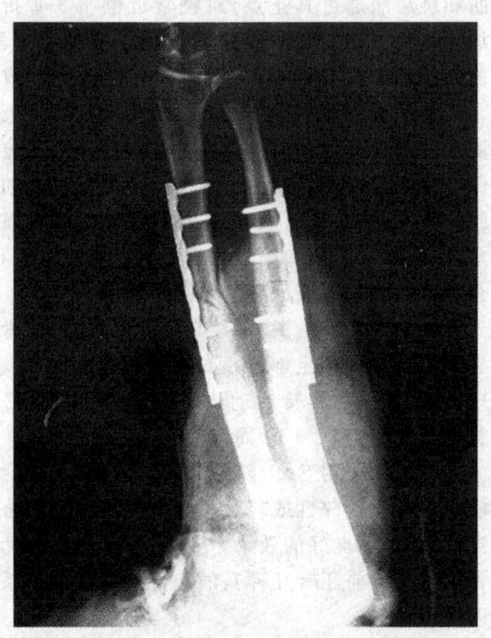

图 22-30 尺桡骨双骨折切开复位内固定

术后处理：根据骨折的类型、固定的牢固程度、患者理解力和合作情况选择不同的术后处理。若骨折无粉碎、加压良好、固定坚固、患者理解力正常并能合作时，就不需要用外固定。开始几天可用加压包扎，并立即开始肘、腕和手各关节的轻柔的主动锻炼，但在骨折愈合前应避免提重物和其他用力活动。若骨折是严重粉碎的，或患者的合作有问题，则需用管形石膏固定保护。

2）髓内钉固定　使用髓内钉固定时，其长度或直径的选择、手术方法和术后处理的错误都可导致不良的后果，前臂髓内钉固定也不例外。在这种情况下虽然髓内钉长度的测量错误是不常见的，但常发生髓内钉的型号和髓腔的大小不相称，髓内钉太小，则会有侧向和旋转移位；髓内钉太大，可造成骨折进一步粉碎或另外的骨折。

前臂骨折用髓内钉的适应证：多段骨折；皮肤条件较差（如烧伤）；某些不愈合或加压钢板固定失败；多发性损伤；骨质疏松患者的骨干骨折；某些Ⅰ型和Ⅱ型骨干骨折（使用不扩髓髓内钉）；大范围的复合伤在治疗广泛的软组织缺损时，可使用不扩髓的尺骨髓内钉作为内部支架，以保持前臂的长度。几乎所有前臂骨干骨折均可用髓内钉治疗。这些骨折都能使用闭合髓内穿钉技术，目前其他长骨骨折常用这种方法。

髓内钉的禁忌证：活动性感染；髓腔＜3 mm；骨骺未闭者。

髓内钉优于加压钢板之处：只需要少量剥离或不剥离骨膜；即使采用开放穿钉技术，也只需要一个较小的手术创口；使用闭合穿钉技术，一般不需要进行骨移植；如果需要去除髓内钉，不会出现骨干应力集中所造成的再骨折。

同加压钢板和螺丝钉固定不同，髓内钉固定的可屈曲性足以形成骨旁骨痂，通常使用钻和扩髓器时即能获得足够的用于移植的骨材料，因此不需另外采取移植骨。

（2）前臂开放性骨折

对前臂开放性骨折治疗的总的原则是不首先做内固定术。以创口冲洗和清创为最初治疗时，并发症较少。这样做能使创口的感染显露，或者愈合。如果创口在10～21天时愈合，即可做适当的内固定。

前臂单骨骨折可用管形石膏做充分外固定，并在创口处将石膏开窗换药，直到创口愈合后再做内固定。由于延迟内固定导致单骨骨折重叠所造成的短缩畸形不难处理，对有创口的前臂双骨折，为了避免短缩畸形，可穿钢针于尺骨近端和第二、三掌骨的基底部，施行牵引以恢复长度，再将钢钉与管形石膏固定在一起，在石膏上开窗，观察并治疗创口。对有广泛软组织损伤的骨折，需要进行植皮等治疗时，采用外固定支架进行整复和骨骼固定，效果较为满意。如果软组织损伤范围较大，必须进行皮肤移植和重建治疗，而这些治疗措施不能通过牵引管形石膏的窗口完成时，可采用尺骨髓内钉来固定前臂。只有通过外固定或内固定方法，使前臂稳定后，才能进行皮肤移植和其他软组织手术。

目前，对所有开放性前臂骨折的治疗趋势为立即切开复位和内固定。笔者认为对Ⅰ型和Ⅱ型前臂开放性骨干骨折，彻底清创后立即切开复位和内固定是适宜的。Ⅲ型损伤的治疗不能一概而论，而应个体化，具体考虑损伤的机制和暴力、合并伤、伤前和伤后患者的状况。对于一个危急的受伤患者，多次进入手术室是不可能的，应尽早明确治疗。

22.5.8　桡骨远端骨折

桡骨远端骨折通常可分为关节内骨折和关节外骨折。Femmdez 根据损伤的机制对桡骨远端骨折进行分类。手法复位技术需用与发生损伤的力方向相反的力。桡骨远端骨折可分为5种类型（图 22-37）。

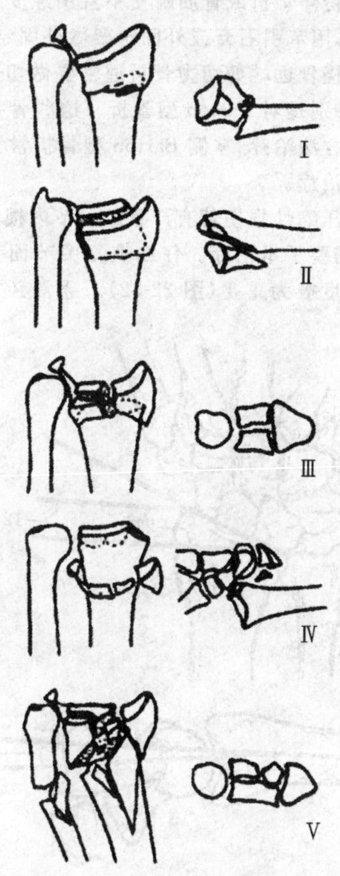

图 22-31　根据损伤机制的桡骨远端骨折 Femmdez 分类

Ⅰ型骨折是关节外干骺端的折弯骨折，如 Colles 骨折(背侧成角)或 Smith 骨折(掌侧成角)。一处骨皮质被折断，其对侧的骨皮质粉碎并嵌塞。Ⅱ型骨折是关节内骨折，由于剪切应力所致。这些骨折包括掌侧 Barton 骨折、背侧 Barton 骨折及桡骨茎突骨折。Ⅲ型骨折是由于压缩性损伤所引起的关节内骨折和干骺端嵌插，包括复杂的关节骨折和桡骨 Pilon 骨折。Ⅳ型骨折是桡腕关节骨折-脱位并有韧带附着处的撕脱骨折。Ⅴ型骨折是由于多个力和高速度造成的广泛损伤。

Ⅰ型桡骨远端骨折大多数能用非手术方法治疗成功。若 Colles 或 Smith 骨折整复后需要长时间固定于过度矫正的位置，或复位不久又错位时，笔者常在闭合复位后通过桡骨茎突向桡骨远端经皮穿针。如桡骨茎突骨块较大，此法尤为有用。也可用于骨折闭合复位并发急性腕管综合征需要松解时。严重的干骺端粉碎骨折或骨质疏松不宜用经皮穿钉固定时，最好采用牵引石膏或外固定架做外固定。

Ⅱ型桡骨远端剪切力骨折通常要做切开复位和内固定，特别是对 Barton 型骨折。这些骨折几乎不能用闭合方法治疗，掌侧 Barton 型骨折常需用支撑钢板固定治疗。

Ⅲ型压缩性损伤若有严重的关节内损伤或桡骨短缩，则需要手术治疗。仔细恢复关节面和桡骨的角度与长度极为重要(图 22-32)。通常必须用多根克氏针固定，在被嵌压的部位需要用移植松质骨充填。常需联合应用切开与闭合技术，才能满意地治疗Ⅲ型骨折。

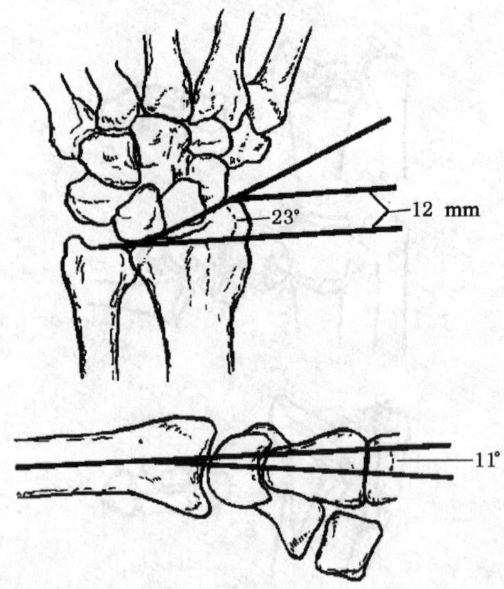

图 22-32 桡骨远端正常的平均尺偏角、桡骨高度和掌倾角度

Ⅳ型撕脱骨折常并发桡腕关节骨折-脱位，因此是不稳定的。撕脱的骨折块常常很小，只有用缝线才能将其修复。只有用克氏针才能将腕骨复位固定于桡骨远端。由于有广泛的韧带撕裂，以韧带整复法为原则的外固定是不适宜的。

Ⅴ型高速度骨折总是不稳定的，经常是开放性的，而且难以治疗。常需联合应用经皮穿针外固定方法。许多这类骨折粉碎非常严重，以至不可能做切开复位。

(1) Ⅰ型骨折经皮穿针

手术方法：整复骨折，由一个助手保持复位，术者用动力钻通过桡骨茎突，插入 2 枚粗的无螺纹克氏针，穿过骨折处，进入对侧干骺端皮质。用 X 线摄片或 X 线影像增强器证实骨折复位和克氏针位置良好，然后在皮下剪断克氏针。这种方法通常可以取得牢固的固定，减少桡骨塌陷和短缩，用石膏将腕关节固定于中立位。用这种方法很少发生桡骨短缩和手指关节僵硬。

术后处理：用上臂管形石膏(至肘上部)固定，将腕关节和前臂置于中立位。克氏针已在皮下剪断，于术后第 6 周拔除。然后用可拆除的球头夹板固定腕部，容许腕关节逐渐进行伸屈功能锻炼。

对于不适宜通过桡骨茎突做经皮穿克氏针固定的严重粉碎性骨折，用穿针加石膏或牵引石膏常常会取得良好的效果(特别是在没有外固定支架时)。

(2) 外固定支架用于桡骨远端骨折

1944 年，Anderson 和 O'Neil 等首次采用外固定支架治疗桡骨远端骨折。随着外固定支架构形的改进和置针技术的提高，这一方法逐渐进入实用阶段。大量临床研究证实，对桡骨远端不稳定骨折，外固定支架能有效防止骨折端的再移位。并且伤后使用外固定支架越早功能恢复越好。良好的复位效果，防止骨折端再移位的能力，早期的功能锻炼和逐渐降低的并发症发生率，使外固定支架治疗日益成为桡骨远端不稳定骨折的重要手段。其主要适应证包括：所有不稳定型桡骨远端骨折；主要是关节内 C2 型、C3 型骨折(AO/ASIF 分型)；关节外 A3 型骨折，特别是干骺端骨折粉碎严重短缩明显且有明显移位骨折块内固定困难者；相对适应证还包括 C1 型、B1 型、B2 型骨折。所有开放性骨折或合并广泛软组织损伤的骨折。手术方法的选择如下。

1）单纯手法牵引复位＋外固定支架固定　对于较轻的A3型、C2型骨折在C臂机透视下进行手法牵引复位后肢体短缩纠正，骨折无明显移位时，关节面平整，能基本恢复力线和对位者，则可进一步安装上外固定支架进行固定(图22-33)。

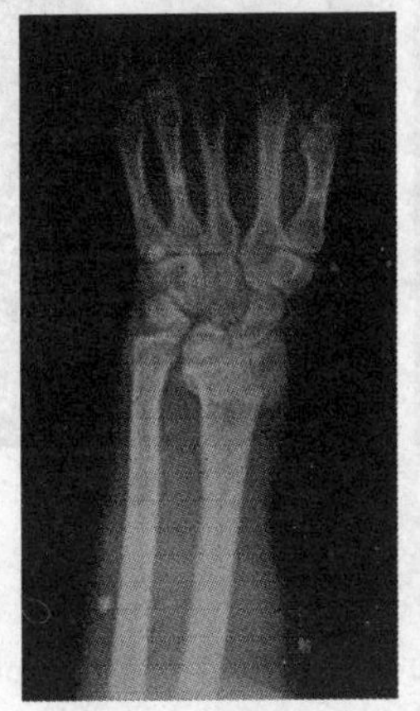
A. 术前正位片

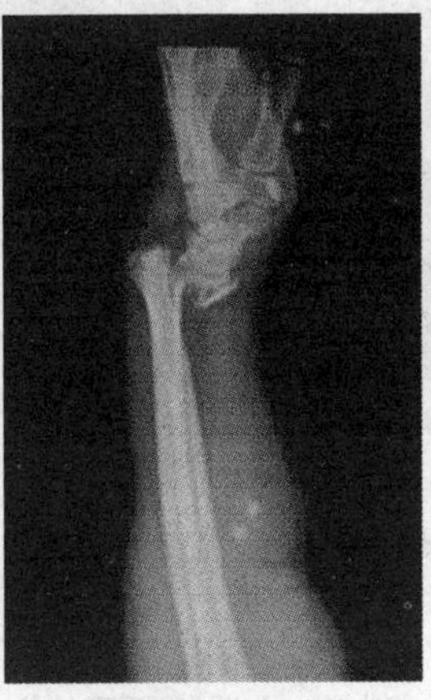
B. 术前侧位片

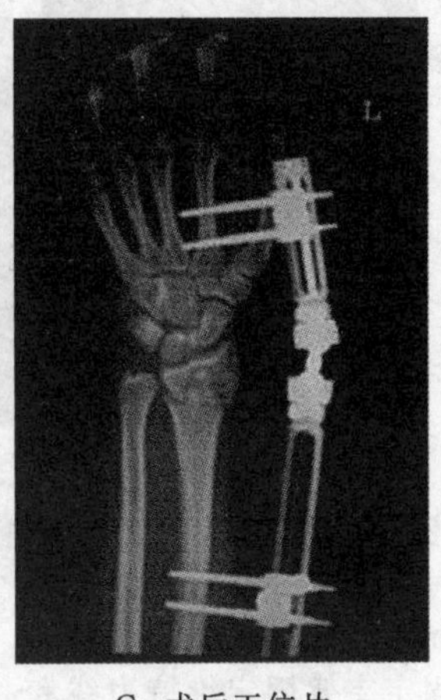

C. 术后正位片

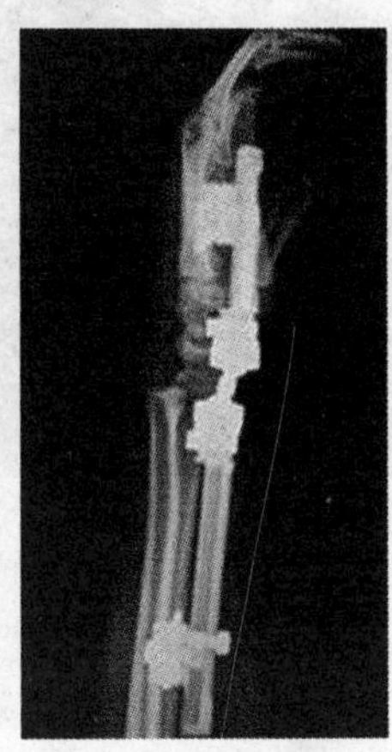
D. 术后侧位片

图22-33　桡骨远端骨折的外固定

2）牵引复位＋经皮钢针撬拨复位＋外固定支架固定　麻醉成功后在C臂机透视下，根据受伤机制，通过牵引下手法捏挤矫正骨折片的分离、短缩移位，对于关节面或骨块间不平整、有明显碎小骨折块时，无法通过手法牵引复位者，可用直径为2.5 mm的克氏针撬拨明显分离、移位的骨折片，使骨折的分离、缩短移位得到最大限度的矫正，并恢复腕关节面的平整。若骨块复位后仍不稳定，则可保留钢针于骨质内。对腕关节面塌陷、短缩移位严重的骨折则可通过调整外固定支架加压延长杆的长度，最大限度地恢复肢体原长度。同时腕关节要尽可能恢复较理想的掌倾角4°～22°(平均10°～12°)与尺偏角13°～30°(平均23°)并维持(图22-34)。

3）尺骨内固定/外固定支架固定＋桡骨外固定支架固定　对合并尺骨骨折且有明显移位的尺桡骨双骨折者，先牵引复位后对尺骨骨折可根据骨折情况而采取不同的固定方式。尺骨中下段骨折时，可进行钢板固定或尺骨髓腔内穿克氏针固定恢复尺骨的长度与力线，附带尺骨杆的桡骨外固定支架固定也是一种可供选择的方式(图22-35)。

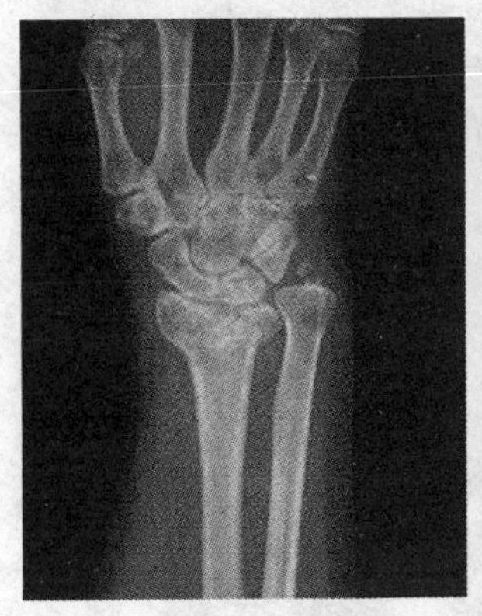
A. 术前正位片

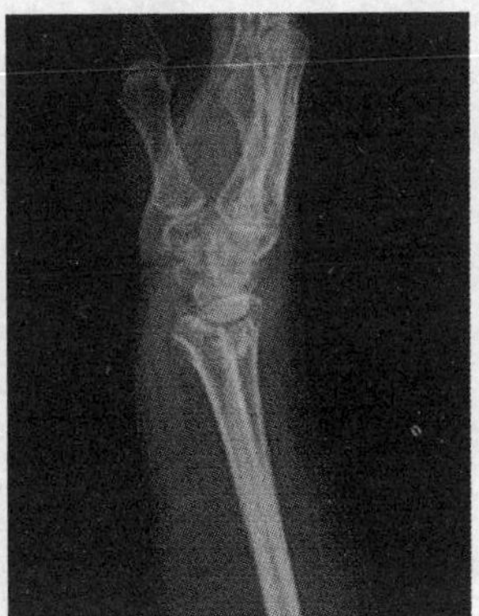
B. 术前侧位片

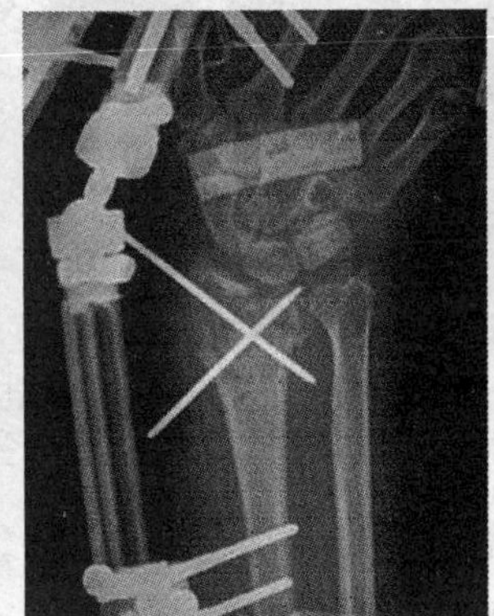
C. 术后正位片

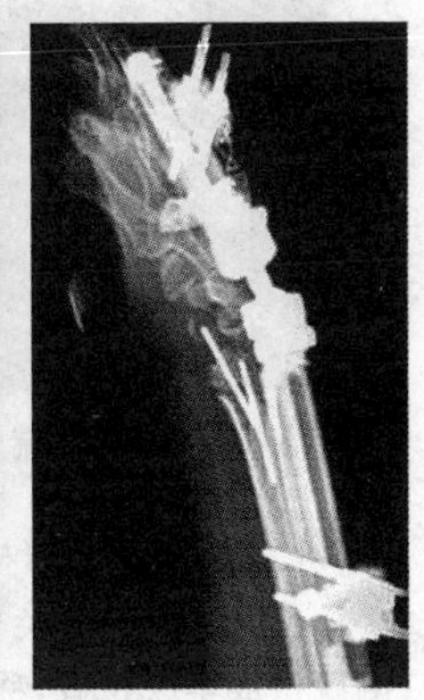
D. 术后侧位片

图22-34　桡骨远端骨折的牵引复位，经皮钢针撬拨整复，外固定

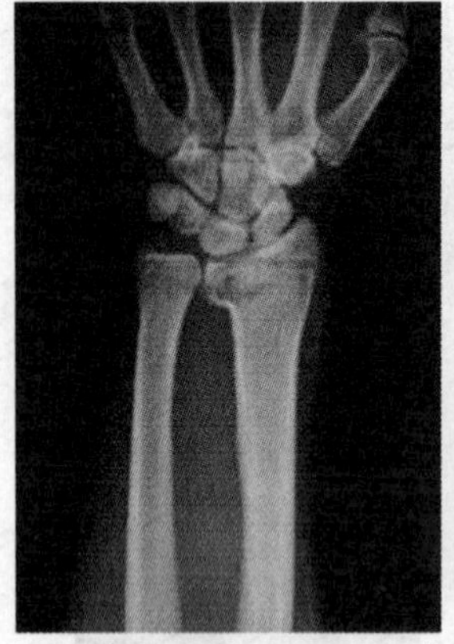
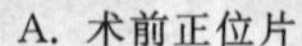
A. 术前正位片

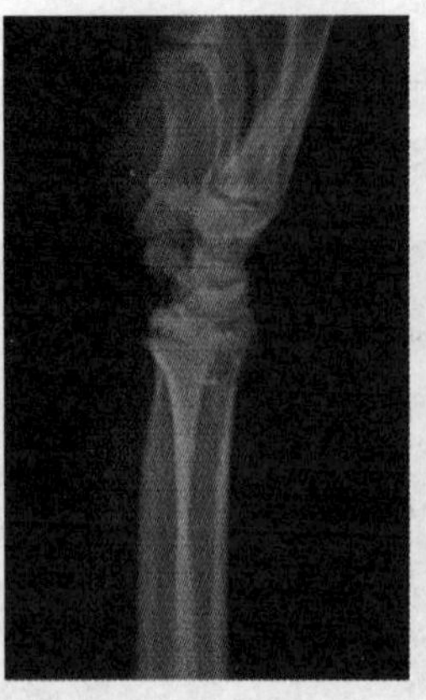
B. 术前侧位片

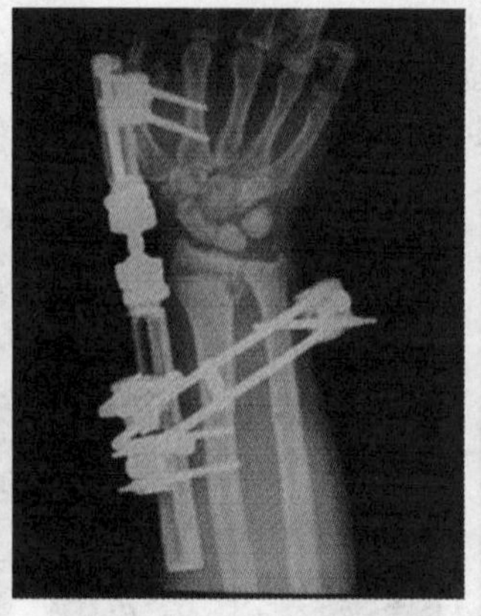
C. 术后正位片

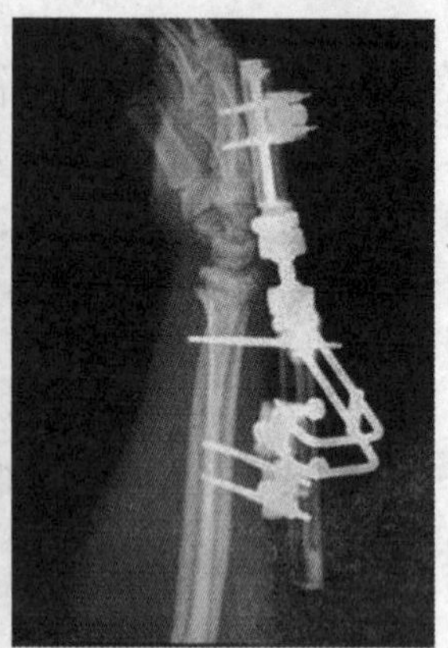
D. 术后侧位片

图 22-35 桡骨远端骨折的尺骨内、外固定及桡骨外固定

4）掌侧钢板固定＋外固定支架固定　对于 C3 型骨折，先牵引复位后外固定支架固定维持力线和长度后，对有掌侧较大骨折块并且不能很好复位者，则行掌侧钢板固定，并可达到腕管减压目的。同时视复位及关节面情况决定是否进行植骨(图 22-36)。

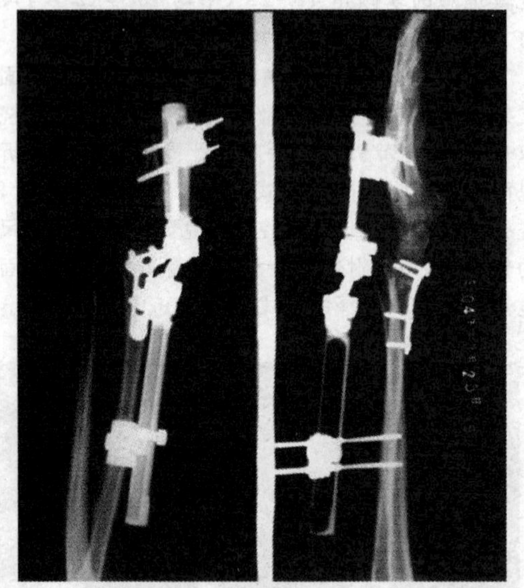

图 22-36 桡骨远端骨折的掌侧钢板固定、外固定

(3) 桡骨远端掌侧和背侧 Barton 骨折

桡骨远端背侧关节边缘骨折，伴有腕关节向背侧脱位或半脱位者，称为背侧 Barton 骨折。桡骨远端掌侧关节边缘骨折，伴有腕关节向掌侧脱位或半脱位者，称为掌侧 Barton 骨折。对于这些骨折需要特别注意，因为其复位和保持复位的方法与 Colles 或 Smith 骨折所用的方法是相反的。这些骨折可以闭合复位。若边缘骨折较小，用石膏固定可以满意地维持；若边缘骨折包括大部分桡骨远侧关节面时，虽然也可用闭合整复，但不稳定是其特点，难以维持复位。对于这些骨折必须密切随访，及时发现有无再移位，因为再移位情况是十分常见的。背侧 Barton 骨折在腕关节背屈、前臂旋前时通常最稳定，而掌侧 Barton 骨折在腕关节掌屈、前臂旋后时最为稳定。稳定性是由骨折对侧完整的腕部韧带所支撑的。

由于复位后移位与腕关节半脱位很常见，笔者常常用一块小型支撑钢板，固定掌侧边缘骨折(图 22-37)。若边缘骨块较大，骨质牢固，掌侧 Barton 骨折也可用克氏针固定。

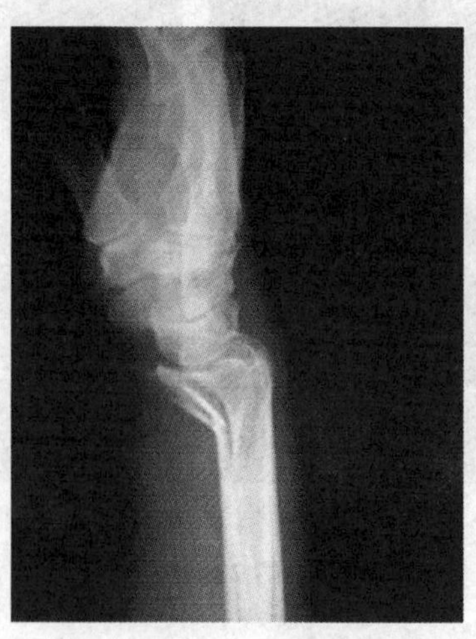

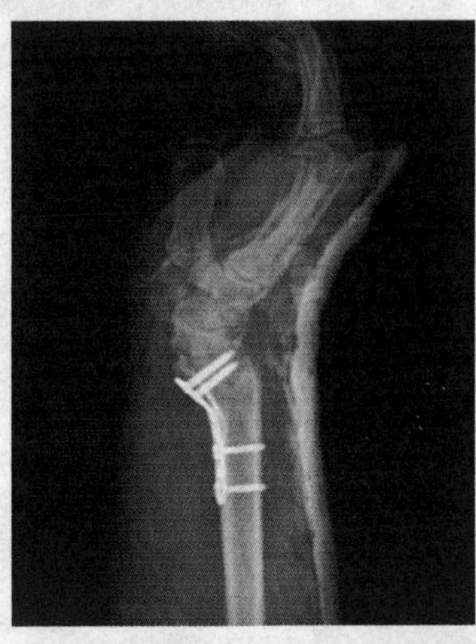

图 22-37 桡骨远端 Barton 骨折掌侧钢板固定

若是背侧边缘骨折不稳定，最好做切开复位，恢复关节面的解剖位置，再用克氏针或小螺丝钉固定，因为紧靠伸肌腱下面使用钢板和螺丝钉会有困难。

（王秋根 汪 方）

参考文献

[1] 王秋根，纪方. 骨与关节损伤现代微创治疗学. 北京：人民军医出版社，2007.

[2] 王秋根，张秋林. 现代外固定支架治疗学. 北京：人民军医出版社，2006.

[3] 王满宜，杨庆铭主译. 骨折治疗的 AO 原则. 北京：华夏出版社，2003.

23 下肢骨折

23.1 股骨颈骨折

23.1.1 概述

股骨颈骨折是一种常见于老年人的损伤，尤其是老年女性患者，也可见于中年人或者儿童。损伤的原因是摔倒时，扭转伤肢，暴力沿股骨传导至股骨颈，导致股骨颈断裂。老年人骨骼骨质疏松，在轻微扭转暴力下即可发生骨折；中青年患者需要承担较大的暴力才会发生骨折，所以发生骨折不愈合、股骨头坏死的概率较高。老年人由于骨折愈合能力较差，以及骨折类型等原因，亦存在较高的骨折不愈合、股骨头坏死发生率。

23.1.2 病因学

在老年人，有两个基本因素容易导致股骨颈骨折。内因是骨量流失，骨强度下降，骨质疏松，股骨颈骨小梁变细，数量减少甚至消失，股骨颈的生物力学结构削弱，致使股骨颈脆弱；外因是老年人髋部肌肉随年龄增长退行性变，应急能力下降，在平地滑倒或床上跌落，甚至无明显外伤的情况下都可能发生骨折。所有股骨颈骨折都由外旋暴力导致，随着暴力程度的不同，产生的移位有所不同，在X线片虽有“内收”和“外展”之分，但实质上它们是旋转骨折的不同X线投影。

成人股骨头的血液供应有3个来源：①股骨头圆韧带内的小凹动脉，只供应股骨头少量血液，主要局限于股骨头的凹窝处；②股骨干的滋养动脉升支，对股骨颈的血液供应很少；③旋股内、外侧动脉分支是股骨颈血液供应的主要来源，在股骨颈基底部组成一个动脉环，其中旋股内侧动脉损伤是导致股骨头缺血性坏死的主要原因。

23.1.3 临床表现

老年女性多发，多有明显外伤史，有时外伤较轻。典型表现为患肢呈外展、外旋、缩短畸形，活动障碍，患髋压痛、纵向叩击痛，大转子突出明显，Bryant三角底边缩短，股骨大转子顶端在Nelaton线之上。

对于嵌插型骨折，有时仍然能够行走，而且疼痛很轻，但常会表现出外旋畸形，会有纵向叩击痛。对怀疑有股骨颈骨折的，尤其是老年患者，若常规X线不能确诊，可考虑行CT或MRI检查协助确诊，或者1周后行X线复查，在患肢牵引下拍摄X线并行双侧对比观察尤佳。临床上股骨颈骨折漏诊的患者并不鲜见，对于疑诊股骨颈骨折的患者，虽然X线暂时不能够确诊，均应按嵌插型股骨颈骨折处理。

23.1.4 实验室检查及影像学检查

X线检查可明确诊断，根据骨折线与两个髂棘连线所形成角度（Pauwels角）的大小，>50°者为内收型骨折，<30°者为外展型骨折。前者属于不稳定骨折，容易发生移位，后者属于稳定骨折，但是如果处理不当，未给予适当固定或者制动，稳定骨折可以变为不稳定骨折。

23.1.5 分型

按照骨折的部位，可以将股骨颈骨折分为：①头下型骨折；②经股骨颈骨折；③基底型骨折。其中头下型骨折对旋股内、外侧动脉的分支损伤最重，影响股骨头血液供应最大，骨折不愈合和股骨头坏死发生概率较高，基底型骨折对旋股内、外侧动脉血液供应影响较小，骨折相对容易愈合。

Garden分型：Ⅰ型，不完全骨折，骨折线没有通过股骨颈全部，仍有部分骨质连续，骨折无移位，此类骨折容易愈合；Ⅱ型，完全骨折无移位，股骨颈虽然完全断裂，但骨折对位良好，若为股骨颈头下型骨折，仍有愈合可能，但常有股骨头变形坏死，若为经股骨颈骨折或基底型骨折，骨折容易愈合，股骨头血供良好；Ⅲ型，股骨颈完全骨折，部分移位，多为骨折远端向上移位或者骨折远端下角嵌插在近折端的断面内，形成股骨头向内旋转移位，颈干角变小；Ⅳ型，股骨颈完全骨折，完全移位，两侧的骨折端完全分离，近折端可能完全旋转，关节囊和滑膜都有严重的损伤，股骨头的血液供应受到损害，发生股骨头坏死的概率较高。各类分型中，Garden分型对于评估预后较为合理。

23.1.6 治疗

(1) 非手术治疗

新鲜股骨颈骨折的治疗主要依据骨折部位考虑其治疗方法。

不完全骨折及外展嵌插骨折，可采用皮肤牵引或骨牵引，保持患肢于中立位8～12周后拆除牵引，练习扶双拐下地活动；为使患者能够早期起床活动，也可以采用内固定。非移位骨折或嵌顿骨折者不行固定术，10%～30%会发生移位。

(2) 手术治疗

首选闭合复位空心螺纹钉内固定，6 h 内对移位股骨颈骨折复位内固定能明显减少股骨头塌陷的发生率。Garden 提出股骨颈骨折后复位的标准，在正常前后位 X 线片，股骨头中心压力性骨小梁与股骨内侧皮质的角度为 160°，在侧位片股骨颈主要骨小梁在同一轴线或 180°，复位后此两角度在 155°～180°范围内骨折愈合概率较高，股骨头坏死概率较低。复位质量不但直接影响骨折愈合，而且与发生股骨头缺血坏死亦有密切关系，影响最明显的为股骨头的旋转。Garden 的统计显示，正侧位 X 线片角度均在 155°～180°者共 242 例，股骨头坏死率为 6.6%；正侧位片两者之一角度＜155°或＞180°者共 81 例，股骨头坏死率为 65.4%；正位片角度＜150°及侧位角度＞185°者共 26 例，股骨头坏死率 100%。

在术中影像监控侧位片上的畸形要全部矫正，在前后位片允许有轻度外翻，经过 2～3 次闭合复位后复位不理想，对于年龄＜65 岁的患者可考虑行切开复位内固定，对于年龄＞65 岁的患者应该考虑行人工关节置换术，尤其是股骨颈后方有骨折片，复位后骨折不稳定的患者。

切开复位内固定可选用 Watson-Jones 入路或 S-P 入路，骨折复位后可选用 3 枚空心加压螺纹钉内固定。动力髋螺钉(dynamic hip screw, DHS)适用于极不稳定的股骨颈骨折伴有后方粉碎骨折、股骨距粉碎骨折等。

另外，三刃钉固定术、多枚斯氏针内固定，因为前者体积较大，可能会过多破坏股骨头血供，后者固定强度较差，目前已少用。

对于下列可考虑行人工关节置换：年龄＞70 岁，骨折难以复位固定的；骨折复位内固定后骨折不愈合，内固定松动的；年龄＞65 岁陈旧性股骨颈骨折患者。但是对于转移性肿瘤、病理性骨折应该谨慎。

人工关节置换的优点有：利于早期下地行走，尤其是骨水泥型假体，对于合并有慢性心、肺等疾病的患者有利；防止二次手术，尤其是一次置换即可满足预期寿命的患者。但是对人工关节置换的手术技术和指征有一定要求：尽量减少手术时间和手术创伤，减少出血和麻醉等系列并发症；术中操作仔细、轻巧，假体安装准确，防止术中、术后骨折或者术后假体脱位等并发症；合并有感染性疾病的患者若感染控制不佳，或者自身抵抗力较差禁忌行人工关节置换。

23.1.7 股骨颈骨折不愈合

(1) 诊断

1) 患髋临床表现　疼痛多不严重，患肢无力和不敢负重，患肢短缩，下肢旋转受限等。

2) X 线表现　骨折线清晰可见；骨折线两侧骨质内有囊性改变；有部分患者骨折线虽看不清，但连续拍片过程中，可见股骨颈渐被吸收变短，以致内固定钉突入臼内或钉尾向外退出；股骨头逐渐变位，股骨颈内倾角逐渐增加，颈干角变小。

(2) 治疗

对于年龄＜50 岁的患者，股方肌骨瓣移植或带旋髂深血管的髂骨瓣移植较为常用。

1) 股方肌蒂骨瓣移植术　术前先行胫骨结节骨牵引 1～2 周，以松解挛缩的髋周肌肉和矫正骨折重叠移位。手术在硬膜外麻醉下进行，患者取半俯卧位，按髋后侧切口由髂后上棘与股骨大粗隆顶点连线中点开始，经大转子顶点再转向股骨外侧下，约长 15 cm，逐层分开。暴露出诸外旋肌和坐骨神经。股方肌位于闭孔外肌与最小的上、下孖肌之间，游离股方肌至股骨粗隆后侧的止点，在肌止点四周用电刀切开骨膜约 1.5 cm×6 cm 范围，再用骨刀在切开骨膜处凿取约厚 1.5 cm 的长方形骨块，并与股方肌保持连续，切断闭空内外肌与下孖肌止点，向内侧翻开，暴露关节囊后壁，沿股骨颈方向切开关节囊，暴露股骨颈和股骨头，将骨折复位，沿股骨颈长轴凿一骨槽约 1.5 cm×5 cm、深 1.5 cm，在骨槽的近端向股骨头内用骨刀挖一骨穴深 1 cm 多，将带股方肌蒂的骨瓣嵌插在股骨颈的股槽内，其骨瓣的粗隆端插入股骨头的骨穴内，稍加捶击后即可嵌紧。

在股骨大粗隆以下的股骨外侧，在直视下插入加压钉或多枚针固定。行多枚针固定时，亦可在嵌入植骨前，将计划经植骨槽以外的 3 针插入，3 针的位置是骨槽前、上、下各 1 根。应行 X 线片或电视核查内固定的位置。

2) 带旋髂深血管蒂的髂骨瓣转位移植治疗陈旧性股骨颈骨折　本手术适用于治疗陈旧性股骨颈骨折，也可用于青壮年新鲜股骨颈头下型骨折。

手术在硬膜外麻醉下进行，患者取平卧位，臀部垫高，外髋前外侧切口(S-P 切口)。

游离旋髂深血管及髂骨瓣：在切口中部内侧游离皮瓣，暴露腹股沟韧带，在股动脉或髂外动脉上寻找向外上方走行的旋髂深动脉及伴行静脉，亦可不显露股动脉，直接在腹股沟韧带下寻旋髂深血管。向外分离时，切断腹内斜肌和部分腹横肌，最后可见血管进入髂肌，在向髂骨分离时尽量保留髂肌。在接近髂前上棘时，有股外皮神经由动静脉前穿过，注意勿损伤。旋髂深动脉在距髂前上棘上方内侧 6 cm 处，分出数支进入髂骨。以此血管束为中心，设计取骨范围，骨膜下显露外板，一般取 6.0 cm×1.5 cm×1.5 cm 全层骨块，保留血管束周围的髂肌和骨膜，防止损伤进入髂骨的血管支。切取的带血管蒂骨块应有鲜血溢出。用盐水纱布包绕骨块待用。

暴露股骨颈：分开缝匠肌与阔筋膜张肌间隙，切断股直肌的止点下翻暴露髋关节囊，沿股骨颈的方向切开关节囊暴露髋关节囊，沿股骨颈的方向切开关节囊暴露股骨颈，切除股骨颈骨折间隙内的纤维瘢痕组织，并进行骨折复位。

股骨颈骨折固定：在电视指导下或直视下单钉或多根由股骨大粗隆外侧切口进行插针固定。3 针的位置是股骨颈后面、上下各 1 根；在股骨颈的前侧，沿其长轴凿一骨槽，宽深各 1.5 cm，长 6 cm；并在骨槽上端向股骨头挖一骨穴，约深 1 cm，将带血管蒂髂骨瓣移植股骨颈骨槽内。注意血管蒂不能扭转，骨块外层皮质向上，将骨块一端插入股骨头的骨穴内，再将其余部分嵌插在骨槽内，轻轻捶击使骨块固定牢固。为防止骨块滑脱，可用螺丝钉固定或用粗丝线缝合股骨颈骨膜固定。

股骨粗隆间内移截骨术、股骨头切除及粗隆下外展截骨术、股骨颈“U”形截骨等，目前随着人工关节技术进展和成熟，已逐渐少用。

23.2 股骨粗隆间骨折

23.2.1 概述

股骨粗隆间骨折是老年人常见损伤，患者平均年龄比股骨颈骨折患者高 5～6 岁。由于粗隆部血运丰富，骨折后较少不愈合，但容易发生髋内翻。高龄患者长期卧床引起并发症较多。

23.2.2 病因学

老年人骨质疏松，肢体不灵活，当下肢突然扭转，跌倒或使大粗隆直接触地致伤，易造成骨折。由于粗隆部受到内翻及向前成角的复合应力，引起髋内翻畸形和以小粗隆为支点的嵌压形成小粗隆撕脱骨折。粗隆部骨质松脆，故骨折常见粉碎性。

23.2.3 临床表现

多为老年人，伤后髋部疼痛，不能站立或行走。下肢短缩及外旋畸形明显，无移位的嵌插骨折或移位较少的稳定骨折，上述症状比较轻微。检查时可见患侧大粗隆升高，局部可见肿胀及瘀斑，局部压痛明显。叩击足跟部常引起患处剧烈疼痛，一般说在粗隆间骨折局部疼痛和肿胀的程度比股骨颈骨折明显，而前者压痛点多在大粗隆部，后者的压痛点多在腹股沟韧带中点外下方。

23.2.4 分型

X 线检查确定诊断，并根据 X 线片进行分型。Evans 分型如下。

1) 一类，为顺粗隆间骨折，骨折线的走行方向大致与粗隆间线平行。即自大粗隆顶点的上方或稍下方开始，斜向内下方走行，到达小粗隆的上方，或其稍下方。

Ⅰ型：顺粗隆间骨折，无骨折移位，为稳定性骨折。

Ⅱ型：骨折线至小粗隆上缘，该处骨皮质可压陷或否，骨折移位呈内翻变位。

$Ⅲ_A$ 型：小粗隆骨折变位游离骨片，粗隆间骨折移位，内翻畸形。

$Ⅲ_B$ 型：粗隆间骨折加大粗隆骨折，成为单独骨折块。

Ⅳ型：除粗隆间骨折外，大小粗隆各成为单独骨折块，亦可为粉碎性骨折。

2) 二类，为骨折线与粗隆间线方向相反，即骨折线自大粗隆下方斜向内上方走行，到达小粗隆上方，小粗隆也可能成为游离骨片。此外，骨折线经过大小粗隆的下方，成为横形、斜形或锯齿形，骨折也可能轻度粉碎，为粗隆下骨折。

AO 分型：A1，简单的两部分骨折；A2，内侧皮质两块以上骨折片；A3，逆粗隆骨折(图 23-1)。

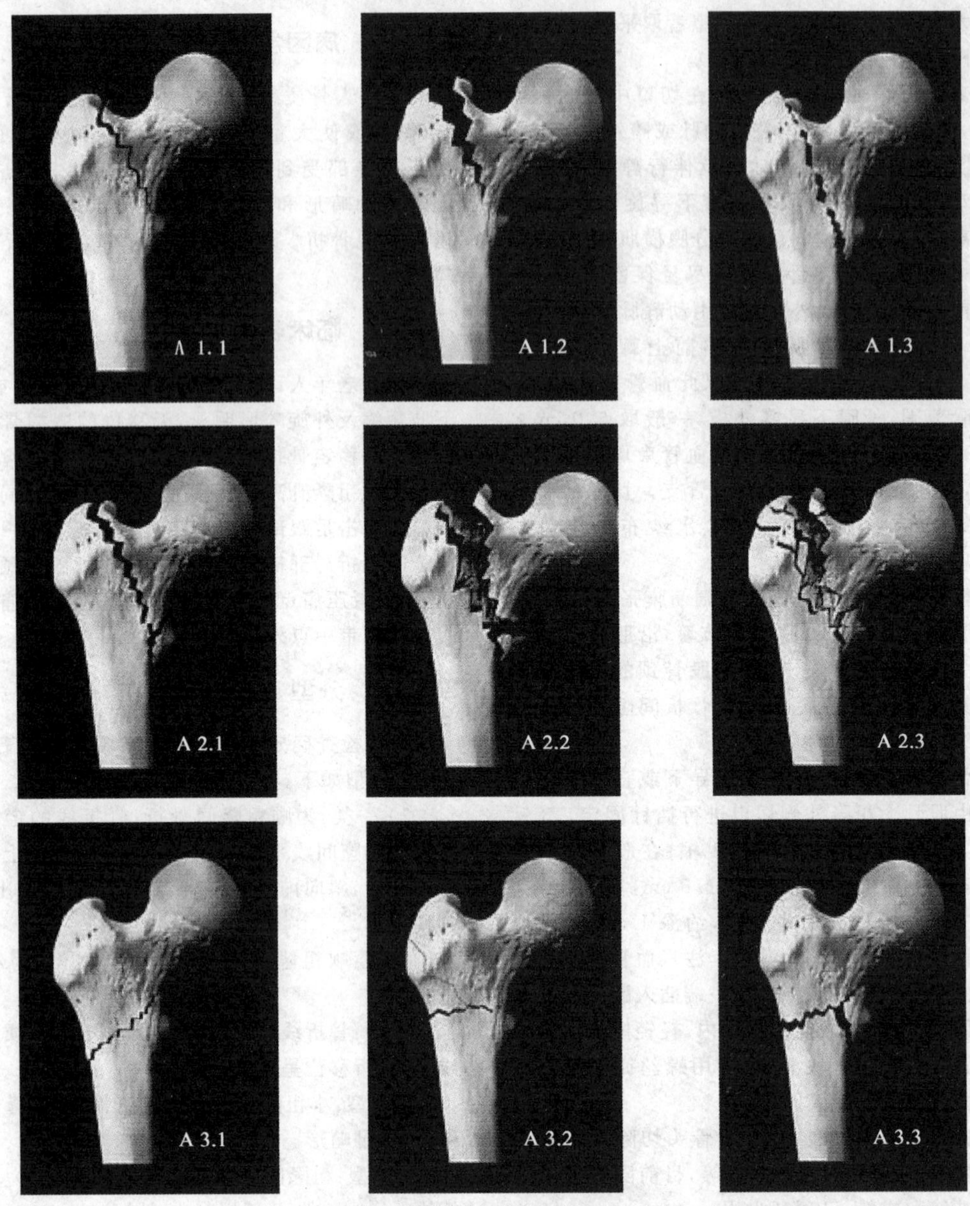

图 23-1 股骨粗隆间骨折的 AO 分型

23.2.5 治疗

(1) 非手术治疗

对无移位的稳定性骨折并有较重内脏疾患不适于手术者适用。一般选用 Russell 牵引法，肢体安置在带有屈膝附件的托马架上，亦可用胫骨结节牵引。Russell 牵引的优点是控制患肢外旋，牵引 6～8 周。由于患者多为高龄老人，在牵引期间要注意全身情况，预防由于骨折后卧床不起而引起危及生命的各种并发症，如肺炎、压疮和泌尿系感染等。

(2) 手术治疗

股骨转子间骨折的老年患者多伴有骨质疏松和其他内科疾病，虽多为低能量损伤所致，但若未得到及时有效的治疗，极易留下髋内翻、肢体短缩等后遗症；甚至因长期卧床而发生肺部感染、泌尿系统感染、压疮等严重危及生命的并发症。现多主张对有条件的股骨转子间骨折患者尽早行手术内固定治疗，以获得稳定的复位，恢复患者的活动能力，减少长期卧床造成的严重并发症。患者入院后 12～24 h 内完成相关检查，排除不能耐受麻醉的病例，待患者全身情况稳定，即行内固定手术；急诊手术或伤后 3 天以上手术皆有可能导致术后并发症发生率上升。对于能够耐受手术的患者，及时手术内固定有助于患者护理、提高生活质量和生存率。手术治疗时要考虑到患者的骨量、骨折分类、恰当的复位、内固定物的选择和缩短手术时间、减少手术创伤。

首选闭合复位，在骨科牵引床上于影像监视下，伤肢在轻度外展下纵向牵引，然后内收、内旋，于正位片观察内侧皮质的复位，侧位片观察后方皮质的复位，内侧皮质和后方皮质的良好复位是复位成功的关键，若复位欠佳，可在有限切开的情况下利用复位钳或其他撬拨工具进行复位，多能够获得成功，尽量减少过多的切开和剥离，过多地破坏血供导致骨折不愈合和内固定物疲劳断裂。

经髋外侧切口，闭合复位后选用 DHS 动力髁螺钉(dynamic condyle screw, DCS)内固定已经活动普遍应用，并有较好的治疗效果。

Gamma 钉和股骨近端髓内钉(proximal femoral nail, PFN)，属于髓内固定系统，其主钉位于扩髓后的髓腔内，负荷传导为内膨胀挤压式，使股骨内外侧均承受较大应力，提高了骨折内固定的整体稳定性。PFN 其近端可打入两枚螺钉，一枚为股骨颈螺钉，主要起到负重作用，一枚为尾端固定钉，发挥抗旋转的作用，髓内钉有 6°角便于插入，因为是髓内固定，在防止旋转的同时，可以避免应力集中，有利于患者早期负重活动。主要适用于：经转子骨折、转子间骨折、高位转子下骨折。不适用于：低位转子下骨折、股骨干骨折。加长的 PFN(240 mm、360 mm)可适用于低位转子下骨折、同侧转子骨折、粗隆部和股骨干合并骨折、病理性骨折(图 23-2)。

髓内固定系统比钉板系统更稳定，尤其对不稳定型转子间骨折，髓内固定系统更具优势；对骨折端不进行过多剥离，在功能复位的基础上置入内固定，从而减少了手术带来的创伤、失血、感染等。

股骨近端抗旋髓内钉(PFNA)是一种新型内固定系统，其特点在于头钉为直径螺旋刀片，通过外侧切口自动完成抗旋转锁定，只打开外侧皮质，不移除骨质，当打入螺旋刀片时不会发生股骨头和股骨颈分离及股骨头和股骨颈旋转。其主要特点有：螺旋刀片通过一个部件即完成了抗旋转及成角稳定性；末端宽大的刀面尽可能多的压缩周围骨质，尤其是在骨质疏松的情况下，具有更好的抓持力；PFNA 螺旋刀片和骨质贴合紧密，增强了稳定性，防止旋转和内翻畸形；所有手术步骤仅需从外侧切口植入螺旋刀片。其髓内钉股骨髓腔良好匹配；瞄准器便于对标准型和小型髓内钉进行静态和动态锁定；主钉有外侧 6°偏角，便于从大结节顶点置入。

适应证：普通型适用于经转子骨折(31-A1 和 31-A2)、转子间骨折 (31-A3)、高位转子下骨折；加长型也可用于低位转子下骨折、粗隆部和股骨干合并骨折、病理性骨折等。

但在个别不稳定型骨折、肥胖者或股骨上段有过度弯曲畸形的病例，复位和置入 Gamma 钉、PFN 会有一定困难；特别是 Gamma 钉，由于其设计上有较大的外翻轴，钉的直径也较粗，在置入时常发生进钉点股骨转子间再骨折，若操作不规范，甚至会导致股骨干骨折。

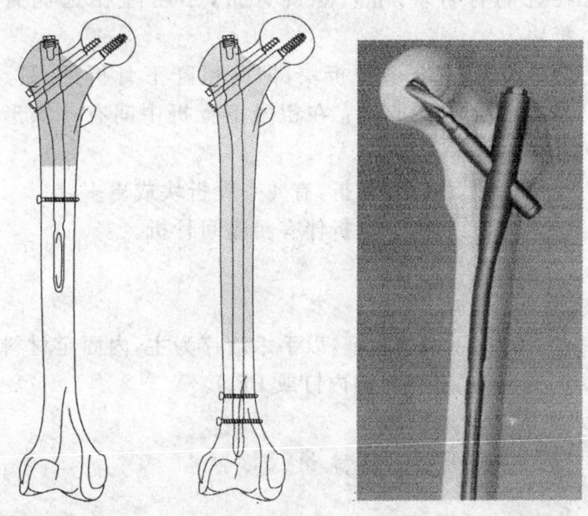

A. 普通 PFN　B. 加长 PFN　C. PFNA 示意图

图 23-2　PFN 固定适用范围

对于移位型小转子骨折，治疗的观点有所不同。有的学者认为需要将小转子复位固定，以恢复屈髋肌的正常力线，同时避免术后小转子在功能锻炼时移位甚至压迫股神经血管束引起临床症状。也有学者通过临床随访统计，发现是否复位固定小转子对远期髋关节功能无明显影响，如果单纯小转子骨折累及股骨距小于 1/2，可以不固定；但如果小转子骨折块较大，累及 1/2 以上的股骨距，严重破坏股骨转子内后侧的完整性，则有必要复位固定小转子。固定方法可以采用钢丝或多股尼龙线捆绑及拉力螺钉固定，需注意固定时螺钉尖不能穿出小转子内侧皮质过多，以免刺激内侧组织引起疼痛。

23.3 股骨粗隆下骨折

股骨粗隆下骨折包括小粗隆下 5 cm 以内的骨折，有时与粗隆间骨折同时发生。在老年人常由低能量损伤导致，而在年轻患者中多系高能量损伤所致。

23.3.1 分型

Seinsheimer 按骨折块的数量和骨折线的位置类型粗隆下骨折分型如下。

Ⅰ型：骨折无移位或移位＜2 mm。

Ⅱ型：骨折移位为 2 个骨折块。又分为 3 个亚型，$Ⅱ_A$，小粗隆下横行骨折；$Ⅱ_B$，螺旋骨折，小粗隆在近侧骨折块；$Ⅱ_C$，螺旋骨折，小粗隆在远侧骨折块。

Ⅲ型：有 3 个骨折块，即除粗隆下骨折外，$Ⅲ_A$ 尚有小粗隆骨折，$Ⅲ_B$ 在粗隆下骨折中间有一蝶形骨折块。

Ⅳ型：粉碎性骨折，有 4 个骨折块或更多。

Ⅴ型：粗隆下骨折伴有粗隆间骨折。

23.3.2 治疗

若无手术禁忌证，以手术治疗为主，内固定材料可选用 DCS、重建髓内钉或 PFN。

23.4 股骨干骨折

23.4.1 病因学

多数骨折由强大的直接暴力所致，如撞击、挤压等；一部分骨折由间接暴力所致，如杠杆作用、扭转作用、由高处跌落等。前者多引起横断或粉碎性骨折，而后者多引起斜形或螺旋形骨折。儿童的股骨干骨折可能为不全或青枝骨折；成人股骨干骨折后，内出血可达 500～1 000 ml，出血多者，在骨折数小时后可能出现休克现象。有挤压伤所致骨股干骨折，有引起挤压综合征的可能性。

股骨干上 1/3 骨折时，骨折近端因受髂腰肌，臀中、小肌及外旋肌的作用，而产生屈曲、外展及外旋移位；骨折远端则后上、内移位。

股骨干中 1/3 骨折时，骨折端移位，无一定规律性，视暴力方向而异，若骨折端尚有接触而无重叠时，由于内收肌的作用，骨折向外成角。

股骨干下 1/3 骨折时，由于膝后方关节囊及腓肠肌的牵拉，骨折远端多向后倾斜，有压迫或损伤腘动、静脉和胫、腓总神经的危险，而骨折近端内收向前移位。

23.4.2 临床表现

一般有受伤史，伤后肢体剧痛，活动障碍，局部肿胀压痛，有异常活动，患肢短缩，远端肢体常外旋。X 线片检查可以做出诊断，特别重要的是检查股骨粗隆及膝部体征，以免遗漏，同时存在的其他损伤，如髋关节脱位，膝关节骨折和血管、神经损伤。

23.4.3 治疗

以手术治疗为主，可供选择的固定方法较多，但应遵循的治疗原则是：恢复肢体长度、消除旋转畸形、力争解剖复位、保存骨折血供、及时功能锻炼。治疗方法如下。

1）骨牵引后外固定　由于股骨周围肌肉比较发达，难以达到理想复位，此法仅适合于年老、不能够耐受手术的患者。

2）外固定支架　适用严重的开放性骨折，或者已经合并有感染的患者。

3）闭合复位交锁髓内针固定　由于此法较多地满足股骨治疗的原则，因此获得越来越多的应用。适用于：①股骨上及中 1/3 的横、短斜形骨折，有蝶形骨片或轻度粉碎性骨折；②多发骨折。

术前可先进行骨牵引，重量为体重的 1/6，以维持股骨的力线及长度，根据患者全身情况，在伤后 3～10 天内手术。治疗方法：术前可实施骨牵引 1 周，对广泛粉碎性骨折或骨缺损，根据对侧股骨标准 X 线片选择髓针长度。患者平卧或侧卧骨科手术床上，手术在牵引及图像增强 C 臂机下进行，手法复位后从大粗隆内侧插入导针，经骨折部，达髓腔远端。在器械或者透视定位下完成交锁固定。

4）开放性复位交锁髓内针固定　在闭合复位困难或缺乏相关设备时可以选用。此法具有复位的准确性好、操作相对简便等优点，但有出血相对较多、增加骨折感染和延迟愈合、不愈合的风险。另外，在行初次手术后延迟愈合、不愈合或者内固定断裂的病例，为行二次手术要选择开放性复位，以便于打通髓腔和植骨。

5）加压钢板内固定　适应证：股骨干上、中、下1/3横形骨折，短斜形骨折。AO方法自20世纪60年代起逐渐普及，可分为加压器钢板和自身加压钢板两种。

手术在侧位进行，大腿外侧切口，在外侧肌间隔前显露股骨干外侧面，推开骨膜后，钢板置于股骨干外侧。可以通过AO技术达到解剖复位和骨折块之间加压固定，由于过多地破坏血供和应力遮挡等因素，此法有较多的骨折延迟愈合、不愈合和内固定断裂报道。目前已经逐渐被髓内固定所替代。

23.4.4　术后功能锻炼

在坚强内固定情况下，术后应该及时进行股四头肌功能锻炼，若内固定不够坚强，或者未行固定，也应该进行股四头肌收缩练习，以防止下肢静脉血栓和股四头肌粘连、萎缩，尤其是开放性复位内固定的患者。

23.5　股骨远端骨折

23.5.1　分型

A型骨折属关节外骨折，B、C型骨折是关节内骨折，其对膝关节的影响有二：一为骨折移位关节面不平滑，可导致创伤性关节炎；二为内外髁不均衡致膝内翻或外翻，使下肢轴线失去正常。因此对其处理原则是：解剖复位，牢固内固定，早期活动，防止关节粘连僵硬。

(1) 单髁骨折

股骨的内髁或外髁、后髁骨折，另一半髁保持在原位，与胫骨的解剖关系不变。单髁的后部可以为单独骨折，即髁的部分骨折成为一块游离骨块向上移位，常因膝部砸伤所致。

(2) 髁间骨折

为双髁骨者。骨折线呈"Y"形或"T"形，亦可为粉碎性。其骨折机制多系沿股骨纵轴的垂直暴力，向下压股骨髁部，遭受胫骨髁间嵴部的向上反力，如一切楔子致股骨内外髁骨折并向两侧分离。

23.5.2　临床表现

伤后膝部肿胀疼痛，不能活动，关节内积血。X线检查可显示髁部骨折移位情况，如单髁骨折后向后移位，双髁"Y"形骨折，髁向两侧分离，股骨干如一楔子，插入两髁之间。

23.5.3　治疗

A型骨折可选用切开复位DCS内固定，也可选用闭合复位逆行交锁髓内钉内固定。前者的优点是可解剖复位，坚强固定，缺点是暴露较多，创伤较大，后者的优点是闭合复位，血供破坏少，有利于骨折愈合，髓内固定，可将静力固定改动力固定，促进骨折愈合，但要求设备复杂，操作技术要求高。

B型骨折可选用多枚松质骨螺钉或者空心螺钉内固定。

C型骨折可先选多枚松质骨螺钉或者空心螺钉固定髁骨折块后，再选用DCS或逆行交锁髓内钉内固定，也可以选用股骨髁上解剖钢板或锁定股骨髁上解剖钢板内固定。

逆行交锁髓内钉技术：患者仰卧位于牵引手术床上，A型骨折可先行闭合牵引复位，透视下见复位满意；C型骨折选膝外侧切口切开复位，先行髁间骨折解剖复位选多枚松质骨螺钉固定，注意不要阻挡髓内钉入路，由后交叉韧带起点前方开孔，必要时扩髓，选择合适长度和直径的髓内钉在维持好股骨力线状态下打入，在透视或器械导引下分别交锁近端和远端螺钉，术后要彻底冲洗和清理膝关节，防止骨屑残留。

23.6　胫骨平台骨折

23.6.1　概述

胫骨平台骨折属关节内骨折，胫骨髁部位由海绵骨所构成，其外髁皮质不如内髁皮质坚硬，因受损伤时多为膝外翻位，故胫骨外髁骨折的发生多于内髁骨折。在年轻患者，骨折多由高能量损伤所致，常合并有半月板、交叉韧带或内外侧副韧带损伤，严重者可合并有腘动脉或神经损伤，出现小腿骨筋膜室高压，若不及时治疗导致肢体残疾，应给予重视。治疗原则是：及时处理严重并发症、解剖复位骨折、适量植骨支撑、选择合适内固定、注意皮肤覆盖、早期功能锻炼。

23.6.2 分型

Hohl于1990年将805例胫骨平台骨折简单分为5型:微小移位骨折、局部压缩骨折、劈裂压缩骨折、全髁骨折和双髁骨折。目前比较接受的胫骨平台骨折分型如下。

Ⅰ型:单纯楔型骨折,比较少见,最常见是外侧或后侧,如果出现在内侧则有相应内翻畸形,骨折面可以在冠状面或在矢状面。

Ⅱ型:单纯压缩骨折,发生过度外翻,外侧胫骨平台被股骨外髁压塌,平台本身增宽。

Ⅲ型:Ⅰ型与Ⅱ型合并与关节面压缩及外侧皮质骨折,在前后位X线片上胫骨平台往往增宽,在侧位相上,关节面前部或后部完全压缩。

Ⅳ型:"T"形与"Y"形骨折或两髁的粉碎性骨折,有时合并髁间隆凸骨折,外侧平台往往损伤严重。

23.6.3 治疗

对于关节面骨折移位的程度与手术治疗的关系存在不同意见,目前较为接受的是若关节面压缩或移位超过10 mm,应该行切开复位内固定,若<5 mm的稳定骨折,可行保守治疗,包括外固定和避免负重,若在5~8 mm之间,对于老年活动量较少的患者可选择保守治疗,对于年轻活动量较多的患者应该给予手术治疗。

单侧平台骨折的患者手术可选择单侧膝旁入路,由半月板下暴露关节面,探查半月板和交叉韧带,观察骨折复位和植骨支撑的情况,双侧平台骨折的可选择膝关节正中入路或者双侧切口,两切口之间皮肤的间隔要在8 cm以上;关节镜辅助下行切开复位内固定的优点有:①直接提供良好的关节内视野,了解关节内各结构的损伤,有助于确立进一步的治疗方案。②能基本保证骨折的复位,利用关节镜对平台骨折处的直接观察,也可以应用探针等器械协助骨片的复位,如清除嵌入的小骨片和破碎的半月板,有利于复位。③直接观察固定的螺钉有无进入关节腔内,指导螺钉的进针方向以及拧入的松紧程度。④清除脱落的软骨片、骨片和半月板碎片。⑤同时处理关节腔内发现的其他损伤病变。⑥可以反复冲洗,去除凝血块、纤维素渗出和骨软骨碎屑。⑦整个手术创伤小,关节腔基本不暴露,感染机会小,有利于术后功能恢复。⑧能早期功能训练,功能恢复良好。⑨并发症相对较少,减少住院时间。

内固定的材料可选择"T"形、"L"形支撑接骨板、Golf钢板、干骺端接骨板或者解剖型接骨板。植骨材料可选择自体髂骨、同种异体骨、人工合成骨替代材料等。

23.6.4 并发症的防治

(1) 感染

胫骨平台骨折并发的深部感染常常是由于伤口感染而引起,开放性骨折以及某些局部皮肤挫伤的闭合性骨折常常会发生软组织闭合困难,继发感染。如果出现了伤口裂开以及深部感染并发症,彻底的清创引流尤为重要,对于关节面的骨折,可能发生膝关节的感染,如果条件允许,可以进行膝关节灌洗引流;发生深部感染并有脓腔形成,需要敞开引流以及二期关闭伤口;若有窦道形成,在清创后伤口内放置负压引流。对于伤口张力过大无法关闭可以利用显微外科技术,最常用的就是腓肠肌内、外侧头肌皮瓣覆盖,也有人使用游离皮瓣。研究发现使用游离皮瓣手术并发症相对转移皮瓣要少。对于发生内固定物松动的病例,需要去除内固定物,改用牵引或外固定架治疗。

减少感染发生率需要选择合适的手术时机,避免干扰骨膜和碎骨块。应用一些间接复位技术,如软组织夹板作用、经皮复位钳、小型钢板以及松质骨螺钉等,尽可能减少对周围软组织的损伤,防止伤口裂开和深部感染的发生。

(2) 膝关节软组织合并伤

胫骨平台骨折常合并有半月板损伤,前、后交叉韧带及内侧副韧带损伤,在行骨折手术治疗的同时,若发现此类损伤应争取一期修复,同手术并发症密切相关的包括腓总神经损伤和腘动静脉损伤。对于外侧平台骨折,特别是伴有腓骨头骨折时,腓总神经位置改变,手术分离或切割时易损伤;内侧平台骨折行内固定时,钻头或骨栓损伤腓总神经;外侧手术切口瘢痕,局部血肿等形成卡压损伤。后侧平台塌陷骨折复位,撬拨骨折时器械或骨折块会损伤腘动静脉;不正确的内固定,钻孔、克氏针等损伤腘动静脉。对于腓总神经、腘动静脉发生断裂,均应直视下进行修复;若腓总神经有挫伤,可以给予神经营养药物的同时进行观察,如果3个月无恢复,可以考虑手术松解。

预防此类并发症的发生,要求在骨折复位时要注意保护腓总神经和腘动静脉,外侧切口要先暴露和显露腓总神经，手术操作最好于止血带下进行，注意内固定物放置的位置，以及不要对准腘窝方向钻孔或者使用克氏针内固定。

(3) 创伤性关节炎

关节周围骨折发生此种并发症的概率很大，胫骨平台骨折当骨折造成关节面的严重破坏，术后无法恢复其光滑平整；骨折复位不良，关节面不平整；关节不稳；以及下肢轴线异常等是产生胫骨平台骨折术后创伤性关节炎的常见原因。内翻畸形比外翻畸形更容易产生创伤性关节炎，半月板的切除加重关节炎的发生。一旦创伤性关节炎发生，对于老年人，人工关节置换可能是合理的选择；而对于年轻人，若关节炎集中在关节的内侧或者外侧部分，可以考虑通过截骨术改变下肢的轴线改善关节功能；对于严重的创伤性关节炎患者，还有一种选择是关节融合术。在选择不同的治疗方式的时候，年龄、软组织条件、感染以及膝关节的活动度是需要考虑的因素。

(4) 膝关节僵硬

膝关节僵硬是胫骨平台骨折的一个常见并发症，产生的原因可能是由于创伤波及伸膝装置，手术内固定的干扰，外固定时间太久，股四头肌粘连及继发性萎缩与挛缩造成静脉、淋巴回流障碍，组织水肿，浆液性渗出增多致股四头肌与周围粘连。扩张部分与髌旁支持带牢固粘连与挛缩束缚髌骨的活动关节周围组织如韧带、关节囊等挛缩和纤维化；关节内积血后产生纤维粘连。膝关节在胫骨平台骨折后固定3～4周一般会发生不同程度的关节僵硬。

早期稳定的内固定，合理的处理软组织问题以及早期活动可以减少膝关节僵硬的发生。处理膝关节僵硬可以考虑使用麻醉下手法松解，但是要避免暴力。通过手术松解阻碍膝关节屈曲的诸因素如股中间肌硬化和粘连、关节内粘连、骨突阻挡、股四头肌扩张部挛缩、股直肌挛缩等得到解除后，膝关节可以屈曲到满意的程度。相对于传统的松解手术，关节镜下行膝关节僵硬松解具有创伤小、操作精细等优势，术后可早期屈膝锻炼而不用担心切口裂开或过度疼痛等。

23.7 髌骨骨折

23.7.1 概述

髌骨是人体中最大的孖骨，是膝关节的一个组成部分，切除髌骨后，在伸膝活动中可使股四头肌力减少30%左右，因此髌骨能起到保护膝关节，增强股四头肌肌力，伸直膝关节最后10°～15°的滑车作用。除不能复位的粉碎性骨折外，应尽量保留髌骨。髌骨后面是完整的关节面，其内外侧分别于股骨内外髁前面形成髌股关节。在治疗中应尽量使关节面恢复平整，减少髌股关节炎的发生。横断骨折有移位者，均有股四头肌腱扩张部断裂，致股四头肌失去正常伸膝功能，治疗髌骨骨折时，应修复肌腱扩张部的连续性。

23.7.2 病因学

骨折多为间接暴力所致，由于股四头肌猛力收缩，所形成的牵拉性损伤，如突然滑倒时，膝关节半屈曲位，股四头肌骤然收缩，牵髌骨向上，髌韧带固定髌骨下部，而股骨髁部向前顶压髌骨形成支点，3种力量同时作用造成髌骨骨折，因此多造成髌骨横形骨折，移位大，髌前筋膜及两侧扩张部撕裂严重。直接暴力因外力直接打击在髌骨上，如撞伤、踢伤等，骨折多为粉碎性，其髌前腱膜及髌两侧腱膜和关节囊多保持完好，骨折移位较小，亦可为横断形骨折。

23.7.3 分型

髌骨骨折可分为：①髌骨横形骨折：髌骨中1/3，髌骨下1/3骨折。②髌骨粉碎性骨折。③髌骨下极粉碎性骨折。④髌骨上极粉碎性骨折，较少见。⑤髌骨纵行骨折。

23.7.4 临床表现

髌骨骨折系关节内骨折。骨折后，关节内大量积血，髌前皮下淤血、肿胀，严重者皮肤可发生水疱。有移位的骨折，可触及骨折线间的间隙。有明显外伤史，有压痛，较易诊断，髌骨正侧位X线片可确诊，对可疑髌骨纵行或边缘骨折，须拍轴位片证实。边缘骨折，多为一侧，而副髌骨多发生在髌骨的外上角，骨块边缘整齐、光滑，多对称存在，以此可作鉴别。

23.7.5 治疗

对新鲜髌骨骨折力争在6～8 h内手术治疗，应最大限度地恢复其原关节面的形态，力争使骨折解剖复位，关节面平滑，给予较牢固内固定，早期活动膝关节，恢复其功能，防止创伤性关节炎和关节粘连的发生。

影响髌骨骨折预后的因素有两种:①髌骨关节面复位不佳,不平滑,如环形固定或"U"形钢丝固定的固定力不够坚强,在活动中不易保持关节面复位;如果固定偏靠前部,则可使关节面骨折线张开,愈合后易发生髌股关节炎。②内固定不坚强者,尚需一定时间外固定,如髌骨骨折愈合较慢,则外固定时间需长达6周以上,关节内可发生粘连,妨碍关节活动,这就是有些病例采用环形固定或"U"形钢丝固定治疗效果不佳的原因。因此,髌骨骨折的治疗原则应当是关节面复位平滑,内固定牢固可靠,骨折愈合快,早期关节功能锻炼。

23.8 胫腓骨骨折

23.8.1 概述

胫腓骨是长管状骨中最常发生骨折的部位,约占全身骨折的13.7%。10岁以下儿童尤为多见,其中以胫腓骨双骨折最多,胫骨骨折次之,单纯腓骨骨折最少。

胫腓骨由于部位的关系,遭受直接暴力打击、压轧的机会较多。又因胫骨前内侧紧贴皮肤,所以开放性骨折较多见,严重外伤,创口面积大,骨折粉碎、污染严重,合并有软组织缺损为本病的特点,如何更好处理一直是骨折治疗中争议最多的问题之一。

正常胫骨干并非完全平直,而是有一向前外侧形成10°左右的生理弧度。运动时膝与踝关节在同一平行轴上活动,因此治疗胫腓骨骨折必须注意防止成角和旋转移位,以保持正常的生理弧度和使膝、踝关节轴能够平行一致,以免发生创伤性关节炎。

胫骨干中上段略呈三角形,有前、内、外三嵴均位于皮下,是良好的骨性标志,中、下交界处较细弱,略呈四方形,是骨折的好发部位。

胫骨的营养血管由胫骨干上1/3后外侧穿入,在致密骨内行一段距离后进入骨髓腔,胫骨干中、下段骨折时,血管易受伤,导致下骨折段供血不足,发生迟缓愈合或不愈合。

胫骨上端有股四头肌及内侧腘绳肌附着,此二肌有使近侧骨折端向前向内移位的倾向。小腿肌肉主要附着在胫骨后外侧,中下1/3无肌肉附着,仅有肌腱通过,因此小腿中下1/3骨折时易向前内侧成角,穿破皮肤形成开放性骨折。

腘动脉在进入比目鱼肌腱弓后,分胫前、胫后动脉,两动脉都贴近胫骨下行,胫骨上端骨折移位时易损伤血管,引起缺血性挛缩。

腓骨四周均有肌肉保护,虽不负重,但有支持胫骨的作用和增强踝关节的稳定度,骨折后移位常不大,易于愈合。腓骨头后有腓总神经绕过,如发生骨折要注意神经损伤的可能性。

小腿筋膜间隙:胫腓骨及骨间膜与小腿筋膜形成4个筋膜间隙,胫前间隙、外侧间隙、胫后浅间隙和深间隙。骨折后出血、血肿以及肌肉挫裂伤后肿胀使间隙内压力增高,受到筋膜限制时又可发生筋膜间隙综合征,造成血循环和神经功能障碍,严重者甚至发生缺血性坏死,在小腿骨折治疗中,尤其闭合性骨折的发生率较开放性者为高,必须注意防止。

23.8.2 临床表现

(1) 直接暴力所致的胫腓骨干骨折

以重物打击、踢伤、撞击伤或车轮碾轧等多见,暴力多来自小腿的外前侧。骨折线多呈横断形或短斜形。巨大暴力或交通事故伤多为粉碎性骨折。两骨折线常在同一平面,如横断骨折,可在暴力作用侧有一三角形碎骨片,骨折后,骨折端多有重叠、成角、旋转移位。因胫骨前面位于皮下,所以骨折端穿破皮肤的可能性极大,肌肉被挫折的机会较多。如果暴力轻微,皮肤虽未穿破,如挫伤严重,血运不良,亦可发生皮肤坏死,骨外露发生感染。较大暴力的碾挫、绞轧伤可有大面积皮肤剥脱、肌肉撕裂和骨折端裸露。

骨折部位以中下1/3较多见,由于营养血管损伤、软组织覆盖少、血运较差等特点,延迟愈合及不愈合的发生率较高。

(2) 间接暴力所致的骨折

为由高处坠下、旋转暴力扭伤或滑倒等所致的骨折,特点是骨折线多呈斜形或螺旋形;腓骨骨折线较胫骨骨折线高,软组织损伤小,但骨折移位骨折尖端穿破皮肤形成穿刺性开放伤的机会较多。

骨折移位取决于外力作用的大小、方向、肌肉收缩和伤肢远端重量等因素。小腿外侧受暴力的机会较多,因此可使骨折端向内成角,小腿重力可使骨折端向后侧倾斜成角,足的重量可使骨折远端向外旋转,肌肉收缩又可使两骨折端重叠移位。

23.8.3 治疗

胫腓骨骨折的治疗目的是恢复小腿的承重功

能，因此骨折端的成角畸形与旋转移位应该予以完全纠正，以免影响膝踝关节的负重功能和发生关节劳损。除儿童病例外，虽可不必强调恢复患肢与对侧等长，但成年病例仍应注意使患肢缩短＜1 cm，畸形弧度＜10°，两骨折端对位至少应在2/3以上。治疗方法应根据骨折类型和软组织损伤程度选择外固定或开放复位内固定。

23.8.3.1 *非手术治疗*

手法复位外固定适合于稳定性骨折，或不稳定骨折牵引3周左右，待有纤维愈合后，再用石膏或小夹板进行外固定。

1）稳定性骨折 无移位或整复后骨折面接触稳定无侧向移位趋势的横断骨折、短斜形骨折等，在麻醉下行手法复位及外固定，即长腿石膏或小夹板固定。石膏固定时，膝关节应保持15°左右轻度屈曲位，待石膏干固后可扶拐练习以足踏地及行走，2～3周后可开始去拐练习持重行走。

2）不稳定性骨折 斜形、螺旋形或轻度粉碎性的不稳定骨折，单纯外固定不可能维持良好的对位。可在局麻下行跟骨穿针牵引，用螺旋牵引架牵引复位，小腿石膏或小夹板行局部外固定。术后用4～6 kg重量持续牵引3周左右。待纤维愈合后，除去牵引，用长腿石膏或小夹板继续固定直至骨愈合。

石膏固定的优点是可以按肢体的轮廓进行塑形，固定确实。但如包扎过紧，可造成肢体缺血甚至发生坏死；包扎过松或肿胀消退，肌肉萎缩可使石膏松动，骨折必将发生移位。因此固定期间要随时观察，包扎过紧应及时剖开，发生松动应及时更换。一般胫腓骨骨折急诊固定后，常需于3周左右更换一次石膏。更换后包扎良好的石膏不再随意更换，以免影响骨折愈合。但仍应定期随访，观察石膏有无松动及指导患者进行功能锻炼。

长腿石膏固定的缺点是固定范围超越关节，胫骨骨折愈合时间长，常可影响膝、踝关节活动功能。为此，可在石膏固定6～8周已有骨痂形成时，改用小夹板固定，开始关节活动。或者改用膝下管形石膏(below-knee cast)，即在包扎时注意做好胫骨髁及髌骨的塑形，以减少胫骨旋转活动。这种方法可以减少延迟愈合及不愈合的发生率，并使膝关节功能及早恢复，骨折端虽略有缩短，但不会发生成角畸形。

23.8.3.2 *手术治疗*

(1) 开放复位内固定

胫腓骨骨折一般骨性愈合期较长，长时间的石膏外固定，对膝、踝关节的功能必然造成影响。另外，由于肌肉萎缩和患肢负重等因素，固定期可能发生骨折移位。因此，对不稳定性骨折采用开放复位内固定者日渐增多，并可根据不同类型的骨折采用不同的术式和内固定方法。

1）钢板螺丝钉固定 斜形、横断形或粉碎性骨折均可应用。由于胫骨前内侧皮肤及皮下组织较薄，因此钢板最好放在胫骨外侧、胫前肌的深面。一般加压钢板厚度较大，因此临床应用受到一定的限制。

2）髓内钉固定 胫骨骨折的髓内钉有多种，既往的Lotter三棱钉、Ender钉、“V”形钉等由于使用欠方便，固定不坚强等因素，目前少用。

3）交锁髓内钉固定 是通过中轴线弹性固定，可最大限度地克服因偏心固定所产生的应力遮挡效应，骨折断端均匀地承受压力，提高抗折弯、抗旋转的能力，避免剪、扭等有害应力，已成为治疗胫腓骨骨折的一种安全、理想的内固定方法。选择开放或闭合穿钉应根据医院的具体条件、手术者的熟练程度以及骨折的情况而决定。开放穿钉操作简单，直视将骨折复位，对位对线良好，手术中不需要或者较少X线透视，但增加了组织损伤，对术后骨折愈合有一定的影响。而闭合穿钉操作较复杂，术者需熟练掌握一定的手术技巧，并且需要一些特殊设备，但其损伤及出血少，术后发生感染的可能较小。但如果是骨折端有软组织嵌插、骨折合并主要血管损伤的情况，则需要开放穿钉。在设备及技术条件允许下，闭复位穿钉是首选的治疗方法。即使无C臂机，只要术前周密计划，术中规范操作，精确调试瞄准器，也可以用带锁髓内钉治疗胫骨骨折。

对于扩髓与不扩髓的看法仍不一致。有人认为扩髓有利于骨折的愈合，因为扩髓后可选直径相对较大的针体和锁钉，能提高骨折的稳定性，而且扩髓过程中产生的骨屑散布于骨折处，有自体植骨的作用。虽然有研究表明扩髓可导致髓内压升高，但对肺血流动力学并无影响。扩髓对髓腔内血运虽有破坏，但血运的恢复较快，术后8周皮质骨血运恢复正常。而且扩髓有利于陈旧性骨折愈合，是治疗胫骨不稳定骨折一种安全、有效的方法。而有的学者则不主张扩髓治疗胫腓骨骨折，他们认为胫骨干血供主要来源于胫骨滋养动脉系统，如扩髓腔则会使胫骨干血供受到进一步损害，从而影响骨折愈合。扩髓或穿钉过程破坏了髓内血管的同时，也会导致髓内压升高和肺动脉压升高。而且不扩髓带锁髓内钉操作方便，可以缩短手术时间。笔者认为应该根据骨折的具体情况进行选择，首先应该保证骨折固定的稳定性，在此前提下尽量少扩髓或不扩髓。对于胫腓骨双骨折，如果行胫骨不扩髓髓内钉固定，应该同期行腓骨钢板内固定。

关于交锁钉的选择，对于胫骨干中段的横形和短斜形的骨折可以选用动力交锁固定，因为患肢负重时可产生轴向加压作用，有利于骨折的愈合；而对粉碎性等不稳定骨折，则改用静力交锁固定，这样既可保持骨折长度，又能有效地对抗旋转应力，还可以进行早期关节活动，进行功能锻炼和负重，从而减少关节僵硬，促进骨折愈合。在骨折达到初步稳定后，若为促进骨折愈合，可以将静力型固定改为动力型固定。带锁髓内钉固定适应于大部分闭合性胫骨干骨折和Ⅰ、Ⅱ及$Ⅲ_A$型骨折，包括骨折局部有软组织创面或感染和AO钢板固定失败及骨折不愈合者，但胫骨近端1/3和远端1/4骨折为禁忌证，因为胫骨近端和踝上区无法锁钉，不能有效地防止骨折的旋转移位，不能达到坚强的内固定，所以不宜用带锁髓内钉固定。儿童应禁用，以免影响骨骺生长；严重骨质疏松或感染性骨折患者也应禁用。

不论何种类型髓内钉对胫骨骨折的治疗，均具有操作简单，对组织损伤小，一般不需要超关节的长期外固定，患肢负重时间早等优点。因此，骨折平均愈合时间较单纯外固定短，患肢功能恢复较快。

4）MIPPO技术　是强调“间接复位，生物学固定”为原则的一种新内固定技术与方法，该手术方法不直接显露骨折区，保留了骨折段周围的血运及软组织，减少手术创伤，有利于骨折愈合。经皮微创置入钢板不会对骨的穿支动脉及营养血管有所损害，骨膜和骨髓仍有良好的血液灌注，而传统的切开复位钢板内固定手术对穿支动脉及营养血管的损害高达86%。MIPPO适用于闭合性骨折，尤其是胫骨近端和远端难以进行髓内钉固定的病例，对Gustilo Ⅰ型、Gustilo Ⅱ型的开放性骨折也适用，特别是皮肤条件不好、有皮肤擦伤结痂和小创面，不适合广泛切开手术的病例。但是患者骨折固定不如带锁髓内钉牢固，完全负重时间明显晚于带锁髓内钉牢固的患者，骨折愈合时间较带锁髓内钉牢固略晚。该技术适应证广，可应用于胫骨远近端和胫骨干骨折；不用打开膝关节，减少了膝关节损伤的机会，避免髓内钉并发膝关节疼痛的发生；不会增加髓腔的压力而减少脂肪栓塞等加重肺部损害并发症的发生；可减少使用髓内钉扩髓和插钉过程中并发医源性骨折；髓内钉固定是轴向型固定，而MIPPO仍是偏心固定，骨折断端的稳定性较差；MIPPO早期不能满足患肢完全负重的要求，负重时间较髓内钉固定晚，对于骨折复位一定要达到恢复解剖力线、骨折片之间接触，可以配合有限切开拉力螺钉技术应用，防止盲目应用而导致内固定失败（图23-3）。

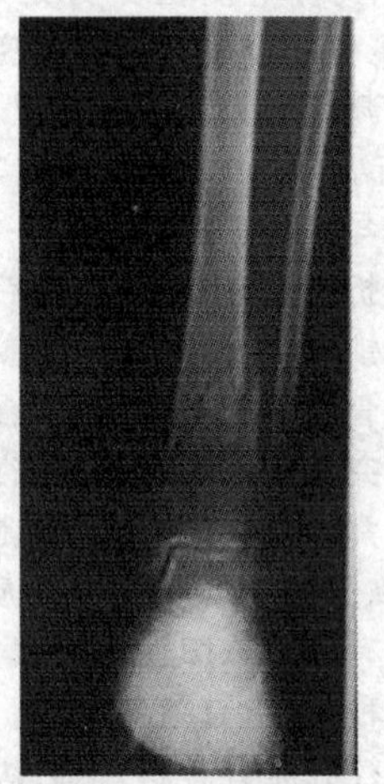

A. 术前X线片

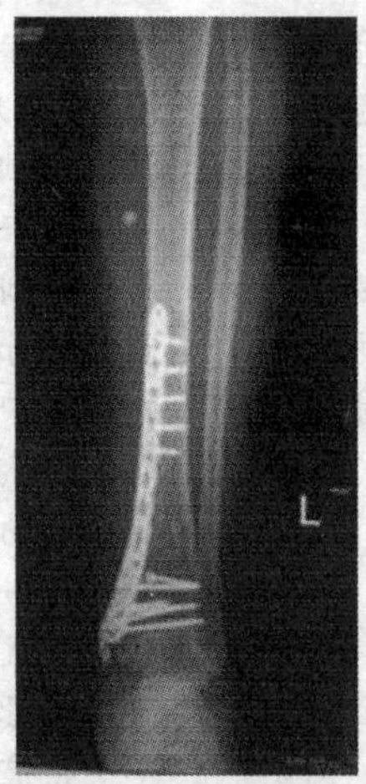

B. 术后X线片

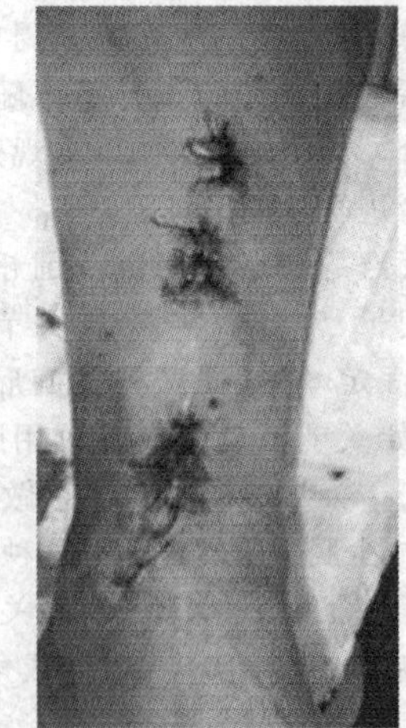

C. 术后皮肤外观

图23-3　微创经皮钢板技术治疗胫骨下段骨折

(2) 开放性胫腓骨骨折的治疗

小腿开放性骨折的软组织伤轻重不等,可发生大面积皮肤剥脱伤、组织缺损、肌肉绞轧挫灭伤、粉碎性骨折和严重污染等。早期处理时,创口开放或是闭合,采用什么固定方法均必须根据不同伤因和损伤程度做出正确的判断。小腿的特点是前侧皮肤紧贴胫骨,清创后勉强缝合常因牵拉过紧造成缺血、坏死或感染。因此,对 Custilo Ⅰ型或较清洁的 Custilo Ⅱ型伤口、预计清创后一期愈合无大张力者可行一期缝合;对污染严重、皮肤缺损或缝合后张力较大者,均应清创后令其开放。如果骨折需要内固定,也可在内固定后用健康肌肉覆盖骨折部,令皮肤创口开放,待炎症局限后,延迟一期闭合创面或二期处理。大量临床资料证实,延迟一期闭合创口较一期缝合的成功率高。

23.8.4 并发症的防治

(1) 创伤性筋膜间隙综合征

小腿部骨折或肌肉等软组织损伤,发生血肿、反应性水肿,使筋膜间隙内压力增高时,可以造成血循环障碍,形成筋膜间隙综合征。其中以胫前间隙综合征的发生率最高。

胫前间隙位于小腿前外侧,胫前肌、幺长伸肌、趾长伸肌、第三腓骨肌、腓总神经和胫前动静脉位于其中,当发生胫前间隙综合征时,小腿前外侧发硬、压痛明显,被动伸、屈跖趾时疼痛加剧。疼痛情况与腓神经受压程度有关,早期可出现第 1、2 趾蹼间感觉减退,继而发生幺长伸肌、趾长伸肌、胫前肌肉麻痹。由于腓动脉有交通支与胫前动脉相通,因此早期足背动脉可以触及。

由于筋膜间隙是相对封闭,不能扩张,骨折出血血肿形成及肌肉肿胀,腔室内压力急骤增高,压迫肌肉、神经组织的毛细血管,造成组织缺血、坏死。肢体的主要动、静脉损伤将导致远端肌肉、神经缺血,组织渗出增多,也会造成骨筋膜室内压力增高。腔室内压力增高导致肌肉缺血、缺氧,肌肉渗出增加,肌肉肿胀进一步加重会增加腔室内的压力,从而形成恶性循环,最终导致典型的"5P"征,即无脉(pulselessness)、疼痛(pain)、苍白(pallor)、感觉异常(paresthesia)和麻痹(paralysis)。

除胫前筋膜间隙外,胫后 3 个间隙亦可发生综合征。其中以胫后深间隙综合征的发生率较胫后浅间隙及外侧间隙高,特点为后侧间隙疼痛、跖底麻木、足趾屈曲力减弱,被动伸趾时疼痛加剧,小腿三头肌远端内侧内筋膜张力增高,压痛明显。如症状持续发展未及时处理,可以发生间隙内肌群缺血挛缩,形成爪形足。行小腿内后侧切口,自比目鱼肌起始部,横行切开深层筋膜,必要时同时将肌外膜切开,可以达到减压目的。

胫前间隙综合征是间隙内压力持续增加,血管痉挛,组织渗透压增加,组织缺血缺氧所形成的。尤其是软组织有明显挫伤的闭合性胫腓骨骨折病例,有发生筋膜间隙综合征的可能,故应尽早进行骨折复位,并静脉滴注 20%甘露醇,以改善微循环,减轻水肿,并严密观察。

除筋骨间隙综合征外,胫前间隙下口近踝关节部,胫前肌、幺长伸肌、趾长伸肌腱紧贴胫骨,该部骨折愈合,骨痂形成后可使肌腱遭受磨损,引起症状,必要时亦应手术切开筋膜进行减压。

(2) 肢体感染

伤口感染和骨髓炎是开放性胫腓骨骨折后期的主要并发症。全身情况差,损伤严重,失去早期清创时机,清创不彻底,伤口缝合时张力过大,通常是引起皮肤软组织坏死、感染的重要原因。治疗开放性胫腓骨骨折术后感染应注意:①严格掌握手术适应证。对于伤口污染严重、软组织挫伤重、延期闭合伤口者,手术在 2 周内伤口稳定后进行,排除局部或全身感染迹象。②严格无菌操作,早期彻底清创。清创时间控制在 6～8 h 内,术中用过氧化氢、聚维酮碘液和生理盐水反复浸泡、冲洗伤口。③术前术后合理运用抗生素。④开放性骨折行不扩髓交锁髓内钉治疗为宜。扩髓会严重影响骨折端血供,从而影响骨折愈合时间及愈合强度,并明显增加感染率,加大失血量,延长手术时间。扩髓同时又不增加髓腔内压力,减少脂肪栓塞综合征的发生。

(3) 畸形愈合,延期愈合,不愈合,双下肢不等长

在行清创或者内固定时,尽量不剥离或少剥离骨膜及周围软组织,尽量进行间接骨折复位,并且要恢复下肢力线,对于长斜形骨折、螺旋形骨折、严重粉碎性骨折复位后可选用钢丝捆扎固定,选用交锁髓内钉固定可远端锁钉安放后倒拨髓内钉促使骨断端紧密接触,故骨折对位、对线均良好。对于出现延期愈合病例 X 线片显示骨折已稳定时,可去除离骨折中心较远的锁钉,将静力型固定改为动力型,使骨折端受到生理应力刺激而促进骨折愈合。

(4) 内固定失败

选用交锁髓内钉结合腓骨固定,此类病例有所

减少，多发生于钢板固定患者，过早负重、复位欠佳、过多剥离骨膜等因素是导致内固定失败的主要原因。重新选择内固定结合自体松质骨植骨或者带血管髂骨植骨是可靠的解决途径。

23.9 踝关节骨折

23.9.1 概述

踝关节是人体主要的承重关节之一，属于屈戌关节，关节面之间紧密接合，以屈伸活动为主要功能，是将人体重力由垂直柱状转化为弓状平面负重形式的重要关节。踝关节骨折是骨科常见的损伤，占全身骨折总数的3%～5%，其发病率占各个关节内骨折的首位。

23.9.2 分型

踝关节骨折脱位的分类，经历了一个由简单到复杂的过程。19世纪以前，多是以骨折的形态和严重程度进行分类，分为稳定性骨折与不稳定性骨折，或根据骨折有几个部位分为单踝、双踝、三踝骨折，随着对踝关节解剖、功能、生物力学特性及其受伤机制认识的深入，新的分类方法更加注重综合因素，如足受伤时的姿势、外力的方向、韧带与骨折间的联系、骨折的过程和程度等。目前临床中公认和最常用的是Lauge-Hansen分类法和Danis-Weber分类法。

(1) Lauge-Hansen分类法

1942年，丹麦医生Lauge-Hansen根据尸体解剖及临床，按受伤时患足所处的位置、致足损伤外力作用的方向对踝关节骨折进行分型，其目的是为了阐明受伤的机制，骨折的类型和韧带损伤的程度。其分型为旋后外旋型(SE)，旋前外旋型(PE)，旋后内收型(SA)，旋前外展型(PA)，旋前背屈型(PD)5类，每类名称的前半部分指受伤时足所处的位置，后半部分指所受暴力的方向。每种分型又根据骨和韧带损伤的程度分度。据此分为，旋后外旋型四度，Ⅰ度：下胫腓前韧带的撕裂；Ⅱ度：Ⅰ度伴腓骨在下胫腓联合处的斜形或螺旋形骨折；Ⅲ度：Ⅱ度伴后踝骨折或下胫腓后韧带撕裂；Ⅳ度：Ⅲ度伴内踝骨折或三角韧带撕裂。旋前外旋型四度，Ⅰ度：内踝横形骨折或三角韧带撕裂；Ⅱ度：Ⅰ度伴下胫腓前韧带损伤；Ⅲ度：Ⅱ度伴外踝上方螺旋骨折；Ⅳ度：Ⅲ度伴下胫腓后韧带损伤。旋后内收型两度，Ⅰ度：外踝撕脱性骨折或外侧韧带损伤；Ⅱ度：Ⅰ度伴内踝骨折。旋前外展型3度，Ⅰ度：内踝骨折或三角韧带断裂；Ⅱ度：Ⅰ度伴有下胫腓韧带损伤；Ⅲ度：Ⅱ度伴有外踝骨折(胫距关节平面以上的腓骨远端短斜骨折)。旋前背屈型四度，Ⅰ度：内踝骨折；Ⅱ度：Ⅰ度伴胫下关节面前缘骨折；Ⅲ度：Ⅱ度伴腓骨远端高位骨折；Ⅳ度：Ⅲ度伴胫下关节面后缘骨折。Lauge-Hansen分类能够较为清晰地表达出受伤时足的姿势，外力的方向及韧带损伤和骨折间的关系，对临床中手法整复及整复后固定有具体的指导意义，其弊端是较为复杂，如平时用得较少，掌握起来有一定的难度。

(2) Danis-Weber分类法

Danis-Weber分类法则是从病理解剖方面，根据腓骨骨折的水平位置和下胫腓联合的相应关系，将踝关节骨折分为A、B、C 3型。A型：腓骨骨折线位于下胫腓联合平面之下，可为外踝撕脱骨折或为外侧韧带损伤，下胫腓联合及三角韧带未损伤。此型主要由内收内旋应力引起。B型：外踝骨折线位于下胫腓联合平面处，自前内侧向后外侧延伸，可伴有内踝撕脱骨折或仅有三角韧带损伤，下胫腓联合有可能损伤。此型通常由强力外旋外力引起。C型：腓骨骨折发生在下胫腓联合平面之上，均合并有下胫腓韧带损伤，其通常为长斜形骨折，骨折线水平越高，损伤越严重，内侧结构损伤为内踝撕脱骨折或三角韧带断裂。此型骨折多由外展外旋应力引起。Danis-Weber分类法比较适用于手术治疗，且简单易记，但完全忽略内侧结构损伤的生物力学重要性，不能根据生物力学原则对骨折进行分型。

(3) AO分型

A型骨折：腓骨骨折位于胫腓联合体以下。A1型，孤立骨折；A2型，合并有内踝骨折；A3型，合并有后内侧骨折。B型骨折：腓骨骨折经过下胫腓联合体。B1型，孤立骨折；B2型，合并有内踝或韧带损伤；B3型，合并有内侧损伤和胫骨后内侧骨折。C型骨折：腓骨骨折位于胫腓联合体以上。C1型，单纯腓骨干骨折；C2型复杂腓骨骨折；C3型，腓骨近端骨折。

23.9.3 临床表现

23.9.4 治疗

与早期认为外踝在踝关节负重方面作用无关紧

要的观点不同的是，现在认为外踝参与踝关节负重并起重要作用，外踝负重占踝关节负重的1/6。因此，在治疗踝关节骨折-脱位时，应处理好外踝骨折和下胫腓联合分离。

23.9.4.1 非手术治疗

对于Danis-Weber分类中A型骨折可以保守治疗，而B、C型则以切开复位内固定较好。如果对踝关节骨折手术有顾虑，或者合并其他疾病不能够进行手术治疗，不论患者情况及骨折类型如何，均可考虑闭合复位石膏固定。对于踝关节骨折的远期疗效而言，保证良好的闭合复位以及稳定的石膏固定是良好预后的关键。

23.9.4.2 手术治疗

由于踝关节骨折为关节内骨折且多合并韧带损伤，良好的解剖复位及韧带修复是恢复踝关节正常功能的基础。手术治疗的优点：①能达到解剖复位，同时清除血肿及关节内骨和软骨碎片，清除嵌入骨折处的软组织，有利于骨折愈合，减少创伤性关节炎的发生。②减少固定时间，有利于早期功能锻炼。③同时修复韧带损伤及其他合并伤。故手术比非手术治疗有明显的优势。有学者认为踝关节有一处以上的骨折或韧带损伤即是手术的绝对适应证。

(1) 手术时机的选择

理想的手术时间是伤后6～8 h以内，即真正肿胀或骨折后水疱发生以前，早期肿胀是由于血肿形成而不是真正意义上的水肿，有明显水肿或骨折水疱存在时，切开复位必须推迟到软组织情况已经改善时才能实行。遇到这种情况时骨折应行闭合复位并石膏固定，推迟4～6天以后待水肿减轻后再行手术。早期手术与晚期手术的疗效是一致的。但早期手术可即时缓解患者的痛苦，缩短住院时间，减轻患者的经济负担。

(2) 手术治疗的要点

踝关节骨折是关节内骨折，骨折端应予解剖复位，恢复踝穴正常解剖关系，以保持关节面平整、稳定及踝穴完整。AO观点认为踝穴的完整依赖于：①腓骨的正常长度以及在胫骨腓骨切迹中的精确位置。②胫腓联合的完整。因此，在治疗踝关节骨折脱位时，关键要处理好腓骨下段骨折和下胫腓联合分离。通过手术恢复腓骨的正常长度和外踝外翻角，防止腓骨缩短移位及由此引起的踝穴增宽距骨外移、倾斜，是踝关节骨折手术的关键。骨折初期移位和骨折粉碎的程度并非是发生创伤性关节炎的决定因素，而关节面解剖重建的精确度与关节炎的发生密切相关。对于三踝骨折多合并有下胫腓联合分离、外踝外移、踝穴增宽，造成距骨在踝穴内向前外侧半脱位，严重改变了关节软骨负重的应力分布，是日后导致创伤性关节炎的病理基础。如果后踝骨折的骨折块累及关节面超过1/4时，应切开复位内固定，同时存在内外后踝骨折应先复位固定后踝，然后为外踝，最后是内踝。也有部分学者认为手术复位的顺序依次为外踝、后踝、内踝进行；固定外踝时，同时暴露内踝，清除内踝与距骨间软组织和碎骨片，防止距骨复位不良；固定下胫腓联合及内踝时应注意保持足中立位，这样可防止内外踝压迫距骨踝穴变窄致足背伸受限。

(3) 合并有韧带的损伤及处理

踝关节韧带对于踝关节的稳定性起重要作用，踝关节损伤多为骨与韧带的合并伤，故治疗韧带损伤当与骨折并重。术中应常规探查三角韧带、距腓前韧带、距腓后韧带、跟腓韧带，因为韧带断端可卷入踝穴内或骨折断端，影响骨折复位，如不进行修补将形成瘢痕、踝关节韧带和关节囊松弛、踝关节不稳、反复扭伤，久之可发生创伤性关节炎。在踝关节韧带损伤中，下胫腓联合的处理问题是踝关节骨折脱位治疗中比较特殊的部分，临床争论较多，有学者认为踝关节内外侧结构通过内固定获得稳定后无须固定下胫腓联合。但如果有三角韧带损伤，而腓骨骨折在踝关节水平间隙上方3～4.5 cm以上时，即使将内外侧结构通过内固定牢固固定也不能获得满意的稳定，此时应对下胫腓联合进行固定。

无踝部骨折的下胫腓联合分离临床上相对少见，早期易被漏诊，晚期可导致胫距关节面接触面的减少和关节面应力的增加，加速踝关节的退变，形成创伤性关节炎。

外旋暴力常常是导致下胫腓韧带损伤的主要原因，踝关节中立位时外展暴力也可以造成下胫腓韧带损伤。

外伤病史和测量X线是诊断主要证据，观察指标有：踝关节内侧间隙、胫骨前结节外缘与腓骨内缘之间重叠影、下胫腓联合间隙。在前后位X线片上，下胫腓联合间隙＞5 mm、胫腓重叠＜10 mm则说明存在下胫腓分离。CT通过横断面扫描结合三维重建，对无踝部骨折的下胫腓分离的诊断有很高的敏感性。MRI检查能非常清晰地显示下胫腓分离及韧带的损伤情况。

非手术治疗适合于急性期下胫腓隐性潜在分离。给予石膏夹板或管形石膏外固定4～6周后，去除石膏，逐渐负重，行功能锻炼。对于存在下胫腓明显分离的韧带损伤，可以手术治疗，下胫腓联合进行复位、内固定手术治疗。关于内固定方式，1～2枚直径35～45 mm的全螺纹皮质骨螺钉在踝关节水平间隙上方2～4 mm，平行胫距关节面向前倾斜25°～30°，自腓骨向胫骨钻骨隧道穿3、4层骨皮质固定。螺丝钉穿透3层骨皮质更符合下胫腓联合的生物力学。术后6～8周取出内固定螺丝钉比较合适。长期保留会限制踝关节活动和出现螺丝钉等内固定物松动、断裂。有报道应用外固定器治疗下胫腓韧带损伤分离取得满意疗效。对于亚急性和慢性陈旧无骨折的下胫腓联合分离的治疗，往往需要清除下胫腓联合部瘢痕组织，复位、固定后再行韧带重建。材料可用自体肌腱，如腓骨长、短肌腱、跖肌腱等；亦可用人工肌腱、韧带等。

23.9.5 Pilon骨折

Pilon骨折因累及踝关节胫骨负重面而产生不同程度关节面损伤，临床上治疗难度较大，并发症也较多，在胫骨和踝关节骨折中约占3.5%。Pilon骨折是由于踝部的轴向，旋转暴力损伤所致，系胫骨踝关节面和胫骨远端干骺端骨折，常伴踝关节面的粉碎性骨折和胫骨前缘后缘骨折，约80%的患者合并伴有腓骨骨折。Pilon骨折的治疗方式虽多，目前大多接受的基本原则是：①切开复位腓骨并内固定，可作参照以恢复胫骨远端的长度；②解剖复位胫骨远端关节面，并松质骨螺钉固定；③松质骨移植于胫骨远端缺损，可用来支撑关节面，填补空隙，刺激成骨，促进骨折愈合；④钢板固定胫骨内侧。胫骨的复位、内固定较困难，可以通过适度延长切口、准确复位踝关节和选用薄钢板作内固定，减少皮肤的张力，减少皮肤坏死的发生率。

23.10 跟骨骨折

23.10.1 概述

跟骨骨折占足跗骨骨折的60%，是最常见的跗骨骨折，多见于年轻的工作人群，多因从高处跌下，足部着地、足跟遭受撞击所致，大多是由距骨在跟骨上的直接垂直暴力造成的，少部分可能由于扭转力造成。有时外力不一定很大，仅从椅子上跳到地面，也可能发生跟骨压缩骨折。因此若患者有足跟着地的外伤史，并有足跟疼痛时，即应怀疑有跟骨骨折的可能。

跟骨为内外弓的共同后臂，其形态和位置对足弓的形成和负重影响极大。跟腱附着于跟骨后结节，如结节因骨折而向上移位，可造成腓肠肌松弛，使踝关节发生过度背伸动作，从而妨碍足跟及足趾的正常功能。跟骨如骨痂形成增厚可引起站立时足跟底疼痛，足跟外翻畸形甚至可以引起痉挛性扁平足；跟距关节遭受破坏时亦可引起严重的后果。因此跟骨骨折必须做好早期治疗，以免发生病废。跟骨中偏后有向上隆起的跟骨角(Bohler角)，大约38°，跟骨骨折易导致此角度的减小，影响小腿的肌力及步态。

23.10.2 分型

跟骨骨折分型的种类有很多，目前尚无统一的分型方法。第1个得到广泛接受的分型系统是Essex-Lopresti于1952年提出的，他把骨折分为是否累及距下关节的两型。Soeur和Remv于1975年提出了基于损伤机制的关节内骨折分型法，骨折被划分为垂直压缩力和剪切力或垂直压缩及剪切力联合作用。Stephenson改进了Warrick和Breemner在1953年提出的分型，该系统是基于损伤机制，测定原发矢状位骨折线，以骨块和主要碎片的数量来分型。随着CT的普及，新的分型系统得到发展、Crosby和Fitzgibbons建议使用一种根据跟骨后平面的三维CT来分型的简单方法，Ⅰ型后平面骨折碎片没有或较小移位，延伸到后平面的关节内骨折其碎片分离或压缩不超过2 mm；Ⅱ型指后平面骨折移位但无粉碎，延伸到后平面的关节内骨折其碎片分离或压缩超过2 mm；Ⅲ型指后平面粉碎性骨折。Ⅰ型骨折只需闭合治疗即可得到较好疗效；Ⅱ型骨折较为复杂，Ⅲ型骨折一般预后较差。Sanders报道一种基于冠状位和轴向位CT的分型方法(图23-4)。Ⅰ型是指所有未移位的骨折。无论骨折线多少，均无须手术治疗；Ⅱ型是指后关节面被分为两个部分的骨折，根据原发骨折线的位置可分为$Ⅱ_A$、$Ⅱ_B$、$Ⅱ_C$；Ⅲ型是指中心的压缩骨块将关节内骨折分为3个部分，包括$Ⅲ_{AB}$、$Ⅲ_{AC}$和$Ⅲ_{BC}$；Ⅳ型是指骨折高度粉碎。经常有超过4个关节内骨折碎片，Sanders的CT分型法对跟骨骨折治疗方法的选择及预后的判断有较好的临床价值。

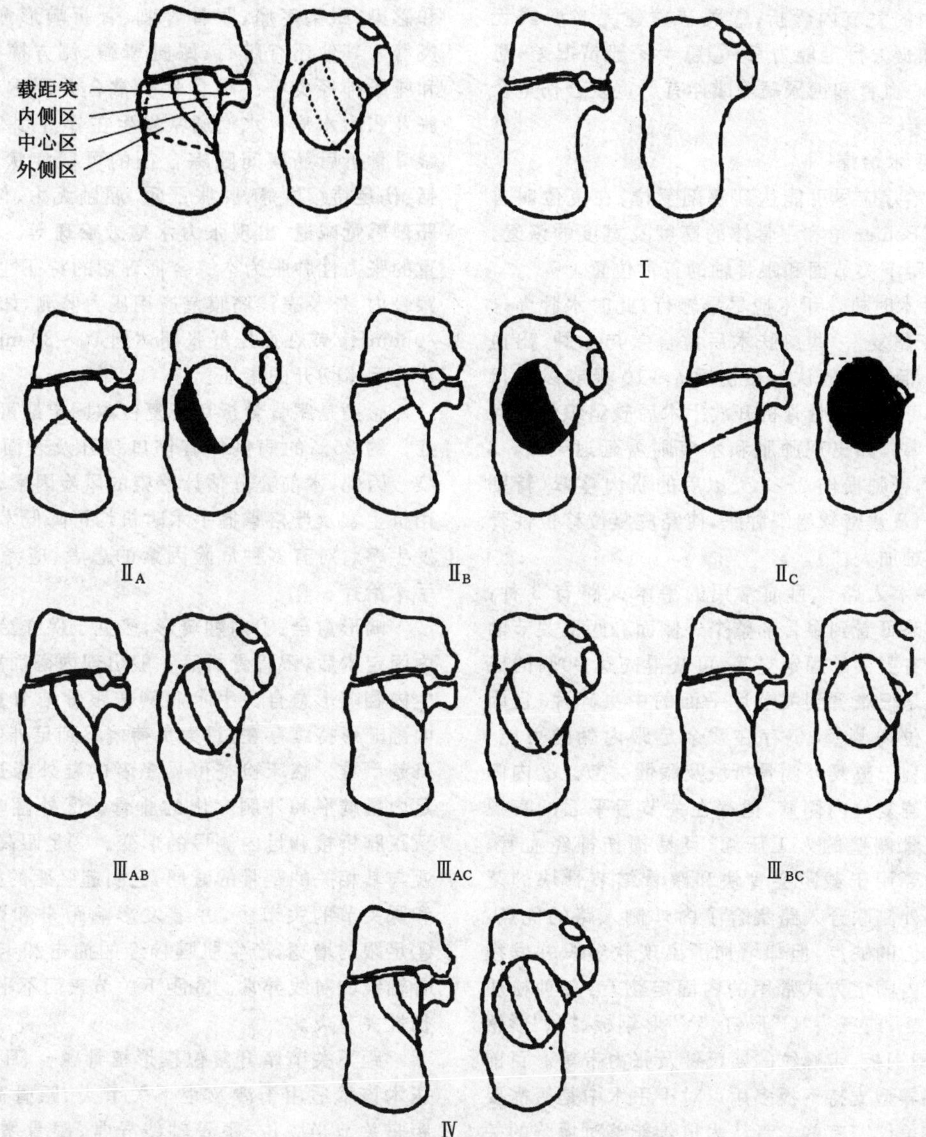

图 23-4　跟骨骨折分型(Sanders 分型)

23.10.3　临床表现

跟骨骨折后,足跟可极度肿胀,踝后沟变浅,整个后足部肿胀压痛,易被误诊为扭伤。X 线检查,除摄侧位片外,应拍跟骨轴位像,以确定骨折类型及严重程度。此外,跟骨属海绵质骨,压缩后常无清晰的骨折线,有时不易分辨,常须依据骨的外形改变,结节-关节角的测量,来分析和估价骨折的严重程度。

23.10.4　治疗

(1) 非手术治疗

非手术治疗的目的是减轻疼痛,控制肿胀和早期活动。保守治疗早期可应用夹板及使患肢抬高以减少肿胀和防止水疱形成,必要时可予冰敷。只要肿胀和疼痛得到控制,即可开始早期活动。骨折愈合后,一般 6～12 周以后开始逐渐负重。下述情况应考虑非手术治疗:①关节外骨折;②骨折移位在

2 mm 以内的关节内骨折；③关节重建无必要或无意义者，如丧失行走能力者；④患者一般情况差，患有严重的心血管和糖尿病等或伴有严重复合伤危及生命的患者。

(2) 手术治疗

手术治疗应尽可能达到解剖复位，在复位时首先应考虑 Bohler 角和跟骨体的高度及宽度的恢复，其次恢复距下关节面和跟骨轴的正常位置。

1) 手术时机　手术应尽早施行，此时水肿尚未形成，易于整复，一些皮肤术后愈合差与水肿、出血压迫有关，目前一般认为在伤后 5～10 天或以上行手术治疗可降低跟骨骨折开放手术后软组织创伤问题的发生率。如出现肿胀和水疱则需延迟到 2～3 周后手术，否则损伤 2～3 天以后的肌肉痉挛(特别是腓肠肌)及致密软组织肿胀，使经皮复位移位性骨折碎片困难加大。

2) 手术入路　目前常用的手术入路有 3 种：①外侧入路可看到跟骨的整个外侧面和距下关节的后平面且有更大的固定空间，可获得高达 90%的成功率。但是很难看到关节后平面的中央碎片，且因为无法复位内侧壁，仍存在残余足跟内翻的可能。该入路有利于整复外侧骨折块及跟骰关节。②内侧入路可正确复位内侧壁，但存在关节后平面的盲视复位和跟骨侧壁的人工压缩，且易损伤神经血管。该入路主要用于载距突骨块和跟骨结节骨块的复位。③内外侧联合入路集合了内外侧入路的优点，减少了它们的缺点，但却增加了出现软组织并发症的危险。内固定方式常用的内固定物有：各种松质骨螺钉、二头或三头“U”形钉、“Y”形钢板、“H”形钢板、解剖型钢板、带螺纹的斯氏针及张力带等。目前以各类特异型支持钢板多用。对于手术中是否需要植骨存在争议。有些学者认为植骨能够对塌陷的关节面及骨块起到支撑作用，并可刺激骨折早期愈合。而另一些学者认为跟骨为网状多孔结构，血循环丰富，只要皮质区域对位好，无须植骨，而且植入的骨块不易稳定，尚可产生移位压迫肌腱和神经的并发症。笔者多选用自体髂骨、同种异体松质骨或人工骨植骨，有利于恢复关节面和载距突高度，结合支持钢板应用，取得满意效果。

23.10.5　并发症的防治

跟骨骨折的并发症较多，最常见的有：肿胀、张力性水疱、筋膜室综合征、神经血管损伤、伤口裂开和感染、跟垫疼痛、跟骨骨刺、骨折畸形愈合、关节炎等。其他还有跛行、跟腱挛缩、侧方撞击综合征和腓肠神经炎等。跟骨骨折常合并严重软组织肿胀及张力水疱。水疱通常发生在骨折后 24～48 h。跟骨骨折后筋膜间隙综合征的可疑症状及体征包括：伤足持续剧痛、肿胀严重、屈趾无力、伸趾疼痛、跖部感觉减退、出现张力水疱或瘀斑等。足跟部严重的张力性肿胀为本综合征确切的特征性表现。对跟骨内、外及表浅筋膜室应用压力监测，如发现达到 30 mmHg 或在血压舒张期达到 10～30 mmHg 时应作为手术切开的指征。

感染是跟骨骨折切开复位内固定最可怕的并发症。约 25%的病例伴有伤口裂开及表面和深部感染。因此，术前充分估计感染的风险因素、预防性应用抗生素及严格掌握手术时机均可降低术后感染的发生率。对有多种危险因素的患者，应考虑给予非手术治疗。

畸形愈合：①内翻畸形，多见于保守治疗患者或内固定术后，跟骨骨折后一般出现内翻加重，继而发生内翻畸形愈合。手术病例若跟骨结节复位不良，内翻畸形持续存在，重力负荷偏移到足外侧，疼痛会日趋严重。临床检查可见患者的鞋外缘过度磨损、足内翻畸形和外侧突出的腓骨。②外翻畸形，常导致跟腓桥接和足内侧弓的形变。③足跟高度的丢失及与其相关的距骨的背屈，它引起胫距的撞击、桥接和踝关节的关节炎，并继发影响距舟和跟骰关节。④足跟的增宽，产生肌腱神经的撞击和卡压。⑤跟骨轴线的对线异常。⑥距下关节表面不平引起的创伤性关节炎。

距下关节牵开复位楔形植骨融合、跟骨外侧减压术该术适用于涉及距下关节炎、跟骨高度蹋陷、距舟关节半脱位、跟骨轴线异常、跟骨增宽等的畸形愈合。迄今为止，治疗跟骨畸形愈合最有效的手术是距下关节融合术。但是不纠正对线异常和畸形就不能完全解决问题，理想的关节融合术应提供良好的对线和恢复肢体的长度，重建跟骨的几何形态。

23.11　距骨骨折

23.11.1　概述

距骨骨折是踝部的一种严重损伤，占全身骨折的0.14%～0.9%，占足部骨折的3%～6%。距骨骨折按部位分距骨头、距骨颈和距骨体3部分。距骨颈骨折占距骨骨折的50%～80%，是最常见的距骨骨折，多发生于20～35岁的男性。

23.11.2 病因学

致伤原因大致分为4步：①踝关节过度背伸致使距下关节的后关节囊撕裂，距骨颈撞击胫骨远端前缘，产生沿距跟骨间韧带走行的距骨颈无移位骨折；②骨折移位产生距下关节内翻或外翻的脱位、半脱位；③若背伸暴力继续，踝关节后关节囊及三角韧带后束断裂，距骨体脱位于内踝与跟腱之间，距骨体骨折面将旋向外侧；④在距骨体自踝穴中完全脱出的基础上，前足跖屈的反作用力造成距舟关节脱位。距骨分头、颈、体3部分，无肌肉附着，有6个关节面，表面的75%面积为软骨覆盖，距骨的血管孔位于距骨颈的上、外、下面及距骨体的内面，其中距骨下面最多、最长。其血供主要来自胫前动脉、胫后动脉和腓动脉借助于骨膜血管网供给非软骨面，距骨本身并无独立的滋养血管，仅通过增厚的韧带与关节囊分布于距骨供应其血运，整个距骨的头颈部较体部的血运丰富。当存在距骨骨折-脱位时，进入距骨的血管易受损伤，未断裂的血管因局部软组织挫伤、肿胀及骨折-脱位的挤压导致血供受阻，可发生距骨缺血性坏死。

23.11.3 分型

(1) 距骨骨折

距骨颈骨折可分为5型。Ⅰ型：距骨颈无移位骨折，骨折坏死率0%～13%；Ⅱ型：距骨颈移位骨折，骨折坏死率20%～50%；Ⅲ型：距骨颈移位骨折，伴有距下关节及胫距关节半脱位或全脱位，骨折坏死率可达80%～100%；Ⅳ型：距骨颈移位骨折，合并胫距、距下及距舟关节的半脱位或全脱位，骨折坏死发生率几乎100%。

距骨体骨折占距骨骨折的13%～23%，该骨折缺血性坏死发生率25%～50%，创伤性关节炎发生率约为50%，致伤原因以高处坠落为主，此时距骨体常受到胫骨与跟骨间的轴向压力，并根据足踝位置的不同及跟骨内、外翻而形成不同类型的骨折。距骨体骨折亦可分为5型，Ⅰ型：距骨滑车关节面的经软骨骨折；Ⅱ型：距骨体冠状面、矢状面或水平面的骨折，距骨体无脱位者坏死率在25%左右，合并脱位则可高达50%；Ⅲ型：距骨后突骨折，占距骨体骨折的20%；Ⅳ型：距骨体外侧突骨折，占距骨体骨折的24%；Ⅴ型：即距骨体压缩、粉碎性骨折，粉碎较重者缺血性坏死及创伤性关节炎发生率很高。

距骨头骨折占全部距骨骨折的5%，以压缩骨折最为常见，主要是足背伸时胫骨远端前缘挤压距骨头或踝屈曲位时轴向压力造成距骨头内侧压缩骨折，后者常合并舟骨骨折及距舟关节脱位。

(2) 距骨周围附骨关节脱位

1) 内脱位　强力内翻损伤时，由于胫腓连接和胫距韧带未断裂，距舟关节囊首先发生破裂，在应力继续作用下，进一步发生距骨间韧带撕裂；而发生距下关节脱位，由于内翻作用，使跟骨及其他跗骨一起，脱位于距骨内侧，此种类型脱位常合并距骨头、颈骨折，或外踝骨折。

2) 外脱位　强力外翻损伤时，同样原理，由于胫腓连接和胫距韧带未断裂，在外翻暴力继续作用下，使距骨骨间韧带断裂，跟骨及其他跗骨一起脱位于距骨外侧。这种脱位往往由于胫后肌腱向背外侧移位，绕过距骨颈，造成手法整复困难，常要手术治疗。此外，还常合并载距突骨折。

3) 前脱位　强力背屈损伤时，胫骨下端关节面前缘抵住距骨颈，在跖极度背屈情况下，可使距骨向后方推挤，迫使距舟关节囊撕裂，持续的剪力作用，使距跟间韧带断裂，距下关节发生脱位，跟骨相对前移，形成前脱位。如果踝关节处于背屈位，此时距骨在踝穴内相对稳定，而在由高处坠落时，着力于跟骨后结节区，使跟骨在距骨关节面下向前冲击，先发生距下关节脱位，而后发生距舟关节脱位或骨折脱位。此型脱位也可常合并载距突骨折。

4) 后脱位　强力跖屈损伤时，胫骨下端关节面后缘，外力可作用于距骨体后部，推距骨向前，先发生距下关节脱位，后发生距舟关节脱位或骨折-脱位。此型脱位也常合并足舟骨骨折。

23.11.4 临床表现

距骨骨折多由高处坠落、交通事故、重物砸伤及运动伤所致。骨折中13%为开放性骨折，合并足踝骨折者为19%～28%，合并跟骨骨折者为11%～18%，合并跖骨骨折者约为18%。骨折后局部肿胀、淤血、压痛、踝关节活动受限。X线检查应摄足踝部正位、侧位和斜位片，仔细观察距骨和周围关节面的对应关系以防漏诊。CT检查可了解骨折块粉碎程度及距骨与周围关节受累情况。对距骨坏死，X线片一般在缺血坏死1～3个月后显示密度增高及囊性改变，而早期MRI检查，局灶或弥漫性低信号区可提示距骨缺血性坏死。

23.11.5 治疗

(1) 非手术治疗

没有移位或移位很小的距骨体、距骨头及距骨后结节骨折；距骨颈骨折无移位或移位<5 mm均可采用闭合性复位，石膏固定6～8周。

(2) 手术治疗

1) 手术入路 距骨骨折的手术入路主要有前内侧、前外侧、后内侧及后外侧4种。切口的选择应根据骨折的情况及合并损伤来确定。前外侧口由于对距骨颈、体显露均差，且不易进行内固定而很少应用。前内侧切口在距骨颈骨折中被广泛用，它可暴露较易产生碎骨块的距骨颈内侧，并在直视下复位距骨颈，但损伤内侧血管是其致命缺点。后内侧入路显露距骨，可行内踝截骨直视距骨颈、体的内侧，若有内踝骨折一期完成内固定；将内踝翻向远端可保护三角韧带和距骨的内侧血运。腓骨下段截骨入路可保护距骨的血供，是治疗部分复杂距骨骨折，特别是距骨体骨折的重要方法。用克氏针、螺丝钉均可有效内固定。

2) 关节融合术 可选择距下关节融合术、胫距跟关节融合术、Blair融合术、距舟关节融合术等。行距下关节融合术的前提是踝关节功能正常或基本正常。对于严重粉碎性的距骨骨折，无法采用任何复位、固定者，可考虑行一期踝关节融合术。对于距骨头骨折，若内固定不稳定或发生骨不连者，则可考虑行距舟关节融合术。

(郭常安 陈峥嵘)

参考文献

[1] 张经纬，蒋垚，张先龙，等. 股骨转子间骨折不同手术方法比较. 中华骨科杂志，2005，25(1)：7～11.
[2] 罗宗富，何春雷，黄希勤. 交锁髓内钉治疗开放性胫腓骨骨折的并发症及其防治. 中华创伤骨科杂志，2004，6(4)：470～472.
[3] 相大勇，顾立强，裴国献. 胫骨平台骨折的并发症. 中华创伤骨科杂志，2004，6(3)：328～331.
[4] 常建祺，张子峰，陈建新，等. 距骨骨折的研究进展. 美中国际创伤杂志，2005，4(3)：47～49.

儿童四肢骨折与脱位 24

24.1 儿童四肢骨折

24.1.1 儿童骨折特点

儿童骨折与脱位，在小儿所有损伤中较为常见，国内报道占全部小儿外伤的25%以上，说明其发生率很高。儿童骨损伤以日常生活中的损伤居多，除跌跤、车祸为最常见的损伤之外，游戏、体育运动和机械防护不严所致也时有发生。儿童四肢骨折较脊柱和骨盆多见，而四肢骨折又以上肢为最多见。儿童不是成人的缩影，其独有的特性影响着儿童外伤的治疗。儿童四肢骨的特性包括：有肥厚的骨膜，对应力有较强的弹性，具有很强的塑形能力，愈合时间短以及骨骺的存在等。与成人相比，儿童骨折具有以下特点。

(1) 骨折愈合快

儿童骨折比成人愈合快，厚的骨膜和丰富的血运使骨折很少发生骨不连。年龄越小骨折愈合越快。如股骨干骨折，婴儿产伤可在12天内愈合，2～3岁3周愈合，8～10岁则需要6周愈合。但是，应该认识到有些特殊部位的骨折也可能产生骨不连，比如较大儿童的舟状骨骨折或桡骨头骨折，以及有软组织损伤和感染的复合创伤。

(2) 可塑性强

儿童骨折的可塑性较成人明显强。而可塑性变形中最常见的部位是前臂，尤其是尺骨。长骨骨折后的成角畸形，根据儿童的年龄、从干骺端到骨折部的距离和畸形的类型不同，可塑形矫正的程度也不同。年龄越小，从干骺端到骨折部的距离越小，矫形能力越强。接近屈戌关节运动平面的成角比较容易矫形，而旋转畸形常不能自行矫正。儿童前臂骨折后成角>20°或年龄>4岁，前臂的可塑性将降低。

(3) 再塑形和过度生长

不仅儿童的骨折愈合较成人快，其愈合后残留的畸形还可能重新塑形。影响畸形重塑的因素包括生长潜力和畸形与相邻关节的关系。患儿的骨龄决定了生长潜力，是最重要的因素。其他因素包括畸形是否接近骨骺板。不同部位的骨骺生长能力也不同，比如肱骨近端骨折较远端再塑形能力强，原因是肱骨的生长80%来源于近端的骨骺。

值得注意的是，儿童肢体骨折后有加速生长的潜力。临床上处理股骨干骨折时，有意识将骨折断端重叠2 cm，就是为了防止骨折肢体过度生长后变长。

24.1.2 特殊类型的骨折

儿童骨折与成人不同，存在一些特殊类型的骨折。

(1) 骨骺和骺板损伤

骨骺和骺板是儿童特有的部位。骨骺损伤在小儿预后远较骨干骨折差，而儿童骨骺没有坚强的韧带连接，很容易发生骨骺撕脱、骨骺滑脱和骨骺损伤。因此对此类骨折要高度重视。

(2) 青枝骨折

10岁以下的儿童常见，成角的外力作用于骨干，可以使一侧骨皮质和骨膜发生断裂，而对侧完好，状如折断嫩枝的表现。这种骨折比较稳定，骨折端没有明显的移位，整复比较容易，预后也良好。

(3) 隆凸状骨折

隆凸状骨折也称竹节样骨折，多为纵向的暴力，特别是在干骺端，可表现为压缩性的挤压骨折，在X线片上可见两侧骨皮质出现喙嘴样改变。如果仅有一侧暴力，则这种表现仅发生在一侧皮质。这种骨折非常容易漏诊，治疗很容易，仅需单纯外固定，预后良好。

(4) 弯曲样骨折

实际上这种骨折也是一种青枝骨折，多发生在婴幼儿。在X线片上看不到骨折线，仅见长骨的弯曲畸形，非常容易漏诊。其最大的特点是始终无骨痂生成。诊断往往要结合外伤史，局部疼痛和压痛症状，拍摄对侧X线片比较方可做出明确诊断。这种骨折其自愈和塑形能力不如其他骨折，甚至残留长久的弯曲畸形。处理应以轻手法将弯曲部向反方向三点挤压，使其恢复正常外形，注意不要造成明显断裂。此类骨折处理较为困难，也不易得到家长的理解。也有人认为整复这种骨折就是应该造成新的骨折，否则不易整复。

24.1.3 儿童骨折治疗基本原则的变化

(1) 非手术原理

Walter Blount医师在他编著的《儿童骨折》一书中强调儿童骨折具有强大的重塑能力，因此极力反对手术治疗。他认为儿童骨折的开放复位常导致骨不连，并可能导致其他严重并发症。他的观点影响了一代骨科医师。

(2) 手术治疗

在Walter Blount医师的年代，外科手术中通常习惯于采用便于充分显露手术视野的大切口和广泛地分离组织，因此并发症比较多见。在20世纪50年代以后，由于广泛开展微创手术，同时采用短期暂时性外固定，使治疗过程缩短，而且效果良好。支持外科手术治疗基于以下一些因素：外科技术的发展，包括微创技术的使用；经皮骨折复位固定方法的使用，减少了并发症；使用微小而暂时的固定使骨折愈合更快；手术使每一位患儿得到了良好的复位和愈合的结果。然而，手术的完善也需要一个过程，目前手术治疗中比较突出的问题在于：肱骨髁上骨折克氏针固定时可能造成尺神经损伤；股骨干骨折髓外固定后再骨折的发生率比较高；运用交锁髓内钉治疗股骨干骨折时伴发股骨头缺血性坏死等。当然，绝大部分儿童骨折可以采用非手术技术治疗，在重视外科手术的今天这是一个不容忽视的前提。

24.1.4 骨骺和骺板损伤

骨骺和骺板损伤发生率很高，占儿童骨骼损伤的1/3，是儿童常见的损伤。虽然很少发生畸形，但是正确的处理非常重要。如果处理不当，则可能造成生长停滞或成角畸形。

典型的骨骺损伤常累及骺板(生长板)，偶可单独发生。单独骨骺的损伤包括：韧带附着点撕脱骨折、粉碎性压缩骨折、骨与软骨的分离移位。骺板是骨骺和干骺端之间的软骨板。生发层细胞邻近骨骺，其血供来自骨骺动脉。生发层细胞增殖，分泌软骨基质，导致骨的生长。基质钙化后干骺端血管长入，消除老化基质，钙质沉积，形成和增加干骺端组织。骺板骨折的骨折线绝大多数位于钙化带和非钙化带之间。

(1) 骨骺骨折的分型

临床上骨骺骨折分型很多，使用最广泛的还是Salter-Harris分型。

Ⅰ型：单纯骨骺分离。多发生于婴幼儿，骨骺沿全部骨骺线从干骺端分离。如果骨折周围的骨膜保持完整，骨折断端移位很小或无移位。这种骨折很容易漏诊，只能靠临床症状，即软组织肿胀，或者X线检查发现可疑的骺板周围肿胀。一般此型骨折预后良好，3周可以达到初步愈合。但是股骨近端骨骺的移位骨折可能合并股骨头坏死；肱骨内上髁分离骨折可以造成关节不稳定。

Ⅱ型：骨骺分离伴干骺端骨折，是最常见的类型。骨骺分离沿骨骺板延伸到不同距离，然后斜向干骺端，累及干骺端的一部分，产生一个三角形的干骺端骨块。最常见于7～8岁儿童，多见于桡骨远端、肱骨近端、胫骨远端。骨折端成角的凸侧有骨膜撕裂，而在三角形干骺端骨块处的骨膜完整，骨折容易复位。如果移位的骨折手法复位不能矫正，则需切开复位。另外，股骨远端的Ⅱ型骨折也需要切开复位和克氏针内固定。

Ⅲ型:骨骺骨折,属关节内骨折。关节内的剪切力可产生垂直劈裂,从关节面延伸到骨骺板,然后沿骨骺产生横形的骨折线。此类骨折最多见于已经部分闭合的骺板,好发于胫骨远端内、外侧,肱骨远端外侧。移位超过 2 mm 者需要切开精确复位,以防止关节面不平整。

Ⅳ型:骨骺和干骺端骨折,也属于关节内骨折。骨折线从关节面延伸斜形贯穿骨骺、骺板及干骺端,此类骨骺损伤易引起生长障碍和关节畸形。多见于10岁以下儿童,好发肱骨远端、肱骨小头骨骺和较大儿童的胫骨远端。此类骨折需认真对待,常需切开复位和内固定,否则很容易产生关节强直、畸形愈合、骨不连和生长发育紊乱。

Ⅴ型:骺板挤压性损伤。多发生于严重暴力,骺板可部分和全部受累,与Ⅰ型骨折有时很难区分。现在Ⅴ型骨折的概念正在变化,有些最初是Ⅰ型或者Ⅱ型骨折,由于在干骺端最突出的部位产生挤压伤,结果存在Ⅴ型骨折,会造成不良结果。此外,Ⅴ型骨折还会以隐匿的方式发生。例如,严重创伤后发生的长骨骨干骨折,必须最少随访一年才能确定没有骺早闭。对于隐匿型骨折,临床检查显得尤为重要。另外,有些特殊类型的骨折,比如软骨膜环的损伤,会在骺板的边缘产生骨桥,很快出现成角畸形,有时也会出现骨软骨瘤;草坪切割机造成的内踝损伤,这些骨折也能造成生长抑制。有人把前者归为Ⅵ型骨折,而后者则归入Ⅴ型。因此,Ⅴ型骨折的概念还在不断修整。

(2) 处理原则

骨骺骨折的治疗目的是保证肢体功能及其正常发育。显然,维持生长发育对于年幼儿童更为重要,因此应争取并保持解剖复位。处理时要遵循以下一些原则。

1) 要确认真正的骨折线　一般来说,骺板的骨折线比较明显,但是有时又难以确认。尤其对于那些骨骺没有明显骨化或者少量骨化的年幼儿童。多种体位和健侧的对比 X 线检查有助于判断骨折线的真伪。牵引下摄片对没有移位的 Salter-Harris Ⅰ型骨折可能加重损伤,因此很少使用。关节造影对诊断有帮助,CT、MRI 检查可以提高诊断水平。个别情况下,就是做了 MRI 检查或者关节造影,仍然怀疑关节内存在骨折时,可以考虑手术探查。

2) 处理时间　对骨骺骨折应当尽早复位,手法要轻柔。骨骺骨折愈合很快,因此外伤后 7～10 天还试图复位只会增加骨骺的损伤,而对复位毫无益处,对骨骺反复尝试复位,会损伤骺板。

3) 制动时间　一般来说,骨骺分离骨折固定 4 周可以达到早期愈合,肘关节由于固定超过 3～4 周会发生关节强直,所以固定时间要减少。干骺端骨折和骨骺骨折要固定 6 周。石膏固定时间也和儿童的活动量以及性格相关。对于活泼好动、家长难以约束的患儿固定的时间要长一些,而这些儿童很少会发生关节强直。去掉石膏以后也要考虑使用夹板再固定一段时间,因为去除石膏时往往骨折仅达到初步愈合而不是完全愈合。

4) 手术适应证　对于 Salter-Harris Ⅰ型、Salter-Harris Ⅱ型骨骺骨折,一般来说,都能闭合复位。偶尔骨折间隙软组织嵌顿(踝关节多见),则需要手术切开复位。严重分离的肱骨内上髁骨折也需要切开复位,切开后简单缝合骨膜或者螺钉固定即可稳定复位。Salter-Harris Ⅲ型骨骺骨折需要切开复位以确保关节面平整。Salter-Harris Ⅳ型骨骺骨折不稳定,必须实现精确复位,一方面保持关节面光滑,同时保证骺板将来能正常生长。肱骨外髁骨折治疗还存在争论,复位比较容易,但是很难维持稳定的复位,很多情况下还是需要切开复位。内固定器材尽量选用克氏针,细的克氏针穿过骺板中央不会干扰生长,而穿过骺板的边缘偶尔会影响生长,螺纹钉穿过骺板则可能会抑制骺板生长。另外,骺板可因感染而受到破坏。所有开放性骨折和少数切开内固定者存在感染的风险。克氏针可能引发关节感染、软骨溶解和骨髓炎,所以克氏针要埋入皮下,并尽早拔除,以降低感染风险。

5) 延迟诊断病例的处理　Salter-Harris Ⅰ型和 Salter-Harris Ⅱ型骨骺骨折 7～10 天后诊断的病例,为了避免加重骺板损伤,即使没有完全复位,也不要再去尝试复位,而是随访,如果以后出现畸形,可以进行截骨矫形。而 Salter-Harris Ⅲ型和 Salter-Harris Ⅳ型骨骺骨折最好切开复位,不能置之不理,术中注意不要损伤骨折片的血供。

6) 创伤性骺闭合　如果在干骺端和骨骺之间形成骨桥,骺板将停止生长。这种骨桥要手术切除,切除后骺板可以恢复生长。术前 CT 和 MRI 检查确定骨桥大小、位置,通过干骺端开窗找到骨桥,用刮匙或磨钻切除骨桥,然后用脂肪或甲基丙烯酸甲酯填充缺损部位。

24.1.5 常见骨折

(1) 肱骨骨折

1) 肱骨近端骨折　肱骨近端骨折常见于新生儿和年幼儿童。此部位具有很强的塑形潜力，常不需要过分干预。肱骨近端骨折可分为骺损伤(5岁以内儿童的Salter-Harris Ⅰ型骨折和年龄较大的儿童Salter-Harris Ⅱ型骺损伤)、干骺端骨折及大小结节骨折。Neer按移位程度将骨折分为4度：Ⅰ度，骨折移位＜5 mm；Ⅱ度，骨折移位＜骨干宽度的1/3；Ⅲ度，骨折移位＜骨干宽度的2/3；Ⅳ度，骨折移位＞骨干宽度的2/3。骺的应力损伤和少见的骺滑脱可悬吊或用肩支具固定4周。Salter-Harris Ⅰ型骨折可在外展、屈曲牵引下以轻柔手法整复，然后制动3～4周。青少年Salter-Harris Ⅱ型骨折可能难以复位，但是保守治疗效果满意。移位不能接受或者有软组织嵌入时可切开复位。选择三角肌-胸肌间隙入路，用螺钉、克氏针或者2 mm的弹性髓内针固定。

2) 肱骨干骨折　肱骨干骨折多由直接暴力造成。重力作用常使骨折自行复位，故此类骨折治疗相对容易。对移位很少的稳定骨折可以用石膏或弹力绷带固定。"U"形石膏夹可提供良好的固定。中段骨折可以选用Sarmiento支具。肱骨干骨折愈合后会产生1 cm左右的过度生长，因此少量的重叠短缩可以接受。但是内翻角度不能超过20°，制动常需3～4周。由于桡神经绕行肱骨干，中下1/3骨折时容易造成桡神经损伤。有神经损伤症状时可以观察，如果3个月没有恢复行探查术。但是如果存在软组织嵌顿或者复位后产生桡神经症状应立即手术。

3) 肱骨远端骨折　肱骨远端骨折包括髁上骨折和经骺板骨折。

肱骨髁上骨折多为肘关节强力过伸所致。标准分型分为伸直型和屈曲型。屈曲型骨折少见，骨折端位于肱骨前方。伸直型多见，骨折端位于肱骨后方，分为3型：Ⅰ型，轻度移位；Ⅱ型，骨折过伸，但后侧皮质完整；Ⅲ型，完全移位。在最佳治疗前肘关节应暂时固定于屈曲30°位置，治疗有两个目的：避免神经、血管损伤；预防晚期成角和过伸畸形。Ⅰ型简单外固定即可。Ⅱ型常需复位后外固定，如果骨折旋转，难以维持复位可采用克氏针固定，也可复位后再加用石膏固定。所有的Ⅲ型骨折均需切开复位内固定，上肢悬吊牵引在没有条件安全穿针时可以考虑，但是常后遗肘内翻畸形。

肱骨远端经骺板骨折也称骨骺分离。常见于2岁以下儿童，而且多发生在虐待损伤。典型的骨骺分离，骨折远端向后侧移位。Delee根据骨骺的骨化程度分为3类：A组外髁尚未骨化，多为Salter-Harris Ⅰ型损伤，B组外髁开始骨化，多为Salter-Harris Ⅰ型或Salter-Harris Ⅱ型损伤，C组外髁已骨化，多为Salter-Harris Ⅱ型损伤，常伴有与骨骺相连的干骺端骨块。治疗争取尽早进行。5天内可闭合复位石膏管型固定在肘关节屈曲、前臂旋前位。大龄儿童肘内翻的危险较大，应在复位后予克氏针固定，从外侧以2枚针固定即可，3周后去除克氏针。如果诊断较晚，超过15天则不宜再复位，否则可能造成骨骺进一步损伤，应单纯外固定，以后视情况行矫形手术。

(2) 前臂骨折

1) 桡骨近端骨折　桡骨近端骨折包括桡骨头和桡骨颈骨折。多为外翻暴力造成，桡骨颈可发生成角、移位或完全分离。O'Brien根据桡骨颈成角分为3型：Ⅰ型，成角＜30°；Ⅱ型，成角介于30°～60°；Ⅲ型，成角＞60°。桡骨头倾斜比移位预后较好，因此Ⅰ型骨折无须复位，长臂石膏固定3周。Ⅱ型和Ⅲ型骨折需要复位，Ⅲ型往往需要切开复位，所以闭合复位应在手术室进行。如果成角不能纠正到30°以内，可在C臂机透视导引下经皮用克氏针撬拨，若闭合复位或撬拨失败，应切开复位，用克氏针固定3周。

2) 尺骨近端骨折　包括尺骨鹰嘴骨折和冠状突骨折。大部分鹰嘴骨折没有移位，伸直位石膏固定即可。移位的骨折需要切开复位内固定。冠状突骨折治疗根据移位程度和肘关节不稳定程度而定。撕脱骨折和小于关节面50%的冠状突骨折可以用石膏屈肘位固定3周，随后早期活动。Salter-Harris Ⅲ型骨折多导致肘关节不稳定，需要固定随后功能锻炼。对于骨块需要切开复位的，利用缝线固定，术后加用石膏外固定即可。

3) 孟氏骨折　孟氏骨折是指桡骨小头脱位合并尺骨干骨折，前臂屈肌使尺骨变短并向桡侧弯曲。脱位的桡骨头很容易造成桡神经和正中神经损伤，另外容易产生骨筋膜综合征。Bado将孟氏骨折分为4型：Ⅰ型，伸直型，桡骨小头前脱位合并尺骨干骨折，占70%～80%，过伸位损伤后尺骨向前成角；

Ⅱ型，屈曲型，桡骨小头后脱位合并尺骨干骨折；Ⅲ型，桡骨小头向外或向前外侧脱位，合并尺骨干骺端骨折，此类骨折尺骨多为青枝骨折，常伴有桡神经损伤；Ⅳ型，桡骨头向前脱位合并桡骨中1/3骨折及同时水平或稍近侧的尺骨骨折(前臂双骨折)。治疗的目的主要为：恢复尺骨力线、整复桡骨头、降低桡骨头再脱位的应力。即使轻度的尺骨弯曲也会使桡骨头维持在脱位的位置，所以需要将尺骨恢复力线，手法复位常常要在麻醉下进行。有时为了维持尺骨的解剖力线需要切开复位钢板或髓内针固定。尺骨骨折延伸至鹰嘴者，关节面受累，通常需要切开复位以恢复关节面平整并利用克氏针张力带或预弯钢板螺钉固定。尺骨恢复力线后桡骨头常容易复位，对于Ⅰ型和Ⅲ型孟氏骨折，脱位向前，以拇指抵住桡骨头同时前臂旋后屈曲肘关节即可复位。复位后固定于前臂旋后、肘关节屈曲位。外侧和后侧脱位需要伸直位石膏固定以维持复位。一般来说孟氏骨折时尺骨可能需要切开复位内固定，但桡骨小头大多数可以闭合复位。

4）盖氏骨折　盖氏骨折较孟氏骨折少见，指桡骨中下1/3骨折伴下尺桡关节脱位。根据尺骨脱位方向分为两类，向背侧脱位多见，需旋后位固定，向掌侧脱位则旋前位固定。

5）远端骺板骨折　根据Salter-Harris分型决定治疗。Salter-Harris Ⅰ型常见幼儿，可以用石膏或夹板固定3周。Salter-Harris Ⅱ型比较常见，掌侧成角的类似Colles骨折，背侧成角类似Smith骨折。复位后石膏固定4～6周。Salter-Harris Ⅲ型和Ⅳ型比较少见，如果出现明显移位(移位＞2 mm)，需要整复，根据关节面损伤位置，使用关节镜或者切开复位，尽量减少内固定物使用，或者经皮穿针固定，3～4周后去除。骺板损伤后容易出现生长停滞，对这些患儿要随访1年，如果出现骨桥要及时切除。

6）尺桡骨骨干双骨折　双骨折通常都可以通过手法闭合复位，石膏外固定时要注意塑造好骨间膜。一般来说，年龄＜9岁，＜15°成角或＜45°旋转异常可以接受；年龄＞9岁时只能接受10°的成角和30°的旋转异常。短缩通常不成问题。10岁以下儿童如果旋转矫正，骨筋膜间隙保持正常且没有成角，枪刺状畸形是可以接受的。手术适应证包括骨筋膜室综合征、合并血管损伤需修复、开放骨折、不可复位骨折或者复位后骨折不稳定者。手术通常使用髓内固定技术，内固定选用钛制弹性髓内针或克氏针。

(3) 股骨骨折

1）股骨颈骨折　儿童股骨颈骨折相对少见，占全部儿童骨折的1%，多由高能量损伤所致。Delbert将其分为4型。

Ⅰ型：股骨头骨骺分离。婴幼儿主张用牵引治疗，但大部分病例需髋“人”字石膏固定。如果出现股骨头脱位，需急诊手术切开复位。此型骨折预后欠佳。

Ⅱ型：经颈型。此型最为常见，常见并发症为股骨头坏死。

Ⅲ型：基底型骨折。股骨头坏死率较经颈型少。对于无移位的Ⅱ型和Ⅲ型骨折，最安全的治疗是一侧长一侧短的髋“人”字石膏固定在患侧髋关节内旋、外展位6～8周。移位型骨折需要内固定。营养股骨头的血管并不在关节囊内，因此切开关节囊并不会破坏股骨头的血供。虽然也可以闭合复位，但大多认为切开复位效果较好。即使闭合复位，也应抽空关节内的血肿，这样可以降低股骨头坏死率。固定选用适合小儿尺寸的钢板和螺钉，穿过骨骺的固定针应选用无螺纹针，并且尽早拔除。术后要用髋“人”字石膏固定6～8周，不需要过早功能锻炼。

Ⅳ型：粗隆间骨折。此型与成人骨折相同，预后较好。年龄＜6岁的患儿通常可以非手术治疗。而有移位的骨折和较大患儿的无移位骨折都使用闭合复位内固定。

2）股骨干骨折　儿童股骨干骨折比较常见，根据不同年龄制订治疗方案。

2岁以内患儿，几乎从不需要手术。可选择Pavlik吊带或单髋“人”字石膏固定，平均5周即可愈合。

2～6岁的患儿，一般都可行手法复位，髋“人”字石膏固定。石膏在受伤后数日内择期进行。与婴幼儿相比，此年龄段要更加注意复位。端对端复位很难且不必要，因为骨折后股骨可能会过度生长，一般固定后短缩1～1.5 cm较为理想。石膏固定时间一般等于3＋年龄(周)，最多12周。最初3周，每周都要X线摄片。

6～12岁患儿，此年龄段股骨干骨折最容易产生短缩和畸形愈合。以前对于此年龄段患儿常先进行几周的牵引，直到早期骨痂形成后转为几周的髋“人”字石膏固定。较大儿童和青少年股骨过度生长已不常见,因此要纠正短缩畸形。近20年来,弹性髓内钉的发展使大龄儿童股骨骨折的治疗发生了变革。弹性髓内钉固定方法:①测量骨干最窄处髓腔直径,髓内针直径应该是此直径的35%～40%。针的直径越大越稳定,并减少骨不连的机会,但是过粗有产生粉碎性骨折的风险。②大多数骨折的进针点可选在股骨远端骺板上方1.5～2 cm处的干骺端,内外侧各插入一枚弹性钉,避免向内或外成角。选择远端植入,二针应预弯成"C"形。③远端骨折,可行近端植入,进针点选大粗隆骨突下方,每针均需预弯,1枚为"C"形,另一枚为"S"形,使其末端分别在股骨内外侧皮质处。④两钉之间的最宽处应位于骨折水平,先将钉钉至骨折近端,旋转针尾使其前倾并达股骨颈。⑤退针1 cm,骨外留1.2～2 cm,以利取出。⑥术后可以加用髋"人"字石膏外固定,如果骨折已稳定,仅佩戴一个膝关节固定器即可扶拐行走。

14岁以上儿童,随着年龄和体重的增长,弹性髓内钉发生成角和骨折再移位的风险很大。因此,较大儿童一般选择常规的髓内钉固定。与成人用髓内钉不同,儿童可以使用经大粗隆进针的髓内钉,降低股骨头坏死率。

3) 股骨远端骨折　股骨远端骺板骨折按照Salter-Harris分型。Ⅰ型X线无阳性发现,但通过体格检查可明确诊断。用长腿石膏固定4周,预后良好。Ⅱ型骨折临床较为常见。该类损伤很容易造成骨骺早闭。手法复位后行髋"人"字石膏固定。若骨折复位不稳定,应经皮克氏针固定后加用长腿石膏。如果存在软组织嵌顿,则需切开复位内固定。Ⅲ型损伤股骨髁后侧部分可发生移位,此型损伤大多发生在大龄儿童(骺板闭合后),因此畸形和下肢不等长发生率较低。复位骨块后用加压螺钉固定。Ⅳ型损伤引起骺板早闭的发生率较高,需要解剖复位以防止发生骺板早闭和创伤性关节炎。

(4) 胫骨骨折

1) 胫骨近端骨折　胫骨近端骨折包括胫骨近端骨骺骨折和干骺端骨折。

胫骨近端骨骺骨折同样按照Salter-Harris分型。Ⅰ型通常无移位,有时需应力位摄片才能确诊。Ⅱ型最常见,通常为膝关节外翻损伤,干骺端骨块位于外侧,内侧骺板损伤。Ⅲ型最常见的为骨折线通过内侧或外侧平台,其次为累及胫骨结节和胫骨近端骨骺前侧的骨折,通常有明显移位。Ⅳ型少见,多见于胫骨外侧骨骺。Ⅴ型罕见,直到发生骺板生长障碍后才能诊断。没有移位的骺板骨折,可用膝关节屈曲15°的长腿管形石膏固定。一周后复查X线以确定骨折在石膏内无移位,根据不同年龄4～8周去除石膏。移位的Ⅰ型和Ⅱ型骨折可在麻醉下手法复位。除非骨折非常稳定,否则都要用克氏针固定,加用石膏外固定。3～4周时先拔除克氏针。软组织嵌入时需要切开复位内固定。骨折端阶梯状变形或移位超过2 mm的Ⅲ型和Ⅳ型骨折,需要切开复位,用螺钉或克氏针固定。

干骺端骨折:多见于3～6岁儿童,多数为青枝骨折,内侧皮质断裂而外侧面皮质完整。大多数干骺端骨折不需要手术治疗。若伤后产生外翻畸形则行手法矫正,矫正成角畸形的青枝骨折时必须使青枝骨折折断并使之轻微过矫,然后用长腿石膏固定。去除石膏后患儿可能出现进行性的外翻畸形,一般在12～18个月时最为明显,以后随患儿生长外翻畸形会有所改善,到3年时改善基本停止,一般外翻畸形残留6°左右,无须处理,少数需行骺板钉阻滞或截骨术。

2) 胫腓骨骨干骨折　在不同年龄段,由于损伤机制不同,骨折类型也有所不同。6岁以下儿童一般为摔伤或扭伤,所以骨折常为斜形或螺旋形;而6岁以上儿童常为运动损伤或交通事故,多系直接暴力,骨折横形多见;青少年骨折多为高能量损伤,与成人相似。大多数儿童胫腓骨骨折可以保守治疗,用长腿管形石膏固定,膝关节屈曲10°～15°,踝关节保持中立位。石膏固定前需要复位,复位常常需要在麻醉下进行,至少50%对位以及所有平面成角都在5°～10°之间。复位后3周内严密检测骨折对线,6～8周后改为短腿石膏或塑料支具固定。对于粉碎性骨折、手法无法复位的骨折、并发骨筋膜室综合征的骨折以及存在浮膝(同一肢体股骨和胫骨同时骨折)的骨折需要手术复位固定,常用固定方法为经皮克氏针固定、外固定支架、钢板螺丝钉、弹性髓内钉或者交锁髓内钉。6岁以下儿童常用克氏针,6～14岁儿童常选用弹性髓内钉,14岁以上儿童或者骨骺已经闭合的患儿选用交锁髓内钉。

(5) 踝部骨折

小儿踝部骨折与成人不同:骺板比较薄弱,极易造成沿骺板走向的骨折;韧带强度较骨质强,韧带损伤非常少见;一些损伤很容易影响生长;骨折很少干扰胫距关节。踝部的损伤类型取决于很多因素,包括患儿的年龄,骨的质量,受伤时足的位置以及作用力的方向、大小和速度。我们对踝关节损伤机制的认识还是源于Lauge-Hansen的研究,这种分型在成人非常有意义,但在小儿使用最广泛的还是Salter-Harris分型。

1)关节外骨折　关节外骨折包括腓骨Salter-HarrisⅠ型、Salter-HarrisⅡ型;胫骨Salter-HarrisⅠ型、Salter-HarrisⅡ型。腓骨Salter-HarrisⅠ型、Salter-HarrisⅡ型骨折多见,往往只需要复位后石膏外固定,除非有软组织嵌入妨碍复位。胫骨Salter-HarrisⅠ型少见,一般短腿石膏固定3周即可。而最常见的是胫骨Salter-HarrisⅡ型骨折,有20%合并腓骨骨折。如果没有移位,可以用短腿石膏固定4~6周,需要随访观察有无骨骺发育障碍。若骺板间隙或移位超过2 mm,一般建议开放手术复位。

2)关节内骨折　包括胫骨Salter-HarrisⅢ型和Salter-HarrisⅣ型。胫骨远端Salter-HarrisⅢ型骨折占1/4左右,一般骨骺部骨折线在中线内侧,注意要与Tillaux骨折和三平面骨折鉴别。无移位骨折先用长腿石膏固定6周,再改用短腿石膏固定4周。初期将足固定于外翻位5°~10°。移位超过2 mm的骨折需要在手术室复位,如果效果不理想则切开复位内固定。Salter-HarrisⅣ型罕见,由于大多数骨折累及关节面且有移位,通常都要切开复位内固定。

3)特殊类型骨折　包括Tillaux骨折和三平面骨折。

Tillaux骨折几乎都发生在骺板完全闭合前1年内的青少年。该阶段患儿骺板的中央、内侧以及前外侧部分尚未闭合而易于受损。由于腓骨干骺端和胫骨骨骺之间有强大的胫腓前韧带,常会产生胫骨骨骺前外侧1/4撕脱,形成一个矩形的骨折块。没有移位的骨折长腿石膏固定3周后改用小腿行走石膏继续固定3周。移位的骨折采用前外侧入路切开复位,并用1~2枚松质骨螺钉固定。

三平面骨折是一种复杂的骨折,涉及矢状面、横行面和冠状面3个平面。骨折线部分沿骨骺行走,部分穿越骺板进入踝关节。典型三平面骨折在X线前后位表现为Seilter-HarrisⅢ型骨折,而侧位表现为Seilter-HarrisⅡ型。常需要CT扫描并且三维重建显示骨折情况。如果能复位成功则行石膏固定,关节面最大可以接受的移位是2 mm,内侧骨折或三骨块骨折往往需要内固定。

24.2 儿童四肢常见外伤性脱位

儿童关节脱位明显比成人为多,这主要是由于小儿关节发育尚不成熟,关节韧带松弛,结构不稳定,当外力较大地作用于关节时,关节结构发生移位。关节脱位有肩关节脱位、肘关节脱位、桡骨小头半脱位(牵拉肘)、髋关节脱位、颞颌关节脱位等,儿童出现较多的有肘关节脱位和牵拉肘。

24.2.1 肩关节脱位

肩关节脱位多见于肱骨近端骨骺闭合后的青少年,治疗参照成人肩关节脱位,前脱位要固定4~6周,后脱位用外展支架或肩“人”字石膏固定肩于外展外旋位。肩关节脱位可导致Hill Sachs损伤,表现为肱骨头关节面上有一压迹,也可能导致Bankart损伤,表现为关节盂唇前下方的撕脱,是复发性前方不稳的主要表现。

24.2.2 肘关节脱位

单纯肘关节脱位不伴骨折在儿童少见。常常伴发肱骨外髁骨折、肱骨内上髁骨折、尺骨鹰嘴骨折、桡骨颈骨折,治疗时注意避免漏诊。

按照尺桡骨近端和肱骨远端的关系可分为两型。

Ⅰ型:尺桡骨之间关系正常(上尺桡关节正常),与肱骨关系异常,常为后脱位,也可发生前脱位、外侧或内侧脱位。

Ⅱ型:尺桡骨之间关系异常(上尺桡关节异常),可见前后分离、内外分离和尺桡骨交叉换位3种。

肘关节脱位应尽早治疗,注射镇静剂帮助放松肌肉,予手法复位。一般轻柔手法即可复位,复位时避免过伸肘关节,以免损伤血管和神经。患儿可采取俯卧位,肘关节在床边屈曲,前臂下垂,患儿放松后轻推尺骨鹰嘴,同时纠正侧方移位。复位后立即复查X线,并查找内上髁,如内上髁移位,或嵌入关节,应手术治疗。如无移位或轻微移位,可石膏固定3周。

24.2.3 桡骨头半脱位(牵拉肘)

牵拉肘为小儿最为常见的损伤。临床表现典型,1~4岁的患儿由于牵拉外伤后不愿意活动患肢,并维持患肢于轻度屈曲、前臂旋前位。X线可表现正常，有时见桡骨头轻微向外移位或向远侧移位。治疗简单，旋后位屈曲肘关节即可复位，一般屈曲要超过90°。复位时可产生弹跳感，通常不需要固定，如果出现反复脱位可石膏固定前臂于旋后、屈肘100°位置。注意不要将其他疾病简单地归为牵拉肘，比如尺骨鹰嘴骨折、桡骨头骨折、肱骨髁上骨折以及肘关节感染。

24.2.4 髌骨脱位

髌骨脱位临床常见。多见于青少年，幼儿较少见。由于髌骨脱位可自动或自行复位，就诊时常已复位。常见体征为关节积血、髌骨内侧压痛、位置偏外等。首次脱位时膝关节伸直位石膏固定3～4周后早期行物理治疗。由于髌骨脱位常并发髌股韧带断裂、髌骨内侧或股骨外髁骨折，而且脱位的复发率为15%～20%，目前髌骨脱位更倾向手术治疗。对于骨骺未发育成熟的复发性髌骨脱位的患儿，可采用软组织手术：①单纯髌骨外侧挛缩组织松解，包括关节镜下的膝关节外侧松解。②膝关节外侧松解和内侧紧缩，包括髌骨近端力线纠正手术。③纠正髌腱力线异常的手术。④综合前3种手术的复合性术式。骺板闭合后可考虑胫骨结节内移术。

（周晓岗）

参考文献

[1] Blasier RD, Aronson J, Tursky EA. External fixation of pediatric femur fractures. J Pediatr Orthop, 1997, 17(3):342～346.

[2] Delee JC. Fracture-separation of the distal humerus epiphysis. J Bone Joint Surg, 1980, 62:4～51.

[3] Dobbs MB, Luhmann SL, Gordon JE, et al. Severely displaced proximal humeral epiphyseal fractures. J Pediatr Orthop, 2003, 23(2):208～215.

[4] Lauge-Hansen N. Fractures of the ankle: analytic historic survey as basis of new experimental, roentgenologic, and clinical investigations. Arch Surg, 1948, 56:259～317.

[5] Linhart WE, Roposch A. Elastic stable intramedullary nailing of femoral fractures in children. J Bone Joint Surg, 1988, 70:74～77.

[6] Mooney J, Charlton M, Costello R, et al. Ankle joint contact pressures after transepiphyseal screw fixation of the distal tibia. Pediatr Orthop Soc North Am, 2004.

[7] Neer CS, Horwitz BS. Fractures of the proximal epiphyseal plate. Clin Orthop, 1965, 41:24.

[8] Salter RB, Harris WR. Injuries involving the epiphyseal plate. J Bone Joint Surg, 1963, 45:587.

[9] Vocke AK, Vocke AR. Cartilaginous avulsion fracture of the tibial spine. Orthop edics, 2002, 25(11): 1293～1294.

[10] Wenger DR, Pring ME, Rang M, et al. Rang's Children's Fractures. 3rd ed. Lippincott Williams and Wilkins, 2006. 9～16.

[11] Willis R, Blokker C, Stoll T. Long term follow-up of anterior tibial eminence fractures. J Pediatr Orthop, 1993, 13:361～364.

25 关节脱位

25.1 概述

关节脱位(acute dislocation)指关节面失去正常的对合关系,俗称脱臼。部分失去正常对合关系称为半脱位。关节脱位的方向均以关节远侧骨端的移位方向命名。脱位未满 3 周者称为新鲜脱位,脱位超过 3 周者称为陈旧性脱位,与外界空气相通者称为开放性脱位。

25.1.1 病因学

脱位是由于外来暴力导致的称为创伤性。由于胚胎发育异常导致关节发育不良,出生后出现脱位并逐渐加重的称为先天性脱位,例如髋臼发育不良导致的先天性髋关节脱位;由于关节病变,骨端遭到破坏,其形态难以维持正常的对合关系,称为病理性脱位,例如由于结核或者化脓性关节炎导致的脱位;由于创伤脱位时导致关节一侧的骨端有缺损,或者关节囊及其韧带在骨性附着处被撕脱,致使关节存在不稳定因素,在轻微外伤下可以多次发生脱位,称为习惯性脱位,例如习惯性肩关节脱位。

25.1.2 临床表现

临床表现为疼痛和压痛,关节畸形或空虚,弹性固定,关节功能障碍。各种不同的关节脱位临床表现各有所不同,可合并相应的神经或血管损伤,从而产生相应的神经或血管的症状和体征，在实施闭合复位或手术复位前，应该检查出任何神经或者血管损伤的证据，并且详细记录在案。神经损伤可能是牵拉、挫伤或完全断裂，以牵拉损伤最为常见，通常可以在复位后自行恢复，因此除非神经正好在手术区域内，否则手术中不应尝试探查神经，如果神经功能在经过一段时间仍没有恢复的迹象，则应该手术探查。

25.1.3 实验室检查及影像学检查

X线检查应该列为常规检查项目，可发现脱位方向和类型，以及有无合并骨折等。必要时可以进行血管造影、MRI或CT检查。

25.1.4 治疗

(1) 非手术治疗

对于急性脱位应该尽量争取早期复位，急性脱位很少需要手术治疗，可以首先在静脉止痛或麻醉下进行闭合复位，同时也应该有复位不成功进行外科手术的准备。在闭合复位时应该避免过度用力，因为有时软组织或者骨折片嵌入关节间隙会导致无法闭合复位，暴力会导致骨折或额外关节损伤。复位结束应该行影像学检查确认。

在开始诊断和治疗时应该清楚，急性脱位即使立即复位也并不能保证获得满意的治疗效果，关节软骨、关节囊和韧带以及骨的血供损害均可导致创伤性关节炎发生，还应该和患者讲明任何关节在开放复位或者闭合复位后，都有发生异位骨化、创伤性关节炎以及缺血性坏死的可能。

(2) 手术治疗

手术治疗的适应证：在麻醉状态下经过闭合手法复位技术无法达到解剖性复位和同心复位者，可能有软组织或骨、软骨碎片嵌入关节间隙；复位后不能够维持关节的稳定性；闭合复位前经过仔细神经检查证明神经功能正常，而经过复位后出现明确的、完全性的运动和感觉障碍者；闭合复位前检查证实关节损伤的远端有血管损伤现象，复位后这种现象仍然存在。

25.2 肩关节脱位

25.2.1 概述

脱位分为4个类型。①前脱位，又可分为喙下脱位、盂下脱位和锁骨下脱位；②后脱位，有肩峰下脱位、盂下脱位和冈下脱位；③下脱位，盂下脱位；④盂上脱位。以前脱位最为多见，喙突下脱位是最常见的肩关节前脱位。

25.2.2 病因学

导致肩关节脱位第1个原因是间接暴力。由于外展和外旋力量同时作用于肱骨头的结果，致使肩关节前方关节囊出现破口，肱骨头滑出肩胛盂移位至喙突的下方或锁骨下，极个别暴力巨大者，肱骨头可以冲进胸腔，导致胸腔内脱位；第2个原因是直接暴力，患者向后跌倒时，有外力直接作用于肱骨后方，或受硬物撞击，产生向前的暴力导致前脱位。此类暴力发生较少。脱位时如果大结节受到撞击可以导致脱位合并大结节骨折。

25.2.3 临床表现

外伤史，肩部疼痛，肿胀和功能障碍；关节内空虚感，方肩畸形，Dugas征阳性；腋神经或臂丛神经以及血管受压可产生相关症状体征。

25.2.4 实验室检查及影像学检查

X线检查可明确脱位的类型或合并骨折的情况，若怀疑有血管损伤可行血管造影检查。对于习惯性脱位应该行CT检查以明确有无肩胛盂骨缺损，行MRI检查明确有无肩袖损伤。

25.2.5 治疗

(1) 非手术治疗

大多新鲜的肩关节可以通过手法复位成功，最为常用的是Hippocrates法，要注意应在无痛或麻醉状态下进行，患者仰卧，术者站于一侧，腋窝垫棉垫，术者足跟置于腋下靠胸壁处，双手握住患肢做外展牵引，同时足跟做反牵引。牵引必须持续，用力要均匀，牵引一段时间后肩部肌肉逐渐松弛，此时内收、内旋上肢肱骨头可经前方关节囊破口滑入肩胛盂。单纯性肩关节脱位复位后可三角巾悬吊贴胸固定3周，合并有大结节骨折者可延长1～2周，固定期间行手腕部功能锻炼，解除固定后鼓励患者各个方向循序渐进锻炼肩关节。

(2) 手术治疗

对于新鲜的肩关节前脱位复位困难或复位失败者；肩关节前脱位合并有大结节骨折，肱二头肌长头腱向外后移位，且被挤夹于盂头之间影响复位者；肩关节前脱位伴肱骨外科颈骨折手法复位失败者；肩关节前脱位伴肩胛盂前下缘骨折或盂唇被撕脱的范围较广泛，脱位整复后不能维持复位者，均可采用开放复位或盂唇修复治疗。陈旧性肩关节前脱位伴有骨折者或手法复位失败者，或脱位后已2个月以上的，亦可行开放复位。

25.3 习惯性肩关节前脱位

多见于青壮年患者，一般认为由于创伤等原因导致关节囊或盂唇撕裂未能够得到良好的修复，肩胛盂前下缘或肱骨头后外侧合并有缺损，在轻微外力或某个动作时发生脱位。此类脱位手法复位后鲜有不复发者，故适合于手术治疗。手术治疗的方法如下。

1) 肩胛下肌及关节囊重叠缝合术　用于修复和增强肩关节前壁，与肩胛下肌小结节附着点2 cm左右切断，检查关节囊前壁破损情况，将处于肱骨内收内旋位置，根据肩胛下肌的肌力情况和要求限制肩外展外旋情况决定肩胛下肌缝合重叠的长度，一般重叠1.5 cm，术后要结合应用外固定。

2) 肩胛下肌止点外移术　用于修复关节囊增强前壁，从肩胛下肌起点处切下肩胛下肌，将肱骨内收内旋，于肱骨大结节处切开骨膜，将肩胛下肌外端外移缝合固定于肱骨大结节处，增强其张力，再将喙肱肌腱和肱二头肌短头肌见缝合于喙突。

3) 肱二头肌长头腱悬吊术　用于增强肱骨头稳定性的方法，暴露肱骨大结节、肱二头肌长头肌腱和肩胛下肌，将喙肱韧带于靠近大结节处切断，并充分分离，再将肱二头肌长头腱自肱骨大小结节下方切断，远端向下牵开，提起近侧端，沿其走向切开关节囊，找出肱二头肌长头腱近端的附着点，将喙肱韧带缝包于肱二头肌长头腱近端的外面，加强其强度，将肱二头肌内收，在肱骨关节间沟的大小结节下方向肱二头肌长头腱近端附着点钻一骨道将肱二头肌长头腱近端及包绕的喙肱韧带从骨道中拉出至肱骨结节间沟外，把肱二头肌长头腱的远近两端缝合到一起，或将断端分别缝合于骨膜上，缝合关节囊，逐层缝合切口各层组织，术后将上肢固定于外展50°～60°，前屈45°。

4) Bankart手术　此法用于关节盂唇和关节囊，切断并内翻肩胛下肌后，外旋肱骨暴露关节囊的前侧，在小结节内2 cm左右弧形切开关节囊前侧壁，检查盂唇与关节囊的破损处，利用特制的弯钻在肩胛盂前内缘等距钻3～4个孔，以粗丝线将切开的关节囊前外缘缝合固定于盂唇，再将关节囊的前内缘重叠缝合于关节囊，使关节囊得以紧缩和加强，稳定盂唇。

5) 关节镜下关节囊和盂唇修补术　见《关节镜》章节。

25.4 肘关节脱位

25.4.1 概述

发生率仅次于肩关节脱位，肘关节脱位一旦诊断明确需及早复位，延迟复位会导致肘部肿胀和关节活动受限，严重肿胀可以产生骨筋膜室高压，致使前臂缺血性挛缩。重度移位可能合并有正中神经和尺神经牵拉伤。

25.4.2 病因

多为间接暴力，患者跌倒时上臂处于伸直状态，手掌着地，暴力传递至尺、桡上端，尺骨鹰嘴突处产生杠杆作用，使尺、桡骨近端脱向肱骨远端后方。肘关节前半部关节囊常有撕裂，肱肌亦可有不同程度的撕裂，一般还有侧副韧带的损伤。按脱位的方向可分为后脱位、外侧脱位、内侧脱位及前脱位，其中以后脱位最为常见。

25.4.3 临床表现

有外伤史，通常以手掌撑地。肘部肿胀、疼痛，不能活动，肘关节处于半伸直位，被动运动时不能伸直肘关节。肘后空虚，肘后三角关系失常。合并有骨筋膜室高压或正中神经和尺神经损伤者，产生相应的症状和体征。

25.4.4 非手术治疗

大多肘关节脱位可以通过闭合复位获得成功，可以局部麻醉下进行，2%普鲁卡因或1%利多卡因10 ml，注入肘关节内，困难的病例也可以选用其他麻醉，使肌肉完全放松，再进行闭合手法复位。复位成功后长臂石膏托固定肘关节于90°位，三角巾悬吊胸前2～3周，固定期间作肱二头肌肌肉收缩和手指、腕部功能锻炼。

25.4.5 手术治疗

手法复位失败者和超过3周的陈旧性脱位应该进行手术切开复位，对于习惯性脱位者可考虑内固定。合并有严重的桡骨头和冠状突骨折者均宜手术治疗。应当注意骨化肌炎对肘关节功能的影响。手术时在修复骨损伤的同时将软组织损伤一起修复，有利于关节功能的恢复，发生肘部骨化肌炎的概率也相应减少。

25.5 肩锁关节脱位

25.5.1 病因

多由直接暴力所致。暴力由上而下作用于肩峰，肩峰和肩胛骨下沉，锁骨压在第一肋骨上，肋骨阻挡了锁骨继续下移，结果使肩锁的韧带结构破裂，如果暴力过大会使附着于锁骨上的斜方肌和三角肌止点处肌肉纤维破裂，并延伸及肩锁关节韧带和半月软骨，过大暴力会使喙锁韧带亦断裂。此部位其他结构的损伤还可以包括肩峰、锁骨和喙突的骨折。另外一种可以由间接暴力导致，跌倒时肩部于肘部均处于90°屈曲位置，此时肱骨头顶在肩胛盂与肩峰，向后方传导的暴力可以导致肩锁韧带和喙锁韧带破裂。

25.5.2 分类

常用的分为3型。

第1型：肩锁关节囊与韧带扭伤，没有确切的韧带断裂。

第2型：肩锁关节囊与韧带破裂，锁骨外端半脱位。

第3型：肩锁韧带与喙锁韧带均已破裂，锁骨外端真性脱位。

Rockwood将肩锁关节脱位分为Ⅰ～Ⅵ型。Ⅰ型：肩锁和喙锁韧带均未断裂，只是轻微拉伤，关节稳定；Ⅱ型：关节囊破裂但肩锁和喙锁韧带完好，关节存在不稳定；Ⅲ型：肩锁和喙锁韧带均断裂；Ⅳ型：韧带全部断裂，且锁骨远端向后移位进入或穿过斜方肌；Ⅴ型：韧带和肌肉附着点全部断裂，肩峰和锁骨严重分离；Ⅵ型：韧带全部断裂，锁骨远端脱位至喙突下方和肱二头肌及喙肱肌腱后面。

25.5.3 临床表现

外伤史，肩锁关节处肿胀、压痛。第1型：临床检查和X线摄片都不能发现锁骨外端有半脱位或真性脱位。第2型：锁骨远端与对侧相比锁骨外端较高，用力按压有弹性感，X线片上可以看到锁骨远端挑起，与对侧相比至少有1/2以上脱位，但不是完全性脱位。第3型：锁骨外侧端已经挑出于肩峰上方，局部肿胀比前两型严重，X线片可发现锁骨外侧端移位。若诊断不能明确，可以行双侧肩关节摄片对比，必要时可以行应力下摄片，患者手提4～6 kg重物下摄片，锁骨外侧端移位情况会更为明显。

25.5.4 治疗

(1) 非手术治疗

包括局部制动、三角巾悬吊、冰敷等，适用于第1型脱位患者。

(2) 手术治疗

适用于第2型和第3型患者。对于第2型脱位有不同意见，因为并非每个第2型患者都会产生疼痛，一旦出现再治疗也不迟。手术的方法很多，可分为5个主要类型：①肩锁关节复位和固定；②肩锁关节复位、喙锁韧带修复和喙锁关节固定；③前两种类型联合应用；④ 锁骨远端切除；⑤肌肉转移。

传统固定方法：①张力固定；②锁骨-喙突拉力螺钉固定，可以两者结合应用。AO等公司推出的锁骨钩钢板具有操作方便、固定可靠等优点，近来得到较多应用。

25.6 髋关节脱位

25.6.1 概述

髋关节是一种典型的杵臼关节。髋臼和股骨头在形态上配合紧密，周围又有坚强的韧带和强壮的肌肉群，因此脱位一般系高能量损伤所致，常常合并有骨折或者其他严重多发伤，髋关节脱位会掩盖其他损伤，或者因其他损伤而掩盖了髋关节脱位。髋关节脱位的并发症有：股骨头缺血性坏死、创伤性骨关节炎、神经损伤等，脱位时间越长，发生缺血性坏死或神经损伤并发症的可能性越大。按脱位的方向可以分为前脱位、后脱位和中心性脱位，其中以后脱位最为多见。

25.6.2 髋关节后脱位

(1) 病因

大部分髋关节后脱位发生于交通事故。发生事故时患者的体位处于屈膝及髋关节屈曲内收，股骨则有轻度的内旋，当膝部受到暴力时，股骨头从髋关节囊的后下部薄弱区脱出。

(2) 临床表现

有明确的外伤史，通常是巨大暴力，如发生车祸时患者处于坐姿，或一腿搭于另一腿，巨大外力撞击膝部，或者高处坠落。明显疼痛，髋关节活动受限，不能活动。髋关节处于屈曲、内收、内旋畸形，患肢缩短。大粗隆上移明显，可以在臀部摸到脱出的股骨头。部分患者合并有坐骨神经损伤表现，大多为挫伤，2～3个月后自行恢复，神经损伤的若为股骨头压迫，持续受压可以导致神经出现不可逆的病理变化。

(3) 治疗

所有髋关节后脱位在行X线检查明确诊断后均应该行CT扫描，以明确是否合并髋臼骨折或股骨头骨折。髋关节脱位的治疗措施取决于脱位的类型，分类方法较多，除按脱位的方向分为前脱位、后脱位和中心性脱位外，Thompson 和 Epstein 又将最常见的髋关节后脱位分为5种类型。Ⅰ型：髋关节后脱位合并或者不合并微小骨折；Ⅱ型：后脱位合并髋臼后缘的单个大块骨折；Ⅲ型：后脱位合并髋臼边缘的粉碎性骨折，骨折块可大可小；Ⅳ型：后脱位合并髋臼边缘和髋臼底部骨折；Ⅴ型：后脱位合并有股骨头骨折。

髋关节脱位一旦诊断明确必须急诊复位，脱位时间越长，对股骨头血液供应的影响越大，发生股骨头坏死的概率越高，Stewart 和 Milford 对128例脱位和骨折-脱位进行回顾性分析发现，如果脱位超过24 h，结果均不好，闭合复位后缺血性坏死的发生率为15.5%，手术复位的为40%，总的缺血性坏死发生率为21.2%。Brav 对262例的回顾性分析报道，伤后12 h内复位的缺血性坏死发生率为17.6%，而在12 h后复位的发生率为56.9%。Hougaard 和 Thomsen 对100例髋关节随访5年发现，伤后6 h内复位缺血性坏死发生率为4.8%，6 h后复位的患者缺血性坏死的发生率为58.5%。大多数髋关节脱位可以通过闭合复位成功，髋关节脱位应该先于其他骨骼损伤治疗，脱位复位后髋臼骨折或股骨头骨折的手术治疗可以延迟几天进行。

1）非手术治疗　对于Ⅰ型脱位，常采用非手术治疗，即闭合复位。复位时需肌肉松弛，必须在全身麻醉或椎管内麻醉下进行，常采用方法为 Allis 法，即体拉法。患者仰卧于地上，一助手双手按住髂脊固定骨盆，术者面对患者站立，先将髋关节及膝关节屈曲至90°，然后双手握住腘窝作持续牵引，也可以用前臂上段套住腘窝作牵引，待肌松弛后略作外旋，感到明显的弹跳和响声提示复位成功。复位成功后可用绷带将双踝暂时固定在一起，于髋关节伸直位搬运至床上，行皮牵引或穿“丁”字鞋固定2～3周，卧床4周，卧床期间作股四头肌收缩动作，2～3周开始活动关节，4周可扶双拐下地，3个月后可完全负重。Brav 对523例患者的研究报道，12周以内承重的患者缺血性坏死发生率为25.7%，12周后开始承重的患者为26.6%，看来避免承重对预防缺血性坏死效果不明显。

2）手术治疗　Ⅰ型脱位不能闭合复位或不能获得同心性复位，提示关节内有游离体或软组织嵌入，需手术治疗；Ⅱ～Ⅴ型脱位因系脱位合并关节内骨折，均宜早期切开复位内固定。根据需要选择手术入路，如果阻挡物确定在前方，可选用前侧髂股入路，前路手术的患者股骨头缺血性坏死的发生率较高，通常最好使用后方或侧方入路。

通过关节囊破口处显露髋臼，并清理其中的血块和碎片，股骨头可能会穿透外展肌群，合并有坐骨神经损伤者同时进行探查，撕裂的关节囊边缘可能卡住股骨头，必要时扩大撕裂口复位，在所有阻挡物清理彻底后，将股骨头退回关节囊内，沿股骨长轴牵引大腿，通过屈曲、内收关节将关节复位。复位后稳定的关节术后处理参见“闭合复位”。

25.6.3 髋关节前脱位

(1) 病因

前脱位少见，根据 Epstein 的统计约占创伤性髋关节脱位的12%，两种暴力机制可导致髋关节前脱位，一种暴力为交通事故，患者髋关节处于外展位，膝关节屈曲，并顶在前排椅子背上，紧急刹车时膝部受到撞击，股骨头从髋关节囊前方内下部分薄弱区穿破脱出；另一种暴力为高空坠落，股骨处于外展、外旋下髋后部之际受到暴力。前脱位可分为闭孔下、髂骨下和耻骨下脱位。

(2) 临床表现

有强大暴力外伤史。患肢外展、外旋和屈曲畸形，根据典型的畸形表现，不难区分前脱位和后脱位。髋关节后脱位肿胀，可以摸到股骨头。可以合并有股动静脉或股神经损伤。

(3) 治疗

1) 非手术治疗　在全身麻醉或椎管内麻醉下手法复位。以 Allis 最为常用，患者仰卧于手术台，术者握住伤侧腘窝部，使髋轻度屈曲和外展，并沿股骨纵轴作持续牵引，助手立在对侧以双手大腿上1/3的内侧面与髋关节后脱位处施加压力，术者在牵引下作内收及内旋动作，可以完成复位，不成功可以再尝试一次，二次未成功必须考虑切开复位。非手术复位不成功往往提示前方关节囊有缺损或有卡压，暴力复位会导致股骨头骨折。

2) 手术治疗　手术复位可选用前侧髂股入路进行手术，包括股直肌和髂腰肌在内软组织嵌入，关节囊的撕裂以及股骨头被关节囊嵌顿都可能阻碍复位。复位成功后的功能康复参见“后脱位”。

25.6.4 髋关节中心脱位

暴力来自侧方，直接打击在股骨粗隆区，导致股骨头水平状移动，穿过髋臼内侧壁而进入骨盆，造成髋臼骨折。受伤时下肢处于轻度内收位置，则股骨头向后方一侧，导致髋臼后部骨折，如果下肢处于轻度外展与外旋位置，则股骨头向上方移动，产生髋臼爆破型粉碎性骨折，此时髋臼各个区域都有毁损。

25.7 髌骨脱位

有创伤性脱位和习惯性脱位两种。创伤性脱位分为向上脱位和向外脱位两种，是由于暴力直接作用于正常髌骨的结果，其中以向外脱位较多见，习惯性脱位往往是由于髌骨或股骨髁等膝部结构发育异常或者由于创伤性脱位未及时治疗的结果。

25.7.1 病因

髌骨向外脱位是由于外力作用于髌骨，膝关节囊从髌骨内侧缘附着处撕脱，软组织损伤范围通常较广，股四头肌腱膜扩张部的内侧部分和股内侧肌附着处都可以撕脱，同时髌骨向外脱位还可以伴有骨和软骨骨折碎屑脱落于关节腔内形成游离体，也可能伴有半月板和内侧副韧带损伤。向上脱位是由于髌韧带完全性断裂，髌骨向上移位。

习惯性髌骨脱位者往往有先天性发育的缺陷，如小髌骨、股骨外髁发育不良有膝外翻等。

髌骨发育因素：Wiberg 根据髌骨内、外侧关节面的长度将髌骨分为 3 种类型。Ⅰ型：髌骨内、外两侧的关节面长度几乎相等，内侧关节面略凹陷；Ⅱ型：外侧关节面长度明显长于内侧，内侧关节面仍凹陷；Ⅲ型：外侧关节面呈平行状，内侧关节面短且凸出，接近于直角状。Ⅲ型髌骨容易向外脱位。

力线因素：正常人体的股四头肌力学轴线起自髂前上棘，止于髌骨上缘中点，该力线与髌韧带的轴线组成 Q 角，这个角度是外翻，正常人为 14°，如果超过 20°时伸肌的牵引力量偏向外侧，牵引的结果是将髌骨向外侧牵引，容易产生脱位。习惯性脱位通常有股骨外髁较小，膝外翻畸形，Q 角增大。另外，如果髌骨外侧的支持带有短缩，或者髂胫束止点有异常，附着于髌骨外侧，当屈曲膝关节时髌骨外侧的纤维束带紧张，对髌骨牵引作用过大也可导致髌骨脱位。

25.7.2 临床表现

1) 急性髌骨脱位多见于青少年，有明显的膝部外伤史，膝部明显肿胀，外脱位者因膝关节内出血可有明显波动感，髌骨内侧缘明显压痛，活动受限。但也有患者伤后往往自行将髌骨复位，在伸膝位容易漏诊而误认为其他损伤，因此影像学检查很重要。向上脱位者可以触及向上移位的髌骨。

2) 习惯性脱位只有少数患者曾有急性髌骨脱位病史，大多数在轻微外伤后多次发生脱位，发生双侧脱位的亦不少见。脱位时觉膝部软弱无力、疼痛、行走困难，但伸膝或用手轻推又可以复位。多次经常脱位者可有股内侧肌萎缩以及创伤性骨关节炎表现。

X线检查：髌骨向外脱位者常规 X 线检查难以发现，宜于膝关节屈曲 20°～30°拍摄髌骨轴位片，可以发现正常向外侧开口的髌骨角消失甚至向内侧开口，这种倾斜说明在髌骨外侧有向后牵引的力量。另一种表现为髌骨离开了股骨切迹处正常的中心位置而向外移位，称为半脱位，有时两种情况同时存在，更增加了髌骨脱位的复杂性。

关节镜检查：可以检查和评估关节软骨面损害的程度，根据髌骨软骨的退变程度决定使用何种手术治疗。关节镜下可以分为 4 级。1 级：仅有软骨变软；2 级：有直径<1.3 cm 的纤维软化病灶；3 级：

纤维化病灶>1.3 cm；4级：软骨剥脱，软骨下骨皮质已暴露。

25.7.3 治疗

(1) 非手术治疗

适用于急性髌骨外脱位，在屈曲的膝关节伸直的过程中，推压髌骨的外侧缘即可复位，复位后可用石膏外固定3～4周，争取早期行关节锻炼以防止关节纤维化，并促进沿力线方向形成坚强的胶原蛋白，但应当告知患者有继发性脱位和半脱位的可能。

(2) 手术治疗

对于髌骨韧带断裂的髌骨上移位者应行急诊手术修复。对于内侧关节囊破裂者、急性脱位合并有髌骨或股骨髁以及力线等发育性易脱位因素者应行手术治疗。手术内容：修复受伤的膝部结构，包括撕裂的内侧组织以及股内侧肌等，清除关节腔内骨软骨碎片。选用髌旁内侧切口探查内侧支持带的撕裂情况，探查冲洗关节腔，清除其中的骨软骨碎片，修复股内侧肌腹和内侧支持带，应当特别注意股内侧肌起始于内收肌结节部分的损伤，如果此起点已经撕裂并向近端缩回，内收肌纤维附着于髌骨的角度将发生显著变化，对决定髌骨外侧脱位的复发有重要作用。术后注意股四头肌的锻炼，肌力的训练应当持续3～4个月。

25.8 陈旧性关节脱位

25.8.1 概述

关节脱位超过3周者称为陈旧性脱位，长时间关节脱位会导致关节软骨退变和关节功能障碍，在行复位后常需行关节成形或融合。

25.8.2 陈旧性肩关节脱位

(1) 病因学

好发于年龄>50的老年病人，多由于肩关节周围肌肉松弛，韧带退变。年轻患者多由于酗酒，或者多发创伤后漏诊所致。

(2) 临床表现

肩关节活动范围减小，在陈旧性前脱位有外展和内收受限，在陈旧性后脱位有外展和外旋受限。1/3以上患者合并有神经症状。

(3) 实验检查及影像学检查

应该行肩关节的正、侧位的X线检查，CT扫描有助于发现有无骨性损伤，约有半数患者会有阳性发现。

(4) 诊断及鉴别诊断

易于诊断，无须鉴别。

(5) 治疗

1) 非手术治疗　对于活动量较少、体质较差、临床症状较轻的老年患者可不予特殊治疗；由于陈旧性肩关节脱位后关节周围韧带挛缩和纤维化，而且常合并有骨性损伤，因此不适于行手法复位，尤其是合并有血管或神经症状的患者。

2) 手术治疗　手术复位治疗的要点是：松解关节周围挛缩的肌肉和韧带，固定肱骨头和关节盂的对合关系，解决合并骨折，探查有症状的神经、血管，手术后康复治疗。对于脱位6个月以上，合并有关节盂、肱骨头严重损伤者可考虑行全肩关节置换。

25.8.3 陈旧性肘关节脱位

(1) 非手术治疗

3周以上的陈旧性肘关节脱位由于常合并有关节周围肌肉韧带挛缩和异位骨化，不适于闭合手法复位。

(2) 手术治疗

由于陈旧性肘关节脱位常有肱三头肌挛缩，手术复位治疗时复位有困难，应该考虑行肱三头肌V-Y成形延长，术后石膏外固定2～3周，在行中度功能锻炼时可夜间外固定保护、白天解除外固定2～3个月。

(郭常安　陈峥嵘)

参考文献

[1] Al-Qattan MM. The triad of multiple metacarpal fractures and/or dislocations of the fingers, severe hand swelling and clinical evidence of acute median nerve dysfunction. J Hand Surg (Eur), 2008, 33(3):298～304.

[2] Bohu Y, Khiami F, Rolland E, et al. Early failure of anterior bone block in multidirectional shoulder instability: A case report. Rev Chir Orthop Reparatrice Appar Mot, 2008, 94(4):407～412.

[3] Bombaci H, Polat A, Deniz G, et al. The value of plain X-rays in predicting TFCC injury after distal radial fractures. J Hand Surg(Eur), 2008, 33(3):322～326.

[4] Choo AM, Liu J, Dvorak M, et al. Secondary pathology following contusion, dislocation, and distraction spinal cord injuries. Exp Neurol, 2008, 212(2):490～506.

[5] Fraser-Moodie JA, Shortt NL, Robinson CM. Injuries to the acromioclavicular joint. J Bone Joint Surg Br, 2008, 90(6):697～707.

[6] Georgilas I, Mouzopoulos G. Anterior ankle dislocation without associated fracture: a case with an 11 year follow-up. Acta Orthop Belg, 2008, 74(2):266～269.

[7] Girard J, Vendittoli PA, Roy AG, et al. Femoral offset restauration and clinical function after total hip arthroplasty and surface replacement of the hip: A randomized study. Rev Chir Orthop Reparatrice Appar Mot, 2008, 94(4):376～381.

[8] Helgeson K, Smith AR Jr. Process for applying the international classification of functioning, disability and health model to a patient with patellar dislocation. Phys Ther, 2008, 88(8):956～964.

[9] Houshian S, Ghani A, Chikkamuniyappa C, et al. Single-stage distraction correction for neglected dorsal fracture dislocations of the proximal interphalangeal joint: a report of eight cases. J Hand Surg Eur Vol, 2008, 33(3):345～349.

[10] Lavigne M, Masse V, Girard J, et al. Return to sport after hip resurfacing or total hip arthroplasty: A randomized study. Rev Chir Orthop Reparatrice Appar Mot, 2008, 94(4):361～367.

[11] Meyer JC, Kisielowski C, Erni R, et al. Direct imaging of lattice atoms and topological defects in graphene membranes. Nano Lett, 2008, 8(11):3582～3586.

[12] Paris N, Journeau P, Moh Ello N, et al. Bilateral upper femoral physis injury in a case of epilepsy in a young child. Rev Chir Orthop Reparatrice Appar Mot, 2008, 94(4):403～406.

[13] Rehbein K, Jung C, Becker U, et al. Treatment of acute AC joint dislocation by transosseal acromioclavicular and coracoclavicular fiberwire cerclage. Z Orthop Unfall, 2008, 146(3):339～343.

骨盆与髋臼骨折 26

骨盆区骨折包括髋臼和骨盆的骨折，以往的教科书中均将其归在骨盆骨折中。实际上两者的诊治不完全相同。1988 年，著名的学者 Marvin Tile 把两者用苹果和橘子作了一个形象的比喻，表达了不能把髋臼骨折与骨盆骨折混为一谈。本章节将从骨盆和髋臼骨折的诊治分别加以讨论。

26.1 骨盆骨折

骨盆骨折的发病率仅次于四肢和脊柱骨折，并发症较为多见。多年来，骨盆骨折在准确的诊断、损伤的分类和处理上的认识困扰着骨科医师，大多采用保守治疗，畸形愈合、创伤性关节炎的发生率很高，有文献报道达 50%～60%。20 世纪 50 年代以后，众多的学者在骨盆骨折的分类、手术指征、入路、诊断和治疗上存在着截然相反的结论。Peltier 首先从解剖学上开始了对骨盆的入路、分类进行了研究，Pennal 在他的基础上作了补充，Tile 扩充和改良了 Pennal 的分类系统。近年来，许多学者对不稳定的骨盆骨折主张手术治疗，降低了死亡率和致残率。

骨盆由前环和后环组成一完整的闭合骨环，前方由两侧的耻骨支、坐骨支通过耻骨联合连接，其间有纤维软骨盘相隔；后方由双侧的髋骨及骶骨组成，髂骨与骶骨耳状的关节面通过前后的骶髂韧带、骶结节韧带、骶棘韧带等形成了骶髂关节，并维持关节的稳定性。骨盆有保护盆腔脏器和作为躯干和下肢的桥梁作用，躯干重力经骨盆向下肢传导，发挥负重功能。骨盆环有两个承重弓，站立位时，重力线经骶髂关节到两侧的髋关节；坐位时，重力线经骶髂关节到两侧的坐骨结节。另外，耻骨和坐骨也在连接两个承重弓中起到了增强作用。

26.1.1 损伤机制

近 10 年来，人们已认识到暴力的方向是骨折分类的组成部分，可从患者和目击者等方面取得。骨盆骨折按能量的大小分为低能孤立骨折和常产生骨盆环破坏的高能骨折。

26.1.2 低能骨折

低能骨折常不破坏骨盆环的完整性，典型的包括跌伤和肌肉附着点的撕脱骨折，也可为运动或低暴力交通伤。有的学者发现，单独的耻骨支骨折已很少见，几乎总是合并同侧的另一耻骨支骨折，同时还有骨盆环后方的骨折。

撕脱骨折常发生在髂前上、下棘和坐骨结节，在年轻的运动员更为常见。主要是由肌肉突然收缩引起。单独的骶骨骨折少见，除了有轴向暴力，常伴有骨盆环其他部位的骨折。

26.1.3 高能骨折

高能骨折不同于低能骨折，虽然可单独发生，更多的情况是2处以上，合并有严重的软组织、血管和神经损伤，Dalal等报道其中交通伤占87%，高处坠落伤占9%，碾压伤占4%。直前方或略斜向的暴力，使髋骨外旋，引起“翻书”样骨折；相反，侧方的暴力使骨盆环向内挤压(implode)。生物力学实验提示，侧方压力在7.15～9.78 kN就可造成骨盆骨折。交通伤可以造成骨盆垂直剪力损伤，车轮碾压伤引起“翻书”样和垂直剪力骨折。坠落伤患者如果直立位着地，暴力可通过半骨盆传递到脊柱，造成除骨盆骨折外还有椎体骨折。例如，一侧身体着地，常伴有同侧的肋骨和下肢骨折。

26.1.4 分型

众多的学者都提出不同的骨盆骨折的分型，Pennal等提出的力学分型系统，将骨盆骨折分为前后压缩型、侧方压缩型和垂直剪切型。Tile在Pennal的基础上进行了改进。表26-1为Tile在1996年JAAOS发表的分类，与1988年发表的分型略有些不同，这种分类方法对治疗计划的公式化和长期后遗症的随访有一定的价值。

表26-1 Tile的骨盆骨折分类

A类	稳定型(骨盆环稳定)		
	A1	撕脱骨折	
	A2	骨盆环稳定的、微小移位的骨折	
	A3	骶尾部横骨折	
B类	部分稳定型(旋转不稳定、垂直稳定型)		
	B1	翻书型(外旋)	
	B2	侧方压缩型(内旋)	
		B2-1	同侧前方或后方损伤
		B2-2	对侧损伤(桶柄状)
	B3	双侧	
C类	不稳定型(旋转和垂直均不稳定型)		
	C1	单侧	
		C1-1	髂骨骨折
		C1-2	骶髂关节骨折伴脱位
		C1-3	骶骨骨折
	C2	双侧	一侧为B型，另一侧为C型
	C3	双侧	

Young和Bugress根据Pennal的分型提出了改良方法，引入了联合机制损伤型。例如，损伤暴力作用于骨盆环的方向相关的损伤类型(侧方、前后和垂直)，精确地确定了暴力的“量”，结合患者的体格检查和影像学进行评估，不仅对患者的诊断和治疗有价值，而且考虑到患者的全身情况。从患者的3个体位的影像学资料(骨盆平片、入口位和出口位片)细分了侧方和前后损伤的3个亚型，有利于判断受累的骨盆环能量水平的等级，特别适用于急性多发性骨盆骨折的患者。这种分类有助于临床医师认识到骨盆骨折出血(APC-Ⅱ、APC-Ⅲ)有高度危险的临床意义，或没有局部出血(LC-Ⅰ、LC-Ⅱ)但有相关损伤的症状。

Young和Bugress的分类系统根据影像学资料分为4种类型：LC、APC、VS和伴有复合损伤机制，LC和APC型的亚型主要根据X线所示的损伤严重程度而定(表26-2)。

表26-2 Young系统的损伤分类

LC	耻骨支的横形骨折，到后方的同侧或对侧	
	Ⅰ	一侧的骶骨压缩
	Ⅱ	一侧新月型(髂骨环)的骨折
	Ⅲ	一侧的LC-Ⅰ或LC-Ⅱ损伤；对侧的翻书型损伤
APC	耻骨联合分离或耻骨支纵向骨折	
	Ⅰ	耻骨联合或骶髂关节前方轻度增宽，骶髂前韧带、骶结节和骶棘韧带撕拉伤但完整，骶髂后韧带完整
	Ⅱ	骶髂关节前方变宽，骶髂前韧带、骶结节和骶棘韧带破坏，骶髂后韧带完整
	Ⅲ	骶髂关节破坏并向外侧移位，骶髂前韧带、骶结节、骶棘韧带和骶髂后韧带破坏
VS	耻骨联合分离或常通过骶髂关节垂直向前、向后移位，通过髂翼或骶骨少见	
CM	伴有其他类型的损伤，最常见的是LC/VS	

LC型损伤，即暴力从侧方造成骶髂关节前方韧带变短，骶结节和骶棘韧带被拉长或撕裂。APC型损伤，由前向后的直接暴力，也可以是间接暴力作用于下肢或坐骨结节，引起骨盆外旋或翻书型损伤。VS型损伤，是垂直暴力作用于骨盆。前两者在骨盆的入口位，后者在骨盆AP位特别是在出口位时更能显示。

骶骨骨折也有单独的分型，最常用的有Denis 3区分型。Ⅰ型骨折为骨折通过骶骨翼，不累及骶孔；Ⅱ型骨折在骶孔区；Ⅲ型骨折为累及骶管的骶骨骨折。

26.1.5 诊断

1）病史 尽可能详细了解患者的受伤过程，这对骨盆骨折损伤机制有了初步的了解，同时有助于判断是否有内脏器损伤。

2）体检 对怀疑有骨盆骨折的患者首先要进行ABC的评估(airway、breathing、circulation，即气道、呼吸和循环系统)，注意患者的生命体征。骨盆骨折的患者可有呼吸急促、面色苍白、血压降低、烦躁不安、四肢发冷和出冷汗、口渴等血容量不足的症状，如伴有其他的并发症则有相应的症状出现。

注意患者的下腹部、腹股沟和大腿中上段有无肿胀或皮下血肿。对患者进行触诊手法要轻柔，特别在怀疑有严重骨盆骨折患者的骨盆挤压和分离试验不能反复多次检查，避免已形成的血肿脱落、再次出血的发生。

所有患者都必须进行腹部检查，包括肛门指检，留置导尿，一则可发现尿道是否有损伤，二则对尿道出血的患者可施行逆行尿道造影；女性患者会阴部有异常出血者，请妇产科医师进行相应的检查；如开放的骨盆骨折，注意骨折片有无刺入阴道或直肠。

3）X线检查 有必要对所有创伤患者进行骨盆X线检查，如怀疑有骨盆骨折，必须加摄骨盆的入口位(仰卧位时球管从头侧偏向骨盆中央40°)和出口位片(球管从头侧偏向耻骨联合40°)。通常情况下，骨盆的AP位片可以诊断80%以上的骨折，对骶骨有微小骨折或要了解骨盆环前后移位或旋转，骨盆的入口位片可满足要求。对半骨盆的垂直移位或骨盆环的微小骨折、骶髂关节的轻度增宽等，出口位片更为合适。

4）CT检查 有进一步确定平片所发现的异常、最佳观察骨盆环后方的损伤和细分骨折类型等优点。但是，普通的轴位CT平扫也有其不足之处，对旋转和前后移位比X线明了，垂直移位则不如骨盆平片，矢状面、冠状面的CT重建和三维重建可弥补这种情况的发生。

5）其他 有MRI、血管造影和放射性核素检查等，除了血管造影对怀疑血管损伤有诊断作用，必要时还可进行栓塞外，急诊时其他的检查并不能达到快捷、明了的作用，一般也不是首选的检查。

26.1.6 并发症

(1) 血肿

骨盆骨折有低血压时可确定有血肿发生。创伤患者的低血压大多由于血容量不足引起，也是多发性骨折常见的病症之一。在没有外部出血的情况下，胸部、腹部、长管骨骨折和骨盆区等部位出血可引发低血压。

出血是骨盆骨折最危险的并发症，出血可以是骨折面或小血管撕裂或大血管损伤引起，与损伤时暴力大小、方向、骨折移位距离和骨折片是否刺破血管等因素有关。对诊断和制订治疗计划有重要的意义。

由于出血原因的不确定性，临床上治疗出血可用以下的方法：①剖腹探查，结扎止血；②血肿取出＋腹膜外内固定；③较大的知名血管破裂可用栓塞；④切开复位内固定可降低腹膜外容积，但手术有额外的危险性；⑤闭合复位＋经皮固定；⑥应用外固定器。

早期的处理可降低骨折部位的松质骨出血和血块脱落的再出血，外固定器有其独特的优点。

(2) 泌尿生殖器的损伤

伴有下尿道损伤的骨盆骨折发病率高达16%，单纯膀胱损伤占6%，两者同时损伤占2.5%，男女比为21%：8%。患者会阴部可有血迹，阴囊淤肿和不能自主排尿，导尿时有血或不能导出尿液，肛门指检时前列腺移位，逆行造影可见尿道不连续。根据病史和体征，诊断不难，治疗以膀胱造瘘、引流外渗的尿液或血液及恢复尿道的连续性为治疗目的。

不完全的尿道损伤，在插入导尿管后留置2～3周，同时辅以抗炎等治疗，一般可愈合。对完全性断裂者，行膀胱造瘘，尿道留置2～4周，待日后手术修复。对后尿道损伤者，目前主张早期造瘘后行修复术。

膀胱破裂者，尿液渗出可引起腹膜内外的炎症、盆腔脓肿和蜂窝织炎甚至败血症。一旦确诊必须立即手术修复、造瘘，引流外渗的尿液和血液。

生殖器的损伤可影响到患者的功能、形体和心理。女性患者骨盆开放性骨折的漏诊包括阴道、子宫的撕裂伤，漏诊后产生的脓肿等并发症可能影响生育。因此，急诊时必须予以明确诊断和修补。

(3) 直肠损伤

常在会阴部开放性损伤时发生，在腹膜反折以上破裂可引起弥漫性腹膜炎，反之造成直肠周围感染。损伤后患者早期以肛门出血为主，同时有下腹痛,可有腹膜刺激症状,肛门指检时有血迹,甚至可触及骨折端。治疗上早期手术探查、结肠造瘘和引流,尽可能缝合直肠,直肠内放置排气管,全身辅以抗炎和支持疗法。

(4) 神经损伤

骶髂关节移位明显或骶骨骨折时,可致骶神经损伤,对严重的半侧骨盆移位的患者,应该考虑到骶丛或腰丛损伤的可能,造成臀肌、腘绳肌和小腿腓肠肌肌力减弱,小腿后方和足外侧的感觉丧失。神经如轻度损伤,一般1年后可逐步恢复,严重者预后不佳。

26.1.7 治疗

(1) 一般治疗

骨盆骨折大多是高能量损伤,常有低血容量性休克,除了损伤时严重的颅脑和胸部外伤造成患者死亡外,患者到达医院后常规进行ABC评估,补充足够的血容量,尽快控制出血,减少并发症,降低死亡率。

在急救的同时,对患者进行第2次评估,包括生命体征和其他脏器的损伤情况。如合并胸、腹部的损伤必须立即作相应的处理。

(2) 骨盆骨折的处理

骨盆骨折的治疗依据骨盆环的破坏程度和韧带的损伤情况而定(表26-3)。

表 26-3 Tile 骨折类型和固定方法的选择

类型	固定方法
翻书型(B型)	
耻骨联合分离<2 cm	不需要固定
耻骨联合分离≥2 cm	外固定器或钢板,内固定在剖腹手术时施行,但没有直肠或膀胱等破裂后的粪便和尿液的污染,否则使用外固定器
LC型(B2、B3型)	
B2	弹力恢复骨盆的解剖,不需要固定
B3	后方完全压缩常见,下肢不等长<1.5 cm,不需要固定;下肢不等长≥1.5 cm或骨盆环畸形明显,使用外固定器或内固定
旋转或垂直不稳定损伤	外固定器,用或不用骨牵引,或切开复位内固定

(3) 非手术治疗

大多数情况下,骨盆骨折主要是非手术治疗。稳定的、移位较小的骨折可以通过卧床、制动或防止负重,骨盆悬吊牵引、髋"人"字石膏等方法。目前许多地区还在使用这些方法治疗骨盆骨折。

对于骨盆后环不稳定或复位满意后的向头侧移位骨折,对多发性骨折或患者不能耐受手术时,牵引也是一种很好的方法。大多采用股骨髁上牵引,持续6周,其间需要X线复查,确定牵引效果,及时调整牵引重量。通常急性期牵引重量在体重的1/10~1/8,骶髂关节移位较多的患者,牵引时间可长达12周。牵引期间,注意防止压疮、肺部感染等并发症。

(4) 手术疗法

1) 外固定　外固定器在治疗骨盆骨折的急救方面有许多的优点。有研究表明,损伤后使用外固定器可以减少患者的死亡率。早期大量的输液后不能维持血流动力学的稳定,可以考虑使用外固定器,国内常见的以OrthoFix为代表的单臂型支架和AO系统的支架,除了B型骨折可作为最终的治疗方法外,C型则作为急救,为后期的切开复位作前期的准备。

指征:①急救,降低骨盆的容积和出血是其最突出的优点,有学者证明骨盆骨折3 cm的移位可增加盆腔容积2倍;②暂时固定,如复位效果不佳,日后可以行切开复位内固定;③主要应用于旋转不稳定而垂直稳定,Ward、Mears、Matta等证明外固定器不足以固定垂直负重区,须有后方的内固定或骨牵引;④使用方便、安全,对器材和手术的要求低,甚至可以在急诊室内施行。

外固定器的一侧3枚螺钉从一侧的髂骨翼中,两侧的6枚螺钉通过外固定器在头侧连接,根据X线所示骨折移位或影像增强仪的结果,调整外固定器。

2) 切开复位内固定　很久以来,骨盆骨折都采用非手术治疗,主要是人们对解剖不熟悉,担心手术造成后腹膜再出血、医源性后腹膜感染和医源性神经损伤;同时,有许多学者发现,伴有骶髂关节脱位的骨盆骨折后期病残率很高,表现在下肢的不等长、下腰段的疼痛、步态异常等。因此,20世纪80年代后逐步开始对骨盆骨折行切开复位内固定,以期降低患者的远期病残率。生物力学研究也表明,前、后骨盆环的内固定能提供最大的稳定性。另外,耻骨支骨折的女性患者的骨折向后移位可能会对日后的性生活产生影响，因此，手术指征可适当放宽。

指征：①纯后侧韧带损伤；②闭合复位失败；③外固定后骨折仍有移位；④多发性损伤；⑤伴有髋臼骨折；⑥后侧有伤口但没有污染；⑦垂直不稳定的骨折；

耻骨联合分离和骶髂关节脱位的患者，前方采用髂腹股沟入路，如仅耻骨联合分离，可用 Pfannenstiel 入路。耻骨上用一块 DCP 钢板，如后方的骶髂关节分离较大或不再进行后方固定时，可在耻骨联合前方加用一块重建钢板（图 26-1A）。骶髂关节前方用两块 2～3 孔的 DCP 钢板，后方可用骶骨棒或经皮穿钉固定骶髂关节（图 26-1B、26-1C）。图 26-2 是 1 例骨盆多发性骨折伴骶髂关节脱位病例的 X 线片。

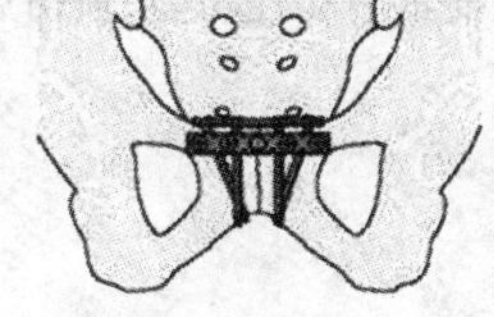
A. 耻骨联合钢板固定

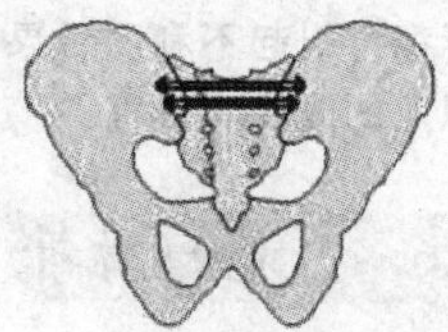
B. 骶骨棒固定

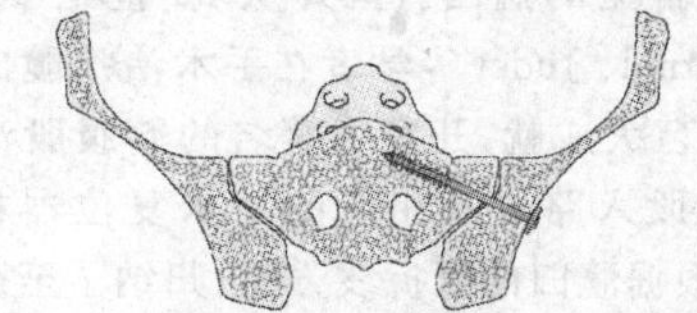
C. 骶髂拉力螺钉固定

图 26-1 骨盆骨折常用的内固定示意图

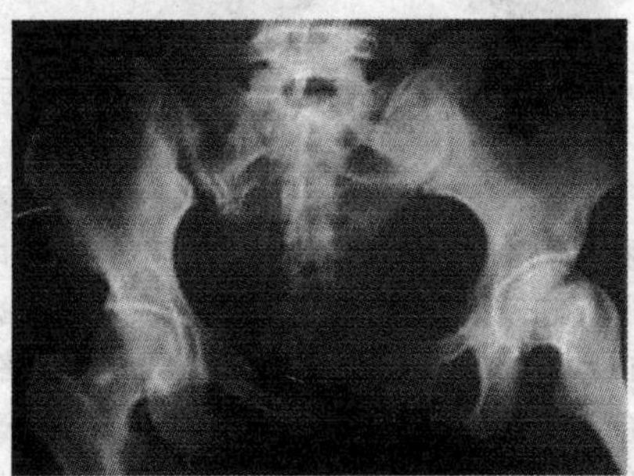
A. 术前 X 线片见耻骨联合右耻骨支骨折，右骶骨骨折

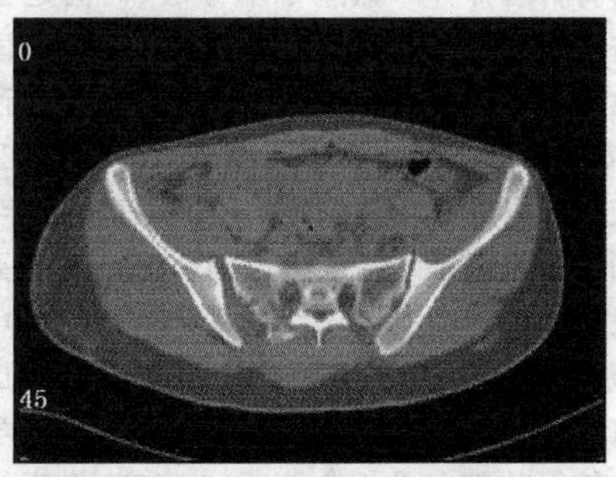

B. 术前 CT 见右骶髂关节脱位

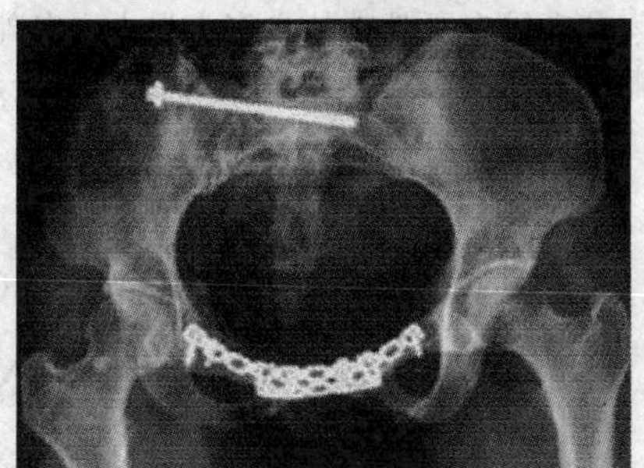
C. 术后 1 年骨盆入口位 X 线片

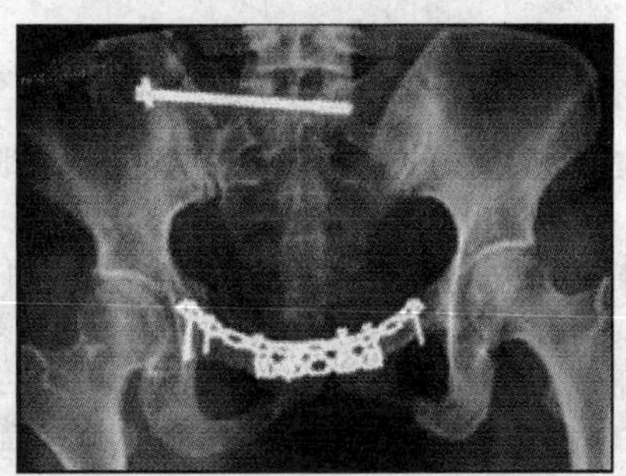
D. 术后 1 年骨盆出口位 X 线片

图 26-2 骨盆多发性骨折伴骶髂关节脱位

3）术后护理　对垂直不稳定的骨盆骨折外固定维持 12 周，后侧韧带完整的 APC 型骨折，需维持 8 周，而 LC 型的外固定只需维持 3～6 周。

内固定术后的引流在 48 h 后去除，伤口按常规处理。单侧后方损伤 8～12 周后允许健侧负重或患侧的足趾部分负重，双侧损伤者至少手术 12 周后才能逐步负重。

X 线术后及第 2 周各 1 次，以后每个月 1 次至第 3 个月，再后每 3 个月 1 次复查，以确定复位的效果，指导功能锻炼。

26.1.8 预后

预后与骨盆环骨折后残留的畸形程度有关。Miranda 等在长期的随访中发现，甚至是微小的骨折都可引起不利的后果，主要集中在性功能、损伤后职业的改变和疼痛。

26.2 髋臼骨折

髋臼骨折主要是高能量损伤所致，交通伤和坠落伤是最常见的病因。国外从20世纪60年代以来，Letournel、Judet等学者在手术治疗髋臼骨折方面取得了巨大成就，开发了著名的髂腹股沟入路和延长的髂股入路以及相应的手术复位器械。1963年，他们根据髋臼的骨折线方向，归纳了至今广泛应用的、并作为主导的髋臼骨折的分型，为手术的入路选择和预后提供了帮助。国内这方面起步较晚，其原因不外乎髋臼周围解剖复杂、暴露有一定困难、大多数的骨科医师并不熟悉手术方法、内固定器材引进的滞后性和手术时需要相应的硬件配备，国内绝大多数的患者以保守、辅以骨牵引等治疗。近10年来，随着人民的生活水平的不断提高，大量的工程建设和交通工具的猛增，髋臼骨折的发病率逐年上升，移位的髋臼骨折手术治疗也已经成为一种主要的治疗手段。虽说国内对髋臼手术仍有一定的争议，但是，大量的髋臼骨折手术后良好的临床结果也是不争的事实。最近的文献报道也提示，大多数学者对有移位较大的髋臼骨折主张手术治疗，临床结果优于保守疗法。

26.2.1 髋臼的外科学解剖

髋臼由髂骨、耻骨和坐骨组成，是容纳股骨头的窝。髋臼顶由髂骨体构成，占髋臼的2/5面积，坐骨体构成后壁和臼底，约占髋臼的2/5面积，剩下的1/5面积由耻骨构成。出生时，3块骨呈"Y"形软骨分开，到20岁以后融合成一体。髋臼中央为髋臼窝，骨质较薄，其对应的髋臼盆腔面为四方形区域，窝内有纤维弹性脂肪垫，并有滑膜覆盖，保护圆韧带。髋臼边缘有唇样突起，可以对抗人体直立时对髋臼的后方的压力和屈髋时产生的应变力，骨性唇上还有纤维性盂唇，加深了髋臼的深度。

髋臼顶部厚而坚实，是髋关节的主要承重区，髋臼后方1/3也维持了关节的稳定。四方区位于髋臼的内侧，前上方是耻骨支，后方为真骨盆的后缘（后柱的后缘），前下方与闭孔相连。四方区的完整与否将影响髋臼与股骨头的匹配。另外，耻骨支近髋臼有一骨性隆起，在解剖学上有重要的意义：其一表示髋臼前壁的中央；其二是手术时严禁螺钉进入区（如果必须要使用内固定，其进钉方向向内侧，螺钉的长度选择以不超过16 mm或更短）。

Letournel和Judet把髋臼分为前柱（髂骨和耻骨）、后柱（坐骨）。图26-3是研究髋臼骨折的分型、手术入路、内固定的基础。

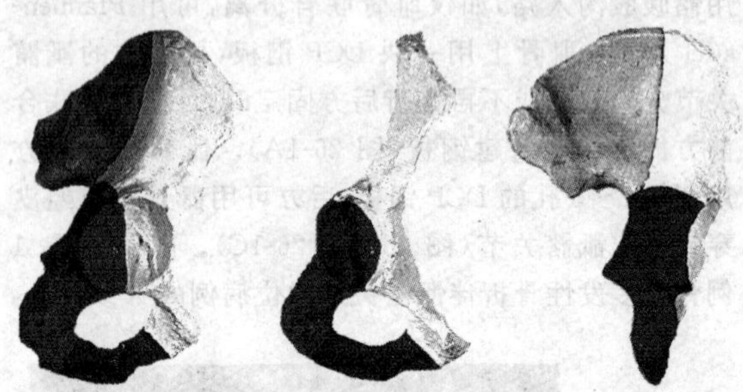

图 26-3 浅黑色表示后柱范围，灰色表示前柱的范围

髋关节的血运主要来源于臀上动脉，臀下动脉，闭孔动脉。股深动脉的穿支，旋股内、外侧等动脉，髋臼内表面和血管主要由闭孔动脉滋养，从髂内动脉的前干分出后在髂窝上方、骶髂关节软骨面前方1 cm行向闭孔，髂腹沟入路时要注意该血管的走向，如较靠近髂骨弓状线时要小心地结扎，防止破裂后血管回缩造成很难处理的大出血。同时，闭孔动脉在耻骨支处也有一根由内向外的穿支，与髂外动脉或腹壁下动脉交通（图26-4），较为少见，

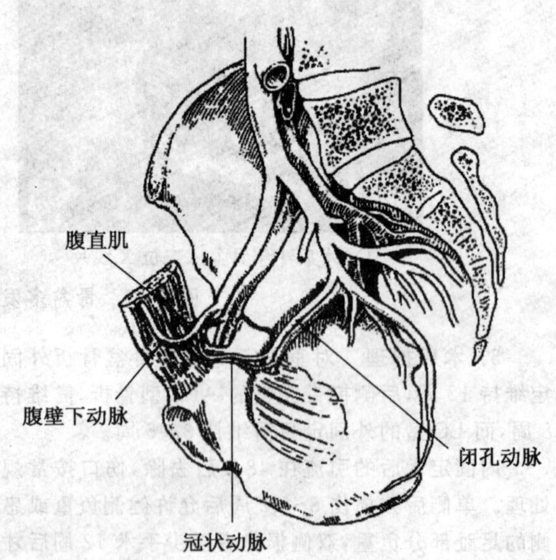

图 26-4 骨盆内侧血供示意图

发现率约20%。但也有学者如Tometta等在尸体解剖中发现率高达84%，也是人们常说的死亡冠状动脉，在髂腹股沟入路时需结扎的血管之一。髋臼外表面的血管有臀上、臀下动脉和髋臼的分支。坐骨神经从坐骨大切迹、梨状肌下方出骨盆后，在孖上肌、孖下肌、闭孔内肌和股方肌的后方行到大腿。

26.2.2 影像学检查

髋臼骨折的主要诊断依据是影像学检查，以Judet位片和CT检查为主。Judet位片由骨盆平片、髂翼斜位和闭孔斜位组成。从图26-5后前位骨盆片可以见到髂耻线、髂坐线、髋臼骨壁、泪滴和髋臼的前后唇；从闭孔斜位可观察到骨盆的髂耻线、髋臼后侧边缘、后壁和前唇；从髂翼斜位可见到坐骨大切迹髂骨后侧边缘、髋臼的前缘及髂骨翼。

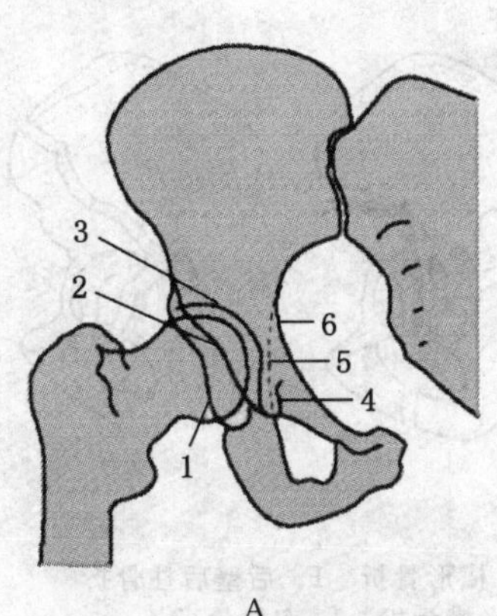

A

1. 髋臼后唇 2. 髋臼前唇 3. 髋臼顶 4. 泪滴 5. 髂坐线 6. 髂耻线

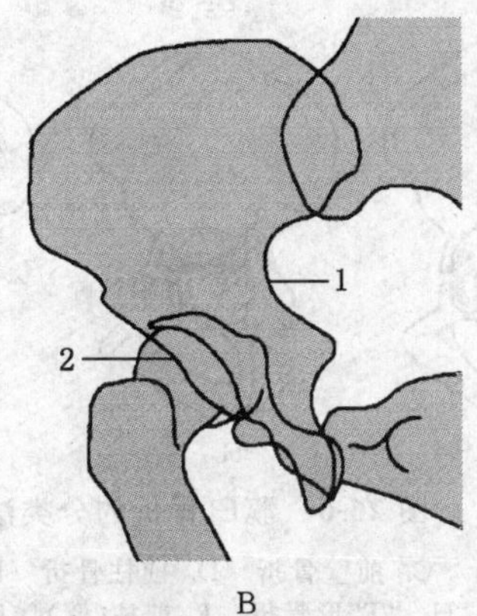

B

1. 后柱 2. 髋臼前壁

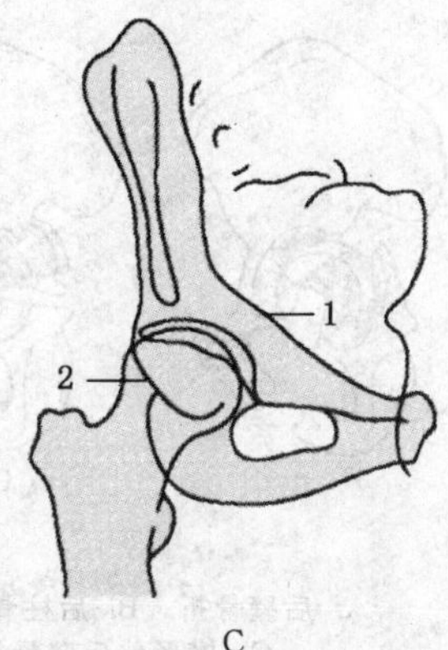

C

1. 前柱 2. 髋臼后壁

图26-5 骨盆X线投影示意图

CT可明确髋臼骨折的诊断。目前，CT基本上都能做到2 mm的断层切面，过高的间隔可能造成骨折判断的错误或遗漏，特别是螺旋CT的广泛应用，三维重建CT已经是许多医院的常规检查，骨折的分型更为直观，有利于手术指征的判断和入路的选择。

26.2.3 骨折分类

从20世纪50年代开始，陆续有一些关于髋臼骨折的分类，但目前广泛使用的是Judet和Letournel在1964年提出的分类（表26-4，图26-6）。到目前为止，还没有发现有更好的分类方法。笔者认为，该分类比较方便和直观，对手术入路的选择和预后的判断有积极的意义。

表26-4 髋臼骨折的Judet和Letournel分型

累及后柱	累及双柱	累及前柱
后柱		前柱
后壁		前壁
后壁和后柱		前壁和前柱
	横形骨折	
	横形＋后壁	
	双柱	
	"T"形骨折	
	后柱＋前侧半横骨折	
	前壁＋后侧半横骨折	
	前柱＋后侧半横骨折	

26.2.4 临床表现

复合伤患者来院时除了常规的急救以外，骨盆平片是必须的，可减少髋臼骨折的漏诊，特别对无髋

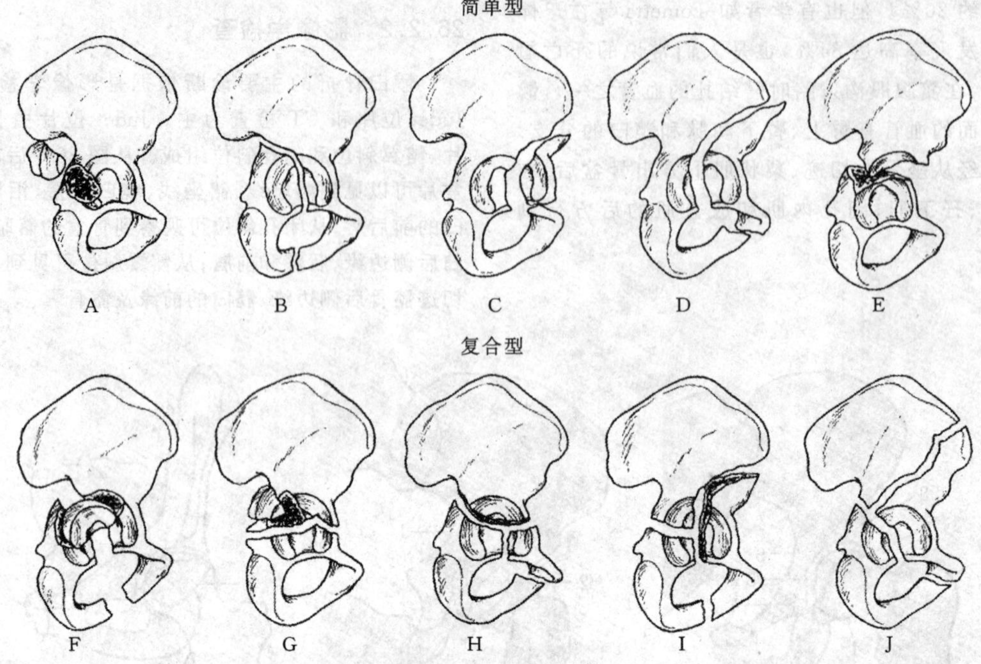

图 26-6　髋臼骨折的分类法

A. 后壁骨折　B. 后柱骨折　C. 前壁骨折　D. 前柱骨折　E. 横形骨折　F. 后壁后柱骨折　G. 横形伴后壁骨折　H. "T"形骨折　I. 前柱(壁)伴后半横骨折　J. 双柱骨折

关节脱位的患者更为有效,如同侧有股骨骨折,更要引起重视。

(1) 股骨头后脱位

患侧下肢髋关节大多有屈曲、内收和内旋,髋臼后壁和横形骨折可时常发生。

(2) 中央性脱位

一般不容易发现,包括下肢的短缩、畸形和活动受限有时并不明显,体检时患侧髂前下棘有时比对侧略向下移位,这在双柱骨折中比较明显。

(3) 全身情况

注意观察患者的生命体征,有无休克、内脏损伤和后腹膜血肿等并发症。后腹膜血肿B超或CT常能确诊,可引起发热,影响髋臼的切开复位内固定的时机,处理上无特殊,仅需密切观察,大多不需要剖腹探查。

(4) 坐骨神经损伤

Letournel 等在 940 例髋臼骨折的患者中发现,术前约有 12.2%患者有不同程度的坐骨神经损伤,以股骨头后脱位时的发生率最高。因此,对怀疑有髋臼骨折的患者,术前需仔细检查患侧肢体的感觉和运动功能,必要时行肌电图检查,确诊坐骨神经是否有损伤;同时,尽快明确损伤的病因,如影像学上确定有不能复位的股骨头或碎骨片卡压,则有早期手术的指征。

26.2.5　治疗原则

髋臼骨折一旦确诊,需要积极地进行治疗。至今为止对髋臼骨折是否一定需要手术还存在争议,主要集中在各自都有治疗成功的病例,并将其与另一种方法的失败病例作比较。我们认为,应根据影像学资料仔细评估骨折的类型,选择合适的治疗方案。

(1) 保守疗法

1) 指征　①患者的因素:年龄较大或全身情况较差不能耐受手术者;②已有髋关节的骨关节炎病史;③手术野局部有感染,常见的 Morel-Lavalle 症,即大转子区皮下脂肪坏死,术后感染率很高;④髋骨显著的骨质疏松;⑤骨折无移位或很小,弧顶角>45°者;⑥骨折片较小、对关节活动影响较小,如非常低位的髋臼横形骨折或双柱骨折达到继发性同心圆的患者;⑦如无手术条件或手术医生经验不足者。

2) 方法　对髋关节稳定、创伤后关节不同心圆较小或已达到继发性同心圆者无须复位。①卧床至少5周;②患者可在自身能耐受的范围内活动髋关节;③5周后扶拐逐步负重行走。对移位的髋臼骨折伴有感染或因患者不能耐受手术者,行股骨髁上牵引至少6周,牵引重量为体重的1/10～1/8。近年来,有的学者主张不采用大转子的侧方牵引,即使存在有股骨头中央性脱位时。他们认为,侧方牵引不能达到复位股骨头的目的,且增加了感染的可能。

(2) 手术治疗

1) 指征　①髋臼骨折移位＞3 mm;②伴有其他部位骨折,如同侧股骨骨折,术后有利于护理和功能康复;③关节内有游离骨片可能影响关节活动;④髋臼后壁骨折累及后壁40%以上者;⑤弧顶角＜45°。Matta等人认为,弧顶角可以反映髋臼负重区的受累情况,＞45°时意味着髋臼的负重部位尚完整;反之,将影响患侧髋关节的功能,有必要切开复位内固定。但Vrahas等认为,前侧、内侧、后侧的弧顶角分别是45°、25°和70°时即有手术指征。

2) 手术时机　髋臼骨折很少需要急诊手术,有下列情况之一者例外:①股骨头脱位无法复位;②手法复位后股骨头不稳定;③伴有股骨头骨折而不考虑行全髋关节置换的患者。

多数情况下,髋关节后脱位复位后,一般较稳定,原则上不需要骨牵引,保持患侧下肢略外旋即可。但是,大转子的侧方牵引基本上不考虑,一则对突入骨盆内的股骨头复位没有太大的帮助,二则增加了手术的感染因素。手术时间大多在伤后2～6天后施行,但不能苛求,必须等待诊断明确、内脏等损伤已稳定或经初步治疗后。据笔者的经验,伤后2周内手术一般都比较完全,复位不太复杂,骨盆因损伤引起的自发性出血已完全停止,患者经支持疗法后,全身情况有明显的好转,手术的耐受性增加。但对超过2周的髋臼骨折,术中的复位难度明显增加,大多需要复合入路,手术时间也相应延长。因此,对髋臼骨折有手术指征的患者,需尽快治疗合并的内脏、颅脑损伤。如不能在1周左右手术、骨折移位较大的患者,笔者建议行股骨髁上牵引,有利于术中的骨折复位。

除了做好全身的检查及相关的实验室检查、局部的皮肤准备外,术前48 h常规应用广谱抗生素,包括术前半小时及术中的用药。术前使用Foley导尿管留置。选用全身麻醉,降低麻醉对血压的干扰,术中适当地降低血压,有利于减少术中的出血。如果当地没有足够的血源,缺乏相应的复位器械、设备和熟练的手术医师,建议尽快转入有条件的医院,以保障患者的医疗安全和手术疗效。国内外的许多文献均明确指出了髋臼骨折治疗是一个专家级的手术,笔者从临床中发现了许多基层医院强行手术所产生的并发症,给后期的重建甚至人工关节带来了严重的问题。换言之,髋臼骨折在一个没有经验的医师治疗后带来的后果,远不如采用保守治疗后用人工关节方法来重建功能的结果。

3) 手术入路和方法　髋臼骨折最常用的手术入路有Kocher-Langenbeck入路、髂腹股沟入路、延长髂股入路、"Y"形入路和前后联合入路,其中后3种为复合入路。

(i) Kocher-Langenbeck入路:该入路是髋臼骨折手术治疗最常用的,按照Letournel等的观点,该入路可以解决50%以上髋臼骨折的手术显露。

患者俯卧或健侧半俯卧,从髂后上棘下方5 cm到大转子再沿股骨外侧向下(图26-7),切到皮下后,纵行切开髂胫束,沿臀大肌纤维分开后向两侧牵开,暴露外旋肌,从转子后方切断包括梨状肌在内的小外旋肌,显露关节囊和髋臼后方,远端达坐骨结节,近端到坐骨大切迹。切断的小外旋肌牵向后内方,进一步保护坐骨神经。

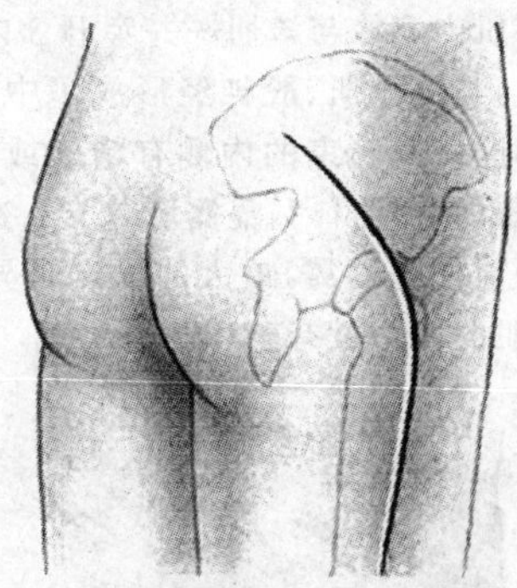

图26-7　Kocher-Langenbeck入路切口示意图

切开关节囊,并剥离后柱上的骨膜显露后壁和后柱,分离骨盆后侧缘时必须注意保护坐骨神经。注意保护坐骨大切迹处的臀上血管束。从后柱的后方可触及四方区的后半,可作为复位时的参考。另外,在后方的入路,同侧的膝关节至少保持屈曲45°以上,以降低坐骨神经的张力,减少神经损伤的可能。

关于大转子的截骨，有学者认为可增加髋臼顶部的显露，但事实上效果有限，增加了异位骨化发生率，笔者在500余例的髋臼骨折的手术中，只有2例采用了大转子截骨术，不主张常规采用这种方法。同时，术中尽可能不要过度剥离臀肌，以减少异位骨化的发生率。如髋关节没有脱位，术中不可使其脱位，复位的情况可通过切开的关节囊牵引下肢后，从关节的间隙中观察。

术中对后柱的移位，可选择直径4.5 mm的螺钉分别固定在骨折断端两侧，使用AO复位钳或Farabuef钳进行整复，并使用克氏针作临时固定。

关闭伤口前，需修复切断的小外旋肌，如有可能，尽可能缝合关节囊，创面内放置负压引流管1根。

(ii) 髂腹股沟入路(ilioinguinal approach)：患者仰卧位，本组患者术中未用持续骨牵引，术前常规留置导尿。从髂嵴中后1/3处切开，延向耻骨联合上方2～3 cm处(图26-8)，髂嵴段，锐性切开，不损伤腹肌，骨膜下剥离髂肌，显露髂窝可在骶髂关节前方打入斯氏钉，有助于牵开腹肌。内侧至少在腹股沟上方1 cm处切开，不直接损伤腹股沟韧带。在髂前上棘内侧1 cm左右有股外侧皮神经穿出，可用皮条牵起。从髂腰肌外侧是外侧"窗口"，能很好地显露髂嵴、骶髂关节和真骨盆缘，部分显露四方形区。股神经在髂腰肌内侧缘与该肌一并牵开。内侧的髂血管束提起后，与髂腰肌、股神经形成了中间"窗口"，显露四方形区。血管束的内侧有精索或圆韧带，提起后，可显露内侧"窗口"，显露耻骨支。这个入路可以显露整个前柱和髂翼，最大的优点是异位骨化率极低，对臀肌的肌力没有破坏。

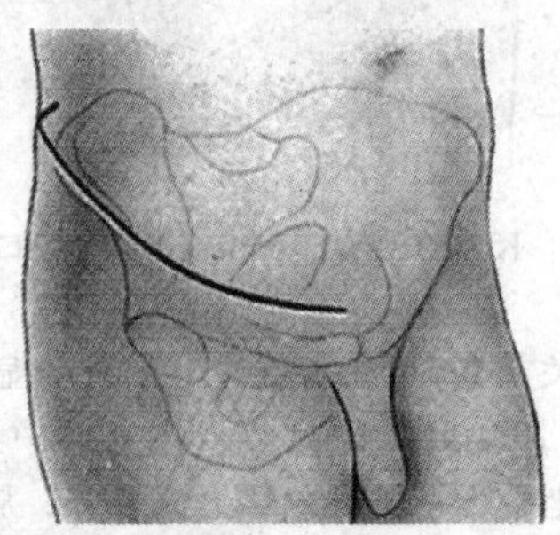

图 26-8　髂腹股沟入路切口示意图

(iii) 延长髂股入路(extened iliofemoral approach)：患者健侧卧位，常规留置导尿。切口呈倒"J"形，从髂后上棘起沿髂嵴到达髂前上棘，继续向前到髂前上棘与髌骨外侧缘连线外侧的2 cm处转向大腿的下方。切到皮下后，外侧从髂嵴外侧缘起将臀肌从髂骨上向后下剥离，臀肌在大转子上的止点可以切断或带有少量骨皮质的大转子截骨向后下翻转，余下的操作同Kocher-Langenbeck入路。该入路还可以从髂翼内侧剥离，显露髂翼内侧部、弓状线和四方形区域(图26-9)。这种径路可以很好显露髂翼、前柱和后柱，或根据需要剥离内侧或外侧的肌肉附着。几乎可以解决大多数髋臼骨折的显露是该入路的突出的优点。如果内外侧同时剥离时，要注意保留前方的关节囊，防止髂骨和髋臼骨组织缺血。同时，这种入路术后的异位骨化发生率远远高于其他的手术径路，也就是20世纪80年代后期开始盛行到90年代中期，发现这个并发症后，这个入路的使用率明显减少，也是我们在复合型髋臼骨折中喜欢选择联合入路的原因。

图 26-9　延长髂股入路显露前柱的范围

(iv) 联合入路：患者在"铰链"位，即能在健侧半俯卧位和平卧位任意变换的体位。后侧为Kocher-Langenbeck入路、前方为髂腹股沟入路。手术时根据骨折的移位情况，可以显露整个前柱、骶髂关节、耻骨联合、后柱和后壁，大转子截骨，可更好改善髋臼后上方的显露。这种手术入路一般用于损伤时间较长或陈旧性的，或复杂的，或预计单一入路不能更好复位的髋臼骨折。

在使用联合入路时，前方和后方的入路不是孤立的，复位时可从2个入路同时进行，前方的2点或3点式的Matta钳、后方的Frarbuef或AO复位钳协同作用，从而达到2个柱的解剖复位。有时，后壁如有多块碎片，可不必完全在意，将复合型的骨折复位至一个简单型的后壁骨折后，进行初步的固定，最后再将后壁的碎片逐一对合，使用螺钉和钢板固定。

4）手术并发症

（i）感染：主要是患者的抵抗力下降、手术野的软组织损伤、引流不彻底等原因。可根据具体情况作相应的处理。如支持疗法、延长损伤到手术时间、使用广谱抗生素等，大多数患者可以经过常规处理后康复，但个别患者可能需要切开引流、冲洗甚至将内固定物取出。

（ii）血肿：主要是术中止血不彻底、引流管拔除太早引起。因此，关闭伤口前，必须对手术野内的出血作一详尽的评估，检查血管有无活动性的出血，创面的渗血可通过压迫或使用上血剂（如巴曲酶静脉、肌内注射或加入生理盐水中局部压迫，或使用止血胶等）。

（iii）神经损伤：主要指医源性坐骨神经、股外侧皮神经、闭孔和臀上神经损伤，后两者相对少见。坐骨神经损伤主要后方入路时下肢没有保持在屈髋、屈膝位，加之切口暴露时的过度牵拉，使得坐骨神经张力增高，造成一过性的神经麻痹，大多会在术后3个月内恢复。在前方入路时，由于股外侧神经大多从髂前上棘的内侧约1 cm处穿出腹股沟韧带，在外侧"窗口"内操作时，该神经可以被拉伸变细，甚至断裂，造成大腿前外侧的感觉麻木或消失，但对患者的功能方面没太大的影响。

至于臀上和闭孔神经损伤，主要是术中显露时对解剖不熟悉、使用复位器械不当所致，可分别影响臀中肌和内收肌群的肌力。

（iv）淋巴水肿：主要发生在髂腹股沟入路。术中显露中间与内侧"窗口"时，过度剥离髂血管束周围的组织，而血管束周围有丰富的淋巴管，Letournel在开发该入路时，早期发生淋巴水肿率很高，但避免了血管束周围的剥离，发生率随之下降。因此，笔者在选择前方入路时，血管区的分离至腹内斜肌浅层，最大限度地保留血管束周围的软组织，减少了该并发症的发生。

（v）深静脉栓塞：与前方入路时的过度牵拉血管束或（和）术后的下肢不活动有关。鼓励患者术后早期的肌肉舒缩活动和有限的下肢各关节的伸屈活动，可防止和减少该并发症的发生率。

（vi）异位骨化：就目前的资料和笔者积累的500多例病例而言，除了前方入路外，异位骨化的发生率不可避免，而延长的髂腹股沟入路中，发生率从40%～100%不等，特别是Ⅲ度以上的异位骨化，严重影响了患者的关节的活动，也影响了该手术入路应用。防治异位骨化方面，除了小剂量的放疗（800 rad/次）有明确的效果外，吲哚美辛等药物的有效性值得怀疑，国内外的文献报道有效与无效的比率相差无几。笔者在临床的应用中，从不使用药物控制异位骨化，在随访超过3年的230例患者，使用后方入路的198例中，异位骨化的发生率34%，其中Ⅲ度以上的只占3%。关闭伤口前，必须用大量的生理盐水反复冲洗，尽可能地清除残留的骨屑，是减少异位骨化发生的根本因素。同时，患者如伴有胸部或脑外伤，异位骨化的发生率将增加，可能与内分泌紊乱、生长因子类的激素分泌增加等有关系。

（vii）创伤性关节炎：髋臼骨折后关节面会有不同程度的损伤，除了髋臼顶部外的软骨面剥脱，绝大部分与手术复位不佳有关，关节面的不平整是创伤性关节炎的主要原因。因此，手术复位是关键，Matta、Letournel等诸多学者的文献中也提到了他们早期的复位结果明显低于后期。换言之，没有经验的医师术后的创伤性关节炎的发生率明显高于有经验的医师。

（viii）股骨头坏死：文献报道有20%左右的发生率，但笔者500多例的患者，在术后随访6个月至5年中，仅有5例发生，远低于国内外的文献报道。坏死的病因尚不明了，但与股骨头的损伤与严重的脱位有关。目前还没有预防的方法，只能在早期将有移位的股骨头复位，术中不要过多地破坏关节囊。

5）手术入路的选择　目前还没有一种手术入路能达到各种髋臼骨折的良好显露和固定，选择合适的手术入路是达到髋臼骨折解剖复位的第1步。Letournel、Matta等认为使用单一的手术入路可以治疗大部分的髋臼骨折，并能最大限度地降低手术创伤。另有许多学者认为，对于复杂的髋臼骨折，单一入路显露骨折有一定困难，如延长的髂股入路显露范围虽大，但术后的并发症，特别是异位骨化的发病率很高，前、后联合入路显露良好，固定方便，但也增加了手术时间、失血等不利因素。

6）术后处理

（i）一般处理：手术后常规护理，麻醉清醒后，就可行下肢的肌肉舒缩活动。原则上手术后不需要任何的牵引，至少在笔者的所有病例中，没有1例行牵引。

（ii）预防感染：常规使用广谱抗生素5～7天，引流管引流量＜20 ml/d时可去除，通常在3～5天。

（iii）功能操练：如果选用前方的入路，在没有其他外伤因素的影响下，术后即可半卧位，利用腹内容物的压力减少因手术分离的髂腰肌与髂骨翼间的死腔，减少血肿和继发性感染的发生率。

(iv) 随访：手术后2周内行骨盆平片和Judet位检查，在6周、12周、6个月、12个月重复拍片，以后每年复查1次即可，通常需要随访5年以上。术后12周内需评估复位结果和X线结果，12周后评估X线结果和临床结果。复位结果按Matta标准，即移位<1 mm为解剖复位，1～3 mm为不满意，>3 mm为差。X线结果：优异者，正常的髋关节；良好，轻微变化，小骨赘，关节间隙<1 mm，有少许硬化骨；一般，关节内改变，中度骨赘形成，关节狭窄<50%，中度硬化；差，髋关节进一步改变，大块骨赘，关节狭窄>50%，股骨头、髋臼塌陷或磨损。临床结果按Matta改良的Aubuigne和Postal评分，疼痛、运动和活动范围17项18分的标准，疼痛占6分，轻微或间歇性疼痛5分，行走后疼痛能缓解4分，中度严重但能行走3分，疼痛严重并不能行走2分；行走占6分，正常6分，不用拐杖有轻微跛行5分，长距离行走需用拐4分，行走受限需支撑物帮助3分，严重受限2分，不能行走1分；活动范围占6分，分别将患肢和健侧肢的髋关节的活动度包括屈曲、伸直、内收、外旋、外展和内收的总和，患侧/健侧×100%，其结果在95%～100%为6分，80%～94%为5分，70%～79%为4分，60%～69%为3分，50%～59%为2分，<50%为1分；3项结果的分值之和作为结果的判定，优异为18分，良好为15～17分，一般为13～14分，差为<13分。

(v) 行走：取决于骨折的复杂程度及固定后的稳定性。通常4周后即可不负重下地行走，对髋臼顶部粉碎性骨折，即使复位非常满意，也不主张早期行走，至少术后3个月方能考虑逐步负重，以免造成髋臼顶部的骨折在未愈合时产生塌陷，继而关节面的不平整导致早期的创伤性关节炎的发生。另外，在合并有后壁骨折的病例中，一般在术后6周内也不主张屈髋>90°，以免过度增加后壁的压力，特别是后壁有多块碎片时，固定后骨片间存在一定的不稳定性，过度的压力可能使得骨片移位、股骨头再脱位，此时，往往不能早期发现再脱位，后壁骨片的再压缩，为后期的翻修术增加了极大的困难。在笔者治疗的病例中，就有1例复合骨折，后壁有多块碎片，同时伴有坐骨神经损伤，术后3周时，患者因不堪忍受坐骨神经的钝痛而行抱膝位，1周后发现下肢不等长，X线和CT结果示后壁塌陷、股骨头再脱位，翻修时发现后壁的骨片已经压缩，同时，股骨头的关节面也因与钢板的摩擦而严重损伤，虽行后壁重建，但髋臼的同心圆和股骨头的关节面已经造成了不可逆的损害(图26-10～26-14)。

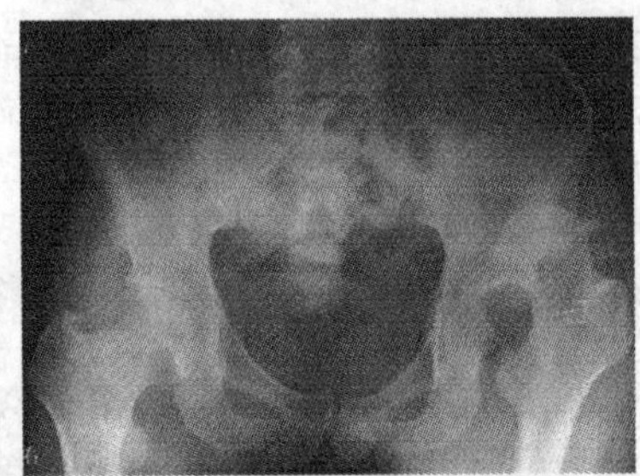

A. 术前骨盆平片

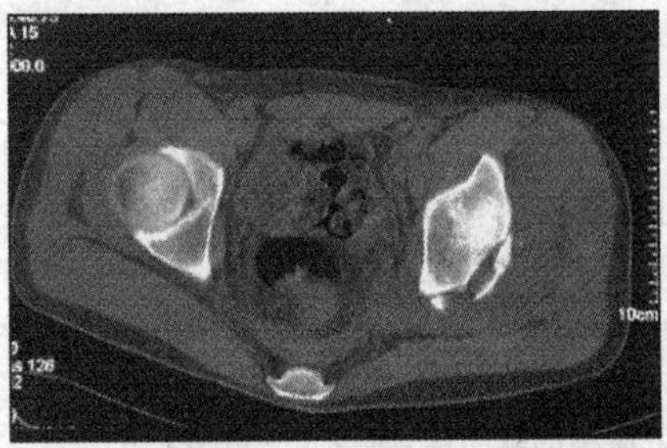

B. 术前髋臼CT平扫

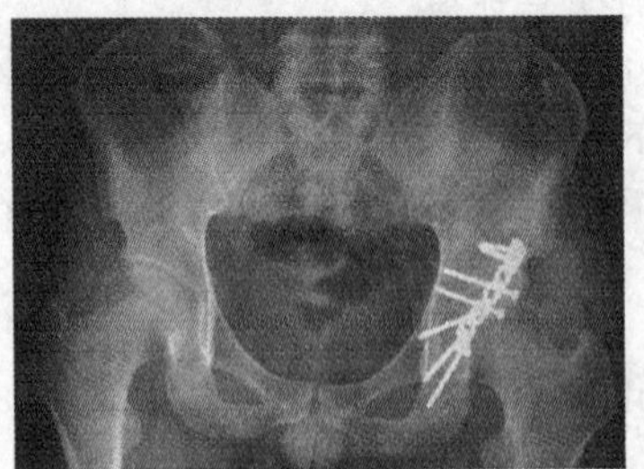

C. 术后骨盆平片

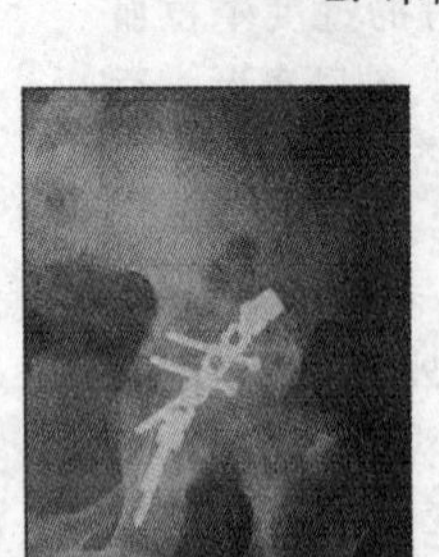

D. 术后髂翼斜位片

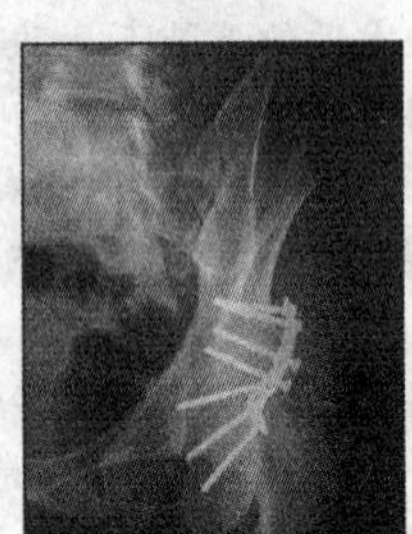

E. 术后闭孔斜位片

图26-10　左髋臼后壁骨折

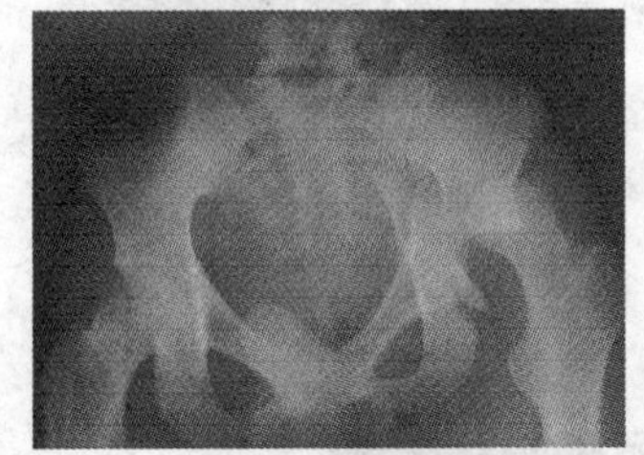
A. 术前骨盆平片

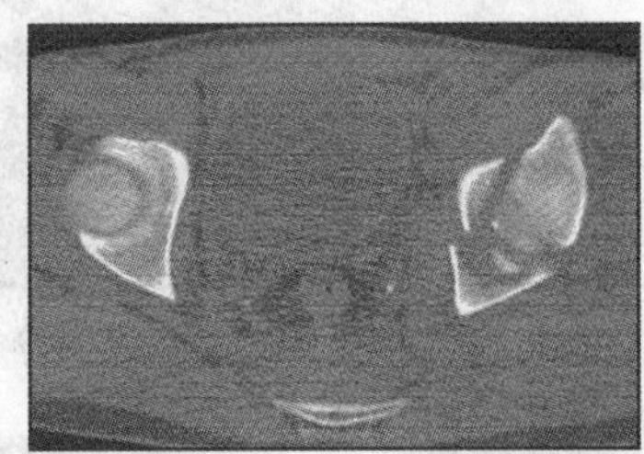
B. 术前髋臼 CT 平扫

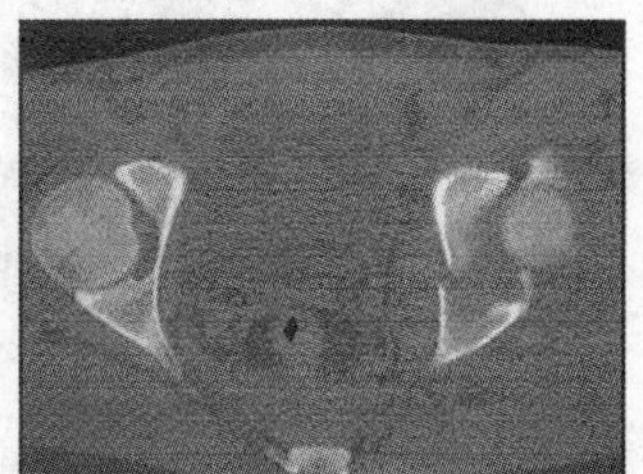
C. 术前髋臼 CT 平扫

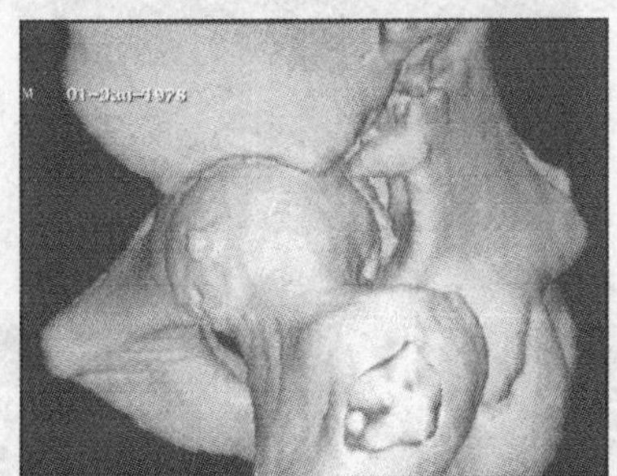
D. 术前髋臼 CT 三维重建(一)

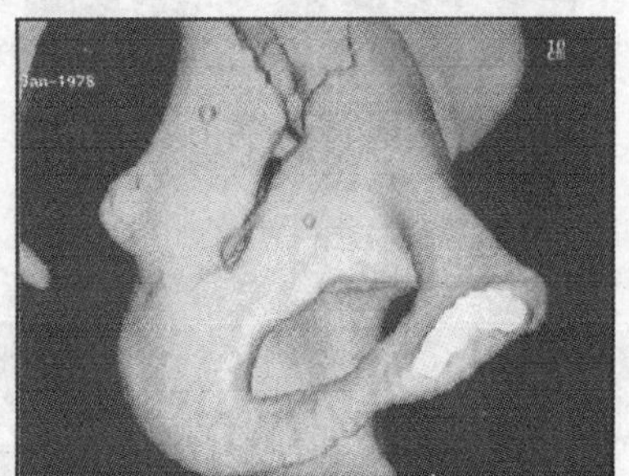
E. 术前髋臼 CT 三维重建(二)

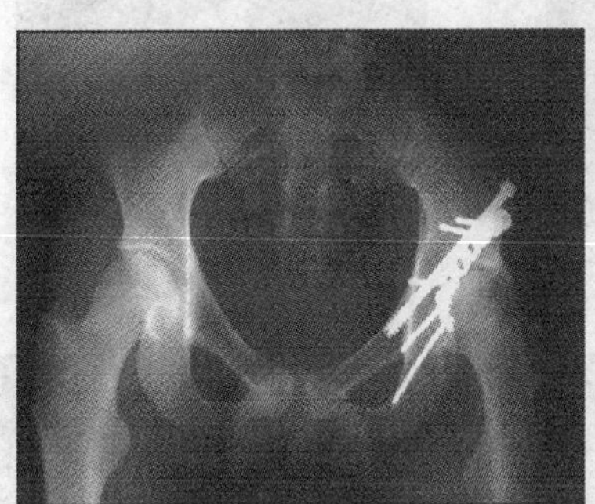
F. 术后骨盆平片

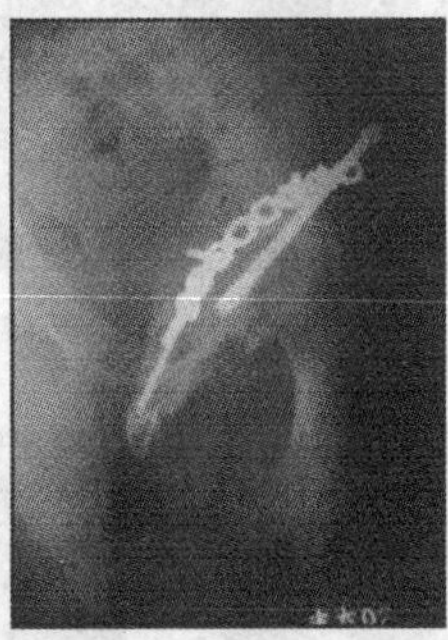
G. 术后髂翼斜位片

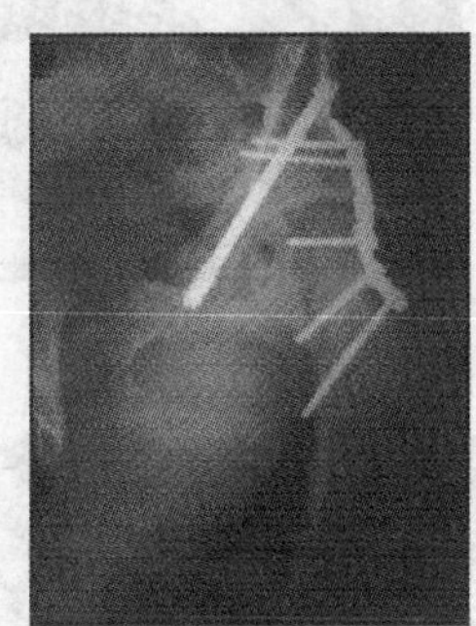
H. 术后闭孔斜位片

图 26-11 左髋臼双柱骨折

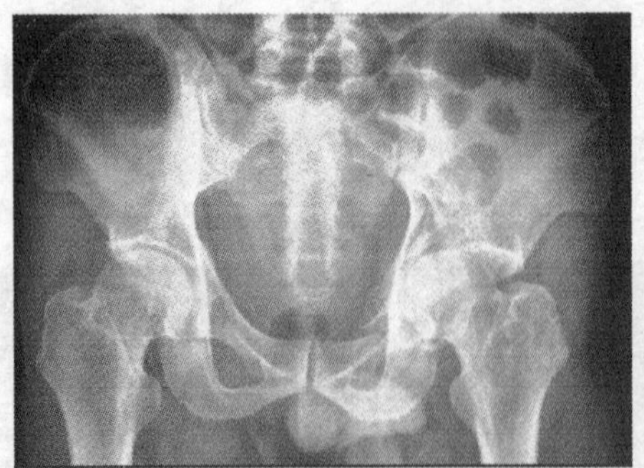

A. 术前骨盆平片

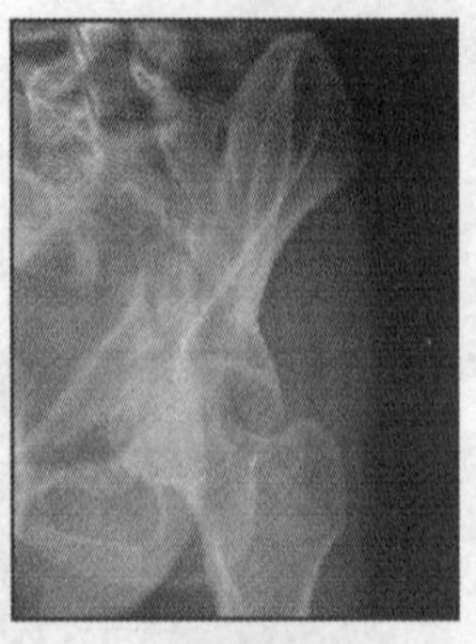

B. 术前髂翼斜位片

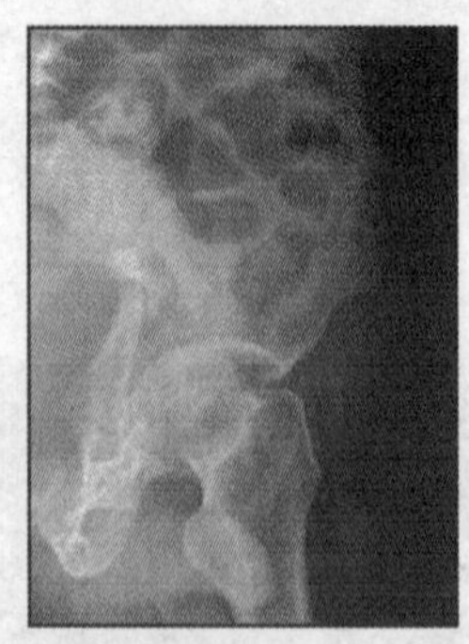

C. 术前闭孔斜位片

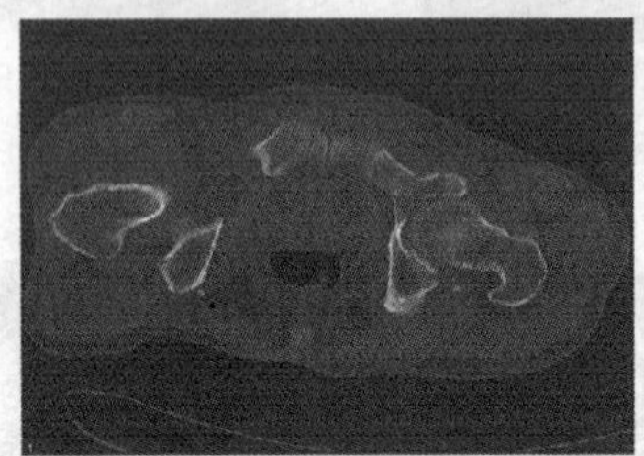

D. 术前髋臼 CT 平扫(一)

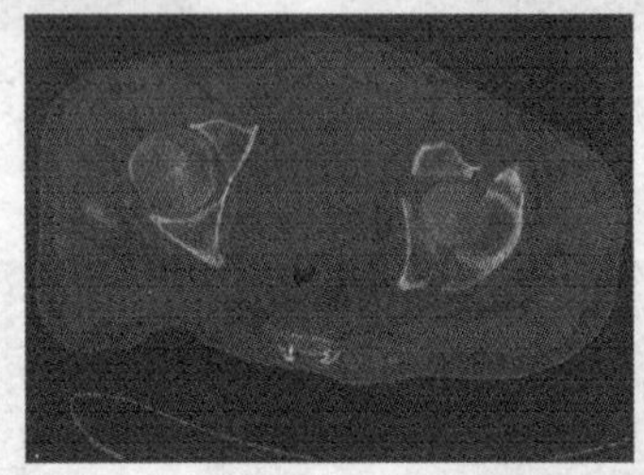

E. 术前髋臼 CT 平扫(二)

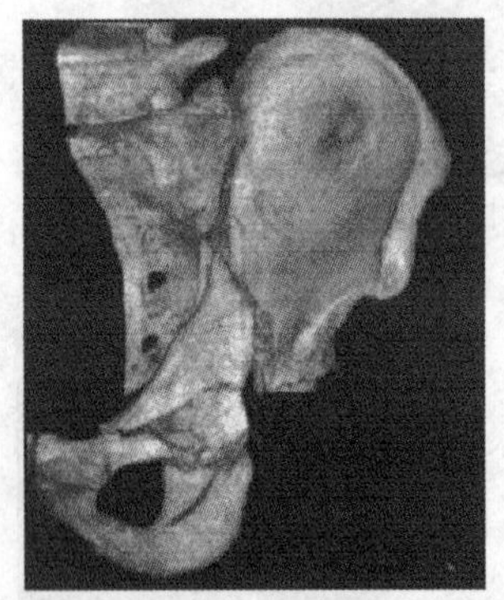

F. 术前 CT 三维重建(一)

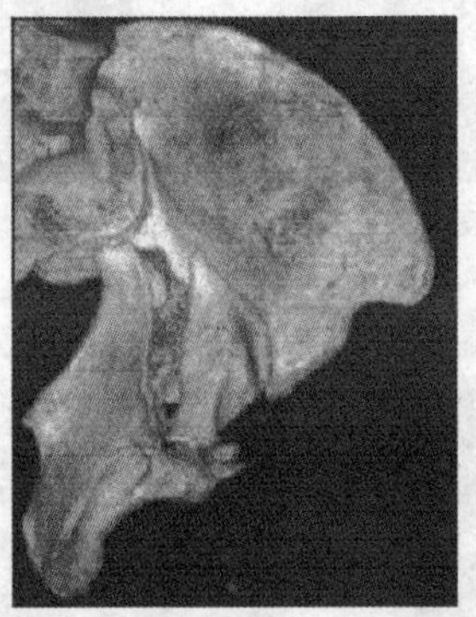

G. 术前 CT 三维重建(二)

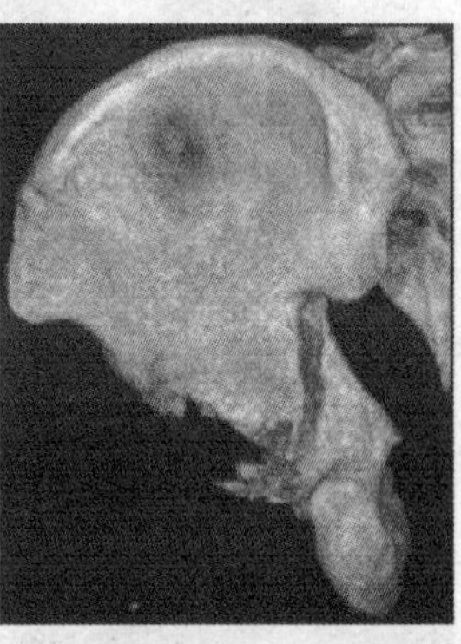

H. 术前 CT 三维重建(三)

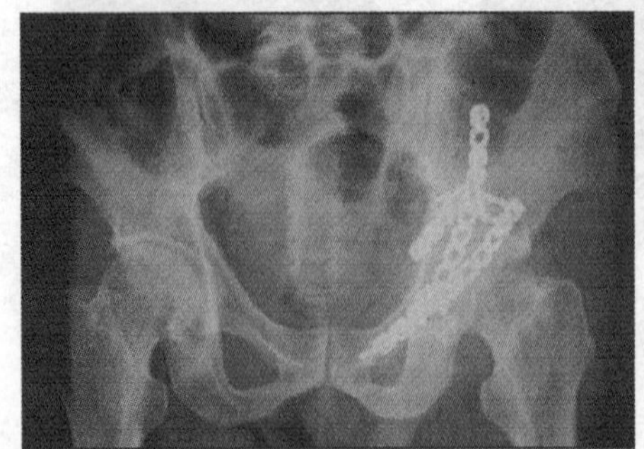

I. 术后骨盆平片

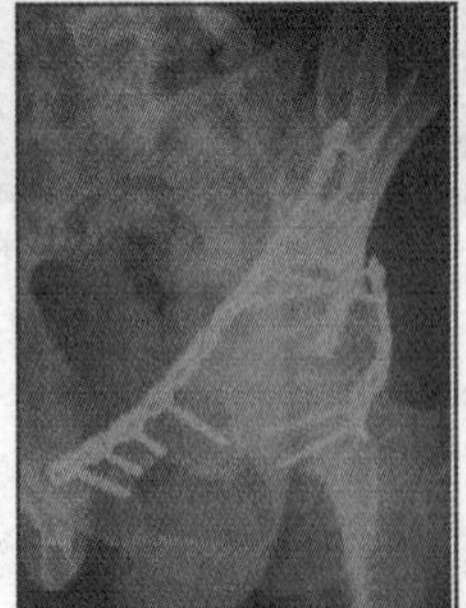

J. 术后闭孔斜位片

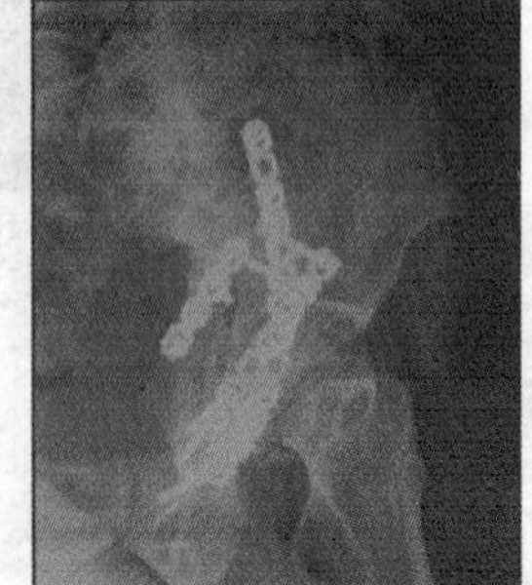

K. 术后髂翼斜位片

图 26-12　骨盆前壁伴后壁半横形骨折

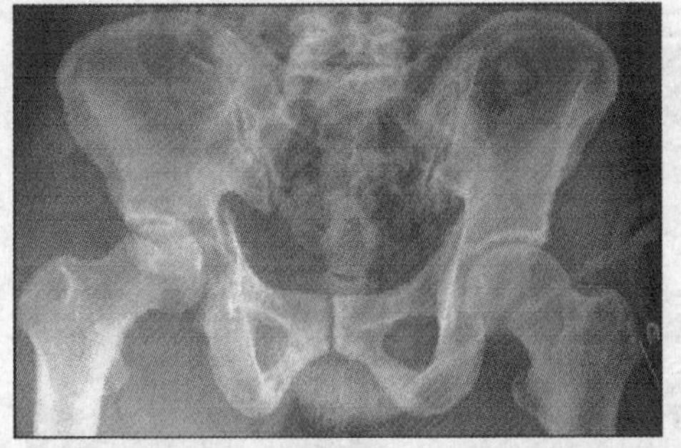

A. 术前骨盆平片

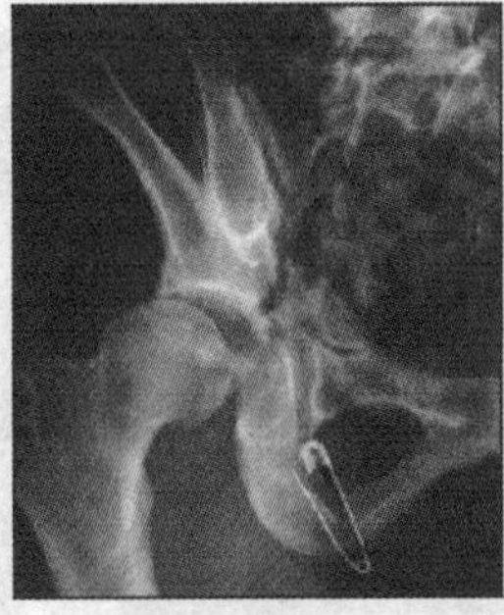

B. 术前骨闭孔斜位片

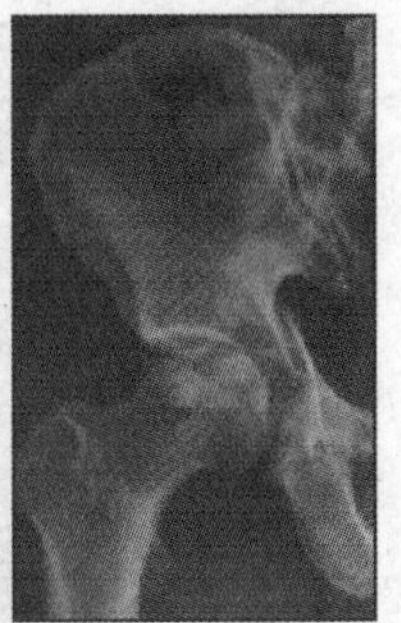

C. 术前髂翼斜位片

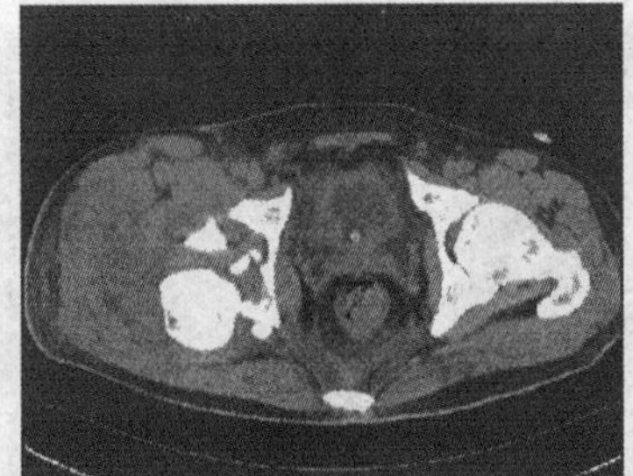

D. 术前髋臼 CT 平扫(一)

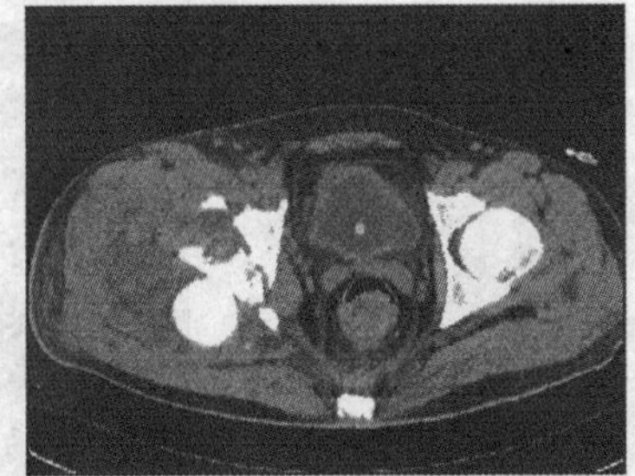

E. 术前髋臼 CT 平扫(二)

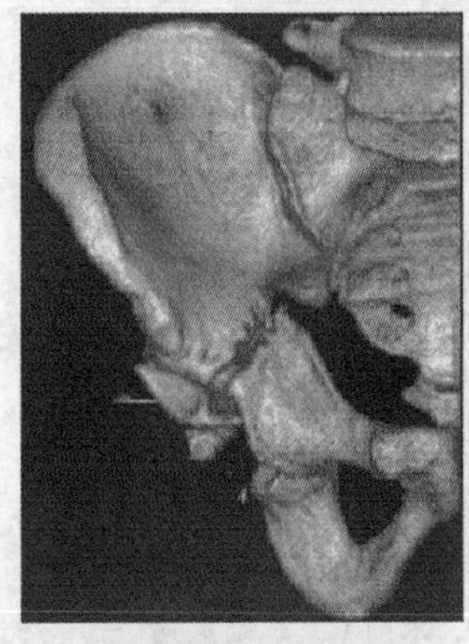

F. 术前 CT 三维重建(一)

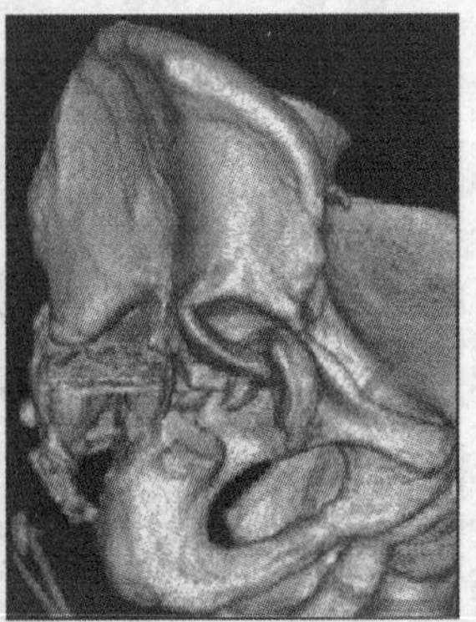

G. 术前 CT 三维重建(二)

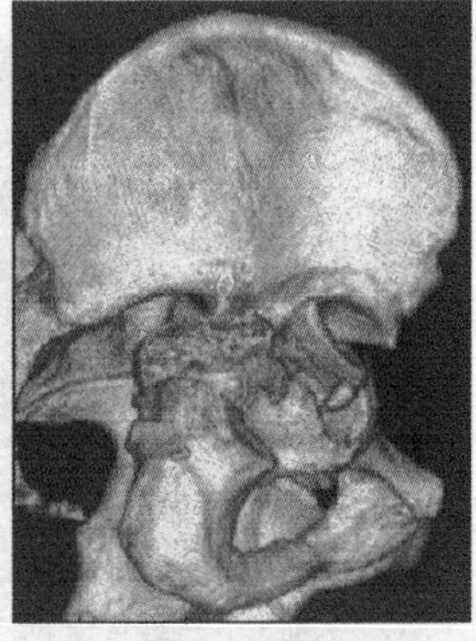

H. 术前 CT 三维重建(三)

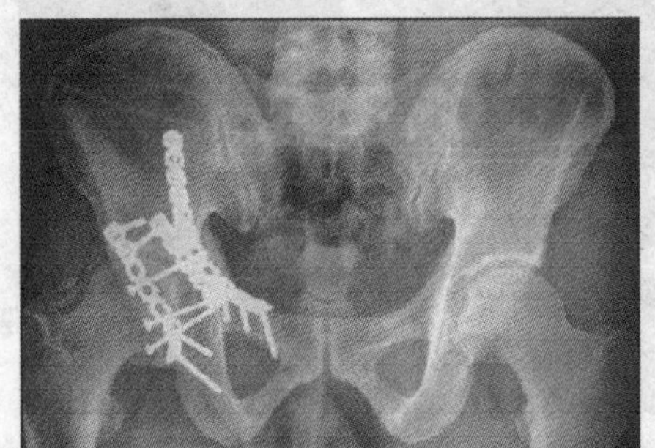

I. 术后骨盆平片

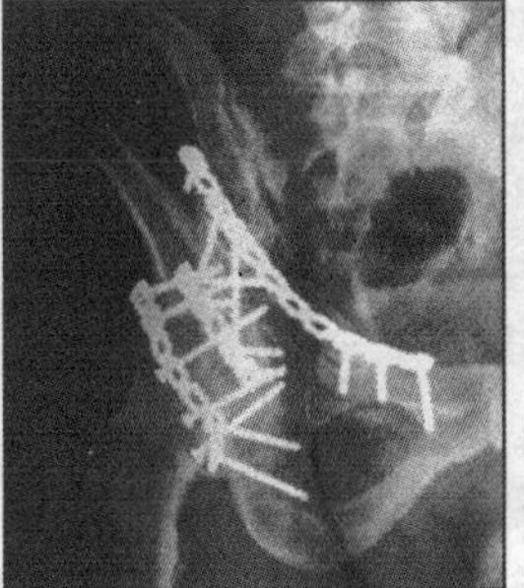

J. 术后闭孔斜位片

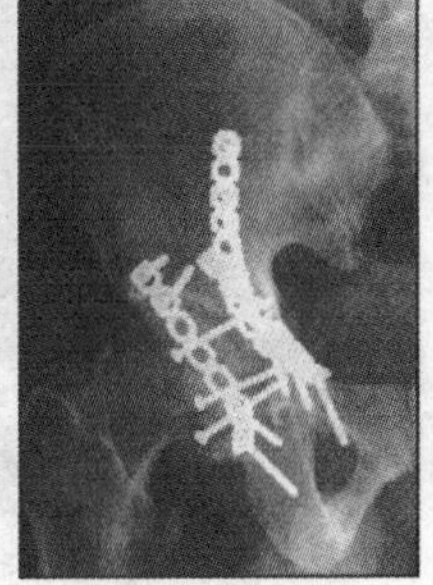

K. 术后髂翼斜位片

图 26-13 髋臼前壁横形骨折伴后壁骨折

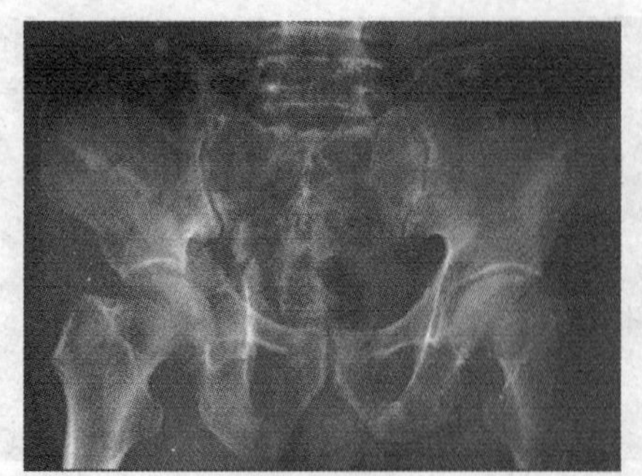
A. 术前骨盆平片

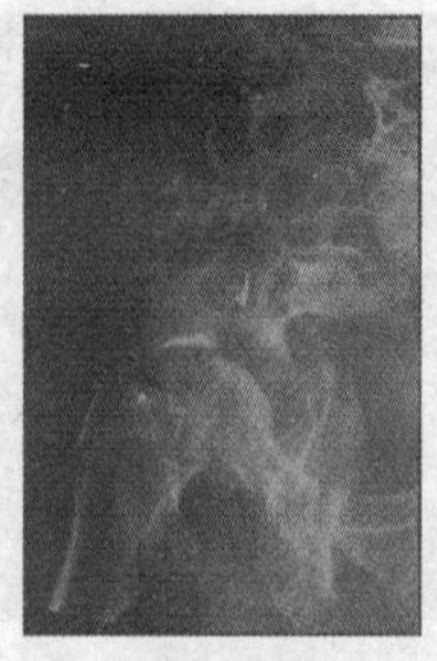
B. 术前髂翼斜位片

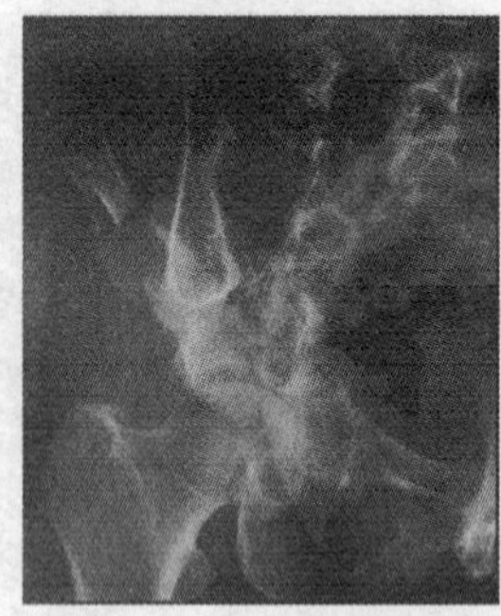
C. 术前闭孔斜位片

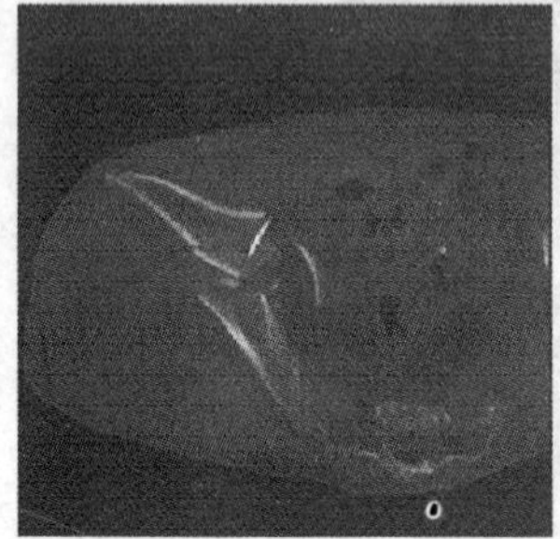
D. 术前髋臼 CT 平扫(一)

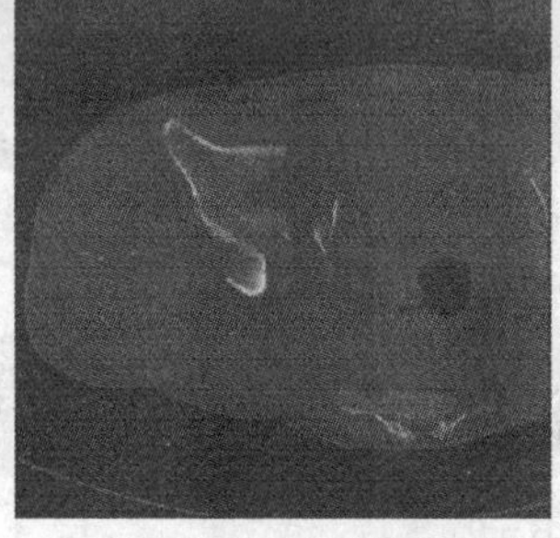
E. 术前髋臼 CT 平扫(二)

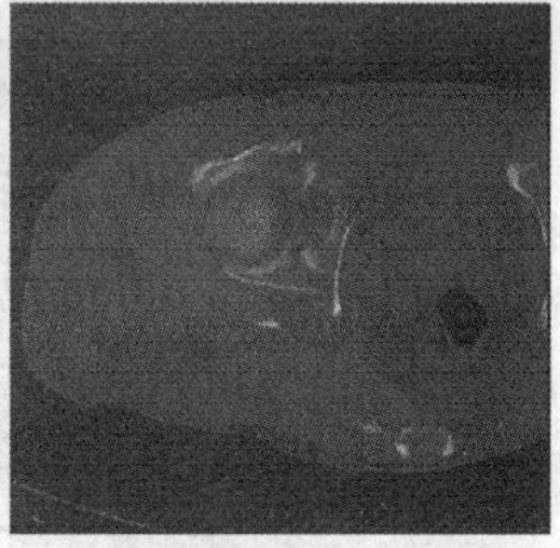
F. 术前髋臼 CT 平扫(三)

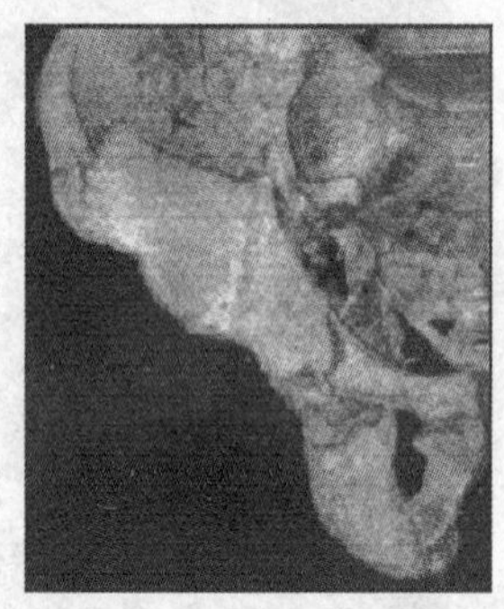
G. 术前 CT 三维重建(一)

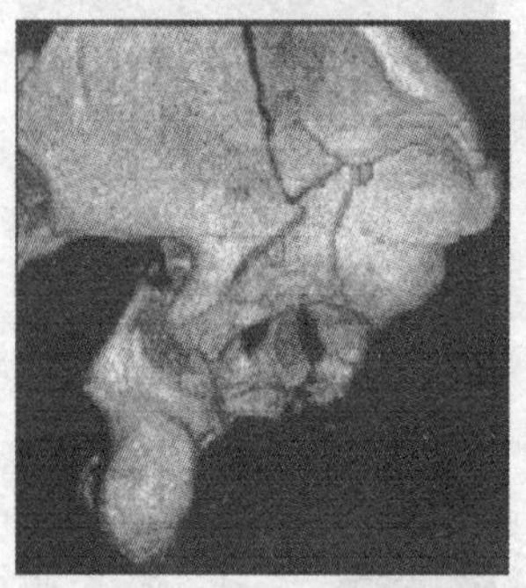
H. 术前 CT 三维重建(二)

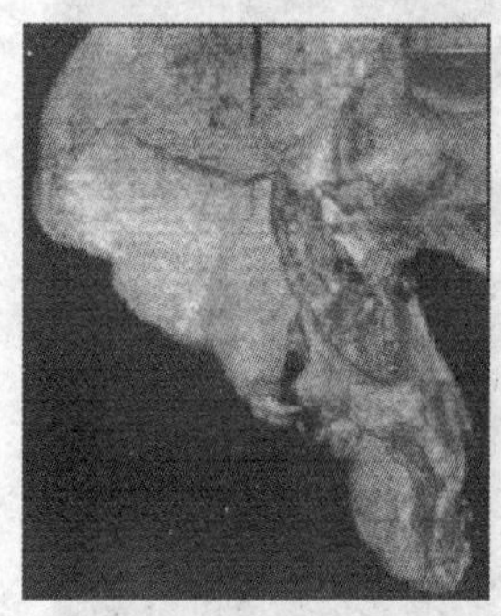
I. 术前 CT 三维重建(三)

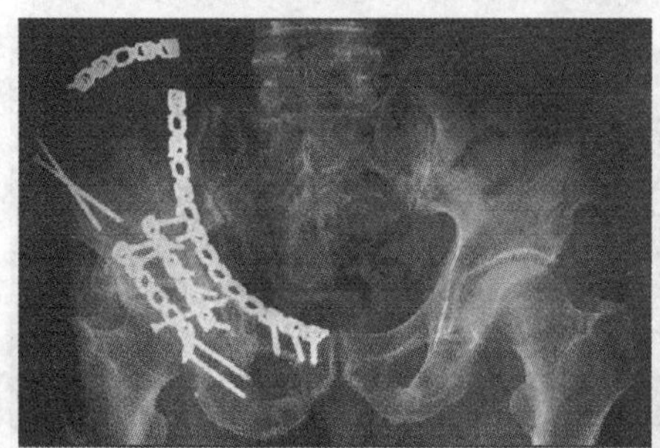
J. 术后骨盆平片

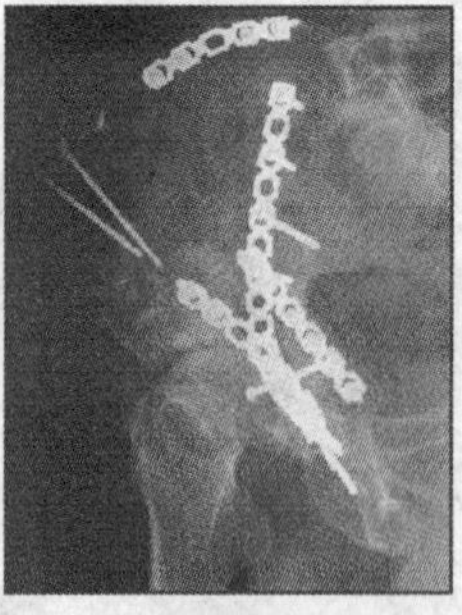
K. 术后髂翼斜位片

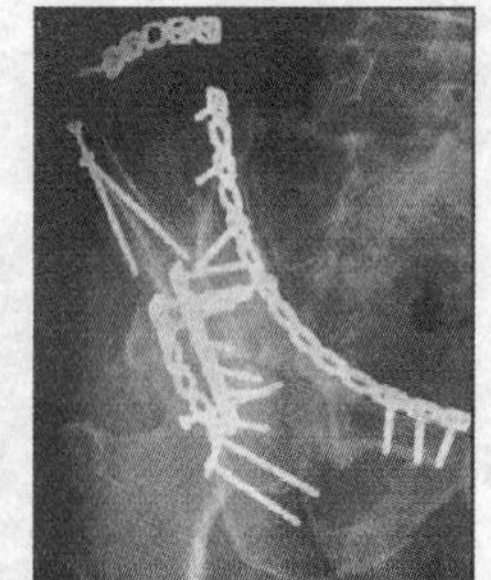
L. 术后闭孔斜位片

图 26-14 典型的髋臼双柱骨折

(孙玉强)

参考文献

[1] 孙玉强,曾炳芳,鲍琨,等.髂腹股沟径路治疗髋臼骨折.中华创伤杂志,2002,18:85~87.

[2] 孙玉强,鲍琨,金东旭,等.陈旧性髋臼骨折的治疗.中华创伤骨科杂志,2005,12(7):1117~1120.

[3] 孙玉强,鲍琨,曾炳芳,等.联合入路治疗髋臼骨折.中华创伤骨科杂志,2002,9(4):178~180.

[4] Brooker AF, Bowerman JW, Robinson RA, et al. Ectopic ossification following total hip replacement: Incidence and a method of classification. J Bone Hoint Surg, 1973, 55A:1629.

[5] Goulet JA, Rouleau JP, Mason D J, et al. Comminuted fractures of the posterior wall of the acetabulum. A biomechanical evaluation of fixation methods. J Bone Joint Surg Am, 1994, 76(10):1457~1463.

[6] Hoffmann R, Stockle U, Nittinger M, et al. Operative treatment of complex acetabular fractures through the modified extensile iliofemoral approach. Unfallchirurg, 2000, 103 (1):12~21.

[7] Keith JE Jr, Brashear HR, Guilford WB. Stability of posterior fracture-dislocations of the hip. Quantitative assessment using computed tomography. J Bone Joint Surg Am, 1988, 70:711~714.

[8] Letournel E, Judet R. Fracture of the Acetabulum. New York: Springer Verlag, 1993.

[9] Tile M, Helfet DL, Kellam JF. Fractures of the pelvis and acetabulum. 3rd ed. Philadelphia: Lippincott Williams & Wilkins, 2003.

[10] Matta JM, Anderson LM, Epstein HC. Fracture of the acetabulum: aretrospective analysis. Clin Orthop, 1986, 205:2302~2240.

[11] Matta JM. Fractures of the acetabulum: accuracy of reduction and clinic results in patients managed operative within three weeks after the injury. J Bone Joint Surg Am, 1996, 78:1632~1645.

[12] Matta JM, Tornetta P III. Internal fixation of unstable pelvic ring injuries. Clin Orthop, 1996, 329: 129 ~140.

[13] Mears DC, Fu FH. Modern concepts of external skeletal fixation of the pelvis. Clin Orthop, 1980, 151:65~72.

[14] Moed BR, WillsonCarr SE, Watson JT. Results of operative treatment of fractures of the posterior wall of the acetabulum. J Bone Joint Surg Am, 2002, 84: 752~758.

[15] Nachshon Shazar, Robert J B, Vincent PN, et al. Biomechanical evaluation of transverse acetabular fracture fixation. Clin Orthop, 1998, 352:215~222.

[16] Routt MLC, Swiontkowski MF. Operative treatment of complex acetabular fractures. Combined anterior and posterior exposures during the same procedure. J Bone Joint Surg Am, 1990, 72:897~904.

[17] Shazar N, Brumback RJ, Novak VP, et al. Biomechanical evaluation of transverse acetabular fracture fixation. Clin Orthop, 1998, 352:215~222.

[18] Tile M, Pennal GF. Pelvic disruption: principles of management. Clin Orthop, 1980, 151:56~64.

[19] Vrahas MS, Widding KK, Thomas KA. The effects of simulated transverse, anterior column, and posterior column fractures of the acetabulum on the stability of the hip joint. J Bone Joint Surg Am, 1999, 81: 966~974.

[20] Ward EF, Tomasin J, Vander Griend RA. Open reduction and internal fixation of vertical shear pelvic fractures. J Trauma, 1987, 27(3):291~295.

27 脊柱脊髓损伤

27.1 脊柱脊髓损伤概论

27.1.1 脊柱损伤

脊柱损伤(spine injury)系指脊柱受到直接或间接暴力如跌坠、交通事故、运动伤及自然灾害等所致的脊柱骨、关节及相关韧带损伤,常伴有脊髓和(或)脊神经损伤。

27.1.1.1 脊柱损伤的分类与损伤机制

(1) 根据损伤的病程分类

1) 新鲜脊柱损伤 损伤在3周以内称为新鲜脊柱损伤。

2) 陈旧性脊柱损伤 损伤在3周以上,主要表现为急性过程的消退及修复过程开始,损伤的软组织已获初步愈合。

(2) 根据损伤的机制分类

1) 屈曲型损伤 占脊柱损伤总数的80%～90%(图27-1～27-4)。分为:①单纯椎体压缩性骨折。②椎体粉碎性压缩骨折。③椎体压缩性骨折合并关节突脱位。④关节突骨折合并椎体向前脱位。⑤齿突基底部骨折合并寰椎向前脱位。⑥寰椎黄韧带撕脱合并齿突向后脱位。⑦横突或棘突单纯骨折。

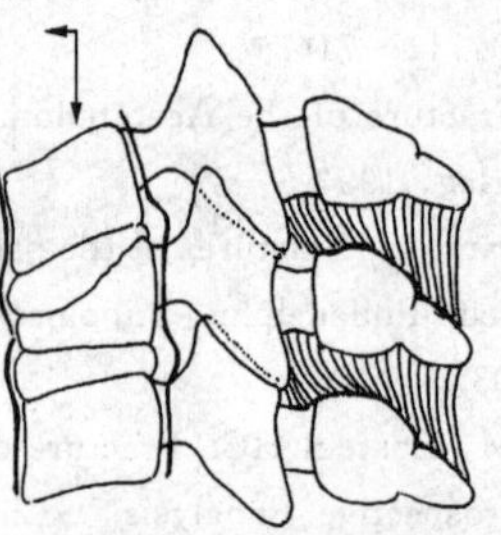
图 27-1 单纯椎体压缩性骨折

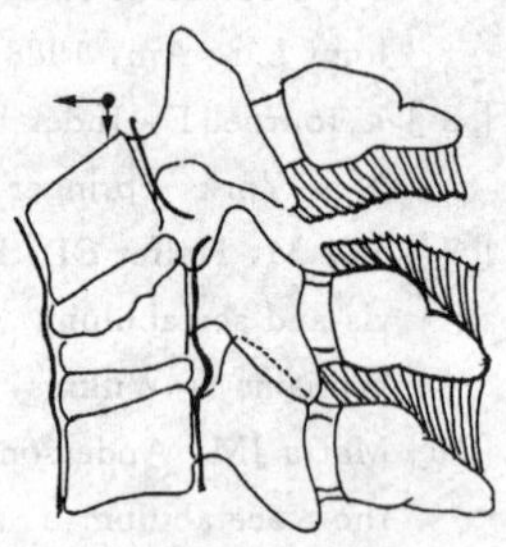
图 27-2 屈曲压缩暴力致伤机制

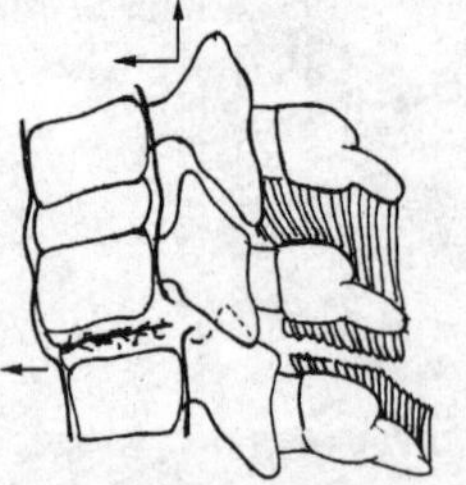
图 27-3 屈曲分离暴力致伤机制

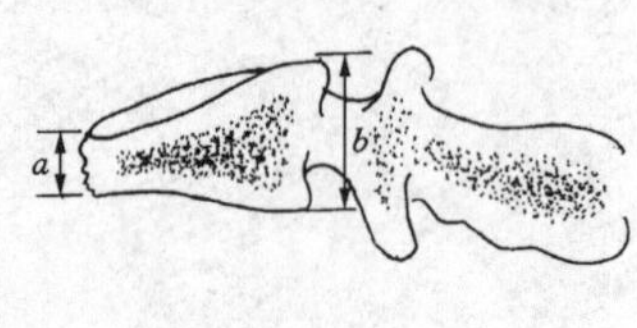

图 27-4 椎体楔形变的测量(a/b)

2) 伸展型损伤 分为:①椎体和关节突向后脱位。②椎弓或椎板骨折合并椎体向后脱位。③棘突或椎板骨折并突入椎管内(图 27-5)。

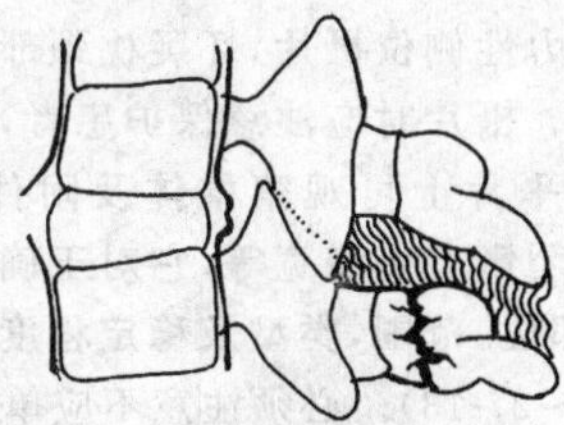

图 27-5 伸展暴力致伤机制

3) 旋转型损伤 暴力致脊柱屈曲,同时侧屈并使脊柱发生旋转(图 27-6)。分为:①椎体前方及侧方压缩性骨折。②椎体与附件骨折伴侧方移位。③椎体一侧楔形压缩性骨折伴一侧横突骨折。④一侧横突骨折及一侧关节突跳跃征。

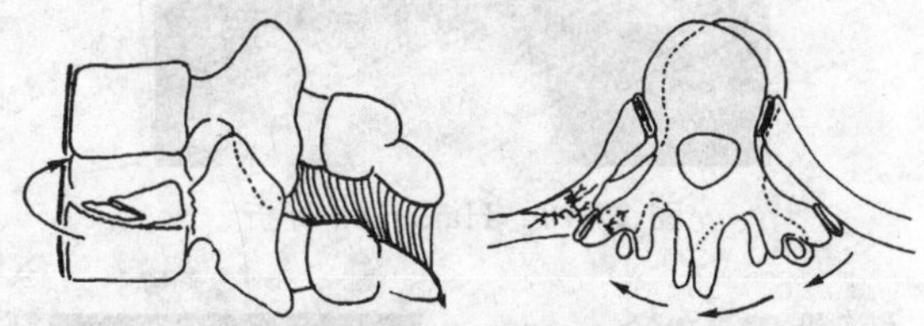

图 27-6 旋转暴力致伤机制

4) 垂直压缩型损伤

(i) 椎体爆裂性骨折 (bursting fracture) 可发生于颈、胸、腰椎,以胸腰段最常见,仅第 1 腰椎的爆裂性骨折即占脊柱爆裂性骨折的半数以上。影像学表现:①椎体移位;②椎体压缩高度超过 50%;③附件骨折;④椎弓根间距增宽(图 27-7)。

图 27-7 椎体爆裂性骨折

(ii) 椎体压缩和附件骨折。

(3) 根据脊柱损伤的稳定程度分类

1) 颈椎损伤按稳定程度分类 目前主要根据 White 标准来判断颈椎损伤的不稳定性,即:①颈椎侧位 X 线片上,损伤节段相邻两椎体间移位 >3 mm;②相邻两椎体间成角 >11°。符合上述标准说明颈椎前后韧带复合结构损伤,确定为不稳定。

此外,以下 3 点可作为参考:①相邻两棘突间距离增宽;②颈椎生理弧度消失;③关节突间接触面丧失 >50%,平行关系消失。

2) 胸腰椎损伤按稳定程度分类

(i) 稳定性损伤:①所有附件轻度骨折,如横突骨折、关节突骨折或棘突骨折; ②椎体轻度或中度压缩骨折(压缩椎体 1/3)。

(ii) 不稳定损伤:①在生理负荷下可能发生脊柱弯曲或成角者属于不稳定,如严重的压缩骨折; ②椎体爆裂骨折继发神经损伤;③骨折脱位及严重爆裂骨折合并或不合并有神经损伤。

胸椎损伤稳定多见,而同样损伤发生于腰椎,则往往不稳定。

3) 骶尾椎损伤按稳定程度分类 暴力直接打击损伤,常致骶骨发生裂隙骨折,未出现移位者不影响骨盆稳定性;挤压所致骶骨骨折,严重者可出现移位及骨盆前环骨折,则为不稳定。

4) 脊柱损伤按有无脊髓损伤分类 可分为无脊髓损伤和合并脊髓损伤,脊髓损伤又分为完全性和不完全性损伤两类。

(4) 几种特殊类型的损伤

1) 寰椎爆裂性骨折(Jefferson 骨折) 系指寰椎前、后弓二侧 4 处骨折并常有离心式移位。此外,寰椎还可发生单纯前、后弓一处或多处骨折(图 27-8)。

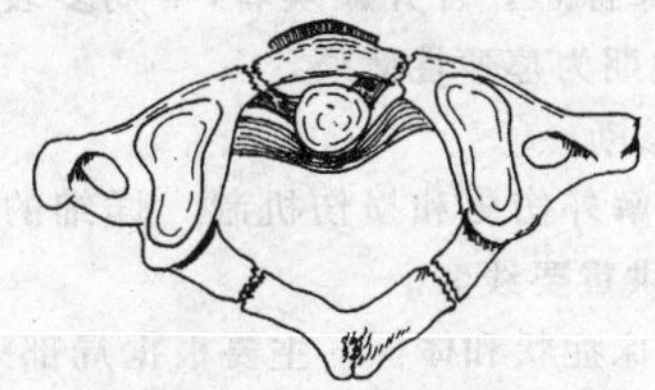

图 27-8 Jefferson 骨折

2) 枢椎椎弓根骨折(Hangman 骨折) 枢椎椎弓因过伸伤造成椎弓根骨折并同时伴有椎间盘损伤及椎体与椎弓后部结构分离,即出现椎体向前移位。

3) 安全带型损伤(seat-belt type injury) 又称屈曲牵开型损伤,此型损伤常见于乘坐高速汽车腰系安全带,在撞车的瞬间患者躯体上部急剧前移并屈曲,骨折线横行经过伤椎棘突、椎板、椎弓根与椎体;后结构的棘上、棘间及黄韧带断裂,暴力大者可同时伴有后纵韧带及椎间盘纤维环断裂,也可有椎体后缘的撕脱骨折。根据损伤平面的不同，此型可分为损伤通过骨组织的水平骨折即通常称为Chance骨折和损伤通过韧带组织、造成椎间分离脱位两种类型(图27-9)。

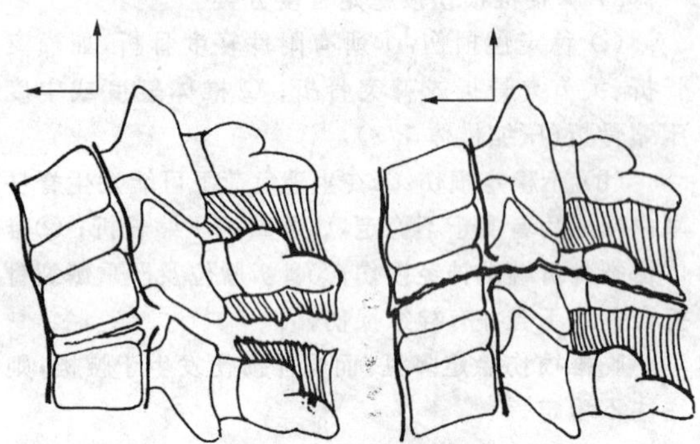

A. 骨折线经过韧带、椎间盘　B. 骨折线经过椎体(Chance骨折)

图 27-9　屈曲牵开暴力致伤机制

27.1.1.2　脊柱损伤的临床表现及诊断

(1) 临床表现

患者常有脊柱部分遭受外力或从高处跌坠病史，伤后主诉脊柱某个区域的疼痛和运动功能障碍。伴有脊髓损伤者可有双下肢完全或不完全瘫痪或大小便功能障碍。检查时可发现脊柱某一部位有肿胀、压痛或畸形，有时在伤部两棘突间可摸到明显的凹陷和骨摩擦感。合并瘫痪者，早期多表现为弛缓性瘫痪，晚期为痉挛性瘫痪。

(2) 诊断

1) 了解外伤史和损伤机制　详细的外伤史可为诊断提供重要线索。

2) 临床症状和体征　主要根据局部疼痛、肢体瘫痪等主诉及局部压痛和肢体运动、感觉、反射障碍等体征进行分析判断。

根据外伤史、局部疼痛和肿胀、压痛，特别是伤部脊椎棘突的局限性压痛、畸形(包括后凸和凹陷畸形)，一般都可作出脊柱损伤的诊断。如同时合并有下肢瘫痪或大小便功能障碍者，则脊髓损伤诊断亦可以确定。在诊断的同时，必须注意患者全身情况，有无合并休克、颅脑、胸、腹和其他部位脏器损伤，切勿漏诊。

3) 影像学检查

(i) 普通X线片：对临床上怀疑有脊柱、脊髓损伤的患者，均应进行X线检查。常用的是颈、胸、腰椎正、侧位片，必要时加拍左右斜位及颈椎张口位片。对陈旧性损伤者在病情允许情况下可作颈、腰椎伸屈动力性侧位摄片，怀疑枕颈部损伤者应摄颅颈侧位片。摄片时应注意保护患者，避免加重损伤。在X线平片上可观察椎体及附件有否骨折、移位及椎旁阴影有否增宽等，它对于确定骨折或脱位、损伤的部位，范围，类型及稳定程度都有很大帮助(图27-10～27-13)。必须注意不应单纯依靠X线片作诊断，而必须结合受伤机制、临床症状和体征，加以判断。

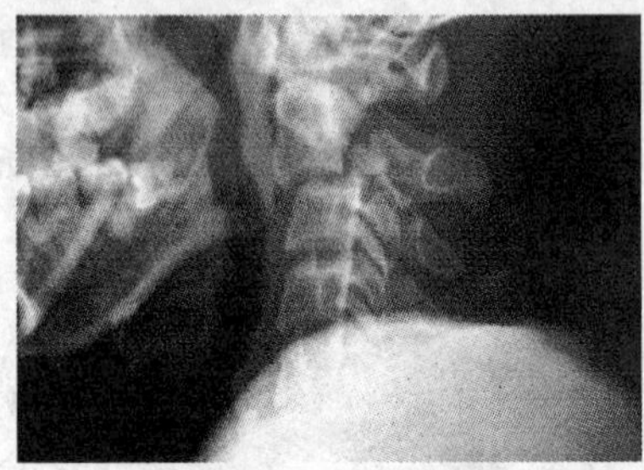

图 27-10　Hangman骨折

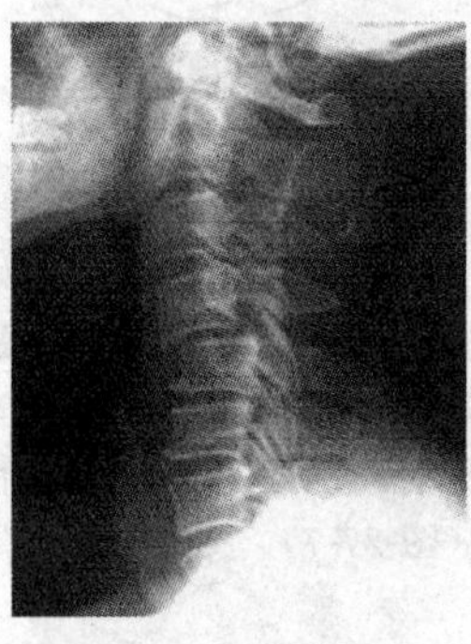

图 27-11　颈椎脱位，棘突骨折

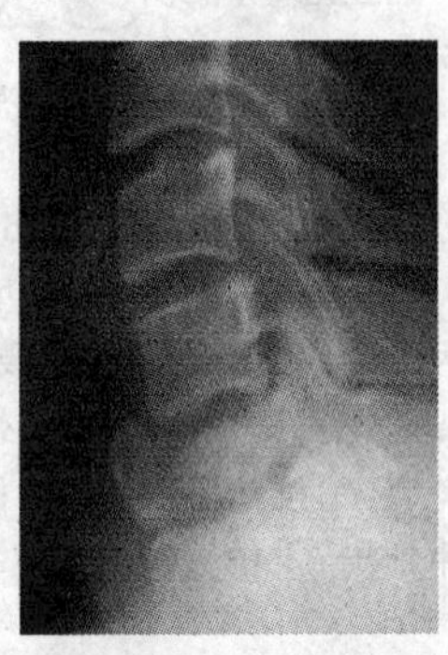

图 27-12　颈椎椎体爆裂性骨折

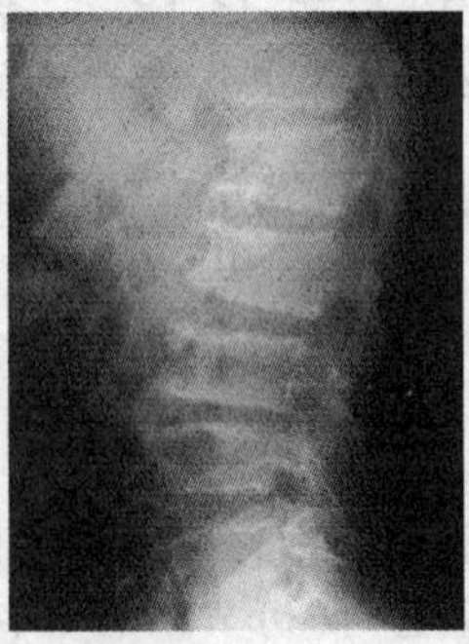

图 27-13　腰椎椎体压缩性骨折

(ii) 脊柱分层摄片：可更精确地了解脊椎骨折情况，尤其是骨折块突入椎管、寰椎齿突及侧块骨折、关节突骨折等，一般在普通 X 线片不能明确诊断时进行。

(iii) CT 扫描：可从脊柱横切层判断椎管容积，有否骨折或骨折块突入椎管，有否椎间盘突出或脊髓损伤情况，其优点是可以在避免反复搬动患者的情况下获得清晰的椎管内图像，为治疗提供可靠依据(图 27-14～27-16)。

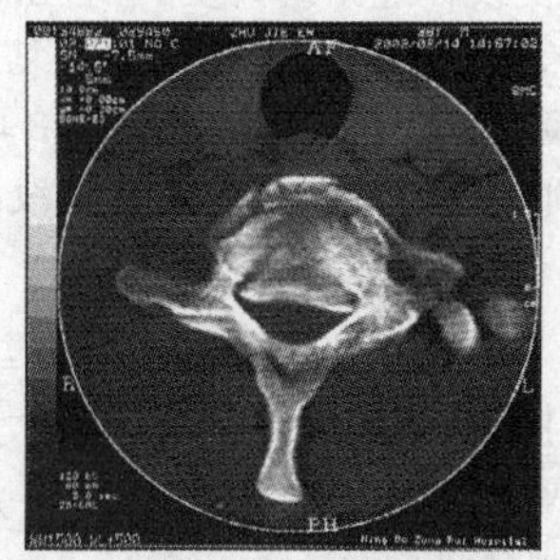

图 27-14 颈椎爆裂性骨折，椎体后缘骨折向后块突出

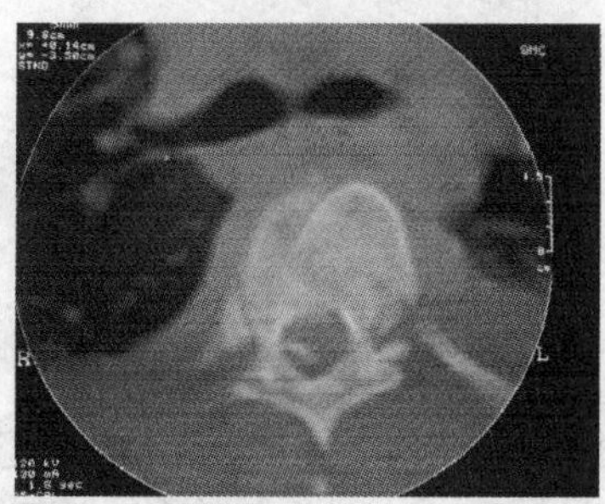

图 27-15 胸椎旋转损伤，椎体压缩性骨折椎管内可见游离骨折块

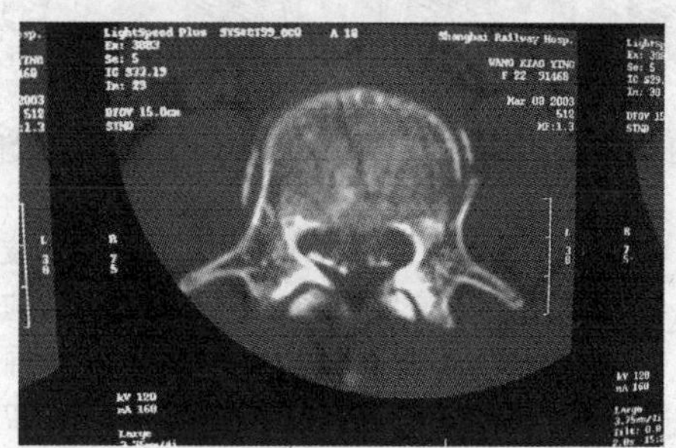

图 27-16 腰椎椎体爆裂骨折，椎体后缘骨折向后块突出

(iv) MRI 检查 可清晰显示脊椎、椎间盘、黄韧带、椎管内出血及脊髓信号的改变，显示损伤或压迫脊髓的因素(包括骨性和软组织)及部位，显示椎管狭窄程度与脊髓损伤变化相关关系。

27.1.1.3 *脊柱损伤的治疗*

(1) 脊柱损伤的早期治疗原则

脊柱损伤的早期救治包括现场救护、急诊救治、早期专科治疗及康复等。早期救治措施的正确与否直接影响患者的生命安全和脊柱脊髓功能的恢复。

1) 现场救护 现场救护是指在发生损伤的地点对患者施行紧急救治和处理，并为向医院或专科医院运送做好准备。现场救护正确与否直接关系到患者的生命安全及后续治疗的效果。脊柱损伤常合并脊髓伤，表现为不同程度的瘫痪，严重者出现呼吸功能障碍而危及生命。因此凡疑及脊柱损伤，尤其是颈椎损伤者在未明确排除之前均应按有此损伤处理。现场救护措施如下。

(i) 迅速将患者撤离事故现场，避免重复损伤或加重损伤。脊柱制动，一般采用临时固定器材或支具，制动越早，损伤越轻。

(ii) 颈椎损伤患者应注意保持呼吸道通畅，如通气功能障碍明显则现场行紧急气管切开，必要时采用器械辅助呼吸。

(iii) 搬运要求：①搬动患者时至少需要 3 人，保持脊柱轴线稳定，平抬平放，避免脊柱扭曲和转动；②使用无弹性担架或硬板，保持头略低位，避免颈椎过伸过屈(图 27-17，27-18)；③输送途中尽可能避免颠簸，并注意观察生命体征，保持呼吸道及输液管道通畅，注意保暖。

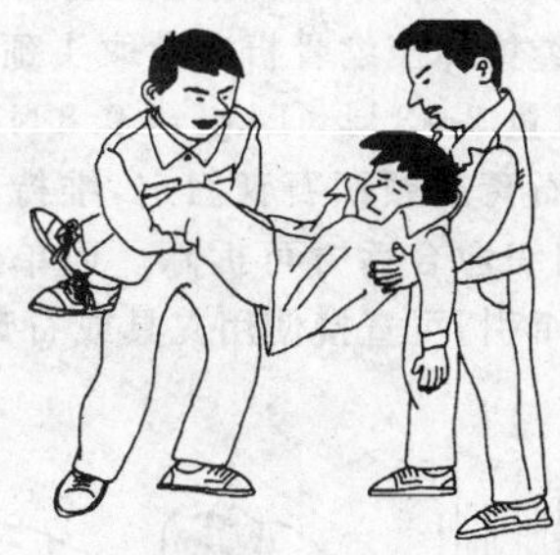

图 27-17 两人随意搬运患者可加重颈椎损伤

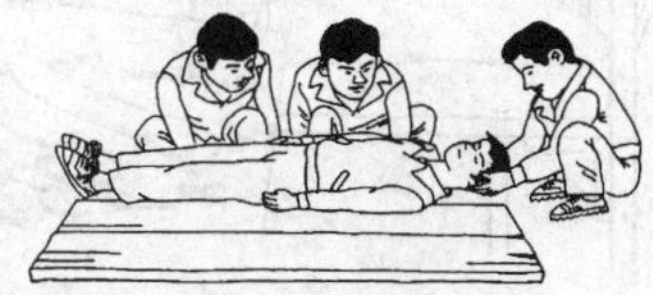

图 27-18 保持颈椎稳定的正确搬运方法

2）急诊室救治

(i) 患者到达急诊室时应迅速进行简要的全身检查，确定有无休克及其他重要脏器损伤、有无其他部位骨关节损伤。首先处理危及生命的合并伤，待全身情况稳定后方允许作脊柱理学检查，初步确定损伤部位和损伤的严重程度以及是否合并脊髓损伤。

(ii) 如果脊柱损伤在现场或输送途中未得到确实固定，到达急诊室后应立即采取制动措施，颈椎损伤除支具固定外，牵引更是有效的制动方法。

(iii) 保持呼吸道通畅，必要时吸氧或机械辅助呼吸。

(iv) 建立静脉通道，根据伤情输液，必要时输血。如合并脊髓损伤可静脉内使用激素和利尿剂脱水，以减轻神经水肿及继发性脊髓损伤。常规应用地塞米松 20～40 mg 和呋塞米 20 mg 静脉滴注。近年已广泛提倡早期大剂量甲泼尼龙冲击疗法，并认为有减轻脊髓损伤的作用。但应注意预防应激性溃疡。

(v) 经初步处理病情稳定后可行 X 线摄片、CT 或 MRI 等特殊检查。危重患者必须有医护人员陪同，特殊体位摄片需有医师协助，防止发生意外。

(vi) 脊柱损伤诊断明确，又无其他需要紧急处理的合并伤时，患者可转入病房或转至专科医院进一步治疗。

(2) 颈椎损伤的治疗原则

1）稳定型损伤的治疗原则　对各种类型的稳定型损伤可分别采取卧床休息、Glisson 枕颌带牵引(图 27-19)、头颈支具、石膏固定及功能锻炼等方法治疗。如单纯椎体压缩骨折通常取头颈中立位行枕颌带牵引，重量 2～3 kg (1 kgf = 9.8 N)，维持 3 周后改头颈胸石膏或颌颈石膏固定，维持 2～3 个月，待骨、韧带组织愈合后方可拆除。而单纯棘突或横突骨折不需牵引，可直接使用支具或石膏固定，维持其稳定。

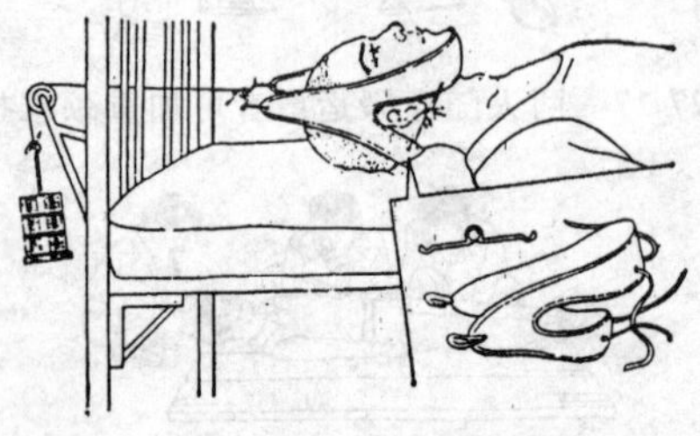

图 27-19　Glisson 枕颌带牵引装置和方法

2）不稳定型损伤的治疗原则　不稳定型损伤以恢复并维持颈椎稳定性为原则。治疗方法包括牵引复位、支具固定、开放复位、前后路减压、植骨融合、内固定及功能锻炼等。具体措施如下。

(i) 颅骨牵引：牵引器材以 Crutchfield 钳最为常用(图 27-20、27-21)。不同类型损伤，牵引方向及重量亦有所差别。下颈椎骨折或骨折脱位则需根据损伤类型选择不同的牵引复位方式。牵引重量根据年龄、体形和体重酌情考虑。牵引过程中密切观察患者全身情况及神经系统改变，一旦出现呼吸困难或神经症状、体征加重则应终止牵引复位。一经复位，牵引重量逐渐减至 3～4 kg，维持 3 周～3 个月。牵引力的方向对复位至关重要，其轴线应与要复位的节段轴向一致。

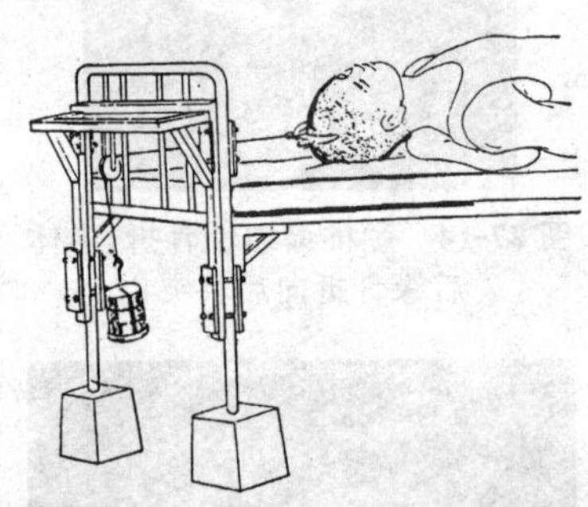

图 27-20　颅骨牵引装置和方法

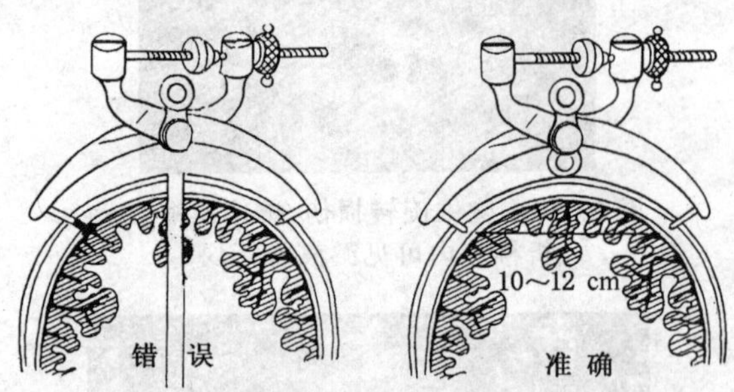

图 27-21　颅骨牵引钳安置正确与错误示意图

(ii) Halo 装置：主要有 Halo 头盆环牵引装置和 Halo 背心两种，后者应用较多，但应严格把握适应证。

(iii) 石膏固定：颈椎骨折复位后为避免再脱位一般维持牵引 3～4 周，待软组织和骨性结构初步愈合后再行头颈胸石膏固定。如果合并脊髓损伤则应持续牵引制动至骨性愈合，不宜行石膏固定。

(iv) 手术治疗：颈椎损伤的手术治疗包括开放复位、减压、植骨融合及内固定术。目的在于解除脊髓和神经根压迫、恢复颈椎的解剖结构、维持颈椎稳定功能。

颈后路手术：最早用于颈椎损伤的脊髓减压，后路手术的特殊适应证限于颈椎单侧或双侧小关节脱位或骨折脱位、急性期未行复位或复位失败以及关节突分离性骨折严重不稳者。复位后颈椎稳定性不能维持者则需行内固定或内固定加植骨融合术。后路内固定方法包括：①棘突间钢丝内固定术，可加用两侧棘突旁、椎板和关节突上植骨术。该法适用于屈曲型损伤，对伸展型损伤效果差，且不能控制旋转不稳。②侧块钢板螺丝钉固定术，有AO钢板以及Atlas钢板和Peak钢板等，还有Cervifix钉棒系统等，可加关节突间和棘突间植骨术。侧块钢板固定可使损伤的颈椎即刻获得稳定，并维持安全可靠的固定。此法的缺点是螺丝钉打入方向要求较高，技术难度大，稍有不慎即可引起神经、血管损伤。③寰枢椎融合内固定术，常用的有Gallie法和Brooks法及其改良技术、寰枢椎侧块经关节螺钉内固定术等。④枕颈融合内固定术等。

颈前路手术：颈前路减压、植骨融合加内固定术广泛应用于治疗颈椎损伤，近年来多采用钛质颈前路带锁钢板。其目的在于：①切除脊髓前方致压物，达到减压目的；②纠正颈椎后凸畸形；③植骨维持前柱高度；④维持颈椎稳定性。适应证：①主要累及椎体和椎间盘的损伤。包括压缩或楔形压缩骨折、粉碎性骨折、泪滴状骨折、前纵韧带、前侧纤维环和椎间盘完全破裂(过伸性损伤)。②后侧韧带断裂伴有椎间盘突出、椎体后缘骨赘或骨折者。③无骨折和不稳的颈椎损伤，发现有椎间盘突出伴有神经损伤者。④三柱损伤颈椎严重不稳者。⑤其他以后结构损伤为主的颈椎损伤亦可采用前路手术，但不是绝对适应证。

(3) 胸腰椎骨折的治疗原则

根据胸腰椎损伤的稳定程度可以采用非手术治疗和手术治疗。胸腰椎稳定型骨折不伴神经损伤者一般采取非手术治疗，大多通过缓慢的逐步复位，恢复伤椎的正常解剖关系，通过脊柱旁肌肉的功能训练，为脊柱稳定提供外周条件，预防伤后腰背痛的发生。不稳定型骨折或伴有神经损伤者多采取手术治疗，其目标是解除脊髓神经压迫，纠正畸形恢复并维持脊柱的稳定性。

1) 非手术治疗原则

(i) 适应证：胸腰椎稳定性骨折，如单纯椎体压缩骨折，压缩程度<50%，不伴神经症状者，或单纯胸腰椎附件骨折，如横突骨折、棘突骨折等。

(ii) 方法：包括卧床休息、外固定和背伸肌锻炼等。单纯胸腰椎屈曲型压缩性骨折，伤后仰卧硬板床，腰背后伸，在伤椎的后侧背部垫软枕(图27-22)。根据椎体压缩和脊柱后凸成角的程度及患者耐受程度，逐步增加垫枕的厚度，于12周内恢复椎体前部高度。X线片证实后凸畸形已纠正，继续卧床3周。床上腰背肌锻炼为常用的功能疗法，应早期抓紧练习，并循序渐进，争取在伤后3～6周内，即骨折畸形愈合前完全达到功能锻炼要求。

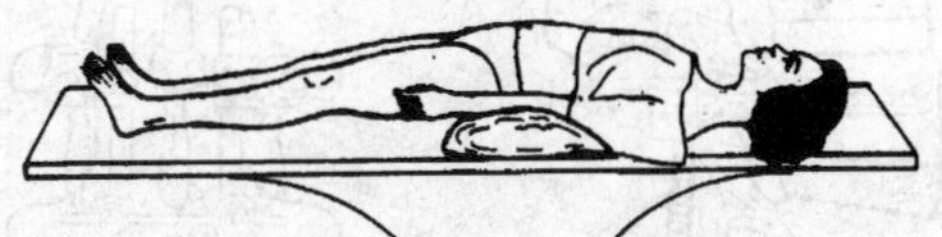

图27-22 脊柱骨折后仰卧硬板床，伤椎的后侧背部垫软枕

即使是稳定型损伤患者亦不宜过早下地负重，以免畸形复发，遗留慢性腰背痛，尤其是伴有骨质疏松的老年患者。

2) 手术治疗原则

(i) 手术治疗目的：骨折脱位的复位减压，恢复并维持脊柱的稳定性，为损伤脊髓的功能恢复创造条件，减少并发症。

(ii) 复位要求：①纠正脱位；②后凸畸形<10°；③压缩椎体高度恢复至正常的80%以上。

(iii) 手术方法选择原则：手术方法主要根据骨折脱位类型、严重程度以及脊髓神经损伤情况决定，尚应考虑患者的全身情况对手术的耐受力，医院的条件和术者的经验也是影响手术疗效的重要因素。

胸腰椎骨折的减压方式一般根据脊髓致压物的来源、方向和位置决定，由于椎板陷入椎管压迫脊髓或马尾神经者，采用后路椎板切除减压术。由于一侧椎弓根、关节突和椎体后外侧碎骨块突入椎管者，可采取侧前方减压术。椎间盘或椎体后方骨片突入椎管前方致神经受压者，则采取前路减压术。

严重的胸腰椎骨折多数由压缩、屈曲和旋转暴力所致，脊柱的稳定性遭受破坏，因此，在彻底减压的同时采取有效的内固定并同时行植骨融合术，以期获得即刻和长期稳定。目前后路内固定多采用椎弓根螺钉系统(图27-23)，常见的有CD装置、AO通用脊柱固定装置(USS系统)(图 27-24)、Moss Miami系统等。前路内固定包括人工椎体(图 27-25)、Ventro Fix系统(图 27-26)和"Z"形钢板等。前路内固定因创伤大,操作复杂,故应严格把握适应证,其适应证主要包括:①胸腰椎骨折或骨折脱位不全瘫痪,影像学检查(X线、CT、MRI、椎管造影)证实硬膜前方有压迫存在,就骨折类型来说,最适用于爆裂骨折;②陈旧性胸腰椎骨折,后路减压术后,仍残留明显的神经功能障碍者且有压迫存在;③胸腰椎骨折全瘫者可酌情采用。

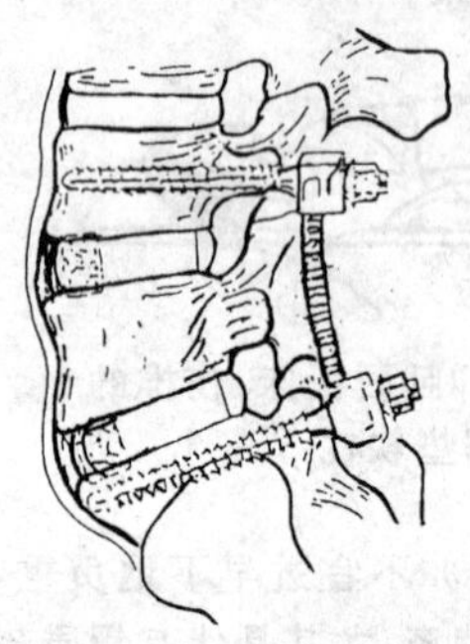

图 27-23 后路椎弓根螺钉系统

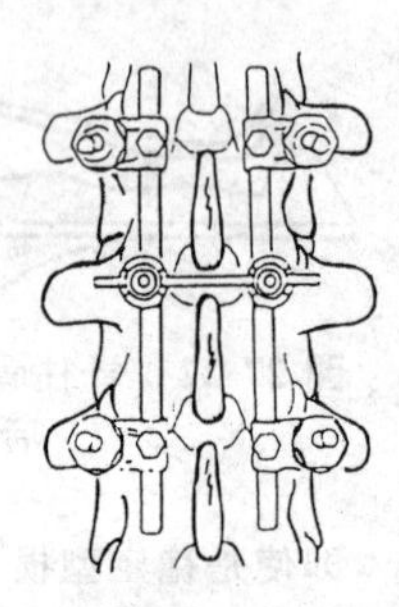

图 27-24 AO通用脊柱固定装置

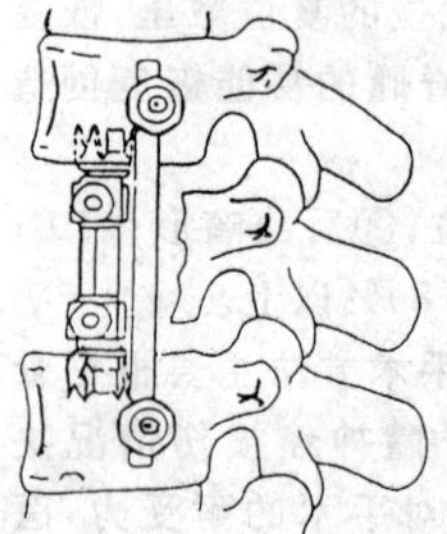

图 27-25 人工椎体

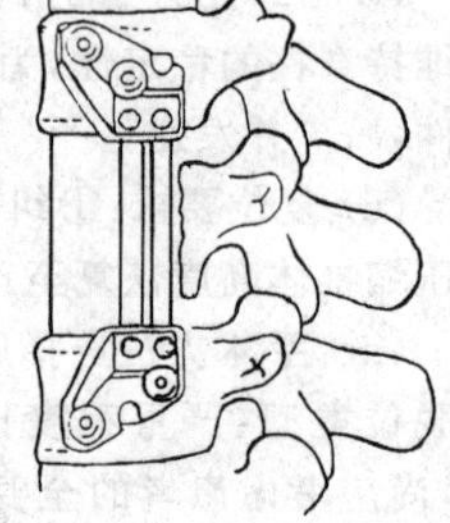

图 27-26 Ventro-Fix系统

(4) 术后康复

康复治疗可提高脊柱损伤患者的生存质量,延长寿命,应自脊柱损伤后即开始,贯穿在治疗的全过程。包括心理康复、护理康复、理学康复(包括理疗、按摩、被动运动训练和医疗体育等)、生活和社会活动训练等内容。应遵守循序渐进原则,有计划、有步骤地进行。

27.1.2 脊髓损伤

脊髓损伤(spinal cord injury)在全身损伤中约占0.3%,在自然灾害、交通意外、工业和建筑业事故以及运动伤所造成的创伤中,脊柱脊髓损伤占了相当大的比重。多发于年轻人,85%为男性,其中16～30岁患者占60%,好发部位是颈椎及脊柱胸腰段。

27.1.2.1 脊髓损伤的原因和机制

脊髓损伤主要由外力作用所致,但亦受脊柱内在因素影响。暴力直接或间接作用于脊柱导致骨折和(或)脱位,进而造成脊髓、马尾神经受压,损伤。10%的脊髓损伤患者无明显骨折-脱位的影像学改变,其多见于脊柱弹性较强的儿童和原有椎管狭窄或骨质增生的老人。

1) 骨性压迫 ①椎体骨折:爆裂性骨折,骨折片进入椎管压迫脊髓,也可见于单纯椎体后缘骨折向后移位导致脊髓受压。②关节突骨折或骨折脱位:可破坏椎管形态,使其容积减少,出现脊髓压迫。③脊椎附件骨折:如椎板、椎弓、棘突骨折等,骨折块向椎管内移位。

2) 软组织压迫 ①椎间盘因素:损伤致椎间盘破裂、突出或膨出并突向椎管压迫脊髓。普通X线片常无明显异常改变。②韧带因素:黄韧带皱折突向椎管压迫脊髓,多见于颈椎过伸性损伤。③血管因素:脊髓或硬膜外血管损伤致硬膜内、外出血和血肿压迫。④脊髓因素:脊髓因损伤后发生水肿可加重压迫。

3) 脊柱、脊髓火器性损伤及锐器损伤 脊髓直接受损伤或相应部位的椎板及棘突骨折,碎骨折片陷入椎管内造成脊髓或马尾神经受压损伤。

4) 其他原因 如感染、电击伤和放射性损伤等。

27.1.2.2 脊髓损伤的病理

根据临床特征,脊髓损伤的临床病理分为以下几个方面。

(1) 原发性病理改变

1) 脊髓休克(spinal shock)(脊髓震荡) 脊髓损伤后脊髓神经细胞出现短暂性功能抑制状态,其原因主要系脊髓内的神经细胞受到强烈的刺激而引起超限抑制。大体病理无明显器质性改变,仅有少许水肿,显微镜下神经细胞和神经纤维未见破坏现象。临床表现为损伤平面以下的弛缓性瘫痪,伤后数小时或数日开始恢复,通常经2～3周,脊髓的感觉和运动功能逐渐得到恢复,常不残留神经功能损害症状。

2) 脊髓挫伤(包括挫伤、撕裂伤和碾挫伤) 主要病理表现为髓内点片状出血、血肿或血管痉挛，神经细胞水肿、破坏，神经纤维变性等。

3) 脊髓断裂缺损　这是脊髓最严重的一种损伤，脊髓断裂数小时后灰质中央出现片状出血、坏死，并逐渐被巨噬细胞吞噬，24 h后完全损坏，并开始出现白质坏死，3天后达到高峰。这一过程约需3周时间，最后断端形成空腔，并为瘢痕组织所填充。损伤下端功能很难恢复。

4) 脊髓血管损伤　动脉、静脉和毛细血管的断裂立即导致脊髓损伤区的广泛出血，经过一段时间的恢复可见血管再生现象。

(2) 继发性脊髓损伤的病理

1) 出血　是脊髓损伤后最早的反应，动、静脉的破裂可引起广泛的出血，并波及一定范围，出血在达到高峰后5～10 min减慢，并逐渐停止。如果出血较多形成血肿，致椎管内压力增高，就可压迫脊髓。

2) 水肿　水肿是紧随出血的病理变化，一般持续4～7天到达高峰，然后静止并逐渐消退。水肿消退后脊髓功能可以恢复，但不一定全部恢复，这是因为在水肿时，神经组织间常有渗出物的机化或脱鞘改变，对神经传导功能会有影响。

3) 缺血　研究表明，脊髓损伤后几乎都有脊髓血流的明显下降，缺血可能是损伤后微循环障碍的结果。

4) 血管收缩　严格地说是动脉、静脉和毛细血管床的萎陷，发生于血管的直接损伤区，并迅速延伸到继发损伤区，可波及损伤区上下各一个脊髓节段。

(3) 脊髓损伤后的出血坏死

不完全性脊髓损伤，在伤后6～12 h，表现为脊髓灰质中一些点状或灶性出血，以后神经细胞及纤维部分退变，直至数周。病变无进行性发展，而是出血吸收，逐渐恢复脊髓功能。完全性脊髓损伤的病理改变与前者不但只是量的不同，更是质的不同。可以概括为中央灰质出血发展到白质出血，中央坏死发展为整个脊髓节坏死。

27.1.2.3　脊髓损伤的诊断

(1) 临床表现及分类

按脊髓损伤的时间和发展顺序，临床上通常将其分为脊髓休克期和休克后期。

1) 脊髓休克期表现　脊髓休克是指脊髓遭受创伤和病理损害时发生的功能暂时性抑制，表现为运动、感觉、反射和自主神经系统的一系列变化。

(i) 损伤平面以下运动障碍：一般表现为瘫痪，其范围与损伤部位和程度有关。中位颈髓以上平面损伤时表现为四肢瘫痪，低位颈髓以下脊髓损伤表现为双下肢瘫痪。瘫痪多为弛缓性，即肌张力低下或完全无张力。

(ii) 损伤平面以下深浅感觉完全丧失。

(iii) 损伤节段以下腱反射可存在，需进行连续观察。

(iv) 高位脊髓损伤患者血压偏低、心率减慢、体温不升，损伤平面以下寒战、立毛和出汗反应等。

在脊髓震荡及不全性脊髓损伤可无休克期或休克期甚短。一般而言，脊髓损伤平面越高，损伤程度越重，则休克期越长，有时可达8周。脊髓休克后期，反射逐渐恢复，阴茎海绵体反射与肛门反射出现表明脊髓休克期的结束。此时根据临床表现可判断脊髓损伤的严重程度，即脊髓完全性或不完全性损伤。

2) 脊髓休克后期表现

(i) 完全性脊髓损伤：①损伤平面以下完全瘫痪，肢体运动功能完全丧失，瘫痪范围广，肌肉收缩都已丧失；②损伤平面以下深、浅感觉完全丧失，两侧对称，范围大，连肛门周围的感觉也都丧失；③出现总体反射，即损伤平面以下肢体受到刺激，表现为上肢肌肉痉挛，下肢内收，屈髋屈膝，踝跖屈，腹肌痉挛，反射性排尿及阴茎勃起，肢体反射性屈曲后并不伸直，呈单相反射。

(ii) 不完全性脊髓损伤：①运动障碍。依脊髓损伤节段水平和范围不同有很大差别，重者可仅有某些运动，而这些运动不能使肢体出现有效功能，轻者可以步行或完成某些日常工作。运动功能在损伤早期即可开始恢复，其恢复出现越早，预后越好。②不完全性感觉丧失。其范围和部位根据损伤严重程度和部位不同有明显差异，损伤平面以下常有感觉减退、疼痛和感觉过敏等表现。③肢体受到刺激出现屈曲反射后又可伸展回原位，呈双相反射。

(iii) 脊髓不完全损伤综合征

脊髓中央综合征：多见于中老年有获得性或先天性椎管狭窄者，常由颈椎过伸性损伤导致中央灰质和内侧白质出血坏死，亦可由颈椎损伤引起根动脉及脊髓前动脉受阻导致脊髓灰质等缺血。临床表现为上肢重于下肢的四肢瘫痪，也可以是上肢单侧瘫痪双下肢无瘫痪，损伤平面2～3节段支配区上肢表现为下运动神经元性损害，下肢为上运动神经元性损害。手部功能障碍明显，严重者有手内在肌萎缩，恢复困难。可出现损伤平面以下触觉和深感觉障碍，有时会出现括约肌功能丧失。

脊髓半侧损伤综合征(Brown-Sequard syndrome)：常见原因有脊髓一侧受损如穿透伤，偏外侧型椎间盘突出或骨折、脱位等。典型半侧损伤的临床表现为损伤平面以下同侧肢体完全性上运动神经元性瘫痪和触觉、深感觉丧失，表现为痉挛性瘫痪，深反射亢进，并出现病理反射；对侧肢体痛、温觉消失或损伤略高水平节段有感觉过敏。

脊髓前侧损伤综合征：脊髓前动脉支配区脊髓受损所致，脊髓后柱和后角未受损。临床表现为损伤平面以下肢体瘫痪，浅感觉如痛觉、温度觉减退或丧失，深感觉如位置觉、震动觉存在。括约肌功能也有障碍。

脊髓后侧损伤综合征：脊髓后结构和脊神经后根受损所致。主要病因是脊柱过伸性损伤致后结构破坏陷入椎管。临床表现以感觉障碍和神经根刺激症状为主，即损伤平面以下深感觉障碍，躯干及肢体对称性疼痛，也可出现锥体束征。

神经根损伤综合征：由于一侧神经挫伤所致，可仅伤及脊神经前根、后根或同时伴有脊髓前角、后角损伤。常见病因有脊柱侧屈损伤，骨折脱位及椎间盘突出。临床表现为损伤节段1～2个神经根支配区功能障碍，可无感觉障碍，亦可出现麻木、疼痛或感觉过敏，或同时伴有运动障碍。

马尾-圆锥损伤综合征：由马尾神经或脊髓圆锥损伤所致，主要病因是胸腰结合段或其下方脊柱的严重损伤。临床特点：支配区肌肉下运动神经元瘫痪，表现为弛缓性瘫痪；因神经纤维排列紧密，故损伤后其支配区所有感觉丧失；骶部反射部分或全部丧失，膀胱和直肠呈下运动神经元瘫痪，因括约肌张力降低，出现尿、粪失禁。马尾损伤程度轻时可和其他周围神经一样再生，甚至完全恢复，但损伤重或完全断裂则不易自愈。

3）迟发性脊髓损害　脊柱损伤早期无神经症状，经数周或数月后，出现脊髓受压和脊髓损伤表现者为迟发性脊髓损害。常见病因：①椎间盘损伤、突出致脊髓受压；②脊柱不稳、成角、移位致脊髓磨损；③椎体骨折骨块向椎管内移位或骨痂向椎管内生长压迫脊髓；④脊柱损伤后椎管内囊肿形成或发生慢性蛛网膜炎。患者在脊柱损伤当时未发生截瘫或虽曾发生过损伤平面以下截瘫，但随后症状又有所减轻，经数周、数月或数年后逐渐出现脊髓受累症状，表现出相应的运动、感觉、反射和自主神经功能障碍，严重者表现为截瘫。

(2) 体格检查

1）全身情况检查　对重要生命体征如神志、血压、脉搏、呼吸、心率等应进行细致、全面、准确的检查。密切观察中枢神经系统、呼吸系统、心血管系统等的各种变化，注意水、电解质、酸碱平衡和可能的伴发伤、伴发疾病和并发症。有针对性地进行脊柱损伤的相关检查(参见本章前一节)。

2）脊髓功能的检查　检查的目的在于对神经系统的功能状况作出客观评价，对神经系统病变的定位诊断和定性诊断都要明确。检查时应与全身体检有系统地同步进行，避免不必要的重复和遗漏。应按意识情况、精神状态、运动功能、感觉、各种反射、自主神经状况顺序依次检查，并准确记录。

3）临床常用的神经功能评价分级　目前各国有许多不同的分级方法，其中 Frankel 法被多数采用，该法将损伤平面以下感觉和运动存留情况分为 5 个级别，其中 Frankel B～E 级属于不完全损伤。

A 级：完全性截瘫，损伤平面以下运动、感觉和括约肌功能完全丧失。

B 级：损伤平面以下残存部分感觉功能，无自主运动。

C 级：损伤平面以下残存部分运动功能，肌力呈1～3级，即肌肉运动不能完成肢体的运动(称无用运动)。

D 级：存在有用的运动功能，肌力呈 4～5 级。

E 级：运动和感觉基本正常。

(3) 辅助检查

1）影像学检查

(i) 普通 X 线片、脊柱分层摄片及 CT 检查：参见“脊柱骨折”。

(ii) 脊髓造影：判断脊髓是否遭受骨块、突出的椎间盘或血肿等压迫，提示脊髓损伤平面和范围。但对急性颈椎损伤进行脊髓造影有一定危险性。

(iii) MRI 检查：可清晰显示脊椎、椎间盘、黄韧带、椎管内出血及脊髓的改变。脊椎骨折-脱位脊髓损伤行 MRI 检查的意义有三：一可显示压迫脊髓的因素(包括骨性和软组织性)及部位；二可显示椎管狭窄程度；三可显示脊髓损伤改变(图 27-27～27-30)。

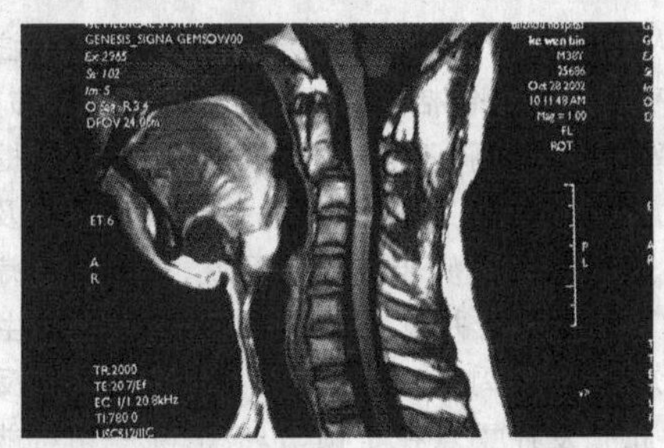

图 27-27 Hangman 骨折，脊髓变性

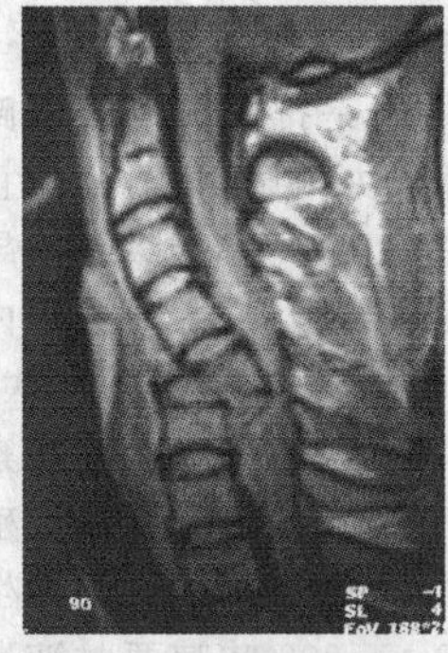

图 27-28 颈椎爆裂性骨折，脊髓损伤

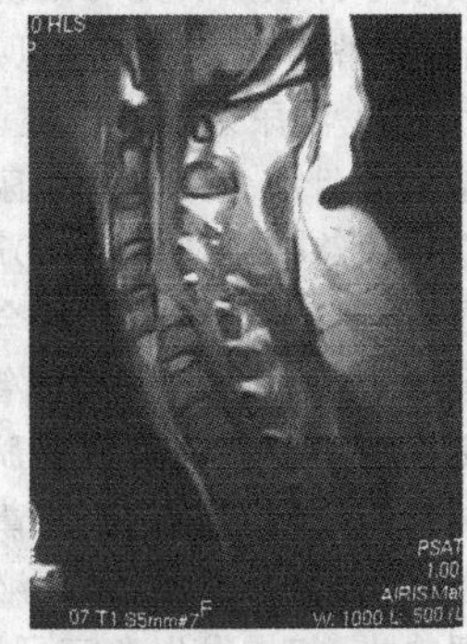

图 27-29 $C_5 \sim C_6$ 骨折脱位，脊髓损伤

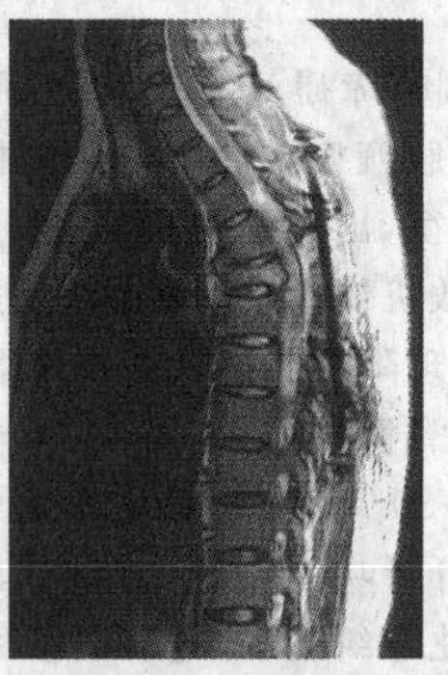

图 27-30 胸椎骨折压迫脊髓，脊髓损伤

2）腰椎穿刺 在确定无颅内高压情况下行腰椎穿刺，若脑脊液内含有血液或脱落的脊髓组织，说明脊髓有实质性损伤，至少蛛网膜下隙有出血。若奎肯试验提示梗阻，则说明脊髓受压。两者都为早期手术提供依据。

3）电生理检查 体感诱发电位(SEP)在脊髓损伤时用以判断脊髓功能和结构的完整性，并对预后的估计起一定的帮助作用。肌电图和神经传导速度检查常用于补充 SEP，很少单独用于估计脊髓损伤的预后。

4）其他检查方法 如选择性脊髓动脉造影和数字减影(DSA)可用于常规检查未发现异常而怀疑有脊髓血管损伤者，对判断脊髓出血、水肿的程度和部位以及预后都有帮助。

27.1.2.4 脊髓损伤的治疗

(1) 闭合性脊髓损伤的主要治疗原则和方法

1）尽早治疗 在脊髓发生完全坏死之前进行有效治疗。

2）正确的现场救护 参见本章第一节。

3）简捷有效的急诊处理 参见本章第一节。

4）脊柱复位、稳定 参见本章第一节。

5）椎管减压 在脊柱复位后通过脊髓造影、CT 扫描或 MRI 检查确定仍有脊髓受压，如碎骨块、椎间盘突入椎管内或异物残留，需行减压取除，以恢复椎管的正常容积。常用的减压方法如下。

(i) 前路减压术：适用于脊髓损伤伴有椎间盘突出或碎骨块突入椎管压迫脊髓前方导致运动功能丧失、感觉功能尚存者，多用于颈髓损伤。前路减压宜早期施行，应尽可能在发现压迫的 3 天内手术，在 5～8 天手术者因脊髓水肿，手术效果不佳，在伤后 2 周若脊髓压迫持续存在，亦可行前路减压。

(ii) 侧前方减压术：适用于胸椎或胸腰椎损伤，从椎管前方压迫脊髓者。术中应避免器械直接进入椎管内操作，以免加重脊髓损伤。

(iii) 后路椎板切除减压术：适用于椎板骨折下陷或脱位前移压迫脊髓后方者；原有颈椎病、椎管狭窄或强直性脊柱炎，脊髓受压症状迅速恶化者；腰椎骨折-脱位或疑有马尾损伤者；有硬膜外出血，需行血肿清除者。

6）脊髓、脊神经的手术治疗

(i) 脊髓切开术：脊髓切开的目的是在脊髓挫伤解剖结构存在时减低其中央压力，减少中央坏死及囊腔形成而造成的从内部对脊髓的压迫和损害。此种技术已极少应用。

(ii) 硬脊膜及软脊膜切开术：目的是解除对脊髓肿胀的约束，减低脊髓内压，改善其血运。临床较少应用。

(iii) 马尾缝合术：对有马尾断裂、断端整齐者可在显微镜下施行缝合，术后其功能可能获得部分恢复。

(iv) 脊髓冷疗：脊髓损伤后局部冷疗可以减少出血及水肿，从而减轻或延缓脊髓损伤病理的进展。

(v) 大网膜脊髓移植、脊髓吻合、神经移植等：目前仍处于试验和临床研究阶段。

7) 药物治疗

(i) 皮质类固醇激素：此类药物是迄今为止应用最为广泛的治疗脊髓损伤的药物。它可以维持细胞膜和溶酶体的稳定性，防止细胞受损、溶酶体释放，保持血管的完整性；防止和减轻脊髓水肿，减少神经组织损害。但伤后超过 8 h 使用以及长时间的使用无效并易于产生一些并发症，如水肿、抵抗力降低、易感染、骨坏死甚至死亡。

根据脊髓损伤的病理，用皮质类固醇治疗的原则为：①早期开始，一般不迟于 8 h；②静脉给药，迅速达到有效浓度；③大剂量使用，甲泼尼龙 30 mg/kg，15 min 内静脉滴入，停用 45 min，从第 2 个小时起，5.4 mg/(kg · h)，共维持23 h。

(ii) 利尿剂：减少水、钠潴留，减轻脊髓水肿，保持脊髓功能。①呋塞米：20 mg 静脉滴注，每日 1～2 次，持续 6～10 天。②20%甘露醇：1～2 g/kg，快速静脉滴注，每 6 h 一次，持续 7～10 天。③30%尿素：1～1.5 mg/kg，快速静脉滴注，每 6 h 一次，可与其他利尿药交替使用。肾衰竭者忌用。④50%葡萄糖：60 mg 静脉推注，每 4～6 h 一次。

8) 高压氧舱治疗　高压氧舱治疗可以增加血氧含量，改善组织供氧，使受伤脊髓的缺氧得以缓和或改善，减轻脊髓的充血和水肿。脊髓损伤后早期 4～6 h开始以 2.5 个标准大气压的高压氧舱治疗，每天 1～2 次，每次 90～120 min。在伤后前 3 天可增加到每日 2～3 次。但必须注意，高压氧舱治疗有氧中毒的可能。

(2) 并发症的防治

脊髓损伤后其功能部分或全部丧失，由于人体感觉、运动和自主神经系统不同程度的损害，将导致各系统并发症的发生，有些并发症可成为脊髓损伤的致死原因。因此，并发症的防治意义重大。

1) 心血管系统并发症　颈髓损伤后常出现心血管功能紊乱，表现为体位性血压变化及脉搏减慢，治疗上应在提高中心静脉压和肺动脉楔压后给予增强心血管收缩力的药物。脊髓损伤患者因缺少运动，可发生深静脉血栓。一旦血栓形成，则应避免剧烈活动以防血栓脱落引起肺栓塞，但可作少量被动运动，治疗上可采用尿激酶、双嘧达莫、阿司匹林或低分子右旋糖酐等药物。

2) 呼吸系统并发症　呼吸困难者治疗主要措施有人工呼吸和机械呼吸，防治呼吸道感染，注意排痰。呼吸道感染包括上呼吸道感染、吸入性肺炎等，可导致肺栓塞和肺不张，主要防治措施包括提高机体抵抗力，定时翻身排痰，鼓励患者做深呼吸及咳痰动作，适当应用祛痰药或雾化吸入、抗感染治疗等。

3) 消化系统并发症　应激性溃疡多发生在脊髓损伤后 2～3 周，表现为无疼痛性出血，可反复发作，对此并发症重点在于预防，应清除一切可能破坏胃黏膜屏障的潜在因素，一旦发生可对症处理，并适当给予抑酸剂。另可出现腹胀、便秘等，可服用缓泻剂，如番泻叶、果导等，以及中药调理等。

4) 泌尿系统并发症　主要是排尿障碍及尿路感染。目前多用留置导尿管解决排尿困难，为防止逆行尿路感染应注意：①严格无菌导尿，定期更换导尿管；②选择粗细、软硬合适的导尿管，一般选用内径为 1.5～2.0 mm 导尿管，每隔 1～2 周更换一次，更换前排尽尿液可使膀胱尿道休息 3～4 h，并观察试行排尿情况；③定期清洗尿道口、会阴及外生殖器，使之保持干燥，无分泌物；④膀胱冲洗，用无菌生理盐水，如果发生炎症可用 1∶5 000 呋喃西林液冲洗，每日 1～2 次；⑤鼓励患者多饮水，增加排尿量，起机械冲洗作用；⑥患者有自行排尿时应及时拔除导尿管。

5) 体温调节障碍　高位脊髓损伤特别是颈椎完全性损伤四肢瘫痪患者，常因各种因素导致机体产热和散热失衡，出现体温异常，多数为高热，少数为低体温，导致机体生理功能紊乱，严重者可致死。高热可采用物理降温、输液、药物降温等治疗。低体温偶可见于颈脊髓损伤，一般在 36～32 ℃之间，当体温降至 32～30 ℃时，可发生心血管、呼吸和内分泌功能紊乱，肝肾功能受损，基础代谢障碍，水电解质平衡紊乱，注意纠正水、电解质紊乱，监测心、肺功能，保持足够供氧，及时处理异常情况。

6) 压疮　压疮是截瘫患者最常见的并发症之一，其发生率可能仅次于排尿障碍，可发生于伤后任何时期，多在骨突起或受压部位如骶部、坐骨粗隆、股骨大粗隆、背部、足跟部等。应重点加强预防，患者卧气垫床或水床，分散受压部位的压力；定时翻身，每 2 h 翻身一次，尤其在长途输送过程中必须遵守这一原则；保持身体干燥、清洁，经常清洗，乙醇(酒精)擦洗可促进血液循环。如已发生压疮，应积极治疗。勤换敷料，红外线照射，加强营养，及时清除坏死组织，中药外敷以促进创面早日愈合。如创面大或深，自行愈合困难时，可创造条件，掌握手术时机进行植皮或皮瓣转移，以消除创面。

7）异位骨化　脊髓损伤后，在损伤平面以下关节周围骨化组织形成，这种骨化不同于软组织钙化，可有骨髓和皮质骨。其发生率约占脊髓损伤患者的5%。骨化组织位于肌肉组织和结缔组织中，发病机制尚不清楚。骨化的发生常给关节功能恢复和重建带来严重影响。早期或骨化较轻者可采用被动活动肢体和关节按摩、理疗或药物治疗等方法，对严重影响功能和压迫静脉的骨化可采取手术治疗，但必须经放射性核素扫描确定骨化已静止方可手术。

8）肢体挛缩　截瘫后，肢体常发生膝关节屈曲和足下垂畸形。除应每天按摩和治疗瘫痪的肢体外，及时用枕头或夹板维持踝关节于功能位。

（贾连顺　史国栋）

27.2 颈椎损伤

27.2.1 概述

颈椎是脊柱活动性最大的关节，位于头颅与躯体之间，周围缺乏坚强的保护，容易受外力的损伤，加之颈椎的体积、强度均较其他椎体小，故损伤可造成严重后果。近年来，随着交通及建筑事业的迅速发展，颈椎损伤的发病率逐年增加。颈椎损伤及其继发性损害导致的一系列后遗症给家庭、社会带来沉重负担。

27.2.1.1 颈椎损伤的原因

(i) 高处坠落：从脚手架或高建筑物上跌下最为常见。无论是足、臀还是背部着地，身体与地面的撞击暴力均将传导于脊柱上，若此时脊柱处于屈曲状态，可致椎体楔形压缩骨折。头部向下时，因头颅着地的部位不同，而引起颈椎不同方向的过度运动，加上传导的暴力，可造成各种类型的损伤。

(ii) 车祸：通常是由于高速行驶，发生撞车或翻车，最易造成颈椎损伤。在撞车时，躯干随车身突然停止运动（减速运动），头颅带着颈椎仍然保持原速度向前运动（相对的加速运动），可造成颈椎屈曲性损伤。若头颅向前碰在车的前壁或其他固定物体上弹回，可造成颈椎过伸性损伤。头颅向前屈曲以后，反弹向后面发生过伸，这种突然而猛烈的交替屈伸活动，引起挥鞭样损伤。

(iii) 重物打击：多见于房屋倒塌或塌方时。重物砸落在头顶等部位，由于姿势不同，可造成不同类型的损伤。由于暴力作用方向和脊柱纵轴之间的夹角大小不同，可产生脊椎的骨折或脱位。

(iv) 直接暴力：最常见的是火器伤，子弹或弹片直接射入，贯穿颈椎或椎管；其次是锐器刺伤，刀、锥或带尖铁器直接刺中颈椎。这种损伤多为开放性损伤。

27.2.1.2 颈椎损伤的机制

颈椎在遭受暴力作用后，可引起颈椎的异常活动，造成颈椎损伤。如纵轴上的传导暴力使脊柱受到纵向的挤压或牵张，横轴上的传导暴力引起脊椎前、后或侧方移位，成角暴力使脊柱发生急剧过度的屈曲、侧屈活动或过度伸展活动，旋转暴力则使脊椎之间发生过度的旋转活动。一般来说，各种暴力可造成如下的损伤。

1）屈曲暴力　是颈椎最常见的损伤暴力，可引起椎体前方压缩、楔形变和附件结构的牵张、断裂。

2）伸展暴力　可引起颈椎椎体前纵韧带及椎间盘前方撕裂，椎体前上角或前下角小片状撕脱骨折，颈椎后结构上下椎弓和关节突相互撞击而骨折。

3）侧屈暴力　暴力作用既能使颈椎高度屈曲，又具有侧方弯曲及旋转作用，发生椎体一侧压缩楔形变，同侧关节突相互撞击而骨折。另一侧受牵引可发生臂丛神经根的牵拉损伤。

4）垂直压缩暴力　椎体可呈爆裂粉碎性骨折、椎板纵形骨折、椎弓根间距增宽。

5）纵向牵张暴力　多为不协调和强烈的肌肉收缩造成，可引起椎间盘撕裂、椎体边缘撕脱骨折、棘突和椎板的撕裂骨折。最常发生在第7颈椎和第1胸椎的棘突造成撕脱性骨折。多见于煤矿和筑路的工人，又称“铲土者骨折”。

6）旋转暴力　可引起上位椎体脱位，或有上位椎体上缘撕脱骨折及小关节突骨折和脱位。

7）剪切暴力　可发生上、下位椎体的前、后脱位，小关节突常有骨折。

27.2.1.3 颈椎损伤的分类

颈椎损伤的分类方法很多，概括起来，不外乎两种：一种是根据损伤的解剖部位分类。如上颈椎损伤、下颈椎损伤。前者包括：①寰枕关节脱位；②寰枢关节脱位；③寰椎爆裂性骨折（Jefferson骨折）；④寰椎前弓撕脱骨折；⑤寰椎后弓骨折；⑥枢椎椎弓根骨折（Hangman骨折）；⑦枢椎椎体骨折；⑧齿状突骨折；⑨寰枢间韧带损伤、寰枢关节半脱位。后者

指 $C_3 \sim C_7$ 的损伤，亦包括颈胸连接（$C_7 \sim T_1$）的损伤。常见类型：①颈椎脱位；②颈椎单纯压缩骨折；③单侧关节突关节脱位或交锁；④双侧关节突脱位或交锁；⑤椎体爆裂性骨折；⑥椎体前下缘撕脱骨折；⑦椎体矢状骨折；⑧椎体水平骨折；⑨椎弓骨折；⑩椎板骨折；⑪关节突骨折（单侧或双侧）；⑫棘突骨折；⑬钩椎关节（钩状突）骨折。这种分类方法直观而明确，最常被临床医师所采用，但这种分类无法看出损伤的暴力机制。

另一种是根据生物力学和损伤机制分类。这种分类可较直观地表明损伤的暴力类型及机制，因为临床所见的脊柱损伤常常并非单一损伤，而是几种暴力联合造成的。这种分类如下。

1）屈曲压缩性骨折　为屈曲暴力加压缩暴力引起，是最常见的损伤。此型系颈椎前中柱承受压力致椎体压缩性骨折呈楔形改变或爆裂性骨折。暴力严重时，中后柱承受张应力，可致棘突分离。

2）屈曲牵张性损伤　为屈曲暴力加牵张引起，多为颈椎后结构损伤，如小关节的脱位，棘突或椎板的撕脱骨折。

3）牵张伸展型损伤　为伸展加牵张暴力引起，如颈椎过伸性损伤、颈椎前纵韧带撕裂、椎间盘急性突出，椎体前缘可有撕脱骨折。

4）侧屈压缩型骨折　为侧屈加压缩暴力引起，表现为椎体不对称性压缩骨折，同侧椎弓骨折，关节突骨折，严重者椎体前后方向有移位。

5）屈曲旋转损伤　表现为单侧或双侧关节突骨折和（或）脱位。

6）垂直压缩　最典型的是颈椎爆裂性骨折，后缘骨折片可进入椎管。轻微者仅有椎体上下软骨板的骨折。

27.2.1.4　颈椎损伤的临床诊断

颈椎骨折和脱位是一种严重损伤。但许多颈椎损伤者来院急诊时并无明显神经损害，因此必须仔细检查，及早明确诊断，及时治疗。此外，由于脊柱损伤常由暴力造成，因此在收集外伤史和检查患者时应首先注意：①有无休克及重要器官损伤；②有无脊髓和神经损伤；③在检查和搬运时，注意保持脊柱平直，不使骨折移位加重。颈椎损伤诊断时应充分考虑的内容如下。

1）外伤史　详尽的损伤机制有助于医师诊断和针对特殊骨折制订治疗方案。任何病例，如有头部或颈部损伤病史，应怀疑颈椎骨折。特别注意在患者意识丧失、酒醉或昏迷时，应排除颈部损伤。

2）物理检查　若有头部损伤证据，如面部或头部裂伤或擦伤，应注意可能有颈椎损伤。注意上下肢体有无自主活动，有无颈部肌肉痉挛。如有颈椎损伤，应注意是否伴有其他危及生命的损伤。当然，在做全身检查时，也要注意保护颈椎。根据检查的情况往往能判断颈椎损伤程度，如棘突的后突表明椎体压缩或脊椎脱位；棘突周围肿胀表明韧带与肌肉断裂或椎板骨折；棘突间距增宽表明椎体严重压缩和棘间韧带撕裂；棘突排列不在一条直线上表明脊椎有旋转或侧方移位。

3）神经检查　Stauffer 强调指出，正确地估计颈椎、颈脊髓损伤非常重要，对完全性脊髓损伤病例，要进一步确定脊髓损伤平面。$C_5 \sim C_7$ 平面损伤而四肢瘫痪者，90%能存活。颈椎的脊髓节段高于相应椎骨一个平面，根据体表感觉的节段分布，即“皮节”——脊髓各节段分配的皮肤感觉区分布，也可以根据截瘫的感觉丧失平面推断出脊髓损伤平面，反之亦然。各肌肉运动支配也有一定规律，也可作为损伤平面参考。外伤性截瘫在临床上可表现为上运动神经元瘫痪或下运动神经元瘫痪。上运动神经系的神经细胞体位于大脑前中央运动区皮质，其神经轴组成锥体束，或称皮质脊髓束，经内囊、大脑脚、脑桥下行，大部分纤维在延髓下端交叉到对侧进入脊髓侧索，其末梢接触脊髓前角细胞。下运动神经系的神经细胞体位于脊髓前角，其神经轴组成脊神经前根，与发自后根节的感觉神经纤维共同组成周围神经。脊柱骨折合并脊髓损伤，常局限在 1～2 个节段，损伤平面以下的脊髓仍然完整。因脊髓损伤平面的神经根直接受损，其所支配的肌肉群表现为下运动神经元瘫痪。若该平面锥体束中断，在此平面以下的运动神经细胞失去了大脑通过锥体束的控制，而表现为上运动神经元瘫痪。

4）影像学检查　Weir 分析了 360 例成人 X 线片，提出颈椎 X 线片估计的标准，指出第 3 颈椎前下界平面的软组织阴影不超过 5 mm。如软组织阴影加深，提示软组织肿胀，则应检查整个颈椎。颈椎损伤的 X 线片应包括标准前后位、侧位和斜位，如果未能显示病理情况，应采用特殊位摄片，包括断层、过屈过伸位摄片。读片时需分析下列内容：①骨折和脱位的类型；②脊椎压缩、移位、成角和旋转畸形及其程度；③脊柱三柱损伤的情况和脊柱的稳定性;④椎管管径的改变。CT 和 MRI 有助于发现标准平片不能显示的骨折、椎管内异物、血肿及椎间盘,指导医师决定是否手术以及选择手术途径和范围。

27.2.1.5 颈椎损伤的早期综合救治

颈椎损伤早期救治的重要性越来越明显。完善有效的早期救治措施,可大大提高颈椎损伤患者的生存率和生活质量,降低医疗费用。颈椎损伤急救的基本程序应包括:①准确临床评价。首先判断颈椎损伤患者的生命体征情况,特别是检查确认患者的气道是否通畅。通常 C_4 以上颈椎损伤,膈肌和肋间肌同时受累,必然导致呼吸功能障碍、呼吸道痰液潴留,又加剧呼吸功能障碍。双重的不利因素引起的呼吸功能衰竭,成为颈椎损伤早期死亡的首要原因。简练而系统的全身检查是判断损伤性质和程度的必要步骤,尤其应检查有无合并危及生命的重要器官损伤。②基础生命支持。休克初期复苏的(airway, breathing and circulation, ABC)程序同样适用于颈椎损伤。对于昏迷、生命体征不稳和枕颈区颈椎损伤,应收入 ICU 监护并进行综合急救。③严格颈椎制动措施。戴硬性颈托临时制动颈椎。临床上,专科治疗采用的颅骨牵引是最有效的颈椎制动,可以防止进一步加重颈椎损伤。有研究表明,早期颅骨牵引有助于改善颈髓损伤的神经功能,尤其是继发性颈髓损伤。④准确的颈椎损伤评价。利用 X 线、CT 及 MRI 检查,确定颈椎和颈髓损伤的影像学特征。应强调,颈椎外伤的患者必须在有骨科医师的参与下做颈椎伸屈动态摄片,否则有加重颈椎损伤的可能。⑤损伤颈髓功能的复苏。颈椎颈髓损伤早期救治的全身治疗是治疗全过程的中心环节。

(1) 全身治疗

全身治疗对减少颈椎损伤早期死亡率非常重要。颈髓损伤后,维持血压稳定对脊髓的血流灌注十分有利。血压维持在 90 mmHg 以上,就能保证脊髓的血供。颈髓损伤早期,因交感神经受到影响而造成低血压和脉搏缓慢,维持足够的循环血容量尤其重要。始终保持呼吸道通畅,保证供氧。维持血液循环,保证收缩压在 90 mmHg 以上,以保证脊髓血供。维持水、电解质平衡,以保证足够营养。高热患者应及时采取降温措施。保持有规律的排便习惯。防止并发症,如呼吸道感染、肺不张、泌尿系感染、压疮等。

(2) 药物治疗

颈髓损伤急性期可选择药物治疗,减轻脊髓水肿和一系列不良反应。目前可选用的药物有:①肾上腺皮质激素。此类药物较多,迄今仍是早期治疗脊髓损伤最广泛应用的药物,它具有稳定溶酶体膜,抑制脂质过氧化作用。大剂量甲泼尼龙 30 mg/kg 于 15 min 内静脉滴注完毕,余下45 min用 500 ml 等渗盐水静脉滴注,然后再以5.4 mg/(kg·h)甲泼尼龙缓慢静脉滴注维持23 h,可明显改善损伤脊髓的功能。但于伤后 8 h 内应用有效,若≥8 h 应慎重使用,同时应加用抑酸药物,防治大剂量应用甲泼尼龙的并发症。②脱水和利尿剂。采用高渗性脱水和利尿剂可以增加尿量,能排除脊髓损伤后组织细胞外液过多的水分。这些药物可选择使用,不必全部应用。呋塞米(速尿)20 mg,肌内注射或静脉注射,每日 1～2 次。200 g/L 甘露醇或 250 g/L 山梨醇,250～500 ml 静脉滴注,根据病情,可每 6 小时一次,反复使用连续数日。人血白蛋白 10～20 g 静脉滴注,可反复长期使用。人血白蛋白不但可明显减轻脊髓水肿,还可补充营养,而且不会引起和加重电解质紊乱等脊髓损伤后常见的并发症,是脊髓损伤首选的脱水剂。③神经节苷脂(GM-1)。它是细胞膜上含糖脂的唾液酸,在中枢神经系统特别丰富,在正常神经元分化发育中起重要作用。

27.2.1.6 颈椎损伤的手术与非手术治疗

关于颈椎损伤的治疗,可根据损伤类型和程度选择手术和非手术治疗。在治疗方法选择上,人们比较强调手术治疗,而对于非手术处理缺乏足够的重视。颈椎损伤后,颈髓功能包括运动、感觉和括约肌功能可存在不同程度障碍。合并颈髓损伤占颈椎损伤的 75%～80%。但是,颈髓损伤患者的死亡往往不是颈髓损伤直接引起,而是颈髓损伤并发症所致。颈椎骨折的治疗不仅有脊柱外科治疗,还必须包括相关学科,特别是急救科、呼吸科等的综合治疗。尤其急性损伤早期,呼吸功能支持十分重要,因忽视而造成围术期呼吸管理失败,往往影响后续治疗。

根据颈椎损伤类型和脊髓受压部位、节段,可选择前路手术、后路手术或前后路联合手术。最佳手术时机为伤后 3 天内。如果丧失了这个最佳时机,应在伤后 7 天手术。因为颈椎损伤后 3～7 天内,是机体应激反应最强烈的阶段,这时手术的并发症和死亡率高,属于颈椎外伤手术的危险期。但也不尽然，只要将呼吸功能、水电解质和心、肾等主要脏器功能调整好，实行早期手术减压和重建颈椎稳定功能，可为脊髓功能的恢复创造有利条件。这种观点已被越来越多的人接受，亦获得较好效果。

颈椎损伤后并发症的预防和早期治疗同样重要，包括呼吸困难、水电解质紊乱、肺部感染、低血压、低蛋白血症等。并发症的发生率与脊髓损伤的严重程度和急救有密切相关性，完全瘫痪者的并发症明显高于不全瘫痪者。目前，颈椎损伤并发症的治疗费用占据了颈椎损伤的 2/3，而且延长了住院时间。并发症的发生使颈椎治疗无法按时实施，甚至使一些患者失去手术时机。因此，对颈椎损伤并发症的防治，外科医师应给予足够重视，必须与相关的学科协同诊治。事实证明，颈椎损伤的治疗是一个医院整体治疗水平和协调能力的体现，不能单纯靠骨科治疗，而要求各学科共同参与、密切合作。颈椎损伤死亡病例中，80% 由于并发症所致，其中 50%死于呼吸功能障碍。颈椎损伤的死亡时期通常有 4 个时间段：第 1 阶段为损伤现场，因多发伤、休克或颈髓损伤立刻致死；第 2 阶段为颈髓损伤后引起呼吸功能障碍，于数小时内死亡；第 3 阶段为早期并发症，一般于伤后 3 天至 3 周死亡；第 4 阶段为颈髓损伤晚期并发症所致死亡。

27.2.1.7 老年颈椎损伤的治疗

随着社会的老龄化，老年人颈椎损伤明显增加，占全部颈椎损伤 10%～15%。老年人的颈椎椎间盘存在不同程度的退变、椎管狭窄以及因此导致的颈椎稳定性功能缺失，在轻度外界暴力作用下，容易发生颈椎损伤。老年人全身情况较差，常伴有心、肺、脑等内科疾患，全身性骨质疏松，骨性愈合功能差，这些给颈椎损伤的治疗带来新的课题。老年颈椎损伤最常见的损伤原因是跌倒致伤（常为平地摔倒和下楼梯摔、跌倒），占老年颈椎外伤原因的 70%～75%。最常见的损伤类型为颈椎过伸伤或中央脊髓损伤综合征。老年人发生上颈椎损伤的概率是年轻人的 2～4 倍，而且容易被漏诊，需要引起注意。对于老年颈椎损伤的治疗争议较大，其主要焦点：①治疗方法和外科干预问题；②内固定应用问题；③骨愈合问题。以往对这类患者，多主张非手术治疗。非手术治疗有其固有的优点：对机体的干扰小、安全，通过颅骨牵引可使一些颈椎骨折-脱位患者得到复位。但是，其缺点也是显而易见的。保守治疗一般需要长时间卧床，可引发多种并发症，如肺部感染、泌尿系感染、压疮、深静脉栓塞形成等。这些并发症往往导致患者病情恶化甚至死亡。老年患者的心肺功能往往有病变，对外固定的耐受力差，患者容易出现呼吸困难、骨折不愈合。研究表明，保守治疗组的骨性愈合率明显低于手术组，手术组脊髓损伤的恢复率高于保守治疗组。但是手术是对患者再次创伤的过程，如伴有心、肺、肝、肾等重要器官疾患，手术的耐受性差，机体的代偿能力差，患者容易出现病情突然恶化。手术的风险很大，需要权衡利弊，决定采取治疗的方案。目前，老年颈椎外伤患者的死亡率为 15%～25%，明显高于同类损伤的年轻患者。由于老年人普遍存在骨质疏松，内固定的稳定程度欠佳，容易造成内固定失败，无法起到即刻稳定作用。因此，对老年患者的手术问题仍是今后研究的重要内容。

27.2.1.8 儿童颈椎损伤的治疗

交通伤和运动伤是造成儿童颈椎损伤的主要原因。在美国，颈椎损伤住院患者中儿童占到 1.5%，其中有 35% 的儿童伴有脊髓损伤。由于儿童处于发育节段，外科治疗遇到很多麻烦。儿童颈椎损伤有两个特点：上颈椎损伤所占的比例高，但死亡率并不高。对于损伤较轻、无神经症状或者经过颅骨牵引后神经症状消失的患儿，给予头颈胸石膏固定即可。传统石膏笨重，容易引起皮肤感染，患儿一般难以接受。最近，高分子材料制成的石膏，具有轻便、可拆洗的优点，患儿容易接受。在随访观察过程中，一旦出现进行性畸形或脊髓损害，则应手术治疗。

近年来，儿童颈椎损伤采取手术治疗的比例有增高的趋势。有文献报道，手术治疗占儿童颈椎损伤的 17%～30%。目前，对于儿童颈椎骨折的手术适应证有较大争议。通常认为下列情况需要手术治疗：伴有椎体骨折的严重伤，后方结构和椎间盘均有损伤的骨折脱位，有脊髓压迫的颈椎骨折。但对儿童颈椎损伤治疗仍有争议：①儿童颈椎手术是否行内固定仍存在较大分歧。多数学者主张不使用内固定，单纯椎间盘摘除或骨折块切除植骨融合术，可能更适合于儿童。术后行头颈胸石膏固定 3 个月，一般能获得满意效果。但是，由于儿童骨盆发育未成熟，无法得到足够的骨量，因而有时需要取患儿双亲的骨块植入。同种异体骨是否会影响患儿的全身情况，以及是否影响植骨融合率，目前尚无明确结论。对于一些年龄较大的儿童（13～14 岁），可以考虑给予内固定，但临床上缺乏理想的儿童内固定物。②植骨融合造成儿童颈椎发育畸形的防治。由于患儿处于生长发育阶段，前路融合导致前柱生长受限，后柱的生长快于前柱，导致颈椎后凸畸形，甚至出现鹅颈畸形。由于人体自然的颈椎生理性前凸，后路的椎板复位和融合似乎是治疗儿童下颈椎损伤的较佳选择。后路骨折-脱位复位后，胸骨缝线椎板间固定，同时植骨融合，术后行石膏固定。

27.2.2　上颈椎损伤

上颈椎损伤系指寰枢椎及其附属结构因创伤而致骨折、韧带撕裂、关节脱位等。该类损伤并不少见。由于其解剖结构上具有一定的特殊性，故与颈椎其他部位的损伤，在损伤机制、临床表现及治疗等方面存在着许多差异。

27.2.2.1　寰椎的骨折

寰推的骨折是 Jefferson 于 1920 年最先描述的，其发生率占上颈椎损伤的 25%，占颈椎损伤的 10%，占脊柱损伤的 2%。

(1) 寰椎骨折的分类

寰椎骨折分类方法较多，但一般均以骨折的部位和移位情况为依据，如 Levine 分型。Ⅰ型：寰椎后弓骨折，系由过伸和纵轴暴力作用于枕骨髁与枢椎棘突之间，并形成相互挤压外力所致，可与枢椎椎体或齿突骨折并发。Ⅱ型：寰椎侧块骨折，骨折线通过寰椎关节面前、后部，有时波及椎动脉孔，由于受力不均而多发生于一侧。Ⅲ型：寰椎前后弓双骨折，即在侧块前、后部均发生骨折，即 Jefferson 骨折，多系单纯垂直暴力所致，这种分型对于明确损伤机制和选择正确的治疗方法非常重要(图 27-31)。

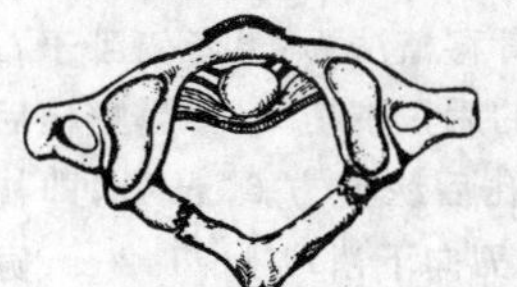

Ⅰ型：寰椎后弓骨折

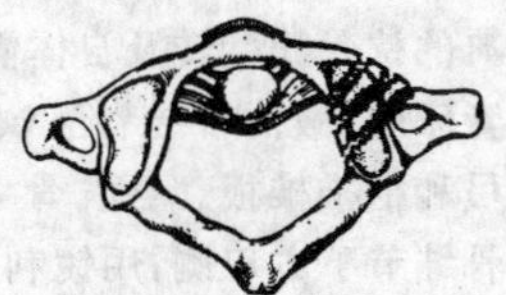

Ⅱ型：寰椎侧块骨折

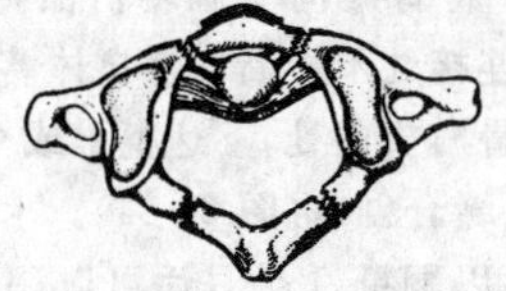

Ⅲ型：Jefferson 骨折

图 27-31　寰椎骨折的分型

(2) 临床表现

寰椎骨折的患者表现为颈部疼痛、僵硬，常以双手托住头部，避免活动。第 2 颈神经(枕大神经)受累时，患者感觉枕部疼痛，颈肌痉挛，颈部活动受限。Jefferson 骨折还可合并有第Ⅸ～Ⅻ对脑神经损伤。有文献报道 Jefferson 骨折后交叉性瘫痪的病例，损伤严重者可立即死亡。患者的症状通常较轻，一般没有四肢麻木、活动障碍等表现，即使有也是暂时的，很快就会好转，这主要是由于该部位如果脊髓损伤严重，患者难以存活。

寰椎骨折患者应行 X 线侧位片及张口位片。前后位张口片可以显示寰椎骨折和解剖关系的变化，并能做出较为准确的诊断。正常情况下寰椎两侧块与齿突间的距离相等而对称，两侧块外缘与枢椎关节突侧块外缘在一直线上，一旦发生变化，尤其寰椎侧块向外滑动移位，就意味着寰椎骨折的存在。诊断的关键在于必须对损伤后的稳定程度作出判断。许多作者认为寰椎骨折的稳定程度主要取决于黄韧带和翼状韧带是否完整，寰齿间距和寰椎侧块向外移位的距离常为重要的诊断依据。正常人的寰齿间距为 3 mm，如损伤后测得的数值大于它，则提示合并齿状突骨折或黄韧带断裂。在开口位片上测得的两侧块移位距离之和达到 7 mm，则提示黄韧带完全断裂，为不稳定骨折。有作者认为某些寰椎骨折黄韧带虽未断裂，但由于骨性结构的破坏寰椎仍存在潜在的脱位的可能性，也应属于不稳定骨折。

如 X 线片判断有困难，CT 扫描常能明确诊断。利用其重建技术，能显示骨折片的分离状况，对确定稳定程度是有益的。MRI 对寰椎骨折本身的判断并没有太多的帮助，但可以对脊髓状况做出判断，并可清楚显示黄韧带情况。儿童 MRI 检查可以发现软骨连接处的周围水肿带，从而显示寰椎骨折的存在。

(3) 治疗

寰椎骨折的治疗目的在于恢复枕寰部的稳定性及其生理功能，解除神经压迫和防止迟发性损伤。多数作者主张非手术治疗，认为不管骨折是否稳定，均能获得满意的疗效。单纯的寰椎后弓骨折仅需头颈胸石膏固定便可愈合。值得注意的是，这种骨折常伴有其他颈椎的损伤，最常见的是向后移位的Ⅱ型齿状突骨折和Ⅰ型创伤性枢椎前滑脱。在这种情况下，治疗应主要针对这些损伤进行。对侧块骨折和 Jefferson 骨折运用轴向牵引使骨折复位并维持4～6周，然后头颈胸石膏固定直至骨折愈合。尽管如此，为获得伤后枕寰部的永久性稳定，仍有作者主张采取手术治疗。通常采用寰枢椎固定术和枕颈融合术，前者更符合生理要求，包括前路或后路的寰枢椎融合术、经关节螺钉固定术等；后者可于损伤早期施行，且可确保枕寰枢椎的稳定，但颈椎的运动功能丧失较多。

寰椎骨折手术目的主要在于恢复寰枢椎节段之间的稳定，矫正颈部畸形，解除神经压迫。手术方法分为单纯植骨外固定和植骨内固定两大类。

非内固定融合手术通过植骨来完成。一般采用自体骨。根据医师的需要，植骨块可以有各种不同形状；植骨块可采用松质骨，做成条状或板状的皮质-松质骨（单侧或双侧皮质）、三面皮质骨（楔形或柱状）等。由于术后需要头颈胸石膏、Halo 支架等较长时间的外固定，临床上使用逐渐减少。

植骨内固定融合手术又可以分为寰枢间融合术和枕颈融合术两类。

1) 寰枢间融合术　包括传统、改良的 Gallie 和 Brooks 手术方法。①寰枢间融合术不能用于新鲜寰椎骨折，必须等待后弓与两侧块牢固的骨性愈合后施行。其方法如下：自枕骨粗隆下 2.0 cm，沿中线通过发际至 C_4 棘突，切开皮肤、皮下，电凝止血。显露枢椎棘突和椎板：沿中线于项韧带基部做潜行切割分离，自 C_2、C_3 棘突一侧切断肌肉止点，用骨膜剥离器从棘突侧方及椎板做骨膜下钝性剥离，干纱布条填充止血，将项韧带推向对侧，同法剥离对侧。自动拉钩牵开固定，C_2、C_3 棘突和椎板即充分显露。显露寰椎后弓：自枢椎椎板两侧方切割肌肉附着部，沿正中线切开枕颈交界部肌肉层和疏松结缔组织，用手指可在枕骨大孔后缘与枢椎椎板间触及寰椎后弓结节，切开枕寰间韧带和纤维组织，用小型锐利剥离器细心加以剥离。切开后弓骨膜并做骨膜下剥离，剥离范围应在后结节两侧不超过 1.5 cm，以避免损伤椎动脉第 3 段（即裸露段）。②植骨融合和钢丝结扎。Gallie 植骨法及改良法：寰椎后弓的剥离，用长柄尖刀自所显露的寰椎后弓上缘，小心切开与枕寰后膜的粘连，将神经剥离子伸入其间隙，紧贴后弓深面做充分剥离。寰椎椎弓完整者，将其下缘用咬骨钳咬除皮质骨，制成骨粗糙面，枢椎上缘包括椎板和棘突同法制备出骨粗糙面（图 27-32）。

将自体髂骨修剪成两块楔形骨块，其高为 8～10 mm，楔形上下面均为松质骨，底面皮质骨。应用优质中号钢丝，用钩状导引器或动脉瘤针将双股钢丝自寰椎后弓的一侧深面自下而上穿越并在后弓的后上方与钢丝尾端套入收紧，同法贯穿另一侧钢丝。将两块楔形骨块嵌入寰枢椎两侧，固定在寰椎后弓的钢丝分别从楔形骨块表面通过，再穿过枢椎棘突，收紧后结扎，并保证寰椎后弓和枢椎椎板间隙 8～10 mm。近年来又有许多作者介绍了多种改良方法，如 Fielding 法，大块骨块嵌入寰枢椎之间，或在寰枢椎后弓和椎板间植骨，再以钢丝固定。所应用的原理与 Gallie 法相同。

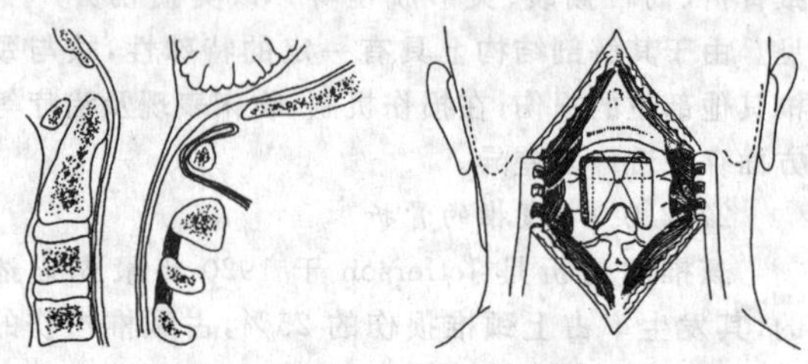

A. 双股钢丝绕过寰椎后弓　　B. 植骨后俯视图

图 27-32　Gallie 植骨法

Brooks 法及改良法：与 Gallie 法不同的是钢丝自寰椎后弓穿出后，再贯穿枢椎椎板下方，植骨时将植骨块松质骨面朝向寰椎后弓和枢椎椎板。骨块下方咬一豁口，恰好与枢椎椎弓基底相嵌收紧，并结扎钢丝。根据 Brooks 法基本原理，采用不同形状的植骨块，钢丝的结扎形式也不同（图 27-33）。

由于钢丝自身的缺点，现在逐渐被钛缆所代替。此外，还有侧块螺钉、Apofix 等寰枢椎后结构植骨融合技术。

2) 枕颈融合术　枕颈融合术方法多种多样，经典的枕骨瓣翻转及自体髂骨移植法为：患者俯卧于石膏床内，做枕后结节至 C_4 的后正中切口，暴露寰椎后弓和枢椎椎板。自枕骨大孔后缘上方 6 cm 处，即枕骨结节下方双侧，用锐利骨刀向下凿取 1～1.2 cm 宽的两枚骨瓣，其深度限于枕骨外板，向下至枕骨大孔后上方 2 cm。将骨瓣向下翻转折曲，盖住寰枢椎椎板，保持骨瓣连接处不折断。将自体髂骨片移植到骨瓣浅面，上至骨瓣折曲处，下达枢椎或 C_3 的椎板和棘突表面。逐层缝合创口（图 27-34）。术后维持石膏床内的体位并可以翻身，1 个月后可以用头颈胸石膏固定。随着现在内固定技术的普及，CCD、Cervifix 等使融合的成功率得到了很大的提高。

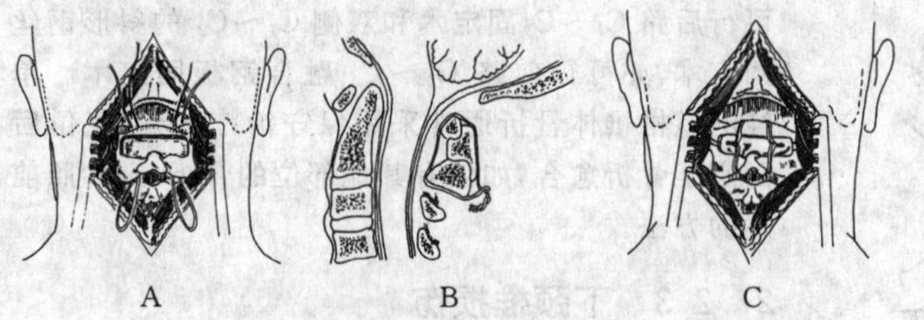

图 27-33 Brooks 植骨法

A. 自寰枢椎后弓穿过钢丝后，将自体髂骨块中央部下方修剪一豁口，对准枢椎棘突基底部 B. 收紧钢丝，植骨块被固定于寰枢椎间 C. 固定后矢状面观

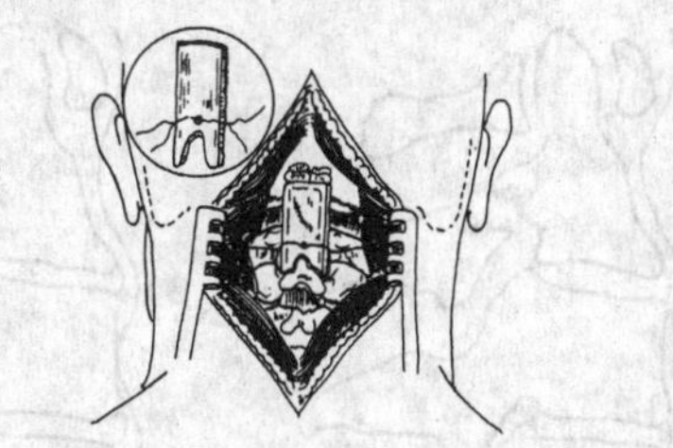

图 27-34 枕骨瓣翻转，条状骨块植骨

27.2.2.2 寰枢椎旋转半脱位

寰枢椎的旋转半脱位多发生在儿童，成人很少发生。发生在成人的损伤通常有比较明确的外伤史。临床表现为头颈僵直、旋转受限，影像学上表现为齿状突与寰椎侧块相对应关系的变化。在开口位片上可见到两侧的寰枢椎关节不对称，即所谓的"wink sign"，这在断层片上显示得更为清晰。另外，CT 检查也能看到旋转移位，诊断的关键在于确定旋转移位的方向。Fielding 将本症分为 4 型：Ⅰ型为不伴有枢椎前脱位的旋转半脱位(移位距离<3 mm)，表示寰椎横韧带无损伤，寰枢椎旋转运动范围正常；Ⅱ型为旋转半脱位移位在 3～5 mm，可能合并横韧带损伤，一侧的侧块有移位，而对侧的侧块无变化，寰枢运动范围超出正常；Ⅲ型为严重移位，寰椎向前移位>5 mm；Ⅳ型为寰椎后移位，可能只一侧侧块有移位，临床少见。

对寰枢椎旋转半脱位的治疗，在急性期如患者清醒可采取手法整复以达到复位，一般用 Halo 环控制旋转并牵引，对咽部后方进行局部麻醉，整复过程中可听到复位的弹响，复位的情况可通过经口对寰椎前弓进行触诊来判断，复位后可用 Halo 石膏进行固定。对整复失败的和陈旧性脱位的患者，则需采取手术治疗，一般采用后路寰枢椎融合术。

27.2.2.3 枢椎的骨折

枢椎的形态复杂，其骨折可分为齿状突骨折、椎弓骨折和椎体骨折。齿状突骨折根据 Anderson-D'Alonzo 分类共分为 3 型：Ⅰ型为齿状突尖部斜形骨折；Ⅱ型为齿状突和枢椎椎体结合部骨折；Ⅲ型为经枢椎椎体的骨折(图 27-35)。Hadley 等发现有 5%的Ⅱ型骨折在齿状突基底前后伴有小骨折片，并常伴有与齿状突相关的韧带损伤，比典型的Ⅱ型骨折更不稳定，故将此类骨折命名为$Ⅱ_B$型骨折。

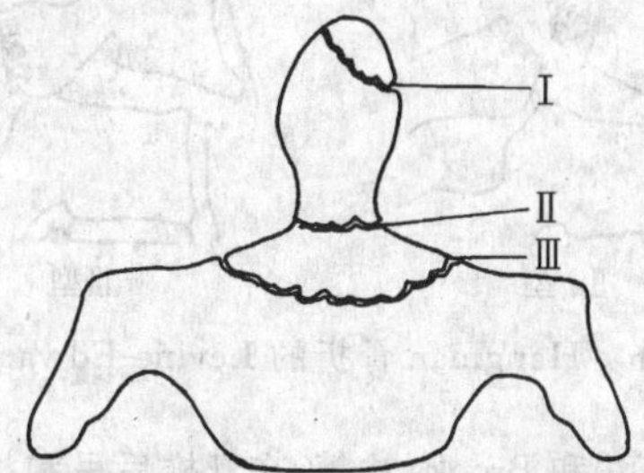

图 27-35 齿状突骨折的 Anderson-D'Alonzo 分类

枢椎椎弓骨折即通常所说的 Hangman Fracture，也被称为创伤性枢椎滑脱，Levine 和 Edwards 将此类骨折分为 3 型：Ⅰ型包括所有的无移位骨折和无成角且移位<3 mm 的骨折；Ⅱ型为双侧关节突骨折合并>3 mm 的向前移位且成角，$Ⅱ_A$型是它的亚型，为轻度移位但有严重的成角；Ⅲ型骨折有严重的成角和移位，椎弓断裂伴随单或双侧小关节脱位(图 27-36)。

枢椎椎体骨折分为 3 型：Ⅰ型指冠状面的骨折；Ⅱ型为矢状面的骨折；Ⅲ型是水平面的骨折，此型与齿状突骨折的Ⅲ型相同。

清晰的颈椎侧位片和开口位片可以判断齿状突骨折和椎弓骨折的位置及移位情况，如能得到这两个位置的断层片则更为理想，这些影像学资料还有助于判明寰椎后弓的完整性，以备行寰枢椎固定术。CT 检查和 MRI 检查对椎体骨折的诊断是必须的，它们能清晰地显示骨折移位的方向和程度、椎管的变化及脊髓的损伤情况，对治疗有指导意义。

一般认为，对齿状突的Ⅰ型和没有移位的Ⅲ型骨折可采用非手术治疗，包括 Halo 支架、Minerva 石膏等，而Ⅱ型及不稳定的Ⅲ型骨折保守治疗则有较高的不愈合率。故许多作者认为应采取手术治疗。过去常采用后路寰枢椎固定术，最具代表性的

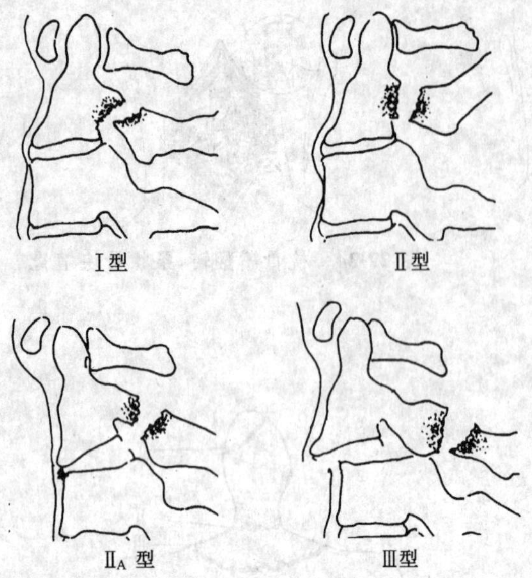

图 27-36 Hangman 骨折的 Levine-Edwards 分类

有 Gallie 法和 Brooks 法等，在寰椎后弓和枢椎棘突之间进行植骨、钢丝固定，术后辅以石膏外固定，均可获得良好的治疗效果。其后出现的 Magerl 经关节螺丝钉寰枢椎固定术，利用两枚经关节突关节向前的螺丝钉和寰椎后弓达到确实的 3 点固定，可视为一种良好的融合技术。自 20 世纪 80 年代初 Nakanishi 等开始经前路用加压螺丝钉内固定治疗齿状突骨折，该方法具有创伤小，固定效果确实，术后仅需短期颈领保护，不需要植骨且术后不影响枕颈部活动等优点。但该术式技术操作复杂，对齿状突的斜形骨折和伴有黄韧带断裂的骨折，不能使寰枢椎间获得理想的稳定性，因此在临床上还不能完全替代后路寰枢椎融合术。

枢椎椎弓骨折的治疗通常采用非手术治疗。Ⅰ型骨折中韧带和椎间盘组织无严重损伤，为稳定性骨折，一般用石膏围领固定 12 周可获愈合。Ⅱ型骨折程度较轻的（移位 3～6 mm）用 Halo 牵引矫正成角，然后用 Halo 石膏固定可获愈合；程度较重的（移位＞6 mm），需持续牵引 4～5 周以矫正成角和移位并达到初步骨性愈合，再用 Halo 石膏固定 6 周方可愈合。值得注意的是，$Ⅱ_A$ 型骨折虽然发生率很低，但由于创伤机制的不同，牵引会加大成角，故此型骨折应用 Halo 石膏固定，在透视下给予温和的轴向压力以减小成角，复位后固定 12 周可以愈合。Ⅲ型骨折常伴有神经损伤，通常需要手术固定治疗，可行后路 C_1～C_3 固定术和双侧 C_1～C_2 的斜形钢丝固定术，亦可行前路 C_2～C_3 融合钢板固定术。单纯的枢椎椎体骨折通常采用保守治疗，牵引复位后固定至骨折愈合，如伴有其他部位的骨折，则参照前述的方法。

27.2.3 下颈椎损伤

下颈椎损伤是指发生于 C_3～C_7 节段的损伤，是颈椎损伤的好发部位，其中约 80％的颈椎骨折发生于 C_4～C_6 节段。急性外伤性颈椎间盘突出好发于 C_3～C_4。下颈椎损伤以骨折脱位比较多见，其中 70％合并有脊髓和（或）脊神经根受压或刺激症状。通过对颈椎的解剖结构研究表明，颈椎小关节突呈水平状态，活动度较大，稳定性差，遭受暴力作用时，缺少相应的保护机制。因此一旦遭受损伤，易引起椎管的变位及狭窄，以致造成椎管内脊髓的损伤或神经管内神经根的受压。

27.2.3.1 下颈椎骨折

下颈椎骨折以 C_4～C_6 多见。根据暴力作用的大小和头颈在受伤时的姿态，可分为单纯椎体楔形压缩性骨折和垂直压缩性骨折。前者系过屈暴力伴垂直压缩外力的同时作用，导致受力节段的椎体相互挤压引起椎体楔形骨折。后者是一种严重的损伤，主要由于高处重物坠落打击或人体从高处坠下时头顶部撞击地面所致。自从 CT 技术应用以来，对横断面病理变化的认识有了进一步提高。利用 CT 三维图像重建，可以更直观地了解椎体骨折与椎管的关系，从而有助于临床诊断及治疗方案的确定。MRI 的应用，不但可以识别损伤节段椎体骨质对后方的压迫情况，而且可以根据脊髓信号的变化，判断颈脊髓是否受损以及受损的程度。

（1）颈椎椎体单纯压缩骨折

1）损伤的机制和病理　颈椎椎体的骨折，纵向压缩力是主要原因。当外力作用时，上下颈椎的终板相互挤压。当同时受到过屈暴力时，受压缩力大的椎体前部皮质变扁，随之受累椎体的前缘松质骨也同时压缩变窄，垂直高度将减少，造成单纯椎体楔形压缩骨折。除椎体受压骨折外，后结构的小关节也可能发生骨折。由于脊椎后结构承受张应力，后韧带复合结构也常发生撕裂，从而致脊柱前后柱同时遭到破坏。如果压缩骨折的椎体仅限于椎体前部，则椎管形态不会发生改变，脊髓也极少受到损伤；若合并椎间盘损伤并向椎管方向突出，则可导致脊髓受压。

椎体压缩骨折较多见。当椎体前缘压缩超过垂直径1/2时，该节段出现大约18°成角畸形；压缩2/3时，成角达25°左右；如椎体前缘完全压缩，则成角可达40°。因此，被压缩椎体数量越多，程度越重，则角度越大，并可出现下列后果。①椎管矢状径减少：其减少程度与畸形角度大小成正比，并易引起对椎管内组织的压迫。CT扫描可以帮助判断矢状径减少程度。②椎管延长：由于成角畸形，其后方椎间小关节囊因呈展开状而使椎管后壁拉长，使得脊髓组织也同时拉长，脊髓组织内血管处于紧张状态。过度的牵拉使血管和神经组织均遭受损伤，而脊髓后方更易遭受牵拉性损伤。当脊髓牵拉长度＞20%时，损伤的发生率增高。

2）临床表现

病史：外伤史是了解病情的重要依据。颈椎的损伤方式往往与受伤时颈椎的位置和暴力作用方向密切相关。屈曲纵向暴力可导致颈椎楔形压缩骨折；颈椎处于侧屈位时，遭受纵向暴力可造成侧方或侧前方楔形压缩骨折。

局部症状：主要表现为颈部疼痛，颈部运动受限或运动功能丧失。椎体楔形压缩骨折以局部症状为主。患者有时头颈部呈前倾僵直状态，即屈颈强迫体位，抬头困难。根据损伤的严重程度，可表现为广泛压痛或局限性压痛，以损伤椎节的棘突和棘间压痛最明显。自气管食管后方轻压椎体可发现受伤的椎体也有压痛。椎体压缩骨折程度轻者，仅有局部症状。少数压缩程度较严重者，可出现相应节段的神经根刺激症状，如疼痛、痛觉过敏、麻木及肌力下降等。

3）影像学检查

侧位X线片：显示损伤的椎体前部压缩，整个椎体呈楔形改变，有时有小关节骨折。有时可以合并椎体前方软组织阴影增厚。若合并后结构的损害，如棘间韧带及项韧带的损伤，可见棘突间距增大。由于保护性肌痉挛，可有生理弧度的改变。

MRI检查：严重的屈曲暴力可造成脊髓的损伤。在MRI图像上，除可见骨折外，尚可见早期脊髓信号的改变，损伤平面脊髓水肿。

4）治疗　轻度压缩骨折，可直接用头颈胸石膏或石膏颈领固定。椎体压缩程度重，有明显楔形改变者应采用枕颌带牵引，颈椎略呈伸展位，为20°～30°。牵引可减轻椎体前方压力，形成张应力，使受损的椎体得以复位，并可使后结构复位愈合。

压缩骨折的复位比较困难，这一点与腰椎椎体的压缩骨折不同。后结构的修复是治疗的关键，对于恢复颈椎的稳定性有重要意义。牵引3周后，改为头颈胸石膏固定2～3个月。即使楔形的椎体没有恢复，只要后结构能够坚强愈合，颈椎的运动功能也不会受影响。

如果合并有脊髓损伤，应当进一步检查以确定致压原因，根据情况进行减压和稳定手术。常用的方法是前路减压，椎间植骨融合术。明显后结构损伤者，可行后路椎板切除减压侧块螺钉固定。

(2) 颈椎椎体垂直压缩(爆裂)骨折

颈椎的爆裂性骨折是较强暴力所致的一种严重损伤。由于暴力较大，椎体结构严重破坏，骨折碎片向各个方向移位。借助于CT及三维CT图像重建，可进一步了解该类损伤的病理特点，从横断面及立体的影像资料上判断伤情并确定手术方案。

1）损伤机制　椎体爆裂性骨折的常见原因是高处重物坠落打击至头顶或伤者从高处跌落头顶撞击地面。火器伤也可以造成爆裂性骨折，但往往死亡率较高。

颈椎在中立位时，强大的垂直暴力自头顶部传递到枕寰部和下颈椎，可首先造成寰椎的爆裂性骨折，暴力进一步通过枢椎的侧块达C_2～C_3椎间盘，可造成枢椎的骨折或寰枢复合骨折。暴力也可以继续向下传导，通过椎间盘达椎体，导致下颈椎椎体的爆裂性骨折。椎体的骨折除与暴力大小有关以外，还与损伤瞬间、受累椎体应力集中有关。骨折片自椎体中央向四周分离移位。正常情况下，前、后纵韧带有阻止骨折片移位的作用，当暴力作用超过韧带的极限张力时，椎体周围韧带结构严重破坏，骨碎片向前后方移位，向椎管方向移位的骨碎片则构成对脊髓的压迫和损伤。有时骨折片挤进椎间孔，并引起脊髓和神经根的损伤。除碎骨片外，创伤造成的椎间盘后突也可能造成脊髓的压迫。由于椎体的碎裂和塌陷，椎体的正常高度丧失，相应的后结构如椎弓、椎板和棘突也可因猛烈撞击而骨折。

由于颈椎骨折使得维持颈椎稳定性的三柱皆遭破坏，脊柱处于不稳状态，颈脊髓的损伤也可于运送途中发生或加重。

2）临床表现

局部：颈部疼痛、广泛压痛，以损伤的椎节的棘突和棘间压痛最明显。椎体前方也可有压痛。颈部运动功能丧失，轻度活动可引起剧痛，颈肌痉挛。

脊髓损伤症状：根据损伤的严重程度，可表现为完全性损伤和不完全性损伤。前者损伤平面以下感觉、运动和括约肌功能障碍。不完全性损伤包括典型的 Brown-Sequard 综合征、脊髓前侧综合征、脊髓后侧综合征及脊髓中央综合征。脊髓中央综合征可因颈椎损伤时引起根动脉及脊髓前动脉受阻导致脊髓灰质前柱、侧柱和后柱等缺血所致。

除脊髓外，还可表现为神经根的损伤，出现肩、手部麻木，疼痛或感觉过敏。

3）影像学表现　X线片的特征性表现是诊断的重要依据。一般正位片显示受累椎体变形，高度降低。侧位片显示损伤椎节前间隙软组织阴影增宽。颈椎生理弧度消失。骨折片向前突出超过颈椎前缘弧线，向后突入椎管。以损伤椎节为中心，可出现成角、脱位等改变。

CT 横断层面扫描，可以清楚显示椎体爆裂的形态和分离移位的特点，尤其能显示骨折片在椎管内的大小、位置及其与脊髓之间的关系。

MRI 可以早期观察脊髓受压的情况，可动态观察脊髓组织的创伤反应变化。

4）治疗

急救：颈椎爆裂性骨折可发生于平时和战时。建筑施工单位发生率较高。损伤现场救护人员搬动时要注意保护头颈部，以免加重原有损伤；运送途中，颈椎应用沙袋或头颈支架加以固定。目前国外利用充气式支架和可调式颈颌托具，可减少运送途中的意外。

非手术治疗：经急救和对合并伤的处理后，应施行颅骨牵引，纠正成角畸形，力图恢复颈椎的正常排列，牵引重量不宜过大，以防加重损伤或损伤脊髓。但是，牵引无法使突入椎管的骨折片复位。若前、后纵韧带均已破坏，更应注意。

手术治疗：从病理角度来看，椎体爆裂性骨折是一种不稳定性骨折，且三柱均遭损伤。解除脊髓压迫，重建稳定性是治疗的关键。脊髓压迫多来自椎管前方骨性组织和椎间盘组织，故应采用颈前路减压。术中应显露受损椎体的前部，将粉碎的椎体骨折片，特别是突入椎管内的骨碎片逐一清除。骨折椎体上下方的椎间盘，包括软骨板在内也需彻底清除。减压完成后，选取略大于减压范围的移植骨块植入，其目的是提供一定的支撑作用，促进椎体间融合。

手术治疗分早期和晚期。损伤早期施行急诊手术，必须有充分的术前准备和具备必要的手术条件。术前应处理好合并伤，纠正血容量的不足，纠正水、电解质紊乱，保持呼吸道通畅。术中出血多，则应注意补充。在减压时，先清除游离碎骨片，再逐渐扩大减压范围。晚期处理时，损伤节段已有一定程度的融合，可先处理上下椎间隙，然后咬除之间的骨质。

自 Cloward 于 1958 年首次开展前路减压融合术以来，减压的方式和植骨融合材料不断得到改进。首先使用的是自体骨骼，包括单面皮质骨、双面皮质骨和三面皮质骨。以后也有人采用腓骨移植，因其有更好的生物力学强度。然而自体取骨来源有限，增加手术创伤和手术出血，且易造成供区并发症，如皮神经的损伤、深部血肿、切口感染、切口疼痛、隐性瘢痕形成等。有许多作者建议采用异体骨，包括新鲜异体骨，深低温冷冻骨，冷冻干燥骨等。有研究表明不同的消毒方式将影响异体骨的融合率。目前较常采用辐照灭菌和环氧乙烷消毒。然而，使用异体骨有传播疾病的危险。各种处理方法尽管在一定程度上消除了异体骨的抗原性，也使其力学强度和成骨诱导活性也降低。因此，羟基磷灰石等替代物品被应用于颈前路融合术，其优点是无传播疾病的危险，有良好的生物相容性，也不会发生供区并发症。但多孔羟基磷灰石弹性模量差，易碎裂。近年来，有作者采用钛网作为植骨的载体，将术中切除的碎骨块重新填塞于钛网中。经临床观察，钛网具有组织相容性好，稳定性高，融合率与传统的髂骨块相似等优点。但是对于老年骨质疏松的患者，钛网可能会出现下沉，另外对于两个椎体的骨折行减压后也尽量避免应用钛网，因其在交界处的应力过高。经验表明，自体骨仍是融合效果最好的移植材料。随着脊柱内固定器械的发展，各种钢板应用于减压和植骨后的固定，这样既可以保障植骨块的稳定，避免发生植骨块移位所引起的并发症，又可以使患者早期活动，避免了长期卧床引起的并发症。

术后采用颈托维持 3 个月直至骨折愈合。

5）预后　颈椎爆裂性骨折的预后，主要取决于暴力大小和脊髓损伤程度。完全性脊髓伤预后差，但仍有手术指征。手术可使截瘫平面下降1～2个节段，有利于上肢功能的恢复，提高生活质量。

27.2.3.2 下颈椎脱位

颈椎活动度大，椎体相对较小，后方小关节与水平面的夹角远小于胸椎和腰椎。这些解剖特点注定颈椎在遭受暴力作用时，易发生脱位。根据暴力作用的方向、大小的不同以及在遭受暴力时颈椎本身所处状态的不同，可发生各种形式的颈椎脱位。常见的颈椎脱位包括：双侧关节突关节脱位、单侧关节突关节脱位、颈椎前半脱位、颈椎后脱位及颈椎骨折脱位。

(1) 颈椎半脱位

颈椎半脱位多发生于成人，小儿少见。它是颈椎的一种不稳定性损伤。由于颈椎半脱位比较隐匿，容易漏诊或误诊。

1) 损伤机制　当颈椎遭受屈曲暴力，或处于屈曲位的颈椎受到纵向压缩力时，受作用椎体的前方压应力增加，而颈椎的后部结构受到张应力的作用。椎体的前屈运动过程中，相邻椎体的瞬时旋转中心位于椎间盘中心偏后位置，此时椎体前部为支点，张应力侧为关节囊、棘间韧带、黄韧带等。弯曲力和压缩力的持续作用可产生两种情况：若压缩暴力较大，有可能导致椎体前方塌陷，有时也可使颈椎间盘后突出；若暴力不致导致椎体骨折，张应力侧的关节囊、韧带可撕裂，严重者后纵韧带也同时受损。外力持续作用导致上位颈椎的两个关节向前滑动并分离移位。后方小关节突的这种向前滑动与椎间盘的病理基础有关。若椎间盘在受力过程中功能良好，则瞬时旋转中心不变，后方小关节所受的外力主要是牵张力，只有当关节囊撕裂时才有可能脱位。当椎间盘退变，高度降低，椎间盘周围纤维环及韧带松弛，椎间节段存有潜在不稳因素，暴力过程中，椎体间发生移位或瞬时旋转中心后移或下移，颈椎的弯曲运动在后方小关节突之间产生巨大剪切力而相互滑动，导致韧带的撕裂和小关节囊的撕裂，后纵韧带的损伤也是椎间盘功能受损的原因之一。外力中止后，颈部肌肉的收缩作用可使已半脱位的关节又回复原位。但也有因关节囊的嵌顿或小骨折片的阻碍而保持半脱位状态。

2) 病理基础　对损伤机制的分析表明任何创伤性颈椎半脱位均存在颈椎间盘功能的下降，都有颈椎不稳。其次，后结构的软组织，即后韧带复合组织广泛撕裂、出血及血肿，这是所有屈曲性损伤共有的病理变化。关节囊撕裂致小关节松动和不稳，还可能合并纤维环破裂和后纵韧带撕裂和分离。近1/3～1/2的撕裂韧带不愈合，如损伤后没有足够的制动使得这些软组织损伤得以修复，可能使不稳状态得以保持，造成迟发性颈椎不稳症。尤其是中老年患者，伤前椎间盘韧带结构已有退变，在损伤外力较小时，忽略治疗，后期颈椎不稳发生率较高。

3) 临床表现　颈椎前半脱位的症状比较轻，主要表现在局部，如颈部易劳累，局部疼痛、酸胀、乏力；头颈伸屈和旋转功能受限；颈部肌肉痉挛，头颈呈前倾，自身感觉僵硬；损伤；节段的棘突和棘突间隙肿胀并具有压痛，椎前侧也可有触痛。

神经系症状较为少见，即使发生也多不严重，有时表现为神经根受刺激的症状和体征。但颈椎半脱位的真正意义还在于其容易造成日后不稳，椎间盘的退变加剧。若椎体间的这种不稳持续存在，根据Wolf定律，椎间盘上下方椎体必然通过骨质增生、增加椎体间接触面来增加稳定性。骨质的增生可造成椎管矢状径变短，严重时压迫脊髓，使脊髓慢性损伤，其临床表现与颈椎病相似。

4) X线表现　急性期侧位X线片可能无异常征象。如果小关节仍维持在半脱位状态时，侧位片可显示关节的排列异常。侧位X线片的典型征象为：脱位的椎体向前移位的距离为椎体前后直径的1/3，至多不超过1/2。在脱位的椎体平面上，丧失了关节突关节的相互关系。有时可以应用伸、屈位动力性摄片以显示损伤节段的不稳定(图27-37)。

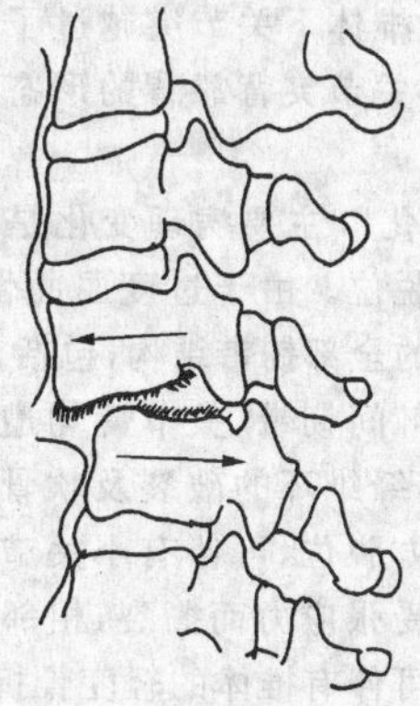

图27-37　单侧关节突关节脱位

5）治疗

牵引治疗：牵引通常可以复位，但不必使用颅骨牵引，枕颌带牵引就足以复位。牵引时，取头颅正中位，重量 2～3 kg。拍片证实复位后，持续牵引 3 周。由于复位后存在严重不稳倾向，极易再发脱位，因此，复位后应以头颈胸石膏固定，为期 2～3 个月。拆石膏后再以颈部支架维持一段时期。手法复位并不足取，若必须做，则需谨慎操作，防止加重损伤。

手术治疗：急性期不主张手术。如在后期仍然存在损伤节段的不稳定或伴有迟发性脊髓或神经根压迫症者，应手术治疗。取颈前路椎间盘摘除、减压及植骨融合术。若有脊髓压迫，应施行扩大减压和植骨固定术。

（2）双侧关节突关节脱位

颈椎双侧关节突关节脱位是典型的屈曲性损伤，可以发生在 C_2～T_1 之间的任何节段，但以 C_4 以下节段最多见。

1）损伤机制　多见于高处跌落，头颈部撞击地面，或重物直接袭击，致枕颈部受到屈曲性暴力作用。挥鞭样损伤也可造成脱位。在乘坐高速行驶的车辆骤然刹车时，头颈部因惯性作用则猛烈屈曲。当头颈部遭受屈曲暴力时，颈椎活动的支点位于椎间盘中央偏后部。由于颈椎的小关节突关节面平坦，且与水平面呈 45°角，骤然屈曲的外力，引起上位颈椎的下关节突前移并将关节囊撕裂，而后向后上方翘起。随着外力的继续作用和头颅重量的惯性作用，已移位的下关节突继续向前滑动，整个上位椎体也随之前移。作用力消失后，因颈部肌肉收缩作用，可形成 3 种状态：一是随之复位，日后可有颈椎不稳症或伤后呈半脱位状态；二是颈椎脱位部呈弹性固定，上下关节突关节相互依托，形成顶对顶的“栖息”状态；三是上位椎体下关节突越过了下位椎体的下关节突，形成小关节突背靠背的形态，即所谓的“交锁”状态。

2）病理变化　主要病理变化是损伤节段的两侧小关节突的脱位。由于过度屈曲性外伤，在损伤节段运动单位的全部韧带结构，包括前纵韧带、后纵韧带、黄韧带、棘间韧带、关节囊均遭撕裂。椎间盘也不例外，可有纤维环的破裂及软骨板的损伤。上位椎体向前下方脱位，可伴有小关节突骨折。项韧带等后方结构受张应力而撕裂，相邻节段棘突间距增宽。有时也可伴有椎体的轻度骨折。

由于椎体的相互移位，椎管形态遭受严重破坏，椎管在相应平面截面缩小，脊髓受到上位椎节的椎板及下位椎体后方的对压作用而损伤，严重时可造成脊髓的横断性损伤。

3）临床表现

外伤史：应了解有无促使颈椎极度前屈的暴力；如头部朝下的坠落伤；乘车时急刹车；橄榄球运动员头颈部撞击伤。此外，应注意了解受伤瞬间头颈部有无旋转。

局部表现：颈部呈强迫体位，由于小关节交锁，头颈被迫前屈位，并弹性固定。头颈部剧痛，主要由于脱位状态时，关节周围软组织所受的拉应力和张应力大增，使疼痛加剧。由于疼痛及受伤节段的力学异常，颈部肌肉明显痉挛；头部不能被动活动；颈部压痛广泛。

神经脊髓损伤症状：表现为相应节段的症状，如四肢瘫、下肢瘫或不完全性瘫痪，有神经根损伤者，表现为该神经根分布区域皮肤过敏，疼痛或感觉减退。

4）影像学检查

X 线检查：X 线特征性表现是诊断的关键。侧位 X 线片典型征象为：脱位的椎体向前移位的距离为椎体前后径的 2/5，上位颈椎的下关节突位于下位颈椎上关节突的顶部或前方，两棘突间距离增大（图 27-38）。前后位片可见钩椎关节关系紊乱，小关节相互关系显示不清，斜位片显示神经孔变形。断层摄影更有利于诊断。

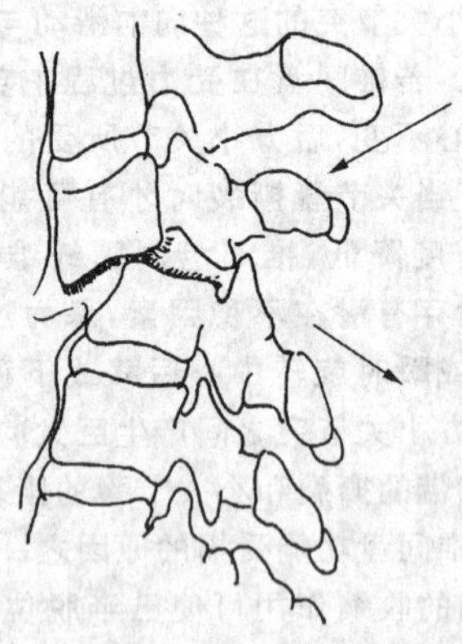

图 27-38　双侧关节突关节脱位，椎体移位达 1/2

MRI 检查：可发现椎管变形，脊髓受不同程度的压迫；若有损伤和水肿，也可由信号的改变表现出来。

5) 治疗

(i) 急救:应保持呼吸道通畅。如出现呼吸功能障碍,应立即行气管切开或人工呼吸机保持呼吸通畅,维持呼吸并合理给氧。

(ii) 牵引复位:应尽可能利用颅骨牵引,按脱位机制,先在略微前屈状态下持续牵引,并通过床边透视和摄片来确定小关节交锁是否已经解除。一旦发现脱位已纠正,应立即将牵引改为仰伸位,以 1.5～2 kg的重量持续牵引 3～4 周,再用头颈胸石膏固定 3 个月。牵引的目的在于复位,复位阶段必须注意以下几个方面。

牵引方向:一开始切忌仰伸,应从略向前屈或中立位开始;否则易引起或加剧脊髓损伤。

牵引方式:不宜选用枕颌带牵引,更不可徒手牵引,应选择颅骨牵引更安全有效。

牵引重量:牵引重量也从 3～4 kg 起,逐渐加大牵引重量,每过 30 min 床旁拍摄一次颈椎侧位片,观察复位情况。原则上每半小时增加 0.5 kg,总重量不易超过 15 kg。在复位过程中应密切注意血压、脉搏的变化。

牵引时间:牵引复位,不可操之过急。牵引时间一般为 5～8 h,太快易造成医源性损伤。

(iii) 手术复位:绝大多数颈椎双侧小关节突脱位可经牵引复位得以纠正。以下情况是手术复位的指征:少数伤后 1 周以上者,经 5～8 h 牵引复位仍无法纠正;在牵引过程中,脊髓损伤症状逐渐加重者;陈旧性骨折脱位伴有不全截瘫者。

手术方法分后路和前路两种。

后路手术应在颅骨牵引下进行。采用气管内插管麻醉。俯卧位,头部置于头架上略呈屈曲位。取后正中切口暴露棘突、椎板及脱位的关节突。在直接暴露下将其复位,如有困难,将脱位的关节突的上关节突作部分切除,用钝骨膜剥离器伸入下关节突的下方间隙,在牵引下缓慢撬拨使之复位。如果关节突关节交锁影响复位者,可将其障碍部分切除以利复位。如合并椎板和关节骨折并陷入椎管内,则必须将其切除减压。合并有脊髓损伤,可在复位后施行损伤节段椎板切除减压。复位后,将颈椎伸展并用侧块螺钉固定。

前路复位、减压和融合术也需在颅骨牵引下进行。取仰卧位,经胸锁乳突肌内侧缘和颈内脏间隙进入,暴露损伤节段。准确定位后,将损伤的椎间盘切除。在持续颅骨牵引下,用骨膜剥离器伸入椎间隙,以下位椎体作为杠杆支点,逐渐加大撬拨力量,用手指推压脱位的椎体使它复位。复位后,如有骨折片突入椎管,则应用刮匙细心刮出。取自体髂骨植入减压部间隙固定融合。为保证稳定性,可加用前路钛合金接骨板。前路复位存在一定的盲目性,操作经验对复位十分重要。条件允许,应在电视透视监测下进行。

术后应静脉滴注地塞米松及脱水剂以处理由于手术操作对脊髓的影响,枕旁置沙垫以免颈部过度活动。拆线后可改用头颈胸石膏固定 3 个月,拍片复查证实已有骨愈合后去除石膏固定。

除伴有脊髓伤外,一般预后良好。若合并有小关节创伤性关节炎,可行关节间融合术。

27.2.3.3 颈椎过伸性损伤

颈椎过伸性损伤是颈椎过度伸展性暴力造成的颈脊髓损伤,通常有较轻微或隐匿的骨损伤,X 线多无异常征象,故易被疏漏,影响治疗。这种损伤并不少见。据报道,该损伤占全颈椎各类损伤的 29%～50%,并常常合并中央脊髓损伤综合征,多见于中老年人。

(1) 损伤机制

颈椎过伸性损伤大多见于高速行驶的车辆急刹车及撞车时。此时,由于惯性的作用,面、颌、额部等遭受来自正前方的撞击(多为挡风玻璃或前方座椅的靠背),而使头颈向后过度仰伸。此外,来自前方的其他暴力,如仰颈位自高处跌下,以及颈部被向上后方暴力牵拉等均可产生同样后果。这种暴力视其着力点不同,除可造成颈椎后脱位、Hangman 骨折及齿突骨折伴寰枢后脱位等各种损伤外,有时可以伴有颈椎椎体前的撕脱性骨折或颈椎前部结构损伤、出血、水肿,表现为颈椎前间隙增宽。本骨折最为严重的后果是对脊髓的损害。在正常颈椎仰伸时,椎管内脊髓及硬膜囊前部被拉长,而后部呈折叠样(手风琴式)被压缩变短;但若损伤时颈椎前纵韧带断裂、椎间隙分离,则可使脊髓反被拉长。此时的硬膜囊具有一定的制约作用,可以有一定程度的保护作用。在此情况下,如该伤者颈椎椎管较狭窄,则易使脊髓嵌夹于突然前凸、内陷的黄韧带与前方的骨性管壁之中;尤其是在椎管前方有髓核后突或骨赘的情况下,易引起脊髓中央管处的损伤,致该处周围充血、水肿或出血。如中央管周围受损程度较轻,则大部分病理过程有可能完全逆转痊愈;但如果脊髓实质损伤范围较大,伤情较重,一般难以完全恢复，而易残留后遗症。

(2) 临床表现

1) 颈部症状 除颈后部疼痛外，因前纵韧带受累，可同时伴有颈前部的疼痛。颈部活动明显受限，尤以仰伸为著(切勿重复检查)。颈部周围多伴有明显的压痛。

2) 脊髓受损症状 因病理改变位于中央管周围，越靠近中央管处病变越严重，因此锥体束深部最先受累。临床上表现为上肢瘫痪症状重于下肢，手部功能障碍重于肩肘部。感觉功能受累主要表现为温觉与痛觉消失，而位置觉及深感觉存在，此种现象称为感觉分离。严重者可伴有大便失禁及尿潴留等。

3) X线平片 外伤后早期X线侧位片对临床诊断意义最大，应争取获取一张清晰的平片。典型病例在X线片上主要显示:①椎前阴影增宽，损伤平面较高时(少见)主要表现为咽后软组织阴影增宽(正常<4 mm)；而损伤平面在C_4、C_5椎节以下时，则喉室后软组织阴影明显增宽(正常不超过13 mm)。②椎间隙增宽，受损椎节椎间隙前缘的高度多显示较其他椎节为宽，且上一椎节椎体的前下缘可有小骨片撕下(占15%～20%)。③其他，大多数病例显示椎管矢状径狭窄，约半数病例可伴有椎体后缘骨赘形成。④部分患者表现受损椎体前缘纤维环附着处撕脱性骨折。

4) CT扫描 对骨骼损伤及髓核脱出具有良好的分辨率，对判断亦有重要作用，CT扫描可以排除隐匿骨折或罕见的椎板骨折征。急性期不宜选用脊髓造影。

5) MRI 对椎间盘突出、软组织损伤及脊髓受累程度，主要是脊髓损伤程度有重要诊断意义。

(3) 诊断

临床对此损伤误诊和漏诊的不少见。主要是不熟悉这种损伤，缺乏对颈椎过伸性损伤基本病理变化和X线表现的认识，尤其对症状轻微者或老年人更易误诊。临床上应该注意以下几点:①详尽病史的采集，常能提供损伤机制；颅脑伤患者，也应设法了解损伤时的姿势和暴力。②颅及面部损伤都应摄颈椎X线片，对任何有怀疑的患者，把颈椎摄片列为常规，以避免因其他部位损伤掩盖了颈椎损伤。③侧位X线片上必须清晰显示上下颈椎结构，上颈椎损伤而神经症状表现低位时，必须注意观察低位颈椎有无变化，伸屈侧位X线片有一定价值。④典型的脊髓损伤中央综合征，常能提示颈椎过伸性损伤，而其他类型脊髓损伤，必须结合其他各项检测再做出判断。⑤考虑其他机制引起的颈椎脊髓伤。例如，椎体垂直压缩性骨折等也可能造成脊髓中央综合征。

(4) 治疗

颈椎过度伸展性损伤的机制和病理变化提示该损伤并不存在因外伤所致的持续椎管的骨性狭窄，或需要复位的明显骨折脱位。

1) 非手术治疗 一经确诊，即常规应用Glisson带牵引，其重量为1.5～2.5 kg。牵引位置宜取颈椎略屈15°，持续牵引2～3周，然后采用头颈胸石膏或塑料颈围以保护1～2个月。在牵引期间，应用呋塞米(速尿)和地塞米松静脉点滴，脱水并提高机体应激能力。牵引目的是使颈椎损伤节段得到制动，略屈曲位能使颈椎椎前结构(韧带等)愈合，后结构如折皱的黄韧带舒展并恢复常态。

2) 手术治疗 如患者本身有颈椎退变增生、颈椎后纵韧带骨化等，此时颈椎过伸性损伤同时诱发其他的颈椎疾病，非手术治疗常收效甚微。因此，应该选择采用手术减压椎管，为脊髓功能恢复创造良好的条件。适应证:①脊髓损伤后非手术治疗无明显效果并确定有准确损伤节段；②影像学检查X线、CT或MRI检查有明显的骨损伤并对脊髓有压迫者；③临床症状持续存在，在保守治疗过程中有加重趋势；④合并颈椎病变和后纵韧带骨化，因外伤而诱发者，待病情稳定后手术治疗。颈椎减压手术根据脊髓致压物的部位和范围，选择适宜的入路和减压方法。以前方为主的压迫，如单个或少数节段宜施行前路减压，减压部位给予植骨、融合，同时进行内固定，重建颈椎椎间隙高度和颈椎稳定性。脊髓压迫以后方为主的或广泛的后纵韧带骨化者，应选择后路减压，采用椎板切除或椎管成形术，同时给予后路颈椎内固定。

(侯铁胜 栗景峰)

27.3 胸腰椎损伤

27.3.1 概述

脊柱骨折十分常见，占全身骨折的5%～6%，其中胸腰段脊柱骨折最常见。通过对该节段脊柱损伤的研究，有助于增进对整个胸腰椎脊柱损伤的认识，该阶段脊柱损伤的治疗也最具代表性，因此本节重点讨论胸腰段脊柱损伤的处理。

胸腰段脊柱($T_{10}\sim L_2$)处于两个生理弧度的交汇处，从上胸椎至中段腰椎，经过胸腰段脊柱的转接，屈伸活动度明显增大而轴向旋转度明显减小，椎体活动逐渐失去肋骨的限制，椎间盘的大小及形状也存在很大的改变，这种活动方式的改变以及解剖结构的特殊性，使胸腰段脊柱处于应力集中之处，因此该处骨折十分常见，约有 50％的椎体骨折及 40％的脊髓损伤发生于 $T_{11}\sim L_2$ 节段。

27.3.2 胸腰段脊柱解剖特点

胸椎与肋骨相连，因而其活动度相对较小；而腰椎则有较好的活动性，活动范围大，且可做屈伸、侧屈和旋转运动。胸腰段脊柱是较固定的胸椎向较活动的腰椎的转换点，是胸椎后凸向腰椎前凸的转换点，同时也是胸椎额状位小关节突关节面向腰椎矢状位小关节突关节面的转换之处。此交界处脊柱活动较多，承载较大，同时又为腰大肌和脊柱旁肌保护作用减弱区域，因而胸腰段脊柱最常受伤。此外，胸腰段脊柱椎管内神经组织又是脊髓、圆锥、马尾和神经根移行区域，神经损伤后症状较为复杂。此段椎管与脊髓的有效代偿间隙相对狭窄，胸腰段损伤后容易造成脊髓神经压迫，导致脊髓损伤。

27.3.3 胸腰段脊柱生物力学研究

脊柱力学稳定性依赖骨与软组织结构的完整性，其中骨性结构包括椎体骨皮质、松质骨、椎弓、小关节、椎板和棘突，软组织结构包括前纵韧带、后纵韧带、椎间盘纤维环和髓核、小关节囊、棘间韧带和棘上韧带及脊柱肌肉系统。1983 年，Denis 提出了脊柱三柱分类概念，认为胸腰段脊椎可分成前、中、后三柱(图 27-39)。1984 年，Ferguson 进一步完善了 Denis 的三柱概念，认为后柱包括棘上韧带、棘间韧带、黄韧带、关节突和关节囊；中柱包括后 1/3 的椎体、椎间盘和后纵韧带；前柱包括椎体和椎间盘的前 2/3 和前纵韧带(图 27-40)。在矢状面，椎体前方存在三角形低密度区，若载荷作用于此三角可产生典型的压缩骨折，而同样大小的载荷作用于中柱时并不产生骨折。

Haher 等对三柱在维持脊柱稳定性方面的作用进行了评价。研究表明，轴向载荷下，前柱和中柱分别承担了脊柱载荷总量的 22％。但在屈曲和伸直时，两者分别增加至 46％和 30％。脊柱屈曲时，前柱和中柱共承担脊柱载荷总量的 68％；而伸直时，后柱和中柱共承担 63％。因而作者认为屈曲载荷

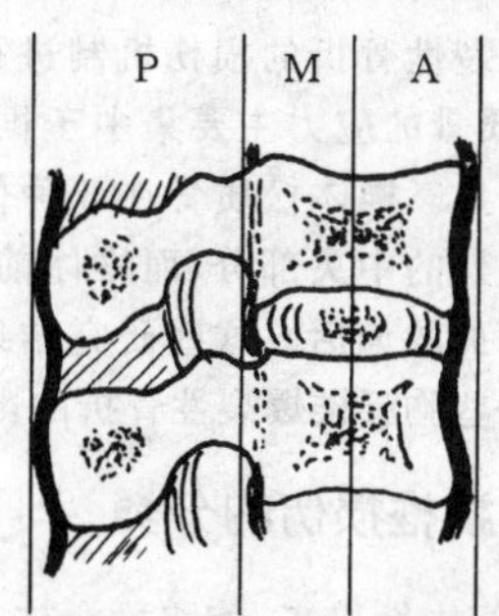

图 27-39 Denis 的三柱概念

前柱(A)：前纵韧带、椎体和椎间盘前 1/2
中柱(M)：椎体和椎间盘后 1/2、后纵韧带
后柱(P)：椎弓、黄韧带、棘间韧带、椎间小关节和棘上韧带

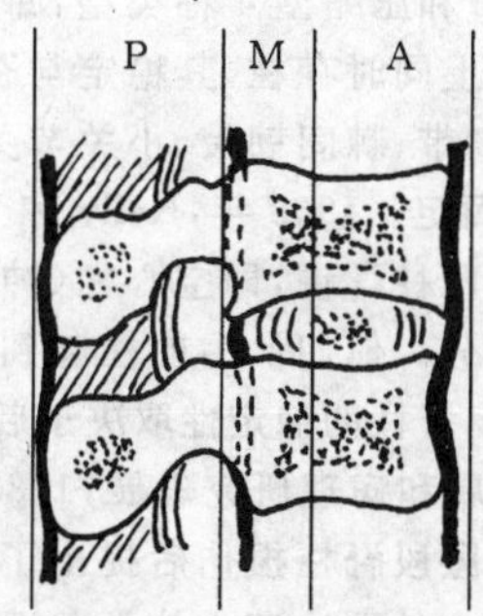

图 27-40 Ferguson 的三柱概念

前柱(A)：前纵韧带、椎体和椎间盘前 2/3
中柱(M)：椎体和椎间盘后 1/3、后纵韧带
后柱(P)：椎弓、黄韧带、棘间韧带、椎间小关节和棘上韧带

产生的胸腰椎前中双柱骨折对脊柱的稳定性破坏最大。同时作者也发现椎间盘纤维环远离脊椎瞬时旋转中心，其抗旋转的作用远大于小关节或与其他结构共同作用。因而伴有前柱或纤维环软组织撕裂的损伤可产生明显的不稳定，即便小关节稳定也不能改变。Haher 等通过椎体有限元分析研究表明：冲击载荷产生终板中心明显变形，下方小关节移位明显；而静态载荷作用时，变形发生在椎体周围，椎体后方发生明显的应力集中。

Hongo 等生物力学研究也表明脊柱加载下椎弓根处承受最高的张力和压应力。此外，作者还发现椎体处的剪应力明显高于椎板，椎体上缘的张力高于椎体下缘。因而，作者认为椎弓根是胸腰椎爆裂性骨折的起始部位。Dai 用脊柱活动节段的三维有限元模

型对胸腰椎爆裂性骨折的损伤机制进行研究。结果表明,椎体皮质骨的应力主要集中于椎弓根周围,后伸位时尤为明显。椎体松质骨在3种体位时应力集中于临近终板处的中央部分,而椎体前、后方的应力集中部位为中央的偏后。这些研究结果从生物力学角度解释了一些胸腰椎爆裂性骨折的影像学表现。

27.3.4 胸腰椎损伤的分类

自20世纪中期以来,胸腰段脊柱损伤先后出现多种分类方法。早在1949年,Nicoll研究了166例英国煤矿工人的胸腰段脊柱骨折后,将骨折分为稳定性骨折和不稳定性骨折两种类型。1963年,Holdsworth提出了脊柱的两柱理论,即以椎体后缘为界将脊柱分为两柱,并将胸腰段脊柱骨折分为屈曲、屈曲旋转、伸直和压缩型4种类型,每型可以独立,也可以两种以上同时存在,其稳定与否视后方韧带复合体(棘上韧带、棘间韧带、小关节关节囊和黄韧带)的完整性而定。1968年,Kelly和Whitesides也提出了他们的两柱学说,即空心柱(神经管)和实心柱(椎体)两部分。他们认为前柱起到承载功能,而后柱抵抗张力,脊柱的稳定性取决于后柱的完整性。随着CT的发展和病理研究进展,1983年,Denis研究了412例胸腰段脊柱损伤后提出了三柱理论,并指出脊柱的稳定性取决于中柱的状况,而非决定于后方韧带复合结构。作者同时将胸腰段脊柱损伤分为屈曲、爆裂、屈曲分离和骨折脱位4个类型。1984年,Ferguson和Allen则进一步完善了Denis的三柱概念,提出了胸腰段脊柱损伤的力学分类,有助于指导各种治疗的选择。

尽管国内外有许多学者提出了胸腰段脊柱损伤的分类方法,但至今尚无统一的标准。目前较为常用的是Denis分类和Magerl(AO/ASIF)两种分类方法。

(1) Denis分类

基于平片和CT分析研究所得的Denis分类方法被大多数人接受。它简便易懂,有助于指导胸腰段脊柱损伤的治疗。三柱模型有助于理解损伤的机制和评价脊柱稳定性,但缺点是不能反映椎管受累的情况(图27-41)。

McAfee的分类方法与Denis相似,但它将爆裂性骨折进一步分为稳定和不稳定两类,因而共有6个骨折类型:楔形压缩骨折、稳定爆裂性骨折、不稳定爆裂性骨折、屈曲分离损伤、伸直骨折和椎体脱位或剪切损伤。McAfee认为进行性神经功能损伤、进行性后凸畸形>20°、椎体高度丢失>50%以及椎管内游离骨块的存在提示了脊柱的不稳定。他同时指出中柱的破坏最能提示脊柱的不稳定。

(2) Magerl(AO/ASIF)分类

基于对1 445例胸腰段脊柱骨折患者的分析,Magerl等提出了较为详细全面的分类方法。这是一种涵盖解剖和生物力学的分类系统,但过于复杂。该分类系统后来进行了修订(Gertzbein 1994)(表27-1)。

表27-1 AO/ASIF胸腰段脊柱损伤修订分类

类型	组
压缩	1. 冲击(楔形) 2. 劈裂(冠状) 3. 爆裂(完全爆裂)
分离	1. 经后方软组织(半脱位) 2. 经后方椎弓(Chance骨折) 3. 经前方椎间盘(伸展型脊柱损伤)
多方向移位	1. 前后方(脱位) 2. 侧方(侧方剪切) 3. 旋转(旋转爆裂)

27.3.5 诊断

胸腰段脊柱损伤的患者一般都有明确的外伤史,如从高处落下、重物砸于肩背部、塌方砸伤或被掩埋于泥土砂石中,以及精神异常者坠楼等。查体可以发现患者有伤区疼痛、腰背部肌肉痉挛、不能起立、翻身困难等症状。伴有腹膜后血肿者,由于自主神经的刺激引起肠蠕动减慢,常出现腹胀、腹痛、便秘等症状。

感觉运动功能的障碍往往提示脊髓或神经根的损伤。有时,尽管患者看起来完全瘫痪,但只要伤后至就诊期间有过肛周或肢体的感觉及任何肢体活动,脊髓损伤就有可能是不完全的。

胸腰段脊柱损伤通常合并跟骨骨折、踝关节骨折、肩部骨折或脊柱其他部位跳跃式损伤。复合伤患者可能合并颅脑损伤、胸腔内和腹腔内的脏器损伤及休克等。对于复合伤患者,首先应抢救生命,在病情平稳后查清脊柱和肢体伤情。在检查脊柱时,应沿脊柱中线用手指自上而下逐个按压棘突,可发现伤区的局部肿胀和压痛,胸腰椎损伤者常可触及后凸成角畸形。脊柱损伤患者均应进行系统的神

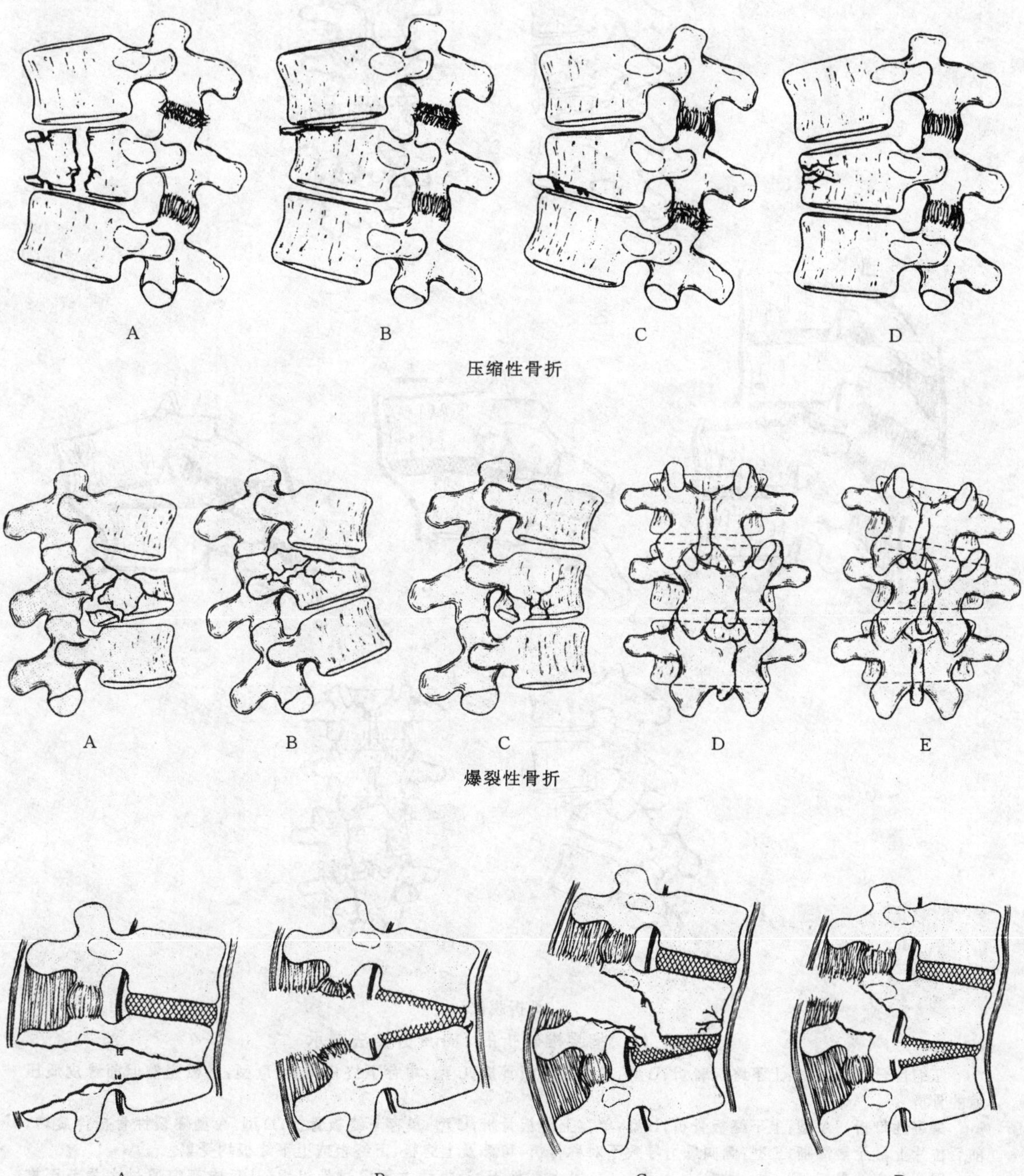

压缩性骨折

爆裂性骨折

屈曲分离性骨折

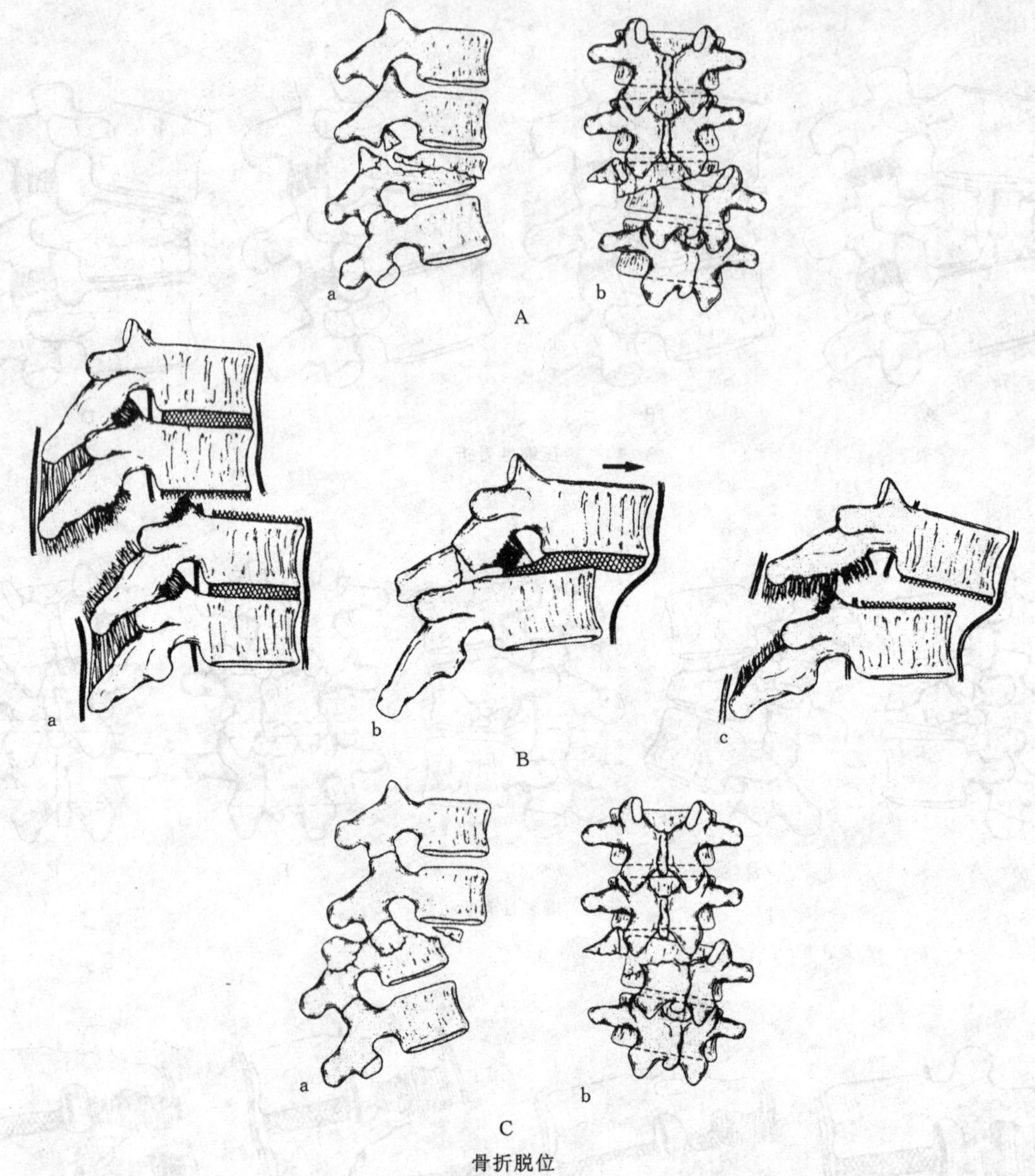

骨折脱位

图 27-41 胸腰椎骨折的 Denis 分类法图示

压缩性骨折。A 型：上下终板骨折；B 型：单存上终板骨折；C 型：单存下终板骨折；D 型：终板完整但前缘皮质压缩的骨折

爆裂性骨折。A 型：上下终板骨折；B 型：单存上终板骨折；C 型：单存下终板骨折；D 型：A 型爆裂性骨折伴旋转，前后位片上显示最清晰；E 型：侧向暴力导致不对称骨折，可涉及上终板、下终板或上下终板均受累

屈曲分离性骨折(Chance 骨折)。A 型：一节段水平骨折，骨折线主要穿过骨组织(从后方棘突通过小关节至椎体)；B 型：一节段水平骨折，骨折线主要穿过软组织(从后方棘间韧带通过关节囊至椎间盘)；C 型：两节段水平骨折，中柱损伤骨折线通过椎体；D 型：两节段水平骨折，中柱损伤骨折线通过椎间盘

骨折脱位。A 型：屈曲旋转型损伤，三柱均受累，往往只有前纵韧带是唯一完整的结构，可以导致前方椎体的压缩及上关节突骨折导致旋转移位。B 型：前后剪切应力型损伤，导致椎体向前或向后方滑脱，伴有小关节突的骨折。C 型：双侧小关节脱位，屈曲分离型损伤使三柱同时受累，损伤可以累及前柱的椎间盘或前方椎体

经检查，检查应包括运动功能、感觉功能、反射功能、括约肌功能以及自主神经功能的检查。脊髓损伤患者常因脊柱的损伤部位、损伤程度及伤因不同出现不同的体征。脊髓和马尾神经损伤其主要症状是损伤平面以下的感觉、运动和膀胱、肛门括约肌功能出现障碍，其程度随脊髓损伤的程度和损伤平面而异，可以是不完全性、完全性，也可以是单纯马尾神经损伤。但对于昏迷或酒醉的患者，很难评价感觉和运动功能。观察对于有害刺激的反应、任何反射、直肠张力和胸廓呼吸运动有助于昏迷患者的神经损伤评价。

X线检查所见对确定脊柱损伤部位、类型和骨折脱位情况，以及在指导治疗方面有极为重要价值。CT检查比普通X线检查具有优越性，它是检查脊柱损伤的理想方法。CT可测量椎管横截面和中矢状径，很容易测定并能标明其椎管的狭窄程度。除此之外，CT还能显示骨折的特征，常见的有：①椎体上半部压缩骨折；②椎体下半部压缩骨折；③椎间盘损伤；④骨折块突入椎管；⑤椎板骨折。MRI检查则对于评价脊髓损伤程度、致压物来源、周围韧带损伤等情况具有重要价值。

27.3.6 治疗

有记录的胸腰段脊柱损伤治疗可以追溯到公元前1 550年的古埃及时期。早先的治疗均为保守治疗，以卧床休息为主。Hippocrates对伴或不伴神经功能障碍的脊柱损伤进行了区分。瘫痪的脊柱骨折患者预后差，死亡率高。非瘫痪的一般采用牵引、手法复位和仰卧位休息。在复位中，Hippocrates和Oribasius设计了特殊的复位床，利用机械原理复位脊柱骨折。20世纪前后，Malgaigne和Bohler倡导通过纵向牵引、过伸复位、石膏背心固定和后续肌肉训练治疗胸腰段脊柱骨折。20世纪60年代以前，手术处理骨折椎体一直难以实现，因而在很长一段时期内，保守治疗是胸腰段脊柱骨折治疗的金标准。

早在公元7世纪Paul就建议对于瘫痪患者可采用椎板切除和压迫骨块的去除，但当时这种手术方法是否得以实施并不清楚。随着影像学技术、麻醉技术、重症监护技术和植入物材料的发展，外科技术得到进一步的发展。1953年Holdsworth提出，对所有不稳定骨折应采取早期切开复位，棘突钢板内固定，及早恢复其正常生理结构，减轻脊髓和马尾神经损伤或脊柱畸形，以利于护理和预防各种并发症。1970年以后，胸腰段脊柱骨折中手术治疗逐步占据了主要地位。

27.3.6.1 治疗目的

胸腰段脊柱骨折治疗的目的是脊髓神经根的减压，骨折脱位的复位，恢复脊柱正常解剖形态，维持脊柱的稳定性，为损伤脊髓的功能恢复创造条件，减少并发症。

27.3.6.2 现场急救

车祸伤、高处坠落伤、枪伤等常常会导致胸腰段脊柱损伤。因而对于多发伤患者皆应排除脊柱骨折。对于高度怀疑胸腰段脊柱损伤患者首先应行初步检查，观察生命体征，进一步减少损伤。危重患者必要时应行心肺复苏，优先处理颅脑损伤、血气胸和肝脾破裂等危及生命的创伤。大约有50%的胸腰段脊柱损伤的患者合并其他脏器组织的损伤，其中肺部损伤占20%，腹部脏器破裂则为10%左右。运输脊柱损伤患者时应将其置于硬板床，颈椎给予相应固定，在脊柱摄片前保护好脊柱。在搬运运送的过程中不宜随意转动或搬动，应尽可能在采用支具或临时固定器固定后搬动。搬动患者时动作要轻、稳和准，并协调一致，脊柱不可扭曲或转动，要平抬平放，至少需要3个人，采用无弹性担架。运输途中注意观察生命体征。

27.3.6.3 保守治疗

尽管外科技术逐渐在胸腰段脊柱骨折的治疗中占据主导地位，但现今保守治疗仍是一种可靠和有效的治疗选择。Howard等认为保守治疗的指征包括：①稳定性骨折如压缩性骨折、骨性屈曲分离损伤或不伴有明显后凸或椎管占位的稳定性爆裂骨折；②不伴有神经功能障碍的骨折；③难以外科处理的多节段非连续性骨折。Hitchon等提出的保守治疗的适应证为神经功能完好、后凸畸形＜20°，椎管残余间隙＞50%和椎体压缩＜50%。Rechtine认为多节段非连续性脊柱损伤是保守治疗的指征之一，但脊柱韧带损伤的患者不适合保守治疗。Spivak等认为保守治疗适合于没有进行性畸形和神经功能受损的稳定性脊柱损伤和某些单纯骨性损伤的不稳定脊柱损伤患者。

保守治疗以卧床休息、镇痛为主，辅以腰背肌锻炼，6～8周后即可起床活动。对于稳定性的屈曲压缩性骨折可采用一次性过伸复位，方法有悬吊过伸牵引和垫枕复位法等。对于无神经功能障碍的不稳定性骨折患者采用体位复位，用支架或石膏背心固定。保守治疗决非简单地将患者置于床上而不顾，而应细心护理，防止并发症发生。

27.3.6.4 手术治疗

(1) 指征

通常手术指征包括：①急性胸腰段脊柱损伤伴有不完全性脊髓损伤者；②保守治疗截瘫症状未恢复，反而逐渐加重者；③CT或MRI检查显示椎体骨折片突入椎管内，椎间盘突出物致压，或凹陷性椎板骨折者；④小关节突交锁者；⑤影像学检查显示椎管内有骨折片或异物者；⑥开放性脊柱脊髓损伤；⑦各型不稳定性新鲜或陈旧性脊柱骨折。椎体压缩50%以上一般认为有手术指征，但Rechtine认为保守治疗也可获得良好效果。目前尚无证据表明椎体压缩50%以上有手术的必要。Capen认为Chance骨折、屈曲分离损伤和椎体骨折脱位是最不稳定的胸腰段脊柱损伤，最适宜手术治疗。对于不伴有神经功能损伤的不稳定脊柱损伤患者的治疗选择是有争议的，Spivak认为手术固定可以促进功能的恢复。

(2) 手术时机

在手术时机问题存在一些争议，但是大多数作者认同进行性神经损伤是急诊减压的手术指征。一些基础实验表明早期手术有助于神经功能的恢复。伤后6 h内手术减压对神经功能恢复有帮助，超过6 h则明显影响手术疗效。但急诊入院的患者很少能在伤后6 h进行手术减压。急诊手术准备不充分，术中出血多，容易加重神经损伤，术后肺部并发症发生率较高，这些往往限制了急诊手术的开展。对完全性脊髓损伤或病情不再逐渐加重的不完全性脊髓损伤患者，一些作者主张延迟几天再行手术干预，以等待脊髓水肿消除；其他作者则主张早期手术固定。目前临床文献中尚无确切的证据说明早期手术减压和固定可以促进神经恢复或者神经恢复因为手术延迟数日进行而受影响。Bohlman、Transfeldt、Bradford和其他一些作者的研究提示脊髓损伤一年以后行前路减压手术，神经功能也可以得到恢复。一般认为，对神经功能正常的不稳定性脊椎损伤患者，应该尽早行开放复位和内固定手术，但并非需要急诊手术。仅仅当神经症状进行性加重或不完全性神经功能损伤合并脱位无法复位时才需急诊手术。

(3) 手术方法

手术分为前路手术和后路手术两种。

1) 前路手术 一般采用侧前方入路。胸腰段脊柱侧前方入路首先是由Hodgson和Stock提出的，早先用于脊柱结核脓肿的引流。20世纪50年代，该入路又用于脊柱侧弯的前方融合。1953年，Wenger等将撑开系统用于胸腰段脊柱的前路固定中。之后，Dwyer、Hall和Zielke等发展了前路固定技术。20世纪70年代，Bohlman等提出了经腹腹膜后入路对陈旧性爆裂性骨折进行减压和矫形。由于单纯的前路植骨支撑融合率难以令人满意，因而常常辅以二期的后路撑开固定。为了减少二期手术带来的并发症，Dunn、Kostuick和Kaneda等设计了胸腰段脊柱爆裂性骨折前路固定器械，进一步发展了前路手术。尽管侧前方入路解剖暴露相对困难，技术上要求较高，操作相对复杂，但前路手术可以直接减压，融合率高，稳定性好，故被很多临床医生所推崇和采用。

(i) 减压：当硬脊膜囊受到来自前方骨折块或椎间盘的压迫时，侧前方直接减压是合理的。如经胸或胸腹联合入路的前方减压可以达到椎管前方的完全减压，而无须行神经或脊髓组织的牵拉。这种方法避免了对于水肿的损伤神经组织的刺激和进一步损伤。

当选择左侧入路还是右侧入路时，要考虑以下因素：如有脊柱侧凸畸形存在时，即使仅为单个节段，凸侧比凹侧更容易接近；在离压迫最重部位较远的一侧进入椎管比较容易。以往有脊柱前路手术或腹部手术史，前路手术之前放置输尿管插管可有助于保护输尿管。运用直的和弯的刮匙有助于减压的操作。当应用前路支撑植骨或植入物时，在保持脊柱最大的前凸状态下，设计一个骨槽，将植入物嵌入这个骨槽内。控制性低血压麻醉有助于减少手术失血，便于减压操作的进行和减少手术时间。

在脊髓暴露后，应避免不必要的血管结扎，尽可能少分离节段血管，而达到充分暴露。减压时首先要对爆裂性骨折的上方和下方的椎间盘进行定位。确认后，紧邻后纵韧带将椎间盘完整地切除，显露出骨折椎体的上、下表面。由于椎体的后部是造成压迫的结构，必须切除，而椎体的前面即使碎裂得非常严重，也不必去除。一般用骨凿或高速磨钻在骨折椎体上垂直开一骨槽，并用刮匙或圆凿去除后方的松质骨，尽可能不损伤前纵韧带。准备好骨槽并且控制出血以后，即可进行减压。为了避免刺激或挤压脊髓或硬膜，首先从椎管离入口较远的部分开始去除骨质比较安全，这样形成一个减压区，当减压操作向外科医师方向进行时，脊髓就会落入这个减压区而不会受到挤压。由于椎弓根是断裂的，并且粘连的硬膜就在椎弓根下方，因此切除椎弓根必须十分小心，最好是用高速磨钻。逐步切除骨质直到仅保留一薄层骨质。然后将硬膜和后纵韧带前潜在的间隙清理出来，去除压迫脊髓的骨片、环状纤维或软组织。当脊髓减压后，脊髓应该轻度向前方下落并有轻微搏动。

在前路减压时保留前纵韧带的完整十分重要。后者在维持脊柱稳定性方面有着明显的生物力学意义。前纵韧带的完整存在可以使脊柱后伸受到明显限制，同时使得瞬时旋转中心不至于过度后移，相对减少了至重力中心的矢量臂，削弱了重力的变形作用。此外，宽阔的前纵韧带有利于稳定植骨块的位置。

(ii) 植骨：前路手术通过支撑植骨来加强稳定，植骨的来源包括自体的腓骨、肋骨以及有三面皮质骨的髂嵴和同种骨。三面皮质骨的植骨较好，它包含皮质骨和松质骨，具有较大的结构强度。它还可以提供一个用以支撑的宽阔基底，并且不要求损伤节段上下终板，晚期塌陷少。用肋骨和腓骨植骨则要求有坚固的终板，这样植骨可以包埋其中。如果移植骨穿破终板，并进入椎体的松质骨，将会降低对抗轴向载荷的支持能力，并且植骨的结构强度也受到影响。因此，当准备植骨融合时，终板的完整是非常重要的。

Spival 等提出如果前路减压植骨后路固定融合术，则植骨块应较长，需植入近侧椎体的上终板和远侧椎体的下终板。单纯前路固定时植骨仅需用较短的植骨块植入上位椎体的下终板至下椎体的上终板之间即可。在这种情况下，三面皮质骨的髂骨移植是比较理想的，因为它不需要由宽阔的基底如完整的终板来支撑结构的稳定性。此外，更远和更近的终板都能用于移植骨的植入，如近侧椎体的上终板和远侧椎体的下终板。更长的融合可用自体腓骨移植，但应将 2～3 块腓骨放在一起增加承重面积。单独肋骨不能提供足够的负重强度。异体骨的植入融合失败率较高，一般较少考虑。但当自体髂骨不可得到、量不足或风险较高时，可以选用异体骨移植或自体骨、异体骨混合植骨。其他一些材料如椎间融合器、人工椎体等较少在胸腰段脊柱骨折中应用。

(iii) 内固定：在进行前路减压和融合之后，脊柱可以用前路器械进行排列和固定。前路手术的优点是可以通过一次手术达到充分减压、短节段融合、良好的复位和可靠的固定。实验研究表明，跨越 3 个节段的 Kaneda 系统和跨越 5 个节段的后路椎弓根螺钉固定所提供的脊柱稳定性相当。用 Kaneda 系统联合前路植骨所提供的即刻稳定性明显优于单纯植骨。Zdeblick 早先发现应用 Kaneda 系统与不用器械固定的单纯植骨相比具有更高的融合率、更大的扭转刚度、更高的骨小梁密度，并且没有明显与器械有关的骨质疏松。但前路内固定器治疗胸腰段脊柱前中柱损伤的前提是后柱的完整。

这些前路固定系统可分为钉板和钉棒系统。钉板包括“Z”形钢板、AO 钢板、Syracuse Ⅰ型钢板、Amstrong 钢板、Dunn 钢板和 Kigix 钢板等；钉棒系统则包括 Kaneda 系统、Kostuik-Harrington 系统、“U”形钉、Zielke 系统和 TSRH 等。

在前路内固定器的发展过程中，早先有代表性的是 Dwyer 系统，其后为 Zielke 系统，它们皆属于前路长段内固定系统。前者为钢索螺钉结构，无法控制旋转；而后者为单棒系统，对植骨融合有影响。20 世纪 70 年代出现了 Dunn 前路短节段内固定器，其生物力学效能同 Harrington 棒系统相当。但该固定器螺帽突起，又置于椎体的前侧方，容易损伤腹主动脉，因而逐步被淘汰。Kaneda 在 80 年代设计了新的内固定系统，安置于椎体的侧方，具有撑开或压缩之效，并发症较少，稳定性可靠。Shono 发现前路减压和 Kaneda 固定对爆裂性骨折具有良好的生物力学性能。Shono 和 Gurwitz 发现 Kaneda 系统比后路钢板具有更好的扭转和轴向的稳定性。Zdeblick 等力学实验研究表明，脊柱在扭转运动时，Kaneda 系统固定后刚度大于 TSRH 和 Kostuik-Harrington，而屈伸运动时，Kaneda 系统和 TSRH 固定后刚度最大。不伴有水平移位的 T_{10}～L_3 骨折是 Kaneda 系统内固定的适应证。

随着前路器械的研制开发，Kaneda 系统也逐步改进。新一代的前路器械如 Z-plate、Universky-plate 和胸腰段脊柱前路锁定钢板具有低切迹、组织相容性好，钛合金材料不影响 MRI 检查等特性，“Z”形钢板设计合理，操作简便，固定可靠，具有加压撑开矫正功能。尽管前路器械之间存在材料和力学的差异，但临床上应用后植骨融合率都较高，彼此之间差别不大。

2) 后路手术

(i) 减压：在 20 世纪 50～60 年代，人们对脊柱骨折伴脊髓损伤的主要手术方法是椎板切除手术，称之为脊髓探查或脊髓减压。对脊柱骨折伴脊髓损伤进行无选择性椎板切除术的质疑始于70年代,人们逐渐发现其中有很多手术是不必要的,或者弊大于利,有许多学者反对把椎板切除术作为脊柱骨折伴脊髓损伤的常规治疗方法。单纯的椎板切除仅适用于椎板骨折神经功能受损的患者以探查有无神经组织卡压嵌顿或硬膜囊撕裂。Mikles等认为椎板切除仅限于椎板粉碎性骨折导致神经组织压迫和硬膜外血肿形成的患者。

由于脊髓神经受压的因素大多来自硬脊膜的前方,切除脊髓神经后方的椎板并不能直接解除脊髓的受压。有鉴于此,一些学者提出从后外侧绕到硬脊膜前方去减压。后外侧入路通过单侧去除椎弓根以达到去除后凸的骨块。这种减压入路适用于该节段神经根卡压的松解和椎体后凸骨块的复位,因而后路手术多采用后外侧减压术。该方法可以经肋横突关节入路或通过切除内半椎弓根来完成,需要切除横突和大部分的关节突、峡部和椎弓根。尽管术中很难做到不牵动和挤压已受伤的脊髓,但可以去除椎体后方移位的骨折片。有时可用一些特殊的撞击器或刮匙等将后凸的骨块推回前方椎体以达到复位。直接复位骨块时应避免椎间盘组织或韧带碎片混入其中,后者应尽可能去除。但单侧入路显露后凸骨块往往不够,常常需要双侧入路。使用器械直接复位骨块容易损伤脊髓和神经根,对于细小骨块并不适宜。而正后方减压术一般用于圆锥以下马尾神经节段,牵开硬膜囊即可处理前方后凸的骨块。该入路在L_2以下实施较为安全。

此外,通过器械的撑开和前凸效应可以达到间接减压复位。当脊柱急性损伤时,利用后纵韧带的整复技术,通过椎体的重新排列对椎管减压,从而使前方移位的骨块复位是可能的。但在椎管通畅方面,这项技术是有局限,并且效果不一致。这种韧带整复也被称作后方间接减压术,其前提是后纵韧带必须是完整的。Harrington通过实验研究发现后纵韧带在撑开力的作用下能间接张开从而解剖复位后凸35%的骨块。Crutcher报道在爆裂性骨折中,后路器械撑开可达到50%的复位,但这取决于骨折的形态,并且神经功能状态与器械植入后残余的椎管占位无关。Cain发现,即使后纵韧带和(或)纤维环功能不全,椎管内的爆裂骨块也可以复位,而在另一组后外侧方减压组中则没有这种情况发生,差异具有统计学意义。Mikles等认为间接复位在急性期时效果最好,5天后作用就会大大降低。当骨折严重粉碎或后纵韧带破裂时,这种韧带整复效应就不明显。然而,Fredrickson认为后纵韧带对椎管内的碎骨块复位的作用极小,实际上起复位作用的是纤维环的后面部分,牵伸在骨块的复位中起决定作用。

(ii) 内固定:需要手术的胸腰段脊柱骨折患者其损伤常较严重,多属不稳定型。在此基础上再行椎板切除或后外侧减压会造成脊柱稳定性进一步丧失,难免会导致移位和成角畸形加重。因此,后路减压的同时常需再行脊柱的后路固定,从而重建脊柱稳定性。

后路脊柱内固定的历史可以追溯到一百余年前。1888年,得克萨斯城外科学院的Wilkins报道了1例$T_{12}\sim L_1$脱位新生儿,复位后产生局部隆起。他用炭化银线将钢丝缠绕固定在T_{12}和L_1椎弓根上,切除隆起的组织,固定椎弓根并闭合切口。这被认为是胸腰段脊柱固定的雏形。1910年,在美国实施了最早的胸腰段脊柱骨折内固定治疗。最早的螺钉内固定是1940年Don King以螺钉固定关节突,之后棘突、关节突、横突的固定方法屡见报道。但由于棘突、横突受力强度过低,使用受到很大局限。Holdsworth于20世纪40年代首创了棘突钢板,即用螺栓将两块弧形的钢板固定在伤椎及上下位脊椎的棘突上,但固定强度仍不够,螺栓易撕裂棘突,钢板向后移位,脱位和驼背加重,现在已经很少使用。50年代,Williams钢板一度成为标准的脊柱内固定物,但其复位强度不足,复位经常丧失。60年代,Harrington开始使用钩-棒系统进行后路矫形和暂时固定。虽然早期效果不佳,但经改进后治疗效果有了很大提高,现代内固定的矫形和固定原则多起源于此。70年代,墨西哥医生Luque首创脊柱短节段固定器(segmental spinal instrumentation, SSI),除可用于脊柱侧弯外,还可用于脊柱骨折复位。Luque器械由椎板下钢丝和钢棒组成。80年代还出现了CD系统,开创了脊柱三维矫形的先河。

椎弓根螺钉系统是目前最坚强的后路内固定系统。欧洲尤其是法国学者对此做出了巨大的贡献,包括20世纪60年代的Roy-Camille、70年代的Rene-Louis等,后来的Cotrel、Dubousset、Steffee,还有瑞士的Magerl、W. Dych等。1963年,Roy-Camille研制出了椎弓根螺钉钢板(pedicle screw plate)。1984年,Dick设计了一种具有三维固定作用的经椎弓根短节段脊柱内固定器。从此,椎弓根螺钉器械日益受到重视。

后路内固定系统在近几十年发展迅速，尤其是近10年，出现了一批钩-螺钉-棒混合型系统，如TSRH、CD-Horizon、Moss-Miami、USS等，它们在设计上各有特点，符合不同的生物力学要求。但在绝大多数设计和结构上类似，可以满足后路固定的需要。

目前尚无内植物能提供与脊柱生理相同的稳定性。不同的骨折类型具有不同的运动特点，应用于不同的脊柱损伤，器械稳定特点也发生了相应的变化。因此，对不同的骨折类型应选择不同的内植物以达到最佳固定。内植物的选择应同时兼顾矢状面和冠状面的平衡。在冠状面上，脊柱运动节段的瞬时旋转中心一般位于椎管内。此轴接近于小关节而非椎间盘中心，因此在该平面置入椎板的钩并不能控制脊柱的旋转和扭转。而作用于IAR前方的外力可更有效地控制和矫正脊柱节段性旋转。前路固定或后路椎弓根螺钉作为杠杆或矢量臂可矫正脊柱畸形。椎弓根螺钉可在旋转轴前方施加矫正力并能很好地发挥抗扭转作用。椎弓根螺钉系统棒间的横连接装置，可提供更好的抗旋转能力。但内植物遭受后方直接暴力时，椎板钩比棘突钢丝和椎弓根螺钉更能防止内植物失效。

内植物的选择应基于骨折的类型和受伤机制，这是手术治疗一个很重要的原则。同时必须强调的另一个原则是严格掌握手术指征，要从经济和有效的角度出发选择内植物，避免手术扩大化。一般而言，有撑开作用的内植物用于后柱完整的压缩骨折；同时有撑开和恢复前凸作用的内植物可用于中柱损伤以起到间接减压的作用；当中柱没有粉碎、小关节完好时，屈曲分离损伤选用有压缩作用的内植物；带钩、椎板下钢丝和椎弓根螺钉的节段性固定内植入物适用于严重不稳定的屈曲旋转和椎体脱位损伤；对于已经前路固定仍需后路加强的患者，有压缩作用的内植入物能增强脊柱的稳定性。

由单个的近端钩、远端钩和直棒组成的Harrington棒系统曾广泛使用，至今仍在一些地区使用。Harrinton棒系统能够复位和维持稳定，具有安全性，易于操作，经济实用，但缺点也是显而易见的。采用Harrinton棒系统复位常不充分，融合节段长，上下椎板承载能力较差，并且还需要石膏或支架外固定。Harrinton棒系统单独或与Edwars套袖或椎板下钢丝应用时，其抗扭转力量较差，它的稳定性必须依赖完整的前纵韧带。由于缺乏节段的固定以及不能控制钩在棒上的转动，这项技术还有可能引起假关节、内植物移位、脊柱矢状形态丧失和过度撑开等并发症。此外，该技术需固定长节段，易引起平背综合征、脱钩等。新型的钩-棒系统允许较短节段的融合，提供更强大的控制力量，相对Harrinton棒系统有较少的并发症，但仍不能满意地克服Harrinton棒系统的缺点。

节段钢丝捆扎的Luque棒在控制旋转方面显然比Harrinton器械更好，在完全性神经功能损伤的患者多节段固定时比较适宜。但由于缺乏防止轴向移位的撑开钩，因而达不到理想的分离复位效果。这些棒被预弯成了矩形，增加了对旋转的控制，但由于没有钩会造成过度的应力作用在钢丝上，最后发生钢丝断裂或滑动，造成矫正失败。生物力学分析显示，周期性载荷下，钢丝可发生松动或断裂，棒发生移位，钢丝可侵及椎管。Luque器械钢丝穿过椎板内侧捆扎还可导致神经组织损伤。

经椎弓根螺钉器械的共同特征是通过椎弓根螺钉固定脊柱。主要有以下几种：①钢板加螺钉，以Roy-Camille系统和Steffee系统为代表；②钢棒加螺钉，以Vermont系统和Dick系统为代表；③螺钉加钢丝，如Luque系统；④椎弓根螺钉外固定系统，如Magerl系统。后来在此基础上衍生出许多新的设计。椎弓根螺钉具有良好的固定作用。螺钉经椎弓根进入椎体，也就能控制脊柱的三柱复合结构而提供坚强的内固定，能获得多平面的稳定。后路椎弓根螺钉内固定矫正了后凸畸形，恢复椎体高度，提供了椎管重建的空间。然而，早先长的后路钢板生物力学性能欠佳并且失败率较高。坚强的槽式钢板需椎弓根排列成一直线，以避免螺钉强行被拧入钢板而导致应力增加，内植入物寿命缩短。用棒替代钢板更容易矫正矢状面的形态，并且生物力学结构更好，失败率较少。这些钉-棒系统装置在骨折的上下节段可以立即达到短节段固定。它们可以牢固地植入骨折的相邻节段，通过撑开和韧带整复作用，有利于骨折复位和间接的椎管减压。这些椎弓根螺钉系统如AO内固定器Fixateure-Interne和Vermont脊柱固定器械(Vermont spinal fixator, VPS)等通过坚固植入骨折的紧邻节段，提供了坚强的内固定，可以矫正畸形和维持脊柱的三维位置，同时融合节段最短。

Hitchon等实验研究表明，椎弓根螺钉的拔出力大于椎板下钩和椎板下钢丝。椎弓根螺钉技术可以达到解剖复位,通过消除过度的伸展和屈曲载荷,有助于保持固定的稳定性。理论上由于椎弓根螺钉固定是三柱固定,能提供更强的稳定力量,同时有利于轴向加压、撑开或旋转矫形。椎弓根螺钉的固定区域可达旋转轴的前方,因而在抗扭转上有明显的力学优势。新一代更坚强的椎弓根螺钉仅需固定伤椎的上下各一个节段。但骨质疏松的患者往往不适合选用椎弓根螺钉,或者需要辅助椎板钩或骨水泥的灌注。

椎弓根螺钉系统治疗新鲜骨折时,首先行轴向撑开使前方后凸的骨块复位。然后施以使脊柱前凸增加的矫形力,矫正椎体前方的楔形变。过度的分离或压缩复位可导致骨和椎间盘的后凸,加重神经功能损伤。Oda 等通过椎弓根螺钉器械内固定生物力学研究提出了胸腰段脊柱爆裂性骨折复位操作的建议。他对 5 具新鲜尸体骨胸腰椎爆裂性骨折模型标本分别进行单纯压缩、单纯分离、单纯过伸、分离加过伸和中立位 5 种调试。术后多方向屈曲试验表明,单纯压缩和分离加过伸分别能达到最大的脊柱屈曲和过伸稳定性。进一步的研究结果表明,轴向分离 5 mm 并过伸 6°能达到最佳疗效,其爆裂性骨折模型经上述操作前凸平均增加 0.9°～2.0°。

C-D 器械 Cotrel-Dubousset instrument(CDI)也在胸腰段脊柱骨折治疗中得到一定的应用。CDI 固定坚强,呈节段性,无椎板下钢丝放置的并发症。新型椎板钩、椎弓根钩和矫形棒的设计使其具有足够的固定作用。轴向加载时,CDI 强度是 Harrington 和 Luque 系统的 2 倍,旋转强度是后者的 3 倍多。治疗脊柱骨折时,CDI 通过短节段融合达到固定作用,但其结构较为复杂,并不能直接提供前中柱稳定性。与椎弓根螺钉系统比较,其优越性并不明显,而且价格昂贵。Moon 等比较了 CDI 长节段固定短节段融合和短节段固定短节段融合的效果,结果发现前者矫正丢失小于后者,器械失败情况也较好,但腰椎活动丧失较大。作者同时指出,CDI 只有在植骨融合成功后才能维持和恢复椎体的高度和生理弯曲,总的器械失败率高达 28.6%。

目前,棒-钩和(或)椎弓根钉联合应用的新型节段性内固定系统不但缩短了胸腰段脊柱损伤所需的后路融合长度,能在同一纵棒上协调施加牵拉和压缩力,还可方便地三维矫形,而且由于钩与椎弓根钉的联合固定,可有效防止晚期塌陷和植入物脱出。TSRH 系统根据棒固定三点承载概念设计,通过横向连接固定更为坚强,目前采用钩和螺钉装置。它具有最坚强的横向连接系统,钩和螺钉固定坚强,从而达到坚强的固定作用。其他混合型内植物如 CD Horizon、Isola、USS 和 MossMiami 等也有类似的设计和强度。

(iii) 植骨融合:由于减压手术切除了造成压迫的骨性成分,而后者具有稳定脊柱的作用,所以手术后会加重骨折节段的不稳。因此必须同时进行坚强内固定和植骨术,最终达到坚固成熟的骨性融合。内固定的矫形与固定只是暂时的,永久性稳定要靠自身骨融合。在固定区或损伤节段做植骨融合是减少迟发性腰背痛和神经症状出现、矫正度丢失、畸形加大以及内固定折断、松脱等并发症的有效措施。内固定手术的关键在于植骨融合。如果没有坚强的植骨融合,任何内固定最后几乎都会失败。Howard 认为,对于爆裂性骨折,内固定器械完全承载而非分担载荷,所以内固定的同时应沿固定节段全长后外侧方植骨融合,术后还应用支具保护。

但有些学者的研究并不认同这一点。Sanderson 等对 28 例短节段椎弓根螺钉固定但未行植骨融合的患者平均随访 3.1 年,Low Back Outcome 评分结果显示 50%达到极好,12%为好,20%为一般,只有 16%疗效较差。而 Muller 等则在研究中对 20 例无神经受累的爆裂性骨折患者行双节段经椎弓根螺钉固定、单节段植骨融合,结果表明如果椎间隙塌陷,仅仅后外侧植骨融合是不能阻止内固定失败的。

后路手术通常可以选择常规无器械植入的脊柱融合、贯穿器械全长的融合和长棒固定的短节段融合等融合方法。常规融合的技术包括中线骨膜下入路、小关节面切除、脊柱后部结构的骨皮质剥除和两侧的侧方自体植骨术。如果已经进行了广泛的后外侧方减压术,那么就应将自体骨植在剥去皮质的关节突之间和横突上。

27.3.6.5 *治疗中几个热点问题的讨论*

(1) 治疗方法的选择

胸腰段脊柱骨折的治疗要考虑以下几个方面:①损伤是低能量还是高能量;②脊柱是否存在不稳定性;③是否合并有椎管变形并伴有脊髓或神经损伤;④是否需要急诊手术;⑤是否需要手术来恢复脊柱的稳定性和改善神经功能。一些常用的骨折分类方法如 Margel、Denis、McAfee 和 Ferguson 等分类方法对治疗的选择有一定的指导意义。临床医师必须首先考虑能否通过非手术治疗手段达到预期的目标。

压缩性骨折是单柱骨折，往往不伴有神经功能损伤，一般非手术治疗就可以获得较好的疗效。Post等回顾性研究33例非手术治疗压缩性骨折患者，随访5年后患者疼痛评分仍显著改善。Folman等的研究也表明，对于后凸畸形有限的简单楔形骨折，单纯卧床休息即可，不需要手术干预。Tezer等回顾性研究了32例胸腰段脊柱压缩性骨折非手术治疗的无神经功能受累患者，平均随访77.5个月后，患者侧弯角度、楔形指数和疼痛评分都有明显的改善。对于骨质疏松，腰背部疼痛严重的患者，经皮椎体成形术或后凸成形术也是不错的选择。经治患者能在支具保护下早期进行功能训练，避免肺炎、压疮等并发症的发生。但对于后凸畸形＞30°或前柱压缩＞40%的患者，一些学者建议需要考虑手术，以改善其稳定性。

爆裂性骨折的治疗是有争议的，尤其是不伴有神经功能损伤的患者。Denis将爆裂性骨折分为5种类型：①椎体的两个终板均有骨折；②上终板骨折；③下终板骨折；④伴有旋转的爆裂；⑤伴有侧屈的爆裂。Denis认为脊柱三柱中有两柱受损就是不稳定的，需要手术治疗。Farcy等运用运动节段的概念，对Denis分类作了修改。作者提出脊柱三柱中的每一柱都有骨和韧带成分，总共6个成分。损伤任何3个或3个以上成分造成不稳。爆裂性骨折一般累及前柱和中柱的骨和韧带结构，造成4度不稳。由于受伤即时形成的畸形和不稳的联合作用，会使脊柱后凸和神经损害进一步恶化。矢状面指数(SI，为脊柱后凸畸形与正常外形之间的差值)就是用来评价矢状面畸形和预后之间关系的量化指标。Weidenbaum等结合Farcy分级系统和SI指数将爆裂性骨折分为3型：A型，SI＜15°，不稳分级＜3；B型，SI为15°～25°，不稳分级≥3；C型，SI＞25°，不稳分级≥3。他们对于A型患者采用卧床休息和支具固定3个月；B型患者采用卧床休息，闭合复位，石膏固定3个月，期间允许患者下床走动，之后支具再固定3个月；C型患者当25°＜SI＜35°时做后路复位、固定和融合，SI＞35°时做前路支撑植骨辅以后路固定。

McAfee认为大多数稳定爆裂性骨折患者为前中柱损伤，以保守治疗为主。对于不伴有神经功能损伤的爆裂性骨折，一些学者主张保守治疗。但另有一些学者认为手术治疗可以缩短住院日、最大改善神经功能以及易于护理和防止畸形，明显提高爆裂性骨折的疗效。Tropiano等回顾了41例无神经功能受累的爆裂性骨折患者的治疗情况。经闭合复位和石膏固定等保守治疗后，患者椎体楔形变从15°减少为5°。但4个月后，后凸矫正有所丢失。Shen等对神经功能完好、无骨折脱位或椎弓根骨折的单节段爆裂性骨折的患者进行随访，发现术后早期手术能使患者部分矫正后凸畸形和获得较早的疼痛缓解，2年后保守和手术治疗效果相似。研究中保守组有47例，治疗组有33例。结果前者平均后凸加重4°，椎管占位程度由30%下降到15%；而后者平均后凸改善17°，但矫正度逐渐丢失，术后出现感染、螺钉断裂等并发症，住院时间长。Wood等的随机对照研究比较了无神经功能受累胸腰段脊柱爆裂性骨折患者手术和非手术治疗的疗效。随访44个月，结果表明手术组后凸畸形由10.1°增加到13°，椎管占位由39%下降至22%。而在非手术组，后凸畸形由11.3°增加到13.8°，椎管占位则由34%下降至19%。两组疼痛改善和恢复工作情况相似。作者指出，对于该型骨折，手术治疗无长期随访优势，而且并发症多见，保守治疗比较适宜。

McAfee认为在屈曲和轴向暴力的联合作用下，脊柱前中柱往往发生压缩性破坏，而后柱则为张力性破坏，这样就造成了不稳定的爆裂性骨折。影像学检查常可发现受伤节段存在＞25°的后凸畸形、＞50%的椎体高度丢失或＞40%椎管占位，提示脊柱存在不稳定。前柱压缩＞50%，后柱往往同时伴有损伤。White等指出，临床上的不稳定是指脊柱丧失了在生理载荷下保持椎体之间相互位置关系的能力，从而造成对脊髓和神经根的损伤或继发的刺激，或者发生致残的变形和疼痛。伴有神经功能损伤的不稳定爆裂性骨折患者有较强的手术指征，得到绝大多数学者的认同。Mikles建议对没有神经功能受累的不稳定爆裂性骨折患者也进行必要的后路固定。作者认为这样可以复位和固定骨折以免畸形和神经功能损伤的发生以及允许早期活动。对于完全性神经功能损伤的爆裂性骨折患者不应立即手术，而是等到脊髓休克期恢复后再作考虑。

屈曲分离损伤是后柱受到张力性破坏以及前中柱分离损伤所致。这种损伤包括了韧带、椎间盘和椎体的损伤，往往是三柱损伤。影像学上一般有以下表现：①小关节脱位，椎间孔、椎间隙和棘间距离均增宽，可累及所有骨性结构，出现三柱受损；②移位；③后柱持续分离。屈曲分离损伤如果以骨性结构损伤为主，后凸畸形<15°，如传统的Chance骨折或压缩骨折，简单的过伸石膏管型或支具可以获得较好的疗效。Anderson等用石膏管型治疗这类患者，优良率达到85%，随访中平均后凸畸形为16°。若后凸畸形较大，伴有神经功能受损或韧带损伤，则需要手术固定。Harrington棒系统固定后柱是此型损伤的标准手术。选用短节段经椎弓根螺钉系统或CDI可以提供明显的抗旋转稳定性，且能恢复椎体高度。若椎管内存在骨块合并神经损伤，需轴向分离，并前路减压。Tezer等随访48例屈曲分离损伤患者平均70个月，结果表明前后路固定术后平均后凸矫正98%，随访中后凸矫正没有丢失，所有患者都获得满意的复位和脊柱稳定性。

椎体脱位必然有三柱的破坏，很不稳定。前脱位较为常见，后脱位和旋转脱位也可发生。这类损伤常常伴有神经功能的损伤，需要手术处理。术中应仔细复位固定，固定节段至少为伤椎上下各两个节段，固定中需使用横连接。对于这类损伤，后路手术有较大的优越性。由于椎弓根螺钉固定在三维运动方向上都能提供稳定性，因而在椎体脱位的器械固定中较为适宜。

(2) 减压

椎管减压的必要性是有争议的。目前多数学者认为椎管减压对于伴有神经症状胸腰椎爆裂性骨折患者有可以最大限度地恢复神经功能的可能性。但有一些学者研究表明保守治疗和手术干预后疗效并无显著性差异。Spivak认为对于中柱损伤的患者，椎管减压是适宜的。甚至对完全神经功能受损的患者，手术减压有望帮助神经的功能恢复。但作者同时认为一旦脊柱稳定性建立，没有神经功能受损的患者无需减压，所凸出的骨块日后可以重新塑形。Wessberg等研究了115例爆裂性骨折后路手术治疗患者术前、术后椎管横截面积的变化。结果提示椎管面积由术前1.4 cm^2增加到术后2.0 cm^2和随访5年后的2.6 cm^2。但作者同时指出，手术扩大椎管的程度取决于初始的狭窄程度而不是后凸骨块的去除，韧带整复起到了主要作用，应避免急诊手术椎管探查骨块去除。

Boerger等提出神经损伤发生在受伤即刻，而与事后影像学上骨折块位置无关。因而，他们认为手术进行椎管减压并不能影响神经恢复结果。为此，他们回顾并筛选出60篇相关文献。入选文献要求仅涉及T_{11}、L_1和L_2，治疗前后应有神经功能评估。结果发现仅有3篇是前瞻性研究，没有一篇设置对照。综合文献结果表明手术效果并不比非手术的好，并且75%的文献报道了手术并发症。共有10篇报道手术后神经功能恶化，其中有学者发现术前无神经症状的患者中17%出现功能受损。他们进一步提出，除非手术能改善脊髓的血供，否则积极治疗反而会引起出血和局部血肿形成，甚至直接损伤脊髓。大量的研究表明，经过6个月到2年的保守治疗，椎管能重塑至正常或接近正常。Mumford等长期随访41例无神经功能障碍的保守治疗患者，其中2/3椎管内后凸骨块吸收消失，作者认为可能是应力遮挡的原因。De Klerk对42例保守治疗的患者进行随访12个月后发现，平均椎管正中矢状径由原先正常的50%增至75%，原先椎管越是狭窄，椎管正中矢状径增加越甚。Capen认为预防性减压术是没有依据的。

值得注意的是，神经损伤程度与椎管占位程度并不完全一致，即在神经损伤较重者CT片上椎管占位程度并不一定严重，而CT片上椎管占位较轻者神经损伤不一定轻。就诊时CT及其他影像学表现并不一定反映损伤瞬间的实际受伤情况。损伤后的弹性复位及搬运活动使得就诊的影像学表现仅能代表一种残留的畸形及残余的椎管占位。胸腰段爆裂性骨折神经损伤的严重程度主要取决于损伤当时的严重性，如冲击、震荡而造成脊髓神经的损害，单纯凭借CT片上椎管占位程度推测神经损伤情况是不可靠的。Meves等分析了198例胸腰段脊柱和下腰段脊柱骨折患者椎管占位程度和神经受损情况之间的关系，结果提示椎管的狭窄程度与不完全神经功能损伤Frankle分级之间正相关，但完全性脊髓损伤与椎管占位无相应关联。一个公认的观点是急性爆裂性骨折伴神经功能受损是手术减压的指征，尤其当临床表现与局部压迫密切相关时更是如此。

(3) 手术入路和内固定的选择

手术入路选择取决于骨折的类型、骨折部位、骨折后时间以及术者对入路熟悉程度。对于中柱受损椎管占位的患者，如果神经功能损伤不完全，前路手术是最适宜的。没有神经功能损伤时，可以通过后路间接减压。而完全神经功能受损的患者，圆锥以上节段的行前路手术，圆锥以下节段的行后路侧后方直接减压，后路间接减压也可考虑。中后柱联合损伤时往往存在椎板骨折和神经功能受损，后路手术比较适合。

而内固定的选择不仅要考虑其生物力学性能，还要考虑骨折的类型、手术的繁简、手术危险性和术后并发症等。Stancic 等对 25 例不稳定胸腰椎爆裂性骨折的患者进行非随机对照研究。根据当时手术器械条件，他们对 13 例患者行前路减压加内固定，而另 12 例则用后路椎弓根螺钉-棒系统行后路复位固定。随访结果表明，功能恢复、神经压迫改善方面两组无明显差异，而手术时间、失血量后路少于前路。此外，后路手术住院费用低，并发症少，没有取骨带来的供区疼痛。Wood 等随机对照研究了无神经功能受累的胸腰段脊柱爆裂性骨折患者前路和后路手术的效果。其中后路手术 18 例，前路手术 20 例，至少随访 2 年。结果发现在住院时间、手术时间和功能疗效方面两者相似，但后路手术并发症较为多见，而前路手术出血则较多。Verlaan 等系统综述了 1970～2001 年的相关文献，认为目前尚缺乏有力依据来指导胸腰段脊柱骨折脱位的治疗，前路和后路减压内固定的疗效相当。作者并且指出所有的固定方法都不能将后凸畸形矫正到生理水平，同时也不能有效维持矫正度数。

1）前路　一般而言，伴有大的骨块后凸和神经功能障碍的胸腰段脊柱骨折最好选择前方入路。当爆裂性骨折累及中柱，致脊髓前方受压、椎管压迫超过 50%，或椎管前方有游离骨块时，由于神经组织被覆盖于突出骨块后方，间接复位如不能使骨块前移，采用后路过伸复位会造成脊髓的过度牵拉或进一步损伤。前路手术能一次完成减压、植骨重建前中柱和内固定。对这些患者，较之后外侧方或经椎弓根减压术，前路手术有一定的优势。前路手术能在减压中提供最佳的硬膜囊直视条件，对于前中柱粉碎性骨折能提供最佳的暴露和最有效的减压、植骨，很好地恢复脊柱的高度和序列，矫正后凸畸形，而且融合节段少。应用坚强的前路内固定器械，通常单纯前路固定就可以达到脊柱的稳定性。Kirkpatrick 提出前路手术的指征包括：①稳定或不稳定爆裂性骨折伴有不全瘫；②考虑后路手术难以达到理想复位的骨折，骨块后凸占据椎管 60%以上，后凸畸形＞30°，伤后 4 天以上；③后路固定后椎管复位不理想、神经功能不完全受损；④后路短节段固定仍须前柱重建者；⑤屈曲分离损伤伴有创伤性椎间盘突出。陈旧性骨折也适宜选择前路手术。

Alexander 等提出，对于严重粉碎性的胸腰椎爆裂骨折和过度或进行性后凸畸形患者，须行前路重建和稳定，若单纯后路固定可能会造成迟发性前路塌陷和后凸畸形。他们连续对 12 例 T_9～L_3 爆裂骨折患者进行一期前外侧减压和固定。手术指征包括神经受累、畸形、进行性后凸和迟发痛。平均随访 22 个月后，其中 10 例能维持复位，2 例有超过 50°严重后凸畸形的患者矫正度分别丢失 10°和 20°，3 例神经功能受累的患者全部功能恢复。共有 12 例患者获得好或极好的疗效。Kaneda 的报道显示，78 例有神经功能受累的胸腰段脊柱骨折患者经前路减压内固定后，疗效较好。其中 72%的患者完全恢复神经功能，大多数患者都能从事受伤前的工作，没有患者症状加重。McDonough 等回顾了 35 例前路减压“Z”形钢板内固定的胸腰段脊柱骨折患者。作者发现 16 例神经功能受累患者 Frankel 评分至少改善一级，其中 11 例神经功能完全恢复。平均后凸矫正为 12°，没有发生内固定失效。Sasso 等观察了 40 例前路减压内固定的胸腰段脊柱三柱损伤的不稳定骨折患者的疗效，结果发现神经功能受累的患者 Frankel 评分至少改善一级，后凸畸形也得到了较好的矫正和维持。作者认为对于一些不稳定的三柱损伤骨折可以考虑单纯前路手术固定。

Kirkpatrick 认为前路手术一般用于爆裂性骨折，胸腰段脊柱其他骨折类型很少需要前路手术，而适宜采用后路固定。此外，患者若存在胸腹联合伤、明显骨质疏松和极度肥胖时不宜采用前路手术。伴有水平移位的脊柱骨折大多难于前路复位。

2）后路　后路手术解剖较简单，创伤小，出血少，操作较容易，适用于大多数脊柱骨折。对来自椎管前方压迫＜50%的胸腰椎骨折，如正确使用后路整复器械，可使骨块达到满意的间接复位。屈曲分离损伤、绝大多数没有椎管占位和神经功能障碍的不稳定爆裂性骨折也应选择后路手术。经后路咬除椎弓根可获得椎管后外侧减压，或行椎体次全切除获得半环状或环状减压。

后路内固定目前多采用椎弓根螺钉系统，早先临床上多采用长节段固定和融合，但长节段固定势必显著减少胸腰椎的活动度。1995 年，Markel 指出，对于一些爆裂性骨折，相对长节段内植物和融合，短节段固定也能获得良好的效果。由于短节段固定操作简便，损伤小，胸腰椎活动度丢失少，因而广为临床医师青睐。但椎弓根螺钉系统撑开复位椎体后前柱存在空隙，前中柱的稳定性和强度较差。由于缺乏前路支撑，复位固定后可能会出现迟发性后凸畸形、疼痛或神经症状，长期随访发现螺钉有松动退出，内固定易失败。早期报道提示短节段椎弓根螺钉固定增加了固定失败率和后凸矫正的丢失。在McLain随访5年的前瞻性研究中，55%(6/11)的短节段椎弓根螺钉固定无前柱重建的患者矢状面塌陷>10°，并有器械失效发生。而所有前柱重建的患者皆无器械失效和矢状面塌陷发生。McLain认为椎弓根螺钉固定后早期出现由于固定失败而引起的进行性后凸畸形。Slosar等实验研究表明，爆裂性骨折的复位和固定需要承重的内植物，没有前柱的支撑，内植物容易受到屈曲暴力而失败。短节段经椎弓根融合而没有行前柱植骨支撑或后路辅助椎板钩，很难适应胸腰段脊柱骨折的情况。

考虑到联合前路植骨融合会增加患者的创伤和手术的复杂，一些学者在短节段固定的基础上试图从后路进行前柱的重建，并进行了一些相关研究。1982年，Daniaur等报道胸腰段脊柱骨折经后路复位内固定之后，经椎弓根椎体内注入骨浆以减少内固定失败。而后，Ebelke等又尝试经椎弓根椎体内植骨以降低内固定失败率，此方法逐渐被推广。但最近的研究表明，经椎弓根植骨并不能降低内固定失败和矫正度丢失的发生率。Alanay等的研究表明，在21例胸腰椎爆裂性骨折行短节段椎弓根螺钉系统固定的患者中，11例联合经椎弓根植骨，另10例未行植骨，结果矫正度丢失和螺钉断裂在两组中无明显差异。Knop等经过平均3年的随访也发现，短节段椎弓根螺钉系统固定联合经椎弓根植骨并不能阻止后凸矫正的逐步丢失。Walchli等的研究表明，尽管在骨丢失和椎体后凸畸形方面相对非植骨组要好些，但经椎弓根植骨并不能阻止矫正度的丢失。

椎体成形术和后凸成形术的出现为经后路重建前柱提供了新的方法。Mermelstein等通过尸体标本的生物力学试验表明，经椎弓根灌注磷酸钙骨水泥可以重建椎体强度与稳定性，减少内固定失败率并避免矫正度的丢失。Verlaan等通过离体标本尝试短节段椎弓根螺钉器械固定爆裂性骨折后用脊柱后凸成形技术将自固化磷酸钙灌注入椎体内以加强前柱稳定性，减少内固定失败率。虽然体外尸体骨的研究表明脊柱后凸矫正和骨折复位方面疗效较佳，但临床研究并不多。Cho等比较了短节段椎弓根螺钉联合或不联合椎体成形术重建前柱治疗爆裂性骨折患者的疗效，结果发现联合应用椎体成形术能降低内固定的失败率，减少后凸矫正丢失，疼痛缓解也较好。Verlann等对20例爆裂性骨折患者在椎弓根螺钉内固定后联合应用后凸成形术，结果发现前柱稳定性和高度得到较好恢复，有望降低内固定失败率。尽管前期报道令人鼓舞，但爆裂性骨折的自身特性增加了骨水泥的渗漏率，容易引起肺栓塞、脊髓压迫、神经灼伤等并发症。此外，目前缺乏长期随访研究，聚甲基丙烯酸甲酯其不可吸收性可能会导致内固定的松动，其高强度可能会导致载荷传递异常，破坏脊柱的稳定性。磷酸钙类可吸收骨水泥在这方面较有前景，但目前缺乏相关的系统研究。

由于短节段椎弓根固定有可能出现骨折部位的晚期塌陷和螺钉弯曲断裂，因而有些骨折仍须后路长节段固定。特别是骨折脱位的患者，其三柱均受伤，脊柱的稳定性完全丧失，仅进行短节段内固定是不够的。三柱损伤时，固定节段的载荷90%由内固定器承担。进行多节段固定后，载荷则分散到多枚椎弓根螺钉，单个组件承受的载荷大大减小。Mikles等认为后路固定常常要包括伤椎上方2～3个节段，以及下方2个节段。Howard则认为骨折椎体上两个节段和下一个节段器械固定，同时上3个节段和下2个节段植骨融合可以获得坚强稳定性。Capen认为除非能确保坚强固定，否则伤椎上下至少需要固定各2个节段。1991年McAfee等对120例椎弓根螺钉固定患者进行生存率分析，526枚螺钉中有22枚出现问题，5例患者因为螺钉断裂而出现假关节形成。10年随访，后外侧方融合成功的达90%。作者发现长节段的固定融合可以减少后凸矫正丢失，但仍有一部分后凸畸形加重出现。

近来有研究表明，在胸腰段脊柱骨折载荷分担分类法指导下有选择地应用短节段椎弓根螺钉固定可以减少后凸矫正的丢失。1994年McCormack提出了载荷分担分类原则，该原则包括椎体粉碎骨折的数量(1度，失状面CT扫描粉碎度为30%；2度，粉碎度为30%～60%；3度，粉碎度≥60%)，骨折部位碎片的对位情况(1度，轴位CT示轻度移位；2度，少于椎体50%的骨块至少移位2 mm；3度，多于50%的骨块移位>2 mm)和后凸畸形矫正至生理情况所需的最大角度(1度，侧位片后凸矫正≤3°；2度，后凸矫正4°～9°；3度，后凸矫正≥10°)。由此，每个骨折评分分级，最少3分，最多9分。载荷分担的评分越高，那么粉碎越严重，畸形越明显。有研究表明，术前评分≤6 时短节段椎弓根固定无失败，术前评分＞7 时内固定往往失败。使用载荷分担基本原则有助于选择前后路内固定，可使内固定后的骨折最佳对合，利于愈合，防止植入物失败。Parker 等回顾了 46 例短节段固定融合的胸腰段脊柱骨折患者，平均随访 66 个月。所有患者皆经载荷分担分类原则筛选，结果脊柱序列恢复良好。作者认为载荷分担原则有助于术者选用椎弓根螺钉。对于载荷分担分类评分较高的患者，作者建议选择前路重建稳定性，而不主张选用椎弓根螺钉系统。

3）前后路联合固定　此外，还有一些学者主张对所有的爆裂性骨折进行前后路固定，稳定性固然最好，但可能出现手术过度，增加了患者的并发症发生率。Vaccaro 主张对下列患者进行前路手术后联合后路手术：①受伤节段靠近大血管，难以前路固定；②脊柱稳定性破坏较大，仅前路固定不能提供足够的稳定；③明显骨质疏松患者。同时作者认为对于下列患者在后路手术后可考虑联合前路手术：①伴有不完全神经功能损伤显著移位的胸腰段脊柱骨折-脱位患者，后路手术获得脊柱序列恢复和稳定性改善后前路行减压；②完全神经功能损伤后路固定稳定性不够的患者；③脊柱分离伸直损伤的强直性脊柱炎或弥漫性特发性骨肥厚患者，前后路联合固定可获得坚强稳定性。前后路联合固定的优点是有效的前方减压、提供前柱支持以及重建或维持失状面平衡。

27.3.7 康复训练

一般单纯前路或后路手术固定的患者在支具的保护下可在术后早期下地活动。前后路联合固定的患者待肛门排气后也可早期下地活动。对于残余神经功能障碍的患者，术后早期应行被动训练和支具保护。上肢肌力的训练也非常重要，特别是对于神经功能损失严重的患者。支具保护下合理训练可以帮助患者早日独立行走，而辅助设施和职业训练有助于患者获得最大功能恢复。

（侯铁胜　栗景峰）

27.4 骶骨骨折

骶骨既是脊柱的一部分，又参与构成骨盆环，故骶骨骨折不同于其他部位骨折，有其自身特点。骶椎骨折和腰骶椎脱位约占所有脊柱骨折的 1%。骶骨骨折经常伴有骨盆骨折，在临床诊治中经常被忽视。近年来，随着高能量损伤的增加以及认识水平的提高，对骶骨骨折的报道也逐渐增多。对于多发伤患者需高度警惕并发有骶骨骨折，应细心检查是否有肛周感觉、直肠括约肌功能、球海绵体反射等的改变或消失。骨盆环后部的骨-韧带复合结构是躯干与下肢负荷传递的枢纽，是骨盆环的重要组成部分，而骶骨骨折可能对骨盆环的稳定性产生损害，其治疗效果对骨盆功能的恢复有重要意义。但目前对于骶骨骨折的损伤机制、分类、诊断及治疗选择，仍存有分歧。

27.4.1 解剖概要

（1）骨性结构

骶骨上接腰椎的尾端，下联尾骨，由 5 节骶椎融合而成，呈三角形。上端为大而粗厚的骶骨底，下端为细小的骶骨尖，两侧亦是上端粗大，下部细小，至尖部几乎呈一线（图 27-42）。正常骶骨呈后凸，以增加骨盆容量。骶骨倾斜度因人而异，可呈水平位、垂直位、斜位、斜直位（即上半为斜位、下半为垂直位）。

骶骨高度与骶椎数目有关，由于与腰椎或尾椎移行，可出现腰椎骶化现象。骶骨底由第 1 骶椎构成，横径明显大于前后径，其前缘称为骶骨岬，上面有一扁平和卵圆形的关节面，与第 5 腰椎椎体下面形成腰骶关节；基底的两侧平滑，即骶骨翼（也称骶骨侧块），前面为凹面，有腰大肌附着；S_1 的椎孔呈三角形，系骶管起始部。S_1 椎弓根较小，向左右两侧与椎板相延续，两侧椎板在后正中相连而形成骶正中嵴；骶骨底后表面向上突起形成左右两侧上关节突，其关节面一般为向后并略偏内侧，但有较多变异且常不对称。上关节突外侧为骶上切迹，L_5 神经根的后支由此通过，关节突的肥大内聚或骨折可直接或间接压迫神经根引起症状。骶骨两侧上部粗糙，系由上 3 个骶椎横突融合形成的耳状面，与髂骨的耳状面形成骶髂关节。耳状面的下缘对位于第 3 骶椎中部及下部，但可高至第 2 骶椎或低至第 4 骶椎上部。脊柱借骶髂关节与骨盆相连接，骶髂关节对于维持人体的直立姿势具有至关重要的作用。

由前面观，骶骨的前面光滑，5 节骶椎相互融合后在骶骨前表面形成横形骨嵴，即横线。其深面即为残存的椎间盘。在正中线的两侧有两排骶前孔，

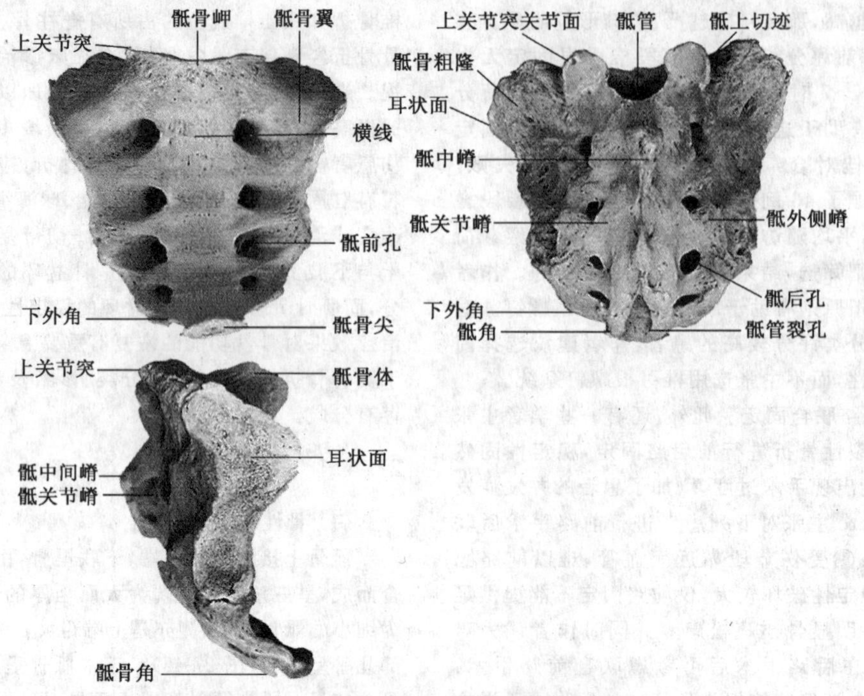

图 27-42 骶骨骨性结构(正面、背面及侧面)

每侧各为 4 个,内有第 1 至第 4 骶神经的前根穿出。由后面观,骶骨的后面粗糙不平,正中隆起为骶中嵴,由第 1 至第 4 骶椎的棘突连成,在骶正中嵴的两侧,各有一条断续的骶中间嵴(也称骶关节嵴),由各骶椎的关节突连成,在每侧骶中间嵴的外侧各有 4 个骶后孔,内有第 1 至第 4 骶神经的后根发出。在每侧骶后孔的外侧,又有一条断续的骶外侧嵴,由各骶椎的横突构成。

骶管下部开口于骶管裂孔,前后借骶前、后孔与外界相连。蛛网膜下隙延续至第 2 骶椎部即终了。骶管容积为 25～28 ml。

(2) 关节、韧带及肌肉

骶尾骨与第 5 腰椎及髂骨构成关节,周围有韧带附着,在运动中可减少震荡,又能维持稳定。

腰骶关节由第 5 腰椎椎体和骶骨底的关节面以及两侧小关节突构成。椎体间的椎间盘较其他腰椎间的椎间盘为后,前侧较后侧尤厚,加大腰椎前凸。小关节突关节属于滑动关节,关节面上覆盖有透明软骨,关节面为额状面,可以防止 L_5 在骶骨上向前滑动,同时在运动上具有较多的灵活性。骶骨的前后有前、后纵韧带附着,椎板、棘突间有黄韧带、棘间韧带和棘上韧带,以及髂腰韧带和腰骶韧带,在位置上相当于横突间韧带。髂腰韧带由 L_4、L_5 横突向下斜形伸展于髂嵴与骶骨上部前面之间,是覆盖于盆面腰方肌筋膜的加厚部分,可以限制 L_5 旋转,同时防止它在骶骨上向前滑动。腰骶韧带的上部与髂腰韧带相连,向下呈扇形附着于髂、骶骨的盆面。

骶髂关节有骶骨和髂骨的耳状面构成,骶骨的耳状面位于上 3 个骶椎的侧部,向外向后,其前面较后面宽;髂骨的耳状面向前向内。关节间隙窄小,关节面密切相嵌,可增加关节的稳定性。骶髂关节周围韧带主要有骶髂前韧带、骶髂后韧带、骶结节韧带、骶棘韧带等。

附着于骶骨底的肌肉有腰大肌和髂肌,而在骶骨前表面附着的肌肉为梨状肌,后表面则有骶棘肌和多裂肌附着。

(3) 骶丛

骶丛为腰骶干(由第 4 腰神经下部和第 5 腰神经合成)和第 1 至第 3 骶神经前支与第 4 骶神经前支的一般组成(图 27-43)。骶丛贴于骨盆后壁,在梨状肌与其筋膜之间,位于骶髂关节盆面之前,分支有坐骨神经,阴部神经,臀上、下神经,股后皮神经以及穿皮神经等。

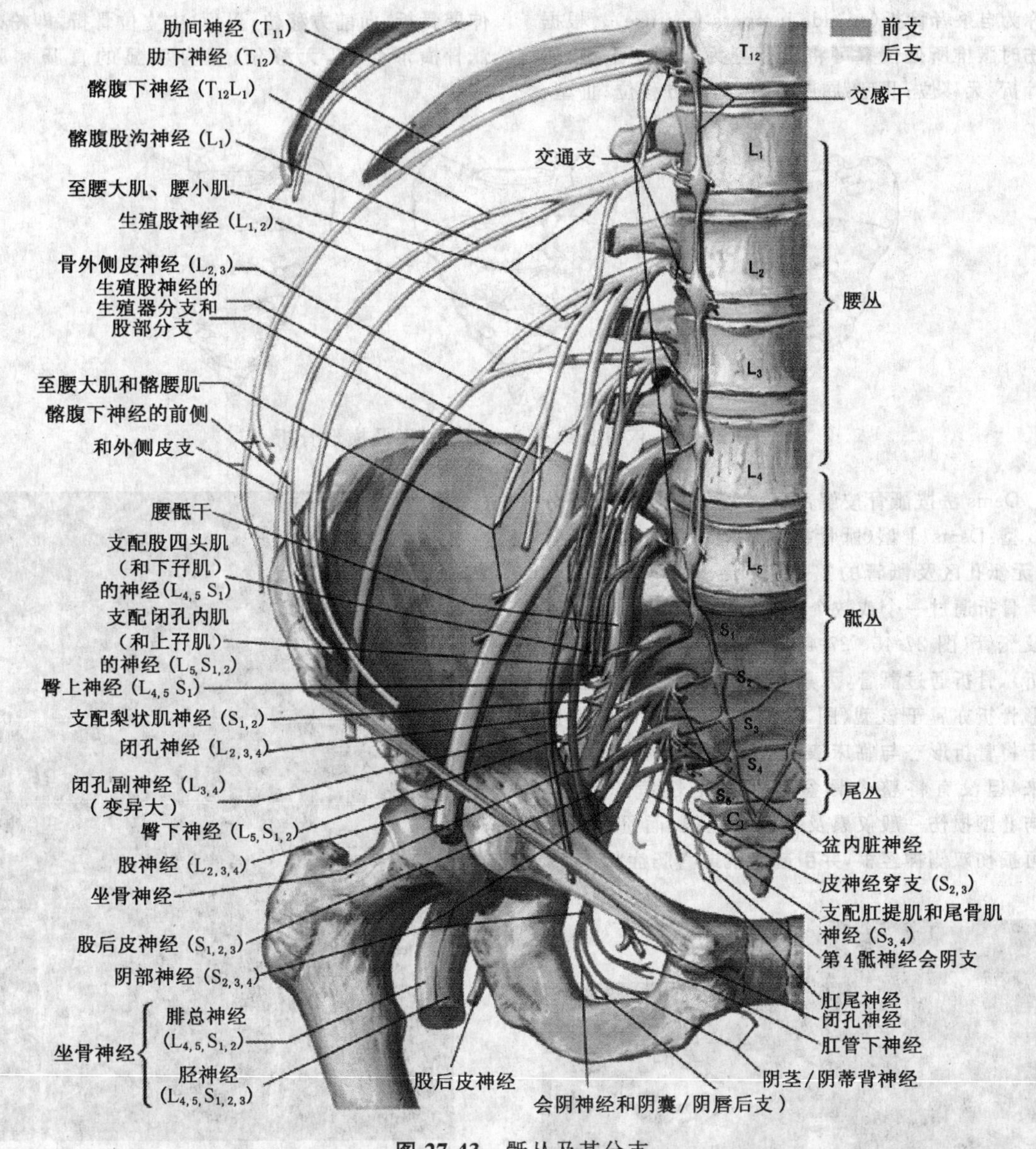

图 27-43 骶丛及其分支

27.4.2 骶骨骨折分型及损伤机制

对于骶骨骨折的分型目前各家意见还不尽一致。

骶骨骨折可由直接暴力或间接暴力致伤，造成开放性骨折和闭合性骨折，其中开放性骨折以火器伤为主，虽常同时合并有内脏损伤，但骨折多局限于后骨盆环，对骨盆的稳定性破坏较小；直接、严重的钝性创伤可导致骶椎粉碎性骨折，通常伴有骶神经损伤。闭合性骨折则以高处坠落伤所致较多，多见于年轻人，系由骨盆或腰椎所传导的暴力所致。

根据骨折线形态，将骶骨骨折分成纵形、斜形及横形骨折(图 27-44)。纵形骨折可发生于骶骨的任何部位，纵形骨折可经过骶骨翼或骶孔；同样斜形骨折也可发生于骶骨任何部位，而横形骨折相对较少，多发生于位于 S_2 和 S_3 之间的骶骨后凸顶点，也有发生于 S_1 和 S_2 之间的高位横骨折。Roy Camille 等发现高处坠落伤时高位骶骨横形骨折多为自杀所致，并将其称为自杀者骨折(suicide jumpers fracture)。根据受伤时腰椎所处位置可将骨折分为4型。Ⅰ型:屈曲骨折,无移位;Ⅱ型:屈曲骨折,向后方移位;Ⅲ型:伸展骨折,向前方移位;Ⅳ型:中立位骨折,即粉碎性骶骨横形骨折,无移位,但有明显的直肠和膀胱症状。

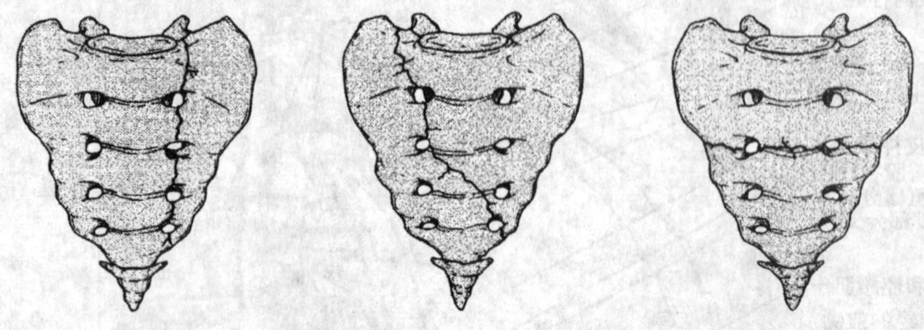

图 27-44 依骨折线分为纵形、斜形及横形骨折

Denis法按骶骨按解剖区域划分将骶骨骨折分成3型:Denis Ⅰ型(骶骨翼区骨折),骨折通过骶骨翼,无骶孔区及骶管的损伤;Denis Ⅱ型(骶孔区骨折),骨折通过一个或数个骶孔,可累及骶骨翼,但不累及骶管(图27-45、27-46);DenisⅢ型(骶骨管区骨折),骨折通过骶管,可累及骶骨翼及骶孔区,骶骨横形骨折亦属于该型(图27-47)。该方法的优越性在于将骨折形态与临床表现、治疗方法的选择联系起来,但没有将整个骨盆环的稳定性考虑在内。Ⅰ与Ⅱ型损伤一般仅累及一侧神经根,而Ⅲ型骨折常可损伤双侧神经根,并引起膀胱或直肠症状。

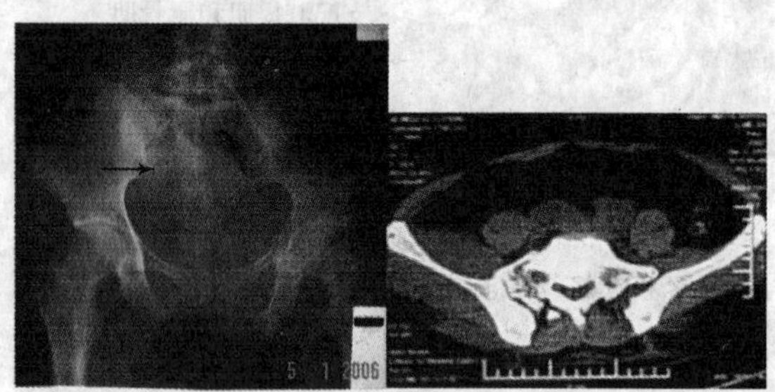

图 27-45 骶骨骨折(Denis Ⅰ型)

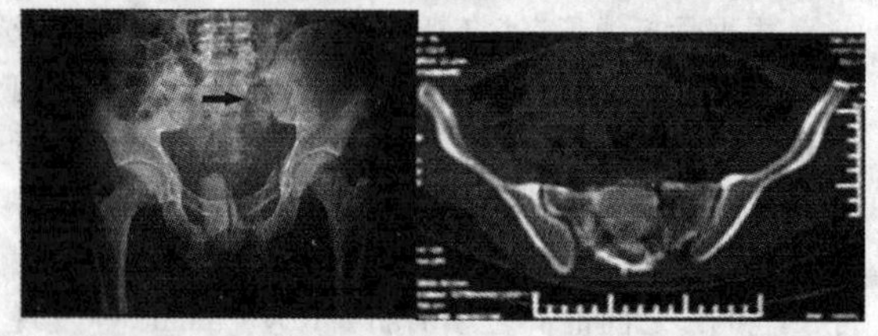

图 27-46 骶骨骨折(Denis Ⅱ型)

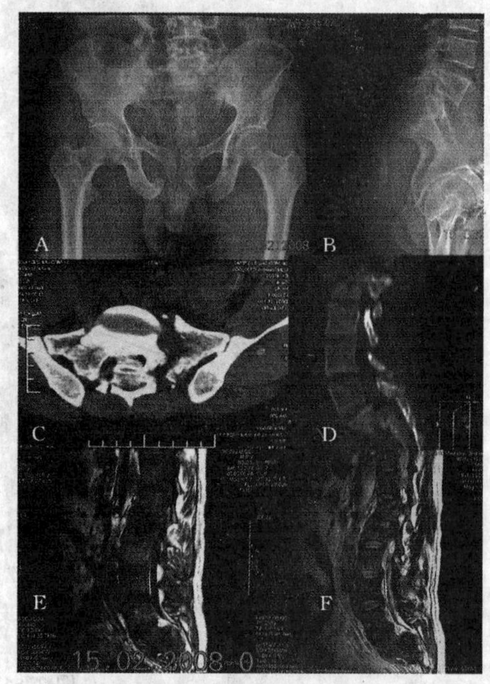

图 27-47 骶骨骨折(Denis Ⅲ型)

A. X线显示 S_1 横骨折伴有右耻骨、坐骨支骨折 B. 侧位X线显示 S_1 横骨折并前脱位 C、D. CT显示骶骨骨折线经骶骨裂孔及骶管,并有前脱位 E、F. MRI显示 S_1 骨折前脱位压迫马尾神经)

Tile法从骨盆的整体来考虑,将骶骨骨折分为3型。A型骨折(单纯骶尾骨骨折),骨盆后弓保持完整,骨盆稳定性不受影响。B型骨折,由旋转暴力而致伤,骨盆环的完整性受到不完全性破坏,骨折表现为旋转不稳。B1型为单纯"翻书样"外旋损伤;B2型

为侧方挤压性内旋损伤，骶骨前方受到撞击而发生压缩性骨折，同时合并对侧或双侧的耻骨支骨折；B3型损伤则更为严重，表现为双侧的翻书损伤或内旋损伤。C型骨折，一侧或双侧骨盆环的完全性骨折，表现为旋转不稳，且存在垂直不稳，此时骶骨骨折应按不稳定性骨盆骨折的一部分来处理。

27.4.3 临床表现及诊断

(1) 临床表现

多有明确的外伤史，如高处坠落、车祸、直接暴力打击等，需从骶骨骨折本身、骶骨骨折并发症来观察和检查。

1) 骶骨骨折本身　骶骨骨折局部可表现为肿胀、压痛；患者主诉骶尾部疼痛、惧坐，因行走时骶骨周围肌群收缩而牵拉骨折部位所致。对于因高能量损伤所致骨盆骨折并有骶骨骨折的患者，往往合并有其他损伤如颅脑伤、胸腹部损伤，骶骨骨折的症状易于被掩盖而漏诊，此时应在全身一般检查及抢救威胁生命的严重创伤的同时，尽可能详细地询问受伤经过，高能量损伤如交通伤、高处坠落伤患者应强调骨盆部的检查，对脊椎检查时不应将骶骨遗漏。

2) 骶骨骨折并发症的临床表现

(i) 休克：骨盆后段(包括骶髂关节、骶骨和髂骨翼后部)有髂内动、静脉及其主要分支，如骶外侧动脉走行于骶骨前面，髂腰动、静脉越过骶髂关节至髂骨前面；并且此段血管排列稠密，静脉丛无静脉瓣阻挡回流，加以松质骨骨折本身出血较多，所以移位明显骶骨骨折和(或)骶髂关节脱位的患者，致骶外侧动脉和(或)髂腰动、静脉撕裂，可有大量出血积聚于后腹膜后，表现为轻度或重度休克。因此，对移位明显的骶骨骨折和(或)骶髂关节脱位，同时并发有骨盆骨折的患者，首先要检查血压、脉搏、意识、血红蛋白、血细胞比容(红细胞压积)等，以便对有休克者及时救治。

(ii) 神经损伤：骶骨骨折患者合并神经系统损伤的比率大大超过骨盆骨折患者。髂骨翼骨折、骶骨孔骨折以及骶髂关节的损伤都可能对一侧腰骶神经丛和(或)神经根形成压迫、牵拉以至撕裂损伤，而当骨折累及中央椎管时，则可能导致马尾和双侧神经根的损伤。骨折部位不同，神经损伤的部位也不同，临床表现也不尽相同，如经骶管的骨折可损伤支配括约肌及会阴部的马尾神经，以及相应节段的神经根；S_1 侧翼骨折可损伤 L_5 神经根。患者可出现单侧/双侧下肢运动障碍或者丧失，伴有或不伴有感觉障碍，鞍区感觉障碍或丧失，括约肌功能障碍或丧失，阴茎球海绵体反射消失，以及尿失禁或尿潴留等。Gibbons 等将骶骨骨折引起的神经系统损害分成3种类型：①一侧感觉障碍；②一侧运动功能减退(同时伴有或不伴有感觉减退)；③直肠和(或)膀胱功能损害(同时伴有轻微运动和感觉减退)。一般认为，一侧神经根损伤尚不至于引起直肠及膀胱损害，当出现直肠或膀胱括约肌损害症状时，往往提示马尾或两侧神经根损害。但骶骨骨折患者常常同时合并有全身其他部位的损伤，当多发伤较为严重时常使病情被掩盖。此外，对于膀胱功能损害者应注意鉴别其是由神经根损伤还是由骨折直接损伤所致。

(2) 诊断

骶骨骨折的患者多为复合伤，容易漏诊。应根据外伤史、症状以及骶骨骨折体征、神经损伤症状，同时应仔细检查有无直肠、尿道及阴道损伤，再辅以影像学检查，诊断不难做出。

1) X线　X线检查是诊断骶骨骨折的最基本手段。由于有生理性后凸，所以骶骨骨折尤其是 S_1 和 S_2 骨折在骶骨前后位X线片上常常不能有令人满意的显示；同时又有软组织影和髂骨翼的重叠以及肠道气体的影响，也会给骶骨骨折的诊断带来一定困难。阅片时应注意观察骶骨皮质骨边缘、椎间孔轮廓以及骶髂关节下缘有无连续性中断，两侧骶孔是否保持对称。单纯骶骨骨折在正位X线片上可见横形骨折线，或两侧骨皮质不连续，往往容易遗漏；而侧位X线片上可见骶骨皮质边缘连续性中断，前缘骨皮质嵌入，向后成角；新鲜骨折如直肠充气，侧位X线片可见骶骨、直肠间软组织增厚、局部血肿。但是，也应特别防止一些假象造成误诊：有人骶骨下部钩状变形，侧位X线片可见前缘骨皮质凹陷，甚至成角，但无骨折透亮线；有时骶骨下部两个侧缘和后面凹凸不平，侧位X线片上相互重叠，造成前面皮质局部隆突不平，易误认为皮质皱折、隆起或假性嵌入征象。因此，前后位可摄向头侧倾斜30°的 Ferguson 像，侧位摄片应以骶骨为中心，必要时可摄骨盆的入口位和出口位片，前者可清晰显示骶骨翼和骶骨体，而后者对骶骨孔的显示要更为理想。

骶孔线是重要的X线解剖标志，表现为3条连续的凹面向下的弓形致密线影，两侧对称，S_1 骶孔线向外下斜行角度较大，S_2 骶孔线走向较水平，一般达骶髂关节下缘与 S_1 骶孔线汇合，S_3 骶孔线较短，有时未达骶骨外缘即消失。椎间盘线在 Ferguson 像上表现为 4 对致密的横线。如骶孔线、椎间盘线模糊、消失或中断、扭曲变形、左右不对称，通常提示有骶骨骨折。一些骨折已愈合的病例，骨折线虽已消失，但存在有畸形性改变的骶孔线，密度更加致密，是陈旧性骶骨骨折的诊断依据。此外，骶前、后孔相互间的位置改变也提示骶骨骨折。

2) CT 扫描　CT 扫描无疑是诊断骶骨骨折乃至骨盆骨折最为重要的影像学手段，可以较好地显示骨折的部位、形态和程度。多层螺旋 CT(multi-slice CT, MSCT)其三维容积成像技术可以逼真地再现骨骼系统及其与周围结构的空间形状，立体、直观且较全面地显示骨骼系统的解剖关系，为诊断、制订合理的手术方案以及术后疗效的评价提供了极大的帮助。多平面重建(multi-planar reconstruction, MPR)可显示横断面图像上的任何二维重建图像，包括冠状面、矢状面、任意斜面和任意曲面的图像重建，特别是用于脊柱病变。表面遮盖显示(shaded surface display, SSD)可重建大体解剖外形，解剖关系清晰，但细节不够丰富，对于移位不明显线样骨折不易显示，无法观察到内部形态和密度。容积重建(volume rendering, VR)在显示细小骨折方面优于 SSD，空间立体感不如 SSD。MSCT 对于判断骶骨骨折的类型、骶神经受压的部位、决定治疗方案均有重要的价值；同时，由于骶骨骨折多为复合伤患者，螺旋 CT 的快速扫描尤其适合。

3) MRI 检查　虽然高分辨率 CT 能够显示骶丛神经近端结构，但无法满意地将骶丛神经与周围软组织区分开，而 MRI 对神经、软组织有良好的显像，在确诊骶骨骨折合并神经损伤的部位、范围有明显的优势；采用先进 MRI 技术，使用适当的表面线圈和脉冲序列能够很好地显示清楚骶神经影像。

在 MRI T1 加权像上，骶丛神经与肌肉等信号，T2 加权像上信号较肌肉信号稍高。周围神经由贯穿全长、数目恒定的多条神经束汇聚而成，而每条神经束由神经纤维构成；神经内外膜之间由脂肪组织隔开。因此，在 MRI 像上周围神经具有特征性条纹结构，相对于相邻肌纤维影像，骶神经在 MRI T2 加权像上的条纹征象细致且规则。通过平行于梨状肌的 MRI 多维扫描可展现骶神经全长，能够准确定位神经损伤的部位和范围；同时，MRI 断面影像可细致显示骶丛神经的解剖结构以及与周围组织结构的关系，对确定手术方案有重要指导意义。

在正常的骶骨冠状位 MRI 影像上，4 对骶神经对称出现，神经外存在大量脂肪组织，如神经外脂肪消失，神经异常增粗或变细，骶孔、椎管的骨块压迫均为神经病变征象。

MRI 的垂直冠状位(与腰椎长轴平行)和水平轴位(与垂直冠状位垂直)能够很好地显示 L_4、L_5 神经根及腰骶干、坐骨神经近端，可观察评估骶丛神经的根段、丛段、干段结构；骶骨长轴冠状位 MRI 像最适合于观察走行于骶骨体，骶孔内、外段的 S_1～S_4 神经根，而水平轴位层面是显示坐骨神经干横断面的最佳层面。

27.4.4　治疗

骶骨骨折多伴有多发损伤，周围血管神经组织丰富，外伤后出血量大，早期、及时、正确的处理可减少死亡率，为后期进一步治疗奠定基础。但现今对骶骨骨折的治疗存在较大分歧。

(1) 非手术治疗

当骶骨骨折无移位或者移位不明显时，保守治疗多可达到满意疗效。对于稳定的Ⅰ型骶骨骨折和无神经损伤、移位很小的Ⅱ型骨折，应卧床休息及避免局部受压及早期负重，给予镇痛治疗；有移位的Ⅰ型、Ⅱ型骶骨骨折可在手法复位后行牵引治疗，牵引重量一般为患者自身重量的 1/5～1/4，牵引应在伤后 24 h 内开始，且不应少于 8 周；或者使用髋“人”字石膏治疗。同时合并的骨盆骨折仍需相应处理。

(2) 手术治疗

对于骨盆稳定性受到破坏、存在有神经系统损害的骶骨骨折患者，非手术治疗效果并不令人满意，往往后期出现局部疼痛、步态不稳、骨盆倾斜以及代偿性脊柱侧弯等；此时需积极手术治疗，使用内固定或外固定重建骨盆环与腰骶关节稳定性，纠正和防止骨盆环、腰骶关节的后凸和平移畸形，解除神经压迫及避免进一步损伤。以下情况应考虑手术治疗。①稳定性：骶骨高位横形骨折多伴有神经根损伤症状，骨折块有明显移位时；骶骨纵形骨折常伴有骨盆骨折，应在治疗骨盆骨折时一并考虑。②神经根损伤：通过骶骨椎板减压可探查影响下肢感觉运动功能的下腰和上骶部神经根，以及影响肛门、尿道括约肌和性功能的下骶部神经根。同时可清除血肿、解除压迫、矫正畸形、修复损伤的硬膜以及回纳外露马尾神经根。③严重的轴位或矢状位脱位。但神经功能的最终恢复与神经根损伤的类型、程度有关。

以往骶骨骨折的手术治疗主要限于骨折片突入

椎管压迫神经者，手术也仅仅是椎板切除、骶椎管减压；因没有合适的内固定器材，很少行骨折复位、矫正畸形的。近年来，骨盆骨折内固定技术取得了突破性进展，加上对骨盆的稳定越来越重视，对于伴有明显后凸畸形的横形骨折应行骨折复位固定术，可使骶神经根受压得到解除；而瘦小的患者骨折复位后，可避免皮肤受压出现压疮。手术过程中如果手法过于粗暴，则可引起直肠穿孔。手术入路通常采用后侧入路，也可经前路固定，但前路手术创伤大、显露困难、操作复杂、出血多。

1）骶骨横形骨折　横形骨折后出现后凸畸形，可将神经根向后顶起，以及移位骨折块直接压迫神经根。此外，在剪切暴力作用下骨折端还容易产生水平移位；此时如单纯行椎板切除术，不仅不能对神经根减压，而且也无法纠正后凸畸形；即使将近端骨折片凸向椎管内部分切除，也会因骨折的水平移位对神经根形成卡压。因此应先行手术复位，然后再用钢板内固定，清理任何未能复位的骨折碎块（图27-48）。如果骨折块稳定或粉碎性骨折相互间呈嵌插状，没有明显成角以及远端平移者，可只需行椎板切除、松解神经根后给予固定；如骨折为斜形，则应行腰骶融合及内固定术；如移位明显则可将融合范围延伸至 L_4。

A　B　C　D

图 27-48　骶骨骨折减压及内固定

A. 骶骨横形骨折脱位，骨折块凸入椎管内　B. 椎板减压　C. Cobb 撬拨复位　D. 重建板固定

骶椎横骨折大多发生于 S_1～S_3 之间。患者俯卧于手术台上，髋膝关节轻度屈曲，后正中切口显露 L_5～S_4 棘突。骨折线比较倾斜的，则应显露至 L_4 水平，包括 L_5 神经根。S_1～S_4 椎板切除，显露神经根，向侧方扩大显露，直至完全看清骨折线。椎管内探入一刮匙，在骨折线附近行椎板下清除，清除碎骨片，取出椎管前壁——骶骨后凸部位处的骨质，防止复位时对神经根造成的损伤。利用两把 Cobb 骨膜剥离子轻柔地插入骨折线内，以杠杆作用使骨折复位，然后准备行内固定。于两侧 S_1～S_4 节段椎弓根部位（相邻骶后孔之间），靠近骶后孔边缘，钻螺钉孔，钻头直径为 2.0 mm，钻头外侧倾斜 30°～45°，钻透两侧皮质、攻丝，采用 4.0 mm 松质骨螺丝钉。选择恰当长度和孔距的钛合金（或不锈钢）骨盆重建板，用两把 Cobb 骨膜剥离子维持复位，两侧钢板同时固定，依次拧紧所有螺钉。切忌利用钢板作为复位的工具。如果是粉碎性骨折，为达到固定强度，可将近端螺钉固定至骶髂关节；如骨折累及 L_5～S_1 椎间关节或 L_5 椎弓根，可将螺钉固定至 L_5 椎弓根，此时神经根的减压范围也需相应扩大。

有一种特殊类型的骶骨横形骨折，即"U"形骶骨骨折（图 27-49），其发生率较低，占骨盆骨折的比率约为 2.9%，特点是左右各有一纵形骨折，同时

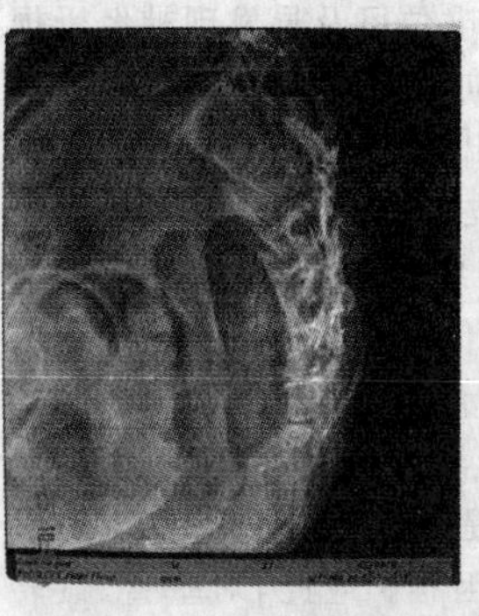
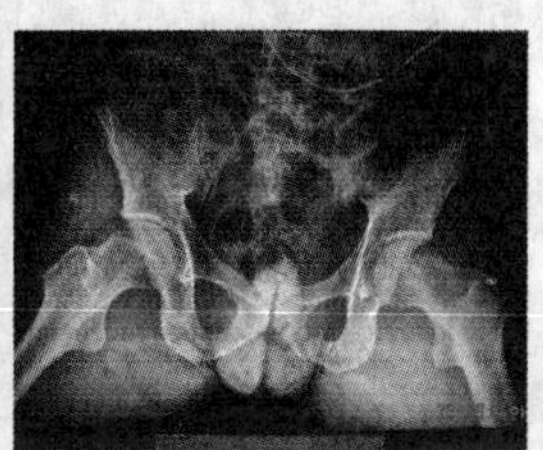
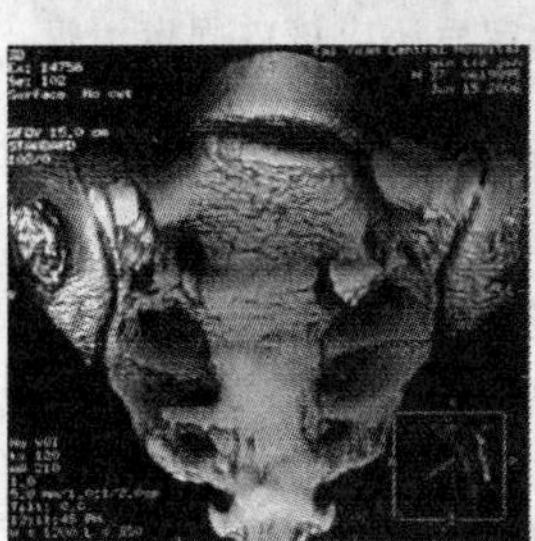
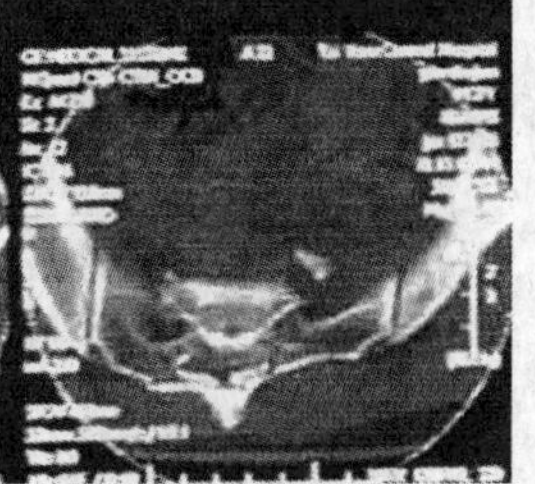

图 27-49　"U"形骶骨骨折

$S_1 \sim S_2$ 或 $S_2 \sim S_3$ 之间还有一横形骨折线。Sean 等将其分为 3 种类型。Ⅰ型:骨折块之间无明显移位,仅有轻度后凸;Ⅱ型:远骨折块向前移位;Ⅲ型:远骨折块向后移位。诊断时需要有骨盆反向入口位 X 线片显示骶骨上部和 CT 三维重建片,治疗方案同样是依据损伤的程度、骨折的稳定性和神经根损伤情况采取保守治疗或手术治疗,其特殊点是同时既有垂直骨折又有横形骨折,可采取经皮骶髂关节空心螺钉固定骨折块,然后可根据需要给予后方减压和固定。

2) 骶骨纵形骨折　经皮骶髂关节空心螺钉固定不仅适用于骶髂关节脱位,亦可用于 Denis Ⅰ型骨折;但骨折块间加压固定技术的前提是骨折的准确复位,不准确复位的情况下可造成骶孔或骶管受压或误入骶孔或骶管,从而导致医源性神经损伤。因此,对于 Denis Ⅱ型、Denis Ⅲ型骨折及粉碎性骨折不适用。

CT 引导下经皮骶髂关节空心螺钉固定方法:患者俯卧于 CT 检查床上,先行骨折复位;经 CT 扫描证实复位满意后,在臀大肌起点的前方 1.5～2.0 cm处作臀后线的平行线,将髂嵴和坐骨大切迹之间的长度三等分,其等分点即为进钉点。进钉方向:在横断面上向前倾斜 20°左右,冠状面上向尾部倾斜 8°～10°,螺钉的前界为骶骨翼斜面的皮质,后界为 S_1 神经孔皮质。CT 扫描可观察螺钉的位置和方向。术中应用体感诱发电位可及早发现神经受损情况,从而调整进钉的方向和角度。经皮固定能大大减少手术损伤、感染及出血。

同样,CT 引导下经皮外固定架安置术可用于不稳定性骶骨骨折的早期急救,能够迅速稳定骨盆环,缓解出血及疼痛,并能借助于支架本身的加压或撑开作用整复骨折-脱位,使其断端获得稳定,防止进一步损伤[6]。但外固定架对垂直、旋转不稳定性骨盆骨折效果不好,不能提供充分的稳定,尤其对后环的稳定效果差,且护理困难。应此,对垂直、旋转不稳定性骨盆骨折,病情稳定后还应该内固定治疗。

27.5　尾骨骨折与脱位

滑倒时臀部着地或座位跌下致伤。

27.5.1　诊断

伤后尾骨部有难忍的疼痛,坐卧皆痛。尾骨局部压痛。用示指伸入肛门进行双合诊,可摸到骨折处有异常活动感觉,并引起剧痛。

X 线摄片可供参考。

27.5.2　治疗

治疗:①局部封闭疗法可以减轻疼痛。②肛诊手法复位,很难维持复位状态。可给予对症处理,如镇痛消炎药、局部冷敷等。③少数患者日后可遗留顽固的尾骨疼痛。用醋酸泼尼松龙骶裂孔注射效果好。无效时可行尾骨切除术。

(陈峥嵘　霍建忠)

参考文献

[1] 李家顺,贾连顺. 当代颈椎外科学. 上海:上海科学技术文献出版社,1997. 94～106.

[2] 侯铁胜,李明,赵杰. Z-plate 前路钢板内固定系统在胸腰椎骨折中的应用. 第二军医大学学报,2001,22:907～909.

[3] 侯铁胜,李明,赵杰,等. 颈椎骨折的急诊处理. 新医学杂志,1999,30:101～103.

[4] 侯铁胜,赵定麟. 脊柱后路 R-F 技术在治疗胸腰椎爆裂性骨折中的应用. 第二军医大学学报,1995,16:184～186.

[5] 侯铁胜,傅强. 第二颈椎骨折脱位的手术治疗及进展. 中华创伤骨科杂志,2002,4:306～307.

[6] 侯铁胜. 过伸性颈椎颈髓伤的诊断和治疗. 中国脊柱脊髓杂志,1995;5(6):241～243.

[7] 贾连顺,李家顺. 脊柱创伤外科学. 上海:上海远东出版社,2000.

[8] 贾连顺. 枕颈部损伤的外科治疗. 中国矫形外科杂志,2005,(2):146～149.

[9] 贾连顺. 颈椎损伤治疗的现代概念. 中华创伤杂志,2004,(4):195～197.

[10] 贾连顺. 颈椎脊髓损伤的治疗现状和进展. 中华创伤骨科杂志,2004,(1):34～36.

[11] Alanay A, Acaroglu E, Yazici M, et al. Short-segment pedicle instrumentation of thoracolumbar burst fractures: does transpedicular intracorporeal grafting prevent early failure. Spine, 2001,26(2):213～217.

[12] Anonymous. Management of acute central cervical spinal cord injuries. Neurosurgery, 2002, 50(3): S166～S172.

[13] Anthony PS, Julio G. Basic Anatomy & Pathology of the Spine. Gan Su Huang He Press, 2003.

[14] Boerger TO, Limb D, Dickson RA. Does "canal clearance" affect neurological outcome after thoraco-

lumbar burst fractures. J Bone Joint Surg Br, 2000, 82(5):629～635.

[15] Bohlman HH, Kirkpatrick JS, Delamarter RB, et al. Anterior decom pression for late pain and paralysis after fractures of the thoracolumbar spine. Clin Orthop Relat Res, 1994, 300:24～29.

[16] Bradford DS, McBride GG. Surgical management of thoracolumbar spine fractures with incomplete neurologic deficits. Clin Orthop Relat Res, 1987, 218:201～216.

[17] Bridwell KH, DeWald RL. The Textbook of Spinal Surgery. Philadelphia:JB Lippincott, Co. , 1991.

[18] Brown RL, Brunn MA, Garcia VF, et al. Cervical spine injuries in children: a reviewof 103 patients treated consecutively at a level 1 pediatric trauma center. J Pediatr Surg, 2001, 36:1107～1114.

[19] Capen DA. Classification of thoracolumbar fractures and posterior in strumentation for treatment of thoracolumbar fractures. Instr Course Lect, 1999, 48: 437 ～441.

[20] Cho DY, Lee WY, Sheu PC. Treatment of thoracolumbar burst fractures with polymethyl methacrylate vertebroplasty and short-segment pedicle screw fixation. Neurosurgery, 2003, 53(6):1354～1360.

[21] Chung EA, Emmanuel AV. Gastrointestinal symptoms related to autonomic dysfunction following spinal cord injury. Prog Brain Res. 2006, 152:317～333.

[22] Crutcher JP, Anderson PA, King HA, et al. Indirect spinal canal decompression in patients with thoracolumbar burst fractures treated by posterior distraction rods. J Spinal Disord, 1991, 4(1):39～48.

[23] De Klerk LW, Fontijne WP, Stijnen T, et al. Spontaneous remodeling of the spinal canal after conservative management of thoracolumbar burst fractures. Spine, 1998, 23(9):1057～1060.

[24] Denis F, Davis S, Comfort T. Sacral fracture: an important problem. Retrospective analysis of 236 cases. Clin Orthop, 1988, 227:67～81.

[25] Denis F. The three column spine and its significance in the classification of acute thoracolumbar spinal injuries. Spine, 1983, 8:817～831.

[26] Ehara S, Shimamura T. Cervical spine injury in the elderly: imaging features. Skeletal Radiol, 2001, 30:1～7.

[27] Eleraky M, Theodore N, Adams M, et al. Pediatric cervical spine injuries: report of 102 cases and review of the literature. J Neurosurg, 2000, 92:12～17.

[28] Farcy JP, Weidenbaum M. A preliminary review of the use of Cotrel-Dubousset instrumentation for spinal injuries. Bull Hosp Jt Dis Orthop Inst, 1988, 48(1):44～51.

[29] Folman Y, Gepstein R. Late outcome of nonoperative management of thoracolumbar vertebral wedge fractures. J Orthop Trauma, 2003, 17(3):190～192.

[30] Fredrickson BE, Mann KA, Yuan HA, et al. Reduction of the intracanal fragment in experimental burst fractures. Spine, 1988, 13(3):267～271.

[31] Gertzbein SD. Spine update. Classification of thoracic and lumbar fractures. Spine, 1994, 19:626～628.

[32] Ghanayem AJ, Zdeblick TA. Anterior instrumentation in the management of thoracolumbar burst fractures. Clin Orthop, 1997, 335:89～100.

[33] Gibbons KJ, Soloniuk DS, Razack N. Neurological injury and patterns of sacral fractures. J Neurosurg, 1990, 72(6):889～893.

[34] Grant GA, Mirza SK, Chapman JR, et al. Risk of early closed redcetion in cervical spine subluxation injuries. J Neurosurg, 1999,90(1):13～18.

[35] Gurwitz GS, Dawson JM, McNamara M J, et al. Biomechanical analysis of three surgical approaches for lumbar burst fractures using short segment instrumentation. Spine, 1993, 18(8):977～982.

[36] Kellam JF, McMurtry RY, Paley D, et al. The unstable pelvic fracture. Operative treatment. Orthop Clin North Am, 1987, 18(1):25～41.

[37] Kokoska E, Keller M, Rallo MC, et al. Characteristics of pediatric cervical spine injuries. J Pediatr Surg, 2001, 36:100～105.

[38] Kokoska E, Keller M, Rallo MC, et al. Characteristics of pediatric cervical spine injuries. J Pediatr Surg, 2001, 36:100～105.

[39] Mann FA, Wayne SK, Blaekmore CC. Improving the imaging diagnos is of cervical spine injury in the very elderly: implications of the epidemiology of injury. Emergency Radiology, 2000. 36～42.

[40] Nakamura M, Toyama Y, Okano H. Transplantation of neural stem cells for spinal cord injury. Rinsho Shinkeigaku, 2005, 45(11):874～876.

[41] Patel JC, Tepas JJ, Mollitt DL, et al. Pediatric cervical spine injuries: defining the disease. J Pediatr Surg, 2001, 36:373～376.

[42] Rabchevsky AG. Segmental organization of spinal reflexes mediating autonomic dysreflexia after spinal cord injury. Prog Brain Res, 2006, 152:265～274.

[43] Skellett S, Tibby SM, Durward A, et al. Lessons of

the week: Immobilization of the cervical spine in children. Br Med J, 2002, 324:591～593.

[44] Smith PM, Jeffery ND. Spinal shock—comparative aspects and clinical relevance. J Vet Intern Med, 2005, 19(6):788～793.

[45] Tile M. Pelvic ring fractures: should they be fixed? J Bone Joint Surg Br, 1988, 70(1):1～12.

[46] Taher TR, Bergman M, O'Brien M, et al. The effect of the three columns of the spine on the instantaneous axis of rotation in flexion and extension. Spine, 1991, 16(8):312～318.

[47] Walliser M, Sommer C. Open reduction and internal fixation of a displaced transverse fracture of the sacrum with a locking compression plate. Ther Umsch, 2003, 60(12):783～786.

[48] Ziran BH, Smith WR, Towers J, et al. Iliosacral screw fixation of the posterior pelvic ring using local anaesthesia and computerised tomography. J Bone Joint Surg Br, 2003, 85(3):411～418.

四肢血管损伤 28

大约 90%外周血管损伤发生在肢体。下肢血管损伤比上肢常见。二战时期对肢体血管损伤采用单纯结扎的手术方法，腘动脉损伤的截肢率可高达73%。随着血管吻合技术的不断改进，血管损伤的截肢率已经降低至 15%以下。血管损伤常合并有肌肉软组织、神经损伤、骨折等，虽然由于血管吻合技术的显著提高，截肢率明显下降，但肢体复合伤导致的功能障碍仍占 20%～50%。

救治血管损伤应融合现代创伤的诊疗观念，整体施治。本章阐述血管损伤的常见类型、临床思维和血管损伤的处理。实际工作中涉及的复合伤的救治，相关知识点参考其他章节。

28.1 概论

血管损伤患者往往经历大量出血，生理状态不稳定，是与择期血管手术的显著不同点。处理血管损伤，简言之就是“不该出血地方的出血要止住，不该缺血地方的缺血要改善”。救治过程中始终贯彻“生命第一、功能第二”的救治原则，采取迅速、有效的控制出血措施挽救患者生命。外科医师必须始终清醒地认识到，大量出血尤其是主干动脉的破裂出血，严重威胁患者生命，而组织缺血危及的是肢体活力。患者生命体征不平稳的危急情况，应该采用简单、临时的控制出血措施。复杂、费时的血管重建手术在患者生理条件允许时进行。

28.1.1 常见血管致伤类型

各种物理、化学或生物作用力作用于血管，可以发生不同程度和不同类型的血管损伤。按作用力因素分成直接损伤和间接损伤。按致伤因素和临床表现分成锐性损伤和钝性损伤。按血管损伤程度可以分成完全断裂、部分断裂和血管挫伤。按血管损伤的病理部位可以分成内膜挫伤、中膜断裂和外膜挫裂伤等。

近年来，有创性的血管内监测、诊断和治疗措施广泛开展，增加了医源性血管损伤的概率。医源性血管损伤可以发生在穿刺部位，如穿刺部位血肿、假性动脉瘤、动静脉瘘等，也可以发生在需要治疗的靶器官，如穿孔、血管破裂、血栓形成等。以发生在穿刺部位的损伤较常见。

表 28-1 中所列仅为常见损伤类型及其内在联系。血管损伤的原因复杂，类型多变，临床表现多样。例如，生产中的高温铁屑直接导致血管外膜到内膜的

断裂，为开放性的锐性血管损伤，但铁屑的高温又可由于热力传导，导致血管内膜的损伤、血栓形成，与闭合性血管损伤有相似之处。因此，在评价血管损伤时，应全面考虑致伤因素，掌握致伤因素的性质，分析血管损伤可能发生的病理变化过程，全面施治。

表 28-1 血管损伤类型及其常见的内在联系

类型	损伤特点			
直接损伤	常致开放性损伤	常为锐性损伤	外膜到内膜损伤	常出血
间接损伤	常致闭合性损伤	常为钝性损伤	内膜首先损伤	常血栓形成

28.1.2 手术原则

肢体耐受缺血时间的长短取决于动脉损伤的部位、程度，侧支循环的开放程度，年龄和血流动力学状态等，没有严格的时间界限，不能仅根据缺血时间轻易放弃肢体血供重建术。神经组织对缺血敏感，肌肉次之，皮肤耐受缺血的时间最长。当肢体出现感觉和运动障碍，往往提示神经、肌肉的缺血性损伤，需要紧急处理，尽量避免发生不可逆损害。

外周血管损伤合并骨折，控制出血后，首先处理骨折。肢体缺血明显，可以使用临时转流管维持远端血供，骨折固定后再予血管重建。污染严重的损伤，选择远离创口的部位控制近远端动脉血供，为解剖外动脉旁路创造条件。

充分清创、切除受损血管以减少术后血栓形成机会。血管重建前，用 Fogarty 取栓导管取出近远端血管内的血栓，向远端血管床灌注低浓度的肝素盐水，并注意出血倾向。对于直径小的肢体血管损伤，单纯的侧壁缝合会造成血管狭窄。多数需要行端端吻合或间置血管移植。膝关节以下的动脉重建要用自体静脉，髂股动脉的重建可用人工血管。严重污染的创伤，需要自体静脉移植或采用解剖外动脉重建。移植物必须覆盖有软组织。

28.1.3 常见血管损伤的转归

1）血管壁炎症修复　轻度血管外膜损伤或小内膜损伤斑片，不影响血流，或不影响远端组织血供，多数可以自愈。

2）血栓形成　常见于断裂血管的近远端或钝性血管损伤。急性血栓形成虽然可以使出血停止，但造成远端组织缺血。

3）血栓再通　常见于静脉血栓形成。在下肢静脉血栓形成 6 个月后，可见静脉管腔部分再通。静脉血栓后完全再通有时需数年时间。再通后留有静脉瓣膜功能不全，造成后期静脉高压。

4）损伤性假性动脉瘤　动脉压力比周围组织压力大，在动脉破裂口附近形成血肿，压力逐步平衡时，动脉出血可以逐步停止，血肿不再增大，形成与动脉腔相通的血肿，即假性动脉瘤（图 28-1）。

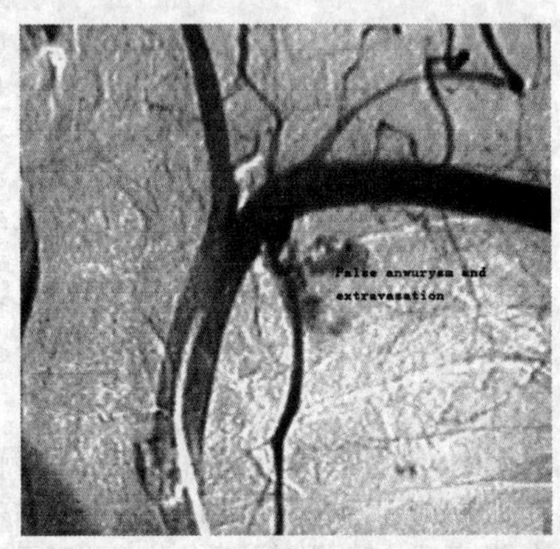

图 28-1 锐性血管损伤导致的锁骨下动脉假性动脉瘤

5）出血　血管壁部分裂伤出血明显，不易自行停止。血管壁完全断裂后，血管断端收缩，出血可以停止，不能被此临床表现迷惑，忽略血管损伤的存在。

6）血肿　损伤性假性动脉瘤如果瘘口自行闭塞，不再与血管相通，即形成局部血肿。

7）损伤性动静脉瘘　血管锐性损伤或医源性血管损伤导致相邻的动静脉壁同时损伤，高压的动脉血流入低压的静脉。瘘口较大时，不易自然愈合。较大的动静脉瘘口，造成静脉系统迂曲、扩张，加重心脏负担。

28.2 诊治血管损伤的整体概念

28.2.1 肢体血管损伤时可以结扎和不能结扎的血管

血管损伤尤其是动脉损伤，一般应进行血供重建，以达到完美的治疗目的。血管损伤常合并其他器官和组织的复合伤，患者生命体征不平稳，有时不得不采取结扎血管的措施来加快手术步伐，以挽救患者生命。一般原则下，结扎血管不能导致供血区域的严重缺血。了解肢体损伤时可以结扎和不能结扎的血管对临床有较大的现实指导意义。

锁骨下动脉损伤占血管外伤的 1%～10%，由于颈、肩部的侧支循环丰富，结扎锁骨下动脉多数不会引起上肢坏死。腋动脉是肩关节网的主要承载动脉，重建时成功率较高，血供减少时对上肢功能影响大，一般应该重建，单纯结扎有约 9%患者发生上肢坏死。肱动脉在上肢血管损伤中最常见，结扎后截肢率达 30%，必须重建。结扎桡动脉或尺动脉对前臂血供影响小，尤其对肢体远端的桡动脉或尺动脉，结扎一支影响不大。但两支同时结扎，可引起约 40%的手部坏死。

结扎髂总动脉可导致 54%的下肢截肢率，结扎髂外动脉可导致 47%的截肢率，必须重建。盆腔内侧支循环丰富，结扎一侧髂内动脉对盆腔脏器的血供影响不大。结扎股总动脉可导致 80%的下肢坏死，结扎股浅动脉可导致 50%的肢体坏死，必须重建。结扎股深动脉不引起肢体坏死。腘动脉是膝关节网的主要承载动脉，结扎导致 70%的小腿坏死，必须重建。结扎胫后动脉截肢率 14%，结扎胫前动脉截肢率 9%，同时结扎上述两支动脉，截肢率上升至 65%，一般应重建。单纯结扎腓动脉一般不引起小腿坏死。

以上述及的经验主要来源于战争时期结扎血管导致肢体缺血的频率。当然，结扎血管后肢体是否发生严重缺血，临床影响因素很多。侧支循环开放和建立的程度、软组织损伤程度、血压、酸中毒等诸多原因，都会影响直接结扎血管后的临床预后。笔者曾治疗 1 例膝下腘动脉及其三分支同时损伤的病例。该患者骨折，大量肌肉、软组织和血管损伤。由于患者伤情严重，生命体征不平稳，重建了腘动脉和胫腓干，胫后动脉和腓动脉畅通，未重建胫前动脉。患者术后足部血供良好，胫前肌群坏死。其原因可能是小腿大量软组织损伤，腘动脉三分支的交通支大量破坏，虽有良好的胫后动脉和腓动脉血供，仍然导致胫前肌群的坏死。因此，临床处理血管损伤应综合考虑，在条件允许的情况下，尽量重建肢体血供，单纯结扎肢体动脉，尤其具有肢体坏死率的供血动脉，应持谨慎态度。

28.2.2 诊治血管损伤的整体思路

血管损伤病情急，常为多发伤的一部分。伴血管损伤的多发伤常有两种表现形式：一种表现为多部位、多脏器的损伤，如肢体血管损伤合并血气胸等；另外也可以表现为肢体多种组织的损伤，如血管损伤同时合并神经、骨骼的损伤。诊治血管损伤应始终贯彻整体概念，不断深思诊疗过程，将患者生命利益放在首位，并充分考虑功能，根据患者病情、社会和经济状况，提出最恰当的诊疗方案。

诊治血管损伤时，沿以下诊疗思路，可以更好地发挥医师、医院等技术和资源优势，妥善处理血管损伤。

1）是否有血管损伤　锐性血管损伤导致鲜红色的搏动性出血或暗红色血液涌出，临床表现直观，易于得出血管损伤的诊断。钝性损伤常导致血栓形成，动脉缺血是逐渐发展的临床过程，早期诊断困难。在骨折石膏固定患者，忽略动脉损伤有时导致灾难性后果。分析致伤力的作用方向、作用力大小，初步判断致伤力是否可以引起动脉损伤。巨大血肿往往提示严重软组织损伤，警惕动脉损伤可能。

2）明确损伤类型　分析病史，明确钝性损伤、锐性损伤还是医源性损伤，有时作用原因复杂，如肢体绞榨伤既可能有血管的锐性损伤，也可以有血管内膜的挫裂伤。分析是否有多部位、多器官损伤，局限在肢体的血管损伤是否合并骨折、神经损伤等。

3）血管损伤部位　根据作用力的部位可以初步判定。刀刺伤容易判断损伤部位，枪弹伤不能单凭体表伤口判断血管损伤的部位，弹道可导致复杂的复合伤。

4）动脉损伤还是静脉损伤　搏动性或喷射性鲜血提示动脉损伤，持续暗红色血液涌出提示静脉损伤。动脉完全断裂，有时出血可以完全停止。仔细分析病史，根据典型出血表现判断血管损伤类型。

5）合并其他组织、器官的损伤　神志不清可能合并颅脑损伤。呼吸困难可能合并肺损伤。肢体或关节畸形可能合并骨折。肢体感觉或运动功能障碍可能合并神经损伤。当然，低血压休克也可以导致神志不清、肢体发冷、苍白、运动障碍等。

6）判断生命体征　诊治过程中始终牢记“生命

第一、功能第二”的抢救原则，并动态评估生命体征。出血未得到有效控制前，建议维持生命体征，不过不宜将血压提升过高，以免加重出血，加重创伤对机体的损害程度。

7）需要紧急采取的辅助检查 常用的血管损伤诊断手段包括多普勒超声、彩超、CT或MRA以及数字减影血管造影术（DSA）。具有典型血管损伤临床表现、生命体征不平稳的患者需要紧急手术，可以术中血管造影进一步明确诊断，不应为求术前诊断明确而延误抢救时机。生命体征平稳的患者，怀疑有血管损伤，选择适当的方法，进一步明确诊断。对不同部位和不同程度的血管损伤，可采用不同的诊疗措施。如怀疑髂内动脉损伤，可选择DSA检查，在动脉造影同时行动脉栓塞术，对于造影发现小的内膜斑片，不影响血流动力学的改变，可以采用保守治疗。

8）决定创伤处理的优先级 优先处理影响患者生命的创伤。如出现活动性出血，无论采用何种方法，控制出血。维持呼吸道通畅，处理张力性气胸。纠正休克，维持循环稳定等。

9）思考评估所在医疗机构处理综合创伤的能力 复杂创伤，如合并颅脑损伤的血管损伤，需要血管外科、神经外科或其他专科医师的密切合作，还要经验丰富的麻醉医师和ICU医师的监护。控制紧急情况后，组织者应思考所在医疗机构是否具备多学科的合作团队，是否具备修复血管的器械、技术，包括阻断主动脉后的麻醉相关技术，是否需要申请外援等。

10）处理血管损伤的措施 常用的血管修复方法为横断血管直接吻合术、血管侧壁缝合术、血管补片成形术、血管移植术（包括自体血管或人工血管）、解剖外血管旁路术等。

11）术中的思考 术中有效控制出血后，不要立即进行修复术。暂停并全面评估伤情和患者全身情况，进行必要的复苏，思考下步手术可能遇到的困难并准备相应手术器械，合理安排手术人员等。全面思考、综合判断后，再决定手术方案。如果患者生命体征不平稳，可以行临时的损伤控制术（damage control），包括用简单的方法如结扎控制出血或临时转流管维持远端组织血供等，以免术中发生低体温-凝血障碍-酸中毒综合征。患者送外科ICU，一般情况改善后，在24 h或48 h后再次手术。

12）评估患者预后以及应该向患者或家属告知的情况 患者生命风险评估，术后是否会有功能障碍等，术前应向患者或家属充分沟通。术中探查发现的新情况、出现的意外以及改变的手术方式，及时与家属沟通。术后及时通报患者伤情和预后。

28.3 四肢血管损伤

28.3.1 血管损伤的临床表现

肢体血管损伤临床表现大体分成2类：确切的血管损伤临床表现和怀疑血管损伤的临床表现（表28-2）。动脉搏动性出血或暗红色血液不断涌出，搏动性或不断扩大的血肿，损伤肢体动脉搏动减弱或消失，血管杂音，肢体缺血体征如远端苍白、发绀等临床表现，强烈提示肢体血管损伤。如果损伤在动脉鞘附近，合并有骨折、神经损伤，血管近旁有刺痛，单纯血肿等临床征象，要怀疑血管损伤的可能。

表28-2 血管损伤典型表现

类型	典型表现
血管损伤	搏动性出血，逐渐增大的血肿，动脉搏动消失，肢体缺血征象
可疑血管损伤	血肿，损伤在血管鞘附近，合并骨折、神经损伤

28.3.2 诊断

具有血管损伤典型表现的患者，无须过多的检查诊断。建议紧急在手术室探查止血。现代手术室配备DSA设备，进一步的检查诊断可在手术室进行，以判断缺血的严重程度和可能伤及的动脉段，是否合并有神经损伤和骨筋膜室综合征。低血压患者也可见外周动脉搏动减弱、肢体苍白、发冷，对比伤侧与健侧的动脉搏动，作出肢体动脉损伤的诊断。诊断血管损伤要树立整体概念，不仅要全面考虑患肢伤情，更应全面考虑患者全身伤情。生命体征平稳的可疑血管损伤患者，可以采用一些辅助诊断措施。

1）超声诊断 节段性测压初步判断是否有动脉损伤、可能损伤的节段。彩超诊断血管损伤的准确率约98%，可以判断损伤部位、发现小的动脉损伤如动脉内膜斑片或小的假性动脉瘤等，对静脉血栓的诊断准确率也较高。急诊情况下，彩超不如便携式多普勒超声诊断仪方便，诊断效率低于动脉造影，降低了彩超临床应用价值。

2) CT 或 MRA　CT 或磁共振技术的进步，在很多血管检查方面可以替代传统动脉造影。图像清晰、无创伤，诊断灵敏度较高，尤其适用于生命体征平稳、怀疑血管损伤者。对血栓形成、动静脉瘘、假性动脉瘤等诊断灵敏度高，可以全面评估组织损伤程度(图 28-2)。

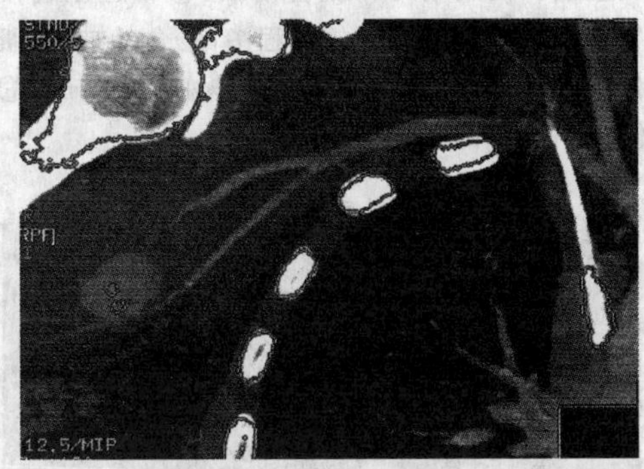

图 28-2　MRA 示腋动脉损伤的假性动脉瘤

3) 动脉造影　常见血管损伤的造影表现为血管闭塞，血管破裂、造影剂外泄，动静脉瘘或静脉早显，假性动脉瘤等。

活动性肢体血管损伤，可以直接手术探查，不必拘泥于术前的动脉造影。血流动力学稳定、多发性锐性损伤或伴有骨折的钝性损伤，术前动脉造影可以明确血管损伤的部位和程度，避免术中过度探查。

血管神经鞘附近的锐性损伤是否行动脉造影尚有争议。一般认为体格检查加多普勒超声诊断可以判定动脉损伤部位和程度。如果常规造影，约 10% 这类伤者可以发现异常。这些没有临床表现的异常一般不需要处理，预后良好。作者认为，对这类患者可以不作常规动脉造影，以节约医疗资源，但应密切随访。

四肢血管损伤的简要诊疗步骤见图 28-3。

28.3.3　治疗

(1) 轻微血管损伤和非手术治疗

轻微血管损伤指没有临床症状，仅在血管造影中发现的损伤。非闭塞性的内膜斑片、轻度节段性狭窄等都可看作轻微血管损伤。并非所有的血管损

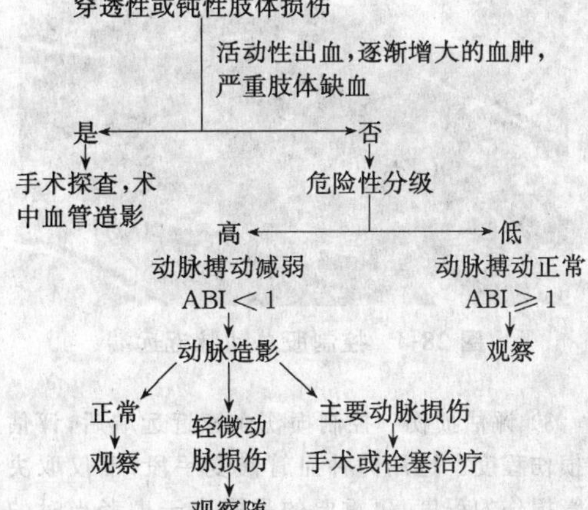

图 28-3　肢体血管损伤的诊疗程序

伤都需要外科治疗，轻微血管损伤，小的假性动脉瘤、瘘口小的动静脉瘘，可以自行愈合。约 10% 的轻微血管损伤进一步发展，需要外科处理。采用非手术治疗血管损伤时，应该密切随访，充分评估患者损伤程度、经济状况和对治疗的配合程度。及时发现变化，以免延误病情。

(2) 纠正休克

建立通畅的补液通路，配血，纠正酸中毒，监测生命体征等。出血未得到有效控制时，不宜过度补液。适当的低血压对患者具有保护作用。手术止血是纠正休克的措施之一，不应仅认为手术是纠正休克后的治疗手段。

(3) 手术治疗

1) 止血　动脉损伤时用血管钳将损伤血管的近远端阻断，或填塞压迫止血。在难以暴露和控制的部位，可以采用阻断导管或 Foley 导尿管的球囊压迫止血。尤其在锐性动脉损伤伴搏动性出血，将导管沿损伤通道插入，充起球囊并向外牵拉球囊，可以达到止血目的。需要转运的患者，可将导管固定在患者身上，以达到确切止血、安全转运的目的。避免在血泊中盲目钳夹止血，以免造成神经或血管的进一步损伤。静脉损伤常用压迫法止血。

2) 控制损伤血管近远端　暴露血管损伤部位前，首先暴露损伤血管的近远端(图 28-4)。可以延长切口暴露近远端。不论采用何种切口，始终贯彻利于控制出血，利于控制近端血供的原则。

图 28-4 控制股总动脉近远端

3）评估损伤 控制损伤血管近远端后，评估血管损伤程度。选用何种血管修复手段，不仅取决于血管损伤的程度，更重要的是取决于患者当时的生理状态。大量出血患者很快进入低体温→凝血障碍→酸中毒的恶性循环。典型表现是创面渗血，尤其针眼渗血，持续的心律失常，低血压休克。不及时控制的恶性循环将很快导致患者死亡。这种情况首先采用最简单的方法控制出血，复杂费时的血管修复手术在患者生理状态稳定后再进行，也可以延期修复。

进行动脉血供重建之前，还要进行以下几方面的分析。

(i) 肢体的活力和功能恢复的可能性：一般肢体可以耐受 4～6 h 的缺血，神经组织对缺血最敏感，肌肉次之，皮肤对缺血耐受时间最长，有时缺血肢体外观皮肤相对正常，但神经、肌肉已经发生不可逆的损害。当然，肢体耐受缺血的时间与多种因素有关，如患者循环状态、软组织损伤程度以及侧支循环开放程度等。Balas 将肢体血管损伤程度分成 4 级(表 28-3)。

表 28-3 Balas 肢体缺血程度的临床分级

肢体缺血程度	临床表现
Ⅰ级	苍白，发凉，疼痛，脉搏消失
Ⅱ级	Ⅰ级＋麻木，发绀
Ⅲ级	Ⅱ级＋瘀斑，感觉迟钝，麻痹
Ⅳ级	肿胀明显，完全麻痹，坏疽

(ii) 骨筋膜室综合征和肌红蛋白性肾病：缺血严重、时间长、软组织损伤重的患者常发生骨筋膜室综合征，及时进行筋膜切开减压术。大量软组织损伤合并动脉损伤，尤其恢复血供后，常见挤压综合征，导致肾功能损害。

(iii) 合并神经损伤程度：充分评估神经损伤，利于评估血管损伤修复后的肢体功能恢复。血管损伤合并严重神经损伤，约 45% 患者遗留肢体功能障碍。

4）腔内临时转流管 转流管放置在损伤血管中，维持远端组织血供(图 28-5)。选择合适长度和粗细的颈动脉转流管、气管导管或静脉插管等作为临时转流管。临时转流管一般可以维持通畅 24 h，血流大约是正常血流的 50%，可以保持肢体的最低组织血供。使用临时转流管指征：①转运血管损伤的患者至创伤救治中心的过程中；②合并神经、肌肉和骨骼的复合血管损伤，先处理非血管损伤时；③生命体征不平稳的血管损伤患者。

图 28-5 22F 的胸管作为髂总动脉的临时转流管

5）简单的和标准的血管修复方法 简单的血管修复方法包括血管结扎、侧壁缝合或置入血液转流管。标准方法包括血管补片成形术、端端吻合、间置移植物等。根据“生命第一、功能第二”的原则、血管损伤和当时的医疗技术条件，采用合适的修复方法。

6）常用的损伤血管修复方法

(i) 横断血管直接吻合术：用于血管缺损长度 <2 cm 的损伤。吻合后不应有张力(图 28-6)。

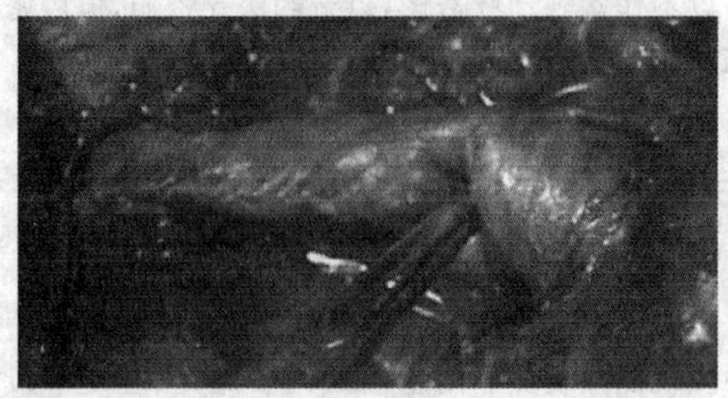

图 28-6 直接缝合损伤静脉

(ii) 血管侧壁缝合术:用于血管创口不超过其周径 1/3 者,修复后血管不应留有影响血流动力学的狭窄。

(iii) 血管补片成形术:采用血管侧壁修复术可能造成血管狭窄,可采用血管补片(图 28-7)。补片材料分为自体静脉或人工补片。

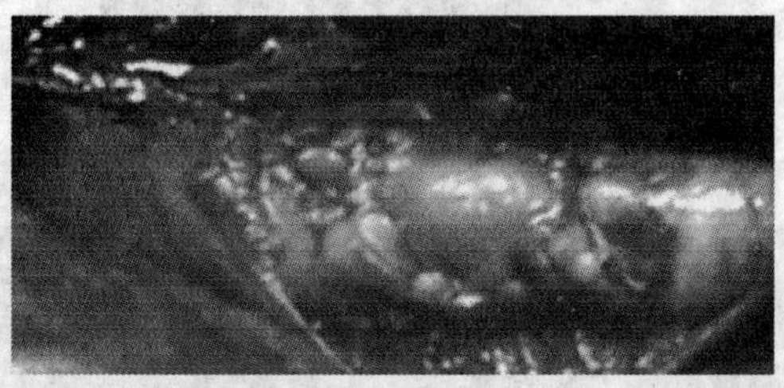

图 28-7 静脉补片

(iv) 血管移植术:根据血管损伤的部位和创面污染程度,采用自体血管或人工血管移植(图 28-8、28-9)。

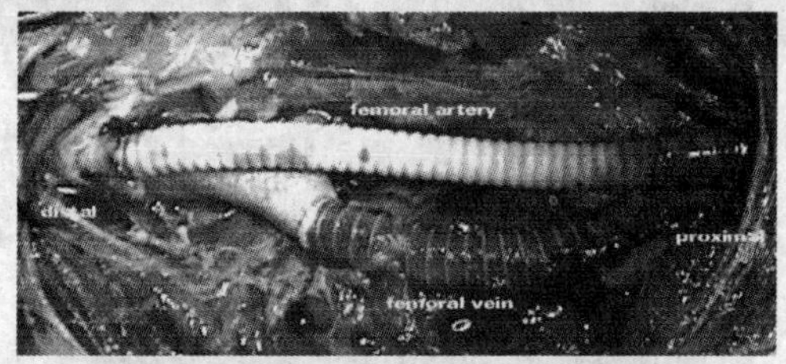

图 28-8 股动静脉人工血管重建术

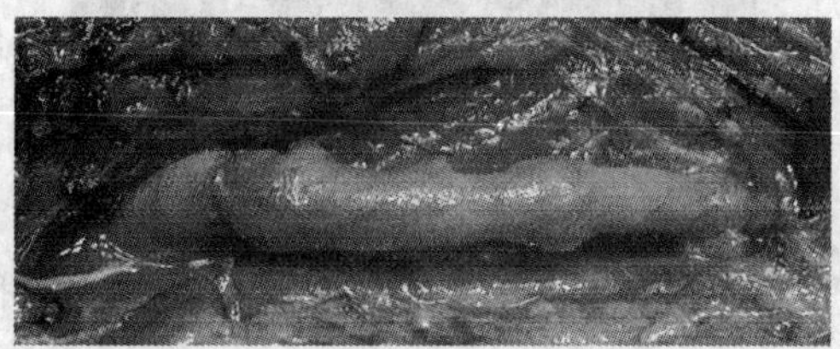

图 28-9 间置移植大隐静脉重建动脉

(v) 解剖外血管旁路术:用于局部组织明显感染、或污染严重,术后创面感染的机会很大,没有可供使用的自体血管移植物,而肢体血供又必须重建者。解剖外血管旁路远离创面,避免或减少移植血管感染。

(4) 血管损伤的腔内治疗

腔内治疗动脉损伤比传统手术创伤小、恢复快,尤其治疗特殊部位的血管损伤具有明显的优越性。腔内治疗血管损伤导致的假性动脉瘤、动静脉瘘,取得划时代的进展。血管损伤腔内治疗主要包括以下方法。

1) 栓塞性螺旋钢圈 主要用于低血流性动静脉瘘、假性动脉瘤、非主干动脉的活动性出血。螺旋钢圈由不锈钢和绒毛组成,通过 5F～7F 的导管将钢圈送入需栓塞的部位,钢圈上的绒毛促进血栓形成。钢圈栓塞 5 min 后没有达到治疗目的,可以再次放入螺旋钢圈。栓塞动静脉瘘时,经螺旋钢圈通过瘘管固定在静脉端,促使瘘管闭合,并保持动脉畅通。

2) 腔内人工血管支架 可以治疗血管部分断裂、巨大动静脉瘘、假性动脉瘤等(图 28-10)。在远离血管损伤的部位,通过导鞘将适当长度和直径的带膜支架放在损伤部位,直接封堵漏口,恢复血流,具有损伤小、术后恢复快等优点,临床应用前景广阔。

在贯彻"生命第一、功能第二"的抢救原则下,注重整体救治。整体概念包括两层含义:抢救时的整体机体概念和患者自受伤到出院的时间整体概念。术后注意预防和控制感染,及时发现和处理术后缺血、骨筋膜室综合征等。

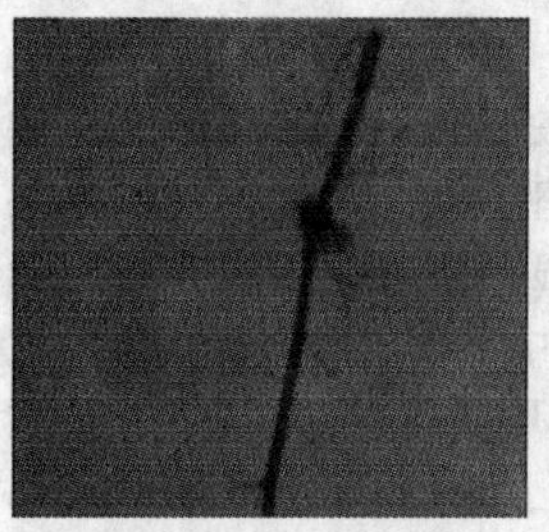
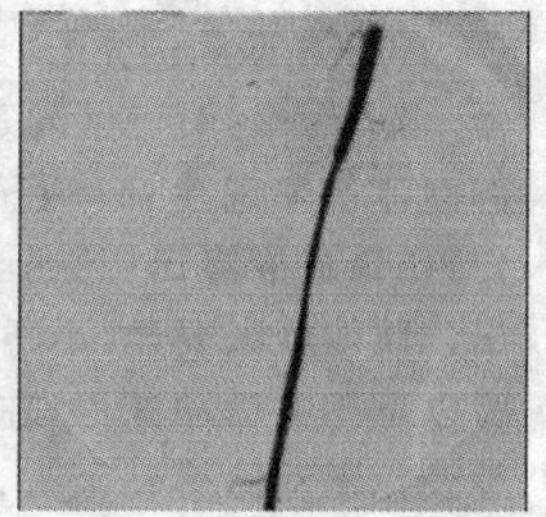

图 28-10 股动脉假性动脉瘤术前和术后

28.4 特殊类型的血管损伤和临床实践

28.4.1 腘动脉损伤

腘动脉损伤截肢率约 20%,远高于其他类型的肢体血管损伤。膝关节脱位、膝关节爆震伤、胫骨平台骨折等可伴腘动脉损伤,确诊需动脉造影(图 28-11)。腘动脉损伤后膝关节周围动脉网受到损害,远端肢体缺血坏疽的可能性大,对腘动脉损伤,应放宽动脉造影指征。采用平卧位暴露膝关节的腘动脉，利于取自体大隐静脉。一般取对侧大隐静脉，人工血管重建膝下腘动脉通畅率低。

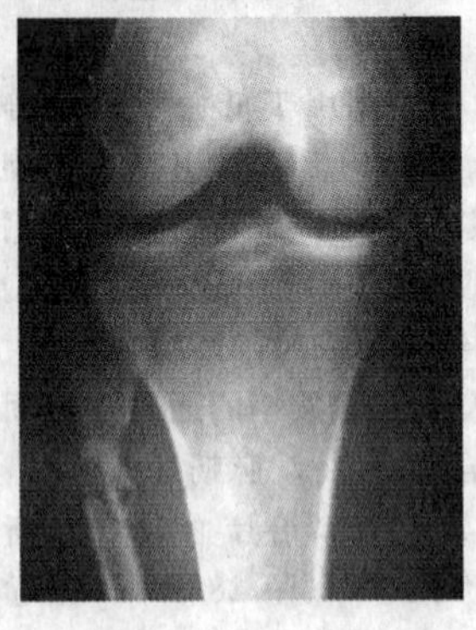
A

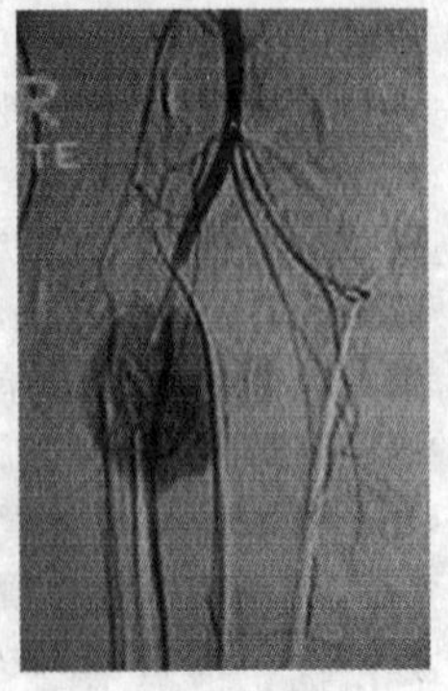
B

图 28-11 右胫腓骨骨折和胫腓干的假性动脉瘤

腘动脉在小腿有 3 个分支，紧急情况下可采用单支结扎术或行动脉栓塞术。一般要保持两支腘动脉分支的通畅，但患者情况不平稳时，也可以只有一支通畅。如果只有腓动脉通畅，可能不能保证下肢的血供。膝下腘动脉分支的重建应考虑小腿肌肉损伤的程度。

腘动脉钝性损伤病例讨论。

(1) 典型病例介绍

患者，男，45 岁，驾驶员，被低速车辆挫伤膝部。体检发现生命体征平稳，左腘窝软组织挫裂伤，伤口血液渗出，无明显的搏动性出血和血液涌出。肢体肿胀明显，小腿中下段皮温厥冷、苍白，足踝以下感觉运动减退，左股动脉搏动正常，左腘动脉及以下动脉搏动消失。超声听诊器未闻及左足背和胫后动脉搏动。右下肢动脉搏动正常。临床诊断左腘窝血管损伤。连硬外麻醉下行左下肢血管探查术。术中发现左腘动脉挫伤，约 5 cm 的腘动脉外膜血肿，动脉内血栓形成。腘静脉内无血栓。切除 5 cm 长的受损腘动脉，并切除病变腘动脉两端各 2 cm，以 Fogarty 取栓导管腘动脉近远端取栓，近端喷血佳，远端回血良好，向动脉远端灌注尿激酶 15 万 u。取对侧大隐静脉，长约 11 cm，机械扩张后，直径约 7 mm，倒置后间置移植于缺损动脉的两端(图 28-12、28-13)。术后患侧足背动脉和胫后动脉搏动良好。患肢恢复供血时间为 8 h。术后患肢发生骨筋膜室综合征，予筋膜切开减压术。2 周后创面植皮。痊愈出院。

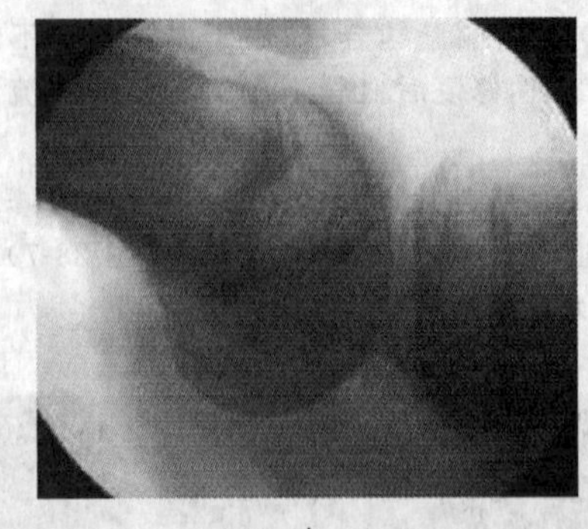
A

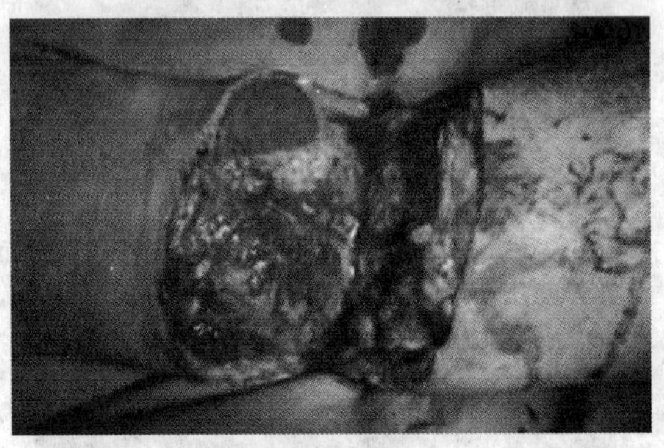
B

图 28-12 腘动脉损伤

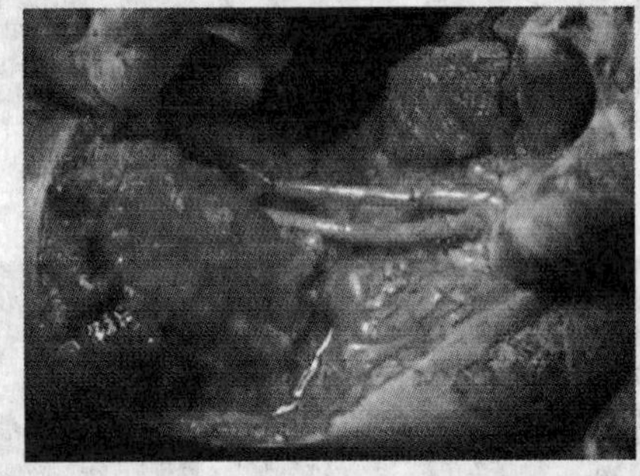

图 28-13 腘动静脉损伤后自体大隐静脉重建术

(2) 讨论

膝关节动脉网在连接大腿和小腿动脉血供中担负重要作用，而腘动脉是膝关节动脉网的主要承载动脉。肢体腘动脉损伤血栓形成后，膝关节动脉网的侧支循环来不及及时开放，造成患肢严重缺血，截肢率高。

腘动脉闭合性钝性损伤诊断除常规的血管损伤诊断步骤外，应该注意以下原则。①仔细分析致伤原因和致伤力度，分析致伤力的作用方向、作用力大小,初步判断致伤力能否引起腘动脉钝性损伤。腘动脉隐藏在腘窝中,较小的作用力或切线作用力方向可能不至于引起动脉损伤。②腘窝血肿:腘窝巨大血肿往往提示腘窝严重软组织损伤,警惕腘动脉损伤可能。③肢体远端缺血征象:受伤肢体远端苍白,皮温降低,动脉搏动减弱等提示血管损伤可能。患肢保温,短期观察,必要时少量应用血管扩张剂排除血管痉挛。④超声多普勒听诊:便携式超声听诊器在诊断肢体血管损伤中具有较大价值。超声听诊器可以在床旁对比双侧动脉搏动强弱,并且可以检测踝肱指数。短期观察患者,反复检查踝肱指数,并加以对比,如果踝肱指数进行性下降,提示动脉损伤可能性大。⑤下肢 DSA 检查:并非每例患者都需要该项检查。根据以上原则仍不能确诊病例,患肢又面临严重缺血危险,应果断行 DSA 检查。现代手术室配备 DSA 设备,在手术室进行的动脉造影,显著提高诊断和治疗效率。

28.4.2 桡动脉或尺动脉损伤

单独的桡动脉或尺动脉损伤可采用结扎术(图 28-14)。当桡动脉和尺动脉同时损伤或掌动脉弓供血障碍时,用自体静脉重建桡动脉或尺动脉。

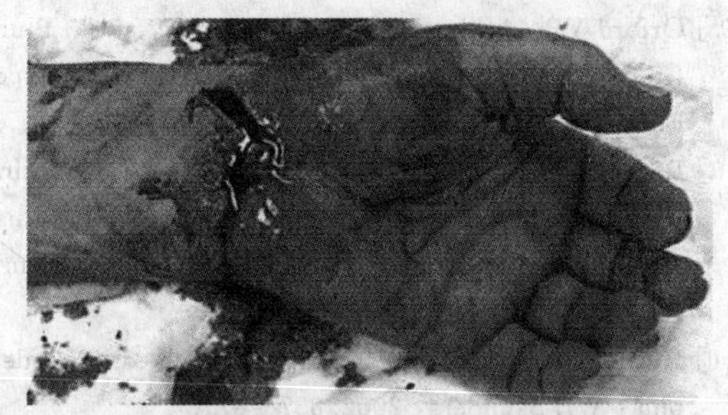

图 28-14 桡动脉割裂伤

28.4.3 静脉损伤

外周肢体静脉损伤是重建或单纯结扎存在争议。一般认为,患者生命体征平稳的前提下,不明显增加手术时间和手术难度的损伤静脉可以重建。结扎外周静脉不影响动脉重建的疗效,也不影响截肢率。长期肢体水肿或慢性静脉瓣膜功能不全的发生率较低。

28.4.4 医源性血管损伤

以腹股沟部位为代表论述医源性损伤。

1) 血肿　最常见,常由于压迫部位不准确、压迫时间不足或抗凝过量、机体凝血功能障碍等。不断增大的血肿可以手术探查,通常直接修复穿刺的动脉壁。腹股沟以上的穿刺点难以压迫,引起后腹膜血肿,血压下降。仅有腰痛或腹股沟疼痛,没有腹股沟血肿,不易早期发现。腹部 CT 可以明确诊断,出血有自限性。偶尔对血流动力学不稳定的患者需手术修复髂外动脉。

2) 假性动脉瘤　表现为术后数天的持续疼痛和血肿。较大的假性动脉瘤可以扪及搏动性的肿块。彩超可确诊。如果流入口较小,首选彩超定位下的局部压迫,或在彩超定位下局部注射凝血酶。约 20%的医源性假性动脉瘤需手术修复。

3) 医源性动静脉瘘　常见于腹股沟韧带以下的穿刺点。小的动静脉瘘没有临床表现,对循环系统的影响小,心脏负担增加不多,可以自行闭合。多数情况下经过半年也没有明显影响,长期不能自行闭合的动静脉瘘可以手术治疗。大的动静脉瘘可以扪及震颤、闻及杂音,保守治疗无效时,考虑手术修复。

4) 动脉血栓形成　老年动脉粥样硬化患者使用大号动脉穿刺针时发生率高。致病机制是内膜损伤或硬化的血管断裂。单纯的取栓不能解决问题,需要补片血管成形术或局部间置血管移植术。

28.4.5 其他

(1) 肢体绞榨伤

肢体绞榨伤定义为骨骼、软组织、血管和神经 4 种组织至少 3 种严重损伤(图 28-15)。一般认为,肢体严重缺血,濒临坏死,主干神经完全断裂,广泛软组织缺失,长骨缺损>6 cm,肢体预后不良。损伤程度应在手术室中判断。保留无功能的残肢,对患者造成精神和躯体的痛苦,可能需要再次行截肢术。对绞榨伤的一期截肢应谨慎和果断。

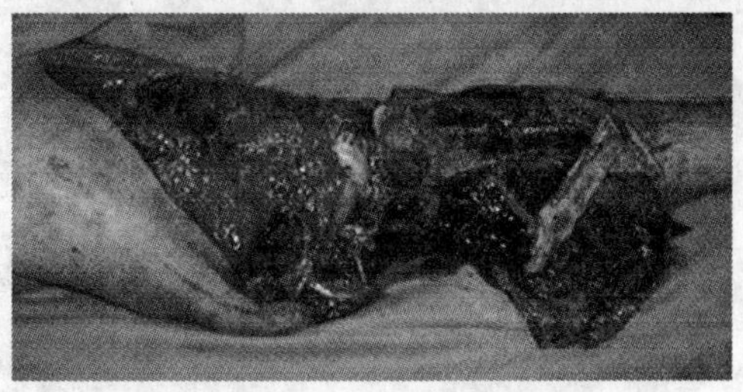

图 28-15 肢体绞榨伤

（2）小腿筋膜切开减压

肌肉创伤、低血压、肢体缺血再灌注损伤和结扎静脉等多种因素导致损伤后骨筋膜室压力升高。尚无可靠的方法早期明确诊断骨筋膜室综合征。动静脉联合损伤、缺血时间长、广泛骨骼和软组织损伤，怀疑有骨筋膜室综合征时，及时切开减压（图 28-16）。

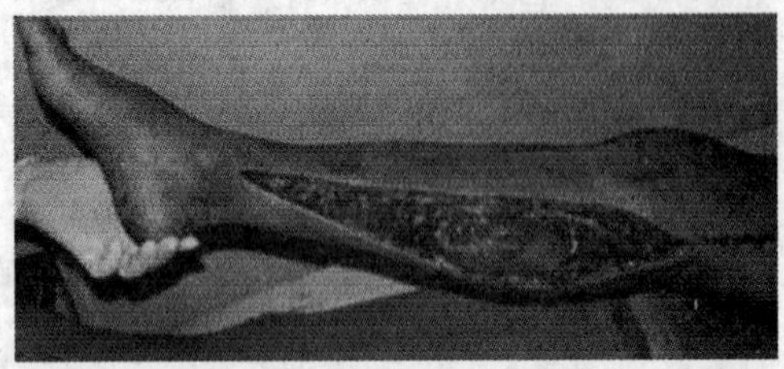

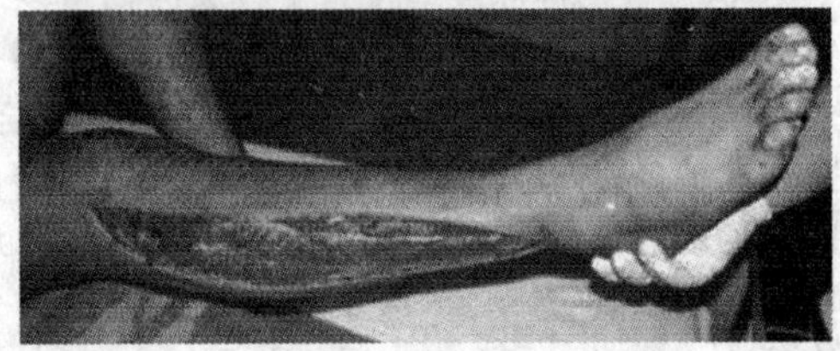

图 28-16 骨筋膜室综合征的筋膜切开减压术

28.5 结论

血管损伤与择期血管手术不同，既要考虑重建血供，又要考虑患者全身情况。紧急情况下采用损害控制术，如结扎或临时转流，挽救患者生命。临床实践中灵活应用标准的血管重建和临时的损害控制术，挽救生命，兼顾功能。腔内血管外科技术为治疗血管损伤开辟广阔前景。随着对血管损伤治疗机制的深刻理解和技术的不断进步，必将不断提高肢体血管损伤患者的救治率和生活质量。

（符伟国 范隆华）

参考文献

[1] 大岛哲. 血管损伤的手术要点. 见：幕内雅敏主编（段志泉主译）. 血管外科要点与盲点. 沈阳：辽宁科学技术出版社，2006. 208～211.

[2] 范隆华. 血管损伤. 见：王玉琦，叶建荣. 血管外科治疗学. 上海：上海科学技术出版社，2003. 87～99.

[3] 范隆华. 血管损伤. 见：吴肇汉，王国民. 临床外科学. 上海：上海医科大学出版社，2000. 347～352.

[4] 符伟国，卢伟锋. 血管损伤. 见：张培华. 临床血管外科学. 北京：科学出版社，2003. 376～396.

[5] Asensio JA, Chahwan S, Hanpeter D, et al. Operative management and outcome of 302 abdominal vascular injuries. Am J Surg, 2000, 180:528～534.

[6] Balas P. Early surgical results on acute occlusion of the extremities. J Cardiovasc Surg, 1985, 26:262～268.

[7] Biffl WL, Moore EE, Elliott JP, et al. The devastating potential of blunt vertebral arterial injuries. Ann Surg, 2000, 231:672～681.

[8] Miller PR, Fabian TC, Bee TK, et al. Blunt cerebrovascular injuries: Diagnosis and treatment. J Trauma, 2001, 51:279～286.

[9] Orford VP, Atkinson NR, Thomson K, et al. Blunt traumatic aortic transaction: The endovascular experience. Ann Thorac Surg, 2003, 75:106～112.

[10] Parker MS, Matheson TL, Rao AV, et al. Making the transition: The role of helical CT in the evaluation of potentially acute thoracic aortic injuries. Am J Roentgenol, 2001, 176:1267～1272.

[11] Rutherford RB. Vascular Surgery. 15th ed. Philadelphia: WB Saunders, 2002. 857～871.

第五篇

微 创 骨 科

微创骨科总论 29

微创外科，或称为微侵袭外科(minimally invasive surgery)，是指通过最小的组织损伤达到理想的外科治疗目的。狭义的微创外科技术，是指通过特殊设计的手术入路，借助特殊的设备和器械，对正常组织结构以最小的干扰和侵袭，完成病损组织结构的切除、修复与重建。内镜手术和神经外科的立体定向手术等是公认的微创外科手术。而广义的微创外科，是指相对于传统外科手术而言，凡是能减少组织的手术损伤，有利于机体功能的恢复和治疗的措施都属于微创外科的范围。微创观念自古有之，“爱护组织减少创伤”历来都是外科医师追求的理念。公元前4世纪希腊医学之父 Hippocrates 就告诫医生：“不要做得过多”，不要增加患者额外创伤，已蕴含了微创观念。现代微创外科始于19世纪初叶。问世于20世纪20年代的关节镜被认为是骨科领域最早期的微创技术，而真正形成微创体系的理念，并在不同的外科领域获得广泛的技术发展则是近30年，这是医学史上的一次革命。

近年来，微创理念和微创技术在骨科领域的应用日益广泛。骨折治疗已不再局限于早期AO组织提出的坚强内固定，而更强调保留周围血运的生物学固定；关节镜作为骨科微创技术的代表，在临床上发挥着举足轻重的作用；胸腔镜和腹腔镜等微创外科技术应用于脊柱外科领域，成为脊柱外科发展的新方向，治疗的疾病亦扩展至几乎所有的脊柱外科疾病；显微外科技术已成为减少手术区域损伤、维持美观的有效手段。新的影像技术和介入放射技术的发展，为微创技术在骨科领域的应用提供了强有力的手段；计算机辅助的手术导航系统、手术模拟系统、远程会诊和远程机器人遥控手术等高科技成果使微创理念和微创技术更好地结合；激光、射频、微波、冷冻、聚焦超声等新的治疗手段和纳米技术、基因治疗的发展及组织工程研究的深入为骨科疾患的微创治疗拓展了更为广阔的发展空间。有理由相信，21世纪将是微创外科迅猛发展的时代，骨科微创理念和微创技术将逐步系统化，微创骨科技术将成为骨科领域中最重要的分支之一。

29.1 微创骨科的定义

微创骨科并没有一个确切的定义。微创理念和微创技术在骨科的系统应用即为微创骨科。因此，它应该具备两个特征：其一，微创骨科技术应该对机体造成的局部和全身创伤最小，应具有最佳的内环境稳定状态，最轻的全身炎症反应，以及最小的手术切口和最小的瘢痕愈合。其二，与传统骨科技术相比，应该具备特殊设计的入路、器械、方法，而临床结果应该优于或等同于传统技术。

在临床实践中，微创骨科技术强调的核心点是重视保护患者、保护组织器官的功能、尽可能达到微小的损害以获得较有效的治疗。这一原则同样适用于常规或传统手术。随着观念的更新、科技的发展，很多骨科手术的侵入性或创伤程度大大减小，从而使手术的效果显著改善，并发症减少，患者的住院时间缩短，康复时间大大提前，提高生活质量和生存信心。

微创骨科是医学与相关科技发展的综合硕果，显微外科技术、内镜技术、微导管技术、X刀和γ刀技术、立体定位引向功能技术、激光技术、射频技术、冷冻技术、微波技术、纳米技术等在骨科领域的应用为微创骨科创造了无限的可能性。微创骨科的发展既推动科技的发展，又因后者的进步而臻于成熟。

微创骨科与传统骨科是相辅相成的，微创骨科必须以传统外科为基础，以传统骨科的标准来衡量微创骨科治疗效果。换言之，微骨外科必须以疗效为前提，疗效必须达到与传统手术相同或更佳。在进行技术评价时，不仅要评定技术上是否可行，更要评价手术时间、术中出血量、术后疗效、围术期并发症的发生率，手术死亡率等。这需要临床大宗的、多中心、随机对照性的研究。由于微创骨科仍是骨科的年轻分支，目前临床小规模的病例报道及非随机化的手术结果，尚待进一步的观察和评判。

29.2 微创骨科的分类

目前微创骨科技术在临床应用非常广泛，几乎涵盖了常规骨科临床工作的所有领域。人为地将常规骨科技术与微创骨科技术进行分类并无益处，我们希望所有从事骨科临床工作的医师能够掌握一些特殊的微创技术，也希望专门从事诸如关节镜手术的医师也能够掌握常规的手术技术。由于微创技术在微创骨科中发挥着举足轻重的作用，通常按照所采用微创技术进行分类。另外，为了便于骨科临床工作的开展，还可以按照微创技术在骨科各领域的应用分类。现就这两种分类方法向大家做一个简单的介绍。

29.2.1 按微创技术分类

(1) 微创固定技术

骨折治疗已从原来强调坚强内固定达到一期愈合的生物力学观点，逐步演变为保护骨折局部血运的生物学固定观点，即生物接骨术的观点。对于长管状骨骨折的治疗，也由传统的解剖复位坚强内固定转变为以维持长骨正常长度、不出现成角及旋转畸形，注意保护骨折局部血供的间接复位相对稳定的微创固定。随着微创技术和理论的推广及普及，各种减少局部组织损伤，保留骨骼血运的内固定器材广泛应用于临床，许多骨科医师在骨折时倾向于采用闭合复位、交锁髓内钉或经皮钢板等微创技术，以达到生物学固定的要求。

(2) 关节镜技术

关节镜技术是内镜的一种，但其在微创骨科中所处的地位很特别，故单独列出。关节镜手术是20世纪骨科技术的重大进步，自20世纪60年代应用于临床手术以来，极大地提高了骨科领域关节疾病的确诊率，特别是可进行许多常规手术难以完成的操作。随着关节镜性能的提高、镜下手术器械的改善和操作技术的成熟，其临床应用范围不断拓展。目前从膝关节到全身各关节，不仅可以检查诊断，而且能进行镜下的手术治疗。

(3) 其他内镜技术

应用内镜技术进行脊柱外科手术始于20世纪80年代，而90年代后，经内镜脊柱外科技术有了长足的进步。目前较具临床实用价值的技术包括内镜辅助下腰椎后方或侧后方入路椎间盘摘除术、腹腔镜辅助下腰椎病灶清除术及胸腔镜辅助下胸椎病灶清除术、内镜辅助下颈椎间盘切除与融合和内镜辅助下脊柱侧弯矫形。通常内镜辅助下的微创骨科手术具有创伤小、术后恢复快、住院时间短等诸多优点，但由于其暴露、治疗范围受到一定的限制，远期疗效有待进一步评估。

(4) 经皮微创技术

应用经皮穿刺技术治疗脊柱疾病始于20世纪60年代。目前已可以在X线、CT的监测下治疗许多脊柱疾病。经皮椎体成形术是一种在影像增强设备或CT监视下，利用微创技术将骨水泥等生物材料经皮及椎弓根注入椎体，以恢复椎体高度，防止椎体进一步塌陷和畸形，减轻患者疼痛并改善功能的新技术。目前，该项技术在治疗骨质疏松椎体压缩性骨折引起的疼痛和椎体肿瘤等方面已取得较理想的疗效。

(5) 计算机辅助微创技术

计算机技术的迅速发展促进了可视化技术的进步，将透视成像系统与影像导航结合，逐步形成了外科导航系统。该技术已应用于骨科领域的脊柱外科、全髋与全膝关节置换术、骨折内固定手术等临床手术中，使传统骨科手术理念前进了一大步，不仅缩小手术切口，简化手术操作，而且提高手术精确度，减少手术并发症，缩短患者康复时间。此外，计算机辅助设计与制造、医用机器人和手术模拟已成为当今生物医学工程领域的研究热点，并已在计算机辅助矫形外科、袖珍机器人、远程遥控手术以及微创外科手术器械更新等方面的研究中取得了一些成果，同时也为微创技术提供了新的手段。

(6) 其他

随着科技的进步，大量的高技术产品在微创骨科获得应用，激光技术、射频技术、冷冻技术、微波技术，以及当代正在蓬勃发展的纳米技术，都推动了微创骨科的发展。

29.2.2 按微创应用分类

微创技术已广泛应用于骨科的各个领域，可按骨科疾病、术式等具体分类。在此不再赘述。

29.3 历史现状与发展

微创骨科是骨科的年轻分支，它是微创外科和骨科的一个交集，因此，微创骨科的历史与微创外科和骨科的历史是不可分割的。

问世于20世纪20年代的关节镜被认为是骨科领域最早期的微创技术。1918年，日本的Tagaki首先应用7.3 mm膀胱镜对尸体膝关节进行检查，由此开创了以内镜通过非自然孔道而经手术入口检查体内结构的先河。因而，Tagaki也被公认为是关节镜历史的开山第一人。1931年，Tagaki教授用3.5 mm内镜以液体扩张的方法对膝关节进行了检查，才使得关节镜真正可能用于临床诊断。同年，Burman等报道了采用关节镜在膝关节内进行观察和活检的经验，并且描述了关节镜检查在其他关节上的操作经验和步骤。

关于关节镜外科的历史现状与发展的详细内容，参见30.1.1。

应用经皮穿刺技术治疗脊柱疾病始于20世纪60年代。最初采用X线透视监测，将蛋白酶注入病变的椎间盘治疗某些经保守治疗无效的单纯性腰椎间盘突出症。但此手术并发症较多，远期疗效受到质疑。70年代后期在此基础上加以改进，在病变的椎间盘内置入套管，并通过套管用特制器械对髓核组织进行机械切割，使并发症有所降低。90年代通过置入椎间盘的工作套管放入激光光导纤维，利用激光的能量使腰椎间盘髓核组织气化，降低了椎间盘内部的压力，减轻或解除对神经根的压迫，从而使椎间盘突出症的症状消失，达到治疗的目的。

随着科技的发展和经验的积累，骨科微创诊断与治疗技术取得不断进步，许多先进的科技成果应用于骨科领域后，大大改善了人们对疾病的认识，使骨科领域治疗的发展突飞猛进，手术技术日趋成熟，新的手术种类不断涌现，手术更精确、更安全、更有效。但微创技术作为一种新兴技术，目前在骨科领域的应用大多处于起步阶段，由于受到昂贵的设备、较高的技术要求及骨科学传统观念等因素的限制，加上现有微创技术的可行性、安全性和远期疗效的不确定性，临床尚未广泛推广应用。微创骨科作为有创手术和无创手术发展的桥梁，将会更成熟并得到更大的发展，将会更进一步促进骨科技术跃上一个新的台阶。

(吴海山)

30 微创骨科各论

30.1 关节镜外科概论

关节镜外科是一门既古老又年轻的科学。其历史可以追溯到19世纪初叶，但真正成为现代关节镜外科则是最近40年来的发展结果。目前，关节镜已成为骨科及运动医学领域中微创外科技术的典型代表，已应用于全身多个关节，成为骨骼肌肉系统最常用的手术方式；作为骨科学的一个重要分支，它充满朝气，并将持续快速发展。

30.1.1 历史与发展

关节镜作为一种内镜并非新的发明。1805年，德国人 Philip Bozzini 以蜡烛为光源，用"光梯"作为内镜，通过烛光的反射观察阴道和直肠。直到1918年日本的 Tagaki 首先应用 7.3 mm 膀胱镜对尸体膝关节进行检查，因而 Tagaki 也被公认为是关节镜历史的开山第 1 人。1931 年，Tagaki 教授用 3.5 mm 内镜以液体扩张的方法对膝关节进行了检查，才使得关节镜真正用于临床诊断。同年，Burman 等报道了采用关节镜在膝关节内进行观察和活检的经验，并且描述了关节镜检查在其他关节上的操作经验和步骤。关节镜发展史中最重要的人物之一是日本的 Watanabe，他继承和发展了 Tagaki 的关节镜理论和技术，并且改进了关节镜及操作系统，积累了一定的关节镜检查的经验，从而使在关节镜下施行手术成为可能。1957 年，Watanabe 出版了第 1 部《关节镜图谱》。1968 年，加拿大医师 Robert Jackson 和美国医师 Richard O'Corner 将 Watanabe 的关节镜技术从日本传入北美，并将关节镜技术运用于膝关节手术，自此，关节镜手术在北美得到了发展。关节镜手术这一新技术以其独有的优势迅速为广大的患者和骨科医师所接受。因而，可以说现代关节镜外科的发展开始于 20 世纪 70 年代。1971 年，Casscells 在美国首先发表了 150 例膝关节镜检查与手术的分析论文。与此同时，O'Corner、Jackson、Johnson、McGinty 等一大批关节镜外科的先驱者通过大量的创造性的临床实践，奠定了从关节镜检查到关节镜手术并最终形成关节镜外科体系的坚实基础。

20 世纪 70 年代末，关节镜外科技术被介绍到国内。但受到关节镜设备性能和配套器械的限制，当时的关节镜应用较多地局限于膝关节检查。1983 年，第 1 次全国关节镜学习班在沈阳举办。此后，全国各地许多医院都相继开展了关节镜手术。至 80 年代末，全国已有百余所医院开展了关节镜外科，1982～1990 年，共有约 80 篇关节镜外科论文在各类杂志发表。90 年代以来，通过老一辈和一批在国内外进修学习关节镜外科的专业医师的不懈努力，关节镜外科在我国获得了进一步的发展。1991 年，中华医学会骨科学会关节镜外科学组正式成立，它是我国关节镜外科工作的一个里程碑。

今天，关节镜已不再仅仅是一种辅助的关节检查手段，而是关节外科和运动医学领域中一个不可或缺的重要组成部分。关节镜术或关节镜辅助下的关节手术不仅可以用于大多数的膝关节内紊乱的诊治，而且已越来越多地应用于肩、肘、腕、踝、椎间盘等关节疾患的诊治。随着关节镜外科临床与实验研究的深入以及关节镜技术的发展，可以预言关节镜外科作为微创骨科的代表必然会继续得到重视和发展。

30.1.2 学术与培训

中华医学会骨科学会关节镜外科学组成立于1991年，是全国性的关节镜外科的学术组织，致力于全国范围内的关节镜外科技术的推广和学术交流。由该学组举办的每2年一届的全国关节镜外科学术会议是我国关节镜外科领域的重要的学术交流活动。

随着关节镜外科在世界范围内的蓬勃发展，我国关节镜外科医师与国际关节镜领域的学术组织的联系与交往也更加活跃。以下介绍的是一些在国际上较有影响的学术组织。

国际关节镜协会（International Arthroscopy Association，IAA）于1974年由John Joyce医师倡导成立于美国费城。现代关节镜外科的先驱Watanabe和Robert Jackson分别当选第1任及第2任主席。这一学术组织的建立，标志着关节镜外科已由区域性走向了全球性。该组织每2年召开一次国际性关节镜外科学术大会，旨在交流关节外科领域的最新进展和研究动态，总结该领域的经验，推广新技术新成果，为关节镜外科在世界范围内的发展和交流起到了巨大的推动作用。近年来，我国的关节镜外科医师与该组织已建立了密切的联系。现在，IAA与国际膝关节外科协会（ISK）已联合成立国际关节镜、膝关节与运动医学联合会（ISAKOS），我国也有部分关节镜专业医师加入了这一学术组织。

在世界各地的关节镜外科的学术组织中，特别值得一提的是北美关节镜协会（Arthroscopy Association of the North American，AANA）。该组织由John McGinty在IAA北美分会的基础上于1982年组建。从某种意义上说，北美关节镜外科的发展水平代表着国际关节镜外科的水平。AANA自组建以来始终活跃在关节镜外科领域的最前沿，为这一领域的发展做出了很大的贡献。此外，AANA始终与IAA保持着最密切的联系与合作。

ISK，国际运动医学联合会（International Federation of Sports Medicine，FIMS），欧洲运动创伤、膝关节外科及关节镜外科协会（European Society of Sports Traumatology，Knee Surgery and Arthroscopy，ESSKA）等虽然并非关节镜外科的专业组织，但都是国际上较有影响的与关节镜外科密切相关的学术组织。在这些学术组织的国际性学术会议的论文中，关节镜外科均占有很大的比率。

1984年，AANA和IAA联合出版的*Arthroscopy：The Journal of Arthroscopic and Related Surgery*创刊，成为国际关节镜外科的权威性的专业杂志。该刊物1993年起由季刊改为双月刊，刊物的信息量更加丰富。*Artroscopy*作为AANA/IAA的官方出版物不仅反映了该领域的最新发展动态，也起着引导关节镜外科发展的作用。新近创刊的*Knee Surgery Sports Traumatology Arthroscopy*作为ESSKA的官方刊物，是欧洲关节镜外科的专业杂志。除此之外，在许多国际著名的骨科和运动医学杂志诸如*J Bone Joint Surg*，*Am J Sports Med*，*Clin Orthop*等综合性刊物中均有相当数量的关节镜外科的相关文献发表。从Medical Silver CD-ROM中收集的文献检索中可以非常方便地查阅到国际主要刊物中的关节镜外科文献。此外，通过计算机交互网和电子信箱还可以更方便地进行网上通讯和资料查询。

国内关节镜外科文献较为分散，《中华骨科杂志》、《中华外科杂志》及其他专业杂志上均有一定数量的关节镜研究论文发表。根据国内检索资料统计，从20世纪80年代至1995年，全国各类杂志共发表关节镜的论文近200篇。

AANA拟订的《关节镜外科实践的有关指导》中对关节镜外科医师的培训与学习条款对我国关节镜外科医师或许有所借鉴，现摘录其中一节。

1）希望以明确诊断为目的，应用关节镜的医师，应接受一段合适时间培训以通晓有关的解剖知识、正确的技术并具备识别及处理并发症的能力。

2）对关节镜外科需要进行的培训应包括完成正式认可的骨科住院医师培训或相当的基于特定解

剖区域或外科专业的外科培训。关节镜外科医师应在外科原则和技能方面受到完整系统的培训以确保其在学习和实施关节镜操作前能安全地进行该部位躯体的开放手术。在结业后的培训期间也应包括充分的关节镜外科训练。

3）关节镜医师应能够对患者完整采集病史、查体和进行实验室检查；向患者解释手术程序、益处及可能发生的危险及并发症；正确地考虑为某一特定的病情选择合理的关节镜手术方式。并能准备进行额外的或其他可供选择的术式；书写手术记录，包括手术指征、描述手术本身及系统报道各解剖区的情况。

4）关节镜外科医师应保持关节镜操作的熟练性。为保证知识结构的最新信息，应定期参加毕业后的关节镜会议及翻阅该领域的最新文献。

5）关节镜医师的操作应定期复习。所掌握的术式的数量、指征、结果和并发症应受到医学委员会的认可有效。

我国关节镜外科正处在发展期，尚缺乏关节镜外科的系统培训，国内的关节镜文献与书籍资料尚不十分多见。而关节镜技术和理论的学习不论对于初学者或是已经从事此项工作多年的关节镜外科医师都是至关重要的，这正需要同行的共同努力，不断总结我们的工作，以期把我国的关节镜外科事业向前推进。

30.1.3 设备与器械

（1）关节镜

关节镜根据内部透镜系统结构的不同，可分为以下3种基本光学系统。

1）经典薄片状透镜系统　该系统如同传统的照相机镜头，由数片透镜组成，目前已很少用。

2）Hopkins 棒状透镜系统（Hopkins rod lens system）　这是一种先进的透镜系统结构，由于Hopkins系统透镜间隙小，光通性强，能获得更清晰的图像。目前多数牌号的关节镜都是基于这一光学系统。

3）分级指数（GRIN）系统　该系统由微细玻璃棒构成，较小口径的针状镜多基于此系统。

关节镜的光学特性，最为重要的是视向与视角。视向即关节镜观察的方向，由镜头前端的斜面决定，关节镜前端的镜片斜面通常有0°、10°、25°、30°、70°等，其中以30°镜使用最多；因为当旋转30°镜时可明显扩大视野（是一种聚合的视野），并且不出现盲区。但在某些特殊场合，70°镜亦有其不可替代的作用。因而，关节镜医师最常选用30°和70°镜。

关节镜鞘管与穿刺器是与关节镜配套的部件，鞘管既作为关节镜保护鞘，又作为关节灌注系统的进、出水装置，通过鞘管与镜头之间的环形空隙注入或引流关节灌注液。钝性和锐性穿刺器作为鞘管的管芯用于关节穿刺，一般以锐性穿刺器穿破皮肤或皮下组织，再以钝性穿刺器穿透滑膜以免损伤关节内结构。多数医师主张以尖刀做皮肤切口，穿透皮下及关节囊后直接用钝性穿刺器作关节穿刺，而不使用锐性关节穿刺器以免伤及软骨、半月板等关节内结构。

（2）光源系统

光源系统是关节镜系统中最基本的组成部分。冷光源与光导索的出现，较为成功地解决了关节镜的光源问题。光源通过光导索与关节镜连接，再通过与镜头平行走向的光导纤维导向镜头前方，照亮视野。

（3）摄录及监视系统

一套完整的摄录监视系统应包括摄像头、摄像主机、监视器及可选配的录像机、图像打印机、视频照相机、字幕机、多媒体电脑等附属设备。其中摄像头，摄像主机及监视器是摄像系统最基本的配置。如果把光源和镜头系统称为光学图像系统的话，摄像系统就是电子图像系统。当关节内的图像通过关节镜的透镜系统再经摄像头接口后方的透镜成像于摄像头内的光感元体后，光能被转化为电能，其电信号传入摄像机主体，经分析处理后经监视器转化为可视的电视图像。

（4）关节镜手工器械

关节镜手工器械大致可分为5类。第1类是穿刺器械，用于关节穿刺以导入镜头或器械；第2类是探针，用于探查关节内结构；第3类是切割器械，包括手术剪、篮钳以及各种手术用切割刀具，是关节镜手术操作中最重要的手工器械；第4类是持物钳，用于夹持关节内组织和取出游离体；第5类是各种专用特殊器械如瞄准器、缝合针等用于关节镜下ACL重建、半月板缝合等特殊手术操作。

（5）电动刨削系统、电切割及激光操作系统

关节内动力切削系统由主机、操作手柄、可替换工作刀头、脚踏控制器并配合吸引系统所组成。其工作刀具分为重复使用与一次性使用两种类型。

根据其工作刀具的功能又可分为关节内刨削切割系列和关节磨削成形系列。一般说来,越是坚韧的组织,如半月板、软骨,越需要较低的转速,以使窗口打开的时间足以使组织进入,但磨削硬化骨则需要较高的转速,滑膜的切割也可使用较高的转速。但2 000 r/min以上的转速并无实际意义。此外,其可折弯刀具也为手术者在空间受限的情况下使用动力切削系统提供了方便。同时,也应该看到,动力切削系统的使用增加了关节内组织创伤和关节镜头受损的机会。因而,强调轻柔的、准确的手术操作,在直视下使用刨削器是非常重要的。应该指出的是,更强的动力、更锐利的刀具以及更高的转速并不一定能更快地完成手术,切削器的效果好坏更多地决定于操作者的使用经验。动力切削系统的使用给关节镜医师带来了极大的便利,也提高了关节镜手术的效率和手术效果。

高频电刀在关节镜外科中的应用有其特殊性。由于关节镜手术时大多使用导电的生理盐水或复方氯化钠注射液(林格液)作为关节扩张灌注液,通常使用的高频电刀不能在此液体环境中使用。因而,电刀头必须重新设计。一些专业厂家为关节镜外科专门设计了高频电刀系统,它不仅可以在蒸馏水或甘氨酸等非离子环境中工作,而且同样可以在生理盐水和林格液环境中安全地使用。各种不同设计的专业化电刀头适应了关节镜下各种手术操作的需要,与手工切割与动力切削相比,电外科操作在易出血的部位更显示其优越性。

激光系统在关节镜外科的应用使关节镜外科迈上了一个新台阶。从CO_2激光、Nd-YAG激光直至今天的钬激光外科操作系统,激光关节镜外科系统从理论到临床实践都得到了很大的发展。与传统的手术操作相比,激光可以通过能量释放和频率的控制达到手术者所期望的切割、凝血或气化的目的。由于专业化设计的各种纤细的光导纤维探头较常规的手术器械更容易进入关节的各个部位,从而使激光外科操作比传统的手术操作更简单和更准确。新一代的钬激光系统在组织的损伤效应方面较早期的激光系统是极其微小的,因而,只要谨慎地控制激光的能量释放,激光外科操作仍是安全可靠的。除了经济上的因素,激光技术在关节镜外科中的应用具有广阔的前景。

(6) 关节镜手术的配套设施

尽管从一般意义上说,在任何一所医院或是具备一定条件的骨科诊所都可以开展关节镜外科。但严格说来建立关节镜外科应该看做是一个系统工程。因为拥有一套关节镜系统并不等于建立了关节镜外科。关节镜外科作为现代骨科的一个亚专业,首先应该依附于骨科或关节外科。从事关节镜专业的医师也同样首先应该是骨科医师,并且应该具备较全面的骨科知识与技术尤其必须具备关节外科的基本知识和基本操作技能。同时,开展关节镜外科的医院或诊所至少应该具备开展关节手术的基本设施以及放射和影像诊断、必要的实验室检查和病理诊断及康复性理疗的条件。

1) 稳压电源与多用插座　1 000 W功率的稳压电源足以保证提供关节镜系统的供电且可避免高压和欠压对昂贵设备可能造成的损害。由于关节镜系统的电源电缆多数是美国或德国等不同标准的三相或二相插头,因而配备一个带有保险丝的多用插座是必须的。此外,整个系统应有妥善的接地,以防操作过程中的漏电。

2) 关节扩张灌注系统　施行关节镜术必须使关节囊扩张。而扩张的方法主要是灌注冲洗法。此法不仅能扩张关节腔,更重要的是能够将手术中切割的碎片通过引流管排出关节腔。多数术者均采用重力灌注法。常用的灌注液为复方氯化钠注射液或生理盐水。在使用高频电刀(电凝)进行手术操作时,应使用非离子灌注液。为达到足够的压力使关节囊充分扩张,必须保证3 000 ml以上的容量且液体应悬挂在手术台平面以上至少1 m。此外,进、出水软管应有足够的口径,一般使用5～7 mm内径的硅胶管。

3) 收集瓶　在吸引瓶和引流瓶中放置一张滤网或纱布以收集切削的组织碎片和小游离体等做病理检查。

4) 止血带　对于止血带的应用适应证由关节镜医师根据手术需要及患者具体情况酌情选择。并非所有的膝关节镜手术都必须在止血带下操作,半月板以及软骨的手术很少出血,而滑膜切除、关节面成形等操作则有较明显的关节内出血。通常于术前在股部绑扎气囊止血带而暂不充气,在作诸如外侧支持带切开或滑膜切除等手术时抬高患肢后充气止血。

5) 固定器　在进行关节镜手术时术腿固定器是非常有用的,当固定器与气囊止血带联合使用时可以获得更好的效果。在没有固定器的情况下,一个置于关节两侧的阻挡装置也可起到相似的作用。

6）图像记录设备　为了保存关节镜手术资料，录像机可以和摄录系统相连接记录动态图像资料，视频图像打印机或视频照相机可以记录电视监视器上显现的任何静态画面。带有专门设计的闪光灯的光学照相机与专用的镜头匹配可以通过关节镜目镜拍摄到更清晰的光学照片。图像资料的记录有助于更进一步的研究、总结并适应循证医学的要求，有条件的单位应该作为常规配备。此外，计算机多媒体系统在关节镜手术资料的保存与分析中的应用是未来关节镜外科资料管理的方向，利用微机将动态图像资料、文字与绘图资料、录音资料等信息以计算机数字化存储，将极大地方便关节镜资料的自动化管理。对临床科研、随访以及资料复习与交流将是大有裨益的。

7）关节镜手术的特殊设备　有条件的单位可以配备电切割系统和激光操作系统。手术室如能具备C臂机，对于某些膝关节镜的特殊手术的定位会很有帮助。下肢持续被动活动(CPM)装置是许多膝关节手术后早期康复的重要手段，应作为常规配备。

30.1.4　手术室环境

尽管关节镜手术能以门诊手术开展，国外也有相当数量的门诊关节镜术(office arthroscopy)的经验，但我们建议开展关节镜外科的初期最好将患者收住入院，且无论是住院患者或是门诊患者，其手术均应在正规手术室施行。

一个高净化度适于无菌手术的手术室是开展关节镜手术的基本条件。此外，还应根据关节镜手术的特点设计和配置手术室环境。由于关节镜及其附属设备需要占据较大空间，笔者建议手术室面积至少应该＞20 m^2。门窗有遮光板以避免强光直射电视监视器而影响图像观察。手术室应配置有多用电源插孔，最好能够配备两套独立的电源系统，以保证在一条线路中断的情况下不至中断手术。此外，壁式或电动吸引系统、给氧系统、高频电切电凝系统及气囊止血带等也是手术室必备的条件。手术台一般置于手术室中央，其旁应有地漏以免关节灌注液流出淤积。由于关节镜手术需要大量的液体作灌注和关节扩张，液体从关节穿刺口溢出极易浸湿无菌敷料，因而我们建议关节镜手术应采用防水铺巾。

关节镜手术以术者一人操作为主，台上配备一名助手协助操作和管理器械，台下巡回护士则负责各种管线与设备的连接和管理。室内尽量减少参观人数并避免走动，以防碰落连结管线。

30.1.5　操作技术与原则

首先应该明确的是关节镜外科绝不等同于关节镜技术。一个优秀的关节镜外科医师应该把关节外科知识与关节外科技术包括关节镜技术放在同等重要的位置。这是我们提高关节镜外科水平的关键所在。尽管不能要求所有的骨科医师都通晓关节镜技术，但关节镜医师必须非常熟悉骨科专业知识尤其是关节外科知识，包括运动医学知识。否则，关节镜技术将成为无本之木。

尽管关节镜技术是与开放手术技术完全不同的操作模式，但其理论基础则是一致的。对膝关节外科解剖学、膝关节生物力学、膝关节诊断学知识的掌握是进一步学习膝关节镜外科学的基础。在具备关节外科的基础知识之后，就应该进一步掌握关节镜外科本身的原理和特点。只有在真正了解所从事的专业和使用的关节镜系统的原理和特点之后，才可能做到得心应手。笔者建议初学者在购置关节镜设备之前先进行一些简单的关节镜原理学习和基本操作技术训练，阅读一些关节镜外科的入门教材，参加短期培训或进修，参观关节镜手术操作，向专家请教各种关节镜设备的性能特点等能有助于用有限的投资，购置最需要的设备和器械。跟从本科室的熟悉关节镜操作技术的老师学习自然是最简捷的途径，但关节镜技术的提高只能是来自于自己的反复的操作训练与经验积累。

关节镜技术的训练应该是循序渐进的过程。几乎所有的关节镜外科专家都认为，关节镜外科的实践应该从膝关节镜检查开始，只有熟练掌握了关节镜的检查并对关节内生理与病理改变有了充分的认识，才有可能正确地处理关节内病变。因此，学习关节镜需要耐心和具有持久的精神，这是一种不同于其他矫形外科手术的技巧。

对于已经开展关节镜手术并具备一定经验的医师而言，总结自己的手术经验，定期复习所处理的病例并分析术前、术后的诊断与手术疗效，对提高自己的关节镜外科水平将是大有益处的。同时，无论是初学者还是关节镜外科专家，继续训练和接受再教育也是至关重要的。同行之间的交流、观摩关节镜外科专家的手术、专门进修和参加培训班与关节镜学术会议，以及参考最新的关节镜外科文献等都是继续学习的必要途径。

30.1.6 适应证与禁忌证

在关节外科领域，关节镜并无绝对的适应证。诊断性关节镜检查可以适用于任何诊断不明确的关节紊乱，也可作为关节切开手术之前的检查，证实或明确关节内结构的损伤和病变，以指导手术设计，避免不必要的关节切开。也可以通过对关节内病理状况的综合评价估计手术的预后。诊断性关节镜检查还可以作为关节手术后的随访检查，甚至对关节置换后的假体关节做出评价，从而提高关节疾病随访评价的水平。但笔者认为把关节镜作为关节伤病的常规检查手段是不可取的，只有在通过常规的无侵袭性的检查手段仍不能获得明确的诊断的病例才是单纯诊断性关节镜检查的适应证。

对于关节镜手术而言，在有条件和能力的情况下，能够以关节镜操作完成的手术应该尽量避免切开关节进行手术。按照可以开展关节镜手术的关节分类如下。

(1) 膝关节镜

临床诊断不明确的膝关节紊乱的检查、关节内病变的活检、开放手术前的诊断、全膝关节置换或单腔室骨关节炎胫骨高位截骨手术的术前评价等；半月板或盘状软骨损伤和退变的全切除、次全切除、部分切除、缝合和盘状软骨成形；各种不同类型滑膜炎包括类风湿关节炎等滑膜病变的滑膜活检与滑膜切除；化脓性关节炎的关节清创与冲洗引流；膝关节结核的病灶清除；滑膜皱襞综合征的皱襞切除；Hoffa病的脂肪垫切除；滑膜软骨瘤病及其他原因引起的关节内游离体摘除；骨关节炎的关节冲洗和关节清理及软骨搔刮、钻孔成形术；剥脱性骨软骨炎或关节内骨折的复位与内固定；交叉韧带损伤后的修复或重建手术；因外位髌骨引起的髌股关节痛患者的髌外侧支持带松解及内侧支持带紧缩缝合术；膝关节痛风的结晶体清除；在关节镜辅助下进行开放-镜下联合手术，诸如后十字韧带重建、半月板移植、半月板囊肿切除与病变半月板的处理等。

(2) 肩关节镜

临床诊断不明确的肩关节紊乱的检查，关节内病变的活检，开放手术前的诊断，上盂唇前后部损伤，肩关节不稳定，肩峰成形和锁骨远端切除术，肩袖撕裂，粘连性关节囊炎，肩关节僵硬，投掷肩，肩部骨折，肩关节的关节炎和滑膜炎。

(3) 肘关节镜

肘关节紊乱的检查和诊断，关节内游离体取出，滑膜炎、软骨病变、骨关节炎、类风湿关节炎的诊断和治疗，关节挛缩、不稳定、Panner病、骨折、外翻负荷过大/不稳定、肱骨外上髁炎、肘关节强直的治疗，关节镜下桡骨头切除术等。

(4) 腕关节镜

腕关节韧带损伤的评估，包括舟月韧带断裂、舟三角韧带断裂、三角纤维软骨复合体损伤；软骨缺损和不明原因慢性腕关节疼痛的评估；舟月和月三角韧带撕裂的镜下复位和内固定；桡骨远端骨折的镜下复位内固定；三角纤维软骨复合体撕裂的清理与修复；尺骨远端切除；舟骨骨折的镜下复位内固定；化脓性关节炎的灌洗；滑膜切除；游离体取出和软骨缺损的清理；退行性关节炎的清理；腱鞘囊肿切除；关节切除成形术等。

(5) 髋关节镜

游离体，盂唇撕裂，退变性疾病，软骨损伤，股骨头缺血性坏死，滑膜疾病，影响活动的骨赘，关节不稳，关节感染，全髋关节置换术后，无法缓解的髋关节疼痛，与切开手术联合进行的关节镜手术，圆韧带损伤等。

(6) 踝关节镜

踝关节疾患的诊断和游离体摘除，软骨成形，滑膜切除，撞击综合征的软组织切除以及瘢痕和粘连的切除，胫骨和距骨的骨赘切除，踝关节不稳定，韧带联合的慢性损伤，踝关节周围的肌腱疾病等。

(7) 脊柱镜

使用显微内镜椎间盘切除术(MED)治疗椎间盘突出症。关节镜的禁忌证很少。对于局部(关节外)或全身有明显感染灶，可能引起关节感染的病例，应视为关节镜的禁忌证。如关节间隙接近消失已无法获得满意的检查更无足够的空间施行关节镜手术。禁忌证少并不意味着可以滥用关节镜，手术者必须根据病情需要、手术能力、经济条件等多方面因素合理应用关节镜术。

30.1.7 并发症

关节镜术后的并发症很少，这也正是关节镜外科的优势所在。与所有的手术一样，关节镜手术也同样不可避免地会发生某些并发症。熟练的技术、丰富的经验、详尽周到的手术计划以及对关节镜手术原则的深刻认识会大大降低并发症的发生率。可以说，绝大多数并发症是可以预防或避免的。膝关节镜手术可能导致的并发症主要包括如下。

(1) 关节外结构的损伤

1) 血管损伤　这是关节镜手术中极少见但也是最严重的损伤之一。因此在手术中对血管的保护意识是非常重要的。

2) 神经损伤　在关节穿刺的过程中，关节周围的皮神经分支的损伤有时是难以避免的。因为它们的分布并不恒定。皮神经的损伤一般只造成局部的感觉减退，但极少数病例可能出现疼痛性神经瘤。肩关节手术时可能会损伤腋神经，肘关节镜可能损伤骨间背侧神经、尺神经和正中神经。

3) 韧带和肌腱损伤　由于麻醉状态下肢体失去自我保护，为获得更大的操作空间，过度地使用外、内翻力量，可以导致周围韧带的撕裂伤。

(2) 关节内结构的损伤

1) 关节软骨面损伤　这是关节镜手术中最常见也是最重要的损伤。关节腔是一个极不规则的狭窄空间，缺乏经验的医师在移动镜头和在镜下移动探针或手术器械时总会觉得空间过于狭小，为达到关节内某些较难观察的区域，不得不用暴力，这是造成关节软骨损伤的重要原因。此外，锐性器械包括电动刨削器的不恰当操作对关节软骨面的损伤也较常见。表浅的软骨损伤可以获得满意修复，但常可导致关节镜术后恢复时间的延长，而深大的软骨损伤则有可能导致关节的退变。因而，良好的关节充盈、轻柔而准确的操作技术以及根据不同的手术需要选择合适的手术器械是避免关节软骨损伤的重要因素。

2) 关节内其他结构损伤　常见的包括膝关节中的半月板损伤、髌下脂肪垫损伤、交叉韧带与肌腱损伤等；肩关节中的肱二头肌腱损伤、关节囊坏死等。

3) 损伤性滑膜瘘　在关节内、外侧的滑膜和关节囊的撕裂或手术损伤在少数病例中可导致滑膜瘘的形成。

(3) 关节血肿和皮下淤血

关节内血肿是膝关节镜手术的常见并发症。多见于外侧支持带松解术、大面积滑膜切除术、外侧半月板全切除术以及凝血功能不良的患者中。此时应尽可能采用电切割或激光切割法。没有高频电刀和激光刀条件时，采用术后关节内保留少量含1 mg%肾上腺素溶液并配合关节加压包扎及冷敷的方法也可获得良好的止血效果。少数病例可出现较大面积的皮下淤血，一般可于2周内吸收，不需特殊处理。

(4) 关节感染

关节镜术由于其创面暴露少、手术损伤小且始终在灌洗过程中操作，其感染机会较开放手术大为减少。Lanny Johnson 报道在12 500例中有5例感染，感染率为0.04%。国内尚无感染率的报道。尽管如此，关节镜手术的无菌操作原则仍然是必须遵循的，因为关节的感染常可导致关节的病废甚至是截肢的后果。

(5) 器械断裂

尽管器械断裂在膝关节镜手术中非常少见，但仍然是每一个关节镜医师必须注意的问题。由于关节镜手术的特殊性，其专用手术器械的设计追求精巧，粗暴的操作很容易造成断裂，这不仅增加了手术时间，而且由于昂贵器械的损坏在经济上也带来不必要的损失。轻柔准确的操作和合理地选用手术器械是避免断裂的唯一办法。一旦发生器械断裂，当其断裂在关节腔内时，应关闭出、入水开关，按照游离体寻找和取出的方法，争取在关节镜视野中找到并将其取出，有时当断裂的金属碎片离开视野后再要找到是相当困难的，需要耐心仔细的寻找。当断片仍无法找到，则必须借助X线透视或摄片定位。如断裂发生在关节人路中，可通过扩大切口的方法在直视下取出，盲目的探寻往往会事倍功半。

(6) 其他

关节镜手术还可能导致其他一些并发症如滑膜疝与滑膜瘘、止血带引起的神经麻痹、灌注液外渗造成局部水肿等，一般不会引致严重后果。

(赵金忠　彭晓春)

30.2 微创人工关节置换

30.2.1 髋关节置换术

自从1963年Chaley奠定了现代人工全髋关节置换(total hip arthroplasty, THA)基础，经过40多年的发展，THA手术已成为应用最广、疗效最佳的人工关节手术。近10来，随着假体设计的改进、关节承重面的改良、关节假体的使用寿命延长和计算机技术在骨科领域的应用，在追求更小的手术创伤和更快术后恢复的基础上，提出了微创全髋关节置换术(minimally invasive surgery-THA，MIS-THA)概念。在保证现有远期疗效的前提下，不切断肌肉和肌腱，更少的软组织损伤，更快的术后恢复的THA，被公认为现代MIS-THA的理念。

30.2.1.1 微创髋关节置换术发展史

在MIS-THA手术发展过程中，包括各种入路(前侧、前外侧及后外侧)单切口、前后路双切口和前侧入路三切口置换术。

1996年，Sculco等首先报道了后外侧入路小切口THA术，经过多年的实践已成为其所在医院的THA标准术式。该手术方式只是对常规后外侧THA手术切口的缩小，他们对比了8 cm与15 cm切口THA两组的临床资料，前组出血量平均378 ml，后组平均504 ml，两组差异有统计学意义($P<0.01$)。DiGioia和Hartzband随后也报道采用该入路可以做到术后恢复快、住院时间短、围术期出血少、软组织创伤小、手术时间短且切口外形美观的特点。但因为术中仍要切开部分肌肉，有学者认为该种手术应定为小切口THA(mini-incision surgery THA)术。

2001年，Richard Berger进行了首例理论上不切开肌肉的双切口微创THA，后在美国4个关节中心得以推广。最初采用该入路进行手术的100例患者统计结果显示：97%的患者在手术当天出院，100%的患者在术后23 h内出院，平均术后10天恢复日常活动。2003年AAOS年会的报道中，在超过300例的双切口入路THA患者中，90%的患者在术后24 h内出院。2005年AAOS年会，Berger总结性地提出门诊患者行THA的可行性和安全性。双切口MIS-THA是真正的微创手术，不仅从操作中避免了肌肉的切开，同时更新了微创THA术理念和围术期的技术。

以后Siguier和Kennon通过改良Smith-Peterson前侧入路，避免切开肌肉和肌腱，总结和提出了各自的前侧入路MIS-THA方法，大样本统计结果显示达到了类似Berger的近期效果。2003年，Roettinger等推荐了改良Watson-Jones前外侧入路(OCM入路)，经由臀中肌和阔筋膜张肌间隙，显露髋关节。该种技术避免了常规前外侧入路对外展肌的部分切断和臀上神经的损伤，减少了跛行的发生。

开展MIS-THA手术需循序渐进，不断总结经验。很多学者建议，在行THA手术时，应逐渐缩短切口，减少软组织损伤，掌握正确的放置各种牵开工具的方法，再经过一定数量的病例积累，才可以考虑开展MIS-THA手术。还有学者建议应尽量使用术者熟悉的手术入路，培养一个技术熟练的工作团队，否则会增加术后早期并发症的发生率。

30.2.1.2 微创髋关节置换技术适应证与禁忌证

并非所有需做THA手术的患者均适用微创技术，也不是所有的医师都能熟练掌握该项技术。正确选择适应证、丰富的THA手术经验是取得预期效果的前提。

1) 手术适应证 ①患者体质指数(BMI)≤30，小切口THA手术开展初期不能选择BMI>30特别是腿部肌肉发达的病例。有文献认为，手术开展初期宜选择女性患者。②术中能脱出股骨头者，保证在直视下能锯断股骨颈，取出股骨头。③无须对髋臼进行修整重建者。而重度髋臼发育不良(Crowe Ⅲ型、CroweⅣ型)及股骨头髋臼突入和有巨大骨赘者不宜选用。另外，建议尽量采用非骨水泥型假体，因为在有限的手术视野和操作空间中，及时去除多余的骨水泥是困难的。

2) 手术相对禁忌证 ①肥胖，BMI>30。②存在关节强直及股骨头内侧巨大骨赘。③需对髋关节周围进行一些其他辅助操作，如植骨、取出内固定钢板等。④有严重的骨质疏松的患者。

3) 手术绝对禁忌证 ①股骨近端破坏，如肿瘤、转子周围骨折等导致股骨近端不能引出伤口之外。②翻修术。③既往有髋部手术史。

30.2.1.3 微创髋关节置换术特点

MIS-THA有别于传统的THA，在技术操作和围手术技术上有下列要求和特点。真正做到MIS-THA不仅仅是手术操作的技巧，同时涉及很多术期的技术支撑。

(1) 手术器械

为顺利实施MIS-THA术，在较小的手术视野中进行操作，需要对常规手术操作器械进行改进和改良，以达到正确安放假体的要求。

1) 特殊的牵引手术床 前侧和前外侧入路MIS-THA对股骨侧暴露和操作较为困难，需要借助特殊的牵引手术床辅助。Siguier的前路单切口MIS-THA，患者采取骨盆固定平卧位，放置于Judet牵引床(Judet orthopedic table)，术中可以辅助行患肢的牵引，内、外旋和小腿的向下方的放置。OCM

入路 MIS-THA，患者采取骨盆固定垂直侧卧位，放置于 Jupiter 牵引床，术中允许患肢过伸和小腿下垂，并垂直于地面(图 30-1)。

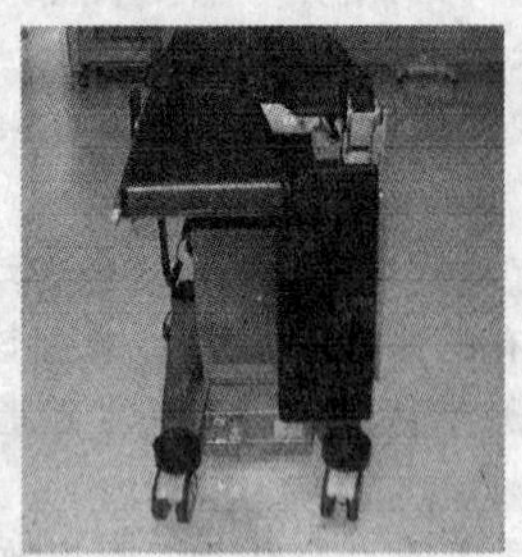

图 30-1 OCM 入路使用的 Jupiter 牵引床

2) 改良的过弯的 Hohmann 拉钩　为在小而深的切口内部便于操作，防止周围软组织过分牵拉损伤，常用的 Hohmann 拉钩被改为长柄过弯形状，如"眼镜蛇"头部昂起的样子。为给手术视野提供额外的光源，部分公司还在拉钩近切口处设计安装了点光源安装部件(图 30-2)。

图 30-2 各种长柄带光缆孔的单双点拉钩
弯柄不会影响手术者在切口外的操作，光源能从小切口中方便地作好深部软组织暴露

3) 带有偏距的锉磨和放置工具　直柄的髋臼和股骨髓腔锉无法完成正确的操作，同时有可能造成髋臼的锉磨偏心和股骨的骨折，无法正确安放假体。专门设计的具有偏距的锉磨和放置工具，避免了上述问题。同时常用的半球形状的髋臼锉近一半的边缘被省略(half-reamer)，有利于髋臼锉放置和锉磨时的观察(图 30-3～30-5)。

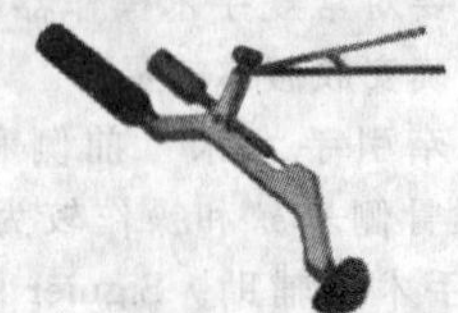

图 30-3 偏距型臼壳定向插入器
区别于传统的直柄设计，在偏距作用下，可在小切口中不损伤软组织地植入髋臼

图 30-4 直型骨锉柄
可在小切口中，进行不损伤软组织的击锉工作

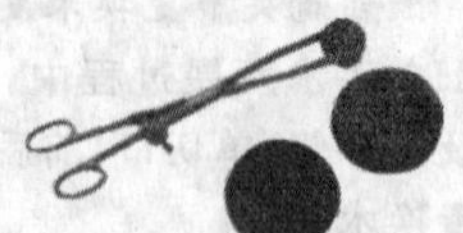

图 30-5 侧孔型模型头部
可在小切口中，进行横向安放模型头部

4) 标准组件的假体　标准组件非骨水泥假体的使用，有利于在有限空间中简化操作，同时避免对周围软组织的过度牵拉造成的损伤，免除清除骨水泥的过程。

5) 计算机辅助骨科手术(computer aided orthopedic surgery, CAOS)系统　Berger 在双切口行 MIS-THA 的过程中需要进行 C 臂机辅助透视，以观察和调整假体的位置。同时有部分学者在 MIS-THA 中，已经使用计算机导航系统，术中示踪展示手术器械在患者体内的相对位置、空间走向及运动轨迹。手术者可以在非直视状态下，精确完成器械在骨结构上的截骨、锉磨和假体植入等操作，提高手术要求的精度。

(2) 手术技术

1) 手术切口缩小和位置的准确　在 MIS-THA 中，皮肤切口通常<10 cm，但是切口的缩小是随手术医师经验的增加而逐步缩小的，必要时应毫不犹豫地延长切口，绝不能盲目追求小切口而影响手术质量。同时切口位置要准确，否则在较小切口的情况下，操作会更为困难，同时部分手术入路的选择很难转为常规的手术操作。

2) 移动窗口技术　移动窗口(mobile window)技术是指分步依次暴露手术区域，在暴露一侧时放松对侧的拉钩，反之亦然。这样既可较好地暴露手术操作区域，又不至于因过度牵拉造成软组织挫伤和皮肤撕裂。

3) 分次截骨后取出截骨片　当依照模板进行股骨颈截骨时，由于切口过小，一般无法做到脱位后截骨，即使在原位截骨也无法通过一次截骨后，取出股骨头。有时需要对股骨颈行两次截骨，先取出楔形骨块后，再取出残存的股骨头。

4）对髋关节周围深部软组织的修复　MIS-THA技术的另一项新的理念是对关节囊的修补，后外侧入路的MIS-THA把切断的股外旋肌和臀小肌断端缝合，消除死腔，保持髋关节周围的张力。前外侧入路的MIS-THA，建议通过利用在大转子上的骨隧道原位缝合臀中肌断端，减少术后跛行的可能。

（3）疼痛管理

为达到术后尽早康复训练和出院的目的，建议术中采用连续硬膜外麻醉方法，不采用静脉全身麻醉术，术后立刻拔除连续硬膜外麻醉导尿管，有利于提高患者的精神状态，从而尽早开始康复训练。

Berger和Duwelius强调围术期的疼痛管理，局部浸润止痛和围术期口服给予镇痛，强调尽量不使用阿片类麻醉药物，减少术中和术后的呕吐。①术中在髋关节周围局部注射复方镇痛和麻醉药物镇痛，如100 mg罗哌卡因（ropivacaine）、40 mg醋酸甲泼尼龙（depomedrol）和4 mg吗啡溶解于60 ml的生理盐水中注射。②关闭皮肤之前在伤口周围局部浸润注射吗啡、可的松和罗哌卡因至少可以在术后24 h明显减少疼痛，给患者提供一个相对舒适的感觉。③在康复室中可以静脉给予没有呕吐不良反应的30 mg酮洛酸（ketorolac）镇痛。④为达到更佳的镇痛效果，术前和术后口服40 mg伐地考昔（valdecoxib）和10 mg羟考酮（oxycodone），年龄＞75岁的患者，给予1 000 mg对乙酰氨基酚替代羟考酮。

（4）围术期的宣教和尽早的康复指导

术前即告知患者住院手术的时间为1～2天，同时没有非常明显的术后体位禁忌可以改变患者预期，以促使患者早期康复训练和出院。

术后建议患者借助单拐尽可能早地行走训练，有资料统计有近3/4的患者在术后4 h即可做到完全负重行走，除非患者受其他疾病的影响。所有这些可以增强患者的信心和对手术的积极态度。治疗的康复指导处方为每天走出家门和步行1.6公里。

因为MIS-THA在术中对关节囊较小的损伤，同时术后关节囊和周围组织的修补，增加了髋关节的稳定性，不再特别强调防止髋关节脱位体位。

30.2.1.4　*微创髋关节置换技术入路*

MIS-THA的术前计划和常规THA手术一样，包括：下肢长度的测量，确定合适的外展肌张力和股骨偏距；测量预期的假体部件的尺寸。近几年来，根据文献报道共发展了3类入路6种MIS-THA技术。

（1）前侧入路

前侧入路MIS-THA选择阔筋膜张肌与缝匠肌间及股直肌间隙，在切断和结扎旋股外血管丛后，显露前侧关节囊进行操作。前侧入路MIS-THA的优点是不切断臀中肌和外旋肌，降低了术后跛行和后脱位的发生，但股骨侧的显露和操作比较困难，针对股骨侧操作发展了3种手术方式。

1）前侧入路单切口MIS-THA　此入路患者骨盆固定平卧于Judet牵引床，平行髂前上棘和腓骨头连线下方约2 cm，以大粗隆顶点为参考，作一长6～8 cm的切口，近端占顶点上方2/3，远端占顶点下方1/3。该切口应在大粗隆的正前方。股骨侧操作要求患肢先锁定于90°外旋或最大外旋，用Lambotte spoon从内侧抬起股骨颈，同时用点状拉钩抬起大粗隆，压低患肢和逐级牵引，从而抬高及显露股骨颈，锁定患肢于90°外旋。

2）前侧入路双切口MIS-THA　Berger的双切口MIS-THA，前侧切口从股骨头的基部沿股骨颈纵轴指向粗隆间线，长约5 cm。两次截骨后在该切口进行髋臼操作。在臀部后外侧加作一2.5 cm的切口，穿透臀大肌。在臀中肌和梨状肌间作一软组织隧道，插入皮肤保护套管。在前方切口情况直视下，辅以透视进行股骨侧操作。术中反复透视定位，复习曲线，是手术推广主要困难（图30-6）。

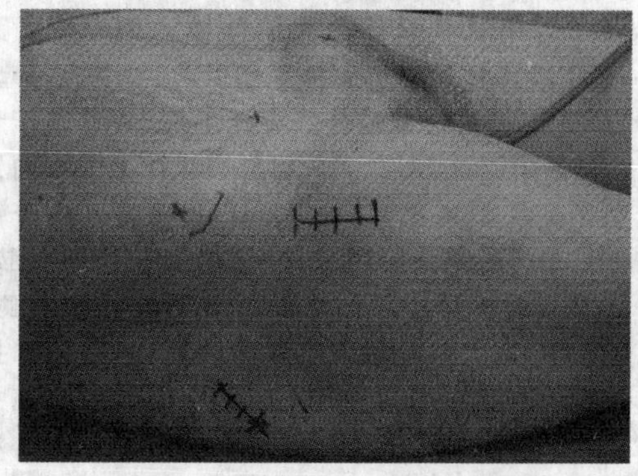

图30-6　双切口的皮肤切口定位

3）前侧入路可三切口MIS-THA　Kennon的前侧入路MIS-THA，切口从髂前下棘稍远端估计为股骨头旋转中心开始，止于股骨前方结节间线中点，长度6～10 cm。对于肥胖或体形过大的患者，如髋臼操作困难，建议在股骨远端加作一切口。股骨侧操作先行松解，如仍有困难，可在近端加作一切口，借助软组织隧道进行操作。该入路的适应证广泛，肥胖和肌肉发达者也可行该入路，适当地延长切口和增加两个切口的情况下，可以行髋关节翻修手术。髋臼和股骨准备可在单切口下进行，在使用传统标准器械的情况下，外加两个切口可供选择，有利于髋臼假体和股骨假体正确位置的放置。

(2) 前外侧入路

前外侧入路 MIS-THA 是对 Watson-Jones 切口的改良。入路选择有两种：大腿外展肌群的前1/3和后2/3之间，臀中肌和阔筋膜张肌之间(OCM入路)。

1) 大腿外展肌群的前 1/3 和后 2/3 之间入路　患者取骨盆固定的垂直侧卧位，在屈髋 30°时，标记大粗隆和股外侧肌结节边缘，切口从大粗隆尖端后下方近端 1 cm 指向大粗隆前远端 1 cm，长约 7 cm。显露臀中肌止于大粗隆的肌纤维，在此切断臀中肌止点前近 1/3 部分，用可吸收缝线标记，以便缝回大粗隆上缘的腱袖。显露臀小肌，"L"形切开臀小肌及其下关节囊，可吸收线标记，用钻头在大粗隆中间形成骨性隧道，在关闭切口时缝回臀小肌和缝合关节囊。

更为直观的髋臼，便于术中髋臼的位置进行反复的调整，手术容易掌握是该入路的特点。但是股骨侧的显露和操作困难，部分外展肌(为 25%～50%)的切断，有可能引起跛行，康复也较慢。

2) 臀中肌和阔筋膜张肌间隙入路(OCM 入路)　患者取骨盆固定的垂直侧卧位，放置于 Jupiter 牵引床，允许患肢过伸和小腿下垂，并垂直于地面。患肢中立位，切口从大粗隆边缘前上方指向髂前上棘后方 4 cm 处，长约 7 cm。找到并钝性分离臀中肌和阔筋膜张肌间隙，轻度内旋和外展患肢，暴露关节囊外侧，"Z"形切开关节囊外侧和前侧。患肢外旋，两次截骨后取出股骨头后，进行髋臼操作。股骨准备时要求过伸、极度外旋和内收髋关节，小腿下垂并垂直于地面。内侧拉钩放置于小粗隆截骨处，外侧拉钩放置于大粗隆，抬起股骨截于切口处(图 30-7)。

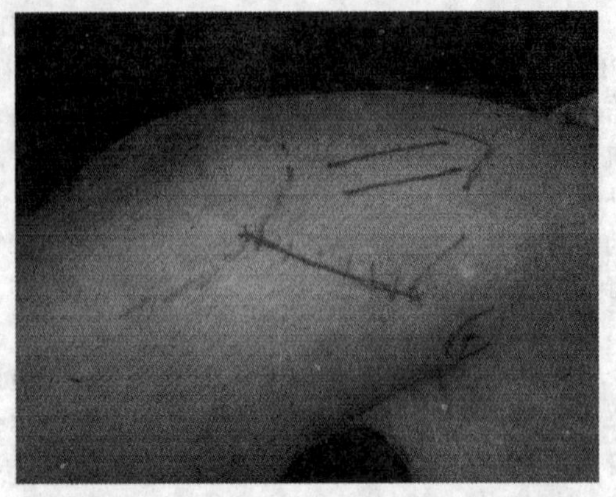

图 30-7　OCM 入路的皮肤切口定位

该入路的特点是术中不需要 X 线透视，后侧关节囊没有破坏，降低了后脱位的概率。做到了肌肉间隙入路，不会引起跛行。股外侧皮神经和旋股外血管丛没有损害。切口具可扩展性和较短的学习曲线。但是这种手术入路近侧端暴露时臀上神经损伤概率较高，肥胖和肌肉过分发达者操作困难，强行抬起股骨断端和锉磨髓腔，有可能引起大粗隆骨折和股骨干内后侧骨折。有一定的前脱位概率。

(3) 后外侧入路

后外侧入路微创全髋置换术的切口以大粗隆后侧顶点为中心，轻度倾斜，方向从后上向前下，远近端比例为 2∶1。与传统手术相比，术中操作要求用缝线标记切断的外旋肌和关节囊边缘，以便手术结束时行关节囊修补，将外旋肌重新附着于臀中肌肌腱或臀小肌的段端。

股骨的显露和操作方便，不引起跛行，学习曲线快是该入路的特点。但因后侧关节囊切除，部分外旋肌切断，髋臼暴露得不充分，后脱位概率较高。坐骨神经的损伤是常见的并发症。

30.2.2　膝关节置换术

1974 年，纽约特种外科医院(hospital for special surgery)的 Insall 等人设计了第 1 个现代意义的全膝关节假体，伴随假体设计的改进 30 年的发展中，全膝关节置换(total knee arthroplasty, TKA)技术得到了很大的发展。由于韧带平衡、屈曲伸直间隙平衡以及整体力线的调整技术日趋完善，远期疗效日臻完善。2001 年，Pavone 总结该院 1977～1983 年 80 例患者 120 膝病例中可追踪的 26 例患者 34 膝的随访结果显示：平均 19 年随访中 88%的患者对手术满意，通过 Kaplan-Meier 统计方法统计后显示术后 23 年 91%的假体存留。

30.2.2.1　微创膝关节置换术发展史

膝关节置换的微创手术(MIS)始于 20 世纪 90

年代，Repicci 等在现代膝关节单髁置换方面的工作激起了人们对 MIS 和膝关节部分置换的兴趣。单髁关节置换（UKA）保留了十字交叉韧带、对侧股骨胫骨间室及髌股关节。其目的在于达到更接近于正常膝关节的运动学关系，易于后期全膝翻修术。与传统 TKA 手术相比，UKA 手术具有创伤小，术中出血少，住院时间少，康复快的特点明显。O'Rourke 对 103 例患者 136 膝行 UKA 术后 21 年的随访显示，以翻修为随访终点，5 年、15 年、25 年的假体存活率分别为 96%、85%和 72%，该结果显示其远期效果比 TKA 差。同时 UKA 置换术不会危及将来 TKA 手术，保存了部分骨量，有利于年轻患者的选择。

MIS 成功导入 UKA 以及其出色的表现，近几年引起医学界对于将该手术方法运用在全膝关节置换术的兴趣。MIS-TKA 可说是从典型、需要大量暴露手术形态转换到初期的缩小切口的手术方式，进而至真正不伤害股四头肌 MIS-TKA。此项技术的主要要求：在不影响整体术程进行与成果的前提下，尽量减少需要切开的伤口长度和软组织损伤。主要优点包含较低的术后并发症、术中出血少、术后的疼痛减轻、术后康复快速。

目前，MIS-TKA 尚处于发展的初期阶段，长期临床效果尚待进一步随访，但一些早期的随访和对照研究显示，MIS 的效果在早期（3～6 个月）的随访中，优于标准的 TKA 手术。

30.2.2.2 微创膝关节置换术适应证与禁忌证

(1) TKA

并非所有需做 TKA 手术的患者均适用微创技术，也不是所有的医师都能熟练掌握该项技术。正确选择适应证、丰富的 TKA 手术经验是取得预期效果的前提。

1）手术适应证 ①膝关节内翻的角度＜15°、外翻角度＜20°、弯曲挛缩＜10°、活动度则＞90°；②适中的股骨髁宽度和较长的髌韧带长度，因为越宽的股骨髁需要安装越大的假体，髌韧带过短难以外翻髌骨，需要作更多的松解。

2）手术相对禁忌证 ①肥胖患者；②需对髋关节周围进行一些其他辅助操作；③有骨质疏松的患者。

3）手术绝对禁忌证 ①风湿或感染性关节炎、糖尿病以及长期使用类固醇的患者；②翻修术；③既往有膝部手术史。

(2) UKA

UKA 手术适应证要求严格，否则达不到良好的治疗效果。

1）手术适应证 ①局限于膝关节单个间室的轻度或中度关节炎或局灶性骨缺血坏死；②膝关节的伸屈活动度＞90°，屈曲挛缩＜5°，内翻畸形＜10°，外翻畸形＜15°；③最佳的置换年龄＞65 岁，活动量较小的患者。

2）相对手术禁忌证 年龄＜60 岁的患者同时日常活动量大者。

3）手术绝对禁忌证 ①较大角度的膝关节畸形；②术中观察到手术其他间室有明显的骨质裸露和骨赘形成；③交叉韧带和髌股关节的炎症、胫骨半脱位的患者；④全身性炎症性疾病引起的关节炎，如类风湿关节炎、软骨石灰沉着病和焦磷酸钙沉着症等。

30.2.2.3 微创膝关节置换术特点

MIS-TKA 和 UKA 在操作技术上有下列要求和特点。

(1) 手术器械

1）缩小和改良的手术器械 实现在较小的操作空间完成手术操作，标准的手术器械的尺寸被缩小到原来的一半以下，同时将有些器械的手柄设计成带有偏距的式样。Zimmer 公司更设计了从侧行 TKA 的手术器械，较标准器械有了较大的改良（图 30-8）。

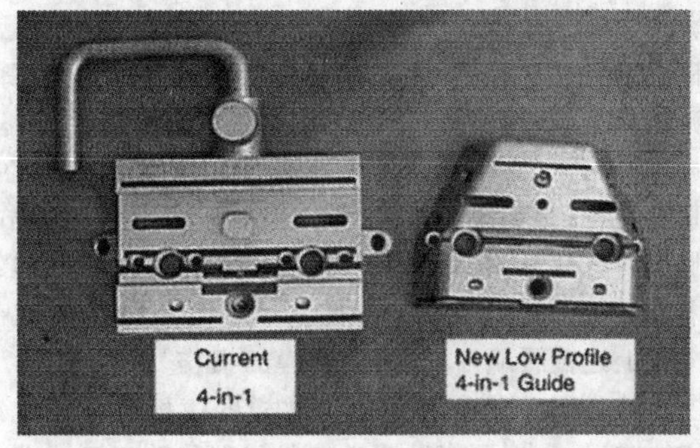

图 30-8 截骨导向器

左图为标准切口中使用的四合一截骨导向器，
右图为小切口微创 TKA 中使用的四合一截骨导向器

2）CAOS 系统 MIS-TKA 手术中因手术操作空间小，影响正确截骨和实施软组织平衡，CAOS 系统的使用可以明显提高下肢力线的纠正。

(2) 手术技术

1) 手术切口缩小　在 MIS-TKA 中,皮肤切口从原来的约 20 cm 缩小到 14 cm 以下。但切口是随手术医师经验积累而逐步缩小的,切口缩小是以不牺牲手术疗效为前提的。

2) 通过屈伸膝关节帮助显露　MIS-TKA 术中借助膝关节的逐步屈伸依次显露手术部位,而不是通过一个大切口一次性地暴露膝关节。膝关节在0°～90°屈曲的过程中,切口长度可增加近 30%。

3) 移动窗口技术　参见 MIS-THA。

4) 股内侧肌肉的保护　经股内侧肌和股内侧肌下切口,可较大程度地保护股内侧肌的功能,减少手术对伸膝装置的损伤,加快患者术后功能恢复的过程。

5) 髌上囊的保护和不翻转髌骨　标准的 TKA 手术中需要松解髌上囊和翻转髌骨,但是有资料显示,屈膝时牵拉髌骨可增加伸膝装置 8%的额外压力;术后 3 个月能独立从约 40 cm 高的椅子上站立起来而不需要辅助支撑的患者只占 40%,术后 6 个月只占 61%。但是 MIS-TKA 患者在术后 25 天有 91%的患者可以完成上述动作。尽量避免对髌上囊和伸膝装置的干扰,即所谓的"股四头肌不受损(QS)"是 MIS-TKA 的基本理念。

6) 特定的截骨顺序　为增加显露和操作空间,避免因对软组织的过度牵拉造成的损伤,需要有别于标准 TKA 的操作顺序。如果需作髌骨置换,应先行髌骨面截骨,再将髌骨向外侧牵开,可增加手术操作空间。然后行股骨远端截骨,后行胫骨平台截骨。因胫骨截骨后,操作空间增大有助于完成股骨侧的其余截骨操作。

7) 更小关节囊的损伤　胫骨和股骨截骨时在原位进行,避免膝关节脱位。因为一旦先行膝关节脱位后再截骨,会增大关节囊的切开和周围的松解,增加对关节囊的损伤,增加术后疼痛和康复时间。按照上述截骨顺序,减小关节囊的损伤。

8) 分次截骨　依照标准式样的模板进行截骨,往往难以完成,可借助改良的器械和移动窗口技术,借助初次截骨的平面,分次截骨达到目的。

(3) 疼痛管理

术中麻醉方式和术后的疼痛管理类似于 MIS-THA。在术后护理中有膝关节周围的冰块冷敷,有助于镇痛、减少出血和早期康复训练。Tria 的早期研究显示,患者在术后 2～4 天后可以进行完全负重步行练习或 CPM 机辅助下的关节活动范围的康复训练。

30.2.2.4　微创全膝关节置换术入路

(1) 髌旁内侧入路

此入路取膝前正中切开皮肤,长 10～14 cm,自髌骨上极近端 2～4 cm 至胫骨结节内侧,依次切开皮肤、皮下组织和深筋膜,在深筋膜深层向两侧分离显露伸膝装置。关节囊的切开始于髌骨上方 2～4 cm,股四头肌腱沿着内侧 1/3 处分离,沿髌骨内侧缘至髌韧带止点内侧。伤口依解剖位置以斜向缝合,以配合股内肌张力方向(图 30-9)。

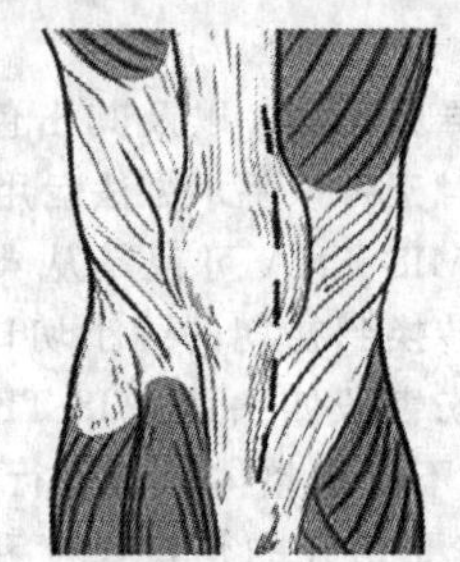

图 30-9　髌旁内侧入路

该入路的特点是其高熟悉度、简单性及膝关节良好的整体暴露状况。切口与神经血管保持最远的距离。手术困难时,手术切口有较好的延展性。但该入路仍然在一定程度上干扰了伸膝装置,损伤了股四头肌和髌上囊,术后疼痛较其他微创入路明显,康复较慢。

(2) 股内侧肌下入路

该入路切口起始于髌骨上缘,沿正中线划开约 8 cm,向胫骨结节内侧末端 2 cm 作笔直切口。沿皮肤切口内侧切开深肌膜,术中观察膝关节的伸膝装置,并自髌骨内侧边缘沿着膑骨韧带内缘到胫骨结节末梢切开内侧关节囊。股四头肌、四头肌肌腱及髌上囊保持原状。小腿内旋,股内斜肌肌腹将被拉紧,以顺利创造手术进行所需要的横向空间,沿髌骨内缘中点向内侧切开 2～3 cm,然后用手指钝性分离股内侧肌和股内斜肌间隙。松解髌上囊周围的滑膜,促使髌骨外翻或半脱位(图 30-10)。

股内侧肌下入路主要的优点在于:手术方式最符合人体生理解剖状况,这是唯一可以保留完整膝关节伸膝装置的手术方法,可将髌股关节不稳定与

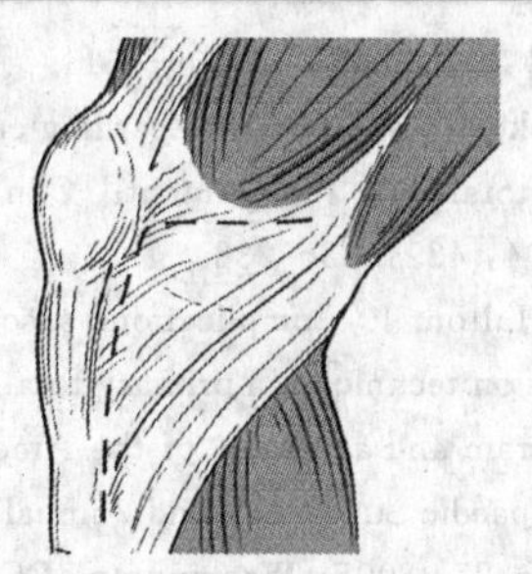
图 30-10 股内侧肌下入路

髌股轨道不正的可能性降到最低。即使施行外侧松解术，因保留膝降动脉也可使髌骨的血管密度与伸膝装置不受破坏与影响。术后切口依解剖位置自“L”形切口顶开始缝合，可避免内侧软组织的过度收缩。除了术后疼痛较轻微、伸膝装置可获得较佳的保留之外，也可有效避免股内斜肌肌腹撕裂问题，这些都促使膝关节的早期康复，避免卧床带来的并发症。

股内侧肌下入路最主要的问题为暴露不足、无法预料暴露程度、髌骨外翻亦有困难。不适合进行此项手术包括肥胖症患者，尤其同时具有股骨较短、大腿肌肉发达或较为粗壮的情况；或患有骨增生变化及继发性膝僵直、大范围的关节弯曲性挛缩、曾接受重建的全膝关节置换术、曾接受高位胫骨切开术(high tibial osteotomy, HTO)、低位髌骨、膝关节过度外翻、有缺血性并发症的可能等。同时手术切口靠近股内侧血管和神经，该入路的手术切口的延伸性受到了一定程度的限制。

(3) 经股内侧肌入路

髌旁内侧入路可获得膝关节部位良好的暴露，股内侧肌下入路可保留较佳的膝关节伸膝装置，经股内侧肌入路则是取两者优点的折中办法。该入路同样采用膝前正中皮肤切口，长 10～14 cm，切开深筋膜并在其下分离后，在膝关节屈曲状态下自髌骨内上极向下前开髌旁支撑带及关节囊至胫骨结节上方，向内上方斜形全层分开股内侧肌肌腹 2～3 cm(图 30-11)。

经股内侧肌入路的好处与股内侧肌下入路类似：可减少术后疼痛，通过回避膝降动脉保留髌骨血管分布状况，通过保留部分股肌附着改善髌股轨道及稳定性，术后有较佳的股四头肌控制性与强度，减少股四头肌的损伤，降低失血量，促进恢复能力，以及较短的住院医疗时间等。经股内侧肌入路可用于体形不适合进行下股肌切开术，或术前膝关节僵直的患者，而这些判定基本上皆源于医师自身的经验与观点。

术后肌电图显示股内斜肌(VMO)的肌动电流有被阻断的现象，不过此现象在长期临床上的意义仍未知。其他手术方法并无法显示出肌动电流有任何的改变。

(4) “不干扰股四头肌”的入路

2004 年，Tria 发表了首次采用 Quad-Sparing (QS)侧方截骨模式行 TKA 的早期经验。其 MIS 的基本概念，主要包括：①不破坏股四头肌的活动机制；②不破坏髌上囊；③不翻转髌骨(图 30-12)。

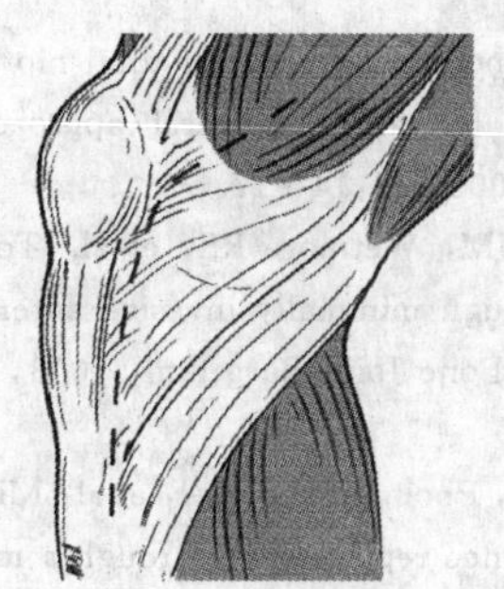
图 30-11 经股内侧肌入路

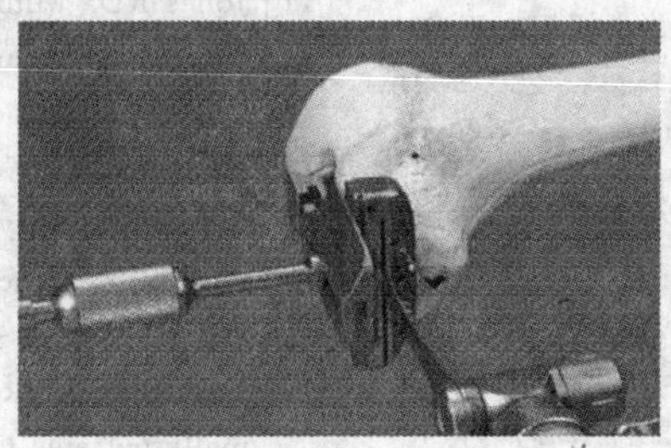

图 30-12 侧方截骨工具

皮肤切口自髌骨尖向下，稍稍偏斜至胫骨结节内缘。长度平均在 8～10 cm。在皮肤深层，关节囊切口远端沿髌腱内侧缘，经髌骨内侧缘，达股四头肌腱在髌骨上缘的附着处。潜行松解滑膜囊带使髌骨能够外移，有足够的空间放置切骨导向器。术中股骨和胫骨采用特殊的侧方导向器截骨(图 30-13)。

该入路的优势在于不损伤股四头肌，保护伸膝装置，但对病例选择的要求比较严格，在部分患者中

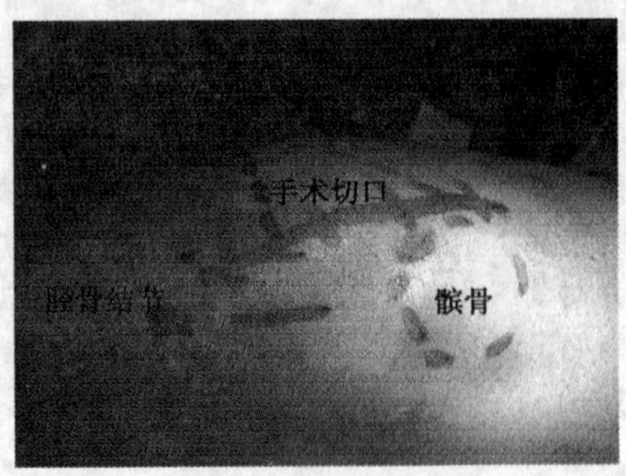

图 30-13 QS入路的皮肤切口定位

因外侧暴露困难需要适时的延长切口。术中需要不断变换关节位置和角度适应器械的使用和操作，手术学习曲线较长。

30.2.2.5 单髁膝关节置换术入路

在UKA手术中，不论内侧或外侧髁置换，多选择髌骨旁内侧入路。在显露内侧间室后在内侧半月板前角切开冠状韧带，掀起胫骨前内侧的组织骨膜袖。向外侧分离至髌下囊，同时小心保护冠状韧带，避免伤及外侧半月板前角。同样，在行外侧髁置换时，保留冠状韧带的内侧部分，并自胫骨平台外掀起前外侧骨膜袖，分离至Gerdy结节。在UKA手术中，适应证的严格选择和合适关节假体大小的选择对术后效果有着重要的影响。

（张先龙）

参考文献

[1] 杨柳，李起鸿. 小切口关节置换术与微创关节外科. 中国矫形外科杂志，2005，13:405～406.

[2] 李子荣，史振才，郭万首，等. 后外侧入路小切口人工全髋关节置换术. 中华骨科杂志，2005，25:263～267.

[3] 张先龙，王琦，蒋垚，等. 前路小切口人工全髋关节置换术疗效分析. 中华外科杂志，2006，44:512～515.

[4] 张先龙，何耀华，王琦，等. 后路小切口人工全髋关节置换术. 中华创伤杂志，2005，21:591～594.

[5] 张先龙，沈灏，王琦，等. 前外侧肌间隙入路微创全髋置换术的应用解剖与临床研究. 中华骨科杂志，2007，27:268～272.

[6] 张先龙，沈灏，眭述平，等. 双切口微创人工全髋关节置换术. 中华骨科杂志，2005，25:268～270.

[7] 张先龙，邵俊杰，王琦，等. 计算机导航辅助下微创人工全膝关节置换的初步经验. 中华骨科杂志，2006，26:654～659.

[8] 金大地. 关于微创人工全髋关节置换术的若干问题. 中华外科杂志，2006，44:509～511.

[9] Archibeck MJ, White RE. Learning cure for the two-incision total hip replacement. Clin Orthop Relat Res, 2004, 429:232～238.

[10] Bal B, Haltom J. Complications associated with the two-incision technique in primary total hip arthroplasty. Program and abstracts of the American Academy of Orthopaedic Surgeons 72nd Annual Meeting; February 23～27, 2005; Washington, DC. Course Number 143.

[11] Berger RA, Jacobs JJ, Meneghini RA, et al. Rapid rehabilitation and recovery with minimally invasive total hip arthroplasty. Clin Orthop Relat Res, 2004, 429:239～247.

[12] Berger RA. Total hip arthroplasty using the minimally invasive two-incision approach. Clin Orthop Relat Res, 2003, 417:232～241.

[13] Bertin KC, Rottiger H. Anterolateral mini-incision hip replacement surgery: a modified Watson-Jones approach. Clin Orthop Relat Res, 2004, 429:248～255.

[14] Duwelius PJ, Berger RA, Hartzband MK, et al. Minimally invasive total hip arthroplasty: development, early results, and a critical analysis. J Bone Joint Surg Am, 2003, 85(11):2235～2246.

[15] Duwelius PJ, Berger RA. Minimally invasive total hip arthropasty: the two-incision approach. Curr Opin Orthop, 2005, 16:5～9.

[16] Haas SB, Cook S, Beksac B. Minimally invasive total knee replacement through a mini midvastus approach. A comparative study. Clin Orthop Relat Res, 2004, 428:68～73.

[17] Jones RD. Minimal incision surgery for total hip arthroplasty technique for anterior-lateral approach. Curr Opin Orthop, 2005, 16:14～17.

[18] Kennon RE, Keggi JM, Wetmore RS, et al. Total hip arthroplasty through minimally invasive anterior surgical approach. J Bone Joint Surg Am, 2003, 85 (Supple 4):39～48.

[19] Laskin RS, Beksac B, Phongjunakorn A, et al: Minimally invasive total knee replacement through a midvastus incision: An outcome study. Clin Orthop Relat Res, 2004, 428:74～81.

[20] Masri BA, Kim WY, Pagnano M. Mini-subvastus approach for minimally invasive total knee replacement. Tech Knee Surg, 2007, 6(2):124～130.

[21] Nakamura S, Matsuda K, Arai N, et al. Mini-incision posterior approach for total hip arthroplasty. Int

Orthop, 2004, 28:214 ~217.

[22] Ogonda L, Wilson R, Archbold P, et al. A minimal-incision technique in total hip arthroplasty does not improve early postoperative cutcome. J Bone Joint Surg Am, 2005, 85(4): 701~710.

[23] Repicci JA, Eberle RW. Minimally invasive surgical technique for unicondylar knee arthroplasty. J Southern Orthop Assoc, 1999, 8(1):20~27.

[24] Romanowski MR, Repicci JA. Minimally invasive unicondylar arthroplasty: Eight-year follow-up. J Knee Surg, 2002, 15(1):17~22.

[25] Tenholder M, Clark HD, Scuderi GR. Minimal-incision total knee arthroplasty: the early clinical experience. Clin Orthop Relat Res, 2005, (440):67~76.

[26] Thierry S, Marc S, Betrand B. Mini-incision anterior approach does not increase dislocation rate. Clin Orthop Relat Res, 2004, 426:164 ~173.

[27] Tria AJ, Coon TM. Minimal incision total knee arthroplasty: early experience. Clin Orthop Relat Res, 2003, 416:185~190.

[28] Tria AJ. Minimally invasive total knee arthroplasty: the importance of instrumentation. Orthop Clin North Am, 2004, 35:227~234.

31 膝关节镜

31.1 解剖生理

关节镜技术已成为诊断和治疗膝关节内疾病的黄金标准。已有研究经证实，在膝关节运动损伤的诊断中，关节镜检查比 MRI 更敏感和有效。如果具备良好的关节镜操作技术，无论是使用前外侧入路或正中入路，都能对膝关节进行系统的检查。本章节旨在通过介绍膝关节镜下的正常和病理性异常表现，以促进对关节镜这项新技术的了解。

31.1.1 髌上囊

(1) 正常表现

常规的膝关节镜检查即从髌上囊开始。髌上囊可以看作是膝关节向近侧的囊性扩张，镜下可发现4种滑膜皱襞：髌骨上、髌骨下、外侧和内侧滑膜皱襞。髌上囊顶部(前侧)为白色的股四头肌腱和深红色的股四头肌，与滑膜相连。如果镜下不能发现此两种结构，则提示存在一个完全封闭的髌上滑膜皱襞，将髌上囊与关节腔分开。一般情况下，髌上滑膜是不完整的，镜下仅能见到上内侧或上外侧部分，在水平方向上沿髌骨近侧缘走行。髌上囊底部为含有脂肪的白色滑膜组织，覆盖于股骨远段前半部分。在有陈旧性关节内刺激如半月板损伤时，髌上囊底部滑膜常有肥厚增生。

在髌上囊扩张良好的情况下，医师能直观地检查滑膜组织。滑膜组织异常最常出现于风湿性关节炎，其次是反应性滑膜炎。通过镜下仔细检查滑膜绒毛的特征、血管分布和炎症表现，能确诊这两种疾病。此外，任何关节内晶体沉积或粘连征象都能通过关节镜证实。

(2) 病理表现

髌上囊的内容物以及髌上囊的扩张程度具有重要的临床意义。膝关节创伤是进行膝关节镜手术最常见的原因，镜下检查可发现关节内血肿在髌上囊内聚集并机化，有凝血块或纤维蛋白凝块；髌上滑膜皱襞出现纤维化增厚并破裂；陈旧性损伤时反应性关节炎症表现为充斥整个髌上囊，滑膜绒毛增生肥大。这些镜下表现应与炎症性疾病如风湿性关节炎的滑膜表现相鉴别。

如果关节腔终止于髌骨上缘，说明髌上皱襞完全闭合形成髌上间隔，或者先天性髌上囊缺失。髌上皱襞将膝关节腔和髌上囊分开，在20%的成年人中这层膜是完整闭合的，但大多数情况下仅保留不同程度的残迹。正确的治疗方案取决于髌上滑膜皱襞是否引起症状。镜下正常的皱襞内缘呈光滑的弧形、圆顶形或新月形，连续无中断。膝关节损伤后皱襞可出现增厚、炎症和纤维化表现。这些创伤后表现改变了皱襞的生理特性，镜下变得僵硬，缺乏弹性。值得注意的是，有些引起明显症状的游离体被完整的髌上皱襞遮挡，难以在镜下发现，此时应打开皱襞彻底检查髌上囊。

关节内血肿或关节内手术后过长时间制动可引起髌上囊部分或完全粘连封闭，此时常发现单个或多个粘连索带，提示髌股关节的生物力学结构完整性被破坏。

膝关节镜手术的另一项显著的优势就是可在镜下方便地切取组织进行活检。术中如果发现组织异常增生，应进行活检。色素沉着性绒毛结节性滑膜炎是一种以含铁血黄素沉积的绒毛异常增生为特征的疾病，可局限于单个结节或关节内弥漫性分布。局限性色素沉着性绒毛结节性滑膜炎引起的症状和体征与游离体相似。滑膜软骨瘤病是一种以软骨性或骨软骨性化生和关节内游离体形成为特征的滑膜疾病。滑膜软骨瘤病有3种表现：①软骨化生无游离体；②滑膜过度增生合并游离体；③正常滑膜合并游离体。

31.1.2 髌股关节

(1) 正常表现

髌骨的最重要功能是作为股四头肌收缩时伸直小腿的支点，增加伸膝装置的功效。髌股关节面被一条中间嵴分为外侧和内侧两个关节面。正常的股骨滑车沟宽度存在一定的变异。股骨颈的前倾决定了滑车的方向，并影响髌股关节的轨迹。轴线位屈膝45°观察显示股骨外侧髁比内侧髁高1 cm左右。

当需要完全显露髌股关节面时，须作髌上入路，彻底的髌股关节检查还包括通过上外侧或上内侧入路评价髌骨滑行的轨迹。在膝关节完全伸屈活动中检查髌股关节运动轨迹，观察关节面之间的吻合关系。正常情况下，伸膝位时髌骨存在轻度外偏；逐渐屈曲膝关节，可见髌骨向远侧和内侧滑动，屈膝45°时髌骨位于滑车沟正中。

伸膝装置和髌股关节的变异很大。二分髌骨就是一种由于髌骨骨化中心融合出现问题而形成的解剖变异。Saupe根据二连髌骨的连接位置进行分型：Ⅰ型，位于下极；Ⅱ型，位于外侧缘；Ⅲ型，最为常见，位于外上极。对于膝前疼痛伴有髌骨外上部持续压痛的病例，切除二连髌骨外上部多余的部分能有效缓解疼痛并恢复膝关节功能。

(2) 病理表现

对于急性高能量膝前创伤而影像学检查未发现骨折的病例，关节镜有助于评价软骨或骨软骨损伤。如果没有髌骨半脱位或不稳定的表现，则可单纯清除损伤软骨。但多数情况下髌股关节紊乱比髌股关节软骨损伤更常见。

髌下和髌前皱襞向前方延伸至前十字韧带，可与韧带连接、部分相连或完全分开。它们是最常见的膝关节皱襞，但并非膝关节疼痛的主要原因。镜下可发现起源于髌下脂肪垫的绒毛或内侧滑膜皱襞嵌夹于髌股关节中，是髌股关节疼痛的潜在病因，最终导致髌股关节软骨软化。为更明确检查，应当关闭冲洗管，在无灌注压的情况下进行伸屈膝活动，易于发现髌股关节内的嵌夹征象。

髌骨半脱位和髌骨不稳定主要通过体格检查和影像学检查诊断。关节镜检查可发现此类患者髁间凹狭窄，或者髌股关节吻合不良；髌骨处于向外侧半脱位的位置，以及髌骨和股骨外侧髁关节面存在损伤。如果存在髌股关节半脱位，屈膝45°时髌骨并不位于滑车凹正中，只有在更大屈膝位时才处于正中位置，有时可见明显的髌骨外侧偏移和倾斜。

Fulkerson根据髌股关节软骨损伤的位置象限分型：Ⅰ型，髌骨中线远侧或内侧；Ⅱ型，外侧关节面；Ⅲ型，内侧关节面切线骨折；Ⅳ型，上内和上外部关节面。Outerbridge 根据关节软骨损伤的程度分类：Ⅰ度，单纯软骨软化；Ⅱ度，软骨病损直径＜1.27 cm(0.5 in)；Ⅲ度，软骨病损直径＞1.27 cm(0.5 in)；Ⅳ度，骨质裸露。具体损伤程度的检查须使用探钩进行。

股骨滑车部位的软骨退行性改变也是关节镜检查的最常发现，此处的软骨退变与髌骨软骨退变并不一定相对应，有时此处软骨退变是引起膝关节症状的唯一原因。软骨损伤部位透明软骨消失，机体通过纤维软骨的增生进行修复，纤维软骨的生物力学性能低于透明软骨，致早期出现磨损和退行性改变。

31.1.3 内侧沟

(1) 正常表现

股骨内侧髁被一层滑膜覆盖直至关节软骨边缘，沟的内侧壁延伸至半月板滑膜边缘。检查从内侧沟的最后部分开始，然后慢慢撤回镜头，观察整个内侧沟，可见到内侧滑膜半月板结合部的前部。

镜头从髌上囊移至内侧沟的过程中有时可见内侧滑膜皱襞。一般情况下这一皱襞并非异常，但当此结构很大时，如果膝关节未处于完全伸直位，皱襞会阻止镜头轻松进入内侧沟。不引起症状的皱襞边缘较薄且光滑柔软，无炎症表现或增厚。直视下屈曲膝关节时可见皱襞绷紧，紧贴于股骨内侧髁上。

半月板滑膜边缘有时可发现显著的变异。如果不用探钩将滑膜半月板结合部充分拉开，滑膜内深深的褶皱很容易被误认为半月板外周撕裂，这一点值得注意。在膝关节急性和亚急性创伤后，滑膜增生和炎症可蔓延至内侧沟。

(2) 病理表现

在治疗内侧副韧带完全撕裂的病例时，可用关节镜排除其他关节内损伤，评估撕裂的韧带。内侧半月板或半月板滑膜结合部损伤也可在关节镜下修补；严重的损伤可引起内侧副韧带以及内侧关节囊断裂。在个别情况下，在内侧沟里能看到移位的内侧副韧带。

内侧沟内常能发现游离体隐匿其中。无论对于术前已诊断游离体，还是术中偶然发现游离体的病例，对内侧沟进行详细的检查都是非常必要的。当镜头从髌上囊进入内侧沟的过程中可同时观察股骨内侧髁，可见退变性骨赘突起，提示关节面明显破坏。

内侧沟内还可发现病理性内侧滑膜皱襞。尽管皱襞可从许多方面引起症状，但内侧膝关节疼痛通常是由其他的损伤引起。此外，皱襞的弹性随着年龄的增长而逐渐下降，因此改变了皱襞和内侧髁之间的关系。

31.1.4 内侧间室

(1) 内侧半月板

1) 正常表现　屈膝外旋胫骨，镜头从内侧沟进入内侧间室，同时对膝关节施加外翻应力，显露内侧半月板。正常半月板呈黄白色，光滑有弹性，游离缘较锐。根据血供不同可分为内、中、外 3 区。从前外侧入路观察，半月板分为 3 个部分：前角、体部、后角。从前内侧入路插入探钩，轻柔地抬起半月板显露其下表面以及组成半月板胫骨结合部的冠状韧带。使用探钩轻柔牵拉半月板，这样可以发现已复位和未达全层的半月板撕裂。在屈伸膝关节的过程中，结合直视和探钩可动态评价半月板的活动性。将镜头插入后内侧间室可观察半月板后角在胫骨上的附着部，以及内侧半月板后角周缘的附着情况。内侧和外侧半月板前角之间有膝横韧带连接。

当对膝关节施以外翻应力时，正常的半月板游离缘会出现小的皱褶，注意不要和半月板撕裂混淆。正常半月板的活动范围有限，异常的活动提示外周性半月板撕裂。正常半月板在前后向平均可移动 5 mm，而前角活动范围相对更大一些。半月板和股骨髁的生理特性随年龄变化，半月板游离缘磨损，但只要不出现游离的碎片即不应视为异常。

2) 病理表现　半月板撕裂分为创伤性和退变性两种。创伤性半月板撕裂可根据位置、方向和形状分型。根据位置的分型揭示了撕裂部位与其血供的关系，提示愈合潜力。在内侧间室可观察内 1/3 和中 1/3 的撕裂，外 1/3 撕裂需探钩协助或从后内侧间室进行观察。在半月板体部，内侧副韧带的斜行纤维撕裂容易和半月板外周撕裂相混淆。

对于半月板损伤除了应观察损伤形态和部位外，更应区分新鲜和陈旧性损伤。血性关节积液、半月板基底部及邻近关节囊部位的淤血、锐利而有弹性的半月板撕裂缘，以及伴发的新鲜韧带损伤均提示新鲜半月板损伤；浆液性关节积液、半月板撕裂部圆钝或毛边样改变，以及伴发的陈旧性损伤均提示陈旧性半月板损伤。半月板连接部位滑膜的隆起或翻起、滑膜的铁锈色改变、关节囊的增厚、受检查部位关节软骨损伤也是陈旧性半月板损伤的继发改变。半月板损伤根据位置和形态分为以下类型：①纵形撕裂：常出现于后角，往往需通过探钩才能检查其存在以及大小范围。局限于后角的4周内损伤通过制动常能自行愈合，如果损伤延伸至半月板中部，应行半月板修补；如果前十字韧带(ACL)断裂则应保留半月板；如果为陈旧性损伤应行半月板修整性切除。②放射状撕裂：常出现于体部，需行修整性切除。③桶柄样撕裂：复位状态的桶柄样撕裂很容易诊断，如果桶柄脱位至股骨髁间凹，在内侧关节间室可能仅发现很小的半月板残端，回抽镜头就能看到脱位部分。如果桶柄于半月板前角断裂，则可能脱位至后内侧室，应对半月板后角以及后内侧室进行详细检查。④水平撕裂：常为半月板退变的一种表现，往往不是膝关节症状产生的原因，对其切除应谨慎。⑤舌瓣形撕裂：又称鸟喙状撕裂，是桶柄样损伤的进展，当蒂在后角时，整个舌瓣可能隐匿于后内侧室，如果通过探钩或关节囊挤压不能脱出，应行后内侧室检查。

(2) 内侧胫股关节

1) 正常表现　对股骨髁和胫骨平台关节面系统的检查是非常必要的，可发现软骨软化和骨软骨损伤。正常的关节软骨呈黄白色，光滑有弹性。磨损最常见的部位是屈膝30°～45°。用探钩轻柔地检查关节面，正常情况下关节软骨应和软骨下骨贴合牢固。

2) 病理表现　关节面的非炎症性损伤存在以下病因：①骨关节炎；②骨软骨和软骨性骨折；③剥脱性骨软骨炎。骨软骨炎或退变性关节炎是老年患者关节损伤的最常见原因。而很多陈旧性膝关节不稳的年轻患者也可出现加速的骨关节炎，如陈旧性ACL损伤的年轻患者可出现后内侧胫骨髁磨损，深至骨质。胫股关节的横形损伤条纹提示ACL功能不全，是由于胫股关节滚动滑动机制异常引起。损伤条纹间隔2～3 mm，位于胫股关节后1/3部分。ACL断裂所致损伤条纹多位于股骨内髁外侧半，常伴有软骨的局限性剥脱。内侧胫股关节的退变应与膝关节力线联合起来分析，有明显膝内翻者应行力线矫正。

骨软骨和软骨性损伤由撞击、撕脱或剪切力引起，常见于髌骨和股骨髁。用探钩探查关节面与镜下观察同样重要，尤其对于症状延续时间较长的患者，因为关节面的纤维性愈合可能掩盖其下面的异常情况。

剥脱性软骨炎是一种局限性的软骨或骨软骨分离，可伴有或不伴有坏死的骨碎片，股骨内侧髁外表面是最多发的部位。

31.1.5 髁间凹

(1) 内侧半月板后角、后十字韧带

1) 正常表现　镜头从内侧间室移至髁间凹，其间可通过摆动镜头将脂肪垫挡在镜头侧面的前方，以免妨碍视野。导光索接头11点钟处可观察内侧半月板后角和后内侧结合部，在2～4点钟处可观察后十字韧带(PCL)内侧部分纤维。PCL的股骨附着点位于ACL后内侧，常被滑膜覆盖。

2) 病理表现　内侧半月板后角的撕裂常位于半月板滑膜结合部，呈放射状撕裂。

(2) 髌下滑膜皱襞

1) 正常表现　髌下滑膜皱襞(又称黏膜韧带)一般分为3种类型：独立的条索型、与ACL相连的条索型、隔膜型。不同类型临床意义不大。

2) 病理表现　髌下滑膜皱襞淤血、断裂，或嵌夹于胫股关节之间引起伸膝障碍。髌下脂肪垫的撞击和纤维化也可引起膝前疼痛。镜下可见一块白色纤维化滑膜在关节屈伸过程中与髁间凹发生撞击，从髌上入路最易观察。这种情况下切除纤维化脂肪垫效果显著。

(3) ACL

1) 正常表现　ACL是一种关节囊内滑膜外结构，属于关节腔外结构，表面可见滑膜血管。前内侧束在整个伸屈过程中几乎保持等长状态，而后外侧束于伸膝时紧张。ACL也会慢慢随年龄退化。ACL常常被髌下皱襞覆盖，为了显露髁间凹可将其切除。ACL前方可见半月板间横韧带。

镜下直视ACL时作前抽屉试验，拉紧ACL纤维，然后用探钩从ACL股骨附着点至胫骨止点探查ACL纤维，这样能够发现隐匿的韧带部分损伤。将镜头插入股骨外侧髁内侧面和ACL之间可观察ACL的股骨附着点，这里是ACL断裂最多发的部位。韧带纤维的渗血也提示撕裂。

ACL的股骨附着点是外侧髁最后内侧部分的一个半圆形区域，其长轴向前方稍倾斜，后方凸面与股骨髁后关节面平行。这一位置的精确定位对于ACL重建中移植物的等长植入是非常重要的。在髁间凹范围内,外侧髁解剖变异会导致移植物定位不良。髁后缘前方的髁间凹壁上有一个突起,称为"住院医师嵴",只有在髁间凹成形术中切除这一突起,才能显露真正的后缘。

少数情况下,ACL 内部的韧带囊肿也会引起膝关节疼痛。术前 MRI 有助于诊断和定位韧带囊肿。

2) 病理表现 急性 ACL 损伤时,滑膜组织和韧带纤维之间的出血有助于诊断。探查 ACL 可发现完全断裂的纤维、被拉长却连续的纤维和正常纤维。

陈旧性 ACL 断裂的表现和急性损伤者不同,更容易混淆。最典型的病例是更靠近侧部位的断裂,ACL 从其股骨附着点处移位,其残端在髁间凹深部与 PCL 发生瘢痕连接。这就可能出现体检和关节镜检查上的矛盾。Lachman 试验显示硬性终止点,前向移位增大,而轴移试验阳性。镜下检查,韧带前部表现正常,韧带纤维延伸至胫骨止点,前抽屉试验时紧张。只有沿着外侧髁内壁深入镜头观察,直至发现韧带未终止于正常股骨附着点,方能作出正确的诊断。

单纯 PCL 断裂从后内侧或后外侧入路更易发现,尤其对于 PCL 陈旧性损伤或部分损伤的病例,因为从前侧入路观察时完整的 ACL 会遮挡大部分 PCL。

31.1.6 外侧间室

(1) 正常表现

镜头从髁间凹进入外侧间室。当镜头到达外侧半月板最内侧缘,屈膝并施以外翻应力("4"字位),即打开外侧间室,使镜头能够越过外侧半月板前角,进入外侧胫股关节之间。由于外侧半月板比内侧半月板更接近圆形且更小,通常能看到其整体。使用探钩检查半月板下表面,可观察腘肌腱裂隙。腘肌腱裂隙位于半月板的后外侧约 1 cm 宽,可由于创伤原因延长,或成为半月板纵形撕裂的组成部分。外侧半月板前角和胫骨的附着部位于髁间隆突前方,ACL 胫骨止点后方,两者的纤维部分融合。

由于外侧半月板不与外侧副韧带相连,故比内侧半月板活动度更大,膝关节屈伸过程中可在胫骨平台上移动 10 mm 左右。探钩能轻易地进入腘肌腱裂隙,将外侧半月板向前方牵拉,注意不要将此现象误认为半月板撕裂。外侧半月板会随年龄退变,出现不同程度的钙化,内缘磨损。虽然这并非膝关节疼痛的常见原因,但使半月板易于出现退变性撕裂。

外侧盘状半月板是一种较常见的变异,可分为 3 型:①不完全型;②完全型;③ Wrisberg 韧带型。膝关节弹响综合征即与 Wrisberg 型盘状半月板密切相关。这种类型的盘状半月板失去外周附着,仅保留后板股韧带(Wrisberg 韧带)与股骨的连接。

(2) 病理表现

内侧半月板的分型也适用于外侧半月板。一般来说,外侧半月板更小,更易于切除,所以应在切除撕裂前检查整个半月板的上下表面。外侧半月板囊肿比内侧半月板多发,通常位于外侧副韧带前方的关节线上,体检时伸膝位易于触及。囊肿常发生于半月板撕裂处,呈水平走向,深入关节囊。

外侧胫股关节软骨退变较内侧少,且罕见剥脱性软骨炎。股骨外侧髁软骨损伤的发生概率较胫骨外侧平台高,主要由髌骨脱位引起。外侧间室还可发现游离体。

31.1.7 外侧沟

(1) 正常表现

镜头从外侧间室越过外侧半月板外侧缘进入外侧沟,同时对膝关节施以内翻应力。外侧髌股韧带附着于外侧髁,尺寸和紧张度各异。镜头在沟内从下向上可观察半月板滑膜结合部,有时可见沿结合部有一条较宽的裂隙,属正常变异。深入镜头可见腘肌腱以及腘肌腱裂隙。外侧沟的髌外侧滑膜皱襞比内侧沟少见,当镜下发现炎症和纤维化表现时视为异常。

(2) 病理表现

外侧沟病理性皱襞的诊断方法和内侧间室相同。外侧沟外侧壁的出血提示外侧副韧带撕裂,Ⅲ度撕裂时可见外侧关节囊壁的裂口。必须对外侧沟及外侧间室进行详细的检查,以排除隐匿于滑膜褶皱内的游离体。

31.1.8 后内侧间室和后外侧间室

(1) 正常表现

完整的关节镜检查包括后内侧间室和后外侧间室。后内侧室内可观察股骨内侧髁后部、内侧半月板后角、PCL 后部和半月板滑膜皱襞后部。

膝关节后外侧角的解剖结构较复杂。在关节囊组织和外侧半月板外缘下方,腘肌腱分为相同尺寸的两束:一束(腘肌腱)延续至腘肌肌腹附着;另一束(腘腓韧带)直接附着于腓骨头最靠近端和后侧的突起。屈膝过程中板股韧带向前方牵拉外侧半月板后角。板股韧带从外侧半月板后角延伸至股骨内侧髁外表面,被分为两束,走行于 PCL 前的 Humphrey 韧带和走行于 PCL 后的 Wrisberg 韧带。韧带的粗细变异较大,直径通常为 PCL 的 1/3。这两种板股韧带并不一定同时存在。后外侧室常隐匿游离体,可用手挤出,也可通过后外侧入路取出。

(2) 病理表现

在诊断内侧半月板撕裂时,观察半月板后角附着部非常重要,因为撕裂经常发生于半月板滑膜结合部,尤其伴发 ACL 断裂时。一项研究显示,仅进行常规前路关节镜检查会漏诊 63% 的此类损伤。过伸损伤的患者中可发现后侧关节囊的撕裂。

31.2 设备与器械

关节镜是一项对医师操作要求极高的技术,关节镜手术依靠一系列专业性极强的设备与器械。优秀的关节镜外科医师必须熟练掌握设备器械的维护、安装和使用。关节镜手术常用的设备与器械如下:①镜头;②套管和钝头;③光缆和冷光源;④摄像头和监视器;⑤图像记录设备;⑥冲洗和吸引装置;⑦操作器械;⑧止血带;⑨下肢固定器。上述设备和器械情况参见 30.1.3。

器械的维护和消毒:镜头、摄像头、纤维光缆和电动刨削系统都对高温敏感,所以不宜用常规的高压蒸汽消毒。环氧乙烷消毒效果好,但消毒时间需要 6~8 h,通常用于器械过夜消毒。手术之间的消毒可使用戊二醛浸泡或过氧乙酸消毒。

使用戊二醛消毒器械可能使患者及手术室内其他人员出现接触性皮炎、呼吸道刺激、黏膜刺激,甚至鼻出血等不良反应,所以戊二醛浸泡后的器械必须用无菌生理盐水冲洗两遍方能使用。

过氧乙酸是一种最新应用的消毒技术,消毒效果好,对器械无腐蚀,消毒装置携带方便且使用自来水。消毒温度在 50~56 ℃,对热敏感器械安全。消毒时间仅 20~30 min,适用于手术之间使用。

国内的医疗质量控制标准都规定了器械必须做到灭菌,所以应多备几套器械以应对同时多台手术开展的需要。

31.3 手术室环境

参见 30.1.4。

31.4 麻醉与体位

31.4.1 麻醉

膝关节镜手术的麻醉分为术前、术中、术后 3 期。本章节介绍术前和术中的麻醉原则,术后麻醉参见“术后康复”章节。术前准备与一般常规手术相同。

诊断性膝关节镜检查可在局部麻醉、区域麻醉或全身麻醉下进行,具体麻醉方式的选择取决于疾病的情况和预计进行的手术,以及患者、麻醉师和医师的喜好。

局部麻醉需在入路部位和关节腔内先后注射麻醉剂。早期使用局部麻醉手术失败的原因主要是利多卡因和丁哌卡因等局部麻醉药的用量和浓度不足。目前使用 0.5% 丁哌卡因 30~50 ml 或 1% 利多卡因 20~30 ml,效果较好。

局部麻醉适用于诊断性关节镜检查、游离体取出、半月板切除、滑膜皱襞切除、外侧支持带松解或软骨成形术。而对于需要长时间使用止血带或需要建立骨隧道重建关节内结构的手术不适用。仅使用局部麻醉的患者至多能耐受充气止血带阻断血流 30 min。局部麻醉在关节镜手术中的使用需要患者的配合。

利多卡因、丁哌卡因,或两者联用是膝关节镜局部麻醉最常用的麻醉剂。0.25% 丁哌卡因和 1.0% 利多卡因加肾上腺素联用,总量 30~50 ml 行关节内注射效果较满意。另取 5~7 ml 行入路局部麻醉。建议布比卡因总剂量不应超过 3 mg/kg,联用肾上腺素。关节内注射后 20 min 达到最大麻醉效应。由于局部麻醉和区域麻醉剂的毒性效应有蓄积作用,医师应及时与麻醉师沟通,以控制麻醉剂总量。然而在关节镜手术开始的 10 min 内至少 50% 的麻醉剂被灌注液冲出,所以更大的麻醉剂量也在安全范围内。有鉴于此,在联用肾上腺素的情况下,1% 利多卡因最大剂量为 7 mg/kg,0.25% 丁哌卡因最大剂量为 3 mg/kg。应额外使用静脉内镇静剂协助镇痛并缓解焦虑。如果在关节镜手术过程中发现局部麻醉效果不理想,应立即使用全身麻醉。未有报道显示膝关节镜手术中使用局部麻醉存在明显的并发症。关节镜手术中局部麻醉患者所需术后观察时间也明显少于区域麻醉或全身麻醉的患者。

区域麻醉适用于存在全身麻醉禁忌证的患者，包括蛛网膜下隙麻醉（简称腰麻）和硬膜外麻醉，通常联用静脉内镇静剂。区域麻醉的禁忌证包括变态反应、凝血紊乱、局部或全身性感染和神经系统异常。

当预计术后疼痛持续时间较长时，可在全身麻醉后立即通过导管加用连续硬膜外麻醉，有助于术后立即恢复膝关节活动。连续蛛网膜下隙麻醉由于可能引起马尾综合征已很少使用。全身麻醉并发症包括深静脉血栓形成、肺栓塞、心肌梗死、心律失常、充血性心衰、呼吸衰竭等。相比之下区域麻醉此类并发症的发生率较低。区域麻醉可能引起的并发症包括感染、神经系统后遗症、中枢神经系统或心血管系统毒性。

硬膜外麻醉需要将麻醉剂穿过黄韧带注入硬膜外腔，而腰麻将麻醉剂穿过硬脑膜注入蛛网膜下隙。麻醉时患者取坐位或侧卧位，L_2～L_3 或 L_3～L_4 椎间隙为常用穿刺点。腰麻常用利多卡因、丁哌卡因和丁卡因，硬膜外麻醉常用利多卡因、丁哌卡因、氯普鲁卡因和依替卡因。两种麻醉方法中，腰麻的运动阻滞效果更好，较少引起止血带疼痛，但头痛的发生率较高，尤其多发于女性患者和年轻患者以及使用大号穿刺针的病例。局部麻醉和区域麻醉使患者在手术过程中保持清醒状态，相比全身麻醉全身性并发症发生率显著降低。

全身麻醉的指征是需长时间使用止血带，需建立骨隧道，对局部麻醉药过敏，以及关节内结构的重建手术。全身麻醉时肌肉松弛，便于关节镜下观察膝关节间室。全身麻醉技术的发展已经降低了术后不良反应以及门诊手术后的不适，使用丙泊酚（异丙酚）代替巴比妥酸、硫喷妥钠作为诱导剂就是一个很好的例子。硫喷妥钠的半衰期为 5～12 h，而丙泊酚的半衰期仅为 55 min。如此迅速的消除使麻醉不良反应甚为轻微。

周围神经如股神经、闭孔神经、股外侧皮神经、坐骨神经以及腰丛的神经阻滞也可用于膝关节镜手术，但相对硬膜外麻醉和腰麻而言可行性不大。

31.4.2 体位

膝关节镜手术的患者一般都取仰卧位，患肢可固定于伸膝位或屈膝 90°位，医师使用大腿固定器或外侧挡板固定患肢。对侧下肢的体位可自然下垂于手术台末端，平放于手术台上或外展抬高。自然下垂于手术台末端可能引起静脉血淤滞，增加下肢深静脉血栓形成的风险，也可影响患肢内侧或后内侧入路的操作。

通常于大腿近中 1/3 交界处放置止血带。如果需要在屈膝位进行手术，应使患膝在手术台远端缺口处下垂，使膝关节屈曲＞90°，大腿固定器放置于靠近缺口处，便于操作。腓总神经是麻醉过程中下肢最容易损伤的神经，所以可使用一条无菌巾将对侧下肢固定于微屈曲位，髋关节微屈曲可缓解股神经张力；膝关节微屈曲可缓解关节后侧神经血管结构张力，使其更靠后侧，进入安全区域。使用支架将对侧下肢外展抬高也能有效缓解上述结构的张力，同时也便于内侧和后内侧入路的操作。无论使用何种体位，消毒范围都应包括从足部至大腿近侧的所有皮肤，并用无菌巾包扎足部。聚伏酮碘（碘伏）或碘溶液是常用的皮肤消毒剂，碘过敏者可使用其他消毒剂。

医师可选择坐位进行手术，也可站立位进行手术。

31.5 一般操作技术

31.5.1 入路

诊断性关节镜检查的入路可以采取标准入路，也可以任意选择。标准入路一般包括前内侧、前外侧、后内侧和上外侧入路。在膝关节镜的发展史中，关节镜外科医师发现需要建立额外的入路彻底检查膝关节。这些额外的入路包括后外侧、上内侧、内侧髌韧带旁、外侧髌韧带旁、内侧辅助、外侧辅助、内侧髌骨中、外侧髌骨中、髌韧带中央入路等。

了解膝关节的相关解剖是安全顺利完成膝关节镜手术的关键。准确的入路定位能将手术损伤降至最低，保证清晰地观察到相应的关节内结构，协助器械操作。开始学习关节镜手术时，在体表作入路标记有助于准确定位。标记部位包括髌骨、髌韧带、胫骨结节、关节线、腓骨头和股骨髁，然后根据这些标记的位置定位关节镜入路。入路的定位最好在屈膝 90°位进行。建立入路必须遵循一定的原则：①准确定位；②是否有必要；③逐个建立，以利关节充盈膨胀，达到视野清晰。具体入路请参考专业书。

31.5.2 三角技术

关节镜手术的三角技术是指镜头和其他任意一种器械的同时使用。器械顶端和镜头的顶端组成三角的顶点。三角的顶点就是观察操作的目标物。三角技术至少需要两个入路，通常是前外侧入路和前内侧入路。需掌握3个基本原理：选择正确的入路和器械，明确病损情况，掌握操作步骤。当初学者开始学习三角技术时，可使用一根探钩协助镜头定位。当技术逐渐熟练后可增加其他器械。熟练掌握这一技术需要一条较长的学习曲线。

31.5.3 标准关节镜检查

患者仰卧位，膝关节外侧放置挡板。麻醉效果满意后，膝关节镜检查准备工作就绪。进行麻醉后膝关节检查，重点检查并记录膝关节屈伸活动度、髌骨活动度和膝关节稳定性。以上的检查项目都必须与对侧健膝对比进行。妥善包扎止血带，捆绑于大腿中上部。止血带充气至300 mmHg。

触及外侧关节线，于髌骨下方髌韧带外侧1 cm内作水平切口，建立前外侧入路。通过镜头注入灌注液，灌注压设为55～65 mmHg。通过镜头观察内侧间室，同时在直视下建立前内侧入路，初学者可借助针头定位。从前内侧入路插入探钩，进行系统的镜下检查。

医师用腰部支撑患侧下肢的足部并保持伸膝，镜头向上指向髌骨，向下指向滑车沟即可观察整个前室。然后屈曲膝关节可评价髌骨的运动轨迹。接着医师用腰部外侧支撑患足并给予外翻应力，于屈膝30°位观察内侧间室。将手术台放低可以获得更好的力矩。镜头从前室移至内侧室的过程中检查内侧沟。检查内侧室时使用探钩检查关节面，屈膝可检查股骨内侧髁后部。检查半月板时必须包括其上表面和下表面，镜头穿入髁间凹后十字韧带内侧的空隙可观察内侧半月板后角，操作时先将套管和钝头沿股骨内侧髁外缘插入，然后拔出钝头插入镜头。同样使用探钩检查外侧半月板后角的上表面和下表面。将患侧下肢摆成"4"字位，用内侧间室相同的方法检查外侧间室，再检查外侧沟。

检查结束后，在其中一个入路放置一根引流管，无菌敷料加压包扎，放止血带。

31.6 专项操作技术与原则

31.6.1 半月板修补的专项操作技术与原则

(1) 由内到外技术

常规关节镜检查，清除半月板边缘所有的纤维性无细胞物质，使半月板边缘新鲜。根据半月板撕裂的位置从前内侧或后内侧入路插入锉刀或篮钳完成这一操作。锉掉半月板周围的滑膜可刺激血管反应，促进愈合。

在内侧副韧带后方作一条6 cm长的后内侧切口，游离关节囊。隐神经在此水平上位于缝匠肌和股薄肌之间，必须加以保护。

从前内侧入路插入关节镜，前外侧入路插入缝线套管，使用连接"2-0"不可吸收缝线的长弯针穿透撕裂半月板。在屈膝20°～40°的位置沿垂直方向穿过缝线。当缝针穿透关节囊时，牵拉后内侧入路的软组织保护器，使缝线可从后内侧入路撤出，将穿过后方关节囊外线打结。使用双腔导管系统时两根针同时穿出，单腔导管系统的缝针则是先后穿出。每根缝线间距5 mm。除了缝合后角的缝线外，其他所有的缝线都能通过这种方法进行缝合。缝合后角时，关节镜从前外侧入路插入，缝线套管从前内侧入路尽可能靠近髌韧带的位置插入。在内侧副韧带前方缝合时，需要作一个前内侧小切口进行打结。每穿过一根缝线就立即在关节囊外打结，防止和未打结的缝线缠绕。完成半月板缝合后，最后使用探钩检查固定的牢固性，逐层缝合切口。

(2) 由外到内技术

由外到内的半月板修补技术从一个紧靠关节线的安全的解剖位置开始，避开神经血管结构在关节镜监控下穿入关节腔，从而把神经血管损伤的风险降至最低。由外到内技术通常都是从关节外周向关节内穿入直的或弯曲的空心针，再将缝线沿针芯穿入。

体表定位时，外角的位置靠近屈膝90°时股二头肌腱前方的外侧关节线上(避开腓总神经)，内角的位置在屈膝15°时后内侧角后方2 cm处紧靠鹅足肌腱后方，直接向关节囊钝性分离。使用一根直的或弯曲的18号穿刺针穿过半月板的撕裂部位，穿入缝线，并从前侧入路拉出。在缝线末端打多个线结，形成一个较大的线团。再将线团拉入关节，压紧半月板。也可将穿过半月板的缝线再引出关节囊外打结，然后将成对的缝线在关节囊上打结，固定半月板。

(3) 全关节内技术

全关节内修补技术无须开放的切口，只需要一个和关节镜入路相同尺寸的小切口。全关节内技术对器械的要求很高，齐全的器械是成功完成手术的前提。最基本的器械配置：①30°和70°关节镜；②套管、牵引器和由内到外修补的缝针；③全关节内修补的器械，如 Spectrum set(Linvatec)。

作关节镜入路，镜头插入后侧室。使用70°关节镜观察后侧半月板。一旦确认撕裂类型适合修补，使用透照法确定后侧切口的位置。屈膝90°，使用一根穿刺针获取入路的角度。作1 cm长的切口，将一根锐性套管从此切口插入关节。将半月板修补套管和锐性内芯推进至紧靠滑膜外侧，钝性内芯在关节镜直视下插入关节。当关节镜刺入关节间室时神经血管束位于关节镜顶端的后方。全关节内缝线系统通过手柄向前推送缝线，使缝线从穿线器顶端伸出(Linvatec软组织修补系统)。顶部的结构是一个中空的缝针，有不同角度和(或)形状，根据撕裂确切的位置及其和套管的位置关系替换。缝针通常穿过关节囊穿入半月板。当一段缝线卷入关节间室时必须保持穿线器顶部，在关节镜的直视下确保穿线器能穿过半月板撕裂端后缩回，并从套管退出。从套管插入一把缝线抓钳，将缝线头端从套管推出。缝线打结使用滑结或打结器完成。一般而言，缝合的方向最好从套管顶端向撕裂的中心，垂直缝合2～5针。

31.6.2 前十字韧带重建的专项操作技术与原则

(1) 移植物的切取

1) 髌韧带移植物的切取　自髌骨下极开始，至胫骨结节内侧1 cm处，在髌韧带表面作一斜形切口。自肌腱表面仔细剥离腱鞘。肌腱切取的宽度不可超过髌韧带总宽度的1/3。如果髌韧带总宽度不小于30 mm，可使用一把可调节间距的双刃手术刀(Parasmillie, Linvatec, Largo, FL)切取髌韧带中1/3，双刃间距10 mm。切取过程中应注意方向与髌韧带纤维平行。对于体形较小的患者则切取髌韧带中央9 mm肌腱。髌骨骨栓的标准尺寸为10 mm×23 mm，胫骨端骨栓为10 mm×25 mm。可使用Stryker的环形摆锯切取骨栓，其内径有9、10、11 mm 3种。先切取胫骨骨栓，最常用的是内径10 mm的环形摆锯。当胫骨骨栓切取后，将伸膝装置向远端牵拉，暴露髌骨，软组织回缩覆盖髌骨近端，这样可以使手术切口更小。然后使用同一把摆锯切取髌骨骨栓。最后用骨刀将骨栓小心切下。

2) 腘绳肌肌腱移植物的切取　在鹅足的胫骨止点处作一垂直切口，屈曲膝关节约90°。自胫骨结节内侧1.5 cm、远侧0.5 cm开始，向远侧做一个2～3 cm长的纵形切口。浅筋膜下钝性分离，暴露鹅足。顺缝匠肌走行切开缝匠肌腱膜约3 cm，在该肌腱内侧面探及半腱肌和股薄肌腱，用直角钳将肌腱钩出，将扩展为膜状的半腱肌和股薄肌腱止点端连同骨膜一起切下。翻转肌腱，从背侧的分界面将两根肌腱分开，用2号缝线分别捆绑肌腱的游离端。通常先取半腱肌腱。切断肌腱下表面的分支纤维束，用力向外牵拉肌腱末端缝线，可松解黏附的组织，将分支束拉入切口并在直视下切断。将肌腱穿入剥离器。然后用力牵拉肌腱，同时剥离器沿直线方向剥离至肌腹。使用同样的方法切取股薄肌腱。

(2) 移植物的处理

采用髌韧带移植物重建时，用咬骨钳将两块骨栓的直径修剪至9 mm或10 mm大小，并将骨栓边缘修成圆形使其能顺畅地通过隧道。在胫骨骨栓上钻3个孔，穿入5号尼龙线。髌骨骨栓钻1个孔，穿入2号尼龙线。然后把移植物固定在牵引板上预牵张(3.63 kg负荷)。在骨-肌腱结合处用无菌笔做标记。沿股骨隧道骨栓中央画一条纵行标记线，在将其拉入股骨隧道的过程中监测骨栓的旋转。当移植物的处理完成后，结束牵张，并用抗生素浸泡的纱布覆盖。

采用腘绳肌肌腱重建时，将取下的肌腱缩短至22～24 cm。刮除肌腱上附着的肌肉，并用2号不吸收缝线在每束肌腱的末端标记。将对折后的肌腱穿过测量管，测出的直径即是骨隧道的内径。将移植物湿润，放置一边。在滑轨上换上钢板固定夹和牵引钩。在微型钢板(一般长12 mm，宽6 mm，带有4孔)的两端共两孔内分别穿入6号聚乙烯牵引线和2号聚乙烯翻转线后，将微型钢板夹持于固定夹中。将聚乙烯带的一端从微型钢板中间一孔穿过，再从另一孔穿回；另一端从肌腱反折襻孔穿过。将肌腱的缝线端固定在牵引钩上，拉紧聚乙烯带，用80 N的牵张力进行肌腱的预牵张。预牵张时间5 min

以上。

(3) 隧道定位

胫骨和股骨隧道的定位选择对重建手术的结果至关重要。应避免股骨隧道定位偏前方，防止移植物张力过大及屈膝受限。同样，过于靠前的胫骨隧道会导致移植物与髁间凹发生撞击。采用髌韧带和腘绳肌肌腱重建的隧道定位相似。

从前内侧入路插入胫骨定位器顶端，隧道内口的定位可参考PCL前缘、外侧半月板前角后缘和胫骨髁间嵴。外侧半月板前角后缘形成的弧紧靠内侧胫骨嵴，大约位于PCL前方7 mm。然后插入钻头建立胫骨隧道。胫骨隧道外口的位置大约在胫骨结节内侧一横指，内侧关节线远侧两横指附近。

然后通过胫骨隧道建立股骨隧道。使用过顶点参考型定位器在髁间凹侧壁做一标记，在此标记后方留一层皮质骨。当用髌韧带作移植物时，建立内径10 mm的股骨隧道，标记点在"过顶点"前方6.5 mm处。直径10 mm的隧道后方需要留置1.5 mm厚的皮质骨。在屈膝70°位将导针穿过胫骨隧道，定位于髁间凹上的标记的位置并钻入。将一根空心股骨钻头沿导针扩股骨隧道(通常直径为10 mm)。隧道深度为25～30 mm。

(4) 移植物的植入和固定

1) 髌韧带移植物的植入和固定　髌韧带移植物通常使用界面螺钉固定。先固定股骨隧道内骨栓。从前内侧入路插入界面螺钉的导针，于屈膝70°位，使用7 mm丝锥攻丝。然后沿导针放入8 mm×23 mm界面螺钉。用力牵拉胫骨骨栓上的尼龙线以测试股骨隧道固定是否牢靠。在触摸胫骨隧道内骨栓活动度的同时屈伸膝关节数次。无活动并不一定表示移植物已完全达到等长的标准，更可能表示胫骨骨栓卡在隧道中，牵拉缝线时移植物无法达到合适的张力。屈伸膝关节，标记出胫骨骨栓在隧道中最远端的位置，通常接近完全伸膝位。在此位置牵拉尼龙线使移植物紧张，穿入一颗9 mm×23 mm可吸收界面螺钉，固定胫骨端。移植物固定后完全屈伸膝关节数次，做轴移试验和Lachman试验，如果结果不满意，则需要重新调整移植物张力，直至达到要求的膝关节稳定性。

2) 腘绳肌肌腱移植物的植入和固定　用带尾孔导针，将牵引线和翻转线贯穿两隧道，从大腿的外上方拉出。牵拉牵引线，使微型钢板呈纵向，依次将微型钢板、聚乙烯带和肌腱近段拉入股骨隧道。当预计微型钢板刚好完全从股骨隧道外口牵出时，牵拉翻转线，将微型钢板由纵向转为横向，回拉肌腱，钢板横架于股骨隧道外口上，完成植入物股骨端固定。将胫骨端缝线从钛质纽扣孔中穿出，沿缝线将纽扣向上推，使其紧贴胫骨隧道外口。反复伸屈膝关节，进行等长检查和撞击试验。在屈膝40°位将较粗肌腱段两端缝线打结，在完全伸膝位将较细肌腱段缝线打结。

31.6.3　后十字韧带重建的专项操作技术与原则

自体髌韧带曾经作为交叉韧带重建的金标准，但是现在认为，在PCL重建过程中6～8股腘绳肌腱提供的强度远大于髌韧带。另外，关节镜下骨块在关节腔内有限的空间翻转和在隧道内穿行翻转比较困难；采用腘绳肌腱就不存在这些问题，而且对供区的损伤小，几乎没有并发症，逐渐成为重建的首选材料。本章节仅介绍采用腘绳肌肌腱重建PCL的操作技术与原则。

(1) 移植物的切取

同腘绳肌肌腱重建ACL的取材方法。

(2) 移植物的处理

刮除肌腱上附着的肌肉，测量肌腱总长度(如半腱肌长28 cm)后，用2号不吸收缝线分别缝合肌腱两端。然后对折肌腱成等长的两段(各14 cm)，在其反折处穿入2根同样的缝线。两端的缝线打相同的结以区别，再次对折两段肌腱成4股(股长7 cm)。如果股薄肌长度为21 cm以下可3折，编织缝合时两端各缝合2根2号不吸收缝线，一端线直接绑在聚乙烯带，剪断缝线后，回折在对端的1/3处，其2/3处和留置缝线的一端等齐，在齐折处穿入2根缝线；如果长度和半腱肌接近可4折，同样编织两端的线打成相同的结以固定时对应，在移植物反折端直接将聚乙烯带穿入打结。原则是在保证最后移植物长度在7 cm的前提下，尽可能多地增加其股数(一般7股或者8股)。测量移植肌腱总直径后，用100 N拉力行预牵张，至移植物植入。在距移植物近端25 mm处用亚甲蓝(美蓝)笔或者可吸收线做一个标记。

(3) 隧道定位

从后内侧入路插入镜头，从前内侧入路插入胫骨隧道定位器，钻胫骨隧道。隧道内口位于胫骨关节面下1 cm，中线外侧，隧道与胫骨轴成45°。隧道直径与移植物直径相同。从高位前内侧入路进镜，从前外侧入路进操作器械，钻股骨隧道。隧道内口位于髁间凹1～2点钟或者10～11点钟，距软骨缘1 cm。股骨隧道分为靠关节的粗隧道和靠外侧的细隧道两部分，粗隧道部分直径与移植物总直径相同、隧道深度为肌腱应当内置的长度20 mm；细隧道部分直径4.5 mm。

(4) 移植物的植入和固定

从高位前内侧入路插入镜头，监控下将导线从胫骨隧道送入关节，再从股骨隧道拉出。将移植物近端的聚乙烯带从胫骨隧道拉入关节腔，再从股骨隧道拉出。持续牵拉聚乙烯带，利用韧带腔内推提器，将移植物于胫骨隧道内口反转处向后上方反复推提，先将其提入关节腔，而后拉进股骨隧道，直至近端标记线至股骨隧道内口。

将聚乙烯带两端穿入微型钢板中间两孔，沿聚乙烯带将微型钢板推至股骨隧道外口，将聚乙烯带打结，使移植物固定于股骨端。将移植物胫骨端编织线穿入钛质纽扣中，拉紧韧带，于屈膝40°前抽屉位将半腱肌肌腱缝线打结(4股或3股)，于完全伸膝位将股薄肌肌腱缝线打结(2股或3股)，完成韧带胫骨端固定。固定后再次抽屉试验，检查关节的情况，如果紧张强度不足，可以通过旋转纽扣来加强。

31.7 手术适应证

31.7.1 半月板修补的适应证

半月板撕裂是否适合修补取决于多个因素。撕裂部位的血供情况是首先需要考虑的因素。Arnoczky及Warren证实了半月板的外1/3部分存在血管网。这个解剖发现引出将半月板撕裂分为3个区的概念：①位于血管区的红-红撕裂，修补后愈合率很高；②位于血管区与非血管区连接处的红-白撕裂，修补后有一定的愈合率；③位于血管区中心的白-白撕裂，修补后一般不能愈合，部分切除是最好的手术方法。

撕裂的类型是考虑是否进行修补的另一个重要因素。桶柄样撕裂及垂直纵向的撕裂自身有趋向稳定的复位及固定的趋势。水平撕裂，放射状、片状、复杂及退行性撕裂难以愈合，部分切除是最常见的治疗方法。在放射状撕裂的病例中，周围的环状纤维断裂，所以即使愈合后半月板仍没有功能。

虽然年龄较大不是绝对的禁忌证，但对于修补手术来说年龄因素是必须予以考虑的。通常多数老年患者的退行性撕裂不适合手术治疗。关节表面的情况、个人的活动能力及关节的其他合并损伤都必须予以考虑。一系列新材料和新技术的出现扩大了半月板修补术的适应证。

半月板缺失对膝关节退行性改变的影响相比十字韧带损伤更为显著。当半月板损伤合并ACL时，如果半月板有中等程度的愈合可能性，就应该进行半月板修补术。关节镜下半月板切除术仅适用于半月板愈合可能性很小的病例。

根据笔者的经验，具有以下特点的半月板撕裂修补愈合率较高：①同时伴有ACL损伤，尤其当半月板修补术和ACL重建术同时进行时；②撕裂部位于半月板周缘；③长度较短的撕裂；④年轻患者；⑤新鲜损伤。

31.7.2 前十字韧带重建的适应证

治疗ACL功能不全的目的在于恢复膝关节稳定性，避免损伤复发及预防半月板和关节软骨等的继发性损伤。任何年龄希望恢复运动功能的和对生活质量要求较高的患者都适合做ACL重建手术。此外，决定是否须手术治疗ACL损伤不应仅仅建立在出现膝关节不稳定的基础上，还取决于患者的生活方式及运动水平。不应简单地把年龄作为衡量标准，因为总体水平才是更为重要的因素。通常认为更年轻的个体的运动水平也更高，更依靠膝关节。然而，很多老年的个体正参与高运动量的娱乐活动，并且持续较长时间。所以年龄不应成为ACL重建术的禁忌证。重建手术的成功取决于严格遵守手术原则，包括具有足够强度和刚度的移植物的选择、移植物的准确定位以避免张力过大和髁间凹撞击、移植物的坚强固定为早期康复提供足够的强度和刚度等。

很多组织曾被用来做ACL的替代品，包括自体移植物、同种异体移植物和人工合成材料。目前，最流行的移植物是自体骨-髌韧带-骨和四股腘绳肌腱。

无使用髌韧带作为移植物禁忌的患者都可以采用髌韧带进行韧带重建。采用髌韧带重建ACL有一些特殊的适应证：全身性韧带松弛的患者相对禁忌采用腘绳肌肌腱，而髌韧带刚度较大，是这类患者使用自体移植物重建的最佳选择;对于合并有膝关节后内侧韧带复合结构损伤的患者,也不宜采用腘绳肌肌腱进行 ACL 重建,因为此方法会进一步损伤膝关节后内侧的稳定性,所以也特别适合采用髌韧带进行重建。对于经常跪地工作(如地毯工、木匠等)要避免膝前痛和跪地痛,髌韧带短小、有损伤或有病变,患髌股关节疾病的患者禁忌采用髌韧带重建。

采用腘绳肌腱的优势在于不损伤伸膝装置,这对有髌股关节紊乱史和曾使用髌韧带重建后翻修的患者尤其重要,同时也更美观。排除腘绳肌腱已被切除的患者,采用腘绳肌腱重建 ACL 没有绝对的禁忌证。全身性韧带松弛的患者相对禁忌采用腘绳肌肌腱,这些患者可能更适合采用最终刚度较大的髌韧带。而对于合并有膝关节后内侧韧带复合结构损伤的患者,也不适合采用腘绳肌肌腱进行 ACL 重建,因为此方法会进一步损伤膝关节后内侧的稳定性。如果术前通过 MRI 检查,或者术中取半腱肌肌腱时发现肌腱直径<3 mm,则四股半腱肌肌腱也难以保证强度,应当改用其他材料。

31.7.3 后十字韧带重建的适应证

通过患者的病史、体检和影像结果诊断后 PCL 的损伤,根据 PCL 损伤的程度选择适当的患者。一般习惯把后抽屉试验中胫骨结节的后移范围作为 PCL 损伤程度的分级标准。正常膝关节屈曲 90°时胫骨结节位于股骨髁前 1 cm,与正常侧对比,如果胫骨结节后移 3~5 mm, PCL 损伤为Ⅰ度;胫骨结节后移 6~10 mm 为Ⅱ度;后移11 mm 以上为Ⅲ度。PCL 损伤后,膝关节的向后松弛是一个进行性过程,在伤后关节周围纤维化期,后抽屉试验可能阴性;进行到纤维化消退期时,此时胫骨结节后移达到Ⅱ度;如果辅助稳定结构松弛时,在关节向后位移达到Ⅲ度。目前根据韧带的损伤程度,把 PCL 损伤分为部分损伤和完全断裂。对于高龄或者活动较少陈旧性 PCL 完全断裂的患者以及 PCL 部分损伤的患者,可以采取非手术治疗的方法。尽管近期效果尚可,但远期有诱发髌股关节炎的可能。

急性损伤、单纯 PCL 损伤、撕脱骨折并且向后移位>10 mm,即Ⅲ度损伤的患者必须手术治疗。合并后外侧角损伤的 PCL 损伤患者应该尽早行重建术,合并有内侧副韧带损伤的患者首先制动,内侧副韧带和关节囊愈合后,方可行 PCL 重建术。

对于陈旧性损伤的单纯 PCL 损伤,胫骨后移位>10 mm 者考虑手术治疗。关节损伤引起胫骨后移>10 mm 者考虑关节韧带复合伤,合并有后外侧韧带结构损伤比较常见,需要一期手术重建所有的韧带,后外侧的韧带结构是 PCL 修复重建的基础。

对于Ⅱ度以内的 PCL 损伤,传统的观点认为通过股四头肌功能操练,可以恢复关节的稳定性。等到出现髌股关节炎或者内侧膝关节炎时,才予以择期行 PCL 重建。现在则认为韧带损伤应该积极治疗,对于韧带损伤<50%的患者,采取刺激增强技术;>50%的患者,则采取 PCL 重建。因为股四头肌是动力性稳定结构,它是在膝关节产生不稳后,通过本体感受器产生的调节反应,其反应是滞后的,不能提供即时的稳定性;而 PCL 是静力性稳定结构,在膝关节的活动中提供即时稳定性。尽管增加股四头肌力能增加髌腱对胫骨结节向前的提升力,但引起的代价是髌股关节和胫股关节的压力增加,导致关节的退行性改变。

31.7.4 滑膜切除的适应证

膝关节出现持续性反复发作的关节肿胀、疼痛,如果明确诊断为弥漫性色素沉着绒毛结节性滑膜炎,应当尽早进行治疗,这样才能够保证膝关节功能。因为前后十字韧带都在滑膜包绕之内,滑膜炎拖延不治会造成十字韧带侵蚀,严重影响膝关节稳定性,最终影响膝关节整体功能。

经过适当治疗后不愈的顽固性滑膜炎和经化疗或放疗的滑膜炎需要作滑膜切除术。滑膜的化疗或放疗方法仅在欧洲施行,对于其治疗的效果和引起的不良反应仍有争议。关节镜下滑膜切除术的优点就是可以在滑膜炎的早期手术治疗,不影响半月板的完整性,不用限制活动,对关节的稳定性没有影响,无畸形情况发生,不会引起诸如关节间隙狭窄、骨赘发生等影像学的改变,其手术效果良好。

关节镜下滑膜切除术的禁忌证主要包括出血性疾病。既往认为化脓性关节炎也是禁忌证。现在则认为,随着医疗技术的提高,这两种疾病为相对禁忌证,尤其是化脓性关节炎,笔者在关节镜下清理灌洗化脓性关节炎取得良好的效果。因此,如果具备足够的技术条件仍可以切除。

31.8 并发症

1988年,美国和加拿大一些关节镜医师对8 791例膝关节共同进行了一项广泛的、多中心的随访研究,结果发现162例并发症,发生率为1.85%。综合这些大型研究可以发现,膝关节镜最常见的并发症是关节积血,所有膝关节镜手术中,需要吸引或手术排出的关节积血的病例约占1%。仅次于关节积血的最常见并发症是感染,多中心研究中有19例出现感染,发生率为0.02%。血栓栓塞性疾病和麻醉并发症也较常见于关节镜手术,发生率均为0.01%。1988年的多中心研究显示,器械断裂、神经系统并发症和严重血管并发症已较早期的研究明显减少。外侧支持带松解术的并发症发生率最高,达到7.2%。半月板切除的并发症发生率令人吃惊地高于半月板修补。也有关于不同方式的ACL重建术的并发症的研究,其中人工材料重建的发生率最高(3.7%),同种异体重建的发生率为3.3%,自体组织重建的发生率最低(1.7%)。

31.9 围术期与术后康复

31.9.1 围术期

(1) 术前评价

术前评价应包括详细的病史和体检。现病史应包括主诉以及何时、何地、何种方式受伤。过去史应包括以前曾经受到的骨科相关损伤以及治疗方式,任何用药史和药物过敏情况。应详细询问是否存在胃炎或消化性溃疡,以确定使用非甾体类抗炎药(NSAID)的安全性;应了解过去曾进行手术的麻醉并发症情况。

体检应包括以下项目:膝关节渗出、活动度、压痛、畸形、股四头肌周长、详细的韧带检查。对侧下肢必须进行相同检查以资对比。应常规检查脊柱和同侧髋关节有无畸形以及可能引起膝关节疼痛的病变,这对于青春期和老年患者尤其重要。还应检查下肢力线和步态,并进行详细的神经血管检查。

术前应权衡手术的利弊,并记录于病历卡上。

(2) 对患者的宣教

对患者的宣教于关节镜手术的结果以及手术过程都起到非常重要的作用。教育对象包括患者本人及其家属,应向其详细介绍关节镜手术的作用、风险和可能出现的并发症,并强调术后康复锻炼对于整个治疗结果的重要作用。教育过程中可使用图表、膝关节模型、宣教手册、X线片、MRI片。术中发现的病理情况可通过摄片或录像记录后保存。术后应制订详细的康复计划,协助患者出院后进行康复锻炼。

31.9.2 术后康复

如果预计术后会出现持续的关节内渗血,应放置关节内引流。引流管放置时间根据具体情况调整,一般在术后1～2天内拔除。术中切开操作术后可在24～48 h内预防性使用抗生素,一般情况下不建议使用。

研究显示,术后关节内注射丁哌卡因有助于控制术后疼痛,使用的剂量至今尚有争议。0.50%丁哌卡因30 ml能有效减少患者在复苏室内阿片受体类药物的用量,促进早期活动,并减少住院时间。但尚未发现0.25%丁哌卡因30 ml关节内注射有任何相似的镇痛效果。研究已经显示丁哌卡因对关节软骨不造成伤害,且只要关节内注射量不超过150 mg,丁哌卡因血清浓度的毒性作用极低。单独使用吗啡或联用布比卡因都不能明显缓解术后疼痛,需要进行额外麻醉,或佩戴负重支具。术前疼痛与术后疼痛有密切的联系。

手术入路应使用2号或3号缝线闭合,术后使用无菌敷料加压包扎,可调节支具固定膝关节,冰敷,并抬高患肢。调节支具至一定角度,可限制膝关节屈伸。每1～2 h抬高下肢并使用冰敷10～15 min能有效缓解疼痛和肿胀。对于剥脱性骨软骨炎、软骨缺损,或其他需要限制负重的病例,应使用拐杖。

术后4～5天通常服用口服麻醉药,口服或肌注非NSAID,尤其是滑膜切除、粘连松解等术后患者。

膝关节镜手术患者关节功能恢复较快。坐着工作的患者通常术后几天即可恢复工作,但这只是相对情况,受到诸如疼痛、伤口情况、关节活动度、下肢力量、活动强度、工作、希望恢复的运动水平等因素的影响。

各种不同手术的术后康复计划不尽相同。半月板部分切除的术后康复包括等长伸展训练和力量训练。等长训练应在手术后立即开始。肌力训练应包括股四头肌、踝关节、90°～45°伸屈膝、内收或外展位直腿抬高、跟腱训练。伸展训练维持膝关节活动度，应包括腘绳肌、股四头肌、跟腱训练。在条件允许的情况下，固定自行车是一种很有效的训练方式。出院后可根据医师或理疗师的建议在家中继续康复训练。

患者出院时，应对其反复强调可能出现的并发症，以及继续康复训练的注意事项。出院后定期门诊或电话随访。

（赵金忠　彭晓春）

参考文献

[1] Armstrong RW, Bolding F, Joseph R. Septic arthritis following arthroscopy. Arthroscopy, 1992, 8: 213～223.

[2] Arnoczky SP, Warren RF. The microvasculature of the meniscus and its response to injury—an experimental study in the dog. Am J Sports Med, 1983, 11:131～141.

[3] Coupens SD, Yates CK. The effect of tourniquet use and hemovac drainage of postoperative hemarthrosis. Arthroscopy, 1991, 7:278～282.

[4] Dickhaut SC, DeLee JC. The discoid lateral meniscus syndrome. J Bone Joint Surg Am, 1982, 64:1068～1073.

[5] Dillingham MF, Fanton GS, Thabit G. Laser-assisted arthroscopic meniscal surgery of the knee. Oper Tech Orthop, 1995, 5:39～45.

[6] D'Angelo GL, Ogilvie-Harris DJ. Septic arthritis following arthroscopy, with cost/benefit analysis of antibiotic prophylaxis. Arthroscopy, 1988, 4:10～14.

[7] Gelb HJ, Glasgow SG, Sapega AA, et al. Magnetic resonance imaging of knee disorders: clinical value and cost-effectiveness in a sports medicine practice. Am J Sports Med, 1996, 24:99～103.

[8] Gold DL, Schaner PJ, Sapega AA. The posteromedial portal in knee arthroscopy: an analysis of diagnostic and surgical utility. Arthroscopy, 1995, 11:139～145.

[9] Hardaker WT, Whipple TL, Basset RH Ⅲ. Diagnosis and treatment of the plica syndrome of the knee. J Bone Joint Surg Am, 1980, 62:221～225.

[10] Jardon OM, Huurman WW, Barak AJ. Malignant hyperthermia: avoiding a lethal complication. Contemp Orthop, 1983, 7:77～84.

[11] Johnson L, Schneider D, Austin M, et al. Two percent glutaraldehyde: a disinfectant in arthroscopy and arthroscopic surgery. J Bone Joint Surg Am, 1982, 64:237～239.

[12] Maynard MJ, Deng X, Wickiewicz TL, et al. The popliteofibular ligament: rediscovery of a key element in posterolateral stability. Am J Sports Med, 1996, 24:311～316.

[13] McGinth JB, Matza RA. Arthroscopy of the knee: evaluation of an outpatient procedure under local anesthesia. J Bone Joint Surg Am, 1978, 60:787～789.

[14] Outerbridge RE. The etiology of chondromalacia patellae. J Bone Joint Surg Br, 1961, 43:752～757.

[15] O'Rourke KS, Ike RW. Diagnostic arthroscopy in the arthritis patient. Rheum Dis Clin North Am, 1994, 20:321～342.

[16] Pedowitz RA, Gershuni DH, Schmidt AH, et al. Muscle induced beneath and distal to a pneumatic tourniquet: a quantitative animal study of the effects of tourniquet pressure and duration. J Hand Surg Am, 1991, 16:610～621.

[17] Pipkin G. Knee injuries: the role of suprapatellar plica and suprapatellar bursa in stimulating internal derangement. Clin Orthop, 1971, 74:161～175.

[18] Small NC. Complications in arthroscopic surgery performed by experienced arthroscopists. Arthroscopy, 1988, 3:215～221.

[19] Smith I, Van Hamelnijck J, White PF, et al. Effects of local anesthesia on recovery after outpatient arthroscopy. Anesthesiology, 1991, 73:536～539.

[20] Tolin BS, Sapega AA. Arthroscopic visual field mapping at the periphery of the medial meniscus: a comparison of different portal approaches. Arthroscopy, 1993, 9:265～271.

32 肩关节镜

过去，准确诊断肩部疼痛是一件令人感到困难的事情，以致长期以来专科医师们不得不以“肩周炎”、“软组织劳损”等来笼统诊断。CT、MRI 尤其是后者的诞生，极大地推动了诊断的水平。而关节镜在肩关节疾病诊疗中的运用，使得诊断的水平达到了更加准确细化，并且具有直观动态的特点。现在我们终于知道原来肩痛相当大的一部分是有着具体病因的，如肩峰撞击综合征、SLAP 病、Bankart 损伤、关节不稳定等，仅约 5%才属于肩周炎。要准确细化地诊断肩痛，必须掌握影像学理论、肩关节理学检查等，尤其要掌握关节镜的使用技术。本节简单介绍一些肩关节镜的基本知识。

32.1 解剖生理

肩关节具有广义与狭义两种描述。狭义上指肱盂关节；而广义上还包括了肩锁关节与肩胸“关节”（肩胛骨-胸廓间在肩关节活动时的相对活动，它类似关节却没有关节的结构）。另外，在肩关节活动时，胸锁关节与肩峰-肩袖“关节”也参与其中。所以，肩关节的解剖生理是非常复杂的。由于进化关系，肩关节非常灵活，它是人体所有关节中活动方向最多、最复杂的，有屈伸、收展、内外旋转 3 组活动，并由这 3 组活动衍生出各种组合活动如前上举、外上举、搭肩搭背等。但肩关节这种灵活性是以牺牲结构稳定性为代价的：它没有典型的球窝关节的匹配与稳定，巨大的肱骨头关节面是关节盂关节面的 3 倍。如此不稳定的装置，当然需要很多辅助稳定结构。肩关节的稳定装置有静力性与动力性两种。静力性稳定装置由关节囊以及增厚的关节囊韧带（如前方的盂肱上、中、下 3 组韧带及喙肱韧带等）和关节盂唇等组成。这些结构将肱骨与肩胛骨连接起来；肩锁关节和喙锁韧带将锁骨与肩胛骨强有力地连接起来。但就静力结构来讲，3 块骨的解剖关系形似吊车装置，胸锁关节是支点，锁骨是吊杆，肩胛骨是吊钩，肱骨以下等是悬吊重物，肩锁关节和喙锁韧带是连接吊钩与吊杆之间的主要结构。“吊车装置”形象地勾勒出 3 骨之间的结构与力学传导关系。动力性稳定结构主要由包裹关节周围的肩袖、肱二头肌长头关节内段等组成。肩关节前下是薄弱区域，故而前下脱位最易发生。由于长期各种急性和慢性累积损伤，肩关节静力稳定结构出现松弛或缺失，肩关节活动支点和轨迹出现病理性改变，异常支点和异常活动轨迹的形成导致关节内外及周围组织继发性损伤，最终形成关节不稳定和功能障碍。临床上可见的此类疾病有肩峰撞击综合征、关节囊肱骨头附着损伤（如 HTML 等）、SLAP 病、Bankart 损伤和关节外各类滑囊炎症等。

关节镜解剖与大体解剖不同，它描述从不同的关节镜入口能观察到关节内的解剖结构。肩关节镜入口作为观察的常用入口只有后上入口与前方入口。南加利福尼亚州骨科医院制订的肩关节镜外科镜下解剖结构观察目录，比较完整不至遗漏，操作起来有条不紊，在临床运用中很有价值。共有 15 个解剖位点（表 32-1），其中 10 个位点从后上入口观察，5 个位点从前方入口观察；而肩峰下间隙的观察位点也有 8 个（表 32-2）。对于每个解剖点的理解请参考有关肩关节镜专著。

表 32-1 肩关节镜入口 15 点解剖观察

从后上入口观察
1. 肱二头肌长头肌腱及上方盂唇
2. 后方盂唇及后方关节囊隐窝
3. 腋下隐窝及肱骨头下方关节囊附着
4. 下方盂唇及盂关节面
5. 肩袖冈上肌肌腱部分
6. 肱骨头裸区及肩袖后部附着
7. 肱骨头关节面
8. 前上盂唇、上中盂肱韧带及肩胛下肌肌腱
9. 前下盂唇
10. 前下盂肱韧带
从前方入口观察
11. 后方关节盂唇及肱骨头后方关节囊附着处
12. 后方旋肌袖部分包括冈上肌肌腱和冈下肌肌腱
13. 前方盂唇及下盂肱韧带肱骨头附着
14. 肩胛下肌肌腱及其肩胛下隐窝和中盂肱韧带盂唇附着
15. 肱骨头前方关节面、肩胛下肌肌腱肱骨头附着处及肱二头肌长头肌腱肩袖间隙通道

表 32-2 肩关节镜肩峰下间隙 8 点解剖观察

从后方入口观察
1. 肩峰下方及喙肩韧带
2. 肩峰外缘及肩峰下滑囊外侧皱襞
3. 肱骨头大结节冈上肌、冈下肌肌腱附着
4. 肩袖肌腱-骨结合部
5. 肩峰下滑囊内侧壁
从前方入口观察
6. 肩峰下滑囊后滑膜帘
7. 肱骨大结节肩袖附着后面
8. 肩袖前方、肩袖间隙及肩峰下滑囊前方隐窝

32.2 设备与器械

肩关节镜手术的设备与膝关节镜的有所不同，前者需要压力泵与维持体位的牵引装置或沙滩椅架。关节镜基本器械与膝关节镜相同，前者需要成套的全肩关节镜下的修补缝合器械系统（如 Spectrumset, Linvatec）、各种口径的防漏套管等。

32.3 手术室环境

肩关节镜手术室配置和人员站立流动与膝关节镜手术有很大不同，主要是由患者体位决定的。以外展牵引位为例，主刀医师与助手围绕肩关节0°～180°范围内站立流动，此处必须与麻醉台隔开，因此麻醉台一般置于患者肚脐腹侧。关节镜设备组置于麻醉台的足侧，如果光导索、摄像头电线不够长，也可置于背侧近足部。在肩关节的腹侧与背侧可各放置一个 Mayo 台，分别放置成套手术器械与刨削手柄、摄像头等。洗手护士工作台在主刀的后方（图 32-1）。

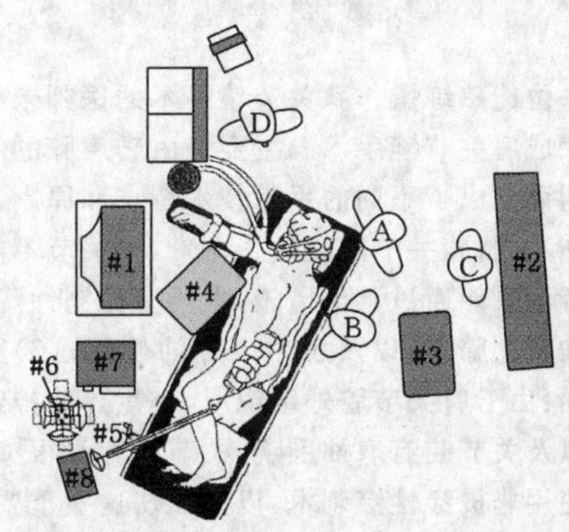

图 32-1 肩关节镜手术设备及手术人员位置

A. 主刀医师 B. 助手 C. 洗手护士 D. 麻醉师
1. 监视器 2. 手术器械 3. Mayo 台 4. Mayo 台
5. 牵引架 6. 悬吊架 7. 压力泵 8. 高频电刀

32.4 麻醉与体位

肩关节镜手术患者必须施行全身麻醉，手术过程中需要足够的肌肉松弛以及控制血流动力学参数。肩关节及其周围血供非常丰富，由于无法使用止血带，所以使用控制性降压措施并结合其他一些方法，就可以控制手术出血以达到关节镜手术视野的清晰。足够的肌肉松弛可使关节间隙在牵引下增大而方便手术。从某种角度讲，在肩关节镜手术中，仅有关节镜医师的经验技术而缺少麻醉师的配合，手术将不能成功。

肩关节镜手术的患者体位目前主要流行外展牵引和沙滩椅两种体位。前者患者取侧卧位，肩关节在牵引架牵引下维持外展 70°，前屈 15°，整个身体后倾 10°，一般牵引重量<7 kg；后者患者取坐位至少 60°，屈髋屈膝，肩胛骨脊柱缘置于手术台边缘。两种体位各有优缺点。外展牵引位具有关节间隙大且比较恒定的优点。缺点是有臂丛神经损伤的可能

性;如果关节镜手术失败而转换成开放手术时,可能要重新铺巾,容易引起肩关节下脱位;图像不符合视觉习惯。沙滩椅位的优点:体位摆放方便迅速,神经损伤危险性降低,关节内解剖变形小,图像符合视觉习惯,上肢活动性好易于改用开放手术等;缺点:镜头易产生雾气,易致压迫损伤。但对于成熟的肩关节镜医师来说,究竟采取何种体位,取决自身技术特点以及患者特点。

32.5 一般操作技术与原则

一位能熟练操作膝关节镜手术的医师未必能很好地完成肩关节镜手术。主要是由于肩膝的解剖特征不同而形成了不同的手术技术特点和原则。①止血措施不同:膝关节能使用止血带,肩关节不能使用止血带而只能通过其他措施,主要有控制性降压、灌注液加肾上腺素,以及压力泵等的使用。②穿刺技术不同:由于肩关节腔外组织厚,有重要的神经血管毗邻以及关节腔有肩袖围绕,关节间隙又很窄,所以必须使用非贯穿性穿刺术,以免损伤这些重要结构。③套管技术:为了防止液体渗漏至关节腔外,强调钝性穿刺。由于腔外组织厚,若大量液体外渗导致组织水肿更厚,又有重要结构环绕,在穿刺口频繁进出操作器械会形成假道加重软组织损伤,增加了重要结构损伤的概率,所以必须在操作器械进出频繁的穿刺孔使用安全的套管钝性穿刺安装技术。由于肩关节镜部分的操作是在关节腔外进行,如肩袖修补,所以手术时间必须严格限制。

肩关节镜常用入口有后上入口(PSP)、前上入口(ASP)及前下入口(AIP 或 AMGP)。制作入口方法:首先,在制作入口前必须先用消毒标记笔绘出解剖标记点、线及入口点,即标出肩峰后外角、前外角、肩峰外侧缘中点、肩胛冈、锁骨前缘、肩锁关节、喙突和喙肩韧带等,然后连接起来;以拇指压住肩胛上窝,沿拇指缘画线,即可画出肩胛上窝周缘。肩胛上窝前缘即锁骨及肩锁关节后缘,后缘亦即肩胛冈缘。再画出后滑膜帘线,亦即肩峰下滑膜囊后界,具体方法是从肩锁关节后缘画一条与肩峰外侧缘垂直的线并向远侧延长 4 cm。最后很重要的是画出关节镜入口点。必须记住很重要的一点,我们画出的标记线实际上是骨性轮廓的浅表部,而手术入口却是位于骨性轮廓的深部以下的,所以,可根据骨性深部轮廓线作为参照。有些医师则直接画出骨性解剖标志深部轮廓线,它应该比浅表轮廓线宽大一些。后上入口一般位于肩峰后外角下方 2 cm、内侧 2 cm,或位于所谓后方的解剖"软点"处;"软点"的深层解剖位置位于冈下肌、小圆肌之间。制作入口时必须注意,从后方四边孔穿出的结构,包括腋神经与旋肱动脉,距肩峰后外角下 7～8 cm。在制作入口时,可以先以静脉穿刺针自后上入口标记点向喙突方向穿入,进入关节腔时有一种突破感,然后注射 20 ml 生理盐水,若在取走针筒时可见注入盐水自针筒流出,说明针在关节腔内,然后用镜鞘及闭孔器以上述方法穿入关节腔内,取走闭孔器可见先前注入的生理盐水流出,说明已经进入关节腔内。如果操作熟练,还可采用以镜鞘及闭孔器直接穿刺进入关节腔,具体方法是以钝头触摸肱骨头、关节盂后缘以及两者之间的"台阶",然后向空隙处穿入关节腔,在穿刺过程中仍应以喙突为参考。前方入口的制作方法与后上入口的有所不同,后者是解剖定位后的"盲"穿,前者是解剖定位后的关节镜监视下的穿刺。体表解剖定位在喙突外侧沿喙肩韧带下缘呈外上内下排列的彼此间距约 1 cm 的两点上。前方需要制作几个入口,必须在关节镜初步诊断之后才能决定。如果发现存在 SLAP 病等,则只需作前上入口即可;如果是 Bankart 损伤等,则需要制作前上、前下入口。具体有两种方法:内外法和外内法。施行内外法时,先推进后上入口中的镜体接近前方恰好位于肱二头肌长头肌腱下方的前方关节囊,然后拔出镜子换作闭孔器并用力向前方穿破至皮下,形成一顶"帐子",然后以尖刀片刺破皮肤,将镜鞘闭孔器推至皮外,将防漏套管顺闭孔器引入关节腔内,如此前上入口制作完成。而外内法,则先以静脉套管针在皮肤定位点穿入关节腔,关节腔内的位置恰位于肱二头肌长头肌腱下方的前方关节囊,此处也是肩胛下肌与冈上肌间的肩袖裂隙处,定位后作皮肤口,接着用交换棒或钝性闭孔器穿过防漏套管,然后先以闭孔器钝头穿入关节腔,再将防漏套管旋入关节腔。制作前下入口,一般只能用外内法。关节内位置位于肱二头肌长头肌腱、肩胛下肌腱及盂唇间的三角区内,低位入口时则正好位于肩胛下肌腱上缘或穿过该肌腱。制作前方入口时必须在喙突外侧以防损伤腋区臂丛神经血管束。另外,刺入关节腔时应采用先向外穿入,通过喙肱肌肌腱时再向内侧刺破关节囊的"波浪状"推进方法,以免损伤喙肱肌肌腱内侧的肌皮神经。然后,自前方防漏套管引入一根交换棒,并慢慢进入关节镜鞘，此时镜体自镜鞘慢慢退出，并监视着交换棒进入镜鞘引出后方入口，拔出镜鞘，顺交换棒插入防漏套管。完成了3个防漏套管的安装之后，关节镜的诊疗操作就可以在3个入口间相互转换。

32.6 专项操作技术与原则

专项操作技术并不是凭空形成的，它是针对肩关节常见疾病设计的系列技术。为修复重建肩关节损伤盂唇、关节囊韧带骨面撕裂伤、关节囊松弛、肱二头肌长头肌腱盂上附着处撕裂、肩袖损伤等，设计了骨面的锚固螺钉安装技术、全关节腔内的缝合技术、打结技术等，只有掌握这些技术并在使用时遵循一定的原则，才能完成关节镜下的各类肩关节手术。

锚固螺钉是一类尾部带孔、孔内含有缝线、螺头具有特殊设计的螺钉，螺钉部分固定入骨面一定深度并通过各种特殊设计，如螺纹(如Linvatec公司的Revo系列螺钉、强生公司的Fastin系列等)、弹力钢丝(如B-2螺钉)等结构与骨面隧道咬合，而尾孔内的缝线将自骨面撕裂的结构重新贴合固定于骨面。安装此类螺钉，必须先在骨面上开一钉道，为增强螺钉的抗拉伸强度，钉道必须与两个平面呈45°角。另外，螺钉旋入浅深要得当，过深，钉道口骨性锐缘会磨断缝线；过浅，影响软组织贴合骨面甚至螺钉松脱。

将缝线穿过撕裂组织的两瓣，或自骨面上撕裂的一瓣组织，才能将两瓣组织缝合在一起或将一瓣撕裂的组织重新贴合固定于骨面。目前，将缝线穿过组织的器械主要有各种弯度的尖部带孔的引线器、中空的穿线器、鸟嘴钳等。

通过打结器在关节腔内打结，是非常重要的技术，甚至还形成了系统的打结理论。一般打结的两根缝线中总是以其中一根为轴线，然后以另一根围绕其打结。首先介绍半套结亦即滑结(不同于半方结)，又根据手法分为上手和下手两种。推结器推结是顺着轴线而下的，此时环绕线应不断间歇收紧来配合半套节下滑到位，这种技术被称为“推-拉技术”(push-pull)。总是沿着同一根轴线打半套结，得到的仍然是一对容易松脱的滑结。如果不断变换轴线来打半套结，那么就一根轴线来讲，它的行径会变得曲折，这样半套结就不容易松脱。当半套结的环线超过打结位置时，半套结就转换成半方结了，这种技术称为“Pastpoint 技术”。由于第1个半套结在打第2个半套结时往往容易松弛，所以有些学者沿用了其他行业的一些打结并对其进行改良。目前有SMC结、田纳西结、Duncan结、Hangman结等。

32.7 并发症

肩关节镜手术的并发症可以分成以下几类：一般外科手术并发症、专科手术并发症以及专类手术并发症。第1类并发症主要是指诸如麻醉意外、出血损伤、手术感染等；第2类并发症是指与肩关节镜手术有关的并发症，主要是指皮肤压创、臂丛损伤、关节内外结构医源性损伤、腋神经损伤、肌皮神经损伤、肩关节周围大血管损伤等；第3类并发症是指锚固螺钉松脱、位置不正等。

32.8 围手术学与术后康复

肩关节镜手术是一种在全身麻醉、肌松及降压的情况下施行的微创手术，因此必须考虑到一些麻醉相关的禁忌情况。手术后建议使用镇痛泵止痛，撤除泵后必须使用镇痛药物并辅以理疗冰敷消肿治疗，使得康复锻炼在“无痛”下进行。手术后的康复训练必须是一种“安全”训练，即不至于损伤修复后的结构，所以锻炼的范围、程度在手术后的不同时间段内应有所区别。锻炼主要注重3个方面，即关节活动范围、肌力及综合动作训练。

(林建平)

参考文献

[1] Rockwood, CA Jr. The Shoulder. Philadelphia: Lippincott Williams & Wilkins, 2006. 10～26.

[2] Snyder SJ. Shoulder Arthroscope. 2nd ed. Philade phia: Lippincott Williams & Wilkins, 2003. 11～60.

33 其他关节镜及关节镜的关节外应用

33.1 概述

关节镜，顾名思义，在关节腔内进行诊疗操作的内镜。目前全身大部分关节都能进行关节镜诊疗操作，如上肢的肩肘腕和下肢的髋膝踝等大关节，甚至如跟距关节、手指小关节等也能进行关节镜诊疗操作。推动关节镜在各关节的临床诊疗以及拓展适应证范围，是通过对设备器械的创新改良和提高完善操作技术来达到的。小直径关节镜镜体的成功制造，使得小关节也能进行关节镜操作；防漏套管的推出，保持了关节腔的有效膨胀（过多的入口使得关节腔内液体外漏增加而无法维持膨胀从而影响视野的清晰度），使得关节镜体及器械进出关节腔更加容易，减少了对操作孔道的软组织的损伤以及降低了对周围重要解剖结构的损伤可能性，使得某些操作得以完成（如关节腔内打结等）。膝关节的锐性和肩关节的钝性穿刺技术以及髋关节的阶梯式套管穿刺技术等，这些不同的穿刺技术的改良都是为了适应具有不同解剖特点的关节的操作需要。正是这些新设备器械的推出和技术的改良，使得原先没有条件做关节镜手术的关节和不能在关节镜下完成的手术，都能在关节镜下手术。

同样，也是因为上述这些积极因素，关节镜“走出”关节，“来到”关节外，即所谓关节镜的关节外应用。如此，关节镜的临床运用也就被分成了关节内与关节外两种。目前，关节镜的关节内应用以关节名称命名，如膝关节镜外科、踝关节镜外科等；关节镜的关节外应用以解剖部位或结合手术目的等命名，如经皮穿刺关节镜下椎间盘髓核摘除（AMD）、腕管综合征或肘管综合征的关节镜下松解、狭窄性腱鞘炎关节镜下松解、椎间盘镜、臀肌挛缩症的内镜下治疗、内镜辅助下腓肠神经切取、幺外翻内镜下治疗等。随着关节外应用的不断拓展，新的命名亦会不断出现。严格意义上讲，关节镜的关节外应用是一个个具体的应用实例，而不能成为“外科学体系”，而关节镜的关节内应用则是一门具有“体系”意义的学科，如膝关镜外科学，它是研究膝关节内各类疾病和创伤的关节镜下诊断和治疗的一门临床应用学科，而且它将与这种临床应用相关的一些基础研究等内容也纳入其内。还有一类运用，似乎既不属于关节内亦不属于关节外的，如滑囊，它是关节外的一种封闭结构，从其封闭性，似乎类似于关节内关节镜，但它分明在关节外，又好像应归入关节外应用。典型的一个实例是肩峰下滑囊，将关节镜插入囊内，可以进行诸如肩峰成形术、肩袖修补等手术，然而这类手术应用，往往归入肩关节镜外科学，所以应当属于关节内应用范畴。今后，随着设备器械的创新推出和临床技术的日臻提高完善，关节镜关节外的应用范围必将不断拓展。

33.2 脊柱镜

33.2.1 胸腔镜脊柱手术

胸腔镜脊柱手术与开胸手术相比具有创伤小、出血少、康复快的优点。胸腔镜手术的技术首先要求手术医师熟悉胸椎的解剖结构，能够在胸腔镜下分辨这些解剖结构以及熟悉内镜下的手术操作技术。

胸腔镜手术还需要特殊的手术器械设备。除了腔镜系统外，由于胸壁到脊柱的距离在 14～30 cm，所以所有手术的器械都要求细而长以适合胸腔镜手术的要求。

胸腔镜手术需要入路侧肺的萎陷来显露脊柱的结构，所以要行双腔气管导管插管。

胸腔镜套管入口位置的选择是胸腔镜手术的关键。摆放胸腔镜套管有几个原则：各套管必须均匀分散摆放在胸廓的表面，防止术者的双手相互靠得太近，或离内镜太近。手术医师通常是面对患者的腹侧，所以操作套管常常在腋中线和腋前线之间。而腔镜的套管一般放置在腋中线与腋后线之间。一般选择软性而不是硬质套管，以防肋间神经受压。

术中要确定病椎和椎间隙。在胸腔内，内镜下数肋骨是一种非常好的病椎定位方法。通常，在胸腔顶，第 1 根可以看见的肋骨是第 2 肋骨。然后可据此数下来，也可以在椎间隙中插入一根定位针，而后通过 C 臂机前后位的 X 线透视来定位。

壁层胸膜的切口方式取决于具体的手术方式。根据手术需要暴露的椎体数来决定切开胸膜的范围和方式。可以使用剪刀或单纯电凝切开胸膜，切口要位于肋骨头或椎间隙水平，这样能避免损伤节段血管。

在椎体中间的凹陷处，有节段血管通过。胸椎的节段血管直接与主动脉以及奇静脉、半奇静脉相连。手术中应该尽量保护或有效处理节段血管，分离并结扎一个或几个椎体的节段血管时，用血管夹来夹闭节段血管，然后在血管夹之间横断血管。如果在下胸腔的左侧需要结扎多个节段血管，有可能造成胸髓的缺血和坏死。最好是在 MEP 或 SEP 的监护下，先暂时性阻断节段血管，如果诱发电位消失，则必须保留节段血管。这样才能将脊髓坏死的危险因素降到最低。

诸如椎间盘切除术、椎体切除术等，需要对神经根和脊髓进行手术减压。最可靠的方法是从椎管的侧方切除胸椎的椎弓根来暴露硬膜。要暴露和切除胸椎的椎弓根，则必须切除近端的肋骨头。首先从肋骨下缘小心地将神经血管束分离出来。用骨膜剥离器和直角肋骨切除器将肋间分离，并切断肋横突韧带和肋椎关节韧带。将肋骨近端的 2～3 cm 切除，如此就能暴露椎弓根。可用咬骨钳切除椎弓根而暴露椎管的侧方。切除椎弓根的过程中，硬膜外静脉可能会发生小的出血，需要用吸引器清理手术视野。切除椎弓根后，可以用双极电凝或明胶海绵止血。然后可根据手术的需要切除部分或全部椎体进行减压或切除病灶。

手术完成后，冲洗胸腔，仔细止血。可将胶原纤维蛋白喷在硬膜表面来进行止血和保护硬膜。从胸壁上去掉套管，内镜下检查切口，确定切口部位无出血。放置胸腔引流管。

通过胸腔镜可完成的手术如下。

1) 交感神经切断术　可治疗手汗症、严重的腋汗症和腋臭，有效地缓解晚期胰腺癌患者的疼痛。

2) 脊柱畸形前路松解术　与前路的开胸松解术一样，其适应证主要有：①≥75°的僵硬性脊柱侧凸，侧屈位 X 线片上矫正度数＜50°。②弯曲＞50°且骨骼尚未发育成熟的患者。③＞70°的脊柱后凸。

3) 特发性脊柱侧弯前路矫形固定术。

4) 半椎体切除矫形固定术。

5）胸椎病灶活检术。

6）胸椎间盘切除术。

7）神经源性肿瘤切除术。

8）结核的病灶清创及固定术。

9）胸椎前路减压、融合、固定术。

实际上，只要腔镜技术熟练，所有开胸的脊柱手术，都有可能在腔镜下完成。胸腔镜的手术并发症也和开胸手术一样，只是手术中的出血量稍大可能影响腔镜手术视野而不能顺利完成而需要转为开胸手术。所以在腔镜下必须仔细止血，小心处理血管，才能顺利完成胸腔镜手术。

33.2.2 腹腔镜脊柱手术

腹腔镜脊柱手术和胸腔镜脊柱手术相似，与传统的切开手术相比创伤小、出血少及术后的康复快。但是腹腔镜手术相对胸腔镜手术更加困难，原因是肺萎陷后胸腔是一个良好的腔隙，脊柱的侧面直接暴露在镜下，而腹腔是一个潜在的腔隙，要暴露脊柱比较困难，况且腰椎的侧方有腰大肌覆盖，前方有大血管遮挡。所以腹腔镜手术的技术要求更高，需要经过良好的训练才能顺利完成。

除了腹腔镜系统设备外，一些特殊的、适合在腔镜下操作的手术器械必不可少。

腹腔镜脊柱手术的入路有两种：一种是经腹腔的传统腹腔镜入路；还有一种是经腹膜外的入路。

（1）经腹的腹腔镜脊柱手术

术前要了解患者有无腹部手术史，X线检查有无大血管的硬化迹象，以评估经腹腔镜的脊柱手术是否能够进行。

患者仰卧于X线可透过的手术台上，可将膝关节屈曲，下方垫枕。为防止深静脉血栓形成，可按传统方法用预防血栓形成的长筒袜，持续的静脉泵或低剂量的肝素。

麻醉诱导后，留置Foley尿管和胃管持续引流，一些医师建议术前行肠道准备。

对于从未有过腹部手术的患者，用巾钳提起脐部，作一小切口，置入充气导针，以15 mmHg压力充入CO_2造成人工气腹。活动手术床，使患者头低脚高，在脐部或稍偏下的位置置入套管，在侧方各置入一套管。3个套管可在一水平线上，从右侧套管插入腹腔镜，左侧套管插入扇形牵开器，牵开乙状结肠，钝性牵开器牵开大血管，腔镜下暴露并保护输尿管。在椎间盘上插入定位针，X线下定位，在分离软组织并抵达椎间盘间隙后，切除椎间盘并刮除上终极板，置入椎间融合器。冲洗后，充分止血，尽可能关闭后腹膜，逐渐消除气腹，缝合创口。

腹腔镜脊柱手术可以提供开放式前路腰椎手术相同的视野，但却没有大切口的创伤和对腹腔器官的干扰。前入路的优点是：视野清晰，充分暴露相应的椎间隙并能充分切除椎间盘，保留脊旁肌，前入路还为多次后入路手术或后入路失败的手术提供一个补救的措施，提高植骨的融合率。

腹膜后和椎体解剖结构的多样性会给手术带来预想不到的困难，腹主动脉和下腔静脉的解剖变异使暴露脊柱的方式必须相应地改变。

（2）经腹膜外的腹腔镜脊柱手术

腹腔镜下的脊柱手术开始是在外科医师的帮助下进行的，所以是经腹腔、进行充气后切开后腹膜。用这种方法，小肠仍对前侧腰椎的暴露有一定的干扰，牵拉小肠过度还会造成术后的粘连，气腹状态下还限制了吸引器的使用，如果血管损伤会导致气体栓塞，同时对骨科使用的大器械，如椎间融合器及其试模的使用有较大的不便。在这种情况下，1992年，Gaur介绍了经腹膜外的腹腔镜脊柱手术。完整的腹膜不仅可以辅助推开肠道，还避免了手术后的肠粘连。

患者仰卧于可透X线的手术台上，膝关节下垫枕，使髋关节稍屈曲，以放松腰大肌和髂血管的张力。在左侧髂嵴和腋中线的上方取1.5 cm的切口（图33-1），钝性分离腹外斜肌、腹内斜肌和腹横肌，到达腹膜外脂肪层。将分离球囊和套管通过切口放置在腹横肌和腹膜外脂肪之间，通过套管将有腔镜插入，当球囊充气后，侧腹膜被推开，通过腔镜可以看到右侧腹直肌后鞘的外侧缘。取左侧腹直肌旁切口，长约4 cm，如果行L_4～L_5间隙的手术可平脐水平，若行L_5～S_1间隙的手术，可在脐的下方，钝性分离到腹膜外，则可为工作通道。在腔镜下，通过工作通道钝性分离后腹膜过中线，分离的过程始终在腹膜外脂肪的浅层进行，输尿管与腹膜一起被牵向中线。腰椎前方的血管，必须在腹腔镜下仔细分离，并辨别是否存在解剖变异。一般情况下，L_4～L_5间隙的手术时须将两侧髂总动、静脉向各自的方向牵开，并用栓钩固定。腰椎的侧方有淋巴管和交感神经，操作时要非常小心，不宜过度向侧方分离。对于节段血管，不一定需要结扎离断，如果发现在牵拉腹主动脉和下腔静脉时，节段血管的张力过大，则必须结扎和离断节段血管。在行 $L_5 \sim S_1$ 间隙的手术时，骶正中血管是一定需要结扎和离断的(图 33-2)。经电透定位确认间隙后，行椎间盘切除(图 33-3、33-4)。因为不用气腹，所以器械的使用比较方便。可用不同的刮匙，彻底刮除椎间盘和上下的软骨面，并使用不同规格的试模以确定所要放置的椎间融合器的尺寸，最后放置椎间融合器(图 33-5)，后腹膜留置引流管，分别缝合伤口。

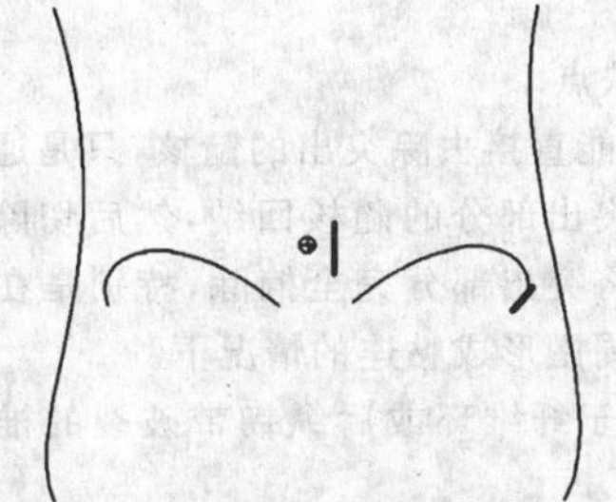

图 33-1 经腹膜外皮肤切口示意

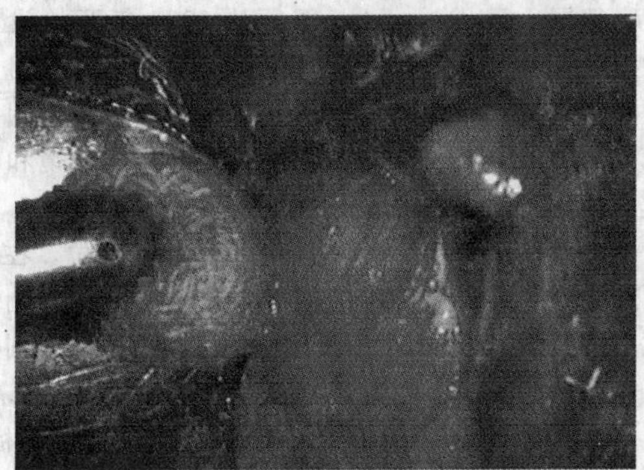

图 33-2 暴露椎间盘

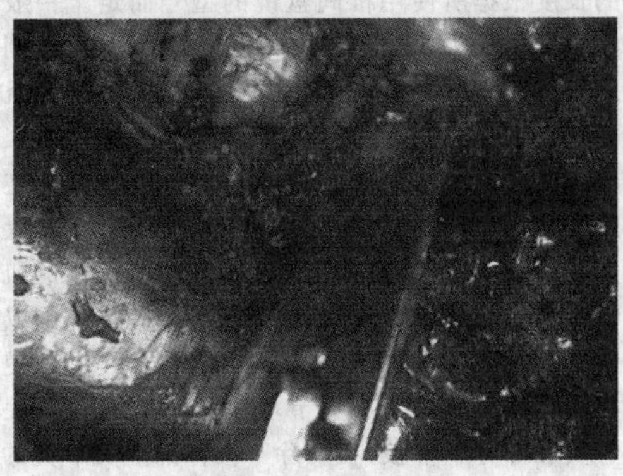

图 33-3 切开纤维环

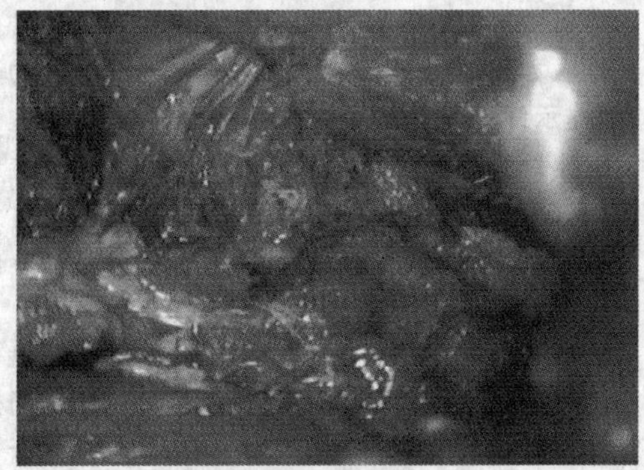

图 33-4 摘除髓核

图 33-5 置入椎间融合器

33.2.3 经皮穿刺椎间盘摘除手术

微创椎间盘摘除或消融手术的历史可追溯到 1963 年。当时美国的 Smith L 医师通过椎间盘内注射胶原酶治疗了 10 例坐骨神经痛的患者。20 世纪 70 年代，该项技术普遍应用于临床。此后由于偶尔出现诸如横贯脊髓突和过敏性休克等严重并发症，其应用越来越少。

1975 年 Hiji Kata 医师设计出局部麻醉下侧后方入路切除部分椎间盘的经皮髓核切除术。1985 年 Onik 在 Hiji Kata 医师工作的基础上发展了通过经皮后外侧穿刺进入椎间盘通过髓核吸刨器切除髓核，该项技术迅速得到了推广。超过 4 000 名外科医师进行过该手术，5 万多名患者接受了手术，成功率超过了 80%。没有大的并发症，尤其是未发生永久性神经损伤和大血管损害的报道，椎间盘损伤的发生率仅为 0.2%。

通过 C 臂机的导引，局部麻醉下行后外侧经皮穿刺到达所需手术的椎间隙。然后行椎间盘的造影。通过造影能够清楚地发现纤维环和后纵韧带的完整性。如果造影显示突出的髓核有光滑钝性的边缘，则提示纤维环和后纵韧带是完整的。如果造影显示突出纤维环和后纵韧带边缘是锐角，或者造影剂流入椎管，则提示纤维环和后纵韧带破裂。对于后者，手术的效果只能做到髓核的减压，突出部分的切除可能性减少，疗效不能保证。

完成造影后，在透视下将穿刺针插到椎间盘的中心，安放导针后去除穿刺针，放直套管。环锯通过套管到达纤维环(图 33-6、33-7)。在纤维环上开一个 3.5 mm 的洞，然后保持套管位置，抽出环锯，插入削刨器。削刨器侧方开口，通过刀片的旋转和尾端的持续吸引，使髓核能够吸进开口，切碎后吸出。一般使用削刨器约 10 min。每次切除的髓核约 1.5 g。

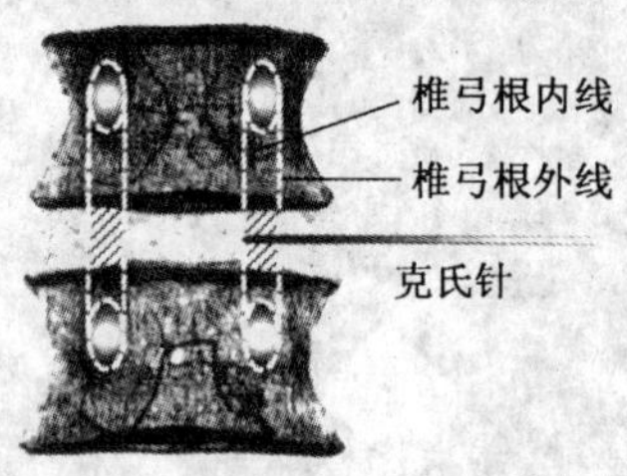

图 33-6

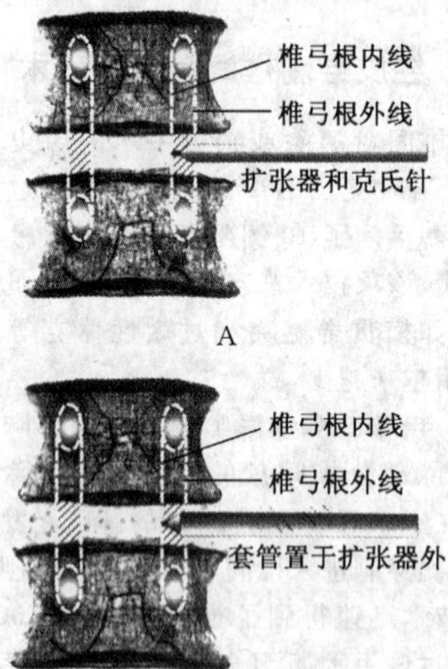

图 33-7

取出削刨器后，髓核内注射 1 ng 丁哌卡因。术中静脉滴注抗生素，以预防感染。

患者术后 3 h 即可下地行走。使用 3～5 天的消炎镇痛类药物和肌肉松弛剂。术后物理治疗可帮助恢复。术后 2～6 周可逐渐恢复正常活动。

(1) 优点

1) 侧后方入路未干扰椎管。

2) 局部麻醉，神经损伤的概率大为减少。

3) 不会产生硬膜外的瘢痕。

4) 感染率低。

5) 避免由于骨质和韧带切除造成医源性的脊柱不稳。

(2) 缺点

1) 不能直接去除突出的髓核，只是通过间接的吸刨先使突出部分的髓核回纳，然后切除。所以并不一定能将突出部分完全摘除，特别是在突出的髓核已经和周围形成粘连的情况下。

2) 对于纤维环或后纵韧带破裂的椎间盘突出也无效。

33.2.4　椎间盘镜下的椎间盘切除手术

德国 Jean Destandau 医师从 1993 年开始设计椎间盘镜和相关的器械。1998 年第 1 代的椎间盘镜和器械开始推广。以后的几年中椎间盘镜得到了很好的发展，不仅仅在技术方面，同时椎间盘镜和器械也得到了改进。

患者在全身麻醉下取膝胸卧位或俯卧位。在 X 线透视下确定所需手术的间隙(图 33-8)。在患侧距正中线旁 1 cm 处插入一细针，透视作导引，使其到达患侧椎板的表面。侧方透视位于椎间隙的中点。在 L_4、L_5 间隙以上可使细针平行于上椎体的下终板。在 L_5、S_1 间隙可使细针适当头倾，不必要求平行于 L_5 的下终板。然后以细针为中点，作纵形切口。切口的长度根据所使用椎间盘镜的型号而定。一般椎间盘镜的内径为 20 mm(也有 18 mm 和 15 mm)，则切口的长度为 22 mm。切开皮肤及筋膜，到达椎旁肌的表面。仔细止血后，通过定位细针，由小到大插入扩张器。最后插入椎间盘镜的套管，使用蛇形固定连杆固定套管，取出套管内的扩张器和定位细针，安置纤维光源(图 33-9)，止血并刮除套管内椎板表面的肌肉组织，切除部分上椎体椎板的下缘。切除的范围以套管内暴露视野的大小而决定。切除的方法，大多使用椎板咬骨钳。但对于小关节增生的上椎体的下关节突骨赘和部分下椎板，在切除下椎体的上关节突的增生骨赘时要更加仔细，因为操作就在神经根的表面。

完全切除黄韧带，也有医师主张保留内层黄韧带，以开门的方式游离上、下、外侧黄韧带，向内侧翻开，暴露外侧的硬膜囊和神经根。将硬膜囊和神经根轻轻牵开，必要时用双极电凝止血，暴露突出的椎间盘。切开后纵韧带，用髓核钳摘除突出的髓核组织及其周围的髓核。冲洗后取出套管，缝合切口(图 33-10、33-11)。

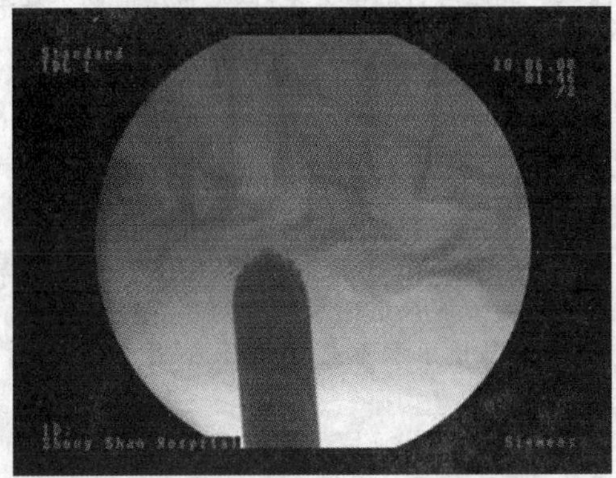

图 33-8 X线透视确定椎间隙

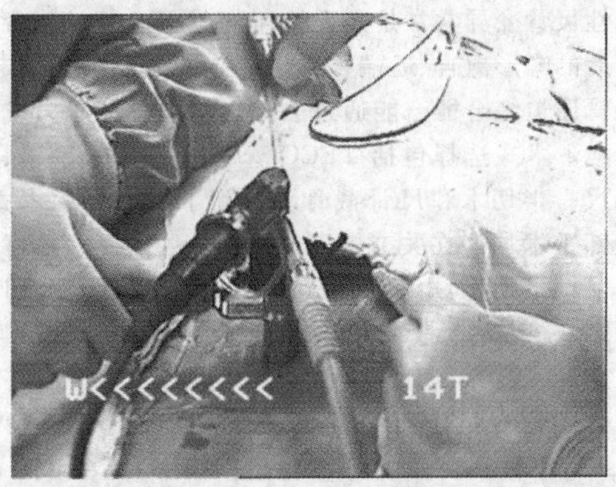

图 33-9 插入套管和安置纤维光源

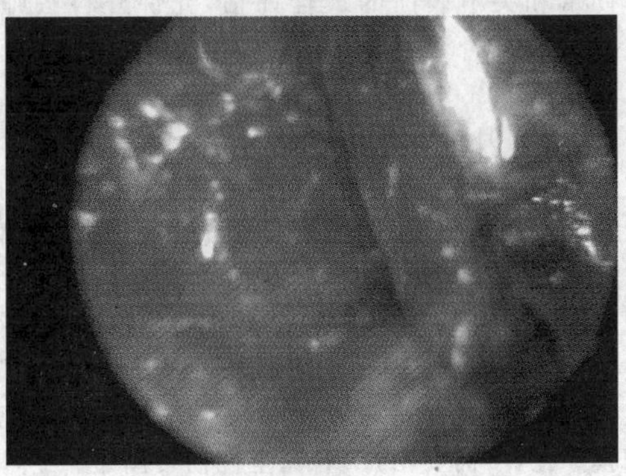

图 33-10 暴露突出的椎间盘

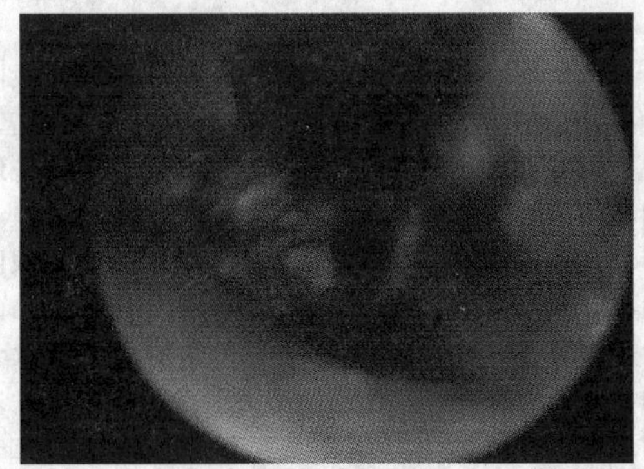

图 33-11 摘除髓核组织

通过椎间盘镜的手术，可以摘除突出的椎间盘。同时也可以切除肥厚的黄韧带和增生的小关节骨赘。所以即使是椎管狭窄的患者，通过椎间盘镜的手术也可以达到减压的目的。

(姜晓辛)

33.3 其他关节镜

33.3.1 腕关节镜

关节镜手术最早于 1920 年报道，但是直到 1979 年，Chen Yung-Cheng 医生首次进行了腕关节镜手术。20 世纪 80 年代中期以后，腕关节镜手术被广泛地教授给临床医师。起初，关节镜主要用作诊断工具。随着小关节的刨削切割动力系统和电锯的应用大大简化了关节镜下对骨和软组织的清除或切除，因而其治疗指征相应扩大。目前，腕关节镜已被广泛地用于腕关节的诊断和治疗。

33.3.1.1 腕关节镜适应证

腕关节镜适应证可分为诊断性和治疗性。腕关节镜检已经成为诊断关节内病变的金标准。除了获得放大的影像之外，详细的结构评估可用探针触诊完成。没有其他的诊断方法可以实现对腕关节病变如此详尽的动态和静态评估。腕关节镜适用于明确大部分腕部疼痛的诊断，在其他外科手术之前实施退行性病变的严重程度的评估(包括在近端行腕骨切除术前对中腕关节的评估，以及重建术前对骨间韧带状态的评估)。

33.3.1.2 关节镜的诊断价值

腕关节造影过去一直用于腕部病变的诊断。关节镜以及最近的 MRI 的应用极大地改变了这种状况。

(1) 关节造影术

虽然曾被广泛应用，但关节造影有很高的假阴性率，因为韧带穿孔可能被滑囊炎和纤维化阻塞。一个撕裂可能起到类似于补片瓣的作用并阻止造影剂在间隙之间的流通。

有报道用关节造影评估骨间韧带时出现高假阳性率和假阴性率的结果。关节造影不能明确穿孔的大小和类型，也不能提供有关邻近结构如关节软骨和滑囊的信息。另一个问题是关节造影有阳性发现的患者中有高达74%概率是在对侧无症状的腕关节中出现关节造影的阳性发现。

目前，关节造影优于MRI的唯一领域是发现月三角韧带撕裂。考虑到其创伤性和不足，关节造影评估腕关节病变的价值现在已十分有限。

(2) MRI

随着MRI线圈、脉冲序列和梯度硬件的发展，腕关节MRI已经变得与大关节同样精确。然而，其有效性仍存在很大变化，取决于被评估的结构。

MRI诊断三角纤维软骨复合体(TFCC)撕裂的敏感性为72%～100%，特异性为89%～100%。假阳性常由TFCC中部的不规则形态引起。MRI的发展使黏液样TFCC退变在完全性撕裂发生之前可被发现。MRI一个明显的缺点是不能发现与韧带损伤有关的软骨腐蚀。

对于舟月韧带撕裂，MRI的敏感性为53%～90%，特异性为86%～100%。

由于月三角韧带较小和弯曲的形态，MRI显示有困难。诊断月三角韧带撕裂的敏感性仅为40%～56%，特异性为45%～100%。

MRI仍未确立其作为腕关节首选检查的地位。随着更新的技术的出现，MRI的图像质量有所改进，但仍无法对关节内韧带损伤提供确诊的依据。

(3) 关节镜

关节镜能够提供详细的解剖信息。利用关节镜探针对关节内结构的稳定性和材质进行触诊评估和对缺损大小的测量。当用探针或结合外部手法，韧带稳定性可在直视下评估。邻近结构如滑囊和关节软骨也可清楚地显示，利用关节镜可对腕关节作出更彻底的评估，这样外科医师就可以治疗被发现的病变。

33.3.1.3 *治疗性关节镜*

(1) 三角纤维软骨复合体撕裂

TFCC撕裂是一种常见的临床疾病。患者通常表现为尺侧腕部疼痛，旋转腕关节时加剧。TFCC撕裂的诊断可由关节造影或MRI作出。然而如前所述，这些诊断方法仍有其局限性。腕关节镜可很好地显示TFCC撕裂。关节镜探针可用于明确撕裂的位置、大小和稳定性。这些因素决定了合适的治疗方法。大部分撕裂位于TFCC中部或桡侧的无血管区域。此区愈合的潜力差，故通常用清创术处理，尽管关节镜下的修复是可行的。

在一项52个孤立TFCC撕裂的连续患者的前瞻性研究中报道了良好的治疗效果。73%的患者疼痛完全缓解，另有12%的患者疼痛好转。大部分患者关节活动度和抓握力有所提高，并且没有远端桡月关节或腕骨不稳定的临床或影像学依据。这些结果与先前报道的尺骨缩短术78%的优良率相近，但关节镜手术不必涉及开放、固定及不愈合的风险。

尺骨压迫综合征是一种以尺侧腕痛、肿胀和腕部活动受限为特征的退行性病变，可由尺侧腕过度承重引起。尺骨阳性变异的患者易患尺骨压迫综合征。阳性尺骨变异常常是先天的，但它也可由远端桡骨骨折后的畸形愈合、远端桡骨未成熟的骨骺损伤引起。尺骨压迫综合征已能通过去除远端尺骨的压力成功治愈。术式选择包括TFCC清创术、Wafer手术、远端尺骨半切术和尺骨截骨术。除了最后一种术式，全部手术均能在关节镜下完成。撕脱的TFCC可在关节镜下切除，电锯可通过扩大的TFCC穿孔切除远端2 mm的尺骨头(Wafer手术)。

(2) 腕骨不稳定

腕骨不稳定可分为两类：分裂型腕骨不稳定(CID)和非分裂型腕骨不稳定(NCID)。在CID病例中，骨间韧带的近端行被撕裂。关节镜能提供对韧带和关节表面的最佳评估，允许外科医师在这些关节被外部手法或关节镜探针拉紧时直视观察。

(3) 舟月韧带撕裂

舟月韧带撕裂可能与舟状骨骨折一样常见。在最初的6周内，软组织正处在愈合阶段，此时治疗为韧带愈合提供了最佳时机，从而防止不稳定和继发的变性致舟月韧带进展性崩解(SLAC腕)。遗憾的是早期诊断非常困难，舟月骨之间缝隙可不出现增宽，直到继发性韧带限制变得松弛。关节镜不能分辨膜穿孔(不需要治疗)和完全性韧带撕裂。

舟月韧带或月三角韧带撕裂在桡腕关节镜下表

现为异常的、磨损的组织。通过中腕关节镜可以确诊与撕裂相关的不稳定，因为关节面没有被韧带遮挡。正常情况下探针无法进入舟月韧带间隙。如果存在撕裂，舟状骨和月骨的正常排列被破坏，因此关节镜探针可进入此间隙。开放的骨间韧带修复术是推荐术式，但由于此韧带很小，操作难度大。如果确诊为舟月骨不稳定，可行经皮修复术。有学者报道关节镜减压和经皮修复舟月韧带和月三角韧带撕裂4年内达到80%的优良率。在那些伤后3个月内行修复术且X线片未发现静止性舟月骨脱臼的患者中有更高的优良率。

(4) 月三角韧带撕裂

月三角韧带损伤可发生于尺骨强制性偏离腕部或作为已愈合的月骨周围损伤的一部分。临床检查可发现局部肿胀、疼痛和触诊不稳定。X线片常阴性，尽管在前后位片上可有三角骨的远端移位。临床诊断有困难，鉴别诊断包括其他原因引起的尺侧腕痛。用MRI评估月三角韧带撕裂比舟月韧带损伤更为困难，因为其体积较小且走向倾斜。这些损伤可在关节镜下以与舟月韧带相同的方式被评估和处理。

(5) 远端桡骨骨折

关节镜治疗远端桡骨骨折正逐渐流行有以下原因：①它提供了对远端桡骨关节面的全面评价；②它提供了对腕骨、腕间韧带和TFCC的全面评价；③它能帮助实现在解剖上为远端桡骨和腕骨减容；④关节镜和经皮克氏针修复使组织损伤最小化。

有学者证实了关节内脱位和继发性退行性关节炎之间存在因果关系。外科医师必须以解剖减容为目标，因为2 mm的距离即可导致继发性退行性关节炎。开放性减容术治疗粉碎性不稳定骨折常常很困难的，它要求大量的软组织剥离，导致更慢的恢复和更高的并发症发生率。关节镜提供的放大影像使更精确的减容成为可能。外部手法、经皮K针可用于固定骨折而无需从尺骨剥离软组织。关节镜探针可用于在固定术后测定碎片的稳定性。应用这些新技术，关节内间距在除外最严重的粉碎性骨折的病例中通常可缩减至<1 mm。

在远端桡骨骨折中，常发现合并骨间韧带和TFCC撕裂，它们可在关节镜的辅助下被评估和处理。TFCC损伤在远端桡骨骨折中的发生率为53%～78%，而临床有症状的仅占5%～15%。

报道显示，22%～54%的关节内远端桡骨骨折存在舟月韧带损伤。7%～15%的关节内远端桡骨骨折存在月三角韧带损伤。

(6) 舟状骨骨折

开放性减容术加内固定已被推荐治疗舟状骨急性骨折伴脱位。然而，掌部入路破坏了重要的掌韧带，而手背入路则可能影响舟状骨的血供。关节镜辅助下的舟状骨骨折减容术避免了这些问题。

(7) 败血症关节炎

腕关节的败血症关节炎已能用关节镜手术成功治疗。关节镜术提供了对关节腔的充分灌洗并允许对滑囊进行活检。外科医师能够直接看到关节面和反应性滑囊炎。

(8) 滑膜切除术

滑膜切除术在过去曾是药物治疗失败的类风湿关节炎的第1线外科治疗手段。对开放性滑膜切除术的争议在于较长的恢复期和丧失运动能力的可能。关节镜提供了病变滑膜的放大影像，这些滑膜通常积聚在掌韧带桡腕关节处。有学者报道腕关节镜下滑膜切除术在类风湿关节炎患者中的良好疗效，所有患者的疼痛减轻，没有患者关节活动度下降。研究中没有发生并发症。腕关节镜滑膜切除术可在开放伸肌腱滑膜切除术后实施。

(9) 游离体

游离体一般发生于软骨缺损或退行性骨关节炎之后并可导致疼痛和交锁症状。CT关节造影可确诊，游离体可在关节镜下取出。

(10) 腱鞘囊肿

腕部腱鞘囊肿常常发生于舟月韧带背侧。腱鞘囊肿基质和反应性滑囊炎可在关节镜下观察和切除。

(11) 软骨缺损

软骨缺损十分常见，但即使用MRI检查，诊断仍有困难。如果保守治疗腕痛仍然持续，腕关节镜可提供诊断和治疗。在关节镜下，可评估软骨缺损的大小深浅和稳定性。软骨病损可被磨削以减轻生物力学紊乱症状及最大程度清除坏死物。有报道认为关节磨损成形术和关节灌洗在部分患者中有效。

有学者报道了一项腕关节镜诊断软骨缺损的多中心研究。研究中将软骨病变分为：原发性，指症状来源于关节软骨；继发性，指症状来源于其他原因(如韧带不稳定、骨折)。原发性损伤患者有83%好转，而继发性损伤患者只有55%好转。

(12) 退行性关节炎

关节镜下清理术据报道对退行性膝关节炎有一定的疗效，相似的结果在非承重的腕关节中是可以预见的。关节镜下清理术在有生物力学紊乱症状和最小限度的X线改变的患者中获得疗效的可能性最大。对软骨片、骨赘和滑囊炎的灌洗和清理对部分患者是有益的。

舟骨-大多角骨-小多角骨(STT)关节是退行性骨关节炎的好发部位。关节镜下清创术可经STT关节或桡侧中腕通道进行。

(13) 关节切除成形术

许多先前需要关节切开的术式现在可在关节镜下进行，如近端腕骨切除术、远端尺骨半切术、尺骨茎突切除术和近端舟状骨切除术。月骨开放切除术治疗月骨坏死已有报道，但可以在关节镜下手术。关节镜下踝关节固定术已有报道，相似的技术通过改进也可用于腕关节融合。

(14) 慢性腕痛

慢性腕痛可考虑为生物力学紊乱的和营养不良性的。生物力学紊乱症状如嵌顿、弹响、交锁和疼痛，运动后加重及休息后减轻，在腕关节镜手术后多有较好的疗效。相反，营养不良症状如烧灼样疼痛，常常以夜间为甚，轻微活动即可加重，或对冷不敏感、感觉异常、感觉平均或血管运动改变，在关节镜术后症状往往不易缓解。

包括MRI在内的传统方法常常不能明确诊断。在慢性腕痛的患者，韧带和软骨损伤常常在关节镜下被发现并在高达40%的患者中导致改变诊断。然而，关节镜下的发现和临床症状之间的联系非常重要。引起慢性腕痛的关节外原因如神经瘤和肌腱炎需要在关节镜术前排除。

33.3.1.4 *并发症*

并发症在关节镜术后少见。法国和美国的大规模全国性临床调查结果显示总体并发症发生率为0.56%。在腕关节，主要潜在的并发症是感染、神经瘤、肌腱损伤、反射性交感性营养不良、手背蜕皮、止血带反应、间隙综合征和指关节损伤及指圈蜕皮。在关节镜术中谨慎操作可预防这些并发症。

33.3.1.5 *总结*

关节镜为外科医师提供了一个关节内结构的放大影像，包括那些通过关节切开术也难以到达的区域。关节镜技术和设备的进展使外科医师能够增大腕关节镜的治疗适用的范围。腕关节镜医师现在能够有效地处理舟状骨和远端桡骨骨折、TFCC撕裂、骨间韧带撕裂、败血症关节炎、软骨缺损和退行性关节炎。外科医师可将为开放手术制订的解剖原则应用于关节镜。通过关节镜手术可实现微创。因此，患者恢复快，并发症少。

33.3.2 肘关节镜

关节镜一般多用于膝关节和肩关节相关疾病的临床诊疗。肘关节镜的应用则较少。但在过去的几年里，肘关节镜被越来越多的关节镜专家所应用，尽管还没有在矫形外科中占主导地位。随着关节镜设备及器械改进创新，肘关节镜自身的技术完善，以及肘关节解剖的知识进展，肘关节镜已经可以遵循一定的基础常规理论进行操作。

肘关节镜是一项技术很强的外科操作，需重视关节镜检查安全性，因为肘部局部血管神经结构格外重要。有很多关于肘关节镜应用的并发症报道。尽管如此，实际上只要严格遵循技术规范，其中相当大的部分可以避免。另外，必须掌握关于肘关节的关节外入口解剖的知识，因为关节镜入口邻近有很多重要的神经血管结构。另外，还有一些其他的解剖屏障，比如关节结构过于紧密，使得关节不能进行大幅度的扩张，以至于相关操作不能在一个可视的情况下进行，甚至关节镜器械都难以进入肘关节内。

33.3.2.1 *历史*

1931年，Michael Burman在一篇整形外科的文献中第1次提及了肘关节镜。在报道中，他使用直径3 mm内镜在尸体上进行研究操作。他认为肘关节是“不适合被检查的”，“肘关节的前穿刺是没问题的”。在1971年，Watanabe改进了一种1.7 mm，24号的关节镜应用于小关节。此后，有很多肘关节镜外科手术相继报道，包括Ito和Maeda在1979～1980年间的一系列报道。在1981年，Ito报道了一篇肘关节镜的临床研究的文献，这项临床研究总结了226例病例。在1983年，Hempfling描述了肘关节镜俯卧位的应用。在1985年，Guhl针对45例病例的经验进行一系列肘关节镜的报道。同年，Andrews和Carson针对12例病例对肘关节镜进行报道，并回顾总结了肘关节镜技术和肘关节的解剖。在20世纪80年代中期，Eriksson、Denti、Boe、Johnson、Wood等人都对肘关节镜技术进行了描述，同时介绍了新的关节镜操作方法。

33.3.2.2 适应证

肘关节镜的适应证是在不断发展之中的。目前，肘关节镜有以下适应证。

1）游离体的摘除。

2）肱骨小头骨软骨炎的治疗和评估。

3）桡骨头骨和骨软骨损害的治疗和评估。

4）组织粘连松解术。

5）肘关节的一些退行性病变和外伤后的关节清理术。

6）部分滑膜切除术。

7）部分肱骨和鹰嘴骨赘切除术。

8）屈曲挛缩的松解。

9）外上踝炎的治疗。

10）感染性关节炎的灌洗和清理术。

11）评估尺桡骨间接韧带的不稳定性。

12）韧带不稳定的治疗。

13）肘关节骨折的治疗和评估。

14）慢性肘关节痛的诊断。

33.3.2.3 禁忌证

肘关节镜的禁忌证包括任何使得正常的骨组织和软组织结构扭曲的情况（在这种情形下，血管神经结构处于危险位置），或者是关节内空间不能被扩张，不能可视和进行器械操作。骨性关节僵硬和致密纤维性关节僵硬等情况是相对禁忌证，因为在这种情况下很难将器械导入肘关节。另外，先前的尺神经的前移位术和骨切开术等外科手术可能改变了正常解剖结构位置与毗邻关系，使得神经血管结构处于操作的危险位置。

33.3.2.4 操作器械

肘关节镜的外科技术和其他关节镜基本相同，但是要着重避免关节表面的磨损和削除，特别是远侧肱骨、桡骨头和鹰嘴。肘关节解剖结构上很牢固，所以没有太多空间同时操作多种器械。肘关节镜操作应该缓慢和谨慎以免关节镜滑出肘窝。各种导管造成的多个入口则可以造成大量的液体外渗。

肘关节镜最基本的器械见表 33-1。

表 33-1 肘关节镜最基本器械

编 号	肘关节镜器械
1	18 号的脊髓针
2	标记笔
3	50 ml 注射器
4	静脉内连接管
5	11 号刀片
6	止血钳
7	探针
8	打孔机
9	有齿钳
10	标尺
11	钝性和锐性的套管针
12	4 mm，39°角的关节镜
13	2.7 mm，30°角的关节镜
14	为 4～2.5 mm 关节镜配备的可替换的系列套管
15	电动剃刀，修整器，穿刺器
16	抽吸系统（可选）
17	转换杆
18	小骨凿
19	大孔进流管

33.3.2.5 麻醉

肘关节镜检查一般应用于肩胛内和腋窝阻滞。但有些人认为这需要过高的技术，并延误了术后即刻的血管神经评估。Ito 倡导在诊断性检查时应用局部麻醉，也可以应用静脉内的局部麻醉。但是，上臂使用双层止血带会影响肘关节的暴露，并且导致血管性的充血和水肿，从而影响关节的可视观察。

33.3.2.6 术后常规

在关节镜检查结束后，关节灌洗有助于关节的术后恢复。灌洗在关节表面和黏着物的清理术中格外重要。根据术者判断和表皮肿胀情况，关节镜入口可以选择缝合或保持开放。应该避免用局部麻醉的方法来控制术后疼痛，因为其可以从关节囊孔洞渗漏出去，造成暂时的神经麻痹，从而影响血管神经的即刻术后评估。如果要进行较为广泛的清理术，有时在前入口或后入口放置一个排出装置。一般来说，术后肘关节不需要固定，仅仅用软包裹即可。当疼痛和肿胀程度允许时，即可进行积极的关节运动。当疼痛和肿胀程度允许并且已经可以进行显著运动的时候，可以进行力量恢复训练。

33.3.2.7 并发症

肘关节镜检查的并发症和其他关节镜检查是基本相似的。比如感染，与止血带的应用相关的器械损坏造成关节表面的医源性磨损，以及血管神经并发症等。感染在关节镜检查中是十分常见的，因为在检查过程中有大量的液体流经关节，并且在检查时需要做供关节镜进入的切口。

在北美关节镜组织成员研究中，395 556 例关节镜检查被评估。其中有 569 例为肘关节镜，只有1 例关于神经血管并发症的报道，是 1 例桡神经损伤。笔者同时注意到未被报道的病例，如腔隙综合征、正中神经的完全横断、桡神经的完全横断。

现有的报道包括皮下损伤和深的神经损伤。包括实际操作时发生的结构截断、液体渗出或者使用止血带而造成的损害。另一种情况是吸引器和钝性套管针所造成的各种神经损害。至今还未有关于臂动脉损伤的报道，由于其恰好走行于关节中央邻近于正中神经，所以似乎得到了一定程度的保护。在肘关节镜检查中桡神经可能承受更高的风险。

33.3.2.8 小结

肘关节镜检查是一项技术性要求高的外科过程。为保证操作的安全性和可重复性，必须严格注意检查中的细节。在检查之前准确地标记皮肤标志是十分重要的，这样可以保证整个过程中的方向感。同时，推荐使用 18 号脊髓针作为大的关节镜器械进入的先驱。肘关节应保持被弯曲成 90°和最大程度扩张，以松弛神经血管结构并使器械进入，严格遵守外科技术可以避免并发症的发生。

33.3.3 踝关节镜

踝关节镜技术最初是在日本发展起来的，并且于 19 世纪 30 年代初传入美国。由于当时对于关节的侵入是受限制的，这项方法在当时并未获得发展。随着纤维镜技术的应用逐渐发展，对于小关节的侵入变得可行起来。随着小关节镜和相关仪器的逐渐出现以及广角技术的发展，踝关节的领域变得触手可及起来了。大部分病例中出色的结果也相继的被报道于文献中。

33.3.3.1 适应证

踝关节镜的适应证已经发展了近 20 余年，最初它仅仅被用于诊断及移除疏松的游走小体（loose bodies）。随着技术的逐渐改进，适应证已经越来越多。

当寻常的手段不能够确诊时，关节镜是一种有价值的诊断工具。其他的适应证包括移除游走小体或骨软骨碎片，软骨成形术（chondroplasty），滑膜切除术，撞击（impingement）综合征中软组织的切除，以及瘢痕和黏附物的去除等。在骨软骨炎的病例中，它能被用于去除或固定碎片，以及处理挫伤或基部的微小碎片。关节镜踝部关节固定术已经发展成一项可选择的用以替代开放式方法的技术，并且拥有明显的优势。

反复性的损伤会使胫骨和距骨的骨质增生，可以通过关节镜技术将之切除，比之传统的开放式方法，关节镜更精确，损伤也较少。如果开放性的固定计划不那么可靠，那关节镜就是一项有价值的辅助技术，用以定位解决任何可能存在的踝关节病变。射频关节囊收缩技术（radiofrequency capsular shrinkage）可用于治疗较轻微的踝关节不稳定的，但疗效大多不肯定。也有多种不同的关于关节镜应用于踝关节退行性关节炎清创的报道，结果不是那么肯定，但可以见到短期的改善。

慢性的胫腓韧带联合的损伤可以通过和瘢痕组织清除术、部分的滑膜切除术，或通过经皮螺钉固定的骨内韧带来加以解决。在慢性胫腓韧带联合损伤的诊断中，当 X 线摄片无法明确时，关节镜也被认为是一项有价值的辅助技术。关节镜辅助的踝部碎骨片固定术也已被描述过，并且在软骨表面对位方面具有明显的优势。

肌腱镜作为一项用于评价和治疗踝关节周围肌腱疾病的技术已被接受。在将来，可以预期许多生物表面置换手术（resurfacing operation）将通过关节镜来完成或辅助完成。

33.3.3.2 禁忌证

下肢蜂窝织炎的存在或活动性软组织感染存在着化脓性关节病的危险。严重的限制性关节病只是一个关节镜的相对的禁忌证，因为软组织的分离总会创造足够的空间以实行这项技术。

急性创伤是一个相对的禁忌证，因为可能会存在渗血或骨筋膜室综合征。在这些病例中，关节镜应该被非常小心地应用，血管状况较差的患者或肥胖的患者通常预后较差，被视作相对的禁忌证。有怀疑性反射性交感性营养不良或交感性疼痛介导综合征的患者，既使只用微创的方法，也会发现使他们的状况恶化了（也应归入相对禁忌证）。

33.3.3.3 影像学

常规的影像学检查在任何外科手术前都是必要的，多种不同的间接观察对于定位那些造成骨性撞击综合征（osseous impingement syndrome）的骨赘非常有用，前后位或侧位的加压 X 线摄片对于有不稳定情况的关节是必需的。

MRI 对于剥脱性骨软骨炎并确定病灶的深度和范围是极其有用的，踝关节外肌腱破裂或腱鞘炎也能够看得很清楚。

33.3.3.4 并发症

熟知足与踝部的解剖学知识体系对于避免损伤踝部的神经血管及肌腱结构十分关键。大部分的踝关节镜并发症是神经损伤，尽管大多能够恢复，但也存在着永久性的损伤。感染并不常见。

瘘管形成是踝关节镜手术特殊的并发症，其原因众说纷纭，目前普遍的假说包括过度的周围软组织的切除术，术后踝部的运动增加，皮肤开口部与踝关节过于邻近，且未予缝合关闭，这些瘘管可以通过短期固定(immobilization)来有效地治愈。

自从软组织牵引技术出现后，已几乎没有骨牵引并发症的报道。软组织牵引推荐量为不超过 13.6 kg或 1 h，过量的牵引会造成韧带和神经的损伤。

骨筋膜室综合征是踝关节镜在处理骨折时一个危险因素，但仅见于内流压力超过安全水平同时外引流未充分建立时，假性动脉瘤形成也见于报道。

其他的发生于限制性关节病的并发症包括仪器损坏和软骨损害。

33.3.3.5 手术室设备

患者或全身麻醉或局部麻醉，仰卧位。踝关节镜总是需要对踝关节进行牵引的，目前软组织牵引已经完全取代了骨性牵引，有专门的牵引支架及牵引带成品可供选择购买。

当患肢准备妥当并且被悬吊起来后，软组织牵引设备被安装起来并开始牵引。选择使用合适的止血带及抬腿器，上述这些辅助设备确实可以在手术中将踝关节放于中立位置以满足不同开口的需要，并能提供相反的牵引力使关节间隙张开。将桌腿放低接近 30°对器械进入关节，并在必要时帮助建立后侧位开口非常有用。术者操作需在远离足部并能使手臂跨越牵引设备进行。

33.3.3.6 技术

大部分踝关节镜手术使用 2.7 mm 的广角关节镜。镜鞘的选择能决定水流速度。这个手术需用到小型刨削刀具系统，大多用一个 3.5 mm 或 2.0 mm 的刨削头。一个 18 号的细针穿入前正中位的入口，并以合适的角度进入关节，注入 8～10 ml 的生理盐水扩张关节腔，如果开口位置过高或过低，进入关节将会十分困难。细针可引导术者进入开口，并且完成定位。

一旦位置选定，就可以用一把 11 号的尖刀戳一小口及一把蚊嘴钳进行钝性分离。最初被建立的应该是前中位的开口，它位于胫骨前肌腱的正中，进入角度与腿骨长轴成 45°，踝关节最宽的部位就是经前中位进入，通过 Harty 峡，而且经常可以进入踝关节的后部。前侧位的开口是在直视下用细针建立的，其位置和角度亦是非常关键的。

使用钝性分离技术时，要注意避免损伤足背腓神经的中分支。开口最安全的部位是位于腓骨第三肌腱的侧部。一旦外引流套管就位了，诊断性关节镜就可以实行了。一个附加的后侧位的开口可以用来做外引流或在必要时也可用来作为操作开口。这个开口正位于阿基里斯(Achilles)肌腱的侧方，并且距离后胫骨板 0.5 cm 左右。它也能在直视下被定位，开口位置正位于胫腓韧带的正下方，并且也要与关节的长轴成 45°。要小心注意避免损伤腓肠神经及小隐静脉。

额外的入口可以在标准入口正下方建立，略位于外侧一些。后中位和前部中央位是禁忌的，因为这两个位置与神经血管结构较邻近。

如果术者从中至侧地移动关节镜，术者可以看见的结构：①骨内韧带和关节囊从侧面进入肘关节(深部三角韧带)；②正中沟；③前胫距关节；④前距腓韧带；⑤前胫腓韧带；⑥胫、腓、距骨形成的三叉；⑦侧沟。

当关节镜通过哈氏峡时，从后侧位至后中位移动关节镜，术者应该看见的结构：①后下胫腓韧带；②横束；③后胫距关节；④幺趾长屈肌的反射；⑤后正中沟内的神经血管束。

在前位实行诊断检查后，术者将从侧位选择开口并进行观察。这将提供一个不同的视角，同时也能使关节镜更深入腓距沟，高于下距骨关节及关节囊。

大部分步骤可通过两个开口完成，偶尔用到后侧位或附加的开口。大部分对附加开口的使用是通过 18 号的细针帮助控制水流，或放置必要的器械。

手术完成之后，可用一免缝胶带贴于伤口，并将 10 ml 的局部麻醉剂注入关节。术后限制触地负重步行或活动 5～7 天。

33.4 髋关节镜

髋关节镜手术明显不同于膝关节镜手术的发展方向。膝关节镜是传统的手术方法微创化，许多疾病原本已被了解，而我们现在讨论的髋关节镜手术疾病很多是之前没有认识和未治疗过的。历史上，髋关节切开术并不属于常规治疗，除了一些相当严重的疾病，诸如因进行性退行性疾病而行全髋关节成形术，因严重发育畸形而行骨切除术，因败血症而行清创术，以及游离体清除术。成像技术仅能分辨最明显的疾病，相比之下当前理论研究在评估髋关节内部疾病时有着更大的可靠性。然而，关节镜能观察疾病存在的类型和流行，这一点推动了利用关节镜辨明这些病变的想法。因此，在了解正常关节镜下解剖、正常变异和关节内病变的形态学和病因学同时，我们使用髋关节镜的技术水平也在不断向前发展。而且，髋关节与其他关节相比较少受到关注，特别是在涉及运动损伤的时候。可能因为这个关节较少受损的缘故；更可能的是，在过去我们无法接触此类关节内部疾病并且少有合适的方法去治疗。关节镜大大扩展了我们在关节内部疾病的知识面，而且能提供有效的方法来针对这些疾病。

传统的认知形式认为诸如下肢松动或骨赘产生髋关节疾病就要进行关节切除术，而关节镜提供了一个与关节切除术相比低侵袭性的选择。更为重要的是，在先前很多条件下无法诊治的疾病，关节镜提供了一种治疗方法。

33.4.1 评估

临床评估，包括病史和检查，重点在疾病是否位于关节内以及关节镜介入的潜在适应性。讨论强调最显著的评价特征。

当医师询问关于患者症状的起始，很重要一点是判定是否有特殊外伤的发生。总体而言，关节镜对于由重大外伤造成的疾病更有潜在的益处。而当症状开始时是不明显并且渐进的，或是继发于一个看似轻微的急性阶段，关节镜对其的介入效果有时作用并非很强。这是因为没有外伤时，常有一些潜在的诱因或退变的进程在发展，这些病变很少有可能被关节镜完全逆转。这些患者仍可能反应良好，但当医师告知患者潜在关节镜益处时应该考虑到这种可能性。

当腿在负重情况下改变方向做扭曲动作时，可能引起疼痛，尤其是正朝向受压方向旋转时。疼痛能明显引起髋关节向内旋转。患者屈膝端坐时可能有不适，他们更愿意抬起受力的臀部并且腿稍向外旋转，以放松的姿势坐着。从坐姿站起时常常有疼痛感觉，上下楼梯时比在平地上行走更加困难。具有典型意义的是，当患者描述自己在脱穿鞋袜时困难，提示他们有髋部转动受限。

臀部区域受到来自腰丛的 L_2～S_1 神经分布，但最主要的是 L_3 神经根。这就是髋关节疾病通常会引起腹股沟前部疼痛并且放射到大腿中部的原因，这些正是 L_3 神经的皮肤分布区。后方疼痛很少提示髋关节疾病。甚至，后方关节内部病变引起前方和前方偏侧的疼痛。关节疾病很少造成后方疼痛。这可通过在 X 线的指导下关节内麻醉药注射能获得暂时的疼痛缓解来证明。

“C 征”是髋关节疾病的典型症状。患者将手放在大转子上方，拇指向后，其余四指并拢放在腹股沟处。最初印象可能是这些患者在描述外侧的疼痛，如来自髂胫束的或来自转子滑囊的。但他们实际上描述的是来自关节的深内侧的疼痛。医师在评估患者髋关节疾病时需注意。

髋关节的“滚腿试验”是最具特异性的关节内疾病诊断试验，只有股骨头在髋臼和关节囊中，腿才能被旋转。

其他更具敏感性的手法包括屈曲内旋或外展外旋。这些用力的手法会造成一些不适，所以将结果和未涉及的髋关节相比较显得很重要。而且，在这些检查中，有时可引出剧痛感觉，或者咔哒一声。这有点和膝部的 McMurray 征相似。虽然咔塔声仅是偶尔出现，但很可能这就是能指示疾病剧痛的信号。

关节内病变通常很容易与造成“髋关节弹响”的外部原因相鉴别。而髂腰肌腱则是最易同关节疾病混淆的，因为其症状位于腹股沟前侧深部。当髋关节从外展外旋屈位，到内旋伸位时可能发出可闻及的声音，而且这种声音是特征性的和可重复的。弹响是因为髂腰肌腱在经过前股骨头和关节囊或耻骨的隆凸时被短时间卡住。如有需要，这种由髂腰肌腱造成的弹响能在髂腰肌成像和荧光透视观察下看到腱向前向后的弹动。

髂胫束的弹响主要是因扩张肌筋膜从大转子前弹过。症状位于外侧，是可见和可触及的。患者常站立并主动表现这个弹响，这可能出现髋关节脱臼的症状，但不常见。

33.4.2 影像学

(1) X线

部分疼痛髋关节诊断中X线检查是不可缺少的。标准X线片包括一张显示双侧髋关节的骨盆正位片和一张患侧的外展侧位片。医师不能单凭单侧髋关节的正位片来着手治疗计划，因为常有一些只能和对侧相比较后才能得出结论的细微的变化。对骨盆的观察同时也包含了附近的结构，比如髂骨、坐骨、耻骨、骶骨以及骶髂关节。外展侧位片实际上是从股骨近轴的外侧而非真正的外侧拍摄的，但在放射显像中的效果比较好。交叉外侧位片在一些情况下很重要，但作为常规摄片却很少能提供更有用的信息。侧位摄片在某些情况下有用，诸如用来诊断前关节腔狭窄或轻微的半脱位，但在常规摄片诊断中它不是必需的。

(2) MRI

高分辨MRI在诊断众多关节内部疾病时的可靠性逐渐提高。清晰成像必须有1.5 T的磁场以及专为髋关节设计的螺旋轨道。除了诊断缺血性坏死这种明显的疾病，使用小磁场或开放式探头的低分辨率成像可信度不高。

渗出物的出现是重要的阳性结果之一。即使是两侧不对称的轻微渗出液也可能产生严重结果。髋关节囊囊壁顺应性的缺乏使得渗出液无法过多聚集。必须仔细检查，因为轻微病变往往表面上看是正常的。相反，如果没有关节渗出液也不能排除关节病变的可能，因为有一些严重的关节疾病是不伴有渗出的。

(3) 钆-MRI

使用关节内注射钆-MRI(MRA)在诊断关节内疾病时具有更大的敏感度和特异度。尤其对射线透射的，常常被常规MRI所忽略的关节内游离体有诊断价值。造影剂同样可以渗透进髋臼关节唇的缺损处而发现相应的缺损。

以前X线下关节内注射丁哌卡因是诊断关节内症状以及判断关节镜介入是否有效的最简单可靠的方法。现在在钆增强关节造影技术下，注射一定量的丁哌卡因也同样十分有效。因此，根据患者症状的分布，结合影像学资料，能得到更多关于疾病资料。患者在注射之前如果能产生明确症状，就能判断在注射后有无症状缓解。

(4) CT

CT在评估骨结构时偶尔仍优于MRI。轴状位、矢状位、冠状位的图像能被重建为三维图像。CT能清楚地显示关节内骨质疏松和外周的骨质增生以及结合在关节上或阻碍关节活动的碎片。

(5) 放射性核素扫描

放射性核素扫描显示了骨代谢活动的图像。用于诊断关节炎、感染、挤压伤、肿瘤以及交感神经反射发育不良。对这些情况，MRI同样能提供相同的敏感度和更高的特异度。骨扫描的价值还体现在它能提供周边组织观察结果。与CT一样，放射性核素扫描在费用上比MRI少许多，并且能较简单地得到一个可信的结果。

33.4.3 适应证

髋关节镜的适应证在不断扩大，但很少患者能完全符合这些标准。如在评估一节中所述，医师必须特别注意两点：症状的开始和症状的表现。一般而言，肿瘤患者较易获益。无外伤或仅有较小的、急性疾病的出现预示着损伤或退变，而此时关节镜治疗效果不明显。

(1) 游离体

去除明显关节内游离体是髋关节镜手术最显著的适应证。诊断通常是很明确的。骨碎片可被X线平片和CT扫描找到。关节镜和联合CT或MRI的关节镜技术是诊断透X线的关节游离体的重要依据。Epstein的研究详细阐述关节内游离体去除的重要性。与关节切开术相比，关节镜术有死亡率低、恢复期短、手术费用少等明显的优点。

(2) 关节唇病变

以前，传统的常规诊疗很难发现有症状的关节唇撕裂。然而高分辨率MRI和MRA在诊断关节唇病变上有越来越高的可靠性，关节唇清除术能大大改善患者临床症状。然而，手术结果有时会受到关节唇撕裂部位、病变的特点以及不明原因的伴随痛的影响而不可预见。正常关节唇通常可能有潜在因素或是关节唇内物质的退变，使得它在相对轻微的损伤下也能发生急性撕裂。在这些患者中，单纯清除术是否能影响易受累的髋关节的远期退变，始终是不确定甚至未知的。其次，关节唇撕裂可能伴随着更广泛的退病变，包括关节面侵蚀。在这些疾病中，总的退变的程度决定了治疗的效果。再次，即使在大关节唇的撕裂中，我们也始终没有完全明白关于伴随痛的因果关系。成功的手术切除能完全防止显著症状的发展。Santori 和 Villar 发现，仅有 67%的患者对手术治疗关节唇疾病表示满意，还不包括有关节损害存在。

(3) 退行性关节炎

关节镜切除术在有症状的髋关节退行性病变上的作用是不确定的。最乐观的报道有 60%的好转率，而其他报道仅有 34%的患者满意率。即便仔细选择患者，单纯清理术的效果也不可能接近那些在其他关节上的报道。患者能通过改变步态来改变膝关节受力部分，与膝(三组成部分关节)不同，髋关节(单组成部分关节)无法通过步态代偿来有效地改变受压，这部分解释了预后不良的原因。

关节镜对于有关节唇变性的人群的治疗效果不比那些由其他原因造成关节退行性改变的患者好。一些患者被发现在外侧髋臼有Ⅳ级的关节局部病变。在周围关节面正常的情况下，使用关节镜附加软骨和关节唇切除术，会使这些患者软骨下骨细微骨折有明显的好转。治疗之后患者会被一个严格的承重装置保护 10 周，以消除在纤维软骨愈合过程中压力的作用。

(4) 软骨损伤

单纯的软骨损伤最适宜做髋关节镜手术，如伴随关节全脱位或半脱位时效果会更加明显。急性软骨损伤在儿童和成人中发生率增高。这些损伤可由对大转子的直接冲击引起，如高坠。对于瘦弱的皮下脂肪少的患者，这种冲击力直接作用在髋关节上，结果造成中部股骨头急性软骨碎裂或者中部髋臼的软骨坏死。这种损伤常可见于具有高骨密度的年轻人，因为老人更注意防止骨折发生而小儿则往往伤及的是骺板。研究调查不能辨明病变的性质，但能提供损伤的间接证据，诸如 MRI 下的渗出或软骨下水肿或骨扫描发现骨活动性增加。去除这些不稳定的碎片能使预后明显改善，但这些碎片也预示了潜在的长期问题。

Perthes 病同样能引起不稳定的关节碎片的增多。骨软骨炎区域病变不会导致真骨性关节疏松，但能减少关节软骨覆盖的面积。即使摄片显示股骨头发生严重变形，去除这些不稳定的碎片仍能使预后明显好转。

(5) 血供不良坏死

使用关节镜切除术减轻终末期血供不良坏死的治疗效果很差，但是在疾病早期关节镜诊断比较有效，特别是在评估无血管化的腓骨移植时。关节镜能够观察股骨头关节面，观察关节面是否有足够的能力再生其下面的骨组织的血管。同时也能发现其他并存的关节内部疾病。

(6) 滑膜疾病

关节镜滑膜切除术在髋关节中占据着重要地位，包括多形的关节炎皮疹，各种滑膜因素诸如滑膜软骨化、色素沉着性绒毛状结节性滑膜炎等。虽然滑膜很难完全切除，通常为了减轻症状或治疗目的而进行切除术，滑膜炎症疾病如风湿性关节炎的滑膜切除术须谨慎选择并且预后良好。关节表面侵蚀程度能影响预后的发展。

髋关节滑膜疾病有局灶和弥散两型。局灶型仅限髋臼关节窝内关节垫的范围大小，此区域内的炎症发展有时十分疼痛并且即使在病因未明的情况下对清除术的反应也良好。弥散型则会影响到关节囊内部的所有滑膜结构。

关节镜治疗滑膜性软骨瘤病效果十分明显。同样，虽然不能完全切除滑膜，但处在关节承重区产生症状的碎片能被去除。如前所述，髋关节滑膜性软骨瘤病与其他关节相比更难诊断，在很多病例中，软骨病变并非是骨化，也仅有少数滑膜疾病或关节内疾病能被研究所确诊。

(7) 圆韧带断裂

Gray 和 Villar 对圆韧带疾病进行了分类。大体上，疾病可分外伤性和退行性两种。外伤性断裂总是与脱位相伴，也能独立于脱位而发生。断裂的纤维夹杂在关节中，使得病变处十分疼痛。关节镜治疗的效果很好。应当避免不加选择的清除术，因为韧带对股骨头的血供有着潜在的影响，但断裂部分的切除是没有影响的。退行性病变同样有症状产生并且对清除术反应良好。但大多情况下伴随的是更为广泛的关节退行性改变。

(8) 骨质增生

外伤后近髋臼的骨质增生或恶性融合的骨碎片能作用于关节产生疼痛和运动受限。通过在关节囊上开一小口并且切开关节的外周，能清除这类骨质增生并且消除症状。这个过程需要广阔的视野和基于关节外解剖结构的仔细定位。

股骨头外周边缘的骨质增生偶尔能够增大到阻碍关节活动的大小，碰撞关节并产生疼痛，切除能改善症状。但对退行性骨质增生却无效，因为退行性骨质增生疼痛的产生与关节侵蚀更加相关。

(9) 不稳定

适应证包括了正常关节囊不完整导致的不稳定。应当注意的是,很多原因能引起关节半脱位的错觉,但实际上并没有真正的关节不稳定。但目前对关节镜下的关节囊热皱缩手术多持否定观点。

(10) 败血症

众多文献报道了关节镜冲洗和清创在髋关节败血症治疗中的作用。开放式处理过程会带来潜在的死亡率,所以关节镜成为一种有效的替代方法。

(11) 全髋关节成形术情况

有些文献报道了全髋中被包绕组织的成功清除。关节镜在控制伴随有聚乙烯碎片的疾病中同样有一定作用。但是在大体上,关节镜对于有症状的髋关节修复的病因诊断效果不大。Hyman 等报道连续 8 例关节镜治疗全髋成形术后急性感染的病例。

(12) 原因不明的髋关节疼痛

诊断性关节镜并非完全是临床诊断技术和确切评估的替代方法(观察不能替代思考)。然而,关节镜诊断出很多不明显的但是可以治疗的髋关节疼痛的病因。这种认识加强了许多其他非侵袭性诊断方法的价值和可用度。随着众多成像技术的发展,诊断性关节镜的作用会降低。但很多没有明确诊断但高度怀疑是关节内部疾病并且对关节镜治疗有效时,需要关节镜的介入。

(13) 关节镜结合开放手术

关节镜既可以与开放式手术联合运用,也可以作为开放手术的开端。如联结股骨头骨骺滑脱、缺血坏死的血管重建、骨切除或者微小关节切除术。

33.4.4 禁忌证

最明显的髋关节手术禁忌证是关节强直。低程度的关节纤维化或关节囊狭窄使得关节没有足够的空间用来容纳器械,同样也不适用关节镜手术。因此,检查中必须包括对髋关节旋转功能的评估。

骨解剖生理结构和周围软组织的巨大改变,不论是来自外伤或是手术,可能是关节镜手术的禁忌证。而且,骨内潜在的来自病变、外伤、手术的压力,与关节镜手术中使用的关节牵引力之间必须做仔细的评估。

过度肥胖是髋关节镜手术的相对禁忌证。对于脂肪组织过多的患者,即便当前使用的最长的器械也可能进不了关节。进行性损毁髋关节的疾病也是关节镜手术的禁忌。

33.4.5 并发症

(1) 神经血管牵引损伤

由牵拉造成的坐骨神经一过性的神经失用症在早期被 Glick 报道,然而以现在的技术,此并发症少有报道。髋关节屈位可以放松关节囊,但在关节镜手术中,髋关节屈位使坐骨神经受到巨大的牵拉力。股外侧皮神经在前方分出 3 支或者更多的神经支。有一支细小的分支常靠近开口处,在切开皮肤时需要小心以防损伤神经。但在器械从开口处取出时,如取出物过大而无法从套管中取出时,强大的力量还是会造成某一支神经损伤而产生神经失用症。

(2) 神经血管结构的直接损伤

一项解剖学研究表明在手术区用适当的装置观察发现主要神经血管结构均远离手术区。临床试验也证实了这一结果。曾报道过 1 例股神经瘫痪的病例,笔者也曾获悉 1 例由经验缺乏的外科医师造成股神经撕裂的病例报道。

(3) 会阴部压迫伤

Eriksson 等报道了 1 例会阴部软组织压迫性坏死的病例。笔者观察了 2 例会阴神经一过性神经失用症的患者。症状是在他们使用有厚垫和广泛会阴部保护的改良骨折床之前发生的。Glick 报道了在植入传统牵拉器之前发生的相似的病例。

上述病例说明一个恰当的骨折病床和牵拉器的重要性。另外,在髋关节上用最小但必需的牵引力,并且保持最小牵引次数是非常明智的。

(4) 渗液

有 3 例报道称有渗液进入腹腔。但均被完全治疗且没有远期后遗症。1 例确实需要穿刺术和整夜肺维持通气。1 例是在关节镜治疗髋臼骨折后 1 周发生渗液。渗液被认为是通过骨折缺口进入盆腔内。还有 1 例发生在关节镜髂腰肌腱松解术中。

Bartlett 等报道了 1 例腹内渗液造成心脏停搏的病例。患者发生急性髋臼骨折致使渗液从关节流入腹腔内。患者最终被成功救治,腹腔渗液被腹腔镜吸出。虽然如此,此并发症强调了过度渗液的严重后果。

(5) 关节镜创伤

关节镜创伤是最简单的并发症,但常不被报道。

脂肪组织包裹并紧密围绕关节周围限制了关节镜器械的机动力。股骨头凸起的关节表面十分容易受损。常发生在放置器械时或使用器械后,所以在进行髋关节手术时需要仔细考虑手术入路。

关节唇在器械放入时同样易受损害。常发生在当医师试着将关节镜用一种更偏向头部的角度来进入关节囊,并尝试避开股骨头关节表面时。关节唇在不经意间被穿透,造成巨大的损伤和不确定的长期后遗症。在器械进入时,最好从关节唇下方进入,随后直接向上抬起以避免与股骨头关节表面接触。

(6) 器械断裂

由于致密软组织包裹、关节的受限结构以及器械加长使器械损坏和断裂的概率增加。必须使用坚韧的器械,为其他内镜设计的加长器械不应当被不恰当地使用在髋关节上。

(7) 股骨头血管损伤

髋关节镜术后股骨头缺血坏死的病例未曾被报道。虽然如此,治疗过程中对股骨头血流的影响始终未明。

(8) 异位性骨化

笔者曾观察到在手术入路旁的一小块局部区域有异位骨化形成,之后异位骨被成功地取出。这表明关节镜对于开放式手术而言并非完全没有并发症。

(9) 感染和系统疾病

血栓栓塞被报道为髋关节镜术后并发症,除此之外没有别的感染和系统疾病被报道。然而,这些并发症发生的可能性仍然存在。如果患者具有血栓栓塞疾病的危险因素,最好更多地进行抗凝预防。偶尔发生的为转子滑囊炎合并外侧入路感染,这是个很难处理的疾病。

33.4.6 髋关节镜应用原则

有很多髋关节镜应用原则必须了解。

首先,成功的关键在于选择合适的患者。技术上完全正确的手术如果在不合适的患者身上操作一样会失败。这同样包含了为了迎合患者要求而导致操作的失败。

第二,无论选择仰卧位还是俯卧位,为了手术成功操作,患者必须放置在一个合适的体位。位置不佳会造成操作困难。

第三,轻而易举地进入髋关节并非代表高超先进的技艺。重要的是尽可能无损伤地进入髋关节。因为关节结构由致密软组织包绕,无意间医源性关节镜损伤的可能性是巨大的,甚至在某些程度上是不可治愈的。因此,要将损伤减到最小程度。尽可能仔细地进行手术操作,并且确定手术是在正确的目的下进行的。

进入关节后,髋关节镜手术大多使用和其他关节相同的手术思路。但由于髋关节的限制,技术上的缺陷会更加明显。据一项研究报道,成功操作了髋关节镜 300 多例。但这可能受到成功病例的选择偏倚,而并非完全是因为髋关节镜的优势。手术者必须掌握关节镜的禁忌证以及影响手术入路的因素。

33.4.7 初步准备

(1) 麻醉

手术常在患者全身麻醉下进行。硬膜外麻醉也可以作为备选方法。但肌松剂必须足够以保证肌肉完全松弛。

(2) 患者体位

患者仰卧于骨科手术台上,会阴部放置一个直径约 12 cm 的用软垫包好的短柱。当患者顶着柱子躺好后,骨盆和躯干从手术侧被抬起。使手术侧大腿的中部抵着柱子的侧面。这样在牵引方向上有一个稍微偏外侧的方向。这样同样能远离阴部神经的接触点,以免术后发生一过性神经失用症。

牵引力被加到手术肢体,摄片矫正髋关节牵引的角度。足够的关节牵引必须加上 10～20 kg 的牵引力。如果髋关节较紧的话可以增加牵引力,但必须在监控之下。

如果关节牵引不够的话,待片刻使得关节囊逐渐适应张力,这样常常能使关节囊松弛和完成不加额外力下的关节牵引。同样,摄片下可发现真空现象,这是由牵引时关节内负压造成的。这种密闭可在手术中关节注液时消除,并且此后的牵引也会变得容易。但是,这种结果是不稳定的,不应当依赖这些结果来解决关节牵引不足。

(3) 设备

影像增强器常规在多种情况下使用,这在精确确定入路定位时十分重要。

患者进行髋关节镜手术的体位十分简单,并且能够在任何标准骨科手术台上调整。一个巨大的软垫包绕的会阴柱在缓解会阴部压力和易化手术侧髋关节外展时十分有效。柱子和体位的调整使得会阴神经发生压力下神经失用症的可能性变小。与手术台脚踏相连的张力计是非常有用的工具。在患者摆好体位后，张力计清零。在纵向牵引力作用时，张力计就显示一个相对的而不是绝对的牵引力的数值。但是读数却是反应手术中获得有效牵引力的重要参数。

30°关节镜和70°关节镜都能提供一个良好的视野。尽管髋关节骨结构和周围致密软组织的包裹使关节镜的机动能力受限，但两种镜头间的相互交换仍能产生完美的视野。一般来说，30°关节镜能提供髋臼和股骨头的中央部分以及髋关节窝上部的最佳图像。而70°关节镜在观察关节外围、髋关节唇和髋关节窝内部时更显优势。

压力泵在维持髋关节内液体流动帮助显示视野上是很有利的。使用高流率液体维持系统能够提供足够的流量而不需要更多的压力。压力过高会导致关节液的过度渗出。

4.5、5.0和5.5 mm加长套管使用在髋关节周围的致密软组织上。缩短的导管能使这些套管应用在标准关节镜上。特殊的17号腰穿针能产生沿导丝通到关节的通道。特殊的套管密封器之后与在导丝上套管、密封器结合体一起，沿着通道向关节推进。不含套管的密封器更加尖锐以利于穿透厚厚的髋关节囊壁。如果用标准的密封器则很难穿透囊壁。圆锥形的设置比起其他型套管针损伤性更小，能明显降低关节损伤。

(4) 手术入路

一般使用3个入路：前侧、前外侧和后外侧。

1) 前侧入路　前侧入路位于髂前上棘上方约6.3 cm处。穿过缝匠肌肌腹和股直肌后进入前部关节囊。

典型的股外侧皮神经在前侧入路水平分3支或更多支。入路通常在距这些神经支几毫米的地方穿过。因为分支众多，改变入路位置也不能避免碰到这些神经。但进行入路开口时的小心操作技术能保护神经免受损伤。这些神经在皮肤切开过深时会被伤及，一些分支会被割断。

从皮肤进入到关节囊，前侧入路基本上沿着股神经轴的切线方向前进。在关节囊水平也仅是稍稍靠近股神经，最小距离是3.2 cm。

尽管有很多变异，但外侧旋股动脉的上升支一般约在前侧入路下方3.7 cm处。在有些尸检中，发现这条血管有条细小的终末分支，在关节囊水平离前侧入路仅相距几毫米。其临床意义还不确定，但至今没有前侧入路手术过度出血的报道。

2) 前外侧入路　前外侧入路穿过臀中肌，从关节囊前缘进入关节囊外侧。与前外侧入路唯一有临床意义的结构是臀上神经。在出坐骨切迹后，沿臀上神经水平前行，越过臀中肌的深面。距两个外侧入路都是平均4.4 cm的距离。

3) 后外侧入路　后外侧入路穿过臀中肌和臀小肌后，从关节囊后缘进入关节。位于梨状肌腱的前方和上方。在关节囊水平与坐骨神经相近，离神经的外侧缘约2.9 cm。

33.4.8 术后护理

可以立即下床活动。用拐杖3～7天直到步态恢复正常。对于退行性病变，保护性的承重还需约2周时间。只有Ⅳ级的关节病变结合关节成形术损伤或轻微骨折的患者，需要使用严格承重装置保护，时间为8～10周。

术后第1天就可以除去敷料，改以邦迪创可贴。几日后即可拆线，并进行康复监控，以易化和优化术后恢复。

（程飚　陈峥嵘）

33.5 关节镜在关节外应用

20世纪后期随着光学仪器的不断产生和高科技手段的面世，内镜在临床各科领域已得到广泛应用，如膀胱镜、支气管镜、食管镜、胃镜、心室镜、关节镜及腹腔镜、宫腔镜、输卵管镜等。而内镜在手外科的应用尤其在关节外的应用尚属起步阶段。

33.5.1 概述

内镜在关节外的应用最初是在1931年日本的高木宪次利用内镜从体表瘘孔插入体内对病变部位进行观察。1976年日本的长井仁美分别用空气和生理盐水注入家兔大腿进行内镜关节外应用研究，1980年改用Tunnelendoscopy法。1986年日本的Okutsu(奥津)发明了固体透明闭锁外套管，与钩刀(hook knife)、关节镜组成配套器械，称为USE系统(universal subcutaneous endoscopy system)，临床上首先应用于腕管综合征的治疗。此后不同的学者采用不同的方法，将内镜广泛应用于关节外，在日本和欧美已非常普及。目前，关节镜在关节外主要应用在以下几方面。

(1) 腕管综合征内镜诊治

1) 腕管综合征(carpal tunnel syndrome, CTS)内镜诊治——单切口法:1986 年奥津利用 USE 系统,在局部麻醉下,通过前臂 1 cm 小切口插入内镜进行诊治,不使用止血带,术后不需石膏托外固定。具有皮肤切口小、组织创伤轻,避免了手掌部有痛性瘢痕和肥厚性瘢痕,能早日恢复日常生活和工作的优点。

2) CTS 内镜诊治——双切口法:1989 年美国的 Chow 发明不透明金属性开放性外套管,通过手掌部与前臂各 1 cm 切口内镜下切断腕管横韧带。以后病例报道也表明了 CTS 内镜治疗的安全有效和微创的优点,并且在类风湿关节炎以及血透的 CTS 病例中取得良好的疗效。国内史其林 1997 年开始利用奥津法、2002 年利用 Chow 法内镜诊治 CTS,临床上取得良好的疗效,无并发症发生。

(2) 肘管综合征内镜诊治

1994 年日本的鹤田和美国的 Tsai 报道,沿肘管做 3 cm 纵切口,内镜下可向肘管的远近端松解达 10 cm。具有皮肤切口小、创伤轻、术后不需要石膏托外固定、神经能彻底减压等优点。1999 年 Tsai 报道了 76 例的长期随访结果:优为 42%,良为 45%,可为 11%,差为 2%,认为对轻中度肘管综合征病例,内镜辅助下治疗是安全可靠的方法。

(3) 狭窄性腱鞘炎(弹响指)内镜下手术

2000 年奥津首次报道,在 CTS 病例中合并弹响指病例为手术适应证。在切断腕管横韧带的同时,内镜向腱鞘狭窄部插入,内镜下观察弹拨现象,特别的小刀从弹拨处皮肤插入,镜视下切断腱鞘。方法简单,手掌部无切口。

(4) 手指骨良性骨肿瘤的内镜治疗

1992 年奥津与 Cohen 首次报道采用手指两侧 3 mm 小切口内镜下搔刮后不需植骨。优点:内镜下将组织图像扩大,清楚地确认肿瘤组织,所以能彻底清除。骨皮质能最低限度地开窗。手术创伤轻,减少了移植骨供区的痛苦,术后不需长期的外固定就可早期出院、早日康复。近年来开展病例的严密随访证实了内镜治疗良性骨肿瘤的安全性和确切疗效。

(5) 内镜下胸腔内切取膈神经移位治疗臂丛神经损伤

1995 年顾玉东首创研究,史其林通过尸体解剖学研究,为胸腔镜下切取膈神经提供了可靠的科学依据,证实了临床应用的可行性,并于 1999 年首先应用于临床。2000 年复旦大学附属华山医院首先作临床应用报道,安全取出胸腔内膈神经,未发生并发症,初步临床效果良好。

(6) 内镜辅助下切取腓肠神经移植

腓肠神经是神经缺损时最常用的移植神经供体,但是常规手术切取时遗留有长段瘢痕,影响美观是其较大缺点。因此,1995 年日本的 Kobayashi 和美国的 Hallock 均运用内镜技术完成了腓肠神经的切取,大大改善了腓肠神经切取后的美观效果。笔者于 2002 年开始在临床上应用该种方法,效果满意。

33.5.2 腕管综合征的内镜诊治

腕管综合征(CTS)是上肢最常见的周围神经卡压症。1986 年日本的 Okutsu(奥津)把透明闭锁性的外套管与普通的关节镜和钩刀结合,临床上第 1 例应用于腕管综合征内镜下手术。1989 年,Chow 采用半开放式外套管的双切口法,亦应用于腕管综合征内镜下手术,目前在日本以及欧美内镜下的手术已得到广泛开展。内镜视下的术式通常分为两大类:Okutsu 的单切口法与美国 Chow 的双切口法,以下简称 Okutsu 法(奥津法)和 Chow 法。现将这两种方法详细介绍如下。

(1) 腕管的解剖学特点

内镜下腕管松解术是治疗腕管综合征的新方法。USE 系统是由日本奥津开发的内镜系统,通过皮肤小切口,将外套管及内镜头伸入腕管内,镜视下用钩刀直接切断屈肌支持带,达到腕管松解的目的。用该系统进行腕部单切口腕管松解术具有损伤小、恢复快、瘢痕少及操作简便等优点,深受患者的欢迎。腕管的局部结构复杂,如果对解剖不清、操作不当,也会带来一系列并发症,所以对腕管的局部应用解剖的掌握在手术中是很重要的。

1) 屈肌支持带　在 1955 年以前称为腕横韧带,1955 年夏季在法国巴黎召开的国际解剖学学会上改称为屈肌支持带。目前的解剖学教科书上大多记载的是构成腕管掌侧的组织结构即称为屈肌支持带。腕管的内侧壁为豌豆骨、钩状骨;外侧壁为舟状骨、大多角骨;背侧为月骨和头状骨;掌侧为起始于腕骨的屈肌支持带,构成骨纤维韧带性隧道(图33-12)。屈肌支持带从桡侧到尺侧的长度平均为 2.5 cm，宽度即从腕管入口到出口处平均为 2.3 cm。将腕管从近端到远端即从入口到出口处在不同部位矢状面剖开所见屈肌支持带的厚度分别为 1.6、2.5、1.6、1.0 mm。

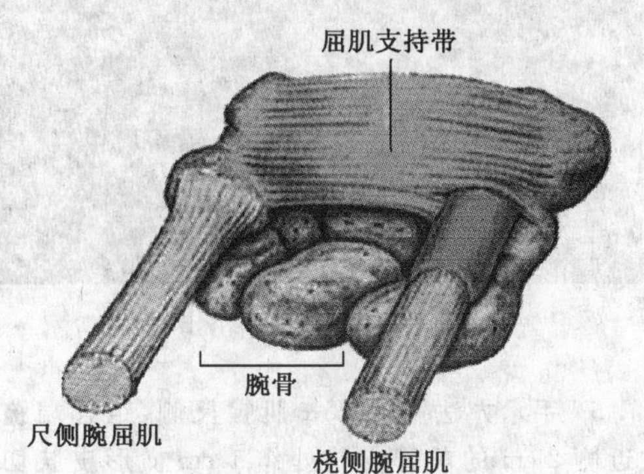

图 33-12 腕管解剖示意图

2）正中神经及分支　正中神经主干在腕管内位于桡侧，一般在第三指蹼与掌长肌腱尺侧缘连线的桡侧。正中神经返支均从主干的桡侧发出（图33-13），距屈肌支持带远侧缘 0.2～0.6 cm 处由正中神经干或者其外侧支发出，然后再分 2 个肌支。正中神经掌皮支一般为 1～2 支，从屈肌支持带以近 5～7 cm 处自桡侧发出，沿桡侧腕屈肌腱及掌长肌腱之间下行并渐浅行，越过舟骨结节，分为内外两支，内侧支一般达掌中部，外侧支达大鱼际部。

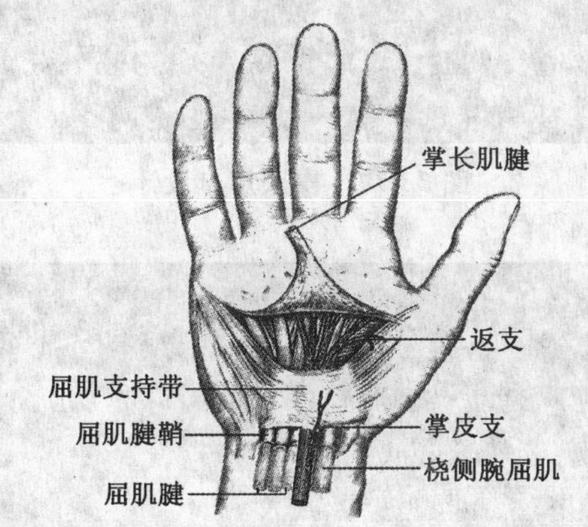

图 33-13 掌皮支以及返支的解剖示意图

3）尺神经掌皮支　在前臂中段自尺神经主干发出，行于尺动脉表面，在腕部穿入皮下行于手掌尺侧。

4）掌浅弓　掌浅弓体表投影在掌中线中点至豌豆骨桡侧所作的弧线上，距屈肌支持带远侧的距离为（26±3）mm。其体表投影为拇指极度外展，拇指尺侧缘向手掌尺侧所作的水平线或掌中纵线的中点处。从解剖层次看，在掌腱膜及掌短肌的深面，小指短屈肌、指总神经、指屈肌腱和蚓状肌的浅面。

5）屈肌支持带远端掌侧连接在大、小鱼际之间的纤维组织结构（DHFFR）　标准化的开放手术的入路是从手掌皮肤切开，向着屈肌支持带进入，因此必须将皮肤与屈肌支持带之间存在的组织完全切断，直视下将腕管完全开放，对正中神经进行彻底减压。内镜手术的入路不同但目的与开放手术一样。Okutsu 根据腕管内的压力测定结果，只将屈肌支持带完全切断，腕管内的压力降低达不到完全开放的标准。根据腕管的局部解剖与内镜下所见，单独切断屈肌支持带，发现屈肌支持带的远位断端，连接在大、小鱼际之间有纤维韧带样组织结构存在，将腕管的远端锁定，断端开放只能达到 4 mm 左右，从而不能达到完全开放。另外，屈肌支持带的中枢端与前臂的筋膜相连。这种连接在大小鱼际之间的韧带组织结构在以往的解剖书上无记载，日本 Okutsu 将之称为 DHFFR 韧带。而与屈肌支持带中枢端相连的前臂筋膜则称为 DHFFR。Okutsu 利用腕管内压力测定研究的结果表明，腕管要达到完全开放，必须将屈肌支持带和 DHFFR 同时切断，腕管开放程度可达到 8 mm，则正中神经完全减压。另外证明，DHFFR 的切断与否与腕管内压力没有关系。

（2）奥津法治疗腕管综合征

1）概述　腕管综合征（CTS）是一种周围神经卡压性神经病。正中神经因为多种原因在腕管内受到卡压。CTS 的治疗目的在于完全切开腕管的掌侧结构，使正中神经彻底减压。1930 年，Learmonth 第 1 次通过前臂小切口用盲切的方法切开了屈肌支持带。这种盲切的方法易损伤正中神经和屈肌腱，以致屈肌支持带切开不完全。为了避免这些问题，Cannon 等（1946）、Brain 等（1947）和 Phalen 等（1950）改用了手掌部大切口的手术方法。直到 1986 年，均作为标准的手术方法。开放的手术入路不可避免地因损伤正中神经掌皮支而引起疼痛性瘢痕（图 33-14），导致术后不适和更长时间的康复期。

1986 年，日本奥津一郎应用 USE 系统第 1 次进行了腕管开放的微创手术。

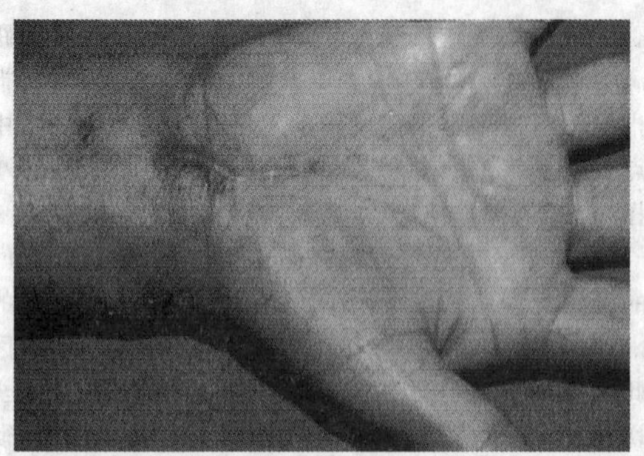

图 33-14 手术瘢痕

2）手术适应证 选择特发性的病例为对象。对非特异性的病例，进行3个月的保守治疗，临床症状及体征无明显改善者，可定为手术适应证。如系长期做血液透析的患者，一旦出现腕管综合征的症状，并呈进行性加重者亦属于手术适应证范围。

当出现下述任一情况时则为禁忌证：慢性类风湿关节炎需滑膜切除病例、复发病例、返支卡压同时需作松解的病例、需做功能重建的病例、需神经外膜切开减压的病例。

3）手术器械 USE系统主要包括透明闭锁外套管和直径4 mm、30°斜视关节镜与特制的钩刀等器械（图 33-15）。

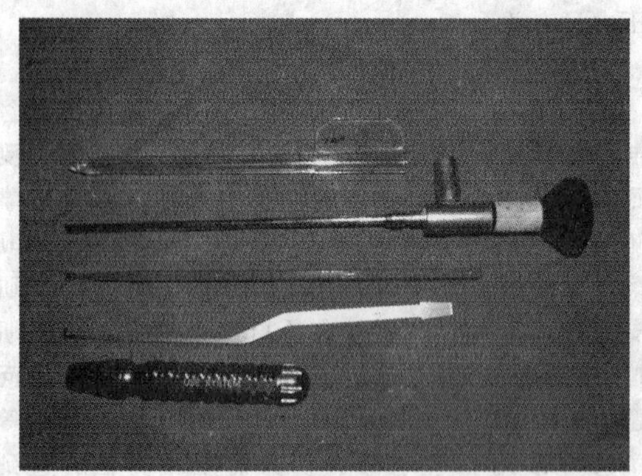

图 33-15 手术器械 USE 系统

4）麻醉、体位 本手术是患者在局部麻醉下进行且不使用气囊止血带。仰卧位，患肢置于手术侧台。用1%利多卡因10 ml作患侧腕掌侧皮内局部浸润麻醉以及腕管内正中神经阻滞麻醉（图 33-16）。

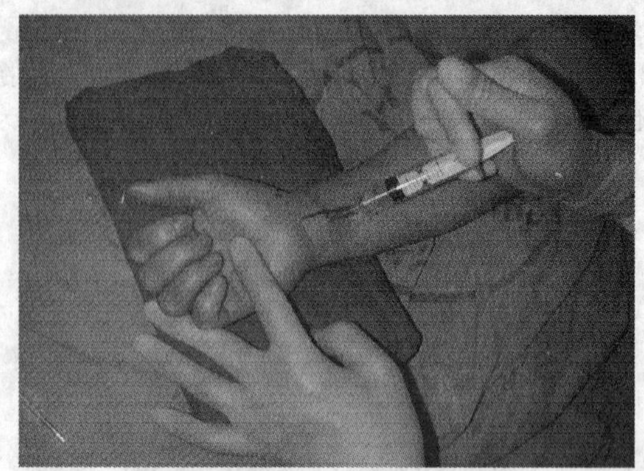

图 33-16 腕管内麻醉

5）手术方法 在掌长肌腱尺侧，距远端腕横纹近侧2 cm的前臂皮肤处作1 cm横形皮肤切口（图 33-17、33-18），切开皮肤，皮下组织，用蚊式钳钝性分离皮下组织至前臂筋膜层，沿筋膜层向远端分开，软组织内的出血点用电凝止血。

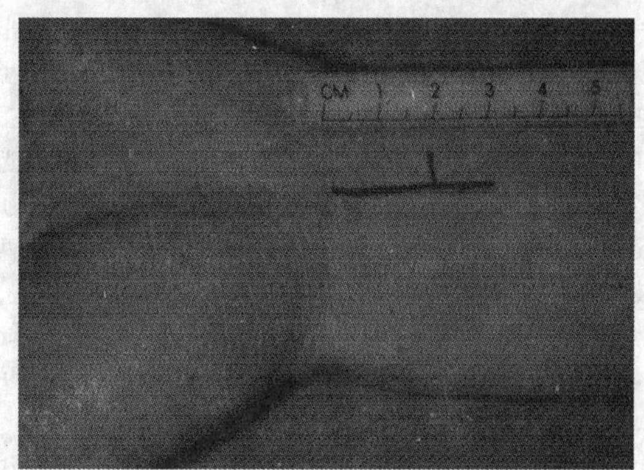

图 33-17 皮肤切口设计

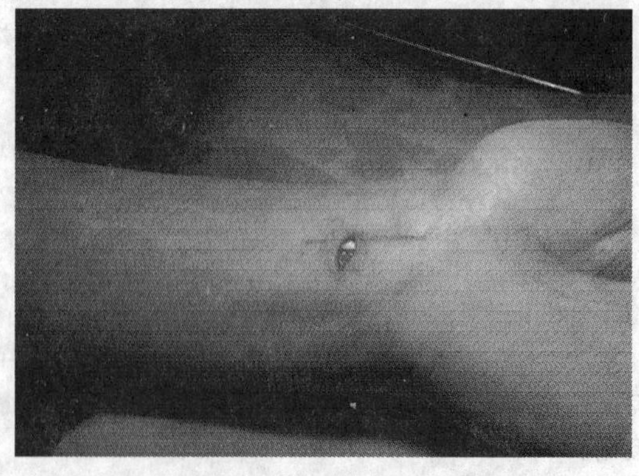

图 33-18 显露掌长肌腱

在掌长肌腱尺侧以扩张导管，从小到大扩张腕管(图 33-19)。让患者手指屈曲后令其伸指，在伸指的同时将扩张导管从小号到大号按顺序插入，在大号插入后按上述方法，换插外套管(图 33-20)。最后将内镜插入外套管(图 33-21)。在内镜下可观察到皮下脂肪组织、前臂筋膜和屈肌腱。内镜向远端插入观察，可见与屈肌腱垂直的屈肌支持带的横行纤维。如观察不到则提示外套管插入过深，在退出时，外套管前端向上抬高使其接近屈肌支持带。若仍然观察不清楚，可拔出外套管调整方向后重新插入。内镜在外套管内活动时，要与外套管的纵轴保持一致(图 33-22)。

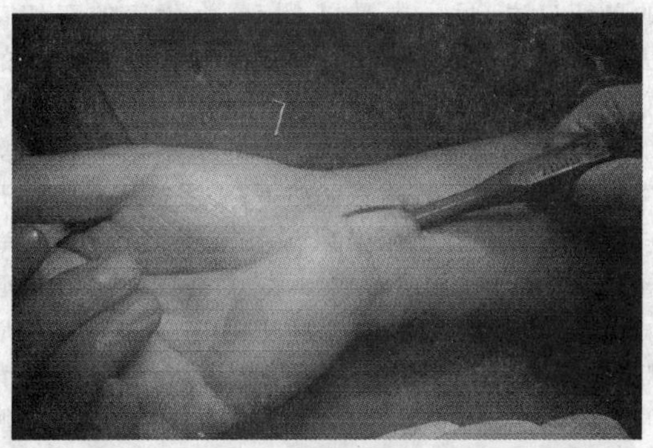

图 33-19 扩张导管插入腕管内

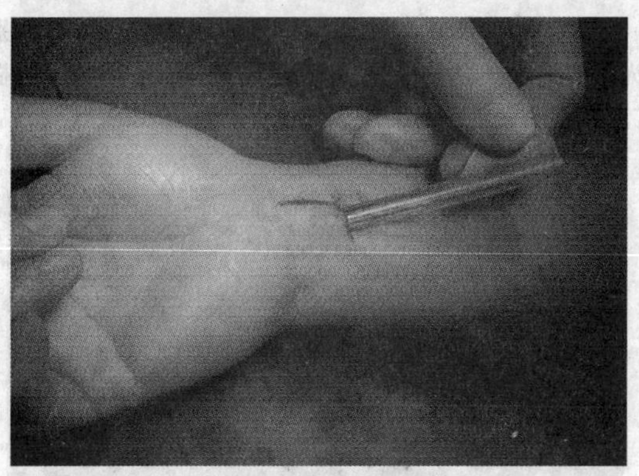

图 33-20 换插透明闭锁性外套管

所有的手术步骤都在显示器下进行。在直视下确定要切断的屈肌支持带的位置，而不切断任何无法识别的结构。将钩刀沿外套管的尺侧，钩状的刀刃垂直向上，沿外套管壁于镜视下向远端推进，钩刀进入时不要偏离外套管壁，如方向偏离，钩刀易损伤屈指肌腱、正中神经和血管。正中神经位于外套管壁

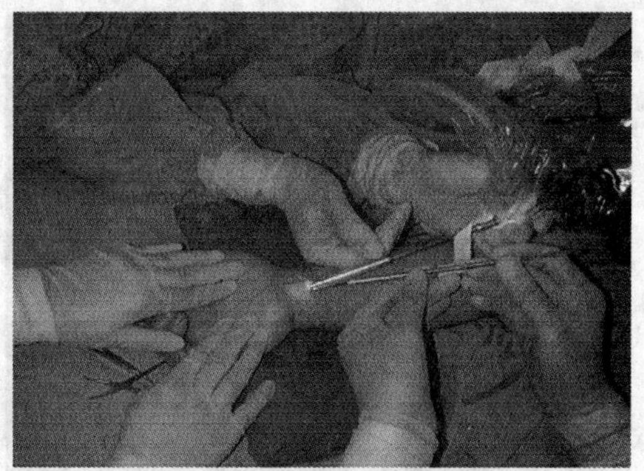

图 33-21 关节镜插入外套管中进行观察

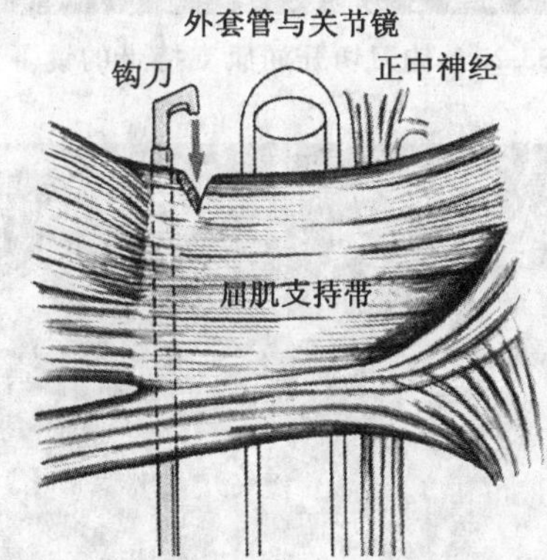

图 33-22 切开屈肌支持带的示意图

的桡侧，当钩刀行至屈肌支持带的入口处时，钩刀的前端应稍偏斜进入腕管。待确认屈肌支持带的远端缘时，将刀刃向上举起钩住屈肌支持带远端缘，向近端牵拉及切割，屈肌支持带即被割断，此时可以清楚地看到皮下脂肪(图 33-23)。仅切断屈肌支持带时，其断端仅分开 4 mm 左右，认为其为“不完全开放”。为了达到腕管掌侧结构的完全开放，USE 系统从 DHFFR 与掌浅弓之间插入，掌浅弓在其背侧。切断屈肌支持带和 DHFFR 后，屈肌支持带断端分开达 8 mm 左右，称完全开放。可见均一的皮下透光试验(图 33-24)。确定腕管完全切开的指标：①内镜下能观察到切开的屈肌支持带两断端，距离在 8 mm 左右；②能看到手掌部的皮下脂肪组织；③从手掌皮肤能观察到内镜在腕管内通过的均一透光；④腕管内插入扩张导管向上顶起活动，可在手掌部均一地触及；⑤进行腕管内压力测定。

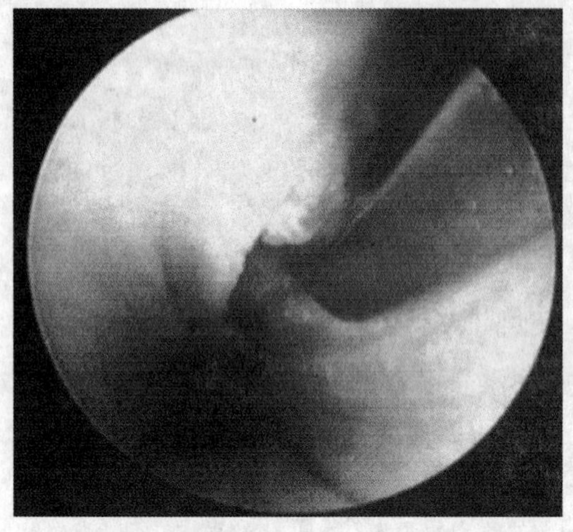

图 33-23 钩刀切开屈肌支持带的镜下像

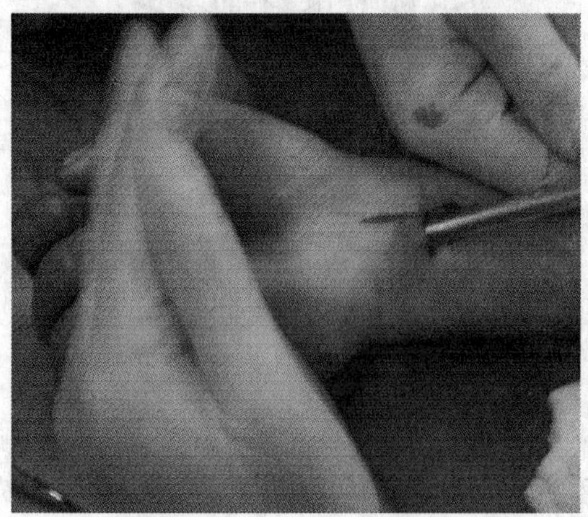

图 33-24 透光试验

6）术后处理 手术结束后，伤口一针皮内缝合后，黏胶纸贴敷（图 33-25），绷带加压包扎 24 h 以防术后出血。指导患者于术后第 1 天自行去除绷带。奥津推荐在术后即开始使用患手，不影响疗效。

（3）Chow 法诊治腕管综合征

1）概述 腕管综合征是上肢最常见的周围神经卡压症。1986 年日本的 Okutsu 把透明闭锁性外套管与普通的关节镜和钩刀结合，从临床上第 1 例 CTS 应用内镜下手术以来，内镜下治疗腕管综合征（endoscopic carpal tunnel release，ECTR）在临床上的应用得到了广泛开展。ECTR 的手术方法目前主要分为两大类：一是以 Okutsu 为代表的单切口法；另一类是以 Chow 为代表的双切口法。本节主要介绍 Chow 法在 CTS 诊治方面的应用。

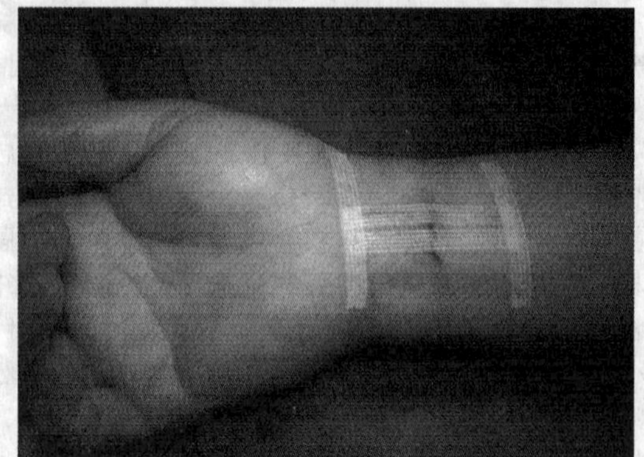

图 33-25 胶布贴敷

2）手术适应证 Chow 法的手术适应证和奥津法基本相同。其禁忌证如下：①需神经外膜切开减压的病例；②慢性类风湿关节炎需滑膜切除；③屈肌支持带的“Z”形成形术；④需同时 Guyon 管的切开；⑤肿瘤等占位性病变的存在；⑥肌肉、肌腱、血管的解剖学变异、畸形；⑦手指、腕关节的背伸受限的病例；⑧局部软组织感染；⑨手部高度肿胀的病例；⑩上肢血管脆性高的病例；⑪复发的病例。

3）手术器械 如图 33-15 所示，从上到下分别为微型拉钩（2 个），金属开放式外套管，闭塞器，探针，钩刀，三角刀与刀柄，剥离子（图 33-26）。

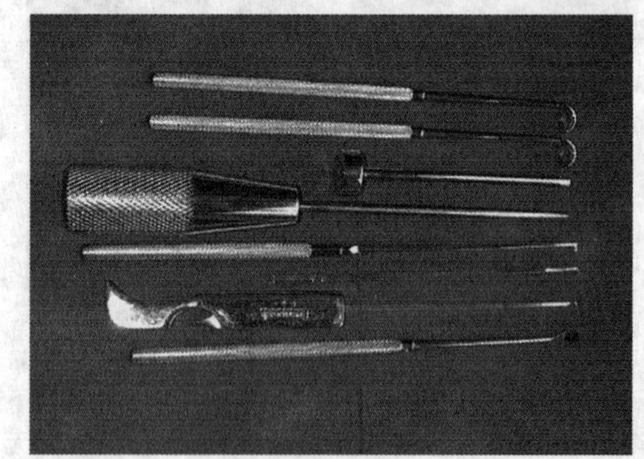

图 33-26 ECTR 系统手术器械

4）麻醉体位 腕管内局部麻醉与奥津法相同，掌心部切口皮下加注 1%利多卡因局部浸润麻醉。

正确的方法注入可以在手掌部腕管出口处有膨隆感。患手消毒铺巾后保持腕关节背伸位。

5）驱血带的应用　术中最好使用驱血带。因为外套管是开放式的，尤其是在切开屈肌支持带时，血液进入外套管内，直接影响内镜的观察。但亦有不用驱血带的报道。

6）手术方法

(i) 切口设计：在腕掌侧近侧腕横纹水平，近豌豆骨 1 cm，掌长肌腱尺侧 1 cm 皮肤横切口作为入口，出口的选择让患者拇指最大桡侧外展位，自拇指掌指关节向尺侧取一平行线，与中环指间的长轴线交叉点向尺侧 1 cm 处做 1 cm 长的斜形切口（图 33-27）。

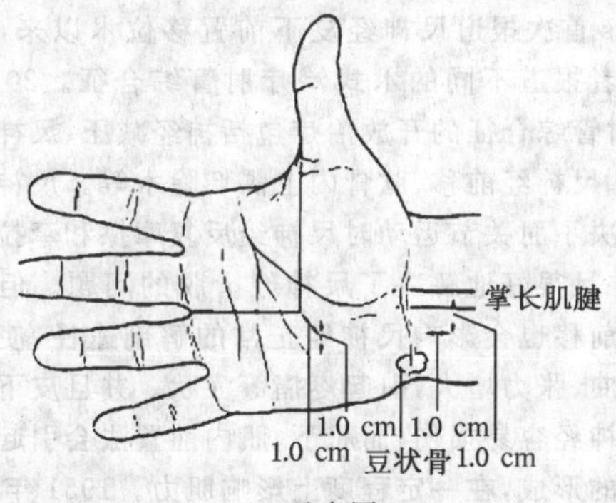

A. 示意图

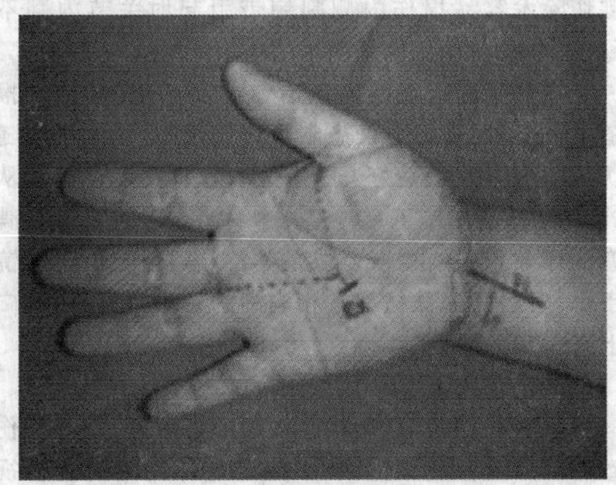

B. 实际入路

图 33-27　出入口示意图

(ii) 隧道制作：腕关节背侧垫高 6～8 cm，背伸位助手固定。入口部皮肤 0.6～1 cm 切口。如遇到皮下小静脉，可用双极电凝止血。钝性分离皮下组织，沿掌长肌腱尺侧纵行分开筋膜层，微型拉钩牵开以显露掌长肌腱和前臂筋膜层，剥离子沿掌长肌腱尺侧筋膜层下和屈肌支持带下方插入腕管。如遇腕管和屈肌腱粘连时，插入遇到阻力，可边剥离边插入，为外套管的插入前作必要的隧道，但切不可用力过猛。

(iii) 外套管插入：外套管插入管芯后（即闭塞器），在掌长肌腱尺侧沿制作的隧道方向对准中环指间隙，可嘱患者握拳后伸手指的同时，随屈肌腱的滑动进入腕管，避免外套管插入过深或过浅，过深易损伤指掌侧总神经、掌浅动脉弓（图 33-28）。外套管插入与皮肤的角度过小，可导致误插到腕管外屈肌支持带表面。外套管从腕管出口处插出，向上顶起皮肤，用锐刀将出口处皮肤切开约 6 mm。钝性分开皮下组织，切开掌腱膜即可看到闭塞器的头端。向末梢端插入 2～3 cm。助手固定外套管后拔出闭塞器（图 33-29）。

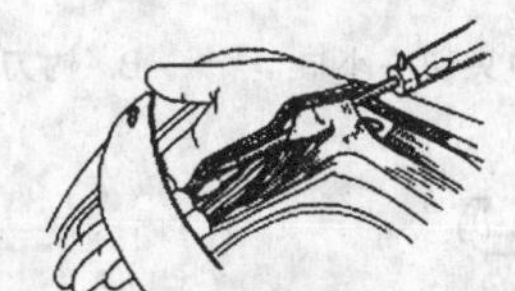

A. 插入过深，易损伤掌浅弓及指神经

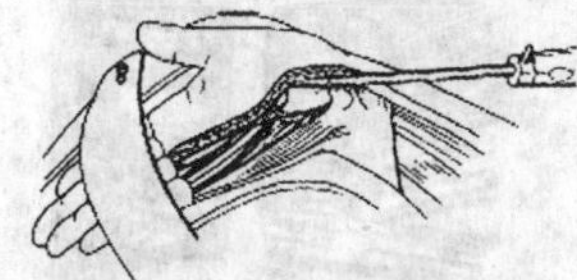

B. 插入过浅，误插到腕管外　C. 正确的插入示意图

图 33-28　插入示意图

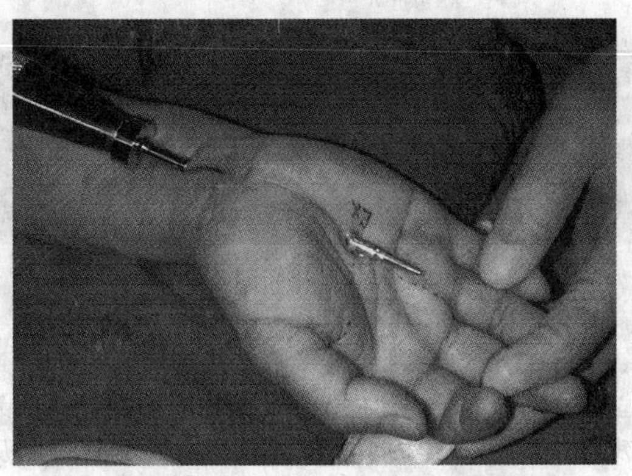

图 33-29　正确插入带有管芯的外套管

(iv) 内镜插入：观察利用直径 4 mm、30°斜视

关节镜，从外套管中枢端插入观察，可清楚地看到外套管上方白色横行的屈肌支持带。可用探针确认屈肌支持带的软硬度。如观察到正中神经，外套管可向尺侧倾斜以避开之，或拔出外套管调整角度后再重新插入。

(v) 屈肌支持带切开：将钩刀从外套管末梢端进入，先用三角刀切开韧带中央部，用钩刀钩住中央部切口切开远侧韧带。调换内镜与钩刀方向后，用钩刀钩住近侧半韧带予以切开(图 33-30、33-31)。

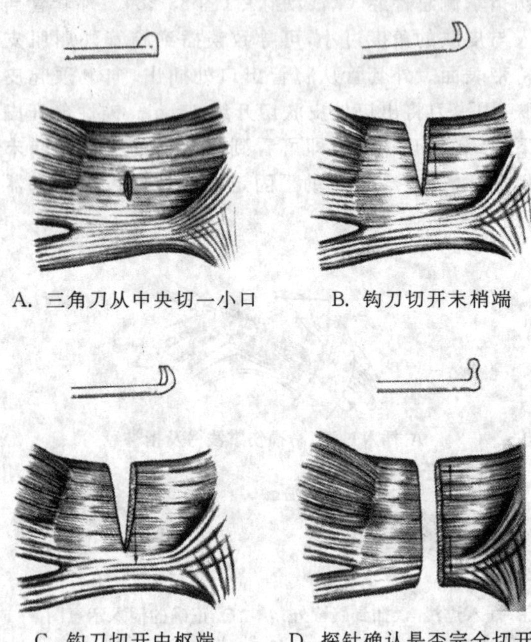

图 33-30 三步法切开屈肌支持带示意图

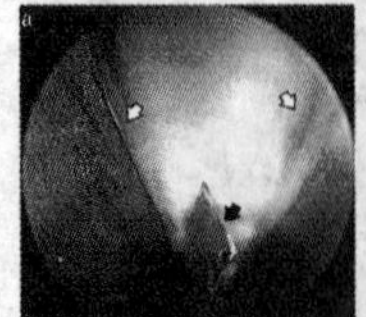
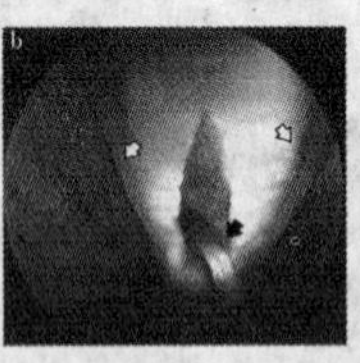
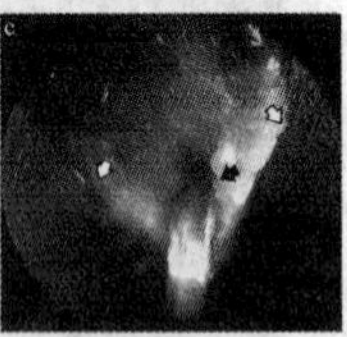

图 33-31 三步法切开屈肌支持带镜下像

(vi) 外套管拔出：将屈肌支持带切开后可看到立即突入外套管内的皮下脂肪组织。用探针确认无残留韧带后，拔出内镜换插闭塞器与外套管一起从腕管内拔出。

Chow 法屈肌支持带完全切开的指标：①内镜下能观察到腕管横韧带切断两端。②内镜下能观察到手掌部的脂肪组织。③从手掌部能观察到内镜在腕管内通过的均一透光。

7) 术后处理　术后伤口用 5 号可吸收线皮内缝合，粘胶纸粘贴。无菌纱布敷盖后弹力绷带压迫包扎，不需石膏固定。制动 24～48 h。术后第 3 天开始自由活动，2～3 周内避免掌部直接受压或提举重物，一般 3 周后即可恢复日常生活和工作。

33.5.3 内镜下诊治肘管综合征

(1) 概述

肘管综合征是最常见的周围神经卡压性疾病之一，其发病率仅次于腕管综合征。其治疗方法主要有开放手术和内镜手术。开放手术自 1898 年 Curtis 首次报道尺神经皮下前置移位术以来，不断有学者报道不同的术式治疗肘管综合征。20 世纪初，肘管综合征的开放治疗包括神经减压、尺神经沟再造、尺神经前移、肱骨内上髁切除术等。尺神经前移解决了肘关节运动时尺神经反复摩擦和牵拉等病因，并且很好地解决了尺神经滑脱的问题。但是尺神经前移也会影响尺神经正常的解剖途径，使其分支扭曲、张力增大，引起疼痛等症状。并且皮下前置的尺神经容易损伤，而肌下、肌内前置法会引起屈肌瘢痕的形成，在一定程度上影响肌力。1951 年 King 报道了内上髁切除术，避免了上述缺点。但是内上髁切除术容易损伤内侧副韧带引起肘关节内翻不稳定。

在肘管综合征的内镜治疗方面，Tsai 等首次报道了 85 例肘管综合征患者经内镜治疗，结果平均随访 32 个月，效果良好，未出现严重并发症。笔者从 1999 年开展内镜下尺神经松解术以来，亦取得了满意的疗效，创伤小、恢复快是其特点。但是由于内镜手术，对医师和器械都有相当高的要求，所以在推广上有一定的限制。

(2) 手术适应证

除肘外翻畸形、尺神经在肘部滑脱、肘部挫压伤致肘部广泛瘢痕、肘关节不稳定症外均为内镜镜视下减压术的适应证。术前肌电图运动神经传导速度测定(Inching 法)、Tinel 征检查确定病变局限在肘部；即使肘管下压迫(骨棘，囊肿)，直视下可切除骨棘和腱鞘囊肿，亦可同时进行 King 法；尤其适用于运动员以及术后需早期恢复活动的患者。

(3) 手术器械

内镜光源录像系统(Stryker 公司)，30°斜视关节镜直径 4 mm(Stryker 公司),圆筒状透明闭锁外套管内径为 5 mm(Zimmer 公司),推刀(Zimmer 公司),钩刀(Beaver 公司),扩张导管(Zimmer 公司)。

(4) 麻醉,体位

臂丛麻醉下,使用气压止血带。患者仰卧,患侧肩关节外展、外旋位,肘关节屈曲 90°前臂旋后位。肘下垫高约 10 cm,便于内镜操作。

(5) 手术方法

在肱骨内上髁和鹰嘴之间,沿尺神经走行方向取 2～3 cm 直切口(图 33-32)。钝性分离皮下脂肪组织后,首先确认并显露在肱骨内上髁支持带近侧缘下走行的尺神经,注意保护前臂内侧皮神经。

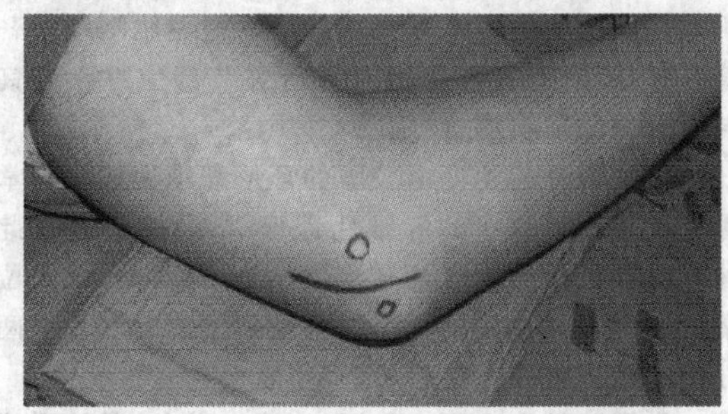

图 33-32 沿尺神经走行取 3 cm 切口

1) 肱骨内上髁远端的操作　直视下切断内上髁支持带后,显露尺侧腕屈肌表面浅筋膜并切断之。拉钩牵开屈肌的尺骨头和肱骨头,于深部暴露两头之间的深筋膜(deep flexor-pronator aponeurosis,屈肌-旋前圆肌深筋膜)(图 33-33)。该筋膜是引起尺神经卡压的原因之一。先用探针分开紧贴在神经表面的深筋膜,稍许剪开后使外套管容易插入,直视下将透明闭锁外套管插入屈肌-旋前圆肌深筋膜的入口部,再在内镜指导下,用推刀沿外套管沟槽切断压迫在神经表面的筋膜和韧带。由于外套管沿尺神经上方插入,所以推刀在外套管沟槽内滑动,不易损伤尺神经和伴行血管(图 33-34)。手术中应注意保护尺神经的关节支和尺侧腕屈肌肌支。再探查肘管下方有无占位性病变,如有骨棘和腱鞘囊肿可同时切除。

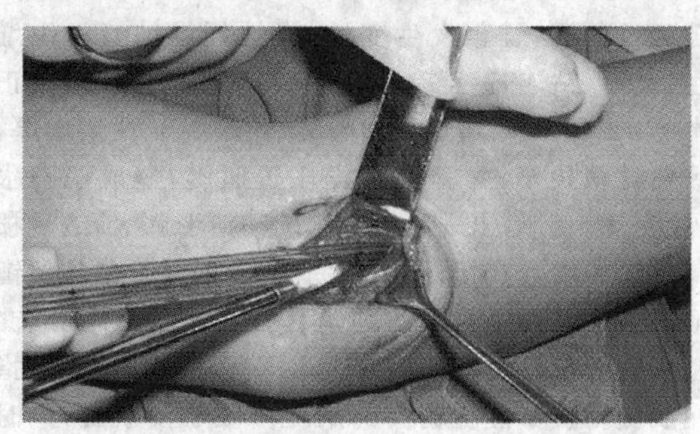

图 33-33 内镜下游离尺神经

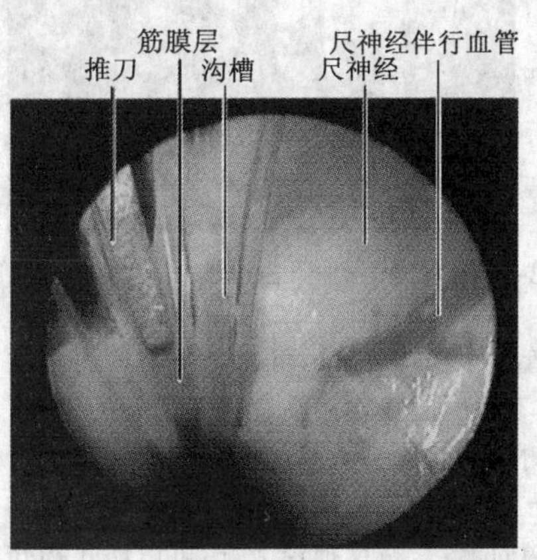

图 33-34 手术器械与尺神经伴行血管之间关系

2) 肱骨内上髁近端的操作　直视下在尺神经沟内显露尺神经,沿内侧肌间隔与尺神经之间的皮下脂肪组织间制造约 10 cm 的隧道,然后沿隧道插入外套管和内镜(图 33-35、33-36),向近端可观察到内侧肌间隔和 Struthers 弓,如该弓对尺神经没有卡压,可不予切断。反之,可在内镜下切断内侧肌间隔 3～5 cm,切断 Struthers 弓。

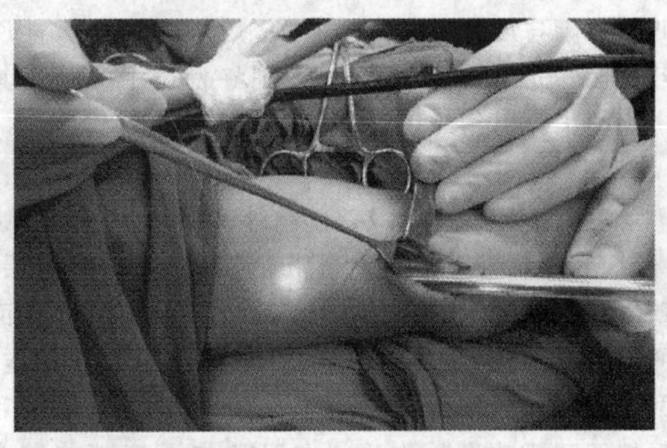

图 33-35 尺神经近端游离

(6) 术后处理

术后不需外固定,于伸肘位用弹力绷带加压包扎。术后第 2 天患者即可开始活动肘关节。

肘管综合征内镜诊治的优点:本术式的切口是

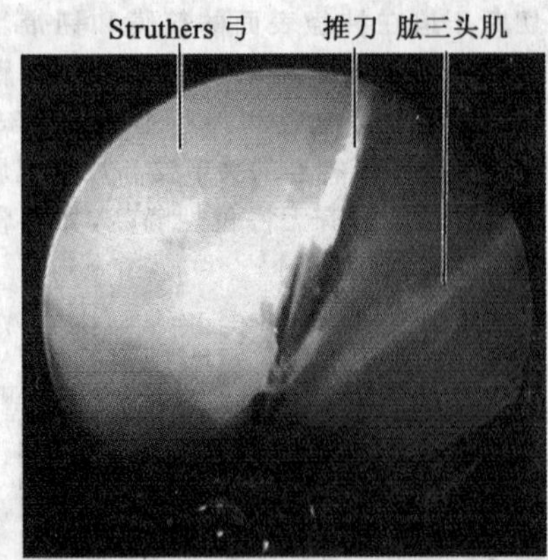

图 33-36 内镜下切断 Struthers 弓和内侧肌间隔

沿肘管 3 cm 的直切口，可以避开前臂内侧皮神经的走行，不易引起损伤。在直视下切开肘管，可充分显露尺侧腕屈肌二头之间的筋膜。尺神经伴行血管在其后方，肌支从尺神经侧方发出；腕关节镜的外套管的沟槽向上，紧贴尺神经上方，可以防止损伤尺神经的伴行分支和血管，并具有伤口小，创伤轻，术后不需外固定，能早日恢复日常生活和工作，操作方便的特点。

33.5.4 内镜下诊治狭窄性腱鞘炎

(1) 概述

狭窄性腱鞘炎是指屈肌腱狭窄性腱鞘炎，又称扳机指(trigger finger)或弹响指。可发生于不同年龄，多见于中年妇女及手工劳动者，亦可见于婴幼儿。前者与反复机械刺激有关，后者多属先天性所致。婴幼儿以拇指多见，成人则好发于中、环指，其次为拇指。患结缔组织疾病者可有多个手指发病。

(2) 解剖结构

腱鞘由深筋膜构成，分内、外两层。外层为纤维性腱鞘，内层为滑液鞘。滑液鞘又分为脏、壁两层，壁层衬于纤维性腱鞘的内面，反折覆盖于肌腱表面的即脏层，又称腱外膜。脏、壁两层经腱系膜相连，并于两端形成盲囊，其间含有少量滑液，起着润滑和保持肌腱活动度的作用。在肌腱与滑液鞘前壁之间，由于肌肉张力的经常作用，肌腱贴于鞘的前壁，鞘腔狭窄呈裂隙状。在指滑液鞘远侧相当于中节指骨平面，鞘腔在肌腱的两侧尤为明显，称为鞘侧窦。腱鞘炎时，渗出液主要积聚此鞘侧窦中。指滑液鞘的近侧，相当于掌骨头平面，鞘韧带的近侧构成长0.5～1.0 cm 的双层隐窝。腱鞘炎时，此隐窝显著扩张，渗出液在此积聚。手指屈肌腱鞘与指骨共同形成骨纤维性鞘管，其起自远节指骨底至掌骨头。指鞘韧带位于掌骨头处，宽 4～6 mm，厚约 1 mm，边缘明显，与指骨的掌面构成骨纤维性隧道。鞘管的伸缩性较小，仅能容纳深浅肌腱，在拇指仅有拇长屈肌腱通过，其余手指则有指深浅屈肌腱通过。中、环、小指的骨纤维性鞘管的近端位于远侧掌横纹，示指的则位于掌中横纹水平。

(3) 病因与发病机制

成人指屈肌腱狭窄性腱鞘炎的确切病因虽尚不明确，但可能是在体质因素及局部退行性改变的基础上，由于手指过度屈、伸活动带来反复机械性刺激所致。病变发生在掌骨头相对应的指屈肌腱纤维鞘管的起始处，拇指则发生在掌指关节部位籽骨与韧带所形成的环状鞘管处。

纤维鞘管起始处由较厚的环形纤维性腱鞘与掌骨头构成相对狭窄的纤维性骨管，指屈肌腱通过此处时收到机械性刺激而使摩擦力加大，加之该部位掌骨头隆起，手掌握物时，腱鞘受到硬物与掌骨头两方面的挤压损伤，逐渐形成环形狭窄。

指屈肌腱失去原有光泽，变成暗黄色，成梭形或葫芦形膨大。发病早期，手指屈、伸时，膨大的屈肌腱勉强滑过鞘管的狭窄环即可产生扣扳机样动作及弹响。严重时手指不能主动屈曲或交锁屈曲，不能伸直。

值得一提的是，“扳机”现象并不是狭窄性腱鞘炎所特有，类风湿疾病、鞘管起始处的囊肿或其他肿瘤均可发生这一现象。此外，在部分妊娠、分娩妇女中也可出现扳机指，推测可能与体内激素水平的变化有关。

(4) 病理

早期可见腱鞘充血、水肿与渗出。反复创伤或迁延日久后，腱鞘发生变性，慢性纤维结缔组织增生、肥厚、粘连，甚至有软骨样变，腱鞘的厚度可由正常的 1 mm 以内增厚到 2～3 mm。由于腱鞘增厚，致使腱鞘狭窄，并呈束带样压迫肌腱，造成肌腱水肿、变性、变形，出现两端变粗的葫芦形膨大，或受损部位组织增生变粗，形成中间膨大、两端较细的纺锤形。当肌腱通过狭窄的腱鞘管时，可发出弹响或交锁。腱鞘与肌腱间亦可发生不同程度的粘连。手指屈肌腱鞘狭窄性腱鞘炎的病变多限于浅肌腱，同时累及深肌腱者较少。

(5) 临床表现

婴幼儿先天性指屈肌腱狭窄性腱鞘炎绝大多数发生在拇指，女性患儿略多。详细的发病机制虽不清楚，但推测由于胎儿在母体内时，拇指持续处于过度屈曲位，使得掌指关节掌侧纤维鞘管入口处形成狭窄压迫，近端屈肌腱肿大，肌腱难以通过鞘管。患儿拇指指间关节屈曲，如被动强迫伸直指间关节，会出现“扳机”弹响，以及小儿哭闹。一般在生后几个月到几年时母亲才注意到，或因其他疾病到医院就诊时被医师发现。

成人指屈肌腱狭窄性腱鞘炎起病多较缓慢。早期在手掌掌指关节处有局限性酸痛，晨起或工作劳累后加重，活动稍受限。当病情逐渐发展，疼痛可向腕部及手指远端放射。但疼痛往往并不是患者的主诉，手指伸、屈活动受限且伴有弹响，或手指交锁往往是最常见的就诊原因。检查时，局限性压痛明显，局部隆起，掌指关节平面可触及皮下结节性肿物，手指屈、伸时可感到结节性肿物滑动及弹跳感，有时有弹响。

(6) 治疗

1) 保守治疗　对于早期或症状较轻的成人患者，可先行保守治疗，鞘管内注射激素做封闭治疗，一般症状可以缓解。对婴幼儿先天性指屈肌腱狭窄性腱鞘炎，Campbell 主张进一步观察。因为许多小儿在 6 个月以内可自愈，几乎所有患儿在两年内都能自愈。1978 年道振等报道了一组随访结果，78%的患儿 3～4 年内获得自愈；不能自愈者 5 岁前可不作手术治疗，但 10 年以后出现拇指指间关节伸展受限，则需行手术治疗。一般来说，确诊为先天性指屈肌腱狭窄性腱鞘炎后，可先行鞘内注射类固醇激素，指骨间关节伸直位支具固定。经这些保守疗法后其症状大多可缓解至消失。

2) 手术治疗　当保守疗法无效时，可手术治疗。手术治疗有传统的开放性狭窄性腱鞘炎切开松解术和内镜下狭窄性腱鞘炎切开松解术。在此主要介绍内镜下手术。开放性手术通常需要在掌部做一个 2.0～2.5 cm 的切口，从这个切口切断 A1 滑车以及增生的滑液鞘。虽然这种方法安全可靠，但是术后的瘢痕痛以及切口的延迟愈合却屡有报道。而且经统计，糖尿病患者中并发弹响指、弹响拇的更为多见，往往多指发病。在这种情况下，术后切口延迟愈合、感染、瘢痕增生就更加普遍。基于这些原因，内镜下狭窄性腱鞘炎切开松解术则更为必要，其具有创伤小，恢复快，不影响患者的日常生活，尤其适合于糖尿病患者和多指发病的患者。内镜下狭窄性腱鞘炎切开松解术的手术方法如下(图 33-37)。

图 33-37　手术器械

(i) 2～5 指的手术方法

切口定位：术前应通过触诊来确定屈肌腱的走行以及 A1 滑车的位置。在肌腱的行径路线上做两个长 2.5 mm 的横行切口。近端切口在 A1 滑车以近 1 cm，远端切口在 A1 滑车以远 1 cm(图 33-38)。由于在掌部近侧屈肌腱开始聚集，所以近侧切口的设计尤其要精确。远侧切口则定位于掌指纹处。另外，对于强直的手指，近侧切口应该设计位于 A1 滑车的近端 2～3 cm 处，这样可以更好地松解 A1 以近的滑膜。

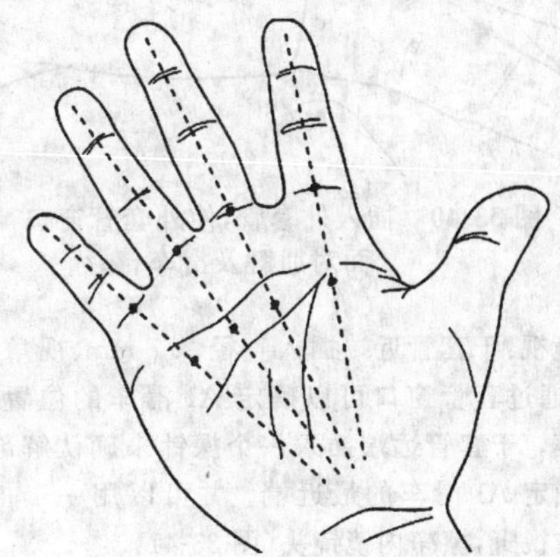

图 33-38　切口示意图

体位和皮下组织的松解(图 33-39)：保持手指 MP 关节伸直位，按上述设计切口逐层进入。应用特制的剥离器分离屈肌腱和皮下组织。

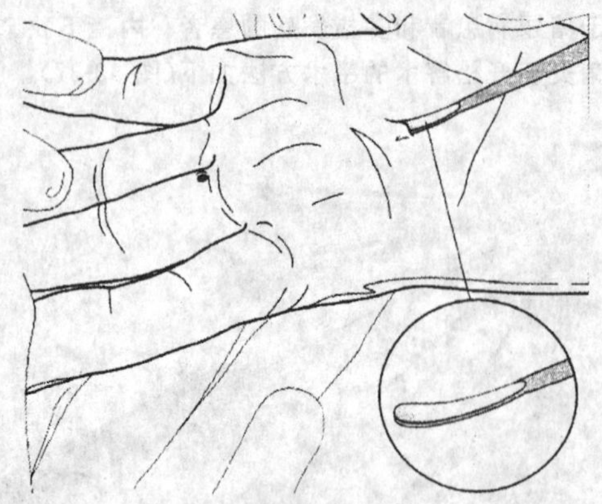

图 33-39　插入剥离器剥离肌腱和皮下组织

置入套管(图 33-40):带窗口的套管装置插入近端切口,在皮下沿肌腱前进直到远端切口,此时可拿掉闭塞器。调整套管的位置,使套管的窗口面对肌腱以及 A1 滑车。

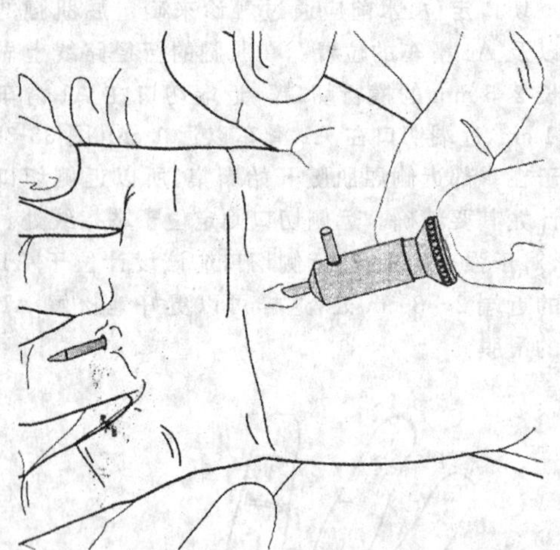

图 33-40　插入外套管,使外套管窗口面对肌腱及滑车

镜视:于套管近端插入直径 2.7 mm、视角 30°的内镜,通过套管窗口可以确定 A1 滑车的位置、增生的滑膜。于套管远端插入一个探针来确认解剖结构以及确定 A1 滑车的最近端。并可以用一个棉电极来清洁视野,擦净内镜镜头(图 33-41)。

松解:在套管的近端插入钩刀,钩住 A1 滑车的最近端,并在镜视下彻底切开 A1 滑车全长(图 33-42)。A1 彻底切开后,如果滑膜增生明显,可以用三角刀清除滑膜。完全切开后,可以在镜视下看到肌腱(图 33-43)。

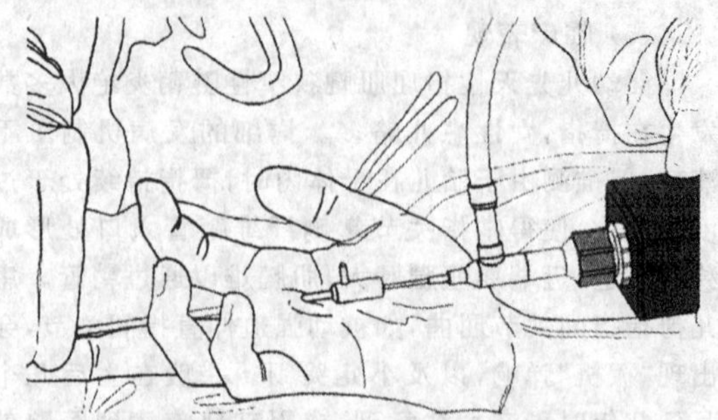

图 33-41　插入内镜进行观察

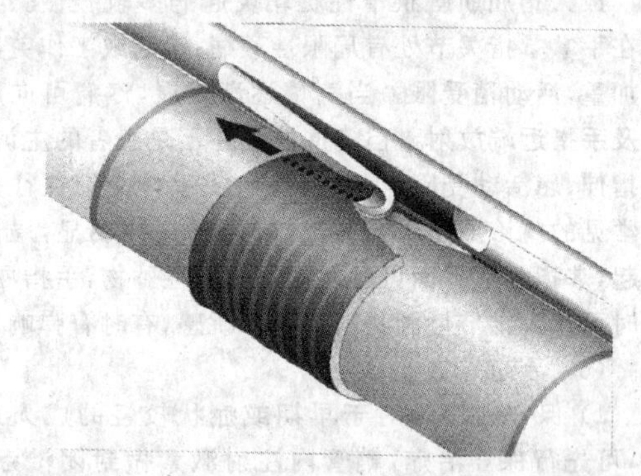

图 33-42　镜视下以钩刀彻底切开 A1 滑车全长

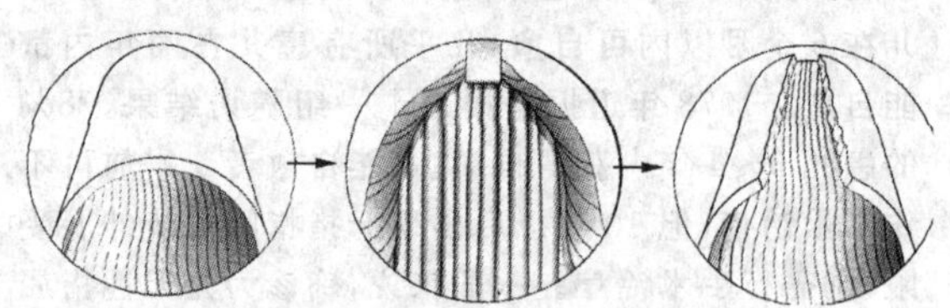

图 33-43　镜视下以钩刀彻底切开 A1 滑车全长的过程

术后确认:由术者被动屈伸患者手指,如果在镜视下看到肌腱滑动顺畅,则松解彻底。移开内镜,重新插入闭塞器,拔出套管装置。患者此时可主动伸屈手指确定松解是否彻底。

(ii) 拇指的手术方法

切口定位:切口定位与前述 2～5 指稍有不同。远端切口应位于指间关节(IP 关节)与掌指关节(MP 关节)的中点;由于在大鱼际部很难触摸到拇长屈肌腱,所以近端切口的定位尤其需要谨慎,位于掌指关节以近 1 cm 处。需要将拇指处于完全外展位(图 33-44)。其他同 2～5 指的手术方法。

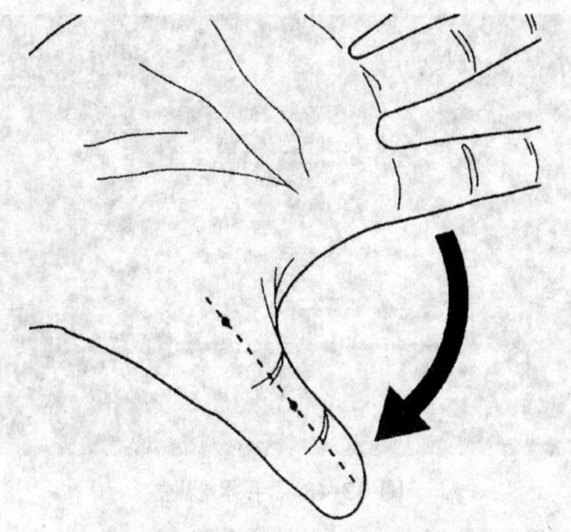

图 33-44　拇指手术切口的设计

松解：由于解剖原因，拇指的手术容易损伤指神经，为了避免并发症的产生，在手术过程中应将拇指保持在完全外展位（图 33-45）。

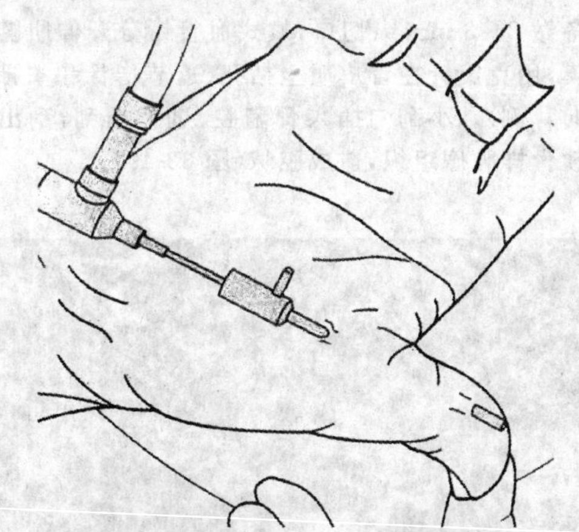

图 33-45　术中拇指保持完全外展位

在拇指手术中，套管窗口和拇长屈肌腱之间容易产生一个间隙，助手应该将套管向下按压，使其贴紧肌腱，间隙消失（图 33-46）。

（7）术后注意事项

不需要缝针，只需要加压包扎即可。5～7 天可以去除包扎，恢复日常生活。

33.5.5　内镜下诊治手部内生软骨瘤

（1）概述

软骨瘤是成熟透明软骨的良性肿瘤，常位于骨的中央，称为内生软骨瘤。好发年龄 11～40 岁。好

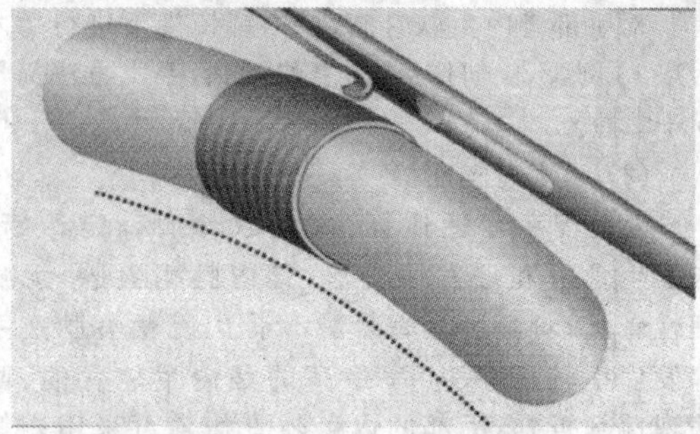

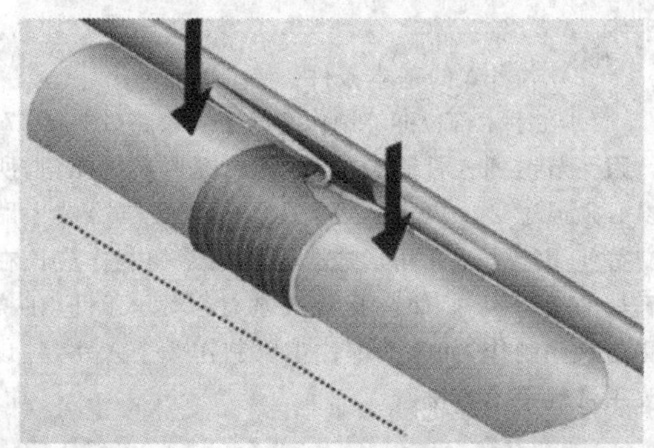

图 33-46　手术时钩刀与腱鞘容易产生间隙，用力按压套管时可以使间隙消失

发部位手、足的短管状骨。内生软骨瘤是手部最常见的骨肿瘤。很少发生于四肢长管状骨。手部或身体其他部位的内生软骨瘤的传统手术方法是单纯刮除术、病灶刮除加自体骨移植、病灶清除加人工骨移植或病段骨切除加植骨，其中以病灶刮除加自体骨移植最为常用。但传统治疗方法往往复发率较高，究其原因可归纳为：①肿瘤刮除不彻底，残腔内特别是侧壁死角有大量瘤细胞存留；②过早地拆除外固定使植骨不易融合或已融合的部分再吸收；③植骨填塞不充分。由于自体骨移植需要损伤健康的供区组织和增加新的创伤痛苦，为此有人提出利用人工骨代替自体骨的报道，但是人工骨缺乏骨诱导能力。1989 年日本的矢作报道关于小儿病例无需骨移植，1990 年 Wulle、Tordai 和 1991 年 Hasselgren 等报道成年患者单纯病灶搔刮无需骨移植亦能取得良好的疗效。1992 年奥津、Cohen，1995 年 Stricker 报道了良性骨肿瘤内镜手术治疗。日本名古屋大学从 1992 年利用内镜对手指良性骨肿瘤进行单纯病灶搔刮而不进行骨移植，术后不但得到了良好的新生骨形成，而且患肢功能恢复迅速，能早期恢复日常生活，取得了非常满意的疗效；笔者从 2000 年 6 月至 2005 年

8月，对手部骨内生软骨瘤，在内镜镜视下进行手术治疗18例，不仅创伤小，恢复快，而且手术方法简单易于掌握。

(2) 手术适应证

内镜下手术适应证：内生软骨瘤确定诊断，未发生骨折和继发性变形；骨内腱鞘囊肿，无病理性骨折；骨囊肿。骨囊肿和骨内腱鞘囊肿在手部发生率较低，发生率最高的是内生软骨瘤；除病理性骨折外，手部的内生软骨瘤均可采用内镜手术。

(3) 本术式的基本条件：

1) 在手术部位能够制作2处手术入路(图33-47)

因关节镜插入骨髓腔部后，其周围可形成死角，所以必须通过2个以上入路，关节镜与操作器械入路交替使用能防止死角形成。手术入路的制作应该在病灶的相对两侧，如在指骨或掌骨手术入路应在桡侧与尺侧制作，如病变部位难以制作2个入路，应该改用常规手术方法。

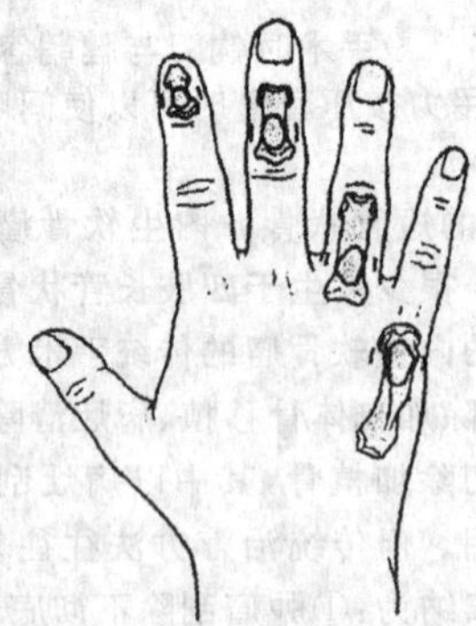

图 33-47 内生软骨瘤不同部位入路示意图

2) 能够制作内镜下手术空间　为了能够在内镜下手术，必须在骨内制造腔隙，便于内镜和手术器械操作，如病变部位小，难以制作必要的腔隙的病例也不是本术式的适应证。

3) 治疗上不需要骨移植的病例　因内镜与操作器械是通过直径3 mm的骨孔进入，细小的手术入路难以进行骨移植手术，如病变发生在关节面，病灶清除后需要骨移植，填充的病例应改为常规手术。

(4) 手术器械

直径2.7 mm，30°斜视内镜；电动刨削器(直径2.5 mm)及刨削磨头；耳鼻喉科用小刮勺；镜视下用钳子(图33-48)。

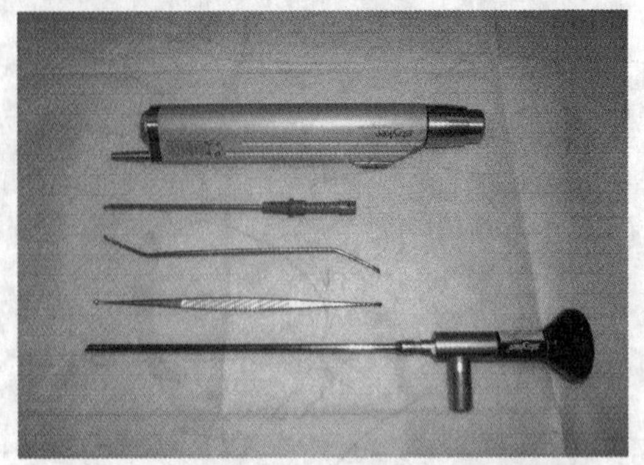

图 33-48 手术器械

(5) 麻醉，体位

患者仰卧位患肢外展，采用臂丛神经阻滞麻醉，使用气囊止血带。

(6) 手术方法

1) 入口的制作在病变部位的桡侧和尺侧偏背侧各做2～3 mm纵切口，蚊式血管钳分开伸肌腱达骨膜，用克氏针在骨皮质上钻孔(近节指骨和掌骨可偏向背侧)。小刮勺插入骨髓腔，进行搔刮，刮出透明软骨样肿瘤组织，造成腔隙(图33-49)。

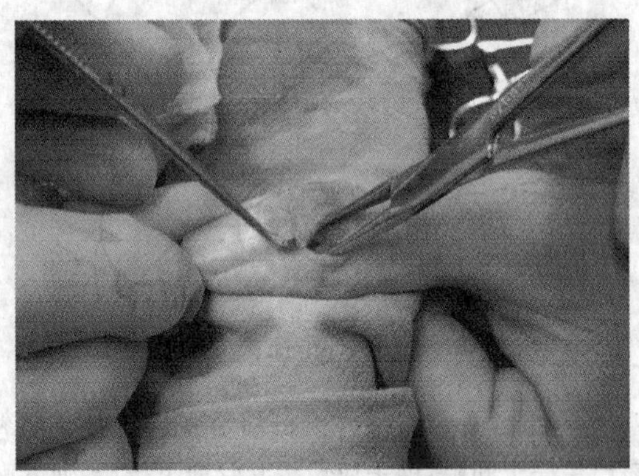

图 33-49 用刮勺搔刮出肿瘤组织制作腔隙

2) 生理盐水灌洗　在背侧制作小孔，18号针头插入，搔刮后，破碎小组织被冲出。

3) 骨内镜视内镜插入骨髓腔，能清楚地观察到白色的肿瘤组织和正常的骨髓组织。

4) 镜视下使用小刮勺和电动刨削器刮除病灶，内镜和操作器械入路交替使用，以预防镜周死角肿瘤组织残留(图33-50)；彻底刮除后，骨髓腔内盐水充分冲洗。

图 33-50 内镜下刮除肿瘤组织

5) 缝合 皮肤切口一针缝合术后，弹力绷带包扎 1～3 天。

(7) 术后处理

术后 1 周拆线。术后 2～3 周，手指伸屈功能锻炼，1 个月后恢复日常生活和工作。

(8) 手术随访结果

平均手术时间约 1 h。X 线随访的病例中，平均 3 个月即可见少量新生骨形成，6 个月可见大量新生骨形成，1 年左右可见到瘤腔已完全被新生骨所充填。所有病例均恢复正常的生活、原有工作，均未见骨折发生及肿瘤复发(图 33-51)。

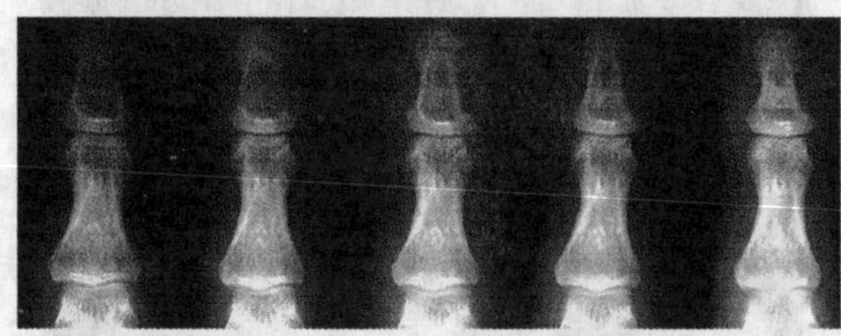

图 33-51 随访 X 线片

(9) 内镜下手术与常规手术比较的优缺点

1) 优点 ①使用内镜能将图像扩大，残存的肿瘤组织能被充分观察到，能彻底挖除，预防复发；②对菲薄的骨皮质能够最小限度地开窗，预防骨折；③手术创伤小；④术后能早期锻炼，早日恢复手指的活动，早期恢复工作；⑤不需要骨移植，减少了供区的创伤和痛苦；⑥住院时间短。

2) 缺点 ①需要特别的器械；②手术时间长，平均 90 min；③医师需要经过特殊的训练。

33.5.6 胸腔镜下膈神经移位术

(1) 概述

胸腔镜下膈神经移位治疗臂丛损伤是一种全新的术式，其手术操作涵盖了传统的手外科臂丛手术和新兴的胸腔镜外科领域。目前主要选择肌皮神经作为受区神经，亦有选择其他神经作为受区神经者，如游离股薄肌肌支、尺神经等，都取得了较好的手术效果。

(2) 术前准备

1) 膈神经功能判定 术前膈神经的功能判定依据 3 项检查结果：①电生理学检测；②肺功能测定；③胸部 X 线平片及透视。上述 3 项检测都正常者，被认为膈神经功能正常，可以进行膈神经移位手术。

2) 胸肺及全身状况判定 胸肺状况判定依据患者既往史和肺功能测定及胸部 X 线平片。既往有胸部严重损伤史、肋骨骨折、肺炎、肺结核史及肺功能低下、胸片显示有严重胸膜粘连者不适合进行胸腔镜手术。所有病例术前常规进行心电图、肝肾功能及出凝血功能检查，有异常者不适合进行胸腔镜手术。

(3) 麻醉

1) 术前麻醉准备 对行胸腔镜手术的患者做全面的术前估计。术前估计的重点在呼吸系统和循环系统上。有上述异常者不适合胸腔镜手术。胸腔镜手术的患者术后易发生肺部并发症。术前准备的具体内容应包括通过戒烟，支气管扩张剂、抗生素治疗使分泌物减少。指导患者进行有效的呼吸和用力咳嗽的方法，并在精神上给予安慰以减轻患者的紧张和焦虑。

2) 术中监测 血压、心电图、脉搏、氧饱和度为常规监测手段。呼气末二氧化碳分压对了解肺泡通气量具有一定的帮助。静脉通道按开胸手术准备。

3) 麻醉选择 全身麻醉，插入左双腔支气管导管。以听诊方法确定导管的正确位置，必要时使用纤维支气管镜。在置入胸腔镜套管前行单肺通气并使肺萎陷，以防意外的肺损伤。

单肺通气遵循原则：①吸入 100% 氧；②总通气量 8～10 ml/kg；③调整 F 使 $PaCO_2 < 40$ mm Hg；④检测血气及血氧饱和度。

低氧血症时遵循原则：①吹张上肺 4～5 次；②上侧肺加用 CPAP；③下侧肺加用 PEEP；④上侧肺 CPAP、下肺 PEEP 同时采用。以上方法如无法纠正已出现的低氧血症则暂停单肺通气。

手术结束后缓慢将肺吹张，注意不要出现局部肺不张。绝大多数患者在手术结束后即可清醒，可以拔管。

4）麻醉后处理　手术后肺不张的预防是术后处理的关键。其措施包括手术结束拔管前吸除支气管内分泌物，将双肺吹张；术后鼓励早期活动、深吸气和咳嗽、吸入支气管扩张剂和充分的止痛。

（4）手术方法

患者仰卧，插双腔管，全身麻醉。首先做臂丛锁骨上、下探查切口，暴露臂丛及膈神经，明确臂丛损伤性质，术中直接电刺激膈肌，收缩良好，然后进入单肺通气，阻断患侧肺通气，并使之萎陷。手术进入胸腔镜操作阶段。

于腋前线第 5 肋间做 1 cm 小切口，用血管钳小心穿透胸膜。手感上有一穿透感及落空感。置入柔性穿刺器后插入 0°、10 mm 胸腔镜（Styrker 公司产品）。如肺萎陷良好，可以清晰地看到走行于纵隔侧方的膈神经及其伴行的心包膈血管。于第 2 肋间胸骨旁线外侧 2 cm 处做小切口，镜视下插入胸腔镜专用无创分离钳。首先用无创分离钳在覆盖膈神经表面的胸膜薄弱处寻找一突破口，通常选择在心包、膈肌夹角处，将膈神经挑起。在尸体操作时，我们发现心包膈血管与膈神经的伴行关系变异较大，有时心包膈血管离膈神经距离较远，这一现象在右侧手术时尤显突出。所以操作时视情况可同时将心包膈血管挑起或单挑起膈神经，然后在第 2 肋间锁骨中线处作 1 cm 小切口，镜视下插入另一无创分离钳。用两把器械配合，锐性结合钝性分离打开覆盖膈神经的胸膜，无创地游离膈神经，带或不带其伴行血管，直至上腔静脉上段（右侧）、主动脉弓上段（左侧），注意勿损伤周围组织及其伴行血管。于膈神经近入肌点上端用钛夹 2 枚，在钛夹之间剪断膈神经。于锁骨下臂丛暴露切口内第 2 肋间将膈神经引出（带血管者）；于锁骨上切口内游离膈神经直至胸腔内膈神经已游离部分，将膈神经从锁骨上引出（不带血管者）。胸腔镜直视下创面用电凝或钛夹止血。吸引器吸去胸腔内的积血。改双肺通气，吹肺，于第 5 肋间切口内放胸腔闭式引流管，关闭胸壁的小切口。将膈神经引至肌皮神经，行神经端-端缝合。其他神经移位按常规的多组神经移位操作。

（5）术后注意事项

术后患者置于重症监护室 24 h，对生命体征及血氧饱和度进行监护。术后 24 h 内每 3 h 听诊检查双肺呼吸音。引流瓶护理按胸外科常规，每日计算胸腔引流量。鼓励患者深吸气、咳嗽及早期下床行走。如一般情况良好，胸腔引流量 < 100 ml/d，水封瓶波动弱，术后 24～48 h 可行胸部 X 线检查；如患侧肺扩张良好，即可拔去胸腔引流管（图 33-52～33-54）。

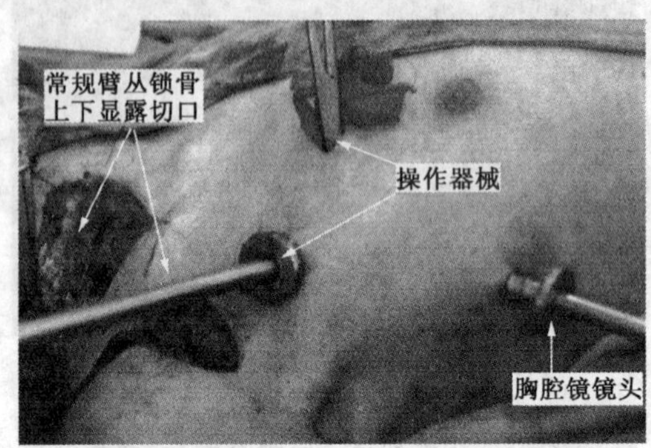

图 33-52　电视胸腔镜手术的入路安排

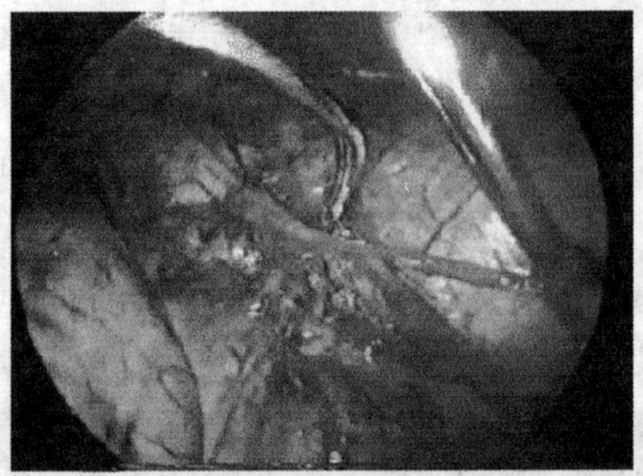

A

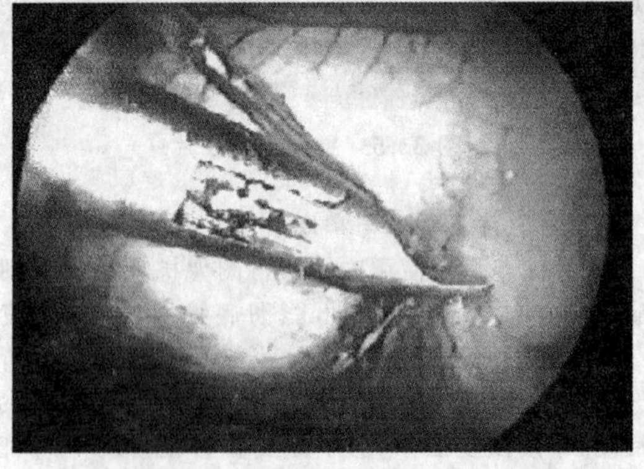

B

图 33-53　分离膈神经及与膈肌入肌点处钛夹切断

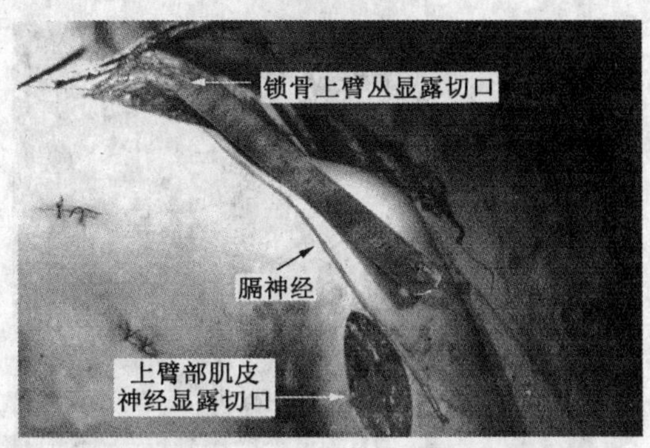

图 33-54　锁骨上全长膈神经位移

(6) 胸腔镜下膈神经移位手术要点

1) 术前应详细了解患者病史，仔细阅读胸片以排除胸膜粘连。因为胸肺部有粘连将大大增加手术的难度并可能造成严重的并发症。

2) 熟练掌握膈神经及其周围组织的解剖是顺利开展该手术的关键。膈神经在前斜角肌浅面下行经锁骨下动静脉间进入胸腔。其毗邻的重要结构，右侧：右胸廓内动脉、右无名静脉、上腔静脉、右侧肺根、右侧纤维心包；左侧：左颈总动脉、左胸廓内动脉、左迷走神经、主动脉弓、左侧肺根、左侧纤维心包。同时双侧膈神经皆有心包膈血管伴行。这其中，胸廓内动脉、上腔静脉、心包膈血管是在手术时应特别注意的结构。由于膈神经和这些结构的毗邻解剖常有变异，且胸腔镜下所见为二维图像，对于组织结构间的关系判断有一定误差，因此在膈神经解剖至这些结构周围时应特别小心，否则将发生严重的并发症。大出血是这一手术最严重的并发症。

3) 对上纵隔段膈神经的分离时，用双极电凝剪刀剪开纵隔胸膜较好。因为该段的纵隔胸膜较厚，且血运丰富，钝性分离易造成出血，而出血后用电凝止血反而易损伤邻近的大血管。这在右侧手术时尤为重要，因为该区域纵隔胸膜紧贴于上腔静脉，不恰当的分离和止血容易造成上腔静脉损伤，导致致命的大出血。

4) 手术结束前应对纵隔胸膜创面严密止血。因为手术中全长分离膈神经造成的纵隔胸膜创面较大，而且胸腔内是负压，特殊的生理特性使血液不易凝固，局部的渗血往往造成胸腔内出血不止，使术后处理相当棘手。因此，手术结束前用双极电凝进行严密止血非常重要，对凝血功能处于正常值下限的患者尤为关键。

5) 在胸腔镜手术结束吹张双肺时，应用胸腔镜直视观察手术侧的肺扩张情况，确保肺扩张良好。

6) 对于虽术中止血良好，但可能仍存在小出血点的病例术后应给以止血药。

33.5.7　内镜下切取腓肠神经

(1) 概述

对于周围神经缺损进行神经移植桥接修复是主要的方法，根据目前的研究表明，自体神经仍是效果最为确切的移植修复材料；临床上腓肠神经是经常应用的移植神经供体；但常规开放性手术切取腓肠神经，创伤大，恢复慢，切口外露，瘢痕影响美观。有人曾应用肌腱剥离器，通过小切口盲取腓肠神经，但因为是盲目操作，多数造成了神经的损伤甚至拉断。自 1995 年 Kobayashi 首次报道内镜下切取腓肠神经以来，先后有不同的学者，采用不同的器械应用内镜切取腓肠神经。

笔者通过对腓肠神经的解剖学研究后，从 2000 年 6 月开始在内镜下切取小腿部腓肠神经作为移植神经，修复周围神经大段缺损，取得满意的效果，减少常规下大切口的创伤、痛苦以及瘢痕对外观的影响。

(2) 腓肠神经解剖学研究

腓肠神经位于小腿下 1/3 段，多数由腓肠内侧皮神经与腓肠外侧皮神经的腓神经交通支合成。主干穿过深筋膜浅出至皮下，分布于小腿下部后外侧的皮肤，向下行经外踝后方至足部，成为足背外侧皮神经。小腿部腓肠神经位于皮下组织，与小隐静脉毗邻，周围无重要组织结构，操作比较安全。腓肠神经在外踝处位置恒定，容易解剖和游离。在向近端游离过程中可根据腓肠神经的变异情况，单独取腓肠内侧皮神经或同时切取腓肠内、外侧皮神经(图 33-55)。

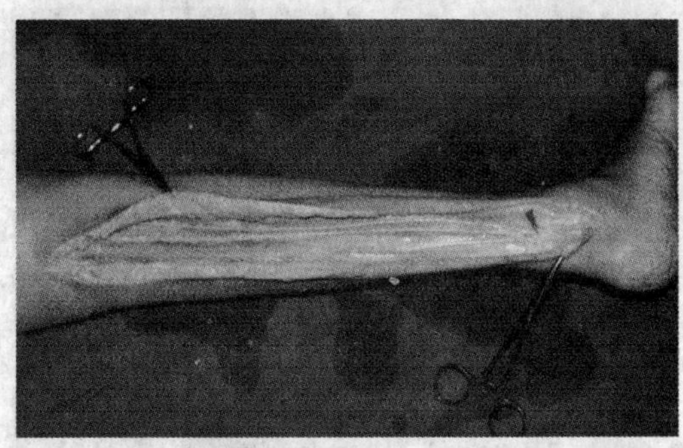

图 33-55　尸体解剖腓肠内、外侧皮神经在外踝处合干

(3) 手术适应证

周围神经大段缺损需要做神经移植手术的患者。

(4) 手术器械

手术使用透明闭锁性有刻度的外套管,内径4 mm,外径6 mm(Zimmer公司);30°斜视关节镜,直径4 mm(Stryker公司);扩张导管(Zimmer公司);钩刀(Beaver公司);推刀(Zimmer公司);MINOP微型剥离钳(德国蛇牌);MINOP微型剪(上、下颚部钝头,德国蛇牌);镜视下电凝(Smith and Nephew Limited)。

(5) 麻醉,体位

患者全身麻醉,取侧卧位,下肢屈曲并内旋,神经供腿在上,使小腿后外侧便于操作。

(6) 手术方法

沿腓肠神经行径,在外踝后方1.5 cm处做2 cm长的直切口,找到位于小隐静脉前外侧的腓肠神经,直视下游离腓肠神经后,用橡皮片牵引,使其有一定张力。用扩张导管沿腓肠神经向近端插入软组织,分离神经周围软组织使神经周围成一腔隙(图33-56),然后插入透明闭锁外套管以及内镜。在内镜镜视下,向近端观察腓肠神经,如遇小血管则在镜视下电凝后切断。用扩张导管和透明闭锁性外套管交替插入,沿腓肠神经向近端推进并游离腓肠神经,注意腓肠神经内、外侧皮神经合成腓肠神经的部分。在小腿中上部约为腓肠肌肌腹、肌腱交界处,将腓肠神经或腓肠内、外侧皮神经定位后,在其行径近端再作2 cm的直切口。在切口内找到腓肠神经或腓肠内、外侧皮神经后,同方法游离直至所需长度或游离至腘窝水平,切断腓肠神经。切断后在外踝切口内将游离的腓肠神经抽出(图33-57)。在放大10倍的手术显微镜下观察切取的腓肠神经全长未见有明显的损伤。确认神经无损伤后缝合供区切口。术后2天第1次更换敷料,术后10天拆线。

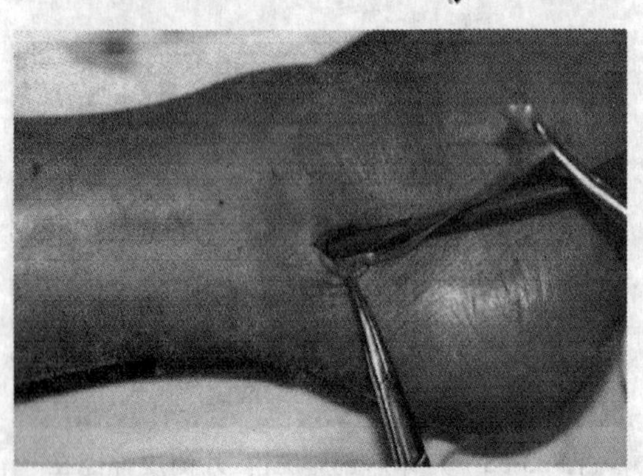

图 33-56 扩张导管制造腔隙

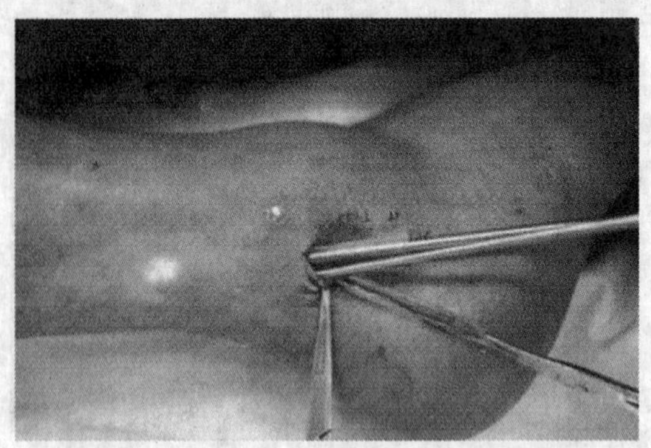

图 33-57 操作器械游离腓肠神经

(7) 操作注意事项

在外踝后侧切口分离出腓肠神经后,沿腓肠神经前侧先用扩张导管在皮下组织形成组织腔隙后,插入透明闭锁性外套管、内镜。在内镜指导下,沿腓肠神经向近端游离。此时要注意分离伴行的小隐静脉,以及腓肠神经是否存在变异。根据上肢神经缺损的长度,可单独取腓肠内侧皮神经或同时切取腓肠内、外侧皮神经。手术在驱血带下进行,以保持术野的清晰,遇横行的血管分支时可在内镜镜视下用电凝器切断。术毕先用厚敷料及弹力绷带包扎固定,然后再放松止血带。

内镜下切取腓肠神经的优点:常规手术切取腓肠神经的皮肤切口长度35~40 cm,而在内镜镜视下切取神经,只要作2~3个2 cm长的直切口,减少了创伤,伤口瘢痕小,愈合后外形美观。在内镜镜视下,发现腓肠神经存在解剖变异时还可根据临床需要长度,决定对其分支的选择。

33.5.8 健侧 C_7 移位内镜下全长尺神经移位术

(1) 概述

全臂丛神经根性撕脱伤患者的治疗,一直是困扰医学界的一个世界性难题。1986年顾玉东院士发明的健侧 C_7 神经根移位术,为全臂丛根性撕脱伤的治疗提供了新途径,在一定程度上改善了患者的肢体功能,提高了生活自理能力,是当今世界手外科领域具有深远影响的一大创举,对其临床应用以及各方面的基础研究正在世界各地不断兴起。对于全臂丛根性撕脱伤患者，由于损伤的位置高，尺神经支配的手内在肌的恢复已不可能，用患侧尺神经作为移植神经桥接健侧 C_7 神经根与患侧正中神经或桡神经吻合，已是临床上常规采用的手术方法。

但是，目前常规的健侧 C_7 神经根移位术中需直视下切取长段尺神经进行桥接，存在手术创伤大、术后瘢痕明显、手术时间长等缺点。随着高科技手段的面世，各种微创治疗正在越来越广泛地应用于传统上需要开放手术治疗的疾病，内镜手术因损伤小、恢复快、瘢痕少及操作简便等优点，受到患者的欢迎。

通过基础解剖学研究设计，笔者于 2000 年 3 月开始内镜下切取带尺侧上副动脉全长尺神经治疗臂丛神经根性撕脱伤，减少了常规手术大切口的创伤以及瘢痕对外观的影响。

(2) 尺神经的解剖

尺神经发自臂丛内侧束，在肱动脉内侧下行，至三角肌止点高度穿过内侧肌间隔至臂后侧，再下行至内上髁后方的尺神经沟。在此处，其位置表浅又贴近骨面，隔着皮肤可以触摸到。再向下穿过尺侧腕屈肌起端转至前臂掌面内侧，继而于尺侧腕屈肌和指深屈肌之间、尺动脉的内侧下行，在桡腕关节上方发出手背支，本干下行于豌豆骨的桡侧，经屈肌支持带的浅面分为深浅两支，经掌腱膜深方进入手掌。

自肱动脉始端(胸大肌下缘)搏动点至肱骨内上髁后方的连线为尺神经在臂部的体表投影；其在前臂的投影为由肱骨内上髁后方至豌豆骨外侧缘的连线。

(3) 手术适应证

健侧 C_7 一期手术的患者，取尺神经。

(4) 手术器械

手术使用透明闭锁性有刻度的外套管，内径 4 mm，外径 6 mm(Zimmer 公司)；30°斜视关节镜，直径 4 mm(Stryker 公司)；扩张导管(Dialator，Zimmer 公司)；钩刀(hook knife，Beaver 公司)；推刀(push knife，Zimmer 公司)；MINOP 微型剥离钳(德国蛇牌)；MINOP 微型剪(上、下颚部钝头，德国蛇牌)；镜视下电凝(Smith and Nephew Limited)。

(5) 麻醉，体位

患者取仰卧位，患肢外展，采用全身麻醉。

(6) 手术方法

切口设计如下：沿尺神经走行，分别取上臂部豌豆骨上方 5～7 cm 处 2 cm 直切口、肘部肱骨内上髁后缘并以内上髁为中心 2 cm 直切口、上臂部腋下 7～10 cm 处 3 cm 直切口(图 33-58)。

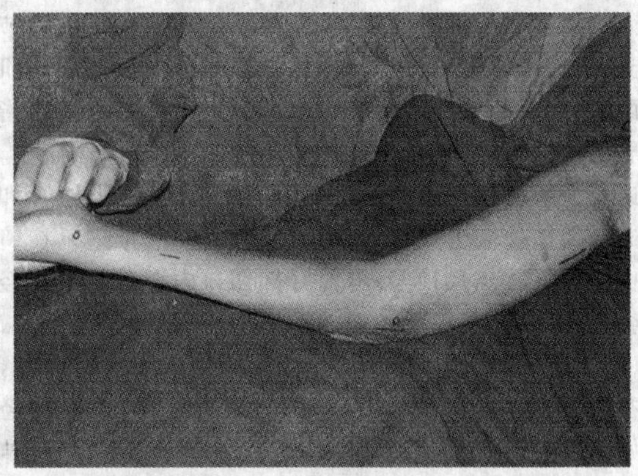

图 33-58 手术切口的设计

1) 分离前臂段尺神经　前臂部切口直视下找到尺神经，以及在此水平发出的尺神经手背支，尺神经手背支有无名血管伴行，直视下沿手背支分开尺侧屈腕肌与尺骨间隙，游离出该段神经，再在内镜指导下向远端游离并切取远段手背支 5～6 cm。在切口内分别向远近端方向，沿尺神经走行在尺神经掌侧插入扩张导管，形成沿尺神经的皮下隧道，再沿此隧道插入透明闭锁外套管和内镜，在镜视指导下，呈"滚动式"游离尺神经，即剥离尺神经时的方向顺序是尺掌侧→尺侧→背侧→桡侧，切断尺神经发出的掌皮支，并在内镜镜视下电凝切断沿途小血管(图 33-59)。

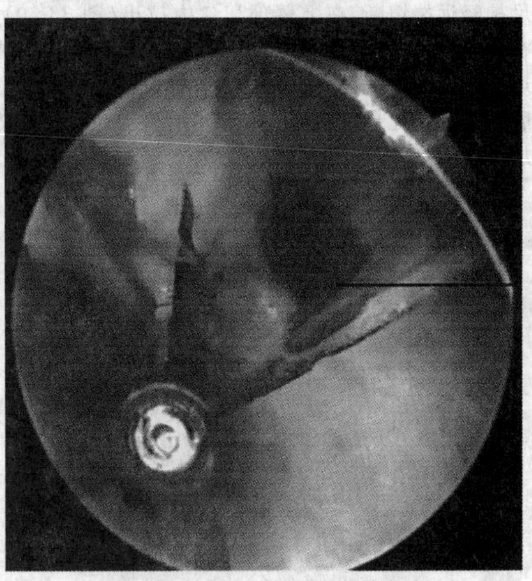

图 33-59 分离尺神经镜下像

肘部切口：直视游离出该段尺神经，切断关节支，用扩张导管沿尺神经向远端插入分离尺侧屈腕肌两头，然后插入透明闭锁外套管及内镜，在内镜的指导下，切断该水平发出的尺侧屈腕肌支、指深屈肌支，遇小血管时镜视下电凝止血再切断。用扩张导管和透明闭锁外套管交替插入，沿尺神经向前推进。在镜视指导下游离尺神经，与前臂部切口内游离的尺神经会合，完成前臂段尺神经的游离后，将尺神经拉出。

在前臂上 1/3 段尺动脉、尺静脉与尺神经远离，在中下 2/3 段尺动脉、尺静脉与尺神经伴行，但神经始终位于血管的尺侧，不相交叉，在内镜下剥离尺神经时，先从尺神经尺掌侧进入，呈尺掌侧→尺侧→背侧→桡侧的“滚动式”剥离，最后剥离桡侧(血管相邻侧)尺神经，一般在镜视下见到尺动脉在前臂部发出 3～5 支的横行分支，则镜下电凝后切断之。

2) 分离上臂部尺神经　肘部切口在肱骨内上髁上方 1～2 cm 处寻到尺侧上副动脉及伴行静脉，在其远端离开尺神经处游离小段，予以结扎。

上臂部切口内侧肌间沟内找到并游离出尺神经，注意保护与之伴行的尺侧上副动脉，确认尺侧上副动脉起点并加以保护。分别在肘部切口和上臂部切口内向近、远端沿尺神经内侧插入扩张导管，造成腔隙，再插入透明闭锁外套管和内镜。在内镜的指导下沿尺神经进行周围剥离，注意保护尺侧上副动脉及伴行静脉，如遇横行小血管则镜视下电凝切断；游离完后切断尺侧上副动脉的远端。全程游离后，尺神经远端切断，在上臂部切口内拉出(图 33-60)，在 10 倍手术显微镜下观察有无损伤，然后经皮下隧道送至健侧颈根部，完成健侧 C_7 神经根移位术。患肢伤口间断缝合关闭(图 33-61)，沿尺神经行径棉垫加压，弹性绷带包扎固定，术后第 5 天更换敷料。

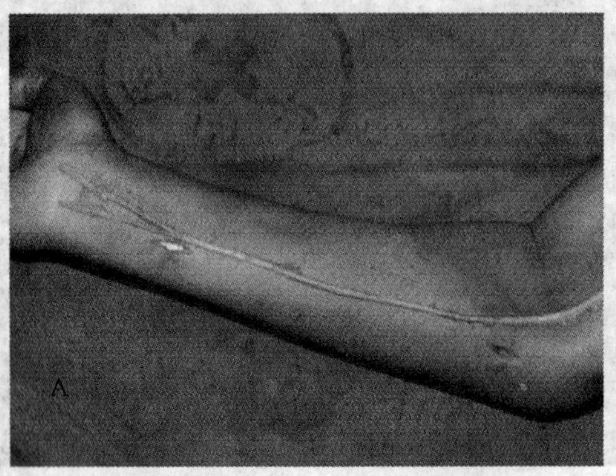

图 33-60　内镜下游离尺神经后从切口内拉出

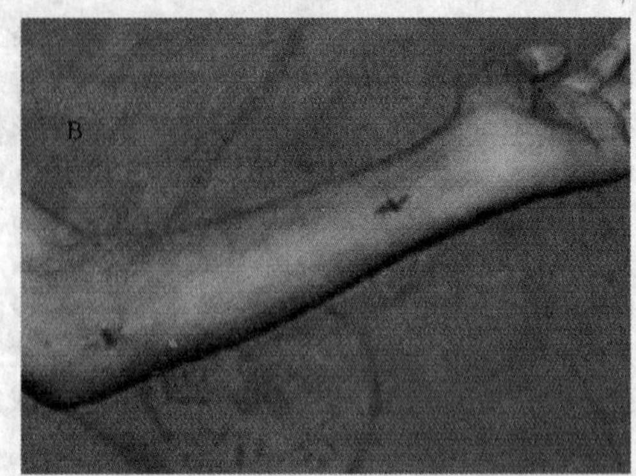

图 33-61　切口各 1 针缝合

(7) 操作注意事项

通过手术，笔者体会通过入路切口找到尺神经后，沿尺神经的尺掌侧先用扩张导管在皮下组织制作腔隙后插入透明闭锁外套管、内镜，从尺神经尺掌侧开始，沿尺神经呈内侧→背侧→外侧“滚动式”剥离神经，并且手术在驱血带下进行，保持术野的清晰，遇横行血管分支时先镜视下电凝再切断，是镜视下游离前臂段尺神经的可靠方法，可最大限度地避免损伤尺动脉及伴行静脉。

上臂部尺神经无分支，与尺侧上副动脉及静脉伴行并始终位于血管的内侧，因需带血管游离，所以先在肘部切口分出血管并结扎，暂不切断便于剥离时保持一定张力；上臂部切口内先找到尺侧上副动脉起点加以保护；游离尺神经前，内镜指导下切开内侧肌间隔以及深筋膜，在尺神经旁造成较宽松的腔隙，进行游离时注意保护血管以及血管和神经之间的联系。

内镜下切取尺神经的优点：与常规开放性手术切取尺神经相比较，内镜手术将常规手术切口总长度 40 cm 左右(图 33-62)缩短为 7 cm，缩小了切口，减少

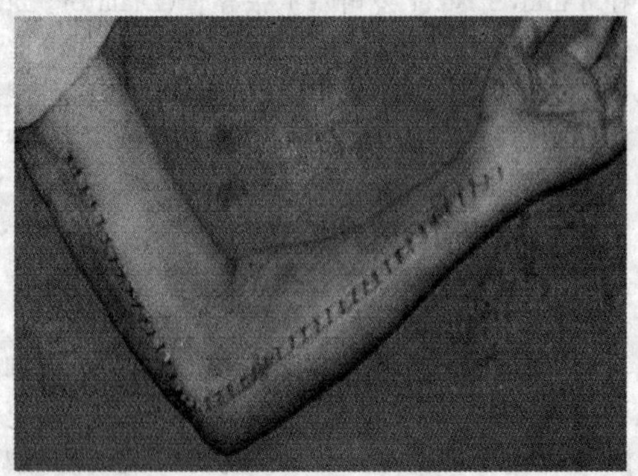

图 33-62　常规手术切口约 40 cm

了创伤，术后恢复快；将连续性大切口改作 3 个间断小切口，使伤口易于愈合，伤口瘢痕小，增加视觉美感。

（史其林）

参考文献

[1] 史其林，郑宪友，顾玉东，等. Chow 法内镜下治疗腕管综合征的临床经验. 中国微创外科杂志，2003，3：297～299.

[2] 孙贵新，史其林，顾玉东，等. Okutsu 法与 Chow 法内镜下治疗腕管综合征的手术方法与疗效分析. 中国内镜杂志，2004，10：28～31.

[3] 顾玉东，史其林，孙贵新. 内镜下松解腕管综合征的神经并发症. 中华手外科杂志，2003，19：151～152.

[4] 顾玉东. 正确掌握与评估内镜松解治疗腕管综合征. 中国微创外科杂志，2005，5：341.

[5] Ahmad CS，ElAttrache NS. Arthroscopic biceps tenodesis. Orthop Clin North Am，2003，34(4)：499～506.

[6] American Association of Electrodiagnostic Medicine. American academy of neurology，and American academy of physical medicine and rehabilitation. Practice parmeter for electrodiagnostic studies in carpal tunnel syndrome：summary statement. Muscle Nerve，2002，25：918～922.

[7] Baker CL Jr，Jones GL. Arthroscopy of the elbow. Am J Sports Med，1999，27(2)：251～264.

[8] Bland Jeremy DP. Carpal tunnel syndrome. Current Opinion Int Med，2005，4(6)：578～582.

[9] Byrd JW. Hip arthroscopy. The supine position. Clin Sports Med，2001，20(4)：703～731.

[10] Chang MH，Wei SJ，Chiang HL，et al. Comparison of motor conduction techniques in the diagnosis of carpal tunnel syndrome. Neurology，2005，58(11)：1603～1607.

[11] Chinzei M，Chinzei T，Yonezawa T，et al. Dorsal root identification using spinal endoscopy and electrophysiology. Masui，1999，48(1)：9～17.

[12] Dashfield AK，Taylor MB，Cleaver JS，et al. Comparison of caudal steroid epidural with targeted steroid placement during spinal endoscopy for chronic sciatica：a prospective，randomized，double-blind trial. Br J Anaesth，2005，94(4)：514～9.

[13] Dennison D，Weiss AP. Diagnostic imaging and arthroscopy for wrist pain. Hand Clin，1999，15(3)：415～421.

[14] Ferkel RD，Small HN，Gittins JE. Complications in foot and ankle arthroscopy. Clin Orthop Relat Res，2001，(391)：89～104.

[15] Fitzgibbons TC. Arthroscopic ankle debridement and fusion：indications，techniques，and results. Instr Course Lect，1999，48：243～248.

[16] Forrest DM，Malik VK. Practical points in spinal endoscopy. J Perianesth Nurs，2000，15(2)：115～119.

[17] Gartsman GM，Hasan SS. What's new in shoulder and elbow surgery. J Bone Joint Surg Am，2005，87(1)：226～240.

[18] Gobel F，Musgrave DS，Vardakas DG，et al. Minimal medial epicondylectomy and decompression for cubital tunnel syndrome. Clin Orthop，2001，393：228～236.

[19] Hammer M. Safety of spinal endoscopy is contingent on basic image interpretation. Reg Anesth Pain Med，2002，27(6)：621.

[20] Helm S，Gross JD，Varley KG. Mini-surgical approach for spinal endoscopy in the presence of stenosis of the sacral hiatus. Pain Physician，2004，7(3)：323～5.

[21] Ichiro Okutsu，Ikki Hamanaka，Aya Yoshida，等. 什么是腕管综合征的真正内镜手术？——18 年 5 880 例临床经验. 中国微创外科杂志，2005，5：342～346.

[22] Jarvik JG，Yuen E，Haynor DR，et al. MR nerve imaging in a prospective cohort of patients with suspected carpal tunnel syndrome. Neurology，2002，58：1597～1602.

[23] Karakhan VB，Filimonov BA，Grigoryan YA，et al. Operative spinal endoscopy：stereotopography and surgical possibilities. Acta Neurochir Suppl，1994，61：108～14.

[24] Katz JN，Amick BC Ⅲ，Keller R，et al. Determinants of work absence following surgery for carpal tunnel syndrome. Am J Ind Med，2005，47：120～130.

[25] Kele H，Verheggen R，Bittermann HJ，et al. The potential value of ultrasonography in the evaluation of carpal tunnel syndrome. Neurology，2003，61：389～391.

[26] LinksBerend KR，Vail TP. Hip arthroscopy in the adolescent and pediatric athlete. Clin Sports Med，2001，20(4)：763～778.

[27] LinksGeissler WB，Freeland AE，Weiss AP，et al. Techniques of wrist arthroscopy. Instr Course Lect，2000，49：225～237.

[28] LinksMcCarthy JC，Lee JA. Arthroscopic interven-

tion in early hip disease. Clin Orthop Relat Res, 2004, (429):157～162.

[29] LinksSmith JP, Savoie FH, Field LD. Posterolateral rotatory instability of the elbow. Clin Sports Med, 2001, 20(1):47～58.

[30] LinksSweeney HJ. Arthroscopy of the hip. Anatomy and portals. Clin Sports Med, 2001, 20(4):697～702.

[31] Lyons TR, Field LD, Savoie FH. Basics of elbow arthroscopy. Instr Course Lect, 2000, 49:239～246.

[32] Manchikanti L, Saini B, Singh V. Spinal endoscopy and lysis of epidural adhesions in the management of chronic low back pain. Pain Physician, 2001, 4(3):240～65.

[33] Miller GK. Operative arthroscopy into the next century. Compr Ther, 1998, 24(8):383～387.

[34] Moskal MJ, Savoie FH, Field LD. Elbow arthroscopy in trauma and reconstruction. Orthop Clin North Am, 1999, 30(1):163～177.

[35] Nagle DJ. Evaluation of chronic wrist pain. J Am Acad Orthop Surg, 2000, 8(1):45～55.

[36] Okutsu I, Hamanaka I, Chiyokura Y, et al. Endoscopic treatment of cubital tunnel syndrome using the USE system in longterm haemodialysis patients. Arthroscopy, 2000, 25:137～141.

[37] Okutsu I, Hamanaka I, Kitajima I, et al. Median nerve pressure vs carpal canal pressure in carpal tunnel syndrome patients. J Jpn Soc Surg Hand, 2003, 20:65～68.

[38] Okutsu I, Hamanaka I, Tanabe T, et al. Endoscopic tendon transfer using the Universal Subcutaneous Endoscope(USE) system. Min Invas Ther & Allied Technol, 2000, 9:43～46.

[39] Okutsu I, Hamanaka I, Yoshida A, et al. Recurrent carpal tunnel syndrome in longterm haemodialysis patients. J Jpn Soc Surg Hand, 2004, 21:160～164.

[40] Richardson J, Kallewaard JW, Groen GJ. Spinal endoscopy for chronic sciatica. Br J Anaesth, 2005, 95(2):275～276.

[41] Richardson J, McGurgan P, Cheema S, et al. Spinal endoscopy in chronic low back pain with radiculopathy. A prospective case series. Anaesthesia, 2001, 56(5):454～460.

[42] Seeber PW, Staschiak VJ. Diagnosis and treatment of ankle pain with the use of arthroscopy. Clin Podiatr Med Surg, 2002, 19(4):509～517.

[43] Whipple TL. The role of arthroscopy in the treatment of wrist injuries in the athlete. Clin Sports Med, 1998, 17(3):623～634.

[44] Wong SM, Griffith JF, Hui AC, et al. Carpal tunnel syndrome: diagnostic usefulness of sonography. Radiology, 2004, 232:93～99.

[45] Yeung AT. The evolution of percutaneous spinal endoscopy and discectomy: state of the art. Mt Sinai J Med, 2000, 67(4):327 ～332.

[46] Yoahida A, Okutsu I, Hamanaka I. Endoscopic management of entrapment neuropathy using USE system. Orthop Surg and Trauma, 2004, 47:1425～1432.

[47] Yoahida A, Okutsu I, Hamanaka I. What is real minimally invasive surgery in carpal tunnel syndrome? Endoscopic surgery. J Jpn Soc Surg Hand, 2004, 21:165～168.

[48] Yoshida A, Okutsu I, Hamanaka I, et al. Day surgery using endoscopic management for shoulder pain in longterm haemodialysis patients. JSES, 2003, 8:435～439.

第六篇
显微外科在骨科中的应用

显微外科在骨科中的应用 34

显微外科是一门新兴的技术，是重建外科中用于修复损伤组织、重建肢体功能的一个重要手段。近数十年来，显微外科在骨科领域里也得到了越来越多的应用。临床上，不仅能通过自体组织游离移植，对肢体的组织缺损进行急诊修复，最大限度地保留肢体的功能；还能进行吻合血管的自体骨、骨骺或关节移植，来修复因外伤而毁损的骨骼、关节，或者重建因肿瘤切除而缺失的关节，有效地重建肢体负重和活动的功能。

34.1 急诊显微外科修复

随着显微外科技术的发展，自体组织游离移植成为修复肢体组织缺损的有效方法，在临床上得到日益广泛的应用，尤其是随着桥式交叉吻合血管游离组织移植术和游离组织组合移植术等显微外科新技术的问世，肢体复杂组织缺损的二期修复已不再可望而不可得，许多原来由于缺乏有效治疗方法而不得不考虑截肢的残肢都得到有效的修复，不仅保留了肢体，而且恢复了有用的功能。

但是，在临床实践中常常发现有些患者，特别是儿童患者，肢体最初损伤仅仅导致软组织缺损，急诊治疗时采用传统的方法进行清创处理，或直接缝合或游离植皮关闭创面。随之而来的术后感染和坏死造成较大面积的皮肤软组织缺损，经过长时间的换药治疗，创口虽渐渐愈合，但是瘢痕的挛缩会引起肢体关节畸形，加上瘢痕阻碍了肢体骨骼的生长，导致继发性骨骼畸形，最终不得不作二期修复。即通过手术切除瘢痕，松解挛缩，矫正畸形，再从身体其他部位移植一块软组织瓣，用正常皮肤覆盖创面，修复肢体的皮肤和软组织缺损。有些病例甚至由于原发的血管损伤，或者清创术后感染继发邻近部位血管壁的炎性改变，造成受区缺乏可供吻合的血管，不得不采用桥式交叉吻合血管的方式来重建移植组织的血液循环，结果累及健侧肢体，给患者增加了额外创伤。如果这些肢体的软组织缺损在急诊处理阶段就能用移植一块大小合适的(肌)皮瓣的显微外科方法加以修复，可以免除患者在二期修复中所承受的痛苦。

在临床实践中还可以看到一些合并骨缺损的肢体软组织缺损病例，在急诊处理时只满足于关闭创面，不处理骨骼缺损。由于清创的彻底性受到限制，术后继发感染，经过冗长的换药治疗，才求得创面的瘢痕愈合，给二期修复骨骼缺损带来极大的困难。有时甚至不得不首先游离移植一块肌皮瓣，使骨缺损部位有正常的皮肤覆盖，再择期植骨修复骨骼缺损，或者进行背阔肌肌皮瓣与游离腓骨组合移植，同时修复骨骼和软组织缺损，重建和恢复肢体功能。从急诊治疗到二期修复，往往要经过漫长的疗程，患者承受的痛苦是不言而喻的。如果能创造条件，把二期修复所采用的显微外科治疗措施提前到急诊阶段实施，使肢体复杂的组织缺损得到及时修复，伤肢就能及早恢复功能，恢复劳动力，缩短疗程，减少痛苦。基于上述，人们从临床需要出发，研究、探讨在急诊条件下应用显微外科技术进行自体复合组织游离移植或游离组织组合移植来修复肢体复杂组织缺损的途径和方法，建立行之有效的技术操作常规，为肢体复杂组织缺损的早期修复提供一种实用、有效、安全、可靠的治疗手段，丰富和发展四肢显微外科技术。

34.1.1 病例的选择

应用显微外科技术进行游离组织移植，是以牺牲身体某一部分正常组织为代价的，而急诊显微外科手术更是在患者的思想和体力都缺乏充分准备的情况下进行的，手术的风险比做二期修复的择期手术来得大，因此病例的选择必须十分严格。在患者全身情况允许、手术医师技术胜任的前提下才可进行。急诊显微外科修复的指征：肢体组织缺损情况复杂，创口内神经、肌腱和骨骼等深部结构裸露，无法用游离植皮覆盖；皮肤软组织缺损面积巨大或者部位特殊、不能用局部转移或远处带蒂皮瓣来修复；皮肤缺损合并骨骼或肌腱缺损，没有正常的皮肤覆盖就无法进行修复和重建。笔者完成的一组 30 个病例中，皮肤缺损创面内肌腱裸露的 8 例，骨骼裸露的 6 例，肌腱和骨骼都裸露的 11 例，骨骼缺损的 5 例，需要用背阔肌肌皮瓣覆盖创面的 26 例。皮肤缺损均较广泛，面积为(6～8)cm×(10～28)cm。对邻近肘或膝关节的前臂或小腿离断伤，如果没有条件做断肢再植，而离断肢体有一部分仍相对完整时，有指征从废弃肢体上切取有轴型神经血管蒂的复合组织瓣，游离移植到残肢远端，以增加残肢长度，保留肘或膝关节的有效功能，便于安装假肢，改善功能。例如，有 1 例前臂上段外伤性截肢，无再植条件，结果将残余前臂修成以桡动脉头静脉及桡神经皮支作蒂的前臂皮瓣，移植到前臂近侧覆盖裸露的尺、桡骨，维持残存前臂的长度，保留肘关节的功能。另有 1 例小腿近侧离断伤，骨骼平面在胫骨结节远侧 2 cm，皮肤平面在髌上 2 cm，因为缩短过多，没有再植指征，结果从远侧肢体上切取以胫后神经血管束作蒂、包括小腿及足底皮肤、胫骨下段及跟骨的复合组织瓣，移植到小腿残端，使小腿长度达胫骨结节下 10 cm，具备安装假肢的理想长度，保留膝关节功能，大大改善了患者的步态。

34.1.2 移植组织的选择

手术的目的是修复肢体的组织缺损，设计时根据缺损组织的性质和大小来选择供移植的组织。笔者报道过的 30 个病例中有 26 例皆选择移植背阔肌肌皮瓣，这是因为：①这些病例软组织缺损的面积都比较大，只有用背阔肌肌皮瓣才能覆盖。②肌皮瓣的肌肉组织血供丰富，对开放性损伤可能存在的感染有较强的抵抗力。③背阔肌肌皮瓣比较丰满，用于修复比较深的软组织缺损，能较好地恢复肢体的外形。

对特殊组织缺损的病例，应根据缺损组织的面积和性质，选择相应的供区组织。例如，在手背皮肤缺损较大，又合并伸指总肌腱缺损、掌骨背侧皮质裸露，可以移植带伸趾长肌肌腱的足背皮瓣，达到一期修复伸指肌腱和手背皮肤缺损的目的，尽早重建手的功能。

34.1.3 修复方法的选择

急诊修复时，只要能保留或重建肢体功能，就应当采用简单、损伤范围小的方法来修复，尽量避免不必要的损伤。对软组织缺损的创面，能用植皮覆盖的就不必移植肌皮瓣，移植一块皮瓣能修复的就不应当移植两块。笔者有过这样的经验，患者男性，41 岁，车祸导致右小腿及足背皮肤广泛撕脱伤，创面巨大，但是没有骨折。结果，术中只移植 30 cm×14 cm 大小的左侧背阔肌肌皮瓣，覆盖裸露的胫骨下段及足背的伸趾肌腱，而其余小腿创面用撕脱的皮肤削薄而成的中厚皮片覆盖。移植肌皮瓣成活，植皮创面也一期愈合，用比较小范围的显微外科手术，成功地修复了巨大的皮肤缺损，保留了肢体的功能。

为了挽救患者的伤肢，医师应当勇于为患者担风险。但是，只要有可能，就应当选择风险小的手术方法。同样是骨与皮肤软组织复合缺损，但伤情各异，处理的方法也就不同。如果肢体创面的污染比较严重，就不能一期植骨修复骨缺损，因为一旦感染，移植骨块将成死骨，后果不堪设想。在这种情况下，就应当先期移植软组织瓣覆盖创面。在创口愈合 3 个月后再行植骨手术。这样，由于局部有良好的皮肤和软组织覆盖，植骨容易成功，骨缺损得以修复，肢体功能的恢复就在意料之中了(图 34-1)。

A. 右前臂车祸伤，清创后

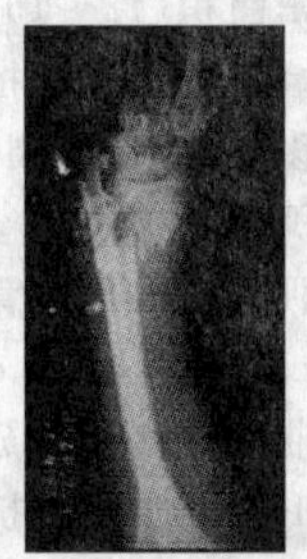
B. 伤后 X 线片

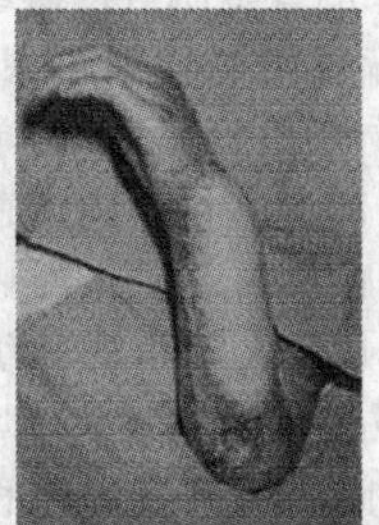
C. 移植背阔肌肌皮瓣成活，创口一期愈合

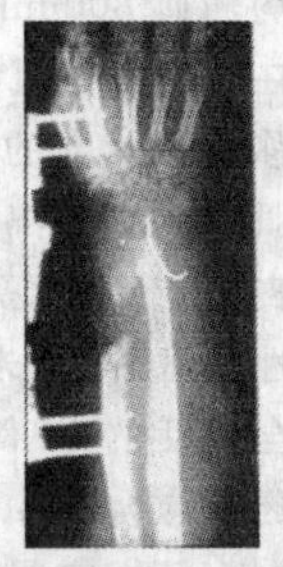
D. 创口愈合时 X 线片示桡骨缺损

E. X 线片示髂骨植骨

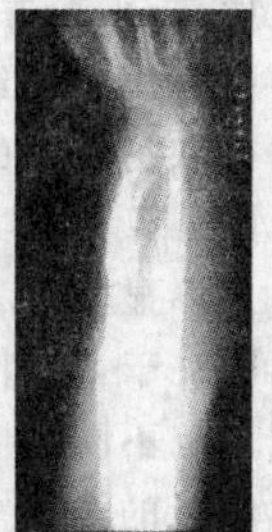
F. 植骨愈合

G. 腕关节及手部各关节能完全伸直

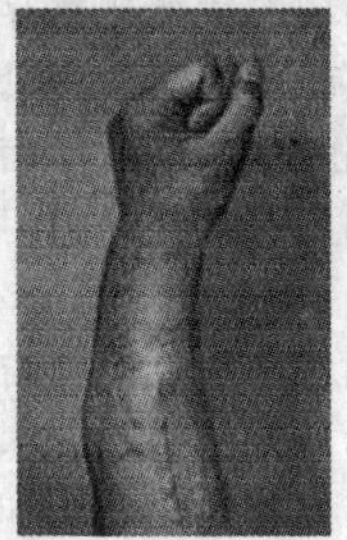
H. 手及腕屈曲功能正常

图 34-1 急诊背阔肌肌皮瓣移植修复前臂软组织和桡骨缺损

34.1.4 手术操作常规

(1) 麻醉

清创与修复手术在长效臂丛阻滞或者持续硬膜外麻醉下进行，而切取背阔肌肌皮瓣则采用全身麻醉。

(2) 清创

在空气止血带控制下，对伤肢进行清洗，擦干后对创面作抑菌处理。消毒铺巾后按常规彻底清创，妥善保护神经、肌腱、骨骼、血管等重要结构。清创后再次对创面做抑菌处理，用生理盐水冲洗后擦干，再进行修复。

(3) 修复顺序

修复的顺序为重建骨支架，缝合肌腱与神经。在创面内确定并解剖出准备用于和移植组织血管蒂吻合的相应血管，必要时扩大创口，使血管能一直游离到内膜完整、外观没有伤痕的平面，长度以便于血管吻合的操作为度。放止血带后，游离好的动脉应有良好的搏动性喷血，如果动脉有痉挛，则通过用肝素盐水做液压扩张来解除。彻底止血后用湿纱布和敷料包裹创面，等待修复。

(4) 切取供移植的组织

根据创面的大小和形状来选择供移植的组织并确定它的面积，如果移植的是背阔肌肌皮瓣，确定皮瓣面积还应当考虑肌皮瓣皮下脂肪组织的多少和背阔肌的厚度，笔者主张宁大勿小。准备移植取自废弃的离断肢体的复合组织瓣时，应在无菌条件下对断肢进行仔细解剖，使之成为具有轴型神经血管蒂的游离组织。在解剖游离供移植组织时，注意对创面进行仔细止血，以免在移植到位、重建血运后发生出血，形成血肿。血管蒂应尽量游离得长，如果准备作组合移植，则至少应在一个游离组织的血管蒂上保留适当的分支，以便与另一个游离组织的血管蒂吻合，实现血管的组合。做背阔肌肌皮瓣带蒂转移时，沿连接腋部与上肢受区创口的切口潜行分离两侧的皮肤，以减少皮肤缝合张力，避免压迫在其深面通过的血管。

(5) 覆盖创面

用游离好的组织瓣覆盖伤肢的创面，分层缝合，固定在位。做背阔肌肌皮瓣带蒂转移时，重新安排血管蒂的径路，避免因急剧扭曲而阻碍血流，必要时可将血管蒂蜿蜒盘曲。做背阔肌肌皮瓣与腓骨组合移植时，应先固定腓骨，再安置背阔肌肌皮瓣。移植取自废弃肢体的含有骨骼的复合组织瓣时，整个组织块应同时安置，但亦应先固定骨骼，然后再固定软组织瓣。

(6) 重建血液循环

开始吻合血管时，即快速静脉滴注 5%低分子右旋糖酐。做组合移植时，用相应的常规方式重建血液循环。涉及背阔肌肌皮瓣的急诊游离组织组合移植的病例，一般都用一块背阔肌肌皮瓣的肩胛下血管作共同血管蒂，而其旋肩胛血管则分别与另一个组织瓣，例如背阔肌肌皮瓣或腓骨的血管蒂吻合。确认移植组织的血液循环得到有效重建，而后再关闭创面，常规放置引流，根据术后引流的情况，于72 h内拔除。术后用药和护理按显微外科术后常规处理。如遇明显感染的病例，应及时引流并取创口渗出物作细菌培养和药物敏感试验，以便选用合适的抗生素，迅速有效地控制和治疗感染，保证移植组织的成活，实现急诊修复的目的。

34.1.5 临床应用

应用显微外科技术，急诊移植自体游离组织修复肢体组织缺损，在国内外已有报道。也有学者一次手术同时移植多个组织瓣来修复较大面积软组织缺损，对合并长骨大段缺损的肢体大面积软组织缺损，文献报道的急诊修复方法是先移植肌皮瓣一期修复软组织缺损，成活 6～16 周后再二期植骨或移植带血管的腓骨。笔者单位所完成的一组病例，有应用已有的一般游离组织移植技术进行急诊修复的，也有应用原来只用于二期修复的游离组织组合移植新技术来急诊修复肢体复杂组织缺损的。

(1) 临床资料

自 1991 年 4 月至 1996 年 6 月，在笔者工作的科室有 17 例男 13 例女共 30 例患者接受急诊游离组织移植来修复肢体外伤性复杂组织缺损。患者年龄 3～41 岁，平均 22.7 岁。9 例为工业机器损伤，其余 21 例为车祸，计有上肢广泛皮肤软组织缺损 12 例、合并骨骼和肌腱缺损各 1 例；下肢广泛皮肤软组织缺损 13 例、合并骨骼缺损 4 例，其中 1 例大段胫骨缺损作了急诊修复。患者来院就诊时间为伤后 1～5 h 不等，除 1 例因原来清创处理失败、皮肤坏死、骨骼外露而于伤后 14 天进行背阔肌肌皮瓣带蒂转移外，其余 28 例均在伤后 6 h 之内进行手术。单侧背阔肌肌皮瓣游离移植 19 例，皮瓣面积(8～20)cm×(8～30)cm；背阔肌肌皮瓣带蒂转移 5 例，皮瓣面积(12～15)cm×(20～30)cm；废弃肢体的复合组织块游离移植 3 例；带伸趾肌腱的足背皮瓣游离移植 1 例；双侧背阔肌肌皮瓣组合移植 1 例，皮瓣面积分别为左 13 cm×27 cm，右 15 cm×32 cm；背阔肌肌皮瓣与腓骨组合移植 1 例，皮瓣面积 16 cm×30 cm，腓骨长 12 cm。手术时间为 2 h(背阔肌肌皮瓣带蒂转移)至 17 h(双侧背阔肌肌皮瓣组合移植)。除 1 例上肢广泛挤压伤，术前有创伤性出血性休克，经输血补充血容量纠正休克后再进行手术外，本组病例均未发生休克，但术中均予输血200～2 400 ml，平均输血 800 ml。除 1 例双侧背阔肌肌皮瓣组合移植在术后 6 h 因静脉回流障碍而进行手术探查，取除移植静脉内的血栓重新吻合血管，另 1 例单侧背阔肌肌皮瓣游离移植，术后 12 h 移植肌皮瓣血供突然丧失，经手术探查证实因感染导致肌皮瓣内血管炎性闭塞外，均未发生血管危象。移植的软组织瓣完全成活的 24 例，移植肌皮瓣远端皮肤部分坏死经换药后愈合的 4 例，双侧背阔肌肌皮瓣组合移植病例在血管探查术后 10 天，置于前臂掌侧的肌皮瓣的大部分皮肤出现发绀后逐渐发生干性坏死，切痂时发现移植肌皮瓣的肌层生长良好，创面经大片游离植皮后愈合，合并的桡骨骨折在术后 3 个月牢固连接。所有病例均经 8～18 个月随访，修复的肢体均保留或恢复有用的功能。

(2) 手术成功的关键

急诊显微外科修复和择期游离组织移植术的显著不同在于，前者是在肢体遭到突然意外损伤，开放性创口有不同程度污染的条件下进行的。医师不仅要对患者的全身情况做出正确的判断和及时的处理，而且要对修复进行精心的设计，手术操作尤其要精确。由于需要做显微外科修复的创面情况复杂，感染的危险严重存在，而感染一旦确立，会威胁移植组织的成活，直接影响修复的效果。因此，清创的彻底性和创面的抑菌处理成为急诊显微外科修复成败的关键。笔者采用的方法是在清创前常规清洗患肢后，用 1：1 000 苯扎溴铵溶液浸渍创面，再用生理盐水冲净。清创结束时，再次以同样方法处理创面，然后开始修复。本组只有 4 例发生轻度感染，经换药处理而愈合，证明笔者采用的创面抑菌处理是有效的。在清创结束后作创面组织的细菌培养和菌落计数，可以更客观、准确地评估创面的污染性质和程度，以指导进一步的抗感染治疗。如果创面污染严重，或组织损伤范围广、程度重，清创后对创面能否一期愈合存有疑虑，则应中止手术，用无菌敷料包扎伤口，3天后重复清创，处理创面，使之适合于显微外科修复，再实施治疗，手术成功的把握更大。笔者报道的一组30个病例中有过1例儿童小腿严重挤压伤，作了延迟处理，移植背阔肌肌皮瓣取得成功。

(3) 急诊修复的优点

与二期修复相比，急诊修复的手术设计显得简单一些，因为不存在组织挛缩和肢体畸形的问题；手术操作也比较容易，因为创口内组织的解剖层次清晰，易于辨认和游离。另外，急诊修复可以充分利用那些幸存的健全组织，缩小修复的范围，提高修复的效果。急诊修复时，要在创口和邻近部位寻找适合吻合的血管，一般都没有什么困难。当然，必须对解剖出来的血管进行必要的清创，因为良好的血管质量是吻合血管通畅的有力保证。在一组30个病例中，仅1例因整个前臂的皮肤连同浅静脉一起撕脱，不得不移植一段大隐静脉连接移植背阔肌肌皮瓣的肩胛下静脉与上臂的贵要静脉，其余病例均在创口附近找到相应的动脉和静脉，用于和移植组织的血管蒂吻合，重建血液循环。

研究和实践表明，在急诊条件下，应用自体复合组织游离移植或游离组织组合移植的显微外科技术，一期修复肢体复杂组织缺损是可行、可靠和安全的，虽然手术风险大，技术要求高，但是具有与二期修复相比手术设计与技术操作来得简便，可以充分利用那些幸存的健全组织，缩小修复范围，提高修复效果，最大限度地保留肢体功能，以及缩短疗程，使患者及早恢复劳动力的显著优点。

34.2 关节的显微外科修复

人工关节置换已经成为治疗骨关节炎的有效方法，手术成功率也非常高。不过，在一些也许很少见的人工关节置换失败的病例，显微外科技术有时候可能是唯一可行和有效的挽救措施。如果关节置换术后皮肤坏死，使内置的人工关节裸露，移植游离皮瓣或肌皮瓣可以最终解决人工关节和创面的覆盖问题。因为感染或慢性窦道形成导致手术失败而不得不取出人工关节，遗留下来的大段长骨缺损，只有靠吻合血管的游离骨移植来重建肢体的骨支架，恢复肢体负重和行走的功能。

关节损伤包括构成关节的骨骼、韧带、关节囊和关节周围软组织的创伤、缺损或缺失。目前，临床上应用显微外科技术治疗的仅仅是其中的一部分。健全的关节是肢体活动的解剖学结构基础，而人体的一些大关节一旦毁损或缺失，将很难修复或重建。有时，只能用别的组织或器官来替代。在这种情况下，显微外科技术显得特别有用：进行吻合血管的游离腓骨移植，利用腓骨头替代肱骨头重建肩关节，或者替代桡骨下端与腕骨形成桡腕关节。在对大腿或膝关节附近的骨肿瘤病例进行保肢治疗时，切除肿瘤段之后，可以应用显微外科技术进行远端肢体的再植，作肢体旋转成形术；或者利用踝关节替代膝关节，或者同时利用膝关节和踝关节分别替代髋关节和膝关节。

吻合血管的同种异体关节移植可能是修复和重建伤残关节的理想方法。但是，与其他异体器官移植一样，异体关节移植也会引发严重的异物反应。由于免疫反应尚未完全解决，异体关节移植迄今为止尚处于动物实验阶段，离临床应用有相当长的距离。目前，研究的重点仍然是克服异体排斥反应。这个问题的最终解决，有赖于免疫学家、分子生物学家、药物学家、组织工程学家和临床工作者的共同努力。不过，该问题一旦获得解决，必将为显微外科技术在关节外科领域的应用提供更为广阔的前景。

34.2.1 股骨颈囊内骨折

股骨颈囊内骨折是一种关节内骨折，其治疗除与一般骨折一样需要复位和固定外，还必须考虑股骨头血液供应的重建问题。由于解剖结构的原因，股骨头的血液供应具有特殊性。当股骨颈囊内骨折，特别是有移位的骨折发生之后，股骨头的滋养血管由于损伤而断裂，其主要血供来源因而丧失。这不但影响骨折的愈合，还关系到其预后。临床经验表明，经过长时间的固定之后，股骨颈骨折即使愈合，股骨头仍然可能发生缺血性坏死，导致股骨头碎裂、塌陷，最终形成髋关节骨关节炎，使关节功能受限或丧失。临床上，常常在骨折复位、内固定之后，再作带肌肉蒂或血管蒂的骨块转移，在股骨颈骨折处植骨，以改善股骨头的局部血液供应，促进骨折愈合，防止股骨头发生缺血性坏死。应用的方法有股方肌骨瓣、缝匠肌骨瓣、以旋髂深血管或旋股外侧血管升支为蒂的髂骨瓣转位移植。手术方法的选择取决于骨折的具体情况和手术者对手术方式的熟悉程度、习惯与喜好。股方肌和缝匠肌骨瓣转移的手术不涉及显微外科技术，不在这里赘述。

(1) 手术指征

股骨颈囊内骨折患者，骨折有移位，年龄比较轻，全身情况良好，能够耐受较长时间和较大创伤的手术。

(2) 骨瓣的切取

1) 以旋髂深血管为蒂切取髂骨瓣　先暴露腹股沟韧带和在其深面通过的髂外动、静脉(上方)及股动、静脉。寻找并确定从这些血管主干出来向外上方走行的旋髂深动脉及其伴行静脉。沿血管束外鞘逐渐向外上方小心游离血管。为充分显露血管蒂，需要切断覆盖它的腹内斜肌和部分腹横肌。直到血管进入髂肌，保留 0.5～1.0 cm 的肌袖，不损伤分支血管，向髂骨分离。旋髂深血管最后在距髂前上棘上方内侧大约 6 cm 处分成数支进入髂骨。以游离好的血管蒂为中心切取长 6.6 cm、高 1.5 cm 的全层髂骨块。检查骨块的血供情况，切面有鲜红血液渗出是骨块血供良好的标志。如果骨块血供不良，应检查游离好的血管蒂是否有扭曲、受压或痉挛，作出相应的处理，直到骨块血供正常为止。解除血管痉挛的办法有：温生理盐水、6.25%硫酸镁溶液或 2%利多卡因湿敷，以及用肝素生理盐水对旋髂深动脉作节段性液压扩张。经过妥善处理，骨块的血液供应状况都能改善，除非解剖变异使游离好的血管蒂不能为切取的髂骨块供应血液，或者游离好的血管蒂在解剖过程中已经遭到损伤而栓塞或阻塞。前一种情况，切取的髂骨块只好作不带血管的一般骨块进行植骨。后一种情况，应当在手术显微镜下仔细检查，对可疑的节段重点处理，包括剥离血管外膜，对损伤阻塞的血管切开后取出栓子，必要时切除损伤的血管段重新吻合，直到髂骨块呈现良好的血液供应。最后用肝素盐水纱布包裹髂骨块以备用，妥善放置，避免血管蒂扭曲或受压，以保持髂骨块在等待进一步处理的过程中始终有正常的血液供应。

2) 以旋股外侧血管的升支为蒂切取髂骨块　血管蒂的显露和游离在股直肌和阔筋膜张肌肌间隙的深部进行。股神经的股四头肌肌支在旋股外侧动脉升支的前方通过，可以作为确定血管的解剖标志，游离时要小心保护避免损伤。由于旋股外侧升支血管的髂骨支比较细，解剖时最好连同升支的臀中肌支一起游离，使切取的髂骨瓣有两条血管供血，有利于植骨块的成活。髂骨块的大小、切取后其血运的检查和处理与以旋髂深血管为蒂切取髂骨瓣时相同，不再赘述。

(3) 骨折复位与固定

按常规，切开整复股骨颈骨折，用 3 枚螺纹钉作内固定，依计划采用的骨瓣的不同，分别在股骨颈前侧或后侧，凿开一个长 6 cm、宽和深各 1.5 cm 的槽，其纵轴和股骨颈的一致，并跨越骨折线。在骨槽近端，向上在股骨头内挖一个骨穴，深约 1 cm。

(4) 骨瓣的安置和固定

根据股骨颈上骨槽的形状和大小，对髂骨块作相应的修整。妥善安置血管蒂的行径，避免出现血管蒂扭曲。将髂骨块嵌在股骨颈上的骨槽里，注意向股骨头内嵌插，避免用力过度，以防骨折部分离。放置停当后，用一枚金属或可吸收螺钉将髂骨块固定在位。再次检查髂骨的血管蒂以确保它没有扭曲或受压，如果血管蒂太长，可以蜿蜒盘曲，使血管内血流保持通畅。必要时，通过缝合邻近软组织将血管固定在位。

(5) 术后处理

与一般股骨颈骨折切开复位螺钉内固定的术后处理相同。术后头 3 天，适当应用血管扩张剂，改善移植骨块的血流灌注。可予口服双嘧达莫25 mg，每日 3 次；肌内注射妥拉唑林 25 mg，每日 2 次。定期拍摄骨盆 X 线平片检查骨折愈合的情况。在确定骨折已经连接、股骨头没有缺血坏死之前，患肢不能完全负重，但在术后 6 周，只要患者全身情况允许，就可以扶拐下床，不过患肢的脚不能着地和负重。

34.2.2　肢体节段性毁损伤

当关节遭到毁灭性损伤，完全修复几乎是不可能的。在这种情况下，只有移植其他结构与功能与其相类似的关节来替代。当然，用于移植的关节在功能作用上必须比准备替代的关节来得不重要才行。在关节外科临床实践中，只有脚的跖趾关节和手的掌指关节之间具备这种替代条件：跖趾关节的结构和大小都与掌指关节的接近，功能上又都是屈戌关节；而手的功能作用在大多数情况下比脚的重要得多。因此，当手的掌指关节连同邻近的动力装置一起严重损伤或缺损时，可以通过吻合血管的自体跖趾关节游离移植来重建，还可以同时修复合并存在的肌腱缺损。具体手术技术参见下一节。

下肢损伤在车祸伤中占相当大的一部分，一些邻近膝关节或踝关节的严重损伤，往往造成难以修复的骨与软组织的破坏和缺损，使伤肢不能恢复接近正常的功能。下肢的主要功能是负重和行走，前者需要肢体有坚强的骨支架，后者要求肢体的长度与对侧的相近，而且具备有一定活动度的关节，特别是膝关节。当肢体的长度得以维持，软组织覆盖良好，控制关节的动力结构能够有效修复，而只有关节的骨性结构遭受了无可修复的损害的时候，人工关节置换可以是重建关节以至整个肢体功能的有效办法。可是，当包括膝关节在内，下肢的一个节段遭到毁损时，就不是单纯人工关节所能修复得了的。在这种情况下，显微外科技术可能提供一个可行和有效的治疗方法。现举具体病例如下：

患儿为7岁女孩，不幸被卡车撞倒，车轮在其右腿上碾了一个来回。结果自大腿下1/3至踝关节上方大约6 cm处，皮肤和肌肉等软组织严重挤压伤，股骨远侧骨骺分离，股骨髁、胫骨中上段及胫骨平台被挤得粉碎。骨头完全露在外面，创面严重污染。送到医院急诊室时，除了创伤性、出血性休克外，局部检查还发现右脚、踝关节以及小腿远部比较完整，仅足背内侧有2 cm×3 cm大小的皮肤挫伤(图34-2A、B)。经抗休克治疗和积极的术前准备后，送手术室，在连续硬膜外麻醉下进行清创，切除近侧股骨远端和远侧胫骨近端之间的骨骼及其周围的所有挫伤失活的软组织，仅保留解剖连续性还存在的胫后血管神经束。足部外在肌，即胫前、胫后肌，幺长、趾长伸肌，幺长、趾长屈肌以及小腿三头肌的腱性部分，均在清创后予以保留。清创结束后，用1∶1 000苯扎溴铵溶液浸渍创面，作抑菌处理。最后用生理盐水冲净创面并擦干。放松空气止血带，检查足部的血液循环，发现足趾甲床苍白，毛细血管充盈不明显，提示血液循环障碍。遂自远端穿刺胫后动脉，用肝素盐水对胫后动脉作节段性液压扩张。结果发现，胫后血管束中段有4 cm长的胫后动脉扩张不良，表明该段血管质量不好，切除之，吻合胫后动脉两端，重建脚的血液供应通道。此后，脚趾肤色转红润，甲床毛细血管充盈良好，血液循环明显改善(图34-2C)。将股骨、胫骨断端后侧分别作骨膜下剥离，长约4 cm，并将骨皮质弄毛糙。把远侧肢体旋转180°，使胫骨后侧与股骨后侧皮质对皮质紧紧贴在一起，调整肢体的长度，使踝关节处在比健侧膝关节略低的平面，用3枚螺钉将股骨和胫骨固定在一起(图34-2D)。令踝关节充分跖屈，并维持在这个位置上，将跟腱缝在股直肌腱的深面，幺长、趾长伸肌腱缝至半腱、半膜肌上，胫前肌腱与股二头肌肌腱缝合。妥善安排胫后血管神经束的径路，使之柔和屈曲，并通过细心缝合邻近的软组织来覆盖血管和神经。直接缝合皮肤关闭再植部位的创口，遗留的近侧大腿软组织创面用撕脱的皮肤修薄所形成的全厚皮片覆盖(图34-2E)。用消毒敷料包扎时，植皮的部位适当均匀加压。术后用石膏夹板维持踝(即新的"膝")关节于完全跖屈(即新膝的伸直)位。术后经过良好，再植肢体血液循环一直正常，部分游离植皮坏死，经换药后创面逐渐愈合。术后2个月X线检查显示股骨、胫骨连接处有骨痂形成，遂去除外固定，开始主动性功能锻炼。术后5个月，达到骨性连接。新的"膝"关节能主动完全伸直，主动屈曲接近90°(图34-2F、G)。安上特殊设计的假肢，患儿能独立行走，因为有膝关节，步态还比较好(图34-2H)。在这个病例，膝关节和小腿中上段的骨骼和软组织遭受毁灭性损伤，局部修复几乎是不可能的，完全有指征行大腿中下1/3截肢术。只是对一个7岁的女孩子来说，大腿截肢所造成的残疾实在是过于沉重了。急诊肢体旋转成形术是笔者当时所能想得到的、能最大限度地保留残肢功能的唯一办法。手术的结果不仅维持了大腿的长度，而且保留了胫骨的骨骺，对肢体的生长有重要意义。促使笔者采取这个极端治疗措施的另一个因素是，患肢的胫后血管神经束的解剖连续性还存在。手术后，患足的足底皮肤感觉正常，足趾还能活动。足底有正常的感觉对以后的假肢安装和功能恢复有举足轻重的作用。戴假肢站立或行走时，体重通过旋转了的足和踝传递给假肢，而感觉良好的足底正好是主要的承重面。

34.2.3 关节疾病的显微外科治疗

显微外科治疗主要是应用显微外科技术进行有轴型血供的组织的带蒂转移或游离移植，达到修复相应的组织缺损、重建或改善局部血液循环，从而保留或恢复肢体功能的目的。关节疾病的范围比较广，疾病所造成的关节端骨骼、关节软骨、滑膜、韧带以及关节囊的损害，特别是晚期的病变常常是严重和不可逆的，使修复的成效大打折扣。即便应用复杂的显微外科技术进行关节的修复，充其量也不过是阻止病变的发展或减慢其进展速度、部分重建或替代病损的关节。因此，寻找更新、更好的修复方法，改善和提高修复的效果，仍然是关节外科和显微外科医师面临的挑战。

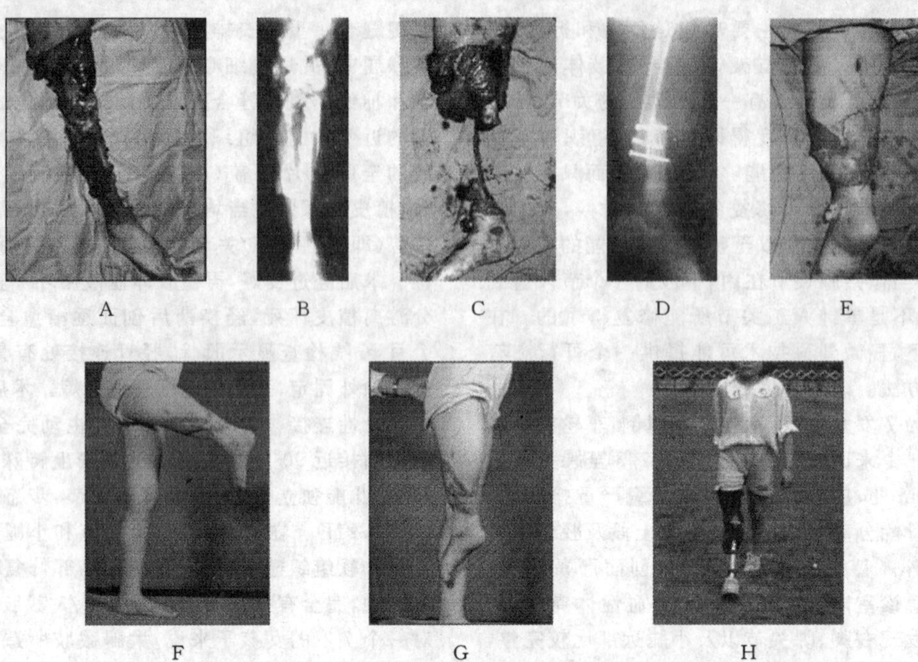

图 34-2　急诊肢体旋转成形术治疗膝关节毁损伤

A. 车祸伤，右膝上下节段性毁损伤　B. X 线片示膝关节骨骼毁损　C. 切除毁损的节段肢体，胫后血管神经束连同相对完整的足与踝得到保留　D. 术后 X 线片显示骨支架的重建方式　E. 术毕，肢体外观　F. 伤愈后新的膝关节屈曲活动　G. 新的膝关节伸直活动　H. 安上特制假肢，患儿能独立行走，步态良好

(1) 股骨头无菌性坏死的显微外科治疗

股骨头无菌性坏死，即股骨头缺血性坏死，在临床上并不少见。原发性股骨头坏死的发病原因和机制尚不明了。流行病学调查表明，长期服用皮质激素和饮酒可能是致病因素。临床上，相当多的股骨头缺血性坏死继发于股骨颈囊内骨折。股骨头的血供主要来源于囊内血管环的后上及内下支持带血管。这些血管在股骨颈骨折时都遭到损伤，因而引起股骨头缺血性坏死。有报道，股骨颈骨折后，大约 80%的病例出现病理学上的股骨头坏死。只是因为骨折复位、固定后，股骨颈的血管新生，逐渐长入股骨头，使其重新获得血液供应，骨小梁再生复活，才使临床上股骨头无菌性坏死发生率没有这么高。有文献报道，股骨颈骨折后临床股骨头无菌性坏死的发生率仍高达 11%～30%。治疗的关键在于改善或重建股骨头的血液循环。前者包括关节滑膜切除、髓芯减压等；后者则有带肌肉蒂或血管蒂的骨瓣移植和吻合血管的自体骨骼或骨膜移植。

应用显微外科技术治疗股骨头无菌性坏死，临床上常用的方法有各种带血管蒂的髂骨块或股骨大转子骨块移位植骨、带血管蒂的髂骨骨膜移位种植、吻合血管的游离腓骨移植。髂骨的血液供应是多元性的，不同部位的髂骨有不同的轴型血供。除了本章第一节提到的旋髂深血管和旋股外侧升支血管以外，还有臀上动静脉以及第 3 腰动静脉等。临床上可以根据坏死病灶所处的部位，以及手术者的偏爱及熟练程度，选择相应的手术方法。笔者倾向于用旋髂深动静脉为蒂转移或移植髂骨块和带有髂骨内板的髂骨骨膜，因为旋髂深血管解剖位置比较固定，很少变异；可游离的长度长，便于带蒂转移的手术操作；所供应的髂骨的范围大，能满足大多数病例的治疗需要。还有文献报道，往股骨头内种植血管，重建股骨头的血液循环，达到治疗股骨头无菌性坏死的目的。

不论应用上述哪一种方法治疗股骨头无菌性坏死，手术时都要注意对股骨头的坏死病灶进行清创，彻底刮除坏死的骨头，直达股骨头软骨下皮质。操作时，在股骨颈上开窗，大小以能容纳准备移植的骨块为度。同时还应当切除大部分关节滑膜，加上股骨头开窗减压，改善内环境，有利于新生骨的生长。术后一般主张让患者卧床休息，患肢牵引3个星期，患肢至少3个月不能负重，鼓励患者作患侧髋关节的功能锻炼，以免日后发生髋关节的粘连或僵直。下面介绍吻合血管游离腓骨移植治疗股骨头缺血坏死的技术。

1）麻醉，体位　采用连续硬膜外阻滞麻醉，不能配合者改行全身麻醉。患者仰卧位。小腿区手术时取膝关节屈曲、髋关节屈曲并内收位，常规用驱血带驱血后，于大腿中上部置充气止血带；髋部手术时，则放平下肢，取平卧位。常规消毒、铺巾，消毒范围包括整个下肢直至下腹部平脐水平线。手术时先取游离腓骨后再行髋部手术。

2）游离腓骨的切取　取小腿中上1/3处外侧切口，切口起自腓骨小头下3～4 cm，沿腓骨轴心线向外踝方向延伸，长12～15 cm。切开皮肤及浅筋膜后，沿腓骨长、短肌与比目鱼肌间隙切开深筋膜。锐性分离此肌间隙，牵开后即可触及腓骨。自远端向近端用组织剪沿腓骨剪断腓骨长、短肌的筋膜及在腓骨外侧的肌肉附着点后，可清晰显露腓骨外侧面，注意保留骨膜和部分肌袖组织。然后，将腓骨肌拉向前方，注意勿损伤腓浅神经。该神经在小腿近段位于腓骨长短肌之间，紧贴腓骨操作可以避免损伤。分别在远、近两端确定截断腓骨的部位，一般自腓骨小头下5 cm处向下切取腓骨长6～8 cm。于截骨部位呈“十”字形切开腓骨骨膜，用两把骨膜剥离器分别在腓骨前后作骨膜下剥离，将腓骨前后的软组织、肌肉及内侧的腓动静脉推向内侧，使两把骨膜剥离器在腓骨内侧相遇。用这两把骨膜剥离器保护周围的软组织，同时轻微轴向旋转此两把骨膜剥离器，使其与腓骨之间产生空隙，沿此空隙套入小直角钳，将线锯由腓骨外、后、内方引出，分别锯断腓骨远、近两端。然后，用两把巾钳分别夹持腓骨两断端，向外侧牵开。从近端开始，靠近腓骨依次切开小腿前肌间隔、趾长伸肌和(足母)长伸肌在腓骨上的附着部后，显露骨间膜。在保持腓骨向外侧的牵张力下，贴近腓骨纵形切开骨间膜在腓骨上的附着部，此时有明显的减张感。继续向外、后方牵拉腓骨，切断胫骨后肌在腓骨上的附着部。自远而近，逐层解剖，直到显露胫后血管和腓血管，可清晰看到腓动脉和伴行其两侧的两根静脉，再向内侧即为胫后神经和胫后动、静脉，注意不要将其误认为腓动、静脉。钳夹并切断腓血管远端后，暂不结扎，轻轻牵拉腓骨及切断的腓动、静脉近端，沿腓动、静脉内侧锐性分离、结扎肌支及与胫后血管的交通支。在腓骨远端保留2～3 cm长的腓血管蒂后，钳夹、切断作为受体血管备用。再自远而近，切断(足母)长屈肌、比目鱼肌附着在腓骨上的肌纤维，注意要略微远离腓骨，在腓骨上保留1 cm左右的肌袖，因腓血管和腓骨的营养血管就包含在靠近腓骨的肌肉中。取下带血管蒂的游离腓骨后，立即用0.1%肝素生理盐水冲洗腓动脉，以防血管内凝血，用温盐水纱布包裹备用。然后，再缝扎或双重结扎腓动、静脉的远、近断端。切口内填塞无菌纱布并用绷带加压包扎后，松止血带。待髋部手术完成后，再取出敷料，置橡皮条引流，逐层缝合。

3）游离腓骨的预处理　将取下的带血管蒂的游离腓骨平放于温盐水纱布上，用显微镊和显微剪分离出近端的动脉和伴行的两条静脉。然后，用肝素生理盐水分别灌注上述3条血管，观察有无明显的渗漏。在灌注过程中，将有少量液体自肌袖或骨膜部位渗出。如在主要的血管侧壁出现成股的渗漏时，则用“7-0”的尼龙线缝合或用钛血管夹修补，这对于保证血管吻合后腓骨充足的血供是至关重要的，选择动脉和一条静脉作为受体血管，结扎另外一条静脉。然后，将近端的血管蒂向远端翻转，由近端向远端修剪血管蒂直至见到第1条进入腓骨的滋养血管，用线锯将此血管近端的腓骨锯掉，注意保护近端的血管蒂。在腓骨远端约1 cm处，将腓骨滋养血管对侧的骨膜切开后向近侧翻转，以保护腓骨远端的滋养血管。最后，测量腓骨的外径和长度作为髋部手术时股骨颈隧道大小的参考。

4）髋部手术　我们设计了髋部的前外侧切口，切口自髂前上棘沿股骨长轴朝向髌骨外侧缘，长8～10 cm。依次切开皮肤、皮下组织至阔筋膜。分清缝匠肌与阔筋膜张肌的肌间隙后，沿阔筋膜张肌的内侧缘切开阔筋膜。通过阔筋膜张肌和缝匠肌之间的间隙钝性分离显露股直肌。注意保护股前外侧皮神经，此神经一般位于髂前上棘下2.5 cm处的内侧，经缝匠肌浅面或深面或穿过该肌后再穿阔筋膜至股部。游离股直肌上部，自髂前下棘股直肌附着部下1 cm处切断股直肌直头。将股直肌远侧断端挂线牵引后，向远侧翻转。此时可显露深面的股中间肌、髂腰肌及髋关节囊前壁。辨认位于股直肌和股中间肌之间的旋股外侧动、静脉及其分支，予以钝性分离、保护后，结扎、切断作为供体血管备用。然后，"十"字形切开髋关节囊前壁，于股骨颈上下缘及股骨大转子外侧各置一 Hoffman 拉钩，显露股骨颈。

显露股骨颈后，利用骨凿在股骨颈前方开槽，使之与将植入的腓骨段的外径相适合。然后，于股骨大转子下约 4 cm 处设计一辅助切口，长 1～2 cm，切开皮肤后，用止血钳钝性分离至大转子。在金属套筒的保护下，用 0.5 cm 钻头通过辅助切口处自股骨转子部沿股骨颈方向向股骨头下钻孔，其方向对应股骨头坏死区。将坏死硬化区钻松后，用 1.0～1.8 cm的专用钻头和磨头在 C 臂机 X 线监视下彻底清除坏死骨，通常达关节软骨下 3～5 mm。清理坏死骨完成后，将准备好的松质骨（取自股骨转子部的松质骨或异体骨）通过开槽处均匀、致密地植入股骨头下承重区，并用专用器械压紧。然后，将修剪后的腓骨远端从股骨颈骨槽处插入股骨头内，并用专用打击器将腓骨轻轻打入骨槽内，注意血管蒂应朝向内侧以便吻合。在 C 臂机 X 线透视检查证实腓骨植入的位置良好后，用可吸收螺钉将游离腓骨段的近端贯穿固定于股骨颈。最后，在显微镜下将腓骨动、静脉与旋股外侧动、静脉以"6-0"或"7-0"的尼龙线间断缝合。经勒血试验证实动、静脉通畅后，彻底冲洗伤口，"8"字形缝合股直肌，逐层关闭切口。患髋放置负压引流，48 h 后拔除。

5）术后功能锻炼

(i) 术后前 2 周每天做功能锻炼 2 次，每次做下列每组动作 20 次，共 2 遍。踝关节主动屈伸运动和环转运动；踝关节被动背伸运动，即用床单绕过足底，两手拉床单，均匀用力，轻轻地使踝关节背伸，维持约 5 s 后再放松；幺趾被动背伸运动，可用绷带或皮带绕过大脚趾，均匀用力，做背伸运动；股四头肌收缩运动，等长收紧股四头肌，维持约 5 s，再收紧臀肌，保持紧张，维持约 5 s；髋关节和膝关节弯曲运动，可将患肢逐步屈曲，注意保持足底置于床上，然后再逐步伸直；膝关节伸直运动，令患者坐在椅子上，身体略后倾，将患肢置于足凳上，然后将足离开足凳，逐步伸直膝关节，维持伸直状态约 5 s，然后再逐步将足放回足凳上。

(ii) 术后第 3 周以后每天做功能锻炼 2 次，每次做下列每组动作 20 次，共 2 遍。髋关节外展和内收运动，仰卧位，患肢向外侧做外展运动，然后再向内侧做内收运动，向健侧靠拢。注意保持膝关节伸直状态；患肢伸直抬高运动，健侧膝关节屈曲，足底置于床上。将患肢抬高，保持膝关节伸直状态，然后逐步放回床上；患肢外展抬高运动，侧卧位，健侧肢体向下，膝关节屈曲。保持患肢伸直状态，抬高向上伸展，然后逐步放下；髋关节伸展运动，俯卧位，将枕头置于两腿之间，两足分开。患肢膝关节屈曲，抬高大腿，使大腿离开床面，维持约 5 s，然后逐步放回床上。

6）典型病例介绍

病例 1：女，22 岁。住院号：9007616。2001 年 2 月不慎扭伤后觉双髋部酸痛。当时未引起重视。此后 1 个多月行走时双髋酸痛加重。来院就诊，经检查后诊断为双侧股骨头坏死。X 线及 MRI 示，右侧股骨头Ⅲ期坏死，大部分股骨头受累，可见软骨下骨折；左侧股骨头Ⅲ期坏死，关节面稍塌陷，关节间隙尚可（图 34-3A）。Harris 评分：左侧 71 分，右侧 62 分。

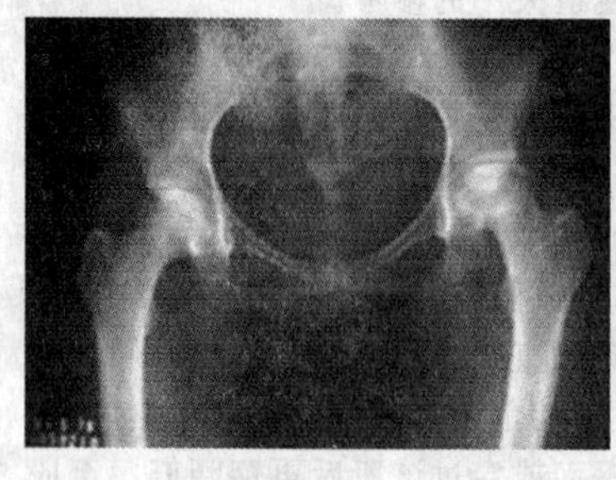

A

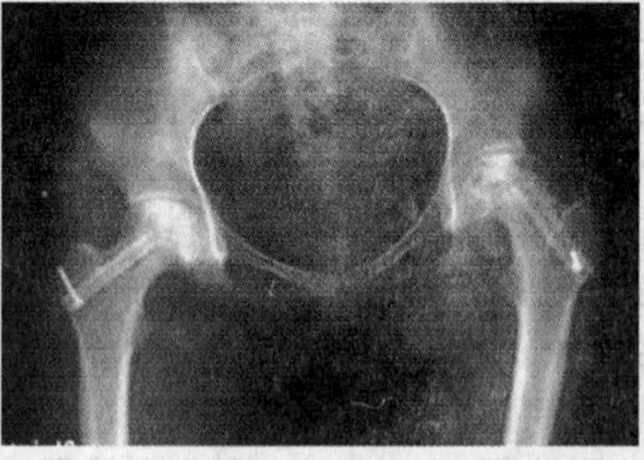

B

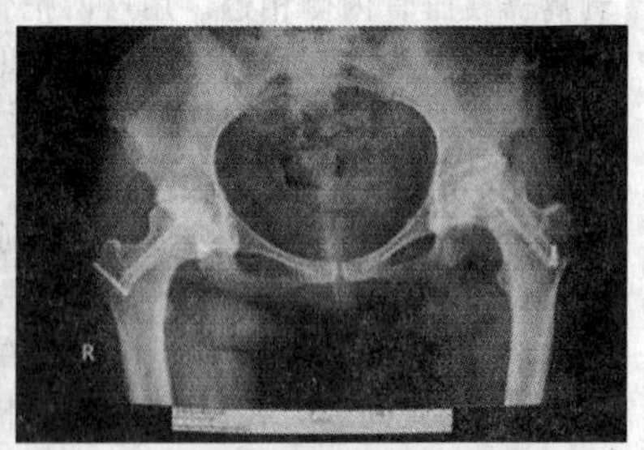

C

图 34-3　游离腓骨移植治疗双侧股骨头缺血坏死

A. 术前 X 线片，右侧股骨头密度不均，股骨头尚光滑。左侧股骨头稍塌陷，股骨头内可见片状高密度影及囊性变　B. 术后 X 线片，示两侧分别移植的游离腓骨的位置　C. 术后 28 个月 X 线片，仅左髋内旋受限，约 30°，余正常

既往史：1年前因大脑胶质瘤行手术，术后予放疗、化疗及激素治疗。

2001年6月分别行左右两侧“股骨头坏死区清除＋吻合血管游离腓骨植入术”（图34-3B）。术后每3个月随访一次。于术后6个月，患者开始下地负重行走。术后28个月后查体，左侧髋关节除内旋稍受限外，余皆接近正常。Harris评分，左侧92分，右侧96分。目前患者已能正常长距离行走，无跛行和疼痛。术后28个月X线片可见：两侧股骨头内腓骨残端有成骨现象，右侧股骨头关节面光滑，左侧与术前比较没有继续塌陷（图34-3C）。

病例2：男，48岁，住院号：122341。2000年11月患者无明显诱因觉左髋和左小腿疼痛、渐加剧。行走200 m左右即无法继续，上下楼梯困难。当时在外院诊断为“腰椎间盘突出症”，行“髓核摘除术”，术后左小腿症状改善。但左髋部依然疼痛。2000年10月摄X线片及MRI检查示：左股骨头坏死Ⅲ期，股骨头稍变扁，左侧股骨头大部水肿，可见软骨下骨坏死及骨折（图34-4A、B）。Harris评分80分。

既往史：1999年患脑炎，激素治疗3个月。同年又患胸膜炎，也间断应用激素。

于2001年8月手术，行“左股骨头坏死清除术＋吻合血管的游离腓骨移植术”（图34-4C）。经27个月随访，患者已能正常长距离行走、跑步和骑自行车。X线片示（图34-4D）：左侧股骨头关节面光滑，腓骨残端有成骨现象。Harris评分97分。

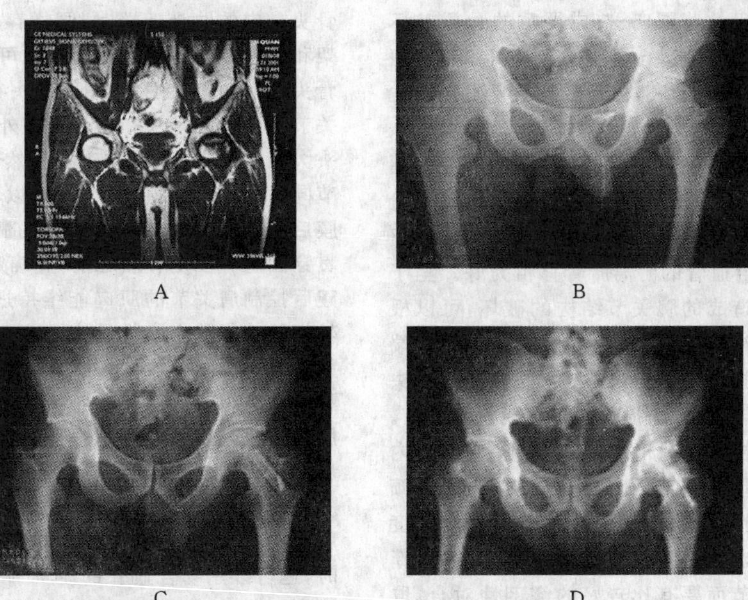

图34-4 游离腓骨移植治疗单侧股骨头缺血坏死

A. 冠状位MRI示左侧股骨头变扁，承重区双线征，外侧1/3低信号区 B. X线片上可见左侧股骨头变扁，关节面光滑，关节间隙无狭窄。股骨头内明显囊性变，软骨下骨折 C. 术后1个月X线片显示移植腓骨的位置 D. 术后27个月X线片，腓骨残端可见成骨，与前比较，股骨头无继续塌陷，股骨头内无囊性变，无继发性坏死

(2) 关节端骨肿瘤的显微外科治疗

四肢长骨的骨端是骨肿瘤的好发部位，病灶涉及组成关节的骨骼，处理具有一定的特殊性。骨肿瘤依病理性质不同，有良性和恶性之分，治疗方法也不尽相同。对于良性骨肿瘤，一般都作局部搔刮、清除病灶后植骨填充。但是，如果关节端骨骼的肿瘤组织已经造成广泛的骨质破坏，局部刮除不能根治；或者良性骨肿瘤经过多次搔刮植骨处理，仍反复发作，就存在一个是否应当切除被良性肿瘤侵犯的关节端骨骼的问题。肿瘤骨段切除后，遗留两个问题需要解决：一是肢体失去骨支架，支撑能力有待恢复；二是关节结构不全，活动功能有待重建。前者可以通过吻合血管的游离骨移植来治疗，后者则要求移植的骨骼带有能用于重建关节的骨端。临床上常用的、同时满足这两个要求的骨移植供区是腓骨。

腓骨是小腿的非负重骨。它长而直，质地致密坚硬;上端为腓骨头,不参与形成膝关节,但具有面向胫骨的小关节面;上段和中段仅仅作为肌肉的附着处,没有承重作用;下段形成外踝,是踝关节的重要组成部分;它的血液供应来源于滋养血管和骨膜支血管,而这些血管都是腓动静脉的分支和属支。基于这个解剖特点,以腓动、静脉为蒂可以切取腓骨用于移植,除了其远侧 1/4 必须保留以维持踝关节的稳定性以外,腓骨近侧 3/4,包括腓骨头在内,必要时都可以用于移植。

1) 桡骨远端骨巨细胞瘤　在人体骨巨细胞瘤中,桡骨巨细胞瘤占大约 10%。它的发病率仅次于股骨远端和胫骨近端,居第 3 位。骨巨细胞瘤生物学行为活跃,侵蚀性强,界于良性与恶性肿瘤之间。当骨巨细胞瘤侵犯的范围广、造成严重的骨质破坏时,肿瘤往往穿破骨皮质,与周围的反应组织紧密相连,局部肿瘤刮除难以彻底,植骨后容易复发。据文献报道,复发率高达 25%～80%。因此,对复发性、特别是侵犯关节面的桡骨下段的巨细胞瘤,考虑到肿瘤的根治,必须切除被肿瘤侵犯的整段骨骼。遗留的骨缺损可以通过移植一段骨骼来修复,长度超过 6 cm 时,以吻合血管的游离腓骨移植为好。至于切除桡骨远端所造成的腕关节结构的破坏,可以根据患者的职业和治疗愿望,或者将移植腓骨的远端固定在腕骨上作腕关节融合,或者移植带有腓骨头的游离腓骨,在修复桡骨缺损的同时重建桡腕关节。腓骨头的外形与桡骨远端相似,也呈锥形,它的上内方有一个接近圆形的关节面,向上、向前、向内侧倾斜,只是它的倾斜角度比桡骨远端关节面的倾斜度大一些。如果考虑到用腓骨头替代桡骨远端时,新的桡腕关节的关节面要有比较好的解剖性对合,取对侧腓骨可能更合适一些。手术切除桡骨远段时,要连同骨骼周围的反应性组织一并切除,在病灶上极近侧至少 5 cm 处截断桡骨,这样可以保证病灶清除的彻底性。按常规以腓动、静脉为蒂切取腓骨,长度应该比所切除的桡骨的长度多,取决于准备采用的骨骼内固定的方式,一般多 3～4 cm,长度够上两枚螺丝钉就行了。游离腓骨头时,应在腓骨近端保留包括关节囊、部分股二头肌肌腱在内的软组织,以便移植时与腕骨周围的软组织缝合,重建腕关节。移植时,将游离好的腓骨上下颠倒,把腓骨头放在腕部与舟状骨和月骨对合,腓骨要作适当的旋转,以确保腓骨头的关节面斜向尺侧和掌侧,与原来桡骨远端的关节面方向相类似。骨骼的固定要可靠、简便。在腕部,用一枚克氏针贯穿固定腕骨和腓骨头;在近侧,桡骨和腓骨远端最好都修成相对的阶梯状,矢状面截骨时要注意腓骨与桡骨的旋转对位和排列,然后用两枚螺丝钉贯穿固定。术后 3 周,修复的软组织已经愈合,就可以拔除固定腕骨和腓骨的克氏针,开始进行腕关节的背屈、掌屈活动的功能锻炼,但是前臂旋转活动应在移植腓骨与桡骨的接骨部临床愈合后开始锻炼。应用这种方法治疗桡骨远端巨细胞瘤,可以实现既彻底切除肿瘤病变组织,又能重建腕关节,保留一定范围的活动功能,在具备手术指征时值得应用。

2) 肱骨近端骨肿瘤　肱骨近端被肿瘤组织侵犯,病灶广泛,累及关节面,治疗上需要切除包括肱骨头在内的肱骨近端时,同样存在重建上臂的骨支架和肩关节的问题。治疗上也可以游离移植包括腓骨头在内的腓骨端段,用腓骨头替代肱骨头,重建肩关节。由于腓骨头和肱骨头在外形和结构上与肱骨头大相径庭,重建后的功能当然不能和原来的肩关节同日而语。移植腓骨时,可以将腓骨远端剥离骨膜后直接插入截骨后的肱骨的髓腔,用一枚螺丝钉贯穿固定。固定骨骼之前,要确定上臂的长度,使重建后控制肩关节的肌肉能维持适当的张力,实现比较好的功能状态。腓骨头与肩盂对合,将游离时保留在腓骨头上的股二头肌肌腱缝在肩盂周围的关节囊等软组织上。还要在腓骨头上钻个洞,将肱二头肌长头肌腱切断后穿过这个洞,再重新缝合,以加强新的肩关节的稳定性。

3) 膝关节骨端肿瘤　股骨下端和胫骨上端被肿瘤侵犯、治疗上需要切除包括关节端在内的骨段时,也可以用吻合血管的游离腓骨移植来处理。无论是股骨下端,还是胫骨上端,骨切除后都破坏了膝关节的结构,造成下肢的节段性骨骼缺损。由于股骨下端和胫骨上端的外形都是又宽又大,缺失后都找不到合适的自体骨来替代,加上膝关节的结构特殊,关节端骨骼切除后,根本无法重建一个能够伸屈活动的新的膝关节。临床上所能做到的仅仅是通过修复肿瘤段骨骼切除后遗留的骨骼缺损重建骨支架,使患肢能恢复负重的功能。过去,有人在切除股骨下端(或胫骨上端)后,把胫骨上段(或股骨下段)沿额状面劈成两半,将前侧一半取下来,上下颠倒,移至骨骼缺损区,桥接股骨和胫骨。另外用一根长长的髓内钉把股骨和胫骨固定在一起。不过,自从吻合血管的游离腓骨移植问世以后,这种治疗方法就被取代了,因为胫骨(或股骨)倒转术移植的骨块是没有血运的，愈合过程需要一个很长时间的爬行替代，而且即便愈合了，还可能发生骨折。笔者赞成移植双侧腓骨来修复膝关节骨端切除后遗留的骨缺损（图 34-5A～E）。

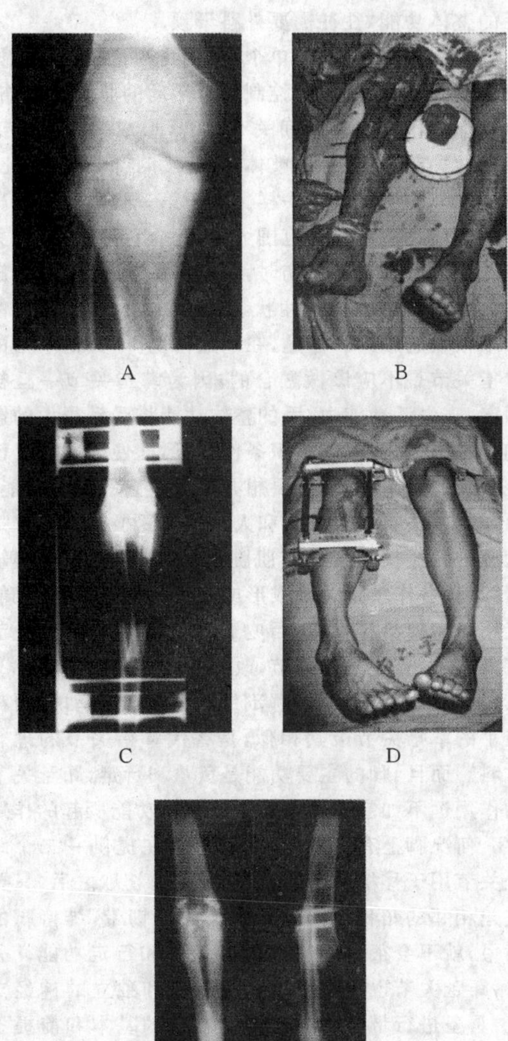

图 34-5 双侧游离腓骨修复胫骨近端骨肿瘤切除后遗留的胫骨节段性缺损

A. 男性 19 岁，右胫骨近端软骨母细胞瘤，病灶清除术后两年复发 B. 手术切除胫骨近端肿瘤段骨骼 C. 术后 X 线片显示移植的两根腓骨的排列和位置 D. 术毕肢体的外观，显示用延长器固定肢体 E. 术后 7 年随访的 X 线片，显示移植骨与宿主骨牢固愈合，肿瘤没有复发

对于恶性骨肿瘤，以往都作截肢处理，近年来倾向于作保留肢体的肿瘤切除术。恶性肿瘤作局部切除容易复发，而且会远处转移。因此，恶性骨肿瘤的切除不能只是切除被肿瘤侵犯的骨骼本身，而应当截除包含着肿瘤病灶的整段肢体。这样，手术时不直接扰乱病灶本身，从清除病变组织的角度讲，它的治疗效果与截肢相当。而所谓"保留肢体"，就是把没有被肿瘤侵犯的远端肢体，再植到肢体近端，使这部分肢体所拥有的功能得到保留并继续发挥作用。由于周围神经切断后，即便立即重新予以缝合，其再生速度仍然十分缓慢。神经修复后，肢体的功能、特别是运动功能的恢复很差。所以，要保证再植的远端肢体有正常的功能，在切除肿瘤段肢体时就不应当切断支配远端肢体的主要神经干，再植时将它们蜿蜒盘曲在皮下层内。有鉴于此，在决定作肿瘤段切除、远侧肢体再植之前，必须仔细检查远侧肢体的神经支配情况。只有在确认支配远侧肢体的神经主干没有被肿瘤侵犯的前提下，才能做出实施手术的决定。因为对于恶性肿瘤来说，这种手术处理还只是属于对症治疗的范畴，目的是改善患者有生之年的生活质量，减轻心理负担；如果肿瘤累及主要神经干，切除肿瘤段肢体时，势必得将受累的神经一并切除，远端肢体再植后的功能大打折扣，再植的必要性就值得怀疑。

上肢和下肢的功能不同，关节端恶性骨肿瘤作肿瘤段切除远侧肢体再植手术的处理方式也不一样。上肢以运动和灵活性为主，强调手和手指的功能，不介意和健侧上肢在长度上的一致性；下肢以负重和行走为主，强调匀称和步态，要求两侧下肢在长度方面彼此协调。关于上肢恶性骨肿瘤行肿瘤段切除远侧肢体再植，文献上报道比较多的是肱骨上段软骨肉瘤，切除上臂肿瘤段之后，不再重建肩关节，而只是把远侧肱骨用钢丝吊在肩峰上。尽管患肢上臂明显短缩，但是，活动和感觉完全正常的手和手指仍然给患者的生活带来莫大的帮助。类似的处理不适合于下肢的病例。因为简单地缩短患肢，使双侧下肢的长度不等，超过一定程度，患者将无法行走，也不能安装假肢。所以，下肢关节端恶性骨肿瘤作保留肢体的肿瘤切除手术时，需要做肿瘤段切除、远侧肢体旋转成形术。

肢体旋转成形术，文献上最早见于 1927 年。Bongneve 报道成功地为一个膝关节结核下肢严重短缩的患者施行了小腿和脚的旋转成形术。截除患膝和小腿中上段，将小腿下段连同脚踝一起旋转180°，移置大腿远端，用踝关节替代膝关节。这种肢体旋转成形术又被许多后来者延伸应用，作为下肢恶性肿瘤的一种外科治疗方法。当恶性肿瘤发生在股骨下端或胫骨上端时，切除肿瘤段肢体之后，膝关节将不复存在，要用远侧肢体的踝关节替代膝关节，就必须行小腿或足踝的旋转成形术。当肿瘤位于胫骨上端时，切除膝关节连同小腿上2/3肢体的整个节段，但是胫后血管神经束必须事先游离并保持完整不受损伤，确保准备旋转移位再植的肢体术后有接近正常的血液循环和神经支配。切除的股骨下端的长度应当比保留在脚上的胫骨远侧段的长度少4 cm左右，这是将胫骨和股骨固定在一起的时候骨骼需要重叠的距离，而这个长度足以允许上两枚用于固定的螺钉。远侧肢体沿纵轴旋转180°，胫骨与股骨对合并固定在一起。股骨和胫骨可以像本章第一节所介绍的急诊小腿旋转成形术、用踝关节替代膝关节的病例一样，彼此以后侧皮质相对应重叠排列；也可以各自修成阶梯状，彼此对合。踝关节运动机制的重建方式与上述病例所采用的一样。用这种方式修复，新的膝关节伸直活动的动力肌为股四头肌，而屈曲的动力肌是腘绳肌，和正常的完全一样，功能锻炼时不需要有意识转换的过程。当肿瘤位于股骨下端时，需要切除膝关节和大腿的大部分，只得将小腿和脚沿纵轴旋转180°后，上移与股骨残端对接以重建大腿的骨支架，同样用踝关节替代膝关节。在这种情况下，手术中必须游离并保留胫神经和腓总神经，而股动、静脉则可切断后与小腿的腘动、静脉吻合，重建小腿的血液供应通道。由于控制踝关节的肌肉都在小腿上，因此不必重建“膝”关节的动力系统。但是，术后的功能锻炼却需要意识转换。患者想要伸直膝关节的时候，他(她)得做踝关节极度跖屈的动作；而当他(她)背屈踝关节时，恰恰是“膝”关节屈曲的动作。文献上也有报道，肿瘤侵犯股骨近端，切除肿瘤段肢体，无法保留髋关节，也可以将包括股骨下端、膝关节、小腿、踝关节和脚的整个远段肢体，再植到大腿根部，作旋转成形术。即用膝关节替代髋关节，踝关节替代膝关节。当然，这个新的髋关节只有伸、屈而没有内收、外展和旋转的活动功能。

34.3 手部关节毁损的显微外科治疗

手是人类的劳动器官，受伤的机会比较多，其中关节的损伤占相当的比例。一些全身性疾病，如类风湿等，也会累及手的关节。手部关节损伤，特别是结构毁损性损伤和病变，必然引发关节疼痛和活动障碍，甚至导致关节僵硬、活动丧失，有时还会影响手的整体功能，往往需要外科干预。

指间关节，特别是单个手指的指间关节损伤，如果修复困难，或者合并控制关节活动的肌腱的损伤，治疗上多作功能位指间关节融合，形成一个无痛又稳定的关节，改善手的整体功能。和指间关节相比，掌指关节的情况就不一样。由于第一腕掌关节呈鞍状，是多轴关节，活动范围大，因此，当拇指的掌指关节遭受无可修复的损伤时，可以作关节融合，既能解除关节损伤的一系列症状，又不会给手的整体功能带来很大的影响。但是，在一般情况下，其他手指的掌指关节是不应该做融合的，因为掌指关节一旦被固定，丧失活动能力，手的整体功能将受到很大的影响。临床上，只要软组织条件许可，即便遇到一个已经僵硬的掌指关节，也要想办法重建它的活动功能。治疗的方法有关节成形和人工关节置换。如果掌指关节的骨性损伤合并有肌腱损伤，或者还有皮肤缺损，不具备作掌指关节成形或人工关节置换，就只能应用显微外科技术，进行吻合血管的自体跖趾关节游离移植，重建掌指关节，改善手的整体功能。

脚的跖趾关节，在解剖结构和功能活动方面都与手的掌指关节极其相似，是替代掌指关节的理想材料。而且，脚的主要功能是负重和行走，跖趾关节的作用远不如掌指关节对手的整体功能所起的作用大。何况脚上有多个跖趾关节，存在提供一二个跖趾关节用于移植的潜能，在跖趾关节切取之后，只要重建相邻的跖骨之间的跖骨头深横韧带，维持脚的横弓，就不会很大地影响脚的负重和行走功能。另外，跖趾关节也拥有轴型血液供应和独立的神经支配，具备进行带血管神经游离移植的基本和前提条件。跖趾关节在它的背侧、跖侧和后侧都有来自足背和足底的动脉的关节支为它供应血液；其背侧关节支分成近侧和远侧两组，分别发自相应的趾背和跖背动脉，它们正好都是足背动脉的延续支；这些动脉支的伴行静脉都汇入足背静脉弓；跖趾关节的神经支配来自腓深神经的终末支——足背神经。总之，以足背动脉、大隐静脉和腓深神经为蒂，是可以切取跖趾关节进行游离移植的。

跖趾关节由跖骨头球状凸面和近节趾骨基底的卵圆形凹面组成。跖骨头的关节面位于它的跖侧和远侧，而在它的背侧却没有关节面。它的背侧关节囊薄而松弛，跖侧关节囊厚而且与足底韧带融合。这些解剖结构决定了跖趾关节的活动范围：背伸可达 50°～60°，而跖屈仅 40°～50°。平时，脚在站立时跖趾关节总是处于背伸的位置，行走时也要求跖趾关节作背伸活动。所以，跖趾关节背伸的活动度大而跖屈的活动度小，正好和手的掌指关节的相反。掌指关节掌屈的范围远远大于它背伸的度数。基于这个活动的差异，在游离移植脚的跖趾关节替代手的掌指关节时，需要将游离好的跖趾关节沿纵轴旋转 180°，再安置在手的受区，使再造的"掌指关节"有比较大的掌屈活动。

跖趾关节游离移植的手术步骤：①手部受区的准备，切除病变或损坏的掌指关节，为接纳移植的跖趾关节准备良好的组织床，游离出用于吻合和缝合的血管和感觉神经。②移植组织的切取，以足背动脉-跖骨背动脉-趾背动脉，大隐静脉-足背静脉弓-趾背静脉，以及腓深神经-趾背神经为蒂，游离拟移植的跖趾关节，注意保护关节支血管和神经。③修复与重建，跖趾关节旋转 180°后，移置受区内，通过内固定重建骨支架，完成肌腱、神经等有关软组织的修复。④血液循环的重建，分别缝合大隐静脉与头静脉、足背动脉与桡动脉。⑤创面的关闭。⑥供区的处理，可以用从受区切除的骨头填充切取跖趾关节所遗留的空间，注意留下一个间隙作跖趾关节成形，便于日后行走。

（曾炳芳　张长青）

参考文献

[1] 于仲嘉，曾炳芳，何鹤皋. 桥式交叉吻合血管游离组织移植. 中华骨科杂志，1994，14(6)：332～335.

[2] 于仲嘉. 儿童下肢大面积软组织缺损的双背阔肌肌皮瓣修复. 中华外科杂志，1991，29：192～194.

[3] 王岩，朱盛修，赵德伟. 带旋髂深血管蒂髂骨骨膜移植治疗股骨头缺血性坏死及疗效评价. 中华骨科杂志，1995，15：567～569.

[4] 丛海波，孙文学，隋海明. 急诊吻合血管组合皮瓣移植治疗四肢大面积皮肤缺损。中华显微外科杂志 1994，17：243～245.

[5] 朱盛修. 显微外科技术在骨科临床的应用. 见：陆裕朴，等主编. 实用骨科学. 人民军医出版社，1991. 422～428.

[6] 朱盛修主编. 现代显微外科学. 湖南科学技术出版社，1994. 388～394.

[7] 孙国峰，王成琪，王剑利，等. 吻合血管的跖趾关节皮瓣移植急诊修复掌指关节部复合组织缺损. 中华手外科杂志，1997，13：90～92.

[8] 赵军，郭恩覃. 吻合血管的小关节移植. 中华显微外科杂志，1993，16：222～224.

[9] 赵德伟，隋广智，杜国君，等. 带血管蒂大转子骨瓣转移对股骨头不同病变的治疗. 中华骨科杂志，1995，15：591～593.

[10] 胥少汀，刘树清. 股骨头坏死图像分析的类型和转归. 中华骨科杂志，1995，15：165～167.

[11] 曾炳芳，眭述平，姜佩珠，等. 急诊显微外科修复肢体复杂组织缺损. 中华显微外科杂志，1997，20：189～191.

[12] 曾炳芳，眭述平，姜佩珠，等. 膝关节毁损伤的功能重建. 中华创伤骨科杂志，2005，7(12)：1104～1107.

[13] 裴国献，谢昌平，李坤德，等. 吻合血管的足趾关节移植重建手指关节. 中华显微外科杂志，1995，18：241～243.

[14] Arsumi T，Kurodi Y. Role of impairment of blood supply of the femoral head in the pathogenesis of idiopathic osteonecrosis. Clinic Orthop，1992，277：22～30.

[15] Chen ST，Wei FC，and Noordhoff SM. Free Vascularized joint transfers in acute complex hand injuries：case report. Trauma，1992，33：924～930.

[16] Godina M，Early microsurgical reconstruction of complex trauma of extremities. Plast Reconstr Surg，1986，78：285～290.

[17] Kubos K. Free transplantation of tissues：problem and complications. Ann Plast Surg，1988，20：55～58.

[18] Taylor GI. Watson N，One-stage repair of compound leg defects with free revascularized flaps of groin skin and iliac bone. Br J Plast Surg，1978，61：494～498.

[19] Tsai TM，Wang WZ. Vascularized joint transfers：indications and results. Microsurgery，1992，8：525～536.

[20] Winkelmann WW. Rotationplasty. Pedia Ortho Oncol，1996，27：503～523.

[21] Yaremmchuk MJ，Brumback RJ，Manson PN，et al，Acute and definitive management of traumatic osteocutaneous defects of the lower extremity. Plast Reconstr Surg，1987，80：113～119.

[22] Yu ZJ，Combined transplantation of free tissues. Plast Reconstr Surg，1987，79：222～233.

[23] Zeng BF，Chen YF，Zhang ZR，et al. Emergence rotationplasty of ankle to knee. Plast Reconstr Surg，1998，101：1608～1610.

第七篇

脊 柱 疾 病

35 脊柱后凸畸形与青少年特发性脊柱侧凸

35.1　脊柱后凸畸形

正常成人胸椎后凸为 20°～40°，颈椎和腰椎为前凸，若胸椎后凸超过正常范围，或颈椎、腰椎有大于 5°的后凸，称为后凸畸形。对于脊柱后凸畸形必须区分单一矢状面后凸畸形和旋转后凸畸形。矢状面指后凸畸形椎体仍位于正常脊柱矢状面上，但脊柱在矢状面成角常见于先天性后凸畸形和强直性脊柱炎。旋转后凸畸形椎体指旋转出正常脊柱矢状面，常见继发于神经纤维瘤病的后凸畸形。多数后凸畸形属于矢状面后凸畸形。此外，根据畸形累及范围还必须区分短节段、长节段后凸畸形，短节段后凸畸形常为角状后凸畸形，如先天性脊柱后凸畸形，长节段后凸畸形在多个节段内形成平滑的后凸畸形，如休门病后凸畸形。

35.1.1　脊柱后凸畸形的分类

后凸畸形可分为先天性、发育性和炎症性等(表 35-1)。先天性后凸畸形是指发生于脊柱任何部位的病理性后凸畸形，主要包括两种类型。Ⅰ型：脊椎体形成不良，多见于胸椎及胸腰椎结合部；Ⅱ型：脊椎分节不良，多见于胸腰段脊柱，其次为胸椎及腰椎。Ⅰ型发病率高，潜在危险性大，易形成角状后凸并致截瘫。同时具备Ⅰ、Ⅱ型特点者为Ⅲ型(图 35-1)。休门病是最常见的发育性后凸畸形的原因，特征表现为进行性胸椎后凸畸形。获得性畸形可由创伤、肿瘤、感染、退变或医源性因素引起。

表 35-1　后凸畸形的分类

1. 先天性
   - 形成不良
   - 分节不全
2. 发育性
   - 休门病
   - 发育性圆背
   - 腰椎滑脱
3. 炎症性
   - 结核
   - 化脓性
   - 强直性脊柱炎
   - 风湿性关节炎
4. 代谢性
   - 骨质疏松
   - 骨软化症
5. 创伤后
6. 肿瘤
   - 原发性和转移性肿瘤

（续表）

神经纤维瘤病
7. 骨软骨发不良性后凸
8. 医源性
椎板切除后
放射后

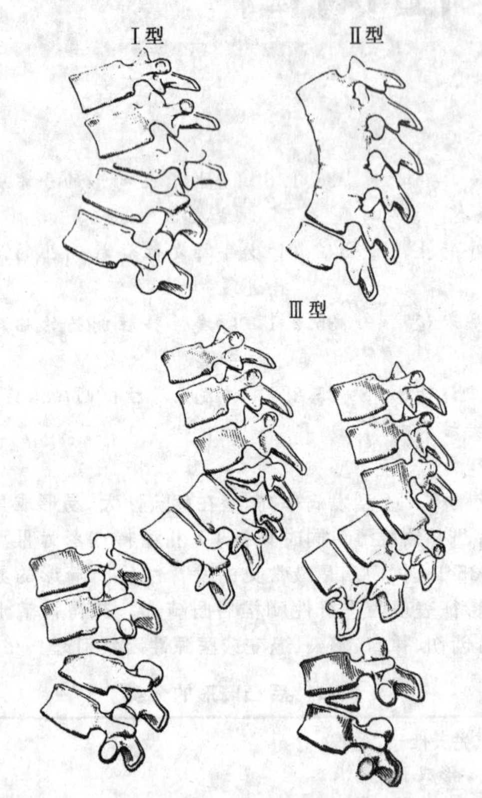

图 35-1 先天性后凸畸形的分类

35.1.2 脊柱后凸畸形治疗的生物力学原则

后凸畸形矫正的生物力学原则包括：①延长脊柱前柱；②提供前柱支撑；③缩短脊柱后柱。前路椎间盘切除和前纵韧带松解有助于前柱延长。前柱支撑在骨骼发育尚未成熟者可通过前柱的自然生长实现，骨骼发育成熟后可通过椎体间融合器植入或支撑物植入实现。缩短后柱可通过脊柱截骨及后路内固定实现。

后凸畸形的纠正可通过纵向撑开和横向加载、屈曲实现。Panjabi 的实验研究证明当 Cobb 角＞53°时，纵向撑开较横向加载对后凸畸形的纠正更为有效。单纯的纵向撑开可通过以下几种方式实现：头盆悬吊、Halo 骨盆-股骨牵引、Halo 重力牵引。围术期 Halo 牵引不但能改善肺功能，而且能减小后凸。后路内植物可实现节段性内固定，适当弯棒和正确的钩型能同时将撑开、压缩和横向加载作用于脊柱。一般而言，钩型设计的原则为向后凸畸形的顶椎施加压缩力。前路内固定系统能撑开和纠正后凸畸形，同时能植骨融合。

无论是前路还是后路手术，植骨块的理想位置必须考虑几个重要的生物力学原则。共轴是指脊柱处于既非压缩力，又非撑开力的位置。共轴常位于椎体内，随后凸畸形的大小及受力而变化。前路支撑植骨，从图 35-2 可见，植骨块 A 的位置可提供短节段抗压缩力，仅对短节段的后凸畸形有效；植骨块 C 的位置更位于前方，离共轴更远，较植骨块 A 更能减少力矩，同时植骨块 C 跨越了更长的区域。但是，较长和位于前方的植骨块易干扰邻近的解剖结构，且再血管化困难。如果仅使用一个支撑植骨的话，植骨块 B 的位置似乎更为理想。椎体间植骨部分位于共轴内，融合后提供的抗压缩力不及前方的支撑植骨块，抗牵张力不及后路融合块，但是前路松解时切除前纵韧带和纤维环有助于纠正后凸畸形。后路融合块的位置和共轴的关系不能有太大的变化，后路融合的范围应当包括畸形内的所有脊椎。短节段融合需承受由躯干重量产生的较长力臂，而长节段融合可降低该力臂的长度，从而降低融合块的应力及减小融合区上方进行性后凸畸形的可能性。

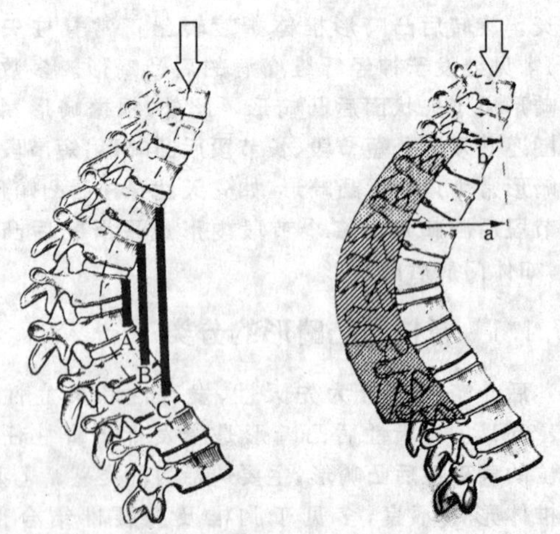

图 35-2 前路支撑植骨

与单一矢状面后突畸形一样,后突型脊柱侧凸中的后突畸形也有角状后突和规则性后突之分。前者主要发生于先天性脊柱侧凸和神经纤维瘤病性脊柱侧凸。临床可能存在潜在不稳定或严重不稳定,使前路手术存在极大的脊髓损伤危险。后者则主要见于神经肌源性或特发性脊柱侧凸,临床一般无不稳定的特征。但不管是角状后突还是规则性后突,远期均可能发生脊髓的慢性牵拉性损害。此类患者单一后路内固定融合术后的纠正丢失发生率明显高于非后突型脊柱侧凸,其主要的生物力学原因为脊柱前方出现空隙,脊柱前柱失去支撑功能而发生进行性躯干塌陷。对于这种患者进行前路的单一凸侧的融合,并不能恢复脊柱前柱的支撑功能。因而理想的也是符合生物力学原理的方法即是进行前方的脊柱侧弯的凹侧支撑性融合,并且必须使用真正具有支撑功能的胫骨干皮质或腓骨,而非肋骨或髂骨,否则后路融合和(或)内固定仍可出现疲劳骨折和发生躯干塌陷。

根据后突顶椎与侧凸顶椎的关系,后突型脊柱侧弯又可分为真性后突型脊柱侧弯,即后突顶椎与侧凸顶椎的位置一致或接近。另一种为旋转反向型后突性脊柱侧凸,其后突顶椎与侧凸顶椎不一致,其后突的顶椎位于上下两个侧弯的交界区,其发生的原因为上下两个侧弯在交界处发生方向相反的旋转,即交界性后突畸形。真性后突型脊柱侧弯可发生于神经肌源性脊柱侧弯、神经纤维瘤病性脊柱侧弯。影像学特点为顶椎高度旋转和椎体连续向外侧塌陷。而交界性后突畸形可发生在任何原因的胸腰双主弯,主要发生在先天性脊柱侧弯和特发性脊柱侧弯。对于前者的支撑融合,其支撑的区域主要是脊柱的侧弯区,相对较短,而对于后者,其支撑的区域就必须包含胸腰双主弯的交界区,即胸腰段脊柱。因而支撑区常跨越上下两个弯曲,相对较长。有时对腰弯有明显塌陷倾向,而胸弯不严重时,则必须在腰弯的凹陷中行支撑融合,达到最有效的支撑和恢复负重线,并预防上方胸弯的塌陷下沉。

35.1.3 脊柱后凸畸形的手术适应证

后凸畸形的手术指征取决于诊断、后凸畸形的病因、畸形的进展、畸形的部位、患者的年龄。一般而言,成年后后凸畸形加重须手术治疗,儿童后凸畸形的手术适应证取决于年龄、后凸畸形的病因及后凸的程度。

(1) 先天性Ⅰ型后凸畸形

常在儿童时期作出诊断,畸形每年平均进展5°～10°,涉及2～3个椎体,若畸形进展,需手术治疗。严重的后凸畸形常伴脊髓压迫,年幼时后凸畸形尚轻,应早期手术治疗。3岁以下的儿童采用原位后路融合术可预防迟发性后凸畸形,原位后路融合必须包括先天性后凸畸形上下的正常脊椎,后路融合可限制正常椎体的后柱生长,正常椎体的前柱生长可纠正后凸畸形。

(2) 先天性Ⅱ型后凸畸形

分节不良发生在前柱,畸形每年平均进展5°,分节不良可仅为两个椎体,也可包括多个连续的脊椎。对年幼患者可采用原位融合术,融合范围包括上下端椎上下方一个正常节段;对>50°的青少年后凸畸形,应采用分期手术,一期前路截骨松解、椎间融合,二期后路矫形内固定、植骨融合。

(3) 休门病后凸畸形

青少年后凸畸形又称休门(Scheuermann)病。1920年Scheuermann首先描述了这一结构性的胸椎后凸畸形。1964年Sorensen提出了这一疾病的客观影像学特征,即至少连续3个椎体前方的5°的楔形变,从而将它与姿势性圆背区别开来。休门病的其他影像学特征为Schmoral结节及终板碎裂和椎间隙狭窄。休门病常于青春期前后开始,出现胸或胸腰段驼背,伴明显的背痛,因站立、坐、激烈的体力活动而加剧。手术适应证为僵硬>80°的后凸畸形而骨骼尚未发育成熟者;成人后凸>75°伴持久性功能障碍性疼痛,经过至少6个月以上的保守治疗无效。

(4) 强直性脊柱炎胸腰椎后凸畸形

强直性脊柱炎(ankylosing spondylitis, AS)晚期可引起僵硬、固定的胸腰椎后凸畸形,患者不能平视,站、坐、平躺等日常活动明显受限。畸形严重的病例因肋骨边缘压迫内脏可引起腹内脏器的并发症,由于外观因素限制了人际交往,可能产生不良的心理影响。对此类患者截骨矫形可以增加腰椎前凸,从而代偿性矫正患者双目俯视及重心力线前移,有利于患者直立行走及进行各项活动,提高生活质量;同时,能缓解远端肋缘对腹腔的压迫,改善腹式呼吸。AS胸腰椎后凸畸形的手术矫形适应证:①矢状面失衡,伴或无持续性疼痛性脊椎炎,保守治疗无效;②髋关节过伸功能良好但后凸畸形进展致躯干前倾；③后凸畸形＞50°；④功能削弱，严重的进展性胸椎后凸畸形伴平视能力丧失而产生社会和心理影响。

（5）创伤后后凸畸形

由脊柱骨折或脱位所致的急性后凸畸形常须采用手术复位；对于迟发性后凸畸形，临床可表现为疼痛、力学不稳定、畸形或神经损害。在处理迟发性后凸畸形时，重要的是区别这种后凸属稳定性还是不稳定的畸形，只有不稳定的后凸畸形才会发展成进行性的后凸畸形。一般说来，稳定的后期后凸畸形主要是指畸形愈合，它容易出现在爆裂性骨折，可能的远期危害是椎管狭窄，对稳定性后凸畸形的手术适应证主要是外观畸形、疼痛和神经损害。而不稳定的后期后凸畸形容易发生于 Chance 骨折或脱位型骨折，通常后凸角度＞30°者可认为是不稳定的，其危害是进行性畸形加重和神经损害。

（6）神经纤维瘤病性后凸畸形

该畸形支具治疗无效，因此当患儿后凸＞50°或后凸畸形进展明显时应手术治疗。

（7）软骨发育不全后凸畸形

后凸畸形常发生在胸腰段，且年幼时即出现，但多数后凸畸形可自行纠正。当顶椎软骨发育不全时，后凸畸形会进展，需行支具治疗。若支具治疗后，畸形仍进展，或出现脊髓的前方压迫则须行手术治疗。

（8）椎板切除后后凸畸形

胸椎和腰椎椎板切除后后凸畸形，常为生长发育期间行椎板切除治疗恶性脊柱肿瘤所致，常见畸形包括单纯后凸及后凸合并侧凸。后凸合并侧凸是多节段椎板切除后最多见的畸形，可为均匀性后凸，亦可为角状后凸，畸形与关节突切除有关。进展性椎板切除后后凸畸形需行固定和融合，可采用后路节段性固定、融合及前路融合。

35.1.4 脊柱后凸畸形的临床评估

胸腰段先天性后凸的临床检查，要特别注意神经系统的检查，这些患者常见泌尿生殖系统异常、心脏异常、Klippel-Feil 综合征和椎管内异常。应行心脏检查和肾脏超声波检查，对于神经系统异常的患者或准备手术的患者有时需要行 MRI 脊髓造影检查。

（1）生长的评估

先天性脊柱畸形的生长不平衡需要三维评估，包括半椎体、蝴蝶椎、骨桥以及双侧椎体发育不对称。发育障碍的空间位置决定了畸形的类型，前柱发育不良导致后凸畸形；后柱发育不良导致前凸畸形；同时有侧方发育不对称会导致侧凸畸形的发生。脊柱的生长潜能决定了畸形的进展，但是这种生长潜能有时很难判断。

（2）神经功能的评估

畸形的不稳定或进展会导致神经系统并发症，对神经功能预后的判断依赖下面 3 个因素。①神经损害的时间越长，神经损害的程度越重，神经功能恢复的可能性越小。有些神经损害出生前就已存在，有些是继发于神经发育异常，有些是畸形的压迫。只有最后一种情况下神经损害才有可能恢复。缓慢出现的神经损害比突然出现的预后好，不完全瘫痪比完全性瘫痪预后好。②病理解剖因素：如后凸区在过伸位试验中显示较僵硬，牵引复位有较高的风险；如后凸畸形较为柔软，牵引的效果会较好。③“静息”治疗：有时对新近出现神经损害的患者采用制动治疗会取得良好的效果，如石膏或适当牵引，如果症状逐渐缓解再采取手术治疗进行前后路融合固定，此时不一定需要椎管减压。

（3）脊柱的稳定性判断

如果脊柱的前柱缺乏足够的骨性组织填充而处于“真空”状态，即使后方结构发育良好，后凸的进展也不可避免。如果同时伴后方结构异常，脊柱的稳定性大大降低，轻微的创伤会导致脊髓受压。

35.1.5 脊柱后凸畸形的治疗技术

围术期牵引治疗后凸畸形是常用的方法，常用的牵引方式为 Halo-股骨、Halo-轮椅及 Halo-过伸牵引。Halo-股骨牵引可提供强大、稳定的轴向牵引力，Halo-轮椅牵引为对抗重力的纵向牵引，并且患者可以移动。一般认为，对僵硬性后凸畸形采用围术期牵引治疗是相对禁忌证，因为存在可能诱发脊髓前方压迫的危险；对于相对柔韧的长节段后凸畸形，前路松解后采用 Halo-股骨牵引，二期行后路矫形内固定植骨融合，不但能降低神经并发症的风险，而且有助于畸形的纠正。

后凸畸形的前路技术有：支撑植骨（胫骨或肋骨）、前路松解椎间融合、前路椎体截骨、椎间融合器支撑融合，对旋转性后凸畸形采用钉、棒内植物；后路技术包括后路节段性内固定、后路椎体截骨术、蛋壳技术。

35.1.5.1 前路技术

(1) 前路凹侧支撑性融合

对于严重后突型脊柱侧弯，远期发生神经损害或术后纠正丢失为其公认的并发症，其主要的生物力学原因为后突畸形呈进行性加重导致躯干塌陷，因而有效的预防措施是脊柱侧凸的凹侧支撑性融合，而非传统的凸侧脊柱融合。手术方法：①根据所需支撑长度取自体胫骨内侧皮质长形骨条（宽1.0 cm，长15～25 cm），取骨条时保持胫骨嵴的完整性。②患者侧卧位，取脊柱侧凸的凹侧入路，如支撑融合区在T_4～L_1，行常规经胸入路，如融合区在T_{11}～L_5，行胸膜外腹膜后入路；如融合区在T_8～L_4，则行经胸腹膜后入路。③骨膜下暴露融合区的全部椎体，对呈严重角状后突的脊柱，对后突窝内的椎体不一定完全暴露至椎体骨膜下，以免过多损伤节段性血管。切除椎间盘后，对上下支撑椎体进行开槽。④从后方对后突顶椎加压，使前方椎间隙张开，把适当长度的胫骨条嵌插植入。根据嵌入后胫骨条的稳定性，可对植骨条进行一端或两端的螺钉固定，最后在后突窝内植入多余胫骨条和肋骨，并尽可能多地使植入骨块与椎体接触（图 35-3）。

前路凹侧支撑性融合对后突型脊柱侧弯具有支撑效果好、假关节发生率低和远期预防躯干塌陷的效果。虽然凹侧前入路对椎间盘的切除难于凸侧入路，但其矫形效果并不低于凸侧入路的椎间盘切除。该手术的主要存在问题是入路复杂，由于手术野深凹，对脊柱的暴露时间长，有时解剖分离极为困难。另外，支撑的胫骨条也可能使膈肌的缝合发生问题或术后出现膈肌刺激症状。

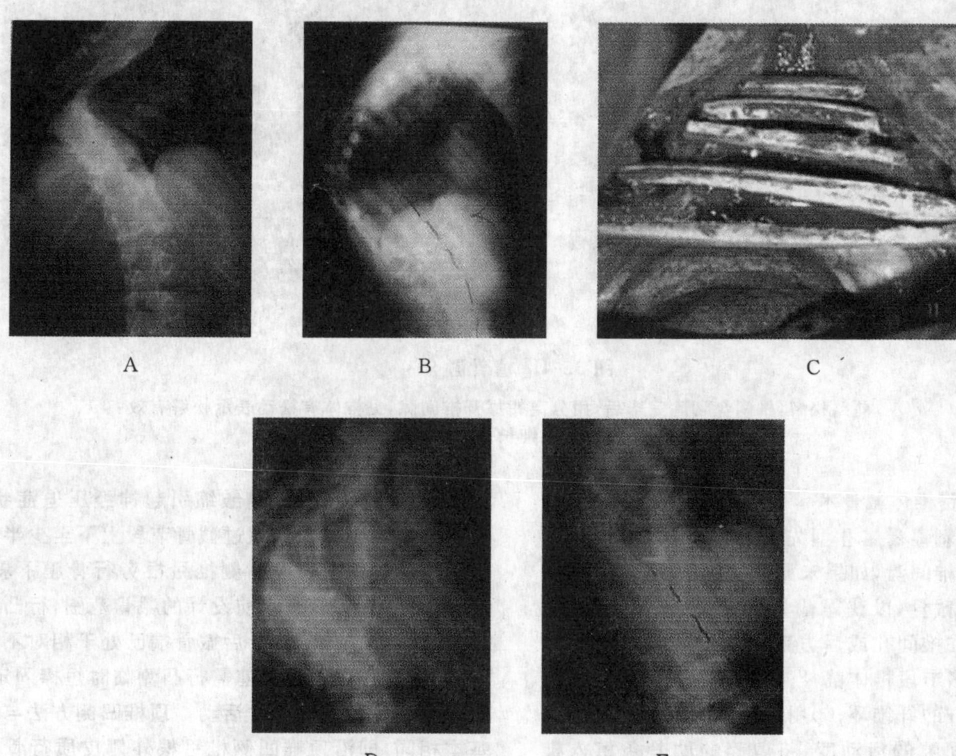

图 35-3 前路凹侧自体胫骨条支撑融合术

男性，22 岁 A、B. NF-1 伴后凸型胸椎侧凸，曾 3 次在外院做矫形融合术 C～E. 因畸形僵硬和严重后凸，脊髓处于临界状态，无法进行矫形，为防止出现神经并发症，仅行单纯前路凹侧自体胫骨条支撑融合术

(2) 前路松解、融合术

对僵硬的后凸畸形，施行前路松解术目的在于通过脊柱前入路切除椎间盘、前纵韧带等组织达到松解脊柱、改善后路矫形术效果和降低术中神经并发症的目的。手术方法：①体位。取侧卧位，凸侧在上，将床桥对准侧凸最明显处。②切口。根据所需要松解的节段来决定，切口通常是在顶椎之上1～2 节段切除一根肋骨。如果是胸弯，经肋床进胸，切口起自肋横关节，向前沿肋骨走行至前胸廓的同侧乳线；如果是胸腰椎侧凸，可采经第 11 或 12 肋胸膜外腹膜后切口，也可采用经第 10 肋的经胸腹膜后入路以获得更大的脊柱暴露；对于腰弯可采用经第 12 肋床的腹膜后入路。③切除椎间盘。在肋骨床处切开胸膜，进入胸腔。盐水纱布垫保护切口边缘，然后用自动撑开器撑开，显露胸椎，畸形的胸椎暴露于手术视野中，切开壁层胸膜，用“花生米”推开胸膜，前方至椎体前缘，后方至肋横关节，充分暴露椎体和椎间盘后，在椎体的中央分离、结扎及切断节段性血管，不能靠近椎间孔结扎节段血管以免影响脊髓的血运。在腰椎则在腰大肌前缘向后剥离腰大肌暴露节段血管后结扎切断，术中注意保护腰大肌以避免腰丛神经损伤。用尖刀在椎间盘和椎体的交界处切开，尽可能完整地切除椎间盘，对于骨骺尚未闭合的患者，可用 Cobb 剥离器将终板软骨完整地剥离，以减少出血，切除完毕后在椎间隙填入明胶海绵；切除 5～6 个椎间盘，切除完毕后，用 Cobb 剥离器撑开椎间隙，见椎体有松动表示松解有效(图 35-4A)。④植骨融合。将取下的肋骨剪成细长条状后，植入椎间隙(图 35-4B)，以期获得骨性融合。⑤缝合切口。根据手术入路不同，依次缝合切口，开胸者必须置胸腔闭式引流。

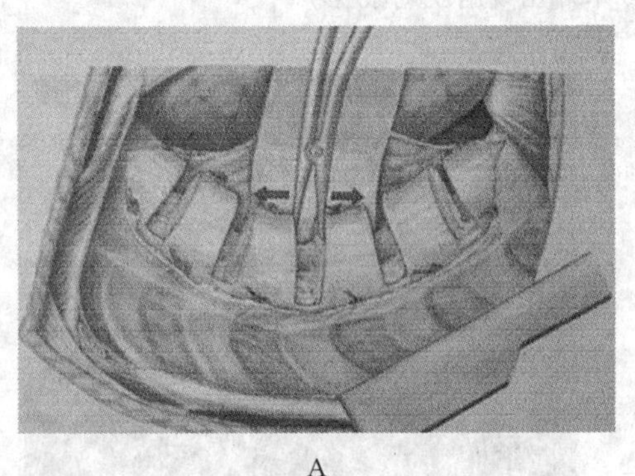

A

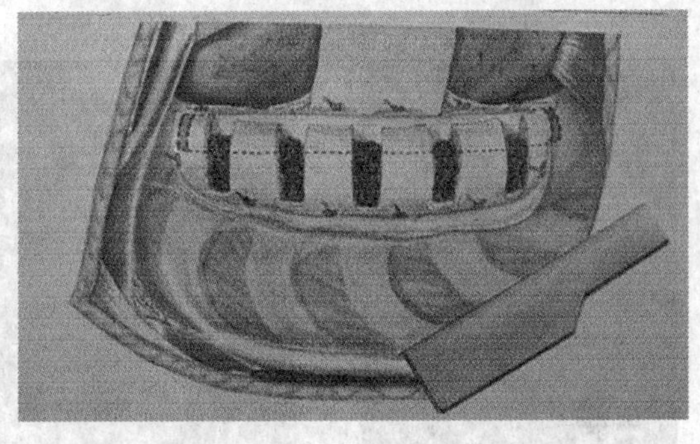

B

图 35-4 植骨融合

A. 前路松解，椎间盘切除完毕后，用分离钳撑开椎间隙，见椎体有松动表示松解有效

B. 取下的肋骨剪成细长条状后，植入椎间隙

(3) 前路椎体截骨术

骨膜下剥离暴露Ⅱ型先天性后凸畸形后，可见后方残留的椎间盘，如果未见到残留的椎间盘，可在椎间孔水平截骨，以获得截骨后矢状面的纠正。手术方法：①在椎间孔或后方残留的椎间盘水平用圆凿、骨刀行多节段椎体截骨；②清除椎间隙内的软组织，直至后方的纤维环；③用哈氏棒撑开器撑开椎间隙，观察椎间隙的活动度，将剪碎的肋骨条植入椎间隙。

35.1.5.2 *后路技术*

(1) 全脊椎截骨术

主要用于有分节不良的先天性脊柱侧凸和僵硬性脊柱侧后凸(图 35-5)。切除截骨区的后方椎板，为防止截骨矫正后脊髓皱缩引起神经压迫症状，椎板切除范围应扩大到超过截骨节段上下至少半个椎板。截骨时先在顶椎凸侧椎弓根旁行骨膜下剥离，显露顶椎侧前方，按术前设计的截骨范围，行凸侧椎体楔形截骨。凸侧截骨后截骨端已处于相对不稳定状态，在进行凹侧截骨前需行凸侧临时短棒固定，以防凹侧截骨时局部异常活动。顶椎凹侧方法与凸侧基本相同，即沿顶椎凹侧椎弓根外侧皮质行骨膜下剥离，直至椎体侧前方。剥离过程中应注意均匀用力，并始终沿骨皮质向前剥离，以免损伤胸腹膜及腹侧血管。截骨完成后，拆除凸侧临时固定短棒，根据术前设计的矫形策略，安置凹、凸侧预弯棒进行畸形矫正。截骨过程中尚需注意：①截骨部位。脊柱畸形的僵硬部位主要位于顶椎区畸形，选择顶椎作为截骨部位，能最大限度矫正畸形，恢复脊柱的力学平衡，增加躯干相对高度。根据中上胸椎的节段性脊髓血供特点，对顶椎位于中胸椎以上者截骨应慎重。②截骨要求。胸段脊椎截骨除截骨平面整齐外，需切断横突、肋骨近侧端，方能达到截骨间充分地对合，否则截骨面难以对合满意。在截骨过程中，应细心操作，避免损伤脊髓和胸膜。

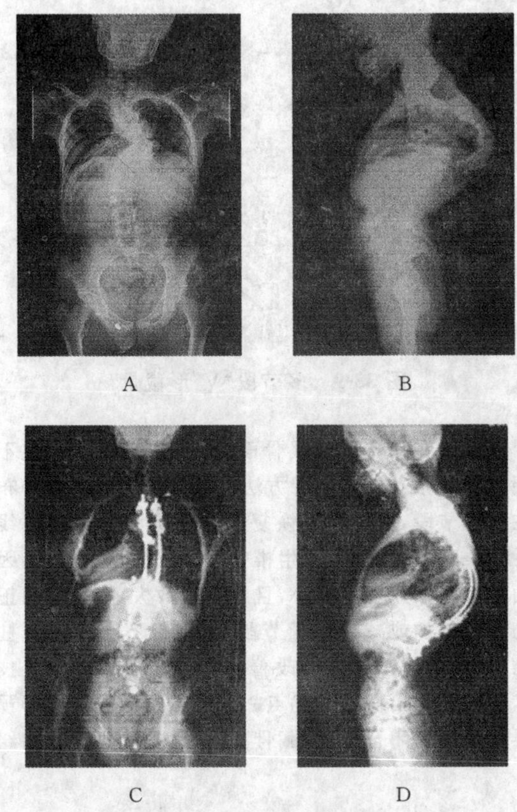

图 35-5　全脊椎截骨术 X 线片表现

男性，17 岁，神经纤维瘤病伴脊柱侧后凸　A. 术前胸椎侧凸 95°　B. 术前胸椎后凸 110°　C. 后路行 T_8 全脊椎切除，TSRH 矫形内固定植骨术。术后侧凸畸形改善　D. 术后矢状面后凸畸形明显减小

(2) 单节段经椎弓根椎体截骨(蛋壳技术)

主要适用于胸腰椎以下的脊椎，截骨时先用"V"形截骨方法对截骨椎的上下关节突进行关节截骨，切除椎板和整个椎弓根(图 35-6)。用气动磨钻沿椎弓根底部钻入椎体，产生一个可以允许髓核钳进出的隧道，以逐步切除椎体内松质骨，此时出血较多，一般不需特殊止血，因为截骨椎体闭合后就自动止血。在闭合截骨面之前必须切除脊髓前方的椎体后壁。也可用剥离器把椎体后壁压向椎体内，用骨刀对双侧椎体侧壁进行截骨，不一定要切除骨折的横突，可把其推向外侧软组织内，最后潜行修正上位椎板下缘和下位椎板上缘，确认神经根上缘无残留椎弓根皮质，即可对截骨处进行加压，造成截骨椎的压缩骨折，使截骨面闭合而达到对侧凸和后凸畸形的同时矫正(图 35-7)，该截骨方法特别适合于成人患者的脊柱侧凸，通过左右不对称的压缩闭合，可满意重建脊柱在额状面和矢状面上的平衡。

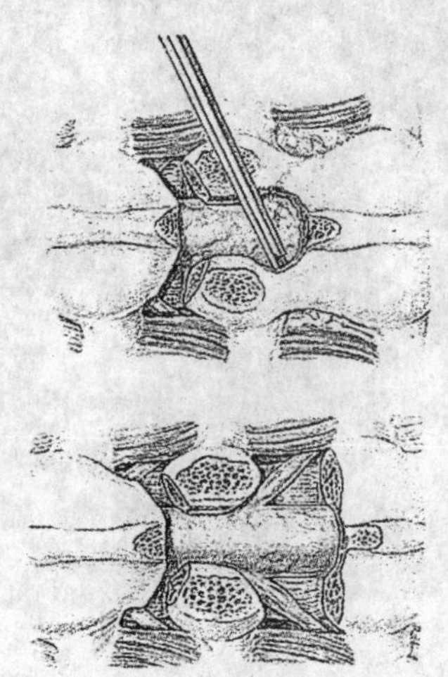

图 35-6　脊柱后份切除后显示的硬膜囊、神经根、椎弓根

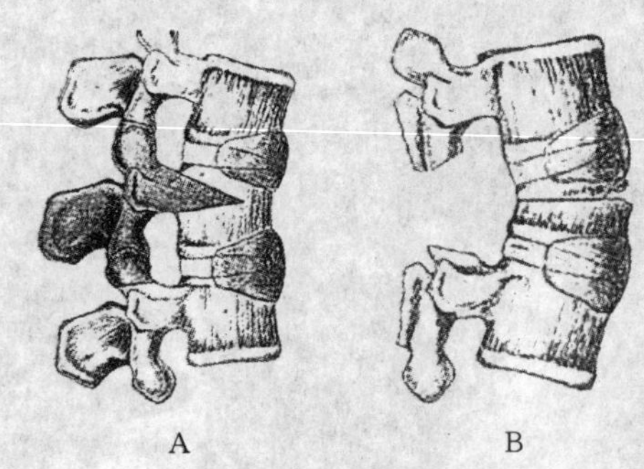

图 35-7　切除双侧椎板和椎弓根、加压后截骨面闭合

该截骨方法在闭合截骨面时，由于椎体发生塌陷而完全避免了脊柱前柱的延长，因而可防止发生主动脉并发症，适合于严重大动脉粥样硬化，广泛腹部瘢痕的患者。由于后凸纠正并不依赖于前方椎间

隙的张开，因而即使椎间盘完全骨化，脊柱呈严重竹节样改变，后凸也可纠正，内固定也较短(图 35-8)。其缺点是技术难度大、出血多和术后背部外观改善不如多节段“V”形截骨术，矫正度数也有限，一般约30°。理论上，脊柱在畸形中不延长可降低神经并发症，但该截骨方法由于可造成椎管在矢状面上的成角、硬膜囊屈曲变形和术中脊柱失稳，神经并发症的可能性仍然存在，因而截骨节段一般选在 L_3 或有时 L_2，如为成人患者腰椎侧凸，截骨水平则可选在顶椎区，以增加脊髓对椎管局部变形的耐受性。

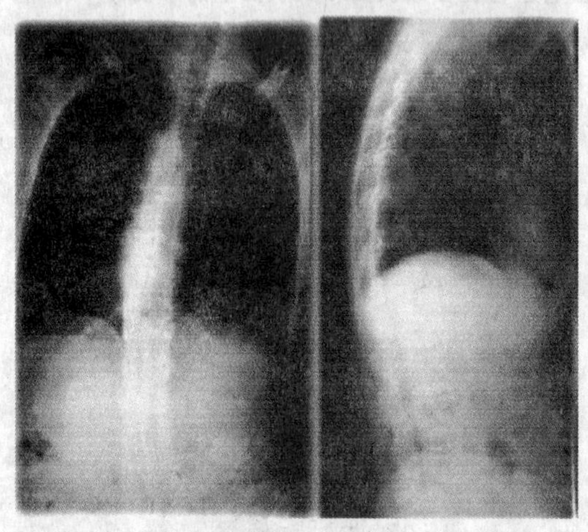

A

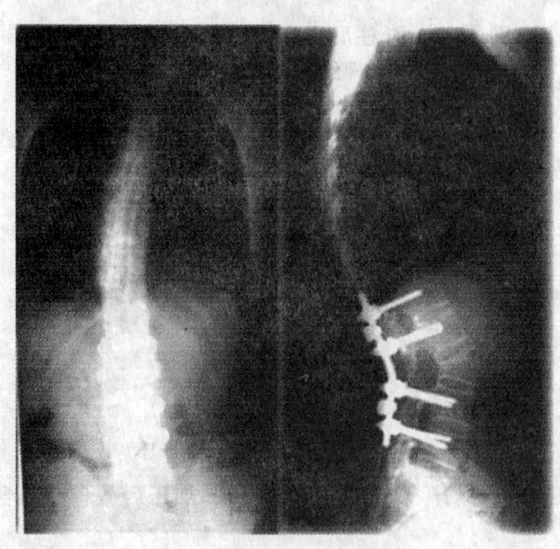

B

图 35-8 椎弓根椎体截骨术 X 线片表现

男性 45 岁，强直性脊柱炎胸腰椎后凸畸形，经椎弓根椎体截骨术后，截骨平面为 L_3

(3) 多节段经关节突“V”形截骨

该截骨方法既可用于腰椎也可用于胸椎，且可在多个节段上完成，从椎板间隙中央开始暴露椎管，沿关节突关节向椎间孔方向扩展，使截骨线与水平线成 30°～40°夹角(图 35-9)，截骨槽宽度 5～7 mm，如伴有脊柱侧凸，凸侧的截骨面应适当加宽，截骨槽底部的骨皮质必须切除，以免闭合矫形时压迫神经根，但尽可能保持下位椎弓根的完整，使在此处的内固定强度不受影响。

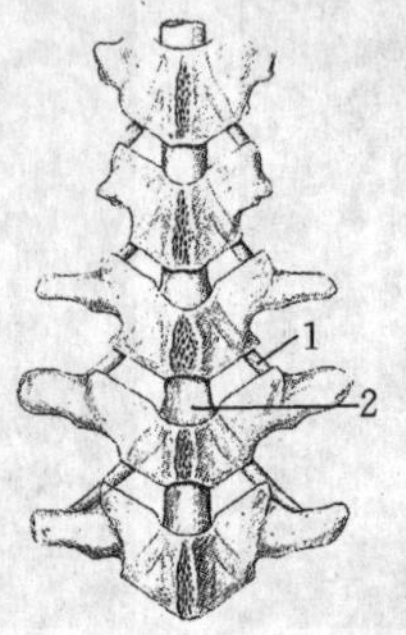

图 35-9 多节段“V”形截骨

由于在闭合后份截骨面时，前方椎间隙产生不同程度的张开。该截骨方法使后凸畸形的矫正分布在多个节段，更有利于恢复矢状面圆滑的生理曲线(图 35-10)。由于不发生椎管在矢状面上的成角，因而神经并发症可能性小，且纠正度数大，可根据纠正的要求增加或减少截骨节段，术中也不会发生脊柱的失稳，术后背部外形改善好(图 35-11)，还具有技术易掌握和出血少的优点。其缺点是截骨前难于预料截骨面的闭合程度，截骨面过窄，则操作困难和纠

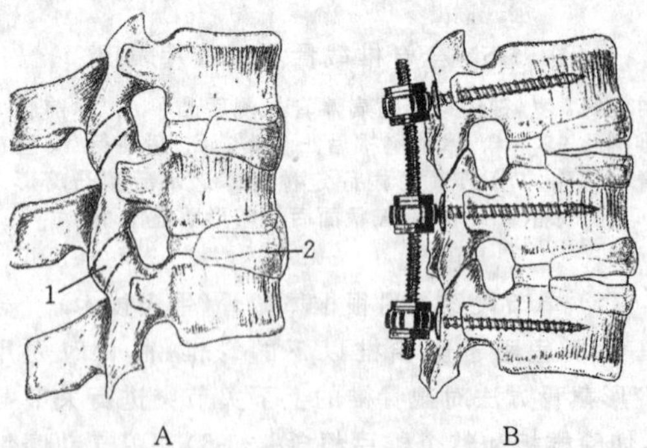

图 35-10 截骨处“V”形底边缩短、消失，截骨面靠拢闭合

正不足，截骨面过宽，则不能完全闭合，特别是在胸椎甚至发生截骨面完全不能闭合，另外值得注意的问题是有时截骨面稍为扩大或偏向尾侧，椎弓根螺钉的置入可发生困难或造成椎弓根骨折；另外假如椎体骨质疏松太严重，在闭合截骨面时，脊柱前柱的张开不发生在椎间隙，而造成椎体骨折。此技术适合伴均匀性后凸的侧凸患者，截骨的范围应左右不对称（凸侧>凹侧），以利于纠正侧凸。

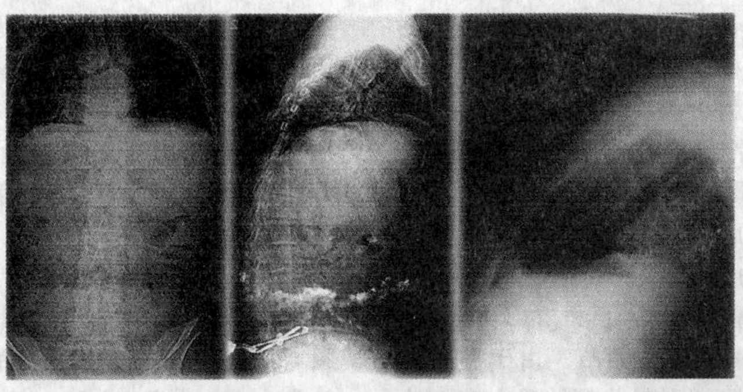

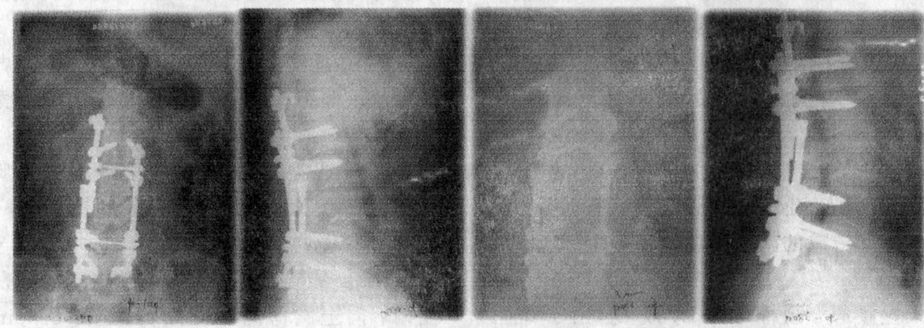

图 35-11　多节段"V"形截骨术 X 线片表现

男 26 岁，强直性脊柱炎胸腰椎后凸畸形，多节段"V"形截骨术后及随访时的 X 线片提示腰椎生理前凸恢复

35.1.6　后凸畸形的手术并发症

（1）融合节段过短

未能融合整个后凸畸形节段，可能导致后凸畸形进展。

（2）植骨块骨折

支撑植骨块的位置偏前，未能与后凸顶椎实现骨性接触，导致植骨块骨折。

（3）神经卡压

截骨面不够宽、椎管的边缘不平滑，截骨面闭合后导致神经卡压。

（4）假关节形成

前路松解时，椎间盘切除不彻底；后路矫形手术时仅关注内植物的放置，忽视了融合技术，导致融合失败及迟发性畸形进展。

（5）矢状面失平衡

后路矫形时内植物放置不当，导致残留畸形过大及纠正不充分，不能维持后凸畸形下方的腰椎前凸，导致矢状面失平衡。

35.2　青少年特发性脊柱侧凸的治疗进展

特发性脊柱侧凸最早是 19 世纪中叶由 Bauer 提出，1909 年 Nathan 正式使用这一名称，直到 1922 年才由 Whitman 给出明确定义，随后被国际脊柱侧凸研究会推广。青少年特发性脊柱侧凸（adolescent idiopathic scoliosis，AIS）是指发生于青春发育期前后的脊柱结构性侧凸畸形，它好发于青少年，尤其是女性，常在青春发育前期发病，在整个青春发育期快速进展至青春发育结束，在成年期则缓解进展，有时则停止进展。

35.2.1 特发性脊柱侧凸的临床分类

(1) 根据脊柱侧凸发病时的年龄分类

婴儿型脊柱侧凸(0～3岁)、儿童型脊柱侧凸(4～9岁)、青少年型脊柱侧凸(10～16岁)。

(2) 根据顶椎的位置分类

在前后位X线平片上，脊柱侧凸的凸侧被定义为该脊柱侧凸的方向，即右胸椎脊柱侧凸指弯曲的凸侧在右侧。顶椎指的是弯曲中最为水平、旋转最严重和偏离中线最远的脊椎。

1) 单个主胸弯　最为常见，顶椎在 T_8 或 T_9，常包括 T_6～T_7 脊椎，一般为右侧凸。由于整个脊柱侧凸区均在胸椎，可早期引起凸侧肋骨向背侧隆起而被早期发现。双肩不等高明显，有时也可成为首发症状。该类脊柱侧凸发病越早，造成的胸廓畸形越明显，还常伴有胸椎后突的减小甚至出现前突，称为前凸型胸椎侧凸。

2) 胸腰椎主侧凸　顶椎常为 T_{12} 或 L_1，由于可引起明显的躯干侧倾而外观畸形严重。有时，一个40°的胸腰椎侧凸造成的畸形明显重于一个60°的胸腰双主弯畸形。

3) 单个主腰弯　顶椎常为 L_2 或 L_3，由于脊柱侧凸位置低，正常腰椎又是前凸，因而有时即使脊椎旋转很明显，但外观畸形轻，早期不易被发现。

4) 胸椎和腰椎两个主侧凸(又称胸腰双主弯)　胸椎常为右弯，腰椎常为左弯。两个弯曲的度数、旋转与中线的距离常接近，但腰弯的柔软性常大于胸弯。由于躯干平衡好、双肩等高，穿衣后即使度数很大，外观畸形也可以不明显，但在矢状面上可以在两个弯曲的交界区出现一后凸畸形，即交界性后凸畸形。

5) 两个主胸弯(又称胸椎双主弯)　不常见，在胸椎出现两个方向相反的弯曲，通常为上胸椎左弯，呈后凸型；下胸椎右弯，呈前凸型，因而在两弯交界处可出现一明显的交界性后突，患者双肩不等高，但常为右肩低于左肩，左颈胸部比右侧饱满。

6) 颈胸段主侧凸　少见，外观畸形明显，常被早期发现，但支具治疗极为困难，手术的矫形效果也差。

7) 多个互补性脊柱侧凸(又称"蛇"形脊柱侧凸)　很少见，在胸椎和腰椎出现几个方向相反的脊柱侧凸，由于度数接近，互相补充因而平衡维持好、外观畸形轻，进展也相对较慢。

(3) 根据King分类

King根据胸椎侧凸累及的脊椎范围和远端代偿弯的功能结构状态，把具有结构性侧凸特征的胸椎脊柱侧凸分为如下几种类型，但此分类系统主要用于青少年特发性脊柱侧凸。

King Ⅰ型：胸弯和腰弯均超越骶骨中线，呈"S"形，腰段弯曲大于胸段弯曲，胸弯的柔软性大于腰弯；若胸段弯曲大于或等于腰段，则腰段弯曲比胸段更僵硬。

King Ⅱ型：胸弯和腰弯均超越骶骨中线，呈"S"形，胸段弯曲等于或大于腰段弯曲，胸弯的旋转大于腰弯，卧位Bending相腰弯的柔软性大于胸弯，稳定椎常为 T_{12} 或 T_{11} 或 L_1。临床检查胸椎旋转突起比腰椎旋转更为明显。

King Ⅲ型：胸段弯曲，继发的腰弯不超越中线，且腰弯呈非结构性，Bending相腰弯非常柔顺，站立位上腰弯一般无旋转。

King Ⅳ型：为一累及较多脊椎的长胸弯，顶椎通常在 T_{10}、L_4 倾斜进入该长胸弯内，外观畸形明显，但 L_5 仍位于骶骨中央。

King Ⅴ型：双重胸段侧弯，上下胸弯均为结构性，T_1 向上胸弯的凹侧倾斜，且在bending相上表现为结构性弯曲，T_6 常为两弯的交界椎。临床上常有左肩升高。

由于该分型系统有具体的融合范围，而且便于临床医师记忆和理解，因此，仍是目前被广泛应用的分型系统。但该分型系统是根据侧凸的冠状面畸形和使用Harrington器械矫形结果的分析而得出的，不能正确反映侧凸的三维畸形；并且分型不完整，未包括单腰弯、单胸腰弯和三弯。在将其应用于三维矫形器械的治疗时，出现了很多问题，其中问题最多的是King Ⅱ型产生的术后失代偿。该分型系统的可靠性和可重复性很低，仅为64%和69%，因而无法在不同治疗方法间进行比较研究。

(4) Lenke分型

Lenke等通过对冠状面和矢状面畸形的分析对特发性脊柱侧凸进行分型，是目前较全面的分型系统；并且其可信度和可重复性较高，Lenke报道分别为92%和83%，远较King-Moe分型系统为高。但由于该系统使用了结构性弯曲这一仍有争议的概念，使得对侧凸的描述容易产生混淆。Ogon等通过对 Lenke 分型系统的分析，其可靠性仅为 41%，远低于 Lenke 等的报道。另外，该分型系统亦缺乏相应于各型的具体融合范围和手术方法。

Lenke 分型包括 3 个部分：侧凸类型（Ⅰ～Ⅵ）、腰弯修正型（A、B、C）与矢状面胸弯修正型（－、N、＋）。Lenke 依照脊柱侧凸研究协会（SRS）的定义，在冠状面上以顶椎位置命名侧凸类型，同时做出以下定义：结构性近段胸弯为侧方弯曲像上 Cobb 角≥25°（T_1 倾斜入上弯或无）或胸椎后凸（T_2～T_5）≥20°；结构性主胸弯为侧方弯曲像上 Cobb 角≥25°或胸腰椎后凸（T_{10}～L_2）≥20°；结构性主胸腰弯-腰弯为侧方弯曲像上 Cobb 角或胸腰椎后凸（T_{10}～L_2）≥20°。青少年特发性脊柱侧凸（AIS）可分为以下 6 种类型。Ⅰ型：主胸弯，胸弯为主弯，近段胸弯和胸腰弯-腰弯为次要弯曲，且为非结构性弯曲（图 35-12～35-14）；Ⅱ型：双胸弯，胸弯为主弯，近段胸弯为次要弯曲和结构性弯曲，胸腰弯-腰弯为次要弯曲且为非结构性弯曲（图 35-15）；Ⅲ型：双主弯，胸弯和胸腰弯-腰弯为结构性弯曲，近段胸弯为非结构性弯曲。其中胸弯 Cobb 角大于胸腰弯-腰弯，相差＜5°（图 35-16～35-18）；Ⅳ型：三主弯，近段胸弯、胸弯和胸腰弯-腰弯均为结构性弯曲，其中远侧两个弯曲均有可能为主弯（图 35-19）；Ⅴ型：胸腰弯-腰弯，胸腰弯-腰弯为主弯和结构性弯曲，近段胸弯和胸弯为非结构性弯曲（图 35-20）；Ⅵ型：胸腰弯-腰弯-胸弯，胸弯和胸腰弯-腰弯均为结构性弯曲，近段胸弯为非结构性弯曲，其中胸腰弯-腰弯为主弯，其 Cobb 角大于胸弯至少 5°。若胸弯和腰弯的 Cobb 角相差＜5°，则根据胸弯和胸腰弯-腰弯是否为结构性弯曲将其归入Ⅲ、Ⅳ、Ⅴ型。

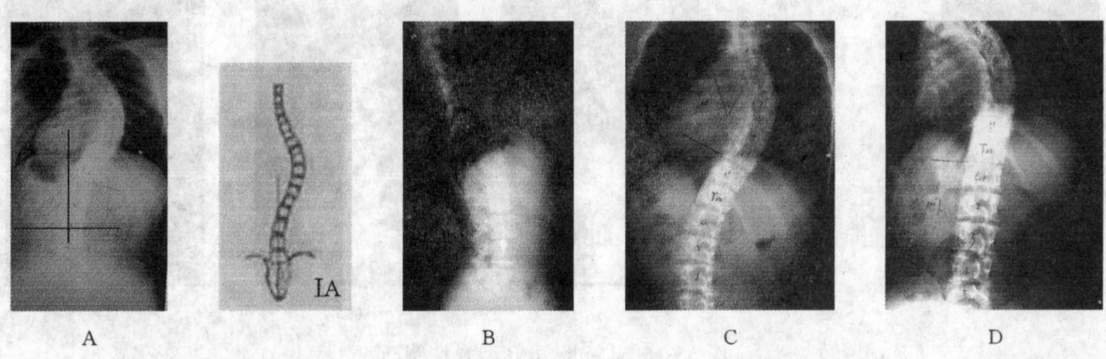

图 35-12　Lenke ⅠAN 型脊柱侧凸

胸椎主侧凸，Cobb 角 68°（A），凸侧 bending Cobb 角 45°（C），为结构性胸椎主侧凸；腰弯 Cobb 角 15°，凸侧 bending Cobb 角 0°（D），为非结构性侧凸。骶骨中线（center sacral vertical line，CSVL）在 L_2 两侧椎弓根之间穿过（A），胸椎后凸（T_5～T_{12}）为 20°（B）

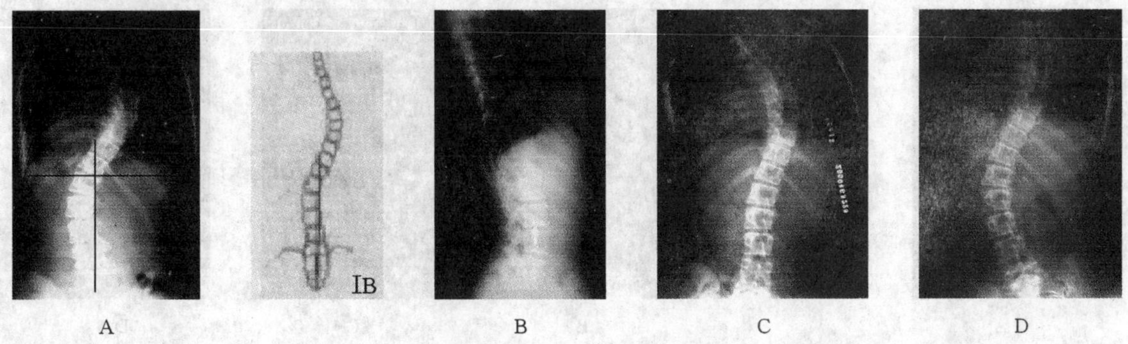

图 35-13　Lenke ⅠB 型脊柱侧凸

胸椎主侧凸，Cobb 角 50°（A），凸侧 bending Cobb 角 30°（D），为结构性胸椎侧凸；腰弯 Cobb 角 25°，凸侧 bending Cobb 角 10°（C），为非结构性侧凸。CSVL 在 L_4 凹侧椎弓根的内侧界至椎体外缘之间（A），胸椎后凸（T_5～T_{12}）为 8°（B）

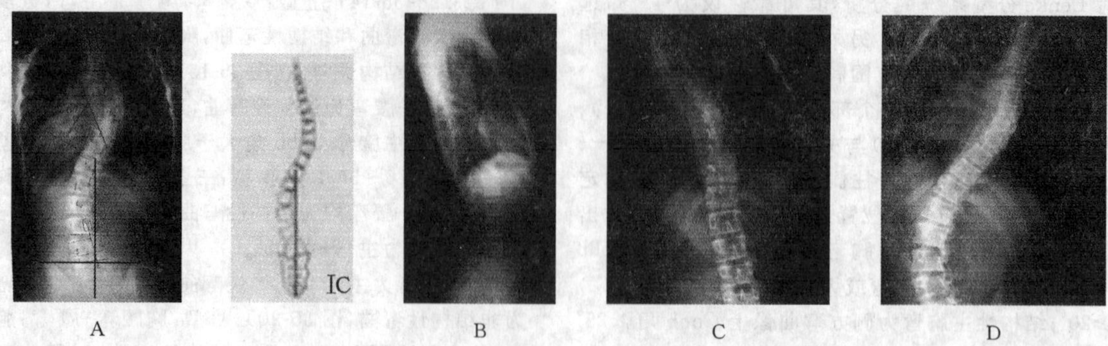

图 35-14 Lenke ⅠC 型脊柱侧凸

胸椎主侧凸，Cobb 角 60°(A)，凸侧 bending Cobb 角 30°(D)，为结构性胸椎主侧凸；腰弯 Cobb 角 29°，凸侧 bending Cobb 角 5°(C)，为非结构性侧凸。CSVL 位于 L_3 椎体外缘以外(A)，胸椎后凸(T_5～T_{12})为 9°(B)

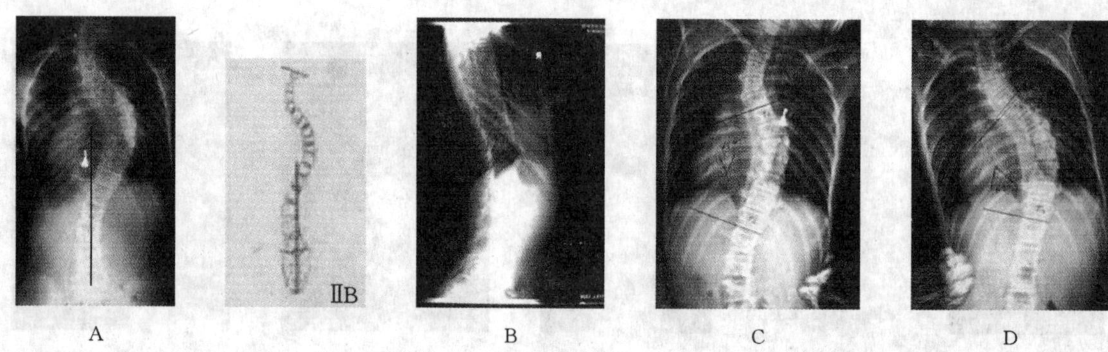

图 35-15 Lenke ⅡB 型脊柱侧凸

胸椎双侧凸，主胸椎侧凸是主侧凸，Cobb 角 60°(A)，凸侧 bending Cobb 角 43°(C)；上胸椎侧凸是结构性的次侧凸，Cobb 角 40°，凸侧 bending Cobb 角 33°(D)；CSVL 在 L_4 凹侧椎弓根的内侧界至椎体外缘之间(A)；胸椎后凸(T_5～T_{12})为 8°(B)

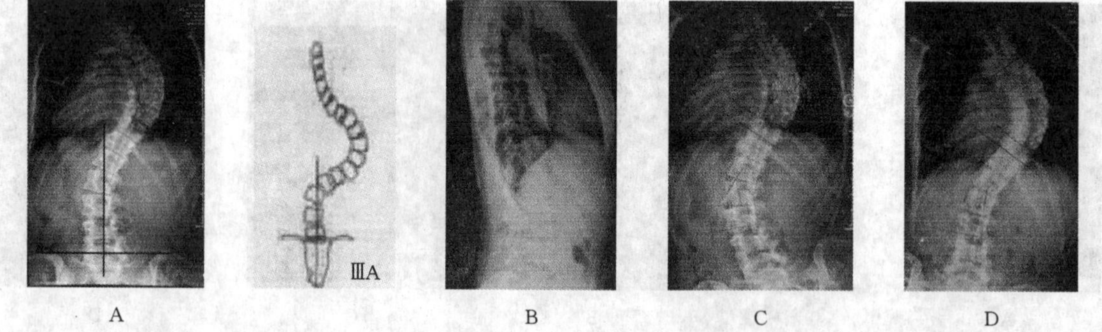

图 35-16 Lenke ⅢA 型脊柱侧凸

胸腰椎双主侧凸。主胸椎侧凸 Cobb 角 75°(A)，凸侧 bending Cobb 角 65°(C)；腰椎侧凸 Cobb 角 45°，凸侧 bending Cobb 角 25°(D)；CSVL 在 L_3 两侧椎弓根之间穿过(A)，胸椎后凸(T_5～T_{12})为 7°(B)

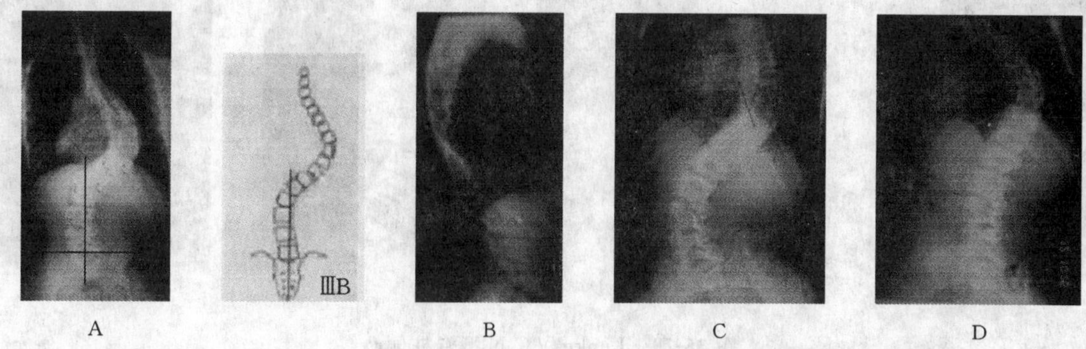

图 35-17 Lenke ⅢB N 型脊柱侧凸

胸腰椎双主侧凸。主胸椎侧凸 Cobb 角 90°(A),凸侧 bending Cobb 角 60°(C);腰椎侧凸 Cobb 角 45°,凸侧 bending Cobb 角 28°(D);CSVL 位于在 L_3 凹侧椎弓根的内侧界至椎体外缘之间(A),胸椎后凸($T_5 \sim T_{12}$)为 35°(B)

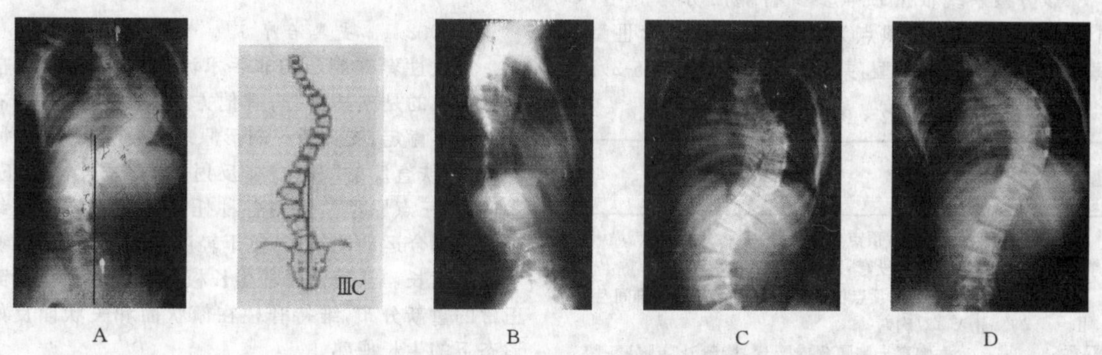

图 35-18 Lenke ⅢC N 型脊柱侧凸

胸腰椎双主侧凸。主胸椎侧凸 Cobb 角 100°(A),凸侧 bending Cobb 角 60°(C);腰椎侧凸 Cobb 角 75°,凸侧 bending Cobb 角 26°(D);CSVL 位于在 L_3 椎体外侧缘(A),胸椎后凸($T_5 \sim T_{12}$)为30°(B)

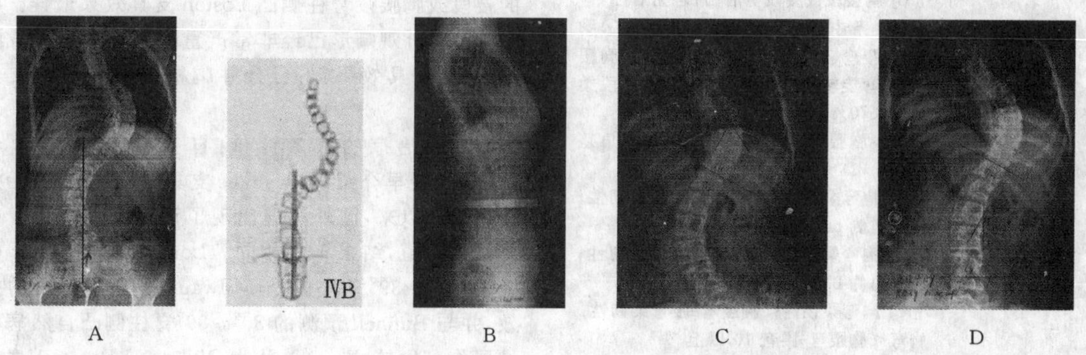

图 35-19 Lenke ⅣB N 型脊柱侧凸

上胸弯 Cobb 角 45°,胸弯 Cobb 角 72°,腰弯 Cobb 角 55°(A),上胸弯 bending 27°,胸弯 bending 67°(C),腰弯 bending 30°(D),CSVL 位于 L_3 椎弓根的内侧界至椎体外缘之间(A),胸椎后凸($T_5 \sim T_{12}$)为 26°(B)

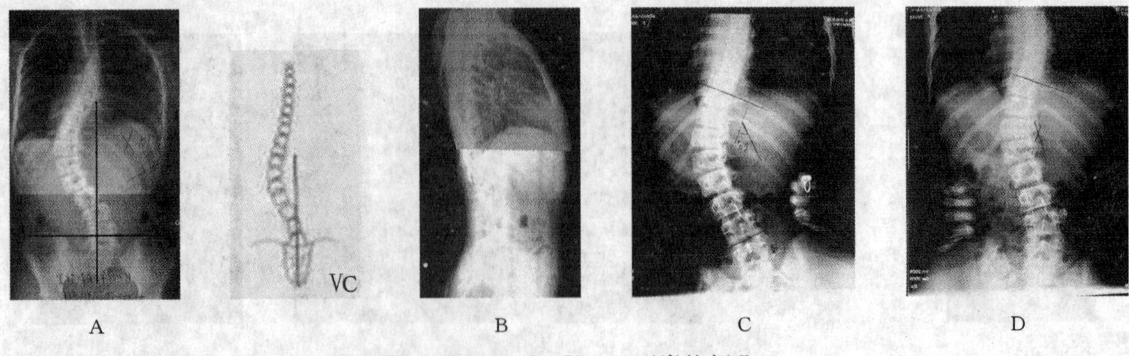

图 35-20 Lenke ⅤC N 型脊柱侧凸

胸腰椎侧凸 Cobb 角 55°(A)，凸侧 bending Cobb 角 30°(D)；胸椎侧凸 Cobb 角 33°，凸侧 bending Cobb 角 22°(C)，CSVL 位于 L_1 椎体外缘以外(A)，胸椎后凸(T_5～T_{12})为 27°(B)

(5) 特发性脊柱侧凸的 PUMC(协和)分型

该分型系统根据顶点多少将侧凸分为 3 型，1 个顶点为Ⅰ型，2 个顶点为Ⅱ型，3 个顶点为Ⅲ型。每型中再分不同的亚型，共计 13 个亚型(表 35-2)。

表 35-2 PUMC 分型

型别	顶点数	亚型	特　点
Ⅰ 单弯	1	ⅠA	胸弯，顶点位于 T_2～$T_{11、12}$ 椎间盘
		ⅠB	胸腰段弯，顶点位于 T_{12}～L_1
		ⅠC	腰弯，顶点位于 $L_{1\sim2}$ 椎间盘～$L_{4、5}$ 椎间盘
Ⅱ 双弯	2	ⅡA	双胸弯 胸弯＋胸腰弯或腰弯，胸弯>胸腰弯-腰弯 10°以上
		ⅡB	ⅡB_1 符合以下条件：①无胸腰段或腰段后凸；②胸腰段-腰段 Cobb 角≤45°；③胸腰段-腰段旋转度<Ⅱ度；④胸腰段-腰段柔韧性≥70% ⅡB_2 胸腰段或腰段有后凸；若无后凸，但下述 3 条中有一条者，亦为ⅡB_2。①胸腰弯-腰弯额状面 Cobb 角>45°；②胸腰弯-腰弯旋转度>Ⅱ度；③胸腰段-腰段柔韧性<70% 胸弯≈胸腰弯-腰弯，即两者 Cobb 角差<10°
		ⅡC	ⅡC_1 胸弯柔韧性>胸腰弯-腰弯柔韧性；胸弯凸侧 bending 相≤25° ⅡC_2 胸弯柔韧性>胸腰弯-腰弯柔韧性；胸弯凸侧 bending 相>25° ⅡC_3 胸弯柔韧性<胸腰弯-腰弯柔韧性 胸弯<胸腰弯-腰弯 10°以上
		ⅡD	ⅡD_1 胸弯凸侧 bending 相≤25° ⅡD_2 胸弯凸侧 bending 相>25°
Ⅲ 三弯	3	ⅢA	远端弯符合ⅡB_1 条件
		ⅢB	远端弯符合ⅡB_2 条件

35.2.2 特发性脊柱侧凸的治疗

35.2.2.1 支具治疗

特发性脊柱侧凸的非手术治疗方法很多，目前较为公认的是支具治疗，其他方法独立使用时的有效性并不肯定，支具矫正畸形原理主要为以下 3 种：①通过“扶直反射”和“避痛反射”达到诱导性纠正。②遵循“三点原理”，使用各种托垫加压来被动性纠正。③耦合运动性纠正，躯干轻度前屈固定，引导躯干向上生长。从而使脊柱生长板所承受的力量达到正常的重新分布，维持脊柱在额状面和矢状面良好形态下的生长成熟。

支具治疗适应证：①Risser 征≤2 和月经尚未开始或刚开始的患者。②20°～40°的轻度脊柱侧凸，婴儿及早期少年型 40°～60°偶尔可用支具。③节段长的脊柱侧凸支具治疗效果佳。④40°以下柔软性较好的腰段或胸腰段脊柱侧凸 Boston 支具效果最佳。而对于初诊外观畸形已经非常严重又有高度进展危险的患者，支具效果很差，合并胸椎前突者不宜支具治疗。

支具治疗的疗效评价：自 1946 年 Blount 和 Schmidt 最早介绍 Milwaukee 支具架(图 35-21)治疗脊柱侧凸以来，国外相继出现了许多支具矫正脊柱侧凸的报道，结果不尽相同。Lonstein 和 Winter 研究了 30°～39°脊柱侧凸 Milwaukee 支具治疗的疗效，并与 Bunnell 预测的 30°～39°脊柱侧凸自然病程进展作一比较，Bunnell 认为 Risser 0～Risser 1 患者中 57%进展>5°，Risser 征≥2 的患者中 43%进展>10°，而 Lonstein 和 Winter 发现 Milwaukee 支具治疗失败率分别为 53%和 25%。Miller 把 144 例

Milwaukee 支具或 Boston 支具治疗的患者与 111 例无治疗的对照组比较，治疗组有 17%患者进展>5°，而对照组是 24%。2000 年 Wiley 长期随访后发现每天佩戴 18 h 以上 Boston 支具可有效阻止大曲度(35°～45°)青少年特发性脊柱侧凸的进展。朱泽章报道应用支具治疗并获中期随访的 AIS 患者 77 例，男 15 例，女 62 例；年龄 10～15 岁，平均 12.7 岁。侧凸分类：胸腰椎双主弯 26 例(A 组)，单一胸椎主弯 37 例(B 组)(图 35-22)，单一胸腰椎主弯或腰椎主弯 14 例(C 组)。这些患者治疗前 Risser 征Ⅰ～Ⅲ度，平均为1.4 度，其中Ⅰ度 57 例，Ⅱ度 13 例，Ⅲ度 7 例。治疗前原发弯 Cobb 角 22°～62°(平均为 35.9°)，20°～35°者 37 例，>35°者 40 例。全部病例随访 24～60 个月，平均 30 个月，23 例(29.8%)出现脊柱侧凸进展(原发弯增加>5°)。在不同类型脊柱侧凸中，胸腰椎双主弯患儿的初诊支具矫正率最高，为 20.6%；其顶椎旋转矫正的发生率也最高，为 26.9%；其侧凸进展的发生率最低，为23.1%，但与其他类型侧凸比较差异无显著性($P>0.05$)。初诊支具矫正率和侧凸进展的发生率随 Risser 征的不同而呈现一定的变化趋势，表现为 Risser 征越小，初诊支具矫正率越大，而侧凸进展的发生率也越高，且 Risser 征Ⅰ度组与Ⅱ度组之间、Ⅰ度组与Ⅲ度组之间初诊支具矫正率的差异有显著性($P<0.05$)；而不同 Risser 征的顶椎旋转矫正的发生率差异无显著性($P>0.05$)，且其变化与此趋势并不一致。原发弯 Cobb 角 20°～35°组的初诊支具矫正率大于 Cobb 角>35°组，差异有显著性($P<0.05$)，其侧凸进展的发生率低于 Cobb 角>35°组，但差异无显著性($P>0.05$)；Cobb 角 20°～35°组的顶椎旋转矫正的发生率低于 Cobb 角>35°组，但差异无显著性($P>0.05$)。

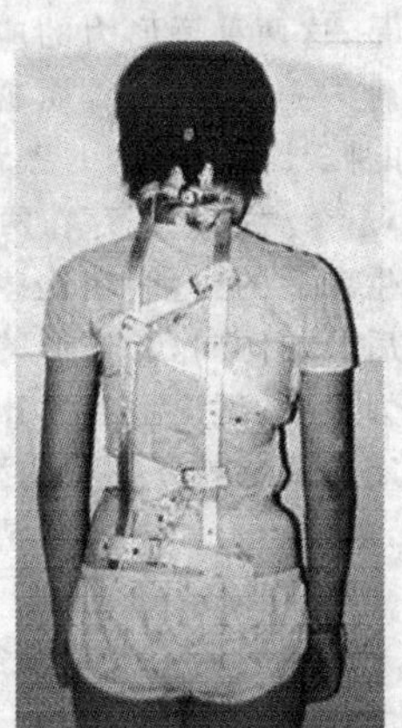

图 35-21 Milwaukee 支具的外观照片

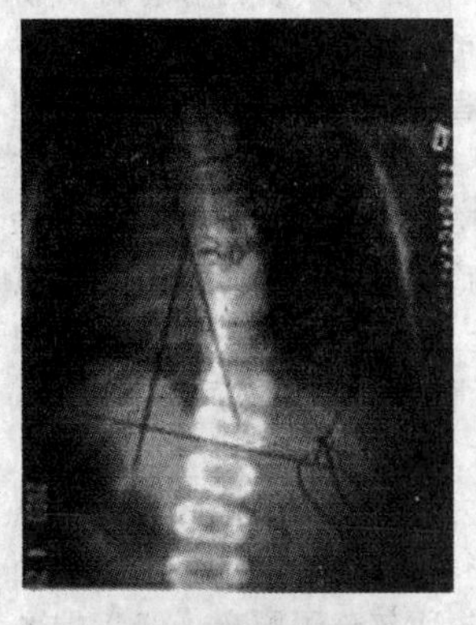

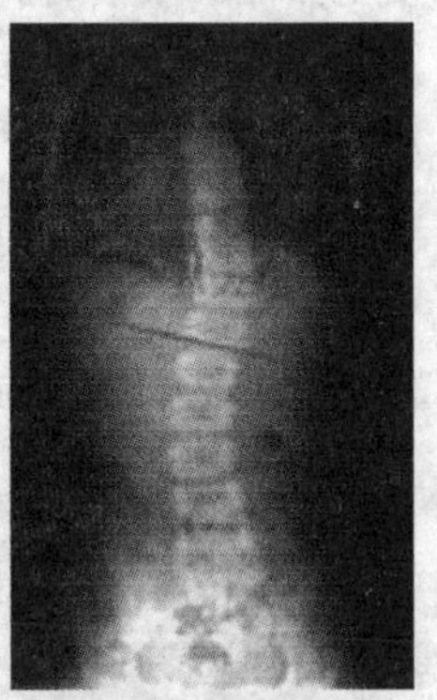

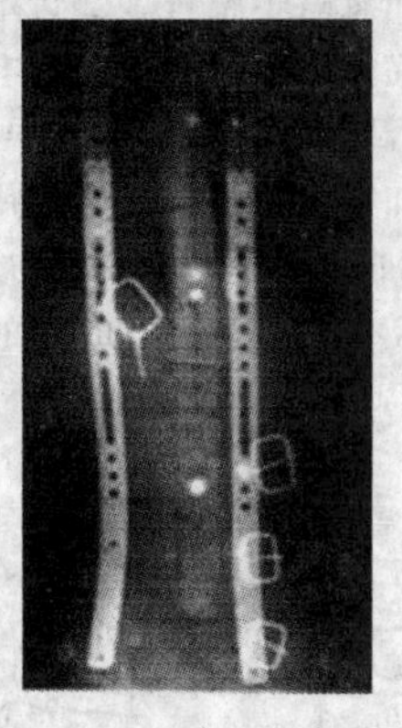

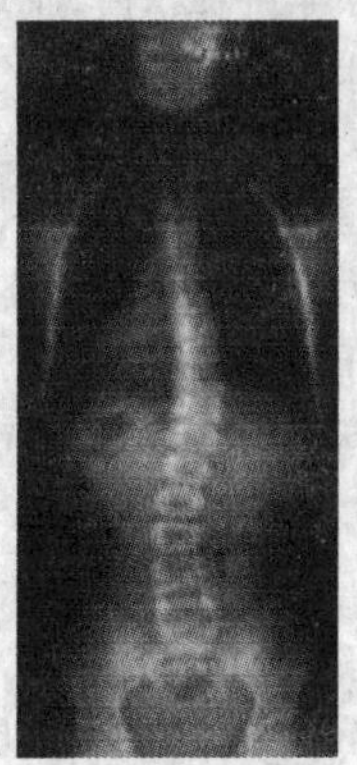

图 35-22 女 12 岁，Risser 征Ⅱ度，治疗前 Cobb 角 30°；Milwaukee 支具治疗 6 个月后 Cobb 角 22°，3 年后 Cobb 角 12°

35.2.2.2 手术治疗

(1) 脊柱侧凸的后路手术

1) 后路去旋转矫正技术　传统的哈氏技术对侧凸的纠正是通过单一额状面上的凹侧撑开，而去旋转技术主要是通过转棒改变脊柱畸形的平面而矫正侧凸，去旋转矫正技术把原脊柱侧凸在额状面上的畸形弯度部分转向矢状面，使在纠正额状面畸形的同时能一定程度地纠正脊柱的旋转畸形，并重建矢状面正常的胸椎后凸和腰椎前凸，从而达到真正意义的三维矫形(图 35-23、35-24)。使用去旋转技术矫正侧弯有其基本条件，如脊柱必须柔软，Cobb 角不大(如<80°)，后凸畸形不严重，脊椎无明显结构性畸形等。所以文献中报道能使用标准去旋转矫正技术的适应证大多是特发性青少年脊柱侧凸。对

于严重畸形(如 Cobb 角＞90°)或复杂畸形(如合并严重后凸畸形)和僵硬的脊柱侧凸,无法通过对单一预弯棒的旋转而纠正侧凸。一方面技术上不可能达到对棒行 90°旋转,强行旋转可导致脱钩和脊椎后份骨折,甚至强大的扭转力可引发神经并发症。另一方面,术中额状面上的畸形程度并非是矢状面上所希望的曲度。去旋转矫正技术虽然可达到对畸形的三维矫正,但容易出现一个在哈氏手术中不易发生的特殊并发症,即手术后脊柱失代偿。失代偿指的是脊柱负重轴在额状面或矢状面上偏离正常位置,临床可表现为术后双肩不等高、躯干倾斜、胸腰段后凸、C_7～S_1沿线偏离中央等。X线片上则可表现为代偿弯加重、原发弯延长进入代偿弯、内固定偏离稳定区和上下融合端出现交界性后凸畸形等。常见的原因:①远端融合水平选择错误,通常过短而忽略了腰弯。②近端融合水平选择错误,如忽略了高位胸弯。③术前没有认识到存在的胸腰段交界性后凸。④钩型设计错误,特别是纠正力的方向不正确,如在胸腰段脊柱区使用撑开力。⑤融合固定终止于弯曲的顶椎。⑥胸弯过度纠正而超过了腰弯的代偿能力。⑦生长不成熟的脊柱在单一后融合术后发生曲轴效应。

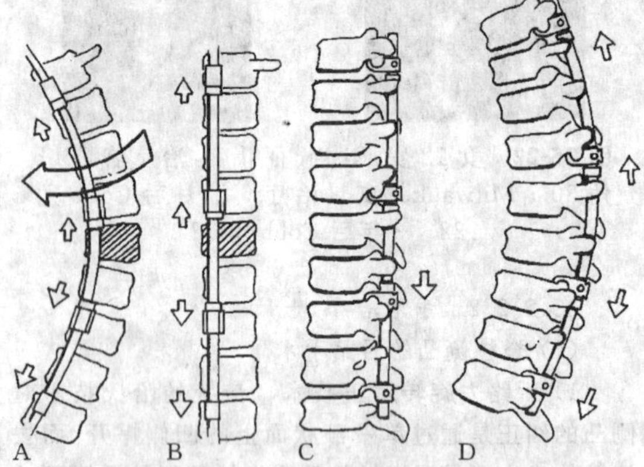

图 35-23 A、B. 冠状面。将棒弯成正常矢状面形状,然后将棒旋转 90°,矫正脊柱侧凸 C、D. 矢状面。当旋转棒时,可获得正常的胸椎后凸

2) 后路平移矫形技术 由 Colorado 技术(法国),USS 技术(瑞士)以及 Isola、Moss-Miami(美国)等为代表。其原理为后路去旋转纠正脊柱侧凸畸形过程中,在纠正脊柱冠状面畸形的同时恢复矢状面的形态,有时脊柱过于僵硬,无法施行去旋转操作,或冠状面的畸形角度不一定和矢状面理想角度相符合,这时就需要后路平移技术和悬梁臂技术与后路去旋转技术相结合来获得理想的矫形效果。平移技术矫形原理就是把在矢状面上已预弯成所希望曲度的棒置于侧凸区,再通过钩和钉把脊椎依次横向拉向预弯棒而纠正侧凸。横向平移可以满意恢复患者的躯干平衡,悬梁臂原理还可以纠正后凸畸形。但是,这两种矫形力的应用首先需要患者具有良好的骨内固定界面,骨质疏松或其他影响骨质量疾病(如神经纤维瘤病)的患者可在应用中发生骨折。另外,悬梁臂技术还存在两个缺点:①在内固定的两端产生向后的力量,在这些区域有产生非生理性交界性后凸的倾向;②畸形的凸侧棒的两端承受较大的应力集中,理论上容易出现神经并发症。同时在内固定的两端需要钳型钩型或牢固的椎弓根内固定系统,以防止骨和内固定界面的破坏。

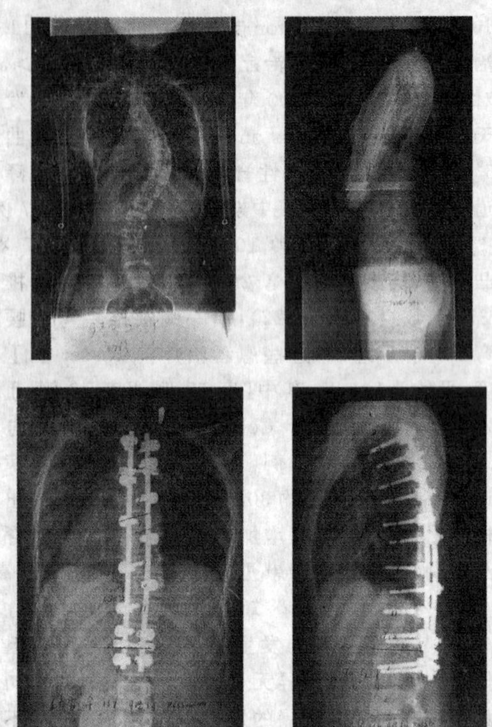

图 35-24 特发性脊柱侧凸

Lenke ⅠA 型,术前 Cobb 角 50°,后路 TSRH 矫形、去旋转术后,Cobb 角 10°

(2) 前路矫形技术

后路矫形手术对大多胸段脊柱侧凸的冠状面畸形可获得 60%～70%的矫正,但存在矢状面矫正不足、失代偿和曲柄现象。与后路内固定术相比,前路

内固定的主要优点是较好地改善矢状面形态。Beta对Harms前路内固定治疗的78例与钩棒节段内固定系统治疗的100例进行比较，前路对主胸弯的平均矫正率为58%，后路为59%；术前后凸不足的患者后路手术后60%未得到矫正，而前路术后81%的患者恢复了生理后凸。Lenke的研究表明对胸椎侧凸的前路选择性融合，腰弯自发性代偿矫正明显优于后路手术，部分患者甚至术后2年仍可继续矫正。Kuklo等近年来的研究发现由于主胸弯的矫正，近端的胸弯亦可发生自发性的矫正，前路明显好于后路，当然近端胸弯的柔韧性同术后的自发性矫正率呈正相关。Kamimura等对青少年特发性脊柱侧凸主胸弯进行选择性前路融合固定，不仅主胸弯得到了满意的矫正和保留了更多的腰椎运动节段，而且主胸弯的上下代偿弯亦发生了自发性的矫正(45.1%和50.2%)。因而前路手术治疗青少年特发性脊柱侧凸受到许多学者的青睐。

1) 开放前路矫形手术

(i) 适应证：伴胸段僵硬性前凸的胸弯；King Ⅲ型、King Ⅳ型及有足够冠状面代偿能力(腰弯可足够代偿能力)的King Ⅱ型侧凸。前路矫正King Ⅱ型、King Ⅲ型侧凸有避免失代偿、保留脊柱远侧节段活动、避免胸腰段后凸畸形及曲轴现象的优点。

(ii) 内固定节段的选择：主要胸段侧凸通常都必须从上末端椎固定到下末端椎，甚至在侧凸的下段由于椎间盘有较大柔软性而在术中显示了良好的自然矫正时也需如此，否则会在术后短期内出现失代偿。Majd提出胸椎侧凸的选择性融合范围：King Ⅱ型侧凸腰弯较柔软，从头侧中立椎到尾侧中立椎融合胸弯；若上腰弯僵硬，同时将腰弯融合于稳定椎。King Ⅲ型侧凸仅融合胸弯，并且远侧融合至中立椎。对King Ⅳ型侧凸，远侧需融合至L_2甚至L_3。

(iii) 手术技术：患者取侧卧位，凸侧在上。作“S”形切口，起于肩胛骨的上端背侧，向下行经肩胛骨内缘，然后绕肩胛下角向前下方。顺切口切开背阔肌，将背阔肌下部与皮肤一并牵开，将前锯肌后缘从胸廓上钝性分离；只游离该肌之下部以避免损伤胸长神经。在上末端椎相应处，经第4、5肋骨间或经第5、6肋间隙开胸。一般上位开胸切口允许切除上末端椎远侧的4个椎间盘，并对其4个椎体进行器械固定。在切除椎间盘时，重要的是切除椎间盘全部，向后直到后纵韧带。第2个开胸切口在第8和第9肋骨之间，由此能够方便地到达L_1。每一节段的椎体螺钉要安放在距椎体后缘相等距离的位置，尽量偏后，以便更好地矫正椎体的旋转。按顶椎过度矫正和累及节段的前凸预弯棒，通常被弯成大约20°。置棒前进行椎间隙植骨。从顶椎开始，在凸侧向心性加压，即可对侧凸进行矫正。达到矫正后，固定各螺丝钉上的固锁螺钉。

2) 胸腔镜下胸椎侧凸前路矫形手术 Mack等于1993年最先开展了胸腔镜下脊柱畸形前路松解手术。与传统开胸手术相比，胸腔镜手术用胸壁锁孔代替长的手术切口，无须切断背阔肌、前锯肌和肋间肌，对肩关节的活动和呼吸功能影响小，术后并发症少，恢复快，不留瘢痕。随着这一技术的不断发展和完善，胸椎侧凸的微创矫形治疗成为可能。Picetti等于1996年10月开展了第1例胸腔镜下脊柱侧凸前路矫形术，至1998年10月他们共完成50例胸腔镜Eclipse矫形术，取得了良好的矫形效果。南京鼓楼医院脊柱外科于2001年开展脊柱侧凸胸腔镜前路松解手术，并于2002年6月在国内率先开展胸腔镜下胸椎侧凸Eclipse矫形术，均取得良好的近期疗效。

(i) 适应证和禁忌证：由于镜下操作难度大，矫形力应用受限，因此胸腔镜下脊柱侧凸矫形手术仅适用于年龄较轻、Cobb角较小、侧凸较柔软、脊柱矢状面形态正常或有轻度前凸的特发性胸椎侧凸患者，对于King Ⅱ型和King Ⅲ型脊柱侧凸尤其适合。对于King Ⅴ型脊柱侧凸，可采用选择性融合技术，即上胸弯较柔软时可仅融合下胸弯。对于Risser＜2的患者，胸腔镜Eclipse矫形术可消除椎体的生长潜能，防止“曲轴效应”的发生。Picetti于1996年10月开展了第1例胸腔镜下脊柱侧凸前路矫形术，选择的病例均为特发性胸椎侧弯，平均年龄12.7岁，平均Cobb角58.1°。对于后凸型胸椎侧凸，行胸腔镜Eclipse矫形术时前方加压可加重已经存在的后凸畸形或产生“曲轴效应”。如胸椎前凸畸形过大，则会影响患者的肺功能，使其不能耐受单肺通气，并且会使胸腔镜下的操作空间变得更加狭小。因此，以上两类患者不适合做胸腔镜Eclipse矫形手术。患者的肺功能均需正常，无肺炎、结核和开胸手术的病史，即术前胸膜粘连存在的可能性很小。脊柱侧凸越严重，则胸腔镜手术时从侧胸壁至椎体的“操作距离”越短，视野的暴露和手术操作也越困难，经一个锁孔所能切除的椎间盘数也越少，这就需要作更多的锁孔并且更加频繁地在锁孔之间调换手术器械。因此对于非常严重的脊柱侧凸，尤其是神经肌源性脊柱侧凸和儿童患者，更适宜做开放性手术。Picetti 认为双主弯患者不适合做胸腔镜矫形手术，另外未发育完全的存在后凸畸形的侧凸患者，术后脊柱前部的生长阻滞，而后部继续生长，可产生“曲轴效应”，故这类患者也不适合做胸腔镜矫形手术。

(ii) 手术操作：胸椎侧凸胸腔镜下矫形术的锁孔设计原则与脊柱侧凸胸腔镜下前方松解手术基本相同。术前用记号笔标记出肩胛骨边缘、第 12 肋，以及髂嵴等体表标志。C 臂机正侧位 X 线透视，定出须行内固定的最上端和最下端的脊椎在侧胸壁的体表投影。最上端锁孔位置应位于需固定的最上端椎体的中部水平，最下端锁孔位置应位于需切除的最下端椎间盘水平，这样可以使上、下端脊椎的螺钉置入变得更加容易。胸椎侧凸胸腔镜下矫形术的固定节段一般为 $T_5 \sim L_1$，如膈肌位置较低，可固定到 L_2，一般在腋中线和腋后线上作 4～5 个锁孔便可完成手术。由于卧位时膈肌常升至第 8 或第 9 肋水平，因此第 1 个锁孔位置不宜过低，一般在腋中线和腋后线上第 6 或第 7 肋间隙作第 1 个直径 2 cm 的锁孔，以免损伤膈肌。在作锁孔时应尽量靠近肋骨上缘，以免损伤肋间神经血管束。

胸椎侧凸胸腔镜下矫形术的初始步骤与胸腔镜下前方松解手术基本相同。全身麻醉，双腔管气管内插管，选择性单肺通气，手术侧肺叶压缩塌陷。手术体位为凸侧在上的全侧卧位，上肢尽量向头方向屈曲，以免肩胛骨影响上胸椎的镜下操作，肾区位于手术床腰桥部位，术中可适当升高腰桥，便于下胸椎的操作。当镜下松解手术完成后，便可在 C 臂机 X 线透视引导下置入 Eclipse 中空螺钉。螺钉置入的位置一般位于肋骨小头的前方，椎体的中央。透过操作孔置入相应长度的短棒，从下向上依次抱紧压缩 Eclipse 螺钉，矫形固定。无需缝合椎体前方的壁层胸膜，再次查看有无出血存在，通过最下方的锁孔放置胸腔引流管。术后引流量＜50 ml/8 h 时可拔除胸腔引流管。出院时石膏外制动 3 个月。

螺钉的置入位置必须位于椎体的中央并且与终板平行。螺钉位置的偏斜可产生两种情况。一种是置棒困难。当棒强行置入螺钉后，位置偏斜的螺钉处便可产生很大的应力，很容易导致脊椎骨折；另一种情况是棒的置入变得更加容易，但产生的矫正力减弱，从而达不到预期的矫形效果。节段性血管的结扎在青少年并不构成脊髓损害的威胁，但对于胸腔镜矫形手术，节段性血管不宜过早切断，切除椎间盘时并不一定要切断节段性血管。这样可减少出血，使手术野更加清晰，而且在钻入椎体钉时，位于椎体中央的节段性血管还可作为进钉的参考位置。在手术过程中 T_5 和 T_{12} 的椎体钉最难钻入。T_5 椎体较小，侧壁前倾，导引器易向前打滑，容易损伤前方的奇静脉或半奇静脉。T_{12} 椎体部分被膈肌阻挡，进钉困难且容易损伤膈肌。因此钻入这两个椎体钉时须反复透视，小心操作。

(iii) 并发症和疗效评估：胸椎侧凸胸腔镜下矫形术的并发症除具有与胸腔镜下前方松解手术相似的并发症以外，还具有一些特殊的并发症。胸椎侧凸胸腔镜下矫形手术时由于内固定物的植入，缝合椎体前方的壁层胸膜较为困难，因此术后的胸腔引流量较胸腔镜下前方松解手术多，且患者更容易出现呼吸系统并发症。另外，胸椎侧凸胸腔镜下矫形手术后还会出现一些内固定方面的并发症。如螺钉的拔出、内固定物的松动等。远期并发症主要包括脊椎不融合、假关节形成，以及矫正丢失等。因此手术者在进行胸椎侧凸胸腔镜下矫形手术时必须严格掌握手术适应证、熟练掌握手术技巧、规范操作，这样才能最大程度地防止并发症的发生。

传统开放性前路手术的并发症较多，如肺炎、肺不张、严重的术后疼痛等，而胸腔镜 Eclipse 矫形术采用的是微创技术，因此其手术并发症较前者大大减少。Betz 报道了胸椎侧凸开胸前路矫形术和单纯后路矫形术的侧凸矫正率均为 59%。与之相比，Picetti 初期进行的胸腔镜 Eclipse 矫形术平均侧凸矫正率为 50.2%，而其后期平均侧凸矫正率达到 68.6%。南京鼓楼医院脊柱外科于 2002 年在国内率先开展胸腔镜下胸椎侧凸 Eclipse 矫形术，取得良好疗效。患者无需输血，无气胸、呼吸道梗阻、胸壁皮肤麻木、肋间神经痛以及神经系统并发症发生。随访 3～11 个月，未发现内固定并发症，畸形的纠正维持良好。因此胸腔镜 Eclipse 矫形术的矫形效果完全能达到或超过传统开放性前后路矫形手术。但其也存在手术时间长、难度大、适应证窄、医师过量接受 X 线、价格昂贵等缺点，且其远期效果的评估尚待长期随访。

3) 胸腔镜辅助下小切口胸椎侧凸前路矫形术

近年来胸椎侧凸前路矫形术越来越受到重视，与传统后路矫形手术相比，前路矫形手术的融合节段明显缩短，其融合范围一般是从上终椎到下终椎，这样可保留较多的腰椎活动节段。Betz 比较了 78 例前路矫形手术和 100 例后路矫形手术的融合节段，结果前者比后者平均少融合 2.5 个节段。前路矫形手术的另一个优点是对胸椎矢状面的形态有良好的矫正效果。Betz 发现前路矫形手术胸椎后凸的重建效果明显好于后路手术，在胸椎后凸减少的病例，后路矫形手术组有多达 60%的患者后路矫正不满意(矢状位 T_5～T_{12}小于 20°)，而前路矫形组 81%的患者术后恢复了正常的胸椎后凸。对于低骨龄儿童患者，前路矫形手术还可以同时切除融合区域内的椎间盘和上下终板，消除融合区域脊柱的生长潜能，从而防止"曲轴效应"的发生，前路矫形手术对腰背肌肉无损伤，因此术后下腰痛的发生率大大降低。

胸椎侧凸前路矫形手术的方法很多。传统的如双开胸前路矫形手术、单开胸经皮广泛游离前路矫形手术，近年来又出现了胸腔镜下胸椎侧凸矫形手术，然而这些手术均具有一定的缺点和局限性。全开放胸椎侧凸前路矫形手术创伤较大、恢复慢、伤口长、不美观，在处理上下终椎区域时，全开放前路矫形手术较困难，终椎区域的椎间盘和上下终板常不能彻底的切除，从而造成松解的不彻底和远期假关节的发生，胸腔镜下胸椎侧凸矫形手术虽然克服了全开放前路矫形手术的上述缺点，但是自身也具有一定的局限性，如手术适应证相对较少。它仅适用于年龄较轻、Cobb 角较小、侧凸较柔软、脊柱矢状面形态正常或有轻度前凸的特发性胸椎侧凸患者，胸腔镜手术对肺功能的要求较高。另外，它还存在技术要求较高、操作复杂、手术者过量暴露于 X 线等缺点。

胸腔镜辅助下小切口开胸前路矫形手术是一种新型胸椎侧凸前路微创矫形手术。它将传统开胸矫形手术和胸腔镜手术的优点融合在了一起，克服了两者的缺点和局限性。胸腔镜辅助下小切口开胸前路矫形手术的适应证与传统开胸前路手术一样，但是创伤大大减小，外形更加美观。由于采用胸腔镜技术，因此在处理上下终椎区域时，操作难度大大降低，与胸腔镜前路矫形手术相比，其技术难度较低，费用减少，手术者也无需接受大量 X 线的照射。南京鼓楼医院于 2002 年开展胸腔镜辅助下小切口开胸前路矫形手术，取得良好疗效。

(i) 手术方法：患者取侧卧位、凸侧朝上，经第 6 或第 7 肋进胸，手术切口长约 8 cm，前端位于腋前线偏前 1～2 cm，后端位于腋后线偏后 1～2 cm，进胸后的操作与传统开胸前路矫形手术一样，将壁层胸膜打开，结扎节段性血管，然后直视下切除侧凸中间区域的椎间盘和上下终板，分别于腋中线水平切口上下 1～2 个肋间隙作近端和远端锁孔。利用胸腔镜手术器械进行节段性血管的结扎和上下终椎区域脊椎的松解和螺钉的置入，其操作既可在直视下完成，也可以在胸腔镜的辅助下完成，置入相应长度的短棒，在胸腔镜辅助下从下向上依次拧紧压缩椎体螺钉、矫形固定，植骨完成后缝合椎体前方的壁层胸膜，再次查看有无出血存在，通过远端的锁孔放置胸腔引流管，术后引流量<50 ml/8 h 时可拔除胸腔镜引流管，出院时石膏外制动 3 个月。

(ii) 疗效评估：胸腔镜辅助下小切口开胸前路矫形手术由于采用微创技术，因此具有与胸腔镜前路矫形手术相同的优点，与传统开胸前路矫形手术相比，其手术并发症大大减少。胸腔镜辅助下小切口开胸前路矫形手术的平均手术时间为 4.2 个小时，术中平均出血量为 400 ml，术后平均引流量 250 ml，平均固定节段 7.5 个，平均 Cobb 角矫正率为 72%，因此可以看出胸腔镜辅助下小切口开胸前路矫形手术完全能达到胸腔镜下胸椎侧凸 Eclipse 矫形手术的矫形效果，而其手术时间、术中出血量、术后引流量等均较后者明显减少。另外，胸腔镜辅助下小切口开胸前路矫形手术的费用较胸腔镜下胸椎侧凸 Eclipse 矫形手术明显降低，由于其操作大部分在直视下完成，因此避免了胸腔镜矫形手术时手术者过量接受 X 线的缺点。

总之，作为一种新型胸椎侧凸前路矫形方法，胸腔镜辅助下小切口开胸前路矫形手术值得推广。

4) 胸腰椎和腰椎侧凸的前路矫形术　Dwyer 等于 1969 年首次使用螺钉和钢缆进行前路内固定治疗脊柱侧凸畸形，开创了从脊柱前方施加矫正力的方法，切除椎间盘为矫形创造了较大的可能性，脊柱缩短也减少了神经损伤的危险，但术后发现螺钉钢缆断裂及假关节发生率高，且前路腰椎过度使用压缩力产生后凸畸形。为此，1976 年 Klaus Zeike 改良了 Dwyer 系统应用一个螺纹杆代替了钢缆并增加了外锁。由于使用旋转转矩以在水平面上纠正脊柱的旋转畸形，得到了对旋转更多的矫正及在矢状面上更好的控制，即腹侧去旋转脊柱固定融合术，简称 VDS。该技术有融合节段少、假关节发生率低、神经并发症低、术后外观改善满意等优点，但手术相对复杂，术后常发生三维畸形矫正的丢失，在腰椎有容易诱发后凸畸形的倾向。

理论上固定范围在 $T_4 \sim L_5$ 之间的柔韧性较好，度数<90°脊柱侧凸都可以使用前路矫形术，但鉴于胸段前路内固定的难度和较少的适应证，目前脊柱前路矫正主要用于侧屈X线片显示腰椎能良好去旋转和水平化的腰椎前凸和胸腰椎侧凸。前路矫形手术的适应证：①青少年非僵硬性侧凸；②中度的胸腰椎和腰椎的侧凸(Cobb角<90°)；③主弯在侧屈位上被动矫正达50%以上，上方次发弯具有良好的代偿功能；④具有柔韧的胸椎侧凸，在伸屈位片可减少20°或更少；⑤矢状面上没有异常的后凸和前凸存在；⑥椎体的旋转<3°，尤其是对于Risser征<1、骨骼仍有生长发育潜力的患者，这样可避免单纯后路手术后远期出现畸形加重的"曲轴效应"；⑦对于严重的胸腰双主弯，对胸弯进行前路松解时，同时可进行对腰弯的局部性前路矫形，可通过术后牵引而作为后路矫形的补充性手术，以改善后路纠正效果或节省下腰段融合节段。

(i) 前路矫形手术要点：患者取侧弯凸侧向上的侧卧位，手术台要突起20°～30°(在术中试行矫正前要将手术台放平)。脊柱如果没有特殊的禁忌证通常可以采用胸膜外腹膜后入路，因为这种入路创伤小，而且由于没有胸腔引流管，术后恢复较快。采取胸膜外入路时，因为胸膜比较薄需要小心地将壁层胸膜从胸壁上分开，避免胸膜的破裂。因为儿童和青少年的胸膜通常较成人厚，对于幼年患儿通常更适用胸膜外入路。

胸腰段手术通常需要暴露 T_{10} 以下的脊柱，所以一般采用切除 T_{10} 或 T_{11} 对应的肋骨进行胸腰段暴露。肋骨软骨连接处是胸和腹的分界点，同样也是缝合时的重要标志。如果侧凸累及 T_{12}、L_1 和 L_2，由于这些椎体通常被膈肌覆盖，传统方法均采用切断膈肌的方法显露胸腰段脊柱进行固定。

在切开膈肌前，依次切开腹外斜肌、腹内斜肌、腹横肌和腹横筋膜，在切开肋软骨连接部后找到腹膜后间隙，从膈肌下方用手指或纱布钝性分开腹腔内容物，显露腰方肌和腰大肌。在腹膜后很容易发现输尿管，注意避免损伤。当腹膜被推向中线后可以安全地进行膈肌切开操作。膈肌切开的位置通常在距膈肌肋骨止点10～15 cm处，横向切开膈肌有可能损伤膈上、下动脉和膈神经运动支。支配膈肌的膈神经走行于膈肌的中部，一般采用从膈肌的边缘切开，既节省时间又避免膈神经损伤。膈肌切开时需要留一些缝线作为缝合时的对合标志。

进行胸膜外腹膜后暴露，最重要的是将胸膜从胸壁上分开同时保证胸膜外和腹膜后的相通。如果在暴露时出现胸膜的破裂，可以将破裂口缝合以保证胸膜外手术的继续进行。暴露完成后可以用温水注入，看是否有气泡产生以测试胸膜的完整性。以上不管是经胸或胸膜外的腹膜后入路，均需切断膈肌，分离膈肌在脊柱上的止点。

在椎体中线上结扎并切断节段血管，沿腰大肌内侧缘剥离，术中勿损伤腰丛。根据固定的范围，切除3～4个椎间盘和骺板软骨，仅留下凹侧部分纤维环作为张力带，椎间盘的切除，包括后面的纤维环，应达到后纵韧带，以确保获得侧弯的过度矫正并减少固定关节后凸。每一节段的椎体螺钉要安放在距椎体后缘相等距离的位置，尽量偏后，以便更好地矫正椎体的旋转。按顶椎过度矫正和累及节段的前凸预弯棒，通常被弯成大约20°。置棒前将移植的骨块放入空的椎间盘间隙中。先固定顶椎的螺钉，用去旋转器械把侧弯转变到矢状面上来，从而获得各脊柱的前凸化和去旋转。之后，从顶椎开始，在凸侧加压，引致进一步的侧凸矫正。达到矫正后，固定各螺丝钉上的固锁螺钉。拍X线片检查，以防过度矫正。依次缝合膈肌、胸膜等，放置胸腔闭式引流管及腹膜后闭式引流管。

(ii) 前路矫形手术的优缺点：胸腰椎和腰椎侧凸前路矫形由于矫形力直接作用于脊椎中旋转的椎体可对脊椎旋转进行更好的纠正；另外，前路矫正脊柱侧凸是通过缩短而不是延长脊柱，理论上也可减少神经损害并发症。前路矫正手术可以融合较少的节段，使骨盆上方保留更多的可以活动的椎间盘关节，明显减少远期下腰部的退变、失代偿以及下腰痛等并发症的发生率。前路矫正手术还可以保持更好的躯干平衡特别适合于某些存在骨盆倾斜的患者。

对胸腰弯或腰弯进行前路矫形时，要求畸形柔软、后凸畸形不严重、胸弯柔软具有良好的代偿功能。目前存在的问题是术中由于脊柱缩短而出现过度矫正，导致固定区远端出现椎间隙反向楔形变，另外，压缩矫正力的过度使用可导致固定区上方出现交界性后凸。

Johnston报道用TSRH内固定行前路治疗18例特发性腰椎和胸腰椎侧凸患者，术后随访12～29个月，矫正率为73.5%，内固定螺钉脱出2例，未发生假关节，没有神经系统并发症，没有发现矫正丢失。Hopf 报道采用前路 CDH 对胸腰段脊柱侧凸进行矫形，术后 Cobb 角纠正达到 79.4%。南京鼓楼医院对 42 例腰段及胸腰段特发性脊柱侧凸采用前路矫形固定、术后冠状面矫正 68%～82%，矢状面形态恢复良好，随访 9～36 个月，矫正的丢失率低，未出现断棒及假关节，与国外 Halm、Monney 所报道的结果相似。目前大多数学者认为胸腰椎脊柱侧凸前路手术具有下列优点：①从前路矫正可获得对旋转更好的纠正，它可以直接作用于脊椎中旋转的椎体。②前路矫正侧凸通过缩短而不是延长脊柱，从而减少了神经损伤的危险。③前路矫正手术可以融合较少的节段，使骨盆上方保留更多的可以活动的椎间盘关节，明显减少远期下腰部的退变、失代偿以及下腰痛等并发症的发生率。④前路矫正手术可以保持更好的躯干平衡。

5) 保护膈肌的小切口下胸腰椎侧凸前路矫形技术　传统对于胸腰段脊柱侧凸前路手术采用切开膈肌的腹膜后加经胸或胸膜外入路，此入路具有技术难度小、脊柱暴露充分、操作空间大等优点，但此入路创伤大，切开膈肌会有一定的并发症，如手术后腹式呼吸减弱、膈肌麻痹甚至肺不张等。南京鼓楼医院自 2002 年起，探讨了保护膈肌的小切口胸腰椎脊柱侧凸前路矫形技术。在解剖上，膈肌角正好附着在 L_1 椎体上，T_{12}～L_1 椎间隙以及 L_1 节段性血管被膈肌覆盖，传统的胸腰段侧凸前路矫形必须暴露出上述结构方能进行操作。南京市鼓楼医院进行胸段和腰段分别采用小切口暴露的方法，避免切开膈肌，而仅在膈肌角处开一微小孔道，在保护膈肌的前提下完成 T_{12}～L_1 椎间盘的切除以及 L_1 节段血管的结扎。在膈肌开孔处穿入矫形棒，置入螺钉完成矫形。实践证明，保护膈肌的胸腰段前路手术是可行的。

(i) 手术方法：患者采用常规的经胸腹膜后联合入路的凹侧侧卧位。暴露过程分为两步。第一步：腹膜后暴露。沿第 10 或第 11 肋前肋的 1/3 向前下腹壁作一 6～8 cm 切口。肋骨部分用电刀切开骨膜，钝性剥离骨膜后在肋软骨处剪除相同长度的肋骨。将肋软骨沿中线剖开后找到腹膜后间隙，从膈肌下将腹腔内容物向中线方向推开，并依次切开腹外斜肌腱膜、腹外斜肌和腹内斜肌，此过程中注意防止切开腹膜。将后腹膜与深部肌筋膜分离显露腰方肌和腰大肌。钝性分开腰大肌并保护好表面的生殖股神经后显露脊柱。在腰大肌前缘向后钝性分离腰大肌，显露 $L_{1\sim3}$（或 L_4）的脊柱。结扎节段血管并去除相应的椎间盘组织。第二步：沿同一肋的后部作一 8 cm 的切口（两切口间隔 7～12 cm），切除同长度的肋骨，经胸或经腹膜后分离直达脊柱。在膈肌上分离壁层胸膜，结扎 T_{11}～T_{12} 节段性血管，紧贴脊柱分离膈肌角并进入下方的腹膜后间隙，此时特别注意膈肌角中的 L_1 节段性血管，因为视野小，易造成损伤出血，应当在直视下分离结扎。T_{12}～L_1 椎间盘通常在膈肌上切除较在膈肌下切除更为方便，T_{12} 的螺钉在膈肌的下方置入。T_{12}～L_1 椎间盘的切除应当耐心彻底（因为视野小和受膈肌的阻挡，此椎间盘不易切除彻底）。从凸侧在每一需要固定的椎体植入螺钉，螺钉的位置要适应椎体的旋转状态。将去除的肋骨剪成细条状进行椎间植骨。将棒预弯成理想的腰椎前凸弧度，在膈肌角处开一小洞并将棒从洞中穿过，置入每一螺钉头中，并拧紧螺帽。应用去旋转将侧凸畸形转变到矢状面上来，完成腰椎前凸化，同时采用凸侧加压技术进一步矫正侧凸畸形。术中 X 线透视以防过度纠正。手术完成后分别关闭腹膜后间隙和胸腔或胸膜外间隙，并分别放置引流条。

(ii) 疗效评价：南京鼓楼医院对 17 例胸腰段特发性脊柱侧凸患者，行保护膈肌的小切口下胸腰椎侧凸前路 CDH 矫形术。其中男性 3 例，女性 14 例，年龄 12～19（平均 14.6 岁），术前 Cobb 角 44°～76°（平均 56°），4 例患者伴有胸腰段后凸 10°～18°，其余患者矢状面正常。手术时间为 210～270 min，平均 240 min，术中出血 310～600 ml，平均 400 ml。术后 Cobb 角 4°～16°（平均 10°，纠正率为 80%），4 例胸腰段后凸畸形术后矢状面恢复形态良好。未出现 1 例术中并发症，术后过度纠正 1 例，2 例出现手术侧下肢皮温升高。研究结果表明，保护膈肌的小切口胸腰椎脊柱侧凸前路手术入路在减少手术创伤的同时能够达到与传统入路相似的临床疗效，没有明显的并发症增加，具有较大的临床实用价值。

（邱　勇）

参考文献

[1] 邱勇，朱泽章，吕景瑜，等. 强直性脊柱炎胸腰椎后凸畸形两种截骨矫形术的疗效比较. 中华骨科杂志，2002，22：719～722.

[2] Berven SH，Deviren V，Smith JA，et al. Management of fixed sagittal plane deformity：results of the

transpedicular wedge section osteotomy. Spine, 2001, 26:2036～2043.

[3] Chang KW, Chen YY, Lin CC, et al. Closing wedge osteotomy versus opening wedge osteotomy in ankylosing spondylitis with thoracolumbar kyphotic deformity. Spine, 2005, 30:1584～1593.

[4] Chen IH, Chien JT, Yu TC, et al. Transpedicular wedge osteotomy for correction of thoracolumbar kyphosis in ankylosing spondylitis: experience with 78 patients. Spine, 2001, 26:E354～E360.

[5] Cotrel Y, Dubousset J, Guilaumat M. New universal instrumentation in spinal surgery. Clin Orthop, 1988, 227:10～23.

[6] Cunningham BW, Kotani Y, McNulty PS, et al. Video-assisted thoracoscopic surgery versus open thoracotomy for anterior thoracic spinal fusion. A comparative radiographic, biomechanical, and histologic analysis in a sheep model. Spine, 1998, 23: 1333～1340.

[7] Herring A. Anterior Spine Surgery. In: Weinstein S, ed. The Pediatric Spine. Practice and Principles. New York: Raven Press, 1994, 1409～1425.

[8] Hodgson AR, Stock FE. Anterior spinal fusion: a preliminary communication of radical treatment of Pott's disease and Pott's paraplegia. Br J Surg, 1956, 44:266～275.

[9] Landreneau RJ, Hazelrigg SR, Mack MJ, et al. Postoperative pain-related morbidity: vidio-assisted thoracic surgery versus thoracotomy. Ann Thorac Surg, 1993, 56:1284～1289.

[10] Lazennec JY, Saillant G, Saidi K, et al. Surgery of the deformities in ankylosing spondylitis: our experience of lumbar osteotomy in 31 patients. Eur Spine J, 1997, 6:222～232.

Hehne HJ, Zielke K, Böhm H. Polysegmental lumbar osteotomies and transpedicled fixation for correction of long-curved kyphotic deformities in ankylosing spondylitis. report on 177 cases. Clin Orthop, 1990, 258:49～55.

[11] Mack MJ, Regan JJ, Bobechko WP, et al. Application of thoracoscopy for diseases of the spine. Ann Thorac Surg, 1993, 56:736～738.

[12] Niemeyer T, Freeman BJC, Grevitt MP, et al. Anterior thoracoscopic surgery followed by posterior instrumentation and fusion in spinal deformity. Eur Spine J, 2000, 9:499～504.

[13] Richards BS, Herring JA, Johnson CE, et al. Treatment of adolescent idiopathic scoliosis using Texas Scottish Rite Hospital instrumentation. Spine, 1994, 19:1598～1605.

[14] Thomasen E. Vertebral osteotomy for correction of kyphosis in ankylosing spondylitis. Clin Orthop, 1985, 194:142～152.

[15] Van Royen BJ, De Gast A. Lumbar osteotomy for correction of thoracolumbar kyphotic deformity in ankylosing spondylitis. A structured review of three methods of treatment. Ann Rheum Dis, 1999, 58 (7): 399.

[16] Van Royen BJ,M. de Kleuver, Slot GH, et al. Polysegmental lumbar posterior wedge osteotomies for correction of kyphosis in ankylosing spondylitis. Eur Spine J, 1998, 7:104～110.

[17] Willems KF, Slot GH, Anderson PG, et al. Spinal osteotomy in patients with ankylosing spondylitis: complications during first postoperative year. Spine, 2005, 30:101～107.

脊柱退行性疾病 

36.1 概述

36.1.1 脊柱的解剖和生理

(1) 椎骨的解剖

幼年时为 32 或 33 块，分为颈椎 7 块，胸椎 12 块，腰椎 5 块，骶椎 5 块，尾椎 3～4 块。成年后骶椎长合成骶骨，尾椎长合成尾骨。椎骨由前方短圆柱形的椎体和后方板状的椎弓组成。椎体是负重的主要部分，内部充满松质，表面的密质较薄，上下面粗糙，借椎间纤维软骨与邻近椎骨相接。椎体后缘与椎弓共同围成椎孔。各椎孔相通，构成椎管。椎弓通过椎弓根与椎体紧连。椎弓根的上、下缘各有一切迹。相邻椎弓根的上、下切迹共同围成椎间孔，有脊神经和血管通过。两侧椎弓根向后内扩展变宽，成椎弓板于中线会合。由椎弓发出7个棘突伸向后方或后下方,可在体表摸到,横突1对,伸向两侧,棘突和横突均有肌和韧带的附着,关节突2对即上关节突和下关节突,相邻关节突构成关节突关节。

视椎骨的解剖部位不同,其结构差异较大。颈椎的共同特点是:①椎体侧方有钩突;②椎孔较大,呈三角形;③关节突方向近似水平位;④横突有孔,椎动脉通过;⑤棘突分叉。

1)颈椎　颈椎椎体的前上缘呈斜坡状,前下缘呈嵴状突起,覆盖于相邻下位椎体的斜坡上。椎体上面的矢径较下面矢径小,而横径又稍大于下面的横径,上下椎体重叠。横断面呈椭圆形,矢状径平均为16 mm左右,横径为23 mm,横径大于矢状径。男性椎体略大于女性,下位椎骨较上节为大。第3至第7颈椎体自前外侧交界处,沿椎体侧方向向后突起,并延伸达椎体后缘中外1/3交界处变平,形成钩突,与相对应的上一椎体下面的斜坡处相咬合而构成钩椎关节,能限制椎体侧方移动,保持其稳定。钩椎关节最早为德国解剖学家Luschka所发现,又名Luschka关节。如过度增生肥大,可使椎间孔狭窄,压迫脊神经,产生相应症状。椎体的后方中央部有数个小孔,通过静脉,这些静脉参与构成椎内静脉丛,手术涉及此处,易引起难以控制的出血。

颈椎椎弓自椎体侧后方发出,由椎弓根和椎板所组成。椎弓根短而细,与椎体的外下缘呈45°相连接,椎弓根上、下切迹之间形成椎间孔,有脊神经及伴行血管通过。椎板侧面观呈斜坡状,上缘靠近前方使椎管与神经根管的矢状径略小;而下方则较远离椎管而使得椎管与神经根管的矢状径略大。上下椎板间通过黄韧带附着连接,构成椎管后壁。

颈椎横突起自椎体侧后方与椎弓根处,短而宽,向外并稍向前下。横突分为前后两根,终于前、后结节,有众多肌肉附着。横突的前根和前结节也称肋突,第6颈椎前结节较为隆起、粗大,正好位于颈总动脉后方,故又称颈动脉结节,头颈部出血时可用于压迫止血。横突在第7颈椎可肥大形成颈肋。横突前后根的游离端通过肋横突杆相连。椎弓根、横突前后根及肋横突杆围成横突孔,多呈卵圆形,椎动脉与椎静脉从中通过。

上关节突和下关节突,呈短柱状,发自椎弓根与椎板交界处,左右各一。关节突关节面呈卵圆形,与椎体纵轴呈45°角,易受外力作用引起脱位。

棘突居于椎弓的正中,呈矢状位。$C_3 \sim C_5$多呈分叉状,以增加与项韧带和肌肉的附着面积,棘突对颈部的仰伸和旋转运动起杠杆作用。

2)特殊颈椎　寰椎呈不规则环状。上连枕骨,下接枢椎。其两侧寰椎侧块相当于一般颈椎的椎弓根与上下关节突,借上、下关节面分别与枕骨髁及枢椎关节面相关节。横突:尖端向外,粗糙,稍厚,无分叉,有肌肉韧带附着,平衡头颈部的活动。横突孔位于横突基底部偏外,较大,椎动脉和椎静脉从中穿过。前后弓均较细,尤其与侧块连接处,易遭受暴力而引起该处骨折和脱位。前弓:短而稍平,呈板状与侧块相连,其后面正中有关节面,为齿状凹,与枢椎的齿突相关节;上下两缘分别有寰枕前膜和前纵韧带附着。后弓:长而曲度较大,与侧块后方相连,其上面前部有一浅沟(椎动脉沟),除椎动脉通过外椎动脉沟尚有枕下神经通过。手术时切勿伤及此沟,以免误伤椎动脉。后结节有项韧带和头后小直肌附着,可限制头部过度后伸。后弓上缘附着有寰枕后膜,椎动脉穿过寰枕后膜进入颅内。

除齿突外,枢椎外形与普通颈椎相似。齿突呈乳头状,顶部稍粗而根部较细,长1.5 cm左右。借前、后关节面,分别为寰椎的齿凹及寰椎横韧带相关节。枢椎椎体较普通颈椎为小,于齿突两旁各有一朝向上的圆形关节面,与寰椎下关节面构成寰枢外侧关节。椎体前方中部之两侧微凹,为颈长肌附着部。横突较短小,前结节缺如,不分叉亦无沟槽。横突孔由内下斜向外上方走行。椎弓板呈棱柱状,较厚,其下切迹深,故椎间孔较大。棘突粗而大,分叉状,下方有纵行深沟,手术中,多以此作为椎节定位标志。

第7颈椎大小与外形均介于普通颈椎与胸椎之间。但其棘突长而粗大,无分叉。因明显隆起于颈项部皮下,故又名隆椎。常以此作为辨认椎骨顺序的标志。横突较粗大,但前结节较小或缺如,如横突过长,或有肋骨出现(颈肋),则可引起胸廓出口综合征。横突孔较小,且畸形较多,其中仅有椎静脉通过。

3)胸椎　胸椎的共同特点:①椎体切面成心性,两侧肋凹与肋头形成肋椎关节;②椎孔大致呈圆形,较小;③椎弓根短而细;④关节突近似额状位,有利于旋转,不易发生脱位;⑤棘突细小,伸向后下方,彼此重叠,呈叠瓦状;⑥横突呈圆柱状,伸向后外方,前面横突肋凹与肋结节相关节。

胸椎体积介于颈椎和腰椎之间，外形与颈椎的隆椎相似，椎体从上向下逐渐增大，横截面呈心形，矢状径较横径长，后缘较前缘厚，从而形成胸段脊柱的生理后凸。椎体后部横突短而粗，伸向后外侧，其末端前面，有横突肋凹与肋结节相关节。第 1 与第 9 胸椎以下各胸椎的肋凹不典型。

胸椎椎弓根及椎板均较短且扁薄，形成的椎孔呈圆形，较狭小，其矢状径除 T_{12} 稍大外，其余大致为 14～15 mm。横径除 T_1～T_3 及 T_{11}～T_{12} 稍大外，T_4～T_{10} 基本与矢状径相同，在整个椎管中也最小。由于胸段椎管狭小，胸椎损伤后易引起脊髓损伤。椎间孔由相邻上、下切迹形成，椎下切迹比椎上切迹深而显著，因此椎间孔上宽下窄。椎间孔内有相应的肋间神经及椎间动、静脉通过。

胸椎的关节突近似冠状位，上关节突自椎弓根与椎板连接处发出，呈薄板状，关节面平坦朝后外，下关节突位于椎板的前外侧面，呈卵圆形，略凹陷，关节面朝向前内。关节突与横断面约呈 60°角，与冠状面呈 20°角，因此其稳定性较之颈椎为佳。

胸椎棘突较长，向后下方倾斜，呈叠瓦状排列。一般来说连接两侧肩胛上角的连线，通过第 3 胸椎棘突；两侧肩胛下角连线，通过第 7 胸椎棘突。上述连线可以作为确定和计数棘突及相应椎体的标志。但是由于各人体形及体位的不同，往往有一定的偏差，故术中定位仍然需要透视确定。

4) 腰椎　腰椎椎体粗壮，横截面呈肾形。上腰椎椎孔呈卵圆形、三角形，下腰椎呈三叶草形。上下关节突粗大，椎弓根直径也较胸椎大，术中透视可清楚显示。关节面从上到下由冠状位逐渐演变为矢状位，所以在下腰椎容易发生不稳造成腰椎滑脱。棘突宽而短，呈板状，水平伸向后方，各棘突间隙较宽可做腰椎穿刺术。

(2) 脊柱的连接

脊柱由相邻椎骨借关节、韧带和椎间盘等连接而成，颈胸椎脊柱之间的连接包括有椎骨间连接、椎骨与颅骨间连接、脊柱与肋骨的连接。椎骨间连接可分为椎体间连接和椎弓间连接。

1) 椎体间连接　相邻各椎体之间借椎间盘、前纵韧带和后纵韧带相连。

椎间盘为连接相邻椎体(第 2 颈椎至第 1 骶椎)之间的纤维软骨盘，计 23 个。每个椎间盘均由软骨板(上下)、纤维环(周围)及髓核(内部)3 部分组成。中央部为髓核，是柔软而富有弹性的胶冻物质，周围部分为纤维环，由多层纤维软骨环按同心圆排列组成，富于坚韧性，牢固连接各椎体上、下面，保护髓核并限制髓核向周围膨出，椎间盘既坚韧，又富有弹性，承受压力时被压缩，除去压力后又复原，具有弹性垫样缓冲作用，并允许作脊柱各个方向的运动。当脊柱前屈时，椎间盘的前份被挤压变薄，后份增厚；脊柱伸直时又恢复原状。23 个椎间盘的厚薄不同，中胸部最薄，颈部较厚，腰部最厚，所以颈、腰椎活动度较大。颈腰部的纤维环前厚后薄，纤维环破裂时，髓核容易向后外侧脱出，突出入椎管或椎间孔，压迫脊髓和神经。

前纵韧带位于椎体前面，宽而坚韧，上至枕骨大孔前缘，下达第 1 或第 2 骶椎体，其纤维与椎体及椎间盘牢固连接，有阻止脊柱过度后伸及椎间盘向前突出的作用。

后纵韧带位于椎体后面，起自枢椎并与覆盖枢椎体的覆膜相续，向下达骶管，与椎间盘纤维环及椎体上下缘紧密相连，而与椎体结合较为疏松，其深层纤维连接于两个椎体之间，而浅层纤维可跨越 3～4 个椎体，后纵韧带较窄，不能完全遮盖椎体后面和椎间盘，两者间隔有静脉丛，故在一定的压力作用下，髓核容易经韧带的侧方向椎管(后外侧)突出。后纵韧带的骨化(常见于 C_5～C_7)是引起脊髓压迫的重要原因之一。后纵韧带的主要作用是限制脊柱过度前屈。

2) 椎弓间连接　椎弓间连接除了包括由各椎体上、下关节突所构成的关节突关节外，还包括后方的韧带。

椎间关节属于滑膜关节，由成对的上位椎骨下关节突与下位椎骨上关节突构成。在脊柱的不同节段，各椎间关节突关节面的形状及排列方向均不尽相同，以适应各部椎骨的运动功能。第 2 至第 7 颈椎相邻关节突关节面为上下排列，呈近似水平位，适应于作屈、伸及旋转运动。因关节囊较松，运动范围较大，故易发生半脱位。胸椎关节突关节面为前后排列，呈额状位，可容作屈伸及侧屈运动。因关节囊紧张，活动度较小。腰椎关节突关节面的排列为半矢状位及半额状位，横断面近似弧形，能作屈伸、侧屈运动，且较灵活。因关节囊肥厚而紧张，稳固性大，故遇暴力时，腰椎易发生关节突骨折而少见脱位。一旦脱位，易并发关节交锁现象。

黄韧带位于相邻椎板之间，左右对称，由上而下逐渐加厚。上面附着于上位椎板下缘的前面，下面附着于下位椎板的后面，从后面观，犹如顺向叠盖的屋瓦状，两侧黄韧带的前缘向前外侧延伸至椎间关节囊及椎间孔的后缘，两侧黄韧带后缘向后靠拢，间有一小缝隙，容连接椎管内、外静脉丛的小静脉通过。黄韧带协助围成椎管，并有限制脊柱过度前屈的作用。棘间韧带为连接胸、腰、骶椎各棘突尖之间的纵行韧带，其前方与棘间韧带融合，与棘间韧带都有限制脊柱前屈的作用。在颈部，从颈椎棘突尖向后扩展成三角形板状弹性膜，为项韧带，起肌间隔作用，供肌肉附着，向上附着于枕外隆凸及枕外嵴，向下达第7颈椎棘突并续于棘上韧带。棘间韧带位于相邻各棘突之间，前接黄韧带，后方移行于棘上韧带和项韧带。横突间韧带连接于相邻椎骨的横突之间。

3）颈椎与颅骨之间的连接　主要依靠以下的关节和韧带。

寰枕关节是两个关节的联合关节，由寰椎侧块上面的关节面和枕髁构成。它是单纯滑膜关节，有一松弛的关节囊，属椭圆关节。寰枕关节有两个互相垂直的运动轴，在横轴上可以作头的屈伸运动，约45°。在矢状轴上，它可以使头作侧屈运动，但范围很小，也能作旋转运动。这个关节借寰枕前、后膜加强，并恰好将寰椎和枕骨间的裂隙封闭。寰枕前膜宽而致密，分布于寰椎前弓上缘和枕骨底大孔前缘之间，在正中线上为一自枕骨底部至寰椎前结节的圆形韧带所加强，和前纵韧带的上端相延续，是前纵韧带的最上部分。寰枕后膜张于寰椎后弓上缘和枕骨大孔后缘之间。黄韧带出寰椎后弓的内面至枢椎椎板的上面，可防止头和寰椎在枢椎上向前移动，对脊髓也起保护作用。稳定寰枢关节周围的韧带，也分布于枢椎和枕骨间，可防止寰椎和枕骨的移位。

寰椎十字韧带分为横部和直部两部分。横部亦称寰椎横韧带，位于齿突后方，使齿突与寰椎前弓后面的齿突凹相接触。寰椎横韧带分布于寰椎两侧块内侧小结节之间，在齿突后关节面的浅沟内，犹如一个悬带，使齿突局限于寰椎前弓后面的齿突凹内。横韧带可以防止齿突后移压迫脊髓。枢椎齿突骨折后，如寰椎横韧带完整，可以防止后脱位，并不引起严重症状，但若无其他韧带支持，不能防止前脱位。寰椎横韧带断裂、延伸或减弱，能使头及寰椎在枢椎上向前移位，结果齿突后移，椎管狭窄，引起脊髓压迫症状，甚至导致死亡。寰椎十字韧带直部上纵束附着于枕骨大孔前缘，位于齿突尖韧带之后；下纵束附着于枢椎椎体后面的中部。纵束加强横韧带的坚固性，有协助防止齿突后脱位的作用。在齿突于寰椎横韧带之间有一滑囊。由寰椎侧块内面发出一束纤维，斜向内下，止于枢椎椎体后面的外方，为寰椎副韧带，有限制头及寰椎在枢椎上过度旋转的作用。

翼状韧带由齿突的上外侧面向外上走行，止于两侧枕髁的内面。此韧带断面呈圆形，直径约8 mm。翼状韧带是重要的节制韧带，有限制头及寰椎在枢椎上旋转及侧方半脱位的作用。

寰椎横韧带是寰枢椎稳定的主要韧带，也是枕颈部最大、最厚、最强有力的韧带。寰椎横韧带将齿突紧贴于寰椎前结节后面以形成寰齿关节，并限制其活动。寰椎黄韧带可防止寰椎过度前移，翼状韧带则能防止寰枢关节过度旋转，两者共同作用则能防止寰枢关节侧方脱位。

4）肋骨与胸椎的连接 肋骨与胸骨之间的连接主要为肋椎关节。肋椎关节可以分为肋头关节和肋横突关节。

(i) 肋头关节：每个肋骨头原来只是与其相当的椎体的肋凹及椎间盘相关节。例如，第1、11及12仍然保持这种关节。但是以后由于肋骨上移，所以第2～9肋骨非但与其相当的椎体相关节，同时还与其上一椎体相关节。第10肋骨头有时也和相邻的两椎体相关节。

第2～9肋骨头的关节面呈楔形，覆盖一层纤维软骨，下部的关节面较大，2个关节面之间借一嵴隔开。在肋骨头嵴与椎间盘之间有肋头关节内韧带相连，将关节腔分为上下两部，关节囊的前方有放射状的肋骨辐状韧带，第1、11及12肋头关节囊较松弛。第1、11及12肋头的关节面仅与1个椎体相关节，呈圆形，无肋骨嵴，也没有肋头内韧带。

(ii) 肋横突关节：上7个肋骨的结节呈橄榄形，与相当的胸椎横突尖前面的肋凹关节，关节面覆盖一层透明软骨，可作相当转动。第8～10肋结节较近于肋骨的下缘，扁平，与相当胸椎横突尖的上缘相关节，可作相当程度的滑动。

在肋横突关节的内侧有韧带相连接，肋横突韧带介于横突前和肋颈之后，肋横突外侧韧带介于横突尖和肋结节最外部分之间，因此结节内侧有一个光滑的关节面部分，而外侧有1个粗糙部分。在上一椎骨横突下缘和下一肋颈嵴之间尚有肋横突上韧带，向外与肋骨间膜相延续，在其内缘与椎体之间围成肋横突孔，肋间神经后支和肋间后动脉通过。在椎骨横突和下关节的根部，有肋横突外侧韧带斜向外下方，止于肋结节的后面，呈腱索状，向外与肋间外肌相接。

（3）脊柱与相关肌肉

脊柱相关肌肉主要位于背部，背部的肌肉，根据其位置和神经支配，一般分为浅、深两层（表 36-1）。

表 36-1 脊柱相关肌肉的起点、止点、作用、神经支配与脊髓节段

层次	名称	起点	止点	作用	神经支配	脊髓节段
浅层						
第 1 层	斜方肌	枕外隆突、上颈线、项韧带及 C_7～T_{12} 棘突	锁骨外 1/3、肩峰、肩胛冈	内收上提或下降肩胛骨	副神经及颈神经	C_3～C_4
	背阔肌	T_7～L_5 椎骨棘突及髂嵴后部	肱骨小结节嵴	使肱骨内收、内旋及后伸	胸背神经	C_6～C_8
第 2 层	肩胛提肌	C_1～C_4 椎骨棘突	肩胛上角	上提肩胛骨	肩胛背神经	C_3～C_5
	菱形肌	C_6～T_4 椎骨棘突	肩胛骨内侧缘	向上内拉肩胛骨	肩胛背神经	C_4～C_5
第 3 层	上后锯肌	C_6～T_2 椎骨棘突	第 2～5 肋骨外侧	提肋助吸气	肋间神经	T_1～T_4
	下后锯肌	T_{11}～L_2 椎骨棘突	第 9～12 肋	降肋助呼气	肋间神经	T_9～T_{12}
	夹肌	项韧带及上位胸椎棘突	上项线及上位颈椎横突	单侧收缩使头转向同侧，双侧收缩使头后仰	脊神经后支	C_1～C_8
深层						
第 4 层	髂肋肌 最长肌 棘肌	骶骨背面、腰椎棘突、髂嵴后部及胸腰筋膜	肋骨、椎骨横突、棘突及颞骨乳突	一侧收缩使脊柱侧屈，两侧收缩使脊柱后伸	脊神经后支	C_8～L_1 C_1～L_5 T_{12}～L_1
第 5 层	半棘肌 多裂肌 回旋肌	下位椎骨棘突	上位椎骨棘突	单侧收缩使脊柱转向对侧，双侧收缩使脊柱后伸	脊神经后支	T_1～T_{11} C_3～S_5 T_1～T_{11}
第 6 层	椎枕肌	位于枕骨与 C_1、C_2 椎骨之间		使头旋转、后伸	脊神经后支	C_1～C_2
	横突间肌	相邻横突之间		脊柱侧屈		C_1～L_5
	棘突间肌	相邻棘突之间		脊柱后伸		C_1～L_5

1）浅层　位于躯干骨后面的浅部，由浅入深依次为斜方肌和背阔肌，肩胛提肌和菱形肌，上后锯肌和下后锯肌等。除后两块肌肉外，均止于上肢带骨及肱骨。浅层所有肌肉，均由前方（肌节腹侧部及腮弓）转移而来，故由脊神经前支所支配。

2）深层　位于浅层深面，为背部固有肌，包括位于浅层的长肌和位于深层的短肌。由浅入深依次为夹肌和竖脊肌，横突棘肌（包括半棘肌、多裂肌和回旋肌），横突间肌和棘突间肌等。上述肌肉，均由脊神经后支所支配。

（4）脊柱的生理

脊柱的功能是维持体形，保持身体的运动与平衡，重量传递及保护脊髓、内脏等。

1）脊柱的活动功能　视脊柱的节段不同，其活动范围及方向等差异较大，且随着年龄的增长活动范围逐渐减少，至老年时可仅有青壮年的 1/2。颈椎在诸椎节中最为灵活，包括旋转伸屈及侧向，从而保证了人体的生活需要；腰椎次之，其主要是伸屈及左右旋转，亦可侧向活动，但其范围较之颈段明显为小；胸椎因受胸廓的固定作用，其活动度微乎其微。

2）脊柱的负载作用　脊柱的载荷作用主要是通过人体的 3 个倒三角完成。包括：①上三角指以头顶水平切线为底边，通过头颅两侧形成夹角，致使头颈部的负荷（自身重量及各种运动等的负荷）集中于下颈段，在一般情况下以 $C_5\sim C_6$ 所受的压应力最大。②下三角指以双侧髂嵴水平线为底边，并通过骨盆及髋部两侧将头颈、躯干及盆腔的负荷沿身体中部使力量向下传递的倒三角形力学结构。③中三角介于前两者之间，是以双侧肩峰为底边、沿胸腹两侧将头、颈、躯干之负荷集中至腰骶椎的倒三角力学结构。

以上 3 个倒三角结构，从所承受负荷力强度来看，当以下三角为最大；实际上，由于此种作用力通过腰骶部，以双下肢所分别承受的分力形式而将其分散，以致下肢诸骨关节结构平均所承受的负荷不仅相对减少，而且为多关节所承担，因此从单一骨关节来讲，较下三角明显为大；导致 $C_5\sim C_6$，$L_4\sim L_5$，$L_5\sim S_1$，最早出现退变。

3）保护功能　无论是静止还是运动状态，脊柱通过其骨性结构及各种韧带、硬膜等结构对脊髓起保护作用，除非十分强大的外力或脊柱本身病变，一般不易伤及脊髓。另一方面，脊柱前方的胸、腹及骨盆等部位的内脏亦受到保护与支撑，遮挡了来自后方的暴力；尤其是在胸部，其与肋骨组成的框架结构，使心脏、肺及纵隔内组织得到充分保护，这也是人类生存与延续的解剖学基础。

4）脊柱还可以容纳、支持和保护脏器　胸、腹、盆腔内的呼吸、循环、消化和泌尿系统器官都附着或悬挂于脊柱的前侧。脊柱有畸形或脊柱部分缺如时，这些系统的功能就会发生障碍。同时脊柱维持着人体的体形。脊柱的 4 个生理弯曲构成了人体曲线美的基本条件，一旦此种生理曲度改变，即便是其中的一小段，也必然使这种完美的人体造型遭到破坏，并同时影响到人体的生理功能，包括步态姿势等。

脊柱是身体的支柱。因为脊柱具有曲度，在额状面上力线并非垂直通过脊柱，在上部通过齿突，至骨盆则落于骶岬之前，向下经髋关节之后，膝关节和踝关节之前。脊柱并直接或间接支持上、下肢，上肢借肋骨、锁骨和胸骨与脊柱相连，下肢借骨盆与脊柱相连，这样在活动时可以保持全身平衡。一侧上肢可持重约 50 kg，而身体仍保持稳定，这主要靠脊柱平衡的作用。脊椎骨间的椎间盘可以吸收震荡，在跳跃和剧烈运动时，防止颅脑受伤。

36.1.2　脊髓脊柱的生物力学

（1）概述

人体脊柱是一个复杂的结构，其基本的生物力学功能有：运动功能，提供在三维空间范围内的生物运动；承载功能，将载荷自头传递到躯干、骨盆；保护功能，保护椎管内容纳的脊髓和神经。

从本质上讲，脊柱是由相互类似的运动节段组成，即脊柱功能单位。是指两个相邻椎体及其连接结构包括椎间盘、韧带、关节突及关节囊等的复合，是代表脊柱运动的基本单位。脊柱节段运动的叠加构成了脊柱在空间中的三维运动。从生物力学的角度了解脊柱功能单位的力学行为，就可以描述某段脊柱甚至是整段脊柱的力学响应。目前大多数的脊柱生物力学研究是以脊柱的功能单位作为研究对象的。

椎体、椎间盘及前后纵韧带主要提供脊柱的支持功能以及吸收脊柱的冲击能量，运动主要靠椎间关节复合体来完成。脊柱功能单位从结构上大致可以分为前、后两部分。前部结构包括两个相邻椎骨的椎体、椎间盘和前、后纵韧带；后部结构包括椎弓、关节突、棘突、横突和后部韧带。整个脊柱在空间的活动范围很大，但组成脊柱的各个节段的运动幅度却相对较小。节段间的运动是三维的，表现为两椎骨的角度改变和移位，如节段间的前屈后伸、左右侧弯和左右轴向旋转运动的角度改变以及节段的上下、左右和前后方向上的线性移位。脊柱节段运动的复杂性还表现在脊柱各段运动之间的耦合。所谓耦合，是指沿一个方向的平移或旋转同时伴有沿另一个方向的平移或旋转运动。脊柱的活动不是单方向的，而是多方向运动的耦合，不同方向移位运动之间，不同方向角度运动以及移位运动与角度运动之间均可出现耦合。

在脊柱运动分析中，一般将椎骨视为不变的刚体，而将椎间盘、韧带看成是可以伸缩的变形体。脊柱节段运动就是相邻上、下椎骨间的相对运动，属于三维运动。脊柱节段运动的幅度称为脊柱运动范围。

（2）椎间盘的生物力学

椎间盘的主要功能是维持椎间隙的高度，对抗压缩，并限制相邻两椎体的相对运动。椎间盘主要由髓核、纤维环和软骨终板 3 部分组成，位于椎体之间，占整个脊柱高度的 20%～33%。髓核由含有大量亲水性氨基葡萄糖聚糖的凝胶物质组成，含有 70%～90%的水分，随着年龄的增大，含量逐渐降低。纤维环内有多层相互交叉的胶原纤维束，相邻的两层纤维束互呈 120°夹角，具有一定的抗扭转能力。纤维环的后部和后纵韧带相编织，而外层纤维则直接止于椎体的骨性部分。在椎体和纤维环之间为软骨终板，由透明软骨构成。

正常人椎间盘在压缩外力下几乎不可摧毁，椎间盘可承受和分散负荷，同时能制约过多的活动。压缩负荷通过终板作用于椎间盘的髓核和纤维环，髓核内部产生的液压使纤维环有向外膨胀的趋势。外层纤维环承受了最大张应力，内层纤维环承受的张应力比外层小，但承受了一部分压应力。在严重退变的椎间盘内，由于髓核脱水，压缩负荷在椎间盘内的分布发生了很大的变化，表现为终板中心的压力减少，周围的压力增大，相应纤维环外层的张应力减少，压应力增加，但在纤维环纤维承受了更大的压力。

椎间盘承受压缩负荷时，髓核内的压力为外压力的 1.5 倍，纤维环承受的压力为 0.5 倍，而后部纤维环的张应力是外压力的 4～5 倍。胸椎纤维环内的张应力要比腰椎的小，原因是胸椎与腰椎的椎间盘直径和高度之比不同。

椎间盘在压缩负荷下的载荷-变形曲线呈“S”形，表明椎间盘在低负荷时主要维持脊柱的柔韧性，随负荷的增大而加大刚度，在高负荷时维持脊柱的稳定性。值得注意的是，压缩力单独不能造成椎间盘的不可逆损害。研究表明施加极大压缩负荷而使椎间盘发生永久性变形时，仍然不会出现髓核突出。在单纯的压缩负荷下，首先发生的是终板骨折，这时椎间盘内物质将进入椎体形成 Schmorl 结节。当椎体有骨质疏松时，在较小负荷下即可造成终板和软骨下骨的广泛性塌陷。实际上，在日常活动中椎间盘的承载方式很复杂，通常是压缩、弯曲和扭转的组合，这些负荷的联合作用，可对椎间盘造成更大的危害。

研究表明椎间盘的拉伸刚度小于压缩刚度，弯曲负荷和扭转负荷可以造成椎间盘的损伤。椎间盘的结构有利于对抗压缩，扭转是引起椎间盘损伤各负荷中的最主要类型。1973 年 Farfan 试验显示，扭转可致纤维环中斜形纤维破裂，但终板无骨折。纤维环容易遭受扭转损伤的原因为纤维环内两相邻纤维束相互交叉，扭转时只有一半纤维环抵抗扭矩，而且当旋转中心位于椎间盘内时，外层纤维的剪应力大于内层纤维，故外层纤维可首先被拉断。试验发现腰椎水平面剪切刚度可高达 260 N/mm²，可见椎间盘足以应付一般外力。只有在暴力很大时，才能使正常的椎间盘发生异常的水平位移。

由于椎间盘的生物修复和再生能力很低，所以它的疲劳特性十分重要，但这方面的研究很少。Brown 等人发现，在较小的轴向负载下，仅在 200 次前屈 5°循环运动后椎间盘即可出现破坏，1 000 次循环后完全破坏，说明至少在体外试验中椎间盘的疲劳性能很差。

椎间盘为黏弹性物质，具有蠕变和后滞现象。蠕变是指在一段时间内在负荷持续作用下所导致的持续变形，也就是变形程度因时间而变化。负荷越大，变形越大，蠕变的速度也越快。椎间盘的退行性变化对自身的黏弹性也有明显的影响。试验表明正常椎间盘蠕变慢，达到最终变形的时间长，表明退变椎间盘吸收振荡和将负荷均匀分布到整个终板的能力减弱。

滞后现象是指黏弹性材料在加负和卸负过程中的能量丢失现象。通过滞后这一过程，椎间盘可以有效地吸收能量，而且负荷越大，滞后作用也越大，从而具有防止损伤的功能。滞后现象和施加的负荷、年龄和脊柱的节段有关。椎间盘变性后，水分减少以致弹性降低，逐步丧失了储存能量和分布应力的能力。

(3) 椎体及后柱骨结构的生物力学

椎体是由软骨板、骨松质和皮质骨壳组成的，具有不同的生物力学性能。一般来说，椎体的强度随着年龄的增长而降低，特别是在 40 岁以后，发生明显的降低。Bell 等人研究表明椎体的骨组织减少 25％时，其强度减少 50％。

生理情况下，椎体主要承受的是压缩负荷，负荷从软骨终板向下传递到椎体的皮质骨和松质骨。40 岁以前，皮质骨壳承载 45％而松质骨核承载 55％。40 岁以后，皮质骨壳承载 65％而松质骨核承载 35％。这种强度的消长说明，随着年龄的改变，椎体的韧性在不断降低而脆性在不断提高。这可能是老年人骨质疏松、椎体容易发生压缩性骨折的主要原因。而椎体的松质骨核可以承受很大的压缩负荷，在断裂前其变形率可高达 95％，而相应的皮质骨壳的变形还不足 2％。说明椎体损伤首先发生皮质骨断裂，而不是松质骨的显微骨折。

在压缩负荷下，首先破坏的是终板。对椎体进行的高速动力性试验表明，终板骨折分为 3 种形式：中心型、边缘型和整个终板骨折。椎间盘正常时最易出现中心型骨折，压缩载荷使髓核产生液压，纤维环的外层纤维拉伸并使终板中心承受压缩载荷，因应力和弯矩呈正比，中心的弯距最大，所以最有可能骨折。当椎间盘退变时，负荷传递到下一椎体的周围，导致终板四周骨折。

目前对椎弓的生物力学性质研究不多。椎弓的破坏多发生在椎弓根和峡部，但考虑多数是由局部应力异常增高引起的疲劳骨折。

椎间关节由上位椎骨的下关节突和下位椎骨的上关节突的关节面构成。脊柱各部分小关节面的朝向不同直接影响脊柱节段的活动类型。下颈椎的小关节面与冠状面平行，与水平面呈 45°，允许颈椎进行前屈、后伸、侧弯和旋转运动。胸椎的小关节面与冠状面呈 20°，与水平面呈 60°，允许侧弯、旋转和一定程度的屈伸。腰椎小关节面与水平面垂直，与冠状面呈 45°，允许前屈、后伸和侧弯，但限制旋转运动。关节突除了引导节段活动外，还承受压缩、拉伸、剪切和扭转等不同类型的负荷。后伸位时关节突的负荷最大，占总负荷的 30%。前屈并有旋转时负荷也较大。关节突关节承受拉伸负荷主要发生在腰椎前屈时。当腰椎前屈最大时，上、下关节突可相对滑动 5～7 cm，关节囊所受的拉力为 600 N 左右。

(4) 韧带、肋骨框架及肌肉的生物力学

脊柱韧带的主要功能就是为相邻的脊柱功能单位提供适当的生理活动，同时维持脊柱的稳定。韧带的主要成分为胶原纤维和弹性纤维，其中胶原纤维提供强度和刚度，而弹性纤维主要维持韧带的抗拉伸功能。所有的韧带都具有抗牵引力的作用，但在压缩力作用下很快疲劳。脊柱的韧带承担大部分牵张负荷，当脊柱运动节段承受不同的力和力矩时，相应的韧带被拉伸，维持运动节段的稳定。

一般认为，前纵韧带和后纵韧带一起防止脊柱过度后伸，但限制轴向旋转和侧屈的作用不明显。小关节囊韧带在抵抗扭转和侧屈时起作用。棘上韧带具有制约屈曲活动的功能。横突间韧带在侧屈时承受最大应力。在所有脊柱韧带中，黄韧带在静息时的张力最大。对脊柱韧带进行的破坏试验证实，前纵韧带和小关节囊最强，棘间韧带和后纵韧带最弱。破坏负荷的范围为 30～500 N，腰段脊柱的韧带数值最大，而刚度最大的是后纵韧带，棘上韧带有最大的破坏前变形量，前纵韧带和后纵韧带的破坏形变最小。

肋椎关节对胸段脊柱的稳定起重要作用。肋椎角即顶椎与相应肋骨所形成的角度。肋椎角差即侧凸畸形凸面与凹面肋椎角之差。肋椎差增大且肋骨小头与椎体阴影由不重叠变为重叠，表示脊柱侧凸有进展。据报道，侧凸畸形曲度＞35°，肋椎角＞20°时，进行手术治疗效果欠佳。临床如发现有肋椎关节破坏，即应考虑脊柱是否有承担正常生理负荷的能力。

椎旁肌是维持脊柱正常体位的重要组织，肌力为保持姿势的必需条件。神经和肌肉的协调作用产生脊柱的活动。主动肌引发和进行活动，而拮抗肌控制和调节活动。与脊柱活动有关的肌肉可以根据其所处位置分为前、后两组。位于腰椎后方的肌肉又可进一步分为深层、中间层和浅层 3 组。深层肌肉包括起止于相邻棘突的棘间肌、起止于相邻横突的横突间肌以及起止于横突和棘突间的回旋肌等；中间层肌肉主要是指起于横突、止于上一椎体棘突的多裂肌；浅层肌肉即骶棘肌，自外向内又可分为髂肋肌、最长肌和棘肌 3 组。前方的肌肉包括腹外斜肌、腹内斜肌、腹横肌和腹直肌等。

放松站立时，椎体后部肌肉的活动性很小，特别是颈、腰段。据报道，这时腹肌有轻度的活动，但不与背肌活动同时进行，腰大肌也有某些活动。这些可以用生物力学进行解释。支持躯体重量的脊柱在中立位具有内在的不稳定性，躯体重心在水平面的移动，要求对侧有一有效的肌肉活动以维持平衡。因此，躯体重心在前、后、侧方的移位分别需要背肌、腹肌和腰大肌的活动来保持平衡。在没有倚靠的坐位时，腰部肌肉的活动与站立时相同，胸背部肌肉的活动比站立时稍高。

前屈包括脊柱和骨盆两部分运动，开始 60°运动由腰椎运动节段完成，此后 25°屈曲由髋关节提供。躯干由屈曲位伸展时，其顺序与上述相反，先是骨盆后倾，然后伸直脊柱。腹肌和腰肌可使脊柱的屈曲开始启动，然后躯干上部的重量使屈曲进一步增加，随着屈曲即力矩的增加，骶棘肌的活动逐渐增强以控制这种屈曲活动，而髋部肌肉可有效地控制骨盆前倾。脊柱完全屈曲时，骶棘肌不再发挥作用，被伸长而绷紧的脊柱后部韧带使向前的弯矩获得被动性平衡。在后伸的开始和结束时，背肌显示有较强活动，而在中间阶段，背肌的活动很弱，而腹肌的活动随着后伸运动逐渐增加，以控制和调节后伸活动。但做极度或强制性后伸动作时，需要伸肌的活动。脊柱侧屈时骶棘肌及腹肌都产生动力，并由对侧肌肉加以调节。侧屈时两侧背部肌肉的活动均增加,但开始时以侧弯侧为著,以后上部躯干因重力继续弯曲,而主要由凸侧肌肉加以调节控制。脊柱的旋转动作主要由两侧背肌协调产生,腰肌仅有轻微活动,但臀中肌和阔筋膜张肌有强烈活动。

(姜建元)

36.2 颈椎退行性变

36.2.1 退变性颈椎不稳症

颈椎不稳定是脊椎退行性变化的一个重要阶段,当椎间盘含水量逐渐减少,构成脊椎活动节段内稳定结构的重要一环已经逐渐失去作用时,颈椎的不稳定则成为一种趋势。但是由于颈椎不稳的临床表现不一,长期以来未引起充分的重视,对其认识亦较为混乱。随着近年来研究的深入,特别是生物力学的介入,人们对颈椎不稳的认识逐渐加深。

(1) 定义

维持脊柱稳定性的基本功能单位是运动节段,包括相邻的两节脊椎及其间的椎间盘、关节突关节以及韧带结构等。正常生理条件下,颈椎活动受到各种外部负荷以及内部负荷作用,由此产生相应部位的变形以及颈椎的生理活动。当脊柱因各种原因导致各结构功能减退,也即脊柱活动节段的刚度降低,以至在生理负荷下即可出现过度活动和(或)异常活动,此即脊柱不稳。若由此引起一系列相应的临床表现和潜在的脊柱进行性畸形及神经损害的危险者,称为脊柱不稳症。颈椎不稳定义为:在生理负荷情况下,颈椎节段性过度运动,颈椎不稳的影像学标准为过伸过屈位测量椎间移位>3.5 mm,或角度变化>11°。发生在颈椎的椎节过度活动或异常活动,并出现一系列临床症状者称为颈椎不稳症。

(2) 病因

颈椎的退变是从椎间盘最先开始的。椎间盘是整个脊柱承载系统中最为关键的部分,不仅可以吸收震荡,缓冲冲击,而且能将所承受的载荷向不同方向均匀分布。椎间盘承载量大,因而容易发生损伤并在体内最先发生退行性改变,随着髓核含水量的下降,椎间盘内容物减少,椎间盘失去预负荷状态,椎间盘呈扁化,椎间隙高度降低,周围韧带松弛,出现运动节段松弛不稳。由此对整个脊柱的稳定产生十分明显的影响。

(3) 颈椎退变过程

可分为3个阶段。

1) 早期退变期　也称功能障碍期,椎间盘退变程度较轻,即使有临床症状急性发作亦很快恢复正常。

2) 不稳定期　表现为椎间盘高度降低,关节囊及韧带松弛,椎节间出现异常活动。

3) 固定畸形期　关节突关节及椎间盘周围骨赘的形成使脊柱获得重新稳定,但固定畸形的出现将导致脊髓或脊神经的受压。

(4) 临床表现

临床症状的出现与否及轻重程度与多种因素有关。不稳的程度、椎管矢状径大小、受累椎节的高低以及发病速度的快慢均影响临床表现。有些患者虽然X线片上有明显的椎节不稳,但是并不表现临床症状。有些患者椎管明显狭小,即使少许松动也可引起严重症状。故结合临床和影像学特征,进行综合分析。一般来说,临床上主要表现为4个方面。

1) 颈部症状　包括颈部不适、僵硬、活动不便和颈部疼痛。

2) 根性症状　不稳的椎节由于椎节移位,继发根管狭窄时,使神经根遭受刺激或压迫而引起不同的根性症状。

3) 脊髓症状　主要是椎节移位后椎体边缘刺激或压迫脊髓前方,或压迫脊髓前中央动脉,产生四肢的运动和感觉障碍,此类症状并不多见。

4) 椎动脉供血不足　由于椎间松动和位移,钩椎关节变位刺激第2段椎动脉而发生痉挛,导致一过性供血不足,患者可有眩晕、猝倒等症状。

(5) 影像学特征

除常规颈椎正侧位片与斜位片以外,X线侧位伸屈动力片对下颈椎的诊断具有重要意义。椎间移位>3.5 mm或相邻椎体间成角>11°时,均提示下颈椎不稳,其中椎体间成角应与相邻椎间隙进行比较。此外,尚应注意有无棘突间距增宽,有无颈椎前凸曲线消失等征象出现。

颈椎过伸性损伤可造成椎体向后脱位,但由于肌肉的痉挛收缩,脱位的颈椎可能恢复正常序列,给诊断带来困难。在严密监视下亦可行动力性摄片,若怀疑有脊髓或伴有脊髓症状者,应争取同时行MRI检查。

(6) 治疗

颈椎不稳的治疗,无论其病因如何,治疗上不外乎要达到以下目的。①使脊柱被破坏的节段在理想的功能位充分愈合。②防止对颈椎其他组成部分及神经组织的进一步损伤,并使原已损伤的神经组织尽可能恢复功能。③防止颈椎原有畸形进一步加重或出现新畸形。治疗的选择应考虑到颈椎不稳的类型、程度、继发畸形和并发症的危险性,以及社会、经济、心理因素。

1) 非手术治疗　无论是上颈椎还是下颈椎,一旦有不稳首先应考虑非手术治疗。卧床是最基本、最重要的非手术疗法,可以消除对颈椎的负重状态。颈后放置枕垫可使颈部肌肉放松,同时恢复颈椎的正常生理曲线和力线。另外,为防止颈椎过度活动,可采用颈托或支具固定。

2) 手术治疗　尽管非手术治疗大多有效,仍有部分患者需要手术治疗,手术通过融合来到达颈椎的稳定。近年来随着内固定器械的使用,内固定手术与融合术同时使用可提高融合率。

36.2.2 颈椎病

36.2.2.1 定义

颈椎病是国内约定俗成的一个术语。其定义为因颈椎间盘退变本身及其继发性改变刺激或压迫邻近组织,引起各种症状和(或)体征者,称为颈椎病。这一名称由于不能很好地反映脊髓功能,目前也有争议。

从定义来说,本病首先属于以退变性改变为主的疾患,但又与多种因素有密切关系。起源于椎间盘的退变,椎间盘退变本身就可以出现许多症状和体征,加之合并椎管狭窄,有可能早期出现症状,也可能暂时无症状,但遇到诱因后,出现症状。大多数患者在颈椎原发性退变的基础上产生一系列继发性改变。这些继发性改变包括器质性改变和动力性改变。器质性改变有髓核突出和脱出、韧带骨膜下血肿、骨刺形成和继发性椎管狭窄等。动力性改变主要为颈椎不稳,如椎间松动、错位、屈度增加等。颈椎病即是在综合这些病理生理和病理解剖的共同作用下发生的。但是,在临床上不能简单地将颈椎退行性变和颈椎病相等同。经常可以发现有些患者颈椎骨性退变非常严重,但并无与之相应的明显症状。可见,颈椎病的诊断除需有病理基础外,还需要包括一系列由此引起的症状和体征。

36.2.2.2 病因

颈椎病病因与发病机制尚未完全清楚。一般认为,其发病是多种因素共同作用的结果。目前发现同颈椎病发病相关的因素有退变、创伤、劳损、颈椎发育性椎管狭窄、炎症及先天性畸形等诸多方面,本节主要探讨其退变方面的病因。

1) 椎间盘　椎间盘是人体最早、最易随年龄的增长而发生退行性改变的组织,随年龄的增长含水量逐渐减少,因而逐渐失去弹性和韧性。当椎间盘破裂或脱出后,含水量更少,椎间盘软弱,失去了支撑重量的作用,椎间隙狭窄,产生椎体间不稳,影响颈椎骨性结构的内在平衡,并破坏其周围组织的力学平衡。因此,颈椎间盘的退行性变是颈椎病发生与发展的主要因素。

2) 小关节　多在椎间盘变性后出现颈椎应力的重新分布,造成椎体间关节失稳,关节面压力大小及方向发生改变。小关节出现两方面的改变:①关节囊受牵引力加大,产生充血、水肿和增生;②早期为软骨浅层退变,进而波及深层及软骨下,从而形成损伤性关节炎。晚期可导致关节间隙狭窄及小关节骨赘形成,从而使椎间孔前后径和上下径变窄,易刺激或压迫脊神经根和脑脊膜返神经支,产生临床症状。

3) 黄韧带　黄韧带的退变是颈椎关节失稳的一种代偿性表现。早期表现为韧带松弛,后期可出现钙化或骨化。黄韧带增生产生皱褶,突向椎管,压迫脊髓或脊神经根而产生症状。

4) 前纵韧带与后纵韧带　前、后纵韧带对颈椎的稳定起保护作用,其退变主要表现为韧带本身的纤维增生和硬化,后期形成钙化或骨化。在颈椎外伤或劳损后,韧带的硬化可起到局部制动作用,从而增加颈椎稳定性,减缓颈椎病的进展。

5) 钩椎关节的增生　钩椎关节的形成是由于适应颈椎运动功能的发展结果。但是钩椎关节的过度增生可压迫、刺激神经根而产生临床症状。

6) 项韧带与颈部肌肉　项韧带与颈部肌肉参与颈椎的力学平衡作用。随着年龄的增长,颈部神经肌肉反应性降低,肌肉劳损和痉挛可影响颈椎的自然屈度。长期的不良屈度可加速椎间盘及其他骨性结构的退变。

36.2.2.3 病理生理

从颈椎病的定义可看出,颈椎病的发生和发展必须具备以下条件。①以颈椎间盘为主的退行性改变。②退变的组织和结构必须对颈部脊髓，或血管，或神经，或气管等器官或组织构成压迫刺激，从而引起临床症状。

从病理角度看，颈椎病是一个连续的病理反应过程，可将其分为3个阶段。

1）椎间盘变性阶段　椎间盘的变性从20岁即已开始。纤维环变性所造成的椎节不稳是髓核退变加速的主要因素。可见纤维变性、肿胀、断裂及裂隙形成；髓核脱水、弹性模量改变，内部可有裂纹形成，变性的髓核可随软骨板向后方突出。若髓核穿过后纵韧带则称为髓核脱出。后突的髓核既可压迫脊髓，也可压迫或刺激神经根。从生物力学角度看，此期的主要特征是：椎间盘弹性模量改变、椎间盘内压升高、椎节间不稳和应力重新分布。

2）骨赘形成阶段　骨赘形成阶段是上一阶段的延续。骨赘形成本身表明所在节段椎间盘退变引起椎节应力分布的变化。从生物力学看，骨赘的形成以及小关节、黄韧带的增生肥大均为代偿性反应，其结果是重建力学平衡。从病理角度看，多数学者认为骨赘来源于韧带、椎间盘间隙血肿的机化、骨化或钙化。$C_5 \sim C_6$ 处于颈椎生理前屈的中央点，椎间盘所受应力较大，所以 $C_5 \sim C_6$ 椎间盘的骨赘最多见，其次为 $C_4 \sim C_5$ 及 $C_6 \sim C_7$。

3）神经损害阶段　单纯的退变不一定产生临床症状和体征，这也是颈椎病与颈椎退变之间的区别。只有当以上两个病理节段的变化对周围组织产生影响而引起继发性改变时才具有临床意义。

脊髓的压迫可来自前方和后方，也可两者兼有。前方压迫以椎间盘和骨赘为主。前正中压迫可直接侵犯脊髓前中央动脉或沟动脉。前中央旁或前侧方的压迫主要侵及脊髓前角与前索，并出现一侧或两侧的锥体束症状。侧方和后侧方的压迫来自黄韧带、小关节等，主要表现为以感觉障碍为主的症状。

脊髓的病理变化取决于压力的强度和持续时间。急性压迫可造成血流障碍，组织充血、水肿，久压后血管痉挛、纤维变、管壁增厚甚至血栓形成。脊髓灰质和白质均萎缩，以脊髓灰质更为明显，出现变性、软化和纤维化，甚至形成空洞及脊髓囊性变。

对脊神经根的压迫主要来源于钩椎关节及椎体侧后缘的骨赘。关节不稳及椎间盘侧后方突出也可造成对神经根的刺激和压迫。早期根袖处可发生水肿及渗出等反应性炎症。继续压迫可引起蛛网膜粘连。蛛网膜粘连使神经根易于受到牵拉伤，发生退变甚至沃勒(Wallertan)变性。

椎动脉狭窄真正由于增生和压迫导致很少见。由于MRI及血管减数造影(DSA)技术的发展，目前发现椎动脉在颈椎退变过程中常发生扭曲，甚至螺旋状。椎节活动时刺激椎动脉，使之发生不同程度的痉挛，颅内供血减少，产生眩晕，甚至摔倒。后方小关节的松动和变位，关节软骨的破坏和增生，关节囊的松弛和肥厚，均可刺激位于关节周围的末梢神经纤维，产生颈部疼痛。颈椎间盘后壁也有神经末梢分布，纤维环及后纵韧带的松弛和变形均使末梢神经受刺激，产生颈部疼痛和不适。

36.2.2.4　分类

随着对颈椎病认识的不断加深和发展，对颈椎病的分类也不断改进。颈椎病分类的依据主要是症状学和病理学两个方面。症状学分类比较直观，主要依据临床特点，但却受到一定的限制。例如，所谓的交感型颈椎病。病理学分类比较侧重于病变的病理学性质，以分期的方法对颈椎病的各个病理阶段进行分类。在实际工作中，有时不易区别这种分类方法，目前仍以症状学分类为主。

1）颈型颈椎病　最常见，症状多较轻微，颈型颈椎病也称为局部型，即症状和体征都局限于颈部。

(i) 临床特点：以青壮年居多，几乎所有患者都有长期低头作业的情况。①症状：颈部感觉酸、痛、胀等不适，以颈后部为主。女性患者往往诉肩胛、肩部也有不适。患者常诉说头颈不知放在何种位置为好。多数患者颈部活动受限或被迫体位，少数患者可有一过性上肢麻木，但无肌力下降。②体征：颈部一般无歪斜，生理曲度减弱或消失，棘突间及棘突旁可有压痛。③X线检查：可见颈椎生理屈度变直或消失，颈椎椎体轻度退变，动力位片上可发现约1/3的患者椎间隙松动，表现为轻度梯形变，或屈伸活动度变大。

(ii) 诊断：①颈部、肩部及枕部疼痛，头颈部活动受限制。②颈部肌肉僵硬，有压痛点。③X线片显示颈椎曲度改变，动力位摄片可显示椎间关节不稳与松动。由于肌肉痉挛头偏斜，颈椎动力性侧位片上可显示椎体间关节不稳与松动（轻度梯形变）。侧位片上可见椎体后缘一部分重影，小关节也有一部分重影，称双边双突征象。

(iii) 鉴别诊断

颈部扭伤：系颈部肌肉扭伤导致。其发病与颈型颈椎病相似。①压痛点不同：颈型颈椎病位于棘突部，程度强；扭伤压痛点位于损伤肌肉，急性期疼痛剧烈。扭伤者可触及条索状压痛肌肉，而颈椎病只有轻度肌肉紧张。②牵引反应：进行牵引时，颈型颈椎病症状多可缓解，而扭伤者疼痛加剧。③封闭反应：痛点封闭，颈型颈椎病无显效，而扭伤患者可在封闭后疼痛消失或缓解。

肩周炎：多见于50岁前后发病，好发年龄与颈椎病相似，且多伴有颈部受牵症状。①肩关节活动：肩周炎患者有肩关节活动障碍，而颈椎病一般不影响肩关节活动。②疼痛部位不同：肩周炎疼痛部位在肩关节，而颈型颈椎病多以棘突为中心。③X线表现：肩周炎多为普通的退变征象，而颈椎病患者生理前凸消失，且可有颈椎不稳；④肩周炎对封闭有效，而颈椎病无效。

2）神经根型颈椎病　本型较为多见，主要表现为与脊神经根分布区相一致的感觉、运动及反射变化。

神经根症状的产生与以下因素有关：髓核的突出和脱出、椎体后缘骨赘的形成、后纵韧带的局限性肥厚等。但后方小关节的骨质增生、钩椎关节的骨赘形成，以及相邻3个关节的松动和移位刺激并压迫脊神经根，可能是引起症状和体征的重要因素。此外，神经根袖处蛛网膜粘连也与神经根症状有关。

(i) 临床特点：①根性痛。最常见的症状，疼痛范围与受累椎节的脊神经分布区相一致。与根性痛相伴随的是该神经分布区的其他感觉障碍，其中以麻木、过敏、感觉减弱等为多见。②根性肌力障碍。以前根先受压者为明显，早期肌张力增高，但很快即减弱并出现肌萎缩征。其受累范围也仅局限于该神经所支配的范围。在手部以大小鱼际肌及骨间肌为明显。③腱反射异常。早期呈现腱反射活跃，而后期则减退或消失。检查时应与对侧相比较。单纯根性受累不应有病理反射，如伴有病理反射则表示脊髓同时受累。④颈部症状。因髓核突出所致者，多伴有明显的颈部痛、压痛及颈椎挤压试验阳性。尤以急性期为明显。而因钩椎关节退变及骨质增生所致者则较轻微或无症状。⑤特殊试验。当有颈椎间盘突出时，可出现压颈试验阳性，脊神经牵拉试验阳性。

(ii) 影像学检查：①X线片。侧位片可见颈椎生理前凸变直或反曲，椎间隙变窄，病变椎节前后缘有骨赘形成。动力位片可见椎间不稳。在病变椎节平面常可见项韧带钙化。②CT及MRI。可发现病变椎节椎间盘侧后方突出或后方骨质增生。MRI检查也可判断椎体后方对硬膜囊有无压迫。若合并有脊髓损害，可看到脊髓信号改变。

(iii) 诊断：①具有较典型的根性症状（麻木、疼痛等），且其范围与颈脊神经所支配的区域相一致。②压颈试验与脊神经根牵拉试验多为阳性，痛点封闭治疗对上肢放射痛无效。③X线片可显示钩椎关节增生，颈椎曲度改变、不稳及骨赘形成等异常所见。

(iv) 鉴别诊断：①尺神经炎。易与C_8神经受累的症状相混淆。尺神经炎多有肘部神经沟压痛，且可触及索状变性的尺神经。C_8常有前臂尺侧麻木，而尺神经炎无前臂麻木。②胸廓出口综合征。与神经根型颈椎病鉴别在于胸廓出口综合征Adson试验阳性。X线片可发现颈肋或第7颈椎横突过大。③颈背部筋膜炎。无上肢放射症状及感觉障碍，也无腱反射异常。痛点封闭有效。④肌萎缩性侧索硬化症。一般先出现有双手明显肌肉萎缩，逐渐发展至肘部和肩部，但是无感觉障碍，神经纤维传导速度正常。⑤锁骨上肿瘤。与臂丛神经粘连或挤压臂丛神经，可产生剧痛，胸部X线片或活检即可诊断。⑥腕管综合征。主要特点是腕中部加压试验阳性，第1至第3指麻木或刺痛，而颈椎病无此征。腕背屈试验阳性。封闭有效。⑦心绞痛。心电图检查常有改变，口服硝酸甘油类药物有效。

3）脊髓型颈椎病　比较多见，且症状严重，延误治疗常常发展成不可逆性神经损害。由于主要损害脊髓，且病程多慢性进展，遇诱因后加重，临床上表现为损害平面以下的感觉减退及上运动神经元损伤症状。损害平面以下多表现为麻木、肌力下降、肌张力增高等特征。

(i) 临床特点：①以40～60岁多见，起病慢，约20%有外伤史，常有落枕史。②症状：主要表现为锥体束征。多先从双侧（或单侧）下肢发沉、发麻开始，渐而出现跛行、易跪倒（或跌倒）、足尖不能离地、步态拙笨及束胸感等症状。双下肢协调差，不能跨越障碍物，双足有踩棉花感。自述颈部发硬，颈后伸易引起四肢麻木。一般上肢症状出现略迟于下肢，但有时可先于下肢症状出现。表现为上肢一侧或两侧先后出现麻木、疼痛。部分患者有括约肌功能障碍、尿潴留。③体征：四肢肌张力升高，下肢往往较上肢明显。上肢肌张力可升高，但一般以肌无力和肌萎缩多见，并有根性感觉减退。下肢主要表现为双侧肌痉挛，腱反射亢进，可有踝阵挛和髌阵挛。皮肤感觉平面检查常可提示脊髓受压平面，而且根性神经损害的分布区域与神经干损害的区域有所不同，详细检查手部和前臂感觉区域有助于定位，而躯干的知觉障碍常左右不对称，往往难以根据躯干感觉平面来判断。四肢腱反射均可亢进，尤以下肢显著。上肢 Hoffmann 征阳性，单侧阳性更有意义。下肢除腱反射亢进外，踝阵挛出现率较高。病理征均可阳性。腹壁反射、提睾反射可减弱或消失。

(ii) 影像学检查：①X 线侧位片多能显示颈椎生理前屈消失或变直，大多数椎体有退变，表现为前后缘骨赘形成，椎间隙变窄。伸屈侧片可显示受累节段不稳，相应平面的项韧带有时可有骨化。测量椎管矢状径可<13 mm。由于个体差异和放大效应，测量椎管与椎体矢状径比更能说明问题，<0.75 者可判断为发育性椎管狭窄。②CT 对椎体后缘骨刺、椎管矢状径的大小、后纵韧带骨化、黄韧带钙化及椎间盘突出的判断比较直观和迅速，而且能够发现椎体后缘致压物是位于正中还是有偏移。CT 对于术前评价，指导手术减压有重要意义。三维 CT 可重建脊柱影像，可在立体水平上判断致压物的大小和方向。③MRI 其突出的优点是能从矢状切层直接观察硬膜囊是否受压。脊髓型颈椎病在 MRI 图像上常表现为脊髓前方呈弧形压迫，多平面的退变可使脊髓前缘呈波浪状。病程长者，椎管后缘也压迫硬膜囊，从而使脊髓呈串珠状。脊髓有变性者可见变性部位也即压迫最严重的部位脊髓信号增强，严重者可有空洞形成。值得注意的是，X 线片上退变最严重的部位有时不一定是脊髓压迫最严重的部位，MRI 影像较 X 线片更准确可靠。

(iii) 诊断：①临床上具有脊髓受压表现，自觉颈部无不适，但手动作笨拙，细小动作失灵，协调性差，胸部可有束带感。步态不稳，易跌倒，不能跨越障碍物，可有踩棉花感。四肢腱反射亢进，肌张力升高，Hoffmann 征阳性，可出现踝阵挛、髌阵挛。早期感觉减退较轻，后期可出现感觉丧失。②X 线片多显示椎管矢状径狭窄、骨质增生(骨赘形成)、椎节不稳及梯形变。③MRI 显示脊髓受压呈波浪样压迹，严重者脊髓可变细或呈念珠状。受压节段可由脊髓信号改变。

(iv) 鉴别诊断：①脊髓肿瘤。可同时出现感觉障碍和运动障碍，病情进行性加重，MRI 可鉴别两者，CSF 检查蛋白含量升高。②肌萎缩型侧索硬化症。以上肢为主的四肢瘫是其主要特征，发病速度快，很少伴有自主神经症状；而颈椎病病程缓慢，多有自主神经症状。另外，侧索硬化的肌萎缩范围较颈椎病广泛，可发展至肩关节以上。③脊髓空洞症。多见青壮年，病程缓慢，早期影响上肢，呈节段性分布。感觉障碍以温、痛觉缺失为主，而触觉及深感觉基本正常，称感觉分离，而颈椎病无此症状。④后纵韧带骨化(OPLL)。可出现与颈椎病相类似的症状和体征，但侧位片上可发现有椎体后缘线状或点线状骨化影，CT 可显示其横断面形状和压迫程度。

4) 椎动脉型颈椎病　椎动脉型颈椎病是由各种机械性与动力性因素使椎动脉遭受刺激或压迫，以致血管狭窄、折曲而造成以椎-基底动脉供血不全为主要症状的综合征。

该型颈椎病发病率占 17.4%，其中 80%以上与其他型并发，发病年龄偏高，50 岁以上者占 51%。对于本型的概念目前存在较大的争议，主要是因为无法证实椎动脉与临床症状和体征的关系。

(i) 临床特点：①眩晕。头颅旋转时引起眩晕发作是本病的最大特点。正常情况下，头颅旋转主要在寰枢椎之间。椎动脉在此处受挤压。如头向右旋时，右侧椎动脉血流量减少，左侧椎动脉血流量增加以代偿供血量。若一侧椎动脉受挤压，血流量已经减少，无代偿能力，当头转向健侧时，可引起脑部供血不足产生眩晕。体格检查时应注意询问发作时头颅的转向，一般头颅转向健侧，而病变在对侧。眩晕可为旋转性、浮动性或摇晃性，患者感下肢发软，站立不稳，有地面倾斜或地面移动的感觉。②头痛。由于椎-基底动脉供血不足，使侧支循环血管扩张引起头痛。头痛部位主要是枕部及顶枕部，也可放射至两侧额部深处，以跳痛和胀痛多见，常伴有恶心、呕吐、出汗等自主神经紊乱症状。③猝倒。是本病的一种特殊症状。发作前并无预兆，多发生于行走或站立时，头颈部过度旋转或伸屈时可诱发，反向活动后症状消失。患者摔倒前察觉下肢突然无力而倒地，但意识清楚，视力、听力及讲话均无障碍，并能立即站起来继续活动。这种情形多系椎动脉受刺激后血管痉挛，血流量减少所致。④视力障碍。患者有突然弱视或失明，持续数分钟后逐渐恢复视力，此系双侧大脑后动脉缺血所致。此外，还可有复视、眼睛闪光、冒金星、黑蒙、幻视等现象。⑤感觉障碍。面部感觉异常，口周或舌部发麻，偶有幻听或幻嗅。

(ii) 影像学检查：①椎动脉造影。可发现椎动脉有扭曲和狭窄，但一次造影无阳性发现时不能排除,因为大多数患者是一过性痉挛缺血,当无症状时,椎动脉可恢复正常口径。②X线检查。可发现钩椎增生、椎间孔狭小(斜位片),或椎节不稳(梯形变等)及椎骨畸形等异常所见。

(iii)诊断:①有颈性眩晕和猝倒史,需除外眼源性和耳源性眩晕。②旋颈诱发试验阳性。③X线可见椎节不稳及钩椎关节增生。④椎动脉造影及椎动脉血流检测可协助诊断。

(iv)鉴别诊断:①耳源性眩晕。本病有三大临床特点:发作性眩晕、耳鸣、感应性进行性耳聋。颈性眩晕同头颈转动有关,耳鸣程度轻。②眼源性眩晕。可有明显的屈光不正,闭眼后缓解。③颅内肿瘤。第四脑室或颅凹肿瘤可直接压迫前庭神经及其中枢,转头时也可有眩晕,但颅内肿瘤还合并头痛、呕吐等颅内压增高症。④内耳药物中毒。链霉素中毒后除了眩晕外还可出现耳蜗症状、平衡失调等,前庭功能检查可资鉴别。⑤锁骨下动脉缺血综合征。特点是患肢血压较健侧低,桡动脉搏动减弱或消失,锁骨下动脉区有血管杂音。血管造影可帮助鉴别诊断。

其他少见的颈椎病还有食管压迫型颈椎病,主要是由于颈椎椎体前缘骨质增生刺激和压迫食管,使其感觉和功能发生改变。主要临床表现为吞咽困难,X线片及钡餐检查显示椎节前方有骨赘形成,并压迫食管引起痉挛与狭窄症。

36.2.2.5 *治疗*

颈椎病是一种退变性疾病,其治疗也需要根据不同的病程以及不同的病理类型而有所不同。颈椎病的治疗分手术与非手术两大方面。

(1)非手术疗法

非手术疗法可起到稳定病情,减缓其发展速度,从而有利于手术的疗效。

适应证:①轻度颈椎间盘突出症及颈型颈椎病。②早期脊髓型颈椎病。③颈椎病的诊断尚未肯定而需一边治疗一边观察者。④全身情况差,不能耐受手术者。⑤手术恢复期的患者。⑥神经根型颈椎病。

治疗方法:颈椎牵引治疗。能限制颈椎活动,解除颈部肌肉痉挛,减轻神经根及突出物的充血水肿。

颈椎制动:是指通过石膏、支具等方法,使颈椎获得固定,从而达到治疗目的。制动的作用:①可使局部肌肉松弛,缓解肌痉挛引起的疼痛。②减轻局部的水肿及炎性反应。③维持颈椎的正常体位,减慢退变。④避免进一步损伤。

理疗:可消除或缓解颈部肌肉痉挛,改善软组织血液循环;消除因病变引起的神经根或其他软组织的炎性水肿和充血,改善脊髓、神经根和局部血液循环,缓解症状;增进肌肉张力,改善小关节功能;延缓或减轻椎体及关节囊或韧带的钙化或骨化过程。

按摩与推拿:通过手法作用于人体体表特定部位可以缓解肌肉痉挛,帮助肌肉关节运动,减少肌肉萎缩和关节僵硬。

(2)手术疗法

1)概述 颈椎病有5种常见的手术方式,分别是前路椎间盘切除及融合术、前路椎体次全切除术、前路显微椎间盘切除术、侧前方椎动脉减压术(已较为少用)和颈椎椎板成形术。

前路非融合性椎间盘切除术最适用于单纯性椎间盘突出症者,其椎节力学性能比椎节硬化病例(颈椎病)为好。除非自发性纤维或骨性强直发生,软性颈椎间盘突出患者表现为颈痛和放射性肩痛。鉴于此原因,对于椎节僵硬的颈椎病者,不适合行非融合性椎间盘切除术。

此类手术绝大多数为择期手术,术前应该让患者了解手术的优缺点及可能发生的并发症。应当强烈地建议患者术前戒烟,长期吸烟者手术后并发症较多,包括植骨不愈合率高及植骨块塌陷等。另外,应详细询问患者是否服用长效麻醉剂和其他病史。术前应指导患者颈围固定练习,增加肺活量训练,手术前晚以杀菌肥皂沐浴,至少在术前3周停用阿司匹林。

手术当日晨,在术前准备室,确定患者颈椎自主的屈伸活动范围,在整个手术过程中,包括患者体位的安置、皮肤消毒、铺巾以及手术操作,均应避免超过此范围。这些措施可以避免麻醉状态下对颈髓的持续性压迫。如果在已确定的颈椎活动范围内无法进行麻醉气管插管,应在纤维内镜下经鼻腔或口腔插管,以求保持患者颈椎活动范围处于已确定的自主活动范围以内是十分重要的。

最好选用颈部横形切口,此切口的瘢痕相对美观;该切口可以显露4个椎间隙平面。纵形切口位于胸锁乳突肌前缘,由于术后瘢痕影响颈部美观而少采用。先观察颈前皮肤皱纹,消毒皮肤前沿颈前皮肤皱纹以甲紫(龙胆紫)标记切口。有时可采用轻度曲颈的方法清晰显露颈前皮肤皱纹，应细心选择颈横切口，沿皱纹的横切口术后瘢痕美观且不易察觉。如果需要同时暴露 $C_3 \sim C_7$ 平面，可采用沿胸锁乳突肌前缘纵形切口。虽然此切口显露广泛，但瘢痕不美观，并且在绝大多数情况下亦少有优越性。

在解剖学上，C_6 位于环甲软骨膜平面，$C_3 \sim C_4$ 位于甲状软骨平面，$C_4 \sim C_5$ 位于以上两标志之间。然而，术前应阅读颈椎 X 线侧位片并且注意颈椎平面和下颌角的关系。通常，$C_2 \sim C_3$ 位于下颌角平面。对于先天性或获得性颅底凹陷的患者，下颌角可能平 $C_3 \sim C_4$ 或以下平面。颈部短胖型患者的锁骨位置较高，如果仍采用常规的切口定位则影响手术显露。对颈椎横切口的定位通常是按：锁骨上两横指为 $C_6 \sim C_7$ 的位置，锁骨上两横指半为 $C_5 \sim C_6$ 的位置，锁骨上三横指为 $C_3 \sim C_4$ 的位置。有时可触及患者颈动脉结节(又称 Chassaignac 结节)，此时明确定位 C_6。

稀释的肾上腺素切口皮下注射并未证明有所帮助，且皮下注射对皮肤平面的定位引起失误，同时可以造成皮肤切口的偏斜。如果仅显露一或两个椎间隙，切口长度 5～6 cm 即可。切口超过胸锁乳突肌内缘 1～2 cm 并不能获得更大的显露。对于$C_3 \sim C_7$ 范围的椎体切除术，切口应向内和外延长以适应远近端皮肤的牵开。

患者肩下垫一薄枕，此时应注意避免颈椎过度的屈伸。用 7.6 cm(3 in)宽的胶布轻轻向尾侧牵拉肩部肌群，注意避免牵拉过度而损伤皮肤。用头环枕垫圈置于枕下以固定头颈位置，面部应完全暴露，以使麻醉医师处理气管插管和食管。采用左或右斜颈椎体位时，铺巾单应避免过度缠绕而妨碍术中颈椎中立位 X 线透视。对神经、血管易受压迫区应仔细垫好。例如，肘部的尺神经沟、膝关节外侧面、腓骨头和足跟，以防止局部压迫、溃疡和周围神经挤压伤。除非手术超过两小时，并非都需要常规导尿。虽然笔者常规预防性应用抗生素，但缺乏证明其必要性的研究资料。尽管术中采用脊髓电生理监护，如体感诱发电位，难以表明其显而易见的优势；不过对于需要广泛性脊髓减压的病例，应该采用。在增加颈椎牵拉力量时，电生理监护脊髓损伤是非常有效的，如果牵引后诱发电位消失，应立即纠正牵引。

颈椎中段至下节段的手术显露属于解剖性入路，应充分掌握颈部 4 个筋膜平面的知识。切开皮肤和皮下组织后，显露颈浅膜和颈阔肌，沿切口长度切开浅膜和颈阔肌。术后正确地对位缝合此结构对颈部美观至关重要。在浅筋膜及颈阔肌下有一清晰筋膜层，沿皮肤切口方向将其切开。显露颈前静脉丛并将其牵开，如果其较粗大、妨碍手术操作时，应予以结扎、切断。在体瘦患者，如果可能应尽量保留之，因术后静脉的不对称很易被观察到。深筋膜的浅层绕胸锁乳突肌，纯性分离即游离，用手指或钳子可提起胸锁乳突肌周围的疏松结缔组织而使此段面获得更清晰地显示。将此肌内侧缘的近端和远端加以松解，使肌腹易于向外侧牵开，典型的病例可向下松解筋膜至锁骨。沿此肌内侧缘向上松解至 $C_3 \sim C_4$ 平面时可遇到甲状腺上动脉及喉上神经，此时应注意保护之。喉上神经受损会导致高频发声困难。当整个胸锁乳突肌松解游离后，仔细地触诊游离后，再用食指分离该肌的内下方。仔细地触诊颈总动脉神经结构(即神经血管鞘)并显示其连接内脏鞘的中层筋膜，用食指轻轻分离该筋膜，用阑尾拉钩将气管和食管牵向内侧，用钝头组织剪剪开此筋膜，应注意避免损伤甲状腺上、下静脉。当此筋膜分离约 2 cm 时，换特制颈椎“S”形拉钩向内牵开气管和食管；再沿中线纵行剪开气管与椎体之间的椎前筋膜。此时可触及颈椎，并可在颈长肌外侧触及 C_6 横突结节(Chassaignac 结节)，以利于手术中颈椎定位。确定颈前筋膜下方，有颈长肌小静脉丛从下方入前纵韧带。按常规将针头刺入椎间隙摄 X 线片，以确认手术椎节。

骨膜下向外侧分离颈长肌至颈前筋膜向后掀起处。在直视下于两侧肌组之间放入 Cloward 或 Caspar 型颈椎自动拉钩。

必要时，可切断肩胛舌骨肌以更好地显露 $C_5 \sim C_6$ 椎节。当选择左侧入路时，应注意避免损伤胸导管。入路侧的选择根据术者的习惯。从解剖学上考虑，左侧入路不易损伤喉返神经，该神经回返走行偏向内侧并位于气管食管沟内。右侧入路的优点：当显露 $C_2 \sim C_3$ 时，术者右手位于颌下，手术视野好，操作方便；在下颈椎时，则无明显优点。

闭合切口时，应检查是否有食管损伤；并用 50∶50 稀释的靛卡红溶液(indigo carmine solution)通过插入食管的小儿胃管达颈椎手术平面进行冲洗。当切口内放置细小柔软引流管达咽后间隙处以获减压。当切口闭合后，将引流管与吸收管接通，如有蓝色液体引出，提示食管穿孔，则应用可吸收线分层缝合，并放置胃管。

2）手术方法

Ⅰ）前路椎间盘切除及融合术　前路显露病变椎间隙后，环行电凝纤维环，用尖刀切除之。术中应按椎间隙宽度切除纤维环以利于摘除髓核。用直角或小角度刮匙及髓核钳，在广泛性椎间盘退变患者，有时采用高速度磨削器切除椎间盘组织，接近后纵韧带时应特别小心，术中应避免超过椎间隙宽度而导致椎动脉伤所引起的灾难性大出血。在双侧钩突关节之间可见有后纵韧带。如术前资料显示脊髓有严重的局限性压迫，在完成椎管减压前应避免使用椎间隙牵开器。从常理上讲，椎管减压前如过度牵开椎间隙，则有可能加重脊髓压迫损伤。此时，应先采用椎体次全切除术并用高速磨削技术切除椎体的上下缘骨刺。术前应详细阅读X线片决定骨切除范围；当将椎体后面皮质骨磨薄后，以刮匙除之。椎管减压完成后，用牵开器牵开椎间隙并植入骨块。

在植骨过程中，椎间隙牵开器是非常有用的。通常采用的牵开器包括：钻入椎体型和插入椎间隙型。钻入椎体型手术视野好，但易导致颈椎过度前凸；插入椎间隙型轴向牵引起，但显露差。由于术后植骨块易塌陷和下沉，术中应避免椎间隙过度牵开；宜轻轻牵开椎间隙以使后纵纫带恢复张力，并测量植骨高度，然后略增加牵引将植骨块放入。

后纵韧带通常不切开，如果减压有困难或髓核脱出时，可切开后纵韧带。切开后纵韧带有可能引起硬膜外出血，此时可小心应用明胶海绵或双极电凝止血。可用钝头神经钩探查椎间孔以明确脊神经根是否有压迫，必要时用小角度枪钳对准椎间孔前方进行减压，然后从椎弓根上下缘探查神经根前方是否还有致压物。

有4种基本的颈前路融合方式，每种方式都有不同的植骨技术。

第1种流行的方法是Cloward方法，采用榫头形自体或导体皮质、松质髓骨，术者将环形植骨块插至椎间隙中央所钻的圆孔内；骨块直径通常为12～16 mm，深度为10～14 mm；此种Cloward法对椎间隙外侧和钩突关节提供了良好的显露，从而可以使神经根获得充分的减压。由于植骨块位于椎体中部松质骨处而较之边缘硬化骨更易于塌陷。如果钻孔和椎间盘切除合乎标准，Cloward方法是治疗颈椎间盘病安全有效的方法。

第2种常见的方法是采用马蹄形植骨，最早由Smith和Robinson于1959年描述，骨块来源于自体或异体的髂骨棘。此法由于将植骨块置于较为坚强的软骨下终板处而较少塌陷。由于骨切除少，其显露椎间隙外侧和钩突关节较Cloward方法差；如果要充分显露外侧，则需将椎体部分切除。植骨块取自髂前上棘后方3～4 cm处，高6～10 mm，包括内外两侧和髂嵴的皮质骨。传统的方法是采用角度刮匙在终板上穿几个孔，改良的方法是采用角度刮匙刮终板直至有渗血而无终板穿透，早期的随访显示此方法可提高融合率。植骨块在轻轻地牵引下置入，应避免在过度牵引下置入过大的植骨块而导致术后塌陷。虽然观点不同，最近研究指出前路减压融合术后，植骨块的高度、椎间孔的高度、椎间孔的面积和临床总体疗效之间无显著的相关性。

第3种方法是采用拱形植骨块。此方法由Simmons推广，植骨块呈矩形（拱形），松质骨面朝向椎管。在终板内刮出植骨块槽，将骨块有效地嵌入骨槽。此方法可能将植骨块置于松质骨区，有可能使骨块塌陷并导致术后颈椎的后凸畸形。

第4种方法是在椎间隙中植入椎间融合器。

虽然已证明同种异体植骨在脊柱关节融合方面效果略差，但目前前瞻性研究尚未证明其融合率与自体植骨之间存在显著的差别。有时患者伴有神经血管疾病或骨盆骨已被切取或局部烧伤瘢痕而无法取髂骨时，如可能可取自体肋骨。

植骨块在手术后早期有可能松动外移，只要植骨块有50%的骨床相连或位于椎间隙内，吞咽困难最终可逐步改善并得到骨性融合。植入的骨可以得到有效的重建，术后1年与所有未发生外移的植骨者在外形上毫无差别。骨融合是其结局至关重要的部分。如果植骨块完全脱出，或是引起吞咽困难，或是有严重神经疼痛症状复发，应重新放置植骨块，并考虑采用接骨钢板或其他更先进的内固定技术。

Ⅱ）前路椎体次全切除术　多节段颈椎病常需彻底的椎管前路减压。对多节段颈椎病，如果术前影像学提示两节相邻椎间隙处的骨赘其切除范围已达到椎体中部，或像先天性椎管狭窄那样，椎体中段后方的脊髓已明显受压，那么最好而又简单的方法是行前路椎体次全切除术，以保证达到对椎管及神经根的减压。

在对颈椎节段广泛显露时，于骨膜下向两侧分离颈长肌至椎体侧方及侧后方折曲处即可达显露整个椎体的前壁要求。椎体前外侧的折曲处也是椎体切除减压宽度的骨性标志。先切除各个椎间隙的椎间盘之后，用尖嘴咬骨钳迅速咬除椎体前方 7/8 的骨质。再用高速碳化钨钢钻小心地磨去椎体后方的皮质骨。在磨削过程中，从松质骨逐渐抵达皮质骨时，表明即将达椎管前壁。椎体后缘皮质骨在整个椎体周壁中较薄，应小心地从椎体中部的两侧将后壁磨穿。确认是椎管后，用精巧的刮匙将椎管内残余骨及椎间盘刮除，以获得椎管满意的减压。在首先切除椎间盘时无需同时切除所有骨赘，而是按照预计的椎体切除的宽度和深度，先简单地切除椎间盘，再将骨赘、残存的椎间盘和终板作为一个整体切除，这将可大大地加快减压速度。经常会遇到椎体中的营养静脉和硬膜外静脉的出血，要用双极电凝、明胶海绵或胶原纤维拭子小心地处理。椎管两侧椎弓根基底常常可以探到，可将其作为椎管减压合适宽度和深度的标志。术前影像学可提示骨赘的宽度，从而确定椎体应切除的程度，通常需要切除上下各半个椎体。例如在 C_6～C_7 有一大骨赘时，最好的是同时切除上部，这样方可保证安全切除骨赘。当椎体中段减压已完成，减压宽度至少达17 mm，并通过术前放置的 Halo 环或 Cardener-Wells 钳行骨牵引，牵引力量增加到 11.5 kg，这样可获更好地行椎管对线。但在大部分压迫物被切除前，不可先行牵引。曾经有一颈椎病患者因过度牵引而病情恶化。当减压大部分完成后，可用精巧的 Kerrion 扩大椎间孔。大多数情况下，减压宽度至少17 mm，最好是 18～20 mm。虽然大家试图切除突入神经孔内的大块骨赘，但不必强求完全彻底切除。这主要是因为脊髓型颈椎病是椎管中央受累所致，而神经根型颈椎病是由于椎管侧方受累所致，在临床上，这两者很少同时存在。

后纵韧带的切除是非常矛盾的。因为这会导致椎节失稳、增加出血和延长手术时间，因此不提倡常规切除后纵韧带。然而后纵韧带的切除亦有助于看清硬膜，可以更好地观察硬囊受压的病灶。

椎体次全切除后重建时，在上下椎体间首先用高速钨钢钻塑形成深 0.64～0.95 cm、宽 1.6～1.9 cm 的骨窗，使前方轻微张开；后方相对保留一些骨组织，以免植骨块后移掉入椎管。骨窗在深面应有一浅凹以便植骨瓣(块)能嵌入，不能骨折及在牵引除去后松动。从自体髂骨或腓骨上取一略长于骨窗的骨瓣(条)，两端修成圆头，趁短暂增加骨牵引力至 16～18 kg 时，将骨条嵌入骨窗中。直视下观察椎间隙在 Luschka 关节处的宽度，这点很重要，因为它随着牵引力的增加而增加，尤其是已行椎板切除术者。这种情况下的椎体次全切除术将引起椎节的高度不稳，在牵引力增加时脊柱可发生折皱。

如果有两个以上椎节重建，一般要求移植腓骨块。髂骨对单节段是合适的。对多节段，考虑到椎间盘和椎体高度以及纠正变形的需要，支撑物需要有一定长度，因此不宜使用。外周呈辐射状的皮质骨可提供轴向强度。当需要更大的骨块来支撑骨窗时，亦可偶尔采用异体腓骨伴自体髂骨或次全切除的椎骨碎骨块同时移植于将来肯定先后路融合术的患者，或是伴有周围血管疾病的施术患者。因为这些血管病患者，其远端肢体常依赖单一静脉，在切取腓骨时可影响腓动脉的血供。

修剪植骨块两端，使其比骨窗略长 0.3 cm，这样较易于插入。应在直视下嵌入植骨块，并在术中 X 线定位证实植骨块位置满意。次全切除下来的椎骨碎骨块要放在植骨块的两侧作为附加的植骨融合材料。

目前更多的术者采用各种不同的椎间融合器，达到了满意的效果。

偶尔，多节段次全切除术会导致医源性不稳。一般常发生在那些颈椎退变较少，伴有后凸畸形或已行椎板切除术后再对 2～3 个椎节行前路椎体次全切除术的患者。这种不稳可能很严重，术后必须强制给予 Halo 支架。同时也可以选择后路融合术，采用钢丝或侧块钢板固定。这些手术易于在同样的麻醉下完成，具有避免使用 Halo 支架及其并发症的优点，使矫正后的畸形易于维持，最终避免移植骨的位移和骨不融合。

Ⅲ）前路显微椎间盘切除术 小切口前路暴露病变椎间隙，纤维环无需完全切除。从前面观，将椎间盘分为三等分，在椎间盘中外 1/3 至 Luschka 关节处用直径 5 mm 钻头。切除部分颈长肌以显露术野，用钨钢钻头平行于椎间隙小心地钻一约 5 mm 的孔道，一直到 Luschka 关节。在 Luschka 关节顶端水平处，应小心仔细地向后方分离累及神经根的病变，避免破坏椎间盘的其他结构。当发现后凸的骨赘、增厚的皮质骨及椎间隙变狭时，则表示将到椎体后壁。在水流的持续冲洗下,用钻头削薄,甚至磨去骨赘。用角度刮匙去神经根出口处的骨赘,用小号 Kerrison 切除该部位底部椎骨,并进一步使外侧和内侧神经根得到减压。最后用骨蜡涂抹骨面,防止医源性或自发性融合,常规缝合伤口。

虽然对神经根型颈椎病的这种手术方法还没有很好对照的前瞻性随机研究,但已证实的结果表明其至少与椎间孔切开术有同等价值。

Ⅳ)侧前方椎动脉减压术　在欲显露的椎动脉水平处做横切口,沿胸锁乳突肌后方侧面进行分离并在颈阔肌下潜行分离,使胸锁乳突肌内外侧均游离,将扁桃腺拉钩放在肌肉下横断胸锁乳突肌,小心避开副神经。副神经在距乳突肌起始 3～4 cm 处进入胸锁乳突肌,若在更远部位进入可能有所变异。如果在肌纤维间分离,应在神经上方进行,使之不受损伤。含有迷走神经的颈总动脉神经血管鞘根据其特殊解剖,可将其向内侧或外侧游离,斜方肌和膈神经在手术时应予保护以免术中受伤。术中可看到臂丛神经从斜角肌前中或中后方通过,在第 1 肋前斜角肌前或后方可看到锁骨下动、静脉的走行。

下颈椎的横突在内侧很容易被摸到,颈长肌可在骨膜下分离,也可以前面横断,以便椎动脉得以充分显露和减压。

椎动脉的减压可通过高速钻头削薄横突孔骨壁,并用刮匙间接切除来完成,磨削时应持续用水冲洗。如果要切除肿瘤,常需显露多个横突孔,从前方打开横突孔,将椎动脉从骨压迫处移开,以便从侧方暴露椎体进行切除。如果考虑到椎动脉位于肿瘤或感染灶中,应从椎动脉的远端和近端显露,以便控制椎动脉。

Ⅴ)颈椎椎板成形术　颈椎椎板成形术,即后路减压及椎板(椎管)重建,已经被广泛应用脊髓型颈椎病的患者。术后随访显示了其满意的手术效果,并保留了颈椎的稳定性。因此椎板成形术被认为是一种满意的颈髓后路减压术式。

1973 年 Oyama 和 Hattori 首先报道了"Z"形椎板成形术。在此之前,椎板切除是唯一的一种后路减压术,但效果并不很满意。由于手术器械和技术的改善,使无创脊椎手术成为可能。Kirita 倡导了损伤较小但提高了手术疗效的脊髓减压术。

由于椎板切除术等于切除了脊椎的后结构,颈椎趋向不稳并易发生后凸畸形,特别是年轻人。1971 年 Hattori 提出了一种新的重建后结构的颈椎后路减压术。其不切除椎板,而是用一把气动钻将其磨薄,然后在其具备一"Z"形切口,循切口将椎板向两侧牵开,如此可使椎管向后外侧扩大,最后采用缝合固定椎板。

紧随 Hattori 的"Z"形椎板形成后,超过 10 种以上的各式保留后结构的椎板成形术相继问世,它们可分为以下 3 类:"Z"形切开扩大、单侧椎板切开扩大及中线切开扩大。每种术式各有优缺点。

以下情况可以考虑选用椎板成形术:由于发育性椎管狭窄上引起的颈椎脊髓病变、多椎节的椎间盘病变(颈椎病)或后纵韧带骨化症(OPLL)其病变范围较广,超过 3 个椎节而无法从前路获得充分的减压,来自后方如黄韧带肥厚、钙化或骨化致压引起的颈椎病亦属较理想的适应证。有时脊髓肿瘤也可选用,尤其是年轻人。由于神经根椎间孔切开减压可以与椎板成形术并用,椎板成形术亦可用于脊神经根型或单纯神经根型颈椎病。

对于老年人,已有颈椎活动受限或麻醉风险较大者,为缩短手术时间,应以椎板切除为主,而非椎板成形术。通常综合考虑患者健康状态、年龄、颈椎的活动范围以及症状和体征的严重程度决定是否实行椎板成形术;但也有一些作者推荐以椎板成形术替代所有的后路减压术,而不考虑患者的年龄或者其他因素。

对于存在硬膜内病变而需同时切开硬膜的手术,如脊髓瘤或脊髓空洞症,一般采用椎板切除术,除非对于年轻人,为避免椎板切除后引起的颈椎后凸畸形而仍然采用椎板成形术。

具体手术方法如下。

(i)"Z"形椎板成形术:患者在全麻下取俯卧位或坐位;颈部稍许前屈。颈后中线纵形切口,双侧显露棘突、椎板直至小关节。切除棘突,保留椎板中央基部的完整。用气动钻磨薄椎板,外侧椎板皮质及松质骨被磨除,保留内侧的皮质,显露椎管相应部位向后隆凸的轮廓。在正常情况下,小关节的磨除范围应不超过内侧1/3,以保留脊柱的正常活动。均匀地磨除椎板及椎弓根侧方的骨质达一定深度,其将成为扩大后椎管的基底,且可防止椎板掀起时发生的骨折。

下一步，用小号的气动金刚钻头在磨薄的椎板上作“Z”形截断（骨）术，尽管将“Z”形开口的水平线向侧方伸延，以使椎管获得充分减压。作“Z”形切开时应双侧椎板交替进行，并保留已磨薄椎板之间的黄韧带，其重要性在于可使椎板始终牢固固定，且其成为椎管背侧扩大后范围较为广泛的覆盖物。

然后向后外侧掀起所有的椎板，以求从背侧扩大椎管。在每片掀起的椎板上钻2孔，以丝线缝合固定，其强度通常以可抵抗手指压力为准。此术式提供了向后方和侧方扩大椎管的方法。

(ii) 单侧椎管扩大成形术：Hirabayashi术式：患者俯卧，头部垫高至30°，部分切除棘突，用气动钻在被暴露的椎板双侧边缘开槽。侧方开槽部位和椎弓根内侧缘相对应。成形术范围应从脊髓造影诊断为狭窄的上一位椎板至下一位椎板；椎板开槽的最上缘及最下缘，仔细用金刚钻尽量磨薄，以便易行咬骨钳咬除。

用特制薄的Kerrison咬骨钳从头端至尾端咬开以神经根症状为主的一侧骨槽内侧的椎板边缘，然后将棘突及椎板像开门一样推向另一侧，如此将椎管扩大。术中，对椎板内面与硬膜之间的粘连可用组织剪将其分离。这时，可看到搏动的硬膜囊。将折页侧关节突周围的深部肌肉及黄韧带间缝合3～4针作为支持，以防缝合切口时将门关闭。

Tsuji术式：患者俯卧位，颈部稍许前屈；将椎板从C_2中部一直暴露至T_2中部，用Stile骨剪小心将每个棘突整块切除留作植骨用，用一个卵圆形钢质钻头的气动钻在椎板双侧关节突内侧开槽，开槽时注意不超过内侧椎板皮质。将C_3头端和C_7下端椎板切除弯向内侧，并暴露黄韧带。

在C_4和C_6水平的双侧各作一穿线的隧道，位于椎板内的隧道用一特制的钻头及助动器很易完成。先用小钢钻头的气动钻在下关节突作一开口，而后再用一小的骨穿孔器钻出隧道。折页侧（通常是右侧）的内侧皮质不要完全磨穿，改用细金刚钻钻孔；而在开口侧则需完全切开。在轻柔地掀起椎板后，即可以看到硬膜囊的搏动；如掀起的范围够大，则可以看到中线对侧硬膜囊。

建议最好选用直径0.32 mm的不锈钢钢丝绑扎。首先在C_4和C_6水平的折页侧将钢丝用一圆头弯针从下关节突由内向外穿出，此时先不结扎。

将切下的棘突块加以修整，挑选形状与尺寸合适的骨块，试行插入关节突与椎板间的开口处，然后在骨块上开孔，以备穿过钢丝。骨块的松质骨面与关节突及椎板连接，而皮质骨朝向硬膜侧。

穿钢丝的顺序应为椎板、骨块、关节突。拧紧钢丝固定椎板和骨块。将剩余的碎骨植入折侧沟槽处，开门之空隙处最好覆盖游离脂肪，留置负压吸引后闭合切口。

术后通常需取仰卧位，枕颈部在用一个“S”形枕保护下，卧床1～2周，以防对颈后区产生压力。术后第2天，患者可用颈胸支具或聚苯乙烯颈围离床。卧床期间应嘱患者练习活动四肢及手指。当戴颈围或用支具步行后即开始康复训练，约3个月后摄片复查，即可见术后立即变薄的椎板显得增厚，此时可除去支架自由活动。

对一个熟悉椎板切除术的外科医生来说，多见的神经并发症较少发生，暂时性神经根痛和C_5神经根牵拉症时有发生，但这些情况亦可发生在其他后路或前路减压术中；由脑脊液漏引起的术后假囊肿一般无症状，可由脊髓造影证实诊断。

椎板朝腹侧塌陷或植骨块骨折以及钢丝折断偶有发生，但一般无严重神经后遗症。

3）预期结果　神经根型颈椎前路手术的结果主要取决于诊断的精确性。回顾大量的神经根型颈椎病前路椎间盘切除和融合术的效果，似乎存在一种趋势。72%的患者结果优良（无手臂疼痛，术前症状缓解，神经障碍消除），18%者一般（术前症状无改善或加重）。最近有许多由同一医生所做的且具有严格手术标准的研究，表明其具有更好的结果，优良率超过90%，7%为一般，2%为差。

脊髓型颈椎病的效果却远不理想，神经学功能丧失常常是手术的主要适应证。关于前路减压的长期效果，随报道不同而有所差别。由于不同性质疾病可以具有相同的临床表现，如果椎间盘突出和骨赘形成的都能导致相同程度的脊髓型颈椎病，在逐渐退变的过程中，慢性脊髓受压可明显加重。最近的文献表明，在最大压迫水平面，从前至后的脊髓压迫率以及脊髓横断面积率，较之临床检查可以更好地预测预后。这种发现是直观的，对更为严重的慢性脊髓压迫者尽管给予充分减压和固定，由于脊髓内在的变化，仍将妨碍其恢复。总体而言，大量研究表明，60%～70%的患者脊髓功能的恢复较满意，20%有一些改进，10%没有什么缓解。痉挛症状的恢复常常晚于运动和感觉功能的恢复,但常能减轻。进一步的研究需要使用传统高质量的术前和术后随访的影像学对比,以求更好地区分哪些患者将有很好恢复,哪些则不可能恢复。

4) 并发症　颈椎病前路手术有许多潜在的并发症,并涉及重要血管或内脏的损伤。重要的是要认识到手术显露的是脊椎的前外侧,一旦胸锁乳突肌前缘游离后,显露的方向正好在颈总动脉内侧。在该部位对颈中间隔分离时,可能危及喉返神经。如果在颈总动脉内侧分离时,则这一入路是在气管食管鞘的侧方,无需常规寻找和分离喉返神经,因为这将增加手术时间和不必要的神经损伤。如果可能,应用宽叶拉钩保护气管和食管,偶尔甲状软骨被作为拉钩的支撑。因为颈部左侧在解剖结构上神经损伤的可能性更小,所以左侧更受偏爱。经常碰到的问题包括:术中将气管及食管向内牵拉致长时间吞咽困难,在食管气管鞘中走行的喉返神经损伤所致声音嘶哑,交感神经损伤可能出现 Horner 综合征;其次由于对外侧过度分离,或者对颈长肌及血管的牵拉,导致颈动脉及颈内静脉丛损伤。前路术后应特别注意气道阻塞,尤其在广泛次全切除术及 C_4 以上脊髓型颈椎病患者手术后立即发生的气道阻塞。偶然可引起气管及食管血肿,这时需要引流;如果术后出现血肿增大过快这一并发症时,可通过使用有柔软的闭合吸引装置(closed suction apparatus,即负压吸引装置)来进行引流。

如果用自动拉钩,将牵开器的锐齿放在颈长肌下方是绝对有必要的,而且应在直视下进行。自动拉钩使手术更加顺利,但将牵开器的齿钩置于两侧颈长肌下应很小心。在手术结束时应检查气管有无裂口;如果有应该修补。可用甲紫渗入食管后方作为判断是否有食管撕裂的方法,用一个小的气管食管吸引器在伤口缝合后直接吸引,很容易看到是否有蓝色染料,这不仅可清除咽后部血肿,而且容易看到渗出液。

前路手术时神经损伤并不常见,但可因为椎间隙的过度牵引(尤其是脊髓型颈椎病患者)而突然产生。在此情况下,选择半椎体切除减压常常更为理想。椎动脉破裂虽不常见,但是这是一个潜在的灾难性危险。这种情况常发生在外科医生在行椎体次全切除术时,为了侧隐窝减压偏离中线太多,尤其是椎动脉不在原来的解剖位置时;或由于椎体的侧方被肿瘤或感染灶所侵及。如果注意一下椎动脉的位置,在这种高危险性手术以前,应先行断层扫描。若尚有疑问,则要考虑术前作 MRI、血管造影或正规的血管检查。术后脑脊液漏并不常见,出现脑脊液漏部分原因是由于钙化的椎间盘进入或穿透硬膜囊,更可能是因为企图切除骨赘所致。这些漏物大多较少,可简单地用明胶海绵拭子,或用局部肌肉组织块,如肩胛舌骨肌或胸锁乳突肌充填处理;直接缝合硬膜破口是困难的,且不具备缝合的指征。如果对硬膜修补有疑问,可放置引流条使脑脊液得以分流。与上述并发症相比,更为常见的并发症是难以达到坚固的融合。据经验,不吸烟者每个手术节段的假关节形成率是 2%,而在吸烟者为 5%~6%,术前教育患者避免吸烟和过度饮酒可以使术手不融合率降低。此外,测定局部骨密度可以识别不融合的高发患者;骨密度超过 2 个标准差以上的患者其移植骨塌陷或不融合的危险性较高。典型例子是有些患者早期效果很好,而随后有移植骨块的塌陷及随之而来的颈肩痛。移植骨塌陷患者中 1/3~1/4 发展到不融合,并且再次出现颈肩痛;放射性的手臂痛是常见的征象,但其分布与解剖定位不一致。这些具有持续痛的患者,尽管有至少 9~12 个月观察期和保守治疗,但获得椎间融合的较好途径是后路手术。在有神经痛的患者,后路手术还可同时进行神经根孔减压术。内固定免除了体外制动的需要。不融合患者颈椎前方常常自发性融合。这种手术入路在缓解颈椎前方常常自发性融合。另一方面,对不融合患者,亦可再行前路手术彻底清创并行骨移植;如果脊髓还有来自肥大性假关节所致的压迫,也应选择这一手术途径。

多节段颈椎次全切除术后,髂骨或腓骨块移位是特别麻烦的事。后路椎板切除术后颈椎畸形和脊髓型颈椎病虽然可用前路减压融合内固定及 Halo 环支架制动来处理,但植骨块移位的发生率和畸形矫正后丧失率仍然较高,有必要事先告诉患者。预防方法是前路手术后行后路关节融合术和侧块钢板固定术。

36.2.3　颈椎管狭窄症

(1) 定义

颈椎管解剖结构因发育性或退变性因素导致骨性或纤维性退变,引起一个或多个平面管腔狭窄,导致脊髓血液循环障碍、脊髓或神经根压迫,出现相对应的临床症状。包括有椎管、侧隐窝和(或)椎间孔的狭窄。

(2) 病理

该病是颈椎管狭窄中最常见的类型。随着年龄的增长脊柱逐渐发生退变,主要是颈椎间盘退变、椎体后缘骨质增生、黄韧带肥厚、椎板增厚、小关节肥大。这些因素可引起椎管内容积减小,使椎管内缓冲间隙减小甚至消失,引起相应节段脊髓受压。

(3) 临床表现

1) 症状　颈椎椎管狭窄症多见于中老年人。好发部位为下颈椎、其中以 $C_4 \sim C_6$ 水平最为多见。发病较缓慢,大多数患者始发症状为四肢麻木、无力、发凉、僵硬不灵活、脚落地似踩棉感。四肢可同时发病,也可一侧肢体先出现症状,然后累及另一侧肢体。但大多数患者双上肢症状出现早于下肢。表现为双手麻木、握力差、持物易坠落。较重者站立及行走不稳,需拄双拐或扶墙行走,严重者可出现四肢瘫痪。可有"束腰"或"束胸"感,严重者可出现呼吸困难,大小便失禁一般出现较晚,多为大小便无力。患者一旦发病,多呈进行性加重,但病情发展速度快慢不一。

2) 体征　多数患者呈痉挛步态,行走缓慢不稳。颈椎多无压痛,颈部活动受限不明显。四肢及躯干感觉减退或消失,肌力减弱,肌张力增加,上下肢腱反射亢进,Hoffmann 征阳性,严重者可存在髌阵挛、踝阵挛及 Babinski 征阳性。

(4) 影像学检查

1) X 线检查　X 线平片上分别测量椎体和椎管的矢状径,对判断是否存在椎管狭窄具有重要价值。颈椎椎管矢状径(mm)/颈椎椎体矢状径(mm)=椎管比值,两者之比值应在 0.75 以上,低于 0.75 者则为椎管狭窄。

除椎管测量外,X 线片还可观察到以下改变:①颈椎生理前屈减小或消失;②椎间隙变窄,提示椎间盘退变,系引起退变性椎管狭窄的重要因素;③椎体后缘骨质增生,可以呈广泛性,也可为 1～2 个节段;④椎弓根短而厚及内聚。这些 X 线片表现对颈椎椎管狭窄症的诊断均有一定的意义。

2) CT 检查　CT 可清晰显示颈椎管狭窄程度及其改变,能够清楚显示骨性椎管,但对软性椎管显示欠佳。

3) MRI 检查　可准确显示颈椎管狭窄的部位及程度,并能纵向直接显示硬膜囊及脊髓的受压情况,尤其是当椎管严重狭窄致蛛网膜下隙完全梗阻时,能清楚显示梗阻病变的位置。但 MRI 对椎管正常与病理骨性结构显示不如 CT。本病的主要 MRI 改变为:①椎管均匀性狭窄,构成椎管结构除退行性变化外,几乎无颈髓局限性受压存在。这种变化在 MRI 上无法显示狭窄椎管与脊髓病变的关系。②黄韧带退变增厚,形成折皱并突入椎管,在多节段受累时,可见搓板状影像。③椎间盘突出伴骨赘形成,单一节段受累者呈半月状、多节段受累时为花边状影像。④黄韧带折皱和椎间盘突出并压迫硬膜和脊髓,导致狭窄的椎管在某些节段形成前后嵌夹式狭窄,呈现蜂腰状或串珠状改变。

(5) 鉴别诊断

1) 脊髓型颈椎病　是颈椎间盘退变或骨赘引起的脊髓压迫症状,好发于 40～60 岁,常为多节段性病变,以侵犯锥体束为主,表现为手足无力,下肢发紧,步态不稳,手握力差,持物易坠落,有时感四肢麻木,脚落地似踩棉感。重症者行走困难,大小便失禁,甚至四肢瘫痪。对与颈椎管狭窄症难以鉴别者,行 MRI 检查多能做出诊断。

2) 颈椎后纵韧带骨化症(OPLL)　在侧位 X 线片上可见椎体后有钙化阴影,呈长条状。CT 片上可见椎体后方有骨化块,脊髓压迫症状常较严重。

3) 椎管内肿瘤　临床上往往鉴别有困难。X 线平片可有椎弓根变薄、距离增宽、椎间孔增大等椎管内占位征象;造影片可见杯口状改变,脑脊液蛋白含量增加。MRI 检查对鉴别诊断很有帮助。

4) 脊髓空洞症　多见于青年人,病因缓慢。有明显感觉分离。MRI 检查可见颈髓呈囊性变,中央管扩大。

(6) 治疗原则

本病以手术治疗为主,除非是在症状较轻的早期,否则难以改变本病的病理解剖基础。

1) 非手术疗法　主要用于早期阶段及手术疗法前后。以颈部保护为主,辅以药物及一般对症措施。牵引法适用于伴有颈椎间盘突出及颈椎节段性不稳的病例。推拿疗法对这种病例应视为禁忌证。平日应注意颈部体位,不可过伸,更不宜长时间或突然屈颈,尤其是在有骨刺情况下,易引起脊髓损伤。

2) 手术疗法　对严重的椎管狭窄者,尤其是已影响正常生活及日常工作的病例,应设法及早施术。手术方法的选择依赖于疾病本身和神经受压的区域，医师的特长、患者的选择和许多其他因素。

(i) 多节段前路椎间盘摘除植骨及融合术(ACDF)：当椎管狭窄明显和脊髓病变十分明确时，摘除椎间盘组织和后纵韧带，直接显露前侧脊髓的减压方式可获得良好的疗效。当椎间盘被切除时融合率较高，但融合节段越长，活动范围就相对越小，可用辅助器械固定移植骨，防止移位，促进关节固定。

手术暴露类似于单节段手术暴露，3个或多个节段的暴露采用沿胸锁乳突肌内侧缘的长斜切口。行椎间盘切除时，应先摘除髓核，再清理邻近骨质，完全的椎间盘切除还包括后纵韧带。椎间盘摘除术后，椎体间皮质骨植骨融合一或两个节段，建议使用螺钉固定植骨块。

多节段ACDF的险情是减压不充分，因为暴露范围小、视野不充分、遗留椎体骨骨桥。

万一出现假关节，通常的补救措施考虑后路棘突间钢丝结合椎间植骨。术后仔细随访观察患者临床表现和X线征象。

多节段手术患者的术后处理和康复与单节段手术者类似，多节段手术者比单节段的活动范围明显减少，要限制活动量以延长邻近正常活动节段的寿命。

(ii) 多节段颈椎板切除和椎板成形术：对于不宜行前路关节固定术的多节段椎管狭窄和脊髓病变，多节段椎板切除和椎板成形术可作为另选手术。大多数患者至少有3个节段病变，通常椎板切除术用在椎管狭窄较集中且生理前凸存在的老年患者，椎板开门成形术是处理后纵韧带骨化的主要手段。

对于椎板切除术，切除双侧椎弓和适当扩大神经根管。在颈椎前凸的中段行预防性的神经根管扩大，以免脊髓向后移位，神经根背侧被拉紧，致术后神经根病变。椎板开门成形术后，随着脊髓向背侧新的空间移位和旋转，相应的神经根损伤在日本已有发现，这种情况必须注意行适当的神经根管扩大术。

(姜建元　姜晓幸)

36.3 胸椎退行性变

36.3.1 胸椎间盘突出症

胸椎间盘突出症在临床上较为少见，仅占所有椎间盘突出症的0.25%～0.75%。近年来，随着对本病认识的不断深入及影像学诊断技术的不断发展，尤其是MRI检查应用的日益广泛，目前本病的诊断率有上升的趋势。其临床表现较为复杂且缺乏特异性，容易发生误诊或漏诊。一旦发病，脊髓压迫症状多呈进行性发展，致残率较高。故诊断一经确立，多需外科手术治疗，而手术治疗技术本身亦存在着一定的难度和风险。

(1) 病因

大多数学者都认为退行性变是胸椎间盘突出症的主要原因，因为胸椎间盘突出往往发生在退变较大的胸腰段。在T_{11}～T_{12}节段上往往可以看到中度及重度的骨质增生，在T_8～T_{12}的上位终板常见有不规则的改变，胸腰段终板的改变往往在中央，而不像腰椎终板的改变常在周边。创伤在胸椎间盘突出症发生中的作用仍存在争议。胸椎间盘突出症患者中有14%～63%存在外伤史。在10个随机的研究中，平均为34%，在一些患者中外伤因素是确定的，而另外一些患者中外伤可能只是加重或者诱发因素。外伤的程度可从小的扭伤到重的摔伤及严重的车祸。由于本病的复杂性很多患者没有被认识到或表现为无症状。胸椎间盘突出症发病的实际情况目前仍不十分清楚。胸椎间盘突出症发病年龄最小的11岁，最大的75岁，大多数患者在40～60岁发病，男性和女性无明显差别。胸椎间盘突出症发病率比较低，胸椎间盘突出合并神经功能损害的人群发病率约为百万分之一。MRI的出现使胸椎间盘突出症的诊断和治疗发生了飞跃，使早期诊断和治疗成为可能，同时也发现了很多无症状的胸椎间盘突出。

(2) 病理机制

胸椎间盘突出症产生神经损害的病理机制是继发于直接的机械性压迫和脊髓缺血性损害。血管缺血损害可以解释那些出现短暂性麻痹的患者以及那些神经受累平面明显高于椎间盘突出水平的患者，这些患者有时可以看到突出物很小，但产生明显的神经功能损害。胸椎管径小，管腔基本被脊髓占满，该段脊髓的血供不太丰富等特点使胸髓容易受到损害，尤其是T_4～T_9段。此外，胸椎间盘突出常见于中央，经常发生钙化，可与硬膜粘连或突入硬膜并导致脊髓损害。

(3) 临床表现

胸椎间盘突出症患者的临床表现多样，没有确定的综合征，症状和体征依赖于突出物在矢状位和横切位的位置以及另外一些因素。如：病变大小、压迫持续时间、血管损坏程度、骨性椎管大小、脊髓健康状况等，患者症状的特点为动态性和进展性。常见的发病顺序：胸痛、感觉障碍、无力，最后出现大小便功能障碍，另外还发现如果开始为单侧发病的，则病程发展缓慢，有稳定期，有时还有间歇性缓解，而表现为双侧症状的患者病情往往是进展性的，而且是不可逆的。伴有下肢症状的胸椎间盘突出症的病史特点是进展性的，几乎所有的患者因为进行性的神经功能障碍和持续的疼痛而最终需要手术治疗。患者的胸背痛可以在中央、单侧或双侧，决定于突出的部位，还有一些患者可能没有胸痛表现，咳嗽和打喷嚏可以加重疼痛。如果突出在 T_1 平面，则有可能累及颈部和上肢，类似于颈椎间盘突出症的表现，可以引起上肢麻木、内源性肌无力以及 Horner 综合征等。当突出位于中胸椎时，疼痛可以沿肋间神经放射至胸部和腹部，类似于胸、心及腹部疾病，使症状变得更加复杂。下胸部椎间盘突出可以放射到腹股沟，容易与输尿管结石及肾脏疾病混淆，突出椎间盘可导致马尾及远端脊髓压迫引起下肢疼痛，症状可类似于腰椎间盘突出症。胸椎间盘突出症患者也可出现明显的感觉功能障碍而运动障碍表现不明显。3/4 胸椎间盘突出症患者病变发生在 $T_8 \sim L_1$ 之间，最常见的是 $T_{11} \sim T_{12}$（26%～50%）。上胸椎发生椎间盘突出的可能性较小，突出多发生于胸腰段的原因是由于该节段的活动度较大，$T_{11} \sim T_{12}$ 发生率高于 $T_{12} \sim L_1$ 的原因可能是小关节的方向不一样。胸椎间盘突出根据突出位置分为中央型、旁中央型和侧方型。根据症状可以分为症状性和无症状性胸椎间盘突出。大约 70% 患者为中央型或旁中央型，侧方型的突出可以引起神经根压迫，但很少或不存在脊髓压迫，上胸段或中胸段的中央型突出往往导致脊髓病变。胸椎间盘突出到硬膜囊的发生率较低，一旦发生则可能引起脊髓半切综合征或者截瘫。

（4）影像学检查

1）X线平片　只有在椎间盘出现钙化时 X 线平片才有较大的价值，而钙化的椎间盘并不一定就是突出的椎间盘，但可提示存在胸椎间盘突出。对存在后凸畸形合并有椎体楔形变或终板不规则改变的腰痛或神经功能障碍的患者应该仔细检查以排除椎间盘突出的可能性，还有一些表现如椎间隙狭窄、增生等改变都是非特异性的改变，对诊断有一定的帮助。

2）CT 扫描　CT 扫描检查是胸椎间盘突出症诊断的一个极有价值的方法，与标准的脊髓造影相比，CT 扫描不仅提高了敏感性和特异性，而且能够观察是否有硬膜囊内侵犯。CT 对椎间盘钙化的诊断也有帮助，在脊髓造影之后进行 CT 检查则更为灵敏。CT 诊断椎间盘突出的标准是椎体后方的局灶性突出并伴有脊髓受压或移位。

3）MRI 检查　MRI 检查无创、快速、无放射伤害，其敏感性和特异性都很高，而且可以得到矢状位的图像，是目前诊断胸椎间盘突出症最好的办法。但其本身也有一定缺点，比如存在脑脊液的流空现象、钙化椎间盘信号丢失、心脏搏动伪影等。尽管 MRI 可以获得良好的矢状位和横切位的图像，但胸椎间盘突出症患者的 MRI 图像还是应该紧密结合临床表现进行分析。有研究报道椎间盘严重突出引起脊髓变形的现象可以在无症状患者中见到。

4）脊髓造影　因胸椎的生理性后凸以及纵隔结构的重影，胸椎脊髓造影十分困难。突出椎间盘表现为突出节段的充盈缺损，中央突出产生卵圆形或圆形的充盈缺损，大的突出可以表现为完全性的阻塞，侧方型的突出表现为三角形或半圆形的充盈缺损，脊髓被推向对侧。

（5）诊断与鉴别诊断

由于本病的临床表现复杂多样且缺乏特异性，故容易发生误诊或漏诊。临床上一旦怀疑本病，若条件许可应行 CTM 或 MRI 检查，结合症状、体征多可得出诊断。胸背痛的鉴别诊断包括脊柱肿瘤、感染、强直性脊柱炎、骨折、肋间神经痛、带状疱疹、颈椎或腰椎间盘突出等疾病。另外，还要注意排除胸腹脏器及神经官能症的可能。如果患者出现脊髓损害的表现，则还要与中枢神经系统的脱髓鞘和变性类疾病（如多发性硬化和肌萎缩性脊髓侧索硬化症）、椎管内肿瘤、脑肿瘤、脑血管意外等进行鉴别。

（6）治疗

1）保守治疗　对于无严重神经损害和长束体征的患者，可以采用保守治疗。具体措施包括卧床休息、限制脊柱的屈伸活动、配戴支具等。同时配合应用非甾体类抗炎药物控制疼痛症状。其他治疗还包括姿势训练、背肌功能练习、宣传工作等。

2）手术治疗　本病的手术治疗指征：①进行性的脊髓病变；②下肢无力或麻痹；③根性痛经非手术治疗无效。鉴于胸段脊髓特有的解剖学特点，该节段的手术风险相对较大，选择合适的手术入路以尽可能地减少对脊髓和神经根的牵拉刺激显得格外重要。具体的手术治疗方法包括以下几种。

(i) 后路椎板切除减压胸椎间盘切除术:若试图从后方行胸椎间盘切除,则术中必须通过对脊髓的牵拉才能使椎间盘切除得以实施和完成,常常导致脊髓损害的进一步加重。因此,该术式被认为具有高度的危险性,临床上已渐被淘汰。故不主张在治疗中继续采用此术式。

(ii) 侧后方入路胸椎间盘切除术:该术式切除的范围包括与突出椎间盘同序数及高一序数的一段肋骨、横突、下一椎体的椎弓根,有时亦可根据需要行半椎板切除,即敞开椎管的侧后壁进行减压,尤适用于外侧型突出的椎间盘,但对于中央型或旁中央型的椎间盘突出来说,要行椎间盘切除也同样存在有牵拉干扰脊髓的风险。故临床上应用时应慎重。

(iii) 侧前方入路胸椎间盘切除术:该手术入路包括经胸腔和经胸膜外两种方式。其优点在于术野开阔清晰、操作方便,对脊髓无牵拉,相对安全;尤其是在切除中央型突出的椎间盘及存在有钙化、骨化时,优点更为突出,为目前临床上最常采用的术式。

(iv) 经胸腔镜胸椎间盘切除术:该术式是近年来兴起的胸椎间盘突出症微创治疗的一种新技术。初步的临床应用结果表明本方法术野清晰,对于中央型或旁中央型间盘突出以及伴有钙化、椎体后缘较大骨赘时,采用本术式可达到安全充分地切除减压目的。同时亦预示该项微创治疗技术将有更为广阔的应用前景。

36.3.2 胸椎管狭窄

(1) 流行病学

发病部位以下半胸椎为多,累及 T_6～T_{12} 节段者 87%,累及上部 T_1～T_5 者 4.8%。少数病例病变呈间隔型或跳跃型。病变累及节段以多节段为主,累及 T_4～T_6 者占 87%。最多病变节段可达 8 节胸椎者 6.5%,仅累及 2 节段者 0.5%。下胸椎发病多,与人体扭转活动有关,下胸椎扭转活动多,致关节肥大增生,黄韧带肥厚,甚至骨化,构成胸椎管狭窄。

病史和发病年龄:胸椎管狭窄的病史,一般均较长,慢性发病,从 6 个月到 20 年不等,平均 5 年左右,发病年龄最年轻 28～30 岁是极少数,大多为中年以上,50 岁左右发病最多。男性较多占 80%以上,女性不及 20%。

(2) 临床表现

发病较缓慢,起初下肢麻木、无力、发凉、僵硬不灵活。双下肢可同时发病,也可一侧下肢先出现症状,然后累及另一下肢。半数患者有间歇性跛行,行走一段距离后症状加重,须弯腰或蹲下休息片刻方能再走。较重者站立和步态不稳,需持双拐或扶墙行走。严重者出现瘫痪。半数病例胸腹部有束紧感或束带感、胸闷、腹胀,如病变平面高而严重者有呼吸困难。半数患者有腰背痛,有的时间长达数年,仅有 1/4 患者伴有腿痛,疼痛多不严重。大小便功能障碍出现较晚,多为解大小便无力,尿失禁约 1/10。患者一旦发病,多呈进行性加重,缓解期少而短。病情发展快慢不一,快者数月即发生瘫痪。

体格检查:多数患者呈痉挛步态,行走缓慢。脊柱多无畸形,偶有轻度驼背、侧弯。下肢肌张力增高,肌力减弱。膝及踝反射亢进。髌阵挛和踝阵挛阳性。巴宾斯基(Babinski)征、奥本海姆(Oppenheim)征、戈登(Gordon)征、查多克(Chaddock)征阳性等上神经单位体征。如椎管狭窄平面很低,同时有胸腰椎管狭窄或伴有神经根损伤时可以表现为软瘫,即肌张力低,病理反射阴性。腹壁反射及提睾反射减弱或消失。胸部及下肢感觉减弱或消失,胸部皮肤感觉节段性分布明显,准确检查有助于确定椎管狭窄的上界,70%患者胸椎压痛明显,压痛范围较大,棘突叩击痛并有放射痛。伴有腿痛者直腿抬高受限,确切上界参考 MRI 确定。

(3) 辅助检查

1) 胸椎平片和侧位断层片　质量好的可以较清楚地显示病变,摄片范围要足够大,以免遗漏病变节段。一般可显示不同程度的退变性征象,其范围大小不一,椎体骨质增生可以很广泛,也可以累及 1～2 个节段;椎弓根短而厚;后关节增生肥大、内聚,上关节突前倾;椎板增厚,椎板间隙变窄,少数病例有前纵韧带骨化、椎间盘钙化、椎管内钙化影或椎管内游离体。

2) CT 检查　可以清晰显示胸椎管狭窄的程度和椎管各壁的改变,椎体后壁增生、后纵韧带骨化、椎弓根变短、椎板增厚、黄韧带增厚、骨化等可使椎管矢状径变小;椎弓根增厚内聚使横径变短;后关节增生、肥大、关节囊增厚骨化使椎管呈三角形或三叶草形。

3) MRI检查　是一种无损害性检查,显示脊髓内部病变或肿瘤信号清晰,可观察脊髓受压及有无内部改变,以便与脊髓内部病变或肿瘤相鉴别。胸椎管狭窄纵切面成像可见后纵韧带骨化,黄韧带骨化,脊髓前后间隙缩小或消失;横切面则可见关节突起肥大增生与黄韧带增厚等,但不如CT清晰。MRI除提供椎管狭窄长度之外,还提供脊髓信号。

4) 脊髓造影　可确定狭窄部位及范围,为手术治疗提供比较可靠的资料。常选用腰穿逆行造影。完全梗阻时只能显示椎管狭窄的下界,正位片常呈毛刷状,或造影从一侧或两侧上升短距离后完全梗阻,侧位片呈鸟嘴状,常能显示主要压迫来自后方或前方。不完全梗阻时可显示狭窄的全程,受压部位呈节段状充盈缺损。

(4) 诊断与鉴别诊断

1) 诊断　本病的诊断并不很困难,在接诊下肢瘫痪患者时,应想到胸椎管狭窄症。诊断本症主要依据:①患者为中年人,无明显原因,逐渐出现下肢麻木、无力、僵硬、不灵活等瘫痪症状,呈慢性进行性,或因轻外伤而加重。②清晰的X线片显示胸椎退变、增生,特别注意侧位片上关节突起肥大、增生、突入椎管。并排除脊髓的外伤及破坏性病变。③脊髓造影呈不完全梗阻或完全梗阻。④CT检查可见关节突关节肥大向椎管内突出,椎弓根短,黄韧带骨化或后纵韧带骨化致椎管狭窄。⑤MRI可显示椎管狭窄,有或无椎间盘突出、脊髓的改变。根据以上各点,诊断并无困难。仅根据①、②、③项亦可明确诊断。

2) 鉴别诊断

(i) 脊椎结核:一般都有结核病史和原发病灶。脊柱X线片上可见椎体破坏,椎间隙变窄和椎旁脓肿的阴影。患者多有消瘦、低热、盗汗和血沉增快。

(ii) 肿瘤:胸椎转移性肿瘤全身情况差,可能找到原发肿瘤,X线片显示椎体破坏。与椎管内良性肿瘤鉴别,X线平片无明显退行性征象,可有椎弓根变薄、距离增宽、椎间孔增大等椎管内占位征象。

(iii) 单纯胸椎间盘突出:往往缺少典型的临床表现,需脊髓造影,CT、MRI等特殊检查才能区别,在椎间盘平面有向后占位的软组织影,多有明显外伤史。

(iv) 脊髓空洞症:多见于年轻人,好发于颈段,发展缓慢,病程长,有明显而持久的感觉分离,痛温觉消失,触觉和深感觉保存,蛛网膜下隙无梗阻,MRI显示脊髓内有长条空洞影像。

(v) 肌萎缩性及原发性侧索硬化症:尽管有广泛的上运动神经元和下运动神经元损害的表现,但无感觉缺失和括约肌功能障碍,MRI可以鉴别。

(5) 治疗

1) 手术适应证和时机　对退变性胸椎管狭窄,目前尚无有效的非手术疗法,手术减压是解除压迫恢复脊髓功能唯一有效的方法。因此。诊断一经确立,即应尽早手术治疗,特别是脊髓损害发展较快者,应尽快手术。

2) 手术途径　后路全椎板切除减压术是首选方法,可直接解除椎管后壁的压迫,减压后脊髓轻度后移,间接缓解前壁的压迫,减压范围可按需要向上下延长,在直视下手术操作较方便和安全;合并有旁侧型椎间盘突出者可同时摘除髓核。

以后纵韧带骨化为主要因素的椎管狭窄,尤以巨大孤立型后纵韧带骨化,后路手术效果不佳,会引起症状加重,应从侧前方减压切除骨化块,可解除脊髓压迫。

胸椎管狭窄合并中央型椎间盘突出时,从后路手术摘除髓核很困难,且易损伤脊髓及神经根,也以采用侧前方减压为宜。侧前方入路可切除后纵韧带骨化块、严重椎体后缘增生骨赘和摘除突出的髓核,还可以切除一侧椎弓根、后关节、椎板及黄韧带以充分减压。中下段胸椎侧前方减压术因脊髓根动脉10%来自左侧肋间动脉,故选择右侧入路为好。如从左侧入路,应注意保护肋间动脉及根动脉,勿轻易结扎。

有的胸椎管狭窄症患者同时存在严重的颈椎或腰椎管狭窄,均需手术治疗。若狭窄段互相连续可一次完成手术。若狭窄段不连续,一次手术难以耐受者,可分次完成手术,先行颈椎手术后行胸椎手术,或者先行胸椎手术后行腰椎手术。

(姜建元)

36.4　脊椎滑脱症

36.4.1　概述

1782年,比利时产科医师Herbiniaux首先描述了脊椎滑脱现象。1853年Killian把两个希腊词脊椎(spondylo)与滑脱(listhsis)组合成spondylo-listhesis 来表示脊椎滑脱。目前对脊椎滑脱症的定义、分类及处理仍有较多争议。大都能被接受的定义指脊椎椎体间因各种原因造成骨性连接异常而发生的上位椎体相对于下位椎体部分或全部滑移。1963 年 Newman 提出了退变性脊椎滑脱的概念，并将先天性脊椎滑脱与特发性脊椎滑脱区分开来。最常发生 L_5～S_1 节段前滑脱，其次是 L_4～L_5 节段前脱位，颈椎或胸椎滑脱也有个别报道。

36.4.2 分型

Wiltse 根据脊椎解剖特点及获得性病理情况，将脊椎滑脱分为 6 型。目前常用此分型。

Ⅰ型 先天性或发育不良性，分 3 个亚型。

- $Ⅰ_A$ 关节突部发育差，存在小关节平面轴向水平化。
- $Ⅰ_B$ 关节突部存在矢状位发育不良，但是椎板通常完整。
- $Ⅰ_C$ 除 $Ⅰ_A$、$Ⅰ_B$ 外其他类型先天性椎体连接发育不良。

Ⅱ型 峡部异常脊椎滑脱。

- $Ⅱ_A$ 峡部裂，破坏了关节突关节间的完整，可单侧或双侧滑脱。
- $Ⅱ_B$ 椎弓峡部延长型。

Ⅲ型 退变性：分为原发性和继发性两类。

Ⅳ型 创伤性：分为急性骨折和应力骨折两类。

Ⅴ型 病理性：局部疾病和全身疾病导致椎弓根、脊神经弓的破坏进而发生脊椎滑脱。

Ⅵ型 手术后：脊柱手术中为了达到对神经根或脊髓的充分减压，对后柱结构包括关节突关节的过度破坏进而导致脊椎滑脱。

临床上常见峡部裂型和退行性滑脱。

36.4.3 病因

目前对脊椎滑脱的真正病因仍不能确定，普遍认为遗传性椎弓发育不良与应力损伤（疲劳骨折）是其主要病因，而腰椎前凸、体重及双足行走为主要影响因素。正常人站立时，身体躯干的重量通过第 5 腰椎传达骶骨。由于骶骨向前倾斜，第 5 腰椎为主要的承受体重压力的椎体，必然造成腰骶部剪切力最大。向前、向下滑移的剪力被椎间盘和前后纵韧带的抗剪力及 S_1 上关节突作用于 L_5 下关节突的对抗力抵抗。当出现上述病因时，必然会出现腰椎发生移动的剪切力增大，造成椎体发生滑移。而椎间盘退行性变可使相应韧带松弛，关节骨质硬化，小关节退行性变，甚至出现微小骨折，在各种应力作用下，可出现退行性腰椎滑脱。

36.4.4 发病机制

由于峡部及椎管内外侧与关节突部由脊神经后支和窦椎神经支配，故在滑脱时，若峡部不连，可使纤维组织增生形成纤维软骨，产生局部压迫，刺激神经根产生无菌性炎症，引起腰背痛和根性痛。随着病程的进展，向前方移位的椎体与下方的椎体间的韧带筋膜长期处于紧张状态，周围组织可充血水肿、挤压或刺激神经末梢产生腰部钝痛。另外，滑脱严重时，下位椎体上关节突向上可插入椎间孔，压迫刺激上位神经根，同时椎板可压迫硬膜囊刺激马尾神经，出现大小便功能障碍。而椎间盘退行性变时，由于关节突关节增生内聚、关节紊乱、继发黄韧带增厚钙化，引起继发性椎管及神经根管狭窄，出现腿痛。

36.4.5 临床表现

（1）儿童和青少年期

由于大多数患儿无症状，脊椎滑脱常在摄片时偶尔发现。疼痛多在生长发育高峰期，因外伤导致症状的出现。仅限于下腰椎，并可因活动而加剧，休息时症状缓解，有时伴向臀部和大腿后侧放射。严重者腰骶椎发生后凸，躯干缩短，前腹出现皱襞、髋外旋和骨盆性摇摆式鸭步态。

（2）成人期

成人峡部异常型脊椎滑脱常在 30～40 岁出现症状，以 L_5 椎体多见，男性多发。一般为慢性下腰痛，呈间歇性，常因工作、劳累或轻微损伤后发生，开始在直立用力时疼痛，弯腰活动则缓解，以后疼痛为持续性，在站立或行走时可加重，甚至放射至臀部及大腿部。

（3）退行性滑脱

一般在 50 岁以后发生，以 L_4 椎体多见，女性多发。主要症状是慢性腰痛及坐骨神经痛，症状与局部退变脊柱不稳定程度及椎管发育大小有关，与滑脱程度不一定成比例。滑脱一般不超过Ⅱ级。

体征见站立时腰椎生理前凸增加，在先天性滑脱严重者前凸明显，骶椎后凸，甚至胸廓将向髂嵴靠拢。背伸肌紧张，L_5 棘突上韧带可及压痛，腰骶椎后凸而上段腰椎过度前凸，形成台阶状，躯干缩短，直腿抬高可受限，常出现典型的屈膝屈髋姿势和步态。严重者可有神经根压迫症状，如下肢及足部肌肉肌力减弱，神经支配区域感觉减退。可产生鞍区麻木，大小便控制差，甚至发生不全瘫痪。此外，亦可出现直肠和膀胱受累表现。

36.4.6　放射学表现

(1) X线表现

对于脊椎滑脱患者，影像学检查应包括站立位腰椎前后位、侧位、斜位及过伸过屈位片。

1) 前后位片　常不易显示病变区域，有时可在椎弓根阴影下见到一密度减低成斜形或水平裂隙。严重脊椎滑脱患者，因上位滑脱椎体与下位椎体重叠而显示高度减低、椎体倾斜与两侧横突及骶椎阴影相重叠。

2) 侧位片　具有重要临床意义。用于脊椎滑脱测量的主要手段，可见到椎弓关节突间部有一由后上向前下的透明裂隙。滑脱椎体向前滑移，椎间隙狭窄。椎体边缘可出现骨质硬化。退行性腰椎滑脱，椎体向前滑脱很小，但退变明显，椎间隙可明显狭窄。其更重要意义在于测量滑移程度，决定治疗方案。Meyerding 按照侧位片上上位椎体在下位椎体上滑移程度，把上终板分成 4 等分，将滑脱分为 5 级：Ⅰ级，前移下位椎体前后径的 1%～25%（图 36-1）；Ⅱ级，26%～50%；Ⅲ级，51%～75%；Ⅳ级，76%～100%；Ⅴ级，>100%。

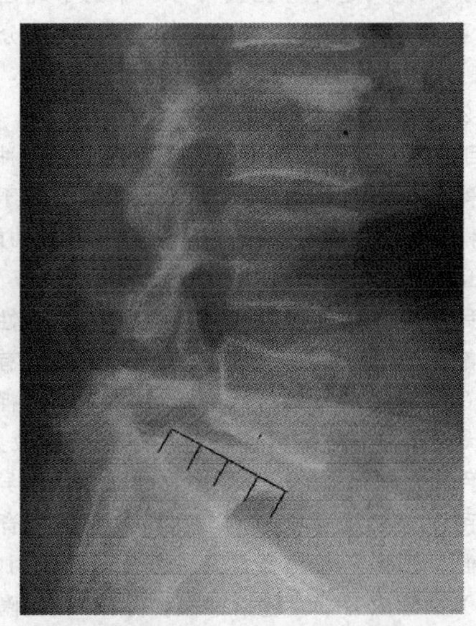

图 36-1　L_5 椎体滑移，程度为Ⅰ级

滑脱角被用来评价腰骶椎后凸程度，该角为骶骨上缘连线与 L_5 下缘连线夹角，正常范围为 0°～10°。针对椎体旋转，DeWald 建议采用改良的 Newman 法，即骶骨顶部和前表面分成 10 等分，来评估 L_5 滑脱和旋转程度。通过测量 L_5 后下角和骶骨后上角的距离，测量滑脱程度，而旋转程度则需测量 L_5 前下角至骶骨前上角距离。如图 36-2 所示，正上方椎体为 A 级，前上方为 B 级，正前方为 C 级，此种分法定量较为准确。

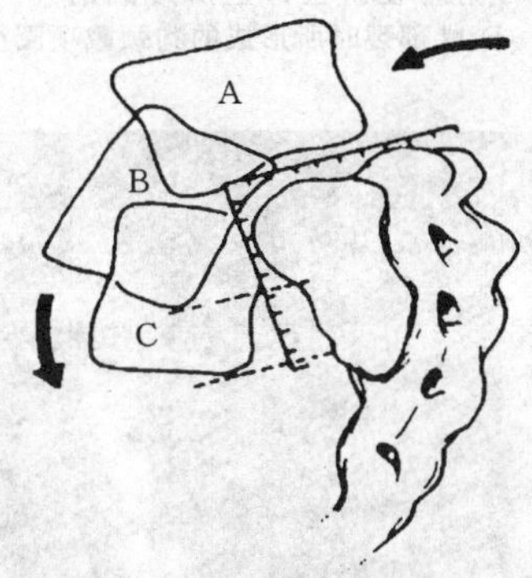

图 36-2　脊椎向前移位形成腰骶椎后凸，经修订 Newman 脊柱滑脱分级系统。滑脱程度用 2 个数字评定：第 1 个沿骶骨终板，第 2 个沿骶骨前缘。A＝3＋0；B＝8＋6；C＝10＋10

3) 斜位片　双斜位片可以清晰显示椎弓峡部。正常椎弓附件在斜位像上投影成一条小狗的影像。狗嘴为同侧横突，狗耳为上关节突，狗眼为椎弓根纵断面，狗颈为椎弓峡部称关节突间部，身体为同侧椎板，狗腿为同侧及对侧下关节突，狗尾为对侧横突。椎弓崩裂时峡部可出现一带状裂隙，称为狗颈戴项圈征（图 36-3）。急性损伤缺损边缘锐利，慢性损伤光滑圆钝。细微应力骨折反复愈合可致峡部变细拉长。

4) 过伸过屈侧位片　又称动力位摄片。可观察滑脱椎体的稳定性，在水平位上移>3 mm 则说明不稳定（图 36-4）。

(2) CT 扫描

在评价成人脊椎滑脱时有局限性，应采用薄层扫描。可充分显示峡部，确定峡部裂的性质，并可判断治疗愈合情况，有助于确定神经受压部位（图36-5）。

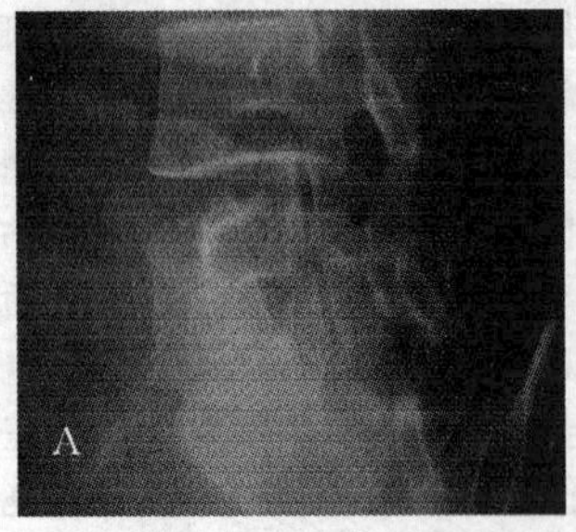

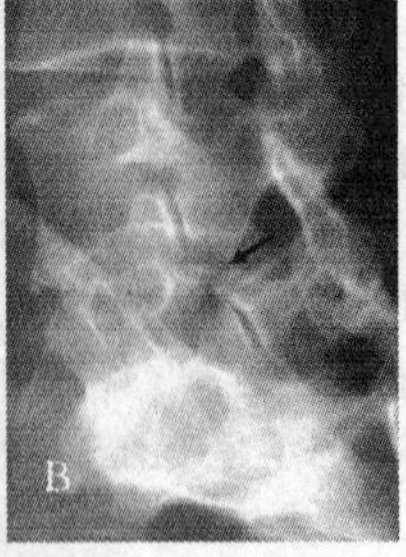

图 36-3 椎弓峡部斜位片

A. 正常椎弓附件在斜位片上所形成的一条犬的影像 B. 峡部裂时所形成的狗颈戴项圈征

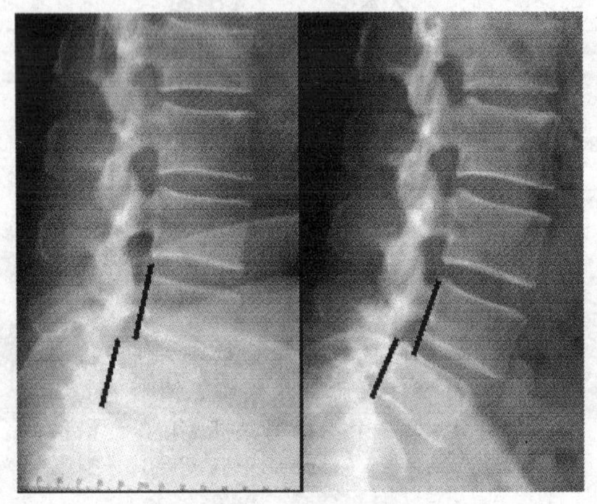

图 36-4 动力位摄片可见椎体滑脱

（3）MRI 检查

可观察下腰椎神经根、马尾神经、相邻椎间盘退变程度及椎管形态，有助于确定在何处做融合术，若 L_4、L_5 椎间盘存在退变，则应将该节段一并融合。既往应用该检查较少，有学者认为在腰椎滑脱手术治疗前行 MRI 检查，尤其是针对创伤性滑脱患者，可以清楚地显示椎间盘及韧带的完整性，对手术方案的制订有很好的指导意义。

（4）放射性核素扫描

放射性核素 ^{99m}Tc 标记骨扫描对青少年脊椎滑脱可能更有价值。有助于鉴别急性和应力性峡部骨折。

36.4.7 治疗

（1）非手术治疗

青少年患者及 Meyerding Ⅱ级以下的脊椎滑脱出现急性或慢性下腰痛的患者，首先应行非手术治

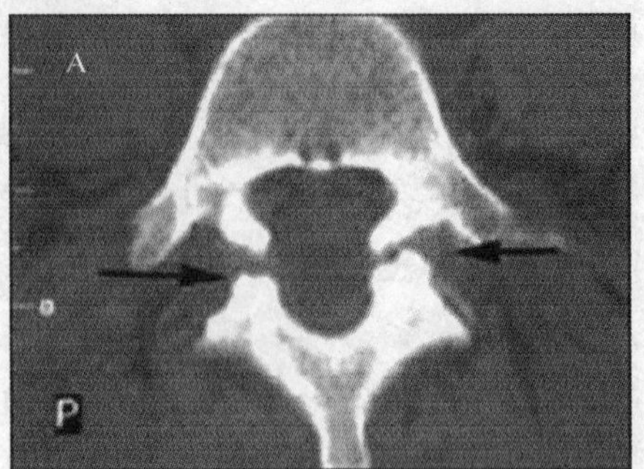

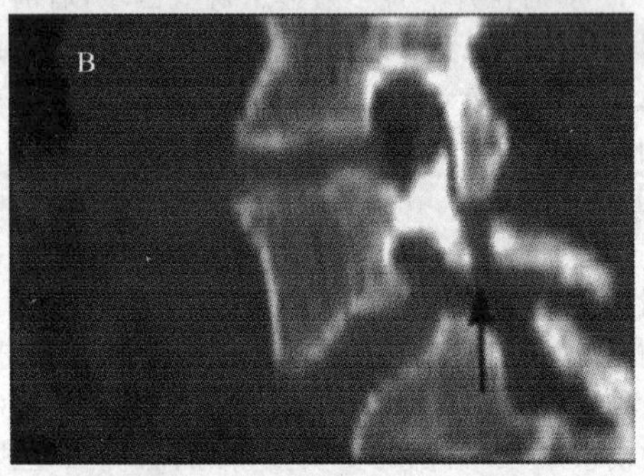

图 36-5 脊椎滑脱 CT 扫描

A. 经 CT 薄层扫描可以明确显示峡部裂的位置，图中箭头所示即为峡部裂 B. 箭头所指即为峡部裂的位置

疗，包括制动、休息、理疗、腰围保护、腹肌和腰背肌的锻炼、减轻体重、有氧运动及硬膜外或选择性神经根注射等，尤其是针对儿童与青少年的单纯性椎弓崩裂，可取得良好疗效，若能早期诊断，大部分均可通过制动症状缓解或自愈。

（2）手术治疗

目前学者对滑脱患者是否需要手术以何种术式仍有争议。现多认为腰椎滑脱手术治疗适用于长期非手术治疗无效者，目的是解除疼痛和改善功能，使神经压迫解除，增强腰椎稳定性。

手术指征：①Ⅱ级以下的腰椎滑脱，顽固性疼痛经严格保守治疗无效；②Ⅲ级以上，伴或不伴有临床症状；③腰椎滑脱呈进行性进展；④出现马尾神经受压症状或伴有下肢间歇性跛行或下肢根性放射痛；⑤非手术治疗无法矫正脊柱畸形和明显步态异常。

手术方法：椎管成形术、复位和内固定、脊柱融合及椎体切除等，临床常常几种方法联合应用。

1）椎管成形术 包括椎板切除减压、侧隐窝扩大等。适用于稳定的退行性脊椎滑脱及有神经根压迫的患者，但由于椎弓对脊柱有支持作用，并可防止

椎体向前滑脱。故单纯行椎板切除减压术后患者满意度较差，有学者报道仅为69%，而同时行脊柱融合患者则达到86%～90%。因此，该方式已较少单独使用。

2) 复位和内固定　学者们对滑脱椎是否复位意见并不一致。有学者认为Ⅰ级或Ⅱ级滑脱不一定追求滑脱椎的复位，融合部位可在后外侧或者椎体间，简单易行创伤小，也不联用内固定。但该术式假关节发生率较高，若不做椎管成形术可能遗有神经根受压及椎间盘突出。现倾向椎管成形术联用内固定，尤其是椎板减压后假关节发生与进行性滑脱。有学者建议手术应以恢复滑脱角为主要目的，而不应过分强调恢复椎体滑脱百分比。多数学者建议尽可能给予复位，并行椎体间植骨。有4方面原因：①能恢复脊柱的前凸生理曲度，改善外观；②行椎体间植骨时可以提供更大的植骨床；③免除椎体后缘阶梯状凸起对硬脊膜及马尾神经压迫，解除对神经根的牵拉；④滑脱被完全纠正对患者来说更有一个心理治疗作用。目前常用的复位内固定器械是椎弓根螺钉内固定复位系统，如美国Sofamor公司的Tenor，Stryker公司的Xia，强生Depuy公司的Mossmiami，德国蛇牌公司的Socon等。

但复位固定有可能引起神经性损伤，尤其是L_5神经根，因此操作应仔细谨慎。而对Ⅲ级或Ⅳ级重度滑脱患者，则应行后路固定联合前、后路360°融合术，甚至行椎体切除术。上述手术应由有经验的外科医师施行，同时应对神经进行监测。

3) 脊柱融合术　脊柱融合的方法很多，可分为后外侧原位植骨融合、椎间植骨融合等。

后外侧原位植骨融合：即指在滑脱椎体间的双侧横突间、小关节突间直接植骨融合，是目前最常用的手术方式，适用Ⅰ或Ⅱ级滑脱，滑脱角<50°，多联用内固定。操作简便，但易形成假关节，融合率较椎间植骨方式低。

峡部关节处直接修复：峡部关节骨折移位或峡部裂部位直接植骨融合，同时行内固定复位，适用于青壮年有症状不伴有退行性椎间盘疾病的滑脱患者。典型方法是Buck螺钉法。一些学者报道了各种内固定方式的改良，并取得了良好的疗效。

椎间植骨融合术：由于椎体和椎间盘承受了腰椎大部分载荷，椎体间融合将使腰椎获得更高的稳定性，同时椎体间较大的接触面也提供了更加理想的植骨床。常用以下几种椎间融合方式。

(i) 前路腰椎融合术(ALIF)：该手术包括完全前路椎间盘切除术及融合滑脱椎体，常规需应用Cage及内固定。前路融合手术视野清晰，植骨床更大，复位方便。该手术还可以作为单纯后路融合失败的补救治疗措施。对于重度滑脱患者，因上下椎体接触面有限，若行ALIF则可能出现术后再滑脱。因此，本术式主要用于轻度脊椎滑脱或后路已行椎弓广泛切除难以再作后路融合者。前路手术可能导致男性患者逆行射精或阳痿，对中青年男性宜慎重。另外需注意的是前路大血管较多，操作需轻柔、仔细。

(ii) 后路腰椎间融合术(PLIF)：Turner通过荟萃分析各种腰椎融合技术，认为该方式提供了最好的椎间融合率和最满意的临床疗效。该术式常应用于Ⅰ级或Ⅱ级滑脱；对于Ⅲ级或Ⅳ级滑脱则需先行复位，再行融合。一般常用带三面皮质骨全厚的髂骨块或载有自体骨粒的椎间融合器(Cage)进行融合，联用内固定。PLIF优于后外侧融合(PLF)的原因有：①PLIF去除了大部分髓核及纤维环结构，而这可能是疼痛的根源；②PLIF可重建椎间隙的高度，减轻了纤维环的应力；③坚固的椎间植骨融合可完全消除节段性不稳。但缺点是创伤较大，并发症发生率较TLIF高。

(iii) 经单侧椎间孔椎体融合术(TLIF)：目前被多数学者推荐。该手术方式最早由Harms描述，其本质是在PLIF的基础上进行改良，通过一侧的椎间孔抵达椎间盘间隙，可以简单地从腰椎后路入路而达到360°融合的目的。本手术的特点：①通过单侧椎间孔进入椎间隙，提供符合生理状况的两侧前柱支撑，对硬膜囊及神经根牵拉较小，避免神经根牵拉伤和硬膜囊撕裂，减少硬膜外瘢痕形成；②避免对侧腰椎小关节的破坏，保留了更多的椎弓骨性结构，对相邻脊柱节段稳定性影响小；③充分保留的前后纵韧带，在有效椎间隙撑开后，可起到张力带作用，防止植入物滑出；④通过对椎间隙的撑开，融合器及自体骨的植入，再转化为压缩固定，既恢复了椎间隙高度，又使腰椎的后凸转化为前凸，达到恢复腰椎的生理屈度；⑤可以在对侧椎板间植骨，增加植骨床面积，提高融合率。Hackenberg通过对52例滑脱患者行TLIF手术，进行为期36～64个月随访，运用ODI与VAS评价患者情况，发现该技术要优于PLIF与ALIF。复旦大学附属中山医院应用美国强生公司Leopard单枚TLIF椎间融合器施行了150余例腰椎退变手术，操作简便，手术时间、出血量、术后并发症和术后恢复时间均优于 PLIF 手术，随访结果良好(图 36-6～36-8)。

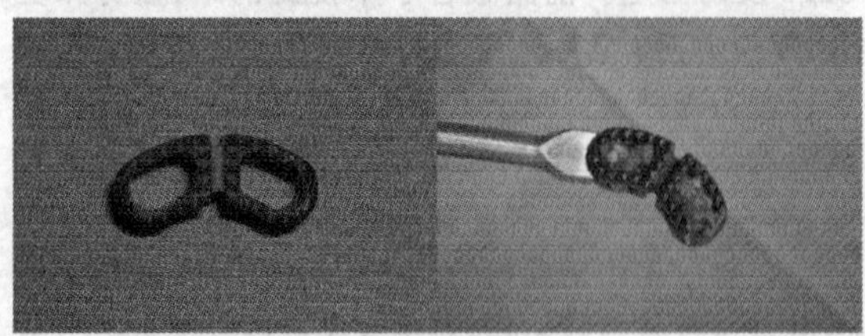

图 36-6 美国强生公司 Leopard 单枚 TLIF 碳纤维椎间融合器，置入自体髂骨粒后

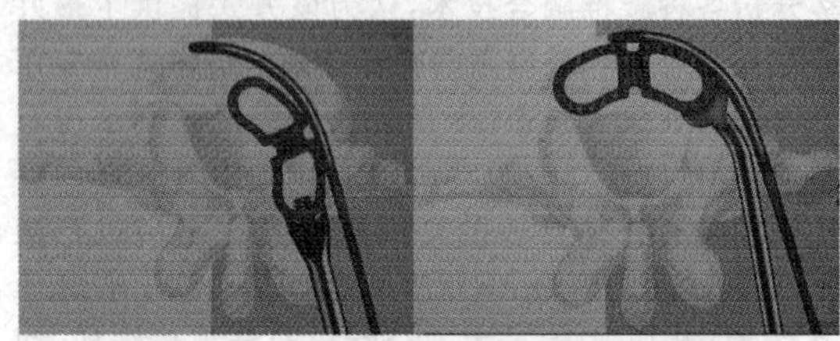

图 36-7 Leopard 融合器置入椎体间隙示意图

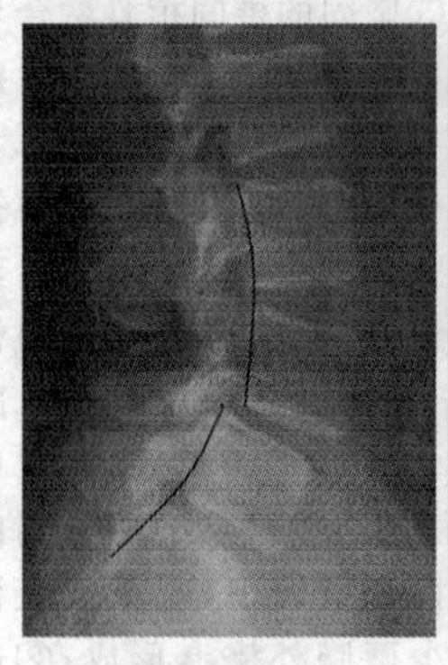
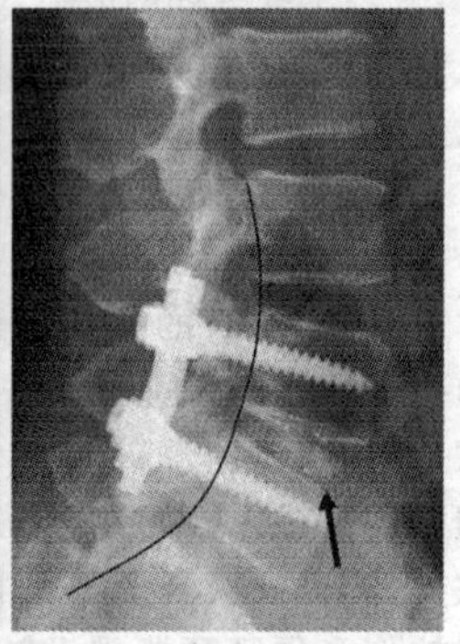

图 36-8 TLIF 术前与术后 X 线平片

可见滑脱已复位，箭头示置入的 Leopard 融合器。金属点为融合器标记点

(iv) 椎体环周 360°融合术：许多学者认为若在成人脊椎滑脱行大范围椎板切除，建议行联合前后路 360°融合术。即在椎体间、双侧横突之间、手术未深及的对侧椎板间、小关节突间均植骨融合，提高融合率。

4) 椎体切除术：Ⅳ级滑脱以上患者极为少见，Gaines 报道了将 L_5 腰椎全切、L_4 与 S_1 融合的病例，该手术优点在于腰椎缩短后，易于使椎体矢状面平衡重排，也可减少神经损伤。不过术后并发症较高。

(董　健)

36.5 节段性腰椎不稳

36.5.1 定义

腰椎稳定由 3 种相互关联的系统提供：被动系统、主动系统及中枢控制系统。被动系统包括椎体小关节、关节囊、椎间盘、脊柱周围韧带；主动系统包括脊柱周围的肌肉组织和肌腱；中枢控制系统是接受由主动和被动系统反馈的信息，通过神经系统维持脊柱的稳定性。当一个或多个上述系统组成部分丧失功能时，即发生腰椎不稳。目前多能接受的不稳定定义为：在正常生理负重状态下，脊柱丧失维持其稳定模式能力，脊柱运动节段超过正常活动范围，引起下腰痛为主要表现的临床症状，不伴有神经损害。

36.5.2 病因及病理基础

目前认为引起腰椎不稳的原因主要是损伤、退变、肌肉功能不全及上述三者综合因素。脊柱功能单位(functional spine unit，FSU)由相邻两个椎体及椎间盘、小关节及韧带结构所组成，是维持脊柱正常生理活动的稳定的基本结构。上述损伤原因可引起节段稳定性减弱，产生椎间盘高度降低、韧带关节囊松弛及椎间关节退变，从而引起腰椎异常移位。

(1) 损伤

长期反复微损伤可加速腰椎退变及不稳。腰椎的过度承载可导致椎骨关节面及终板骨折、椎间盘的环状撕裂或韧带破裂。另外，外科手术(如腰椎小关节全切除术、全椎板切除)等均可能引起腰椎不稳。

(2) 退变

脊柱退变随年龄而变化，亦可引起腰背痛。Kirkaldy -Willis 将脊柱退变过程分为 3 期。

Ⅰ期：早期退变期，指关节囊松弛，轻度椎间盘退变，无明显特殊症状的较轻微腰背痛，易缓解。

Ⅱ期：不稳定期，关节软骨明显退变，关节囊明显松弛，椎间盘中等程度退变、突出，有临床症状，动力位 X 线摄片可明确诊断。

Ⅲ期：稳定重建期，指椎间盘重度退变，椎间隙变窄，小关节增生内聚，黄韧带肥厚，椎管开始狭窄，出现相应症状。纤维组织及骨刺围绕在后方小关节及椎间盘周围，减少了椎体相对另一椎体的移位，从而达到稳定。

(3) 椎旁肌作用

椎旁肌系统对维持脊柱正常体位的稳定以及其在腰部疼痛的产生、调整、预防均有相当影响作用。Cholewicki 利用数学模型阐明了腰椎不稳中肌肉系统所起的作用。增加腹部肌肉力量可以起到协助稳定脊柱的作用。腰背肌的长期劳损、肌肉组织薄弱萎缩也会加重腰椎不稳的程度。

36.5.3 临床表现

目前尚无确定的特异性表现。①下腰痛，酸胀无力，患者常有“腰断了”的主诉，腰部错位感觉，可伴有臀部、大腿酸胀，乏力；②轻微活动即可引发下腰痛，站立时加重，腰部有支撑即可减轻；③腰围或支具外固定治疗有效，卧床休息症状减轻；④查体可及腰部压痛、站立位椎旁肌痉挛、平卧位椎旁肌松弛、萎缩。

36.5.4 影像学表现

(1) X线正侧位

X线平片中不稳定征象包括椎间隙狭窄、棘突排列不齐、椎体侧方移位、经椎板水平发出的牵引性骨刺。牵引性骨刺是椎体前方或侧方水平方向突出、节段不稳情况下，因椎间盘最外层纤维环或椎体骨膜上的前纵韧带牵拉所致，在椎体稳定后，会逐渐消失(图 36-9)。

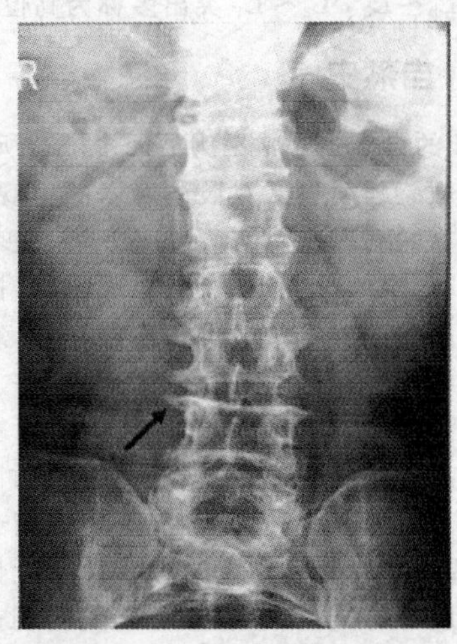

图 36-9 牵张性骨刺(箭头所示)

(2) 动力位 X 线检查

是临床上研究脊柱不稳定的最主要方式，主要包括伸屈侧位、牵拉-加压侧位及左右侧屈正位。其中伸屈侧位 X 线检查简单易行，在临床上应用广泛。

滑移不稳定被认为是节段性不稳的一个重要因素。目前大多数学者以 L_4 水平滑移 > 3 mm、L_5 水平滑移 > 4 mm 作为水平位移不稳定的标准。Soini 将伸屈侧位旋转不稳定定义为：$L_5 \sim S_1$ 节段 > 20°，其上位 $L_4 \sim L_5$ 节段 > 15°(图 36-10)。也有学者认为椎体在前屈时其椎间隙向后开口(相邻椎体终板间夹角) > 3°，即为不稳定。移位值的测量：在 X 线片上找出异常移位的节段，在下位椎体上做后上缘和后下缘的连线，再通过上位椎体的后上缘做该连线的平行线，这两条线之间的垂直距离，即为水平滑移距离。但被动体位的动力位检查使腰椎活动超出正常的范围，难以反映真实情况。故该方法仍有缺陷。

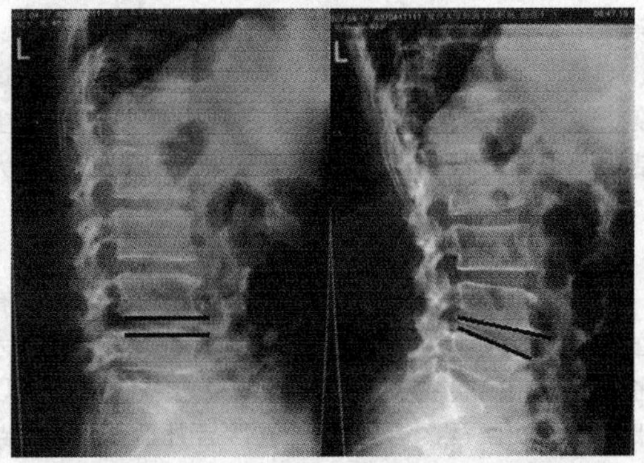

图 36-10 L_4、L_5 椎体在动力位片上有角度的变化

(3) CT 及 MRI 检查

CT 检查能够清晰地显示椎体运动节段退变情况，椎管内各部位狭窄程度，与神经根及马尾神经的关系。有利于解释与 X 线不符合的临床症状和体征，是 X 线检查的补充。

MRI 可以直接显示脊髓、神经根及马尾神经，也可直接观察椎体成角、椎体滑脱征象。有 X 线平片和 CT 不可替代的优势。

36.5.5 诊断

目前对节段性腰椎不稳的临床诊断尚无广泛接

受的标准，多无特异性，笔者推荐以下几点：①反复发作的下腰痛，且有持续短暂的剧烈腰痛；②活动症状出现，平卧休息、腰部支具支持后症状明显减轻或完全消失；③典型的动力位摄片表现。

36.5.6 治疗

(1) 保守疗法

1) 药物治疗 非甾体类抗炎药可减轻神经受压所致的炎性反应并有止痛作用，但可导致消化道不良反应。现在有新型的 COX-2 抑制药、非甾体类药物面世，如塞来昔布，半选择性 COX-2 抑制药美洛昔康等，可避免或减少胃肠道不良反应。激素封闭治疗：如痛点封闭、小关节封闭和硬膜外腔封闭等。

2) 肌肉训练 加强相关肌肉训练，提高脊柱稳定性。腰部肌肉与腹部肌肉协同收缩是保证腰椎稳定的必要条件。因此，腰椎不稳的患者可进行腰部屈曲运动以加强腹肌的力量，背伸可加强腰背肌的力量，促进腰腹肌肉的相互协调，以增加腰椎稳定。

3) 物理疗法 理疗加腰围等支具保护，急性期会有帮助。

4) 日常生活注意事项 避免腰部过度旋转、过度负重、过分劳累。急性期应卧床休息。在日常生活中保持正确的体位以去除腰椎及肌肉的过大负荷。

(2) 手术治疗

由于对腰椎不稳的认识及诊断仍不成熟，只有在患者有典型的腰椎不稳表现，且保守治疗无效，才考虑手术治疗。主要通过腰椎不稳定节段融合术以重建稳定。腰椎的融合手术包括后外侧融合、后路椎间融合、前方椎间融合以及经椎间孔椎间融合，同时加用内固定器械。以椎体间植骨融合更符合生理及力学要求。

各种手术要点参见“36.4 脊椎滑脱症”章节。

(董 健)

36.6 腰椎间盘突出症

36.6.1 定义

腰椎间盘突出症（lumbar disc herniation，LDH）是由于腰椎间盘退变，纤维环破裂，髓核突出刺激或压迫神经根、马尾神经所表现出来的一系列临床症状和体征，是导致腰痛和坐骨神经痛最常见的原因。

36.6.2 研究历史

早在公元前 460～357 年，Hippocrates 在他的著作中就提出了“坐骨神经痛”。1908 年，德国柏林 Krause 医师首次采用椎间盘切除术治疗“坐骨神经痛”，但是当时他却认为是内生软骨瘤。1934 年，美国的 Mixter 和 Barr 对采用椎间盘切除术治疗的“坐骨神经痛”患者病理切片进行回顾研究，指出腰椎间盘突出导致腰痛和坐骨神经痛，这在人类对 LDH 研究的历史上具有里程碑的意义。到目前为止该研究已经深入到了细胞和分子水平。

36.6.3 流行病学资料

人在一生中因为任何原因导致坐骨神经痛的概率是 40%，但是没有人能确切给出一生中患 LDH 的概率。Andrae 在 368 例尸检中发现 15.2%有椎间盘突出，在 40 岁以上的尸检中有 1/3 有椎间盘突出，但在生前有 LDH 临床症状的患者远没有那么多。青岛医学院附属医院骨科统计：门诊中腰腿痛患者占骨科患者的 1/3，而在腰腿痛患者中诊断为 LDH 的占 18.0%。中华骨科学会脊柱学组根据 1986～1996 年间 608 所医院的 LDH 的手术病例推算出，每百万人中有 120 人因为 LDH 接受手术治疗。

LDH 的好发部位，以下腰椎为多见，L_4～L_5 最多，L_5～S_1 次之，这两节段的椎间盘突出占到 90%左右，L_3～L_4 明显少于前两者，约为 5%。在 L_3～L_4 上面的节段发生椎间盘突出的机会就更加少。L_1～L_2，L_2～L_3，L_3～L_4 突出多称为高位腰突症。

36.6.4 自然史

LDH 的自然史常常因为原因多样有所不同：不同的个体敏感程度包括对肢体麻木的主观感受；其他同时存在的病理改变：实际的椎间盘退变程度，有无椎管狭窄、椎体滑脱等；社会心理因素（社会和经济地位较高的人群常常能更快恢复）。自然史的过程和性别与年龄关系不大。

从典型的下肢放射痛开始，经历 1 周左右的时间疼痛会有所减轻，在接下来 1～3 个月时间里疼痛仍较严重，最终 50%～70%的患者的疼痛会完全消失，不需要手术治疗。剩下的患者会经历长期持续的不同程度疼痛，也有类似的好转趋势，但是常常要维持数年。

椎间盘突出复发率为 3%～14%。LDH 的自然史不仅局限在临床表现上，极少数患者在临床症状好转的同时，其 CT 和 MRI 检查可以观察到突出椎间盘的消退或消失。

36.6.5 病因和诱发因素

LDH 产生的基本原因是椎间盘的退变，可能诱发因素主要有：①脊柱结构和发育因素。腰骶段畸形可使发病率增高，包括腰椎骶化、骶椎腰化、半椎体畸形、小关节畸形和关节突不对称等。这些变异常造成椎间隙宽度不等，并常造成关节突关节受到更多的旋转劳损，使纤维环受到的压力不一，加速退变。②生理因素。年龄在其中是一个重要影响因素，在 30～50 岁发病率高，妇女妊娠时发病率现在还存在争议，多认为发病率会增高。③种族因素。有色人种的发病率较低。黑种人的发病率明显比白种人低。④职业因素。重体力劳动者发病率最高，白领劳动者最低。过度的腰部负重使煤矿和建筑工人的椎间盘过早退变。汽车驾驶员由于长期处于颠簸和振动状态，椎间盘承受的压力大，且反复变化，也易诱发椎间盘突出。⑤吸烟。长期吸烟对血液流变学会产生影响，导致椎间盘营养代谢不良，退变加速。

36.6.6 分型

(1) 根据突出的方向和部位分型

髓核可向各个方向突出，有前方、侧方、后方、四周和椎体内突出(Schmorl 结节)。其中以后方突出为最多，且后方突出在椎管内可刺激或压迫神经根与马尾神经，引起症状和体征。临床上常把后方突出又分为中央型和旁侧型，以后者最多。少数突出位于椎间孔称为椎间孔型或位于其外侧称为极外侧型。

1) 旁侧型突出　突出位于椎间盘的后外侧，即后纵韧带外侧缘处，突出物压迫神经根，引起根性放射性腿痛，多为一侧突出，少数为双侧突出。髓核突出的位置与神经根关系是可变化的，症状体征也相应发生变化。

2) 中央型突出　髓核从椎间盘后方中央突出，压迫神经根和通过硬膜囊压迫马尾神经，引起神经根和马尾神经损害的症状和体征。

3) 椎间孔型与极外侧型　髓核突出位于椎间孔内(椎间孔型)或位于椎间孔外侧(极外侧型)，压迫椎间孔内的神经根或已出椎间孔的脊神经引起一侧腿部症状。但受累的神经根或脊神经比上述各型突出所压迫的神经根高一节段(图 36-11)。

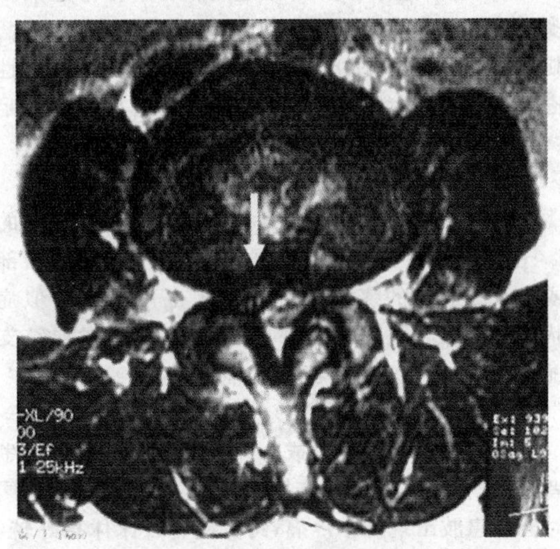

图 36-11　椎间孔型 LDH

箭头所示为突出的髓核组织

(2) 根据髓核突出的程度病理分型

1) 隆起型　纤维环部分破裂，表层完整，因局部薄弱髓核突出。突出物多呈半球形隆起，表面光滑完整。有少数突出物可自行还纳或经非手术方法而还纳。

2) 突出型　纤维环完全破裂，髓核突向椎管，仅有后纵韧带或一层纤维膜覆盖，表面高低不平或者呈菜花状。

3) 游离型　纤维环完全破裂，髓核碎块由破裂口脱出，游离于后纵韧带之下或穿过该韧带进入椎管，也可向头侧或尾侧移位达到椎体平面或者相邻的椎间盘平面。破裂型或游离型突出物或钙化或与周围组织粘连，突出物不能还纳称为不可逆性椎间盘突出症，多需手术治疗。

36.6.7 临床表现

(1) 腰背痛

发生腰背痛的原因是因为椎间盘突出刺激了外层纤维环及后纵韧带中的窦椎神经纤维，因为窦椎神经的分布不仅仅局限于神经发出节段，所以疼痛的定位不是很准确，感觉部位较深。单有腰背痛时椎间盘突出较小，未严重压迫神经根，无特异性，多提示椎间盘退变或椎间关节不稳。

(2) 坐骨神经痛

L_4～L_5 和 L_5～S_1 两个节段的椎间盘突出占90%,压迫、刺激 L_5 和 S_1 神经根,故坐骨神经痛很多见。可发生在腰背痛之前、之后或与之同时出现。腿痛重于腰痛是 LDH 重要体征。疼痛多为放射性疼痛,从臀部、大腿后外侧、小腿外侧至足跟部和足背。当咳嗽、排便等腹压增高时,可加重疼痛。

(3) 下腹部或者大腿前侧疼痛

高位 LDH 时,突出的椎间盘可压迫腰丛的 L_1～L_3 神经根出现相应的神经根支配区域-下腹部或者大腿前侧的疼痛,低位 LDH 也可出现类似症状。下腹部和耻骨联合部感觉虽受下位胸神经支配,分析其机制也与神经牵涉痛有关。

(4) 间歇性跛行

单纯腰椎间盘突出或合并有椎管狭窄的老年患者,有时会出现随着行走距离增多,腰背痛加重,同时合并患肢出现麻木疼痛,蹲下或者卧床休息好转,再次行走还会出现疼痛麻木加重,称为神经源性间歇性跛行。主要是神经根受压、循环障碍、充血水肿、缺血乏氧所致。

(5) 麻木

部分患者会同时有肢体的麻木感,这是由于椎间盘压迫刺激了本体感觉和触觉纤维,神经根的感觉纤维受损的表现。麻木感觉区按神经根受累区域分布。

(6) 肌肉瘫痪或无力

神经根被压严重时,可出现神经麻痹、肌肉瘫痪。

(7) 双侧下肢症状

LDH 一般表现为单侧症状,当中央型突出或者巨大突出时会产生双下肢症状。

(8) 马尾和圆锥综合征

表现为双侧严重的坐骨神经痛,会阴部麻木,排便排尿困难,尿潴留,尿失禁或不能控制,以及阳痿等性功能障碍,有时候表现为双下肢不全瘫。

(9) 颈腰综合征

是指由于脊椎发育性椎管狭窄和退行性变所导致的颈椎病(颈椎管狭窄/颈椎间盘突出)和腰椎病(腰椎管狭窄/腰椎间盘突出)合并存在的临床综合征。本病的临床特点既有颈髓及神经根受损,又有腰神经根受损的表现。症状往往是一轻一重或并重,可同时出现,也可先后出现,并互相影响,一般情况下较重节段症状掩盖较轻节段症状。

36.6.8 体征

(1) 一般体征

1) 步态 疼痛严重的患者常常保持一种屈髋的跛行步态。

2) 脊柱外形 LDH 的患者往往出现腰椎生理前突变小,甚至消失直至反曲,骨盆后旋,严重时还出现侧弯畸形。其机制可以使神经根有比较大的空间。

3) 脊柱运动受限 腰部正常时,其运动范围为前屈 90°,后伸 30°;左右侧屈各为 20°～30°;左右旋转各为 30°。当椎间盘突出后,脊柱屈曲时,椎间盘前部受到挤压,后侧间隙加宽,髓核后移,使突出物的张力加大,刺激神经根而引起疼痛。当腰部后伸时,突出物亦增大,且黄韧带皱褶向前突出,造成前后挤压神经根而引起疼痛,所以疼痛限制了脊柱的活动。

4) 腰部压痛 椎间盘突出时,其相应椎旁有明显的压痛点,压迫时疼痛沿坐骨神经分布区向下肢放射,亦称为放射性压痛。

5) 下肢肌力和腱反射改变 L_3～L_4 椎间盘突出时,膝反射减弱或消失,足背伸、内翻力量减弱;L_4～L_5 椎间盘突出时,伸趾运动无力;L_5～S_1 椎间盘突出时跟腱反射减弱或消失,足背屈、足外翻力量减弱。

6) 感觉改变 神经根的感觉纤维受损害时可表现为所支配区域的痛感觉减退。

(2) 特殊体征

1) 直腿抬高试验 患者取仰卧位,检查者一手握患者踝部,另一手置于大腿前方保持膝关节伸直,然后将下肢徐徐抬高。如直腿抬高受限并出现小腿以下的放射痛即为阳性(87%)。正常人抬高度数范围差别很大,一般 80°～90°,甚至更大。因此应与健侧对比检查。角度 $<$ 60°为阳性,小角度的阳性结果更敏感,疼痛放射至膝关节远端方可判断为阳性。Koserljanetz 等用图表表示直腿抬高和神经受压两者关系(图 36-12)。该试验对于低位 LDH 才有意义。

2) 直腿抬高加强试验(Bragard 征) 在直腿抬高试验的基础上,再将踝关节用力背屈,使受累神经根进一步受牵拉,诱发或者加重下肢放射性痛。可区分疼痛是肌肉原因还是神经原因。

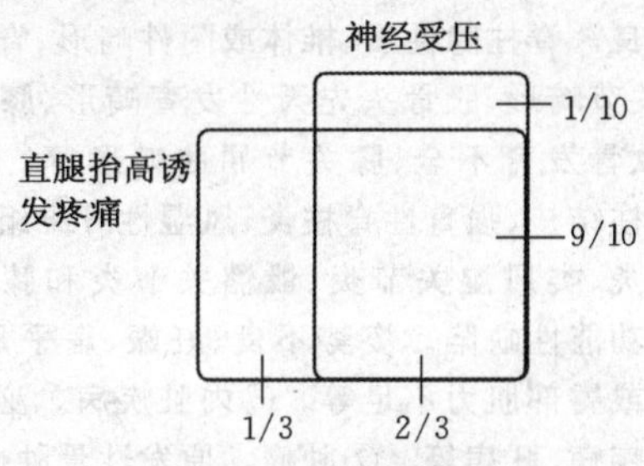

图 36-12 直腿抬高试验的敏感性和特异性示意图

3) 健肢抬高试验 当健肢被动直腿抬高时，患肢坐骨神经分布区出现疼痛为阳性。此试验敏感性不高，但特异性高达 90%。

4) 拉塞克(Laseque)征 患者仰卧，屈髋和屈膝，保持髋部屈曲，伸直膝关节，出现患肢放射性疼痛或肌肉痉挛为阳性。

5) 股神经牵拉试验 当髋关节处于过伸位时，大腿前侧沿股神经分布区出现牵拉放射疼痛为阳性。对于 $L_2 \sim L_3$ 和 $L_3 \sim L_4$ 椎间盘突出有意义，可用来鉴别是高位还是低位椎间盘突出。

6) 弓弦试验 患者平卧，屈曲膝关节，抬高下肢，逐渐伸直膝关节，当出现放射性疼痛时，再稍微屈膝，疼痛好转，用大拇指按压腘窝后，坐骨神经张力升高，疼痛又出现为阳性。

36.6.9 影像学表现

(1) X 线平片检查

X 线平片对急性的椎间盘突出没有特异性的表现。部分病例的 X 线平片表现为椎间隙变窄，生理前突消失，姿态性侧弯，这些表现都不是腰椎间盘突出的特异表现，只是腰椎退变的反映。对于怀疑腰椎间盘突出症的患者，检查 X 线平片的目的在于排除因为肿瘤、感染、脊柱炎症和骨折引发的腰痛。

(2) CT 检查

因为 CT 对骨结构和软组织有良好的辨别性，目前是对 LDH 使用最广泛的影像学检查，确诊率达 90%以上。对于椎管内外的椎间盘突出都能良好显示，但是不能区分髓核和纤维环结构(图 36-13)。

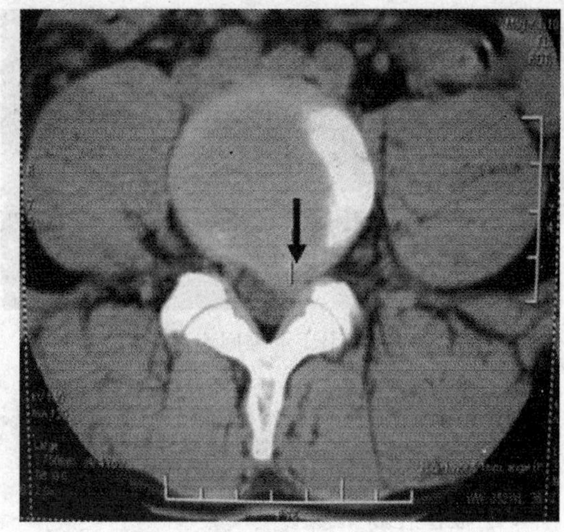

图 36-13 CT 示椎间盘突出

(3) MRI 检查

MRI 检查无辐射损伤，在发达国家对于椎间盘突出症，MRI 是最普遍的检查，可以清晰地观察突出的椎间盘形态及与脊髓、神经根关系。相比 CT，不仅可以在任意选择的平面直接产生图像，而且有丰富的成像参数。正常髓核在 T1 加权像上是低信号，在 T2 加权像上是高信号，可与纤维环区分开来。纤维环、韧带和神经根等有纤维样结构的组织在 SE 序列的 T1 和 T2 加权像上是低信号。硬膜外和椎间孔内脂肪在 T1 加权像上是高信号，在 T2 加权像上是低信号，应用脂肪抑制技术后表现为低信号。脑脊液在 T1 加权像上是低信号强度，在 T2 加权像上是高信号强度。MRI 很难将后纵韧带和纤维环外层区分开(图 36-14、34-15)。

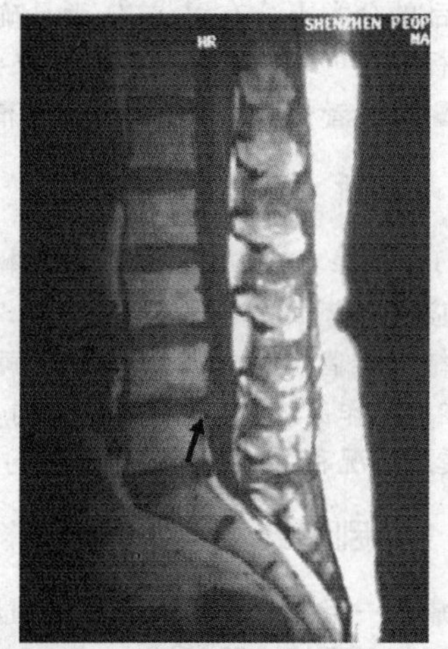

图 36-14 MRI 示椎间盘突出(1)

T1 加权像上髓核为低信号，纤维环、韧带等有纤维样结构的组织是低信号，硬膜外脂肪是高信号，脑脊液在 T1 加权像上是低信号强度

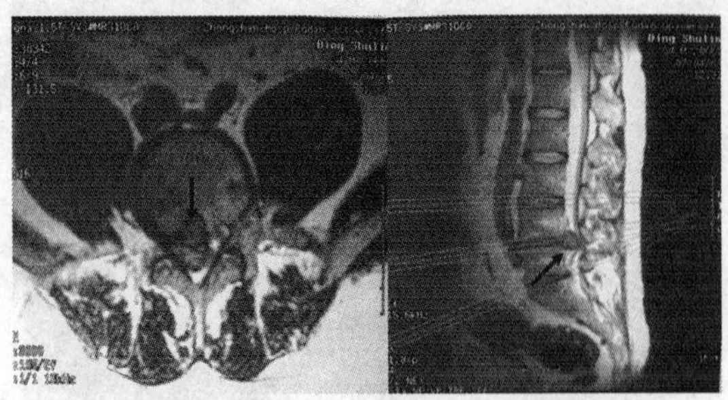

图 36-15 MRI示椎间盘突出(2)

T2加权像上髓核为高信号,纤维环和韧带等有纤维样结构的组织是低信号,硬膜外和椎间孔内脂肪是低信号,脑脊液在T2加权像上是高强度信号

(4) 椎管造影

椎管造影被认为是通过间接影像来反映椎间盘突出,与其他空间占位病变相区别比较困难,虽然在神经根袖的显影上有其独到的优点,但是对于神经根袖外侧的和椎间孔内的椎间盘突出不能表现出来。较高的辐射量和有损伤的操作,加上可能的并发症限制了该方法的运用。现在逐渐少用。

那些体内有金属内植物的椎间盘突出或者其他椎管狭窄病变患者,CT检查难以诊断,可加用椎管造影,CT结合脊髓造形(CTM)的应用使确诊率进一步提高。

(5) 椎间盘造影

椎间盘造影被用来显示椎间盘的状况,对于椎间盘内紊乱的分类十分有用,被认为是确诊盘源性腰痛的金标准。可以诱发疼痛反应定义病变节段。椎间盘造影对患者长期的影响目前还不清楚。

36.6.10 诊断

典型LDH患者,依靠病史、症状、体征和X线片上有相应神经节段的椎间盘退变表现即可作出初步推断。结合椎管造影、CT、MRI、椎间盘造影等方法,就能准确作出病变间隙、突出方向、突出物大小、神经受压情况和主要引起症状部位的诊断。

36.6.11 鉴别诊断

腰腿痛是一组症状。腰腿痛常见的原因:①急性或慢性损伤。腰部或腿部肌肉、筋膜、韧带、椎间小关节的急性或慢性损伤、脊柱骨折或错位、椎间盘损伤等。②退行性变。脊柱骨关节病、老年性骨质疏松症、椎间盘退行性变、椎管狭窄症等。③先天性发育不良。脊柱隐性裂、椎体或附件畸形、脊柱滑脱症、髋关节畸形、股骨头先天性发育畸形、膝骨骺分离、膝软骨发育不全、膝关节屈曲畸形等。④炎性变。脊柱结核、强直性脊柱炎、风湿性纤维组织炎或肌筋膜炎、类风湿关节炎、骶髂关节炎和膝关节炎等。⑤功能性缺陷。姿势不良、妊娠、扁平足、下肢不等长或臀部肌力不足等。⑥内脏疾病。泌尿及生殖器官疾病、肝病等。⑦肿瘤。原发性骨肿瘤、转移性骨肿瘤、神经肿瘤等。⑧其他。过度肥胖、血液疾病、内分泌失调、精神因素、床垫的影响等。

因此有腰腿痛症状的患者不一定由椎间盘突出引起。很多疾病都能引起腰腿痛,这些疾病的鉴别需要有丰富临床经验的医师才能做出。所以诊断LDH需慎重。以下择要予以介绍。

(1) 急性和慢性腰部软组织损伤

见表36-2。

表 36-2 急性和慢性腰部软组织损伤与LDH的鉴别诊断

鉴别要点	急性和慢性腰部软组织损伤	LDH
外伤史	急性明确,慢性可无	有或无明显的外伤史
压痛点	固定、明显	不固定,椎旁处较多
曲颈实验	阴性	阳性较多
直腿抬高试验	阴性或弱阳性	阳性
腰肌痉挛	急性有,慢性可无	多无
痛点封闭	有效	多无效
传导叩痛	多无,慢性反有舒适感	明显

(2) 腰椎椎管狭窄症

椎管狭窄症是指多种原因所致椎管、神经根管、椎间孔的狭窄,并引起相应部位的脊髓、马尾神经或脊神经根受压所致的腰腿疼痛综合征。腰椎椎管狭窄症临床上以下腰痛、马尾神经或腰神经根受压及神经源性间歇性跛行为主要特点,表现为患者步行一段距离后出现下肢酸痛,麻木无力,蹲下休息后才能继续行走,骑自行车和卧床时多无症状。过去认为有无间歇性跛行是椎管狭窄症与LDH的重要区别,实际上大约1/3 LDH患者也有间歇性跛行。两者鉴别主要依据X线片、CT、MRI、椎管造影检查来确定。

(3) 腰椎滑脱症

是指腰椎椎体间因各种原因造成骨性连接异常而发生的上位椎体相对于下位椎体部分或全部滑移,包括先天性、退变或外伤等原因。发生腰椎滑脱后,患者可以没有任何症状，仅仅在是拍片时发现；也可能出现各种相关症状，如腰痛、下肢疼痛、麻木、无力，严重时可出现大小便异常。滑脱较重的患者腰部凹陷可能出现台阶、腹部前凸，甚至躯干缩短、走路时出现摇摆，出现间歇性跛行，一般来说平躺或休息后疼痛或麻木可以好转。常规X线片可见腰椎椎体向前滑脱，对于椎弓崩裂患者斜位片可见椎弓根断裂。通常不难与椎间盘突出鉴别。发生于中老年的退变性腰椎滑脱常伴有腰椎管狭窄，多需手术治疗。

(4) 腰椎结核或肿瘤

腰椎骨关节结核与肿瘤都是腰痛的重要原因，相应章节已有详尽介绍。这两种疾病后果严重，不容延误，尤其是近年结核发病率逐年上升，故对可疑的腰痛患者应常规作X线片检查以协助鉴别诊断。

(5) 腰椎管内肿瘤

椎管内肿瘤以神经根性痛为首发症状者多达57.5%，而根性痛多由神经鞘瘤所引起，腰以下的神经根性病可表现为腰痛或腰腿痛，当单一神经根受累时与LDH的临床表现极其相似，因此临床鉴别相当困难。一般来说椎管内肿瘤均呈典型的慢性渐进性起病，表现为长传导束障碍，放射痛，足部发麻，走长路时下肢无力或间歇性跛行。肿瘤持续地进行性生长，症状进行性加重，不因休息而缓解。足部麻木亦由下而上发展至腿部，甚至对侧下肢，最终可导致马尾神经功能障碍。临床检查多无脊柱畸形，压痛也不明显，直腿抬高试验不典型。运动、感觉、反射障碍往往不局限于单一神经根支配区。在X线片侧位片上可发现椎间孔扩大，但椎间隙正常无狭窄。值得注意的是，在CT上椎管内肿瘤与椎间盘突出难以鉴别，甚至不显影。MRI多可明确诊断，但有时需加做增强检查。笔者曾在临床遇到一例患者，术前行CT、MRI检查，诊断椎间盘突出，未发现肿瘤，反复保守治疗无效，选择手术。但术后疼痛短时间复发，逐渐加重，难以忍受，4个月后再行MRI检查，发现椎管内占位，第2次术后病理诊断为恶性神经鞘瘤。

(6) 神经根性肿瘤

神经根性肿瘤极易被误诊为椎间盘突出。我院已收治多例被外院误诊为椎间盘突出的神经根肿瘤，尤以靠近椎间孔的神经根处多见。症状与椎间盘突出的症状相似，多表现为腰腿痛，下肢麻木，感觉、肌力障碍等。鉴别主要依靠详细的询问病史，仔细查体及MRI检查。

(7) 第三腰椎横突综合征

第三腰椎横突综合征被误诊为LDH的并不少见。第三腰椎位于腰椎中部，其横突最长，向后伸曲度大，多条腰背腹部的肌肉与筋膜附着其上，形成腰椎活动枢纽及应力中心，因此很容易受到肌肉筋膜的牵拉损伤。第三腰椎横突尖端后方紧贴着第二腰神经根的后支，当腰前屈及向对侧弯时，便易牵拉与磨损第二腰神经根的后支而致其支配区产生疼痛、麻木等症状；并可牵涉到前支引发放射性疼痛，波及髋部及大腿前侧，少数放射至会阴部。第三腰椎横突前方有腰丛神经的股外侧皮神经干通过，分布到大腿外侧及膝部，该处病变也可产生股外侧皮神经痛的症状。第三腰椎横突综合征起病可缓可急，可有外伤史。临床表现除上述症状外，检查可发现第三腰椎横突尖端压痛明显，局部肌肉痉挛或肌紧张。在瘦长型患者多可扪及第三腰椎横突过长。局部封闭时，当针尖达到病变区，可诱发原有症状再现；封闭后可立即解除疼痛。

(8) 梨状肌综合征

以臀部痛及下肢痛为特点，罕有腰痛。属于干性痛，无明确神经定位体征。多是由于梨状肌局部病变所致。梨状肌紧张试验阳性。

(9) 盆腔疾病

早期盆腔内泌尿生殖系等内脏器官的炎症、肿瘤等，当其本身症状还未充分表现出来时，即可因刺激腰骶神经根而出现腰骶部痛，甚至伴单侧或双侧下肢痛，这时鉴别则较为困难。故对不典型的腰腿痛患者，应考虑盆腔内疾病可能，常规行直肠、阴道检查及B超检查。即使未发现异常，仍需严密随访，直至疾病确诊。

36.6.12 治疗

(1) 保守治疗

保守治疗是治疗LDH的基本疗法，治疗的目的是使突出的椎间盘髓核组织部分减少或回纳，减轻对神经根的压迫，改善局部血液循环，促进其炎性水肿的消退，解除肌肉痉挛从而缓解或消除疼痛症状。有约80%的LDH病例经保守治疗可以治愈或缓解。但有反复发作的可能。适应证：①初次发作、病程较短；②病程虽长，但症状、体征较轻，经过休息后症状能够自行缓解；③经过CT或者MRI等辅助检查发现椎间盘突出较小；④经过X线摄片、CT或者MRI等辅助检查发现椎间盘无钙化，不伴有椎管狭窄；⑤年龄较大，不能够耐受手术或者已经不参加体力劳动的患者；⑥由于全身疾病或者局部皮肤等疾病不能够实施手术；⑦临床症状、体征与特殊检查不符，难以用某一个节段椎间盘突出解释；⑧不同意手术的患者。保守治疗如下。

1）卧床休息　是非手术治疗中非常重要的措施。强调绝对卧床，指饮食、大小便均不应下床或坐起，这样才能收到效果。时间 2～3 周，不宜过长。多数患者卧床 4 天即有缓解。不得已下床须带腰围并缩短时间。

2）物理疗法　骨盆牵引、腰围和适当的体疗等。牵引治疗可以减轻椎间盘所承受的压力，缓解突出髓核对神经根的压迫，减轻神经根的水肿，给神经根一个休息和恢复的机会。骨盆牵引时，患者卧硬板床，将骨盆牵引带系在骨盆上，最好将床尾垫高 20 cm，使头低脚高，利用身体重量作为反牵引，每天上午、下午各 1 次，每次 0.5～1 h，每 3 周为 1 个疗程，大多数患者在牵引的最初几天症状能够迅速减轻，如果前 3 天症状没有减轻甚至加重，则可初步判定牵引治疗无效，就应停止；若前几天症状明显减轻后又出现停滞现象，则可适当增加牵引重量。腰围在治疗腰椎间盘突出症的过程中使用范围较广泛，主要起到制动和保护作用。腰围的佩戴使用应根据病情灵活掌握，同时腰围的规格应与患者体型相适应，一般上至下肋弓，下至髂嵴上，后侧不宜过分前凸，前方也不宜束扎过紧，应保持腰椎良好的生理曲度。

3）推拿按摩　推拿按摩疗法主要适用于急性发作经过治疗好转后的恢复治疗，或者初次发作，症状、体征不是非常严重的患者，孕妇患者与患有严重内脏疾病均不适合于推拿按摩。

4）中医治疗　中医认为，腰腿痛属于肝肾虚。中药治疗多选用活血行气，舒筋活络，补益肝肾的药物。针灸、拔火罐、热敷等也有一定疗效。

5）药物治疗　非甾体类抗炎药、肌松剂、止痛药、减轻神经根水肿药物和神经营养类药的应用。NSAID 作用是抑制椎间盘突出髓核释放的糖蛋白、局部产生的化学物质和自身免疫反应产生的无菌性炎症水肿；抑制肥大细胞分泌的组胺，增加白细胞 cAMP 水平，有利于减轻症状炎症反应、降低血管通透性、减轻组织水肿及减少炎症介质对组织的刺激，达到缓解症状的目的。主要有双氯酚酸、美洛昔康等，此类药物适合于大多数患者，但有胃肠道反应，如恶心、呕吐、胃痛、腹泻等。有消化道症状的患者慎用或禁用，现在有新型的选择性抑制 COX-2 非甾体类药物面世，如塞来考昔等，可避免胃肠道不良反应。新的研究发现 NSAID 药均有心血管疾病发病率增高的可能，老年人应注意。减轻神经根水肿药物的应用，如甘露醇、激素等，这类药物的消炎镇痛作用非常突出，在腰椎间盘突出症的急性发作期尤其明显。但是甘露醇对肾功能不全者慎用，激素在停止用药后容易出现症状反跳现象，神经营养药物的应用包括维生素 B 族、甲钴胺等。对于感觉异常的患者还可以应用牛痘疫苗接种家兔炎症皮肤提取物注射液，商品名为神经妥乐平及恩再适。

6）其他　还有硬膜外激素类药物注射等。其机制是注射普鲁卡因及少量激素可抑制神经末梢兴奋性、改善循环、带走代谢产物、减轻酸中毒，从而起消炎作用，阻断疼痛恶性循环达到止痛目的。注射药物主要包括 1%利多卡因 10 ml，地塞米松 10 mg，也可同时加入维生素 B_1 与维生素 B_{12}。维生素 B_1 与维生素 B_{12} 有促进神经组织的代谢和修复的作用。硬膜外注射必须严格无菌操作，防止感染。同时必须保证药物进入硬膜外间隙。此疗法一般不超过 3 次，多次注射治疗无效者可能导致广泛粘连，以致患者症状长期不能缓解。短期内可有头昏、口干、耳鸣、腰胀痛、失眠、汗多等不良反应，休息 1～2 天症状消失。

在进行保守治疗时，应当注意病情的发展变化，如果患者的症状、体征发生了明显变化，经过医师的检查和判断，发现已经不适合保守治疗时，应及时放弃保守治疗，改用手术疗法。笔者曾遇到一例患者骨盆牵引后，症状加重，肌力明显下降不能行走，改紧急手术后逐渐恢复。

（2）手术治疗

LDH 的手术治疗目的是摘除突出到椎管内的髓核组织，解除突出的椎间盘和髓核组织对神经根或马尾神经的压迫。手术也就是椎管内异物去除过程。对伴有椎管或侧隐窝狭窄的患者，有时也需要去除增生硬化的骨质和增生肥厚的黄韧带，以扩大椎管及侧隐窝，使神经根受压的情况完全解除。

1）适应证　①经正规保守治疗无效者。保守治疗无效指严格卧床 1～3 周疼痛不缓解，神经根张力高的体征不改善；②超过 3 次的反复发作，症状严重者；③突发性 LDH 根性痛剧烈无法缓解，并持续加剧；④中年患者，病史较长影响生活及睡眠；⑤神经根功能丧失或马尾神经功能障碍出现大小便障碍；⑥椎间孔内或极外侧型突出；⑦由于同时合并有腰椎管狭窄症、腰椎滑脱症的疾病需要手术治疗的，可一并手术解决。

2）手术时间 研究发现神经根长时间受压后功能恢复不良，无法完全恢复。现在有学者提出保守治疗时间不要超过1个月。但笔者认为时间以3个月为宜。若一味地拖延手术，继续保守治疗，最终导致手术效果不良，神经功能恢复不理想。对于多节段突出的椎间盘应判明问题椎间盘，手术仅去除引起症状的那一节即可。

3）禁忌证 ①诊断不明确，腰腿痛可能并非由椎间盘突出引起；②仅CT或MRI发现椎间盘膨隆或轻度突出而没有相应症状体征；③病变尚属早期，症状体征轻微，没有经过正规非手术综合治疗；④有精神疾患，症状和体征难以确诊；⑤全身情况很差，不能耐受麻醉和手术。

4）常规开放手术治疗 LDH的手术原则是严格无菌操作，尽量保留不必去除的骨结构和软组织结构，以最小的创伤达到足够的显露，仔细彻底地去除椎管内异物，达到治疗目的。传统的常规开放椎间盘摘除术有开窗法、半椎板切除以及全椎板切除等方法。开窗法软组织分离较少，骨质切除局限，对脊柱稳定性影响较小，大多数单纯椎间盘突出可采用此方法。椎间盘突出合并明显退行性改变，需要比较广泛的探查或减压者，可采用半椎板切除术。中央型突出粘连明显，或中央型腰椎管狭窄需要双侧探查及减压者，可采用全椎板切除。近年又有一些学者对以上方法进行改良，创造了局限开窗术、扩大开窗术、有限椎板切除术（包括多孔开窗术、椎间双侧潜式减压术）、腰椎管成形术、前路经腹腔或腹膜外间盘摘除术等，都取得了较为理想的效果。

5）微创手术治疗 常规开放手术治疗LDH由于存在创伤大、住院时间长、术后恢复慢等缺点，从而促使人们积极发展微创手术。随着近年显微外科技术和内镜外科技术的迅猛发展，大多单纯LDH已改由微创手术治疗。

(i) 标准显微腰椎间盘摘除术（standard lumbar microdiscectomy，SLMD）：在显微镜下行小切口腰椎间盘摘除术，适应证为单节段LDH，多节段LDH或合并畸形、椎管狭窄、腰椎滑脱、腰椎不稳者为手术的禁忌证。SLMD的优点主要是创伤小，出血少，住院天数少，恢复正常活动早，其并发症如神经根粘连、脊柱后侧结构不稳定等也较传统手术少。但手术显微镜的镜头常影响操作，手术的时间较长，其复发率通常较传统手术高。

(ii) 改良显微外科腰椎间盘摘除术：笔者在显微放大头镜帮助下，借助头灯的光源，行小切口腰椎间盘摘除术，切口仅2.5 cm，手术时间短。手术中头灯的位置可以随手术要求改变，非常方便操作，视野很清晰，避免神经损伤，有利止血，复发率大大降低。患者术后1天下床，3天即出院。该方法学习时间短，有利于推广。

(iii) 髓核化学溶解术（lumbar chymopapain chemonucleolysis，LCC）：是治疗LDH的一种有限手术，由Smith在1963年首次使用。其适应证是经保守治疗无效的轻度LDH。LCC的优点是疗效好、创伤小，但其复发率常较外科手术高，且部分患者尤其是单纯腰背痛患者疗效不佳，常需改行外科手术治疗。另外，过敏反应、神经损伤是LCC最危险的并发症。目前国内大医院大多放弃这一方法。

(iv) 经椎板间隙途径内镜下腰椎间盘切除术（microendoscopic discectomy，MED）：是传统的开放椎间盘摘除技术与内镜技术的有机结合，适用于退变较轻的单纯LDH髓核突出者，MED通过很小的创口（约2 cm）在内镜监控下完成。合并有广泛腰椎管狭窄、腰椎滑脱、小关节突明显增生内聚，及巨大中央型、极外侧型、复发型者为手术禁忌证。MED优良率为90%左右。MED的并发症有术中定位错误、硬膜损伤、加重神经根炎症及水肿、关节突内聚突出椎间盘过大时易切除过多关节突等。MED手术创伤小，出血少，术后卧床时间短。但在视野局限情况下，要对椎管进行侵入性操作，技术掌握要求高，熟练过程长，若发生出血、硬膜损伤等情况，处理十分困难，多须改行传统开放手术。

6）LDH手术的椎间融合及内固定指征 LDH行椎间盘切除术时是否需做椎间融合及内固定，在脊柱外科领域存在较大争议。笔者认为，在单纯的LDH患者，若退变程度较轻，可行单纯减压（仅摘除突出髓核）术，若患者同时存在腰椎不稳或滑脱，可加用椎间植骨融合，目前椎间融合由于其更符合腰椎生物力学，已被大多数学者接受而取代后外侧融合技术。现多推崇TILF技术（详见腰椎不稳章节）。在复发性LDH，二次手术时也应考虑行融合手术，因为复发多说明不稳，且二次手术显露该节段时需做更大的暴露，可加重不稳。对于有严重腰椎退变的患者，椎间隙明显狭窄，建议手术使用椎弓根螺钉恢复间隙高度，并行椎间融合。否则单纯髓核摘除后，椎间隙狭窄加重，日后又会在椎间孔处造成新的卡压。

7）弹性固定　对于年纪较轻的腰椎间盘突出患者，若不伴有明显脊柱不稳定及腰椎滑脱，可以运用腰椎棘间弹性固定技术，被认为能降低腰椎间盘突出单纯髓核摘除术后复发率。既可保留腰椎被固定节段的活动性、解剖结构的完整性，同时维持节段稳定性，为以后可能发生的其他术后方案，如植骨融合、刚性内固定留有可操作余地。目前常用的弹性固定器械有 Wallis 等。该技术在国外开展已有数年，在国内目前处于起步阶段。复旦大学附属中山医院已开始在临床应用，术后效果有待进一步随访。

(3) LDH 退变间盘的重建技术

上述各种手术均经过了临床实践验证，能缓解 LDH 临床症状，但减压后必然导致椎间关节结构、形态、功能异常和不稳定，而融合后也将加重相邻节段的退变和引起不稳定。近年，旨在重建退变椎间盘生理功能的异体椎间盘移植、人工椎间盘置换、人工髓核技术的尝试是各国学者关注的新课题。异体椎间盘移植因其易于早期退变、移位等问题，目前尚难临床应用。人工椎间盘从理论上讲能够恢复和保持椎间关节正常的相对关系、承载生理负荷，目前欧美国家已有许多临床应用病例，也取得了不错疗效，但随访时间尚短。此外，不论是内固定还是人工椎间盘，将来大多需再次手术取出或翻修，且以上方法都并非是针对椎间盘退变本身的治疗，故近年来也有学者尝试生物学治疗方法。为了干预和修复退变的椎间盘，国内外学者先后尝试了细胞因子、细胞移植和基因治疗的生物学方法。但这些方法现都仅限于实验研究，还不能真正用于临床。

36.6.13　预防

LDH 不仅发生在重体力劳动者人群，还常发生在久坐不活动的办公室人群、中老年人、孕产妇等。因此，预防此病发生要求我们平时注重腰部锻炼，起居要避风、寒、湿，劳逸结合，饮食结构要合理。预防工作应从学校、家庭、工作和职前训练开始，要了解正确的劳动姿势，注意劳动保护，避免加速腰椎间盘退变和在腰椎间盘退变基础上的损伤。预防措施应从以下 4 方面做起。①坚持健康检查：青少年或工作人员应定期进行健康检查，应注意检查有无脊柱先天性或特发性畸形，如有此种情况在以后易发生腰背痛，并诱发椎间盘突出。对于已从事剧烈腰部运动工作者，如运动员和杂技演员，应注意检查有无发生椎弓根崩裂等，如有这种结构上的缺陷应该加强腰背部保护，防止反复损伤。②加强肌肉锻炼：强有力的背部肌肉，可防止腰背部软组织损伤，腹肌和肋间肌锻炼，可增加腹内压和胸膜腔内压，有助于减轻腰椎负荷。如可以经常进行游泳等体育锻炼等。③改正不良的劳动姿势和生活习惯。④避免体重过重。

（董　健）

36.7　腰椎管狭窄症

36.7.1　概述

1949 年英国 Verbiest 首先提出腰椎管狭窄症这一概念，现指因组成椎管的骨或纤维组织异常引起的椎管有效容量减少，致使管道中的神经组织受压或受刺激而引起一系列神经功能障碍的症状，腰腿痛和跛行是其主要表现。腰椎管狭窄症是临床上导致腰痛或腰腿痛最为常见的疾病之一，它是一种慢性、进行性硬膜囊及马尾神经受累的疾病，由于椎管或神经根管狭窄使其中内容物受压而导致临床症状发生。腰椎管狭窄症是骨科范畴内症体不符疾病的典型代表，绝大多数就诊和接受手术的患者仅有疼痛主观症状，缺乏客观体征。

36.7.2　病因学

任何可导致椎管容积变窄的病理过程和状况都可导致椎管狭窄症。椎管狭窄可分为先天性椎管狭窄和继发性椎管狭窄。前者包括特发性和软骨发育不良；而继发性椎管狭窄则包括退变性、混合性、腰椎滑脱性、医源性、创伤性或者以上的混合型。一旦某个节段的狭窄超过某一限定，患者就可出现神经性间歇性跛行。如果狭窄很严重，患者还可合并马尾综合征，包括鞍区麻痹和排尿困难。

退变性椎管狭窄可因骨或软组织侵入椎管引起。首先由椎间盘退变开始，导致椎管狭窄的骨骼系统疾病包括关节突关节的退行性改变、椎板边缘的骨赘形成以及椎体滑移或腰椎滑脱。双侧跛行的男性中有 50% 的患者可以见到退行性滑脱。引起椎管狭窄的软组织疾病包括黄韧带增厚、后纵韧带肥厚或椎间盘膨出及突出，椎间隙狭窄导致神经孔变窄，神经根受压。而椎间隙狭窄、椎间盘退变可导致稳定椎体的四周韧带松弛，椎体的异常相对滑移增加，应力增大，各部位退变加重。在有症状的退变性疾病中，机械应力作用导致黄韧带肥厚，其肥厚程度与患者年龄呈正比。但是在非退变性疾病的患者中，机械应力对黄韧带不出现这一作用。

椎管狭窄引起症状的临界椎管管径并不清楚。在正中矢状径切面上，椎管直径＜12 mm 可能引发症状，而直径＜10 mm 则毫无疑问的会出现症状。动物模型研究则提示，50％或更严重的相对狭窄可导致严重的症状和体征。但临床上症状并不与影像学狭窄的严重程度呈正比，无症状的椎管狭窄也常常遇到。

腰椎椎孔形态也决定了椎管狭窄好发下腰椎。成人 L_1、L_2 的椎孔形态呈卵圆形，L_3～L_5 的椎孔形态逐渐由三角形变成三叶草形。因此，侧隐窝狭窄都发生在下腰椎。椎管的容积由上到下逐渐减小，容易发生狭窄。

行走过程中跛行症状的出现是由于已经狭窄的椎管再加上脊神经的营养输送不能满足其增大的代谢率造成的。众多的研究表明神经的压迫可以抑制脊神经在运动情况下产生的正常的血管扩张。而且受压节段的脑脊液搏动性流动也相应受阻。血液和脑脊液流动的减少可引发毒性物质和蛋白溶解酶从白细胞中漏出，导致局部血管通透性的增加、局部炎症反应。一些患者经放射学检查发现椎管狭窄但无临床症状，提示神经受压仅仅是导致疾病的众多因素中的一个。由于患者的平均年龄在 60～70 岁，属于动脉硬化高发的年龄群，而血管性跛行常常伴发时，很容易认为神经性跛行在某些情况下可因动脉疾病而加重。下肢动脉疾病在椎管狭窄患者中的发生率高于正常人群。

目前，学者多认为神经性跛行是由于行走后马尾神经受压引起。神经纤维缺血，暂时无法满足神经代谢的需要，导致短暂的功能障碍。在直接的压迫和有毒代谢产物以及氧自由基的共同作用下，才导致了神经的直接损害。糖尿病、动脉粥样硬化以及其他的一些情况，如多节段的椎管狭窄可降低出现症状的阈值。严重的压迫可以造成轴索死亡或阻止轴浆的正常流动，导致马尾综合征的出现。

36.7.3 临床表现

（1）间歇性跛行

有症状的椎管狭窄在 50 岁以上的人群中是一种相对常见的疾病，其中的许多患者都有从事重体力劳动史。间歇性跛行的症状往往由慢性进展性或稳定性椎管狭窄引起。患者一般表现为行走一段距离后，大腿、小腿甚至足部不适，往往是一侧或双侧（约有 40％的患者会出现双侧症状）下肢的麻木、疼痛、酸胀、无力等感觉，大多在股外后至小腿外后或外前，患者可主诉行走吃力或下肢沉重。出现症状前能行走的距离称为“临界距离”，而患者不经休息可行走的最大距离称为“耐受距离”。这一距离，在同样的患者，同样的行走状态情况下，每日都会不同。患者在行走过程中会逐渐慢下脚步，直到停下，患者将腰前倾后症状可缓解，然后再向前走至一定距离后，上述症状又出现。休息时无症状，平躺时可出现症状，侧卧时屈腰屈腿时则症状缓解。因此大部分患者在登山、上台阶、超市里推小推车购物以及骑自行车等活动时，由于腰椎前屈，往往不出现症状。相反，患者在下山、散步中小腹挺出等脊柱后伸的情况时，症状会加重。

（2）腰痛及站立不适

大部分椎管狭窄患者除根性症状之外，均可伴随腰痛（65％）和站立不适（94％）。中央管狭窄患者以下腰痛开始，行走后出现腰痛及下肢痛，休息后无症状。

（3）坐骨神经痛

椎间盘髓核脱出所致的急性有症状椎管狭窄常导致坐骨神经痛的临床症状。侧隐窝狭窄患者表现为典型的坐骨神经痛，症状类似腰椎间盘突出症，与中央管狭窄的区别是症状持续，相对固定，无明显行走加重及休息缓解表现，休息时症状较轻，活动加重。

（4）症体不符

中央管狭窄症的早期，患者自述症状明显，而在医院等待检查时，症状便消失了，医生检查时，常已无任何阳性体征。这便是中央管狭窄症的一个特点，但久而久之，还是会有一些体征。例如，小腿局部皮肤麻木，但直腿抬高试验阴性。侧隐窝狭窄症的体征类似腰椎间盘突出，小腿该神经支配区麻木，跟腱反射减低或消失，直腿抬高可阳性，腰椎活动则不像腰椎间盘突出症与神经根关系那样明显，椎旁压痛也不如腰突症那么明显。

36.7.4 实验室检查及影像学检查

（1）X 线平片检查

普通平片一般无法诊断椎管狭窄症，但可提示一些椎管狭窄的伴随情况，如椎间隙狭窄、关节突关节骨性关节炎、结构性腰椎侧弯、退变性椎体滑脱。然而，退变性改变在老年人中相当普遍，异常的 X 线片并无诊断价值。

(2) CT检查

CT是二维的影像学检查，CT检查可以评估椎管的横截面积，侧隐窝狭窄，关节突肥大，椎板增厚，黄韧带的增生和骨化的程度和椎间盘突出的程度。CT片上可以见到椎管狭窄经典的“三叶草”形椎管，尽管“三叶草”椎管提示严重的椎管狭窄，但患者仍然可以不出现症状(图36-16、36-17)。

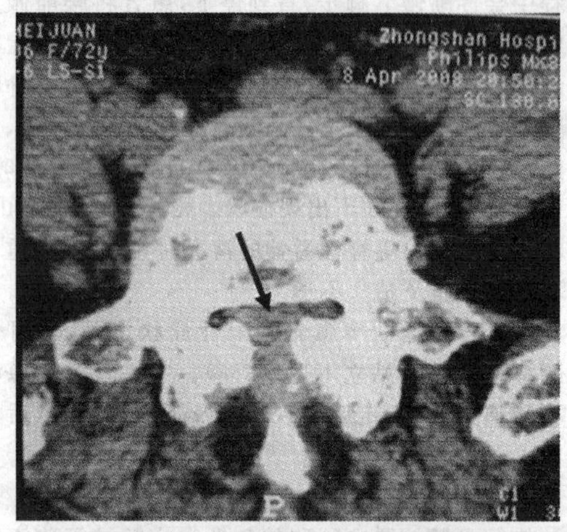

图 36-16 典型的“三叶草”形椎管

大部分标准的CT检查由于不扫描 L_3 以上的节段，往往不能确切地评估椎管狭窄的程度。传统的CT扫描不能发现所有的狭窄椎管节段，因此有人建议当硬膜囊的横截面面积<130 mm^2 或怀疑侧隐窝狭窄时应作轴向的CT椎管造影或MRI检查。

(3) MRI检查

在诊断椎管狭窄症方面，MRI和增强CT的作用相仿，其优点在于前者没有射线、不需造影剂，能同时观察到多个节段的情况，特别适合于多节段椎管狭窄症。高质量的MRI可以分辨出脊髓、马尾、蛛网膜下隙、硬膜外脂肪、椎间盘和各韧带。椎管狭窄症在T1加权上的特征是硬膜外脂肪消失，T2加权可以看到硬膜囊周围的脑脊液丢失。其他的征象包括黄韧带肥厚以及椎间盘的退变。

(4) 脊髓造影

尽管大部分检查均被CT和MRI取代，但脊髓造影仍然有其用武之地。尤其是可以观察多节段病变及中央型椎管狭窄。脊髓造影的优点是可以鉴别体位依赖性椎管狭窄，脊柱过伸时能更好地显示受压处。在造影后进行CT扫描(CTM)可以提高分辨效率。

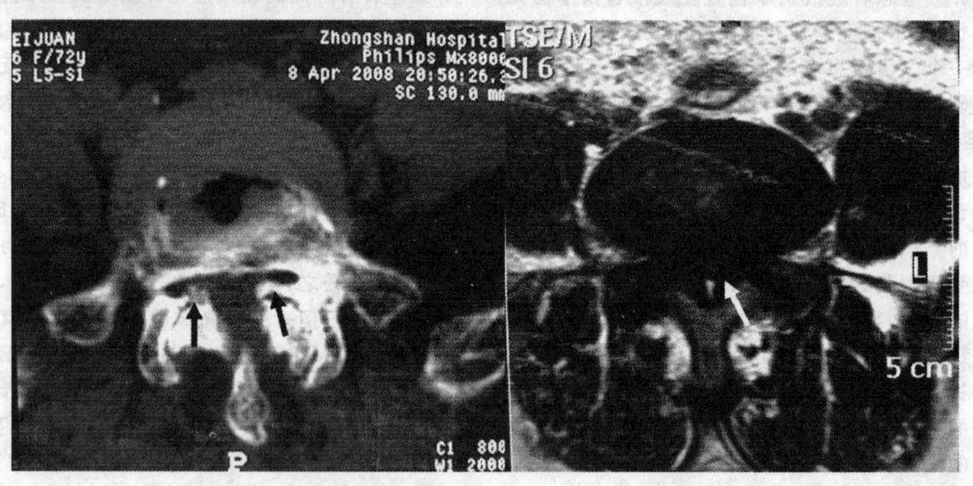

A. 示侧隐窝狭窄 B. 示中央管狭窄

图 36-17 椎管狭窄

(5) 电生理检查

肌电图和神经传导速度的测量有利于排除周围神经病变和周围神经受压。许多椎管狭窄患者在肌电图上也可有异常表现，有利于减压节段的定位。在临床上怀疑周围神经病变时，明智的做法是行肌电图检查，以免误诊。

36.7.5 鉴别诊断

(1) 血管源性间歇性跛行

下肢血管功能不全也常表现为行走后下肢疼痛

或无力，也可在休息后症状缓解，血管功能不全引起的症状与腰椎管狭窄类似，鉴别诊断比较困难，尤其是在这两种疾病共存的情况下。当然，血管源性间歇性跛行也有一些特点，那就是患者的“耐受距离”基本稳定，症状不受体位姿势影响，通常是一侧下肢的症状要明显重于另外一侧。血管超声学检查有助于鉴别。典型的血管功能不良的诱发试验是让患者骑自行车，症状加重的即考虑该病，不出现症状的是神经源性跛行。

(2) 坐骨神经痛性跛行

臀下动脉功能不全可引发根性或放射性分布的牵涉痛，脊柱的体格检查和影像学检查往往无阳性情况。有时在影像学检查发现椎管狭窄，而误以为症状因腰椎管狭窄症所致，需要血管造影或请血管外科医生会诊。

(3) 牵涉痛

下腰椎疾患常常发生臀部、大腿和小腿上部的牵涉痛，也可于行走后加重，但区别在于疼痛并非由腰椎管狭窄症的一些特征性活动而引发，且疼痛发生在更近段的地方。

(4) 占位性病变

脊柱肿瘤和马尾肿瘤的发生常常降低椎管的容积，从而导致典型的间歇性跛行症状。影像学检查很容易鉴别，腰穿可以显示蛛网膜下隙梗阻，蛋白定量升高及潘氏试验阳性。背痛伴有夜间痛、平卧位痛，强力止痛药才有效，发热或体重减轻等提示恶性肿瘤。

(5) 椎间盘髓核突出

较大的中央型髓核突出压迫马尾可表现出典型的间歇性跛行，但区别于椎管狭窄症的地方在于腰突症症状的发生比较突然，根性症状剧烈，多有相应体征。需注意的是椎管狭窄常与腰突症伴发。

此外，该病还应与慢性腰肌劳损、下腰椎不稳、腰椎畸形等鉴别。

36.7.6 治疗

轻度的腰椎管狭窄症一般采取保守治疗，严重者可行手术治疗扩大椎管、侧隐窝或神经根管。如果患者为初发，症状尚可耐受，只需与患者解释该疾病的发病原因与机制，告知患者该疾病并不会危及生命，常规随访即可，许多患者经过短时间的减少活动、体操锻炼或药物治疗，症状可明显缓解，甚至终身不需要手术治疗。只有药物治疗无效，患者症状反复发作，且加重至无法耐受才需要手术治疗。

(1) 非手术治疗

非手术治疗的目的主要是为了改善患者的功能，缓解下肢的不适，主要方法如下。

1) 限制活动和理疗　短时卧床休息或活动限制对于由于腰椎管狭窄症所致的急性腰背痛或腰腿痛是有效的，可以使患者的椎旁肌肉痉挛得到舒缓，随后逐渐让患者开始早期的适量运动。这些运动包括姿势训练、床上抬腿等。腹肌、腰部伸肌、屈髋肌的锻炼有助于腰椎的稳定，增加腰椎前曲范围。游泳、水中散步、骑自行车是合适的体育锻炼。证据表明，卧床休息和适当的活动相结合，是治疗腰椎退变性疾病，包括椎管狭窄症所导致的下腰痛的最有效的非手术疗法。

2) 药物治疗　无特殊药物，与其他退变性疾病药物治疗相似，主要包括非甾体类抗炎药(NSAID)、止痛药、肌松剂和抗抑郁药。

由于患椎管狭窄症多为老年患者，应用NSAID时需注意胃肠道反应和肾毒性。三环类抗抑郁药可改善患者情绪，减轻疼痛，有利睡眠，但用量应少于抗精神病剂量。

有临床研究表明急性的疼痛症状可以行硬膜外激素注射。回顾性研究显示，接受硬膜外激素注射的椎管狭窄患者，60%～80%在注射4～5次后症状缓解，其中有25%的患者得到长期缓解。但也有学者表示异议，认为该方法只适用于不适合手术的患者。

(2) 手术治疗

1) 手术指征　①严重椎管狭窄伴顽固性疼痛；②反复发作影响生活质量；③根性症状明显，保守治疗无效。

2) 手术要求　①患者临床症状和影像学的符合是手术成功的关键；②注意老年患者的内科疾患，心肺肾等功能，糖尿病和周围神经病变也会影响疗效；③症状与检查不符需行心理学评估，除外精神心理疾患；④除非出现马尾综合征，否则均可择期手术；⑤应该选择合适的节段进行手术，一些学者提倡对无症状的狭窄节段进行“预防性”减压，但是否需要对所有狭窄节段都进行减压，仍有争议。

3) 手术目的　解决或减轻下肢症状(如腿痛)而不是腰痛，虽然术后部分患者腰痛也会减轻，但老年患者腰痛的因素多样，并非仅椎管狭窄所致。对于病程较长的椎管狭窄患者，神经损伤时间也较长，也多伴有椎间盘及其他节段的退变，手术只能减轻症状或使症状不再加重，而不能保证完全治愈。

4）手术原则　足够的神经减压，在保留脊柱机械稳定性的前提下缓解症状。如果椎板减压不充分，则症状不会缓解；如果减压太积极，则可能影响脊柱的稳定性，导致腰痛或畸形。例如，腰椎滑脱。

总之，若患者主要是腰背痛而无下肢跛行的症状，则减压手术非但无效，反而有可能加重患者的腰痛。当然，还有一小部分患者，主要症状也是腰背痛，但发作的病史与间歇性跛行类似，对此行减压手术可能有效。此外，病程也与外科减压手术的效果相关，如果跛行症状超过4年，则往往预后不佳。

5）减压范围　在无畸形证据的脊柱发生椎管狭窄时，应在手术过程中尽可能保留关节突关节和峡部的完整性，如果切除整个关节突关节或切除双侧的关节突关节均＞50％，则可出现不稳定的结果。如果切除双侧的峡部超过1/3，则可能在远期发生峡部骨折并发生腰椎滑脱。术后腰椎滑脱的程度与行走能力呈反比。如果发现机械性不稳，则可进行融合手术，预防脊柱畸形并出现症状。在一些患者，特别是退变性滑脱或症状出现时间较长者，减压后再行融合的效果要优于单纯减压。减压后硬膜囊出现搏动表明减压充足。严重的狭窄可见黄韧带明显肥厚，与硬脊膜多有粘连，注意分离；而椎板厚度可能超过10 mm，先用鹰嘴咬骨钳去除上层骨质或电磨钻磨薄椎板，以容纳薄型椎板咬骨钳；此时椎板下已无硬膜外脂肪，先用神经剥离子小心分离，再放入薄型椎板咬骨钳；硬脊膜经常与其下突出的椎间盘粘连，仔细松解后牵开再将椎间盘切除；对于侧隐窝狭窄应尽量保留小关节，有时小关节增生非常明显，需咬除下关节下缘才可能扩大神经根管和侧隐窝；或因去除了较多内侧部，留下的小关节残余部分极易骨折难以稳定关节，建议加用内固定(图36-18)。

6）内固定应用　在是否使用内固定的问题上，还有争议。大样本临床研究结果显示，多数行单纯减压的椎管狭窄患者不需要行内固定。总的来说，内固定更适合于矫正畸形、多节段融合和翻修的患者。具体指征包括，椎体滑脱＞3.5 mm、退行性侧弯＞10°、内侧关节突关节切除＞1/3、椎弓峡部骨折或薄弱和切除椎间盘。有学者认为，如果没有行融合手术，由于退变继续进展，则椎管狭窄症的症状尚有较高的复发率。融合手术有各种方式，如后外侧原位融合、PLIF、TLIF等，具体参见脊椎滑脱手术治疗章节。内固定融合治疗各型椎管狭窄症的效果到目前为止还没有多中心的随机对照临床试验。

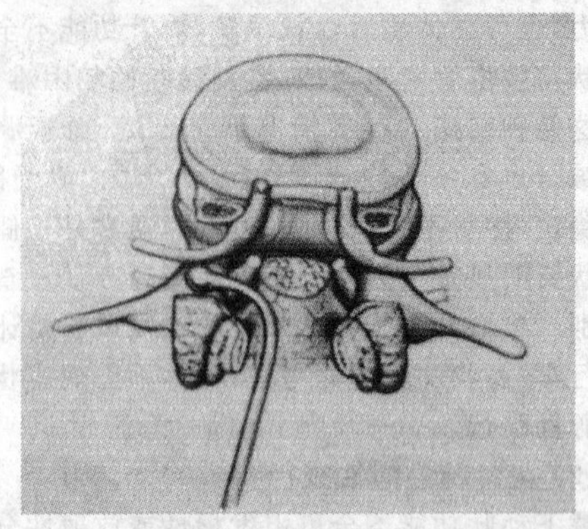

A

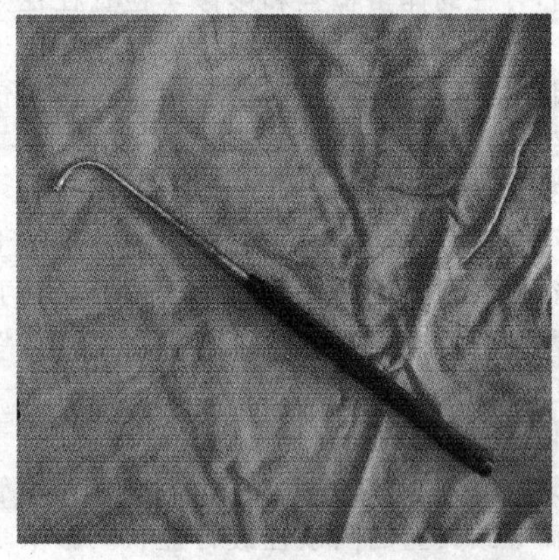

B

图36-18　椎间孔球探减压

A. 椎间孔球探通过椎间孔显示侧隐窝及神经根管减压充分 B. 椎间孔球探

7）弹性固定　近年，在欧美国家，已有一些学者开始探索使用棘突间弹性固定器械治疗腰椎管狭窄。在对狭窄部位进行有限减压后，过撑棘突间放入弹性固定器械，形成腰椎前屈，扩大椎管容积，减少压迫硬脊膜和神经根，缓解临床症状。与融合手术相比更符合脊柱生理状态，不用椎体间融合，避免对邻近节段退变的影响，创伤小，手术操作简便，更适合老年患者。近期效果理想，远期有待随访。代表产品有X-stop、Wallis等。复旦大学附属中山医院已开始在多节段狭窄的病例中应用此类技术。

目前的文献报道，椎管狭窄症手术失败的再手术率为5%～23%，翻修手术的成功率相对较低，在25%～80%之间。手术治疗腰椎管狭窄症的失败原因通常在于患者选择失误、术中减压不充分、医源性不稳、患者合并有其他疾患以及术后并发症。

36.7.7 术后护理

患者术后2天应卧床休息，随后腰围保护下床轻微活动。术后3周待软组织愈合后恢复日常活动，开始功能训练。4周后进行强化肌肉训练。6周后恢复轻工作，3个月恢复原来工作。

（董 健）

参考文献

[1] 林红，董健. 退变性腰椎疾病的诊断和治疗. 临床骨科杂志，2005，8:379～382.

[2] 胡有谷. 腰椎间盘突出症. 第3版. 北京：人民卫生出版社，2004.

[3] 胥少汀. 脊柱退变性疾患相关问题. 脊柱外科杂志，2003，1:126.

[4] 董健. 腰椎间盘突出症. 上海：上海科学技术文献出版社，2005.

[5] 赵明东，尹望平，董健. 腰椎滑脱治疗进展. 中国矫形外科杂志，2007，15(5):367～369.

[6] Bodack MP, Monteiro M. Therapeutic exercise in the treatment of patients with lumbar spinal stenosis. Clin Orthop, 2001, 3:144.

[7] Cholewicki J, VanVleit JJ. Relative contribution of trunk muscles to the stability of the lumbar spine during isometric exertions. Clin Biomech, 2002, 17:99.

[8] Fabris D, Constantini LE, Nena U, et al. Traumatic L5-S1 Spondylolisthesis: report of three cases and a review of the literature. Eur Spine J, 1999, 8:290.

[9] Farfan HF, Cosette IW, Robertson GH, et al. The effects of torsion on the lumbar intervertebral joints: The role of torsion in the production of disc degeneration. J Bone Joint Surg, 1970, 52A:468.

[10] Figueiredo N, Martins JW, Arruda AA, et al. TLIF-Transforaminal lumbar interbody fusion. Arq Neuropsiquiatr, 2004, 62:815.

[11] Harms JG, Jeszenszky D. The unilateral, transforaminal approach for posterior lumbar interbody fusion. Orthop Traumatol, 1998, 6:88.

[12] Herkowitz HN, Dvorak J, Bell G, et al. The lumbar spine. 3rd ed. Philadelphia: Lippincott Williams & Wilkins. 2004.

[13] Hodges PW, Cresswell AG, Daggfeldt K, et al. In vivo measurement of the effect of intra-abdominal pressure on the human spine. J Biomech, 2001, 34:347.

[14] Holmes DC, Brown MD, Eckstein EC, et al. Instability assessment of the lumbar functional spinal unit. Orthop Trans, 1998, 12:619.

[15] Ishihara H, Osada R, Kanamori M, et al. Minimum 10-year follow-up study of anterior lumbar interbody fusion for isthmic spondylolisthesis. J Spinal Disord, 2001, 14:91.

[16] Klocker C, Weber U. Correction of lumbosacral kyphosis in high grade spondylolisthesis and spondyloptosis. Orthopade, 2001, 30:983.

[17] Lowe TG, Tahernia AD, O'Brien MF, et al. Unilateral transforaminal posterior lumbar interbody fusion (TLIF): Indications, technique, and 2-year results. J Spinal Disord Tech, 2002, 15:31.

[18] Lund T, Nydeggrt T, Schlenzka D, et al. Three-dimensional motion patterns during active bending in patients with chronic low back pain. Spine, 2002, 27:1865.

[19] Majd ME, Holt RT. Anterior fibular strut grafting for the treatment of pseudoarthrosis in spondylolisthesis. Am J Orthop, 2000, 29:99.

[20] Panjabi MM. The stabilizing system of the spine. Part Ⅰ. Function, dysfunction, adaptation, and enhancement. J Spinal Disord, 1992, 5:383.

[21] Potter BK, Freedman BA, Verwiebe EG, et al. Transforaminal lumbar interbody fusion: clinical and radiographic results and complications in 100 consecutive patients. J Spinal Disord Tech, 2005, 18:337.

[22] Soini J, Antti-Poika I, Tallroth K, et al. Disc degeneration and angular movement of the lumbar spine. Comparative study using plain and flexion-extension radiography and discography. J Spinal Disord, 1991, 4:183.

[23] Yucesoy K, Crawford NR. Increase in spinal canal area after inverse laminoplasty. An anatomical study. Spine, 2000, 25:2771.

第八篇

骨与软组织肿瘤

骨与软组织肿瘤 37

37.1 总论

37.1.1 概述

原发性骨肿瘤属少见的肿瘤类型，仅占人类全部肿瘤的0.2%，虽然其发病率很低，但危害大，特别是恶性者，疗效虽有提高，但仍不令人满意。原发恶性骨肿瘤以儿童和青少年高发。

37.1.1.1 骨肿瘤的诊断与患者的全面评估

骨肿瘤的诊断与患者的全面评估要坚持临床-影像-病理相结合的原则。

(1) 影像学诊断

1) 常规X线片　用以分析：①病变的部位；②破坏的形状；③正常组织的反应带；④提供组织学及组织发生学的参考资料。X线平片在早期诊断是有限度的，周边每单位体积骨质要有30%～40%破坏才能显示出来。同时躯干(中轴)骨显像不如肢体骨，通常X线平片不能发现的病变CT、MRI检查能发现。

2) CT　由于较X线平片有更高的分辨率和能展示横断面解剖两个特点，CT对诊断骨骼病变，尤其是躯干骨病变极为有用。它能显示骨皮质及骨小梁、骨肿瘤对软组织侵犯范围和软组织肿瘤。对比剂增强能判定骨肿瘤的血运和它与软组织肿块及主要血管的关系。在较复杂解剖的部位，如：肩、脊柱、骨盆、髋，能解决X线平片中影像重叠、看不清或不能发现病变的问题。

3) MRI　MRI是评估脊柱、骨髓及软组织肿瘤的首选方法。

(2) 病理检查

骨肿瘤病理是病理学的一个分支，它的发展使人们从微观到亚微观的组织形态特征、分子生物学、分子遗传学等诸多方面对骨肿瘤的发生、发展及转归有进一步的认识，为骨肿瘤的诊断、治疗、转归及预后的评估提供可信赖的依据。

1) 光镜和电镜　研究骨肿瘤病理形态的经典方法是依靠肉眼的大体观察以及光镜下的组织及细胞学观察。20世纪中期，超微病理的迅速发展将肿瘤的研究推向亚微观，骨肿瘤的超微结构或多或少具有来源组织的超微结构特征，因而可以借助这些特征探测肿瘤的来源。

2) 免疫组织化学技术　20世纪60年代兴起的免疫组织化学技术经过多年的研究已建立起各类细胞及相应肿瘤的免疫表型，并广泛应用于病理诊断。近来已应用于骨肿瘤。

骨组织起源于中胚层间叶组织，骨组织包括骨、软骨、骨膜以及附属的血管、神经等，因此原发于骨的肿瘤来源复杂，其免疫表型除共同表达有别于上皮来源的波形蛋白外，还有各自的特异性标记。

免疫表型表达的强弱因肿瘤的分化程度不同而异，低分化肿瘤免疫表型弱表达或不表达。肿瘤标记的检测有助于确定肿瘤的来源及骨内转移性肿瘤的原发部位。目前坚硬的骨组织经脱钙后也可以做免疫组化染色，仅少数抗原(CEA、EMA)在强脱钙剂下可能丢失其抗原性。

37.1.1.2 外科分期

外科分期系统是Enneking于1980年正式提出的，后为美国骨肌肿瘤学会所接受。分期系统的目的在于：①按肿瘤局部复发、远处转移的危险性分出层次级别；②将肿瘤分期与手术指征及辅助治疗联系起来；③提供一种按分期比较不同的手术治疗或非手术治疗效果的方法。这一系统反映出肿瘤生物学行为及侵袭性程度，它结合临床、影像及组织学分级，解剖间室部位和有无远处转移进行分期，根据分期制订手术计划。这是骨肿瘤诊治的重要进展之一(表37-1、37-2)。

表37-1　良性骨与软组织肿瘤的分期与手术种类

分期	分级	部位	转移	控制肿瘤手术
1(静止)	G0	T0	M0	囊内切除
2(活跃)	G0	T0	M0	边缘或囊内切除加有效辅助治疗
3(侵袭)	G0	T1～T2	M0～M1	广泛或边缘切除加有效辅助治疗

注：G包含临床、影像及病理参数的分级：G0良性，G1低恶度，G2高恶度；T0囊内，T1肿瘤及反应带在间室内，T2肿瘤扩散至间室外；M0无转移，M1有肺或骨远处转移。

表37-2　恶性骨与软组织肿瘤的分期与手术种类

分期	分级	部位	转移	控制肿瘤手术
ⅠA	G1	T1	M0	广泛切除
ⅠB	G1	T2	M0	广泛切除或截肢(累及关节或血管神经束时)

（续表）

分期	分级	部位	转移	控制肿瘤手术
ⅡA	G2	T1	M0	根治切除或广泛切除加有效辅助治疗
ⅡB	G2	T2	M0	根治切除
ⅢA	G1～G2	T1	M1	根治切除，开胸切除肺转移灶或姑息
ⅢB	G1～G2	T2	M1	根治切除，开胸切除肺转移灶或姑息

注：Ⅰ期为低度恶性，Ⅱ期为高度恶性，Ⅲ期为有转移灶；A为局限在间室内，B为侵袭至间室外。

37.1.1.3 骨与软组织肿瘤治疗的进展

20世纪70年代以前，肢体原发性恶性骨与软组织肿瘤的治疗以截肢为主，也有局部切除保留肢体的尝试，如Halsted提出大块切除的方法，但复发率高达50%，术后辅以局部放疗，也无明显效果，5年生存率低于20%。事实证明，单纯的外科治疗虽可短期控制局部病灶，但不能解决远处转移的问题。二次大战中为准备化学战争，合成烷化剂氮芥，Cindskog(1942)将它应用于治疗恶性淋巴瘤，首次取得短暂缓解的疗效。1947年发现叶酸能恶化白血病，由此发现了抗叶酸药物，1948年甲氨蝶呤开始用于治疗白血病。60年代肿瘤化疗有了新进展，使骨肿瘤在外科治疗及放疗之外又有了化疗的手段。80年代在大剂量联合化疗的基础上，开展肢体恶性骨肿瘤节段切除，保留肢体的外科疗法。Simon(1991)总结保肢治疗文献资料，保肢手术局部复发率为5%～10%，生存率及局部复发率与截肢者相同，故保肢手术是可行的。

1981年在美国召开首次国际保肢学术讨论会，1993年在意大利举行第7次讨论会并成立国际保肢学会，至此恶性骨肿瘤诊治及其研究进入了一个新时代。

(1) 化学治疗

1972年Jaffe等报道大剂量甲氨蝶呤加四氢叶酸解救(HDMTX-CF)的疗效，同年Cortes报道多柔比星(ADM)治疗转移性骨肉瘤有效。70年代另一重大化疗进展是术前化疗，随后发展为新辅助化疗(neoadjuvant chemotherapy)，因为以前的化疗是作为术后辅助治疗用的。Rosen(1973)、Jaffe(1975)做了很多研究，明确了化疗不单纯是为提高患者生存率，减少局部复发和转移率，同时也是为提高保肢率。20世纪70年代末发现顺铂(DDP)治疗骨肉瘤有效，还能动脉注射，因此成为治疗骨肉瘤三大主要药物之一。

Rosen进一步完善"新辅助化疗"概念，指出新辅助化疗并非是术前化疗＋手术＋术后化疗的简单模式。它包括了经术前化疗后，要注意疼痛的减轻，肿块缩小程度，影像学上是否病灶边界变得清晰，骨硬化增多，新形成的肿瘤血管减少。Rosen提出了另一个极为重要的观点是将术前化疗后切除的肿瘤做病理分级。化疗后肿瘤坏死率＞90%的患者，5年存活率可达80%～90%，而坏死率＜90%者则低于60%，他认为后一种情况应调整术后化疗方案。1996年Rosen等用T20方案，即HD-MTX，异环磷酰胺(IFOS)，ADM加或不加顺铂(DDP)，这样的结果在74%病例中瘤细胞坏死率达100%。

经过多年的摸索和实践，形成了目前普遍公认的化疗概念如下。

1) 多药联合化疗以控制处于细胞周期中各期瘤细胞，消灭局部或远隔微小瘤灶，减少耐药细胞的出现。

2) 使用患者可耐受的最大剂量强度的化疗以保证疗效，剂量强度(dose intensity)是疗程中单位时间内化疗药物剂量，以mg/(m^2·w)表示。

3) 新辅助化疗。

4) 缓解化疗药物毒副作用。

5) 耐药肿瘤的处理。

正规化疗后出现失败的主要原因常是多药耐药的产生。目前虽有较多研究阐述了产生的机制，但尚不能完全解决。有人认为维拉帕米(verapamil)是一种钙离子通道阻滞剂，体外实验能逆转多药耐药，但由于其对心肌毒性限制了用量。化疗中呕吐问题通常均为药物本身引起，这与药物刺激呕吐中枢或第四脑室底部的化学受体触发带有关。近年发现5-羟色胺(5-HT_3)及其受体起重要作用，5-HT_3的镇静性拮抗剂枢复宁(zofram)是良好的止吐剂。

(2) 放射治疗

1) 高能射线治疗(能量在4～25 MV之间) 穿透力强，放射线诱发骨肿瘤的发生率远低于以前低能射线的0.03%。放射剂量主要是吸收剂量，过去以拉德(rad)为单位，1980年国际上改用戈瑞(Gy)为单位，1 Gy = 100 rad，1 cGy = 1 rad。

2) 快中子放疗　与X线放疗相比，局部控制骨肉瘤可由20%提高到55%，软骨肉瘤由33%提高到49%。

3) 近距离照射　将放射源(^{192}Ir)直接播植在肿瘤组织内进行治疗，对肢体软组织肿瘤有良好的疗效。

脊柱血管瘤不能切除或切除不彻底的巨细胞瘤有放疗的指征并有好的疗效。不能切除或拒绝截肢的骨肉瘤，切除不彻底的骶部脊索瘤，高能X线照射45～60 Gy能控制发展、缓解症状。对骨肉瘤的肺转移，全肺照射20 Gy 2周，肺转移瘤可减小或缩小，增加切除机会，与单纯化疗或化疗加放疗组无差别，因此可避免化疗反应。

(3) 介入治疗

参见“37.1.6”。

(4) 手术治疗

骨肿瘤手术治疗目前已结合了骨关节外科、显微外科、胸腹外科以及血管神经外科的方法和技术。在新辅助化疗的条件下有选择地做带瘤骨段切除和修复重建术。

Campanacaci(1996)指出肢体骨肉瘤现阶段约85%可保肢，10%需截肢，5%可做旋转成形术。目前常采用的手术方法如下。

1) 人工假体置换术　假体有定制式、可调式和组合式。

2) 植骨　Capanna等1997年报道128例移植带血管腓骨，大部分为重建。29例为抢救原植入的异体骨。78例结合异体骨，50例单纯移植。结合异体骨者8%不愈合，但翻修时加自体骨均愈合。

3) 骨转运(bone transport)　即局部自体骨移植。Illigarov(1992)介绍，Yokogawa(1997)报道矫正肢体短缩骨延长法比可调式假体好。

4) 功能性游离移植肌皮瓣　日本Thasa(1997)报道25例游离肌皮瓣移植，取得近100%成功率。

5) 旋转成形术　如股骨中下段肿瘤切除术，小腿旋转180°代替大腿，踝关节代替膝关节，术后装配小腿假肢。这一术式目前使用不普遍。

(5) 局部热疗及免疫治疗

国内有学者临床报道但尚未成熟，有待进一步总结后推广。

37.1.1.4　骨肿瘤分类的进展

骨肿瘤分类学的发展历程虽不长，但其在认识和治疗骨肿瘤过程中所起的作用无法替代，WHO 30年来颁布的3个骨肿瘤分类版本，看出对骨肿瘤的认识在不断发展，其本质不断被揭示。

Schajowicz领衔编写的WHO骨肿瘤分类第1版于1972年诞生，此版本以组织学为研究方法，以肿瘤细胞的形态和来源为分类依据，对骨肿瘤分门别类。该肿瘤分类的最大贡献在于跳出了单纯形态学分类的圈子，强调了肿瘤细胞的来源。第2版骨肿瘤分类仍由Schajawicz领衔编写，于1993年出版，总结了20多年来的研究进展，收入大量新发现和研究成果，尤其是对骨肉瘤的分类，从第1版仅分为原发性骨肉瘤和骨旁骨肉瘤发展为7个亚型，其中中心型(髓性)4型，表面骨肉瘤3型，此版本大大丰富了第1版分类的内容，临床应用价值增加。

在第2版分类出版后9年，WHO的第3版分类问世于2002年，此分类法在分类的依据和认识论方面有了重要进展。

第3版分类与第2版的重要区别是在组织学类型出现重要进展的基础上，进入了遗传学领域。近年来认为，大多数肿瘤存在各种染色体异常。这些染色体变异的发生、发展大多经过两个过程，即：异常的体细胞变异，产生一个无限制生长并具有侵略性的细胞，其二是病理性增生，从单细胞发展到多细胞肿瘤。因此这个分类已经超越了肿瘤细胞形态和来源的分类，而展现了一个主体多元佐证的分类。

第3版分类将骨肿瘤分为15大类，其中除了软骨肿瘤、成骨性肿瘤、巨细胞瘤和血管肿瘤保持第2版的类目之外，其余内容被详细析分，其不同点如下。

(1) 明确了一些模糊概念

如在成骨细胞瘤中，删除了骨瘤，因其与骨质增生无区别。同时也删除了侵袭性骨母细胞瘤。在软骨肉瘤中，明确了中心性、原发性和继发性同属于第Ⅰ亚型。继发性软骨瘤是新增的，删除了恶性软骨母细胞瘤。骨肉瘤类从7个亚型修正成8个，而传统骨肉瘤变为具有3个亚型的最多见的类型即成软骨细胞型、成纤维细胞型、成骨细胞型。继发性骨肉瘤在第3版中给予了一个独立的亚型，其中除Paget

病、放疗后、慢性炎症、骨梗死和软骨发育不良等原因外，近来假体和置入的金属部件引起的骨肉瘤已见少量文献报道。第3版中骨巨细胞瘤被明确分为巨细胞瘤和恶性巨细胞瘤，这种分法摒弃了Jaffe等提出的与预后无关的组织学三级划分，而接受了Daklin等的主张。

(2) 析分明确的类型

第2版中其他结缔组织肿瘤类，罗列了多种不同组织来源或来源不清的肿瘤。第3版将其明确地析分为4个类型：纤维来源的肿瘤，纤维组织细胞性肿瘤，平滑肌性肿瘤和脂肪性肿瘤。而恶性间叶瘤和未分化肉瘤两个恶性亚型被删除。纤维组织细胞瘤独立成类。

(3) 类型重新认识、重新组合

骨髓肿瘤类4个肿瘤的地位维持了30年，在第3版中被一分为二。浆细胞骨髓瘤和恶性淋巴瘤单独成一类，各为造血系统肿瘤，而Ewing肉瘤和原始神经外胚瘤(PNET)的认识发生了重要变化，被从骨髓肿瘤中剔除，独立组成一类。

第2版中的瘤样病变，在第3版中称为混合细胞性病变，增加了胸壁错构瘤，而骨化性肌炎、巨细胞肉芽肿、甲旁亢棕色瘤等被删除，更为简洁、明确。

第3版骨肿瘤分类见表37-3。

表37-3 WHO骨肿瘤分类(2002版，中英文对照)

英文名	中文名	国际疾病分类号	英文名	中文名	国际疾病分类号
CARTILAGE TUMOURS	软骨肿瘤		Small cell	小细胞型	9185/3
Osteochondroma	骨软骨瘤	9210/0	Low grade, central	低分级，中央型	9187/3
Chondroma	软骨瘤	9220/0	Secondary	继发型	9180/3
Enchondrama	内生软骨瘤	9220/0	Parosteal	骨旁型	9192/3
Periosteal chondroma	骨膜软骨瘤	9221/0	Periosteal	骨膜型	9193/3
Multiple chondromatosis	多发性软骨瘤病	9220/1	Hige grade, surface	高分级，表面型	9194/3
Chondroblastoma	成软骨细胞瘤(软骨母细胞瘤)	9230/0	FIBROGENIC TUMOURS	成纤维性肿瘤	
			Desmoplastic fibroma	结缔组织增生性纤维瘤	8823/0
Chondromyxoid fibroma	软骨黏液样纤维瘤	9241/0			
Chondrosarcoma	软骨肉瘤	9220/3	Fibrosarcoma	纤维肉瘤	8810/3
Central, primary, secondary	中心型，原发型，继发型	9220/3	FIBROHISTOCYTIC TUMOURS	纤维组织细胞性肿瘤	
Peripheral	周围型	9221/3	Benign fibrous histiocytoma	良性纤维组织细胞瘤	8830/0
Dedifferentiated	反分化型(逆分化型)	9242/3	Malignant fibrous histiocytoma	恶性纤维组织细胞瘤	
Mesenchymal	间叶型	9240/3			
Clear cell	透明细胞型	9242/3	EWING SARCOMA/PRIMITIVE NEUROECTODERMAL TUMOUR	尤文肉瘤/原始神经外胚层瘤	
OSTEOGENIC TUMOURS	成骨性肿瘤				
Osteoid osteoma	骨样骨瘤	9191/0			
Osteoblastoma	成骨细胞瘤(骨母细胞瘤)	9200/0	Ewing sarcoma	尤文肉瘤	9260/3
Osteosarcoma	成骨肉瘤	9180/3	HAEMATOPOIETIC TUMOURS	造血系统肿瘤	
Conventional	常规型(传统型)	9180/3			
chondroblastic	成软骨细胞型(软骨母细胞瘤)	9181/3	Plasma cell myeloma	浆细胞骨髓瘤	9732/3
			Malignant lymphoma, NOS	恶性淋巴瘤	9590/3
fibroblastic	成纤维细胞型(纤维母细胞瘤)	9182/3	GIANT CELL TUMOUR	巨细胞瘤	
			Giant cell tumour	巨细胞瘤	9250/1
osteoblastic	成骨细胞型(骨母细胞瘤)	9180/3	Malignant giant cell tumour	恶性巨细胞瘤	9250/3
			NOTOCHORDAL TUMOURS	脊索组织肿瘤	
Telangiectatic	毛细血管扩张型	9183/3			

（续表）

英文名	中文名	国际疾病分类号	英文名	中文名	国际疾病分类号
Chordoma	脊索瘤	9370/3	Adamantinoma	釉质（上皮）瘤	9261/3
VASCULAR TUMOURS	血管肿瘤		Metastatic malignancy	转移性恶性肿瘤	
Haemangioma	血管瘤	9120/0	MISCELLANEOUS LESIONS	混合细胞肿瘤	
Angiosarcoma	血管肉瘤	9120/3			
SMOOTH MUSCLE TUMOURS	平滑肌肿瘤		Aneurysmal bone cyst	动脉瘤样骨囊肿	
			Simple cyst	单纯囊肿	
Leiomyoma	平滑肌瘤	8890/0	Fibrous dysplasia	纤维结构不良	
Leiomyosarcoma	平滑肌肉瘤	8890/3	Osteofibrous dysplasia	骨纤维结构不良	
LIPOGENIC TUMOURS	成脂肪性肿瘤		Langerhans cell histiocytosis	朗格汉斯细胞组织细胞病	9751/1
Lipoma	脂肪瘤	8850/0			
Liposarcoma	脂肪肉瘤	8850/3	Erdheim-Chester disease	脂质肉芽肿病	
NEURAL TUMOURS	神经肿瘤		Chest wall hamartoma	胸壁错构瘤	
Neurilemmoma	神经鞘瘤	9560/0	JIONT LESIONS	关节病变	
MISCELLANEOUS TOMOURS	混合细胞肿瘤		Synovial chondromatosis	滑膜软骨瘤病	9220/0

（陈峥嵘）

37.1.2 骨肿瘤分期

目前，临床常用的骨肿瘤分期系统有 Enneking 提出的外科分期系统（又称为 MSTS 分期系统）和 AJCC 分期系统两种，其中以 MSTS 分期系统更常用。

37.1.2.1 MSTS分期系统

MSTS分期系统是一种外科分期系统。Enneking 曾指出肌肉-骨骼系统肿瘤的外科分期应达到 3 个目的：包含预后因素，以了解患者所要经受的局部复发和远处转移的风险；对病变进程进行分层使其有相对应明确的手术治疗方案；为辅助治疗提供指导。同时，统一的分期系统可使术语、诊断及手术等内容标准化，形成统一的语言，有利于不同研究机构、不同学科间交流。Enneking 制订的肌肉-骨骼系统肿瘤的外科分期系统于 1980 年首次发表在 *Clinical Orthopedics and Related Research*，后被美国肌肉-骨骼肿瘤学会（Musculoskeletal Tumor Society）接受，又被称作 MSTS 分期系统。

该分期系统只适用于骨骼-肌肉系统来源于间充质的肿瘤，包括骨源性、软骨源性、纤维源性、纤维组织细胞性、脉管肿瘤、脂肪源性、肌源性及巨细胞瘤等，不适用于来源于骨髓、骨与间叶组织中的网状内皮组织的肿瘤、颅骨肿瘤和转移性肿瘤，包括白血病、淋巴瘤、浆细胞瘤、尤文肉瘤及未分化小圆细胞肿瘤。

MSTS 分期法包括 3 个方面内容：其一为肿瘤的外科分级——G。需要注意的是这里提的是外科分级而不仅仅指组织学分级，是结合组织学、临床和影像学资料的分级。可分为 3 级：G0 为良性肿瘤，G1 为低度恶性肿瘤，G2 为高度恶性肿瘤。其二为肿瘤的解剖部位——T。也分 3 级：T0 为良性囊内间室内肿瘤，有成熟的纤维组织形成的真性包膜或成熟的骨组织完整包裹，T1 为病变（包括原发病灶和反应带）均局限在解剖学间室内，未超过间室的自然屏障，病变无真包膜，但通常有不成熟的假包膜，其内有指状突起或卫星灶，常见的情况有病变局限在骨皮质内未穿破骨膜和骨髓腔、病变位于关节内、病变位于骨旁间隙未穿入骨内、病变位于筋膜间室内等；T2 为病变（包括原始病灶本身和反应带）突破原发解剖学间室的自然屏障向间室外扩展，可因肿瘤本身生长侵犯间室外，也可因意外创伤如病理性骨折或不恰当的手术治疗污染多个间室，或者是病变临近并侵犯大血管神经束，以及病变发生在一些缺乏阻止肿瘤扩散的内在屏障的解剖学部位如腹股沟等部位。其三为转移——M。无转移为 M0，有远处或局部转移为 M1。

（1）外科分级（G）

如果以手术计划为出发点的话，任何组织来源的恶性肿瘤都可分为低度恶性(G1)和高度恶性(G2)两类。一般来说低度恶性(G1)病变与组织学分级的 BroderⅠ、Ⅱ级相对应,通常不易发生远处转移,只需要接受相对保守的外科手术。而高度恶性肿瘤通常对应于 BroderⅢ、Ⅳ级病变,容易发生远处转移,具有细胞分化差、细胞-间质比例高、有丝分裂多见、出现坏死和肿瘤新生血管浸润。放射学表现为病灶边界不清,呈浸润性生长,血管造影可发现反应性新生血管包绕病灶周围。

尽管在大多数情况下,临床、影像学和组织学表现是一致的,但也有例外,而外科分级(G)结合了影像学和临床资料,有时可与组织学分级不一致。例如:对软骨肉瘤而言,其外科分期的确定应偏重于影像学特点,纤维肉瘤则应偏重于组织学,而巨细胞瘤则应偏重于临床特点。

在不存在转移的情况下,外科分级决定外科分期,即Ⅰ期 = G1,Ⅱ期 = G2。

(2) 解剖部位(T)

外科分级代表了病变的总体生物学侵袭性,预示该病变接受何种手术切除边界为宜,但病变的解剖部位或解剖上的扩展情况(T)则预示外科手术最可能达到的范围或是否能达到要求的手术范围。决定手术能达到的边缘的首要因素是病变是否位于边界清楚的解剖学间室内。解剖学间室具有阻止肿瘤扩散的天然屏障,如骨的屏障是骨皮质和关节软骨,关节的是关节软骨和关节囊;对肌组织而言,其天然屏障是主要的筋膜间隔及肌腱止点或穿入肌肉内部分。相反,无边界的间室间疏松组织易于出现潜隐性微小扩散病灶。同样,因为血管神经束位于上述间室间组织内,病变如果累及血管神经束则被认为间室外病变。

应该以"解剖学间室"为标准来理解肿块大小和肿块与重要结构的距离。虽然原发病灶肿块越大预示着它越可能突破解剖学间室而成为间室外病变,但是即使肿块巨大仍是间室内或哪怕肿块很小但已是间室外的情况并不少见,对于外科手术和预后而言,即使是巨大的间室内肿块也可能比很小的间室外肿块容易达到彻底的切除和较好的预后。同样,间室内肿块即使离血管神经束很近,有时甚至只隔一层致密的纤维间隔,也比即使离得较远但是位于疏松组织内的间室外病变更易于获得彻底的外科切除。在考量肿块的解剖部位时,应把可能含有卫星病灶的肿瘤主体周围的假包膜或反应带作为整体加以评估。

(3) 转移(M)

骨原发肿瘤的转移包括远处转移和区域转移(如区域淋巴结转移),其中以血行转移(如转移到肺或远处骨骼)为多见,淋巴结转移少见。不论何种转移,一旦发生,均意味着肿瘤已无法获得局部控制,预后不良。

综合上述3个因素即肿瘤的分级(G)、肿瘤的解剖位置(T)和肿瘤有无转移(M)对肿瘤进行分期。良性肿瘤分为3期,用阿拉伯数字1、2、3表达,1期——G0T0M0:为良性潜隐性病变;2期——G0T0M0:为良性活动性病变;3期——G0T1/T2M0/M1:为良性侵袭性病变。恶性肿瘤者先依据外科分级和有无转移分为3期,用罗马数字Ⅰ、Ⅱ、Ⅲ表示,Ⅰ期为无转移的低度恶性肿瘤,Ⅱ期为无转移的高度恶性病变,不管恶性程度高低,只要发生区域或远处转移即为Ⅲ期。每期又依据病变的解剖部位是间室内外又可分为A和B两个亚型,A表示间室内病变,B表示间室外病变。分别定义如下:

ⅠA期——G1T1M0:为间室内低度恶性病变

ⅠB期——G1T2M0:为扩展到间室外的低度恶性病变

ⅡA期——G2T1M0:为间室内高度恶性病变

ⅡB期——G2T2M0:为扩展到间室外的高度恶性病变

恶性肿瘤不管是哪一级,无论有无间室外扩散,只要有局部或远处转移,就是Ⅲ期。

不同分期与相应的治疗方案参见表37-1、37-2。

37.1.2.2 AJCC分期系统

恶性原发性骨肿瘤另一常用的分期系统是AJCC分期系统,由美国肿瘤研究联合委员会(American Joint Committee on Cancer, AJCC)制订,是在结合了肿瘤原发灶(T)、区域淋巴结(N)、远处转移(M)和组织病理分级(G)四者的基础上进行分期的。与MSTS分期系统不同,AJCC更偏向于是一种病理分期。

老版AJCC分期系统是这样定义的:

肿瘤原发灶分为TX、T0、T1、T2。

TX:肿瘤原发灶无法评估;

T0:肿瘤原发灶未发现;

T1:肿瘤局限在骨皮质内;

T2:肿瘤侵犯骨皮质外。

区域淋巴结累及分为 NX、N0、N1。

NX:区域淋巴结累及情况无法评估；

N0:不存在区域淋巴结转移；

N1:存在区域淋巴结转移。

远处转移分为 MX、M0、M1。

MX:远处转移无法评估；

M0:不存在远处转移；

M1:有远处转移。

组织病理学分级分为 GX、G1、G2、G3、G4。

GX:无法评估；

G1:低度恶性，分化好；

G2:低度恶性，分化中等；

G3:高度恶性，分化差；

G4:高度恶性，未分化。

综合上述 4 方面进行病理分期，分为 4 期。

ⅠA 期:G1 或 G2，T1，N0，M0

ⅠB 期:G1 或 G2，T2，N0，M0

ⅡA 期:G3 或 G4，T1，N0，M0

ⅡB 期:G3 或 G4，T2，N0，M0

Ⅲ期:未定义

ⅣA 期:任何 G，任何 T，N1，M0

ⅣB 期:任何 G，任何 T，任何 N，M1

随着近年影像学的发展及对骨肿瘤的进一步了解，2002 年对上述分期系统作了重大修订，主要是加入了肿瘤大小参数。修订后的 AJCC 分期系统如下。

T 代表肿瘤原发灶特征和大小。

TX:原发肿瘤无法评估；

T0:未发现肿瘤原发灶；

T1:肿瘤最大径不超过 8 cm；

T2:肿瘤最大径大于 8 cm；

T3:在原发骨骼中有一个或数个跳跃转移灶。

N 代表区域淋巴结播散情况。

NX:不能确定有无区域淋巴结转移；

N0:无区域淋巴结转移；

N1:肿瘤转移到附近淋巴结。

需要说明的是，骨肿瘤很少出现淋巴结转移，用 NX 不合适，通常只要临床无淋巴结累及即定义为 N0。

M 代表远处(或其他器官)转移情况。

MX:不能确定远处转移情况；

M0:无远处转移；

M1:有远处转移。又分为 M1a 和 M1b 两类。

M1a:肿瘤只转移到肺；

M1b:肿瘤转移到肺以外的部位或器官。

G 代表肿瘤的组织病理学分级。

GX:不能确定分级；

G1:分化好的低度恶性肿瘤；

G2:分化中等的低度恶性肿瘤；

G3:分化差的高度恶性肿瘤；

G4:未分化高度恶性肿瘤。

在获得了有关 T、N、M 和 G 的信息后，就可以综合 4 方面的内容对骨肿瘤进行分期，共分为 4 期，以罗马数字Ⅰ～Ⅳ表示，并且在Ⅰ、Ⅱ和Ⅳ期又分为两组，简单列表如下：

ⅠA 期:	T1	N0	M0	G1，2	(低等级)
ⅠB 期:	T2	N0	M0	G1，2	(低等级)
ⅡA 期:	T1	N0	M0	G3，4	(高等级)
ⅡB 期:	T2	N0	M0	G3，4	(高等级)
Ⅲ期:	T3	N0	M0	任何 G	
ⅣA 期:	任何 T	N0	M1a	任何 G	
ⅣB 期:	任何 T	N1	任何 M	任何 G	
	任何 T	任何 N	M1b	任何 G	

各期具体定义如下：

ⅠA 期(T1，N0，M0，G1～G2):定义为肿瘤低度恶性，无区域淋巴结和远处转移，最大径不超过 8 cm。

ⅠB 期(T2，N0，M0，G1～G2):定义为肿瘤低度恶性，无区域淋巴结和远处转移，最大径超过8 cm。

ⅡA 期(T1，N0，M0，G3～G4):定义为肿瘤高度恶性，无区域淋巴结和远处转移，最大径不超过 8 cm。

ⅡB 期(T2，N0，M0，G3～G4):定义为肿瘤高度恶性，无区域淋巴结和远处转移，最大径超过 8 cm。

Ⅲ期(T3，N0，M0，任何 G):定义为同一骨内有两处或两处以上不连续的病变，即肿瘤不管是低度恶性还是高度恶性，无区域和远处转移，但是在原发骨内存在跳跃转移。

ⅣA期(任何 T，N0，M1a，任何 G)：为不论肿瘤大小，不管其恶性程度是高还是低，只要有肺转移而无区域淋巴结转移，即定义为ⅣA期。

ⅣB期(任何 T，N1，任何 M，任何 G)：定义为肿瘤播散到区域淋巴结同时有任何部位、器官(包括肺)的远处转移；或者是：任何 T，任何 N，M1b，任何 G，即任何肿瘤，不管是否播散到区域淋巴结，只要有肺以外的远处转移，如远处骨转移，也定义为ⅣB期。

37.1.2.3 评价

MSTS分期系统和新版 AJCC 分期系统主要依据肿瘤分级和有无转移对疾病进行分期的，临床研究显示在两种分期系统的各期之间预后有统计学差异，提示这两种分期方法都能较好预示预后情况。两者最大的区别是 MSTS 系统强调解剖学间室，新版 AJCC 系统则强调原发灶大小和有无跳跃转移。但是，解剖学间室和原发灶大小对分期的意义还有待进一步的临床检验，因为也有一些临床研究显示病变与解剖学间室的关系和原发灶大小都不是很确定的影响预后的因素。AJCC 分期系统的支持者强调原发病灶大小和转移类型是基于下列 3 个认定：其一是病灶大小比解剖学间室情况能更确切预示预后，其二是与病灶自身增大相比，跳跃转移(skip metastases)预示恶性程度更高，其三是不同部位的转移预示不同的预后。

有两个参数可用以表示肿块大小，其一是肿块长径(最大径)，其二是肿块体积，其中尤以体积更能客观反映肿瘤与宿主的关系，困难的是肿块的真实体积很难获得，已有一些研究显示对于骨肉瘤和尤文肉瘤肿块大小是影响预后的因素，但仍有争议。其次，因为大多数恶性骨肿瘤在诊断时就已经长到间室外(即为 T2)，解剖学间室作为区分Ⅰ、Ⅱ、Ⅲ各期分组的指标意义就不大了，尤其对于高度恶性肿瘤(Ⅱ期肿瘤)。再次，MSTS 分期系统早在 20 世纪 70～80 年代就提出来了，近 30 年时间未作重大修订，当时影像学的主要手段只是 X 线平片，对肿瘤的细节和范围的了解很不精确，而目前 CT 和 MRI 的应用可比较确切了解肿瘤的骨髓内侵犯范围和软组织肿块大小、边界，并可获得三维数据，以测定肿块的大小和体积。相对于解剖学间室而言，肿块大小和体积更能客观反应肿瘤与宿主的关系。但是，对于 AJCC 系统而言，以多大作为分期的参照点还有待进一步完善，可能以线性大小为 8 cm 只是临时的指标。尽管以肿瘤的绝对体积为指标更确切反映肿瘤的真实大小，但该数据很难获得，因此目前仍只能用肿瘤的最大径这个线性指标。

新的 AJCC 分期系统对Ⅲ期给予了确切的定义，即“同一骨内有两处或两处以上不连续的病变”。提出这种定义的基础是临床观察在骨肉瘤患者如果存在同一受累骨内跳跃转移，则预后很差。但是，这种定义是不够完美的，因为在此定义下可能存在两种情况，其一为某些比较特殊的肿瘤，如血管内皮瘤或某些软骨肉瘤等尽管是预后较好的低度恶性肿瘤，但是存在多中心(multifocal)现象，其二是确实为高度恶性肿瘤如某些骨肉瘤出现跳跃转移，两者都归于同一分期会造成很大的混乱。因此，比较合理的定义是应该只把高度恶性肿瘤有同一骨内跳跃转移者归于这期病变。

新的 AJCC 分期系统的改良在于细分了转移的类型，其基础在于临床观察发现骨肉瘤或尤文肉瘤等高度恶性肿瘤如果出现肺以外脏器或部位转移者预后很差。但这种细分也同样存在上述的混乱，即把恶性程度低、预后较好的某些特殊类型的肿瘤如多中心软骨肉瘤或血管内皮细胞瘤也归入此类。因此，有必要作出限定只限于高度恶性肿瘤。

(姜南春)

37.1.3 骨肿瘤诊断与治疗

骨肿瘤的诊断与治疗参见本书 56 章：骨肿瘤的诊断与治疗策略。

37.1.4 恶性骨肿瘤化疗

恶性骨肿瘤的临床疗效在近 30 年来取得的长足进步在很大程度上应归功于化学治疗的逐渐完善。原发性骨肿瘤的现代化疗理念和实践是从 20 世纪 70 年代开始发展起来的，在认识到单一化疗药物的低反应性和高耐药性等不足后，Rosen 等采用多药联合使用、周期性规则用药的辅助化疗治疗骨肉瘤，大幅度提高了 5 年生存率；接着又在手术前引入化疗治疗手段，由此提出新辅助化疗(neo-adjuvant chemotherapy)的概念，并于 20 世纪 80 年代初完善了该理念，使恶性骨肿瘤的治疗效果上了一个台阶，不仅进一步提高了 5 年生存率，更使保肢手术的比例得到很大提高；随后又认识到剂量强度的问题，发展了一些新药，把一些原作为二线用药的药物

(如异环磷酰胺)引入一线用药方案,并认识到不同给药途径的价值和意义,形成了目前以新辅助化疗为主体、强调多药联合使用、强调剂量强度和周期规则用药,静脉和动脉多途径结合的骨肿瘤现代化疗格局,主要用于治疗骨肉瘤、尤文肉瘤、造血系统肿瘤、恶性纤维组织细胞瘤、纤维肉瘤、原始神经外胚瘤、恶性巨细胞瘤等肿瘤。

恶性骨肿瘤化疗需遵循的一般原则是:应多药联合化疗,选用药物需涵盖细胞周期特异性和非特异性,以控制处于细胞各周期的瘤细胞,消灭局部和远处微小病灶,防止耐药细胞出现;新辅助化疗;用药剂量强度要足够;根据患者的具体情况制订最佳化疗方案;遵照既定的方案周期、规则用药;用药过程中及治疗结束后始终注意防治药物的毒性反应,监测肝、肾、心脏及骨髓造血功能,必要时监测血药浓度;对术前化疗组织反应欠佳者,术后化疗以加入新药为宜,不应草率更换取代尚有一定疗效的药物。用药途径以静脉为主,必要时可选择动脉灌注用药。

(1) 辅助化疗

辅助化疗一般是指在手术控制局部肿瘤后,应用抗肿瘤药物来治疗可能转移至肺、骨骼、淋巴结和其他部位的微小病灶。从20世纪70年代早期开始采取辅助化疗对骨肉瘤和尤文肉瘤进行治疗,获得了很好疗效,显著提高了5年生存率。早期采用多柔比星和大剂量甲氨蝶呤联合用药不仅使转移性骨肉瘤的治疗取得了很大突破,同时也促进了骨肉瘤多种有效化疗方案的成功制订。联合化疗的原理是联合应用对肿瘤具有治疗作用的药物,使其作用相加或协同作用,不增加细胞毒性,克服抗药性产生。多药联合化疗在尤文肉瘤的治疗也获得了疗效上的突破。多药联合使用、规则周期用药等一些辅助化疗原则也在其后形成的新辅助化疗中得到了沿用。

(2) 新辅助化疗

骨肿瘤新辅助化疗的概念是20世纪70年代末由Rosen等首先提出来的,是指术前即开始应用化疗,并根据肿瘤原发灶对化疗药物反应程度指导术后化疗方案的修正。新辅助化疗并不是一个简单的"术前化疗+手术+术后化疗"的治疗方案,而是通过术前化疗(通常是两个疗程),然后行肿瘤切除,根据肿瘤组织坏死程度,制订术后化疗方案:如果肿瘤坏死率>90%,术后则继续原化疗方案,而坏死率<90%者,应调整术后化疗方案。这是一个概念的更新,突出了化疗的作用,提高了化疗的地位,纠正了以往医生尤其是外科医生只注重手术,认为化疗只是一种辅助性治疗的错误观念。其积极意义在于:①可早期进行全身治疗,消灭潜在的微小转移灶;②通过评估术前化疗效果,指导术后化疗;③使肿瘤瘤体、肿瘤周围的反应带缩小,肿瘤新生血管减少,边界变清晰,提高保肢手术率;④允许有充分时间设计保肢方案,制作假体;⑤减少手术中肿瘤播散的机会;⑥早期识别高危病例组。目前新辅助化疗的概念得到广泛的认可,已成为骨肉瘤治疗的标准模式,它在提高患者长期生存率的同时,增加了保肢手术的可行性。新辅助化疗已取代辅助化疗,成为大部分恶性骨肿瘤不可或缺的治疗手段之一,其地位已不仅仅是"辅助"而已了。

骨肉瘤最初的术前化疗以大剂量甲氨蝶呤(HD-MTX)为基础,但单剂只在15%~20%的患者产生良好的组织学反应。在化疗方案中增加了顺铂(CDP或DDP)和多柔比星(ADM)并加大了HD-MTX的剂量(由8 g/m^2 增加至12 g/m^2)后,反应率大大增加,而联合使用ADM、CDP、异环磷酰胺(IFO)和HD-MTX几种药物不同组合也获得了60%~70%的反应率。新辅助化疗的应用,使90%~95%的骨肉瘤患者可以获得保肢手术机会,5年生存率达到60%~80%。尤文肉瘤的术前化疗作为常规应用已超过20年,同骨肉瘤一样,术前化疗效果可以通过病理组织学评估,以尽早识别高危病例。术前化疗也能使原发病灶得到更彻底的切除,提高保肢率。在使用ADM、CTX、IFO、ACD、VCR和VP-16等联合化疗,尤文肉瘤的5年生存率可超过50%。

在20世纪80年代提出了剂量强度概念。剂量强度是指疗程中单位时间化疗药物剂量,它主要包括标准的药物剂量、恰当的给药途径和准确的化疗间隔三方面内容。剂量强度与治疗效果和预后呈明显正相关,不论是降低每次给药剂量,还是延长给药间隔时间,剂量强度均会降低。这个概念的提出使化疗时更注重足量与规则用药,为达该目的,现在可依靠粒细胞集落刺激因子(G-CSF)、自身骨髓移植(ABMT)和(或)末梢血液造血干细胞移植(PBSCT)等手段来支持大剂量化疗,并保障下次化疗的及时进行,保证疗程按计划完成。

(3) 新辅助化疗疗效评估

患者接受新辅助化疗后,一般从下列几个方面对其疗效进行评价,其一是临床症状(包括全身和局部)是否改善,如:疼痛的缓解或消失,肿块的缩小,关节活动度的增加;其二是影像学表现,如:肿瘤软组织肿块缩小,软组织内成骨性改变,肿瘤边界变得清楚,有新骨形成,瘤段骨密度趋于正常,但是骨破坏范围不能作为可靠指标,可无明显缩小;其三是生化检测指标是否变化,如:碱性磷酸酶(ALP)的下降等;其四是术后肿瘤细胞组织病理学表现,主要是肿瘤细胞坏死率测定,是新辅助化疗疗效判断的金指标。

具体而言,对于术前化疗反应良好的表现为:病痛减轻或缓解,软组织肿块缩小变硬;对于成骨性肿瘤如骨肉瘤,血生化检查 ALP 下降;常规 X 线摄片和 CT 检查显示骨的破坏范围不再扩大或病灶缩小,肿瘤病灶由低密度转变成高密度或钙化/骨化增加,骨破坏病灶周围出现增高密度新生骨形成的包壳,软组织肿块缩小,由边缘模糊转变成边界清晰,有的边缘出现连续或不连续的骨包壳,甚至出现厚实、致密的环状包壳(环状骨化)或多层骨包壳,骨髓密度普遍增高,转变成致密的瘤骨,通过测量 CT 值可确定病灶内的液化坏死或出血灶,但是,X 线平片和 CT 均不能确定病灶内肿瘤组织的存活状况;常规 MRI T2 加权影像显示肿瘤周边低信号强度成熟胶原组织构成的假膜形成,三维 MRI 可显示化疗前后肿瘤体积变化情况,明显缩小者提示反应良好,但是 SE 序列的 T2 加权常不能确切区分肿瘤组织和坏死组织,也难以准确界定肿瘤的边界,病灶体积的改变也不是预测化疗反应的可靠指标,更有价值的是动态增强 MRI 检查,可显示病灶内出现坏死、液化或出血(鉴别坏死和存活肿瘤组织),肿瘤边界清晰,周围反应带缩小或消失,正常的肌肉层次清楚(区分瘤体和病灶周围水肿,准确界定肿瘤边界),提示反应良好;动态增强 MRI 主要是通过分析时间-信号增强曲线(time-intensity curve, TIC)、首次强化斜率和参数成像等来鉴别存活肿瘤、水肿和坏死组织,并可通过参数成像判断肿瘤坏死率;血管造影需综合分析肿瘤染色、血管增生、动脉扩张和血管伸展 4 项放射学指标,反应好的表现为肿瘤血管减少,新生血管密度显著降低,肿瘤染色区域缩小,因大块组织坏死、液化或出血而出现大片无染色区;在骨肉瘤等肿瘤放射性核素骨扫描也有一定价值,尤其是^{201}Tl 显像观察化疗前后肿瘤形态大小变化情况,对比化疗前后病灶摄取^{201}Tl 的变化,降低明显者提示化疗反应佳;但是在采用放射性核素骨扫描评价化疗对转移癌患者的疗效时应注意排除“闪耀现象”的干扰,为此,临床上用来评价疗效的骨显像应推迟在治疗后 6 个月进行。

上述这些指标对化疗疗效的判断有一定的帮助,但只能作为参考指标。术前化疗疗效最重要、敏感且客观的评估标准是肿瘤对化疗药物的组织学反应,即测定肿瘤坏死率。坏死率的测定应由临床医生和病理医生共同完成。首先判断肿瘤的切除缘,然后确定取材部位,要全面取材,如果切除的肿瘤标本大,通常要取 20 块以上的组织块,应包括上下髓腔、残留皮质骨、邻近关节软骨、周围软组织、韧带附着处,特别是肿瘤坏死灶周围的组织,每个组织块至少制作两张病理切片,最后综合各张切片的病理诊断作出全面的判断。根据坏死率,化疗反应的组织学分级可分为 4 级。Ⅰ级:肿瘤坏死很少或几乎没有坏死,坏死率 ≤ 5%;Ⅱ级:化疗轻度有效,肿瘤部分坏死,部分区域尚存肿瘤活细胞,坏死率 > 60%,但 ≤ 90%;Ⅲ级:化疗有效,肿瘤绝大部分区域坏死,仅见散在存活的肿瘤细胞,坏死率 > 90% 但 ≤ 99%;Ⅳ级:肿瘤细胞全部坏死,未见活的肿瘤细胞,坏死率 100%。目前,只将肿瘤组织学反应简单分为反应好和反应差两级,以肿瘤坏死率 90% 为界:组织坏死率 > 90%者为反应好,不足 90%者为反应差,并以此作为指导术后化疗的依据。组织学反应好者术后沿用术前方案,反应差者则应更改化疗方案,增加新的药物或提高药物的剂量。

(4) 常用化疗药物及方案

以对化疗反应性好的骨肉瘤和尤文肉瘤为例,目前用于骨肉瘤化疗的主要药物有多柔比星(adriamycin, ADM)、顺铂(cisplatin, CDP)、大剂量甲氨蝶呤(high-dose methotrexate, HD-MTX)、长春新碱(vincristine, VCR)、足叶乙苷(VP-16)、博来霉素(bleomycin)、环磷酰胺(cyclophosphamide, CTX)、放线菌素 D(dactinomycin)(通常博来霉素、环磷酰胺和放线菌素 D——BCD 三药合用)和异环磷酰胺(ifosfamide, IFO)等,用于尤文肉瘤的主要药物为 CTX、ADM、放线菌素 D(ACD)、VCR 和 VP-16 为主的联合化疗。

HD-MTX、ADM 和 CDP 是骨肉瘤化疗的 3 种主要药物。MTX 最常用,疗效与剂量密切相关,大剂量优于中等剂量,应选择大剂量:8~12 g/m^2。HD-MTX 也是迄今为止被认为是单药有效率最高的抗骨肉瘤药物,需用四氢叶酸解毒。ADM 是另一种对骨肉瘤有较好疗效的化疗药物，缺少 ADM 的化疗方案或在化疗过程中减少 ADM 的用量会影响骨肉瘤患者的生存率，但 ADM 对心脏有较大的毒性，一般每次 60～80 mg/m²，总量不宜超过 500 mg/m²。CDP 每次用药 100～120 mg/m²，动脉内应用更显优越性，是动脉化疗的首选药物。目前有应用多柔比星的衍生物表柔比星和顺铂的衍生物卡铂或草酸铂等药物作为治疗用药的，前者可降低心脏毒性，后者能降低肾毒性和耳毒性。IFO 被认为是第 4 种抗骨肉瘤的关键药物，既往作为组织反应差的二线用药，但在 Rosen 的 T20 方案已作为一线用药，用量 2 g/m²，每天 1 次，连续 5 天。VCR 以及博来霉素、环磷酰胺和放线菌素 D 组成的 BCD 疗效很低，目前大多数骨肉瘤化疗方案已剔除了这些药物。为消除单药化疗使肿瘤细胞容易产生耐药性的缺点，现采取不同药物的联合化疗。

以骨肉瘤为例，国际上有代表性的化疗方案有 Rosen 的 T 系列方案，德奥联合小组的 COSS 系列方案，意大利 Rizzoli 研究所及 Jaffe 等的系列方案。Rosen 的 T4 方案是标准的术后化疗；T5 方案则采用术前加术后化疗，药物与 T4 相同；T7 方案则是最早的新辅助化疗，此后方案均为新辅助化疗；T10 方案术后用 ADM/CDP 来针对化疗反应差的情况；T12 方案的出发点是为了缩短术前化疗反应好者的疗程并改善反应差者的预后，经 5 年随访，T12 方案和 T10 方案疗效相同；T19 方案把 IFO 作为一线用药以改善术前化疗疗效；T20 方案则在继续以 IFO 作为一线用药的基础上，摒弃了 BCD，代之以 ADM（与 HD-MTX 和 IFO 联用，可加或不加 CDP）。德奥联合小组 COSS 系列方案的 COSS-77 和 COSS-80 分别相当于上述 T4 和 T7 方案；COSS-82 方案研究则发现 BCD 疗效不理想，并表明术前的初始化疗至关重要；COSS-86 方案把 IFO 作为一线用药，与 CDP 联合并和 ADM＋HD-MTX 交替使用，以强化高危患者的疗效。意大利 Rizzoli 研究所方案初始时采用静脉和动脉联合给药（术前动脉持续灌注 CDP，静脉用 HD-MTX），二期研究术前加用 ADM，反应差者术后加 IFO 和 VP-16；三期和四期研究则术前再加 IFO，形成 HD-MTX、CDP、ADM 和 IFO 四药联合应用，效果优于三药合用，并发现 CDP 动、静脉给药途径对化疗疗效影响不大，对 CDP 采取静脉途径给药。Jaffe 设计的 TIOS 方案研究了术前 MTX 和 CDP 动脉途径化疗的疗效，发现 CDP 在动脉途径化疗的优势，确立了 CDP 作为动脉化疗首选用药的地位。Bacci 的 N 系列方案在 N4、N5 方案也采用 HD-MTX、ADM、CDP 和 IFO 四药联用。

（5）化疗给药途径

传统的化疗给药方式是全身静脉化疗。研究表明肿瘤组织内的化疗药物只有达到一定的组织浓度时才能获得好的疗效。以 CDP 为例，当肿瘤内顺铂浓度 ＞16 μg/g 时，肿瘤组织坏死率为 60%～90%，而顺铂浓度＜12 μg/g 时，肿瘤组织坏死程度低于 40%；剂量越大，肿瘤组织坏死程度越高，疗效越好。但是，全身静脉用药时往往肿瘤局部药物浓度低，即使用药量已达极限，肿瘤局部药物浓度仍不能达到满意灭瘤，再加大剂量则机体不能耐受，可出现致命毒性反应。为减少全身毒性，提高肿瘤的化疗有效率，局部化疗是一种可行的办法，可将全身用药的最大限量用于病变局部，使局部药物浓度较全身静脉化疗显著提升，达到很高的肿瘤坏死率。目前，比较有代表性的化疗方案中，T 方案为静脉给药、Jaffe 方案为动脉给药、COSS 方案为双途径给药。

可供选择的局部化疗有动脉内灌注化疗、高温隔离灌注化疗、动脉介入化疗与栓塞和连续性血液滤过的血管介入区域性大剂量化疗（HICCH）等方法。

动脉内灌注化疗法适用于血供丰富的各种原发性和转移性恶性骨肿瘤，除了用于术前化疗外，还可用作术后的二次动脉灌注治疗以杀灭残存的肿瘤细胞，对不能手术或术后复发的患者，也可应用动脉灌注化疗有效缓解症状，减轻患者的痛苦、改善生存质量。可采用 Seldinger 技术动脉内插管，先进行骨肿瘤的供血动脉干造影，然后将导管头端尽可能超选择至供血动脉的最远端，以等量或小于静脉化疗剂量的药物行动脉内灌注化疗。灌注首选用药为 CDP，用量为 120～200 mg/m²，连续灌注 48～72 h。也可选用 ADM、MTX 及 5-FU（氟尿嘧啶），可单独或联合用药，联合用药时剂量应减低。

高温隔离灌注化疗（hyperthermic isolation limb perfusion，HILP）是借用体外循环技术，对患肢行隔离灌注化疗，使化疗药物主要作用于肿瘤局部而较少影响全身其他系统，并可结合高温对原发灶发挥最大灭活作用，提高化疗效果，减轻毒副作用，是将物理、化学及生物治疗结合在一起的新技术。目前首选的药物是铂制剂，如 CDP。因为该类药物有较广谱的抗肿瘤活性(尤其对骨肉瘤有明显疗效)，与高温有协同作用(在 42 ℃时能达到最佳疗效)，对灌注局部无严重不良反应，而对全身多脏器的毒性能借助隔离技术克服。在操作时，一般是在肢体复温到 39 ℃以上时，一次加入化疗药，以期达到最佳疗效。对于下肢肿瘤，CDP 最大可耐受剂量可达 250 mg/m^2。

动脉介入治疗及栓塞可在手术前进行以减少术中出血，防止肿瘤播散，对不能手术者行姑息性动脉化疗栓塞，对于转移性骨肿瘤及原发灶缺乏相应有效的治疗方法者也可选用。近年来，该方法已成为骨肿瘤综合治疗的重要组成部分。应用介入治疗，不仅提高了化疗的疗效，而且可使肿瘤坏死缩小、形成假包膜、与正常组织明确分界，从而在避免损伤更多正常软组织的前提下，使肿块完整切除的可能性大大增加，提高保肢术成功率、减少局部复发。在动脉插管灌注化疗药物后，可采用无水乙醇与明胶海绵、弹簧钢圈联合应用的方法，先以无水乙醇栓塞肿瘤细小供血血管，以达到永久栓塞及不易产生侧支循环的目的，再以明胶海绵等栓塞稍粗血管，以防无水乙醇反流溢出引起误栓。

连续性血液滤过的血管介入区域性大剂量化疗(HICCH)是利用血液滤过技术，在一定时间范围内，通过动脉的介入导管，灌注大剂量的化疗药物，同时将回流的静脉血用血泵拉出，进行持续的血液滤过，在体外进行药物清除，使肿瘤细胞暴露于化疗药物的浓度及时间得到提高和延长，这样就能提高动脉灌注化疗药物局部治疗效果，同时减少了化疗药物对正常细胞的毒性作用，特别是对全身及骨髓的不良反应。与传统动脉内灌注化疗相比，HICCH 能明显降低正常细胞的毒性作用，进一步减轻大剂量化疗引起的毒副作用，同时可以使灌注的时间大大延长，使肿瘤细胞暴露于高浓度药物的时间明显延长，从而达到大剂量、低毒性的目的。

另外，有一些学者还提出了术中、术后应用局部化疗的方法以加强局部病灶的控制。如在病损部位的植骨填充物中添加化疗药物 MTX、CDP 等，在刮除后的瘤腔壁用化疗药物处理，或者在瘤腔内埋管术后注入化疗药物。这些方法虽有用于临床的报道，但其用药剂量、用药时间、适应证等还有待进一步研究。

虽然这些局部化疗在减轻全身毒性，提高局部病灶的化疗疗效方面有着很大的优势，但是在应用过程中应注意到动脉灌注化疗只提升了肿瘤局部的药物浓度，不能达到有效的全身血药浓度、杀灭全身微小转移灶，因此并不能提高患者的长期生存率(因临床研究动脉途径化疗并不能提高生存率，以双途径给药的 COSS 系列方案近期也取消了动脉途径给药)，不能完全取代全身静脉化疗；同时，也要注意到动脉灌注化疗有可能因局部药物所致的肌肉皮肤炎症反应、肌肉水肿、肌肉坏死及骨坏死等并发症而影响保肢治疗的不利方面。另外，这些方法往往需要特殊操作和特殊仪器，所需用药量大大增加(特别是 HICCH)，使化疗费用明显增加。因此，可以动静脉结合化疗以控制局部及全身转移肿瘤。

(6) 化疗耐药问题

恶性骨肿瘤的生存率直接与肿瘤细胞对化疗的敏感度有关。例如，在骨肉瘤疗效的相关因素中，化疗敏感性是最重要的因素。为获得良好的疗效，需要进行系统、正规化的化疗。但是即使采用了正规化疗，少数患者仍化疗失败，其主要原因是多药耐药的产生。化疗耐药可分为原发耐药和继发耐药。原发耐药为在诊断时已经存在，继发耐药是在化疗应用过程中产生。耐药的机制主要包括：①减少药物进入细胞的输送；②增加药物的代谢；③靶酶的改变；④增加 DNA 的修复；⑤多药耐药致癌基因——MDR 及其基因产物的过度表达。

为避免耐药的产生，寻找可预见的耐药性指标和研究参与耐药性的因素和机制至关重要。既往的研究发现骨肉瘤的多药耐药性(MDR)是化疗失败的主要原因，因为多药耐药基因 MDR1 编码的糖蛋白(P-gp)的表达与化疗失败有显著相关性，P-gp 高表达时对化疗反应不佳。此外，原癌基因 erbB-4 的表达也与较差的化疗组织学反应和更低的无瘤生存率显著相关；骨肉瘤中 p53 基因突变和失活不仅影响骨肉瘤的发生、发展、预后，而且影响骨肉瘤化疗的效果，p53 蛋白阳性表达，提示有高的恶性发展趋势，死亡率高；p53 同其他指标(如 P-gp)联合检测骨肉瘤预后更准确，P-gp 与 p53 基因共同表达的骨肉瘤预后差。

一些药物或化合物如维拉帕米(异搏定)、免疫抑制剂、激素、肿瘤坏死因子(TNF)及咖啡因均有逆转多药耐药的效应，可能是通过与化疗药物竞争药物结合位点，使细胞内药物外排减少，细胞内化疗药物浓度增大，达到杀伤肿瘤细胞而起作用。为克服MDR基因，可用Ribozyne切割MDR1基因的mRNA来降低P-gp的表达；可用反义寡脱氧核苷酸或反义寡核苷酸抑制MDR基因的复制、转录及翻译；也可采用上述一种或几种MDR基因逆转剂，如维拉帕米和环孢素与化疗药物合用，在儿童骨肉瘤治疗取得一定疗效。但是，由于肿瘤细胞的异质性，化疗不敏感还存在许多不明因素，尚需进一步研究。

(7) 化疗常见并发症及防治

为保证化疗取得良好疗效，需保证药物的剂量，给药不能延迟，要按计划规则联合用药，但是大剂量、多药联合并密集用药也使化疗并发症发生率明显升高，这就要求充分重视化疗并发症及其防治，以保证安全、遵照计划完成化疗。常见的并发症包括局部组织坏死和栓塞性静脉炎等局部反应以及造血系统、消化系统、泌尿系统、心血管系统等全身反应。

1) 局部组织坏死和血栓性静脉炎　化疗药渗漏进入皮下组织可造成皮肤和皮下组织坏死，轻者局部红肿、疼痛，严重者可出现大片皮肤和皮下组织坏死。注意严格输液操作可有效预防，另外采用中心静脉置管也可有预防作用。一旦发生，应立即用硫代硫酸钠或生理盐水局部注射稀释药物，并用冰袋冷敷12 h。药物对血管内膜的刺激可引起栓塞性静脉炎，为防止其发生，应将药物稀释到一定浓度再使用，要经常改变给药血管或采用中心静脉置管给药。

2) 造血系统反应及防治　骨髓抑制是最常遇见的问题，多数化疗药物会导致骨髓抑制，超高剂量MTX尤为突出，多药联合使用会加重骨髓抑制的程度。对于近期刚接受化疗或接受过数次化疗的患者尤其要警惕，因为这些患者骨髓储备能力已经很差。骨髓抑制一般出现在用药后5～7天，严重者出现时间更早且可持续2周以上。骨髓受影响最大的是白细胞系统，尤其是粒细胞；血小板减少也常见，有时红细胞也会有下降。白细胞减少可出现难以控制的严重感染，血小板减少可并发严重出血。对化疗引起的骨髓抑制应以预防为主，在化疗间隙期应积极支持治疗，注意加强营养，补充维生素；化疗前应保证患者白细胞计数在4×10^9/L、血小板计数在100×10^9/L以上。早期应用粒细胞集落刺激因子(G-CSF)可有效动员骨髓造血系统，预防白细胞减少，减轻骨髓抑制程度和缩短骨髓抑制时间，保障下次化疗的及时进行。在已经接受了数次化疗的病例，不需等白细胞明显下降，在化疗药用完后就可使用。有贫血者也可使用促红细胞生成素(EPO)。对已经出现严重骨髓抑制的病例，应加强监护和支持治疗，加大CSF剂量，使用广谱抗生素，必要时及时输血和输注血小板，防止致命感染和出血的发生。近年来，自身骨髓移植(ABMT)和(或)末梢血液造血干细胞移植(PBSCT)也被用作防治粒细胞减少症，以保障化疗强度。

3) 心脏毒性　多柔比星和表柔比星两者突出的不良反应是心脏毒性，而且有累积效应，累积剂量多柔比星应控制在550 mg/m^{2}体表面积、表柔比星在1 100 mg/m^{2}体表面积以下，如果超过则容易出现严重心肌损害，心力衰竭的发生率可达25%～30%。应重在预防，严格控制累计剂量，延长用药时间，加强心电图监测，出现ST-T改变、QRS波降低、T波延长及心律失常时，要及时停药，在用药过程中可用ATP、辅酶Q10及小剂量激素保护心肌。

4) 消化系统反应及防治　恶心和呕吐是最常见的消化道反应，会对患者的生理和心理产生很大影响并影响化疗的耐受性。MTX、ADM和IFO均可导致恶心、呕吐。可在化疗前后应用昂丹司琼(枢复宁)等中枢性止吐药预防，如呕吐严重，则应加强支持，并防止水、电解质紊乱。口腔炎是另一常见消化道反应，以使用大剂量MTX最为明显，因为药物抑制了口腔黏膜上皮细胞的正常增值所致，表现为口腔黏膜红肿、疼痛，可出现大面积溃疡，影响范围可达咽部，因疼痛明显严重影响进食，并可能并发白念珠菌感染。处理应加强口腔护理，保持口腔卫生，进食前0.5%利多卡因溶液漱口止痛，可用四氢叶酸溶液漱口或锡类散、西瓜霜等喷涂。另外，MTX、ADM、CDP及IFO均可不同程度引起肝脏损害，而且肝损害与MTX累计剂量有关，对化疗前就存在肝损害的患者应提早加强CF解毒，同时使用还原型谷胱苷肽保肝等对症治疗。

5) 泌尿系统反应及防治　大剂量MTX和铂制剂有肾毒性，可引起肾脏损害。MTX可沉积在肾小管内引起肾小管堵塞、肾小管受损，在用药前后应水化，同时静脉输注碳酸氢钠碱化尿液，可同时用甘露醇利尿，保持每天尿量在3 000 ml以上，用药结束后要用四氢叶酸解毒；水化、碱化尿液必须从化疗前1天开始，直到化疗后3天。铂制剂可引起肾小管上皮细胞急性变性、坏死，肾间质水肿甚至急性肾衰竭在用药前后也需水化，注意尿量监测，应用利尿剂，保证每天尿量在3 000 ml以上。环磷酰胺和异环磷酰胺的代谢产物丙烯醛可引起膀胱黏膜上皮细胞损害、坏死和脱落，导致出血性膀胱炎，用药前也应水化，碱化尿液，并保证每天尿量在3 000 ml以上，同时要用美司钠中和丙烯醛，减轻其毒性反应。

6) 肺损害　MTX可引起肺损害，发生率约5%，主要表现为肺实变，常呈弥漫型，片状分布，部位不确定，可引起继发性肺水肿、胸膜炎等，通常能在1～8周自行恢复，如不及时诊断和处理可致死。因此，使用MTX应采取甲酰四氢叶酸(CF)解救、水化、碱化尿液等解毒措施，并进行MTX血药浓度的监测。CF解救在MTX静脉点滴结束后4～6 h开始，CF用量8～15 mg/m^2 静脉点滴或肌内注射，每6 h一次，共12次。MTX用药24 h后开始每隔12 h监测MTX血药浓度，直至低于0.5 μmol/L。上述解毒措施同样可以预防或减轻MTX引起的骨髓抑制、肝功能损害和皮肤、黏膜损害。

7) 生殖系统损害　男性患者接受CTX、IFO等药物治疗可引起性腺损害，出现少精子或无精子，导致不育，且通常是永久性不育。CDP和MTX也有类似作用。处理办法是化疗前获取精子予以人工保存，需要时人工授精。对女性也会造成性腺损害，出现月经周期异常、停经甚至发育停止，尚未初潮者可导致原发性闭经。CTX和IFO等氮芥类药物更易引起女性性功能障碍。应监测卵巢功能，必要时雌激素替代治疗。

8) 皮肤及其附件损害　部分化疗药可引起皮肤及毛囊损害，导致皮肤干燥、色素沉着、皮疹、表皮剥脱及脱发等。这些皮损和脱发通常都是可逆的。

另外，CDP等药物还可导致听力损害和周围神经病变等异常，应注意监测，可用维生素E缓解周围神经损害。

(9) 小结

自从20世纪70年代末骨肉瘤辅助化疗和随后的新辅助化疗广泛应用于临床以后，逐步使新辅助化疗成为大多数原发性恶性骨肿瘤治疗不可或缺的一个方面，改变了恶性骨肿瘤的治疗格局，大大提高了5年生存率和保肢率。如果能严格遵循多药联合用药原则、新辅助化疗原则、剂量强度原则和个性化原则进行化疗，并注意化疗药物毒副作用和耐药肿瘤的处理，至少一半以上的恶性骨肿瘤是有机会获得治愈的。但是，化疗疗效在近十几年处于平台期，无大的发展和提高，若要提高疗效，可能需要发现更为有效的药物，比如类MTX的药物三甲曲沙(trimetrexate)的开发研究；或者克服现行用药的耐药性，如从分子水平阐明骨肉瘤细胞多药耐药机制，并加以克服；或者寻找新的治疗模式，如抗肿瘤血管生成治疗、免疫治疗、基因治疗等，开发出多靶点作用的新药，使其同时能杀灭肿瘤细胞、抑制新生血管形成并保护正常细胞免受化疗药物的毒性影响，从而进一步提高疗效。

（姜南春）

37.1.5 放射治疗

37.1.5.1 放射治疗概述

1895年德国物理学家伦琴发现X线，1897年德国外科医生亚历山大·弗罗因德将放射线应用于毛痣的治疗，并使毛痣消失，揭开了放射治疗序幕。1899年，Thor Stenbeck在斯德哥尔摩首次治疗一例患有鼻背基底细胞癌的49岁女性，经过9个月100次的放疗，这位女性30年后仍然健在，这可能是最早的肿瘤放射治疗。早期的放射治疗，只能用电子线或能量不高的深部X线，其穿透力弱，仅用以治疗诸如皮肤癌、毛痣、脚癣等外表性疾患。因此，当时从事放疗工作的由外科医生兼职。随着对射线的认识，放射性核素镭也被用为放疗源，用以腔内肿瘤的治疗，或插植到肿瘤组织中。

第二次世界大战推动了人们对放射线的研究，放射性核素^{60}Co发出的γ射线，其能量和穿透性比深部X线强，开始被应用于治疗一些稍微深在的肿瘤，如头颈部癌。与此同时，世界上第1台加速器在1940年面世，并于1948年开始用于临床治疗，当时只能发出平均能量为2.3MV的光子，与^{60}Co的能量相当，故其治疗范围仍然局限于头颈部等浅表部位的肿瘤和四肢的骨与软组织肿瘤。

20世纪50年代以后，加速器得到不断的改进和发展，已能生产出高能X线，射线到达深在部位的肿瘤，能量不致于大幅减少。70年代开始，CT和MRI的出现，不仅可以发现肿瘤，而且可以作为放疗定位的依据，80年代初即普及了二维放射治疗计划系统(TPS)。由于电子计算机技术飞速发展，很快渗透到放射治疗领域，CT图像的重组技术，使得三维适形放疗或立体定向放疗应运而生。由此派生出多叶光栅变形技术，产生了调强放疗技术甚至断层放疗(tomotherapy)设备，使得肿瘤接受的剂量更趋均匀。这些技术的出现，为肿瘤放疗创造很好的条件。

近些年，我国的放射治疗事业随国家经济发展而得到飞速前进，放射治疗单位也发生根本性的变化。从20世纪20年代，镭锭和深部X线机集中在一个地方，形成所谓的镭锭医院，到50年代将价值连城的直线加速器集中在一个地方，一个城市或多个城市共享一台直线加速器，以达到最大的使用率，肿瘤医院也就应运而生。如今，直线加速器主要集中在综合性医院，以综合性医院为依托的肿瘤综合治疗中心正蓬勃发展，因为肿瘤患者的首诊不在肿瘤医院，肿瘤属于全身性疾病，肿瘤的治疗需要多学科的协作。至2001年，全国共有放射治疗单位715个，放射治疗设备(直线加速器或^{60}Co)1 000台。与1997年相比，2001年国内的直线加速器增长了1.9倍，治疗计划系统增长了2.15倍。按照这样速度发展，我国目前应该有放射治疗单位超过1 000个，放疗设备(直线加速器或钴机)超过1 500台，而且主要集中在综合性大医院。

由于骨和软组织肿瘤的发病率低，况且这些肿瘤的组织病理学的多样性，制约着骨与软组织肿瘤放疗的随机、前瞻性、多中心研究，故缺乏骨与软组织肿瘤放射治疗的循证医学证据。到目前为止，骨与软组织肿瘤的放射治疗还存在诸多的争议。

在了解骨与软组织肿瘤放疗之前，明确两个概念很重要。一是放射敏感性，另一个是放射治疗的控制率。放射敏感性是肿瘤本身对射线的敏感程度；放疗效果是肿瘤受到放疗后，肿瘤缩小的速度、控制率。这两个概念不是一致的，也就是放射敏感的肿瘤不一定在放疗后肿瘤缩小快；肿瘤缩小快不一定就是对放射敏感。肿瘤放射的敏感性还受到肿瘤的负荷(肿瘤细胞数)影响，因为肿瘤越大，其不敏感的细胞越多。放射生物学存在肿瘤细胞数、放疗剂量和肿瘤控制率三者的关系。对某一特定的肿瘤，要达到相同的肿瘤控制率，肿瘤越大，放疗的剂量越高；同样的道理，相同的放疗剂量，肿瘤越大，控制率越低。这就需要我们在放疗之前，尽可能减少肿瘤负荷，放射治疗作为手术后的辅助治疗也就应运而生。

在骨与软组织肿瘤的放疗中，放疗作为辅助手段结合手术的主要有术前、术后放疗，内放疗。

(1) 术前放疗

术前放疗的目的，一是为了提高手术切除率，使不能手术切除的大肿瘤缩小，成为可切除肿瘤；二是减少医源性肿瘤播散。所谓的医源性肿瘤播散，就是手术过程中对肿瘤进行分离、切除、挤压，容易导致肿瘤远处转移和局部种植。

由于目的不同，术前放疗的方法也迥异。如果肿瘤大，手术切除有困难或不易完全切除，可以用常规放疗方案，放射剂量一般为60 Gy左右，放疗结束后1～2个月，可望肿瘤缩小成为可切除肿瘤，从而提高肿瘤切除率。如骨肉瘤因肿瘤与周围组织粘连不易分离切除，可采用术前放疗。如果肿瘤可以切除，但为了减少医源性肿瘤转移和种植而采用术前放疗，一般用低分割外放疗方法，每次剂量较常规放疗剂量高，疗程短，术前放疗每次用4 Gy，连续5次，放疗结束后即可手术。

(2) 术后放疗

许多肿瘤患者经过手术切除肿瘤，甚至是“根治性”手术，医生还是要求患者进行术后放疗，这是由肿瘤的生物特性决定的。肿瘤的生长不仅是浸润性，而且可以通过淋巴系统转移到淋巴结或通过血液循环转移到远处器官。手术是切除肉眼可见的肿瘤，对浸润到周围正常组织的肿瘤细胞，因数量少，肉眼不易区别，有时肿瘤转移到其周围淋巴结，也因肿瘤细胞数目少，不易发现。因此，有的外科医生为了将这些肉眼见不到的浸润或转移的肿瘤细胞切除掉，采用扩大手术范围，这就是所谓的扩大根治术。这种方法手术创伤大，有时也不能完全保证真正的根治目的。因此，许多肿瘤需要术后放疗。特别是一些细胞形态属于良性，但属于恶性行为的骨与软组织肿瘤，更需要术后放疗。

(3) 内放疗

内放疗可以采用容易浓聚在骨组织中的放射性核素，如^{153}Sm或^{89}Sr，这对多发转移性骨肿瘤较常用。放射性粒子的内植入，也属于内放疗，医师在手术中，将带有放射性的粒子或导管植入手术切缘，或残存的肿瘤组织中。

37.1.5.2 骨肿瘤

发生于骨骼系统的肿瘤多为其他部位转移而来，属于原发的相对较少。有统计表明，原发性恶性骨肿瘤与继发性骨肿瘤之比为1∶35。另外，骨肿瘤除有良性和恶性之分外，尚有部分骨组织内的病变性质难以确定，如孤立性骨囊肿、骨嗜酸性肉芽肿等。下面重点讨论原发性骨肿瘤的诊治，尤其是骨肿瘤的放射治疗。

原发性恶性骨肿瘤发病率较低，约为 1/10 万。所有患者中，骨肉瘤约占 40%，软骨肉瘤、尤文肉瘤、骨纤维肉瘤分别约占 20%、12%及 5%。在 15～19 岁的患者中，骨肉瘤约占 60%，尤文肉瘤占 30%。

(1) 诊断方法

参见本书 56 章：骨肿瘤的诊断与治疗策略。

(2) 治疗原则

良性骨肿瘤的患者应争取进行彻底手术，而恶性骨肿瘤则需要手术、放疗、化疗等方法综合治疗才能取得好的效果。

手术是治疗骨肿瘤的主要手段，包括刮除术、切除术、肿瘤段切除、远端肢体再植、截肢、关节离断术等方法。而放射治疗作为骨肿瘤的主要辅助治疗手段，对于不同类型的骨肿瘤，其敏感性不尽相同。多发性骨髓瘤、嗜酸性肉芽肿、动脉瘤样骨囊肿的放射敏感度很高，一般总剂量 25～35 Gy 的治疗即可痊愈；尤文肉瘤、巨细胞瘤则需要 45～55 Gy 的剂量才能显效；而骨肉瘤、软骨肉瘤、骨纤维肉瘤则对放疗不甚敏感，需要综合治疗才能取得效果。

(3) 骨肿瘤放射治疗

1) 巨细胞瘤(破骨细胞瘤) 巨细胞瘤患者的年龄以 20～40 岁居多。发生部位多在四肢长骨骨骺，发生于椎体的亦较多。临床上约 15%的患者是因外伤骨折后才发现。症状表现为局部的疼痛、肿胀、压痛，如脊髓受侵犯，可产生神经根或脊髓的压迫症状。X 线特征：病变处呈肥皂泡状。组织学上，巨细胞瘤可分为 3 级。其中，Ⅰ～Ⅱ级临床上表现为良性，但易复发恶变；Ⅲ级仅占所有患者的 10%，临床上呈恶性的表现。值得注意的是，因巨细胞瘤具有一定的侵袭性行为，手术切除后有较高的局部复发率及远处转移行为，所以，不能将其等同于一般的良性骨肿瘤，而放射治疗则对此病有一定的作用。

治疗原则上，一般Ⅰ～Ⅱ级的巨细胞瘤以彻底手术为主，如手术后患者出现肿瘤复发，则再考虑放射治疗；Ⅲ级的患者则行手术加术后放疗，放疗的目的在于防止肿瘤的术后复发。

放疗的适应证：手术困难者；因各种原因不能手术者；手术会影响肢体功能者；刮除后，肿瘤有残存者；术后复发者。

放疗的范围应包括病变外 1～2 cm 的范围，照射的总剂量以 45～55 Gy 为宜。一般Ⅰ～Ⅲ级的巨细胞瘤患者行单纯放疗后数周至 3 个月，肿瘤可明显缩小；Ⅲ级的巨细胞瘤亦可在单纯放疗后 6～12 个月明显缩小。中国医学科学院的研究表明，62%的患者放疗中症状消失，34%的患者放疗后 6 个月内症状消失，21%的患者放疗中肿瘤缩小。

2) 骨肉瘤 骨肉瘤的发病率为 1/10 万，其高发年龄为 11～30 岁。男性的发病率高于女性。肿瘤最常发生于股骨远端、胫骨近端等部位，这些部位的肿瘤占所有骨肉瘤的 50%～60%，其次常见于肱骨及股骨近端，其他骨骼则较少发现。临床上，常表现为持续性的疼痛、全身中毒症状、病变周围软组织肿胀及压痛。X 线片常见干骺端偏心骨质破坏、放射状三角形骨膜反应。此病的特点为：恶性程度高，病情发展快，预后差。10%的患者首次就诊时，就已经发现有肿瘤的远处转移。

手术是骨肉瘤首选的治疗方法。截肢术后，患者的 5 年生存率约为 20%，局部控制率达到了 95%，但仍有 80%～90%的患者死于肿瘤远处转移。因此化疗在治疗中处于重要的地位，对患者行化疗加截肢或肢体骨替代术，其治愈率可达 70%。对于不能手术的患者，化疗后可进行放射治疗。

放疗的范围应包括整个受累骨，照射 40～50 Gy 后，缩小照射野至原发肿瘤外 5 cm 的区域，加量至 65～70 Gy(最高可达 80 Gy)。设野时，应注意将近端关节面包括在内。如有软组织肿块，也应将其包括在内。同时，尽量留一条淋巴回流通路。如放疗同时合并化疗，则可以提高肿瘤的放射敏感性，有利于肿块的缩小。

3) 尤文肉瘤 此病多见于 10～30 岁的患者，男性较为多见。临床上常表现为间歇性的疼痛，且逐渐加重，尤以夜间更明显。局部可扪及肿块。病情发展较快，常发生其他骨的转移。X 线片上可见干骺端或骨干处溶骨性破坏、葱皮样骨膜反应等改变。

由于尤文肉瘤对放疗较敏感，故在高强度化疗 4～5 周期后，可对患者行局部放疗。放疗的范围应包括整块受累骨在内，照射 45 Gy 左右后，缩小照射野至肿瘤外 5 cm 及 1 cm，各再加 5 Gy 的剂量，总剂量可达 55 Gy。研究表明，采用非手术(仅放化疗)

的治疗方法，其治愈率可达80%，患者的5年生存率为75%，而且还保留了良好的肢体功能。

4）软骨肉瘤、骨纤维肉瘤、骨恶性纤维组织细胞瘤　这几种骨肿瘤对放疗的敏感性较低，治疗后，肿瘤的退缩较为缓慢，而且复发率较高。所以，治疗方法上，应以手术为主，而放疗则一般应用于手术切除范围不充分、手术后肿瘤有残留、手术后肿瘤复发、手术操作在技术上有困难的患者。放疗的总剂量不宜太低，一般为55～65 Gy(40 Gy时有50%的患者复发)。

5）孤立性骨髓瘤、髓外浆细胞瘤　孤立性骨髓瘤、髓外浆细胞瘤的肿瘤细胞对放射线很敏感，故放射治疗为其主要的治疗手段。此外，也可行手术切除。放疗的总剂量为30～40 Gy。一般来说，照射剂量达到15 Gy时，即可产生明显的止痛作用。如为多发性骨髓瘤，则治疗必须以化疗为主，局部也可行放射治疗，具体的照射方法可参考孤立性骨髓瘤。

6）骨非霍奇金淋巴瘤(NHL)　此病原发于骨髓腔，病变以弥漫网织细胞为主。20～40岁的年龄段发病较多。好发部位为：长骨骨干及干骺端(股骨)。临床上，骨NHL常表现为局部疼痛，但往往程度较轻，局部亦可扪及肿块。即使是早期，也较易出现肿瘤的转移。其中淋巴转移及血行转移的发生率约各占一半。X线片上可显示骨骼的斑点状破坏及长骨干骺端溶骨性破坏，向骨干方向侵蚀。如肿瘤穿破皮质，则可形成软组织肿块。

本病对放疗十分敏感。化疗2～3个周期后，即可进行放疗。照射范围须包括整块受累骨及区域淋巴结。照射40～45 Gy后，缩小照射野至原病变处，追加剂量10 Gy左右。化疗可与放疗同时进行，再2～3个周期。经放化疗后，治愈率可达56%，患者的5年生存率可达66%。对于放疗后，疾病仍未控制、肿瘤复发或出现骨折的患者，可手术治疗。

7）骨转移瘤　据统计，30%～70%的恶性肿瘤会发生骨转移，而肿瘤患者如果出现疼痛，70%是由于出现骨转移所致。放射治疗骨转移瘤具有起效快、效果好、生存质量高、可延长患者生存期等优点。经放疗后，80%～90%的病例可达到止痛的目的。放疗中，需要注意的是，照射1～2次后，由于局部受照射组织发生水肿，常常导致患者感觉疼痛加重，但如继续治疗下去，则疼痛可逐步缓解。

37.1.5.3　软组织肿瘤

软组织肿瘤的放射治疗主要针对的是软组织肉瘤。而软组织肉瘤的定义是指起源于黏液、纤维、脂肪、平滑肌、横纹肌、间皮、滑膜、血管及淋巴管等间叶组织，且位于软组织部位的恶性肿瘤，其皆来源于原始间质。

(1) 流行病学

软组织肉瘤较为罕见。上海的发病率为1.28/10万～1.72/10万，只占所有恶性肿瘤的0.8%。据美国1991年统计，当年新发病例近6 000例，实际发病率约为2/10万，死亡约3 300例。近年来，美国软组织肉瘤的发病率及死亡率无明显的变化。此病的发病人群无明显性别和年龄的差别。

软组织肉瘤可发生于人体的任何部位，其中40%～45%的病例发生于下肢，25%～30%发生于躯干(腹膜后间隙占10%～15%)，15%～25%发生于上肢，5%～15%发生于头颈部，发生于泌尿生殖系统的约占2%。

(2) 病理学分类

确定软组织肉瘤这一诊断本身并不十分困难，但是，要进一步确定肿瘤的组织起源，则难度较大。因此，要明确诊断，就必须依靠免疫组化和电镜等技术方法。

据统计，在中国，软组织肉瘤中最多见的为纤维肉瘤，其次为脂肪肉瘤。而美国的统计数据为：脂肪肉瘤占23%，平滑肌肉瘤占18%，恶性纤维组织细胞瘤占18%，纤维肉瘤占9%，滑膜肉瘤占8%。

近20年来，特别是在20世纪90年代中后期，国外学者在软组织肿瘤的细胞和分子遗传学研究中取得了突破性的进展。越来越多的研究结果表明，在大多数软组织肿瘤中，存在有克隆性或非随机性的细胞和分子遗传学异常。具体表现为：染色体的数目和结构异常、相应基因的突变或扩增、染色体易位及产生融合性基因等。迄今为止，人们已经在13种软组织肿瘤中，发现了特异性的染色体易位以及由易位所产生的融合性基因(表37-4)。这些染色体易位和融合性基因的发现，具有3个方面的意义：①从分子生物学水平去探讨软组织肿瘤的发生机制；②根据这些特异性的染色体易位和融合性基因，开拓软组织肿瘤的新的诊断方法，即分子遗传学指标；③探索软组织肿瘤的分子靶向治疗，包括治疗靶基因、受体拮抗和阻断等方法。

表 37-4 软组织肿瘤的染色体易位和融合性基因

肿瘤类型	染色体异常	融合性基因	发生百分率(%)
尤文肉瘤/外周原始神经外胚层瘤	t (11; 22)(q24; q12)	EWS-FLI1	95
	t (21; 22)(q22; q12)	EWS-ERG	5
	t (7; 22)(p22; q12)	EWS-ETV1	<1
	t(17; 22)(p22; q12)	EWS-ETV4	<1
	t (2; 22)(q33; q12)	EWS-FEV	<1
	22q 12 重排	EWS-ZSG	<1
滑膜肉瘤	t (X; 18)(p11; q11)	SYT-SSX1	65
		SYT-SSX2	35
		SYT-SSX4	<1
腺泡状横纹肌肉瘤	t (2; 13)(q35; q14)	PAX3-FKHR	72
	t (1; 13)(p36; q14)	PAX7-FKHR	9
黏液性/圆细胞脂肪肉瘤	t (12; 16)(q13; p11)	TLS-CHOP	>95
	t (12; 22)(q13; q12)	EWS-CHOP	<5
腺泡状软组织肉瘤	t (X; 17)(p11; q25)	ASPL-TFE3	>99
骨外黏液性软骨肉瘤	t (9; 22)(q22; q12)	EWS-CHN	75
	t (9; 17)(q22; q11)	TAF2N-CHN	25
透明细胞肉瘤	t (12; 22)(q13; q12)	EWS-ATF1	>90
促结缔组织增生性小圆细胞瘤	t (1; 22)(p13; q12)	EWS-WT1	>99
隆突性皮纤维肉瘤/巨细胞纤维	t (17; 22)(q21; q13)	COL1A1-PDGFB	>99
母细胞瘤	r (17; 22)(q21; q13)		
先天性纤维肉瘤	t (12; 15)(p13; q25)	ETV6-NTRK3	>99
炎性肌纤维母细胞瘤	2p 23 重排	TPM3-ALK	
		TPM4-ALK	
		CLTC-ALK	
血管瘤样纤维组织细胞瘤	t (12; 16)(q13; p11)	FUS-ATF1	
低度恶性纤维黏液样肉瘤	t (7; 16)(q34; p11)	FUS-CREB3L2(BBF2H7)	>99
		L2(BBF2H7)	

(3) 临床分期

软组织肉瘤根据 1997 年国际抗癌联盟/美国癌症联合会(UICC/AJCC)的临床分期系统进行分期，根据组织学分级(1～4 级)、肿瘤大小(直径≤5cm，直径>5cm)、有无肿瘤的局部扩散及远处转移等分期要素，分为Ⅰ～Ⅳ期。肿瘤所在部位的深浅及大小是 T 分期的主要依据。与其他肿瘤不同的是，软组织肿瘤的病理分级(G)参与了的肿瘤分期，主要的根据是：核分裂的程度、细胞的异型性或多形型、有无出血和坏死、分化程度和间质的含量。

(4) 临床表现

软组织肉瘤由于组织学类型的不同和发生部位的不同，可产生一系列不同的临床表现。其共有的特点为：症状中疼痛出现较多。但多数患者早期并无明显疼痛症状，少数深部肿瘤复发时可出现明显疼痛。晚期肿瘤压迫和侵犯神经、骨骼等组织系统时，往往患者会出现顽固性疼痛。在各种类型的软组织肉瘤中，滑膜及横纹肌肉瘤出现疼痛者较多。而发生于腹膜后间隙的软组织肉瘤则出现的症状较少，早期不易被发现，一旦患者出现症状或偶然体检时发现，往往肿瘤的体积已经很大，可以扪及腹部包块。

虽然软组织肉瘤可发生于全身任何部位，但在一定程度上，不同病理类型软组织肉瘤的生长部位仍有所不同。例如，纤维肉瘤好发于四肢、躯干、皮肤及皮下；脂肪肉瘤好发于臀部、大腿、腹膜后区域；滑膜肉瘤好发于上下肢大关节；横纹肌肉瘤好发于下肢肌层内(胚胎型常发生于眼眶、耳道、鼻腔、泌尿生殖系统)；间皮肉瘤好发于胸腔、心包腔、腹腔及鞘膜腔；平滑肌肉瘤好发于躯干、腹腔；而腺泡状软组织肉瘤则好发于臀部、腹部肌肉内。

软组织肉瘤的肿块活动度与其发生部位的深浅、病期及病理学分级密切相关。如肿瘤恶性程度较低，则其活动度较大；如为高度恶性者，则肿瘤往往呈浸润性生长，肿块多固定。生长在肌肉内的肿瘤，在肌肉放松时可以推动，而生长在骨骼、筋膜、腹膜后间隙、盆腔及骶前的肿瘤则相对比较固定。

位于体表或恶性程度高的软组织肉瘤，由于血供丰富及代谢较快等原因，局部温度往往较高；而偏良性的肿瘤，其局部温度往往较低。软组织肉瘤的这一特性往往有助于其临床诊断及鉴别诊断。

软组织肉瘤常常经血道转移至肺、肝脏、骨骼等处。淋巴结转移的发生率较低，大约为5%，多见于滑膜肉瘤、横纹肌肉瘤、未分化及上皮样肉瘤。腺泡状横纹肌肉瘤的淋巴结转移率较高，其发生率约为20%。需要指出的是，软组织肉瘤患者如发生淋巴结转移，其预后与出现血行转移者是相同的。

(5) 诊断方法

根据病史及临床表现，可初步作出诊断，甚至还能估计出其组织来源。另外，必要的辅助检查也不可缺少，临床上常用的有以下几种方法。

1) B超检查　可发现不均质肿块，且还可确定其生长部位和大小形态，尤其对发生于深部的肿瘤更有价值。

2) X线片检查　有助于了解肿瘤的范围、透明度及其与邻近骨质的关系。例如，肿块边界清晰，有钙化点者往往恶性程度较低；肿块边界模糊，出现骨膜反应或骨质破坏者，其恶性程度往往较高。另外，对每个患者进行常规胸部摄片，可了解其肺部有无转移灶出现。

3) CT检查　CT之所以成为软组织肉瘤的主要的辅助检查方法，是因为其对软组织的密度分辨力和空间分辨力较强。它可以明确地确定肿瘤的解剖部位、大小、形态、内部结构及其与周围血管、神经、脏器的关系。此外，某些软组织肿瘤在CT检查时，可呈现一定的特征。例如，低分级的脂肪肉瘤除了有高脂肪含量及假包膜外，内部还可能含有条索状软组织成分。

CT对于指导手术治疗及放疗部位的确定具有极其重要的意义。它可以让医师确信，放射治疗野已覆盖所有的肿瘤组织及与其紧密相连的周边结构，而正常组织则得到了最大限度的保护。

4) 病理　要作出最准确的诊断，病理检查必不可少。需要特别注意的是，取病理检查材料时，应对标本进行正确处理和规范化诊断，严格防止出现医源性播散。例如，在具体操作时，应当在做根治术的准备下，做冷冻切片或做整个肿瘤切除的手术；保证有足够的组织块供免疫组织化学标记或特殊染色；只有晚期肿瘤才做穿刺活检或表面溃疡咬取活检。

(6) 治疗

软组织肉瘤的治疗必须遵循早发现、早治疗的原则，其治疗效果取决于首次治疗的正确性和彻底性。只有手术、放疗、化疗等治疗方法综合运用，相互补充，才能减少肿瘤的局部复发率及远处转移率，并最大限度地保留机体功能，从而取得较好的效果。

1) 手术　手术是软组织肉瘤的首选治疗方法。根据肿瘤的病理类型、生长部位、浸润范围、转移情况及患者的全身情况，可选择行局部切除术、广泛切除术、关节离断术等各种手术。手术时，应遵循“无瘤操作”的原则，尽量做到根治切除或广泛切除，保持被切下的肿瘤组织的边缘为正常组织。手术时，包绕肿瘤的假包膜应尽量切除(在假包膜周围的正常组织中，甚至远隔部位也可能有亚临床病灶)，否则由于遗留了“反应区”内的卫星结节和跳跃转移灶，病理检查可能发现手术切缘为阳性，或者肿瘤边缘仅有菲薄的正常组织，从而出现肿瘤复发或转移。

首次手术很重要，治疗失败的原因往往是肿瘤无法完整切除或手术切缘为阳性。这往往受肿瘤的解剖部位、深度、大小、浸润组织的程度的影响。此外，手术的范围、方式、技巧亦影响手术治疗的效果。如果肿瘤局部切除后，及时进行广泛切除，依然有希望取得良好的治疗效果。

但手术的缺陷是：局部切除术及广泛切除术不易彻底切除肿瘤，所以手术后仍有较多患者会出现肿瘤复发。至于截肢手术，患者往往难以接受。因此，单纯手术治疗的预后相对较差。即使外科医师认为肿瘤已完全手术切除，其局部复发率依然很高。

目前，由于包括放疗在内的综合治疗不断进步，手术的目标已改变为：既广泛地切除肿瘤，又保留患者的生理功能，以最适度的方法保证患者的生活质量。

2) 化疗 NCI的研究早已表明：肢体的软组织肉瘤接受辅助化疗，能降低其局部复发率及远处转移率，从而提高患者的生存率；头颈及躯干的软组织肉瘤接受辅助化疗则无明显效果。目前较普遍的看法是，对于高组织学分级、直径＞5 cm或复发及远处转移风险高的软组织肉瘤，术前化疗可缩小肿瘤体积，便于其手术切除，而术后化疗可减少其远处转移。

近年来，欧洲癌症研究和治疗组织进行了软组织肉瘤高剂量强度化疗的研究。这种化疗方法利用人体粒-巨细胞集落刺激因子(rhGM-CSF)来减轻化疗的骨髓抑制。对于那些不能手术的患者，采用高剂量的羟柔毛霉素和异环磷酰胺，并辅以rhGM-CSF治疗，其中半数取得了一定的效果(完全有效者占17%)。另外，经动脉化疗在部分经选择的患者中有运用，但这方面的报道很少。

3) 放疗 手术在过去被认为是唯一有效的治疗软组织肉瘤的方法。1928年，Rostok对505例患者进行了放疗，其长期治愈率仅为2.9%；而550例单纯手术的患者，其5年治愈率则达到了30%。据此，人们认为，软组织肿瘤是抵抗放射的肿瘤。但实际导致放疗效果差的主要原因是：因为技术条件的限制，患者的皮肤反应往往较大，而实际肿瘤的照射剂量偏低；患者病期较晚，导致肿瘤体积巨大或出现复发及远处转移；肿瘤治疗后消退缓慢，被误认为无效。

随着放疗的基础研究及技术设备的发展，人们逐渐认识到，软组织肉瘤多为放射中度敏感的肿瘤，其本身不是抗放射，而是对大块肿瘤不太敏感。而且，肿瘤随肌肉运动、手术挤压，往往从局部沿肌肉筋膜面及原发组织间隙播散，故原发灶周围常伴有亚临床病灶，最终造成肿瘤复发或转移。根据Fletcher关于头颈、乳房肿瘤的术后残留病灶能被50～55 Gy的放疗剂量杀灭的原理，一定剂量的放射线应能够杀灭这些少量的残留肿瘤细胞。此外，放疗的一个显著的优点是，其治疗的范围可以较手术范围更大，但不像手术那样受到神经、血管等解剖结构的明显限制。至于放疗的剂量，Wolfson等认为，放疗总剂量对软组织肉瘤的疗效有重要影响。今后，随着三维立体适型放疗、调强放疗(IMRT)、快中子放疗、放射增敏及保护等技术的不断发展，肿瘤的放疗剂量能得到最大限度的提高，而周围正常组织的受照射剂量则可明显降低，从而达到在提高治疗效果的同时，正常组织的并发症却无明显增多的目的。

国内外大量研究表明，软组织肉瘤对单纯放疗的反应率可达74%，约33%的肿瘤可得到长期的控制。放疗常常与手术相结合，起到缩小手术范围、减少手术损伤的作用。采用保守手术、根治性放疗及化疗等综合治疗后，有85%的四肢软组织肉瘤患者可以保留肢体，避免了截肢手术或半盆腔切除术，同时生存率也得到了提高，其效果不亚于扩大手术及截肢手术。

统计表明，与单纯手术相比，同时接受放疗的患者其肿瘤的局部复发率明显降低。Catton等报道，104例患者中，43%获得肉眼上肿瘤的完全切除。但即使这些完全切除的患者，5年中无局部复发者也只有50%，而10年则只有18%。放疗延长了患者的肿瘤局控率(放疗组中位局控率为103个月，未放疗组则为30个月)，总的5年及10年生存率分别为36%和14%。这表明软组织肉瘤患者接受放疗有很大的意义。

放疗方法一般可分为术后放疗、术前放疗、单纯放疗、组织间质后装放疗等。具体介绍如下。

(i) 术后放疗：其适应证包括：已手术切除原发肿瘤及周边3～5 cm的正常组织，并已切除深部筋膜组织的患者；显微镜下显示有肿瘤残留者。同时，必须无引流淋巴结区域、肺、肝脏、骨骼等远处脏器转移。

一般术后放疗在手术拆线后1～2周或术后3～4周即可开始。照射的范围及剂量则根据肿瘤的位置、大小、G分级而定。一般的肢体肿瘤，如分级为G1或直径＜5 cm，则其照射范围要包括肿瘤外约5 cm的区域或整个的手术范围；如分级为G2～G3或肿瘤直径＞5 cm，则照射范围须包括肿瘤外7～10 cm的区域。Wolfson等建议，照射的总剂量要达到65～75 Gy。一般常用的照射方法为：6MV X线50～55 Gy后，缩野对准瘤床，补充电子束10～15 Gy。腹膜后软组织肉瘤因受到小肠及胃的耐受剂量限制，剂量的上限通常为50～55 Gy。

因为瘢痕区域出现肿瘤溅落和污染的可能性最大，所以，缩野应尽可能地包括瘢痕区域在内。至于区域淋巴结，因其转移率仅5%，故除治疗前已发生淋巴结转移者外，一般患者不必行预防性照射。但分化差的胚胎性肉瘤、未分化肉瘤必须照射区域淋巴结，其剂量为 40～50 Gy。

有研究认为，肿瘤切除后，采用超分割放疗以提高放射总剂量，可达到消灭局部残存病灶，提高局部控制率，降低正常组织晚期损伤反应的目的。因此，进一步地研究超分割放疗的作用，具有较大的意义。

(ii) 术前放疗：一般适用于肿瘤体积大、生长快、恶性度高或复发的病例。其益处是：射线使正常组织与肿瘤组织间产生组织反应区，导致组织出现轻度水肿，从而易于手术中组织的分离，使不能切除的肿瘤得以切除，增加了手术切除率；放疗使大部分的肿瘤细胞失活，即使手术野内有残留也很难再复发；放疗后，肿瘤周围的脉管变细、闭塞，丧失了循环能力，减少了术中挤压导致肿瘤细胞向外扩散的机会；可使肿瘤体积缩小 30%～90%，从而导致其局部复发率及远处转移率降低。总之，术前放疗能减少肿瘤种植，有利于完全切除肿瘤，最大限度地减少并发症产生的危险。

手术一般在放疗结束后 3 周左右进行，二者间隔的时间不能太长，以免放射区域内的组织发生明显的纤维化，导致术中出现肿瘤剥离困难。照射野的范围原则上与术后放疗相同。照射剂量建议为 50～55 Gy。如肿瘤体积巨大，手术时不能彻底切除，则手术中可在肿瘤残留部位放置银夹，以便术后加量(剂量建议＜20 Gy)。

(iii) 单纯放疗：其适应证为肿瘤巨大，与重要器官无法分离，难以手术切除者；肿瘤多次复发不能手术者；有手术禁忌证或拒绝手术者。

单纯放疗结合化疗可达到缩小瘤体、缓解疼痛的目的，一部分肿瘤可明显缩小。其照射总剂量为 50～70 Gy。

(iv) 组织间质后装放疗：对于曾经放疗过，现又需放疗的肿瘤病灶，或侵犯重要的血管、神经，手术无法彻底切除的软组织肉瘤，则可在手术中针对血管、神经上的残留病灶，采用塑料后装导管直接安置在目标区，进行近距离放疗。

(v) 快中子治疗：多数软组织肉瘤对常规放射线的反应性较差，对不能手术切除的肿瘤的局控率仅为 25%～38%。而快中子属于高线性能量传递(LET)射线，与光子照射相比，其具有以下放射生物学的优势：在乏氧条件下可有效杀死癌细胞；对细胞周期各时相细胞的杀伤作用差异较小。因此，快中子治疗软组织肉瘤比常规射线有更高的相对生物学效应(RBE)。随着快中子治疗研究的进展，世界上各中子治疗中心均将软组织肉瘤作为快中子治疗的主要病种之一。对于广泛侵犯局部组织、不能完全手术切除的软组织肉瘤，或复发的分化较好、生长缓慢的软组织肉瘤，或术后病变残留者，进行快中子治疗，取得了一定的疗效。肿瘤的局部控制率为 53%～56%。

4) 放疗的不良反应及正常组织的保护　放疗不良反应的发生率约为 6%。据国外报道，大剂量照射后，不良反应的发生率可达 40%，主要包括伤口不愈、感染、血肿、皮肤坏死、骨折、髂窝脓肿等。但手术本身的并发症也较多，Collion 报道 307 例单纯手术的软组织肉瘤患者，其手术并发症的发生率为 37%，且多为全身性的及严重的并发症。

为避免出现放疗不良反应，必须加强正常组织的保护。对于发生于躯干部位的软组织肉瘤，应避免肺、肝脏、肾脏、脊髓等重要脏器的过量照射。而肢体部位的软组织肉瘤则应避免进行肢体的全周照射，必须保留一条狭长的正常组织；如无肿瘤侵犯，应避免整段肢体、长骨及整个关节腔的照射，否则肢体易出现纤维化、肿胀、缩窄、皮肤坏死、关节强直及骨折等严重并发症。另外，在肿瘤大体切除后，采用超分割放疗，可提高软组织肉瘤的局控率，降低晚期损伤反应。

(7) 预后因素

软组织肉瘤的预后取决于肿瘤的组织学类型、部位、分期、分级、肿瘤大小、深度、是否可手术切除等因素。例如，组织学类型如为血管肉瘤，则很容易出现局部复发，这可能与血管肉瘤的多灶性发生有关；如为胚胎横纹肌肉瘤，则常常预后不良。国内师英强等报道，发生于腹膜后的软组织肉瘤，其生存率明显低于其他部位($P=0.024$)，主要原因可能是肿瘤体积巨大，常常累及邻近的器官，外科手术难以确定切缘是否足够，从而导致出现较低的手术完全切除率。另有报道，*Rb* 基因表达的缺失、*p*53 基因和 *Ki*-67 基因的高表达及非二倍体 DNA 含量可能与疾病的预后不良相关。在临床上，组织学分级比组织学类型对预后的影响更为明显。

软组织肉瘤肺转移为导致患者死亡的主要原因。肺转移多呈局限病灶，可行手术切除。切除后，患者的长期无病生存率仍可达 25%～56%。

(曾昭冲　王斌梁)

37.1.6 介入治疗

37.1.6.1 概述

介入治疗具有损伤小、治疗效果好、适应证广、能与其他多种疗法相结合的特点，在骨恶性肿瘤临床治疗中占有重要地位。在 20 世纪 70 年代，就有学者采用动脉化疗灌注和动脉栓塞治疗骨恶性肿瘤。目前，动脉化疗灌注和动脉栓塞在增加保肢手术机会、减少术中出血、姑息性治疗晚期肿瘤等方面的作用已得到广泛认同。恶性骨肿瘤往往引起顽固性疼痛和病理性骨折，影响患者的日常生活，进而使患者悲观、情绪低落，不利于进一步治疗。多种介入治疗方法均可以有效地缓解疼痛，从而提高患者的生存质量，增强患者与疾病斗争的信心。下面简要介绍目前常用的几种骨恶性肿瘤的介入治疗方法。

37.1.6.2 动脉化疗灌注和动脉栓塞

(1) 理论基础

动脉化疗灌注(transcatheter arterial infusion, TAI)与静脉全身给药相比的优势在于：①药代动力学研究表明局部给药使肿瘤组织浓度明显增高，与静脉途径给予同等量的化疗药物相比，药物浓度要高 3～7 倍，可以明显提高疗效；②减少抗癌药与血浆蛋白的结合，提高了药物利用度；③体循环血药浓度明显降低，全身不良反应明显降低，可以提高化疗剂量；④较低的体循环血药浓度对远处转移仍有一定预防作用。

动脉栓塞(transcatheter arterial embolization, TAE)的作用：①阻断肿瘤供血动脉，使肿瘤缺血缺氧而发生坏死；②部分栓塞材料可以携带化疗药物，起到缓释作用，持续杀伤肿瘤。

(2) 适应证和禁忌证

1) 适应证 ①无法手术的原发性和转移性骨恶性肿瘤；②新辅助化疗；③术后辅助化疗；④肿瘤大出血；⑤术前栓塞肿瘤供血动脉，减少术中出血。

2) 禁忌证 ①无法纠正的凝血功能障碍；②全身感染或穿刺部位有炎症；③伴有肝肾功能不全；④全身广泛转移(采用介入治疗缓解局部症状者除外)；⑤终末期患者。

(3) 术前准备

①完善影像学和血液生化检查；②穿刺部位备皮；③术前禁食 4 h；④术前 30 min 肌注地西泮 10 mg。

(4) 操作方法

采用 Seldinger 法穿刺股动脉，置入血管鞘，根据需要选用不同形态的导管，选择性进入可能供应肿瘤的动脉进行造影，明确肿瘤的供血动脉、肿瘤血供多少、有无动静脉瘘等情况。如肿瘤为多支动脉供血，应分别选择性插管进入这些动脉造影；如所在动脉供应较多正常组织，应尽可能超选择进入肿瘤直接供养动脉。导管到位后，将化疗药物稀释后灌注。给药方式有一次性冲击性灌注和持续性灌注两种。前者适用于细胞周期非特异性化疗药物给药，灌注后即拔除导管和血管鞘，操作较为简便。后者适用于细胞周期特异性化疗药物给药，需留置导管，患者需卧床数天，易增加血栓形成等并发症的发生率。进行 TAE 时，必须实时监测血流情况，防止栓塞剂返流入正常组织的供血动脉。栓塞时如有动静脉瘘，应选择合适直径的栓塞剂封堵瘘口，避免直径较小的栓塞剂进入静脉系统，引起肺栓塞。

对椎体肿瘤进行 TAI 或 TAE 时，应注意避免化疗药物和栓塞剂进入脊髓供养动脉(主要是脊髓前动脉)引起脊髓损伤。脊髓前动脉起自椎动脉颅内段，沿脊髓前正中裂下行至脊髓下段，沿途发出分支营养脊髓灰质(后角后部除外)和侧、前索的深部，行程中常有狭窄，甚至中断。C_5 以下由节段性动脉(肋间动脉、腰动脉等)加强供血，其中有两支较粗大，称为根髓大动脉，也称为 Adamkiewicz 动脉，一支出现在上胸段，另一支出现在胸腰段。正位造影表现为一纤细笔直动脉位于正中垂直上行，到达中线后急转向下，形成“发夹”征，侧位显示位于椎体后缘。造影剂、化疗药物或栓塞剂进入根髓大动脉会引起脊髓损伤，出现脊髓横断症状。大部分病例在数月内能够完全或部分恢复，但一部分会造成终身截瘫。仔细观察造影表现，避免在根髓大动脉显影的肋间或腰动脉给药是防止这一并发症的关键。一旦出现脊髓损伤，应立即撤除导管，用大剂量激素冲击治疗，并使用营养神经和改善微循环的药物。

(5) 术后处理

①穿刺侧肢体保持伸直，制动 6～8 h；②观察穿刺部位有无出血、血肿形成，足背动脉搏动，肢体皮色、温度、感觉等情况；③监测生命体征；④观察被栓塞血管供血区域的皮肤有无疼痛、红肿、皮肤坏死；⑤术后 3～5 天内给予抗感染、抗炎、止吐、保肝和对症支持治疗。

(6) 常用化疗药物

对原发性骨恶性肿瘤有效的化疗药物有环磷酰胺(CTX)、异环磷酰胺(IFO)、氨甲蝶呤(MTX)、多柔比星(ADM)、顺铂(CDDP)、长春新碱(VCR)、足叶乙苷(VP-16)等。由于单药化疗易使肿瘤细胞产生耐药性，TAI往往使用多种药物进行联合化疗。骨肉瘤常采用以MTX、ADM、CDDP、IFO为主的联合化疗方案，尤文肉瘤常采用以ADM、VCR、CTX、VP-16为主的联合化疗方案。软骨肉瘤对化疗不敏感，以手术为主要治疗方法，化疗方案基本同骨肉瘤。转移性骨恶性肿瘤的化疗方案，通常选用对原发肿瘤敏感的药物。

(7) 常用栓塞剂

目前临床可供使用的栓塞剂种类繁多，分类方法也多种多样。根据栓塞作用时间可以分为短效、中效和长效；根据作用方式可以分为简单类(只引起血管栓塞)和复杂类(可以携带化疗或放射性药物)；根据栓塞水平可以分为中央型和末梢型。以下介绍几种在骨恶性肿瘤TAE中常用的栓塞剂。

1) 明胶海绵　安全、无毒、价格低廉，是TAE中最常用的栓塞剂。可以根据需要剪成不同大小的条状或颗粒状，加入造影剂进行注射。仅对血管部分栓塞时，7～12天即可吸收，血管再通；如栓塞完全，可以导致永久性栓塞。常用于减少肿瘤血供或肿瘤出血的止血治疗。

2) 碘油　为末梢栓塞剂，与肿瘤有特殊的亲和性，不易被肿瘤组织清除，是富血供肿瘤常用的栓塞剂。碘油的“导向性”栓塞的作用机制可能是肿瘤组织内新生血管丰富，血流量大，碘油可因虹吸作用而流向肿瘤区；肿瘤血管扭曲、不规则，缺乏肌层和弹力层，缺乏神经调节，血流缓慢，不能有效地冲刷附着的碘油；肿瘤组织缺乏能清除碘油的网状内皮系统。碘油常和化疗药物混合成乳剂进行化疗栓塞，不仅使肿瘤缺血、缺氧，还能缓释化疗药物，持续性杀伤肿瘤。

3) 不锈钢圈　为盘曲成圈的不锈钢丝，上面附有绒毛，增加致栓性。不锈钢圈释放后，即引起所在血管继发血栓形成，导致永久性栓塞。常用于肿瘤出血的止血治疗。

4) PVA　由聚乙烯醇泡沫与甲醛合制而成，在体内不被吸收，是永久性栓塞剂，有150～1 000 μm多种直径可供选择。

5) 其他　白及胶、高渗葡萄糖、加热造影剂、放射性微球、磁性栓塞剂等。

(8) 临床应用和疗效

TAI可以对不能手术的骨恶性肿瘤进行姑息性治疗，控制肿瘤生长，缓解临床症状。Gullen治疗了109例骨肉瘤和恶性纤维组织细胞瘤患者，经TAI给予DDP，静脉给予多柔比星，重复2～5次。90%的病例血管造影显示肿瘤血供明显减少，82%的病灶明显坏死(坏死率≥90%)。Bacci把接受MTX＋DDP＋ADM方案治疗的骨肉瘤患者随机分为两组，一组经TAI给予DDP，另一组静脉滴注DDP。两组的有效率分别为78%和46%($P<0.004$)，TAI组明显高于静脉给药组；随访过程中，TAI组1例局部复发，静脉给药组5例局部复发。新辅助化疗的应用使骨恶性肿瘤的保肢成功率和5年生存期明显延长，患肢功能的保全和生存期的延长，使患者得到疾病和心理上的双重医治。TAI可以作为新辅助化疗的一种特殊方式，发挥以下作用：①消除微小转移灶；②缩小原发病灶，增加选择性保留肢体手术的机会；③了解肿瘤对化疗的反应性，为判断患者预后，选择术后化疗方案提供重要依据。Rha等治疗了36例骨肉瘤患者，先经动脉灌注DDP结合静脉滴注多柔比星，再进行手术。其中30例接受了保肢手术，3年无瘤生存率54.7%，3年生存率为78.3%。

单纯栓塞用于骨肿瘤大出血或手术前对富血供肿瘤进行栓塞。Olerud研究了术前栓塞肿瘤供血动脉对肾癌脊柱转移患者手术的影响。21例中，术前接受栓塞患者的出血量仅为不接受栓塞者的1/3。目前，临床应用更多的是TAI后对肿瘤血管进行栓塞或将化疗药物和栓塞剂混合的化疗栓塞。Nagata等治疗了31例骨转移性肿瘤和10例骨、软组织原发恶性肿瘤，前者使用ADM＋CDDP方案，后者使用ADM单药灌注，再用明胶海绵条栓塞。CT随访31例出现坏死，14例瘤体缩小，转移瘤和原发肿瘤患者的1年生存率分别为38.9%和38.1%。Chiras用DDP经动脉灌注后再用表柔比星与PVA混合液化疗栓塞治疗25例伴有不同程度疼痛的骨转移瘤患者。83%的患者疼痛显著缓解，观察肿瘤大小变化，结果部分缓解4例，完全缓解2例。

(9) 并发症

①与穿刺插管有关的并发症，如穿刺部位出血、血肿形成、血管损伤、导管打折、导丝折断等。②与化疗灌注有关的并发症，如局部肿胀疼痛、恶心呕吐、骨髓抑制、肝肾功能损害、脊髓损伤等。③与栓塞有关的并发症，如动脉栓塞可能出现被栓塞动脉供养区域的正常组织缺血、坏死。④造影剂过敏反

应等。

37.1.6.3 经皮椎体成形术

经皮椎体成形术(percutaneous vertebroplasty, PVP)是将半液态的聚甲基丙烯酸甲酯(俗称骨水泥)通过穿刺针注入病变椎体,起到镇痛和稳定椎体作用的治疗方法。Deramend于1984年首先将PVP用于治疗椎体侵袭性血管瘤,并在1987年进行了报道。经过20多年的发展,PVP因具有损伤小、镇痛效果好、起效快等优点,现已成为椎体转移性肿瘤、骨质疏松合并椎体压缩性骨折、椎体侵袭性血管瘤等疾病的主要治疗方法。

(1) 作用机制

PVP通过多种途径发挥止痛作用,主要包括以下几方面:①提高椎体的稳定性,减少骨折断端的微小移位,减少对痛觉神经末梢的刺激;②骨水泥在聚合阶段产生热量,破坏痛觉神经末梢;③对肿瘤细胞和神经细胞的细胞毒作用。

(2) 适应证和禁忌证

1) 适应证 ①椎体原发性或转移性肿瘤引起疼痛,经保守治疗无效。②椎体原发性或转移性肿瘤严重破坏骨质,有椎体塌陷危险。

2) 绝对禁忌证 ①有穿刺禁忌证,如严重的凝血功能障碍、败血症等。②无临床症状的严重溶骨性压缩性骨折。

3) 相对禁忌证 ①椎体后缘骨皮质不连续。②椎体压缩 > 70%(高度)。③肿瘤引起的椎管或椎间孔狭窄。

(3) 骨水泥

骨水泥的化学名为聚甲基丙烯酸甲酯(polymethylmethacrylate, PMMA),聚合后能自行凝结成坚硬的高分子化合物,弹性模量介于松质骨和金属之间。通常将PMMA聚合过程分为以下3个阶段。①稀薄阶段:为调配后的120 s内,PMMA呈稀薄白色液态,此阶段注射时极易发生渗漏;②黏稠阶段:调和后120 s到6~7 min,为注射最佳时间段,超过此阶段注射非常困难;③硬化阶段:调和后10~12 min,PMMA凝结成坚硬的固态,并产生热量,温度可达70 ℃左右。将粉剂、调配液和PMMA注射器接近0 ℃冷藏,可以将硬化时间延长到15 min左右,延长骨水泥注射的时间窗。在注射骨水泥时实时监测骨水泥的弥散情况、及时发现渗漏是防止并发症的关键,因此骨水泥的X线显影性非常重要。PMMA本身在透视下几乎不显影,市售的大多数骨水泥已由厂家添加了不同比例的钡剂、钽粉或钼粉,以增加显影性。

(4) PVP操作方法

DSA透视和CT是PVP的两种影像学导引方法。DSA透视操作简便,可以实时监测骨水泥弥散情况,是常用的导引方法。CT定位更为精确,通过断层清晰显示治疗后的骨水泥分布情况,但无法在注射过程中监测骨水泥弥散情况,且操作较为费时,常用于穿刺难度较大的病例,如颈椎或椎弓根较细的椎体。也有学者考虑到DSA和CT在PVP导引中的互补性,在两者联合导引下进行PVP,但这在大多数医疗单位难以实施。近几年发展起来的DSA DynaCT技术可以生成类似CT的断层图像,兼备了透视和CT的功能,使PVP的导引更为精确和方便。

用于PVP的穿刺针根据针芯形态不同,可以分为单斜面、多斜面、菱形以及螺旋形等等。最为常用的是单斜面和菱形穿刺针,这两种穿刺针具有不同特点。单斜面穿刺针在穿刺过程中,可以通过改变斜面方向随时调整进针方向;注射时,骨水泥往往偏向一侧分布。菱形针进入骨皮质后,不易改变方向;注射骨水泥时,向四周弥散比较均匀。术者可以根据自己经验和病灶在椎体内的分布情况选择使用。

PVP穿刺途径有经椎弓根途径、椎弓根旁途径、侧前途径3种。经椎弓根途径有明显的骨性标记作为参照,不易损伤神经根、肺等正常组织结构,便于穿刺活检,是胸、腰椎PVP最常采用的途径。穿刺时侧位透视当针尖到达椎体后缘时,正位透视不超过椎弓根投影的内侧缘是确保手术安全(不进入椎管)的关键。当病变椎体椎弓根较细,不能确保穿刺针位于椎弓根内时,可以采用椎弓根旁途径。由于穿刺点较椎弓根途径偏外侧,进针点在椎体侧缘,应注意预防气胸和椎旁血肿的发生。颈椎PVP往往无法从后方穿刺,可以采用侧前途径。穿刺时必须避开颈动脉鞘,穿刺过程应在CT导引下完成,以确保穿刺的安全性和准确性。

(5) 术后处理

术后常规抗感染、抗炎、止血、镇痛治疗,患者保持原位1~2 h后改仰卧位,6 h后可起床活动。监测神经系统和呼吸系统症状和体征。

(6) 疗效

PVP治疗椎体转移瘤的目的主要是缓解疼痛,

文献报道的疼痛缓解率为50%～97%。镇痛作用见效快，大多数患者在术后1～3天内即有明显缓解。目前，没有研究表明椎体转移性肿瘤的镇痛效果与注射的骨水泥剂量呈正相关，但随着骨水泥剂量的增高，渗漏率明显增高。因此与PVP治疗骨质疏松不同，不必追求病灶内骨水泥完全充填，通常1.5～2.5 ml以上就会产生镇痛效果。笔者治疗的一组33例中，骨水泥注射量平均3.0 ml，临床有效率达到93.9%。由于椎体转移瘤患者的生存期较短，关于PVP长期镇痛效果的报道非常少。Hodler等通过随访发现，PVP术后疼痛复发的患者都是由病灶进展引起。

单侧注射和双侧注射：偏于椎体一侧的局限性溶骨性破坏，只需单侧进针注射骨水泥充填病灶。椎体多发或弥漫性溶骨性破坏可以通过单侧注射和双侧注射两种方法进行治疗。单侧注射是指仅通过一侧椎弓根穿刺，使针尖最终位于椎体中央位置注射骨水泥。双侧注射是通过两侧椎弓根分别进针，针尖分别位于椎体的半侧。以上两者各有优势和不足：双侧注射操作技术简单，骨水泥弥散更为均匀广泛，但相对较为费时，一侧椎体内已注射的骨水泥会影响另一侧骨水泥注射时的监测。单侧注射可以节省操作时间，但穿刺针与椎弓根夹角增大，易损伤椎弓根骨皮质。Kim等回顾性分析的两组病例中，17例18个椎体行双侧注射，32例57个椎体行单侧注射，两组疼痛缓解率无显著差异，表明两种方法的治疗效果相仿。

椎体内静脉造影：穿刺针到位后是否常规行椎体内造影，学者们持有不同的看法。部分学者认为，骨水泥的黏滞度明显高于造影剂、流动缓慢、进入椎体后快速凝固，因此，即使造影发现引流静脉，骨水泥并不一定会渗漏入静脉。另外，椎体内滞留的造影剂会干扰术者观察骨水泥弥散情况。Gaughen等回顾性分析了注射骨水泥前接受椎体内造影和未接受造影的病例，两组的骨水泥渗漏率和临床效果均无显著差异。另一部分则认为椎体内造影可以对骨水泥分布、流向作出预判，减少并发症的发生。McGraw等总结了96例行椎体内造影的PVP病例，得出骨水泥的分布、流向与造影剂相符率达到83%。我科治疗的一组33例椎体转移瘤均在注射骨水泥前行椎体内造影，其中4例造影剂较快速引流入大静脉，根据具体情况调整穿刺针位置或推注明胶海绵栓塞，注射时增加骨水泥的黏滞度，无一例出现肺栓塞。但椎体内造影是否可以降低并发症的发生率，有待于进一步的随机对照研究加以证实。

(7) 并发症

1) 骨水泥渗漏引起的并发症　文献报道的骨水泥渗漏率为11%～73%，其中绝大部分是椎旁软组织和椎旁静脉渗漏，不会引起临床症状。极少部分骨水泥渗漏会引起临床症状，且通常较为严重。①神经系统并发症：椎体后缘和椎弓根骨皮质破坏的病例，骨水泥易渗漏入椎管和椎间孔，引起脊髓、神经根压迫和热损伤，出现相应的神经系统并发症。有时穿刺针过于贴近椎弓根边缘，会损伤骨皮质，造成骨水泥沿穿刺道渗漏入椎管或椎间孔。在椎体转移瘤PVP治疗中，一过性神经损伤的发生率为5%，永久性损伤的发生率为2%。一旦出现神经系统并发症，应立即使用大剂量激素冲击治疗或行神经根阻滞术，少数病例需要手术减压。②肺栓塞：骨水泥渗漏入椎旁静脉后经静脉回流至肺动脉引起栓塞，较为罕见。

2) 其他并发症　①与穿刺有关的并发症，如穿刺部位出血、感染、肋骨骨折、气胸等等。②全身并发症，包括脂肪栓塞、注射骨水泥引起的低血压等，极为罕见。

(8) 治疗其他部位骨肿瘤

PVP也可以用于椎体肿瘤以外骨肿瘤的治疗，但术者必须熟悉治疗区域的局部解剖，防止骨水泥渗漏引起的血管、神经和关节腔损伤。Kelekis等报道了一组PVP治疗14例坐骨和耻骨转移瘤患者，VAS评分由术前平均8.8下降到术后1.9，镇痛有效率92%。1例骨水泥渗漏入髋关节，未出现临床症状。

37.1.6.4　射频消融(radiofrequency ablation, RFA)

(1) 作用机制

RFA系统由RF发生器、电极针及皮肤电极组成。电极针直径21～14 G，治疗时在B超、CT等影像学方法导引下插入瘤体内。皮肤电极为一块或两块大的电极板，置于电和热传导相对较好的体表部位，如大腿或背部。RF发生器、电极针、皮肤电极和人体形成一个循环通路，当RF发生器工作时，电极针和皮肤电极之间的患者体内产生射频电流。电极针周围组织在电流作用下出现离子振荡，产生热量。RFA的治疗温度通常达到60～100 ℃，使肿瘤发生凝固性坏死。高温灭活的肿瘤组织不同于体内缺血坏死的肿瘤组织，后者肿瘤坏死时，其抗原很快降解。RFA后，经过高温固定处理的肿瘤组织可保留在体内，这些灭活的肿瘤组织在相当长时间内与机体免疫系统相互作用，可产生持久免疫作用，可能有利于机体杀灭微小的播散或转移灶，从而发挥异位抗肿瘤效应。目前，RFA已广泛应用于肝、肺、肾、骨和软组织肿瘤的治疗。

(2) 适应证和禁忌证

1) 适应证　病灶直径比电极针最大消融直径小1 cm是RFA的最佳适应证，可以达到根治的效果；如病灶直径超过上述标准，可以酌情进行姑息性治疗。

2) 禁忌证　①有穿刺禁忌证，如严重的凝血功能障碍、败血症等；②治疗范围内有神经通过；③椎体后缘骨皮质破坏；④终末期患者。

(3) 疗效

RFA多用于伴有疼痛的骨恶性肿瘤，它可以通过以下机制缓解疼痛：①破坏神经末梢；②杀死肿瘤细胞，减少细胞因子分泌；③缩小瘤体，减轻骨膜和周围软组织的张力。Kojima等治疗的24例骨转移性肿瘤患者中，22例疼痛得到缓解，VAS评分由术前平均6.8分降至术后2.7分，平均疼痛缓解时间2.7个月。Goetz报道了43例接受射频治疗的骨转移瘤患者，术前VAS评分平均7.9分，术后4周、12周、24周分别为4.0、3.0、1.4，术后4周和8周时镇痛药物剂量减至最低。

(4) 并发症

1) 与穿刺有关的并发症　包括出血、感染、穿刺道种植等。RFA具备电凝功能，可以在拔除电极针时对穿刺道进行电凝处理。因此，很少发生穿刺部位出血，对穿刺道种植也有一定预防作用。

2) 与热损伤有关的并发症　①皮肤烧伤：电极板和皮肤接触部位也会产生热量，治疗过程中必须间断地注入冷水降低温度，防止皮肤烧伤。②空腔脏器损伤：对于髂骨或骶骨肿瘤病例进行RFA时应注意防止乙状结肠、直肠等空腔脏器热损伤。电极针进入病灶后，再用超声或CT观察电极针位置，保证预定消融范围和上述空腔脏器之间的距离＞0.5 cm。③神经损伤：术前充分地进行影像学评估，筛除椎体后缘骨皮质破坏和治疗范围内有神经通过的病例；术中避免使用全身麻醉，患者出现放射性疼痛时及时终止治疗，是防止神经并发症的有效手段。

37.1.6.5　经皮穿刺放射性粒子植入

放射性粒子植入是近距离放射治疗的一种，指将密封的放射性核素按一定的规则植入肿瘤病灶内进行放射治疗。它具备以下特点：①治疗的距离短，对正常组织影响较小；②剂量与距离平方呈反比；③持续杀伤肿瘤。放射性粒子植入与外照射相比有极好的适形性，靶区处方剂量可高于外照射剂量，对肿瘤的局部控制疗效更好。早先，放射性粒子只能在手术中植入残留病灶或病灶切缘，随着影像学技术不断发展，影像和治疗计划系统（therapy plan system，TPS）的密切结合，经皮穿刺成为微创、准确的植入途径。朱丽红等在CT或B超导引下，使用植入治疗了14例转移性或复发性肿瘤患者。平均随访12.4个月，90％肿瘤靶体积接受的最小剂量(D90)中位值为108.12 Gy，疼痛缓解率92％，1年生存率53％。

37.1.6.6　经皮穿刺冷冻治疗

经皮穿刺冷冻治疗通过以下两种途径杀伤肿瘤细胞：①冷冻探头周围的肿瘤细胞温度迅速下降，细胞内冰晶形成导致细胞死亡；②距探头较远的肿瘤细胞温度下降，使细胞内外渗透压差增大，细胞脱水而死亡。第1代冷冻探头因直径大、针杆绝缘性差，只能在外科手术中使用。经过改进后的探头直径仅为1.7～2.4 mm，针杆绝缘性好，使用气体快速冷冻，可以安全地通过经皮穿刺途径治疗。Tuncali等治疗了一组27例骨、软组织转移瘤，在MRI导引下进行经皮穿刺冷冻治疗。平均随访19.5周，62％的患者瘤体缩小或无变化，6例疼痛完全缓解，11例部分缓解。1例出现股骨头骨折，1例出现阴道分泌物明显增多。

37.1.6.7　其他介入疗法

经皮穿刺激光热疗、经皮无水乙醇注射、高强度聚焦超声等介入治疗方法，同样可以应用于骨恶性肿瘤的治疗，但这方面的文献报道较少。

37.1.6.8　综合治疗

现代肿瘤治疗模式已由单一治疗方法转变为多种治疗方法的综合治疗。介入疗法作为骨恶性肿瘤综合治疗的重要组成部分，在临床上应用日益广泛。这些综合治疗模式包括不同介入疗法的综合应用，也包括和其他治疗方法的综合应用。

(1) 介入综合治疗

TAI/TAE、PVP、射频等多种介入疗法虽然都是成熟的治疗方法，在临床得到广泛应用，但是有关这些疗法相结合治疗骨恶性肿瘤的研究仍不多。TAI/TAE可以控制肿瘤生长、减少瘤体血供并缓解疼痛，TAI/TAE后再行PVP，不仅能进一步稳固骨质起到联合镇痛作用，还可以减少穿刺部位出血。邓钢等采用TAI/TAE和PVP治疗的一组椎体恶性肿瘤患者中，疼痛完全缓解率和部分缓解率分别达到55.1%和44.9%。Nakatsuka等应用RFA联合PVP治疗17例恶性骨肿瘤患者23处骨病灶，其中脊柱肿瘤病灶17处，髂骨病灶3处，骶骨病灶2处，坐骨病灶1处。除1处成骨细胞性病灶外，其他22处病灶均获成功，VAS评分从术前8.4下降到术后1.1，平均肿瘤坏死体积达71%左右。他们认为RFA侧重于使肿瘤细胞坏死，PVP侧重于稳固骨质，两者相结合可以更好地起到控制肿瘤生长、缓解疼痛的作用。更有研究提示，RFA引起肿瘤坏死后有利于骨水泥更好地在病灶内弥散。

(2) 与其他治疗方法的综合应用

介入疗法和传统治疗方法(手术、放疗、热疗等)的结合在临床上应用已相当广泛。生物治疗、免疫治疗和基因治疗是当前肿瘤治疗的热点，有关干细胞移植、血管内皮生长因子、多药耐药基因、*p53*基因等研究已取得一定进展，它们和介入疗法的结合将更具有广阔的前景。

(王建华　陈　颐)

37.2 骨源性肿瘤

37.2.1 骨样骨瘤

骨样骨瘤为良性骨母细胞性病损，其特征为小型(一般直径<2 cm)，轮廓清晰，周围有反应性骨形成区，临床表现有疼痛，好发在骨干的良性肿瘤。

(1) 临床特点

骨样骨瘤发病率相对较高，在骨的良性肿瘤中发病率仅次于外生骨疣和组织细胞纤维瘤。好发于男性，男女比例为2∶1。一般出现于儿童后期，青春期及成年初期，5岁前及30岁后较少发病。好发在长骨，位于骨干或趋向于干骺端。好发在股骨近端，也可发生在短骨，特别是在跗骨上(好发在距骨)。脊柱也是好发部位，多在腰椎，几乎无一例外在后弓上。目前尚无在膜内化骨的骨中发病的报道(颅骨及锁骨)。

恒定而持久的疼痛几乎成为其唯一的症状。疼痛的强度程度不一，可达到使用镇痛剂的地步。夜间持续存在，较白天为重。喝了含乙醇的饮料疼痛常常会加剧，并可经局部加压而诱发。具有特征性的是服用阿司匹林可以缓解。疼痛不是局限性的，可能引起邻近关节的症状或放射痛，如坐骨神经痛等。如果是30岁以下的患者，主诉持续性脊柱疼痛，而且出现脊柱强直和肌肉痉挛、侧弯等改变，没有神经根受压的症状但是直腿抬高试验呈阳性时，应怀疑脊柱的骨样骨瘤。当骨样骨瘤局限在骨干时，可触及一稍呈梭形且富含骨组织的肿块，并有正常皮肤覆盖。某些长骨的骨样骨瘤出现在儿童者可引起骨的明显增长。

(2) 放射学表现

骨样骨瘤的放射学表现具有特征性，基本表现为一个小的或非常小的圆形骨质溶解区(结节状)——瘤巢，其直径很少超过1 cm，周围有致密反应骨包围，可向外延伸数厘米，几乎没有其他病损可产生如此比原发病灶大数倍的反应区。环绕原始病损的反应厚度可使瘤巢看不清楚，约有1/3的骨样骨瘤在X线片上不能清晰看到瘤巢。放射性核素检查显示病损有广泛的摄取增多，对于脊柱和骨盆的病损有帮助。CT可以查明在X线致密反应区内的瘤巢。若瘤巢直径<3 mm，CT扫描有时不易发现。在这种情况下可以采用选择性的血管造影。

(3) 病理学特点

大体病理学特征：骨样骨瘤为一个小而圆的充血的肿瘤，其本身较周围骨组织的质地软，而且有些类似粗砂砾样，其质地随其中心部位核钙化程度的增高而变硬。

组织病理学上，瘤巢镜下为一堆丰满的、不成熟、机化不良和不定型的瘤性骨样组织。病损细胞属于骨母细胞，与周围反应区的繁殖间充质细胞不同。破骨细胞可弥散于病损内。环绕瘤巢的是肉芽组织区，将瘤巢核与周围反应骨分开。

(4) 诊断与鉴别诊断

根据特征性的临床表现、X线表现以及病理学表现，诊断多无困难。鉴别诊断主要有骨母细胞瘤。与骨母细胞瘤鉴别有时比较困难，但治疗上没有差异，因此鉴别的意义不大。

(5) 治疗和预后

保守治疗可以口服阿司匹林止痛。手术有包囊内搔刮或边缘整块切除。若病灶位于手术困难处，可先采用保守治疗，注意随访。疼痛可达18～36个月，而瘤巢自发愈合需要3～7年。术后复发机会较小。整块切除后的复发机会虽小，但很可能因手术而产生病废，甚至产生病理性骨折。若行包囊外边缘切除，反应骨不一定要完全切除，只需要移除接近瘤巢的完整反应骨边缘。骨样骨瘤的手术效果很好，手术可以完全彻底地解除疼痛。

37.2.2 成骨细胞瘤(骨母细胞瘤)

成骨细胞瘤是一种趋向于分化为成骨细胞的良性肿瘤，产生骨样组织和骨。为良性侵袭性病损，表现为与骨样骨瘤相似的组织学结构，但其特征为较大(直径1～2 cm，甚至更大)，往往没有明显反应骨形成的周围和核心。

(1) 临床特点

成骨细胞瘤较少发生，其发病率为骨样骨瘤的1/5。明显好发于男性，男女之比为2∶1或3∶1。与骨样骨瘤一样，为儿童期或少年期肿瘤，10岁前或30岁后少见。可在多个部位发病。骨母细胞瘤是一种唯一好发在脊柱(椎体和后弓)和骶骨的良性肿瘤。其他的好发部位依次为长干骨、骨盆、足，以及颅骨和颜面骨。长干骨多位于干骺端。

成骨细胞瘤与任何生长缓慢的良性肿瘤相似，虽没有骨样骨瘤典型的疼痛症状，但也以程度不等且病程较长的疼痛为其症状特征。有时患骨膨胀，并可产生病理性骨折。病变在脊柱者可出现脊髓压迫或神经根刺激症状。通常从首发症状到接受治疗时间间隔在1～2年或更长。

(2) 放射学表现

成骨细胞瘤的X线表现为单个的X线透亮区，边界不十分明确，或者外围有薄层的反应骨壳。反应骨没有骨样骨瘤显著和广泛。无论中心性生长或偏心性生长，均使骨皮质变薄或使骨膨胀。有时类似动脉瘤样骨囊肿，X线片上出现吹泡状透亮表现。偶尔成骨细胞瘤会扩大X线透亮破坏假象，界限不清，向周围软组织内延伸，很像恶变。这种假性恶变多见于腰椎和胸椎棘突，病灶可突入腹腔和胸腔。

(3) 病理学表现

成骨细胞瘤在大体病理上为相当致密的组织，淡红色或棕色，质地软或肉芽状。有时含有肉芽结节或巨大的骨组织。肿瘤最主要的特征是明显充血，一般发生在骨的病理过程中，当肿瘤在海绵骨并带有红骨髓的骨中发生如脊柱、颅骨、骨盆、肋骨时，充血更为明显。手术切开肿瘤常常会发生相当猛烈的出血，偶尔可见类似典型的动脉瘤样骨囊肿的大血肿样空腔。

组织病理学方面，成骨细胞瘤主要的特征是间质细胞的增值，趋向于成骨细胞分化，同时增殖并伴有大量毛细血管及窦样血管化的变化。在分化活跃的区域，成骨细胞较大，核稍有多形，有丝分裂象少见。另一特征是肿瘤样组织趋向于发展为成熟的骨组织。但在整个肿瘤中它们并不一致，在致密的钙化和骨化组织旁可见散在的增殖细胞，富含血管及可能的间质出血，并伴随有新骨吸收。多数情况下，成骨细胞瘤的组织学图像与骨样骨瘤相似，有时更富含细胞且相当不成熟。

(4) 诊断、治疗和预后

成骨细胞瘤的诊断有时较困难，需要与骨样骨瘤及骨肉瘤等相鉴别。治疗应根据肿瘤的分期和部位而定。1期(潜伏期)或2期(活跃期)的病例可进行病灶内切除术，联合局部辅助治疗。脊柱、生长骨骺或接近功能重要部位骨骺的成骨细胞瘤可采用刮除手术。3期(进行期)可进行边缘或广泛切除术。在脊柱，手术相当困难和危险，可采用破坏性刮除术，结合内固定及彻底的放射治疗，效果较好。在脊柱和骨盆进行手术时，术前可采用选择性动脉栓塞法，可有效地减少手术中出血。

成骨细胞瘤如能彻底切除可以不复发，否则有可能复发，甚至在切除后数年内复发。已有成骨细胞瘤恶变的报道，其特征是瘤体膨胀局部复发，有时还出现迟发性转移。

37.2.3 骨肉瘤

骨肉瘤是最常见的骨组织原发性恶性肿瘤，是源于间叶组织的恶性肿瘤，以能产生骨样组织的梭形基质细胞为特征。

37.2.3.1 骨肉瘤的分型

(1) 髓内起源

1) 原发性高度恶性髓内型(传统性骨肉瘤、标准骨肉瘤、典型骨肉瘤) 组织学亚型：成骨细胞型，成软骨细胞型，成纤维型，混合型，血管扩张型，小细胞型。

2) 原发性低度恶性髓内型。

(2) 皮质旁骨肉瘤

包括：骨旁骨肉瘤，骨膜骨肉瘤，高度恶性表面骨肉瘤。

(3) 继发骨肉瘤

包括：畸形性骨炎，放射源性，继发于其他肿瘤。

(4) 多发性骨肉瘤

37.2.3.2 标准骨肉瘤(典型骨肉瘤)

(1) 临床特点

标准骨肉瘤发病率仅次于浆细胞瘤，是最常发生在骨的原发性恶性肿瘤。但就肿瘤整体而言，总的发病率不高，在人类的恶性肿瘤中仅占 0.2%左右。好发于男性，男女之比为(1.5～2)∶1。75%以上的病例于 10～30 岁间发病，少见于 10 岁以内或 30 岁以后。部分老年患者多为继发性骨肉瘤。其好发部位依次为：股骨远端、胫骨近端；其次为肱骨近端(此 3 个部位发病比率为 4∶2∶1)。约 3/4 的骨肉瘤发生在膝关节和肩关节周围，其他发生在股骨近端、股骨干和骨盆，以及更少见的脊柱、肩胛骨、锁骨、肋骨、胸骨、前臂和足部等部位。

典型骨肉瘤在起病初期没有典型的症状，仅有围绕关节的疼痛，呈中等程度并间歇性发作，活动后加剧；由于患者多处于青春期或少壮期，健康状况一般良好，且经常参加体育活动，疼痛多归咎于创伤或生长痛；在本病初期经常会忽视进行放射学检查。随着病程发展，症状典型，主要表现为疼痛、肿胀和功能障碍；疼痛可以呈持续性并逐渐加重，夜间尤甚；局部可以开始出现肿胀，肿胀的发展快慢不一；由于肿瘤本身血液供应丰富，局部皮温增高，压痛明显；病变进展更快时，肿瘤邻近关节可以出现功能障碍。到病变晚期，以上表现进行性加重；局部软组织水肿，浅表静脉网状怒张；少数病例其疼痛部位有骨溶解发生，可发生病理性骨折；全身症状出现食欲不振、消瘦、贫血、发热，呈现恶病质状态。

从首发症状到治疗的时间，一般少于 6 个月，少数可达 1 年以上。

(2) 生化检验

唯一有意义的变化是碱性磷酸酶的增高，提示新骨形成增加及活跃。其变化与肿瘤骨细胞的活跃程度有密切关系。一般此酶越高预后越差。手术切除肿瘤后，碱性磷酸酶可立即减少。若发生复发或转移时，又可明显增高。

(3) 影像学特征

由于放射学影像是早期诊断本病的唯一方法和依据，所以非常重要。骨肉瘤在发展过程中骨破坏及瘤骨形成是交错进行的；骨膜反应呈现多样化，有程度不同的软组织改变；再加上恶性程度存在差异，生长快慢有别，从而形成了骨肉瘤 X 线表现的多样性、复杂性。

1) X 线表现

(i) 软组织变化：常见的软组织变化是软组织肿胀和肿块。肿胀多由于循环障碍所致，软组织肿块则表明骨内生长的肿瘤已经穿破骨膜进入软组织。肿块边缘多数模糊，密度不均匀。肿块内可发生瘤骨或环状钙化。

(ii) 骨膜变化：骨肉瘤引起的骨膜变化可以有多种形态。在肿瘤发生的早期尚未侵及骨皮质时，骨膜反应表现为较薄而光滑的平行线。较厚的层状或葱皮样骨膜反应表明肿瘤的恶性程度高、生长快，或肿瘤已向骨外生长。肿瘤突破骨膜时表现为骨膜反应层次模糊、破坏、中断或袖口状。骨膜新生骨小梁间有瘤骨形成时，骨膜反应密度增高且均匀一致。有时骨肉瘤的骨质破坏虽较轻微，但骨膜反应广泛而明显，常表示骨内肿瘤浸润已较广泛。当层状骨膜反应被突破骨皮质的肿瘤所破坏后，突向软组织内的肿瘤在其靠近骨皮质的上下缘残留下的层状骨膜反应一般表现为三角形，称为 Codman 三角。

(iii) 骨质变化：骨质变化主要是骨质破坏。松质骨的破坏表现为骨密度减低和骨小梁结构的消失，皮质骨则表现为骨质缺损。松质骨可发生弥漫性浸润性破坏，是肿瘤侵蚀骨与骨髓的结果，有时肿瘤虽向骨髓内浸润，原有骨结构并不发生溶骨性破坏，故肿瘤蔓延的范围远远超过 X 线所见骨破坏的范围。肿瘤侵犯皮质骨沿哈弗管蔓延，可发生筛孔样或虫蚀样骨质破坏。X 线平片上表现为数量不等边缘锐利针孔大小的圆形透亮区。显著的骨质破坏易发生病理性骨折。

(iv) 软骨变化：骨肉瘤中软骨变化主要表现为软骨破坏和软骨钙化。骨肉瘤晚期可以侵犯骺板和关节软骨。表现为先期骨骺钙化带破坏、消失。肿瘤侵犯关节软骨，表现为骨性关节面破坏、中断和消失。肿瘤侵犯骨骺时，骨骺内可有致密瘤骨形成或呈溶骨性破坏。骨端的溶骨性破坏，骨性关节面也可残留一薄层骨壳，这是关节软骨下的钙化带和骨板，此时关节面常常塌陷，肿瘤可以穿过关节软骨而进入关节内。软骨钙化系瘤软骨基质钙化，不少骨肉瘤的瘤体内部有瘤软骨。瘤软骨细胞分化越好，钙化越多，密度越高。钙化呈环形，多位于软组织肿块内。

(v) 瘤骨:瘤骨是骨肉瘤的组织学特性,也是最重要的本质性 X 线表现,是肿瘤细胞形成的一些分化不良的骨组织,表现为数量不等、形态各异、密度不均、排列紊乱的致密影,是诊断骨肉瘤的可靠依据。瘤骨一般有以下 3 种基本形态。

象牙质瘤骨:是瘤骨中密度最高的骨化阴影,边界清楚,呈无结构性象牙状骨性结构。呈团块状,生长缓慢,是分化较好的瘤骨。

棉絮状瘤骨:密度较低,呈团块状或绒毛状的骨化阴影。边缘模糊不清,多见于肿瘤的中央,表现为斑片状或絮状,也可分布在松质骨或软组织肿块内,常与环状钙化混杂存在。有时表现为毛玻璃样改变,见于肿瘤向两端扩展的髓腔或松质骨内。棉絮状瘤骨是分化较差的肿瘤骨,呈毛玻璃样密度增高区常常提示是生长最活跃分化最差的肿瘤骨。

针状瘤骨:瘤骨呈放射状,开始较细短,密度不高,以后逐渐在皮质外呈放射状向软组织内伸展,密度逐渐增高,形似针状,与皮质垂直或呈斜形。针状瘤骨是供应肿瘤的垂直血管周围的肿瘤性成骨,是肿瘤向软组织内浸润生长的表现。此类针状瘤骨往往反映骨肉瘤是分化较差的肿瘤。

2) CT 检查 CT 检查用于明确髓内和软组织内肿瘤的范围较 X 线平片敏感,在髓腔内 CT 值的增高可以提示有肿瘤的蔓延,并能及早发现髓腔内跳跃性转移。CT 检查对骨肉瘤的瘤骨显示优于 X 线平片和 MRI。CT 显示骨肉瘤的骨膜反应较 X 线平片清晰,尤其显示骨化层和针状瘤骨最为清晰。CT 对软组织肿块及其假性包膜的显示也优于 X 线平片。

3) MRI 检查 MRI 可以全面显示骨肉瘤中的各解剖结构,对准确判断病灶范围,包括骨肉瘤病变的范围和软组织肿块的大小都有独特的价值,尤其对骨髓的变化极为敏感,在无信号骨结构中突出了骨髓信号变化,能够发现骨髓受侵犯但骨结构未破坏的区域。MRI 具有很高的组织分辨率,能够分辨出病灶、病灶邻近水肿组织和正常组织,易于判断病灶的真正边缘。MRI 对瘤骨的显示率高于 X 线平片,略低于 CT 扫描。在 T1 加权上瘤骨的中央部分通常低于周边部分,外周绕以高信号环,瘤骨内信号高低与不同类型的瘤骨有关,而瘤骨边缘高信号环是丰富的肿瘤细胞。骨肉瘤骨内边界 MRI 呈现 3 种类型:低信号硬化线伴线外少许肿瘤组织和大片骨髓水肿;高信号的出血伴骨髓水肿,反映了受肿瘤侵犯骨髓血窦的破坏出血;肿瘤与骨髓水肿分界不清,边缘模糊。MRI 在 T2 加权中可以同时显示低信号的骨化层和高信号的细胞层。MRI 在显示软组织肿块的假包膜或菲薄的骨壳时也明显优于 X 线和 CT。软组织内非成骨区与骨内病灶的非成骨区相似,在 T1 加权上为低信号,T2 加权上是高信号。MRI 对骨肉瘤临近软组织的水肿和骨髓水肿十分敏感,显示水肿的范围也比较准确和清楚。

(4) 病理学表现

1) 大体病理学特征 发生于长骨的骨肉瘤常常起病于干骺端,少数分布在骨干部。肿瘤由髓腔起源,向周围骨质扩展并在髓腔内蔓延。在向骨骺端蔓延时,如果骺板未愈合肿瘤可暂时阻于此,骺板愈合后肿瘤可蔓延到关节软骨下。一般致密的肿瘤组织倾向于白色或玫瑰色。由于出现新生的骨样组织和骨骼,肿瘤质地较坚硬,尤以象牙质瘤骨为其特征。由于骨化增加,血液供应减少,在比较坚固致密的区域呈现比较白的颜色。骨肉瘤中常常可以见到出血区、黄色干燥坏死区及囊腔。有时会由于含有软骨肉瘤成分而见到白色透明区或黏液区,也可由于钙的沉积而呈现白色。

2) 组织病理学特征 骨肉瘤由产生类骨质和骨质的肉瘤组织细胞组成。通常越靠近肿瘤的周围区域,骨化越少。而在其中心区域内则骨化更少。在成骨很少的区域,细胞的特征和高度恶性的现象非常明显。肉瘤细胞具有明显的异型性,体积较正常的骨母细胞大,但大小不一,有时形成单核或多核的瘤巨细胞。常见核分裂象。肉瘤细胞分泌到胞外的基质呈淡红色,为均匀一致的无定形物质。肿瘤细胞分化越成熟分泌的骨基质越多。大量骨基质将瘤性成骨细胞包埋并连接起来,形成大小不一形态各异的瘤骨。

3) 组织发生学及病理发生学 骨肉瘤来源于骨内的间质细胞。在其变为肉瘤之后仍可或多或少地分化为潜在的成骨细胞。

(5) 诊断与鉴别诊断

根据年龄、好发部位以及影像学表现,典型的骨肉瘤诊断并不困难,但在肿瘤早期或不典型时,容易发生误诊。骨肉瘤需要与骨髓炎、软骨肉瘤、尤文肉瘤、巨细胞瘤等疾病相鉴别。

(6) 骨肉瘤的分期

参见本章 37.1.2。

(7) 骨肉瘤的病程

骨肉瘤的病程短，进展迅速，甚至肿瘤在数日内明显增大膨出，多由于肿瘤出血所致。也有缓慢生长的骨肉瘤，多为硬化型。骨肉瘤经血行转移至肺。继发性和末期的骨肉瘤可转移到骨，而在发生骨转移时，往往已经发生肺部转移。肿瘤转移到其他脏器者少见。区域淋巴结转移者非常罕见。

(8) 骨肉瘤的治疗

直至 20 世纪 70 年代，骨肉瘤的治疗方法几乎是相同的。在过去的 30 年里，由于使用了化学治疗等辅助治疗，骨肉瘤的治疗方法从根本上得到了改变，并进一步完善。

临床上常常发现在原发肿瘤切除前，肺部就已经有转移扩散。基于这一论断，“骨肉瘤是一种全身性疾病”的论点被提出。因此对原发病灶的手术治疗即使是早期施行，甚至是截肢也是不可靠的。如果能破坏原发肿瘤初次诊断时即已出现的肺部微小转移病灶，治疗效果可以改善。自 1978 年开始，术前实行化疗大大减少了截肢术的使用，骨肉瘤的疗效也得到大大提高。

1) 化学治疗　1972 年 Jaffe 等报道大剂量甲氨蝶呤加四氢叶酸解救的疗效，同年 Corles 报道多柔比星(ADM)治疗骨肉瘤转移灶有效。20 世纪 70 年代末发现顺铂治疗骨肉瘤有效，还能动脉注射，由此产生了治疗骨肉瘤三大主要药物。Rosen 提出新辅助化疗概念，并非仅是术前化疗＋手术＋术后化疗的简单模式。它包含：经术前化疗后，要注意疼痛的减轻，肿块缩小程度，影像学上是否病灶边界变得清晰，骨硬化增多，新形成的肿瘤血管减少。他的另一贡献是提出术前化疗后，将切除的肿瘤做病理分级。化疗后肿瘤坏死率＞90％的患者，5 年生存率可达 80％～90％；而坏死率＜90％的患者则＜60％。因此对于坏死率＜90％的患者，应调整术后化疗方案。实践证明术后病理检测时评估术前化疗疗效，可指导术后化疗和判断预后。正规的联合化疗可以提高恶性骨肿瘤的疗效，消灭潜在的微小转移灶，为保肢手术提供了可能。大剂量化疗药物的骨髓抑制作用使其应用受到限制，国外采用骨髓移植或输入 G-CSF 加大剂量化疗药轰击疗法可缩短化疗疗程，进一步提高治愈率，已应用于儿童骨肉瘤的治疗。为减轻全身毒性，提高化疗效率，局部动脉内化疗是一种可行的办法。国外研究显示动脉给 CDP 组织学反应良好者为 78％，明显高于静脉给药者的 56％。国内学者认为 DSA 检查后保留导管，然后用双途径化疗：即局部给抗癌药、全身给中和剂，可增加抗癌药的峰浓度，减轻毒性反应，效果优于单纯局部动脉给药。

最常用的化疗药物是甲氨蝶呤(MTX)、顺铂、多柔比星、博来霉素、环磷酰胺、放线菌素 D 和异氨基磷酸盐联合用药。对甲氨蝶呤的血浆浓度必须进行监控，直至其完全消失(一般在使用后 48～72 h)。如有需要可予叶酸解毒。化疗的效果取决于用药的方法、剂量和血药浓度。所有化疗药物均可以引起骨髓中毒。另外，多柔比星可以导致心脏中毒，顺铂对肾脏、听神经和周围神经具有潜在的毒性作用。术前化疗主要通过静脉或动脉给药。当血小板和中性粒细胞恢复到应有的水平后即可进行手术治疗。对少数因肿瘤非常膨大和生长迅速不能在术前完成化疗的病例应及时截肢，不可延误治疗。术后为评估肿瘤细胞的坏死情况，应对整个肿瘤标本分区域进行组织学检查，以评估化疗的敏感性。当肿瘤细胞的坏死率达到 90％时，说明肿瘤对化疗是敏感的。化疗的敏感性可作为手术后化疗指征和预后判断的依据。当前趋向于术前化疗的剂量较大。术后化疗是在原发肿瘤切除后，在 6 个月到 1 年中的后续治疗。若肿瘤坏死率高则继续使用术前化疗的方案，若化疗敏感性差应将药物的配合加以改变。但此种病例即使化疗方案改变了，治疗的预后也很难得到大幅度的改善。

2) 手术治疗　90％以上的典型骨肉瘤在就诊时即已侵蚀骨皮质并侵蚀软组织，这种肿瘤属于间室外的ⅡB 期类型。如果这种侵袭仅仅局限在肌腹和关节囊、肌腱和腱膜覆盖的区域，则可以采用广泛切除和保肢性手术。其局部复发率与截肢术后并无不同。术前未行化疗者，25％的病例有保肢手术治疗的指征；施行术前化疗者，保肢手术的治愈率可增高到 90％。按照骨肉瘤的好发部位，最常见的手术类型为股骨远端、胫骨近端和肱骨近端的瘤段切除术。在股骨远端瘤段切除时，可行关节固定术或人工关节置换术，当股四头肌可以保存良好则更有人工关节的应用指征。12 岁以下的患儿施行瘤段切除术，继发下肢长度严重短缺，可对此类患者施行关节固定术。同时，在化疗完全结束后可施行胫骨或股骨的延长术。胫骨近端瘤段切除术后也有人工关节置换术的指征，也可行关节固定术。对儿童可行截肢术，在膝部行瘤段切除时，切除范围应包括大部分关节囊、半月板及交叉韧带。在行肱骨近端切除时应将关节盂切除，并行肩胛颈截骨，连同喙突将肩关节全部切除。肱骨近端可用假体修复。对要求保留长度和部分外展功能的患者可以行关节固定术，希望保留肩关节完整的外展功能者可考虑行关节置换术。对于股骨近端，可采用瘤段切除后行肿瘤型人工关节置换术，儿童可行关节固定术。在行骨干切除时应避免触及骨骺。

3）保肢治疗　不断成熟的化疗促进和发展了保肢技术。保肢手术的第1个目的是避免局部复发，因为局部复发会增加死亡率。实践证明保肢治疗与截肢治疗的生存率和复发率相同，局部复发率为5%～10%。手术的关键是采用合理外科边界切除肿瘤，广泛切除的范围包括瘤体、包膜、反应区及周围的部分正常组织，即在正常组织中完整地切除肿瘤。截骨平面应在肿瘤边缘以外5cm，软组织切除范围为反应区外1～5 cm。第2个目的是尽可能多地保留功能。骨、关节、软组织都需要进行重建，软组织重建十分重要，一方面它提供软组织覆盖，另一方面它可能对肢体功能的恢复也有一定作用。

Ⅰ. 保肢手术的适应证：①病骨已发育成熟；②ⅡA期肿瘤或对化疗敏感的ⅡB期肿瘤；③血管神经束未受累，肿瘤能够完整切除；④术后局部复发率和转移率不高于截肢；⑤术后肢体功能优于义肢；⑥患者要求保肢。

Ⅱ. 保肢手术禁忌证：①肿瘤周围主要神经、血管受侵犯；②在根治手术前或在术前化疗期间发生病理性骨折，瘤组织和细胞破出屏障，随血肿广泛污染周围正常组织；③肿瘤周围软组织条件不好，如主要的肌肉随肿瘤被切除，或因放疗、反复手术而瘢痕化，或皮肤有感染；④不正确的切开活检，污染周围正常组织或使切口周围皮肤瘢痕化，弹性差，血运不好。

Ⅲ. 保肢手术的重建方法

(i) 关节融合术：广泛性瘤段截除后行髋、膝、肩、肘或腕关节融合术。长骨端肿瘤广泛性截除后，根据骨缺损的距离和尺寸，一般选用自体髂骨和腓骨移植，或自体股骨髁或胫骨平台翻转来填补骨缺损。也可选用冷冻或冻干无菌与缺损段相应的异体骨段移植来填补骨缺损。切除相应的关节面，两骨对合，用与之相应的内固定器材加压内固定，或用外固定器固定，使关节骨性融合。优点是稳定性好，花费少，能持久性保留肢体。缺点是关节功能欠佳，严重影响生活质量。12岁以下的患儿施行瘤段切除术继发下肢长度严重短缺时，可对此类患儿施行关节固定术。

(ii) 人工假体置换术：肿瘤广泛切除后的骨关节缺损，用人工假体置换是挽救肢体避免截肢的有效方法。按照骨肉瘤的好发部位，最常见的手术类型为股骨远端、胫骨近端和肱骨近端的瘤段切除术。在股骨远端瘤段切除时，可行人工关节置换术，当股四头肌可以保存良好则更有人工关节的应用指征。目前用于骨肿瘤的人工假体主要是定制型，根据患者年龄和病变部位的X线片，加工定制各部位相应的假体，国内常用的有全髋关节带股骨上段或髂骨，全膝关节带股骨下段或胫骨上段，全肩关节带肩胛骨或肱骨上段，全肘关节带肱骨下段或尺骨上段，肱骨头带肱骨上段，股骨头带股骨上段。另外有可调型和组合型，可调型的柄部有螺纹，插入夹盘把手后进行旋转可延长。组合型通过较长的部件进行肢体延长，翻修时只需更换某些部件。人工假体置换具有良好的功能结果，对于股骨远端和胫骨近端肿瘤切除后重建非常有用。优点是骨骼稳定性及关节活动可立即恢复，不会出现骨不连接，患者活动肢体无需等待骨质愈合，早期并发症少，这对于生存期较短的患者十分重要。由于关节周围韧带等维持关节稳定的组织的切除，则关节连接需要铰链式或旋转铰链式假体，这种植入物术后稳定，有利于早期恢复功能。主要缺点是潜在的后期无菌性假体松动（5年松动率20%～25%），并且保持时间有限，常需要再次手术延伸、翻修。

(iii) 同种异体骨关节移植术：随着骨库的建立和异体骨保存方法的日臻完善，用大段同种异体骨关节移植重建恶性肿瘤截除后的肢体骨关节缺损，已经是一种行之有效的方法，其最终结果与移植骨的制备，手术内固定方法，肿瘤性质、范围，化疗与综合治疗等密切相关。优点是来源广泛，使用便利；能恢复骨的连续性和体积，重建关节结构，并能提供软组织的附着部位。缺点则是可能出现排异反应，要长时间避免负重，功能恢复迟。主要并发症为深部感染、骨吸收、骨不愈合、关节面塌陷、内固定松动断裂、晚期关节退变塌陷、关节不稳等。

(iv) 异体骨和人工假体联合移植术：临床实践发现，异体骨移植以大段骨干移植的效果最好，而异体半关节移植发生排异反应的概率较大，且并发症较前者多，为了避免异体半关节移植的缺点，保留大段骨干移植的优点，可采用异体骨和人工假体联合移植术。适用于股骨上下端恶性肿瘤广泛性瘤段截除后，作髋、膝关节功能的重建。术前根据X线片测量所得的需要截除骨的长度、尺寸，选择合适的同种异体骨。肿瘤广泛切除后，用钢板螺钉固定到宿主骨，再安装人工假体。优点有异体骨能恢复骨的连续性，提供韧带附着点。假体提供活动关节；异体骨与假体通过骨水泥连接，异体骨通过钢板与宿主骨固定，骨愈合后，应力通过假体到宿主骨，无菌性松动率低于单纯假体置换；关节面为金属假体，避免了异体关节移植晚期的退变塌陷。缺点则是假体可能出现松动折断，磨损碎屑。异体骨可有排异反应，骨不愈合和异体骨骨折。

(v) 带血管自体骨移植术：由于显微外科技术在骨科临床的广泛运用，使四肢恶性肿瘤节段截除后的骨缺损，可以采用带血管蒂的自体骨移植来重建骨与关节的功能。适用于股骨下段、胫骨上段、桡骨远端的恶性肿瘤，肿瘤广泛切除后宜作膝关节融合及肩、腕关节成形者。常用带血管自体腓骨和髂骨移植，如用吻合血管的长段腓骨半关节移植替代肱骨上端缺损作肩关节成形、替代桡骨远端缺损作腕关节成形、吻合血管的长段腓骨替代股骨下段或胫骨上段骨缺损作膝关节融合等。优点是血循环立即建立，使一些成骨细胞得以存活，保存其成骨能力，早期形成骨组织，骨性愈合快，成功率高。手术技术要求较高，需仔细切取带血管蒂的骨，并且要仔细吻合血管，术后严密观察以保证血管通畅。

(vi) 肿瘤骨灭活重建术：利用截除的肿瘤骨灭活后进行重建，是一种常用的重建的方法。适用于骨破坏不严重、骨强度损害不明显的四肢、骨盆或肩部恶性肿瘤患者。灭活重建的办法主要如下。

体内原位灭活：把瘤段骨连同骨外肿瘤与周围正常组织进行分离，切除骨外软组织肿瘤后，在原位肿瘤骨内插入数根微波天线，并有效控制肿瘤骨内微波加热的温度为50 ℃，持续时间为30 min，体内原位灭活后，有骨缺损的地方植骨或充填骨水泥。

体外灭活再植：术中截下肿瘤段骨连同骨外肿瘤，清除肉眼所见的肿瘤组织，保留有一定坚固性的残留骨壳，生理盐水冲洗后采用95%乙醇浸泡30 min、经高压(68 kg/cm^2)高温(135 ℃)处理7～10 min及煮沸或液氮冷冻15 min后，再植回原位，骨壳内充填骨水泥，再用髓内针或加压钢板恢复骨骼的连续性。优点是手术简便，费用低廉，降低了骨连接部的不愈合率和局部感染率。微波原位灭活能保持骨干的连续性及原来的形状，减少对骨组织活性和生物力学性能的影响，有利于骨的重建。灭活的瘤细胞可作抗原，刺激免疫系统，增强免疫功能。缺点是复发率较高，有发生骨折、钢板螺钉折断、骨不愈合等并发症的风险，关节活动差。

(vii) 瘤段截除远侧肢体再植术：早在1969年国内就开始采用肢体肿瘤节段切除再植术，目前也是保肢手术的一种。仅适用于上臂恶性肿瘤、局部软组织广泛浸润、血管受累者。根据肿瘤恶性程度、受累范围、全身情况等，将肿瘤所在的一段肢体，包括皮肤、肌肉、血管和骨骼整段截除，即广泛整体切除或根治性局部切除肿瘤，再将上臂远侧段移植到近侧段上，骨短缩，对合内固定，吻合血管，神经盘曲在软组织内，缝接软组织。缺点是手术操作复杂，短缩明显者影响外观和功能。

4) 骨肉瘤的截肢术　对于就诊较晚，破坏广泛和对其他辅助治疗无效的恶性骨肿瘤(ⅡB期)患者，为解决患者痛苦，截肢术仍是一种重要有效的治疗方法。但对于截肢术的选择必须持慎重态度，严格掌握手术适应证，选择安全切除肿瘤的截肢平面，同时也应考虑术后假肢的制作和安装。

5) 放射治疗　放射治疗可以强有力地影响恶性肿瘤细胞的繁殖能力。对于某些肿瘤术前术后配合放疗可控制病变和缓解疼痛，并减少局部复发率，病变广泛不能手术者可单独放疗。骨肉瘤对放疗不敏感。对不能切除或拒绝截肢的骨肉瘤的病例给予高能X线照射45～60 Gy，能控制发展，缓解症状。应该考虑到放射治疗对骨及软组织的影响。在治疗初期，可能出现放射性皮炎，导致手术伤口边缘坏死及深部愈合延迟。治疗开始数月后，可能出现皮肤与皮下软组织粘连，软组织血供欠佳，甚至形成坚韧的纤维瘢痕。这些会影响手术切口的愈合，还可能造成关节畸形。因此在开始放射治疗前，手术伤口应已愈合；接近治疗区的关节应经常制动，交替进行主动活动。

6) 其他治疗

(i) 血管栓塞治疗：是应用血管造影技术，施行选择性或超选择性血管栓塞达到治疗目的，可用于：栓塞血供丰富肿瘤的主要血管，减少术中出血;不能切除的恶性肿瘤也可以姑息性栓塞治疗,为肿瘤的手术切除创造条件。局部动脉内插管化疗辅以栓塞疗法或栓塞后辅以放疗,可得到更好疗效。

(ii) 恶性骨肿瘤温热-化学疗法:可以起到热疗与化疗的叠加作用。如合并病理性骨折可按骨折的治疗原则处理。20 世纪 80 年代初期,解放军总医院及第四军医大学唐都医院开展了局部热疗加手术切除治疗骨肉瘤,初步肯定了这一疗法的可行性及有效性。通过临床观察和动物实验发现局部热疗后机体免疫功能增强,瘤体缩小,肺转移率降低。

(iii) 骨肉瘤的基因治疗:在近几年国外进行了动物实验研究。目前主要手段是带Ⅰ型单纯疱疹病毒胸腺嘧啶激酶(HSVI-TK)的基因以重组腺病毒(Ad),反转录病毒载体或非病毒 T7 载体介导直接注入肿瘤组织或全身运用,继而用嘌呤核苷类似物(GCV、ACV)对肿瘤细胞进行杀伤,可有效地治疗局部骨肉瘤或肺骨肉瘤转移灶。GCV、ACV 对未转染的肿瘤细胞具监测作用,从而对其杀伤。

7) 治疗预后 单纯行切除术的 10 年生存率为 10%~20%,一般在截肢术后 1~2 年出现肺转移。而以 1 年内最为常见。10%~15%在 2 年后出现肺转移,个别病例在 5 年后出现转移。随着术前化疗的常规使用,5 年生存率明显提高至 60%~70%,肺转移也明显推迟。还有其他一些因素可以影响治疗的预后。例如,骨肉瘤体积较小、未侵犯骨皮质者比体积较大、已侵犯周围软组织的病例预后要好。其次为肿瘤所在部位,越接近和紧邻躯干者,预后越差。年龄对预后的影响意见尚不统一。骨肉瘤是否为骨质溶解型或是硬化型对预后似无价值。肿瘤对术前化疗的敏感度更为重要,化疗后肿瘤坏死率达 90%以上者预后好过坏死率 80%者。

37.2.3.3 *皮质旁骨肉瘤(骨旁骨肉瘤)*

皮质旁骨肉瘤源自骨旁和(或)骨表面的骨旁组织,它趋向于象牙质样致密,而且一般有一缓慢的病程。其恶性程度较典型的骨肉瘤低。皮质旁骨肉瘤发病率很低,按照 WHO 统计皮质旁骨肉瘤占原发性肿瘤的 1.19%,占原发性恶性骨肿瘤的 2.18%。皮质旁骨肉瘤的发生没有性别差异。一般皮质旁骨肉瘤在 15~40 岁间发病。平均年龄高于骨肉瘤。皮质旁骨肉瘤好发于肢体的长干骨,明显好发于股骨,尤以股骨下端腘窝部最为常见,其次为胫骨上端、肱骨上端、腓骨和前臂骨。几乎不出现在躯干骨、手部骨和足部骨。

(1) 临床表现

皮质旁骨肉瘤的主要特点是生长缓慢,病程较长,病程长者肺转移晚,临床症状多比较轻微。而病程短者肺转移较早,临床症状明显。典型病例多为局部肿块,生长缓慢,无痛。腘窝和股骨近端症状更为轻微。肿瘤接近关节时,关节活动可能受限。局部检查为一圆形或不规则肿块,质硬或质韧;多无压痛;肿块固定不活动。恶性程度高者可以出现肿块生长迅速,局部皮肤发红,血管怒张等现象。

(2) 影像学表现

影像学表现非常典型。在骨旁可见骨化肿块。早期在靠近骨膜处可见多数小的新生骨,密度较淡。随肿瘤的生长,逐渐出现肿块。因肿瘤所含瘤骨、瘤软骨及纤维成分不等,分布不均匀,在 X 线片上出现不同表现。根据 X 线表现,典型的皮质旁骨肉瘤分为:①硬化型,肿瘤位于骨端,呈圆形高密度骨块;②发团型,表现为瘤骨顺向旋转呈发面样;③骨块型,为孤立于骨表面及骨外的条状或肾形骨块;④混合型,瘤骨表现为杂乱无章状,为以上 3 种类型的混合。骨膜反应少见。软组织肿胀不明显。部分肿瘤可在主瘤体周围出现卫星灶。由于肿瘤在 X 线片显影浓重且常常包绕宿主骨,不能逐层了解病变情况,因此有必要进行 CT 或 MRI 断层检查,以了解肿瘤对宿主骨和髓腔的侵袭情况。

(3) 大体病理学特征

肿瘤呈球形或圆顶形,表面被假包囊包绕,层次分明。在有些区域可能与软组织和关节粘连。一般肿瘤的结构相当坚硬。肿瘤的浅层组织硬度较低,由纤维、软骨或纤维-软骨组织组成。这是最容易显示恶性组织细胞学表现的部位,所以必须将其包括在活检标本中。肿瘤内部绝大部分为钙化组织。切面上,非骨化区域为白色;不成熟的骨化区颜色较红,充血,表面粗糙;成熟和象牙质样骨部分呈现为白色。其特征类似正常的致密骨。肿瘤与宿主骨紧密融合,呈蘑菇样的部分向骨干过度生长,肿块与皮质骨间借纤维层分开,有时为肌肉分隔。

(4) 组织病理学特征

皮质旁骨肉瘤由肉瘤样的梭形细胞和胶原基质构成,含有骨样组织和小梁骨,有时含有恶性软骨组织。

(5) 病程

皮质旁骨肉瘤的病程缓慢,有时可达 5~10 年。

有些病例肿瘤虽经多次切除可反复复发而无转移。复发可在切除术后10年以上发生，而转移可在首次出现症状20年以上及术后5年以上才发生。也有一些病例其病程自发病开始或发病过程中进展即很快，其组织学的恶性程度可达Ⅲ级。在复发时可发现其恶性程度增加。远处转移为肺转移，也可转移到其他内脏和骨骼。

(6) 治疗

在进行治疗时，不应受本病病程缓慢的影响。因为本病的病程虽然比较缓慢，但可在任何时间内发生进展加速，并具有更大的侵袭性。因此必须给予及时的治疗。对肿瘤的边缘性局部切除(在骨皮质的假包膜下范围)，由于术后几乎总是伴发局部复发而应避免，相反，应该采用包括部分健康组织的肿瘤广泛切除术。如肿瘤较大，和(或)侵犯骨髓腔、和(或)组织学恶性程度较高者，则有进行受累骨全瘤段切除术的指征。当肿瘤与肢体的主要血管粘连时，应将其切除或行截肢术。当肿瘤非常大，且有广泛局部复发和(或)广泛侵袭宿主骨时，以及组织学恶性程度高时，应行截肢术。一般不需放疗。与典型骨肉瘤相似，只有在组织学Ⅲ级的病例，当髓腔受到累及时，才考虑应用化疗。

(7) 预后

在广泛切除术后，无局部复发。无论是否穿入骨皮质，组织学Ⅰ级的肿瘤很少发生转移。在肿瘤还没有穿入骨皮质和髓腔时，即使是Ⅱ、Ⅲ级也很少有转移。组织学恶性程度高的、穿入髓腔的肿瘤预后不佳。如诊治并非过迟，而且手术治疗得当，本病在保守性手术后80%以上的病例可以治愈。

37.2.3.4 骨膜骨肉瘤

骨膜骨肉瘤起于长骨骨干骨皮质的外侧。其组织特征呈典型的骨肉瘤形式。多见于年轻成人。其表现为生长缓慢，无痛扩大的梭形肿块。X线特征为骨皮质上浅的倒凹火山口形态，边缘不平整，突向软组织，并有X线致密、不定型的肿瘤骨化。在病损边缘，可有Codman三角的反应骨。到后期可侵入髓腔。X线形态很像大的骨膜性软骨瘤，但具有侵袭性。软组织内的骨化如砖状缺损，其形态很像软组织肉瘤，并有内在钙化，但向髓腔侵袭。组织学检查骨膜骨肉瘤经常有大量的软骨细胞，但在软骨中常常有新生的成骨现象。有大的间充质纺锤形-放线状细胞混合结构，特别是簇拥在血管和大的小叶周围并伸向小叶中心的细胞。由于软骨分化很不成熟，通常可与软骨肿瘤相鉴别。组织学分级属于Ⅲ级，Ⅰ级不多见。有极少数骨膜骨肉瘤在骨的表面进展者属于Ⅳ级。骨膜骨肉瘤的预后不如骨肉瘤严重。对本病的治疗选用瘤段切除术，一般不用化疗。转移的发病率相当低。

37.2.3.5 低度恶性中心性骨肉瘤(骨内骨肉瘤)

骨内骨肉瘤与骨旁骨肉瘤属于同一类型，只是前者起源在骨内而后者起源于骨的邻近部位。属于低度恶性，往往是硬化型骨肉瘤，其病程相对较缓慢，可在骨内保持很多年，很久后才能发生间室外侵犯。只有在未治疗时才会出现转移，常被误认为是良性病损，如骨母细胞瘤或纤维结构不良，但会复发和侵袭。X线表现为均匀密度，主要位于髓腔内，反应骨少。象牙质硬化区在组织学上显示细胞的恶变性轻微。但这些骨肉瘤也往往包含一些恶性程度高的区域，同时在预后方面与骨肉瘤相比也没有明显的不同。

37.2.3.6 高度恶性表面性骨肉瘤

是最为少见的骨肉瘤类型。具有高度侵袭性，生长在骨皮质的表面。X线显示为侵袭性病变，界限不清晰。组织学上与典型骨肉瘤类似，是一种高度恶性的肿瘤。细胞成分多且分裂象多见，有大量的异形核。

37.2.3.7 颌骨骨肉瘤

与一般骨肉瘤相比，即使由于其所在部位特殊而不能进行广泛切除，上颌骨骨肉瘤的预后较好。本病常见于成年人。比较其他类型骨肉瘤发展快。组织学观察常见大量和广泛存在的成软骨细胞的成分。

37.2.3.8 出血性骨肉瘤(毛细血管扩张性骨肉瘤)

出血性骨肉瘤为纯溶骨性病变。此类骨肉瘤的特点是富含血管和出血区域，出血区域内可见窦腔、出血和出血反应所致的多核巨细胞。这些特点导致该类型骨肉瘤有比较特殊的放射学表现。出血性骨肉瘤与标准骨肉瘤在性别和年龄方面无差别，甚至发病部位也相似，但本病可能更好发于骨干。在放射学方面，其表现为骨质溶解，罕有骨膜反应，侵袭现象显著，病变进展迅速。大体病理学上，由于肿瘤由充满血液和凝血块的大空腔及海绵状组织组成，因而肿瘤相当柔软和易于出血。肿瘤组织由间隔和壁层组成。骨皮质和骨膜广泛破坏,并侵蚀软组织。个别情况下骨膜可呈现相对的完整无损。所以有时直视下可能误认为动脉瘤样骨囊肿。组织学方面,肿瘤内部可见肉瘤细胞和为数众多的与破骨细胞相似的多核巨细胞,提示出血后的反应,有时易与动脉瘤样骨囊肿相混淆。出血性骨肉瘤的病程特别具有侵袭性,进展迅速,同时组织学的恶性程度相当高(Ⅳ级)。出血性骨肉瘤的治疗和预后与标准骨肉瘤相同。

37.2.3.9 小细胞性骨肉瘤

与尤文肉瘤容易混淆。骨肉瘤的小细胞与尤文肉瘤相比,前者显示胞质多而着色深,细胞核更富含染色质,细胞核多形,常见有丝分裂相,无细胞质糖原。在其他视野中呈现为典型的骨肉瘤成骨。在性别、年龄、部位和临床表现、影像学表现上,小细胞性骨肉瘤与标准骨肉瘤并无差别,但对化疗的敏感性不高,且预后较差。

37.2.3.10 继发性骨肉瘤

是指继发于 Pagetic 骨病,其他良性病损(纤维结构不良、良性软骨肿瘤)、骨梗死、慢性化脓性骨髓炎的骨肉瘤。Pagetic 骨病多见于欧美地区的老年人群,我国少见。Pagetic 骨病的肉瘤样转变是此病的常见并发症。因此,Pagetic 骨病是欧美地区老年人发生骨肉瘤的常见原因。50 岁以上的骨肉瘤患者绝大多数与 Pagetic 骨病有关。Pagetic 骨病最常发生在 60～80 岁之间,最好发的部位是骨盆。Pagetic 骨病病程较长,如有出现疼痛加重,就应考虑是否有肉瘤变。X 线显示粗糙破坏区非常明显,在早期就可弥散到软组织内。Pagetic 骨病因为有非常活跃的血管繁殖,因此间室外扩散比其他类型的骨肉瘤要早。用局限性切除手术和广泛性切除手术来治疗 Pagetic 骨病几乎都会复发,比标准骨肉瘤复发机会还要多。因此,Pagetic 骨病手术方法的选择比较少,关节解脱可能是比较可靠的方法。放疗剂量超过 25 Gy 的患者有 1% 会发生放射诱发的骨肉瘤,可发生在颅骨、脊柱、锁骨、肋骨、肩胛骨和骨盆等较少发生骨肉瘤的部位。骨肉瘤是最常见的放射诱发的肿瘤,放疗后 3 年到几十年都可以发生继发性骨肉瘤,但一般在 10～15 年内多见。总的来说继发性骨肉瘤的预后是比较差的。继发性骨肉瘤除了由于年龄不能全部或部分进行化疗外,所使用的治疗方法与标准骨肉瘤相同。

(陈峥嵘)

37.3 软骨肿瘤

37.3.1 骨软骨瘤

骨软骨瘤是最常见的良性骨肿瘤(图 37-1),是一种骨与软骨发育的异常。可发生于所有软骨内化骨的骨骼,表现为表面覆盖着纤维包膜和软骨帽的骨突起。有单发和多发两种类型。单发性骨软骨瘤称为孤立性骨软骨瘤,一半以上见于股骨下端、胫骨上端和肱骨上端等长骨的干骺端,背离关节方向生长,少数见于骨盆、脊柱、手足的短骨,偶可见于骨骺部位,称为骺生骨软骨瘤。多发性骨软骨瘤又称为骨软骨瘤病,发病率较单发性骨软骨瘤低,是一种常染色体显性遗传性疾病,以膝和踝邻近的长管状骨干骺端最多见,为双侧性和对称性发病。

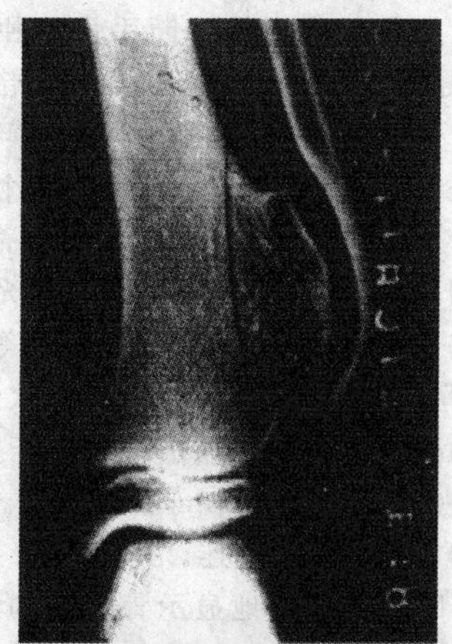

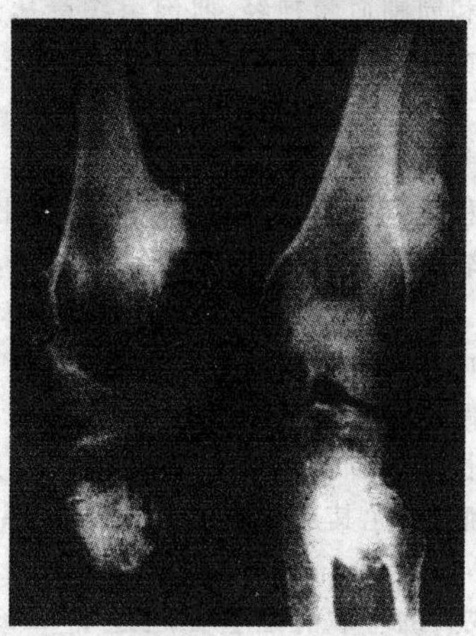

图 37-1 骨软骨瘤

骨软骨瘤发病的原因有各种不同的解释:有的认为是骨骺板的软骨细胞错误移位,游离至骨表面生长而成;有的认为是局部骨膜存在缺陷不能约束骺软骨与骨的增长;有的认为骨软骨瘤起源于骨膜内层的幼稚细胞或化生的软骨细胞;还有的认为起源于肌腱附着处的前软骨纤维组织。

(1) 临床特点

骨软骨瘤大都发生于儿童期,男性多于女性。早期无症状,随着肿瘤的增大,局部可扪及坚硬的无痛性肿块,肿块表面有滑囊形成。关节附近的肿瘤如果顶端穿破筋膜、韧带,或阻挡肌腱滑移,有可能影响关节活动,甚至造成关节交锁。肿瘤如果压迫神经可引起神经支配区域感觉过敏或减退,相应的肌肉力量的减退。常见于腓总神经和隐神经。邻近于上下胫腓关节或上下尺桡关节部位的肿瘤,可挤压腓骨和桡骨,使其发育成方形畸形。

(2) 影像学表现

X线摄片是最常用的诊断手段。肿瘤大小不一,一般不超过 10 cm,都是远离骨骺指向骨干生长。肿瘤由骨性基底、软骨帽和纤维包膜 3 层构成。骨性基底是干骺端骨组织的延续,是一个包裹着正常的松质骨。它与母体的连接可以是带蒂型或广基型。带蒂型常呈细管状或圆锥状,表面光滑或呈结节状。广基型可呈半球形、菜花状、蝶状等。中层的软骨帽的厚度随年龄而异,年龄越小,软骨帽越厚,成年人因软骨组织骨化和周围结构的压力摩擦,软骨帽变薄,一般多在 1~5 mm,甚至缺如。表层的纤维包膜很薄与周围骨膜相连。

CT 和 MRI 能清晰地显示骨性结构情况、软骨帽的厚度和周围血管神经、肌肉组织受压迫推移状态。只有在肿瘤巨大及高度怀疑恶变时采用这些检查,有利于治疗方案的设计制订。

(3) 病理特点

病理检查见肿瘤的软骨下各有成熟的骨小梁。软骨帽的软骨为透明软骨,软骨细胞排列与正常骺软骨相似。但软骨基质内可见钙化和崩解的碎屑,表明软骨内化骨的过程发生局限性紊乱。

(4) 骨软骨瘤的恶变

单发性骨软骨瘤恶变的可能性极小,只有 1%,但骨软骨瘤病,尤其是骨盆部位的病灶,恶变的概率大大增高,约达 20%。所以当骨软骨瘤迅速增大出现疼痛,成人的骨软骨瘤直径超过 8 cm,软骨帽厚度超过 1 cm,X线摄片见肿瘤的骨性部分出现不规则溶骨性破坏区,可见放射状骨针及骨膜反应,软骨帽突然出现大量不规则钙化影,或周围软组织内出现厚叶状软骨钙化块,显微镜下见软骨细胞丰富,核深染,排列紊乱无章,甚至有核分裂象等,都提示恶变成软骨肉瘤的可能。

(5) 治疗

一般情况下骨软骨瘤不需要作特殊处理。只有当出现局部神经、血管的压迫症状和关节功能受限,以及考虑有恶性变倾向时需要作手术切除。手术中应注意必须将骨软骨瘤表面覆盖的纤维包膜和基底部周围的正常骨组织一并切除,切面不要经过软骨帽;否则容易局部种植复发。

37.3.2 软骨瘤

软骨瘤是一种以形成成熟软骨为特征的良性肿瘤,发病率居原发性良性骨肿瘤中第 2 位,以 15~50 岁年龄段多见,无明显性别差异。根据病灶的部位可分为内生软骨瘤和骨膜软骨瘤。前者又由于病灶的单发和多发分为孤立性内生软骨瘤和多发性内生软骨瘤病。

软骨瘤的病损是来自于软骨性骨骼系统的骨化错误。内生软骨瘤是由于骺板的部分软骨未能骨化,在髓腔内保持着未骨化的软骨状态繁殖。骨膜软骨瘤是局部骨外膜不生成骨,而是分化成软骨母细胞形成软骨。

37.3.2.1 孤立性内生软骨瘤

(1) 临床特点

孤立性内生软骨瘤多见于四肢的短管状骨和长管状骨(图 37-2),以指骨和掌骨最常见。一般起源于干骺端,向骨干扩展不跨越骺板,如果骺板已闭合则可累及骨骺。极少数也可发生在肋骨、胸骨、脊椎、骨盆等部位。

临床上无症状。往往是检查时偶尔发现病灶或局部外伤后肿胀疼痛摄片才发现病理性骨折。一般短管状骨的病变极少出现恶变,但长管状骨、躯干和扁骨的病变的恶变可高达 10%~25%。所以长管状骨病变,无外伤因素突发疼痛或躯干骨、扁平骨的病灶超过 5 cm 都是提示恶性变的可能。

(2) 影像学表现

X线摄片可发现骨干内有一椭圆形骨质透亮缺损灶,与周围骨有明显界线,无骨膜反应,病灶内有点状钙化或多纹状骨化间隔。若发生于手足短管状骨,可见膨胀性改变,骨皮质变薄。而长管状骨病变

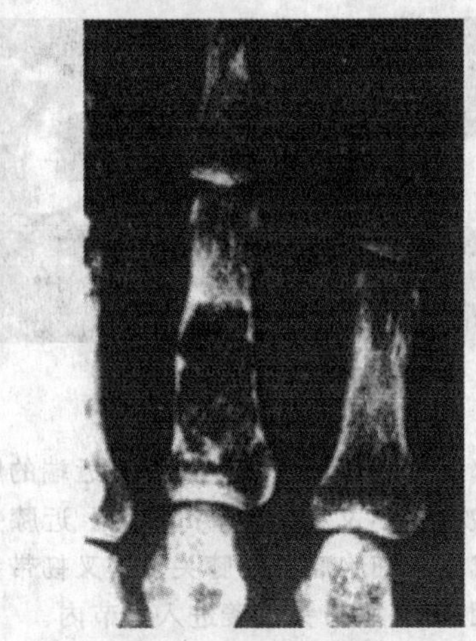

图 37-2 孤立性内生软骨瘤

则膨胀不明显。一般根据X线摄片和临床表现都能明确诊断。但对于X线表现无明显钙化的肿瘤及怀疑有恶性变可能,需明确病灶范围。骨皮质破坏程度,有无软组织侵犯时可以进行CT、MRI检查。

(3) 病理特点

病理检查可见肿瘤组织由蓝白色坚实的透明软骨和黄色砂砾状的钙化、骨化的软骨形成。镜下可见软骨细胞分叶排列成团,细胞间有玻璃样软骨基质,其间可有钙盐沉积,软骨细胞小,胞质色淡,常呈空泡状,细胞核小,呈圆形。绝大多数为单核细胞,偶可见双核细胞。看不见核有丝分裂。若发现肿瘤内细胞丰富,软骨细胞巨大,细胞核大且多见双核,或出现染色体团快,应考虑恶变。

(4) 治疗

孤立性内生软骨瘤的治疗应视有否症状而定。一般手足短管状骨,可行肿瘤刮除,残腔四壁用苯酚灭活,反复生理盐水冲洗后再植入自体或异体松质骨粒填充。长骨的肿瘤行囊内切除的复发率和恶变率高,应考虑行界限性大块切除。若已怀疑恶变可能的应采用广泛切除或根治性切除。骨缺损区域用大块的自体骨或同种异体骨移植重建。

37.3.2.2 骨膜软骨瘤

(1) 临床特点

骨膜软骨瘤是来自于骨外膜的一种成熟软骨未骨化的肿块(图 37-3)。生长缓慢。好发于手或足的短骨干表面,一般为单发不超过 4 cm。无症状和功能障碍,仅有间歇性隐痛不适。

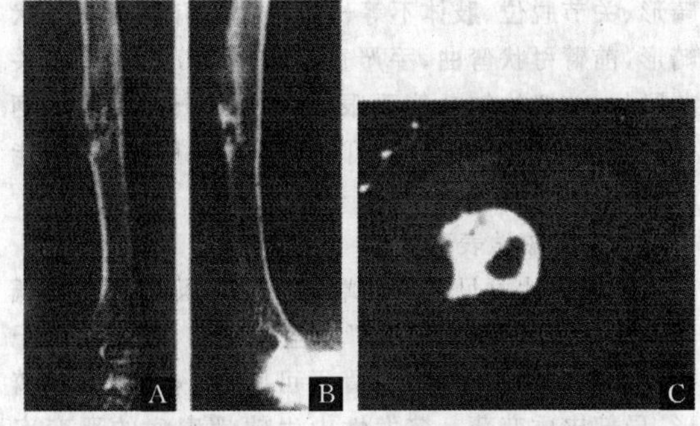

图 37-3 骨膜软骨瘤

(2) 影像学表现

X线表现为骨旁较模糊向外突出的肿瘤,局部皮质有表浅压迹,相邻面轻度硬化,无骨膜反应。肿瘤较大时,骨皮质压迹较深,皮质变薄,但肿瘤不会侵入骨髓腔,瘤体与正常髓腔骨组织之间始终保持一薄层硬化致密的皮质相阻隔。

(3) 病理特点

病理检查见肿瘤质地坚实,无钙化,偶尔有黏液样变性,包膜致密和成熟,肿瘤紧贴于骨表面无蒂与骨相连,在骨的界面上有一薄层钙化区,肿瘤的表面仍有骨膜覆盖。显微镜下可见肿瘤以软骨细胞为主,显示活跃病损的变化。

(4) 骨膜软骨瘤的恶变

骨膜软骨瘤有恶变为软骨肉瘤的可能。所以对较大的肿瘤,短期内迅速增大疼痛明显的肿瘤,或者X线摄片发现肿瘤边缘不规则、钙化模糊、病变侵入髓腔者,都应考虑恶性变的可能。

(5) 治疗

治疗方法为手术切除,必须将肿瘤表面的骨膜、肿瘤包膜、肿瘤及相邻的骨皮质一同切除,减少局部复发的机会。

37.3.2.3 多发性内生软骨瘤病

(1) 临床特点

多发性内生软骨瘤病是指体内多处管状骨内出现界限清楚的软骨病灶。病变局限于一侧上下肢的称为 Ollier 病。合并多发性血管瘤同时有静脉扩张、静脉石形成的又称为 Maffucci 综合征。当一侧上下肢或四肢均有病变时,胸骨、椎体和骨盆等躯干骨也会有软骨瘤累及。

多发性内生软骨瘤病的发病率较低,但出现临床症状体征早,甚至在幼儿期就有表现。由于病变波及范围广,可占据整个髓腔,往往造成骨关节发育畸形、关节脱位、肢体不等长等。常见有手指纺锤状畸形，前臂弓状弯曲，手严重尺偏畸形，上下尺桡关节脱位，前臂旋转功能受限，下肢不等长，膝内外翻等。若发生病理性骨折，可出现局部肿胀疼痛，功能障碍。

(2) 影像学表现

X线摄片可见骨干骺端圆形或卵圆形密度减低影，内有点状钙化。随着骨的生长发育，逐渐向骨干扩展甚至占据整个髓腔，骨干可膨胀，短缩、弓状畸形，局部皮质变薄。多发性内生软骨瘤病的恶变率高达50%，但往往只出现在个别骨骼的病灶，而不是全身所有病损都累及。因此当X线摄片显示病灶不规则，有骨外膜反应，与皮质的交界处呈现"扇贝"样溃损透亮区，骨内膜反应形成向髓腔内突出的"拱架"征等均提示肿瘤恶性变。CT和MRI检查更清晰显示皮质破损、骨膜反应，病灶钙化点及"扇贝"征、"拱架"征。

(3) 病理特点

病理检查发现髓腔内许多大小形状不一的玻璃样灰白色软骨团块，团块与团块间有骨性间隔。显微镜下所见与孤立性软骨瘤基本相似，但软骨基质的钙化较单发的少，软骨细胞较单发的丰富，且软骨细胞的核较大，双核的软骨细胞明显增多。

(4) 治疗

临床上有症状影响生活的可行病灶刮除骨粒植骨术。但儿童病变尚处于活跃期，搔刮后有1/3复发。成人病变已静止则复发率低。如已怀疑病灶恶性变的，可行病灶广泛切除大块植骨术。对于关节畸形、脱位、下肢力线偏移者可通过截骨手术矫正。下肢不等长超过3 cm以上者可通过手术将肢体一次性延长或持续性逐步延长，也可通过过长一侧骨骺阻滞手术来重新达到肢体的平衡。

37.3.3 成软骨细胞瘤

成软骨细胞瘤又称软骨母细胞瘤(图37-4)，是一种以圆形、多角形软骨母细胞和多核巨细胞组成的良性肿瘤。它有较强的侵袭性和较高的复发率，甚至可以出现肺部转移。

(1) 临床特点

肿瘤好发于10～20岁的儿童青少年。男性发病率是女性的2～3倍。常见部位为第二骨化中心，其中股骨远端骨骺和胫骨近端骨骺占50%，其次是肱骨近端的大结节骨骺和股骨近端的大粗隆骨骺。

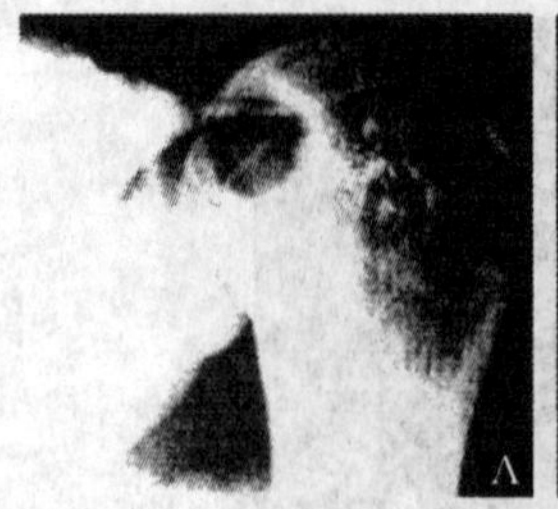

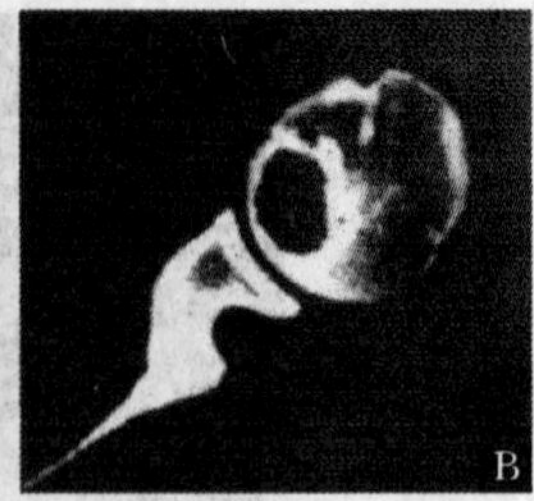

图37-4 成软骨细胞瘤

病灶几乎都是单一区域发病。因肱骨近端的肿瘤系Codman首次报道，又称为Codman瘤。近膝关节和肩关节的成软骨细胞瘤可沿膝关节交叉韧带和肩关节的肩袖、肱二头肌长头侵袭进入关节内。

一般起病缓慢，病程长。早期无明显症状和体征。偶可出现局部疼痛。服用水杨酸类镇痛药可使之缓解。后期常可扪及局部膨胀隆起、压痛，关节肿胀积液，活动受限。个别的出现软组织肿块和肺转移征象。

(2) 影像学表现

X线摄片可发现病灶在骨骺端中心或偏心位置，呈圆形或卵圆形溶骨性破坏区。一般不超过5 cm，内含致密散在的钙化，有时钙化程度轻，需CT检查才能明确。病灶边缘清晰，并有一条很细的硬化反应带。肿瘤较大时，可使局部骨皮质变薄，甚至破损出现软组织肿块。肿瘤也可侵袭进入关节腔引起关节积液，间隙增宽。瘤体内有时可伴发动脉瘤性骨囊肿，X线片会显示局部膨胀囊样改变。

典型的成软骨细胞瘤根据X线摄片和临床表现就能明确诊断。不典型的病灶可进一步作CT检查。CT检查可充分显示病灶结构，病灶内有无钙化及其形态和密度，边缘有无硬化反应带，骨皮质有无断裂，周围有无软组织肿块，肿块与神经血管关系等。

(3) 病理特点

手术中可见肿瘤与周围松质骨分界清楚，但包膜薄，瘤体组织质脆，呈蓝灰、灰白或暗红色，部分有砂砾感。部分可有出血和囊性改变。显微镜下显示病损内软骨母细胞中等大小，为圆形或多角形，边界清楚，细胞核圆，染色良好。具有特征是软骨母细胞呈"铺路石"样被软骨样基质包绕成软骨母细胞岛，细胞周围出现网格状钙化称之为"尖桩栅栏"。基质内散布着许多大的多核巨细胞，有类似于破骨细胞和巨噬细胞的功能，是对肿瘤局灶性出血、坏死、钙化骨化的反应。

(4) 诊断与鉴别诊断

诊断通过注意观察患者年龄、发病部位,局部症状、体征,X线摄片病灶形态、边界是否清晰、有无硬化反应带,病灶有无钙化,钙化的形态、密度。显微镜下有无特征性的细胞铺路石样分布,细胞周围的栅栏状钙化等可与巨细胞瘤、内生软骨瘤、骨结核、软骨肉瘤、软骨黏液样纤维瘤等相鉴别。

(5) 治疗

成软骨细胞瘤的治疗,包括肿瘤病灶的清除和骨强度的重建两部分。

肿瘤病灶清除,大多数采用刮除加囊壁灭活方法。手术过程中必须注意切口显露要充分,尽可能在直视下操作,保护好周围的组织,避免肿瘤局部种植;刮除病灶要彻底,特别要仔细清除骨嵴间残留的肿瘤组织;凿除四周的硬化带。清除后的残腔先用苯酚或液氮冷冻等方法灭活,再用灭菌蒸馏水反复冲洗,灭活时注意不要损伤关节软骨和病灶周围的皮肤软组织。如果肿瘤为局部复发或已经侵犯关节则需行大块的界限性切除或广泛切除。

骨强度重建的方法应视骨缺损的部位和大小而决定。骨骺内或手足短骨内的小缺损区,可选用自体颗粒状松质骨或自体加同种异体骨填充。骨缺损区域大或者复发性病灶,自体骨量不足或无法再取得,可采用同种异体骨、人工骨或骨水泥填塞。需注意股骨颈部位应力集中应该尽量采取自体骨移植。儿童骨骺部位病灶不要采用骨水泥填塞,因骨水泥凝固过程中释放热量易损伤骺板影响肢体发育。紧贴关节软骨面的病灶,需要保证软骨下有 1 cm 以上厚度的自体骨填充以保证尽快恢复软骨下的血液循环。位于股骨粗隆间或股骨胫骨骨骺骨干部较大的病灶清除后残留骨不够坚强的,需要病灶清除,植骨的同时,加用内固定或外固定。侵犯关节软组织的病灶行广泛手术切除后可采用同种异体关节或人工关节重建。

如果出现肺部转移的,仍可积极进行手术切除,预后好仍可长期生存。一般转移灶组织学形态与原发灶无明显区别。

37.3.4 软骨黏液样纤维瘤

(1) 临床特点

软骨黏液样纤维瘤(图 37-5)是一种较少见的良性软骨肿瘤,据世界卫生组织统计,其发病率占原发性骨肿瘤的 1.04%,占良性骨肿瘤的 2.31%,以 30 岁以下的成年人和青少年多见,其中男性多于女性。肿瘤好发于长骨干骺端,紧贴骺板处,尤其是胫骨近端。

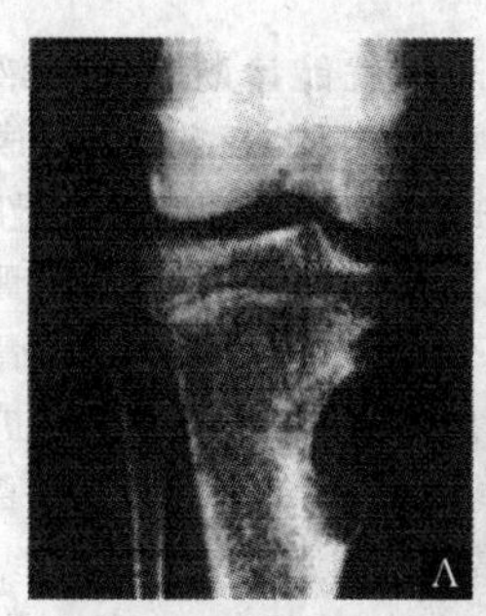

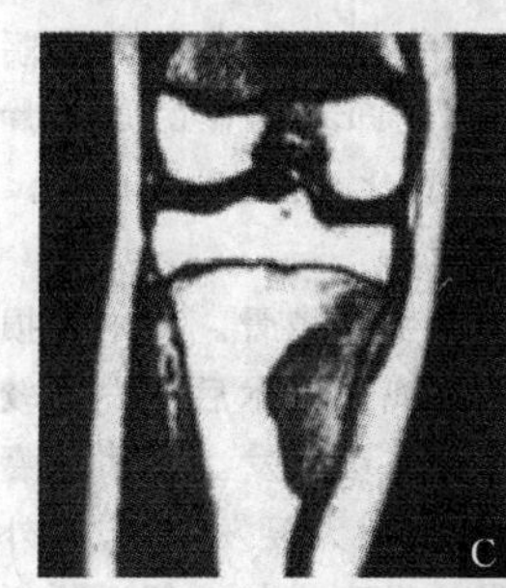

图 37-5 软骨黏液样纤维瘤

一般起病缓慢,病程长,无症状或局部轻微疼痛。如果出现病理性骨折,疼痛可明显。也可表现为局部无痛性肿胀,骨皮质膨隆但表面光整。

(2) 影像学表现

X线表现为干骺端圆形或卵圆形溶骨性病损,为单房或多房透光影,偏心性膨胀性生长,长轴与骨干平行。病损边缘与髓腔松质骨之间有明显的反应性硬化带,成不规则的扇贝形。局部皮质骨膨隆变薄,无骨膜反应。因肿瘤内软骨呈分叶状生长骨化,X线可显示出条索状、三角形和蜂窝状的骨嵴。病灶内钙化可有不同程度的表现,这完全取决于软骨样组织的数量或活动性,约超过半数患者普通 X 线片不能发现钙化影。儿童的病灶直接毗连骺板,所以 X 线显示出病灶透亮区与骺板自身的透亮区融合在一起。年长的青少年和成人 X 线显示出骺板线与肿瘤病灶之间有一个松质骨间隙。

(3) 病理特点

病理检查可以见到肿瘤是由软的胶冻样黏液变性组织、坚实白色瘢痕样的纤维组织和珍珠灰色不成熟的软骨组织 3 部分组成。显微镜下见肿瘤组织呈小叶状排列是软骨黏液样纤维瘤的一个特征性表现,小叶内细胞丰富,有多核巨细胞,也有异形的软骨样细胞。

(4) 诊断与鉴别诊断

依据临床表现和X线表现就能诊断软骨黏液样纤维瘤。有时表现不典型时需要与巨细胞瘤、成软骨细胞瘤等相鉴别。巨细胞瘤虽也表现为偏心性膨胀性生长的病损,溶骨区内有纵横交错的线样骨间隔,典型可呈肥皂泡样改变,但其好发年龄较软骨黏液样纤维瘤大,好发部位在骨骺区,病灶有横向扩展趋势,病灶内无钙化,骨嵴较软骨黏液样纤维瘤细,病灶边缘无硬化反应,常出现骨膜反应和软组织肿块。成软骨细胞瘤虽然好发年龄相仿,也是一类圆形骨破坏病灶,边缘有硬化带,但好发部位是骨骺区,髓腔侧无硬化带。早期病灶即有明显的点状片状钙化,晚期可有大量钙化和骨化,常见骨膜反应。

(5) 治疗

治疗方法一般是局部肿瘤刮除植骨。术中病损很容易自皮质骨或反应壳上剥离。但术后复发率较高,占10%～25%。年龄越小越易复发。采用包囊外界限性切除或广泛性切除,一般无复发,但包囊外切除可能会损伤骺板影响骨的发育生长。邻近骺板病损切除后空腔不能用骨水泥填塞,而要用自体骨移植填充。

37.3.5 软骨肉瘤

软骨肉瘤是来自于软骨细胞或间胚叶组织的恶性肿瘤。它的发病率较骨肉瘤高,预后较骨肉瘤好。多见于20岁以上的成年人,有明显的性别差异,男女之比为2:1。

软骨肉瘤的生物学行为多变,为了对其更好地认识和估测,临床上分别从解剖部位、肿瘤来源、组织学表现3方面将其分类。

根据肿瘤发生的部位分为中央型软骨肉瘤和周围型软骨肉瘤。中央型软骨肉瘤的病变首发于骨髓腔或骨皮质内侧,周围型软骨肉瘤的病变首发于骨膜下皮质或骨膜。发生于骨膜的周围型软骨肉瘤,因其有一些独特性,有时又将其单独归为一类,称为骨膜软骨肉瘤。

根据肿瘤的来源分为原发性软骨肉瘤和继发性软骨肉瘤。原发性软骨肉瘤发病年龄相对较小,病程进展快,恶性程度高,预后差。继发性软骨肉瘤约占软骨肉瘤的40%,一般发生于30岁以后。原发的良性病变静止期,其中中央型多来自长管骨干骺端的内生软骨瘤或多发性内生软骨瘤病的病灶(图37-6)。周围型多来自于多发性骨软骨瘤病的病灶,尤其是位于骨盆部位的骨软骨瘤。一般发展缓慢,预后比原发性好。

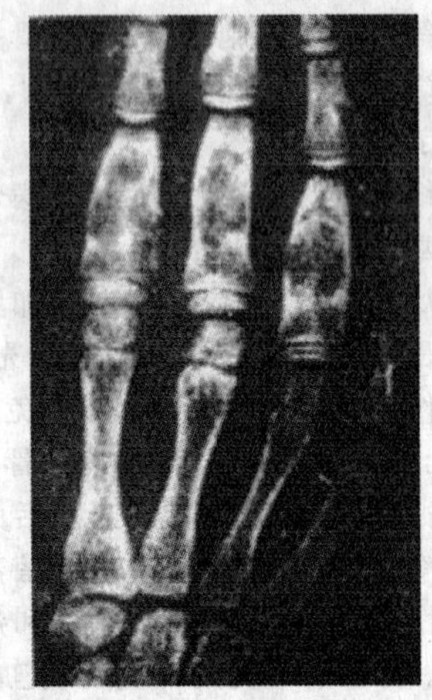

图37-6 多发性内生软骨瘤病

根据肿瘤组织学表现分为Ⅰ、Ⅱ、Ⅲ级,又可称为低度恶性、中度恶性和高度恶性。Ⅰ级软骨肉瘤约占20%,软骨分化良好,细胞较丰富、核大,常见双核细胞,但无核的有丝分裂象,基质内有明显的钙化和骨化。Ⅱ级软骨肉瘤约占60%,软骨组织显示出明显异形,钙化骨化减少,细胞核大,可以是正常的4～5倍,外形怪异,核染色体过深,常见双核细胞,偶见三核细胞。Ⅲ级软骨肉瘤约占20%,软骨小叶周围为一层厚细胞晕,主要密集的是核深染的成软骨细胞和未分化的间充质细胞,软骨细胞丰富,核多形,怪异,染色过深,常出现体积巨大的细胞,可以是正常的5～10倍,细胞内有多核或更多的核。基质内钙化极少。

37.3.5.1 中央型软骨肉瘤

(1) 临床特点

中央型软骨肉瘤好发部位依次为股骨近端、股骨远端、骨盆、肱骨近端、肩胛骨、胫骨近端,而躯干骨较少发生。长骨的肿瘤通常起源于干骺端或骨干的一端,因成人骺板已消失,肿瘤可侵犯骺端甚至关节。另外,中央型软骨肉瘤更倾向于向阻力较小的地方扩张,尤其骨干的髓腔,所以接近半数的患者作出诊断时肿瘤已侵犯长骨骨干髓腔的1/3、1/2或更多。位于骨盆的中央性软骨肉瘤好发于髋臼周围的髂骨、坐骨、耻骨。位于肩胛骨的中央型软骨肉瘤好发于关节盂和喙突。

中央型软骨肉瘤的临床表现与肿瘤的恶性程度有很大关系。低度或中度恶性者症状较轻,表现为间歇性的深部疼痛,能忍受,局部可有轻微的骨膨隆而无明显肿块。高度恶性的肿瘤则生长迅速,侵袭性强,早期即破坏骨皮质侵入软组织形成较大的软组织肿块。同时可从骨骺直接侵入关节,引起疼痛,关节活动障碍。位于脊椎、骶骨、肋骨、骨盆部位的肿瘤,如果压迫神经,可引起持续性的剧烈疼痛以及相应部位的感觉运动异常。

(2) 影像学表现

X线检查表现为边界模糊的溶骨,骨皮质变薄,内部呈扇贝状,有些区域可出现皮质中断,而有些区域因为软骨骨化,皮质增生,反而显得骨皮质增厚。低、中度恶性病损内软骨钙化常表现为不规则的雾状颗粒、结节或环状钙化圈。在侵袭性强的高度恶性病损内,骨破坏界限不清,广泛的皮质破损,较大的软组织肿块,钙化不明显而黏液较多,但有时肿瘤只浸润松质骨而骨小梁破坏尚未达到X线能检测到的规模,且局部无钙化,必须借助CT、MRI、放射性核素扫描才能及时诊断。另外,长骨病变时,术前也需要通过这些检查来确定肿瘤在髓腔内浸润的范围,有助于手术方案的制订。

(3) 病理特点

病理检查中,除了随着Ⅰ级到Ⅲ级恶性程度的升高,细胞数量增多、细胞变大、核增大深染、异形以及双核或多核细胞逐级增多外,肿瘤的质地也有很大变化。Ⅰ级肿瘤与软骨瘤相仿,质地坚韧,钙化区多如砂砾样。Ⅱ级肿瘤组织虽仍见软骨外观,但颜色变灰,质地变软,并散布着黏液性区域。Ⅲ级肿瘤组织质地很软,充满灰白色胶冻样物质,夹杂着坏死囊变和出血液化灶。

(4) 诊断与鉴别诊断

在确定中央型软骨肉瘤的诊断尤其是继发性软骨肉瘤时,必须注意将年龄、部位、症状等临床资料和影像学表现综合起来分析判断,而不能单根据组织学表现来确定恶性。如有的软骨瘤,临床表现已恶变为软骨肉瘤,肺部也出现转移灶,但其显微镜下组织学表现仍可保持原来的良性征象。

Ⅰ级中央型软骨肉瘤与内生软骨瘤的X线表现和病理改变方面有时很难区别,但两者治疗方法不同,软骨瘤只要行囊内刮除,囊壁灭活再加松质骨粒植骨。而软骨肉瘤宜行局部界限性切除或广泛性切除,所以必须加以鉴别。软骨瘤发病年龄较小,到成人期停止生长,一般无痛,除非发生病理骨折,通常病灶不超过5 cm,皮质骨完整无扇贝状改变,无软组织肿瘤。但在多发性软骨瘤病中,肿瘤可以较大,且成人期仍可继续生长,组织学表现增生活跃。因其继发转变为软骨肉瘤的概率大,所以在成人期当软骨瘤的症状和影像表现发生变化时,应考虑继发性软骨肉瘤的诊断。手足部短管状骨的中心型软骨肿瘤,几乎都是良性的内生软骨瘤,而躯干骨中心型的软骨肿瘤常为软骨肉瘤。近年许多学者研究证明正常软骨中的Ⅱ型胶原蛋白,在软骨肉瘤中表达的阳性率和表达强度明显低于良性软骨瘤,并随着恶性程度的增高而逐步降低,高度恶性的软骨肉瘤可完全不表达。正常软骨中不存在的Ⅰ型和Ⅲ型胶原蛋白在良性软骨瘤不表达,而在软骨肉瘤有表达,且随着恶性程度增高而表达逐步增强。另一种具有酪氨酸激酶活性的跨膜蛋白质(Cerb B-2癌基因蛋白)在良性软骨肿瘤中表达阳性率只有15%,而在软骨肉瘤中表达阳性率高达82%。这些检测结果均有助于良性和恶性肿瘤的鉴别。

高度恶性的软骨肉瘤,病损内钙化不明显时需要与骨肉瘤相鉴别。因为骨肉瘤为术前术后化疗是综合性治疗方案的一部分,而软骨肉瘤化疗不敏感,不需要实施。一般骨肉瘤好发于青少年,软骨肉瘤以成年居多,骨肉瘤迅速侵犯破坏骨皮质向外扩展;软骨肉瘤常先向阻力较低的骨干髓腔扩展。难以鉴别时需要作病灶活检,骨肉瘤能见骨样组织,软骨肉瘤能见巨大多核异形的软骨细胞。但在活检时,必须注意软骨肉瘤病损内充满胶冻样物质,压力很高,切开瘤体假包膜时会喷射,污染周围组织引起局部肿瘤种植。所以要做好周围的防护,避免污染。

(5) 治疗

因为放疗、化疗对中心型软骨肉瘤无效,手术是唯一的治疗手段。低度恶性的中心型软骨肉瘤,可考虑作界限性切除或广泛性切除,再根据患者年龄、骨缺损的部位和范围决定采用骨水泥填塞、自体骨移植、异体骨移植、人工假体置换等方法来重建骨强度和关节的活动功能。对于中度恶性或高度恶性的中央型软骨肉瘤,只要行广泛性或根治性切除术后,局部的主要神经、血管和关节的部分动力肌群能保留,仍能采用保肢、功能重建的手术方案,但有一定的复发率。中央型软骨肉瘤在软组织内复发时,常没有界限，一般无法整块切除，需要行截肢手术。如果高度恶性的中央型软骨肉瘤伴有巨大的软组织浸润肿块的，也需要考虑截肢手术。对于脊椎、骨盆部位中心型软骨肉瘤手术设计比较困难，可考虑行局限性切除。

37.3.5.2 周围型软骨肉瘤

(1) 临床特点

周围型软骨肉瘤(包括骨膜型软骨肉瘤)(图 37-7)发病率比中央型软骨肉瘤少，恶性程度比中央型软骨肉瘤低。Ⅰ级占绝大多数，约 2/3；Ⅱ级约 1/3；Ⅲ级极少见。

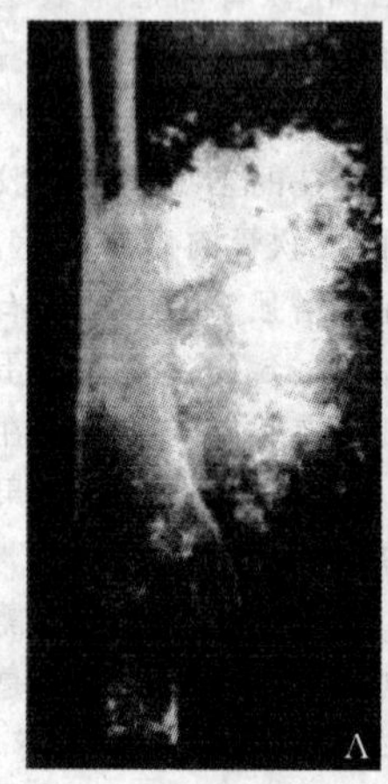
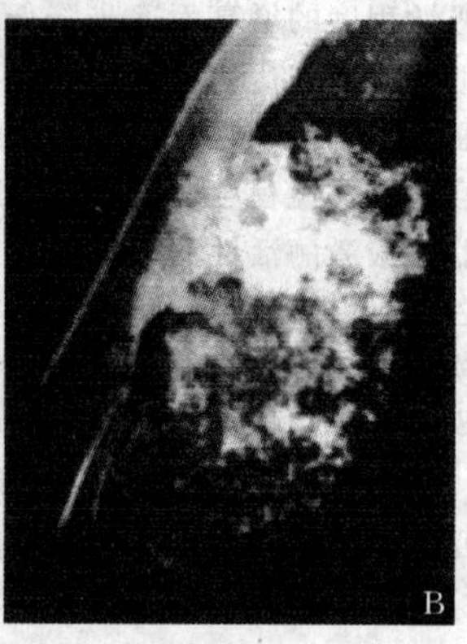

图 37-7 周围型软骨肉瘤

临床表现主要是局部扪及肿块，质硬无痛或轻度疼痛。体格检查发现肿块固定，表面高低不平。如与表面肌肉肌腱形成滑囊，有时会出现不适，如对局部神经产生卡压会引起神经功能的紊乱。位于骨盆内或肩胛骨下的软骨肉瘤初期无症状，很难发现；待出现肌肉、神经、血管刺激或压迫症状时往往肿瘤已较大。

(2) 影像学表现

周围型软骨肉瘤 X 线表现较典型，诊断较容易。肿瘤起于皮质骨外侧面呈花椰菜样，表面凹凸不平。早期可在骨面上产生轻度反应骨，以后会出现侵蚀性破坏。大部分病损侵入软组织内，有较强的钙化骨化表现。

骨膜型软骨肉瘤表现为皮质旁的软骨性肿块，有时 X 线片上不显影，需要通过 CT 或 MRI 检查来明确界限。瘤体中常有颗粒状、点状或环状的钙化，偶尔有模糊的束状骨化影。肿瘤下骨皮质常有蝶形压迫，有时出现模糊不清的侵蚀，肿瘤周围可有骨膜反应，产生三角形骨化，部分包绕肿块基底部。

继发于骨软骨瘤的软骨肉瘤，初期仅表现为薄的不连续的软骨帽明显增厚，成人超过 1 cm。进一步发展和深层的软骨都趋向圆凸状生长，并呈分叶状侵入骨软骨瘤的松质骨，最后可侵犯宿主骨。软骨失去正常透明软骨的特点成为质软、多液、灰色和半透明的肿瘤软骨。肿瘤软骨有较强的钙化骨化倾向，表现为病损内出现颗粒状点状和环状的钙化，同时有白色象牙样增生性的松质骨。

(3) 病理特点

组织学检查，周围型软骨肉瘤，包括骨膜型软骨肉瘤分化都较好，很少有黏液样表现。

(4) 治疗

周围型软骨肉瘤的治疗方法也是手术。低度恶性的肿瘤行广泛性切除后复发率极低，一般不转移。瘤段切除适用于肩胛骨、肋骨、骨盆等部位。如果肿瘤巨大，侵犯肢体的主要血管、神经则只能行截肢或关节离断手术。

(孙静娟)

37.4 纤维肉瘤

原发于骨的纤维肉瘤是起源于非成骨间充质组织，只分化为成纤维细胞，并产生网状和胶原纤维的肉瘤。可分为中央型和周围型。

(1) 临床特点

纤维肉瘤发病率低，仅为骨肉瘤发病率的 1/10～1/6，发病无明显性别区别。可在任何年龄起病，但很少出现在青春期前。肿瘤常侵犯长骨干骺端，好发部位依次为股骨远端、胫骨近端、股骨近端和骨盆，半数以上发生在膝关节周围。少数为多发病例。

病程取决于恶性程度，低度恶性者生长缓慢，病程长；高度恶性者肿瘤生长快速，但总体病程比骨肉瘤长。症状不典型，疼痛和肿胀是主要症状，中央型者以疼痛为主，开始时程度中等，渐加重；周围型者以肿胀为主，常因发现肿块就诊，肿块大小不一，取决于恶性程度的高低和就诊的早晚，恶性程度低者肿胀轻微，恶性程度高者早期即出现明显肿胀，常合并病理性骨折。病变后期通常有皮温高、浅静脉怒张等恶性肿瘤表现。Ⅱ～Ⅳ级纤维肉瘤常可出现血行转移，常见的是肺转移和骨转移，偶尔可出现淋巴转移。

(2) 影像学特点

主要放射线表现是骨溶解，骨溶解区常较大，可呈虫蛀样，边缘模糊，骨皮质中断并侵犯软组织。骨膜成骨反应很少或全无，无肿瘤骨形成。发生于长管状骨者多初发于干骺端，可以延伸到骨骺或附近骨干。中央型(髓腔型)纤维肉瘤早期局限在髓腔内，形态不规则，边缘不清，呈斑点状骨破坏；随着病变发展，溶骨区域扩大，呈网状骨破坏，破坏区之间有粗细不均的骨间隔影，有时可残留粗大的骨嵴；CT 检查显示肿瘤位于髓腔内，密度偏低，欠均匀，边缘不规则，无膨胀现象，皮质内缘破坏明显，可呈鼠咬状，常可见皮质断裂，皮质断裂处偶可有轻微骨膜反应，软组织肿块一般较小。周围型(骨膜型)表现为骨皮质外压型缺损，边缘毛糙；CT 显示皮质外软组织肿块，局部骨质疏松，皮质骨凹陷性缺损。MRI 检查 T1 加权为中等或偏低信号，T2 加权信号视恶性程度而定，恶性程度低、分化好者信号均匀而较低，恶性程度高、低分化者信号杂乱，因出现黏液样变或出血而呈现高信号。

(3) 病理学特点

大体病理显示，如果病变分化好，则富含胶原，呈白色，质地致密、坚硬；分化差者因细胞多于纤维，并富含血管，因此质地较软，多汁并充血，颜色可从白色到红色或灰色，外观呈髓样，常有出血、坏死或囊性变区域，有时可见黏液样病变区。

组织学上肿瘤由肿瘤性成纤维细胞组成，分化好者细胞少，细胞大，呈长梭形；细胞核卵圆形或梭形，核质颗粒深；细胞周围胶原丰富，肿瘤细胞与胶原纤维排列成束条状、旋涡状、轮辐状或人字形(席纹状)。分化差者细胞极丰富，胶原成分较少，肿瘤细胞大小及形状多变呈不同程度非典型性，多见核分裂。有些区域可见被瘤细胞破坏残存的骨小梁，可存在大片坏死区及出血灶，有病理骨折者可发现反应性新生骨。不管恶性程度高低，肿瘤组织中都可见良性多核巨细胞和炎症细胞浸润，特别是淋巴细胞浸润。

根据肿瘤的分化程度，纤维肉瘤组织学可分为四级(Broder 分级)，随级别升高恶性程度增高。Ⅰ级纤维肉瘤细胞较大，细胞核肥大，多形性，高度着色，核分裂象少见；富含胶原纤维。Ⅱ级纤维肉瘤肿瘤组织致密、均匀，形成有束状、漩涡状或轮辐状特征结构；细胞量较多，细胞形态大，呈梭形；细胞核肥大，染色深，常见核分裂象；胶原纤维少或很少，细胞周围常富含嗜银网状组织；有时在肿瘤细胞周围可出现粗大的纤维束和透明的胶原区，也可出现黏液样外观；血管丰富。Ⅲ级和Ⅳ级纤维肉瘤细胞量多，细胞形体大，呈多形性，有大量间变；细胞核染色深，形状各异，核分裂象常见；细胞周围胶原纤维稀少，通常很少形成特征性的束状或轮辐状结构；血管丰富，呈海绵状。

(4) 诊断与鉴别诊断

本病多为成年起病，好发于长骨干骺端并可向骨干或骨骺部侵犯，临床表现以疼痛和肿胀为主，X 线表现为溶骨性改变，破坏区有粗大的骨嵴、界线不清、肿瘤穿破骨皮质可形成巨大软组织肿块，内无钙化和骨化征象，无肿瘤骨形成，无骨膜反应或很轻微骨膜反应。但是要注意的是因为纤维肉瘤的溶骨性放射学表现缺乏特征性，因此放射学不能作为诊断的主要依据，其诊断应主要依据病理学。

1) 结缔组织增生性纤维瘤　与Ⅰ级纤维肉瘤鉴别困难。骨原发的结缔组织增生性纤维瘤(desmoplastic fibroma)又称纤维样纤维瘤，是分化成熟的纤维瘤，发病率很低；一般症状较轻，表现为中度疼痛，可出现病理性骨折，有时呈显著膨胀性生长；放射学表现主要为骨溶解，多呈膨胀性，有时出现泡沫样改变；这些都与Ⅰ级纤维肉瘤相似。鉴别主要依据病理：结缔组织增生性纤维瘤病理表现为成熟致密的纤维组织，富含胶原纤维，成纤维细胞/纤维细胞数量少，体积小，趋向成熟，细胞核不大，染色不深，极少或没有有丝分裂现象。根据这些表现可与纤维肉瘤鉴别。但在一些缺乏上述特征性表现的病例，往往鉴别很困难。

2) 非骨化性纤维瘤　大多数发生于儿童和青少年，无特征性症状，X 线表现为骨偏心性缺损，破坏区呈椭圆形、局限性单囊或多囊性骨溶解，内可有骨嵴，边界清楚，周围有一厚薄不均的硬化边缘，尤以靠近髓侧明显，病灶内缘突入骨髓腔，但不累及对侧骨皮质；局部皮质变薄，有时病灶呈轻度膨胀，皮质骨变薄，但无穿破，无软组织影。病理上非骨化性纤维瘤缺乏恶性特点，肿瘤为致密的成纤维细胞排列成束状、波纹状、轮辐状或漩涡状，可见含铁血黄素颗粒、巨细胞和吞噬脂质的泡沫细胞。

3) 单骨性纤维结构不良　好发于青少年，多位于四肢长骨近端干骺区，常呈膨胀性单囊状透亮区，边缘有硬化，骨皮质菲薄，外缘光滑，内缘毛糙，其中可见磨砂玻璃状结构、不规则的骨小梁或钙化，边缘无明显的骨硬化。病理上的鉴别要点是纤维结构不良含有特征性的网状骨岛。

4）骨原发恶性纤维组织细胞瘤（MFH） Ⅲ级和Ⅳ级纤维肉瘤应与MFH相鉴别。两者在放射学上很难区分，主要鉴别点是纤维肉瘤仅肿瘤性成纤维细胞成分为主，但MFH的特点是双相分化，即除存在肿瘤性成纤维细胞外还同时有肿瘤性组织细胞。

5）溶骨性骨肉瘤 特别是成纤维细胞型骨肉瘤，可能表现为广泛的成纤维细胞，有时与纤维肉瘤很难鉴别。鉴别要点是骨肉瘤中含有骨样组织，可用碱性磷酸酶和四环素染色显示骨样组织。

6）转移性肿瘤 对于中、老年患者出现骨溶解者尤其不能忽略转移性肿瘤的可能。通过组织学检查通常易于得出诊断，但在有些上皮癌因为都含有梭形细胞，鉴别可能困难，免疫组化检测有利于两者的鉴别。

（5）治疗

外科手术是治疗纤维肉瘤的主要手段：对Ⅰ级纤维肉瘤可行广泛切除，而Ⅱ～Ⅳ级者只有部分病例适于广泛切除，尤其是Ⅲ、Ⅳ级，大多需行截肢术；应慎重选择截肢平面，在综合影像学资料，如X线平片、CT、MRI、ECT及血管造影的基础上确定截肢平面，原则上应使截肢平面尽可能远离病灶。纤维肉瘤对放疗不敏感，放疗只适用于失去手术指征的病例。化疗疗效不确切，故不常规术前化疗，但术后规则的联合化疗可延长患者生命，化疗方案与骨肉瘤相似。对于转移灶，如肺转移灶，可手术切除。

（姜南春）

37.5 纤维组织细胞性肿瘤

37.5.1 良性纤维组织细胞瘤

骨内发生的良性纤维组织细胞瘤发病率非常低，为起源于组织细胞和成纤维细胞的一类良性肿瘤，在组织学表现上与起源于软组织的纤维组织细胞瘤相似。

（1）临床特点

大多数成年起病，男女发病率无明显差别。多发生于四肢长骨的干骺端，尤以股骨、胫骨多见，有时也可出现在骶骨、髂骨、肋骨和下颌骨。临床表现通常以局部疼痛和肿胀为主，程度中等，尤其是发生在表浅的骨骼时，症状更明显。有时可并发病理性骨折。本病具有局部侵袭性，手术刮除后可局部复发，出现进展性骨破坏，但不转移。

（2）影像学特点

X线主要表现为溶骨性病变，位于长管骨的干骺端，呈偏心性生长，边界清楚，边缘常有薄层硬化骨包绕。病变初起时位于骨髓腔内，呈偏心性生长，随病变进展，骨皮质变薄，严重者可出现病理性骨折。有时可呈轻度膨胀，但在较小的长管骨，如腓骨，病变可明显膨胀，占据整个骨截面。有时骨皮质受侵犯，但无骨膜反应。

（3）病理特点

大体上肿瘤质地致密，呈胶冻状或轻度纤维样改变，呈草黄色，有时有黄亮斑点。病灶与周边正常骨组织间界限清晰。病灶旁骨膜和骨旁结缔组织正常，骨皮质变薄，但皮质通常无中断。

组织学上，其组织发生类似于软组织中的组织细胞肿瘤和纤维组织细胞肿瘤，由巨噬细胞、泡沫细胞、巨细胞和成纤维细胞等组织细胞衍化生成。镜下表现为细胞和胶原组织稠厚，有恒定而弥散的席纹状结构。细胞核圆或椭圆，沿胶原纤维的方向伸长。富含孤立或成团的大泡沫细胞，而巨型多核细胞少见，有丝分裂象不常见。

（4）诊断与鉴别诊断

Matsuno总结出的诊断标准：①患者年龄超过非骨化性纤维瘤的好发年龄，多发生于长骨末端；②肿瘤位于干骺端，骨的进行性破坏超过非骨化性纤维瘤，周围可见薄或厚的反应性骨硬化，无软组织侵袭及骨膜反应；③组织学上主要为泡沫细胞或巨细胞。

良性纤维组织细胞瘤主要需与非骨化性纤维瘤和巨细胞瘤鉴别。

非骨化性纤维瘤一般在儿童或少年时期发病，大多无症状或仅有轻微疼痛。病灶多起自距离骨骺板3～4 cm处，早期溶解缺损很小，呈表面的偏心性生长，随年龄增长，病变沿骨的长轴发展，逐渐向骨干移行。骨皮质可膨胀变薄，但靠近髓腔侧边缘可不规则增厚，破坏区内可有少量分隔。

巨细胞瘤多位于长骨的骨端，呈偏心、膨胀性、多房性骨破坏，无硬化缘，肿瘤与周围组织边界欠清。血管造影多数有轻度至中度血运增加。

(5) 治疗

良性纤维组织细胞瘤属于良性活动性病变，即Enneking分期系统的良性肿瘤第2期病变，单纯刮除术后容易复发，出现进行性骨破坏。其治疗方法为手术治疗，病灶刮除加局部辅助治疗或大块切除可望治愈。

37.5.2 恶性纤维组织细胞瘤

骨原发恶性纤维组织细胞瘤(malignant fibrous histiocytoma of bone, BMFH)是一种罕见的由原始间质细胞发生的高度恶性肿瘤，主要由组织细胞样和成纤维细胞样两种细胞成分构成。多发生于软组织，而发生于骨的少见，部分病例继发于某种先期病变，如骨的Paget病、曾经放疗或骨梗死。以前常将其误认为骨肉瘤、纤维肉瘤、巨细胞瘤等，1972年Feldman和Norman提出将此病作为一种独立的骨肿瘤类型。目前，多数学者认为该肿瘤来自原始间充质细胞，向成纤维细胞和组织细胞双向分化的结果，系多形性肿瘤，由成纤维细胞、组织细胞、中间型细胞、成肌细胞、原始间叶细胞、多核巨细胞及黄色瘤细胞等多种瘤细胞组成，而以成纤维细胞为主。

(1) 临床特点

本病男性多于女性，绝大多数在成年后发病，尤以壮年人发病率高。病变好发于长管状骨，但是也可发生在扁骨或不规则骨。好发部位依次为股骨、胫骨和肱骨，尤以股骨远端和胫骨近端最为常见，多为单发，偶可多发。初发部位通常在干骺端，但很容易扩展到骨干部和骨骺部，也可仅出现在骨干部。病程长短不一，可从数月到数年。临床症状主要为局部疼痛和肿块，疼痛多为钝痛，程度较轻，但有夜间加重，又不似骨肉瘤那样痛得难以忍受；局部肿胀，软组织肿块几乎出现在所有病例中，多在疼痛后出现，肿块大小不一，其质地不定，可硬可软；边界不清；肿块较大时，表皮发亮，静脉显露或怒张。可出现病理性骨折。一般全身情况较好，无明显恶液质表现。

(2) 影像学表现

影像学上如出现虫蚀状或大片状溶骨性破坏，巨大软组织肿块，无骨膜反应，应考虑骨恶性纤维组织细胞瘤可能。

X线及CT表现为多种多样，无明显特征性。病变多偏心性生长，在长骨可呈中心性生长。最多见的是溶骨性骨破坏，病变边缘不规则，与周围组织边界不清，病变区为虫蚀样或斑片状甚至大片状溶骨性破坏改变，骨皮质明显破坏并中断，肿瘤常突破骨皮质形成骨外瘤组织肿块，可表现为巨大肿块；骨破坏区内及肿块内无钙化和骨化，可见圆形或不规则形坏死液化区；多数无骨膜反应，偶尔见层状、花边状骨膜反应。囊状溶骨性破坏是另一表现，但少见，病变膨胀扩张明显，骨皮质薄，骨破坏区边缘部分清晰，囊周有硬化边，酷似囊性良性病变。骨皮质局部出现缺损，破坏区内可伴有点状钙化。其他还可见骨破坏较轻，而以巨大软组织肿块为突出表现者，也可见骨干大范围虫蚀样破坏，可能与跳跃转移有关。CT增强扫描时常呈中至高度强化，瘤体较大时，内部常伴有不规则较低密度液化坏死区。

MRI表现为骨破坏区内信号不均匀，呈溶骨性斑片状影。在T1加权像上，显示肿块呈低信号，或高低不均信号影，与周围组织分界常模糊，边缘不规则，软组织肿块可呈分叶状。T2加权像上，显示病灶信号增强，如伴出血、坏死，则为明显高低不均信号影。抑脂后信号增强更明显。增强MRI像上，肿块呈中度强化，但出血、坏死区不强化。虽然MRI在本病诊断中尚无特征性表现，对肿瘤及瘤周水肿目前也不能明确鉴别，但MRI对于显示病变的范围、髓腔和软组织侵犯、病变与周围软组织和血管的关系、关节面及关节软骨受累情况等，有其独特的优势。

(3) 病理学特点

大体标本可见骨皮质中断，可向骨髓腔和周围软组织浸润性生长，肿瘤组织外观比较坚实，呈鱼肉状，胶原化区域呈灰白色，有些区域因脂质堆积或坏死而呈现黄色，也可因出血后含铁血黄素沉积而呈棕黄色。多见出血、坏死和囊性变。

恶性纤维组织细胞瘤是一种多形性肉瘤，组织学上表现为多样性，肿瘤细胞不具有特殊分化的表现，通常表现为病灶内不同比例纤维细胞结构和组织细胞结构共同出现，但也有极少数情况下几乎全是组织细胞结构。恶性纤维组织细胞瘤的组织成分包括组织细胞样细胞或上皮样细胞、伴纤维发生的梭形细胞(兼性成纤维细胞)、漩涡状或波纹状或席纹状结构、恶性巨细胞、反应性良性多核巨细胞、泡沫细胞、炎症细胞(常为淋巴细胞)、退变及有丝分裂图像。绝大多数在组织学分级属于Ⅲ、Ⅳ级，极少数为Ⅰ、Ⅱ级。

肿瘤成纤维细胞呈梭形，致密，细胞丰富，细胞较肥胖；细胞胞质丰富，淡染；细胞核常呈卵圆形或肾形，染色深，染色质呈浓颗粒状分布，核仁明显，核分裂象易见；可见肥胖的梭形细胞排列成特殊的波纹状结构，也有排列成席纹状、轮辐状或漩涡状结构者；在伴有恶性巨细胞的病例中可见到部分成纤维细胞高度间变为瘤巨细胞，形态多样、怪异。肿瘤组织细胞主要为大细胞，有明显异形性，呈球形、椭圆形或稍呈梭形，胞质丰富，嗜伊红，染色较深，边缘欠清；细胞核大，有时偏心，外形不规则，有清晰的核染色质块，核仁大。观察到的多核巨细胞可为灶性反应性良性多核巨细胞，也可为异型明显的多核巨细胞。有时可伴有明显炎症细胞浸润(以淋巴、浆细胞为主)和局灶性黏液变性。出血、坏死灶和囊性变也多见。但是病灶中无肿瘤骨及骨样组织形成。

电镜观察肿瘤主要由具有形成胶原和酸性粘多糖能力的组织细胞和肿瘤性成纤维细胞组成，肿瘤细胞为兼有成纤维细胞(富含粗面内质网)和组织细胞(含多量溶酶体)某些超微结构特点的中间型细胞，并具有由原始间充质细胞向不同分化程度的组织细胞、成纤维细胞和中间型细胞过度的密切联系。肿瘤性成纤维细胞总体排列常呈花瓣状、轮辐状。肿瘤内还有多核瘤巨细胞、黄色瘤细胞、中间型细胞、原始间叶细胞和炎性细胞等组成。各种瘤细胞具有不同程度的异型性和不等量核分裂象构成了肿瘤的多形性。病灶内常伴有坏死和出血，少数可有假性骨样组织存在。

免疫组化的主要特点是肿瘤细胞均表达波形蛋白(vimentin)，并不同程度的表达 AAT、AACT、CD68 和 Mac387，部分表达肌动蛋白(actin)、结蛋白(desmin)。阳性表达均定位于肿瘤细胞胞质内。

(4) 诊断与鉴别诊断

Schsjowicz(1983)提出恶性纤维组织细胞瘤的组织细胞学诊断标准：①双相生长，指肿瘤性成纤维细胞和组织细胞同时存在，此为 MFH 的关键表现；②梭形细胞呈轮辐状或花瓣状排列，此为 MFH 的特殊表现；③多核瘤巨细胞的存在；④炎性细胞，特别是淋巴细胞浸润。结合免疫组化如表达 vimentin、溶菌酶(lysozyme)、AAT、AACT、CD68 及 Mac387 等有助于诊断。

但是，BMFH 在术前明确诊断比较困难，因肿瘤细胞呈双相或多相生长，即使做活检也可因为取材部位单一而影响诊断，易误诊为其他病变。诊断应密切结合临床、影像学和病理组织学。常需鉴别的疾病如下：

1) 骨肉瘤　骨肉瘤多见于青少年，病程短，疼痛明显，骨质破坏严重(在溶骨性骨肉瘤尤其明显)，骨膜反应多而显著，可有 Codman 三角；血清碱性磷酸酶常升高；某些低分化的梭形细胞骨肉瘤，虽然好发年龄也较大(20～40 岁)，镜下细胞也可表现为多形性，可表现为梭形细胞和圆形的组织细胞混杂存在，但组织上无轮辐状的排列方式，且总可以找到肿瘤性骨样、软骨样组织形成，这是鉴别两者的关键，免疫组化碱性磷酸酶阳性。BMFH 常见于中年，碱性磷酸酶不升高，很少形成肿瘤性骨样组织。免疫组化研究显示骨肉瘤中骨形态形成蛋白(BMP)及其受体 BMPR 均有较高表达，而 BMFH 中仅有 BMP 的表达，BMPR 的表达缺失是 BMFH 不能产生骨样基质的主要原因。骨肉瘤有时表达 vimentin，但多不表达组织细胞特异性抗原。此外，骨肉瘤 AKP 标记呈强阳性，骨钙素、骨形态形成蛋白、骨连接蛋白阳性，这些都有助于两者的鉴别。

2) 骨纤维肉瘤　骨纤维肉瘤和骨恶性纤维组织细胞瘤的组织发生相近，可能都是起源于原始间充质细胞，两者均可见到异形成纤维细胞和胶原纤维存在，不过在 BMFH 中表现更为幼稚、异形，或仅表现为组织细胞分化的原始阶段。尽管骨纤维肉瘤中成纤维细胞可表现为细胞分化不成熟和形态异形，但毕竟是从原始间充质细胞向单一结缔组织类型分化，而 BMFH 则表现了由骨内间充质细胞向纤维源性细胞表型和组织细胞表型的多种分化潜能，从而表现有一定的吞噬活性和明显异形、多形性。两者都好发于壮年，也呈溶骨性、虫蚀样破坏，一般无骨膜反应，无反应性骨硬化，常有局部软组织肿块，但是骨纤维肉瘤细胞形态相对较一致，细胞排列呈束状或人字形，缺少典型的轮辐状结构，无吞噬现象，无组织细胞样细胞、多核巨细胞及炎症细胞等背景细胞的存在，这是两者鉴别的关键。免疫表型方面，骨纤维肉瘤一般不表达 AAT、AACT、CD68、溶菌酶，电镜下也缺少原始间充质细胞向幼稚的组织细胞样细胞分化时细胞间过渡的密切联系。

3) 巨细胞瘤　巨细胞型恶性纤维组织细胞瘤需与巨细胞瘤相区别。巨细胞瘤多见于青壮年，病变多从骨端开始，呈偏心性分房状膨胀性骨质破坏，一般边界清晰，皮质菲薄，无骨膜反应，无骨化和钙化，无软组织肿块，组织成分由多核巨细胞和单核的间质细胞构成，单核的间质细胞有异形，但无轮辐状结构，多核巨细胞的核呈花环状排列，本身无异形，随着恶性程度的升高，多核巨细胞减少，单核的间质细胞增多且异形增大。恶性巨细胞瘤也可呈大片溶骨性骨质破坏，并有软组织肿块，也无骨化和钙化影。病理上 BMFH 的瘤巨细胞不如破骨细胞成熟，而且核的数目少，无均匀分布的特点，巨细胞瘤无轮辐状结构，可以相鉴别。

4）转移性骨肿瘤：常在中年以后发病，有原发肿瘤病史，常多发，多见于脊椎、扁骨、股骨上段，膝关节以下很少累及，以溶骨型常见，发生于长骨者多在骨干或邻近的干骺端，一般无骨膜反应和软组织肿块。

5）尤文肉瘤：与 BMFH 相比发病年龄小，临床症状明显，常有发热及白细胞升高，长骨骨干常见，并可见广泛葱皮样骨膜反应。

另外，还要与骨结核、间叶性软骨肉瘤等相鉴别。发生于腰椎的 BMFH 常与腰椎结核相混淆，结核者椎体常有压缩性骨折，相邻椎间隙变窄，可有流注性脓肿形成，增强 CT 或 MRI 显示软组织肿块呈边缘性增强。黏液样型 BMFH 需与间叶性软骨肉瘤鉴别：间叶性软骨肉瘤由未成熟的间叶细胞和成熟的软骨岛构成，肿瘤组织中常有裂隙样血管，呈鹿角分支状。

(5) 治疗和预后

MFHB 细胞异形明显，形态多样，肿瘤恶性程度高，进展快，预后差，其预后与骨肉瘤和Ⅲ、Ⅳ级纤维肉瘤相似。国内报道患者多在 1～3 年内死亡，治疗效果不理想。国外报道采取综合治疗后 5 年生存率高达 33%～67%不等。

对恶性纤维组织细胞瘤可采取与骨肉瘤相似的治疗方法，即以手术为主，辅以放疗、化疗，单独放疗、化疗效果不佳。目前多采用早期广泛根治性手术，并于手术前后行化疗，使患者的生存率有较大的提高。手术前化疗可使 50%以上病例获得良好疗效，推荐采用新辅助化疗。恶性纤维组织细胞瘤呈多形性，即使施行了非常广泛的肿瘤边缘切除后，也很容易复发。因此，应强调手术切除要比骨肉瘤更广泛，最好施行根治术，如对于生长在肢体的肿瘤，高位截肢和关节离断术是必要的，复发性肿瘤不是手术禁忌证。早期诊断，按照骨肿瘤外科原则分期，彻底切除肿瘤和有效的化疗是防止复发和转移、提高患者 5 年生存率的关键。

（姜南春）

37.6 骨 Ewing 肉瘤/原始神经外胚层瘤(PNET)

在新版 WHO 骨肿瘤分类（2002 年，第 3 版）中，取消了第 2 版中骨髓肿瘤的类别（第 2 版将骨髓肿瘤分成骨 Ewing 肉瘤、骨原始神经外胚层瘤、骨恶性淋巴瘤和骨髓瘤 4 种），把骨 Ewing 肉瘤/原始神经外胚层瘤（primitive neuroectodermal tumor，PNET）归为独立的一类，骨髓瘤和恶性淋巴瘤则归为造血组织肿瘤。这样划分是建立在免疫组化和细胞遗传研究基础上的，免疫组化研究显示骨 Ewing 肉瘤和骨原始神经外胚层瘤均表达 CD99 和 NSE，细胞遗传学研究证实两者均存在频发性、非随机性染色体易位 t(11; 22)(q24; q12)。因此，新分类将骨 Ewing 肉瘤/原始神经外胚层瘤视为显示不同程度神经外胚层分化的同一种肿瘤，把骨 Ewing 肉瘤认定为用光镜、免疫组化和电镜检查缺乏神经外胚层分化证据的肿瘤，而 PNET 则是用上述一种或多种方法证实有神经外胚层分化特点的肿瘤。但是对此仍存在争议，因为骨 Ewing 肉瘤和骨 PNET 两者之间在发病部位、光镜下病理形态和预后方面仍然存在差异。

37.6.1 原始神经外胚层瘤(PNET)

原发于骨内的 PNET 很罕见，但是发生在儿童和青少年的 PNET 并不少见。

PNET 是一种向神经方向分化的恶性小圆形细胞肿瘤，分中枢型（cPNET）和外周型（pPNET）。中枢型 PNET 主要见于年龄较小儿童脑内，由原始神经上皮细胞衍化来的胚胎性肿瘤，多位于小脑，但也存在于小脑以外的中枢神经系统部位，不是本文探讨的内容。外周型 PNET 可能是神经嵴（neural crest）衍生的原始神经上皮型肿瘤，最早是由 Stout 描述，以往文献报道较少，但是近年来随着免疫组化、电镜、细胞遗传和分子生物学技术的应用和发展，人们对其认识逐渐深入，发现在儿童这是比较常见的恶性肿瘤。有作者认为外周型 PNET 发病率仅次于横纹肌肉瘤，列儿童软组织恶性肿瘤的第 2 位。原发于骨的 PNET 属外周型 PNET 的一种。

外周型 PNET 可发生于任何年龄，但儿童和青少年多见，以胸肺部、脊柱旁、腹膜后及骨盆等处多见，软组织来源者多见，而原发于骨者罕见。其组织形态特点为肿瘤细胞小，呈圆形或卵圆形，偶见瘤细胞呈梭形；瘤细胞排列呈实质性片状、腺泡状、分叶状(由纤维结缔组织分隔成小叶状)或索条状;细胞间界限欠清,胞质少,部分细胞胞质透亮;细胞核呈圆形或卵圆形,染色质分布均匀,核仁不清,核分裂象易见;可见 Homer-Wright 菊形团,菊形团中心为纤维性轴心,瘤细胞包围其周围,其数量和分布各异,形态结构与神经母细胞瘤之菊形团相似,但常形成欠佳,Homer-Wright 菊形团通常被认为是光镜诊断外周型 PNET 的必备条件之一。电镜下外周型 PNET 显示瘤细胞有丰富的、相互交织的长胞质突起(类似神经突起),细胞有致密的神经内分泌颗粒、微丝、微管及桥粒样结构。

免疫组化显示外周型 PNET 有不同程度的神经分化,如神经元特异性烯醇化酶(NSE)、突触素(SYN)、S-100、嗜铬粒素 A(CgA)、神经丝蛋白(NF)等神经标志呈现不同比例的阳性,以 NSE 阳性率最高,但缺乏特异性,通常认为免疫组化诊断外周型 PNET 时神经性标志必须至少两项以上为阳性。其他阳性指标还有波形蛋白(VIM)和 CD99,而糖原染色(PAS)通常阴性。CD99(MIC2)作为 PNET 的标志具有相对的特异性,人类 6 号染色体短臂上的 MIC2 基因编码产物为 P30/32 MIC2(CD99),是一种细胞表面糖蛋白,在大多数人类体细胞系只有少量表达,而在外周型 PNET 和 Ewing 肉瘤则表达过量,用其单克隆抗体 12E7 等检测可显示胞膜着色,是识别外周型 PNET 的较为可靠标志,但是在少数 T 淋巴母细胞性淋巴瘤、T 淋巴母细胞性白血病以及少数横纹肌肉瘤分化好的成肌细胞也可有阳性表达。近年研究发现用 FLI-1 的单克隆抗体检测融合基因 EWS-FLI-1 的高表达 FLI-1 具有更高的特异性和检出率。

至于骨 Ewing 肉瘤和骨原发 PNET 的关系,随着免疫组化和分子遗传学等的发展,目前多数学者认为骨 Ewing 肉瘤是外周型 PNET 这一肿瘤家族中的一员,除了它们的临床特征、影像学表现、组织病理学表现和免疫组化标志有许多共同点外,最主要的是它们具有相似的染色体易位——t(11; 22)(q24; q12)、相同结构的癌基因表达(免疫表型一致)、相同的胆碱能神经递质酶,体外培养也显示有神经分化的特征。尽管如此,骨 Ewing 肉瘤和骨 PNET 两者之间在发病部位、镜下形态和预后方面仍然存在差异,区分两者还是有必要的。PNET 在光镜下有 Homer-Wright 菊形团,糖原成分少,纤维束分隔小叶结构明显,电镜观察瘤细胞可见神经内分泌颗粒,免疫组化多项神经标记是阳性,而 PAS 多为阴性,预后比较差。骨 Ewing 肉瘤较多位于下肢长骨、盆骨和脊柱,光镜下 Homer-Wright 菊形团不多,糖原成分丰富、PAS 阳性,纤维束分隔小叶结构不明显,神经性免疫组化标志只有少数呈阳性,预后较 PNET 好。如果肿瘤组织内见有 Home-Wright 样结构,免疫组化染色有两种以上神经标志阳性,结合电镜检查发现肿瘤细胞胞质内见有致密核心颗粒,应诊断为 PNET 而不是 Ewing 肉瘤。

属于外周型 PNET 肿瘤家族的包括骨 Ewing 肉瘤、骨外 Ewing 肉瘤、骨原始神经外胚层瘤、胸腹区的恶性小细胞肿瘤(Askin 瘤)和婴儿色素性神经外胚瘤,原发于骨内的罕见。

37.6.2 骨 Ewing 肉瘤

(1) 临床特点

骨原发 Ewing 肉瘤是一种较常见的骨原发恶性肿瘤,在原发于骨的恶性肿瘤中,发病率仅次于浆细胞瘤、骨肉瘤和软骨肉瘤。发病年龄是诊断本病的重要参考指标,90%在 5～25 岁之间起病,尤以 10～20 岁之间的发病率最高。男性高于女性,有资料显示男女比例为 1.5∶1。Ewing 肉瘤好发于长骨的骨干部和干骺端以及骨盆,很少累及骨骺;股骨最常受累,在其他长骨中依次为胫骨、肱骨、腓骨和前臂骨骼;在躯干骨中,骨盆最常受累,其他依次为脊椎、肩胛骨、肋骨和锁骨;也可发生在足部,而手部、颅骨及颌骨极少受累。2/3 以上发生在下肢和骨盆。

最早出现而且最常见的症状是疼痛;初起时呈间歇性疼痛,程度轻,夜间加重,病变发展时疼痛加重;发生在脊柱和骨盆时有时可因神经受累而有放射性疼痛。另一常见症状是肿胀和肿块,通常在起病后不久就出现,并迅速增大,是因为肿瘤早期就可穿破骨皮质并在软组织内形成很大肿块。病变处压痛明显,肿块触诊有一定张力,但随着肿块增大,质地会变软。病变部位皮温高,表面静脉怒张。常有发热,体温在 38℃以上,出现贫血、血沉加快、中性粒细胞增高和体重下降。有时可早期出现远处转移,甚至以转移瘤为首发症状。

Ewing 肉瘤易发生同一骨内的跳跃转移和远处骨转移,远处骨转移的发生比例可能要高于肺转移,有时也有淋巴结和其他内脏转移。

(2) 影像学特点

Ewing 肉瘤的影像学表现变异较大,常缺乏特征性表现而易发生误诊，宜联合应用多种检查措施如X线平片、CT、MRI及放射性核素检查等，并综合分析，以提高术前诊断准确率。

常规X线平片是影像学检查的基础，主要表现为溶骨性病灶，而且，因肿瘤常在哈弗管或髓腔内扩散，并迅速撬起和穿破骨膜，从而表现出多种形态的骨膜反应和新骨形成，骨膜反应包括骨外膜和骨内膜，可表现为层状骨膜反应（葱皮样骨膜反应）、不规则针状放射状骨膜反应或两者并存，可出现Codman三角；髓腔内反应骨可使髓腔密度增高。骨溶解与反应性成骨的合并存在可使表现更为多样：在长管状骨中常表现为骨皮质上出现大小不一的虫蚀状骨溶解斑，外观模糊，常可见骨皮质中断；或表现为骨破坏和骨质硬化混合存在；有时因骨溶解范围大，可表现为骨皮质广泛破坏；也可因散发的浸润性病灶刺激反应性成骨而出现比较单纯的骨硬化表现。偶尔也可有膨胀性改变，或骨膜反应很轻微。起病于躯干和骨盆者通常表现为比较单纯的溶骨性病变，骨膜反应轻微。洋葱皮样骨膜反应在放射学诊断中有一定价值，但是并不是Ewing肉瘤常有的表现，也非其特征性表现，在诊断时不应过分强调其意义。软组织肿块很常见，但常可能因为其通透X线或仅轻微不透X线，在平片检查时显示不清，而CT和MRI检查能很好显示。同时，X线平片不能反映肿瘤的真实边界，真实边界往往远远大于X线所表现的范围。

CT检查可显示与X线平片类似的影像学特征，如：正常骨皮质、骨小梁被软组织密度的肿瘤组织替代，病灶边界模糊，密度欠均匀，内见散在不规则骨化或钙化以及残存的骨小梁；骨皮质中断、破坏；有时可见局部骨皮质膨胀、变薄；髓腔密度增高；可观察到不完整的层状骨膜反应和针状骨膜反应；骨外软组织肿块可较好显示；增强后病灶明显不均匀强化。但是，CT能更准确、详细观察到髓腔和骨皮质受侵袭情况，了解溶骨性病灶和反应骨的范围、骨膜反应的类型、髓腔硬化的情况、软组织肿块大小和边界以及肿瘤与周围神经、血管或内脏等组织器官的关系、X线胸片检查和肺部CT扫描可了解有无肺转移。

MRI检查可以更确切显示肿瘤髓腔内和软组织内侵犯情况，从而更确切显示肿瘤的边界，也能更好地显示肿瘤侵犯周围神经血管的情况。在骨内存在多发病灶时，MRI可以早期发现。肿瘤的髓内浸润范围可通过冠状位或矢状位T1WI扫描获知；而横断面T2WI和脂肪抑制增强T1WI则有利于了解肿瘤骨外侵犯、向软组织内浸润的程度；骨皮质破坏以T2WI显示为好，可见高信号的肿瘤组织替代了低信号的骨皮质；MR增强有利于肿瘤坏死组织、水肿和活性肿瘤组织的鉴别，水肿和坏死组织增强后不见强化，而肿瘤组织增强后有强化；MRI的血管流空效应使之在平扫即能显示肿瘤有无对主要血管的侵犯，结合增强技术能更好显示肿瘤与主要血管的关系；而肿瘤内的钙化、骨化和骨膜反应则以CT显示为佳。但是，可以因为病变破坏和硬化的程度不同，而在MRI有不同的表现：硬化为主者T1WI瘤区髓腔呈低信号，杂有少许中等信号区，T2WI呈低高混杂信号，以低信号为主；溶骨为主者T1WI通常呈较均匀中等信号区，T2WI呈高信号区；硬化和破坏混合型则信号强度混杂。因此，不能根据病变在MRI检查的信号强度情况来诊断Ewing肉瘤并与其他肿瘤鉴别。

其他有价值的辅助检查还包括放射性核素扫描、PET、血管造影及B超检查等。放射性核素检查可早期发现同一骨内的多发病灶和远处骨转移情况，较为常用。

(3) 病理学特点

在大体病理方面，与其他肉瘤病变一样，Ewing肉瘤组织也是基质很少而具有丰富细胞，因此表现为质地柔软，呈典型的脑髓样；颜色灰白或灰黄；但常有出血灶而呈现出灰紫色或血色；坏死灶也常见，呈黄色，有时有液化，呈半液态，甚至似脓液状而易误认为化脓性骨髓炎。肿瘤可在骨髓腔内广泛扩散，也可形成巨大软组织肿块；如为溶骨性为主的病变，则可见大片骨质溶解，骨皮质中断；也可表现为散发病灶侵袭髓腔或病变沿哈弗管生长，弥漫于骨皮质而并不完全破坏骨小梁。有时可见典型的葱皮样骨膜反应。

在光镜下，HE染色的Ewing肉瘤表现为小圆细胞肿瘤，细胞呈卵圆形，胞体比淋巴细胞大；胞质少，透明，有空泡，边缘模糊；细胞核圆形，大小均匀，染色浓，清晰可见；可有一个或多个很小的核仁；有丝分裂可多可少；上述细胞常呈均匀一致的丛状分布，也可形成巢状或岛状结构，周围有反应性纤维组织包围。嗜银网状纤维组织可多可少，可集中在血管周围，也可稀疏地贯穿肿瘤组织，或厚的网状纤维包绕肿瘤细胞，但通常纤维束分隔小叶结构不明显。胞质含有丰富的糖原，PAS染色阳性。通常血管纤细且分布散在，但有时也可密集分布。

免疫组化CD99（MIC2）染色阳性，波形蛋白

(VIM)、神经元特异性烯醇化酶(NSE)等也有一定的阳性率，但是嗜铬粒素A(CgA)、神经丝蛋白(NF)染色通常阴性。

(4) 基因诊断

Ewing肉瘤具有特异性的染色体易位t(11；22)(q24；q12)，是由22号染色体EWS基因5'氨基末端与11号染色体FLI-1基因3'羧基末端融合从而形成一种新的融合基因EWS-FLI-1，并出现FLI-1高表达。该融合基因是Ewing肉瘤发生、进展的主要原因，目前已成为Ewing肉瘤诊断、治疗和预后判断的标志。临床上可通过检测FLI-1的表达对Ewing肉瘤进行鉴别。

(5) 诊断与鉴别诊断

与其他骨肿瘤的诊断一样，在诊断Ewing肉瘤时应遵循临床、影像学和病理结合的原则，即使如此，在与一些临床和影像学同样表现为溶骨性病变、组织学同样表现为小圆细胞的病变进行鉴别时，仍有困难，有时需要免疫组化、电镜，甚至从分子基因水平进行鉴别。主要需要鉴别的病变如下。

1) 原始神经外胚层瘤(primitive neuroectodermal tumor，PNET)　参见本章37.6.1。

2) 神经母细胞瘤(成神经细胞瘤)骨转移　神经母细胞瘤是起源于感觉神经系统的恶性肿瘤，好发于腹膜后间隙或后纵隔，可来源于肾上腺髓质、交感神经节或不同组织、器官中的交感神经细胞，大多数在5岁前起病，但也可迟至成年起病，常很早引起广泛骨转移，且转移可表现为首发症状。骨转移的溶骨病变和骨膜反应类型有时与Ewing肉瘤相似，未分化或分化较差者肿瘤细胞类似淋巴细胞，与Ewing肉瘤难以鉴别。主要鉴别依据是神经母细胞瘤通常发病年龄更小，光镜下细胞群常被纤细的纤维分隔成不完整的巢，常伴有出血坏死和钙化，可见典型的菊形团，胞质内不含糖原，但电镜下可见神经突、神经内分泌颗粒(儿茶酚胺颗粒)和突触末梢，尿儿茶酚胺代谢产物升高等可资鉴别。原发病灶的发现也有利于鉴别。

3) 小细胞性骨肉瘤　有时在影像学上很容易在骨肉瘤和Ewing肉瘤之间作出错误的诊断，而当骨肉瘤表现为小细胞性时更在组织学上增加鉴别的难度。主要还要从组织学和免疫组化方面鉴别：在病理取材时要全面，如能找到明确的成骨骨样组织则支持骨肉瘤诊断，且小细胞骨肉瘤的细胞胞质多，着色深，胞质不含糖原，胞核染色深，核仁明显，有丝分裂象多见。免疫组化各有特征性表现。

4) 胚胎性横纹肌肉瘤　胚胎性横纹肌肉瘤以未分化细胞占优势，也表现为圆形或椭圆形小细胞肿瘤，当其侵犯骨骼时有时难以与Ewing肉瘤鉴别。该肿瘤主要发生于儿童和青少年；好发于头颈部、泌尿生殖系统和腹膜后；细胞分布疏密不均，部分瘤细胞有密集成巢的趋势；细胞多形性明显，可见不同分化程度的肿瘤细胞，可找到不同分化程度的横纹肌母细胞，分化越好，细胞越大，胞质越多；核深染；细胞质呈强嗜酸性。免疫组化显示肌红蛋白标志阳性，肌动蛋白和肌浆蛋白标志也可阳性，而MIC2和神经标志均阴性。

5) 骨髓炎　急性血源性骨髓炎有时在临床上和影像学上都可能与Ewing肉瘤相似，而当活检取材不当时又增加了组织学上鉴别的难度。严格而仔细的组织学取材及仔细的组织学检查，必要时结合免疫组化检查可予鉴别。

6) 非霍奇金淋巴瘤　发生于淋巴结外、原发于骨骼的淋巴瘤有时与pPNET较难区别，免疫组化LCA阳性，而CK、S-100、NSE和MG等阴性有利于非霍奇金淋巴瘤的确定。

其他需要鉴别的还有各种未分化癌(如肺癌、胃肠道癌症、乳癌、甲状腺癌等)骨转移、婴儿期嗜酸性肉芽肿、色素形成少的小细胞恶性黑素瘤等，可通过临床、影像学和病理各方面全面检查和深入分析，尤其是免疫组化研究进行鉴别。

(6) 治疗和预后

Ewing肉瘤需要包括化疗、手术切除和放疗的综合治疗。

因为Ewing肉瘤对放射线很敏感，因此放疗曾作为Ewing肉瘤标准且唯一的治疗方法。射线剂量一般在55 Gy左右，对放疗范围有一定争议，有的认为应包括整块受累骨在内，在照射45 Gy左右后，缩小照射野至肿瘤外5 cm及1 cm，各再加5 Gy的剂量；也有认为无需照射整个受累骨，但在长轴上至少要比影像学边界大5 cm。但是，随着新辅助化疗的应用，放疗的作用已不再像以往那样被极大强调了。

Ewing肉瘤的新辅助化疗作为常规应用已超过20年，同骨肉瘤一样，术前化疗效果可以通过病理组织学评估，以尽早识别高危病例。术前化疗也能使原发病灶得到更广泛的彻底切除，提高保肢率。在使用ADM、CTX、IFO、ACD、VCR和VP-16等联合化疗后，Ewing肉瘤的5年生存率可超过50%，而在此之前其5年生存率是很低的，疗效的提高应归功于化疗。

是否采取手术治疗以及采取什么术式需综合考虑患者的年龄、病变部位、病变累及范围、是否发生病理性骨折或转移。肿瘤切除方式包括病灶内切除、边缘切除、广泛切除及根治术，具体手术方法可参见骨肉瘤章节。

具体而言，对于原发于四肢长管骨的 Ewing 肉瘤，在组织学检查明确诊断后，先给予辅助化疗 2～3 次，完成疗程后先临床和影像学判断化疗疗效，接着手术治疗。如果化疗敏感，肿瘤边界清晰，肿瘤病灶大多可获得至少边缘切除（如能广泛切除更好），并可采取保肢手术；无法保肢者可采取截肢手术，必要时超关节根治性截肢。术后再对切除的标本进行肿瘤坏死率检查，如果坏死率＞90％，继续术前化疗方案，否则调整方案继续化疗。经上述治疗后大多数病例不需要局部放疗。如果术后病理发现切缘有肿瘤累及，可局部放疗，然后再术后化疗。对于原发于脊柱和骨盆难以获得满意手术切除（至少边缘切除）的部位的肿瘤，可在化疗后对局部病灶进行放疗，然后再继续化疗，也可获得比单纯放疗更好的疗效。

对于肺部等远处转移病灶，如病变不广泛，可手术切除，如行肺叶切除术。无法手术者，放疗。有转移者也可进行辅助化疗。

（姜南春）

37.7 造血系统肿瘤

37.7.1 多发性骨髓瘤

多发性骨髓瘤（multiple myeloma，MM）是单克隆浆细胞（骨髓瘤细胞）在骨髓内呈肿瘤性增生，产生大量单克隆免疫球蛋白（M 蛋白）并导致多发性溶骨性病变的一种最常见的恶性浆细胞病。骨痛、骨折、贫血、高血钙、肾脏损害及易发生感染为其主要的临床表现。MM 在我国并不少见，约占所有恶性肿瘤的 1％，占血液系统肿瘤的 10％左右，近年来发病数有增多趋势。本病多见于中老年，诊断时的中位年龄 55 岁（西方国家为 65 岁），40 岁以下发病很罕见（＜2％），患者男性略多于女性。

MM 的病因还不确定。电离辐射或化学毒物的接触、慢性炎症、自身免疫性疾病、遗传和病毒（HHV-8）感染等均可能与发病有关。但尚缺乏足够的证据。骨髓瘤细胞是由较早期的 B 淋巴细胞恶变而来。动物实验已证实白细胞介素-6（IL-6）失调可引起异常的浆细胞增殖。因此，IL-6 是最重要的骨髓瘤细胞生长因子和生存因子。在 MM 进展期 IL-6 水平增高。

（1）病理生理和临床表现

多数 MM 患者起病缓慢，可长期无症状。所谓“骨髓瘤前期”可长达数年，甚至 20 年以上。MM 主要的病理生理变化有两方面：①骨髓瘤细胞的增殖和浸润；②骨髓瘤细胞产生大量的 M 蛋白，由此引起相应的临床症状和体征。

1）骨骼病变　骨髓瘤细胞浸润并分泌破骨细胞激活因子，导致溶骨性损害。2/3 以上患者以骨痛为主要的首发症状，常见于胸骨及腰背部，随活动而加重。由于脊柱病变，身高可降低。受累的骨骼局部可隆起，按之有弹性或声响。易发生病理性骨折，引起神经根或脊髓压迫。

2）高血钙　溶血性病变引起。

3）肾脏损害　50％患者在诊断时已存在“骨髓瘤肾病”，可表现为蛋白尿、肾病综合征。

4）贫血和出血。

5）易发生感染。

6）高黏滞血症：由 M 蛋白引起。

7）淀粉样变。

（2）实验室检查及影像学检查

1）实验室检查　几乎每例 MM 患者均有正常细胞正色素性贫血。血清蛋白电泳中约 80％出现单克隆免疫球蛋白形成的尖峰和 M 蛋白带，免疫学方法可证实免疫球蛋白的类型。约 10％患者未能测得 M 蛋白，多为无分泌型、IgG 型或轻链型骨髓瘤。

尿蛋白和管型常阳性。尿本周蛋白——即通过肾小球滤过的单克隆轻链，用加热法测定阳性率仅 40％～50％。

2）骨髓象　示骨髓瘤细胞增生占有核细胞总数的 15％以上。这类细胞类似于各期浆细胞：原浆、幼浆或成熟浆细胞，但形态变异较大，外形不规则；染色质较疏松，可见双核或多核，核仁1～2 个；胞质内可有空泡和嗜酸小体（Russell 小体）。骨髓瘤细胞在骨髓内可呈弥漫性分布，也可呈灶性、片状分布，因而有时需要多部位穿刺才能诊断。

3）X 线表现　可见弥漫性骨质疏松，典型的凿孔样溶骨性损害和骨折。脊椎、颅骨、胸廓、骨盆和长骨近端是最常累及的部位。有骨痛而 X 线摄片未见异常者应进行 CT 或 MRI 检查。

(3) 诊断

诊断 MM 最低标准为骨髓涂片浆细胞>10%或存在浆细胞瘤,加上下列情况之一:①血清 M 蛋白(IgG)>30g/L; ②尿中出现 M 蛋白(轻链); ③X 线片见有溶骨性病灶。

(4) 治疗

MM 尚无根治的方法,病变早期无症状者不必急于治疗,应严密随访,一旦病情有进展即开始治疗。

1) 化疗　治疗 MM 的标准方案是烷化剂马法仑加泼尼松(MP 方案),服药 4 天,每 4~6 周重复一次。该方案适用于高龄及一般情况较差者,一般需用 6~12 疗程。M 蛋白减少 50%为有效。另外还有 VAD 方案、M2 方案及联合化疗 VMCP 和 VBAP 方案。化疗应持续至少一年。

MM 化疗缓解后几乎均有复发。

2) 造血干细胞移植　大剂量化疗加造血干细胞移植被认为是有可能治愈 MM 的一种方法。

3) α-干扰素　干扰素对 MM 的疗效尚有争议。

4) 放疗　孤立的软组织浆细胞病用 40~50 Gy 照射,可能获得较满意疗效。

(5) 预后

MM 是一种进展性疾病,由于治疗方法的改进,MM 的症状可获改善,缓解率有所提高。但均未能治愈本病。中位生存期为 3 年左右。

目前临床上对预后判断有价值的指标包括:β_2-MG、浆细胞标记指数和 C 反应蛋白(可间接反映 IL-6 的量)。3 项测定值均低者(β_2-MG<4μg/ml、标记指数<3%)一般预后好,生存期长。3 项指标均增高,临床上有肾功能不全和严重贫血者预后差。

37.7.2 恶性淋巴瘤

淋巴瘤是原发于淋巴结组织的恶性肿瘤,有淋巴细胞和组织细胞的大量增生,恶性程度不一。临床上以无痛性、进行性淋巴结肿大最为典型,发热,肝脾肿大,晚期有恶病质、贫血等表现。依据病理组织学的不同,淋巴瘤可分为霍奇金病(Hodgkin disease,HD)及非霍奇金淋巴瘤(non-Hodgkin lymphoma,NHL)两大类。

(1) 病因和发病机制

淋巴瘤的病因和发展机制迄今尚未阐明,其可能机制为由于持续或反复的自身抗原刺激,或异体器官移植的存在,或免疫缺陷患者的反复感染,免疫细胞发生增殖反应。遗传性或获得性免疫障碍,导致 T 抑制细胞的缺失或功能障碍。淋巴细胞对抗刺激的增殖反应,缺少自身调节控制,最终出现无限增殖,导致淋巴瘤发生。

(2) 病理和分类

1) 霍奇金病　本病是一种独特的淋巴瘤类型,其瘤细胞成分复杂,多呈肉芽肿改变。在多形性炎症浸润性背景中找到里-斯(Reed-Stern-berg, R. S)细胞学特征。

2) 非霍奇金淋巴瘤　20 世纪 70 年代以来,随着免疫学和分子生物学技术的极大发展,对淋巴瘤的认识也不断深化。1994 年国际淋巴瘤研究组制定了淋巴瘤的欧美修改分类(简称 REAL 分类)。在此基础上,2000 年,世界卫生组织提出了淋巴造血组织肿瘤 WHO 分类,这一分类沿用了 REAL 分类的原则,将非霍奇金淋巴瘤(NHL)分为 B、T 细胞和 NK 细胞两大系列。每一类型基本为一独立的疾病单元,具有独特的形态学、免疫学和遗传学特征,并提出没有必要进行临床归类。每个患者应根据病理类型、分级及国际预后指数(IPO)制订个体化诊疗方案。

(3) 临床表现

由于病变部位及范围的不同,淋巴瘤的临床表现变化多端。原发病变可见于淋巴结,也可见于淋巴结以外的组织器官,如扁桃体、鼻咽部、胃肠道、脾脏、骨骼及皮肤等处。结外病变尤多发生于非霍奇金病。疾病传播方式有从原发部位向邻近淋巴结依次传播者,也有越过邻近而向远处淋巴结传布者,后者多见于 NHL。NHL 还可以多中心发源,所以疾病早期常见全身播散。淋巴瘤可以仅有单纯浅表淋巴结肿大而不伴有全身症状,也可无浅表淋巴结肿大而有全身广泛浸润,并伴有相应的症状和体征。霍奇金病常以浅表淋巴结肿大为首见症状,原发在淋巴结以外组织器官者仅 9%,而 NHL 原发在淋巴结外者较多见,转化为白血病的也不少。

1) 淋巴结肿大　NHL 以淋巴结肿大起病者占 56%,半数好发于颈部,但更易累及咽部、肠系膜和腹股沟。

2) 全身症状　①发热、热型多不规则。②皮肤瘙痒。③乙醇性疼痛。17%~20%的霍奇金病患者在饮酒后 20 min,病变局部发生疼痛。

3) 结外病变的临床表现　①胃肠道:据国外 1 246 例淋巴瘤的病例分析指出,淋巴结外淋巴组织发生淋巴瘤病变最多见于胃肠道。②肝脾:30%～40%成人 NHL 可见脾肿大,此类患者预后较差。③呼吸道:NHL 很少有肺实质侵犯。④骨骼:临床表现有局部骨骼疼痛和按压痛、病理性骨折、骨肿瘤及继发性神经压痛症状。霍奇金病有骨骼累及者占10%～35%。NHL 更多以胸椎、腰椎最常受累。多从远处血行播散或自附近软组织肿瘤浸润所致。X线显示脊椎呈象牙质(ivory vestebra)或溶骨变化。约4%弥漫性大细胞或组织细胞型 NHL 偶可原发于骨骼组织,患者年龄较轻,多在长骨,主要是溶骨性变化。该原发病灶对放射线敏感,临床有一定意义。

(4) 实验室检查

1) 血象　霍奇金病血象变化较早,NHL 患者就诊时白细胞数多正常,伴相对或绝对性淋巴细胞增多,形态正常。当骨髓被肿瘤细胞广泛浸润或发生脾功能亢进时可有全血细胞减少症。

2) 骨髓象　大多为非特异性,对诊断意义不大。

3) 其他　疾病活动期血沉增速,血清乳酸脱氢酶活力增加。当血清碱性磷酸酶及血钙增高时,提示有骨骼累及。

(5) 治疗

放射治疗与化学治疗是当今治疗淋巴瘤的主要措施,且已取得显著疗效,但合理治疗方案的制订有赖于正确的病理分型和临床分期。

1) 放射治疗　直线加速器和^{60}Co 治疗机均可,但有时需要选择电子束治疗。

2) 化学治疗　适应证:①不适于单用放射治疗的患者;②在紧急情况下需迅速解除压痛症状者;③可作为局部淋巴瘤放疗的辅助疗法。

3) 干细胞移植　年龄＜60岁,一般状况尚可,均可行自身或异基因干细胞移植,一般主张仅对年轻病例或某些进展型病例进行干细胞移植。

4) 手术治疗　由于局部放疗较手术切除有更高缓解率,故手术仅限于活组织检查。

5) 生物反应调节剂治疗　IFN-α(干扰素-α)对轻度恶性 NHL 有效,可首选或与化疗联用。

(6) 病程和预后

女性较男性进展慢,30岁以上患者较年轻患者预后差。近30年来由于治疗方法的不断改进,10年生存率已提高到50%以上。

(陈峥嵘)

37.8 巨细胞瘤

原发于骨的巨细胞瘤是一种较常见的骨原发肿瘤,通常认为其组织来源有成纤维样细胞和组织细胞两类,巨细胞则来源于上述两种基底细胞的融合。

(1) 临床特点

巨细胞瘤好发于青壮年,最多见于20～40岁之间,很少发生在青春期前和50岁以后,女性略多于男性。约有5%的巨细胞瘤发生恶变。

大约90%的巨细胞瘤发生在长骨,起源于干骺端,因为几乎所有的巨细胞瘤都在骨骺闭合后发生,病变通常同时侵犯干骺端和骨骺。最好发的部位是膝关节周围,即股骨远端和胫骨近端,其次是桡骨远端、股骨近端、肱骨远近端、腓骨近端等。也可发生在手、足的短管状骨,在这种情况下肿瘤可侵犯骨干的大部。另外,脊柱椎骨、骨盆(包括髂骨、耻骨、坐骨和骶骨)也是好发部位,其他扁骨和短骨则罕见。

主要症状是疼痛,通常为关节周围疼痛,因肿瘤靠近关节,常出现关节功能受限和关节肿胀、积液。病变进展可有出现明显肿胀。在下肢者病理性骨折或微细骨折常见,可出现突然疼痛加剧伴功能障碍。当肿瘤穿破骨皮质进入软组织时可出现软组织肿块,局部肿胀,并有皮温升高和浅静脉充盈。

(2) 影像学特点

常规X线的典型表现为干骺端累及骨骺部位的偏心性、膨胀性的骨质溶解病灶,同时破坏骨松质和骨皮质;骨溶解一般较均匀,病灶内无骨化和钙化,但是可因肿瘤在扩展时有某些壁层骨嵴保留下来而呈皂泡样表现;破坏区可达软骨下骨,病变周围骨皮质变薄,可出现程度不一的骨皮质连续性中断;病灶的边缘可以规则或不规则:当肿瘤生长缓慢时,周围骨质被膨胀生长的病灶压迫可形成不规则的硬化缘,但不连续,且从不出现完整的包壳;在大多数情况下肿瘤生长活跃,病灶和周围的骨质缺乏锐利的分界而模糊不清,但是病变区和正常的骨组织移行区常不超过1 cm。病变本身无骨膜反应,有时可把细微骨折后的修复性骨痂误认为是骨膜反应。应注意的是不应过分强调“皂泡”征作为诊断巨细胞瘤的特征性表现,出现该征象是因骨溶解后残留的骨嵴在X线影像上的反映。病变扩展可侵犯干骺端和骨骺部位的大部。当病变表现为侵袭性时肿瘤生长迅速,可迅速扩展到整个骨骺和干骺部,边缘很模糊，呈虫噬状改变，大片骨皮质被侵犯而出现中断，形成软组织肿块，肿瘤也可穿越关节而累及邻近的骨质。

在手足短管骨则表现为溶骨性病变侵犯骨骺至软骨下骨，有骨嵴形成，骨的膨胀性改变比长管骨更明显，有时可累及全骨干，出现整段骨的膨胀。在扁平骨和脊椎等不规则骨中则表现为更显著的溶骨性骨质破坏，而膨胀不明显。病灶也多位于骨骺部位，如骨盆病变多靠近髋臼，脊柱以骶骨多见，且上述病变常形成大的软组织肿块。在胸、腰、颈椎则病变多位于椎体，很少侵犯附件，除非到了病变后期；可引起椎体塌陷，并侵犯椎管和周围软组织，甚至侵犯椎间盘和邻近椎体。

CT比X线平片更易于显示轻微骨皮质连续性中断和周围软组织改变。典型的CT表现为干骺端或骨骺偏心性的溶骨性、膨胀性骨质破坏；病灶可呈分叶状，内无钙化，可见与周围骨质相连的短小骨嵴，但是极少有贯穿整个肿瘤组织的骨嵴或骨性分隔；边界大多比较清楚；骨皮质变薄，多有连续性中断；周围正常的骨质可有程度不等、断续的硬化；很少出现骨膜反应；除非侵袭性高的病变，一般很少有突出骨外的软组织肿块；大部分情况下病灶达关节面下的软骨下骨；因病灶内常有出血或坏死液化故CT图像可出现液性区域。侵袭性程度高的病变可有恶性肿瘤的表现，出现大片状的骨皮质连续性中断和较大的软组织肿块。螺旋CT三维重建可更清楚地显示病变和关节及椎管等周围结构的关系。增强扫描可以帮助进一步了解肿瘤的骨外侵犯和周围神经大血管的关系以及更精确显示肿瘤内的坏死区。

典型的巨细胞瘤MRI表现为长骨骨端偏心性达关节软骨下骨的异常信号区，如病灶主要为实质成分，则MRI图像表现为T1WI低到中等信号，T2WI中、高混杂信号，形成“卵石”征；当病灶内有出血、坏死、囊性变和纤维化时，则肿瘤信号更是呈现出多样性，T2WI通常包括低、等、高混杂信号。大部分病例的病灶边缘有较规则的、由于周围骨质硬化引起的低信号线状影；病灶内有出血者可出现T1WI高信号改变，T2WI液平。MRI还可以更确切了解关节软骨是否有破坏、关节内是否有累及、骨髓腔内扩展情况以及皮质破溃和软组织内侵犯情况。MRI所见“卵石”征相当于X线平片的“皂泡”征。

根据放射学特点，Campanacci提出可把巨细胞瘤分为3级。

Ⅰ级为静止型。少见，几乎无临床症状，放射学表现为骨溶解区域边界完整，骨皮质受侵犯轻微，骨皮质变薄但完整，肿瘤周围轻度骨肥厚；肿瘤较小，一般不扩展到关节软骨；经长时间临床观察可发现肿瘤扩展缓慢。

Ⅱ级为活动型。最常见，症状明显，放射学表现为骨溶解区边界欠清晰，骨皮质受侵犯严重，非常薄，有时可全部被侵蚀；肿瘤扩展明显，常很接近甚至累及关节软骨；但是，即使肿瘤扩展严重，骨轮廓仍存在，外形仍保持其连续性，肿瘤与骨膜间尚有比较清楚的界限；经临床动态观察可发现肿瘤生长活跃。

Ⅲ级为侵袭型。也较少见，放射学表现为骨皮质完全受侵蚀，肿瘤呈球状肿块穿破骨皮质，穿入软组织，无骨膜包围，而是外覆假包膜；病灶扩展严重，常累及大部甚至全部骨骺，并侵犯关节软骨；动态观察可发现肿瘤发展迅速，呈侵蚀状扩展；病理性骨折常见。

Campanacci的这种放射学分级大致与Enneking提出的良性肿瘤临床分期的1、2、3期相当。需要指出的是，大多数活动性和侵袭性病变，尽管影像学可呈现明显的侵袭性病变，但组织学检查却表现为典型的巨细胞瘤，即完全是良性肿瘤，只有极少数侵袭性病变会转变为肉瘤。在选择治疗方案时应以临床分期为依据，而不能单凭组织学报告。

(3) 病理学特点

在大体上巨细胞瘤外观为浅棕色或红棕色、质地均匀、致密的实质性组织，质软，表面光滑；肿瘤内无骨化和钙化，与骨松质、髓腔和变薄的骨皮质或骨膜之间的界限比较清楚，但是不存在纤维性分界或骨性包壳。通常肿瘤组织并非这样典型和规则，瘤体内常有苍白的纤维化组织；或因脂肪蓄积而呈黄褐色杂染区；出血区域非常常见，甚至因为广泛的出血-充血交替而使整个肿瘤看起来像充满血的海绵；坏死也常见，呈灰黄色干燥或液化；当肿瘤骨外扩展严重时，可出现很大软组织肿块，通常包被假包膜，但假包膜较不明显，很难看清楚；软组织内扩散时可形成卫星结节；肿瘤常穿破关节软骨；如肿瘤膨胀明显，可见周围软组织和骨膜高度充血，血管膨大、扭曲。

在组织学上，巨细胞瘤由两类细胞组成：单核的基底细胞和大量散布于基底细胞中的多核巨细胞。基底细胞有两种类型:成纤维细胞样和组织细胞样,即肿瘤来源于骨内非成骨的组织成纤维细胞。巨细胞是由基底细胞融合而形成,即使依靠组织化学和电镜检查,也不能将这种肿瘤巨细胞和正常的破骨细胞及其他病变存在的反应性巨细胞(如动脉瘤样骨囊肿、恶性纤维组织细胞瘤等)区别。

基质细胞呈圆形或梭形,典型者细胞稠密,大小一致;细胞核不大,大小相似,染色不深,可见频繁的核分裂象。巨细胞呈圆形、椭圆形或梭形;细胞质丰富,常有空泡;细胞核圆形或椭圆形,形状与基底细胞核相似,核数量多,一般聚集在细胞中央,核染色清,边界清楚,有一个或多个核仁,常见核分裂。

肿瘤中血管较丰富,常形成血窦,有时在假包膜的静脉内可见肿瘤细胞栓子。出血和坏死常见:出血可在组织间隙扩散,甚至形成类似于动脉瘤样骨囊肿的血腔;坏死区域大小不一,可出现大块进行性坏死,甚至肿瘤的大部分坏死、液化;伴随出血和坏死可出现修复现象,如纤维样瘢痕修复、泡沫细胞聚集,并出现胆固醇结晶和含铁血黄素颗粒,偶尔在肿瘤周围、骨膜下甚至瘤体内可出现肿瘤修复性骨样组织。

Jaffe等提出在组织学上可根据细胞分化程度、基质细胞/巨细胞的比例等把巨细胞瘤分成3级:Ⅰ级基质细胞大小和形态规则,多为梭形,细胞较稀疏,核分裂象少,巨细胞数量多,体积大,核多;Ⅱ级基质细胞多,大小和形态变异较大,核分裂象较多见,巨细胞数量较少,体积较小,核也较少;Ⅲ级基质细胞多而致密,体积大,细胞异形明显,核分裂象多见,巨细胞量更少,核数量也少。随着对巨细胞瘤认识的深入,发现这种等级的划分与巨细胞瘤的临床生物学行为不相一致,缺乏实用价值。

尽管发生率低,但巨细胞瘤有自发恶变(肉瘤变)的可能,而且恶变往往存在于典型巨细胞瘤中,这就要求在进行肿瘤活组织检查时取材范围应广泛、数量要多,而且在肿瘤切除术后进行病理检查时,更应强调要广泛观察肿瘤区域,以确切评价肉瘤变。相反,因为治疗不当等原因造成的巨细胞瘤继发恶变却不少见。通常确诊恶变的条件有二:其一为既往确诊为巨细胞瘤(有病理资料)新的病理检查发现肉瘤;其二为同一样本中典型(良性)巨细胞瘤区和肉瘤区并存。巨细胞瘤常恶变为纤维肉瘤、骨肉瘤和恶性纤维组织细胞瘤。

(4) 诊断与鉴别诊断

为更真实获得肿瘤的发展情况和患者的预后并更好指导临床治疗,应在综合临床、影像学和病理组织学资料的基础上对肿瘤进行分期/分级,对于巨细胞瘤,尤其要高度重视临床和放射学检查结果。临床常用的是Enneking分期系统,在考虑治疗方案时应以分期为指导。

如果能很好结合临床、影像学和组织学资料,巨细胞瘤的诊断正确率是很高的。但是有时巨细胞瘤还是需要与一些成年后的溶骨性病变相鉴别。

1) 动脉瘤样骨囊肿　在罕见的情况下,巨细胞瘤可能出现大范围出血病灶,甚至肿瘤的大部成为出血性囊腔,这时与动脉瘤样骨囊肿就很难鉴别。动脉瘤样骨囊肿75%发生于20岁以下青少年;发病部位多位于干骺端,可向骨干发展,一般不穿破骺板软骨而累及骨骺;病变起于骨膜下、骨表面,扩展时撬起骨膜并向深面侵蚀骨皮质或骨松质,可表现为中央性或偏心性膨胀性骨质破坏,如果是偏心性病变,与巨细胞瘤相比,其"偏心性"表现得更为显著。典型病例在病灶周围有硬化的骨壳。MRI检查表现为骨破坏区包绕薄层低信号骨壳,病灶呈单囊或分叶状,膨胀明显,T2WI可见液-液平面分布更广泛;增强扫描显示存在均匀、线状的边缘和间隔强化。而巨细胞瘤则表现为不规则的肿瘤组织强化。CT增强扫描显示肿瘤实质明显强化,其内液性囊腔无强化,两者密度差别明显。

2) 软骨母细胞瘤　一般青少年时起病,好发于骨骺,可破坏骺板扩展到干骺端,因大多数生长缓慢,病程长,有时到成年时才发现,需与巨细胞瘤相鉴别。两者鉴别的要点是:软骨母细胞瘤通常为较小的中心或偏心溶骨性病变,呈圆形或轻度多环形,边缘清楚是其特征,常有一层薄而硬化的骨边缘,由此可与巨细胞瘤相鉴别;病灶内有钙化、骨化或软骨样区也是重要的鉴别因素;组织学和超微结构可显示肿瘤细胞类似软骨母细胞。

3) 甲状旁腺功能亢进所形成的棕色瘤　常累及干骺端-骨干部位,单发时影像学上与巨细胞瘤相似,但甲旁亢者在棕色瘤周围的骨骼表现出腔隙性骨质疏松。实验室检查可发现高钙、低磷血症,尿磷、尿钙升高以及血甲状旁腺素(PTH)升高。

4) 孤立性骨囊肿　骨囊肿好发于儿童和少年,多见于干骺端和骨干,呈椭圆形,长轴与骨长轴一致,病灶处骨皮质变薄,一般膨胀不明显;囊壁光滑,边缘有硬化；病灶内密度均匀，可见液平面；多为单房性，有时表现为多房，并有较小的骨嵴；CT 示囊内为水样密度，骨皮质变薄但完整，周围有硬化，无软组织肿块；MRI 示均匀的 T1WI 低信号和 T2WI 高信号，无软组织肿块，增强后显示边缘线状强化，无实质肿块强化。

5）良性纤维组织细胞瘤　很少见，边界清楚，周围常有薄层硬化骨包围，无软组织侵犯，肿瘤质地致密，组织学表现为致密的细胞和胶原纤维，形成恒定的席纹状结果，且富含泡沫细胞。

6）慢性骨脓肿（Brodie 脓肿）　病灶位于骨中央，形状不规则，病灶内可能含有小死骨影；骨皮质非但不受损变薄，反而可能增厚。

7）纤维肉瘤　侵袭性巨细胞瘤还需与纤维肉瘤相鉴别，两者好发年龄相似，都为溶骨性改变、且富侵蚀性，边缘不清楚。特别是在巨细胞瘤发生纤维肉瘤变时，在放射学上更难区别，此时应根据患者的病史，既往的放射学资料，更重要的是全面、详尽的组织学检查进行鉴别，巨细胞瘤肉瘤变时在组织学上应该曾经发现巨细胞瘤，或者同时存在巨细胞瘤。

8）溶骨性骨肉瘤　在很少的情况下，溶骨性骨肉瘤在影像学上可表现为纯粹溶骨性病变而几乎毫无成骨特性，很难与侵袭性强的巨细胞瘤相鉴别。此时应综合患者的年龄、临床特点和组织学检查以及免疫组化等进行鉴别。

巨细胞瘤有时还需与单发的骨纤维结构不良、巨细胞修复性肉芽肿、骨母细胞瘤相鉴别，对于侵袭性强的巨细胞瘤，还需与孤立的浆细胞瘤、癌症骨转移相鉴别。一般结合临床、影像学和组织学表现能够鉴别。

（5）治疗

巨细胞瘤是一种多变而且不典型的肿瘤，其组织学与生物行为常不一致，即使组织学是典型的巨细胞瘤（良性肿瘤），也可具有很强的侵袭性，并可发生肺转移；不恰当的治疗可致复发和转移。既往因对这种肿瘤认识不足，过分倚重组织学结果，在治疗上只是单纯刮除后植骨，术后复发率高达 40％以上。因此，在决定治疗方案时，应强调结合临床、影像和组织学对肿瘤进行精确的分期，如 Enneking 外科分期，以临床分期为准则选择合适的治疗方案。

对于典型巨细胞瘤，临床分期为 1、2 期的病变，可进行病灶刮除加局部辅助治疗，然后骨缺损处填塞骨水泥。刮除时开窗要充分，应能覆盖病损投影面的大部，避免存在死腔，以确保刮除充分。当骨嵴多且高时，可用球磨钻磨去骨嵴，使刮除界面到达正常骨组织。在彻底刮除病灶后，用电灼器烧灼肿瘤壁，然后用石炭酸处理骨壁，并用乙醇浸泡，然后用生理盐水加压冲洗。最后，用骨水泥填塞病灶刮除后的骨缺损灶，宜采用不透射线的骨水泥，以利于一旦复发易于发现。骨水泥发热可进一步杀灭可能残留的肿瘤细胞。其他可选择的局部辅助治疗手段还包括液氮冷冻、射频热疗、氧化锌烧灼等。如不适于用骨水泥，可选用自体骨植骨或同种异体骨植骨，也可用硫酸钙、磷酸钙等人工骨植骨。

由于四肢巨细胞瘤位于骨端关节附近，大块切除后缺损的重建和关节功能的维持有困难，因此边缘切除或广泛切除一般适用于极度扩展的巨细胞瘤等肿瘤侵犯关节囊、韧带等关节周围组织、肿瘤临床分期 3 期以及肿瘤明确出现肉瘤变等情况。切除后重建手段包括同种异体骨移植内固定、肿瘤型假体置换重建。

如果肿瘤已经广泛软组织侵犯特别是累及神经、血管主干时，可截肢。对于复发病灶，也可根据复发肿瘤的分期选择治疗方案，仍可再刮除并局部辅助治疗。对肺转移灶可行肺叶切除术，如不能手术可化疗，但效果不佳。如果已明确有肉瘤变，则应化疗。

当肿瘤病灶不能彻底清除或难以判断刮除是否彻底、无法采用局部辅助治疗时，例如发生在脊柱的病变，可行放射治疗，一般在手术后半年左右进行。应采用超压（supervoltage）放疗，包括^{60}Co 及直线加速器，放疗剂量 40～60 Gy，如已植骨，放射量最好控制在 40 Gy。

（姜南春）

37.9　脊索瘤

脊索瘤是指起源于颅底和脊椎等处残存的脊索组织的恶性肿瘤。发病率低，多见于男性。

（1）临床和影像学表现

虽然在脊椎的任何部位都可发生，但约 85％见于骶尾骨和颅底。多见于 40～60 岁的中老年人。

颅底脊索瘤在早期就可因压迫而产生相应的垂体和脑神经症状，而骶尾骨脊索瘤的症状出现较迟，最初重要主诉为慢性间歇性下背痛，在出现神经症状与体征以前，可有1～2年的下背痛病史。缓慢生长的肿瘤包块多数向前方膨胀生长，临床不易发现，只有在晚期肿块突入臀肌或皮下才被发现。肿块向前挤压盆腔脏器可导致大小便障碍。肛指检查时，可在骶骨前方摸到肿块。

脊索瘤在出现症状的同时已可在病变处出现X线缺损，但在早期常被肠道内的气体阴影所掩盖，可以有很长时间被忽略。脊索瘤可破坏骨组织，但很少有反应骨，边缘模糊和不规则，导致骶骨轮廓模糊和骶孔边界消失。CT可清晰地显示脊索瘤骨破坏和软组织阴影与马尾神经、大血管及盆腔脏器的关系，注射造影剂可增强CT影像的清晰度。CT、MRI以及血管造影均有助于对本病的诊断和确定手术方案。

(2) 病理学表现

肿瘤组织由星形细胞和液滴状细胞组成。星形细胞较小，在小叶的边缘，细胞中无明显液泡。而液滴状细胞位于小叶中心，圆形，细胞中有大量液泡，并有厚的细胞膜，有时液泡把细胞核挤压在边缘，形似印戒细胞。液泡内物质经PSA染色为黏液。细胞镜下所见表明为低度恶性肉瘤。肿瘤细胞集合成为大叶状，并有结构完好的纤维隔，在瘤内可有大而薄壁的血管道，向四方散开。这些管道不能收缩，以致在活组织检查时，可以大量出血。肿胀的印戒细胞有其独特性，往往在冷冻切片检查时，就能明确诊断。

(3) 诊断和鉴别诊断

对中老年男性，慢性腰腿痛，肛指检查在骶骨前方扪及肿块，X线表现为骶骨的溶骨性表现，首先考虑为骶骨脊索瘤。发生在骶骨处的另两个常见溶骨性肿瘤为巨细胞瘤和神经纤维瘤。但这两者好发于20～40岁人群，巨细胞瘤病变有明显的偏心性；神经纤维瘤的破坏围绕神经孔，病变周围有硬化骨。根据CT和MRI进行穿刺活检，有助于明确诊断。

(4) 治疗和预后

过去由于骶骨肿瘤血运丰富，外科切除因手术大、显露难、出血多、危险性大、并发症多、死亡率高，而被认为是禁区。但随着外科技术的进步，对骶骨脊索瘤已经能够通过手术成功的切除。对于I_B期病损如在第2骶孔以下，应行前后路广泛切除术，甚至不惜切除一些受累的神经根。笔者的经验是保留S_1～S_3神经有90%以上的患者获得正常的大小便功能和双下肢功能。切除S_4、S_5神经仅引起暂时的会阴部感觉障碍。但比较麻烦的是男性患者的性功能，一旦出现障碍很难恢复。放射治疗作为手术的一个补充是很有用的。

尽管脊索瘤生长缓慢.而且很少发生转移，但其后果仍可严重，常可致死。多数颅底部脊索瘤患者在2～3年内死亡。骶尾部肿瘤经一般手术切除和(或)放疗可存活长达5～25年，甚至可通过切除治愈.也有在多年以后出现局部复发及转移者，复发和转移经再次手术治疗后多可成功地治愈。

(冯振洲)

37.10 血管肿瘤

37.10.1 血管瘤

骨的血管瘤是骨的良性病变，多数情况下是血管的错构瘤，也有一部分是真正的肿瘤。

(1) 临床与影像学表现

血管瘤常在成年出现症状而被发现，多见于女性，最好发于脊椎，其次为扁平骨(颅骨)和长骨。脊椎以胸椎和腰椎的椎体多见，也可扩张到椎弓根。

脊椎椎体血管瘤表现为局部疼痛和患肢的肌肉痉挛。临床症状取决于是否有脊髓或神经根的压迫。由于中段胸椎管较窄，因而此处的椎体血管瘤易产生脊髓压迫症。

椎体血管瘤中最常见的影像学图像是“条纹状椎体”。这是以骨小梁粗糙、垂直为特征的骨质疏松。有时椎体无明显条纹而呈“虫蛀”或“蜂巢”样外观。有些病例可有椎体楔形变或膨胀。总之，条纹状改变与大部分椎体血管瘤已停止生长有关；而蜂巢样改变及椎体膨胀或压缩与椎体血管瘤旺盛生长及扩展有关。还可以见到在蜂巢样和条纹状之间各种不同程度的过渡型改变。

与其他骨的病变不同，椎体血管瘤在MRIT1和T2加权影像上均呈信号加强。

(2) 病理学表现

可见由新生和异常血管腔隙所形成的厚团物，这些可能是毛细血管或多或少膨胀所形成的血管球，或广泛交通的迷宫似的腔隙。血管内皮细胞分化良好成熟，血管壁由薄胶原层组成，血管腔内充满血液。海绵状血管瘤代表着成熟或静止期，毛细血管血管瘤代表原发或增生期。

(3) 诊断与鉴别诊断

我们已观察到条纹状脊椎血管瘤典型的放射线学改变,可单凭放射线确定诊断。然而,条纹状脊椎主要见于静止及无症状血管瘤,在活跃增生者中可见到脊髓神经根症状,蜂巢样外观或椎体压缩。

(4) 治疗与预后

有症状的椎体血管瘤可在栓塞后行手术切除,也可在放疗后行局部切除。有脊髓压迫者必须行椎板减压,然后再放疗。放疗和动脉栓塞均可作为术前辅助应用,也可单作为独立的治疗。手术切除后可治愈,但如果切除不彻底,可复发。

37.10.2 血管肉瘤

骨血管肉瘤是起源于骨内血管内皮细胞的高度恶性骨肿瘤,早期可以有肺转移。

(1) 临床与影像学表现

多见男性,盆骨最多,早期进展缓慢,但一旦出现症状则发展较快,表现为疼痛和肿胀。位于椎体者可压迫脊髓导致截瘫。X线表现为不规则的斑片状、泡沫状和大片状的溶骨性破坏,病灶内无钙化,可以有骨膜反应。血管造影可以明确软组织的侵犯范围。

(2) 病理学表现

肉眼呈出血性海绵样组织,有时为鱼肉样,无包膜。镜下肿瘤由无数的相互吻合的血管腔隙组成,腔壁为异型样单层或多层内皮细胞,核深染,分裂象多。

(3) 诊断与鉴别诊断

根据临床症状和局部肿块血运极为丰富,可触到血管搏动或听到血管杂音,压痛明显。影像学表现为不规则的斑片状或泡沫状的溶骨性破坏,有放射状骨针和软组织肿块。血管造影出现大量杂乱新生血管丛或池,临床应考虑骨血管肉瘤的诊断。镜下特点则为无数互相吻合的血管腔隙,腔壁衬以增生的异型性内皮细胞组成,嗜银染色显示血管壁的轮廓,应注意与纤维肉瘤、巨细胞瘤、毛细血管扩张性骨肉瘤、恶性淋巴瘤、尤文肉瘤等相鉴别。

(4) 治疗与预后

骨血管肉瘤是一种罕见的高度恶性的骨肿瘤,易发生早期转移,预后不良。治疗宜尽早施行根治性手术切除或截肢术。位于脊椎并截瘫者,尽可能进行病灶切刮,脊髓减压,脊椎内固定。术后配合其他有效治疗方能控制病灶。放疗对血管肉瘤有一定的敏感性。而化疗对本病疗效不肯定。

(冯振洲)

37.11 脂肪源性肿瘤

37.11.1 脂肪瘤

骨内脂肪瘤是起源于骨髓内脂肪组织的良性肿瘤,极罕见,至今全世界报道仅几百例。

(1) 临床与影像学表现

可发生于任何年龄,以20～50岁为多发,长管骨多见。大多无临床症状,少数表浅的可有局部疼痛和肿胀。X线表现分骨内型和骨旁型两种:①骨内型表现为骨髓腔单囊性或多囊性溶骨性缺损,轻度骨质膨胀境界清晰,四周无骨质增生硬化反应,也无骨膜反应。多囊者多见于骨端,内有粗糙不齐的骨脊样间隔,与巨细胞瘤有相似的表现。②骨旁型表现为骨皮质外方出现一密度减低的透亮区,多呈长圆形或梭形,与骨质相联结。CT扫描表现为骨内低密度病灶边界清晰。

(2) 病理表现

与软组织脂肪瘤无差别,肿瘤界限较明显,有明显包膜。覆盖肿瘤表面的骨质可变薄。肿瘤细胞为均匀一致的脂肪细胞,核分裂象少见。

(3) 诊断与鉴别诊断

临床症状轻,病程较长,主要症状为局部轻度疼痛,位置表浅时可见骨质膨胀隆起,X线摄片显示骨髓腔单囊性或多囊性溶骨性缺损,轻度骨质膨胀,境界清晰,四周无骨质增生硬化反应,也无骨膜反应,可以诊断为骨内型脂肪瘤,骨旁型在骨皮质外方出现一密度减低的透亮区,多呈长圆形或梭形,与骨质相联结。鉴别诊断主要与软组织脂肪瘤、骨囊肿和巨细胞瘤相鉴别。

(4) 治疗与预后

肿瘤刮除植骨,预后良好。

37.11.2 脂肪肉瘤

骨内脂肪肉瘤是指原发于骨髓内脂肪组织的恶性肿瘤,甚为罕见。

(1) 临床与影像学表现

可发生于各年龄组,无性别差别。好发于长管状骨干骺部,不超过骨骺线,很少侵犯骨端。主要症状为局部疼痛,由于肿瘤生长快,疼痛逐渐加重呈持续性剧痛，夜间尤甚。肿瘤侵入软组织后，出现软组织肿块，边缘不清。晚期则影响患肢功能，出现恶病质等。分化不良者，易发生肺及骨的转移，大多在发病后 3 年内死亡。

X 线表现因肿瘤分化不同而表现不一致。可由相对良性的骨质吸收，到广泛的侵蚀性骨破坏。常见为干骺部偏心性溶骨性破坏，边缘模糊，周围可见骨质硬化。肿瘤密度与邻近肌肉组织类似，或肿瘤密度更低，表示肿瘤含脂肪成分较多，称为瘤区脂肪征。浸润性生长者，呈现多发小斑片状、斑点状及筛孔样松质骨和骨皮质破坏，境界模糊不清。增强 CT 和 MRI 可以很好地显示肿瘤的脂肪信号。

(2) 病理学表现

肉眼看骨内脂肪肉瘤与周围骨髓界限清楚，但无包膜，部分呈黏液样，分化较差时呈灰白色。镜下与软组织脂肪肉瘤相似，富于血管，并可见纤维肉瘤成分。分化较好的脂肪肉瘤由较成熟的脂肪细胞和含有成脂细胞的黏液样组织混合而成。成脂细胞呈星状或梭形，核分裂象不明显。而分化不良的脂肪肉瘤几乎不含成熟脂肪细胞，成脂细胞非常丰富。

(3) 诊断与鉴别诊断

长骨干骺部疼痛，迅速发展成持续性剧痛，夜间加重，X 线出现程度不同的溶骨性破坏，间有密度减低的透亮区，其他病变可以排除时，可以诊断本病。需与恶性间质瘤或骨肉瘤相鉴别。

(4) 治疗与预后

骨内脂肪肉瘤的治疗采取根治性切除或截肢手术，分化较好的肿瘤如切除不彻底容易复发，分化较差的肿瘤常发生血行转移。如肿瘤为多发或无法切除时，可行放疗和化疗。骨内脂肪肉瘤的预后一般很差，不予治疗大多于 2 年内死亡。

（冯振洲）

37.12 神经鞘瘤

骨内神经鞘瘤是骨内神经鞘细胞所产生的良性肿瘤，很少见。

(1) 临床与影像学表现

好发于下颌骨、骶椎、尺骨干及肋骨干等处，多为青中年男性。肿瘤发展缓慢，症状轻微而迟发。X 线见圆形的溶骨性骨质破坏，边界清晰并可见一薄层硬化骨。肿瘤使骨质膨胀，甚至穿破骨外，形成软组织肿瘤。病变区内无钙化或骨化。CT 检查表现为密度不均匀的肿块。MRI 图像表现为信号不均匀肿块。神经鞘瘤只靠影像学表现难以确诊。

(2) 病理学表现

肿瘤起源于神经鞘膜。肿瘤组织颜色淡红或灰黄，质软而脆，呈黏液样。体积大的肿瘤常有广泛的变性，形成空腔。多呈典型的梭形细胞及波浪形结构。有时在神经瘤中经常可以见到稀疏的大核，但并不提示为恶性。S-100 蛋白与神经鞘瘤有明显的关系，有助于判断肿瘤来源。

(3) 诊断与鉴别诊断

通过临床、影像学表现及病理，诊断神经鞘瘤并不困难，但应注意与神经纤维瘤相鉴别，两者在病理组织学上有所不同。神经鞘瘤为非遗传性疾病，无家族史。

(4) 治疗与预后

神经鞘瘤的治疗可按照肿瘤体积行肿瘤刮除术或截除术，手术彻底则不易复发。切除不彻底者偶有发生肉瘤改变的报道。在骨内刮除术中对残腔进行灭活处理能减少肿瘤复发的机会。

（冯振洲）

37.13 转移性肿瘤

骨转移性肿瘤是指原已存在的癌症向骨的转移，也包括肉瘤的骨转移。但后者很少，且多为终末阶段，故无临床意义。相反，癌的骨转移在临床上重要，不仅是因为其发病率高，而且还因为其已成为诊断(当其还在原发灶早期即已出现转移时)及治疗上的难题。许多原发性肿瘤可能在临床上没有任何表现，而最初表现可能是骨病损。在这种情况下，往往将转移病损认为是原发性肿瘤，有时骨病损已很明显属转移病损，但始终未能发现原发病损。活组织检查有时可获得原发病损的性质，但由于癌细胞分化不良或未分化，也无法明确原发性病损的性质，只能认出是转移，所以对转移癌的原始病损的诊断有时比较困难。

常见的骨转移有前列腺癌、乳房癌、肺癌、甲状腺癌、肾癌，也可来自胃肠道，如胃癌、肝癌等。儿童的骨转移较少见，可以来自神经母细胞瘤。女性生殖系统，如宫颈癌、卵巢瘤等也可有骨转移，但较少见。好发于躯干骨和肢带骨。首先在脊椎，特别是胸椎和腰椎，其次为骨盆、股骨近端和肱骨近端，很少发生在膝部和肘部的远端。但也可转移至包括手在内的任何部位。这些骨转移以溶骨性为主，但也可杂有成骨性活动；个别转移癌以成骨为主，如前列腺癌。骨转移有时会与多发性原发性病损或瘤样病损混杂在一起，如多发性骨肉瘤、网状内皮细胞增多症等，它们同样有溶骨性破坏。个别多灶性骨肉瘤也会与骨转移混淆。有时原发性恶性骨肿瘤也会发生骨转移。这些都应在诊断骨转移时予以注意。如怀疑或确定为骨转移时，应进行全身性的骨扫描检查。放射性核素扫描是筛选无症状或未分化癌转移病损的最佳方法。CT扫描可评估病理性骨折的潜在可能。

多数转移癌的治疗为姑息性。放疗为治疗本病最常用的重要方法，多数转移癌对放疗较敏感，可用以止痛。药物，特别是抗肿瘤的化学药物，为治疗本病的另一重要内容，对一些特定肿瘤如乳腺癌和前列腺癌可提高生存率。还要重视对疼痛的治疗，可合理使用镇痛剂、镇静剂或麻醉剂、神经干和垂体的乙醇注射治疗以及区域阻滞麻醉或以神经外科的手术方法切断脊髓的感觉通路。手术治疗的目的在于使受压的神经根松解(镇痛)及早期轻瘫时行脊髓减压和稳定脊椎，而并非彻底切除长骨的转移灶。为了预防和治疗其病理骨折并使肢体可早期功能活动，可酌情施行切开复位内固定术。有时可行瘤段切除，并根据实际需要决定是否施行假体或人工关节置换术。对肾上腺样癌和其他血供非常丰富的转移癌，可使用选择性动脉栓塞术以减少术中出血。手术的目的主要基于方便患者进行康复治疗，而不是针对肿瘤本身，所以在确定治疗方案时，应分清主次。

（冯振洲）

37.14 混合细胞病变

37.14.1 单纯囊肿

单纯囊肿又称孤立性骨囊肿，起源于干骺端，是含有血清和有不同厚度的膜衬壁的囊性病变。其病理发生学尚不明了。发病率高，在临床上仅次于组织细胞纤维瘤和骨软骨瘤。

(1) 临床与影像学表现

可发生在任何年龄，最多为5～15岁，男性多见。大部分骨囊肿位于肱骨近端，其次为股骨颈，任何部位都会发生。在发生病理性骨折前，骨囊肿大多无明显典型的疼痛和其他症状。但事实上，由于骨皮质变薄而经常发生病理性骨折。在一定应力下可发生完全或不完全性骨折。在生长迅速期，骨囊肿可以扩大，直至生长期后期，随骨骼成熟而自愈。

由于骨囊肿一般在发生病理性骨折时才出现症状，所以放射线上仅在偶然情况下才能发现个别骨囊肿。放射线检查可见骨囊肿所呈现的膨胀影像，显示中心性溶骨、高度透光性，骨皮质在整个周径范围内表现骨质疏松及轻度膨胀。其边界清晰，有一层非常薄的骨质硬化团晕区。尽管骨皮质很薄，但一般均尚能保持其完整性及连续性，而且直至发生病理骨折后始出现骨膜反应。大多数的病理性骨折无明显移位或仅为囊壁的不完全性骨折，骨折可导致游离骨片落入囊内，形成所谓的“落叶”症。发生在跟骨的单纯性骨囊肿多见于前中部，跟骨骨囊肿应与假囊性的Ward三角相鉴别，后者是由跟骨骨小梁的排列方式而形成的。CT可用于非典型部位的诊断，而MRI显示较低的T1加权信号及高信号的T2相。

(2) 病理学表现

骨囊肿内是由疏松的网状及细纤维状结缔组织构成许多囊状部分，又逐渐合并成一个大的囊腔。囊腔壁被一单层间皮细胞所覆盖。在囊腔中有澄清或半透明的黄色略带血红的液体。当合并有病理骨折时，囊内的液体则为血性。囊肿周围为光滑的骨壁，可有高低不同的骨嵴，但很少见到完整的骨性间隔。在显微镜下，无特殊的组织学表现。壁的骨质为正常骨结构，囊肿并发骨折时可看到骨膜新骨形成。于外伤部位可看到成骨性活动。由于伴有巨细胞的过多修复灶的出现，可被误认为囊性巨细胞瘤或动脉瘤样骨囊肿。

(3) 诊断与鉴别诊断

临床上将骨囊肿分为两型。①活动型：患者年龄在10岁以下，囊肿与骨骺板接近，距离＜5 mm，说明病变正处在不断发展、膨胀的过程中，任何方法治疗，都易复发。②静止型：患者年龄在10岁以上，囊肿距骨骺板较远，距离＞5 mm，表明病变稳定，很少有进展趋向。此期治疗后的复发率较低。

骨囊肿常需与下列疾患相鉴别。①动脉瘤样骨囊肿：动脉瘤样骨囊肿的发病部位与骨囊肿相似，但前者在扁平骨如椎体、骨盆及肩胛骨发病的概率更多一些。且多为偏心性，可穿透皮质包壳。动脉瘤样骨囊肿含有软组织的细胞间质，其中可见化生的软骨及骨样组织。X线片上，可见斑片状或点状钙化，这种所见在单纯性骨囊肿是不会出现的，动脉瘤样骨囊肿可有中等度侵蚀性，其边缘轮廓模糊不清呈虫蛀状，其骨皮质常膨胀如气球状，亦不同于单纯性骨囊肿。②巨细胞瘤：巨细胞瘤多见于20岁以上的成年患者，病变多位于骨端，呈偏心、多房或泡沫状，可完全穿透骨皮质，肿瘤有明显膨胀性。巨细胞瘤最常见的部位为股骨远端及胫骨近端，而这些是单纯性骨囊肿相对少见的部位。

(4) 治疗与预后

孤立性骨囊肿的治疗应针对已发生的病理性骨折和畸形，不像对肿瘤那样要阻止其侵袭进程。许多孤立性骨囊肿因为多数无症状，也无骨折，所以未经任何治疗也会自发愈合。对有症状的骨囊肿，应密切观察，限制肢体的活动，或采用一定的保护措施。

若病理性骨折是骨囊肿的初发症状，可在骨折连接后予以治疗，约有25%的活跃性囊肿经骨折后而获得痊愈。若临床症状表明需要加固脆弱的骨结构，可在静止期内进行。在活跃期内进行搔刮，复发率可达30%～50%，因为其不规则内表面不可能作彻底搔刮。对静止期骨囊肿，搔刮可获得痊愈。搔刮后究竟用什么方法来填充，有不同意见。但填充方法与复发无关。最近常用甲泼尼龙注入，囊液抽出后，注入2～5 ml的泼尼松龙。这方法可激发活跃型囊肿转变为静止型囊肿而自愈。

综上所述，手术是成年骨囊肿的首选治疗方法，复发率低。对于儿童，特别是X线证实为活动期的，则应采用保守治疗；合并病理性骨折的，可待骨折愈合后再作进一步治疗。

37.14.2 动脉瘤样骨囊肿

动脉瘤样骨囊肿是膨胀性溶骨病损，表现为扩张和出血，常首发于骨折表面。对其发病的原因尚不清楚。其特征为增殖、充血和出血。发病率不高，比巨细胞瘤的发病率低2倍。

(1) 临床与影像学表现

好发于女性，较多见于青少年和年轻成人。可发生于任何骨骼，但好发于长骨和脊柱。疼痛和肿胀是其主要症状，由于病灶表浅，往往向外突出。与骨囊肿不同是较少发生病理性骨折。在脊椎发病时，可压迫脊髓和神经根，导致剧痛和截瘫。病变累及关节软骨时，可限制关节活动度并出现关节积液。

病变呈纯溶骨性破坏及膨胀是动脉瘤样骨囊肿X线片的特点。边界清楚，可有突出到病变内的骨性间隔构成多房性的壁。病变早期呈类圆形，轻度膨胀，边缘多较清楚，可在短期内进行性发展，并出现轻度骨膜反应。进展期呈进行性扩大的骨质破坏，骨壳可部分中断，病灶内可见纤细条纹状或弓形骨间隔，密度不均。稳定期或成熟期骨壳较厚且不规整，骨的反应性增生明显，骨间隔粗细不均，出现多房腔性改变。愈合期或钙化骨化期呈进行性的钙化骨化，病变缩小，病灶内形成结构紊乱的致密骨块。有时，特别是在病变位于长管状骨的干骺端，或在短骨或扁平骨时，囊肿显示为偏心性溶骨性破坏，并向松质骨延伸，直到整个骨受侵。CT扫描对确定病变性质是有帮助的，有时可显示出病变内的液体平面，MRI有时可以显示出动脉瘤样骨囊肿特有的海绵样外观，也可对其中的液体提供进一步信息，可反映其富于血管的特性。放射性核素骨扫描可见到一个中心性的放射性稀疏区，周围被放射性浓聚区域所包围。

(2) 病理学表现

肉眼可以发现整个病变是一个巨大的充血的囊腔，在手术中可以发现囊腔内有不凝结的血，虽不喷血但渗血。在显微镜下可见其为典型的海绵样结构。组织学的特征是含有良性梭形细胞基质，并有多核巨细胞和含铁血黄素弥散其间。巨细胞的细胞核呈空泡和圆形，与基质细胞完全不同，在巨细胞的胞质内可有大量含铁血黄素。组织内充满血管池，池的衬壁含有病损组织，而不是扁平的内皮细胞。与巨细胞瘤在显微镜下的区别为：①动脉瘤性骨囊肿有大量的充血囊腔，巨细胞瘤内则没有；②动脉瘤性骨囊肿缺乏组织细胞和泡沫细胞；③巨细胞较小，核也少，达10～15个，但含有较多的含铁血黄素。

(3) 诊断与鉴别诊断

X线检查发现骨和骨膜下气泡样影像时可作为诊断本病的重要依据。在干骺端中心或扩展到整个骨横断面的动脉瘤样骨囊肿，在X线检查中可能与骨囊肿或软骨黏液纤维瘤相混淆。考虑骨囊肿时其发病部位有重要参考价值。因为骨囊肿很少发生在肱骨近端和股骨近端以外的其他部位。另外，骨囊肿发病均从干骺中心处开始，并与生长软骨接触，很少出现膨隆或肿胀现象，同时，其病灶内有非常明确的皮质骨层和较多分隔，一般不累及骨骺。尽管发生在干骺端的软骨黏液纤维瘤也呈偏心性生长，但其病变区往往无骨皮质，而且骨膜也不掀起。软骨黏液纤维瘤常有多环的边缘及菲薄的层状结构。当溶骨病变位于干骺端，同时生长软骨尚活跃时，须与巨细胞瘤相鉴别。而在成人，如果溶骨性病变扩展到骨骺时，则难以通过X线检查进行鉴别。术中所见的大体组织学表现对诊断有意义，依靠病变的全面观，才可与其他疾病的囊性出血相鉴别。

(4) 治疗与预后

手术方式为骨膜外切开、病灶刮除加植骨。可联合局部辅助治疗(苯酚、无水乙醇、液氮等)。对有些发生在腓骨、肋骨、掌指骨的病灶最好行骨段切除术。术前选择性动脉栓塞可减少术中出血。放射治疗效果也很好，但有诱发肉瘤危险的可能，故必须限制在不能手术及栓塞治疗失败的病例。最新的文献报道认为刮除植骨复发率高达21%～59%，故有选择直接切除重建手术，但不作为常规。极少数反复复发者可考虑截肢术。

37.14.3 纤维结构不良

纤维结构不良又称纤维异样增殖症，是一种发育性骨骼疾病，部分骨由不成熟的纤维结缔组织和形成不良的不成熟小梁骨替代。

(1) 临床和影像学表现

多见于儿童，可以是小的单骨病损，也可以是广泛弥散性多骨性病损，但常局限于一个肢体或骨骼的一侧。所以临床表现随病变范围而不同，小的病损无痛无畸形，可自发愈合，多发性病损可引起严重畸形和病理性骨折。X线表现也为“磨砂玻璃样”的典型征象，这是由于病损内含有不成熟骨小梁，它的X线密度比软组织深，但比成熟骨要浅。病损的边缘清晰，并有薄层的成熟反应骨壳。负重骨可有严重畸形。

(2) 病理学表现

病理学的基本变化是在纤维结缔组织内有不成熟骨。这种不成熟骨不像正常骨的向心性平行板层纤维，骨小梁和邻近小梁无关，这也导致了纤维结构不良骨的生物力学明显衰变，很少有活跃的丰硕骨母细胞。骨母细胞不像正常再塑造那样有清楚排列，这是与骨化性纤维瘤的鉴别点。

(3) 诊断和鉴别诊断

纤维结构不良和其他有不成熟骨小梁的病损的鉴别诊断有：骨样骨瘤，骨母细胞瘤，甲旁亢的“棕色瘤”，骨化性纤维瘤和骨肉瘤。可以根据临床和X线表现作出鉴别。代谢性病损可按实验室检查进行鉴别。

(4) 治疗和预后

用搔刮进行囊内病灶移除，用松质骨填塞。同时为了加强纤维结构不良骨的强度，可做皮质骨移植。术后往往需要外固定，用传统的内固定反不如正常骨有效。

纤维结构不良因恶变而成为肉瘤时，可按肉瘤的治疗原则进行治疗。

37.14.4 骨纤维结构不良

(1) 临床和影像学表现

骨纤维结构不良既往又称骨化性纤维瘤，有人认为是纤维结构不良的一种。局限于胫骨，也有少见于掌骨和跖骨。X线显示为不规则的椭圆形的透亮区，多见于皮质骨被反应骨包围。透亮区内部的密度比外围软组织的密度要高。

(2) 病理学表现

组织学显示为结构杂乱的物块，并有不成熟的骨小梁形成。它与纤维结构不良的区别是它的骨母细胞多见，有板层骨形成。

(3) 诊断和鉴别诊断

主要与纤维结构不良相鉴别，根据X线和组织学特征进行区别。

(4) 治疗和预后

包囊内搔刮和界限切除不仅有较高的复发率，同时还会加重病损。骨干的节段性切除可防止复发。生长停止后病损成熟，可作界限性包囊外切除，加用皮质骨移植，不会促进侵袭性复发。

(冯振洲)

37.15 脊柱肿瘤

脊柱肿瘤具有较高的致残率和死亡率。脊柱肿瘤属脊柱外科和骨肿瘤科交叉学科领域。过去的二三十年中，骨肿瘤的治疗取得了长足进步。然而，由于脊柱解剖结构的特殊性，脊椎骨的结构与形态比较复杂，椎管内有脊髓、神经根、马尾神经以及周围大血管等重要毗邻结构，使脊柱肿瘤的治疗尤其手术切除远较四肢骨肿瘤困难。长期以来，多数医师采取“局部刮除”、“单纯减压”或“单纯脊柱固定”等偏于“姑息”与“保守”的治疗方法。

近年来，原发性和转移性脊柱肿瘤的发病率和就诊率呈逐年上升的趋势，脊柱肿瘤逐渐引起人们的重视。众多国内外学者进行脊柱肿瘤治疗的基础和临床探索，并取得了令人鼓舞的成绩。随着对脊柱肿瘤的认识不断深入和早期诊断手段的进步，脊柱肿瘤外科治疗的理念和技术得到长足的发展，逐渐转变为外科治疗结合放、化疗、免疫治疗等多学科治疗的综合治疗模式。

37.15.1 概述

37.15.1.1 脊柱肿瘤的分类

目前对骨肿瘤的组织发生、命名和分类等方面的看法仍存在分歧。世界卫生组织(WHO)单纯根据组织学，特别是肿瘤细胞所显示的分化的类型及它们所产生的细胞间物质的类型进行，并将转移性骨肿瘤及滑膜组织肿瘤排除在外。本章采用方先之对骨肿瘤的分类法，将脊柱肿瘤分为原发性脊柱肿瘤和转移性脊柱肿瘤。

原发性脊柱肿瘤发病率较低，仅占所有肿瘤的0.4%。脊柱原发性肿瘤的类型与四肢肿瘤并不一致。在四肢中多见的骨软骨瘤、内生软骨瘤、骨肉瘤及尤文肉瘤等，在脊柱发病率低。据1990年我国骨肿瘤及瘤样病变统计资料显示，我国脊柱肿瘤中原发良性肿瘤主要为：骨软骨瘤、骨血管瘤、骨母细胞瘤、软骨瘤、神经纤维瘤、骨样骨瘤、软骨母细胞瘤、神经鞘瘤等；主要的瘤样病变为：嗜酸性肉芽肿、动脉瘤样骨囊肿、纤维异样增殖症、孤立性骨囊肿；原发恶性肿瘤主要为：巨细胞瘤、脊索瘤、骨髓瘤、恶性淋巴瘤、软骨肉瘤、恶性纤维组织细胞瘤和骨肉瘤等。

转移性脊柱肿瘤远较原发性脊柱肿瘤常见，其发病率是原发性肿瘤的35～40倍。据统计转移至脊椎的恶性肿瘤仅次于肺和肝脏，居第3位。最容易产生脊椎转移的恶性肿瘤依次为：肺癌、乳腺癌、前列腺癌、肾癌、甲状腺癌、胃肠道肿瘤、妇科肿瘤和黑素瘤，其中肺癌、乳腺癌、前列腺癌最为多见。

37.15.1.2 临床表现

由于脊柱肿瘤早期缺乏特征性的临床表现，难以在早期发现，易出现误诊、漏诊，大部分患者就诊时往往已处于中晚期，给治疗带来一定的困难并影响治疗效果。无论是原发性或转移性脊柱肿瘤，临床多表现为局部疼痛、神经功能障碍、局部包块或脊柱畸形。而无症状脊柱肿瘤通常在常规体检中被发现，这种情况并非少见。

(1) 疼痛

疼痛是脊柱肿瘤患者最常见、最主要的症状。80%～95%的原发性脊柱肿瘤在确诊时疼痛是首发症状，有时是唯一症状。脊柱肿瘤所致疼痛的机制可能包括：骨的浸润和破坏(尤其是骨膜的膨胀)、骨病变组织的压迫、病理性骨折、脊柱失稳以及脊髓、神经根或神经丛的压迫和侵蚀等。

夜间疼痛是脊柱肿瘤特征性表现。主要原因：①夜间患者通常采取卧位，静脉压力相对较高，而对肿瘤周围的末梢神经形成刺激。②夜晚患者的精神注意力相对较为集中，对疼痛变得较为敏感。③肿瘤释放的一些炎性介质对神经形成刺激等。此外，患者咳嗽、打喷嚏、用力或其他增加腹内压的动作可诱发疼痛加重。

脊柱肿瘤发生的部位不同，可以产生相应具有一定特征性表现的疼痛。

1) 枢椎齿突肿瘤可产生严重的颈部疼痛，并经枕部放射到头顶部，颈部活动时(尤其是前屈时)疼痛加重，能诱发放射到手臂或后背部尖锐的放电样异常感觉(Lhermitte sign)或诱发从上肢到下肢的麻木、乏力。

2) C_7、T_1 椎体肿瘤的疼痛可从一侧或双侧肩后部经臂的内侧达肘部或手的尺侧，也可能出现环小指麻木、无力，手内在肌、伸腕伸指肌、肱三头肌废用性萎缩。Horner 综合征提示椎旁的交感神经受累。

3) 中胸段脊柱肿瘤产生的放射样疼痛一般围绕胸背部，呈束带感，有时易与心绞痛混淆。侵及下胸椎或上腰椎的肿瘤产生的疼痛放射到腹前壁，易与胆囊炎、阑尾炎、憩室炎或肠梗阻混淆，尤其是自主神经受累产生麻痹性肠梗阻时更易混淆。L_1 椎体肿瘤产生的疼痛可以放射到一侧或两侧的骶髂部、髂前上棘或腹股沟部，产生膀胱、直肠功能缺失或性功能障碍，伴有大腿麻木无力时则提示脊髓圆锥部受压。

4) 肿瘤累及下腰椎可以产生类似坐骨神经痛和神经功能障碍，易与腰椎间盘突出混淆，但这种疼痛常常卧床休息时不减轻反而加重。

5) 肿瘤侵及骶骨时产生下腰部或骶尾部疼痛，并可以放射到会阴部或肛周。膀胱直肠功能缺失或性功能障碍可在会阴部或肛周感觉缺失之前发生。

腰骶部肿瘤产生的疼痛经常在端坐或仰卧时加重而站立时减轻。可出现神经牵拉试验阳性、大腿或臀部放射痛、下肢无力和麻木。

(2) 肿块

以肿块为首发表现的患者并不常见，主要见于颈椎或脊柱后部附件结构的肿瘤，由于脊柱骨肿瘤多发生在椎体，因椎体的位置深在，难以在体表发现。形成较大包块的良性脊柱肿瘤主要见于骨软骨瘤、动脉瘤样骨囊肿、颈椎巨大哑铃型神经鞘瘤或神经纤维瘤等，这些病变生长缓慢，常常是偶然被发现，无明显疼痛或有轻微疼痛。恶性脊柱肿瘤中，恶性纤维组织细胞瘤、恶性神经鞘瘤、软骨肉瘤多见于椎旁、后腹膜包块，在胸背部通常可以触及有压痛的包块，恶性肿瘤的包块增长较快，对周围组织常形成压迫等，故常有局部疼痛、不适等表现，但四肢肿瘤中的局部温度升高等表现则不明显。

转移性脊柱肿瘤由于有原发病灶的存在，以及转移肿瘤一般恶性程度较高，生长比较迅速，易于诱发脊柱疼痛和神经症状等，故在形成较大包块前即可被发现。而部分脊柱肿瘤患者在脊柱区以外的其他部位可以发现有肿块的存在，如：恶性淋巴瘤等，此时触及的包块往往不对称，大小不一。对于脊柱皮样囊肿或表皮样囊肿可在表皮下触及包块或皮肤小凹，腰骶部可有多发性咖啡牛乳色斑。神经纤维瘤病可触及沿神经根走行的皮下包块。

(3) 畸形

脊柱肿瘤导致的脊柱畸形并不少见，其主要机制包括：肿瘤对椎体和(或)附件的破坏；脊柱周围组织的痉挛性反应，以及肿瘤体积较大对周围结构形成挤压等。常见的脊柱畸形有脊柱侧弯或后凸畸形。文献报道，骨样骨瘤和成骨细胞瘤有70%以上病例可伴有侧弯。脊柱肿瘤也可以引起侧弯，多发性神经纤维瘤病是儿童脊柱侧弯中较为常见的疾病，且多以侧弯就诊。巨细胞瘤、淋巴瘤、骨髓瘤等以及脊柱转移性肿瘤因椎体溶骨性破坏造成椎体塌陷，易形成后凸畸形。严重的脊柱畸形可造成脊髓压迫致使脊髓扭曲而产生脊髓病损。脊柱畸形也可以压迫椎间孔的神经根而出现神经根病损。

(4) 神经功能障碍

当肿瘤压迫或侵犯脊髓、神经根或椎旁神经丛时会出现相应的神经功能障碍，其表现通常为神经支配区域的疼痛、感觉与运动功能障碍及自主神经功能紊乱等。就诊时，55%以上的原发性恶性脊柱肿瘤患者出现神经功能障碍的表现，35%的良性原发性脊柱肿瘤患者出现神经功能障碍，75%以上硬膜外肿瘤患者出现运动无力，50%患者有感觉异常，60%以上患者有自主功能障碍。由于后柱破坏导致严重的本体感受器缺失或破坏了脊髓小脑传导通路而产生的共济失调并不常见。

脊髓受累而诱发的脊髓神经功能改变通常是双侧的，但根据脊髓受累轻重，双侧的表现可以有不同。其表现为：脊髓损伤平面以下无力、感觉缺失和痉挛，常伴有自主功能障碍(膀胱、直肠及性功能缺失)，在 C_4 平面以上时可以出现心慌、胸闷、呼吸困难的表现。

神经根或神经丛受累的体征和症状通常是单侧、不对称的，可在其受累神经的分布区产生根性疼痛、无力、肌萎缩、感觉丧失、反射消失及自主运动功能丧失。在硬膜外脊髓压迫水平偶尔会出现带状疱疹，可能与肿瘤侵犯背根神经节激活了潜伏的病毒有关。

37.15.1.3 实验室检查

1) 一般实验室检查 包括：血沉、肝肾功能、血清钙、血磷、血碱性磷酸酶、尿钙及尿磷等。溶骨性骨转移先在尿内有尿钙显著增多，若病情进展血钙将进一步增高。

2) 生化标记 酸性磷酸酶(ACP)、碱性磷酸酶(AKP)、血尿 Bence-Jones 蛋白等。当骨骼有正常形成或异常成骨时，如骨折愈合、骨肉瘤、成骨性转移性肿瘤、畸形性骨炎等，AKP 将会增高。血清中 ACP 增高，多见于前列腺癌转移。血尿 Bence-Jones 蛋白增高常见于骨髓瘤。

3) 肿瘤标记 多发性骨髓瘤患者可出现尿和血清中 M 蛋白。转移性肿瘤根据原发肿瘤的不同可有一些不同的肿瘤相关标记，如结直肠癌血清 CEA、CA199、CA120 多为阳性，前列腺癌血清 PSA 多为阳性。

37.15.1.4 影像学检查

1) X 线检查 X 线平片简便、低廉仍是目前骨肿瘤诊断主要的、首选的常规检查方法。对于可能发生病理性骨折造成脊髓压迫、移位可能性大和全身情况较差者，如果必须检查，应由医师陪同进行。摄片时由患者自己作伸屈运动，不能施加外力，以避免加重脊髓损伤，脊柱肿瘤可在 X 线片上出现成骨性、溶骨性和混合性表现。椎弓根破坏常提示恶性肿瘤侵犯。但骨肿瘤来源复杂种类繁多，大多数肿瘤的X线表现并无特征性，许多的骨肿瘤及非肿瘤疾患中可出现同样的X线影像如骨的溶骨破坏、囊状改变、致密硬化、骨膜反应等征象；同一骨肿瘤在不同的发展阶段X线征象也可不同。在临床工作应不断地积累经验加以鉴别。

2) CT CT扫描图像具有较高的密度分辨率，可直接显示X线平片无法显示的器官和病变，是诊断脊柱肿瘤的重要手段。

CT在脊椎部肿瘤中的主要应用为：①能较平片更清楚、更早期地显示肿瘤对骨皮质、松质骨等部位的侵蚀破坏以及肿瘤突破皮质形成瘤性软组织肿块等表现。②能通过CT值的测量和分析，初步判断肿瘤的性质。③CT能显示横断面结构，能较平片充分地显示病变的解剖位置、范围及与邻近结构，如与肌肉、脏器、血管、神经之间的关系。④有助于手术入路的选择。⑤CTM(CT脊髓造影)可进一步了解脊髓受压和程度。

3) MRI检查 MRI检查对于脊椎肿瘤是一种重要的诊断手段。其主要的优点为：①MRI是一种无创性的检查方法。②分辨率高。T1加权像提供了清晰的解剖图像，T2加权像可达到脊髓造影的效果，能清晰地显示髓内病变如水肿、出血、胶质增生、肿瘤、炎症等。同时也能清晰地显示肿物与其周围组织的关系，从而很容易了解肿瘤的界面、侵犯范围，对手术治疗方式选择、手术范围的确定及放、化疗后的疗效观察极有帮助。③能有助于早期发现骨髓病变肿瘤侵犯替代骨髓后可使正常骨髓信号消失而产生不正常的信号，因此用MRI检查很容易发现占据正常骨髓的病变。④是诊断脊柱转移性肿瘤的重要手段。MRI的敏感性可以和放射性核素骨扫描相媲美。MRI上出现多发椎体跳跃性受累、椎间盘嵌入征、椎间隙扩大征及附件受累是诊断脊柱转移肿瘤的有力依据之一。⑤MRI在显示肿块与重要血管的关系，同时在增强情况下动态扫描病灶内的信号强度的变化，进一步区别大部分肿瘤的良性和恶性。MRI对于界定肿瘤的反应区也有重要的意义，能为手术中行整体或广泛切除的范围提供依据。⑥MRI还具有一定的定性的作用。个别肿瘤在MRI上有一些特殊表现如脂肪瘤在T1和T2加权像上均表现为高亮信号；液-液平面常见于动脉瘤样骨囊肿；原发性非骨化性纤维瘤由于缺乏易感质子而在T1和T2加权像上均表现为明显的低信号；T1加权像呈低信号，T2加权像为高信号，Gd增强，而且凸向硬膜外和脊柱旁，见于有症状的脊柱血管瘤。

4) 放射性核素检查 放射性核素骨显像对于骨与软组织肿瘤的诊断具有高灵敏度和准确度的资料，同时具有安全、简便、灵敏等优点，便于临床应用，目前已成为临床诊断脊柱肿瘤(尤其是骨转移瘤)和随访治疗效果的一种有力手段。常用为单光子发射型计算机断层成像(single photon emission computed tomography, SPECT)。

正电子发射计算机断层成像(single photon positive emission computed tomography, PECT)是近年来新出现的一种核素骨显像技术。它以微量放射性正电子核素注入人体，正电子核素经过衰减，发出正电子与周围组织中的负电子结合产生湮没辐射，形成一对能量相同、方向相反的光子，并被探头所探测，经过数字化成像，获得三维图像。PECT所用的正电子核素大多是构成人体的基本元素或其类似物，如C、N、O、F等，其标志则多是人体生理物质，如葡萄糖、氨基酸、神经介质等。因而与CT、MRI不同，PECT显像是在分子水平上反映人体生理或病理变化，是一种代谢功能显像，能在形态学变化之前发现代谢或功能异常。有助于发现一般手段难以发现的微小原发灶和软组织转移灶。但目前其临床检查的价格仍较昂贵。

5) 数字减影血管造影(DSA) 可清晰地显示肿瘤的主要供血动脉来源及其分支、侧支循环状况、血管分布。

DSA血管介入治疗在脊椎肿瘤中应用较为广泛。通过术中对肿瘤供血血管的精确显影，进行动脉内灌注、栓塞肿瘤的供养血管，使化疗药物在杀伤肿瘤细胞的同时，致肿瘤内许多小血管内皮的变性、坏死，进而使血管狭窄、闭塞，再致肿瘤组织的液化和坏死。目前，随着对肿瘤供血血管可做到超选水平，介入治疗可更为精确地显示并栓塞肿瘤供血血管，从而使DSA更为广泛地使用在骨肿瘤的治疗中。

37.15.1.5 病理学检查

脊柱肿瘤的病理学检查在其诊断和治疗中有重要的意义。在做出一个正确的骨肿瘤诊断时应严格掌握临床、影像和病理三结合的原则。术前行病理活检，既有助于明确病变的类型、原发肿瘤或转移肿瘤，同时也能为制订化疗、放疗、手术方案及评估预后提供依据。

37.15.1.6 鉴别诊断

1）结核 在脊柱炎症性疾患中结核最为常见。结核可有局部持续性钝痛，活动受限，可发生病理性骨折，出现高位脊髓受压时可危及生命。主要鉴别点：①结核常伴有全身中毒症状，如全身不适、倦怠乏力、身体消瘦、午后低热及夜间盗汗等。患者可合并有肺结核、泌尿系结核等其他部位的结核。②结核病患者局部疼痛常在卧床休息后可减轻，夜间痛不明显。③结核影像学上见椎前软组织阴影可增宽，气管可被推向前方或偏于一侧，见脓肿形成，晚期脓肿内可见钙化影。结核在好转时首先表现为骨质破坏停止进展，破坏区的边缘变为清楚和增密，在破坏区内逐渐出现骨质硬化现象。CT平扫显示为密度略低的肿块，CT值提示为液性密度，不均匀，增强后脓肿周缘有环状强化。结核MRI在T1加权图像上信号减低，T2加权图像上信号增强，骨皮质模糊。在矢状面成像上可以比较清楚地显示椎前脓肿光滑的边界。④经短期的抗结核治疗有效。

2）骨质疏松性骨折 椎体骨质疏松以50岁以上老年女性为多见。其与脊柱肿瘤在病因上完全不同，但骨质疏松性骨折后可导致相似的症状。骨质疏松所引起的椎体骨折，X线片上可表现为双凹或楔形改变，后缘相对较直。椎间隙一般不狭窄，但合并椎间盘突出，可引起间隙的狭窄。研究认为MRI上椎体转移灶可依据以下特点与骨质疏松性骨折相鉴别：①椎体后缘骨皮质后凸。②硬膜外肿块。③T1加权像椎体或椎弓根弥漫性低信号改变。④T2加权像或增强后高信号或不均匀信号改变。

在诊断中还应注意与椎间盘突出、良性肿瘤、原发恶性肿瘤、血管及脊髓疾病相鉴别。

37.15.1.7 治疗

（1）治疗原则

1）综合考虑 应考虑多方面因素的影响，以决定治疗方法，主要有年龄、一般状况评分、预后、肿瘤类型、肿瘤负荷、局部稳定性和脊髓功能等。

2）手术治疗目的 ①尽可能除去病灶。②维持即时的或永久的脊柱稳定性。③恢复或充分保留神经功能，防止脊髓压迫。④缓解疼痛。⑤最大程度地保留和改善患者的生存质量，延长生存期。

3）综合治疗 强调综合治疗包括化疗、放疗、激素治疗、免疫治疗，以减少术后复发和转移。

4）对症支持治疗 脊柱肿瘤治疗尤其是恶性肿瘤治疗，应尤其注意到支持治疗的重要性，如维持水电平衡、止痛、抗恶病质的治疗。

（2）脊柱肿瘤的外科治疗

1）术前评估 脊柱肿瘤患者在术前必须进行严格而准确的术前评估，从而决定所采取治疗的原则。术前评估包括：①患者的一般状况，是否能耐受手术。②预后情况。③脊柱肿瘤的分期和局部椎体侵袭情况。④是否具备手术适应证，是行放疗、化疗和综合治疗还是行手术治疗。⑤手术方式：是行扩大范围的广泛切除为目的的手术还是姑息性的手术治疗。⑥手术时机：是给予观察后择期手术还是立即手术。

目前对于脊柱肿瘤的临床评估系统尚未统一。临床评估系统大致分为两种：①以全身评估为基础，侧重于预后的判断：主要有Tomita评分、Tokuhashi评分。②以评估肿瘤局部病变为基础，侧重于手术方式的判断：主要有Harrington分型、Tomita分型、Enneking分期及WBB分期。

2）手术适应证 目前关于脊柱肿瘤的手术适应证尚存在不少的争论，对于一些个别的肿瘤其适应证也不尽相同，尚未达到统一。一般而言，脊柱肿瘤主要的手术适应证：①进行性的椎体不稳或塌陷，可能或已经引起脊髓神经根受压，神经功能损害。②脊髓受压，引起进行性的神经功能障碍，对非手术治疗无效。③顽固性疼痛经非手术治疗无效。④明确病变性质。同时在进行手术时也应充分考虑到社会经济因素，了解患者的期望值，取得患者的理解和充分的配合。

（3）脊柱肿瘤的放射治疗

由于脊柱肿瘤所处解剖位置的特殊性，手术常难以实现完整的病灶切除。放疗是治疗脊柱肿瘤的一种重要的辅助手段，具有以下作用。

1）局部治疗椎体转移性肿瘤，直接杀灭肿瘤细胞 一些肿瘤对于放疗非常敏感，如尤文肉瘤、淋巴瘤、骨髓瘤、血管瘤和精原细胞瘤等，可将放疗作为首选治疗；另一些肿瘤对放疗中度敏感，如乳腺癌、前列腺癌、动脉瘤样骨囊肿等也可先行放疗；对于放疗不敏感的原发性肿瘤（如骨肉瘤等）或转移性肿瘤，实践证明也可将放疗作为术后辅助治疗的主要手段之一，有助于缓解症状和防止复发。

2）缓解疼痛，防治病理性骨折 有60%～80%

的患者在行放疗后其疼痛能得到有效地缓解。影像学可见到溶骨性破坏,可出现重新钙化,可有助于预防病理性骨折。若疼痛始终不能缓解,应考虑存在脊柱不稳定因素或有骨折碎片的直接压迫脊髓。

3) 术前治疗为手术准备　缩小瘤体,引起肿瘤血管栓塞,减少出血,以便于手术切除。

根据放疗的方式可分为外放射和内放射,根据放疗的时机可分为术前、术中和术后放疗。为避免脊髓在放疗后出现放射性脊髓炎,一般总剂量应控制在 50 Gy(5 000 Rad)以内。

20 世纪 90 年代以来,随着计算机技术和高新技术的发展,脊柱肿瘤的放疗模式正面临着巨大的变革。传统的二维治疗模式逐渐被三维适形放疗(3-dimension conformal radiotherapy, 3D-CRT)模式所取代。3D-CRT 通过多层面的 CT 扫描,计算机三维重建,使得放射线高剂量分布的形状在三维方向上与脊柱病变(靶区)的形状一致,改善靶区的剂量分布和最大限度地减少正常组织受照剂量。近来发展起来的调强放疗(intensity modulated radiation therapy IMRT)是指满足 3D-CRT 条件的基础之上,还必须要求每一个照射野内诸点的输出剂量率能够按要求的方式进行调整,使得靶区内及表面的剂量处处相等。IMRT 技术进一步克服了 3D-CRT 的局限性,使肿瘤受到更为精确的大剂量照射的同时减少在周围组织中的剂量,提高放疗精确度。通过 3D-CRT 及 IMRT 可以使脊柱肿瘤的放疗剂量超出 50 Gy,而同时使脊髓的剂量仍局限于安全范围内。

(4) 脊柱肿瘤的化疗

对于全身化疗敏感的肿瘤如尤文肉瘤、淋巴瘤、骨髓瘤、精原细胞瘤和神经母细胞瘤等,化疗可作为一线治疗方案。

对于颈椎转移性肿瘤而言,手术即使能以边缘切除方式切除瘤体,但也不能消除所有的局部微转移灶。单纯依靠手术治疗的效果是有限的,而微转移灶的存在是肿瘤复发和转移的主要原因,也是影响存活的主要原因。全身化疗可以对原发瘤本身进行治疗,同时能有效地消灭亚临床病灶,减少肿瘤复发和转移。因此,手术辅以放、化疗,能有效提高转移性肿瘤的 5 年存活率。但应注意,对于转移性肿瘤出现脊髓压迫时,单纯行全身化疗是不充分的。即使是对于化疗高度敏感的淋巴瘤,仍应联合放疗及手术治疗以避免因脊髓压迫而导致不可逆的神经功能障碍。化学药物很多,目前多主张行多药联合化疗以提高疗效,尽量降低肿瘤耐药性。

37.15.2 常见原发良性脊柱骨肿瘤

37.15.2.1 脊柱骨样骨瘤

骨样骨瘤(osteoid osteoma of spine)是由骨母细胞及其产生的骨样组织所构成的良性肿瘤。脊柱骨样骨瘤发病率低,约占所有脊椎良性骨肿瘤的 6%,约 13% 的骨样骨瘤发生于脊柱。脊柱骨样骨瘤常发于儿童及青年人,多为 5～30 岁(平均 14.5 岁),90% 患者年龄在 30 岁以内。

(1) 临床表现

疼痛为脊柱骨样骨瘤患者就诊的主要原因。初期多为患病局部间歇性轻度疼痛,休息后疼痛减轻或消失,活动后加剧。随着病情的进展,疼痛逐渐变为持续性剧痛,夜间加剧,影响睡眠。脊椎局部可略肿胀,伴有压痛。极少数患者,由于肿瘤压迫神经根,可引起下肢根性痛。

脊柱骨样骨瘤可引起痛性轻度脊柱侧弯,侧弯的顶点常为病灶所在部位。主要为脊神经根受到刺激或压迫时,为缓解疼痛,脊柱向一侧弯曲,呈保护性反应状。颈椎骨样骨瘤可以呈斜颈。Saifuddin 等分析了 421 例脊柱骨样骨瘤和脊柱成骨细胞瘤患者,其中 63% 的患者出现疼痛性脊柱侧弯,侧弯畸形凹向病灶侧,仅 3 例患者凸向病灶侧。脊柱骨样骨瘤比脊柱成骨细胞瘤更容易引起侧弯。当肿瘤位于椎板、关节突和椎弓根时常发生脊柱侧弯,而棘突上的骨样骨瘤不会引起脊柱侧弯。

(2) 影像学检查

1) X 线表现　脊柱的骨样骨瘤主要发生于脊椎的后部结构,约一半以上患者病灶位于椎弓根或椎板;1/5 的病灶在关节突,另 1/5 发生在横突、棘突和椎体上。肿瘤早期往往不显影,周围骨硬化亦不明显,X 线检查常为阴性。如有典型临床症状,则应间隔 4～6 周复查摄片。发现病变时,主要表现为瘤巢,椎弓病灶呈巢状改变及其周围有增生硬化的反应骨。病变早期仅表现为密度增高,瘤巢不能显示。随病变的发展,肿瘤的骨样组织表现为密度较低、边缘清楚的瘤巢,此时的瘤巢最为典型。进一步发展,瘤巢内不断钙化及骨化,而显示密度增高的不透亮阴影。当瘤巢中心部钙化,钙化的周围有一透亮圈时,则颇似巢内"鸟蛋"样表现。当瘤巢较大,内有圆形钙化、周边有较宽透亮带时,颇似牛眼状,称为“牛眼”征。瘤巢边缘清晰，呈圆形或椭圆形，直径<2 cm，一般在0.5～2 cm。瘤巢生长快慢不一，有的数月内明显增大，亦可多年不变。位于椎体的骨样骨瘤，瘤巢周围骨质增生大多不明显，或仅有一较薄硬化环。

2）CT检查　典型的骨样骨瘤表现为椎板或横突局部膨大，呈骨样高密度信号，可突出于椎板外，呈类圆形肿块。瘤巢为孤立密度减低区，被周边的反应性骨化区包绕，其内常见有斑片状钙化（图37-8）。病灶局限，生长缓慢，可向周围延伸形成软组织包块，但很少破坏周围骨结构。CT是外科手术前的最佳定位检查方法。

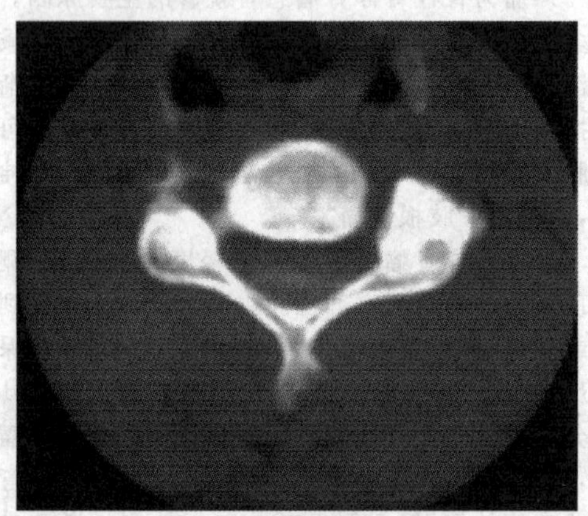

图37-8　C_5左侧横突骨样骨瘤
CT示C_5左侧横突类圆形透光区，
周边为硬化带包绕

3）MRI检查　MRI效果比CT差，常难以清晰显示瘤巢的轮廓。瘤巢在T1加权像为低信号，在T2加权像为高信号，视其钙化程度而信号变化较大。硬化的边缘在T1加权像和T2加权像都为低信号。静脉注射Gd-DTPA对比剂，边缘可有轻度的增强。

4）骨扫描　可见异常性的放射性浓聚，对于行X线、CT诊断仍模糊的患者，可行此检查以进一步明确诊断。

（3）病理学特征

1）肉眼观察　在完整的标本上，肿瘤呈圆形或椭圆形，体积较小，直径一般为0.5～2 cm。肿瘤与周围骨组织之间有一环形充血带，因而分界清楚。周围组织发生反应性硬化，肿瘤位于其中心。肿瘤的色泽和质地随其组成成分而异，当骨样组织占优势时，切面呈棕红色，间或杂有黄色或白色斑点，质地为颗粒状；当核心为密集的骨小梁组成时，则呈红白色，质地致密而坚硬。

2）镜下所见　肿瘤核心由骨母细胞、骨样组织和编织骨组成，间质为富含扩张小血管的疏松结缔组织，有多少不等的破骨细胞。中期骨样组织和编织骨增多，伴破骨细胞性骨吸收。最后，骨小梁可互相连接成网状，但不会形成成熟的板层骨。

（4）治疗

骨样骨瘤是一良性肿瘤，至今尚无骨样骨瘤恶变或转移的报道。对于脊柱骨样骨瘤，当骨骼发育成熟，无结构性侧凸危险时可先予非甾体类抗炎药治疗。对于症状明显的骨样骨瘤可行刮除术，范围必须包括骨样骨瘤的巢穴及周围的反应性硬化骨，术后约95%的患者疼痛消失。如果手术中未能将骨样骨瘤切除干净，术后病理学检查没有发现巢穴，在这种情况下临床症状也可以消失，但术后易复发。Ozaki等报道9例骨样骨瘤病例，其中2例因骨样骨瘤瘤核切除不彻底而复发。早期确诊和肿瘤的彻底切除可以使脊柱骨样骨瘤患者的脊柱侧弯恢复正常。如果脊柱侧弯发生时间超过15个月，即使手术切除肿瘤，侧弯也难以完全恢复正常。

37.15.2.2　*脊柱骨母细胞瘤*

骨母细胞瘤（osteoblastoma of spine）又称良性成骨细胞瘤，以往曾称为成骨性纤维瘤、成骨性骨纤维瘤及巨大骨样骨瘤，1956年Jaffe将其正式命名为骨母细胞瘤。骨母细胞瘤是一种趋向于分化为成骨细胞的良性肿瘤，产生骨样组织和骨，大多数病例常需与骨样骨瘤相鉴别，然而，在骨样骨瘤和骨母细胞瘤之间的确存在过渡和临界型的病例，骨母细胞瘤的发病率约为骨样骨瘤的1/5。脊椎骨母细胞瘤一般均起源于脊柱后结构，仅累及椎体的极为少见。

骨母细胞瘤在脊柱原发性骨肿瘤中的发病率约为11%，一般以腰椎、胸椎为多见，常见于椎体后部及椎弓。好发年龄10～25岁，男性与女性患者之比约为2∶1。

（1）临床表现

起病隐匿缓慢，主要症状为局部轻度钝痛，无夜间痛，无骨样骨瘤的特征样疼痛。与骨样骨瘤相比，疼痛区域较广，水杨酸制剂难以缓解疼痛。局部软组织肿胀，压痛明显。病程一般较长，部分病例肿瘤生长迅速，可出现神经根和脊髓压迫症状，如腰痛、下肢放射痛及感觉异常，甚至截瘫。脊柱骨母细胞瘤常可出现凹向病灶侧的侧凸畸形。偶有碱性磷酸酶增高，提示成骨细胞活跃。

(2) 影像学检查

1) X线检查　大多数骨母细胞瘤发生于椎弓，侵犯棘突、横突、椎板及椎弓根。X线表现为边界清楚的孤立性溶骨性破坏区，可有膨胀性改变。肿瘤内可有不同程度的骨质增生，边缘有轻度硬化，内见小点片状、斑点状钙化、骨化影，部分有软组织肿块，一般无骨膜反应。骨皮质可破裂中断，肿瘤侵入周围软组织及硬膜外区域。10%的病例可见侵袭性特征，如虫蚀状的特征和生长迅速。

2) CT　能更清楚地显示病变破坏程度和范围，有利于手术方案的制订。CT可发现肿瘤区有骨质溶解，边界清楚，周边硬化，向外突出的软组织肿块较大，常被钙化环包绕。肿瘤内可见钙化或新骨形成。病变很少累及椎体。当破坏区边缘模糊，病灶内钙化、骨化影模糊或减少，软组织肿块有钙化及术后复发，多提示有恶变可能。

3) MRI　瘤体和周围软组织肿块在T1加权像为低信号，在T2加权像为高信号(图37-9)。钙化和硬化的边缘在T1加权像和T2加权像都为低信号。如有脊髓受压，MRI检查可显示脊髓受压的程度和范围。

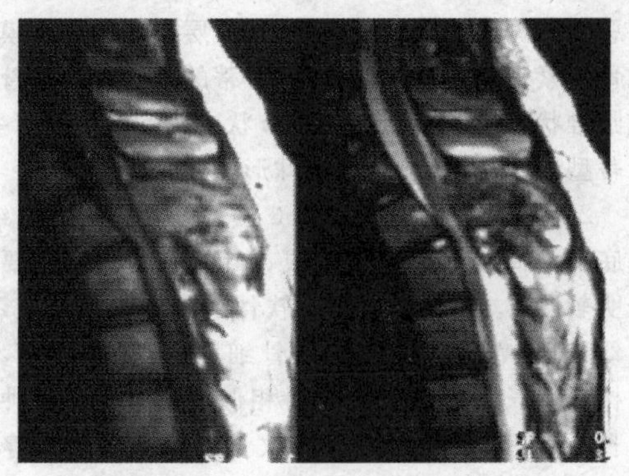

图37-9　T_1附件骨母细胞瘤MRI

T1WI为低信号，T2WI为高信号

(3) 病理学特征

1) 肉眼观察　肿瘤呈膨胀性生长，大小不一，直径多>1.5 cm(2～12 cm)。外观与骨样骨瘤相似，但比骨样骨瘤大。肿瘤边界清楚，周围仅有一薄层硬化骨，缺乏明显反应骨形成区，无瘤核形成，内为暗红或棕红色、质脆易碎的砂砾状组织，较大病变者可发生囊性变。

2) 光镜所见　镜下可见大量骨母细胞，呈薄片状、巢状和束状。细胞质少，着色淡；胞核圆形或椭圆形，着色较深；核仁不明显，核分裂少见。细胞间有丰富的血管及网状排列的骨样组织，有时散在分布多核巨细胞。骨母细胞瘤除出现经典的组织学特征外，尚可出现轮辐状排列及血管瘤样变化。骨母细胞增生活跃及出现异形的巨型上皮样骨母细胞可作为恶性骨母细胞瘤的组织学诊断依据。

(4) 治疗

保守治疗一般无效。如肿瘤血供丰富可考虑行术前血管造影，栓塞大的营养血管。骨母细胞瘤的恶性潜能不易预测，大约15%的骨母细胞瘤手术后复发，尤其是行刮除术的患者。因此主张尽量行肿瘤广泛切除术，避免病灶内切除。术后可行放疗，尤其是对术中无法实行边缘切除的病例，但有报道少数骨母细胞瘤患者行放疗后转化为骨肉瘤。

37.15.2.3　*脊柱骨软骨瘤*

骨软骨瘤(osteochondroma of spine)又称外生骨疣，为最常见的良性骨肿瘤，为骨的错构瘤。多发生于靠近关节的长管状骨，可单发或多发。单独发生于脊柱者少见。发病年龄在10～20岁间最多见，男女之比为(1.5～2)∶1。多发性骨软骨瘤同义词较多，如家族性多发性外生骨疣、遗传性多发性骨软骨瘤、遗传性多发性外生骨疣、遗传性畸形性软骨发育障碍、软骨发育不良及软骨发育异常症等。有2/3的多发性骨软骨瘤患者有明显的遗传特性。

(1) 临床表现

发生于脊柱的骨软骨瘤，多见于颈椎和上胸椎，多发生在附件。瘤体小者可无任何症状，常于体检X线片时发现；瘤体大者可压迫椎管内血管、神经根和脊髓，出现脊髓和神经根的压迫症状。部分患者可发生脊柱侧弯。大约1%的单发性骨软骨瘤和5%～25%的多发性骨软骨瘤可恶变为软骨肉瘤，局部出现疼痛、肿胀、软组织包块等症状。恶变情况与生长部位有关，位于躯干骨(含脊柱、骨盆、肩胛骨、肋骨等)的骨软骨瘤约10%可转化为软骨肉瘤。

(2) 影像学检查

1) X线、CT表现　X线和CT检查均清楚显示病变的形态及局部骨质特征性的改变。从正位 X 线片中所显示的骨软骨瘤可能产生中心性病变的假象，因此在进行放射线检查时，至少需要进行两个方向的投照。X 线表现为起自椎体附件的骨性突起，以宽基底附着附件，表面呈菜花样(图 37-10A)，以广基底附着于母骨表面，瘤体内骨小梁与正常松质骨一样，肿瘤尖端可见与透亮软骨阴影相间的不规则钙化与骨化影。肿瘤较大时，突入椎管内造成椎管狭窄，压迫脊髓和脊神经。在脊柱，进行 CT 检查可以确定肿瘤植入的基部。多发性脊柱骨软骨瘤特别好发于棘突和横突。

2）MRI 表现　肿瘤瘤体部分在 T1 加权像为高信号，在 T2 加权像为中等或高信号；软骨帽呈分叶状，T1 加权像为低信号，T2 加权像为高信号，软骨帽分叶之间存有低信号间隔(图 37-10B、C)。软骨帽表面覆盖有一层在各加权像上呈低信号的纤维包膜。MRI 通过软骨帽信号的变化，可推断出肿瘤的生长状态，为手术提供帮助。T2 加权像的高信号代表肿瘤处于骨生长期，或静止状态的软骨残存；软骨帽高信号消失，则代表肿瘤生长停止。若软骨帽厚度＞10 mm，则有恶变的可能。Gd-DTPA 增强扫描时，肿瘤常无强化。

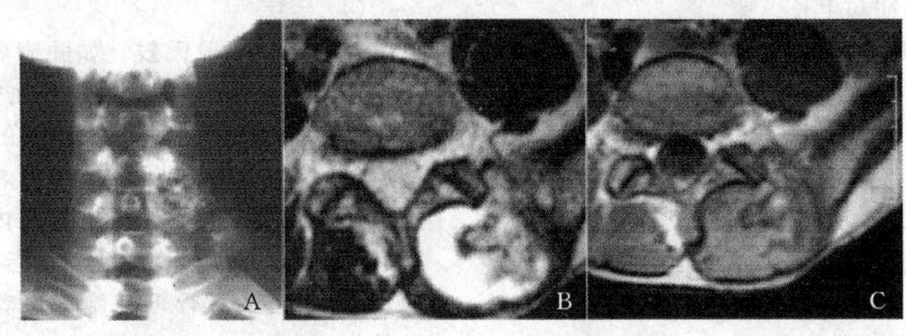

图 37-10　$C_5 \sim C_7$ 骨软骨瘤

A. 椎旁骨性突起，表面呈菜花样　B. MRI T1WI 像示软骨帽呈低信号
C. MRI T2WI 像示软骨帽呈高信号

3）骨软骨瘤恶变的表现　①肿瘤停止生长后又突然加快生长；30 岁以上肿瘤体积突然增大，生长迅速；或生长缓慢的肿瘤近期增大迅速，并出现疼痛。②软骨帽增厚：一般认为年龄越小软骨帽越厚，但如直径＞1 cm，则应高度怀疑恶变的发生。③软骨帽的钙化密度变淡，钙化环残缺不全，边缘模糊或骨端出现不规则的骨质破坏。④骨软骨瘤内出现透亮区。⑤软组织肿块形成。⑥肿瘤同周围软组织失去清晰界限。

4）骨扫描检查　儿童活动性骨软骨瘤的骨扫描检查结果常呈阳性，而成人不活动性骨软骨瘤的骨扫描结果常为弱阳性或阴性。

(3) 病理学特征

1）肉眼观察　肿瘤形态多种多样，一般分为基底部与冠部两部分。基底部与骨相连，宽窄不等，可细长或粗短。细长者成为蒂，骨皮质延续成为蒂的薄层皮质，内为松质骨。冠部为软骨层，厚薄不一，多在 1～10 mm 间，其厚度与患者年龄有关。在儿童和青少年，正处于骨生长活跃期，软骨厚度可达 3 cm。而在成人可完全缺如。这种现象是由于在停止生长后，肿瘤周围结构对软骨帽盖产生压力及磨损所致。而在成人如软骨帽盖＞1 cm，应考虑骨软骨瘤有恶变的可能。软骨冠表面，有一层很薄的纤维膜与软骨冠紧密相连，很难剥下。带蒂的骨软骨瘤呈管状或圆锥状，表面光滑或呈结节状，其顶端外形不一。无蒂型骨软骨瘤呈蝶状、半球形或菜花状。

2）镜下所见　肿瘤分 3 层：表层为纤维组织；基底部由海绵状松质骨构成；中间为软骨层，主要为透明软骨，这一层最重要。软骨细胞离包膜越近，则越幼稚；越靠近基底部的软骨细胞，分化越成熟，其结构与生长状态的骨骺软骨相似。在年轻患者肿瘤生长活跃，可见多数的双核软骨细胞。当肿瘤停止生长后，软骨细胞停止增殖，并出现退行性变。当软骨层偶因生长紊乱时，软骨中可有钙质碎屑沉积。当肿瘤发生恶性变而为软骨肉瘤时，亦有显著的钙化和骨化，且软骨细胞具有不典型的细胞核。骨软骨瘤为广基者则软骨层面积较大，而带蒂者只在顶端才有软骨覆盖，亦即软骨帽。

(4) 治疗

如肿瘤静止无症状，不须手术治疗，但应密切观察。当邻近软组织受压引起疼痛、或肿瘤侵及神经或血管引起功能障碍时，则应手术切除。为了避免遗留可能导致再生长的软骨帽碎片，儿童在手术时应将肿瘤充分显露，将骨膜、软骨帽盖、骨皮质及基底周围正常骨质一并切除。手术中容易出现肿瘤表面骨膜剥离不净，以及基底周围正常骨质切除过少而遗留有骨的突起。对成年人没有必要切除骨软骨瘤的干或基底，因为其骨质部分已经没有增殖能力，而且即使在囊内切除骨软骨瘤的顶部，一般也不会出现复发。手术前行 CT、MRI 检查可以了解与肿瘤有关的血管神经束移行情况，同时可重点显示骨软骨瘤软骨帽的异常增厚情况。脊柱骨软骨瘤多发生在附件，应施行包膜外或广泛切除，其复发率较低。长征医院对 24 例脊椎骨软骨瘤施行手术切除，未发生复发。

怀疑肿瘤恶性变时，必须实施严格的囊外、边缘或广泛切除。在切除过程中避免脱落骨软骨瘤的软骨面和瘤囊。同时，注意防止损伤瘤体，以免病变组织碎屑遗留于体内，而成为日后复发的隐患。

骨软骨瘤预后良好。发生恶变的软骨肉瘤，常分化较好，生长相对缓慢，恶性度低，转移较晚，早期彻底手术切除，仍可获满意效果。

37.15.2.4 脊柱血管瘤

脊椎血管瘤是较为常见的骨附属组织良性肿瘤，据统计有 1/4～1/3 发生于脊柱，女性的发病率略高于男性。其发病率有随年龄增加而增高的趋势。

(1) 临床表现

脊柱血管瘤(hemangioma of spine)可发生于任何年龄，最小 13 岁，最大 70 岁，男女无明显差别。由于骨血管瘤生长缓慢，可在生长过程中静止或退化，故长期可不出现症状。主要症状有局部疼痛和局限性肿胀，患椎棘突压痛，叩击痛或有脊柱侧凸，后凸畸形，有时产生神经受压症状。严重者可合并病理性骨折或脊髓、神经压迫症状，表现为放射痛、下肢麻木、无力，甚至截瘫。

(2) 放射学特征

1) X线 普通平片就能诊断，虽然常常需要考虑其他诊断，由于血管瘤区域有反应性骨化，可见垂直样的细条结构(俗称栅栏样)改变(图 37-11A)，也可有蜂巢或灯芯绒布样改变，约 1/3 的患者可通过平片发现病灶。破坏主要限于椎体或后部结构，甚至肋骨，为非特异性。但蜂巢结构的椎体和神经系统症状常是特征性的，皮质骨和椎间盘是完整的，椎体崩溃不常见，不同于转移瘤。Healy 报道 1/3 的椎体血管瘤是多椎体的，最多者达 5 个椎体。

椎体血管瘤可见椎旁软组织阴影。软组织阴影代表血管瘤椎旁软组织扩张，结核同样可导致椎旁软组织团块。与血管瘤不同的是：结核常伴椎体塌陷，在塌陷前常有椎间隙高度的下降和椎体前方的破坏。垂直样的栅栏结构不会出现在结核椎体中。与转移肿瘤相区别的是：椎体血管瘤没有皮质骨的破坏，通过骨化的程度和塌陷的趋势可资鉴别。骨膨胀在转移瘤中(除外肾细胞癌和骨髓瘤)少见；转移瘤常破坏非相邻节段的椎弓根；Paget 病局限于单一椎体，常引起粗大骨小梁形成，粗看和血管瘤有几分相似之处，但后者常有皮质骨的增厚，椎体形成画框样结构。Paget 病常有骨结构的改变，通常有碱性磷酸酶的增高。其他引起粗大骨小梁的疾病还有多发性骨髓瘤、淋巴瘤和血液病的晚期恶病质。

2) CT 能较明确显示病变，椎体可有点状密度增高表现(图 37-11B)，显示病变的范围和软组织的浸润程度。增强扫描可进一步显示病变、软组织扩散或侵入硬膜外腔病灶，软组织可能被强化。Brooks 及同事改进了增强技术。Schuyder 通过鞘内注射描述硬膜外肿瘤的变化特点。

3) MRI 主要表现为境界清楚的类圆形病损。在 T1、T2 加权上均可表现为高信号并混杂有点状的低信号区。骨外病灶扩展则在 T1 加权上不显现高强信号。注射造影剂后血管瘤可增强。

4) 血管造影 血管瘤的供应血管通常是肋间动脉，造影可显现扩张的血管丛。Schuyder 报道 2 例根据血管造影未能明确诊断，而通过 CT 检查明确诊断。这 2 例血管出血引起脊髓受压。(急性)血管瘤造影常不能显示椎体缺损。Feuerman 及同事同样报道了类似情况，血管造影不能在血管瘤和其他血管性肿瘤之间作出诊断。在考虑外科手术之前有必要行血管造影。在下胸段需要识别 Adamkiewiez 动脉(大根动脉)。脊髓造影，首先是一种诊断脊髓压迫的方法，但对血管瘤脊髓受压方面没有特异性。骨扫描在血管瘤可能是阴性。无法在血管瘤和转移瘤之间作出鉴别。

(3) 病理学特征

肿瘤为骨皮质所包裹，骨表面可有较粗的骨嵴，骨皮质变薄而软，色紫红，肿瘤本身无包膜。切面可见海绵状小窦，其中充满血液和血栓，血栓可机化，有时可形成所谓静脉石。镜检：可见肿瘤组织主要

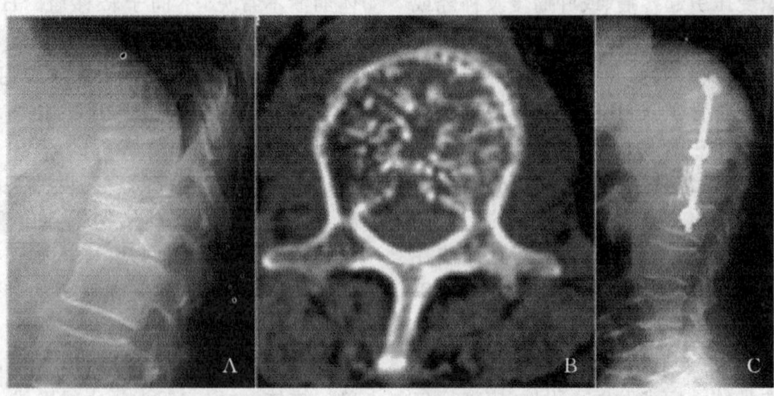

图 37-11　T_{11}、L_1 椎体血管瘤

A. X 线侧位片示 T_{11}、L_1 椎体楔形变，骨小梁粗大、稀疏，纵行排列呈栅栏状

B. CT 示椎体内骨密度减低，增粗骨小梁呈圆点、花纹状

C. L_1 椎体血管瘤前路切除，钛网植骨、单棒 MOSS MIAMI 内固定术后 X 线侧位片

为增生的毛细血管或扩张的血窦所构成。若以毛细血管增生为主，称为毛细血管瘤。两者可混合存在。有些血管瘤尚有大量淋巴管参与组成，形成所谓血管淋巴管瘤病。

通常骨缺损可能位于髓质或骨膜下，增粗的骨小梁和骨吸收形成蜂巢样结构。镜下：毛细血管型血管瘤由大量毛细血管床和大的滋养血管。血管内皮由小的、扁平、形状相仿的内皮细胞组成，海绵样血管瘤是由较多、大的、薄壁、扁平的内皮细胞组成。静脉型血管瘤是由小的、厚壁组成，有较大滋养血管。动脉瘤样骨囊肿有时与血管瘤相似，但前者出血区域没有内皮细胞，而常出现纤维细胞、反应骨及多核巨细胞。

（4）诊断

本病进展缓慢，腰椎椎体血管瘤在中青年为多。如有上述典型表现，并结合 X 线片、CT 及 MRI 表现诊断不难。如果怀疑血管瘤，尽量不作活组织检查，因为容易出血，有时因出血，反而误认为恶性肿瘤。脊柱血管瘤应与脊柱巨细胞瘤、转移性肿瘤及结核作鉴别。

（5）治疗

1）放射治疗　血管瘤对放疗敏感，对有症状的血管瘤患者可首先考虑放疗，放疗剂量在 30～40 Gy。

^{60}Co 治疗机单野垂直照射病变椎体，每周 6 次，中位剂量 30 Gy/3 周。

深部 X 线照射，电压 180～220 kV，DT20～30 Gy/2～3 周。放射治疗的机制是血管瘤组织受到照射后充血、水肿、血栓形成，然后瘤体萎缩，椎骨在应力作用下重新改建、钙化。X 线片所表现的栅栏状改变消失或变得不明显。放射治疗腰椎血管瘤剂量多小于脊髓耐受量 4 Gy/4 周，极少造成放射性脊髓炎。在放射治疗中应以神经营养药物辅助治疗，以利于脊髓功能恢复。

2）介入治疗　通过血管内介入技术和放射治疗血管瘤在过去 15 年已在世界各地进行。Hskster 等通过经皮血管栓塞滋养血管来解决。Benati 联合应用栓塞和椎板切除减压治疗椎体血管瘤，在减压后进行放疗。

1977 年首先报道对急性出血的血管瘤进行栓塞后椎体切除。栓塞可减轻蛛网膜下隙阻塞和减轻疼痛，并可降低手术风险。

3）手术治疗　近年来，随着外科技术进步，包括术前栓塞、肿瘤广泛切除，脊柱重建稳定在椎体血管瘤方面取得较大进展。在肿瘤缺乏大的滋养血管或无明确的供应血管时，椎体切除可避免栓塞疗法。手术能迅速解除脊髓压迫，有利于脊髓功能早期完全恢复。一旦出现神经压迫症状或出现瘫痪应行手术治疗。术前应行血管造影与栓塞，手术应尽量行肿瘤总体切除而非单纯的病灶内肿瘤切除，并行植骨和内固定以重建脊柱的稳定性（图 37-11C）。若肿瘤切除困难可考虑行椎板切除减压加放射治疗。截瘫程度越重、进展快者宜早期手术。非截瘫患者单纯放射治疗有效,无需手术治疗。

4) 椎体成形术　适用于有临床症状、椎体后缘骨结构完整的胸腰椎椎体血管瘤患者,近年来国内有部分医院开展该项治疗技术,其长期疗效尚有待观察,需要相关器械及骨水泥材料。

37.15.3　常见原发恶性脊柱骨肿瘤

37.15.3.1　*脊柱巨细胞瘤*

巨细胞瘤是一种以多核巨细胞散在分布于圆形或纺锤形单核基质细胞中为特征的原发性骨肿瘤。1818 年 Astley Cooper 首次从大体标本上描述巨细胞瘤,将其列为良性病变。20 世纪 60 年代以来巨细胞瘤开始被公认为半恶性或潜在恶性的肿瘤。

巨细胞瘤在中国人中发病率较高,占全部骨原发肿瘤的 13%～15%。女性发病率高于男性,为 55%～70%。发病年龄多见于 11～50 岁,70%～80%的病例发生于 20～40 岁,尤其是 20～30 岁的女性。上海长征医院骨科 1992～2002 年间收治脊柱巨细胞瘤(giant cell tumor of bone, GCTB)87 例,年龄 16～59 岁,最常见于胸椎、骶椎,颈椎、腰椎次之。病变最常发生于椎体,其次为椎弓根。

(1) 临床表现

疼痛是常见的主诉,早期多见,一般不剧烈。通常是脊椎病变局部触痛。神经受累时出现神经根性疼痛,根据部位不同出现不同的定位体征。肿瘤压迫脊髓或神经,可出现麻木、瘫痪和大小便失禁,与脊髓和神经根受压的程度有关。受压在骶骨的发生率较高。

最常见的体征是椎旁肌痉挛。颈椎肿瘤有时可以看到或触及肿块。发生在腰椎者有时可见到或触及椎旁巨大肿块。

如果肿瘤位置比较表浅,可出现局部皮温升高,静脉怒张。当骨皮质破坏,形成软组织内肿块时,皮温增高明显。此与肿瘤血液丰富有关。巨细胞瘤一旦引起椎体压缩性骨折,则会导致脊髓损伤和截瘫。位于骶骨者可引起骶区疼痛、马鞍区麻木及大小便障碍,肛门指诊多可扪及骶前肿物。

(2) 影像学检查

1) X 线平片　脊柱巨细胞瘤的特征是单纯溶骨性破坏,既没有周围反应性硬化,也没有基质钙化。病变区膨胀明显,可以延伸至骨皮质表面,造成骨皮质中断,但是较少穿破骨膜。当发生骨折或者手术治疗后可以出现明显的钙化。当肿瘤较小时,不易被发现。当巨细胞瘤恶性程度高时,破坏区边界就会模糊不清,骨性包壳破坏,侵犯软组织形成软组织肿块,后者的表现有时与恶性肿瘤难以区别。大约 1/4 的患者出现病理性压缩骨折。

巨细胞瘤多侵犯椎体,脊柱后凸继发于病理骨折后的椎体塌陷(图 37-12A)。骶骨巨细胞瘤常发生在上部节段,病变往往是偏心性,并常扩展到骶髂关节;生长活跃的骶骨巨细胞瘤可扩展穿过关节侵犯邻近的髂骨。

2) CT 检查　CT 检查在确定肿瘤边界方面超过平片及断层拍片。巨细胞瘤呈实体性改变,CT 值与肌肉相近。检查结果显示椎体病变呈溶骨性、膨胀性、偏心性改变,可见肥皂泡沫样改变,易侵及椎旁组织。瘤体可有假性荚膜包裹以形成所谓的"骨包壳"。有学者报道这种"包壳"的发生率为 42.8%,是巨细胞瘤特征性表现。病灶内可有分隔,形成多房性的所谓"肥皂泡"样外观(但这种现象不如四肢巨细胞瘤那样多见),也可呈均一性圆形或卵圆形溶骨腔。肿瘤大多无硬化性边缘和骨膜反应,有时肿瘤内含有囊腔,但很少像动脉瘤样骨囊肿那样看到液体平面。新型的双螺旋 CT 通过静脉注射造影剂后,可以进行各层面的重建,显示肿瘤内的血管,可代替动脉造影。CT 检查在观察皮质骨破坏及反应性骨壳方面具有优势,被认为是最好的检查方法。

3) MRI 检查　MRI 检查能够有助于确定肿瘤与椎管内结构的关系,具有高质量的对比度和分辨力。巨细胞瘤的复发可发生在骨内也可侵入到软组织内,系列 X 线拍片和断层拍片有助于确定骨内复发,CT 或 MRI 检查对确定软组织复发效果最好。与相同骨结构相比,肿瘤在 T1WI 像呈现低信号强度,在 T2WI 表现为高强度信号。肿瘤周围的骨质在肿瘤 T2 高信号的衬托下,呈明显的低信号,边界清晰。肿瘤的皮质骨受到侵害时,周围的低信号环表现为不完整。肿瘤内常可见到囊变区,表现为明显的 T2WI 高信号。肿瘤内出血时,在 T1WI 和 T2WI 均可出现高信号(亚急性期)。在评价肿瘤软组织肿块的大小和范围以及对脊髓和神经根的压迫程度方面,MRI 检查明显优于 CT 检查。MRI 及 CT 检查能早期发现巨细胞瘤的复发(图 37-12B)。

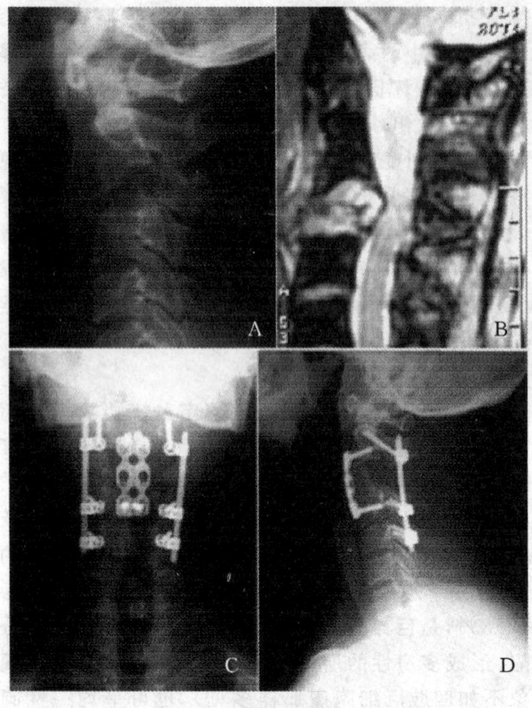

图 37-12 C_3 椎体及附件巨细胞瘤

A. X线侧位片示 C_3 椎体及附件溶骨性破坏，C_2～C_3 不稳，成角畸形 B. MRI矢状面示 C_3 椎体及附件溶骨性改变，T2加权呈混杂高信号，颈髓前方受压 C、D. 前后联合入路 C_3 全椎节切除内固定重建术后X线侧位片

4）骨扫描 同其他大多数骨肿瘤一样，巨细胞瘤可以增加摄取放射性核素 ^{99m}Tc。肿瘤及其周围有放射性核素浓聚，超过肿瘤边缘的广泛浓聚提示肿瘤具有高的侵袭性。一方面由于放射性核素摄取可以超过肿瘤的边界，因此无法用来判定其在髓腔内的蔓延；另一方面骨外的肿瘤组织对放射性核素的摄取又很低，也无法用骨扫描确定肿瘤的范围。放射性浓聚可以在与肿瘤相近的关节发生。放射性核素骨扫描对于确定多发病变的患者很有帮助。

（3）病理学特征

1）肉眼所见 肉眼观察巨细胞瘤通常由反应骨及纤维组织形成的包壳所包绕，与周围组织有较清楚的界限。但是在侵袭性强的病例中反应性包壳非常薄，肿瘤组织可直接侵入肌肉、脂肪等组织。肿瘤组织通常是实质性，颜色呈褐黄色，或者淡红色肉芽样组织，质软，由血管及纤维组织组成，伴有出血。瘤内出血、囊性变及坏死也相当常见。瘤腔的内壁凸凹不平。

2）光镜下观察 应该选取保存完好的肿瘤区域样本。巨细胞瘤组织富含细胞，由圆形、椭圆形或者纺锤形的单核基质细胞和弥散分布的多核巨细胞组成。单核基质细胞核大，核膜清楚，核一般呈中心位，胞质较少。细胞界限不太清楚，细胞间物质也较少。可见核分裂象。基质细胞的数量、大小、形态等在不同肿瘤以及同一肿瘤的不同部位可以有所不同。基质细胞决定肿瘤的性质。多核巨细胞分布在基质细胞之间，直径为30～50 μm不等。细胞核多集聚在细胞中央，数目可以达到数十个甚至上百个。巨细胞胞质内常有空泡出现。间质血管丰富，有时血管壁或血管腔内可见到肿瘤细胞。有人认为血管浸润是发生转移的原因之一。在肿瘤内有时可见到有些基质细胞变为梭形并产生胶原，这些区域相当于肉眼所见的瘤内纤维隔膜。如果肿瘤内有大片致密的胶原纤维形成，应该考虑是否有恶性变、是否有放射治疗后或植骨后复发。肿瘤本身并不成骨，但有时可见骨样组织，有可能为反应性新骨形成、纤维性间质的骨性化生或病理性骨折后形成的骨痂。

（4）诊断与鉴别诊断

脊柱巨细胞瘤的初步诊断主要依靠病史、体征和影像学表现，确诊需要依靠病理检查结果。

脊索瘤也以骶骨最为多见，但往往位于骶骨中央，可与巨细胞瘤相鉴别。大多数骨母细胞瘤侵犯椎弓，发生于棘突和横突、椎板及椎弓根。X线表现为边界清楚的孤立性溶骨性破坏区，可有骨膨胀改变，周围有较薄的、轻度不规则的钙化边界。动脉瘤样骨囊肿常破坏脊椎后部结构，多在20岁以前发病，囊状膨胀改变明显，周围有蛋壳样骨壳包绕，囊内可有细小分割。有时两者难以鉴别，只能依靠病理检查。

（5）治疗

1）手术治疗 彻底而有效的外科干预对巨细胞瘤的预后起到积极的影响。巨细胞瘤完整切除可以取得最佳效果（图37-12C、D）。当肿瘤不能够做到完全切除时（例如，广泛的骶骨切除），应采用有限的手术切除并刮除残余的肿瘤组织，进一步加用氯化锌烧灼可以杀死残存的边缘的肿瘤细胞。局部组织肿瘤污染，容易出现术后复发。不管是否采用不完全切除，一般术后常规辅以放射治疗。如果采用大范围的骨移植稳定脊柱，术后放疗应推迟大约 6 周，以防止早期的植骨不愈合。虽然术后放疗可以降低复发率，但却增加了恶变倾向。

2）化疗　对于少数巨细胞瘤恶性变或肺转移的患者，可采用大剂量 MTX 全身化疗。而局部采用 MTX，可降低局部复发率。另外，术后干扰素的长期使用可以降低其复发率。

3）放疗　可采取比较新的放疗方案，超高压和不同粒子的放疗可降低继发肉瘤的发生率，放疗适用于处理残存的微小病变，使病灶得到长期控制，但不适合于不能切除的巨大肿瘤病灶，此类患者极易转变为放疗后肉瘤。

（6）复发转移和恶变

1）复发和转移　巨细胞瘤刮除术后复发率为 40%～60%。有 1%～6%的病例发生肺转移。巨细胞瘤即使发生肺转移，其预后也相对良好，转移病灶可以通过肺的楔形切除而治愈，辅助性放疗只应用于不能手术的病例。然而，也有 20%的肺转移病例，病情可进展迅速，导致死亡。肺外转移很少见。组织学检查，转移病灶和原发病灶性质一样，没有肉瘤表现。

2）巨细胞瘤的恶变　巨细胞肉瘤可以原发于巨细胞瘤，属于高度恶性肿瘤；也可以继发于巨细胞瘤放疗后，通常超过 30 Gy。发生率约占放射治疗的巨细胞瘤的 20%。目前放射治疗设备已经大为改进，同时尽量不用放疗，这种并发症已经减少。1997～2002 年间长征医院有 3 例脊柱巨细胞瘤放疗产生恶变，1 例发生肺转移，均为首次手术切除失败或带瘤生存患者。因此，笔者认为，应在肿瘤病灶绝大部分切除的基础上给予放疗，才能降低其恶变的发生率。

由于脊柱巨细胞瘤术后复发率较高，因此，对于脊柱巨细胞瘤的手术治疗需根据 WBB 外科分期方法，对肿瘤病灶尽可能采用包膜切除或广泛切除，对于侵及椎旁软组织的应彻底切除，重建脊柱的稳定性。

37.15.3.2　脊柱脊索瘤

脊柱脊索瘤（chordoma of spine）是一种起源于胚胎残余脊索组织的原发性恶性骨肿瘤。脊索瘤男性较女性多见，男∶女约为 2∶1。发病年龄主要在 50～70 岁。脊索瘤主要分布在中轴骨，约 50%发生在骶尾部、30%在颅骨斜坡、20%分布在颈、胸、腰椎，极少见于中轴骨骼系统以外。

（1）临床表现

疼痛是脊索瘤患者最常见主诉。胸椎脊索瘤的最初表现常常是胸背部、肋间神经痛，卧床休息后症状缓解，直立后症状加重。早期症状不典型，可能被忽略，故常见脊索瘤在诊断之前有半年到一年的不典型病史。

椎体病理性骨折和肿瘤的椎管内侵犯可压迫脊髓和神经。颈、胸椎脊索瘤可出现脊髓受压的临床表现，腰椎和腰骶部肿瘤常压迫神经根，造成运动和感觉障碍。斜坡的病变常引发颅内压增高的体征，包括头痛、视觉障碍、吞咽困难、脑神经麻痹。

（2）影像学检查

脊索瘤的 X 线表现依据病变的解剖部位不同而异。脊柱脊索瘤能累及数个椎节，很少呈偏心性生长。在早期，骨膨胀明显，骨内正常结构改变，呈磨砂玻璃样阴影。但由于肠腔内气体存在，有时在 X 线正位片上很难判别。在晚期，表现为广泛性溶骨性破坏，在骨病灶周围可见大而边缘清楚的软组织肿块阴影，肿块内可见残存的骨片或钙化斑，为获得清晰度较好的 X 线片，在摄片前应作清洁灌肠，有助于确定肿瘤的范围、部位及与脏器的关系。

CT 扫描可提供骨骼、椎体的破坏和周围软组织肿块影，清晰地显示肿瘤的大小、侵犯椎节的范围以及与神经根、血管、坐骨神经的毗邻关系，可以观察到肿瘤的钙化和分布，通常钙化分布在肿瘤的周边区域。

MRI 能清楚地显示肿瘤自身的组织结构、范围及与周围组织、器官之间的关系（图 37-13）。CT 上脊索瘤表现出与肌肉相似的密度，但 MRI 可显示脊

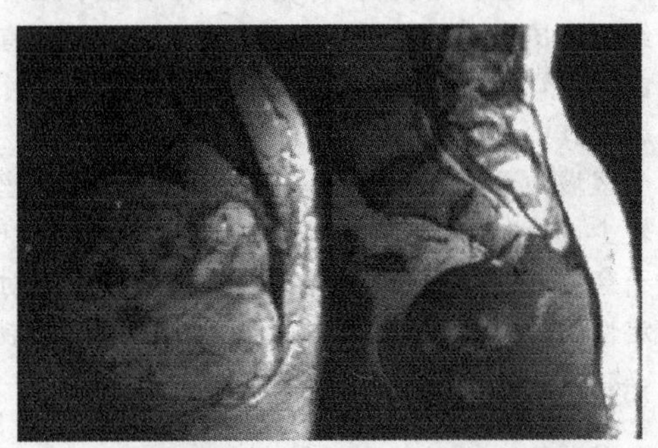

图 37-13　骶椎脊索瘤 MRI，T1WI 示占位呈等信号，T2WI 示呈不均匀的高信号

索瘤呈异质性改变，长 T1 与长 T2，T1 加权呈低～中信号，T2 加权呈高信号，死骨及钙化部分无信号。MRI 对椎前软组织阴影有更好的显示能力，为长 TR、TE 影像，对直肠是否浸润应该非常仔细地观察，MRI 对肿瘤周围假囊的辨认非常清晰，有助于判定肿瘤的范围、周围的反应带与后腹膜脏器的关系，决定骶骨肿瘤的切除范围、确认在肿瘤切除前或同时行结肠造口术、直肠切除术；是否需要重建以及重建的方式。MRI 的随访对复发病例能提供有价值的资料。

(3) 病理学特征

1) 肉眼观察　肿瘤大体观为质软、凝胶状，呈灰白色，有时瘤体很大，表面不平，呈明显的分叶现象。有不完整的假包膜，包膜很薄，紧贴于瘤体上。切面可见肿瘤组织为灰白色的胶状物，出血后可表现为暗红色的坏死区。部分区域可发生液化、囊性变和钙化，钙化越多，肿瘤的恶性倾向也越大。

2) 光镜下特征　镜检下可见大小不等、形状各异的上皮样细胞，排列成束状或成片状，细胞间为黏液基质。大的瘤细胞胞质内含有大量的空泡，这些大细胞多位于瘤小叶的中央，有时细胞的大空泡胀破或将胞核推到外围，形成印戒状空泡细胞。分化较差的脊索瘤，可见瘤细胞排列紧密，细胞体积较小，边缘清晰，细胞内外的黏液成分较少，细胞呈梭形或多边形，空泡较小，核和核仁清晰，若用特殊的染色法，可显示细胞内的空泡为黏液蛋白。凡肿瘤富含黏液者，其恶性程度一般较低，核分裂较少见。当肿瘤呈高度恶性时，常可见到核分裂象，有时尚可见骨和软骨小岛，甚至出现骨肉瘤或纤维肉瘤的结节。胶质内黏液小滴变化很大，黏蛋白和糖原都被染色。小的、保存很好的脊索瘤小丘有多角细胞组成。它们和其他种类的癌细胞相似，有黏蛋白产生，大的肿瘤群散在黏蛋白中，尤其在外周区域。其中可见显著变化的细胞核和染色质。在整个区域中可见双核和多核巨细胞。细胞有丝分裂较少，一般无明显的细胞间变。在穿刺活检时，由于穿刺部位的因素，根据黏蛋白的情况很难对肿瘤定性，常见的几种易混淆的肿瘤是腺癌、黏液肉瘤、软骨肉瘤。

(4) 诊断与鉴别诊断

由于脊索瘤与巨细胞瘤以及软骨肉瘤在影像学和病理学上有一定的相似之处，鉴别诊断的重点应放在这两种肿瘤上。

1) 巨细胞瘤　20～40 岁为多见，也好发于骶尾部。X 线片为一膨胀性骨破坏。年轻人发生巨细胞瘤可能性大，但 40 岁、甚至 50 岁以上的患者中，发生脊索瘤的可能性大。当然最终排除巨细胞瘤，需根据术中或术后病理检查结果。

2) 软骨肉瘤　软骨肉瘤的恶性程度高于脊索瘤，是一种病情发展较快的肿瘤。好发年龄大致与脊索瘤相同。X 线片为一密度减低的阴影，病灶中有斑点或块状钙化点。肿瘤生长过程中，周围皮质骨膨胀变薄，但很少有皮质骨穿破现象，有时不易鉴别，需依赖病理学检查。

(5) 治疗

脊索瘤的治疗手段主要包括放疗、化疗和手术治疗。大剂量的放疗虽然能治疗颅骨斜坡脊索瘤，但骶尾部脊索瘤发现时往往很大且敏感性差，放射治疗难以奏效。脊索瘤手术切除是有效的，多数患者能够获得治愈，是主要治疗方法。现在临床上常采用手术切除与术后放疗甚至化疗相结合的方法以求提高疗效。

1) 手术治疗　由于脊索瘤主要发生在中轴骨，因此其手术治疗的原则为尽可能彻底地切除肿瘤组织，恢复和重建脊柱的稳定性。骶骨是脊索瘤的主要发病部位，手术难度较大，术前准备应充分。①改善全身情况，对有明显贫血和全身情况差者，术前酌情补液和输血；②术前 3 天开始进无渣饮食，口服泻药；③术前 1 天开始用抗生素准备肠道，术前 1 天下午清洁灌肠；④术晨安置尿管和肛管。

2) 放疗　脊索瘤对放疗不敏感、反应较慢，但它对减少神经系统症状和控制疼痛有一定效果。在 Gummings 报道的一组 24 例的病例中，5 年生存率为 65%，10 年为 28%，照射剂量的增大并不会导致敏感性相对增大，大剂量照射的效应往往被所带来的潜在并发症所对抗，Pearlman 和 Friedman 建议放疗剂量在 60～80 Gy 以下。Suit 和同事认为使用高能中子束和离子照射，可以提高放疗敏感性，高能射线可用于重要部位如颅底和颈椎，并且可减少神经系统损伤的风险，初步报道显示这种照射方法效果良好。

3) 化疗　对于脊索瘤化疗方面的报道并不多，且往往是在最大剂量放疗后或转移以后才采用。Razis 和同事报道了 1 例颈椎脊索瘤复发后每周静脉给予2 mg 长春新碱的情况，持续用药 4 个月后由于毒性反应而终止使用。笔者对14例患者使用化疗，其方案分别为环磷酰胺、长春新碱、多柔比星、大卡吧嗪或环磷酰胺、多柔比星、氯霉素联合使用，其中2例症状减轻，7例无特殊的不良反应，以应用多-氯方案联合环磷酰胺或异环磷酰胺效果明显，没有单独使用化疗使肿瘤消退的报道。

(6) 转移

脊索瘤主要表现为局部侵袭性生长，但也能发生缓慢转移。在原发肿瘤确诊后，最早在1年后就发现转移，也有10年才发生转移的，转移率在5%～40%不等。转移部位包括淋巴结、软组织、肺、骨、肝和其他腹腔脏器，少数患者有心、胸膜、脑转移。

37.15.3.3 脊柱软骨肉瘤

软骨肉瘤是一种趋向于分化成为软骨细胞的肉瘤。在所有原发骨恶性肿瘤中，其发病率在多发性骨髓瘤、骨肉瘤之后，处于第3位。软骨肉瘤的发病年龄是3～80岁，平均约45岁，发病高峰是50～60岁。

软骨肉瘤最常见的发病部位是骨盆、股骨、肱骨、肩胛骨，脊柱软骨肉瘤(chondrosarcoma of spine)则较少见。与其他部位的软骨肉瘤发病年龄相比，脊柱软骨肉瘤的发病年龄较轻，男性最常受累，男女比例是(1.5～2.0)∶1。上海长征医院骨科在1990～2002年间共收治脊柱软骨肉瘤患者26例，其中颈椎4例、胸椎8例、腰椎5例、骶椎7例。

(1) 临床表现

脊柱软骨肉瘤的临床表现取决于肿瘤的发病部位和肿瘤的侵犯情况。疼痛是患者最常见的主诉，这种疼痛病程较长，发展缓慢，收治的24例患者中全部有不同程度的疼痛，其中21例是因疼痛而就诊，病程最短为3个月，最长的达到5年。最初的疼痛多数为脊柱区隐痛，间歇性发作或逐渐加重，也有少数患者在发病的初期疼痛就较严重。随着病程的发展，疼痛逐渐剧烈，甚至出现无法控制的进行性疼痛，夜间及俯卧位时疼痛加重。脊柱区疼痛最严重的部位常常是肿瘤的发病部位，如果出现脊柱区以外部位的疼痛甚至麻木则是肿瘤侵犯神经或压迫脊髓而引起，这种疼痛、麻木往往是根据神经支配的区域而定；反之，根据这些特定区域的疼痛、麻木可以初步推断肿瘤所在的部位。肿瘤如果发生在颈椎或腰骶部，常出现神经根性疼痛，一侧神经根痛多见，而胸椎神经根痛常是双侧性并呈带状分布。

肢体的乏力和反射异常是脊柱软骨肉瘤的一个重要表现，它是神经和脊髓受损的直接表现。

由于脊柱软骨肉瘤多发生在椎体，位置较深，一般难以在脊柱区触到肿块，部分患者仅仅在肿瘤所发生椎节的棘突部有压痛或叩击痛。肿瘤侵犯神经或脊髓时可以发现相应的神经症状和体征。

(2) 影像学检查

X线片可表现为椎体和(或)后部附件呈现溶骨性破坏，可富含有分散点状分布的高密度钙化斑，这种钙化斑的多少可能与肿瘤的性质有关，也是影像学诊断的重要依据。肿瘤边缘较为模糊，在病程较长的患者中周边的皮质骨可以增厚、粗糙，部分患者的肿瘤边缘可出现薄而微弱的不透X线的带状影，并垂直于皮肤，这是骨膜反应的表现，也是恶性程度较高的表现。大约有1/4的软骨肉瘤位于椎体边缘，属周围型软骨肉瘤，通常起源于以前存在的骨软骨瘤，这种类型的软骨肉瘤内部钙化更为明显，可见叶状的模糊影像，类似菜花状。断层X线片在确定肿瘤的位置和观察肿瘤的表现上更有优点。

CT扫描能够很好地显示肿瘤的部位、范围，尤其在显示肿瘤的内部结构的改变以及脊柱皮质破坏和增生的情况更为有效。

MRI具有良好的组织分辨率，在显示脊柱软骨肉瘤的侵犯范围以及与周围组织(如脊髓、神经及肌肉等)的关系上具有明显的优势，对肿瘤手术范围的确定有指导作用(图37-14A、B)，由于其对骨性结构的显示较差，常常需要和CT协同使用。

骨核素扫描有助于确定肿瘤的性质和发现远处转移。部分骨软骨瘤恶变为软骨肉瘤的病例，在早期一般的检查难以发现，但是核素扫描早期可以显示出放射性浓集。

(3) 病理学特征

1) 病理解剖学　脊柱软骨肉瘤患者手术时肿瘤通常较大，其表面不平而呈菜花样或由于骨质增生而呈现出不规则的粗糙面，在肿瘤外面有一层薄的纤维性假包膜。肿瘤内部可形成紧密粘连分叶，肿瘤内部的软骨比正常的软骨灰暗、柔软而透明，有分散的质地坚硬的钙化及骨化，形状不规则。血供不良的部位可以出现变性、坏死而呈现出囊性或出血性液化。

2）组织病理学　软骨肉瘤在组织学方面有不同的分级，随着分级的增加，肿瘤的恶性程度亦不断增加。Ⅰ级：细胞有轻度的不典型，一些细胞增生活跃，有丰富的透明蛋白基质，在组织学上与生长活跃的软骨瘤区分困难，放射学与临床诊断标准有助于鉴别诊断；Ⅱ级：有明显的不典型和更为紧密的细胞，一些细胞呈现多核；Ⅲ级：有明显的不典型有丝分裂象，多核细胞的细胞核浓缩而多形，基质很少和大量的坏死区。出现黏液软骨基质是一个不良的预兆，因为这些病变会有更大的侵袭性。

（4）诊断与鉴别诊断

在临床上，作出软骨肉瘤的诊断并不太困难，但由于软骨肉瘤的恶性程度在组织学方面有不同的分期，要获得正确的诊断和组织学分类，在病理组织学检查的基础上，必须综合临床和解剖及放射学资料。

脊柱软骨肉瘤，一方面由于其病程较长，发展缓慢，一些发生在腰椎的软骨肉瘤要注意和腰椎间盘突出症相鉴别，在完善的病史、体征及辅助检查状况下，这样的鉴别是较容易的，但最容易发生的是诊治过程中的疏忽，因腰椎软骨肉瘤而误诊为腰椎间盘突出症的并不少见。另一方面，需要和去分化软骨肉瘤相鉴别的有恶性纤维组织细胞瘤、骨肉瘤及低分化纤维肉瘤等，可根据临床表现和影像学检查考虑这些病变，但是确诊需要依据病理组织学检查。

（5）治疗

脊柱软骨肉瘤治疗措施包括放射治疗、化学治疗及手术治疗，其中外科手术是治疗的主要措施，一旦确诊即因考虑手术治疗。

1）手术治疗　脊柱软骨肉瘤的手术治疗原则是彻底地切除肿瘤组织，恢复和重建脊柱的稳定性。由于脊柱解剖结构的特殊性，要达到彻底的肿瘤根治是不可能的，理想的治疗方式是广泛的切除，但更多的是边缘切除或瘤内切除。由于脊柱软骨肉瘤的恶性程度一般相对较低，如果手术方式和技巧掌握恰当，达到临床治愈并非不可能。

脊柱软骨肉瘤的手术方式与其他脊柱肿瘤的手术方式基本相似。对于侵犯前方椎体并向前方突出的肿瘤患者，应考虑采用前方或侧前方手术入路，使得肿瘤得以直接切除；对于侵犯后方的则选用后方手术入路；而对于椎体、附件均有侵犯的，则须根据情况选择一次或分次前后联合入路将肿瘤切除，在部分全椎节受累的脊柱软骨肉瘤患者中，可以选择行全椎节切除（图 37-14C、D）。由于脊柱软骨肉瘤的预后直接与手术切除的程度相关。就切除范围而言，局限于椎体的软骨肉瘤早期切除至肿瘤界限以外的正常组织是可以的，但是已累及周围重要结构的患者通常采用块状切除方法。

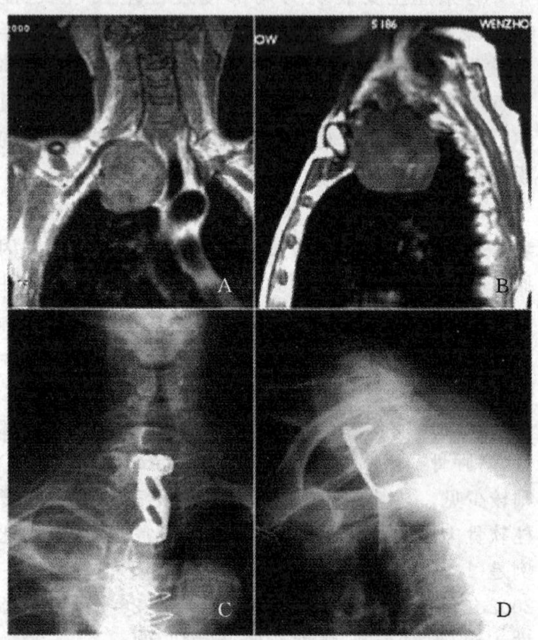

图 37-14　T_1 椎体及 $T_1 \sim T_3$ 椎旁软骨肉瘤

A. MRI 冠状面示 T_1 椎体破坏，$T_1 \sim T_3$ 椎旁占位，T1 加权呈均匀一致等信号，右锁骨下动脉受压推移　B. MRI 矢状面示上胸部占位信号，向下突入胸腔　C、D. X 线正侧位片示肿瘤切除，Orion 钢板内固定重建术后

脊柱软骨肉瘤手术切除后，稳定性重建的手段有多种，根据手术医师的习惯而有所区别。现在可以选择的有各种前后路钉棒系统（如 USS、TSRH、MOSS 等）、钉板系统（如 Orion、Ventrofix、Z-plate 等）。在肿瘤切除以后，各种固定所起的作用都是暂时的，要获得较为长久的稳定，需要脊柱前柱、中柱的融合。现在的方法有自体骨、异体骨、人工骨移植和骨水泥填塞以及人工椎体、钛网等组合式重建。这些方法在临床上已经取得较好的疗效。

冷冻手术在脊柱软骨肉瘤的手术切除中的综合作用所知甚少，但对于其在预防软骨肉瘤复发上的疗效已有报道，有研究发现冷冻外科应用于瘤内和边缘切除手术没有局部的复发。没用应用冷冻外科手术的复发率是43%（$P<0.05$）。

2）放疗　由于软骨肉瘤的DNA合成率非常低，因此对放疗不敏感。在选择治疗方法时放疗不能作为首选方法。其治疗适应证主要包括：肿瘤边界不清晰、手术切除不完全及肿瘤晚期为缓解疼痛等。

有研究表明，对于非手术治疗的脊柱软骨肉瘤患者放疗是可选的，对于肿瘤边界不清者甚至可作为一种常规治疗措施，但这种措施仅仅是一种姑息性的手段，不可能得到治愈。Saunder等报道应用大剂量的氦离子治疗5例脊柱软骨肉瘤患者，他们早期研究的结果是理想的，但随访时间还较短（平均22个月），尚无远期疗效情况，而且在他们的报道中病理分级也没有提到。

3）化疗　迄今为止尚没有一个很好的化疗方法对软骨肉瘤有明确的疗效。有报道维A酸可刺激软骨细胞释放溶酶体酶，这样可抑制培养的软骨肉瘤或骨肉瘤细胞生长，但到目前为止仅仅处于体外实验阶段，还没有应用于人体的报道。具有放射活性的硫（^{35}S）可通过进入细胞内抑制葡糖胺聚糖的合成，从而抑制软骨细胞和软骨肉瘤的生长，可作为另外一种化疗剂。

（6）转归和预后

由于脊柱软骨肉瘤一般发展缓慢，许多软骨肉瘤并不转移或转移时间晚，部分患者甚至可在原发肿瘤切除后10年才出现局部复发和远处转移，治疗效果相对较好，5年生存率大约是50%。

在临床工作中，脊柱软骨肉瘤存在治愈率有所降低的原因有：①发生部位在脊柱，位置相对较深且解剖复杂，难以完全切除肿瘤；②肿瘤病情发展缓慢，且无特异性表现，早期容易误诊或漏诊；③缺乏关于软骨肉瘤解剖学、放射学和组织细胞学方面的知识而低估其恶变的可能，而误诊为软骨瘤等情况。

肿瘤的病理学分级与生存率有关。低度恶性患者的生存率明显高于高度恶性的患者。另外，瘤体侵袭范围、大小也是决定肿瘤预后的重要因素。

笔者收治的26例脊柱软骨肉瘤患者中6例术后1～4年复发，其中1例颈椎软骨肉瘤复发后出现四肢瘫痪、死亡，3例再次手术，2例带瘤生存。

37.15.3.4　脊柱孤立性浆细胞瘤

孤立性浆细胞瘤是一种原发性全身骨髓恶性肿瘤，源于B淋巴细胞并具有B淋巴细胞分化特征。

（1）临床表现

脊柱孤立性浆细胞瘤（solitary plasmacytoma of spine）最常见的临床表现是局部疼痛，确诊前平均有6个月的疼痛期。由于浆细胞瘤患者的发病年龄特点，常被误诊为脊椎的退行性关节炎，有根性症状，约半数患者出现脊髓和神经根受压的症状和体征，偶尔出现瘫痪。浆细胞瘤除了疼痛症状，还可产生副蛋白，副蛋白的分泌可产生一系列临床症状，这种物质可造成凝血功能障碍或血黏滞度增高、肾衰竭和组织淀粉样变性。通常孤立性浆细胞瘤的副肿瘤综合征发生率低于骨髓瘤。常见的副肿瘤综合征包括多发性神经病变、皮肤色素沉着、水肿、多毛症。

孤立性浆细胞瘤必要时可通过骨髓抽吸检查，以确定诊断。但必须注意肿瘤穿刺后的出血。浆细胞瘤需明确其分化程度，是否有硬膜外压迫。一旦孤立性浆细胞瘤的诊断成立，必须明确系统性疾病情况，必须进行骨髓穿刺和活检。利用血清和尿的蛋白电泳检查副蛋白产物，约50%的患者呈现阳性反应。副蛋白水平的测定可随访患者疾病的根治、复发以及手术后病灶是否有残留。

（2）辅助检查

X线表现为单一或相邻两个椎节溶骨性破坏伴随很少的骨膜反应、椎体塌陷轻微或明显，严重者出现扁平椎。病变常位于椎弓根并延伸至椎体前方，X线正位片显示受累的椎弓根消失。CT及MRI检查有助于同转移瘤相鉴别，孤立性浆细胞瘤可出现软组织肿块，CT显示病椎呈现筛孔样改变。MRI上孤立性浆细胞肿瘤在T1加权像为等高信号，T2加权像为高信号（图37-15A、B）。CT和MRI还可观察椎管受侵犯的范围。Moulopoulos等发现，只有17%的椎体病变既能在MRI上显影，也能通过平片发现，Tc-磷酸盐骨扫描并不能明确孤立性浆细胞瘤的诊断。放射性浓集处，往往是病理性骨折后的新骨形成区，而不是溶骨损害。

（3）治疗

一旦明确孤立性浆细胞瘤，可进行放疗。放疗量宜>35 Gy，以避免局部复发。随着骨破坏程度加重，会有疼痛及神经系统症状加重。手术治疗的目的主要是脊髓减压和脊柱的稳定。只有迅速恢复脊柱的功能状态，才能实施进一步放化疗。对于出现疼痛和椎体轻度塌陷的胸椎单发浆细胞瘤的患者，单纯放疗即为初期治疗的最佳方案。而对于有明显椎体塌陷、神经受压、局限性后凸畸形和脊柱不稳的患者，则最好选用前路减压和稳定作为初期的治疗方案(图 37-15C、D)。术后 4～8 周，开始接受放疗。当病变累及椎体后部结构时，应加后路手术稳定。术后放疗和辅助化疗以及放疗后进行化疗尚有争议。

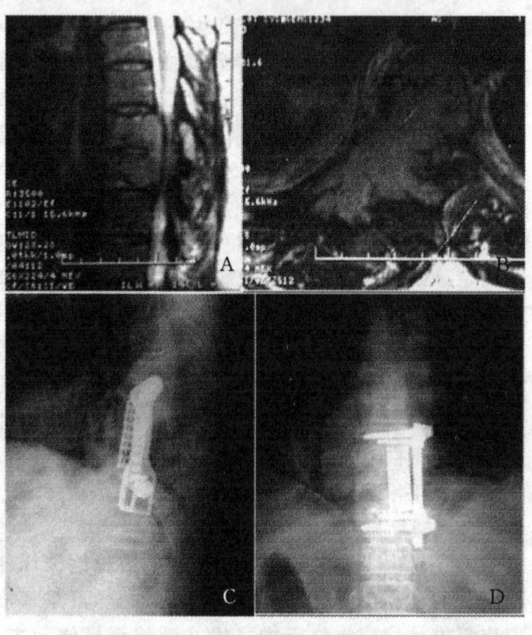

图 37-15 T_8～T_9 椎体及附件浆细胞瘤

A. MRI 矢状面示 T_8～T_9 椎体溶骨性破坏，T2 加权呈高信号 B. MRI 横截面示 T_8～T_9 椎体及附件占位，侵及椎旁及椎管 C、D. X 线正侧位片示 T_8～T_9 椎体及附件浆细胞瘤切除，钛网、Z-Plate 钢板内固定重建术后

(4) 预后

脊柱孤立性浆细胞瘤的患者 5 年生存率可达 70%，60%的孤立性浆细胞瘤可发展成为多发性骨髓瘤。孤立性浆细胞瘤细胞的核仁和细胞未分化程度与是否演变成多发性骨髓瘤显著相关。预后的不良因素有年龄、软组织受累情况、治疗后仍存在副蛋白产物等。在一组研究中，50%的脊柱孤立性浆细胞瘤患者出现副蛋白，出现副蛋白不一定意味发生骨髓瘤，但这一组中最后有 25%的患者发展为多发性骨髓瘤。许多作者发现实施治疗的患者年龄越大并出现副蛋白，其预后越差。出现截瘫的患者行放化疗后效果明显。

笔者收治的 26 例孤立性脊柱浆细胞瘤均实施了肿瘤切除和重建术，23 例术后进行局部放疗，术后随访 1～7 年，其中 7 例转为多发性骨髓瘤。

37.15.3.5 多发性骨髓瘤

多发性骨髓瘤(multiple myeloma，MM)是骨髓中浆细胞进行性增殖的恶性疾病，其发病率为 2.0/10 万～3.1/10 万，发病年龄多为 50～70 岁，只有少量的患儿被报道。男女发病比例相同。

(1) 临床表现

由于骨髓瘤的病理变化可涉及许多脏器和系统。临床表现变化多端，与肿瘤增生有关。如溶骨性改变、造血受损、单克隆球蛋白血症及肾病等。全身性征象主要是因进行性贫血和恶病质引起的症状，如消瘦、乏力、头晕和食欲减退等。在骨骼系统方面，局部由于骨内瘤组织的膨胀导致疼痛和病理性骨折，一些病例中出现神经受压。在胸椎患者可能出现锥体束征。继发贫血后可出现疲劳感，而肾衰竭不常见。尿和血清蛋白电泳可发现 M 蛋白。

1) 骨骼疼痛、骨骼肿块与病理性骨折 70%以上患者有骨痛，开始较轻，呈“风湿样”、游走性、间歇性，活动时加剧。疼痛部位多见于胸、背部，向腿部放射。数周或数月内逐渐变为持续性，持续几小时、几天甚至更长。胸、背部突然剧痛可能是胸、腰椎压缩性骨折的迹象。

2) 神经系统症状 开始是神经根痛，局限于某一区域，在咳嗽、喷嚏、活动时加剧，逐渐出现肢体麻木、知觉减退、运动障碍，最后导致大小便失常与截瘫。其原因系浆细胞瘤侵袭椎管，硬膜外压迫脊髓与神经根所致，或因脊椎压缩性骨折压迫脊髓所致。

3) 单克隆球蛋白增高与正常 γ-球蛋白减低 ①易致感染：由于患者体内正常抗体形成障碍，呈现体液免疫缺陷甚至伴细胞免疫缺陷，极易发生细菌与病毒感染。②血液高黏滞综合征：2%～5%的患者发生此综合征，表现为紫癜、鼻出血、头晕、头痛、耳鸣、视力模糊与障碍、倦怠、迟钝、记忆力减退、共济失调、精神错乱，甚至意识丧失。③少数患者由于出现冷球蛋白血症，而有手足发绀等雷诺现象。

4) 血液系统症状 贫血是最常见的表现之一。多为正细胞正色素性贫血。

5）肾脏损害 50%患者早期出现蛋白尿、血尿、管型尿。

(2) 影像学检查

1）X线表现 病灶主要表现为多个溶骨性破坏和广泛性骨质疏松（图 37-16A）。可见于头颅骨、椎骨、肋骨、骨盆骨、锁骨或长骨近端，可表现为弥漫性骨质疏松或病理性骨折。溶骨性病灶的边缘呈穿凿状，锐利而清晰，周围无骨膜反应和新骨形成。小的缺损可呈弥漫性的斑点状，大的缺损可达 4～5 cm，骨皮质变薄，甚至形成软组织肿块。若发生病理性骨折时，可见轻度骨膜反应和骨痂形成。

应注意的是，经过系统的化疗和局部放疗后典型的穿凿状溶骨性改变转变成为骨硬化型。

2）CT与MRI检查 可更清楚地显示溶骨性破坏（图 37-16B），进一步明确骨皮质的破坏程度和椎旁软组织的侵犯程度。MRI对于骨髓瘤的诊断更为敏感。

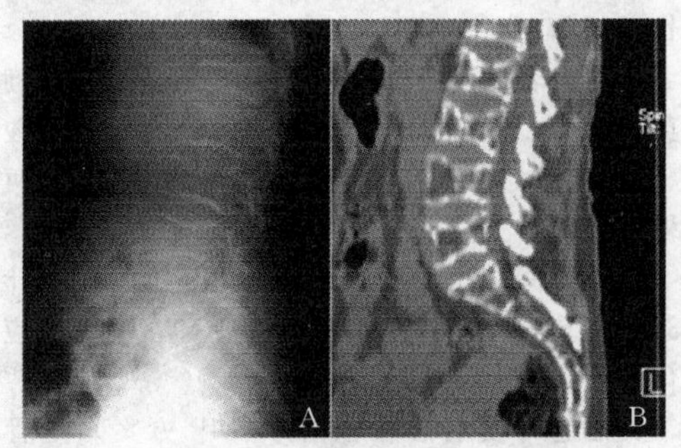

图 37-16 腰骶椎多发性骨髓瘤

A. X线侧位示腰骶椎广泛性骨质疏松，椎体压缩、楔形变 B. CT三维重建示腰骶椎广泛性溶骨性破坏

3）全身骨骼核素扫描 对于多发性骨髓瘤的敏感性争论较多，但核素浓聚常是骨折后新骨形成的结果。

(3) 实验室检查

1）血象 正细胞正色素性贫血，大多数血红蛋白在 70～100 g/L，血细胞比容降低，红细胞形成缗钱体（高球蛋白所致），网织红细胞低，白细胞、血小板正常或轻度减少。血沉增速（贫血及高球蛋白所致），多在 50～100 mm/h 以上。

2）骨髓象 骨髓涂片与活检是诊断本病的主要手段之一，一般呈增生性骨髓象，浆细胞数达 10%～95%。当浆细胞在 10%左右，伴有形态异常者应疑及本病。发现有成堆的幼稚浆细胞即可确诊。骨髓中浆细胞除弥散浸润外还可呈灶性分布，故应选择适当部位或作多部位穿刺。

3）血清及尿液蛋白检测 ①血清总蛋白可达 80～120 g/L，是球蛋白增高之故，白蛋白正常或轻度减少。②血清蛋白电泳在γ区带之前（快γ区带）或在 α_2、β之间可见单株峰（M蛋白），是单克隆球蛋白或轻链蛋白（B-J蛋白）。正常γ球蛋白减少。少数患者血清蛋白电泳带未见M蛋白，仅γ球蛋白减少而尿中有大量轻链蛋白（B-J蛋白尿），此属轻链型骨髓瘤。极少数（1%）患者血与尿中均无异常蛋白，此乃不排泌型骨髓瘤。③免疫电泳可以进一步鉴定M蛋白类型及亚型，包括Ig的亚型，以及轻链检测，是属κ型或λ型。尿液的轻链免疫电泳检测法要比凝溶蛋白测定法敏感得多。阳性率可达 80%以上。从免疫电泳中，还可发现 0.5%～2.5%患者有 2 种及 2 种以上的 M 蛋白，如 IgG＋IgA，IgA＋IgM 等，称双克隆骨髓瘤。

4）其他检测 ①血清 β_2-微球蛋白增高并不能用来诊断骨髓瘤，而是判断预后与治疗效果的重要指标，β_2 微球蛋白的高低与肿瘤的活动程度呈正比。②血清乳酸脱氢酶增高与疾病严重程度相关。③血清碱性磷酸酶一般正常或轻度增高，如血清碱性磷酸酶明显增高应与实体肿瘤的骨转移鉴别。④高尿酸血症、高钙血症、氮质血症与高尿钙高尿酸血症等都常见。⑤血清黏滞度在少数患者增高，一般见于M蛋白明显增高者。⑥C反应蛋白增高。⑦血清 IL-6 及可溶性 IL-6 受体水平增高。

(4) 诊断

目前诊断多发性骨髓瘤较容易，通常患者有骨骼疼痛、贫血、肾衰竭和感染。X线平片可以发现骨骼破坏。骨扫描可以发现全身多处骨骼受累情况。血常规可提示贫血，血涂片可以发现红细胞叠连，偶尔也可以发现浆细胞、淋巴细胞。生化检查显示球蛋白片段、尿素氮增加、高钙血症、高尿素血症，碱性磷酸酶正常或轻度升高。骨髓学检查显示不断增加的浆细胞。血清蛋白电泳及免疫组化检查可以发现异常蛋白。尿必须经过浓缩检查以发现是否有轻链。β_2-微球蛋白是决定预后的因素之一，必须随访。

1）诊断标准

细胞学标准：①骨髓涂片中浆细胞或异常浆细

胞（骨髓瘤细胞）＞10%。②活检证实浆细胞瘤存在。

其他实验室标准：①血清中大量M蛋白IgG＞25 g/L，IgA＞10 g/L，IgD＞2.0 g，IgE＞2.0 g，IgM＞10 g/L。②尿中有轻链蛋白（Bence-Jones蛋白）＞0.2 g/24 h。③放射学溶骨性损害的证据或无任何其他原因的广泛性骨质疏松。④至少两张外周血片见到骨髓瘤细胞。

如细胞学标准两项同时存在或细胞学标准中任一项加上其他标准4项中任一项，都可确立诊断。

2）临床分期　最常用的是Durie-Soimon分期系统。

第1期：瘤细胞数＜$0.6\times10^{12}/m^2$。符合以下各项：①血红蛋白＞100 g/L；②血清钙正常≤3.0 mmol/L（12 mg/dl）；③骨骼X线正常（积分0），或只有孤立性溶骨损害；④血清M蛋白水平低：IgG＜50 g/L；IgA＜30 g/L。尿轻链M蛋白＜4 g/24 h。

第2期：瘤细胞数$(0.6\sim1.2)\times10^{12}/m^2$。各项标准介于Ⅰ期及Ⅲ期之间。

第3期：瘤细胞数＞$1.2\times10^{12}/m^2$。符合以下任何一项或更多项。①血红蛋白＜85 g/L。②血清钙增高＞3.0 mmol/L（12 mg/dL）。③广泛的溶骨损害（积分3）。④血清M蛋白水平增高：IgG＞70 g/L，IgA＞50 g/L；尿轻链M蛋白＞12 g/24 h。

每期根据肾功能变化又分A、B两种亚型：A.肾功能正常，血清肌酐＜176.8 μmol/L（2.0 mg/dl）；B.肾功能损害，血清肌酐≥176.8 μmol/L（2.0 mg/dl）。

（5）治疗

1）治疗原则　多发性骨髓瘤的治疗须考虑全身系统情况、代谢的并发症、骨骼的破坏情况。化疗和放疗是标准治疗方法。如果用大剂量化疗后仍是脊柱单发病变，或有脊柱不稳现象，就应考虑手术治疗。由于疾病本身和治疗的因素而致显著的骨质疏松，行内固定较困难，需要前、后联合入路才能使结构内部获得稳定。

2）一般治疗　除非发生脊椎压缩性骨折需卧床休息外，应鼓励患者适当活动，避免进一步骨质疏松。鼓励多饮水。易感染者应设法提高免疫功能，如注射丙球蛋白、转移因子等，一旦发生感染，作细菌学检查并及时使用有效抗生素。严重贫血者适当输血。

对那些缺乏临床症状的患者的治疗有较多争议。因为从无临床症状到有临床症状可能隐藏较长时间。没有证据证明预防性治疗比等待直到有症状再治疗有优越性。但不幸的是，大多数患者后期表现为硬膜外受压和脊髓、马尾受累症状。不知道早期治疗是否可以避免此并发症。一旦症状出现，治疗包括放化疗以及合并发症的治疗。

3）化学治疗　烷化剂仍是主要的化疗药物。使用包括环磷酰胺、马法兰、亚硝基脲、洛莫司汀。环磷酰胺和马法兰有相当的疗效，比亚硝基脲的化疗效果好。未发现环磷酰胺和美法仑（马法兰）之间的拮抗作用，氢化可的松在控制骨髓瘤的软组织团块、高钙血症、蛋白尿，改善脊髓压迫症有较好的疗效。将美法仑和氢化可的松联合应用效果优于单用其中一种。更近期的方案是烷化剂和长春新碱，烷化剂和多柔比星或几种化疗药物的联合应用。骨髓瘤细胞由于细胞周期长，增殖比率低，因此不如白血病、淋巴瘤那样对化疗敏感；但通过有效化疗仍能缓解症状，延长寿命，提高生活质量，甚至长期缓解。

初治患者的治疗烷化剂包括美法仑、环磷酰胺、卡莫司汀（BCNU）、环己硝脲（CCNU）、苯丁氨酸氮芥、六甲蜜胺，这些都能有效地改善症状，以前两者效果最佳。

化疗期间应每周观察外周血象，如白细胞计数＜$3.0\times10^9/L$，血小板计数＜$20\times10^9/L$，一般应停止化疗。

美法仑与泼尼松联合治疗（MP方案）：是骨髓瘤治疗的经典方案，简便安全，有效率50%～70%，但真正的完全缓解率不超过5%，总体生存期（OS）30～36个月（不同作者使用剂量与疗程不同）。美法仑0.25 mg/(kg·d)×4天或0.1～0.15 mg/(kg·d)×7～10天；泼尼松2 mg/(kg·d)×4天或1mg/(kg·d)×7～10天。采用间歇治疗，每3～6周重复使用。也有使用长期维持，美法仑维持量一般是0.05 mg/(kg·d)。美法仑吸收的个体差异较大，所以维持量也因人而异。服用最好在餐前30～60 min，因为食物可以使美法仑吸收减少一半。

以M2方案为代表的3种以上的联合方案：大多数是在MP方案基础上加长春新碱、卡莫司汀、环磷酰胺、多柔比星等。

M2方案：美法仑0.25 mg/(kg·d)×1～4天或8 mg/(m²·d)×1～4天或0.10 mg/(kg·d)×1～

7天;泼尼松 1 mg/(kg·d)×1～7 天或 1 mg/(kg·d)×1～7 天,后逐渐递减至 21 天停;或 0.6 mg/(kg·d)×1～7天。长春新碱:0.03 mg/kg,第1或第21天;卡莫司汀:0.5～1 mg/kg,第1天;环磷酰胺10 mg/kg,第1天。本方案与 MP 方案的随机对照研究,除个别报道强调 M2 方案优于 MP 方案外,多数作者认为并不优于 MP 方案,有效率无显著差别。尽管如此,一些患者接受 MP 方案治疗不理想时改用 M2 方案也可以得到缓解。

其他方案:①环磷酰胺:与美法仑疗效相仿,有效率 50%～66%。当患者对美法仑及环磷酰胺两者中任一种耐药时,换用另一种药物可能会有效;环磷酰胺剂量为 1.5 mg/(kg·d),口服或静脉注射。②六甲密胺:每次 0.1 g,每日 2～3 次,口服。

维持治疗:早在 1957 年 Alexamian 报道骨髓瘤完全缓解后,维持与不维持治疗,其复发率、缓解期或中数生存期均没有差别。长期烷化剂类药物使用的危险是发生急性白血病与 MDS。有报道长期化疗 50 个月后转化为急性白血病的发生率是19.6%。因此目前多数学者认为达到完全缓解后进行维持治疗并无益处,更重要的是缓解后随访与监视复发。复发者再治疗有效率仍高达 40%～60%。

难治性骨髓瘤的治疗

VAD方案:长春新碱 0.4 mg/d,静脉注射,第1～4天;多柔比星 9 mg/(m^2·d),静注,第 1～4 天;地塞米松 40 mg/天,第 1～4 天,第 9～12 天及第 17～20 天。每 28 天重复一次,完全缓解率 50%,部分缓解率 10%。疗效较好可能与大剂量地塞米松导致浆细胞的凋亡有关,但总体生存期(OS)无明显改善,这可能与此方案治疗并不影响前浆细胞的祖细胞,而这些细胞可以产生内源性 IL-6,继而使浆细胞不受地塞米松诱导细胞凋亡影响。

亦有报道初治患者用 VAD 方案 3 个疗程后可完全缓解,M 蛋白消失,血红蛋白上升正常,肾功能恢复。

中剂量环磷酰胺:1.0 g/m^2,静脉点滴,4 周重复一次,有效率 30%～40%。

中剂量美法仑与甲泼尼龙:美法仑 25 mg/(m^2·d)第 1 天;甲泼尼龙 60 mg/(m^2·d)第 1～7 天。每 4～6 周重复一次,有效率 35%。

大剂量美法仑(HDM):1983 年,McElwain 及 Powles 首先报道单剂量美法仑 100～400 mg/m^2 静脉注射初治骨髓瘤有效率达 80%,完全缓解率可达 30%左右并能较长期生存。有报道复治患者用大剂量美法仑,中数缓解期仅 6 个月,似乎效果并不理想,而呕吐、腹泻、脱发与感染的不良反应均较明显,治疗相关死亡率较高。HDM 合并大剂量甲泼尼龙1 g/(m^2·d)×5 天,治疗相关死亡明显减低。强化治疗及进行自体骨髓移植,53 例中 40 例完全缓解(75%),并能较长期生存,无病生存达 9 年。

总之,通过随机与历史对照研究,大剂量的化疗联合方案超过标准的 MP 方案。CR 率 40%～50%,EFS 与 OS 分别达 3 年与 5 年。

4) 放疗 MM 对放射线有较高的敏感性,正确的应用放疗是重要的治疗手段,但对放疗缺乏反应而又合并骨折的患者需要外科干预。近 20 多年来,国外有文献报道进行交替上下半身照射(DHBI)335 例,其中只完成上半身(UBI)或下半身(LBI)照射 92 例,年龄 27～84 岁,平均 59～67 岁。根据不同病例的选择以及治疗目的、放疗方式、剂量的不同可分为以下 3 种情况。

治疗耐药和复发的难治患者:此类患者因受多次化疗,骨髓受到抑制,体质虚弱,所以有的患者不能完成 DHBI。两次的半身照射(HBI)间隔时间随着骨髓抑制的恢复减慢而延长,最长为 15 周才达到外周血白细胞计数 4×10^9/L 和血小板计数 100×10^9/L 的要求,进行第 2 次 HBI。此类患者 DHBI 的止痛效果比较明显,改善患者的生存质量,放疗后 1～7 天疼痛缓解,不需用止痛药物,有的患者临终前亦无痛苦。其治疗剂量:极度的疼痛可以用 5～15 Gy 在3～5 天内照射,肋骨和椎体可给予单一剂量 8 Gy 的照射,椎旁软组织肿块给予剂量约30 Gy,放疗偶尔也会作全身照射。

作为巩固治疗措施:初治患者先用 8～9 个周期 VMCP/VBAP 诱导化疗。休息 3～4 周后作 HBI。两次 HBI 间隔 6 周。为防止屏蔽区瘤细胞的迁移,每周用长春新碱 1 mg 和泼尼松 50 mg。此后,根据骨髓的恢复情况再行 8 个周期化疗,其剂量适当减少。

作为初治一线治疗:止痛效果好,有的患者达 CR 或(和)PR,存活最长 46 个月。但有的晚期患者生存时间甚短。当治疗后复发时,仍可用化疗或作自身外周血干细胞移植,获再次缓解。

5）干扰素（interferon，IFN） IFN-α有抗肿瘤活性。有报道复发与难治的骨髓瘤仅15％～20％有效。另一报道38例骨髓瘤应用IntroA治疗，2～10 MU皮下注射，每周3次。7例有效，其中3例持续缓解达33个月以上。与细胞毒药物联合使用有效率可超过80％；有报道认为轻链型与IgA型骨髓瘤应用干扰素的疗效较IgG型为好。肿瘤负载小的早期患者，可单用干扰素治疗，而Ⅱ期患者宜化疗或化疗联合干扰素治疗。

6）骨髓及外周血干细胞移植

i）异体骨髓或外周血干细胞移植：大剂量化疗与全身放疗后进行异基因移植，仅适合于45岁以下，有适合供者的患者。一组14例患者，其中10例移植后中数生存期仅12个月（6～30个月），其中5例无病生存，1例复发，另4例有轻度的疾病表现，如低水平的M蛋白。另一组90例接受异基因骨髓移植完全缓解率43％，CR患者中数无病生存期48个月。

ii）自体骨髓或外周血干细胞移植：常用于耐药的晚期患者，年龄可放宽至70岁以下，大剂量化疗与全身放射预处理后输入原先取出保存的自身骨髓进行营救，适当选择较早期病例进行自体移植，移植的死亡率＜10％，晚期缓解率＞30％，80％患者生存期超过3年。20世纪80年代中期开始，先用生长因子或生长因子联合大剂量环磷酰胺，然后收集外周血干细胞，再用大剂量化疗后，输注先期采集的自身干细胞，已治疗了近千例，并有70岁以上的患者。预处理的化疗方案有HDM、VAD、VAMP加全身照射。自体移植对骨髓瘤患者的长期生存还是一个有发展前途的方法。

7）手术治疗 如脊柱多发性骨髓瘤造成脊髓压迫症或脊柱不稳、脊柱源性的恶痛，可行手术减压，同时行椎体切除和各类脊柱重建手术，以减轻症状和防止瘫痪。由于患者的全身情况较差，合并有感染、肾衰竭和高钙血症，凝血功能异常，常使外科手术非常凶险。手术前应注意影像学上椎体骨壁是否完整，有无软组织侵犯。如骨壁不完整，应注意前方的腔静脉、主动脉、节段性血管。

（6）预后

骨髓瘤的预后因素如下。

1）反映浆细胞恶性克隆增殖能力高的指标 ①浆细胞标记指数（PCLl）较高。②血清胸腺嘧啶核苷激酶（STK）增高。③浆细胞形态较幼稚。④出现多药耐药（MDR1）。

2）反映肿瘤的负荷量增高 ①β_2-微球蛋白升高。②Duire-Smlmon分期系统。

3）反映肾功能受损 ①血清肌酐升高。②β_2-微球蛋白升高。

4）反映肿瘤与机体的相互作用 ①C反应蛋白（CRP）升高。②IL-6及SIL-6R。③$CD38^+$细胞。④IL-2水平。⑤骨髓中浆细胞增多的程度与浆细胞的形态以及浆细胞标记。

37.15.3.6 脊柱尤文肉瘤（Ewing sarcoma of spine）

Ewing肉瘤由James Ewing在1921年首次描述。Ewing肉瘤是儿童第2常见的原发恶性肿瘤，第4常见的原发恶性骨肿瘤，仅次于浆细胞瘤、骨肉瘤和软骨肉瘤。脊柱Ewing肉瘤的发病率男性高于女性，男女之比为1.5∶1。发病年龄7～45岁，平均16.5岁。国内脊柱Ewing肉瘤发生率远低于欧美国家，长征医院骨科近10年来收治脊柱Ewing肉瘤仅4例，国内其他医院少有报道。

（1）临床表现

局部疼痛是脊柱Ewing肉瘤最早和最常发生的症状。初期疼痛轻微且为间断性，常使人误认为不是恶性；部分患者出现发热（弛张热型，约38℃），常误认为骨髓炎；然后逐渐加重，需要镇痛药物止痛。由于肿瘤与脊髓、神经根相近，患者常有与脊柱部位相关的特有主诉，包括下肢痛、肢体无力或行走困难、感觉改变和大小便障碍等。常规体检发现大多患者有局部肌群无力，超过一半的患者出现运动肌力下降，还可能有感觉缺失、马尾综合征或神经根病变的表现。病变局部的肿胀一般很快即可发生，发展迅速，紧张而有弹性，有压痛。发生在骶骨者作肛门指检可发现，而其他脊柱部位的病变很少能被直接触及。

脊柱Ewing肉瘤从症状发生到确诊平均历时8个月（1～31个月），而其他部位的Ewing肉瘤确诊只需2～3个月。这主要是因为脊柱放射平片特别是骶骨周围的阅片较困难，而在症状出现早期很少考虑到行CT及MRI等检查。

（2）影像学检查

1）X线平片 Ewing脊柱肉瘤以溶骨为主，但也可有外骨膜的反应性成骨，绝大多数病例表现为硬化组织包围的溶解性骨破坏。基本的X线特征有以下几点：①虫蚀状、浸透状的溶骨性破坏；②骨皮质有破坏;③骨膜反应,如葱皮征和 Codman 三角等;④缺少钙化的骨外软组织阴影。整体所见是上述诸项的不规律组合。

当肿瘤浸润骨的范围广泛,有较大的融合瘤灶时,X线影像上可显示模糊的点状溶骨,骨皮质有小的侵蚀缺损,呈点状或虫蚀状。

Ewing 肉瘤如果没有葱皮样反应或 Codman 三角出现,有时同嗜酸性肉芽肿、骨髓炎、神经母细胞瘤骨转移难以鉴别。

2) CT 检查　增强后的 CT 扫描最有助于确定肿瘤的三维形态。Ewing 肉瘤破坏骨皮质,较易向骨外软组织侵袭。X线平片骨病变不明显或很轻微时,可能已经形成很大的软组织肿块。在X线平片上鉴别有困难的嗜酸性肉芽肿和骨髓炎,一般没有大的软组织肿块,CT、MRI 见到大的软组织肿块时有利于确诊为 Ewing 肉瘤。Ewing 肉瘤的骨外肿块内部质地比较均匀,密度与肌肉相似,在很多部位与周围的肌肉界限不明确,较难据此确定术中的切除范围。偶尔在骨外肿块内,有破碎的骨片及反应性成骨,CT 上见到高密度区。

3) MRI 表现　MRI 在确定骨外软组织边界上更有意义。Ewing 肉瘤在 MRI T1 像,显示与肌肉相同或稍高的信号,而在 T2 像呈现明显的高信号。有认为 MRI 在 Ewing 脊柱肉瘤诊治中准确的适应证还未确定。

4) 骨扫描　Ewing 肉瘤骨转移频度高,全身骨扫描是非常重要的,瘤体的骨外肿块本身没有核素浓聚,但骨膜反应区域可见浓聚。骨扫描对骨以外的脏器转移没有诊断上的帮助。转移病变在就诊时需拍胸片(必要时行 CT 检查),观察有无肺转移,骨髓穿刺结合远离原发病变处活检评估有无扩散至骨髓。

(3) 实验室检查

实验室检查结果往往不具有特异性。患者可出现血沉增快,血清碱性磷酸酶升高,中性粒细胞增高等,部分患者有贫血表现。实验室检查结果与总生存率间并无相关性,对诊断也没有特别的帮助。

(4) 病理学特征

1) 肉眼所见　当所取肿瘤组织标本足够,作出正确的病理诊断并不困难。同所有细胞多基质少的肉瘤一样,Ewing 肉瘤肉眼下呈现为灰白黏液样软组织肿瘤,质地柔软,为典型髓样物质,切开后可挤出胶冻样液体。常见出血区域组织呈灰紫色或单纯血色。坏死区也常见,组织呈黄色,有时发生液化。术中可能会把这种半液性组织误认为脓液,而将 Ewing 脊柱肉瘤误诊为骨髓炎。

2) 镜下所见　在 Ewing 肉瘤有活力且未发生变性的肿瘤区域,可见规整的片状的小圆形细胞核,排列紧密,染色深。胞质很少,色淡,有空泡,其特点是界限不清。细胞核染色深,易辨认,在 Ewing 肉瘤的诊断中有重要意义,其体积约为淋巴细胞的两倍,圆或卵圆形,内含粉尘状染色质,有一个或多个很小的核仁,细胞核大小一致,形态规则,核分裂象可罕见或少见,一般无异型性。细胞坏死后出现聚焦现象,成活细胞常聚集于小血管周围,形成假玫瑰征象。肿瘤细胞渗透骨小梁,常扩散至骨皮质血管腔及骨膜软组织。将肿瘤组织作印片或厚切片可使细胞的形态特征更清楚。

染色技术可用来鉴别 Ewing 肉瘤和其他圆形细胞肿瘤。使用 PAS 染色和淀粉酶处理后,Ewing 肉瘤细胞中可发现糖原颗粒。网状嗜银染色显示网状结缔组织包围整个细胞岛。过氧化物酶免疫染色对 Ewing 肉瘤不具有特异性,但可能对其他圆形细胞肿瘤的特异性较高。

(5) 鉴别诊断

在组织学检查方面,Ewing 肉瘤需要同下述肿瘤相鉴别。

1) 神经母细胞瘤转移　如果患者为5岁以下的儿童,则神经母细胞瘤的可能性高,其他诊断依据包括在就诊时溶骨病变不同程度的扩展范围、颅骨病灶和眼球突出、局部淋巴结肿大和 CT 显示腹膜后过多的钙化阴影。从发病开始就是神经母细胞瘤单发转移的病例不能根据其放射学影像同 Ewing 肉瘤鉴别。另外,神经母细胞瘤还可能在儿童后期、青春期甚至在成人期发病。神经母细胞瘤患者尿中的儿茶酚胺代谢产物增高,而在 Ewing 肉瘤时则无。组织学方面最重要的鉴别依据是神经母细胞瘤可形成玫瑰花结,其核在周围,而胞质伸长在中央;在 Ewing 肉瘤中所发现的玫瑰花结经常为假的玫瑰花结;其中央为一毛细血管或少量坏死细胞。在神经母细胞瘤转移病灶中可以完全见不到玫瑰花结。神经母细胞瘤细胞缺乏糖原。与 Ewing 肉瘤比较,神经母细胞瘤的细胞可能含有更多胞质的核。电镜显示神经母细胞瘤的胞质中有神经分泌颗粒,而 Ewing 肉瘤的胞质则仅有糖原。

2）淋巴瘤　一般根据临床、组织学和预后等方面的差别完全可以区别 Ewing 肉瘤和淋巴瘤，但应注意有少数病例很难与 Ewing 肉瘤截然分开。

3）未分化癌引起的转移　少数病例，如肺癌、甲状腺癌、乳腺癌、胃癌、睾丸癌等伴有小的未分化细胞上皮转移，可能在组织学方面与 Ewing 肉瘤相同。在成年或老年 Ewing 肉瘤病例中发现骨病变时，必须考虑有上皮转移的可能，并应该在临床、放射线和组织学方面全面检查和深入研究。

4）胚胎性横纹肌肉瘤　该肿瘤在向邻近组织扩展或因转移而侵犯骨骼时，容易与 Ewing 肉瘤混淆，但其胞质非常丰富，浓重染色，含有糖原，肌动蛋白和肌球蛋白的试验阳性。

5）间充质软骨肉瘤　在其尚未形成软骨岛的部位可能有类似于 Ewing 肉瘤的组织学表现。应注意鉴别。

（6）治疗

治疗方案为化疗、手术、放疗的综合治疗。如果有可能，在病史、体检、影像学检查后应该行原发瘤活检。

1）放疗　放疗是传统的经典的治疗方法，在一段时期内是唯一的治疗方法。脊柱 Ewing 肉瘤对放疗极其敏感，仅经过几次放疗后即可缓解疼痛和发热。肿瘤体积的缩小速度较慢（因为坏死细胞需要吸收），但也可在几个月内完全消退。骨骼重建的速度更慢，但很明显，有时其速度令人吃惊。影像学上的溶骨区和被肿瘤侵犯的骨膜有骨化的倾向，其肿瘤区域常为骨增厚。放疗剂量为 50～60 Gy(5 000～6 000 rad)，放射区的范围必须大于影像学（骨扫描，CT，MRI）上肿瘤范围的 5 cm 以上。但是放疗有许多并发症，特别是在剂量超过 45 Gy 时，容易继发恶性肿瘤。化疗能增加这种危险。

2）化疗　化疗是近 30 年才开始应用的，使脊柱 Ewing 肉瘤的治疗发生了根本的变化。化疗中最常联用的药物有长春新碱、多柔比星、环磷酰胺、放线菌素 D、异环磷酰胺和依托泊苷（鬼臼乙叉苷）。大剂量间歇化疗的效果有可能优于中等剂量持续化疗。近年有报道异环磷酰胺优于环磷酰胺并取而代之。应用粒性白细胞集落刺激因子恢复增殖，有助于大剂量化疗。联合化疗与放疗同时进行的治疗方案已应用多年。但是放疗联合化疗尚不能完全杀灭整个肿瘤。有认为可能与肿瘤的中心部位由于血供缺乏或供氧不足，因而对放疗和化疗不敏感。

3）手术　Ewing 肉瘤外科切除治疗后的局部复发率较高。Ewing 肉瘤化疗或放疗后分别加手术治疗，比单纯化疗或放疗者生存率明显提高。术前化疗可使脊柱 Ewing 肉瘤的原发病灶在临床和影像检查上明显消退，使手术切除成为可能。术前化疗还可进行组织学上的化疗效果评价。在大多数病例中，肿瘤组织大部分或全部消退，但可残存微小结节或大片的肿瘤活细胞，散布在瘢痕化的纤维骨样组织中。与四肢的 Ewing 肉瘤相比，切除脊柱 Ewing 肉瘤难度大，有可能需要分次手术。由于与脊髓、神经根、大血管相邻且椎体解剖结构的复杂性，有时完全切除脊柱肿瘤几乎不可能，经常出现的软组织病灶使外科处理更加复杂。外科切除后生存率提高的原因，可能是手术清除了化疗、放疗后残留的肿瘤细胞，它们可能对化疗已经有了耐受。局部复发和后期转移的病例，化疗敏感度不如原发瘤的较多，手术可以切除那些耐化疗而引起复发及转移的细胞。手术后还需要再进行化疗或放疗。自 1970 年来，Bradway 和 Pritchard 为脊柱 Ewing 肉瘤患者制订标准的治疗方案，包括术后放疗和四联化疗（环磷酰胺、多柔比星、放线菌素 D 和长春新碱）。一般先对原发肿瘤病灶施行局部放疗，若有复发或转移，再对原部位或其他部位进行放疗。治疗效果因人而异，依赖多种因素，包括疾病的严重程度。

病变范围非常广泛，发生在脊柱、多中心或在发病时即已转移的 Ewing 肉瘤，在化疗后不能手术者，可单独进行放射治疗，在原发肿瘤经手术清除或放射治疗后可持续进行化疗 12 个月。

（7）预后及影响预后的因素

影响 Ewing 肉瘤预后的主要因素有肿瘤发生的部位、大小，诊断时有无转移，肿瘤对化疗的敏感性等。起初肿瘤就很大，一般预后较差，诊断时已经有转移，生存率会降低。化疗后的病理检查见＞95％的肿瘤细胞坏死者，显示有好的预后。临床上化疗反应良好者如肿瘤缩小也有好的预后。Ewing 肉瘤的局部复发其后果特别严重，因为大多数患者在复发后即出现转移和扩散。男性预后较女性差，有全身症状者，如发热、贫血、体重减轻、血沉加快、血清乳酸脱氢酶(LDH)升高，以及在骨盆及骶骨发病等预后欠佳。Ewing肉瘤的并发症之一为脑转移。由于化疗药物不能通过血-脑屏障，因而容易出现上述情况。为了防止脑转移，可以施行预防性脑部放疗或经脑脊液使用抗肿瘤的化学药物。

37.15.3.7 脊柱骨肉瘤

脊柱骨肉瘤(osteosarcoma of spine)是起源于间叶组织的原发性恶性骨肿瘤。骨肉瘤在脊柱的发病率较低，但治疗较为棘手，预后相对较差。长征医院近10年收治的脊柱原发性骨肿瘤中仅5例为脊柱骨肉瘤，胸椎、腰椎各1例，骶椎3例。

(1) 临床表现

大部分脊柱骨肉瘤患者表现为与肿瘤部位有关的疼痛，伴随各种神经功能障碍。因早期症状无特征性，这些患者通常被诊断为椎间盘突出症等良性病变。从有症状到确诊的平均时间为6个月。

文献中报道2/3脊柱骨肉瘤患者确诊时已有神经功能障碍(从放射痛到完全截瘫)，这些临床发现提示所有脊柱骨肉瘤患者确诊时肿瘤已向硬膜外延伸，不利于有效的手术切除。

(2) 影像学检查

1) X线表现　骨肉瘤在X线平片表现多种多样，这取决于肿瘤内骨化的程度。重度骨化的特征是有稠密的硬化区。四肢骨肉瘤的骨膜反应，在典型的“日光辐射现象”中可见到横形或放射状的条纹，称之为Codman三角。但脊柱肿瘤上述征象极少见到。影像学将脊柱骨肉瘤分为溶骨型、硬化型和混合型。在脊柱病变中，最常见的是溶骨型与硬化型混合的椎体肿瘤，病理性骨折常有发生。在90%的病例中，椎体大部分受累，但后部结构也受累。在青年患者中最重要的鉴别诊断是骨母细胞瘤和巨细胞瘤。当X线平片上出现骨囊性破坏和粗糙的骨小梁时，除非出现骨化或钙化，否则骨肉瘤是很难与巨细胞瘤相鉴别。在老年组患者中，需与溶骨性病变鉴别诊断的只有转移癌与骨髓瘤。另外，无硬化的溶骨性破坏很少发生在脊柱上，恶性纤维组织细胞瘤可表现出无硬化的溶骨性破坏。

2) CT和MRI检查　可发现肿瘤延伸到周围软组织与椎管内。CT扫描可排除早期肺转移，还可在影像学上为肿瘤分期。MRI检查对诊断脊柱骨肉瘤特别有帮助，其多维功能有助于理解病变的解剖。与CT相比，MRI的矢状面与冠状面成像更容易确定肿瘤侵犯周围软组织和椎管的程度。在许多病例中，MRI可代替CT脊髓造影术。MRI表现主要依赖于矿化的程度，非矿化肿瘤在T1加权像上为相对低信号，在T2加权像上为高信号，矿化肿瘤在所有序列像上都显示低信号。

3) 放射性核素扫描　有利于发现脊柱骨肉瘤的卫星病灶和远处骨转移灶。在治疗期间或治疗后，如骨扫描持续表现为热结节，这是肿瘤持续存在或复发的可靠指标。定期随访放射性核素骨扫描适用于经过联合化疗后的患者，可早期发现肿瘤复发迹象。

4) 动脉造影　近年来用动脉造影术确定肿瘤新生血管、胸腰椎脊髓的节段性血供。动脉造影术还有利于消除肿瘤血管和减少术中出血，可以通过用聚乙烯乙醇或无水乙醇进行节段性血管栓塞来获得；另外，动脉造影术可选择性递送有效的化疗药物。

(3) 病理学特征

骨肉瘤有许多分类方法，下面4种既简单又与脊柱有关的分类是：①成骨性骨肉瘤；②成软骨性骨肉瘤；③成纤维性骨肉瘤；④继发于Paget病或放射后骨肉瘤。

1) 肉眼观察　脊柱骨肉瘤是血供非常丰富的肿瘤，在出血性肿瘤中常可发现出血灶和大的血管腔，有时大部分肿瘤就是一个血块。由于有骨生成，通常有砂砾感，如骨被矿化，可出现钙化区。

2) 镜下所见　恶性成骨细胞的产物——编织骨，不论矿化与否，是任何骨肉瘤的单一诊断指标，所有的骨肉瘤组织杂乱无章。编织骨的骨针或骨块被丰富的血管网住，围绕骨针周围的细胞含有由于过多不典型的有丝分裂而导致的异形纺锤体，周围组织中看到很多的恶性成骨细胞。

出血或坏死灶是骨肉瘤的常见特征，在这些病例中，因周围的肉瘤细胞已失去染色亲和力，所以易见到肿瘤骨。目前尚没有具体的特殊染色来诊断骨肉瘤，免疫过氧化酶染色可用来确定肿瘤的肉瘤性质，并可排除来源于上皮的肿瘤。在缺少成骨的病例中，需要认真地检查，在偏振光显微镜下，很容易发现骨胶原，对诊断骨肉瘤非常有帮助。

有一些病例中成骨不确定，病理上看到的只是可产生胶原的恶性纺锤状细胞的肿瘤。如果肿瘤细胞呈旋涡样排列，就可以诊断为恶性纤维组织细胞瘤。在典型纤维肉瘤中，没有旋涡样的细胞排列和组织细胞分化。目前较难区分浸润性骨母细胞瘤与骨肉瘤，但一些特征如坏死灶、缺少成骨性的栅条、频繁的有丝分裂活动等更多地支持骨肉瘤的诊断。

(4) 治疗

目前尚缺乏有关脊柱恶性肿瘤治疗的标准，现在采用的治疗原则是延伸肢体肿瘤的治疗策略。一旦确诊，就要用胸部CT扫描和放射性核素骨扫描排除转移病灶。随着有效化疗方案的出现，在许多医疗中心，手术治疗在早期系统化疗后进行。Rosen建议在手术切除原发性肿瘤前16周，让患者接受化疗。肿瘤辅助化疗的理论基础：首先，在患者最早确诊时，影响全身的微小转移已发生，此时微小转移灶相对较小，对化疗药敏感，所以此时开始化疗对于骨肉瘤是非常重要的，因骨肉瘤的倍增时间在30～40天；其次，由于原发肿瘤病灶缩小，允许手术范围更接近肿瘤，以获得有效整块和广泛切除。

1) 化疗　自20世纪70年代初Jaffe首创大剂量甲氨蝶呤及四氢叶酸钙解救剂（HD-MTX＋CF）治疗骨肉瘤以来，相继发现多柔比星（ADM）、顺铂（CDP）、足叶乙苷（VP-16）、异环磷酰胺（IFO）、环磷酰胺、长春新碱（VCR）及放线菌素D（BCD）等亦对骨肉瘤原发灶及肺转移灶有确切的疗效。许多学者开展了多药联合的辅助化疗与新辅助化疗。在强力化疗与外科手术的综合治疗下，骨肉瘤的治疗效果不断改善，明显提高了患者5年生存率。

(i) 化疗方案：目前国际上常用的化学疗法有HD-MTX、ADM、DDP联合疗法及Rosen的T4、T7、T10、T12疗法等。T4治疗方案均连续使用大剂量的甲氨蝶呤和甲基四氢叶酸解救剂、多柔比星和环磷酰胺。T7方案是：大剂量甲氨蝶呤和最初4周剂量的甲基四氢叶酸解救剂，可给予连续联合使用BCD和每个疗程90 mg/m^2 剂量的多柔比星。大剂量甲氨蝶呤指在未完全发育的青少年患者中是12 g/m^2，在发育成熟的患者中是8 g/m^2。用T7方案治疗的54例患者中有43例（约80％）保持平均4年的无瘤生存。在1978年，有人报道用剂量为100～120 mg/m^2 的顺铂治疗1天或5天，有55％的患者对此有反应，如术前化疗方案部分有效或疗效较差，这就可能给患者带来病灶转移的危险。如患者对术前化疗反应较好，并不能排除其他潜在的不良反应，如顺铂的肾毒性，因为只有术后持续化疗，才能维持部分患者无瘤生存。术后化疗方案的基础取决于原发肿瘤对T10化疗方案的反应，在T10化疗方案中，术前化疗使用大剂量的甲氨蝶呤、甲基四氢叶酸解救剂和多柔比星。对原发骨肉瘤术前化疗效果的组织学分组可分4级，3～4级的患者对术前采用的化疗继续有反应，在1～2级患者中，删去顺铂和大剂量的甲氨蝶呤，用这种方法治疗，约80％的患者可获得3年的无瘤生存。

一般在化疗中强调多药联合以达到对肿瘤的有效杀灭。德国的骨肉瘤协作组报道22例脊柱原发性骨肉瘤取得较好疗效，19例（86％）生存期＞1年，其中3例＞6年，该组病例均以高剂量MTX为主并分别结合多柔比星、顺铂、博来霉素化疗，高危病例联用足叶乙苷及卡铂。研究表明行肿瘤整块切除或边缘切除的病例，生存期明显长于病灶内切除或姑息治疗；行病灶内切除或姑息治疗病例术后放疗组生存期长于未接受放疗组。作者认为积极的手术治疗与放、化疗的结合有助于延长患者的生存期。

(ii) 术前与术后化疗：近年来，提出新辅助化疗概念：术前对骨肉瘤进行化疗，根据化疗的敏感性及肿瘤组织学坏死程度制订术后的化疗方案。通过有效的术前化疗，达到抑制及杀灭肿瘤微转移灶的目的。最早倡导术前化疗的单位是MSKCC（Memorial Sloan-Ketterirg Cancer Center），此举得到了Bologna小组（Rizzoli lnstitute）与Winkler等的支持。Bologna小组的报道表明，术前化疗与局部复发率有很明确的关系，而局部复发对预后存在十分不利的影响，从减少复发进而改善预后的角度看，术前化疗是有一定意义的。然而，在MSKCC的资料中，RFS（无瘤生存率）并不受术前或术后化疗的影响。对接受术前化疗的170例患者，Meyers等按术前化疗时间的长短将患者分成3组，分别是：19～60天者57例，63～96天者58例，＞97天者55例，经单因素分析，术前化疗的长短与RFS无关，延长术前化疗的时间虽然可使组织坏死率上升，但其与预后的相关性也下降了。POG小组对106例患者进行了随机研究，采用药物均为HD-MTX＋CF、ADR/DDP（两个循环，10周），一组为术前化疗，一组为术后立即化疗，结果表明，2年生存率分别为

70%及73%，亦无明显区别。因此，对术前化疗是否可以改变患者的长期预后，尚无统一的认识。但可以肯定的是，术前化疗必然会使部分患者的肿瘤坏死，减轻水肿。

为了证实术前化疗的作用，进行了多学科的对照研究。Eilber报道了在加利福尼亚大学对患者做的一项随机研究，将接受过动脉内多柔比星化疗或放疗后的患者被随机分成两组，一组接受大剂量辅助化疗，另一组不给予辅助化疗。经平均24个月的随访，术前化疗对无瘤生存率和总体生存率很重要。化疗组45%患者有复发，20%的死亡；对照组的复发率和死亡率分别为80%和52%。

(iii) 拯救化疗：根据术前化疗的组织学反应调整用药、对那些组织学反应不佳(肿瘤细胞坏死率＜90%)改变化疗用药以期改善预后。大部分学者主张对术前化疗组织反应不佳者，在术后化疗中以加入新药为宜，而不是取代尚有一定疗效的药物。这一设想是合理的，但其实际效果仍有争议。Meyers的随机研究中，一组术前给予HD-MTX＋CF/BCD，术后根据组织反应调整用药，另一组术前即给予所有强力化疗药HD-MTX＋CF/BCD/ADR/DDP，经过49例患者的比较研究，良好组织反应率(50%对55%)及3年生存率(76%对77%)均无明显差异。然而Bologna小组及Michelagnoli等的研究支持IFOS与VP-16在拯救反应不佳者的价值。Beniamin等也赞同拯救化疗。他们将患者分为3组，第1组37例(1980～1982年)，术前接受DDP及ADR，术后不论组织学反应如何仍给予二者联合；第2组59例(1983～1988年)，术前用药同第1组，术后对药物反应不佳者加HD-MTX＋CF及BCD等；第3组28例(1988～1992年)，术前用药同上，术后对药物反应不佳者改用HD-MTX＋CF、IFOS、ADR/DTIC(氮烯胺)，此3组药物反应不良者的5年生存率分别为13%、34%和67%，说明了拯救化疗的价值。需要指出，随着时间的推移，后两组的药物剂量强度、总剂量、术前化疗持续时间均有所增加。故拯救化疗理论尚需要更长的时间来检验。

(iv) 药代动力学与剂量强度：毫无疑问，药代动力学会对治疗效果产生重要影响。在最近的一项研究中，Jaffe证实肿瘤的消除不仅依赖于化疗药达到靶器官的浓度，而且还依靠几个疗程化疗药在靶器官的累积量。通常认为年幼者的药物排泄较快，儿童MTX的剂量宜提高，故MSKCC的T方案与EOI(European Osteosarcoma Intergroup)方案中规定，儿童MTX的剂量应由8 g/m² 提高到12 g/m²。对其他的28个化疗方案进行了详细的研究之后，Delepine等指出，MTX的剂量与剂量强度(单位时间及单位体表面积的药物剂量)对预后有显著影响，降低药物剂量或延长两次给药时间间隔均会产生不良的预后，故Delepine建议根据药代动力学指标进行个体化剂量调整，使输注6h后的峰值血药浓度达到1 000 μmol/L以上，认为可以明显提高组织反应率和RFS。Graf等的报道得出了同样的结论，但他认为如果MTX用量达到12 g/m²，并调整水化入量为3 L/m²，患者的给药量不需个体化调整，因为多数患者的血药浓度可以达到1 000 μmol/L。对ADM的研究也表明药代动力学与剂量强度具有重要意义。COSS及Bologna小组指出，降低ADM的剂量强度会导致预后不良。目前认为，ADM的剂量强度是决定预后的最重要因素。

(v) 骨肉瘤的多药耐药(MDR)：研究表明，肿瘤的MDR主要与细胞质膜上的糖蛋白(P-gp和MRP)有关。P-gp的表达伴随着mdrl基因的扩增。克服MDR的方法有用Ri-bozyme切割mdrl基因的mRNA，降低P-gp的表达；用反义寡脱氧核苷酸或反义寡核苷酸抑制MDR基因的复制、转录及翻译；采用鼠抗人P-gp单克隆抗体MRK-16与化疗药物联合治疗，以增强耐药细胞的敏感性；采用一种或几种MDR逆转剂，有以下几大类：钙通道阻滞剂(如维拉帕米)；心血管系统药物(如奎尼丁)；激素(如黄体酮)；抗生素(如红霉素)；免疫抑制剂(如环孢素)；钙调蛋白抑制剂(三氟拉嗪)；抗疟药(奎宁等)。维拉帕米和环孢素与化疗药联用，在儿童骨肉瘤取得一定疗效。

(vi) 化疗反应评价：准确及时的疗效评价可允许更改治疗方案，增大药物剂量或提早手术，以拯救组织反应不佳的患者。目前最为可靠的是对化疗后手术切下的肿瘤标本进行坏死率评估，这一方法已为MSKCC、COSS、Bologna小组等广为接受，并均同意将肿瘤细胞坏死率＞90%定为组织反应良好，＜90%视为组织反应不佳。业已证明，肿瘤组织化疗反应与预后存在明显相关性，复发与转移基本上只发生在组织反应不佳的患者中。需要指出，原发性肿瘤与转移瘤化疗敏感性不尽一致，这就是部分患者不能获得长期生存的原因。如 Biagini 等发现,从 6 例原发灶化疗反应良好的患者切下的 21 个肺转移结节中,仅有 12 个化疗反应良好;而 17 例原发瘤反应不佳的患者切下的 50 个结节中,仍有 5 个反应良好。因此,肿瘤细胞对化疗的反应存在异质性。然而病理组织学评估只有在手术切除肿瘤以后才能进行,而且是一项繁重的工作,需要取材 19～30 个以上,在不同的病理医师之间还存在个体差异。所以在过去几年里,放射学专家在努力建立一种替代病理学的方法。已证明 X 线片、CT、MRI 均非评价化疗反应的敏感与可靠指标,血管造影与放射性核素扫描则显示了较高的应用价值。经过 2～4 次化疗后,可看到肿瘤血管明显减少,这意味着肿瘤坏死,当肿瘤血管生长停止、减少或消失时,说明化疗达到了最大反应,即可考虑手术。放射性核素骨扫描似更有前途,而且简便,可反复检查,^{67}Ga、^{99m}Tc、^{201}Tl 均曾用来评价肿瘤化疗反应,尤以^{201}Tl 较为可靠,特异性强,不受炎症及反应成骨的影响。

2）手术治疗　外科手术仍是治疗骨肉瘤原发灶的主要手段。但应强调早期的穿刺活检,明确诊断后,施行新辅助化疗方案(具体上文已做详细介绍)。对于脊柱骨肉瘤手术治疗应尽量行整块切除或广泛切除,有助于延长生存期。术前行栓塞并于栓塞后 24～48 h 内手术,可以明显减少术中出血,缩短手术时间,术野清晰,有利于脊柱肿瘤的彻底切除。Daryl 等行前后联合入路根治性切除胸腰椎骨肉瘤 3 例,术后神经症状明显改善,但随访少于半年。Cuneyt 等报道 1 例原发于枢椎的骨肉瘤,行经口腔入路全椎节肿瘤切除,以 Cage 重建颈椎体高度,自体骨移植,前路钢板固定及后路切除后结构行枕颈内固定,术后行 MTX、IFO、ADM 及卡铂联合化疗,患者随访 40 个月肿瘤复发,但患者带瘤生存,无明显神经症状,也无转移。

在有严重的神经功能障碍(如截瘫)或脊柱不稳引起的疼痛的脊柱骨肉瘤患者中,脊柱的稳定性与肿瘤切除、脊髓减压要在化疗之前完成。脊柱骨肉瘤患者术后继续联合化疗,用放射性核素骨扫描和 CT 扫描进行连续评估。另外碱性磷酸酶水平有助于骨肉瘤对化疗反应的连续评价。

3）放疗　骨肉瘤细胞对放疗不敏感,放疗一直作为手术前后辅助手段存在。枕颈部骨肉瘤的局部放疗对于降低复发有一定的作用,局部放疗有助于控制肿瘤对于咽后壁及脊髓的压迫。近年国内外开展了^{153}Sm-EDTMP 内照射诱发骨肉瘤细胞凋亡的实验研究,观察到在随^{153}Sm-EDTMP 内照射延长,骨肉瘤细胞的 DNA 链断裂程度增加,形成凋亡小体,为临床开展该研究提供依据。近年来放射增敏剂的研究也是一个热点。Kubota 等研究认为渥曼青霉素(P13-激酶抑制剂)可抑制静止型肿瘤细胞 DNA-PK 活性,而为放疗所杀伤。Linbeg 等动物实验证明 PEG-HB(聚乙二醇结合牛血红蛋白)可增加对放疗的敏感性。

在脊柱骨肉瘤术后是否用放疗控制局部肿瘤,取决于原切除部位是否有存活的肿瘤,局部点放疗可用于所有辅助性化疗无效的病例。但后方放疗可能与较高的切口裂开发生率有关,特别是用后正中切口进行器械固定和植骨术的患者。

4）生物调节治疗　近年来,微脂粒包裹的胞壁酰三肽磷酯酰乙醇胺(liposome-encapsulated muramyl tripeptide phosphatidyle-thamolamine, L-MTP-PE)对骨肉瘤肺转移治疗作用的研究逐渐引起重视,有希望成为有效的治疗手段。MTP-PE 具有激活单核细胞和巨噬细胞的能力,经静脉注射后,能选择性地作用于肺部单核细胞和巨噬细胞。MTP-PE 包裹脂质体后形成 L-MTP-PE。这样,经静脉输入 L-MTP-PE 时,MTP-PE 不会漏入血清中,而只被巨噬细胞或单核细胞吞噬,分布于肺、脾、肝、肺转移瘤内部和周围。MTP-PE 激活的巨噬细胞能杀灭肿瘤细胞,而对正常细胞无损害。Ⅱ期临床试验用 L-MTP-PE 对骨肉瘤肺转移患者行试验性治疗,肿瘤复发时间明显延长。目前认为用药剂量 2 mg/m^2,2 次/周 × 12 周 + 2 mg/m^2,1 次/周 × 12 周,其与化疗药物合用无干扰作用。

(5) 预后

原发性脊柱骨肉瘤治疗困难,已报道的脊柱骨肉瘤的平均生存期为 6～10 个月,主要是因为手术难以彻底切除。但如果能对病椎实施整块切除或广泛切除,患者预后则会明显改善。脊柱骨肉瘤的研究到目前为止有 3 个较大系列的学术研究报告。在 1980 年,Barwick 等报道了一组 10 例 67 岁以上的脊柱骨肉瘤患者,总的平均生存期 6 个月,只有 1 例长期存活,1 例患胸椎肿瘤的 3 岁男孩经放疗和化疗后存活了 6 年 2 个月。偶尔有骨肉瘤患者长期存活的报道,Mnaymneh 报道 1 例骨肉瘤患者行肿瘤部分切除、体外放疗、化疗,该患者近 2 年后死于多柔比星中毒。Ogihara等报道1例患T_4椎体骨肉瘤的15岁男孩，就诊时已截瘫，行椎板切除术后经肋间动脉途径予以多柔比星30mg，每日1次，连续3日。休息6周后开始下一疗程，共连续3个疗程的动脉内化疗后开始接受全身化疗。经4个月的治疗后，他开始行走，且在随访中至少1年处于无瘤状态。Poppe等报道1例只经体外放疗，而未予以其他治疗，存活10月余的骨肉瘤患者。Shive等报道了20例脊柱骨肉瘤患者，他们中没有任何人给予现代联合化疗方案治疗，但平均生存期为10个月。在Memorial Sloan-Kettering癌症中心，从1949～1984年间收治的24例脊柱骨肉瘤患者被分成两组，早期的13例患者主要予以椎板切除和放疗，平均生存期6个月，只有1例长期存活者。近期的11例患者接受了椎体切除和联合化疗，化疗方案是以Rosen描述的T7和T10方案为基础的，有4例患者接受多次手术切除残留的或复发肿瘤。这组中5例生存期超过5年，其中3例在完全无瘤状态，只有1例患者在接受化疗时已发生远处转移。肢体骨肉瘤化疗原则提供了一个治疗脊柱骨肉瘤的有用模式。

37.15.4 脊柱转移性肿瘤

脊柱转移性肿瘤的诊断与治疗长期以来一直存在着不少争论。近年来，由于诊断手段的日益进步，脊柱转移性肿瘤的早期发现率明显提高。同时随着外科治疗理念和技术的更新，外科治疗日益成为脊柱转移性肿瘤治疗的重要手段。

(1) 临床表现

脊柱转移性肿瘤中，仅有40%～50%患者有原发恶性肿瘤的病史。多数患者以转移为首发症状，在临床上应引起足够的重视。

1) 疼痛　是最常见的症状，约有70%患者均以疼痛起病，常逐渐变为持续性加剧，夜间痛明显，制动多无效，疼痛严重者服止痛药也无效。大约有50%的胸脊髓损害患者有脊髓压迫症状出现即出现神经根性疼痛。疼痛因病灶部位不同而不同。腰椎转移可表现为腹痛。上颈椎转移常伴有枕大神经分布区域的放射痛。对于上颈椎转移应注意，由于上颈椎椎管相对较宽，早期患者并没有脊髓的压迫症状，此时疼痛可为唯一的症状。

凡有过恶性肿瘤病史者，不明原因的脊柱部位疼痛，应高度怀疑是否有椎体转移。

2) 脊髓压迫症状　转移性肿瘤常很快出现神经根或脊髓的压迫症状。由于脊柱转移性肿瘤主要位于椎体，往往从前方压迫锥体束或前角细胞，故常以运动功能损害先出现。与其他脊髓病损类似，括约肌功能损害往往提示不良预后。研究表明术前Frankel分级低常与术后预后不良或并发症增多有关。如颈椎肿瘤累及交感神经丛则可出现Horner综合征。

3) 活动受限及畸形　如上颈椎转移肿瘤累及枕寰关节或寰枢关节会引起头颈部的活动受限、僵硬。部分患者可出现斜颈，长期斜颈导致头面部发育不对称。其余部位的脊柱转移肿瘤压迫神经根也可出现相应的畸形。

4) 病理性骨折　有轻微外伤或根本没有任何诱因，可发生椎体压缩性骨折，此时疼痛加剧，可以很快出现截瘫等。

5) 全身症状　有原发癌表现者全身情况差，常有贫血、消瘦、低热、乏力等。

(2) 影像学表现

1) X线　X线平片依然是目前最简便、快速和经济的诊断脊柱转移癌的主要手段之一。但是由于X线对于早期脊柱转移灶无法显现，有报道认为只有当椎体骨小梁破坏达50%～70%时，才能在平片上表现出来。脊柱转移癌X线平片早期仅表现出松质骨的稀疏，椎体发生压缩性骨折后，病椎的上、下椎间隙常保持不变。脊椎转移瘤X线片大致可有3种表现：①溶骨型；②成骨型；③混合型。直肠癌、结肠癌、前列腺癌发生脊柱转移，主要表现为溶骨性破坏。成骨型变化可见于部分前列腺癌、乳腺癌的硬癌及鼻咽部和骨肉瘤等肿瘤发生脊柱转移时。X线片上如显示椎弓根的破坏，称为椎弓根阳性，对于诊断椎体转移具有很大意义。

2) CT　主要的优点在于可明确骨皮质及小梁的微小破坏，准确显示椎体的溶骨性或成骨性病灶以及肿瘤侵入椎管内硬膜外腔或椎旁软组织(图37-17)，肿瘤边缘多无硬化，基质钙化亦不多见。同时CT还有助于对局部放疗效果的评价，可显示椎体溶骨性破坏是否钙化或骨化，椎体受累范围是否减少等。对于脊柱转移性肿瘤应注意单纯行CT扫描时容易遗漏跳跃的多发病灶。

3) MRI　是诊断脊柱转移性肿瘤的重要手段。MRI能反映转移灶的分布、数目、大小及与毗邻组织的关系，对于界定肿瘤的反应区也有重要的意义，能为手术中行整体或广泛切除的范围提供依据。

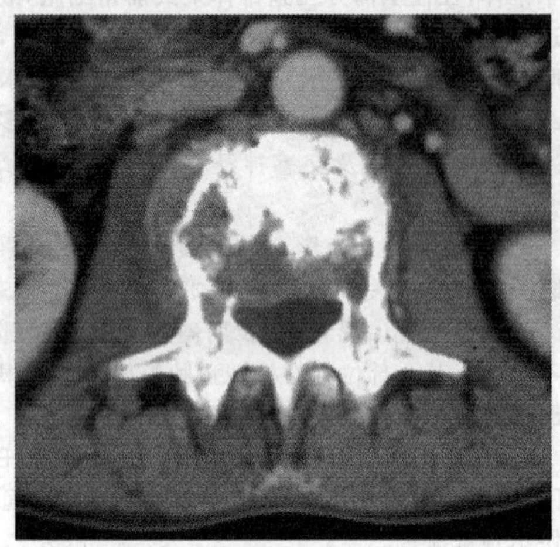

图 37-17 L_1 椎体及附件转移癌

CT 示溶骨性破坏与成骨性混合改变

4）放射性核素骨扫描（ECT） 放射性核素骨扫描在检测椎体骨转移灶局部代谢改变时非常敏感，诊断价值较大（图 37-18），可早期发现原发灶。核素扫描阳性时，异常骨至少占正常骨的 5%～10%。应注意到肿瘤侵袭、创伤和感染均可产生反应性新骨形成，在 ECT 上表现为异常浓聚。

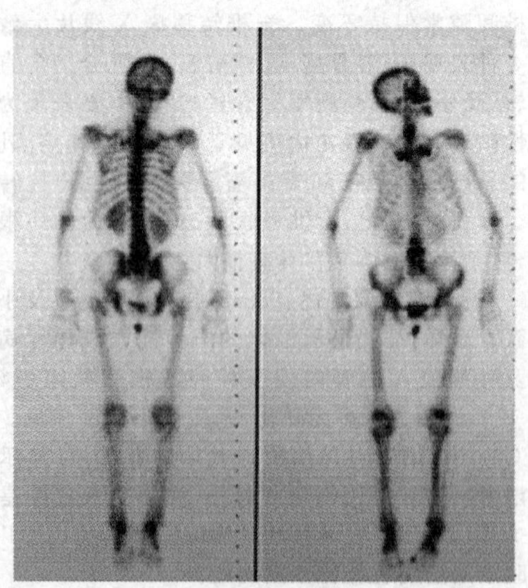

图 37-18 脊柱多发转移癌

ECT 示 C_7、L_3、L_4 椎体和左右胸锁关节异常放射性浓聚

5）PET 检查 有助于发现一般手段难以发现的微小原发灶和软组织转移灶。

（3）病理活检

对于难以判别性质的脊柱占位病变，可考虑术前活检以明确病变的性质。活检主要有切开活检或穿刺活检。如病变位于椎体，在椎旁无法取到活检样本，可选择经椎弓根的穿刺活检，但其风险较大。一般在 CT 引导下，由熟练的医师完成。如患者的原发肿瘤为一些富含血管的肿瘤，同时肿瘤已经累及椎体后缘皮质，则活检后由于可造成出血及对脊髓的压迫，此时穿刺活检应慎重。

对于首发于椎体，同时又分化比较好的转移癌，可根据活检或切除后的标本，识别其组织来源，如甲状腺癌、肝细胞癌等。

（4）实验室检查

1）一般检查 包括：血沉、肝肾功能、血清钙、血磷、碱性磷酸酶、尿钙及尿磷等。脊柱转移癌患者可出现血红蛋白降低、血红细胞减少、血白细胞计数略升高、血沉增快、血浆蛋白下降和白蛋白与球蛋白倒置。溶骨性骨转移先在尿内有尿钙显著增多，若病情进展血钙将进一步增高。

2）肿瘤标记 根据原发肿瘤的不同可有一些不同的肿瘤相关标记，如 CEA、PSA、CA199、CA120 等。

3）生化标记 研究发现血清含有多种反映骨代谢早期改变的生化标记，与溶骨反应相关的有Ⅰ型胶原 C 末端（C-telopeptide of collagen Ⅰ）、α1 链 C 末端（C-telopeptide of an α1 chain）等；与成骨反应有关的有骨钙素、骨碱性磷酸酶、前胶原Ⅰ C 末端前肽（procollagen Ⅰ carboxy-terminal propeptide）、前胶原Ⅰ N 末端前肽（procollagen Ⅰ N-terminal propeptide）、吡啉啶等。然而这些标记的特异性还有待于进一步临床验证。溶骨性标记还可用于双磷酸盐治疗骨转移的疗效评价。

（5）治疗

1）外科治疗 脊柱转移性肿瘤是脊柱肿瘤中最常见的肿瘤，也是脊柱肿瘤外科治疗的重要方面。患者一旦发生脊柱转移，其生存期有限，对于何种患者应于何时行手术治疗仍是目前在临床工作中研究的焦点问题。脊柱转移肿瘤患者的生存期受多种因素的影响，如肿瘤病理类型、转移情况、脊髓压迫情况、患者一般状况及基础疾病等。相对而言，骨髓瘤、淋巴瘤和部分软组织肉瘤转移生存期较长。腺癌转移中，以乳腺癌、肾透明细胞癌、前列腺癌生存期相对较长，肺癌和肝癌生存期则较短。一般认为准备行手术治疗时，患者的预期存活时期一般不应短于半年。

(i) 手术目标及适应证：目前众多学者经研究认为脊柱转移性肿瘤外科手术治疗的目标：①恢复或保留充分的神经功能；②缓解疼痛；③切除肿瘤或肿瘤减压；④确保即时的或永久的脊柱稳定。

一般认为脊柱转移肿瘤手术主要适应证：①预期生存寿命＞6个月；②脊柱不稳与畸形或椎间盘、骨折片压迫脊髓、马尾和(或)神经根引起进行性神经功能损害；③顽固性疼痛经非手术治疗无效；④转移灶对放、化疗不敏感或经放、化疗后复发引起脊髓压迫；⑤病理活检明确椎体病变性质。

Harrington等将脊柱转移肿瘤依据其骨性结构破坏程度和神经损害分为5种类型：①无严重神经损害；②累及骨性结构但无椎体塌陷及不稳；③重要的神经功能损害(感觉或运动)，但无明显的骨性结构破坏；④椎体塌陷并由此引起疼痛，但无明显神经功能损害；⑤椎体塌陷或不稳，伴明显神经功能损害。建议①、②、③型患者可行非手术治疗，包括化疗、激素治疗和放疗；③型患者根据具体情况，若脊髓受压并且肿瘤对放疗不敏感则可行手术治疗；④和⑤型患者可行手术治疗。

研究认为，在病变椎体塌陷前期进行手术，行即刻稳定性重建及减压预后较好(图37-19)。胸椎转移病灶，一般认为对于T_1～T_{10}肋椎关节受累是影响椎体病理性骨折塌陷的重要因素，当转移灶累及T_1～T_{10}椎体时50%～60%发生椎体塌陷；在T_{11}、T_{12}及腰椎则最重要因素是肿瘤累及椎体的程度和椎弓根受累，转移灶累及椎体者35%～40%将发生椎体塌陷。

近来，一些学者将肿瘤学的治疗概念引入脊柱转移性肿瘤的手术治疗中，认为手术选择应与患者的全身状况、预后相联系。近年，Tomita等建立了一种脊柱转移肿瘤的评分系统，由3种预后因素组成，包括：①原发肿瘤病理分级。生长缓慢——1分，中度——2分，生长迅速——4分；②脏器

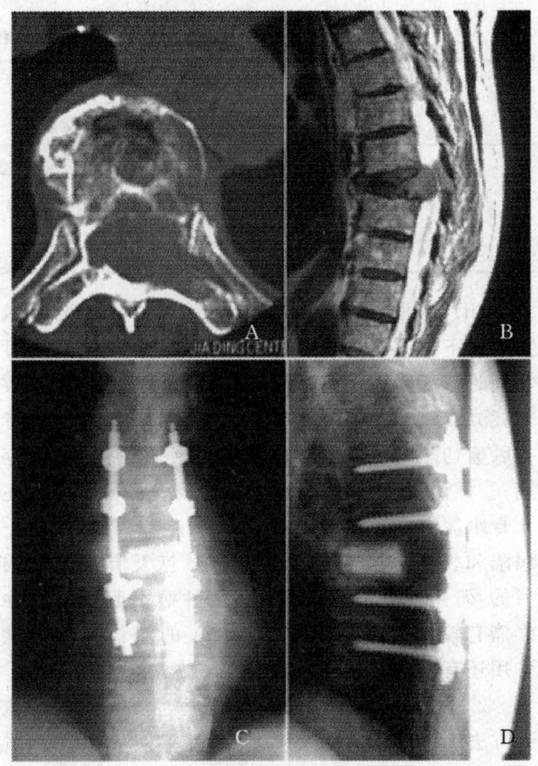

图37-19 T_8椎体腺癌转移

A. CT示T_8椎体溶骨性破坏 B. MRI矢状面T2加权示T_8椎体破坏，胸髓受压 C、D. X线正侧位片示后路T_8全椎节切除骨水泥填塞，SOFAMOR M8钢板内固定重建术后

转移情况。可治疗——2分，不可治疗——4分；③骨转移情况。单发或孤立——1分，多发——2分(表37-5)。每例累计总分(表37-5)。

每例患者的手术治疗策略依据其治疗目标而定：①生存期长，需长期局部控制(评分为2～3分)者，行广泛切除或边缘切除；②生存期中等，需中期局部控制(评分为4～5分)者，行边缘或病灶内切除；③生存期短，仅需短期局部控制(评分6～7分)者，行姑息性手术治疗；④终末期(8～10分)仅行非手术支持治疗。作者以此评分系统进行前瞻性研究，治疗61例患者，其中52例手术治疗患者中43例(83%)获得椎体转移灶成功的局部控制。这一治疗评分系统不单纯从外科治疗出发决定患者的治疗选择，而是立足于肿瘤治疗的综合治疗概念决定患者的治疗方式。进一步推广有待于更多的研究。

表 37-5 Tomita 脊柱转移肿瘤分期

评分	预后因素			预后评分	治疗目标	外科策略
	原发肿瘤	内脏转移	骨转移	2～3	长期局部控制	广泛或边缘切除
1	生长缓慢		单发或孤立	4～5	中期局部控制	边缘或病灶内切除
2	中度生长	可治疗	多发	6～7	短期局部控制	姑息治疗
4	快速生长	不可治疗		8～10	肿瘤晚期治疗	支持治疗

(ii) 手术方式选择：脊柱转移肿瘤的主要手术方式如下。①姑息减压手术：主要为椎板切除，也可在同时行后路稳定性重建，但疗效较差，并不优于放疗；②肿瘤切除术：多项研究表明，对于合适的患者行肿瘤切除术有助于改善患者生活质量，延长生存期；③椎体成形术：通过经椎弓根或直接向椎体内注入骨水泥的方法，达到增强椎体强度和稳定性，防止塌陷和缓解腰背部疼痛，甚至部分恢复脊柱高度的目的，研究表明对于某些转移性肿瘤引起的顽固性疼痛有较好的疗效，同时 PMMA 的热作用和毒性作用还有助于杀死肿瘤细胞。

2) 放疗　放疗是治疗脊柱转移性肿瘤的一种重要方法。淋巴瘤、骨髓瘤和精原细胞瘤对放疗敏感，乳腺癌、前列腺癌对放疗中度敏感。尽管某些转移性肿瘤患者的生存期较短，但是合理的运用手术、放疗、化疗及其他综合治疗手段，也能有效地提高患者生存期。

对于脊柱转移性肿瘤，放射治疗的主要目的：①局部治疗椎体转移性肿瘤，直接杀灭肿瘤细胞；②缓解疼痛，60%～80%的患者在行放疗后其疼痛能得到有效地缓解。研究表明放疗后 2 个月后可见到溶骨性破坏出现重新钙化。一般总剂量在 50 Gy 左右，超过这一剂量则可能引起放射性脊髓炎。

对于放疗的时机，目前仍有一定的争论。一些研究表明术前的放疗增加了术后并发症的发病率，主要为感染、切口不愈合等，因为放疗对正常组织的损伤，降低了正常组织的抗感染能力；同时，局部的胶原组织增生、瘢痕化也影响组织愈合能力。Tomita 等认为放疗对于椎体肿瘤软组织侵犯有效，但一旦发生病理性骨折，放疗对于预防椎体进行性塌陷是无效的。

目前认为，对于放疗时机的选择主要是根据该患者的治疗方式是保守治疗还是手术治疗。如该患者拟行手术治疗则应先行手术，辅以术后放疗。

3) 综合治疗　脊柱转移癌的综合治疗主要包括激素治疗、化疗和免疫治疗等。

(i) 激素及内分泌治疗：研究表明皮质类固醇在脊柱转移癌中的作用主要有两方面：①减轻脊髓水肿，保护神经功能，防治截瘫；②对于淋巴瘤、精原细胞瘤及尤文肉瘤有较为显著的治疗作用。研究表明，皮质类固醇单剂治疗髓外淋巴瘤可发现肿瘤负荷明显减小。

乳腺癌和前列腺癌是激素治疗敏感性肿瘤，有研究表明对于这两类肿瘤，早期单用内分泌治疗对于改善神经功能及抑制肿瘤生长有重要意义。乳腺癌脊柱转移患者，尤其是绝经后和激素受体阳性的患者激素治疗更有意义。20 世纪 70 年代以后，他莫昔芬（三苯氧胺）等新型内分泌药物应用于临床，因其不良反应小，可长期使用，而逐步代替了传统的性激素药物。目前主要用于乳腺癌内分泌治疗的药物为他莫昔芬、氨鲁米特、孕激素及芳香化酶抑制剂。对于前列腺癌脊柱转移，目前内分泌治疗包括睾丸切除术、雌激素类药物。雄激素阻断类药物可用于二线内分泌治疗，主要有尼鲁米特、氟硝基丁酰胺等。

(ii) 化疗：对于全身化疗敏感的肿瘤如淋巴瘤、骨髓瘤、精原细胞瘤和神经母细胞瘤，化疗可作为一线治疗方案。对于转移性肿瘤，手术即使能从边缘广泛切除瘤体，但不能消除所有的亚临床病灶。单纯依靠手术治疗的效果是有限的，而亚临床病灶的存在是肿瘤复发和转移的主要原因，也是影响存活的主要原因。全身化疗可以对原发瘤本身进行治疗，同时能有效地消灭亚临床病灶，减少肿瘤复发和转移。目前多主张行多药联合化疗以提高疗效，尽量降低肿瘤耐药性。可根据肿瘤类型的不同选择相应的化疗方案。

(iii) 骨溶解抑制剂：脊柱转移癌引起的溶骨性破坏可导致明显的骨痛、病理性骨折及高钙血症。近年来研发了多种双磷酸盐，其主要作用机制是抑制羟基磷灰石的溶解，抑制破骨细胞活性，进而阻止骨质的吸收，对脊柱溶骨性转移有明显止痛作用，并可治疗高钙血症。主要药物有氯甲双磷酸二钠（骨膦)、帕米膦酸二钠(博宁)和帕米膦酸钠(阿可达)。

(iv) 免疫治疗:近年来由于分子生物学技术的进步,肿瘤疫苗、单克隆抗体、细胞因子、免疫活性细胞输注以及基因转移技术等在临床上的应用逐渐成为现实。生物反应调节剂概念的提出,进一步奠定了肿瘤免疫治疗的理论基础,并建立了手术、放疗、化疗和肿瘤免疫治疗的综合治疗模式。目前肿瘤免疫治疗尚未取得令人满意的疗效,主要与肿瘤患者突变的基因并没有成为有效的免疫靶、患者的免疫状况个体差异及各自特异性免疫的病理生理变化不尽相同等有关。

(6) 常见的脊柱转移癌

1) 肺癌　肺癌是常见的恶性肿瘤,在很多发达国家,肺癌在男性患者的肿瘤疾患中占首位,在女性患者中占第2、3位。我国肺癌在城市占恶性肿瘤发病率的首位,在农村占第4位。肺癌在病理上可分鳞状细胞癌、腺癌、小细胞未分化癌和大细胞未分化癌。其中以鳞状细胞癌占首位。在肺癌的病理活检中,常发现肿瘤可以由多种细胞组成,如腺鳞癌。研究表明90%的肺癌患者最后将发生转移。

肺癌是最容易发生脊柱转移的恶性肿瘤之一。有时,脊柱转移可以作为肺癌转移的唯一部位。多数研究表明肺癌脊柱转移的预后较差,平均生存期较短。我院103例脊柱转移癌患者中,以肺癌出现脊柱转移时间最短,数例患者确诊肺癌后平均3.6个月即出现脊柱转移,术后生存期1.5年。Sundaresan等报道25例肺癌脊柱转移患者平均生存期为6个月。

对于局限性的脊柱肺癌转移病灶,手术可采取整块切除术,具有较好的疗效。如病变位于椎体可采取前路切除并同时应切除受累的椎旁组织。小细胞肺癌对于放疗非常敏感,对化疗也较为敏感。非小细胞肺癌对放疗相对不敏感。研究表明全身化疗能延长非小细胞肺癌患者的生存期。单药治疗中异环磷酰胺、长春新碱、顺铂和丝裂霉素是最有效的药物,近来出现的药物如紫杉醇、异长春碱在临床应用中显示出了较好的疗效。

2) 乳腺癌　乳腺癌也是脊椎转移癌中的常见肿瘤。目前乳腺癌为美国女性恶性肿瘤发病率的首位。在我国乳腺癌的发病率近年来也有逐步上升的趋势,尤其是在各大中城市中。

乳腺癌脊柱转移可出现溶骨性、成骨性及混合性多种表现。研究表明,乳腺癌脊柱转移患者的生存期较肺癌明显延长,约为21.4个月。但这与出现脊髓压迫或手术等治疗后脊髓压迫症状是否得以改善有关。一旦患者出现截瘫或手术后脊髓压迫症状无明显缓解则其生存期明显缩短。

对于单发的乳腺癌手术治疗应力争完整的切除。乳腺癌对激素治疗、化疗和放疗的效果均较好。90%以上骨转移病灶经放疗后疼痛症状明显缓解。化疗的常用药物为多柔比星、5-FU、环磷酰胺等,近来研究表明紫杉醇对乳腺癌具有较好的疗效,单药用于一线治疗有效率为26%～32%。乳腺癌激素治疗具有重要意义。对于绝经后和绝经前ER(+)和PR(+)的肿瘤,激素治疗有效,常用药物为他莫昔芬10 mg,每日2次。其他的内分泌药物如第2和第3代芳香化酶抑制剂已经应用于临床取得较好的疗效。

目前研究表明c-erbB-2(her2)癌基因产物在多数乳腺癌中过度表达,重组人HER2单克隆抗体(herceptin)通过与HER2受体结合,具有抑制肿瘤生长作用,在临床应用中取得较明显的疗效。

3) 前列腺癌　前列腺癌是男性最好发的恶性肿瘤之一。前列腺癌较易发生骨转移,研究表明前列腺癌患者行尸体解剖研究时84%的患者已发生骨转移。其中脊柱是最常见的转移部位,其次为股骨、骨盆、肋骨、胸骨、颅骨和肱骨等。前列腺癌发生骨转移后,患者生存期相对较长。Jeffrey等报道80例脊柱转移癌患者中前列腺癌为6例(7.5%),确诊脊柱转移后的平均生存期为26.9个月,明显长于同组肺癌确诊脊柱转移后的平均生存期(12.3个月)。

前列腺癌多数为腺癌,少数为鳞状细胞癌和移行细胞癌。前列腺腺癌在病理上可依分化程度分为Ⅰ～Ⅳ级。

由于前列腺癌起病比较隐蔽,故部分前列腺癌可首先表现为脊柱转移,出现脊柱疼痛、神经根和脊髓压迫症状。直肠指检80%的病例可获得诊断,前列腺癌指检表现为腺体增大、坚硬结节、表面高低不平、中央沟消失、腺体固定或侵犯肠壁等。

X线平片上90%前列腺癌脊柱转移灶主要表现为成骨性改变。

实验室检查前列腺癌具有较为特异的标记。①前列腺酸性磷酸酶(PAP):又称前列腺血清酸性磷酸酶(PSAP),可由正常或癌变的前列腺上皮细胞溶酶体产生,是较特异的肿瘤标记;②前列腺特异性抗原(PSA):是由正常或癌变的前列腺上皮细胞内质网产生，分子量为3 400的大分子蛋白，是目前前列腺癌敏感性强且特异性高的肿瘤标记，总阳性率为70%以上。

前列腺癌脊柱转移的治疗包括手术、放疗、化疗和内分泌治疗，对于出现脊髓压迫的前列腺癌脊柱转移患者应力争行肿瘤的总体切除术。

前列腺癌对激素有明显的依赖性，所以内分泌治疗有效。1941年Huggins首先报道前列腺癌对于激素辅助治疗有效。80%晚期前列腺癌患者经激素治疗出现肿瘤缓解。按EORTC(European organization for research and treatment of cancer)标准前列腺癌经内分泌治疗后5%～10%达临床缓解(CR)，20%～35%可达到部分缓解(PR)。

前列腺癌内分泌治疗可分为一线治疗和二线治疗。其中一线治疗包括双侧睾丸切除术和雌激素治疗。睾丸切除术近期疗效较为明显，研究表明部分能改善截瘫患者的脊髓压迫症状。雌激素治疗常用药物为己烯雌酚，为雌激素类的代表药物，一般口服每日3～5 mg，于7～21天后血睾酮可达去势水平，维持量每日1～3 mg。二线治疗包括：①抗雄激素类药物，可通过与内源性雄激素竞争性结合胞质双氢睾酮受体，抑制双氢睾酮进入细胞核，从而阻断雄激素对前列腺细胞的作用，主要药物有甲羟孕酮和尼鲁米特；②促性腺释放激素激动剂；③抗肾上腺素类药物；④咪唑类药物；⑤生长激素释放因子抑制物等。近年研究表明，睾丸切除术＋非激素类抗雄激素药物可提高缓解率和延长生存期。

前列腺癌放射治疗包括外放射和内放射治疗。外放射主要为^{60}Co或直线加速器；内放射主要为^{32}P和^{89}Sr，对于缓解脊柱骨转移导致的骨性疼痛具有显著的疗效。

前列腺癌出现全身转移时也可使用化疗，但化疗疗效不佳。

4）肾癌　肾癌(又称肾细胞癌)，主要分为透明细胞癌、颗粒细胞癌和未分化癌。其中以透明细胞癌最多见。颗粒细胞癌生长活跃，恶性度较透明细胞癌高。这两种类型癌细胞可单独存在，也可同时存在，或以其中一种为主。未分化癌细胞呈梭形，有较多核分裂象，恶性程度更高。

肾肿瘤大多为恶性。在成人恶性肿瘤中，肾癌占3%，在原发性肾恶性肿瘤中，肾癌占85%。欧美国家的发病率明显高于亚洲国家。据北京市城区居民1985～1987年调查。肾肿瘤平均世界标化发病率和死亡率分别为男性3.66/10万和1.83/10万，女性1.56/10万和0.75/10万。男女发病比例为(2～3)：1。发病高峰年龄为50～70岁。而欧美一些国家的统计，肾癌最高发病率(年龄调整发病率)在男性为10/10万～15/10万。肾癌的发病有家族倾向，推测可能与遗传有关。肾癌发生脊柱转移并非少见。有10%～52%的患者发生骨转移。肾癌位于易发生脊柱转移癌肿瘤的第4位。Jeffrey等报道80例脊柱转移癌患者，其中6例来源于肾癌转移(7.5%)，确诊转移后的平均生存时间是18个月，手术后的平均生存时间是11.3个月。

肾癌脊柱转移在影像学上表现为溶骨性改变。在X线片上常不易发现。在CT上可见明显的溶骨性破坏。在MRI上T1加权一般表现低信号，在T2加权上由于出血、坏死或炎性反应可表现为高信号或高低混杂信号。

肾癌脊柱转移后常出现的症状为进行性加重的疼痛和脊髓压迫症状。Robert等报道107例肾癌转移患者，其中94例(88%)出现转移相关的疼痛，55例(51%)出现神经功能障碍，26例以脊柱转移灶为首发症状。转移部位包括枕颈部(2例)、颈椎(7例)、颈胸段(5例)、胸椎(40例)、胸腰段(19例)、腰椎(28例)、腰骶段(2例)以及骶骨(4例)。

肾癌脊柱转移的主要治疗方法是手术治疗。由于肾癌对于放疗、化疗均不敏感，对免疫治疗有一定的敏感性，因此肾癌脊柱转移灶的治疗中应强调手术治疗的重要性。手术治疗的目的是缓解疼痛和保留神经功能。对于单发的病灶可能选择总体切除或广泛切除。对于多发的病灶，在条件允许的情况下也可以行总体切除或广泛切除，必要时可以考虑进行姑息手术治疗。在切除脊柱转移灶的同时应切除患肾，偶有切除了原发灶后转移灶自行消失的报道。Robert等报道107例肾癌转移患者其中79例行手术治疗，前路手术25例(32%)、后路手术36例，手术后转移相关性脊柱疼痛明显缓解，36例患者神经功能障碍得到明显改善。

大多数肾癌转移灶具有丰富的血运，可导致术中的大出血。一般情况下，术前行血管造影和栓塞治疗有助于减少术中出血。

肾癌细胞对于放疗不敏感，目前尚无研究表明放疗对于延长患者的生存期有帮助。但脊柱转移癌进行一定剂量的放疗有助于缓解疼痛。

肾癌细胞对化疗不敏感，目前临床研究中所使用的化疗药物其临床缓解率均低于 15%。研究表明肾癌细胞含有 MDR 基因，能高表达 P-170 糖蛋白，可能与肾癌细胞对于多种化疗药物耐受有关。

生物治疗：文献报道肾癌转移灶自然消退率 1%～20%，提示肾癌发生与免疫有关。干扰素是肾癌治疗中最常用的生物制剂。据 1 684 例患者应用各种干扰素治疗的结果，有效率 16%，平均缓解时间 6 个月。其中 α、β、γ 3 种 IFN 有效率分别为 16%、10%及 9%。临床以 IFN 应用最多。国外推荐每次剂量为 5～10 MU，皮下或肌内注射，每周 3 次，连续用药至肿瘤进展。我们常用方法为 3 MU，肌内注射，每周 3 次，不良反应不大的可递增剂量。

37.15.5 脊柱肿瘤的外科分期与手术方式

(1) 外科分期

Enneking 提出关于骨与软组织肿瘤的 GTM 外科分期，并被广泛的接收和应用，它根据肿瘤的组织学分级(G)、位于间室内和间室外(T)以及有无远处转移(M)3 个方面进行分期，GTM 分期对制订正确的手术切除方案，选择合适的辅助治疗以及判断预后都有重要的意义。

Enneking 外科分期方法也有适合脊柱肿瘤的方面，在过去一定时期内对脊柱肿瘤的外科治疗起着重要的指导意义。脊柱肿瘤的组织分级和部位的分级与四肢的分级是相同的，骨或椎旁软组织内的有完整包膜的良性肿瘤均为 T0；椎体或后部附件内的囊外肿瘤称为间隔内或 T1；从椎体突出到椎旁软组织的肿瘤，反之亦然，称之为间隔外或 T2。直接来源于椎旁软组织的肿瘤称之为间隔外(T2)，因为该处的肌肉和筋膜没有抑制肿瘤扩散的纵向屏障。来源于椎体内的肿瘤向椎管内扩展，但仍保持在硬膜外的，也称之为间隔内或 T1，尽管穿出骨组织，但硬膜是很好的肿瘤生长屏障。穿透硬膜的肿瘤称之为间隔外或 T2；穿透椎体终板进入椎间盘的肿瘤，只要肿瘤不进一步穿过纤维环或后纵韧带仍确定为间隔内或 T1。

对于脊柱恶性肿瘤因为脊柱解剖上的限制，如不牺牲椎管内的神经组织，根治性肿瘤切除是不可能达到的，在保留神经功能情况下咬除整个椎体，虽然进行大范围的切除，仍会引起肿瘤细胞界面的污染，界面污染与否取决于切除的界面是在反应区内还是在正常组织内。大范围切除椎体和相邻的软组织，最终只能达到囊内切除。硬膜外剥除肿瘤属于囊内还是囊外切除取决于通过切除硬膜是否达到肿瘤完整的切除。在这种情况下，若达到广泛切除必须大块切除包括肿瘤在内的硬膜。如果肿瘤通过终板下已侵入椎间盘，必须在相邻椎体截骨，完整地切除椎间盘，才能达到广泛切除。

由于脊柱解剖复杂性和特殊性，该分期方法又不完全适合于脊柱肿瘤，脊柱肿瘤中转移瘤占相当的比例，Enneking 外科分期对脊椎转移瘤方面是不适用的，因此 Enneking 外科分期对脊柱肿瘤的外科分期是有限的。

脊柱肿瘤的临床评估系统迄今尚未统一，现行的临床评估系统大致分为两种：①以全身评估为基础，侧重于预后的判断，主要有 Tomita 评分、Tokuhashi 评分等；②以评估肿瘤的局部病变为基础，侧重于手术方式的判断，主要有 Harrington 评分、Tomita 评分、Enneking 分期及 WBB 分期。

自 1996 年起由 3 个国际性的肿瘤机构(Rizzoli Institute，Mayo Clinic，University of Iowa Hospital)发展出一种新的分类方法—WBB 分期(Weinstein-Boriani-Biagini)(图 37-20)。该分期是在基于术前对脊柱肿瘤的 CT 及 MRI 等影像学依据的基础上，详细判断肿瘤侵袭范围，进而帮助制订合理的肿瘤切除入路及切除边界。该系统包括 3 部分内容：①脊椎横断面上按顺时针方向呈辐射状分 12 个扇区，其中 4～9 区为前部结构，1～3 区和 10～12 区为后部结构；②组织层次从椎旁至椎管内共分成 A～E5 层，A 为骨外软组织，B 为骨性结构浅层，C 为骨性结构深层，D 为椎管内硬膜外部分，E 为椎管内硬膜内部分；③肿瘤涉及的纵向范围(节段)。每例分期记录其肿瘤的扇形区位置、侵犯组织层次及受累椎体。

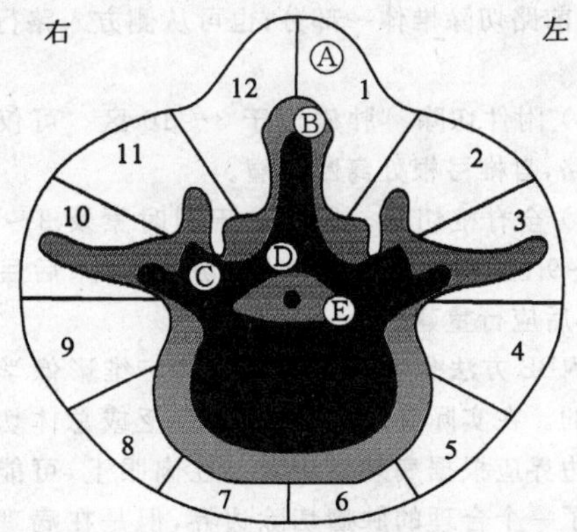

图 37-20 脊柱肿瘤 WBB 分期示意图

（2）手术切除方式

WBB分期方法的应用和推广，对于国际间学术交流与比较也提供了一个相对统一的标准。根据脊椎肿瘤不同的位置及累及范围可分为以下4种肿瘤切除方式（图37-21）。

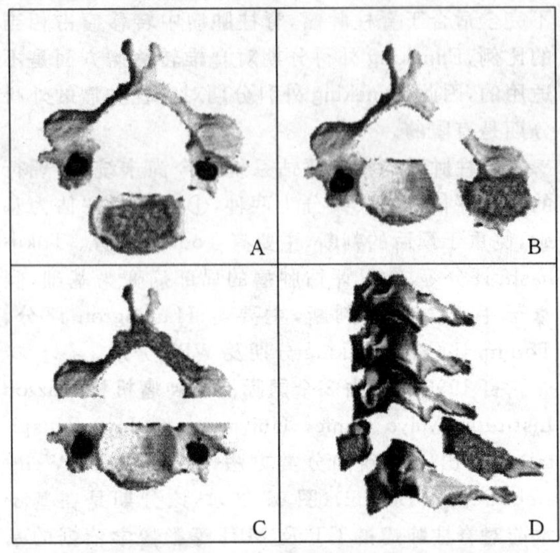

图37-21 WBB分期脊柱肿瘤切除方式示意图

A. 椎体切除 B. 矢状切除 C. 附件切除 D. 全脊椎切除

1）椎体切除 肿瘤位于4～8区或5～9区。行前后联合入路，后路于椎弓根处离断，切除后纵韧带等后成分；前路切除椎体，可包括上下相邻椎体边缘，并行前路重建。

2）矢状或扇形切除 肿瘤位于3～5区或8～10区。行前后联合入路，后路切除受累椎弓根等后成分，前路切除椎体一部分；也可从侧方入路行肿瘤切除。

3）附件切除 肿瘤位于3～10区。可仅行后方入路，自椎弓根处离断肿瘤。

4）全脊椎切除 肿瘤位于同时累及3～10区和4～9区，行前后联合入路，切除椎体、后弓及侧块，其后应行重建。

WBB方法是基于术前详细的三维影像学依据制订的。在实际应用中，正确的广泛或总体切除的手术边界应根据病理学决定。在肉眼上，可能认为达到了一个合理的肿瘤切除边界，但是在病理上可能在切缘存在的微卫星病灶，这时就不是一个整体切除。Boriani等报道43例脊柱肿瘤病例，均根据WBB分期行整体切除术，平均随访30个月，其中33例患者均无瘤生存。

脊柱肿瘤的外科治疗要求很高，包括充分暴露、彻底减压、肿瘤的广泛切除和重建脊柱的稳定等。脊柱肿瘤外科治疗原则是，在Enneking分期的指导下，用WBB脊柱肿瘤分期指导外科治疗，我们的经验是胸腰段良性肿瘤可以采用上述切除方法，若为恶性倾向的肿瘤，经后路全椎节切除，椎体间骨水泥填塞，后路内固定功能重建。

（3）全脊椎切除术

侵犯脊椎前后柱的原发性或转移性脊柱肿瘤的外科治疗一直是脊柱肿瘤治疗的一个难点，胸腰椎肿瘤的治疗和预后取决于肿瘤的病理类型、切除方式、辅助化疗和放疗。由于胸腰椎与周围大血管相毗邻，位置深邃，手术入路的设计和肿瘤切除困难。传统的肿瘤切除方式，采用椎体肿瘤内肿瘤组织刮除和肿瘤组织逐块咬除方式来达到切除肿瘤之目的，目前肿瘤组织逐块咬除仍然是最常用的方式。但是传统肿瘤切除方式容易造成肿瘤对周围组织的污染，肿瘤组织与正常组织的边界难以确定。为了降低术后肿瘤复发和增加患者的生存率，Stener和Roy-Camille(1981)首先经后路行胸椎全脊椎切除(TES)。1996年Katsuro介绍了一种改良的后路全椎节切除的外科方法，应用这种方法能够将胸腰椎肿瘤沿肿瘤边界整块切除。2001年Forney等采用前后联合入路行胸腰椎肿瘤全椎节切除术。

1）全脊椎切除的手术适应证

(i) 患者术后生存期限能延长3个月至半年以上，通过手术能明显提高患者的生活质量。

(ii) 符合以下标准的原发性恶性脊柱肿瘤和侵袭性良性肿瘤：未发现肿瘤侵犯前方内脏器官，肿瘤与下腔静脉和主动脉无粘连，未见多发转移，受累椎体少于3个椎节。

(iii) 术前手术设计应该结合脊柱肿瘤的外科分期：文献报道，对于WBB分期4～8或5～9区，可行前路椎体整块切除，对3～5或8～10区肿瘤可行矢状切除，对位于10～3区的肿瘤实行后弓切除。因为椎体和椎弓根、椎板、棘突位于同一间隔内，我们主张对于良性侵袭行肿瘤和恶性肿瘤，A～D区的病变，病变在3个椎节范围内，均有全椎节大块切除适应证。

(iv) 孤立性的脊椎转移瘤，未发现原发病灶，或原发肿瘤灶被控制，也视为全脊椎切除的适应证。

2）经前后联合入路行胸腰椎肿瘤全脊椎切除手术步骤 术前 18～24 h 进行选择性动脉造影，栓塞肿瘤的营养血管，以减少术中出血。手术前患者给予常规的预防性抗炎，同时给予肝素皮下注射预防深静脉血栓。

手术操作中严格遵守无瘤原则，手术操作在肿瘤周围屏障内进行，一般不需暴露肿瘤组织，手术分两步施行，包括后路椎板切除和脊柱内固定、前路全椎体切除和脊柱前柱重建。下面以侧卧位胸椎肿瘤全椎节切除为例，对胸腰椎肿瘤全椎节切除手术方法进行介绍，腰椎肿瘤切除与胸椎相似，仅无须处理肋骨和胸膜。

患者取侧卧位，一般采用右侧卧位。根据肿瘤的部位和大小决定开胸手术切口部位，同时沿脊柱后正中行后正中切口，对开胸切口和后正中切口相交处形成的三角形皮瓣，要注意血运，避免皮瓣坏死。沿后正中切断斜方肌，并牵向头侧；沿开胸切口切断背阔肌。将形成的肌皮瓣牵向头侧和尾侧。暴露病椎上下至少各两个椎节的棘突、椎板、肋横突关节和病椎双侧各 3～4 cm 的肋骨，切除上位椎板的下半部分和下关节突，暴露病椎的双侧上关节突。切除肿瘤部位的部分肋骨，同时结扎肋间血管神经束，开胸进入胸腔，

游离竖脊肌，显露肿瘤部位椎板和上下脊柱节段椎板。切除病椎节段的肋骨，切除双侧肋骨头、颈及周围韧带，向两侧延长切除 3～4 cm 肋骨，然后将胸膜自椎节上钝行分离，清理椎弓根和椎间孔，椎间血管及其分支、脊神经背侧支，结扎并切断。连同肋间动脉和胸膜一起推向两侧。

具体过程：仔细分清受累椎节椎间孔、椎弓根、横突，以一种特制的不锈钢线锯，在椎板引导器导引下自硬膜外间隙进入，穿出椎间孔，将线锯两端向侧方拉紧，使线锯靠近椎弓根内壁，注意避开椎间孔内的神经根，拉动线锯，两侧椎弓根依次被切断，切断黄韧带，后部的结构包括椎板、横突、上下关节突和棘突等被完整切除下来。后路脊柱内固定，应用椎弓根螺钉系统固定病椎上下各两节椎体，为下一步行椎体大块切除时起到脊柱的稳定作用。后路固定脊柱方式选择，依据肿瘤的部位和手术医师个人习惯和经验。如胸腰阶段和腰椎肿瘤通常采用椎弓根螺钉的钉棒系统行后路三维固定，对于 T_{10} 以上胸椎肿瘤，可以采用肿瘤以上阶段的椎板构和横突钩，肿瘤以下部位的椎弓根螺钉或椎板构的钉棒结构固定，或上下均采用椎弓根螺钉系统进行固定。

前路手术主要根据肿瘤部位而定，对于 T_{10} 以上肿瘤，通常采用右侧开胸手术，显露肿瘤侵犯椎体和进行前路固定。对于 T_{11}、T_{12} 肿瘤采用胸腹联合切口，切开肋膈角，显露病椎和进行操作。腰椎肿瘤一般采用肿瘤侵及侧的腹膜后入路显露病椎。手术中切除范围依据肿瘤的性质和肿瘤侵及的范围而定，手术中将胸膜与覆盖在椎体上的前纵韧带、肋椎韧带和肋横韧带仔细分离，同时将横跨椎体的节段动脉仔细游离，并同胸膜一起推向前方，肋间神经可以保留于原处，若影响下一步操作也可将其切断，用双手指尖或骨膜剥离子在椎体前方相互探及，左手可触及主动脉搏动，小心勿伤无搏动的奇静脉和下腔静脉，将受累椎体与纵隔器官分离后，将骨膜剥离子由两侧紧贴椎体前壁，避免大血管和纵隔器官插入，所有这些操作均在肿瘤屏障组织外进行。硬膜周围减压，保护脊髓，将受累椎节水平的硬膜和神经根与后纵韧带和椎体后壁仔细分离开，如果肿瘤组织或肿瘤假性囊壁突入椎管，更需将其与硬膜仔细分离，然后将一把剥离子置于硬膜与椎体之间，保护脊髓以免脊髓在操作过程损伤。将两根线锯置于椎体前方，分别置于受累椎体上位和下位椎间盘处，拉动线锯，自前向后将上下椎间盘完整切断，当线锯接近椎体后缘时，助手应握紧神经剥离子，避免椎间盘切断时线锯损伤脊髓，上下位椎间盘切断后，受累椎体呈游离状态，将其在脊髓的一侧旋转取出，这样连同肿瘤屏障组织一并大块切除，至此便完成了全椎节大块切除及脊髓周围减压，该节段的硬膜囊和神经根便清晰的显露出来，再次通过肉眼辨别是否有残存的肿瘤组织，分别用 3% 过氧化氢（双氧水）、75% 乙醇及甲氨蝶呤等涂擦创面，应注意避免乙醇对硬膜囊及神经根的刺激。

脊椎前路椎体间重建应该根据肿瘤的恶性程度选择合适的椎体间植入物。如果肿瘤的恶性程度较低，可选用人工椎体、钛网和自体髂骨或肋骨植入；若肿瘤的恶性程度较高，不主张椎体间植骨，一旦肿瘤复发将会使相邻健康椎体受累，加速病情的进展，并给下一步治疗带来困难。因此，对于恶性程度较高的肿瘤，我们主张用骨水泥填充，同时行前路椎体钢板内固定（图 37-22）。

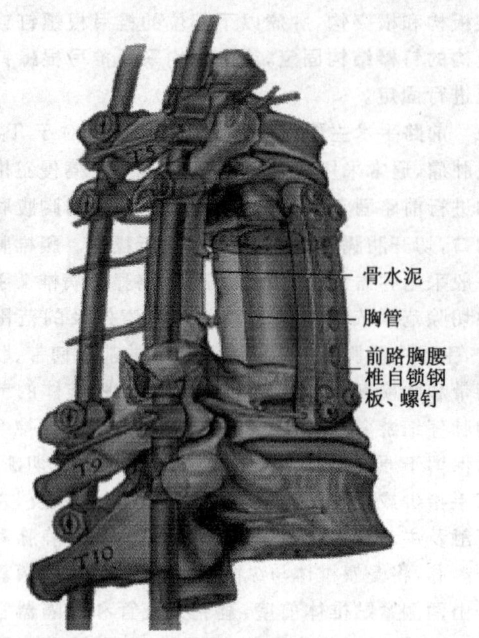

图 37-22 显示胸椎全椎节切除以及前后路重建

手术结束后，彻底检查手术创面出血状况，防止各种活动性出血灶的存在。放置引流管，一般同时放置前路和后路两根引流管，根据硬膜囊状况，采取负压或正压引流。关闭切口，术后引流管的拔除时间，应根据引流量的多少决定。如果引流液中有脑脊液，且量比较大时，引流管留置时间应相应延长，以保证手术切口顺利愈合。过早拔管会导致手术切口崩裂，造成严重后果。

胸腰椎肿瘤全椎节切除，也可以采取俯卧位，先行后路椎板切除，后路内固定重建，然后根据患者的身体状况，一期同时行前路肿瘤侵犯椎体切除，前路内固定脊椎重建；或先行调整患者全身状况，等待二期再行前路肿瘤侵犯椎体切除，前路内固定脊椎重建。

3）经后路行肿瘤全脊椎切除术 Tomita 于 1997 年介绍了一种经后路行肿瘤全脊椎切除术的方法。

(i) 整体切除脊柱后结构：患者取俯卧位，身体两侧适当地纵行放置枕垫，要求腹部能完全自如地呼吸，以减少脊髓周围静脉丛的郁滞，容许静脉丛内的血液回流到下腔静脉。以损伤或病变节段椎节棘突为中心，沿棘突连线作正中直线切口，切口长度上下各包括 2～3 个正常椎节。切开皮肤、皮下组织，显露胸腰背筋膜和棘突末端及棘上韧带。沿腰背筋膜表面向两侧作适度的剥离，使创口有充分的活动余地。剥离骶棘肌显露棘突、椎板等。仔细分离并充分显露小关节周围区域，以利于后期操作。在胸椎则应切除 3～4 cm 肋骨，并钝性分离胸膜。可切除邻近脊椎的棘突与下关节突并去除所附着的软组织。将 T 形线锯引导器置入椎间孔，应避免损伤脊髓及神经根。峡部下方小关节神经根管处的软组织应先予仔细的分离。经引导器置入线锯（直径 0.54 mm），并保持线锯的张力。以线锯切除椎弓根并整体移除整块脊柱后结构。椎弓根断面以骨蜡止血并减少肿瘤细胞污染。可进行临时的后路内固定，以便在切除前柱后保持稳定性。

(ii) 椎体整体切除：在离断的椎弓根旁，仔细分离、显露并结扎紧贴椎体的节段动脉。经胸膜或髂腰肌与椎体之间的间隙双侧钝性向前下方分离。椎体侧面可借助剥离子进行分离，节段动脉应仔细地从椎体下游离下来。以手指及剥离子仔细地向前下方游离主动脉。当手指在椎体下方相交时，由小到大置入各种型号的剥离子，最后一对最大的剥离子确实地置于椎体下方分开周围组织，以避免切除椎体时损伤。分离脊髓与周围静脉丛及韧带组织。分别在肿瘤累及椎体的两端椎间盘处置入线锯。以线锯切除整体椎体。然后将椎体仔细地绕出脊髓，注意不要损伤脊髓。至此完成全脊椎整体切除。然后根据术前方案行前路或前后路内固定以重建脊柱的稳定性。

（肖建如 杨兴海）

37.16 骨盆肿瘤

37.16.1 与肿瘤相关的骨盆解剖特点

骨盆部位的肿瘤一般位置较为隐蔽，早期难以及时发现，因而骨盆肿瘤的尺寸往往超过其他部位的肿瘤。骨盆是骨盆肌肉和一些下肢肌肉起止点所在，而肌肉与骨盆几乎均为非腱性连接，有丰富的血管交通而无天然屏障，因此骨盆区域的骨肿瘤多具有较大的软组织包块，同时软组织肿瘤也常侵及骨质。

骨盆周围附着的肌肉组织可以阻止肿瘤侵犯主要的血管神经组织，这对于髂骨和髋臼周围部位的肿瘤尤为重要。腰大肌和髂腰肌对于沿骨盆内壁生长的肿瘤具有一定的抵抗能力，除非肿瘤体积过大，否则肌肉一般会包住肿瘤，并能够在保护重要结构的同时获得足够的切缘。臀中肌和臀小肌位于髂骨的外侧面，对来自该处的肿瘤有一定的屏障作用。梨状肌位于坐骨大切迹内，能够保护坐骨神经不被该处的肿瘤侵犯。

股血管和神经邻近耻骨上支，容易被该处生长的肿瘤侵及。由于股神经血管鞘较厚，对肿瘤组织有一定的抵抗能力，因而一般可以将股神经和血管仔细剥离，而将神经血管鞘连同肿瘤一起切除。来自髂骨的肿瘤在侵及坐骨切迹时，容易侵犯与坐骨大切迹紧密相邻的坐骨神经。一般情况下，肿瘤都不会直接浸润坐骨神经，通常都可以在手术时将神经游离出来而保留神经。

37.16.2 骨盆肿瘤的流行病学

骨盆是原发性肿瘤和转移性肿瘤的好发区域之一。骨盆良性肿瘤中骨软骨瘤最多，其次为软骨瘤、骨瘤、神经纤维瘤等。骨盆恶性肿瘤中以软骨肉瘤发病率最高，约为30%以上，其次为转移性肿瘤、骨肉瘤、尤文肉瘤、脊索瘤、多发性骨髓瘤等。骨盆瘤样病变以孤立性骨囊肿为多见，其次为嗜酸性肉芽肿、纤维结构不良、动脉瘤样骨囊肿等。生长于骨盆区域的软骨来源良性肿瘤，比其他部位的软骨肿瘤更容易发生恶变，治疗时建议按低度恶性软骨肉瘤的手术界限进行切除。骨盆的松质骨部分充满造血的骨髓，血液在此处流动缓慢，这是骨盆内转移性肿瘤和髓性细胞病变常见的原因。

37.16.3 骨盆肿瘤的诊断

(1) 临床表现

骨盆肿瘤并无特异性的临床表现，体积较小的病变难以及时发现。肿瘤所在部位不同，位于臀部的肿瘤，常由于臀部包块或坐位时不适而就诊，有些因为肿瘤压迫或侵犯坐骨神经而产生疼痛。向骨盆内生长或位于髂窝的肿瘤，其主诉常为定位模糊的下腹不适。髋臼周围的肿瘤会引起髋关节疼痛，有时症状与常见的髋关节骨关节炎症状相似，对于老年人容易延误诊断。耻骨坐骨周围的肿瘤可以表现为包块，更常见的症状是活动时的肌肉牵拉痛，还有一些患者表现为股神经受压迫或侵犯的症状。

(2) 影像学检查

对骨盆肿瘤的影像学检查不仅有助于对疾病本身的诊断，更对术前的外科分期、肿瘤切除边缘的确定起着重要的作用。

1) X线片检查　X线片在骨盆肿瘤中的应用具有相当的局限性。由于骨盆的解剖形状复杂，加上肠道内气体的遮挡以及周围软组织的重叠，X线片上往往难以早期明确骨盆的病变。因而在怀疑有骨盆病变时，应适当放宽CT或MRI等其他检查的指征。

2) CT扫描　对于骨盆区的骨性病变，CT检查是最常用甚至是首选的检查方法。它可以明确骨质破坏的位置和范围，骨皮质有无穿透，肿瘤本身的性质，有无钙化以及软组织肿块的大小。因而有人认为，如果对骨盆肿瘤考虑手术治疗，至少必须做CT检查。除非软组织钙化，CT检查对于软组织病变不如MRI检查。骨盆CT薄层扫描三维重建不仅能够直观地反映骨盆肿瘤的情况，便于进行术前计划，还可以在CAD(计算机辅助设计)小组的协助下制订个性化半骨盆假体。

3) MRI检查　主要用于检查软组织肿瘤，以及骨性肿瘤在髓腔内的侵及范围和骨外包块的情况，是确定病灶骨内外边界的最准确的技术，对确定手术的范围有很大的帮助。MRI还可以显示血管、神经等软组织结构与肿瘤之间的关系。因而MRI对确定肿瘤是否能够切除，以及评估切除边缘的性质都是非常重要的。但MRI对骨皮质的显示程度不如CT清楚，且大多数肿瘤的MRI表现缺乏特异性，对良性和恶性肿瘤的鉴别诊断意义也不大。

4) 放射性核素骨扫描　放射性核素骨扫描的优势在于其敏感性高，在大多数情况下，对骨活跃性病变非常敏感，因而是早期发现骨内病变的良好方法。它可以显示骨盆肿瘤本身加上反应带的范围，更重要的是能够检查全身其他部位有无多发或转移的病灶，以确定患者未发生无症状的远处转移。但同时其特异性较差，炎性病变和外伤也可表现为阳性，因而需要结合临床和其他检查方法来进行综合判断。

5) 血管造影　血管造影可以明确主要血管与肿瘤之间的关系，显示肿瘤侵犯的范围，还可以评估肿瘤的血供情况。骨盆肿瘤的供血比较复杂，可由一侧髂内动脉供血，亦可由双侧髂内动脉供血，有的除双侧髂内动脉供血外，同时供血腰动脉和(或)骶正中动脉。术前了解肿瘤的主要滋养血管位置能够在活检时避开易大量出血的区域，并有助于在手术中减少出血量。在观察肿瘤对于新辅助化疗的效果时，血管造影也是很可靠的方法。

(3) 活检

活检的目的主要是明确肿瘤的性质，因为对良性与恶性、原发与继发肿瘤的治疗是完全不同的。

活检方法有细针穿刺活检、针芯活检及切开活检。切开活检并发症最多，但此法切取组织的成功率最高，并且所取的较多组织还可供细胞遗传学、流式细胞仪等进一步检查使用。细针穿刺活检对组织的污染最小，对判定肿瘤良性和恶性准确率可达 90%，但在确定肿瘤类型方面正确率较低。

一般认为，在骨盆区域，最好采用细针穿刺活检。如果是软组织肿瘤或者有较大的软组织包块，可以直接进行细针穿刺。如果软组织包块不大，且不位于表浅的区域，则应在 CT 引导下进行细针穿刺。如果细针穿刺活检不成功，或者为骨性或软骨来源的肿瘤且软组织包块小，我们更愿意选择切开活检，而不是针芯活检。

活检的切口位置在设计时必须能够包括在手术切口以内，并且活检手术必须远离主要的血管神经，如股血管、神经，这样在手术时可以将活检的瘢痕连同肿瘤一起大块切除。如果活检通道位于股神经血管旁，或者广泛污染了软组织，那么在明确诊断的同时，可能使患者丧失接受保肢手术治疗的机会而被迫进行截肢手术。在切开活检时，必须尽可能止血，以防血肿形成，将肿瘤扩散到手术不能达到的部位。为避免发生这种情况，如果怀疑患者的病变是恶性的，最好由手术医师进行活检。

37.16.4 骨盆肿瘤的治疗

大部分良性骨肿瘤经局部切除后可获痊愈，但有些良性肿瘤切除不彻底可以复发，甚至发生恶性变，如骨软骨瘤、软骨瘤等都有术后复发恶变为骨肉瘤、软骨肉瘤的报道，因此对良性肿瘤的治疗应尽可能彻底切除。骨盆区域的恶性肿瘤，不论是原发肿瘤还是转移性肿瘤，手术切除是主要的治疗手段，但治疗的目的却并不相同。对于原发恶性肿瘤，应尽可能进行广泛甚至根治性手术，以往的文献表明囊内切除患者的预后远比广泛切除患者的预后差。而对于转移性肿瘤，手术治疗的目的常为姑息性，一般为囊内或边缘切除，目的是能够较长时间地缓解疼痛，并尽可能保留骨盆及关节的稳定性及功能，由于手术风险大，建议对预期寿命超过 1 年以上的患者进行手术治疗。多数学者不建议对转移性肿瘤患者进行复杂的重建手术，尤其是位于 2 区的病变，建议进行旷置，如有条件，也可考虑进行马鞍形假体置换术。应在术前和术后对恶性肿瘤患者进行新辅助化疗和放疗等综合性治疗，以提高治疗效果。

37.16.4.1 骨盆肿瘤的手术切除

(1) 概述

在 1970 年以前，对骨盆恶性肿瘤治疗的方法多为半骨盆切除术，又称为后 1/4 截肢术。这种手术方法能够根治性切除肿瘤，从而获得安全的切除边界，减少肿瘤的局部复发发生率。至今，它仍是骨盆原发恶性肿瘤的标准治疗方法。但这种手术方式的术后功能很差，手术并发症并不少见，对患者的精神和肉体均有巨大的打击，常使患者难以接受。近年来，随着各种影像学技术的进步，新辅助化疗和放疗的提出，以及手术医师对这种疾病认识的不断加深，对骨盆肿瘤的治疗有了很大的进步，大多数骨盆肿瘤患者都可以在切缘安全的前提下尽可能保留有功能的肢体。但仍有一些患者需要进行后 1/4 截肢术，如：①保肢手术的边界无法达到广泛切除；②坐骨神经或骶神经根受累，神经切除术后下肢功能差。

(2) 手术分区

Enneking 在 1979 年按肿瘤侵及髋骨的 3 个主要部位，将骨盆肿瘤切除术进行了分型。

Ⅰ型：髂骨切除。从骶髂关节至髂骨颈切除部分或全部髂骨，适用于侵及髂骨和其邻近的软组织肿瘤。

Ⅱ型：髋臼周围切除。切除整个髋臼和邻近的髂骨颈部、坐骨支和耻骨支，适用于侵及髋臼以及周围的恶性骨肿瘤。

Ⅲ型：坐、耻骨切除。依据肿瘤侵及部位可部分或全部切除耻骨、坐骨和部分髋臼，保留髋臼顶部及内侧壁。

为使肿瘤达到广泛切除，上述各种类型切除方式可以结合应用，如 2 区髋臼周围切除可以与 1 区髂骨切除或 3 区坐、耻骨切除联合应用。如果股骨头也一并切除，则在分型编号后添加字母“H”来表示。

这种分型方法简单而实用，尽管很多作者对此进行了不少改良，但目前最常使用的仍是经典的 Enneking 分型方法。

(3) 骨盆肿瘤的手术切除方法

1) 标准半骨盆切除术　插 Foley 尿管，患者侧卧位，患侧在上。固定患者，以便可以倾斜手术台，利于分前、后切开。先做前切口，自髂前上棘上 5 cm 处起，切至耻骨联合，向深部切开阔筋膜、腹外斜肌、腹内斜肌和腹横肌。向内牵开精索。钝性分离显露髂窝。从髂血管上方掀起腹膜壁层，将其与内脏一起向下垂。结扎腹壁下血管。从耻骨上游离腹直肌和鞘。确认髂血管，向内牵开输尿管，结扎和切断髂总动、静脉。向外侧牵开髂动脉和静脉，结扎和切断其骶骨、直肠和膀胱的分支，以将直肠和膀胱自骨盆壁上分开，显露骶神经根。显露时如需要，可在这步解剖之前分开耻骨联合和骶髂关节。

用温热湿敷料填塞前切口。做后部切口，起自髂前上棘上 5 cm，跨过大粗隆前面，向后平行于臀纹与前切口的下部相连。自臀大肌表面直接解剖臀部筋膜，掀起后侧皮瓣。皮瓣带着筋膜。如果有可能，则如 Karakousis 和 Vezeridis 所建议，皮瓣带上臀大肌内侧部分。从髂嵴上将皮瓣向上掀起。从髂嵴上切断腹外斜肌、骶棘肌、背阔肌和腰方肌。然后从骶结节韧带、尾骨和骶骨上反折臀大肌。在髂嵴水平切断髂腰肌、生殖股神经、闭孔神经和腰骶神经干。外展髋关节，使张力集中在耻骨联合部的软组织上。将一长直角钳穿过耻骨，用骨刀断开。

切断骶神经根，如可能尽量保留勃起神经。向外侧牵开髂肌，显露骶髂关节前部。用骨刀或骨凿从前面分开骶髂关节。断开髂腰韧带。尽力牵引肢体，将骨盆壁与腹腔脏器分开。从前向后自骨盆侧壁上逐个离断：泌尿生殖膈、梨状肌、骶结节韧带和骶棘韧带，要在张力下断开这些结构。将肢体移向前方，断开骶髂关节后部而完成整个离断术。留置引流管，将臀肌筋膜缝至腹壁筋膜上。关闭切口。术后引流管和 Foley 尿管应该留置几天，避免后侧皮瓣受压。

2）髋骨切除术（内半骨盆切除术） Karakousis，Vezeridis，Eilber 等学者报道了一些骨盆切除方法。本章主要介绍 Karakousis 和 Vezeridis 的骨盆切除方法。

患者仰卧位，患侧骨盆旋转垫高 45°。切口自髂后上棘沿髂嵴和腹股沟韧带至耻骨联合。通过大粗隆后侧再做一与上述切口垂直的切口，向下延伸至大腿近侧。从髂骨翼剥离腹部肌肉，将腹膜向内侧牵拉，显露髂外血管。在髂前上棘附近切断腹股沟韧带，分离结扎腹壁下血管。

在耻骨结节处剥离腹股沟韧带，从耻骨嵴剥离腹直肌。然后，清除耻骨联合处的软组织，用线锯锯开耻骨联合。显露髂总血管和股神经。如髂腰肌未被肿瘤侵及，应予以保留。将纱条穿过腰大肌和髂血管。在骶髂关节水平切断髂肌，从耻骨上切断内收肌，切断闭孔神经和血管。还需要将缝匠肌、阔筋膜张肌、股直肌的起点及臀中肌和臀小肌位于大粗隆的止点切断。切开髋关节囊，用线锯截断股骨颈。在大粗隆下方和后方切开臀大肌，显露坐骨神经。在大粗隆处切断外旋肌群。显露骶髂关节，并用骨刀截断。如肿瘤已侵及关节，则向内侧牵开腰骶神经干，截断骶骨。切断肛提肌、骶棘韧带和骶结节韧带。从耻骨结节剥离腘绳肌起点。向外侧牵拉骨盆，切断与耻骨支相连的大收肌，将肿瘤取出。根据具体情况可对本手术方法进行修改，可保留未受肿瘤侵及的部分髋骨。用附近切断的肌肉覆盖股骨颈，逐层缝合伤口。

术后处理：患者平衡骨牵引 4～6 周，然后扶拐开始逐渐负重行走。数月后，通常在单根手杖辅助下能够行走。

3）坐骨和耻骨切除术 患者一般取截石位，也可取仰卧位，臀部垫高。采用改良的 Milch 切口。体外辨清坐骨结节、耻骨的下界和相连的耻骨支。切口起自腹股沟韧带中部下方，与腹股沟韧带平行向内，切开皮肤和皮下组织。在阴茎根部或阴阜外侧，切口弯向下方，行于阴囊或大阴唇外侧，沿耻骨下支到坐骨结节。然后从坐骨和耻骨骨膜下剥离内收肌和闭孔外肌，显露部分耻骨体、耻骨下支外侧缘、坐骨下支和坐骨结节。如需更充分显露坐骨和耻骨，牵开或沿切口切开臀大肌下缘。然后从坐骨结节外侧切断腘绳肌和股方肌；从坐骨结节内侧面骶结节韧带止点处剥离该韧带。此时需要保护阴茎血管和神经，该神经血管束于坐骨大孔出骨盆，并跨过坐骨嵴和骶结节韧带进入坐骨小孔，再向前至闭孔内肌筋膜内的 Alcock 管。为避免损伤 Alcock 管及内部的神经血管，应在骨膜下剥离坐骨海绵体肌和闭孔内肌。同样，从坐骨下部内侧缘和耻骨支骨膜下剥离会阴浅、深横肌、阴茎脚及尿道括约肌。然后，从耻骨联合下缘切断尿生殖膈，应避免损伤尿道、阴茎背侧深动静脉及神经。从耻骨上切断腹直肌和锥状肌。腹股沟韧带于其耻骨上止点切断，将耻骨肌沿耻骨上支耻骨线于该肌起点处游离。牵开耻骨肌，但应避免损伤位于肌肉外侧的股鞘及内容物。在骨膜下剥离闭孔内、外肌，如有可能应保护所遇到闭孔动静脉和闭孔神经。但对于大多数坐耻骨恶性肿瘤患者，将无法保留闭孔神经和血管，需要在耻骨水平将其切除。坐耻骨的内侧截骨一般在耻骨联合处进行，在有些情况下为获得更好的切除界限，可以在对侧耻骨截骨。外侧截骨常较困难，可在耻骨体与耻骨上支交界处用骨刀或线锯截断，然后在坐骨体与坐骨上支交界处截骨。

闭孔环切除术后,由于腹壁肌肉常无止点进行缝合,软组织修补十分困难,容易导致膀胱和内脏疝出。可以采用合成的 Marlex 网重建缺损,有时术后局部血肿机化形成瘢痕也会阻止疝的发生。

4) 髋臼切除术　患者侧卧位,患侧向上,且固定于手术台上,以便在术中可向两侧倾斜手术台。将患侧下肢及骨盆消毒包扎。切口起自髂后上嵴向前经腹股沟韧带至耻骨联合。腹股沟韧带于中部切断,并向上牵开腹膜。游离股动静脉和股神经,并向内侧牵开并保护。切断髂肌和耻骨肌。然后,向内分离,显露耻骨联合。将至髂前上棘的髂骨内、外侧骨面显露清楚,向后直至坐骨切迹。沿坐骨切迹至髂前上棘下缘连线用线锯切断。再切断骶结节韧带和骶棘韧带。前侧截骨的位置,在髋臼前柱或者耻骨上支与耻骨体的交界处,截骨时注意保护周围组织,尤其是髂外血管。后侧截骨位置在坐骨体与坐骨上支交界处。将切除骨块向不同方向旋转,便于分离与其相连的周围软组织。将梨状肌从股骨大粗隆切断。将股骨颈于基底部截断,取出所切除的部分骨盆、股骨头和股骨颈。

5) 髂骨切除术　患者取侧卧位,患侧向上,患侧下肢消毒包扎。采用标准的髂腹股沟入路,切口后部延伸至骶髂关节处。从髂嵴上切断并剥离腹壁肌肉、缝匠肌和阔筋膜张肌,保留股直肌。从髂嵴上切断髂胫束的起点,并与臀大肌一起向后翻转。大多数髂骨肿瘤会突破外侧骨皮质,侵犯臀中肌。手术时在切缘安全的前提下,尽可能多保留肌肉,以获得较好的软组织覆盖和外展功能。在坐骨切迹截骨时,一定用牵引器保护坐骨神经和臀上血管。骶髂关节处截骨时,需要在显露十分清楚的前提下,用骨刀截断。

37.16.4.2　*骨盆肿瘤切除术后的重建*

骨盆区作为躯干和下肢的桥梁,发挥负重功能:躯干的重量经骨盆传递至下肢。随着骨盆肿瘤保肢手术的逐渐普及,为获得较好的患侧下肢功能,就必须考虑对骨盆环的完整性和稳定性进行重建。根据手术后骨缺损的部位和范围不同,重建方式也各不相同,并且对重建方式的选择目前尚没有统一的意见。但总体来说骨盆肿瘤术后重建手术的难度较大,术后并发症多,对骨科医生来说,这是一项艰巨而具有挑战性的任务。

(1) 耻坐骨切除术后

肿瘤仅累及耻坐骨的切除范围包括自耻骨联合至耻骨支与耻骨体的交界处,以及耻骨下支,坐骨体与耻骨上支的交界处。若肿瘤位于耻骨支和坐骨交界处,为广泛性切除,还需要切除髋臼下方一部分。由于该处骨质缺损对骨盆环的稳定性并没有很大的影响,因而术后不需要重建。此处手术有可能会牺牲闭孔血管及神经,甚至在肿瘤侵及尿道或膀胱时,需要一并切除,再行单纯缝合或复杂的重建手术。

(2) 髋臼及其周围切除术后

1) 肿瘤切除,股骨头旷置术　Steel 最先报道内半骨盆切除术,保留了患侧肢体,髋臼周围肿瘤切除后,骨缺损部分未行重建,股骨头旷置,靠周围逐渐形成的瘢痕组织维持股骨头的稳定性(图 37-23)。术后患者可以行走,但下肢短缩,跛行明显。术后牵引 6～8 周,约 1 年后形成假关节,其关节内收、外展、屈曲、伸直、下蹲等动作均有较满意的活动度。病例均为恶性程度相对较低的软骨肉瘤,术后随诊结果令人鼓舞,均无局部复发。Steel 谨慎地将这种手术方式称为“骨盆髋臼周围软骨肉瘤后 1/4 截肢术的一种可选择的替代手术方法”,这能够在肿瘤广泛切除的同时保留了有功能的肢体,为骨盆肿瘤的保肢手术开辟了一个新的领域。

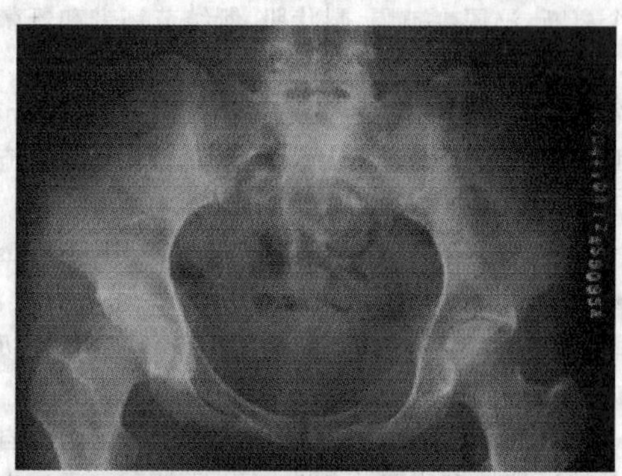

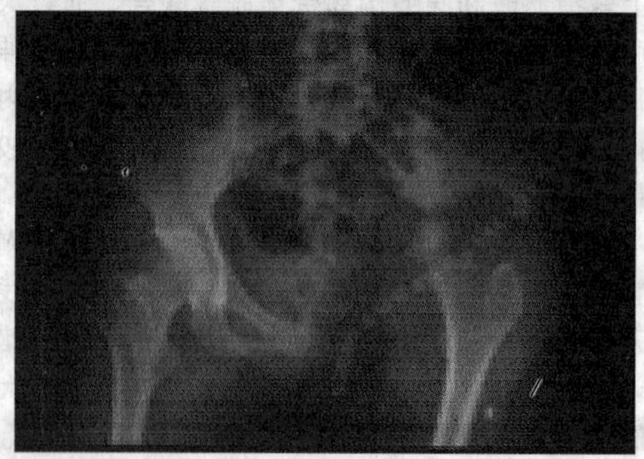

图 37-23　女性,24 岁,左耻骨上支病理性骨折 2 个月入院。术后病理示尤文肉瘤。予肿瘤切除旷置。

2）股骨头与残余耻骨或坐骨融合　采用螺钉和外固定将股骨头与残余的耻骨或坐骨部分相连接，形成骨性融合。尽管该手术的融合率据报道并不高，但没有融合的病例会形成假关节。该手术操作简单，术后可以行走，下肢无明显短缩，稳定性好（图 37-24）。但关节融合牺牲了活动性，对于日常活动有较大的影响。而且由于骨盆环不连续，且耻骨联合有一定的活动度，会影响骨盆的稳定性，导致股骨外展，有些患者还可产生耻骨联合处的疼痛。笔者曾在这种重建手术的基础上，在股骨近端和骶髂关节之间搭建骨桥来重建骨盆的稳定性（图 37-25）。

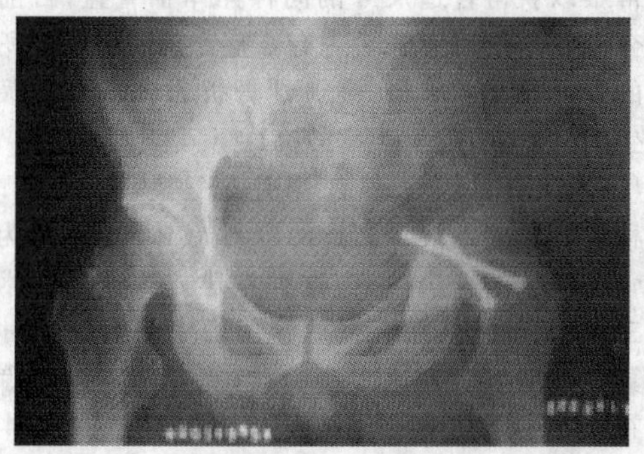

图 37-24　髂骨肿瘤切除后股骨头与残余耻骨融合

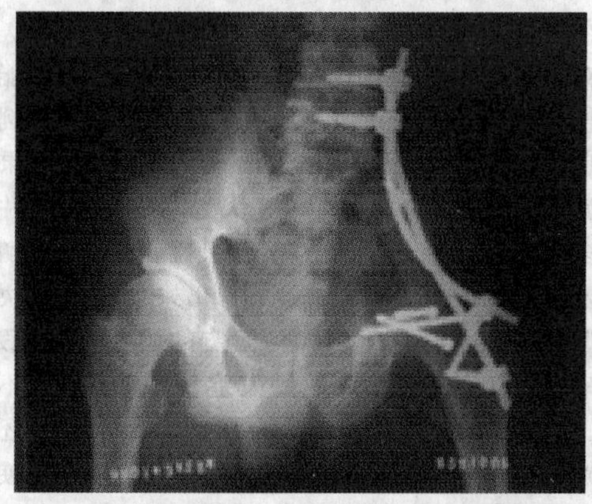

图 37-25　髂骨肿瘤切除后在股骨近端和骶髂关节之间搭建骨桥以重建骨盆的稳定性

3）股骨头与髂骨融合　如果手术将耻坐骨完全切除，而髂骨部分保留时，可以将股骨头上的软骨去除，外形修整，使其与残留的髂骨匹配，使用“眼镜蛇样”钢板进行固定，术后立即使用髋“人”字石膏固定至少 3 个月。髂骨与股骨近端之间的融合率并不高，一般为 40%左右。即使是没有成功骨性融合，也会形成无痛且稳定的假关节。

4）肿瘤骨壳灭活后原位再植　Harrington 对 4 例骨盆肿瘤患者采用病灶大块切除，将切下的部分高温灭活，然后再植入体内，予以坚强固定，并且使用骨水泥型全髋假体置换。只有 1 例患者在术后 8.5 年时发生骨折。Grimer 等对 4 例患者切除肿瘤后，采用射线照射处理，然后再植入体内。术后 1 例发生感染，需要将植入物取出；2 例死于转移，1 例术后 2.5 年时情况良好。其他灭活方式还有微波、乙醇等。这种重建方式的优点是没有排异反应，费用相对低廉，所植入的骨壳形状匹配好，手术容易完成。但其缺点也很明显，由于骨壳灭活后实质上是死骨，植入后仅起到填充物的作用，并不能形成骨性连接，因而感染和疲劳性骨折是主要的并发症，有作者主张在其周围植入自体髂骨骨条，以改善骨壳的连接。另外，不管以何种方式灭活，肿瘤的灭活都不彻底，术后局部复发率较高。

5）自体骨或异体骨搭建骨桥重建　骨桥所需要的植骨种类包括自体腓骨和髂骨，以及经过处理的异体骨，近来还有作者使用带血管蒂的肋骨。自体骨搭建骨桥的效果最好，在固定牢靠的情况下通常可以形成骨性连接。但在骨缺损巨大时，由于自体骨的来源有限，常与使用来源相对丰富的异体骨联合使用。固定的牢靠程度常与是否能够融合有关，通常在骨桥的两端采用钢板螺钉固定，并尽可能增大骨面之间的接触面积。O'Connor 和 Sim 报道了在骨缺损区域使用嵌入式（intercalary）同种异体骨植入术，增加异体骨和移植骨床的接触面积，从而增加骨性连接的概率。他们指出只有 50% 的病例成功融合，并且感染是最常见的并发症（23%）。如发生连枷髋和假关节，则功能不如骨性融合的病例。对于异体骨，很多作者推荐使用经放射灭菌的同种异体深低温冷冻骨。

6）马鞍型假体置换　马鞍型假体最初是设计用于处理全髋关节翻修手术失败导致的髋臼巨大骨质缺损，Nieder 等自 20 世纪 90 年代开始将马鞍型假体应用于髋臼部肿瘤切除后的重建。马鞍型假体的优势在于以相对简易的方式重建了髂骨和股骨之间的骨缺损，这既体现在手术时间相对较短，也体现在手术操作相对容易（图 37-26）。能够维持下肢的长度，并且重建的髋关节具有屈伸、旋转和内收、外展等基本功能，按照 Aboulafia 评分的结果显示，该

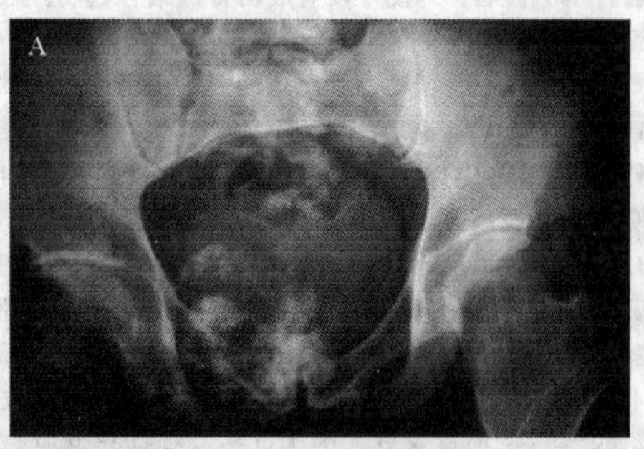

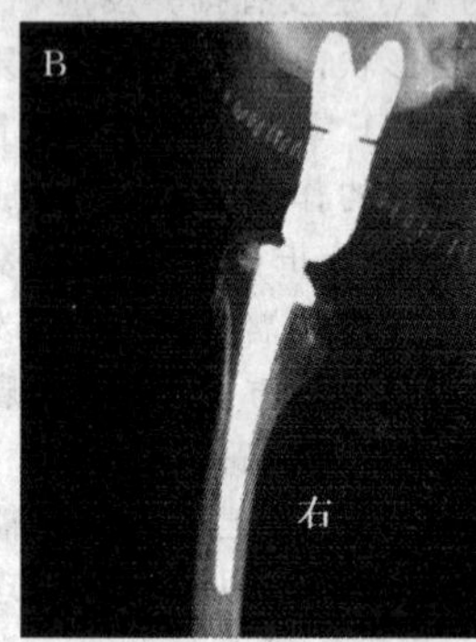

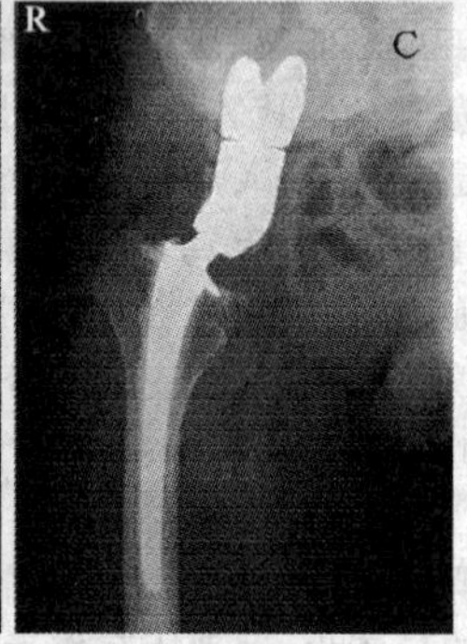

图 37-26 软骨肉瘤

32 岁男性，A、B 分别为术前 X 线，术后 6 天时 X 线片，C 为术后 1.5 年时 X 线片，可见异位骨化

假体可以使多数患者能够无痛的行走。假体活动范围是有限的，步态也与正常步态有相当大的区别。Windhager 等发现定制的半骨盆假体比马鞍型假体能获得更好的功能结果。他们将原因解释为马鞍型假体新髋关节中心位于偏心的位置，只能允许有限的活动范围。

我们的经验是：①在肿瘤被大块切除后，残余髂骨和股骨之间仅有髂腰肌和外展肌相连，如果在假体安装时过度牵拉，极易造成神经损伤，因此术中需动作轻柔，注意保持髂腰肌的张力。②由于行走后髂骨会逐渐有所磨损，因而截骨时应在安全的前提下尽可能多保留髂骨。髂骨的切迹应置于髂骨骨质最厚的内侧。③部分中国女性的髂骨翼过于纤薄，可能不适合应用相对粗大的马鞍型假体。

7） 半骨盆切除，同种异体半骨盆置换术 Mnaymneh 等对 1 例骨盆软骨肉瘤的患者予以半骨盆切除术，仅保留了部分耻骨，然后采用同种异体半骨盆置换术，术中保留了自体股骨头。Langlais 和 Vielpeau 对 4 例患者采用同种异体半骨盆结合患侧全髋假体置换术，1 例在术后 17 个月时发生髋臼部骨折，无感染发生。Harrington 对 10 例患者采用同种异体半骨盆置换术，1 例发生反复关节脱位，2 例出现疲劳性骨折。功能结果为良好至优秀。这种重建方式的一个问题是，是否应同时进行人工髋关节置换。由于股骨头与所植入半骨盆的髋臼常不匹配，加上髋关节是否累及常不明确，因此很多学者主张将股骨头与髋臼一并切除，一起进行髋关节置换。并不建议使用双极股骨头置换，因为所移植的骨质可能无法承受对髋臼区的磨损。尽管存在骨库，但仍常难以获得合适尺寸的同种异体半骨盆，目前的一个进展是可以对骨块进行修整和定制以匹配所切除的骨盆尺寸。感染、疲劳性骨折和骨不连是最常发生的并发症，且发生率较高。

8） 半骨盆切除，人工半骨盆置换术 近年来，各种计算机辅助设计制造的定制人工半骨盆成为重建骨盆缺损的一个热点，这种重建方式需要在术前行三维 CT 重建，并根据重建图像中的骨盆尺寸在计算机辅助下定制人工半骨盆（图 37-27）。难点之一在于术中所切除的骨盆部分必须与所定制的半骨盆假体相符合，这需要在术前确定手术需要切除的范围和界限，手术中切除范围不能作太多的调整，这在实际手术操作中有相当的难度，近年来可调式人工半骨盆的出现在一定程度上解决了这一问题。还有对于人工半骨盆的功能，Abudu 等报道的功能结果较为满意，Gradinger 报道在 9 例患者中，5 例功能良好。但在 Ozaki 等报道的病例中，功能结果并不满意且并发症高，Ozaki 等认为功能较差和并发症多应归因于缺乏良好的软组织覆盖，肌肉被切除以及存在死腔等。到目前为止，仍未能完全解决人工假体与残余骨盆组织如何固定的问题，术后假体松动，假体折断是常见的并发症，长期疗效尚不理想。有鉴于此，不少学者认为在目前技术条件还不成熟的情况下，应谨慎进行半骨盆置换术，建议使用其他方式重建，如旷置或髋关节移位术。

9） 髂骨切除术后 若肿瘤切除不影响骨盆环的完整，仅行单纯切除，无需重建。

如果骨盆连续性中断，有多种重建方式可供选择：①髂骨颈残余部分与骶髂关节或骶骨翼之间的间隙一般并不大，将髂骨颈残余部分向上方旋转牵拉，至与骶骨翼相接触，此时耻骨联合起着铰链样的作用，然后用较粗的钢丝固定，会形成骨性融合。但

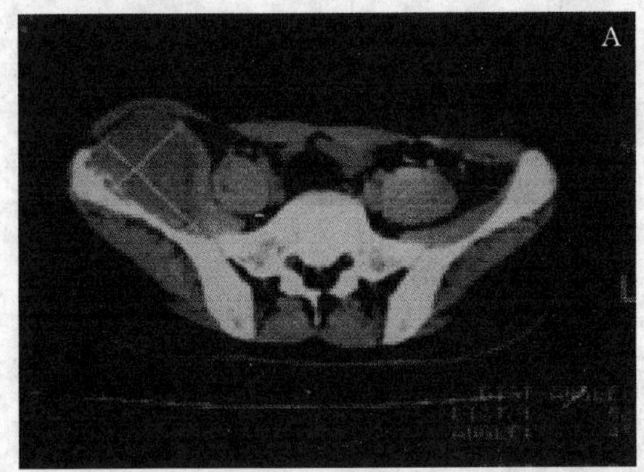

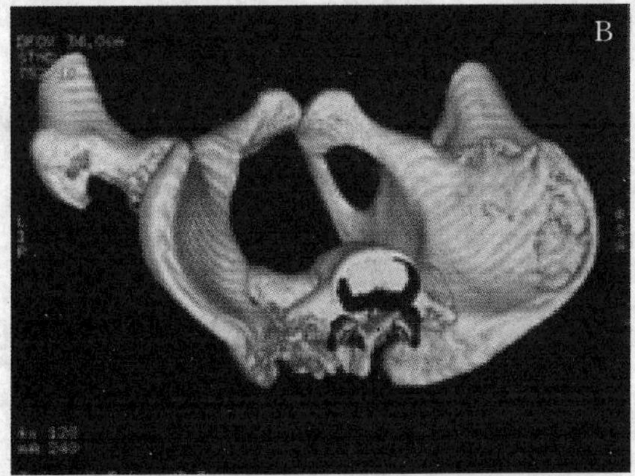

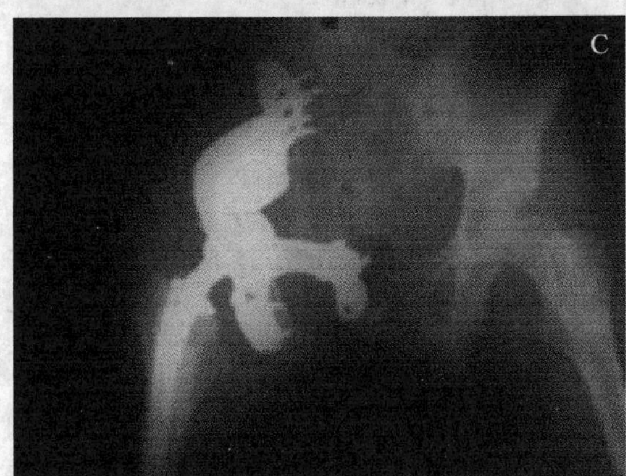

图 37-27 原始神经外胚叶肿瘤予以半骨盆置换术
男性，22岁，肿瘤浸润肌肉及骨膜

在进行这种重建手术时，注意在切迹处为坐骨神经留有足够的空间。②在髂骨颈和骶骨翼的断端间，植自体骨或异体骨搭建骨桥，然后用加压螺钉或钢板固定，自体骨可以选择游离髂骨，带血管蒂髂骨或带血管蒂腓骨等。③还有作者主张在断端之间插入钢针，外面包裹骨水泥，形成"钢筋水泥样"来填充缺损，尽管这种方法短期效果较好，但长期固定的牢靠性必定比骨桥骨性融合差，因此不适合用于预期寿命较长的患者。

（杨铁　陈峥嵘）

37.17 软组织肿瘤

37.17.1 概述

软组织肿瘤与骨肿瘤不同，通常疼痛较轻，多以肿块就诊。理学检查中要注意肿块的部位、性质，以及引流区淋巴结有无肿大。常规X线检查常常可以提供有价值的诊断线索。如静脉石（血管瘤）、钙化（滑膜肉瘤）等。CT、超声、MRI、动脉造影等有助于确定肿瘤的范围。放射性核素骨扫描可以明确有无骨的侵蚀。对恶性肿瘤需进行骨扫描和肺部CT检查以排除远处转移。下肢的滑膜肉瘤、上皮样肉瘤和儿童横纹肌肉瘤应行腹部和骨盆CT检查，以排除淋巴结转移。对怀疑为恶性的肿瘤可以进行穿刺或切开活检，但活检术前要完善设计，以便最终的手术可以将活检的部位广泛切除。

良性和恶性肿瘤的分期原则多采用Enneking提出的分期原则（表37-6）。

表 37-6 肌肉骨骼系统良性和恶性肿瘤的Enneking分期

良性肿瘤			
分期		性质	
1		潜隐性	
2		活动性	
3		侵袭性	
恶性肿瘤			
分期	分级	部位	转移
ⅠA	低度恶性	间室内	无
ⅠB	低度恶性	间室外	无
ⅡA	高度恶性	间室内	无
ⅡB	高度恶性	间室外	无
Ⅲ	任何分级	任何部位	局部或远处转移

根据手术时肿瘤切除边缘的情况，肿瘤手术可分为以下几种。

剥离术(病灶内切除):达到肿瘤内切除边缘,有较多的肿瘤残留。

边缘性切除术:到达肿瘤边缘性切除边缘,切面在肿瘤周围的反应带内,可有肿瘤微小病灶残留。

广泛性切除术:达到肿瘤广泛性切除边缘,切除肿瘤周围部分正常组织(由于高度恶性肿瘤沿筋膜下生长,常有微小病灶残留)。

根治性切除术:达到肿瘤根治性切除边缘,切除肿瘤所在的整个肌肉筋膜间室。

根据切除边缘的情况,截肢手术也可分为摘除(经肿瘤解剖截肢)、边缘性(肿瘤旁解剖截肢)、广泛性和根治性截肢(根治性关节解脱或截肢)。

软组织肿瘤的分类见表 37-7。

表 37-7 软组织肿瘤的分类

组织发生	良 性	低度恶性	高度恶性
纤维性	纤维瘤病、先天性纤维样肿瘤	1 级、2 级纤维肉瘤,婴儿纤维肉瘤	3 级、4 级纤维肉瘤
脂肪性	脂肪瘤(包括血管脂肪瘤、梭形细胞脂肪瘤、多形性脂肪瘤、成脂细胞瘤、神经内脂肪瘤病、蛰伏脂肪瘤)	脂肪肉瘤(分化良好的、黏液样的)	脂肪肉瘤(多形性、圆细胞、未分化的)
横纹肌性	横纹肌瘤(成人、胎儿、生殖器、心脏)		横纹肌肉瘤(胚胎、小泡性、多形性)
平滑肌性	平滑肌瘤	1 级、2 级平滑肌肉瘤	3 级、4 级平滑肌肉瘤
血管性	血管瘤及血管发育异常、血管球瘤、上皮样血管瘤、血管外皮瘤	低度恶性血管内皮细胞瘤、Kaposis 肉瘤、血管外皮细胞瘤	高度恶性血管内皮细胞瘤、Kaposis 肉瘤、血管外皮细胞瘤
滑膜性			滑膜肉瘤
神经性	神经鞘瘤、神经纤维瘤		恶性神经鞘瘤、周围神经上皮瘤
淋巴	淋巴管瘤		淋巴管肉瘤、Kaposis 肉瘤
软骨性		黏液样软骨肉瘤、滑膜软骨肉瘤	间叶软骨肉瘤
骨性			骨肉瘤
组织细胞	良性纤维组织细胞瘤、黄色瘤、腱鞘巨细胞瘤	隆突性皮肤纤维肉瘤、非典型纤维黄瘤	恶性纤维组织细胞瘤
组织来源不明	肌间黏液瘤、粒细胞肿瘤		恶性粒细胞肿瘤、尤文肉瘤、小泡性肉瘤、上皮样肉瘤、肌腱与腱膜的透明细胞肉瘤

37.17.2 纤维组织肿瘤

(1) 腱鞘纤维瘤(肌腱滑膜纤维瘤)

为局限性的良性肿瘤,组织结构类似于腱鞘。与腱鞘巨细胞瘤不同,其组织中无黄色瘤和巨细胞。该肿瘤大多数发生在上肢,直径 1～2 cm。治疗应采用边缘性切除。在手部复发率可达到 24%,大多数复发病变经再次手术切除可以获得治愈。

(2) 腱膜纤维瘤病(青少年的腱鞘纤维瘤、钙化性腱鞘纤维瘤)

为局限性良性肿瘤,组织结构类似于腱膜,类似于在骨骼上的腱性止点,具有纤维-软骨性外观,其软骨样细胞参与病灶的钙化。镜下可见肥大的成纤维细胞,可发现钙化灶,有特征性栅栏状结构,偶见软骨样组织。发病率很低,好发于男性及婴幼儿,大部分在 18 岁以前发病。主要好发部位为手部、前臂、足和小腿。明显好发于手的掌面(约为全部病例的半数)。临床检查可触及肿块,边缘不清楚,质地坚硬,无压痛,具有生长缓慢的特征。经过一段时间的发展可变成一边界清楚、质地更加坚硬的小结节。在身体生长末期趋于停顿,从不引起重要的局部紊乱如关节活动受限等。晚期摄片可以有稀疏的钙化影。由于病灶具有浸润性,手术通常在病灶内施行,不可能完全彻底切除,因而术后容易复发。由于该肿瘤在身体生长末期趋于停顿,对本病的手术切除可适当而有限，尽可能在趋于成熟、并进入静止期时施行手术，此时复发率明显降低。

(3) 掌筋膜和跖筋膜纤维瘤病

是最常见的纤维瘤病。掌筋膜纤维瘤病常常伴有 Dupuytren 挛缩症，男性多见，可有家族史。病变开始表现为无痛的皮下结节，随着结节逐渐增多，出现筋膜挛缩，最后整个筋膜增厚。跖筋膜常发生在跖筋膜的内侧半，常有压痛，很少引起筋膜挛缩。掌筋膜和跖筋膜纤维瘤病在组织学上均为增生性成纤维细胞病变，一般为结节状，并逐渐移行到周围的筋膜。可有不丰富的核分裂象。最后会有胶原形成。掌筋膜和跖筋膜纤维瘤病可通过手术切除，术后有复发可能，但不发生局部的破坏和转移。

(4) 硬纤维瘤病(侵袭性纤维瘤病、肌筋膜纤维瘤病、I级硬纤维瘤型纤维肉瘤)

是起源于结缔组织的局部侵袭性肿瘤，可以侵犯周围组织，有明显的复发倾向。多见于经产妇的前腹壁。发生于其他部位的称为腹外硬纤维瘤。在 Garden 综合征中，硬纤维瘤可以与结肠息肉、骨瘤和皮样囊肿同时出现。组织学上发现肿瘤有丰富的胶原形成，细胞少见，向肌肉内浸润。肿瘤致密，坚韧有弹性，切面呈灰白色。腹外纤维瘤多发于肩部、上臂、大腿、颈部、骨盆、前臂和腘窝。肿瘤未经治疗则缓慢持续生长，并逐渐侵入相邻组织内。如单纯手术治疗应行根治性切除，但由此会造成功能障碍。目前多建议采用广泛性或边缘性切除，术后辅以放疗。

(5) 背部弹力纤维瘤

是发生于老年人的良性肿瘤，肿瘤多发生在肩胛骨下部前面，与背阔肌菱形肌相连。组织学上发现有较厚的弹力纤维和组织碎片，基质其余部分是非特异的、细胞不丰富的纤维组织。确诊需做弹力纤维染色。手术行边缘性切除，复发少见。

(6) 进行性纤维性肌炎

是一种少见的原发性全身肌肉疾病，发生于儿童，可能是进行性骨化性肌炎的早期，早期可为局限性，但以后常出现白色钙化物质。晚期有多处骨形成，导致功能障碍和死亡。该病无法手术。

(7) 先天性全身性纤维瘤病(单发或多发性婴儿型肌纤维瘤病)

罕见的病变，有家族史，可引起死婴和婴儿分娩后立即死亡。特点为在出生时或出生后第 1 个月发病，具有特殊的组织学外观，可为单发、多发或全身性发病。单发者好发在皮下和肌肉表面。瘤体与周围组织边界不清楚，在其周围组织内可能出现卫星灶。本病仅需行边缘性切除即可治愈甚至可以自愈。多发者可在皮下肌肉等软组织中出现许多结节，也可累及骨骼。在骨骼中呈现泡沫状的骨溶解病灶。此类软组织和骨性结节可自行完全消退。全身性可在浅表软组织、骨发现多处病变，甚至累及内脏。全身性病例大多在出生后几天或几月内即死亡。组织学上以纤维组织为主，也可存在其他组织成分。

(8) 婴儿纤维错构瘤(皮下纤维瘤病)

发生在皮下组织中包含有纤维-黏液-脂肪混合性组织结构的错构瘤，是一种比较少见的病变，主要发生在 3 岁以下的婴幼儿，但也可以在出生时就已存在。男性好发，几乎都发生在上肢和腋窝。临床表现为单发的肿块，有时生长活跃。无痛，质地从软到硬不等，边缘不清。皮肤可与肿瘤粘连，典型的病变位于真皮下层或皮下脂肪。组织学为交错的纤维小梁与疏松的黏液区的混合物，类似胚胎性间充质。肿瘤系良性，手术切除后很少复发。

(9) 婴儿弥漫性纤维瘤病

类似颈部纤维瘤病(先天性斜颈)，但发生于除胸锁乳突肌以外的肌肉。常发生在男孩的上肢、头部和颈部。进行性侵犯数块肌肉，但这并不是本病的特征。肿瘤为白色或黄色，在病变的肌肉纤维之间有增生的纤维组织。切除后可复发，但局部广泛切除常能获得局部控制，应避免致残性手术。

(10) 婴儿侵袭性纤维瘤病

常发生在婴幼儿的四肢，早期生长迅速。组织学特点类似分化良好的纤维肉瘤，其细胞丰富，核分裂象很多。但不发生转移，治疗行局部切除，必要时可重复切除。

(11) 指(趾)纤维瘤病

较少见。常在出生时或出生后的第 1 个月发病，与性别无关。病变局限在手指或足趾的第二或第三指(趾)骨的伸肌附着处或外侧面。可累及一个以上的手指或足趾，也可双侧发病或同时累及手或足。病变表现为一个或多个小结节，如豌豆大小，具有致密纤维性，与皮肤及其下面的纤维组织和骨面粘连。组织学上由不同程度肿胀的成纤维细胞和稠密的胶原网眼组成。手术治疗时如切除不完全或仅行边缘切除时常引起复发。这些病变在有限增长后即不再继续生长，有时可以自行消退。所以手术时必须充分考虑到切除的范围和限度，以保留手指功能更为重要。

(12) 纤维肉瘤

纤维肉瘤是唯一由成纤维细胞和胶原纤维形成的肿瘤，其形体相对单一并具有“人”字形的组织结构。发病率不高(约占软组织肉瘤的10%)，一般在30～70岁之间的发病率最高，平均发病年龄在45岁左右，很少在10岁以前发病。部分为先天性发病。发病部位最常见为大腿，其次为躯干、其他四肢骨。儿童好发在肢体远侧部分，包括手部和足部，但在成人罕见。肿瘤绝大多数位于浅筋膜深层。表现为单一的球形肿块，有时呈分叶状，通常生长较快，质地较硬，边缘相当清楚。晚期可与骨骼粘连，也可使皮肤溃烂，有时可压迫神经。但大多数病例没有疼痛症状。个别病例可在X线上有钙化影和骨骼破坏表现。组织学上可见肿瘤全部由梭形细胞组成，由特征性螺旋式的组织结构，伴有巨大的多核肿瘤细胞，胞质丰富，强嗜酸性，有时呈泡沫状。分化较差时胶原被限制为一薄的网状纤维，围绕每一个细胞，并可被银染。分化好者胶原含量丰富，细胞和纤维可形成平行排列的束，但常常互相纠结和定向地呈“人”字形。纤维肉瘤按其恶性程度可分为不同等级，分化如何与组织学方面的恶性程度呈反比。对纤维肉瘤的治疗主要为手术切除，对成年病例切除应彻底，对儿童要求不如成人高。切除边缘应广泛。对成年患者适于根治性边缘切除术。放化疗只能作为辅助治疗，特别适宜于Ⅲ～Ⅳ期纤维肉瘤的处理。纤维肉瘤的预后取决于组织学的分级和年龄。10岁以下儿童预后较好。儿童复发率与成人的差别不大，但转移较少，一般可<10%。成年病例当行边缘切除或切除范围不够广泛时，常可局部复发。复发率约为50%，且60%病例发生转移。多转移至肺、骨骼和肝脏，淋巴结转移少见。10年生存率Ⅰ～Ⅱ期为60%，Ⅲ～Ⅳ期为30%。

(13) 隆凸性皮肤纤维肉瘤

少见。好发在30～50岁，多发于男性。好发部位为躯干及四肢近端。病变一般局限在皮肤和皮下组织。一般为单发，也可为数个结节。肿瘤生长缓慢持续，并不停顿，最终形成较大或巨大的肿块。其表面的皮肤出现萎缩，易发生损伤。肿瘤切除后极易复发，因此可称为低度恶性转移性皮肤纤维肉瘤。组织学上可见肿瘤浸润周围皮肤和皮下组织，质地致密，细胞密聚，形态单一，多由梭形细胞构成、类似成纤维细胞。细胞的特征是围绕一个核心呈放射状排列(多层小体)。治疗上应广泛、彻底地切除肿瘤。复发多因肿瘤周围组织切除不够所致。由于本病较少转移，所以一般不考虑施行危险性大或致肢体残废的根治性手术，也不需化疗或放疗。术后复发者可行破坏性大的手术甚至截肢术。

37.17.3 脂肪组织肿瘤

(1) 脂肪瘤

脂肪瘤为分化成脂肪的细胞所构成的良性肿瘤。浅表者好发于女性，深部及多发者好发于男性。脂肪瘤最常发病的年龄为40～60岁。浅表的脂肪瘤好发于背部、颈部和肢体的近端(向心性分布)，深部者比较少见，主要在肌肉中，也可在肌肉间隙和其他组织结构中，如骨骼、肌腱或粘连在肌腱骨骼上或在关节附近和神经干上。多发性脂肪瘤少见，好发在背部和上肢近端，对称性分布，好发于肢体仰侧。

脂肪瘤生长缓慢。通常在首次生长后即处于静止状态，除非压迫神经，一般不会出现疼痛和功能障碍。浅表脂肪瘤触诊轮廓比较清楚，无压痛，与皮肤无粘连。而深部脂肪瘤初诊非常困难。影像学上，深部脂肪瘤在CT上表现为典型的球形影像，边界清楚，密度均匀一致，与周围组织的关系对比清晰；MRI上表现为典型的脂肪影。大体病理上可见浅表脂肪瘤为球形，深部脂肪瘤的形状与其所在周围组织结构的特点有关，常呈分叶状。肌肉间的脂肪瘤主要轴线与肌肉平行，还可穿过筋膜边缘扩展到各个肌肉和肌间隙。每个脂肪瘤常被一薄的真性囊膜包被。这是脂肪瘤与正常脂肪组织的区别。当脂肪瘤发展到囊外，可形成一假包囊，呈现纤维化并增厚，并与周围组织粘连。组织学上可以看到，脂肪瘤由成熟的脂肪细胞构成，形态和大小有变异，有时较正常的脂肪细胞大。浅表脂肪瘤除非体积较大而出现症状，一般不需手术切除。深部脂肪瘤可行边缘切除，但对于体积比较大，生长比较快者，常需怀疑是否为肉瘤。对深部脂肪瘤需要进行深入的解剖和病理学研究，以排除脂肪肉瘤可能。因为脂肪肉瘤某些部分分化良好，可与脂肪瘤相似或相同。脂肪瘤和分化良好的脂肪肉瘤区别在于前者无成淋巴细胞和多形且富含染色质的核。另外对脂肪瘤的黏液病变还要和黏液性脂肪肉瘤鉴别，前者无丰富的丛状血管网和成脂肪细胞。

(2) 几种特殊的脂肪瘤

1) 皮下血管脂肪瘤　为成熟的脂肪组织与丰富的血管组织混合形成的特殊类型的脂肪瘤。发病年龄较轻，多发生在15～20岁左右，好发于男性。部位多在前臂躯干，累及上臂者少见。皮下血管脂肪瘤均发生在皮下，形体较小，不超过2 cm。多发者多于单发者。与脂肪瘤不同，可有剧痛症状。手术切除后效果很好，复发少。

2) 皮下梭形细胞脂肪瘤　由成熟的脂肪组织与成纤维细胞混合而成的良性肿瘤，仅累及皮下组织，不穿越筋膜。多见男性及45～80岁的成年人，好发肩部、颈部和背部。无痛性，单发，生长缓慢。手术行肿块切除即可。

3) 皮下多形脂肪瘤　生长于皮下，组织学上见成熟的脂肪组织、梭形细胞和胶原纤维与不规则形态各异的单核细胞和多核细胞共存，被认为是皮下梭形细胞脂肪瘤的变异。多见于男性，好发年龄在45～70岁。好发背部、肩部、大腿和臂部。可仅行肿块切除术，术后局部复发少见，无转移。对须与脂肪肉瘤鉴别者可行广泛切除术。

4) 良性脂肪细胞瘤和成脂肪细胞瘤病　均为单发或多发的脂肪瘤样肿瘤，为皮下组织中无痛性结节，组织学上表现为不成熟的成脂肪细胞，与黏液性脂肪肉瘤相似。好发于儿童，2/3患者在2岁内发病。好发于男性，好发部位为肢体。病灶直径3～5 cm。手术切除效果好，局部很少复发，但散发者需要行广泛切除术。

5) 神经内和神经周围的纤维脂肪瘤(神经脂肪纤维错构瘤)　特定为一脂肪纤维组织肿块包绕并浸润主要的神经及分支。好发于男性，在儿童和青少年发病率高。好发在手、前臂和腕的掌侧。肿瘤生长缓慢，可引起疼痛和神经功能障碍，神经功能障碍为肿瘤压迫所致，与神经来源肿瘤不同。手术有时比较困难，完全切除时可造成更严重的功能丧失。有时只能行肿瘤部分切除，并行神经鞘膜切开减压。

6) 弥漫性脂肪瘤病　较少见，由成熟脂肪组织形成的肿瘤。好发儿童早期，以浸润的方式累及肢体和躯体的皮下组织和肌肉，常并发有骨的肥大。由于病变散在且广泛扩展，特别容易复发，因此应行广泛彻底的切除手术。

7) 蛰伏脂肪瘤　为胚胎性或棕色脂肪瘤再生所致。均在成年期发病，但发病年龄比脂肪瘤轻，发病率低，平时隐藏在成人的肩胛间区、颈部、腋窝、腹股沟和腹膜后。病灶生长缓慢，无痛，病变可侵犯皮下组织，也可穿越其下方更深的组织。蛰伏脂肪瘤为良性，切除即可，但要注意随访。

(3) 脂肪肉瘤

脂肪肉瘤是第2常见的软组织恶性肿瘤，仅次于恶性纤维组织细胞瘤。男女发病率相同，多见于40岁以后，为典型的成人和成年后疾病。好发于肌肉和纤维脂肪等深部软组织。起源自皮下组织者很少。最常见发病部位在大腿，特别是股四头肌和腘窝区，其次在腹膜后，其他好发于小腿、肩部和上臂，手足发病很少。脂肪肉瘤临床表现为深部软组织中生长的肿块，常当其形体增大到一定程度时才被发现，因此病史很长。肿块可由于压迫周围器官而出现症状，如下肢水肿、疼痛等。理学检查可发现边界不清的肿块，质地软。大体病理可见脂肪肉瘤体积较大，可为分叶状。通常有薄而不连续的假包囊。质地通常软，切面的颜色和病变根据组织学的结构而不同。组织学上可存在不同亚型，重复出现未分化的间充质细胞型脂肪细胞到成熟脂肪细胞的不同阶段的表现。在少数病理中，分化良好的脂肪肉瘤在同一肿瘤内也可见具有高度恶性的脂肪肉瘤特征的部分，以及未分化肉瘤或是恶性纤维组织细胞瘤的区域。因此病理诊断时需要广泛且多处取材。脂肪肉瘤可分为多个亚型。

1) 分化良好的脂肪肉瘤　占脂肪肉瘤的30%，可有两种组织学变异：脂肪瘤样脂肪肉瘤和硬化型脂肪肉瘤。脂肪瘤样脂肪肉瘤通常为成熟的脂肪细胞，被胶原分隔成形态不同的病变区，分化良好的脂肪肉瘤可能类似于脂肪瘤。硬化性脂肪肉瘤好发在后腹膜、腹股沟和阴囊。分化良好的脂肪肉瘤一般恶性程度较低，而且有丝分裂稀少。

2) 黏液脂肪肉瘤　为肢体软组织中最常见的脂肪肉瘤，占30%～40%。组织学检查可发现相当的细胞化，由分化成不同阶段的成脂肪细胞形成。其中含有大量散在的可被黏多糖酶染料浓染的黏液物质。典型的脂肪肉瘤富含血管，有丝分裂较少，黏液成分丰富。通常1～2期黏液型脂肪肉瘤恶性程度低，3期少见，均可转变为圆形细胞脂肪肉瘤。

3) 圆形细胞脂肪肉瘤　发病率不高(8%～10%)。属于一种非常细胞化的变异，特征为主要由卵圆-圆形细胞组成。病变区内可见普遍存在的丛状血管。某些病例中，圆形细胞脂肪肉瘤与多形性脂肪肉瘤共同存在，其中有数量较多的坏死和出血病变。

4）多形脂肪肉瘤　占脂肪肉瘤的20%左右。特点是成脂肪细胞中的细胞呈多形性，并具有不规则的和富含染色质的核。其病灶非常细胞化。在卵圆形或圆形细胞旁可见具有厚核、粗大核染色质和非常明显核仁的细胞。有一些具有强嗜伊红的细胞质和黏液样变的巨细胞。这些细胞也可在多形性横纹肌肉瘤和恶性纤维组织细胞瘤中发现。多形脂肪瘤是一种高度恶性，并具有明显有丝分裂活动的肿瘤。

5）脂肪肉瘤与低分化脂肪肉瘤混合　低度恶性脂肪肉瘤旁有高度恶性变的病灶。Evans命名为去分化的脂肪肉瘤。这是一种在低度恶性脂肪肉瘤[黏液和（或）脂肪瘤样]旁有一明显分隔的肿瘤性新生物。另外还有高度恶性的肿瘤成分，后者可能具有圆细胞或多形脂肪肉瘤或恶性纤维组织细胞瘤的特征。

分化良好的和黏液样脂肪肉瘤的恶性程度较低（1～2级），多形及圆形细胞脂肪肉瘤恶性程度较高（3～4级）。分化良好和黏液性脂肪肉瘤在切除术后仍可局部复发，个别分化良好者可发生转移。黏液脂肪肉瘤转移少且迟。相反圆形细胞和多形脂肪肉瘤易于迅速出现局部复发，通常在切除术后第1个月或1～2年内，而且常常可早期经血行转移到肺、骨骼和其他内脏。区域淋巴结转移少见。治疗上，即使肿瘤表面形体较小，但其边缘切除术后的局部复发率仍较高。因此在治疗时应尽可能减少复发。对于黏液型和分化良好者以及所有1期脂肪肉瘤，广泛切除是最合适的治疗方法。对于高度恶性的脂肪肉瘤最好施行根治性切除。放疗有效，特别是对黏液型脂肪肉瘤有效，在临床广泛地与手术同时使用。骨盆和腹膜后脂肪肉瘤治疗比较困难，当不能广泛切除或对边缘切除有顾虑时，即使其为单发者最好在术后联合运用放疗。化疗效果不确定。

37.17.4　肌源性肿瘤

（1）平滑肌瘤

是平滑肌良性肿瘤，多发生在子宫和肠道。有时也可发生在皮肤和皮下组织，来源于竖毛肌或小血管平滑肌。病理显示类似于最常见的子宫肌瘤。

（2）血管平滑肌瘤（血管肌瘤）

由浅表血管及平滑肌组织增生所形成的良性肿瘤。好发于女性，发病年龄在30～60岁。好单发在肢体上，尤其是小腿。大多数病变局限在皮下。生长缓慢。半数以上病例有疼痛。临床理学检查可见肿块球形，边缘清楚，质地较硬。组织学上主要为平滑肌细胞围绕丰富的血管，并聚集成结节状或散发。治疗上该肿瘤系良性病变，可采用边缘切除。深部血管平滑肌瘤发病率低，各个年龄段和性别都可发病，均在肢体深层肌肉中生长，生长缓慢。由于发现较晚，故体积较浅表者为大。X线检查可见钙化影。组织学上也表现为平滑肌细胞为边缘的小结节，平滑肌细胞形态单一。深部血管平滑肌瘤要注意与平滑肌肉瘤相鉴别，主要是凭借细胞中有丝分裂的存在和数量进行鉴别。深部血管平滑肌瘤也是良性肿瘤，主要以边缘性切除为主，而中等程度的广泛性切除更为理想。

（3）平滑肌肉瘤

占所有软组织肉瘤的7%。好发部位为肢体以及毛囊有关的部位。好发年龄在40～70岁，无性别差异。多为单发病灶，在皮肤外病灶直径不超过2 cm，位于皮下的体积较大。最常见的症状是疼痛。当肿瘤局限在皮肤时，其边缘不清楚。而在皮下组织中，可在生长过程中压迫周围组织而产生假包囊。多数深部肿瘤起源于血管的平滑肌。肿瘤可侵犯动脉和静脉。并可因压迫静脉产生肢体的水肿。组织学上表现为梭形细胞增生，肿瘤细胞均有一细长而两端钝圆的细胞核，可见肌原纤维。典型的细胞原生质网在肿瘤纤维之间成波浪状走行，偶尔可见栅栏状排列的细胞核，与神经来源的肿瘤有时相似。通常根据有丝分裂相的数量来区别平滑肌瘤和平滑肌肉瘤。在高倍显微镜下10个视野中如出现5个有丝分裂，则可以考虑为低度恶性，若仅有1个则提示为潜在恶性。浅表平滑肌肉瘤的预后较好。约有50%的病例可局部复发。深部平滑肌肉瘤的预后不良，因其转移可能增加恶性程度，据统计在皮肤的平滑肌肉瘤并不转移，但累及皮下组织的病例约有1/3可发生转移。手术选用肿瘤广泛切除术，切除应尽可能彻底。

（4）横纹肌瘤

非常少见。很少出现在运动器官的软组织中。包括以下几种类型。

成人横纹肌瘤：成年晚期发病，多局限在口咽部、喉部和颈部的肌肉中。由完全分化的类似横纹肌的大细胞组成。

婴儿横纹肌瘤：多在4岁以下的儿童出现，可累及皮下组织。好发在头颈部,少数病例可在肢体和躯干发病。肿瘤由不同分化阶段的成横纹肌细胞构成。肿瘤外周比中心的分化更为完善和良好。与胚胎性横纹肌肉瘤相比,婴儿横纹肌瘤病变部位表浅,边缘和境界清楚。同时其细胞分化良好,多形性细胞的结构较少,有丝分裂象不明显,且无坏死现象。

生殖器横纹肌瘤:好发绝经期女性,常出现在外阴或阴道壁上。

心脏横纹肌瘤:在儿童时期出现,此种肿瘤具有错构瘤特征,非真正肿瘤。

(5) 横纹肌肉瘤

是横纹肌的恶性肿瘤。是趋向于分化的横纹肌细胞肉瘤,似源自未分化的间充质细胞或源自专有的胚胎肌肉组织区,因而在儿童发病率较高,而且在正常无横纹肌的解剖区域也可出现肿瘤。横纹肌肉瘤有 3 种变异型:胚胎性、小泡性(腺泡性)以及多形性。这种区分并不十分明确,而是根据组织学(葡萄簇状变异)和直视检查的特征而确定。横纹肌肉瘤的一般特征是:具有可变化的组织学图像,包括从未分化的圆形细胞到连续各分化期中成横纹肌细胞范围广泛的图像。横纹肌肉瘤约占软组织肉瘤的 20%,是 20 岁以下最常见的软组织肉瘤。其中又以胚胎性横纹肌肉瘤最为常见,其次为小泡性。在不同年龄的人群其发病率和肿瘤类型有相当大的差异。胚胎性和小泡性发生在儿童和青少年,是该年龄段较常见的恶性肿瘤。典型的多形性横纹肌肉瘤发生在成人,较少见。横纹肌肉瘤好发部位依次为头部(眼眶、中耳)、颈部、泌尿生殖道、胆道、腹膜后及躯干和四肢的软组织。后者占总数的 1/4～1/5。肢体的横纹肌肉瘤主要为葡萄簇状变异型。上下肢发病情况大致相同。因此横纹肌肉瘤患者可能会在不同相关专科被发现。胚胎性横纹肌肉瘤通常发生在头部、颈部和泌尿系统。肿瘤质地软,呈胶冻状。小泡性横纹肌肉瘤多发生在头颈和四肢。典型的病例质地较胚胎性硬。多形性横纹肌肉瘤常常发生在四肢。横纹肌肉瘤是深部肿瘤,且常常局限在相关肌肉内。生长迅速,具有较大的侵袭性和破坏性,容易从黏液腔(葡萄簇状病变)和眼眶中长到皮肤表面。由于本病在年龄和侵袭的部位有其特殊性,所以容易在早期即可被发现并得到治疗。肿块体积一般不会太大,除非神经受到压迫,否则一般不会出现疼痛。影像学上一般没有典型发现,一般没有钙化。当肿瘤侵袭到骨骼时可有相应的影像学反应。无论是单发的还是多叶状的肿瘤,均由于肿瘤的主要成分为细胞,所以质地都比较柔软,有时可含有黏液或呈囊性。颜色从灰白到粉红到淡棕色不等。可有坏死-出血。当肿瘤向黏膜腔(胆道、膀胱、尿道、阴道)生长时,表现为类似葡萄串的息肉状或黏液状外观,即葡萄簇样外观。这是胚胎变异型的一种局部化改变。组织学上,胚胎型横纹肌肉瘤类似于横纹肌在胚胎发育时的不同阶段。各个病例差异很大。大多数病例中未分化细胞占优势,仅散在有少数分化的细胞。同时肿瘤以小圆细胞为特征,其分化现象比较分散和明显,从而呈现类似胎儿肌肉的外观。在所有病例中,其稠密的细胞区与稀疏的细胞区、黏液样改变区三者可交替出现。其另一恒定的特点是细胞分布无规律,同时其中的网状及胶原纤维非常稀疏,细胞内可见横纹。小泡性横纹肌肉瘤由未分化的小圆形-卵圆形细胞所组成并聚集成实质性的小岛或小泡,其间为粗糙的稠密胶原带分隔。与胚胎型相比小泡性横纹肌肉瘤的分化外观更罕见,取代的是多核巨细胞。多形性横纹肌肉瘤是一种具有球形细胞、梭形细胞、巨细胞和球拍样及蝌蚪样细胞的多形性肿瘤。胞质嗜伊红性强,并呈丝状及颗粒状,很少看到横纹。横纹肌肉瘤恶性程度高,病程短促,侵袭性较大,在不适当的手术及无辅助治疗时有显著的局部复发趋势,淋巴结转移早,附睾横纹肌肉瘤转移更为常见。肿瘤依次转移到肺、淋巴结、骨、内脏器官和脑。目前认为如有可能应采用术前适当化疗,尽可能广泛切除,最好同时切除区域淋巴结,术后在原发肿瘤部位及区域淋巴结处配合进行放疗(4 000～6 000 R)。对所有病例都应施行周期综合化疗 2 年。接受综合治疗的患者 5 年生存率已接近 80%。小泡性横纹肌肉瘤比胚胎性的预后要差,因此肢体的小泡性横纹肌肉瘤预后较差。组织学分化的分级和年龄对预后无特别意义。

37.17.5 血管肿瘤

(1) 血管瘤和血管发育异常

包括两种软组织的先天性异常:血管错构瘤(血管瘤)或少见的淋巴管瘤;先天性血管发育异常症,特别是静脉的异常和动静脉瘘。所有病例改变均非遗传性,好发于女性,多在出生时或儿童-青年期发病。

1) 孤立的皮肤和皮下血管瘤　属于假瘤性血管瘤。这些血管瘤一般在出生时极易存在。也可能在儿童时期才出现，或在出生后的最初几年内缓慢生长。如病变仅局限在皮肤上则呈现为淡红色，如在皮下则不引起皮肤着色。一般无痛，组织学结构表现为毛细血管性、多孔性或假静脉性。

2）单发局限的深部血管瘤　为骨骼肌最常见的良性肿瘤。病变多位于单个肌腹中，并仅在手部和足部的腱膜、肌肉和肌腱之间扩展。好发于下肢。很少在出生时发病，多在儿童或青春期发病，很少在20～30岁间出现症状。临床症状表现为肿胀和疼痛。前者在挤压肢体时减轻，静脉淤积时增大，后者可能特别剧烈。疼痛由于因包含有血管瘤的肌肉痉挛而加重。同一肌肉常可以出现挛缩，首先是功能性挛缩，继之可发展成为器质性挛缩。这种挛缩可以导致关节功能障碍，并最后促使关节发生畸形。手部和足部的血管瘤可使皮肤温度增高，并出现浅静脉网、毛细血管扩张、发绀，以及水肿等。影像学通常没有阳性发现。但有时会发现局限性的骨膜反应和静脉石的影像。增强CT和MRI可以获得典型的具有诊断价值的影像。组织学方面，最常见的是组织间的腔隙和极度扩张的异常发育的血管囊。血管壁很薄，并由扁平内皮或胶原膜组成，其内充满血液。可以看到假静脉，以及呈网状或迷宫样的腔隙、假静脉和假动脉等变异。根据血管瘤的局部剧烈疼痛、肌肉痉挛和肢体挛缩等典型症状大多数病例诊断是容易的。X线检查如能发现静脉石即可作为确诊的依据。CT和MRI检查如果在变性的和含有脂肪的不规则的肌肉区内发现多发的含造影剂的光点，通常可以确定诊断。本病病程缓慢且多变，在青春期、妊娠期或创伤后病情可以恶化。治疗上以手术治疗为主。因为血管瘤由丰富而散发的血管支组成，为了避免复发，要行广泛的切除，要尽可能完全彻底的切除包含于肌腹内的血管瘤。预后取决于患者的年龄和血管瘤的所在部位。如果在儿童早期发生血管瘤，可能会持续增长。在术后甚至完全切除后仍可复发。同时还可能转变为扩展型或多中心型血管瘤。

3）单发扩展的深部血管瘤　发病率较低，肿瘤体积较大，可能扩展到肌肉或更为广泛的组织。扩展性血管瘤一般在早期发病，而且绝大多数在下肢，除前述症状外，其程度较严重，常有皮温增高，浅静脉网增加，有时会有相应的骨骼的轻度增长。动脉造影可显示明显的血管影像。必须基于动脉造影结果制订治疗计划，然后进行动脉瘤的完全切除，有时会造成肢体部分功能的丧失。

4）同一肢体的多发血管瘤　无论病变为局限性或扩展性，均累及同一肢体的两处或两处以上不同部位。除肌肉外，还可以累及皮下组织和皮肤。在同一肢体，深部血管瘤和皮下血管瘤的症状可以同时出现，如肢体延长、弥漫性的静脉扩张、粗大的静脉曲张、皮温升高、疼痛、关节功能受限以及肢体畸形等，这些症状可持续存在并随着年龄的增长而加剧。动脉造影可以显示多发的血管瘤、动静脉瘘和静脉发育异常扩张，甚至动脉瘤样的表现。大体观察可见在多发、局限和扩展的血管瘤旁常有浅表或深在的扭曲和管腔扩张的静脉，有时血管壁很脆。术中出血较多，而且止血困难。组织学上这些异常发育的静脉有一不规则的畸形管壁，其周围可能为海绵血管瘤样的囊状组织。对于在体表弥散和在深部扩张，壁脆而又彼此吻合的异常发育的血管，行动脉瘤的结扎和静脉曲张的切除通常很困难，甚至不可能。有时需要多次手术，但很少能完全治愈。然而当患者完全成长后，这种错构瘤也可能自行停止发展，而且转变为慢性。静脉曲张、肢体循环以及关节功能会进一步缓慢的恶化。

5）弥散到单一或多肢体的血管瘤　这种病例的血管瘤可能在一个或多个肢体的深层和浅层软组织中散在发生。此外，局部的血管改变十分复杂。大多很难确定血管瘤之间、静脉之间、动静脉之间的异常发育改变之间的边界，和继发于局部血流动力学改变所引起的血管变异，而且还与其他的异常发育同时存在，如淋巴瘤、神经增粗、皮下脂肪增生等。病变范围可能包括一侧的整个下肢，两个肢体甚至遍及全身。同一肢体多发血管瘤在婴儿出生时即可发现，特别是皮肤血管瘤，有肢体肿大，巨大畸形，疼痛以及较迟出现的临床表现，如皮肤溃疡、关节畸形和静脉曲张等。在青春期，个别高度散发的血管瘤由于并发血小板减少而出现凝血功能障碍。应与神经纤维瘤病中某些橡皮病和部分巨大畸形，最主要是婴儿固执增生性血管扩张症相鉴别。手术效果差，一般行截骨术或关节固定术以矫正畸形，有时需要截肢。一般血管瘤在20～30岁后可以停止生长。

6）婴儿血管扩张性骨质增生综合征　这是一种特异的血管扩张性增殖性病变，可以散发在一侧肢体，具有扁平的皮肤血管瘤、骨骼延长、静脉扩张等特征。明显好发于女性，绝大多数在下肢起病，可在出生或儿童早期出现。与前述的血管瘤相比，两者不同之处在于本病为深部血管瘤，无痛、无关节活动受限或关节畸形，无肢体缩短，肢体可延长多达7～8 cm。由于肢体所有组织协调而均匀地增殖，肢体可以增大并伴有静脉扩张或曲张，有时还可以发生动静脉瘘甚至引发心血管功能异常。诊断上除了形态改变，肢体的常规影像学检查可以正常，血管造影或可发现动静脉的异常和先天性动静脉瘘的现象。治疗包括结扎和切除曲张的静脉。另外也可以结扎进入动静脉瘘的细小并行动脉支。对骨骼延长者可经骨骺行骨干固定术。对已停止发育生长者可行增生骨干圆柱状骨切除术，以矫正因骨干增生而导致的畸形。

7）广泛先天性动静脉瘘 广泛先天性动静脉瘘包括单纯性动静脉瘘、曲张性动脉瘤（在手部和头部）和动静脉血管瘤。好发在上肢，特别是在手部。一般在儿童或青春期出现症状，也可能出现在成年期（代偿性或潜伏性的动静脉瘘），大部分继发于创伤。症状包括疼痛，部分为缺血性、搏动性肿胀以及动静脉瘘局部温度增高等，相反在动静脉瘘的远端皮肤温度低，发绀及苍白，表浅静脉怒张。如动静脉瘘病变在生长活跃期，可出现局部骨增长，压迫动静脉瘘可引起全身性动脉压增大，心率减慢。具有全部动静脉瘘造影及功能检查所显示的征象。治疗包括结扎动静脉瘘，或结扎动静脉瘘的动脉分支。有时会造成肢体进一步缺血。尤其在手部，最终甚至为了处理血管而可能截指。

8）关节囊-滑膜血管瘤 包括两种变异：局限性和扩展型。关节囊-滑膜血管瘤发病较少，好发于女性，其发病年龄从出生到30岁，但绝大多数在青春期前发病，在5～10岁发病最多见。大多数关节囊-滑膜血管瘤在膝关节发病，个别病例可能在肘部或踝部，或在腱鞘特别是手腕部和踝关节的腱鞘，或在黏液囊的黏膜发病。症状包括患处肿胀、疼痛，关节积血，关节功能受限和畸形，局部皮温增高，邻近关节的皮肤血管瘤，局部浅表静脉曲张，肌肉营养不良以及肢体长度的变异。病变的临床特点为具有典型的缓解期或间歇期，特别是在缓解期中症状可以完全消失。关节渗液绝大多数为血性。关节积血多发生在扩展型。反复发生的关节积血可以引起弥漫性的滑膜增生。关节活动时可因为肿瘤嵌夹在关节面之间而发生膝关节交锁。在一般的动脉造影图像中无阳性发现。但病程长、症状持续存在和反复关节积血的病例可出现弥漫性的骨质疏松。很少出现静脉石或"烟雾样"的钙化影。小的局限性的病灶动脉造影可以没有阳性发现。而病变广泛或扩展，并有海绵窦或假静脉结构时，则可以显示出血管瘤。CT和MRI可能显示在关节囊和滑膜中的血管瘤。大体观察可见局限型的血管瘤外观类似蓝-红色的结节。有时被包含在关节囊的壁层，有时可以在滑膜囊表面轻度凸出。切面上血管瘤的假静脉外观较海绵状者更为常见。扩展型血管瘤为结节性病变，有着与前述血管瘤同样的特征，在散布的广泛区域或在几乎整个滑膜和关节囊表面，由于反复的关节积血导致滑膜弥散地增厚，呈红-棕色或铁锈色。组织学上毛细血管瘤少见，仅出现在幼年早期阶段。以后便迅速发展为海绵状或假静脉性的血管瘤。海绵状血管瘤很少见，主要发生在滑膜。假静脉样血管瘤常见，特别多见于关节囊中。扩展型滑膜血管瘤中，还可见滑膜增生和弥漫性绒毛结节状改变，含铁血黄素堆积和小淋巴细胞浸润。诊断上扩展型尚容易，而局限性则非常困难，要与其他常见的导致膝关节病变原因相鉴别，如半月板病变等。而扩展型主要与血友病性关节炎以及色素沉着绒毛结节性滑膜炎相鉴别。前者都有遗传背景，可有多关节积血；而后者发病多在成年或晚年，只有进行性肿胀和症状不明显的血性渗出，解剖外观与血管瘤完全不同。手术治疗的目的在于完全切除血管瘤。在扩散型血管瘤中有时完全切除较为困难，有时需要增加辅助切口——行前后路联合切口，而出血有时较严重。关节囊-滑膜血管瘤手术效果较好，复发少见，多与切除不彻底有关。无放疗指征。

（2）血管球瘤

通常为体积小，具有包囊的器官性肿瘤。起源于动脉和静脉血管球，疼痛剧烈，发病率相当低，好发于女性和成年人，仅少数发生在儿童。好发部位在手部，尤其是甲床、指尖或皮下的组织，以及在足部的类似部位，包括趾端甲床、趾尖或跖面和肢体的皮下组织中。位于深部组织和多发者少见。血管球瘤最为特征性的临床症状是剧烈疼痛，常常为烧灼样并阵发性加剧。疼痛并不持续存在，但可经加压或有时摩擦肿瘤而诱发疼痛，或使原有疼痛加重。另外，温度改变可引起血管舒缩变化、精神和情感因素以及月经期等都可诱发疼痛。有时疼痛可以向近端或远端发射。肿瘤可能很小，检查时有时不易发现。发生在皮下和较深部位的血管球瘤是难以触及发现的，但当其非常表浅，并含有扩大的血管时，可掀起皮肤呈现特有的蓝色病灶。在甲床下的血管球瘤并不掀起甲床，而是病变在甲床上侵蚀为龛状病灶，有时还可以累及指骨。影像学检查可以显示边界清楚的圆形骨溶解区。在指骨背侧呈现蝶形凹陷。目视可见外观如胡椒粒到樱桃大小的球形结节。通常结构致密，软硬程度不一，呈粉红色。如含有扩张的血管可以呈现红色或蓝色。组织学方面，血管球瘤由薄的具有正常的内皮细胞血管壁的厚网眼组成。由于其形体小、表浅而且边界清楚，故血管球瘤很容易经手术完全切除而痊愈。本病很少有复发者。

(3) 上皮样血管瘤(组织细胞样血管瘤)

为良性肿瘤。其特征是：具有上皮样外观的成血管细胞增生，且与嗜伊红粒细胞为主的慢性炎症反应并存。发病率不高，好发于成年人及女性。病灶一般表浅，在同一部位可单发或多发。特别多见于头部和颈部的皮肤和皮下组织。很少在肢体深部软组织中发病。临床检查可见皮肤表面有一些小结节状突起。红色，发痒，这些小结节可以出血，并互相融合。某些病例可出现区域性淋巴结肿大。在周围血象中，可见嗜酸性粒细胞增多。组织学观察可见各种不同的血管组织，主要是毛细血管，并混杂有相当大的血管内皮细胞，有时向管腔内隆凸，甚至将血管阻塞。这些细胞具有成血管细胞的特征。血管周围炎症浸润现象明显，病灶内含有嗜酸性粒细胞。行边缘切除术后可能会复发，但不会转移。本肿瘤对放疗敏感。

(4) 血管内皮瘤和血管肉瘤

本病的肿瘤细胞趋向于成血管细胞分化，可分为低度恶性和高度恶性两种。这些细胞在形态学方面的特征为具有广泛的、染色良好和 PAS 阳性的胞质。胞质中的空泡代表血管腔的原始形成，并在合胞体中相互联合。肿瘤很少发生在软组织中。

1) 上皮样血管内皮瘤　非常少见的肿瘤。仅在肢体的深部或表浅的大静脉血管壁及有关的软组织中发病。肿瘤局限，为实质性病变。苍白，无血管。组织学方面是由单发的索状物构成，无任何血管腔形成。其细胞具有内皮样特征，这些索状物由富含黏多糖的，类似软骨样物质的基质包绕。肿瘤具有低度恶性的特征，局部复发的潜力低，转移少。

2) 血管肉瘤　发病率极低。在皮肤-皮下组织中发病者远高于深部组织者。典型的病灶多出现在患慢性淋巴水肿的肢体，乳房切除术后的妇女，多年先天性和后天性淋巴水肿。在皮肤或皮下常以多个结节出现。除乳腺癌术后的妇女，男性多发，可见任何年龄，主要在成年发病。肉眼观察表现为凸凹不平的肿块，有时有以假囊壁为界限。质地软，呈脑髓样组织，含较多血管或出血区。在以实质性成血管细胞为主的组织类型中，可能表现为致密及并不特别血管化的改变。组织学方面，血管肉瘤的特点为细胞较大，含有染色深和轻度嗜碱的胞质，常在合胞体中相连，并形成空泡；其大的球形空泡性核含有大的核仁。这些细胞类似于成血管细胞，形成实质性区及索带，或吻合成像网状结构一样的管型。在任何情况下，用对结缔组织的三色染色和高价银浸润的方法可以获得明确的诊断，并可清楚地显示内皮结构和为索带样管及血管腔分界的软网状膜内细胞。血管肉瘤为恶性肿瘤，必须早期根治。可经血运转移，但经淋巴转移也不少见。

(5) 血管外皮细胞瘤(良性和恶性)

血管外皮细胞瘤(良性和恶性)是由 Zimmerman 外膜细胞构成的肿瘤，肿瘤的外膜细胞伴有其中内皮不是肿瘤的小血管。在显微镜下外皮细胞很难与成纤维细胞、内皮细胞、组织细胞相区别。所以即使血管外皮细胞瘤分化良好，在诊断时最为主要的问题仍是如何正确辨别病变的组织学结构。另一个困难是对血管外皮细胞瘤恶性程度的组织学分期。分化良好并完全属良性的肿瘤很容易与明显恶性者区别，但还是有中间的形式，其组织学分期与预后的关系很难确定。血管外皮细胞瘤不常见，无好发性别。在成年发病，20 岁后呈均匀分布。好发在下肢(尤其是大腿)；其后依次在腹膜后、骨盆、上肢、躯干、头部和颈部，绝大多数是在深层肌肉内或肌肉间发病。临床上因为肿瘤位于深部，生长缓慢，通常不引起疼痛。肿瘤血管丰富，可能有动静脉分流的作用，从而引起皮温增高、局部皮肤毛细血管扩张以及区域性静脉扩张。有时肿瘤呈搏动性并可闻及杂音。在少数病例可见低血糖或骨软化，当肿瘤切除后可以恢复。影像学上无特异性发现。增强 CT 可以显示肿瘤丰富的血管。肿瘤肉眼观察为球形肿块，可以很大，有假包囊，质地软或较硬，有时因出血或坏死而呈现囊状，也可因毛细血管的进入和扩张，肿瘤呈现苍白色至深红色或棕红色。恶性肿瘤的体积较大，质地较软，坏死区域比较广泛。血管外皮细胞瘤的特征并不取决于细胞学的表现，而是组织学结构。在组织学检测中可见一层厚毛细血管网并且散在分布，血管网可以从完全萎陷到广泛开放的窦状腔隙等不同程度的变异，并常被致密的增生细胞围绕。这些外膜细胞有一个球形或卵圆形的核，并具有独特的核膜，胞质没有明确界限。在单个细胞周围围绕着一层较厚的网状核胶原纤维。沿毛细血管排列的内皮是单层扁平的成熟细胞。另外血管支呈典型的横向分出，呈鹿角形。因银染色可以显示血管腔甚至是萎陷时的毛细血管网，及围绕血管的血管增生(像血管内皮瘤或血管肉瘤那样不在内侧)，以及围绕单个外膜细胞的厚状散发的网状物，因而银染色是很重要的组织学检测方法。当肿瘤为恶性时，除了临床及大体观察外，还具有细胞过多，核较大且多形，深染色，有时甚至有小的核仁。但是评价恶性肿瘤最重要的依据是有丝分裂的数量，如果在高倍镜下 10 个视野中含有 4 个有丝分裂象，即应该考虑为恶性肿瘤。但对于一些中间类型的病例有时对其预后的判断比较困难。如前所述诊断要依靠典型的病理组织结构、银染色法来排除其他肿瘤，特别是良性和恶性纤维组织细胞瘤、滑膜肉瘤及间充质软骨肉瘤等，然后才能明确为本肿瘤。良性的发病率明显高于恶性者。后者具有局部复发或转移的趋势，特别是向肺和骨骼转移。对良性肿瘤的治疗是广泛的切除；对疑有恶性或中间类型者应该进行广泛切除；对恶性者应该行更广泛的或根治性切除术。为了预防术中的大量出血，建议术前行血管栓塞或结扎肿瘤的主要血管，也可在术前施行放疗，血管外皮瘤对放疗相当敏感。

37.17.6 滑膜肉瘤

滑膜肉瘤是由两类相似的滑膜细胞(A 型和 B 型)形成的肉瘤，由于其由两类滑膜细胞构成，故被称为双相性肿瘤。当缺乏双相改变，肉瘤由成纤维细胞(B 型)或上皮样细胞(A 型)构成时，诊断有困难且有疑问(单向性)。滑膜肉瘤发病率较高，仅次于恶性纤维组织细胞瘤、脂肪肉瘤和横纹肌肉瘤。好发于男性，男女比例为 1.2∶1，多在青壮年时发病，15～35 岁间为发病的高峰，很少在 10 岁以前和 60 岁以后发病。滑膜肉瘤仅有不到 10％的病例在关节腔内发病。一般发生在深层及筋膜下，肿瘤所在的部位多靠近关节。在关节外与关节囊粘连并累及肌腱、筋膜与滑膜囊。有时可以在远离正常滑膜的部位，如大腿、小腿、颈部和腹壁处。最常见的发病部位是膝关节和大腿远端；其次为足和踝部；再次为肩部、臂部、肘、前臂、腕和髋部。手部、躯干、头部和颈部发病少。滑膜肉瘤半数以上有疼痛、自发痛和触痛等症状。有时肿瘤尚未能触及，疼痛就已经出现。肿瘤的特点是局限性生长。当膝关节周围，特别是在腘窝出现肿胀时，常常怀疑为滑膜炎、滑囊炎或滑膜囊肿，而忽视滑膜肉瘤的可能性。甚至在其他关节周围或肌腱周围的肿块可能在临床上类似于色素沉着绒毛结节性滑膜炎或黏液性囊肿(腱鞘囊肿)。关节内病灶引起慢性滑膜炎症状很少。肿瘤生长缓慢，从首发症状到诊断的间隔时间一般为 1～4 年不等，有的病史更长。大约 40％的病例含有矩形不透放射线影，有时为云雾状或模糊的阴影，另外还有大块的稠密的不透放射线影。其他病例的影像学改变与富含血管的软组织肉瘤没有区别。肉眼可见肿瘤体积差异较大，呈球形，多叶状，可以有假囊壁。滑膜肉瘤很少生长在滑膜内，或被肌肉完全包绕。它通常在肌腱、关节囊、滑膜囊、筋膜、腱膜、骨、肌肉、骨间膜间生长，并与之粘连。肿瘤沿着这些多平面生长并塑形，因此广泛性切除非常困难，即使是那些早期病例。质地上肿瘤可以是柔软的(分化不太好的高度细胞化的形态时)或较硬的(胶原化较多时)。切面苍白，或有出血，具有坏死区域及囊腔。组织学的特点是双相结构：假成纤维细胞性梭形细胞和假上皮细胞。源自上皮细胞的双相分化及蛋白分泌类似于滑膜结构。滑膜肉瘤的发现常常比较迟，可以提供线索的是无明显肿胀的疼痛，关节周围的局部肿胀(提示滑膜囊肿、黏液囊肿、色素结节性滑膜炎或滑囊炎)以及缓慢生长的肿块。明显钙化和骨化病例的影像学诊断可能偏向于骨化性肌炎或软骨来源的肿瘤或骨肉瘤(后者发生在软组织中比较少见)。双相和分化良好的滑膜肉瘤组织学诊断比较容易，而对那些几乎整个为单一形态和分化不很好者组织诊断困难，而对那些全部为单一形态者是不可能去诊断的。单向梭形细胞型与纤维肉瘤相比"人"字形结构不明显或甚至缺如，可看到球形螺旋状结构，核相当丰满，有丝分裂不多。单相上皮样细胞型可以与子宫附件或转移癌、恶性黑素瘤、恶性上皮样神经鞘瘤、上皮样肉瘤类似。分化不良型很难与分化不良的纤维肉瘤或血管外皮细胞瘤区别。有时以小细胞为主的肿瘤可能与尤文肉瘤和成神经细胞瘤相似。没有双相结构的证明时，滑膜肉瘤的诊断不能肯定，而是推测。这种明确诊断有时意义不大，因为无论诊断为滑膜肉瘤或其他分化较差的肉瘤，其预后和治疗均不会改变。在非手术治疗后，滑膜肉瘤的局部复发率相当高，大部分在最初2年内就可以复发。但也有在手术后10年或更长时间才复发的病例。滑膜肉瘤的转移趋势也比较明显，转移的时间可早可晚，好发的转移部位依次为肺、淋巴结和骨骼。转移灶的肿瘤组织分化也较原发肿瘤差。滑膜肉瘤预后相当严重，10年生存率15%～30%。对预后不利的因素是肿瘤的体积、组织学上分化差、有丝分裂数量以及血管内存在癌栓。对预后有利的征象为肿瘤广泛和强烈的钙化-骨化。手术切除必须施行非常广泛的切除，有时甚至要牺牲重要的功能结构甚至截肢。在滑膜肉瘤好发的区段常可选择适当广泛的大块切除。联合运用术前或术后的放疗和化疗（多柔比星）可能是非常有效的。由于可以经淋巴途径转移，所以应该切除区域淋巴结，特别是当这些淋巴结增多和增大时更应该彻底切除。

37.17.7　组织来源不明的肿瘤

（1）肌肉黏液瘤

肌肉黏液瘤属于均质性的良性黏液肿瘤。发病率很低，没有好发的性别差异，主要在40岁以上年龄中发病。发病部位一般在肢体较大的肌肉。好发部位依次为大腿、肩部、臀部和上臂。黏液瘤为肌肉内的条索形肿块，边缘清楚，有张力感，质地硬，可以推动而且无痛。其生长是非常缓慢的，瘤体可以逐渐增大至15 cm甚至更大。CT和MRI显示其密度或信号较周围肌肉低，边缘清楚，质地均匀。动脉造影可见肿瘤内或其周围血供缺如。肉眼观察可见瘤体被肌肉完全包裹，与肌肉的深筋膜粘连。肿瘤单发，呈球形或椭圆形。肿瘤外常有一薄层易于和其他萎缩退变肌肉相混淆的假囊。肿瘤表面光滑，呈白色，半透明，而且有张力。切面上无出血现象，类似于冻鱼的典型黏液改变。组织学方面显示为均质性的细胞结构少的黏液组织。组织发生学尚不明了。黏液瘤预后良好，局部复发率非常低，即使病灶内切除也极少复发。

（2）粒细胞瘤

粒细胞瘤是典型的由丰富的粒细胞构成的肿瘤，其组织发生学尚不明确，几乎都是良性的小肿瘤。发病率低，好发于黑种人和女性，发病年龄在30～60岁。一般在皮肤、绒毛、黏膜组织中发病，有时也可在横纹肌或平滑肌中发病。最常见的发病部位是舌、胸壁和上肢，其次为下肢、支气管、消化道、肛门、生殖器等。有时可为多发病灶，其结节数目多少不等。肉眼下病灶为一个或多个结节。表浅，生长缓慢，体积较小。直径＜3 cm。结节与周围组织的边缘不清楚，质地较硬，切面呈棕色。组织学方面病灶由球形或多边形细胞构成，富含粗糙的细胞质及小的位于中心处的核，但有空泡，并有多个核仁。对组织发生学尚有争论。良性粒细胞瘤和非常罕见的恶性粒细胞瘤之间鉴别十分困难。后者从不在儿童中发病，且生长迅速，体积较大。在高倍镜下视野中看到2个以上具有多形性，以及有丝分裂的细胞时即可考虑为恶性病变。良性粒细胞瘤可经广泛切除而治愈。恶性者手术效果差异较大，即使施行破坏性大的手术和放疗仍可能发生转移，甚至在相当长的时间后仍可复发。

（3）小泡状肉瘤

这是一种组织发生学上尚未明了的软组织恶性肿瘤。具有独特的组织学结构，呈小泡状，为假性分泌样组织。小泡状肉瘤发病率极低，好发于女性，年龄在15～35岁之间，也可在儿童期发病。发病部位在下肢及躯干的深部软组织中。肿瘤呈球形或结节状。一般生长缓慢，没有疼痛，发现时往往体积就已经很大，且已存在多年。由于其血供丰富，所以肿瘤可以出现搏动或血流杂音。有时原发灶尚未发现，转移至脑、骨、肺等的转移灶就已出现，成为本病的首发症状。肉眼观察，肿瘤常被数目众多的充盈的血管包绕。瘤体为球形包块，有时呈多形性，外被假包囊。切面黄白色，坏死和出血时则呈暗红紫色，质地柔软，类似脑组织。组织学方面可见典型的假内分泌小泡状结构，在轻压下立即变色。有明显的新生血管和肿瘤周围的扩张血管，血管常侵入新生细胞周围，这与肿瘤早期转移有关。小泡状肉瘤属于高度恶性肿瘤，转移率高，一般为肺部、皮肤和脑部转移。手术治疗的原则是广泛或根治性手术，同时辅以放化疗。

（4）上皮样肉瘤

发病率不高。但在手部和上肢的肉瘤中属发病率最高者。好发于男性，好发年龄在20～30岁（分布范围从5～60岁之间）。原发部位为手（特别是掌面）和前臂（尤其是背面），而足的跖面、小腿的前面，以及肢体的近端发病率明显降低。上皮样肉瘤初起时为一个或多个小而硬的表浅结节，与皮肤粘连，并在皮肤上轻度隆起。结节生长缓慢,常在表面溃烂,有时一个或多个结节的部位较深,可增大如鸡蛋大小,甚至更大。除非肿瘤压迫或包绕神经干,一般没有疼痛,肿瘤质地较硬。肿瘤与其周围的组织粘连固定,常常发生阶段性的淋巴转移。影像学检查常没有阳性发现,很难看到肿瘤内的钙化。骨骼较少累及。肉眼观察肿瘤多为多结节、白色、质硬而且趋于播散,与皮肤、皮下组织和筋膜、肌腱和腱鞘、周围血管、神经等牢固粘连。组织学方面主要表现为具有多角形的大细胞,具有丰富的嗜伊红胞质,核囊性,核仁清晰。这些细胞形成的结节,特别是在表浅处含有一个中心坏死区域,与类风湿结节和坏死性结节相似。组织发生学尚不清楚。上皮样肉瘤预后较差。这可能与就诊较晚,治疗不恰当有关。病程缓慢,有时从首发症状到诊断可达几年。肿瘤趋向于在肢体的腱鞘、肌腱、肌肉、神经肌肉束的近端扩散。由于病灶为有多个浅表溃烂的结节,其沿皮肤淋巴网扩散的趋势成为其特征。常出现区域淋巴结转移,远处转移到肺部。手术必须沿病灶进行,行非常广泛或根治性切除,同时进行区域淋巴结清扫。局部切除后复发率可达到85%,并且30%出现远处转移。

(5) 肌腱和腱膜的透明细胞肉瘤

非常少见,多发于女性。发病年龄介于10～60岁之间,平均年龄25岁。常见部位依次为足、肘、膝、上肢。很少在肩髋以及躯干部发病。肿块一般中等大小,无痛。单个或串状。生长缓慢,从出现首发症状到手术常历时多年。肉眼观测,肿瘤与肌腱或腱膜相连,与皮下组织和皮肤不粘连。质地硬,很少有软化黏液区。形状上呈球形或略有分叶状,边缘相当清楚,有包膜,切面呈白色。组织学方面肿瘤主要由圆形或梭形细胞构成。一般有透明的胞质,有时呈中等或很强的嗜伊红特性。胞质PAS阳性,存在大量黑素。组织来源不详,可能来自于黑素瘤或神经细胞。透明细胞肉瘤在施行肿块切除术后1年内复发,有时复发可沿肌腱和腱膜扩展而出现多个结节,特别容易在区域淋巴结和肺内转移。尽管其发生时间较迟,但发生率较高。这种高复发率多因治疗不当或与其临床首发症状不明显有关。对肌腱和肌膜透明细胞瘤的治疗应以广泛的手术切除及彻底的区域淋巴结清除术为主,并辅以全身化疗。

(6) 视网膜原基瘤(婴儿黑素瘤突变瘤、婴儿黑素神经外胚层瘤)

一种特征性的良性肿瘤,发生在儿童。典型病变较软,发生在上颌骨、下颌骨,也可以发生在颅骨、肩部、附睾和纵隔。显微镜下见神经母细胞样细胞,边缘排列的色素细胞及纤维样基质。组织来源不明。

(7) 牙槽软组织肉瘤

少见的恶性肿瘤,常起源于四肢的肌肉。多见于20～30岁女性,表现为大腿肿块。标准的根治性手术死亡率高。目前采用综合治疗,根治性切除后辅以全身化疗。

(8) 骨外软骨瘤

是一种软组织良性软骨肿瘤,主要发生在手部和足部。发病年龄在30～60岁,表现为来源于腱鞘或关节囊缓慢生长的肿块。最好行边缘切除。

(9) 骨外尤文肉瘤

软组织中的尤文肉瘤其临床和形态特征与骨的尤文肉瘤非常相似。发病率较低,多见于男性,好发于10～30岁。好发部位在脊椎旁和胸部的软组织、腹膜后及下肢。肿瘤发病部位深,生长较快,但常无痛感,病史一般少于1年。肉眼见肿瘤为分叶状,质地较软,切面上可见典型的脑组织样改变,可见到液化、坏死和出血区域。组织学改变与骨尤文肉瘤相同,为均匀一致的小圆形细胞。软组织内的尤文肉瘤的预后和治疗与骨的尤文肉瘤相似。宜采用广泛切除,辅助放疗和全身化疗。

(10) 骨外骨肉瘤

软组织中的骨肉瘤是一种其细胞可以产生骨样组织的恶性间充质肿瘤。发病率极低。可原发,也可继发于放疗后。与骨的骨肉瘤不同,本病多发于成年人和壮年人,似乎好发于女性。好发于大腿、骨盆和肩部。X线摄片可见模糊的不透光的区域或结节。骨扫描可以显示病灶区浓集的图像。肉眼观察可见到此种软组织中的肿瘤可有假囊样改变或浸润性生长,切面呈白色和粗砂石状颗粒,夹杂有坏死和出血区域。组织学方面骨外骨肉瘤恶性细胞学特征明显,以成骨细胞为主,成软骨细胞和(或)成纤维细胞也可同时存在,细胞呈多样性。有丝分裂常见,为高度恶性的肿瘤组织。骨外骨肉瘤的预后差,肺转移高。治疗应与骨组织骨肉瘤相似,选用术前化疗、广泛或根治性手术及术后持续化疗的综合治疗。

(11) 骨外软骨肉瘤

软组织中的软骨肉瘤发病率很低,与骨的软骨肉瘤不同,是以分化良好的软骨细胞为主的肿瘤。所有软组织中软骨肉瘤几乎都是黏液性和间充质性软骨肉瘤。

1）黏液软骨肉瘤（骨外黏液软骨肉瘤、软骨肉瘤） 此肿瘤少发，多见男性。几乎均在成人和发育后年龄中发病。多发于深部软组织中，主要累及肢体，尤以下肢为甚。临床症状不典型，由于肿瘤生长缓慢，一般病史较长，影像学图像多无特异。肉眼观察可见局限性肿块，常覆盖薄层的假囊，质地致密，切面上呈黏液样组织外观，部分半透明，并与充血区域交替出现。有时，因液态的黏液物质和（或）出血的积聚可引起肿瘤的囊性变和肿瘤增大。组织学方面，黏液性软骨肉瘤为叶状结构，具有网状血管模式，含有成脂肪细胞，以及在行玻尿酸酵素处理后黏液物质不着色等特征。成软骨细胞特性方面的分化程度也不相同，然而这种分化很难达到正常的透明软骨的分化程度。软组织中黏液性软骨肉瘤的预后与大部分骨的软骨肉瘤者相似。肿瘤生长缓慢，但有局部复发的趋势，并有可能转移。由于发病率低，有关这种肿瘤对放化疗的敏感性所知甚少，最适当的治疗方法仍是广泛切除。

2）间充质软骨肉瘤 在软组织中发病很低，比其在骨中的发病率还要低。无好发性别，主要在青壮年发病。其好发部位为颈部和下肢的深部组织。临床表现与黏液性软骨肉瘤不同，间充质软骨肉瘤生长相当迅速，有时可异常增大。影像学上可见边缘模糊的钙化或骨化支，由于有相当丰富和扩张的毛细血管循环，在行肿瘤血管造影时需要行加压注射。肉眼观察肿瘤质地致密，没有黏液或囊性表现。切面上有充血-出血以及钙化和骨化区域。组织学方面肿瘤以未分化细胞为主，具有裂隙和管腔扩张的丰富血管组成。肿瘤组织呈现假性血管外膜瘤的模式，细胞呈球形或椭圆形，很少为梭形，间充质软骨肉瘤以其软骨分化现象作为诊断依据。这些软骨常常分化良好，细胞变异并不明显，常有钙化，甚至有骨化现象。总之软组织中的间充质软骨肉瘤的组织学表现与骨中间充质软骨肉瘤大致相同。这一肿瘤为高度恶性，生长快，转移发生率高，预后很差，主要是肺转移。因此应尽早行手术治疗。最好能行根治术或彻底切除术。肿瘤对放疗敏感，因此可以采用放化疗与手术相结合的综合治疗。

38.17.8 神经来源肿瘤

(1) 神经鞘瘤（施万瘤）

神经鞘瘤是发生在神经组织并由向神经膜细胞分化的细胞所构成的肿瘤，其胞膜良好，并有典型的病理学改变。可在任何年龄中发病，但主要发生在成年（20～50 岁之间），无好发性别，主要累及脊神经根以及纵隔和腹膜后的神经。几乎全为单个结节型，具有多个结节或并发 von Recklinghausen 病的极少。脊神经根的神经鞘瘤一般位于硬脊膜囊上，它源自神经根，并可以引起脑脊液阻塞，压迫马尾和神经根或位于颅侧的脊髓。由于肿瘤生长缓慢，甚至非常缓慢，症状持续时间也相应很长。其主要症状为脊椎疼痛，夜间加剧。脊柱挛缩和僵直，脑脊液压力增高，神经根或脊髓受压症状等。影像学上可通过 CT 和 MRI 检查进行鉴别诊断。但病变局限于周围神经时，神经瘤可以导致剧烈疼痛，特别是当神经受压时。病程长者可导致肢体疼痛性营养不良的现象，有时可触及肿瘤，而且在触及肿瘤时引起尖锐和放射性的感觉倒错性疼痛。肉眼观察，发生在椎管内的神经鞘瘤是一个循硬脊膜囊纵向走行的球形结节，结节与两侧的神经根相连。有时其他神经根、蛛网膜、硬脊膜或脊髓都可以与结节表面粘连。这种粘连比较松散，一般不影响手术操作。肿瘤外观灰白色，也可呈蓝-红色，质地松软，有时由于含有血清或血样液体而松软。椎管内的神经鞘瘤很少呈念珠样循神经根而多发。在少数神经鞘瘤位于硬膜外的病例中，肿瘤由椎间孔向内外膨胀，形如沙漏。周围神经的神经鞘瘤可整个包埋在神经内，并可能出现洋葱球样肿大，或凸出在神经外面，像树枝上的水果一样。在这两种情况下，神经鞘瘤均可完全被包被，而与硬膜内神经鞘瘤不同。同时这些周围神经鞘瘤都是孤立存在并呈白色。肿瘤体积不大，只在极少情况下神经鞘瘤可以很大甚至巨大，特别是在骶部，可以引起广泛严重的骨质溶解并膨胀入骨盆。组织学方面，神经鞘瘤周围有纤维囊包被。肿瘤含有 Antoni A 和 Antoni B 两种类型，前者是更为典型的肿瘤组织，由梭形细胞组成，有些出现明显的栅栏状。后者呈黏液样蜕变组织，其内有囊状间隙和厚壁血管。神经鞘瘤是良性肿瘤，因肿瘤通常只在神经纤维间蔓延，不引起解剖中断和功能障碍，因此在神经束膜纵行切开后，仔细钝性剥离即可摘除肿瘤，术后很少加重神经功能障碍。有时可因切除不彻底引起复发，可再次切除，很少损伤神经纤维。恶变者少见。

(2) 单发神经纤维瘤，脊神经纤维瘤并发 von Recklinghausen 病

这两种情况其实是同一种病，只不过是单发或

为 von Recklinghausen 病而已。当神经纤维瘤并发 von Recklinghausen 病时，可能出现典型的 von Recklinghausen 病的形态改变。后者可被分成神经、皮肤的或 Facomatose 综合征，并为染色体显性遗传。Facomatose 综合征好发于男性，临床上有中央型和周围型两种。由于表皮基底层黑素结晶的增加，该病联合咖啡样着色症时，可出现皮肤斑块状改变。孤立性神经纤维瘤一般在 20～40 岁时发病，而并发 von Recklinghausen 病时，发病年龄更小。孤立性神经纤维瘤几乎均在皮下组织和皮肤发病，而 von Recklinghausen 病可累及所有部位和所有器官。肉眼观察，孤立性神经纤维瘤为在神经纵行走向上的一个梭形肿块。有时神经纤维瘤不像周围神经鞘瘤那样与鞘膜有恒定的关系，可起自很小的无髓鞘的原纤维。可被薄的坚实透明的疏松组织包围。肿瘤质地适中，切面上呈粉红色区域的白色外观。组织学上，其结构依细胞胶原和黏液成分的量而有所不同，在横切面可见梭形细胞的疏松排列，产生许多细的原纤维嗜酸性基质，排列呈长的波浪状。这种波浪状排列是神经纤维瘤的主要特征。一般来说肿瘤内没有 Antoni A 和 Antoni B 区域，易于与神经鞘瘤区别。治疗上，很难用钝性剥离进行整块肿瘤的囊外切除。如果与一个主要周围神经有联系，肿瘤常会侵入神经内，很难进行整块切除而不损伤神经功能。因而手术后常会引起部分复发。广泛性切除只能用于非主要神经血管结构。若肿瘤起自主要神经，则只能做囊内切除。

(3) 恶性神经鞘瘤(恶性施万细胞瘤、神经纤维肉瘤)

来源于周围神经或发生在神经纤维的肉瘤。孤立性恶性神经鞘瘤多发生在 40 岁以上的成年人，如同时发生 von Recklinghausen 病则其发病年龄更早。约 25%的患者合并有神经纤维瘤病。50 岁以上伴有 von Recklinghausen 病者，约有 50%患者某处神经纤维瘤将发生恶变。无好发性别。重要的临床症状是出现疼痛及肿瘤体积的增大，临床上仅根据这两种发现即应怀疑有恶变可能，需要活检。本病好发部位在主要的神经干，如坐骨神经、臂丛、骶丛等。肉眼观察，肿瘤为与神经有关的肿瘤，但与神经的关系不规律。病灶直径常常＞5 cm，切面呈白色，鱼肉或脑组织样，具有弥漫的坏死-出血区域。组织学上诊断神经纤维瘤病早期恶变常比较困难，最重要的因素就是存在有丝分裂、多形细胞及坏死区域。恶性神经鞘瘤并发 von Recklinghausen 病 5 年生存率仅为 30%左右。而孤立性者 5 年生存率为 75%。并发 von Recklinghausen 病的肿瘤局部复发率及转移率均较高。对于恶性神经鞘瘤需要进行综合治疗，手术方式为广泛性或根治性切除，辅以放疗，高度恶性者辅以全身化疗。由于此病常为多中心或循神经鞘散发，虽施行彻底切除也往往无效。

(4) 周围神经上皮瘤(周围神经母细胞瘤)

源自周围神经的原始的外胚层肿瘤。Stout 于 1918 年首先描述了这种疾病，阐明了其肿瘤细胞的发育特点，提示其具有成神经细胞的特性。肿瘤多来源于大的神经。组织学上类似于成神经细胞瘤。对儿童患者，本病需要与发生转移的成神经细胞瘤相鉴别。对成人则须与原发或转移的两种小细胞癌相鉴别。电镜可以显示神经上皮细胞的胞质及其变化过程，因而对鉴别诊断很有帮助。周围性神经上皮瘤为高度恶性肿瘤，容易转移及局部复发。

37.17.9 组织细胞来源肿瘤

(1) 良性纤维组织细胞瘤(皮纤维瘤、皮肤组织细胞瘤、皮肤纤维组织细胞瘤、皮下结节性纤维变性、硬化性血管瘤)

良性纤维组织细胞瘤为软组织中具有中等浸润能力但生长潜力有限的良性肿瘤。发病比较频繁，最常出现在皮肤的浅表层、真皮层和皮下组织中，但也可以局限在深层组织中。好发在成年，好发部位为四肢和躯干。发病于皮肤的病例中约 1/3 为多发。一般大小不超过 3 cm。深部发病者可达 5 cm。肉眼观测，肿瘤为边界清楚的含有出血区的黄白色结节。在皮肤内结节状突起或带蒂，而且常因为出血呈红棕色。组织学方面，病变边界并非总是清楚的。梭形细胞呈现程度不等的纤结或短束状改变，并常自其中心的嗜伊红区向外呈放射状排列，从而形成典型的分层或螺环状形态，这与组织细胞特征的病变成分有关。治疗方法为边缘切除或广泛切除。尽管其为一良性肿瘤，但其复发率仍可达 5%～15%。深部肿瘤切除后，局部复发率也相应较高。

(2) 腱鞘巨细胞瘤

是一种较为常见的良性肿瘤，常发生在成人手指腱鞘。主要表现为逐渐长大的无痛性肿块。偶尔在影像学检查时发现有骨骼侵蚀。组织学特点为泡沫细胞(组织细胞)、纤维细胞、巨细胞和含铁血黄素沉积。治疗做边缘性切除，有时完全切除有困难。

常出现术后复发。

(3) 色素沉着绒毛结节性滑膜炎

有局限性和弥漫性两种。局限性病变的组织学与腱鞘巨细胞瘤相同。弥漫性病变在组织学上与前者相同,但侵犯整个滑膜。弥漫性病变最常见于膝关节,但髋、踝、肩等也可发病。患者常表现为单关节的疼痛和肿胀,可扪及肿块。关节穿刺为血性液体,常规影像学可见骨侵蚀,尤其是髋关节。CT 可明确骨骼受损情况,MRI 可充分显示软组织肿块。对于局限性病变可做边缘性切除,弥漫性病变要行滑膜全切术。手术无法控制者可考虑放疗。如骨破坏明显,可酌情考虑关节重建术。

(4) 恶性纤维组织细胞瘤

是老年人最为常见的软组织恶性肿瘤。明显好发于男性。发病年龄一般为 50～70 岁。仅血管瘤样型可在 20 岁以前发病。好发部位为肢体,特别是下肢,尤其是大腿。腹膜后也好发。腹膜后主要为炎症型。约 90%以上的病例病变部位较深,多在筋膜下发病,约 10%的病变发生在浅表部位。而血管瘤型好发在肢体的皮肤和皮下组织中。临床症状上,肿瘤为深部逐渐增大的球形肿块,有时生长缓慢,有时非常快,一般没有疼痛,病史长短不等。位于腹膜后的病例诊断较难较迟。症状包括厌食、消瘦及腹腔器官受压的相应症状。位于筋膜上的病变比较容易诊断,当肿瘤体积到中等大小时就可发现。少数情况下肿瘤贴近骨骼时,可显示出浅表性骨质溶解或骨膜反应。肿瘤内或周围有时可以有钙化影。CT 和 MRI 显示为实心的、非均匀性肿块。有时可见大的含有液体的囊腔。肉眼观察,肿瘤常呈多叶状、灰白色。肿块内特别在黏液样变异中有胶状区域。在血管瘤样的类型中出血病区占优势,并伴有充满血液的大腔隙。有时肿瘤内出血坏死广泛,整个肿瘤变成含有液体的囊而类似一血囊肿。组织学方面,病变以显著的细胞多形性为特征。梭形、卵圆形、巨细胞同时存在,后者可以为恶性或良性。这些细胞具有多形性改变,有明显的有丝分裂,核染色过深,染色质粗大,核仁体大。恶性纤维组织细胞瘤可分为黏液型、炎症型、巨细胞型、血管瘤型、组织细胞型 5 种亚型。其中血管瘤型多发生在儿童和成年早期。血管坏死和出血区占肿瘤的大部,并常位于中央。血管腔隙内无内皮衬里,其基础细胞为单核或多核的组织细胞。肿瘤外周有假包囊。组织细胞型主要由球形细胞组成,细胞具有吞噬活动。炎症型多发在腹膜后,Oberling 称之为黄肉芽肿。组织学方面,细胞充满脂质(黄色瘤细胞),显示程度不同的多形性和不典型性。以淋巴细胞、单核细胞和粒细胞为主,血管成分丰富,因此可见病变为肉芽组织。巨细胞型以含有明显的巨细胞成分为特征,细胞增生并聚合成多个相互融合的小结节。黏液型含有占整个肿瘤一半以上的黏液成分。黏液样改变区域的恶性纤维组织细胞瘤以细胞多形、分层排列为特征。恶性纤维组织细胞瘤的组织发生仍有争议。但一般认为其来源于未分化的间充质细胞,并分化为纤维细胞和组织细胞。软组织的恶性纤维组织细胞瘤与骨中的病变一样,可继发于放疗后。目前已在乳腺癌、淋巴瘤、骨髓瘤的放疗部位发现了恶性纤维组织细胞瘤的发生。恶性纤维组织细胞瘤的亚型对诊断重要,但与预后没有明显关系。后者与肿瘤所在部位、形体大小和肿块的局限性等关系密切。病变位于深部的转移发生率明显增高。肢体远侧发病的较近侧者预后好,预后最差的是病变发生在腹膜后者。治疗以广泛切除或根治性切除为主,对局部控制和清除肿瘤有一定效果,但不能避免转移。应同时辅以全身化疗。恶性纤维组织细胞瘤转移一般出现较早,且大部分为肺转移,其次为淋巴结及肝脏和骨骼转移。

(5) 痣样组织细胞瘤

良性肿瘤,可能是先天性病变,发生在婴幼儿,常为多发,肿瘤由含有少量脂质的组织细胞组成。也称之为青少年黄色肉芽肿或黄色内皮痣,可自行消退。

37.17.10 淋巴管肿瘤

(1) 淋巴管瘤

是一种少见的良性肿瘤。好发在淋巴管丰富的头颈部和腋窝,病变多发生在皮肤和皮下组织。当表现为较大的囊肿时被称为囊状水瘤(Hygroma),可能为先天畸形,而不是真正的肿瘤。病灶可表现为囊性腔隙的囊性淋巴管瘤或由多个管腔相互融合而成的海绵状淋巴血管瘤。组织学上可见淋巴管的组织结构。手术方式的选择要根据淋巴管瘤的大小和其所在的部位来决定,行局部切除。肿瘤不发生恶变。

(2) 淋巴管肉瘤

少见,常常发生在有长期严重水肿的患者。可发生在乳腺癌根治性切除后患者的上肢及有慢性淋巴水肿患者的下肢。肿瘤生长迅速，在就诊时往往病变已经非常广泛。病理有时与血管肉瘤相似。需要根治性切除，但很难治愈。肿瘤对放疗敏感。

(3) Kaposi 肉瘤

一种特殊的肿瘤，是以内皮细胞、外皮细胞和成纤维细胞分化为特点的肿瘤。主要在男性及成年晚期出现。好发部位在肢体远端的皮肤-皮下组织中，尤其好发在下肢。而且呈多发性或对称发病。临床上起病时表现为酒红色的皮肤结节，然后转为绿色，有时形成溃疡，在数量上逐渐增多，体积增大。然后结节相互合并，呈向心性扩张。有时累及局部淋巴结。病变深部时可累及骨骼和内脏。Kaposi 肉瘤常与其他恶性肿瘤如白血病、骨髓瘤等并存，也在获得性免疫缺陷综合征（AIDS）中出现。本病病程缓慢，有些可以自行消退，其他可能进展，发生广泛转移，并发展成恶性淋巴瘤。治疗主要为放疗和化疗。预后的决定因素较多。能保持病变局限化的预后好；侵犯局部组织，并向皮肤和深层组织扩张者较差；累及淋巴结、内脏和转移的预后差。

（蒋　淳　陈峥嵘）

参考文献

[1] 上海市肿瘤研究所流行病研究室. 1983～1989 年上海市市区居民恶性肿瘤发病率统计. 肿瘤，1986，6：139；1987，7：43；1988，8：927；1989，9：95；1990，10：144.

[2] 王坚. 对我国软组织肿瘤病理发展的探讨. 中华病理学杂志，2005，34(3)：129～132.

[3] 王建华，王小林，颜志平. 腹部介入放射学. 上海：上海医科大学出版社，1998. 55～69.

[4] 王继芳，胡永成，卢世璧. 骨盆肿瘤外科治疗进展. 中华骨科杂志，2000，20(S)：61～63.

[5] 邓钢，滕皋军、何士诚，等. 经皮椎体成形术及血管内栓塞化疗治疗椎体恶性肿瘤. 介入放射学杂志，2003，12(1)：39～42.

[6] 冯贤松，李时望. 腹膜后软组织肉瘤的外科处理及影响预后的因素. 腹部外科，2001，14(3)：186～187.

[7] 过邦辅，凌励立：骨关节肿瘤. 第 2 版. 上海：上海科学技术出版社，1998.

[8] 师英强，沈振亩. 软组织肉瘤的诊治问题. 中国实用外科杂志，1997，17：323～325.

[9] 师英强，宗祥云，王坚，等. 251 例软组织肉瘤临床分析. 中华外科杂志，2003，41(2)：116～118.

[10] 师英强. 软组织肉瘤的治疗现状. 中国实用外科杂志，2002，22：38～39.

[11] 朱丽红，王俊杰，袁惠书，等. 转移及复发性骨肿瘤的125I 放射性粒子植入治疗初探. 中华放射肿瘤学杂志，2006，15(5)：407～410.

[12] 许峰，王瑾，谭燕，等. 软组织肉瘤术后放射治疗及其预后分析. 中华放射肿瘤学杂志，2001，10(4)：228～231.

[13] 孙建德，程新芳，孙卫星，等. 原发性后腹膜肿瘤 16 例 CT 诊断分析. 潍坊医学院学报，1995，17(1)：9～10.

[14] 李勇. 软组织肉瘤的诊断与综合治疗. 癌症进展杂志，2005，3(4)：332～338.

[15] 肖建如，贾连顺. 脊柱转移性肿瘤的外科治疗策略. 中华骨科杂志，2003，23(1)：14～21.

[16] 肖建如. 脊柱肿瘤外科学. 上海：上海科学技术出版社，2004. 1～44.

[17] 余子豪. 软组织肉瘤的放射治疗. 中国癌症杂志，1997，7：230～231.

[18] 张玉晶，刘新帆，殷蔚伯. 快中子在软组织肉瘤放射治疗中的应用. 中华放射肿瘤学杂志，2002，11(4)：271～274.

[19] 张跃. 成人软组织肉瘤的研究进展概况. 国外医学·外科学分册，1998，25(2)：94～96.

[20] 张跃. 成人软组织肉瘤的研究进展概况. 国外医学·外科学分册，1998，25(2)：94～96.

[21] 陈文直，王智彪，伍烽，等. 高强度聚焦超声治疗原发恶性骨肿瘤的初步临床研究. 中华肿瘤杂志，2002，24(6)：612～5.

[22] 罗英，陈章定，胡炳强. 184 例软组织肉瘤患者不同治疗方法分析. 中华肿瘤杂志，2004，26(8)：502～504.

[23] 周康荣，程家文，译. 软组织病变和肿块. 见：Joseph KTL，体部 CT. 武汉：湖北科学技术出版社，1990. 394.

[24] 徐万鹏，冯传汉. 骨科肿瘤学. 北京：人民军医出版社，2001. 17～23.

[25] 滕皋军，何士诚，邓钢. 经皮椎体成形术. 南京：江苏科学技术出版社，2005. 106～115.

[26] Abudu A, Grimer R J, Cannon S R, et al. Reconstruction of the hemipelvis after the excision of malignant tumors. Complications and functional outcome of prostheses. J Bone Joint Surg(Br), 1997, 79：773～779.

[27] Arpaci F, Ataergin S, Ozet A, et al. The feasibility of neoadjuvant high-dose chemotherapy and autologous peripheral blood stem cell transplantation in patients with nonmetastatic high grade localized osteosarcoma：results of a phase Ⅱ study. Cancer, 2005, 104(5)：1058～65.

[28] Bacci G, Ferrari S, Bertoni F, et al：Histologic response of high-grade nonmetastatic osteosarcoma of the extremity to chemotherapy. Clin Orthop, 2001,

386:186～196.

[29] Bacci G, Ferrari S, Bertoni F, et al: Long-term outcome for patients with nonmetastatic osteosarcoma of the extremity treated at the Instituto Ortopedico Rizzoli according to the Instituto Ortopedico Rizzoli/Osteosarcoma-2 Protocol: An updated report. J Clin Oncol, 2000, 18:4016～4027.

[30] Bacci G, Ruggieri P, Picci P, et al. Intra-arterial versus intravenous cisplatinum (in addition to systemic Adriamycin and high dose methotrexate) in the neoadjuvant treatment of osteosarcoma of the extremities. results of a randomized study. J Chemother, 1996, 8(1):70～81.

[31] Barbieri E, Fezza G, Martelli O, et al. Nonconventional fractionation in radiotherapy of the musculoskeletal sarcoma. Tumori, 1998, 84:67～170.

[32] Bas T, Aparisi F, Bas JL. Efficacy and safety of ethanol injections in 18 cases of vertebral hemangioma: a mean follow-up of 2 years. Spine, 2001, 26(14): 1577～1582.

[33] Berquist TH. Magnetic resonance imaging of primary skeletal neoplasms. Radiol Clin North Am, 1993, 31(2):411～424.

[34] Bilsky MH, Lis E, Raizer J, et al. The diagnosis and treatment of metastatic spinal tumor. Oncologist, 1999, 4(6):459～469.

[35] Bloem JL, Kroon HM: Osseous lesions. Radiol Clin North Am, 1993, 31(2):261～278.

[36] Boriani B, Biagini R, et al. En bloc resection of bone tumor of the thoracolumbar spine: a pre; iminary report on 29 patients. Spine, 1996, 21:1927～1931.

[37] Boriani S, Weinstein JN, Biagini R. Primary bone tumors of the spine. Terminology and surgical staging. Spine, 1997, 22:1036～1044.

[38] Boring CC, Squires TS, Tong T, et al. Cancer Statistics, 1994. CA Cancer J Clin, 1994, 44:7～26.

[39] Boring CC, Squires TS, Tong T. Cancer statistics, CA, 1991, 41:9.

[40] Britten RA, Peters LJ, Murray D. Biological factors influencing the RBE of neutrons: implications for their past, present and future use in radiotherapy. Radiat Res, 2001, 156:125～135.

[41] Cannon S. R. A clinical guide to primary bone tumors. J Bone Joint Surg-Br, 1999, 81-B(4):748.

[42] Catton CN, O'Sullivan B, Kotwall C, et al. Outcome and prognosis in retroperitoneal soft tissue sarcoma. Int J Radiat Oncol Biol Phys, 1994, 29:1005～1101.

[43] Chiras J, Adem C, Vallee JN, et al.. Selective intra-arterial chemoembolization of pelvic and spine bone metastases. Eur Radiol, 2004, 14(10):1774～1780.

[44] Choi JY, Hahn JS, Suh CO, et al. Primary lymphoma of bone-survival and prognosis. Korean J Intern Med, 2002, 17(3):191～197.

[45] Collin C, Hadju SI, Godbold J, et al. localized operable soft tissue sarcoma of the low extremity. Arch Surg, 1986, 121:1425.

[46] Cove JA, Taminiau AH, Obermann WR. Osteoid osteoma of the spine treated with percutaneous computed tomography-guided thermocoagulation. Spine, 2000, 25(10):1283～1286.

[47] Dai KR, Yan MN, Zhu ZA, et al. Computer-aided custom-made hemipelvic prosthesis used in extensive pelvic lesions. J Arthroplasty, 2007, 22(7):981～986.

[48] Daryl R Fourney, Dima Am-Said, Laurence D, et al. Simultaneous anterior-posterior approach to the thoracic and lumbar spine for the radical resection of tumors followed by reconstruction and stabilization. J neurosurg(spine 2), 2001, 94:232～244.

[49] Delloye C, Banse X, Brichard B, et al. Pelvic reconstruction with a structural pelvic allograft after resection of a malignant bone tumor. J Bone Joint Surg Am. 2007, 89(3):579～587.

[50] Deme S, Ang LC, Skaf G, et al. Primary intramedullary primitive neuroectodermal tumor of the spinal cord: case report and review of the literature. Neurosurgery, 1997, 41(6):1417～1420.

[51] Drevelegas A, Chourmouzi D, Boulogianni G, et al. Imaging of primary bone tumors of the spine. Eur Radiol, 2003, 13(8):1859～1871.

[52] Enneking WF, Dunham WK. Resection and reconstruction for primary neoplasms involving the innominate bone. J Bone Joint Surg Am, 1978, 60:731～746.

[53] Enneking WF, Spanier SS, Goodman MA. A system for the surgical staging of musculoskeletal sarcoma. Clin Orthop, 1980, 153:106～120.

[54] Enneking WF. Staging of musculoskeletal neoplasms. Skeletal Radiol, 1985, 13:183～194.

[55] Enneking WF. A system of staging musculoskeletal neoplasms. Clin Orthop, 1986, 204:9～24.

[56] Erlemann R, Sciuk J, Bosse A, et al: Response of osteosarcoma and Ewing sarcoma to preoperative chemotherapy: assessment with dynamic and static MR imaging and skeletal scintigraphy. Radiology, 1990, 175(3):791～796.

[57] Fischgrund JS, Cantor JB, Carl-Samberg L. Malignant degeneration of a vertebral osteochondroma with epidural tumor extension: a report of the case and review of the literature. J Spinal Disord, 1994, 19: 309～313.

[58] Fletcher BD. Response of osteosarcoma and Ewing sarcoma to chemotherapy: imaging evaluation. Am J Roentgenol, 1991, 157(4):825～833.

[59] Fourney DR, Abi-Said D, Rhines LD, et al. Simultaneous anterior-posterior approach to the thoracic and lumbar spine for the radical resection of tumors followed by reconstruction and stabilization. J-Neurosurg, 2001, 94(2 Suppl):232～244.

[60] Fourney DR, Gokaslan ZL. Thoracolumbar spine: surgical treatment of metastatic disease. Current Opinion in Orthopedics, 2003, 14:144～152.

[61] Gangi A, Kastler B, Klinkert A, et al. Injection of alcohol into bone metastases under CT guidance. J Comput Assist Tomogr, 1994, 18(6):932～935.

[62] Gangi A, Sabharwal T, Irani FG, et al. Quality assurance guidelines for percutaneous vertebroplasty. Cardiovasc Intervent Radiol, 2006, 29(2):173～178.

[63] Gaughen JR, Jensen ME, Schweickert PA, et al. Relevance of antecedent venography in percutaneous vertebroplasty for the treatment of osteoporotic compression fractures. AJNR Am J Neuroradiol, 2002, 23(4):594～600.

[64] Glenn J, Sindelar WF, Kinsella T, et al. Results of multimodality therapy of resectable soft tissue sarcomas of the retroperitoneum. Surgery, 1985, 97: 316 ～325.

[65] Goetz MP, Callstrom MR, Charboneau JW, et al. Percutaneous image-guided radiofrequency ablation of painful metastases involving bone: a multicenter study. J Clin Oncol, 2004, 22(2):300～306.

[66] Gradinger R, Rechl H, Hipp E. Pelvic osteosarcoma. Resection, reconstruction, local control, and survival statistics. Clin Orthop Relat Res, 1991, 270:149～158.

[67] Greene FL, Page DL, Fleming ID, et al. AJCC Cancer Staging Manual. 6th ed. New York: Springer-Verlag, 2002.

[68] Grimer RJ, Carter SR, Tillman RM, Spooner D. et al. Osteosarcoma of the pelvis. J Bone Joint Surg Br, 1999, 81:796～802.

[69] Groenemeyer DH, Schirp S, Gevargez A. Image-guided percutaneous thermal ablation of bone tumors. Acad Radiol, 2002, 9(4):467～477.

[70] Gullen JW, Jamroz BA, Stevens SL, et al. The value of serial arteriography in osteosarcoma: delivery of chemotherapy, determination of therapy duration, and prediction of necrosis. J Vasc Interv Radiol, 2005, 16(8):1107～1119.

[71] Hannay J, Davis JJ, Yu D, et al. Isolated limb perfusion: a novel delivery system for wild-type p53 and fiber-modified oncolytic adenoviruses to extremity sarcoma. Gene Ther, 2007, 14(8):671～681.

[72] Harrington KD. The use of hemipelvic allografts or autoclaved grafts for reconstruction after wide resections of malignant tumor of the pelvis. J Bone Joint Surg Am, 1992, 74:331～341.

[73] Hart RA, Boriani S, Biagini R, et al. A system for surgical staging and management of spine tumors: A clinical outcome study of giant cell tumors of the spine. Spine, 1997, 22(17):1773～1782.

[74] Heck RK, Stacy GS, Flaherty MJ, et al. A Comparison Study of Staging Systems for Bone Sarcomas. Clin Orthop, 2003, 415:64～71.

[75] Hodler J, Peck D, Gilula LA. Midterm outcome after vertebroplasty: predictive value of technical and patient-related factors. Radiology, 2003, 227 (3): 662～668.

[76] Huth JF, Eilber FR. Patterns of metastatics spread following resection of extremity soft tissue sarcomas and strategies for treatment. Senin Surg Oncol, 1988, 4:20～26.

[77] Huvos AG. Bone Tumors, Diagnosis, Treatment and Prognosis. Philadelphia: WB Saunders Co, 1991.

[78] Jensen ME, Kallmes DE. Percutaneous vertebroplasty in the treatment of malignant spine disease. Cancer J, 2002, 8(2):194～206.

[79] Jose AM, Izquierdo NE, Santonja GC, et al. Osteochondroma of the thoracic spine and scoliosis. Spine, 2001, 26(9):1082～1805.

[80] Junginger T, Kettelhack C, Schonfelder M, et al. Therapeutic strategies in malignant soft tissue tumors. Results of the soft tissue tumor register study of the Surgical Oncology Working Group. Chirurg, 2001, 72:138～148.

[81] Kallmes DF, Jensen ME. Percutaneous vertebroplasty. Radiology, 2003, 229(1):27～36.

[82] Karakousis CP, Vezeridis MP. Variants of hemipelvectomy. Am J Surg, 1983, 145:273.

[83] Karakousis CP. Internal hemipelvectomy. Surg Gy-

necol Obstet, 1984, 158:279.

[84] Katsuro T, Kawahara N, Baba H, et al. Total en bloc spondylectomy: A new surgical technique for primary malignant vertebral tumors. Spine, 1997, 22(3):324～333.

[85] Kelekis A, Lovblad KO, Mehdizade A, et al. Pelvic osteoplasty in osteolytic metastases: technical approach under fluoroscopic guidance and early clinical results. J Vasc Interv Radiol, 2005, 16(1): 81～88.

[86] Kim AK, Jensen ME, Dion JE, et al. Unilateral transpedicular percutaneous vertebroplasty: initial experience. Radiology, 2002, 222(3):737～741.

[87] Kinoshita M, Izumoto S, Oshino S, et al. Primary malignant lymphoma of the trigeminal region treated with rapid infusion of high-dose MTX and radiation: case report and review of the literature. Surg Neurol, 2003, 60(4):343～348.

[88] Kojima H, Tanigawa N, Kariya S, et al. Clinical assessment of percutaneous radiofrequency ablation for painful metastatic bone tumors. Cardiovasc Intervent Radiol, 2006, 29(6):1022～1026.

[89] Kurtkaya O, Elmaci I, Sav A, et al. Spinal solitary fibrous tumor: seventh reported case and review of the literature. Spinal Cord, 2001, 39(1):57～60.

[90] Langlais F, Vielpeau C. Allografts of the hemipelvis after tumour resection. Technical aspects of four cases. J Bone Joint Surg Br, 1989, 71:58～62.

[91] Laramore GE, Griffin TW. Fast neutron radiotherapy: where have we been and where are we going? the jury is still out-regarding. Int J Radiat Oncol Biol Phys, 1995, 32:879～882.

[92] Laredo JD, Hamze B. Complications of percutaneous vertebroplasty and their prevention. Skeletal Radiol, 2004, 33(9):493～505.

[93] Levine EA, Holzmayer T, Bacus S, et al. Evaluation of newer prognostic markers for adult soft tissue sarcomas. J Clin Oncol, 1997, 15:3～49.

[94] Liebschner MA, Rosenberg WS, Keaveny TM. Effects of bone cement volume and distribution on vertebral stiffness after vertebroplasty. Spine, 2001, 26(14):1547～1554.

[95] Lodwick GS, Wilson AJ, Farrell C, et al. Determining growth rates of focal lesions of bone from radiographs. Radiology, 1980, 134(3):577～583.

[96] Mankin HJ, Hornicek FJ, Temple HT, et al. Malignant tumors of the pelvis: an outcome study. Clin Orthop Relat Res, 2004, 425:212～217.

[97] Marcove RC, Stovell PB, Huvos AG, et al. The use of cryosurgery in the treatment of low and medium grade chondrosarcoma. Clin Orthop, 1977, 122:14.

[98] Mario Campanacci 著.张湘生,张庆,译.骨与软组织肿瘤.长沙:湖南科学技术出版社,1999.

[99] Mathis JM, Wong W. J Vasc Interv Radiol. Percutaneous vertebroplasty: technical considerations, 2003, 14(8):953～960.

[100] McGraw JK, Cardella J, Barr JD, et al. Society of Interventional Radiology quality improvement guidelines for percutaneous vertebroplasty. J Vasc Interv Radiol, 2003, 14(7):827～831.

[101] McGraw JK, Heatwole EV, Strnad BT, et al. Predictive value of intraosseous venography before percutaneous vertebroplasty. J Vasc Interv Radiol, 2002, 13(2 Pt 1):149～153.

[102] Mirra JM. Bone Tumors: Clinical, Radiographic, And Pathologic Correlations. Philadelphia: Lea & Febiger, 1989.

[103] Mnaymneh W, Malinin T, Mnaymneh LG, et al. Pelvic allograft. A case report with a follow-up evaluation of 5. 5 years. Clin Orthop Relat Res, 1990, 255:128～132.

[104] Morandi X, Riffaud L, Haegelen C, et al. Extraosseous Ewing's sarcoma of the spinal epidural space. Neurochirurgie, 2001, 47(1):38～44.

[105] Murakami H, Kawahara N, Abdel-Wanis, et al. Total en bloc spondylectomy. Semin-Musculoskel-et-Radiol, 2001, 5(2):189～194.

[106] Nagata Y, Mitsumori M, Okajima K, et al. Transcatheter arterial embolization for malignant osseous and soft tissue sarcomas. Ⅱ. Clinical results. Cardiovasc Intervent Radiol, 1998, 21(3):208～213.

[107] Nakatsuka A, Yamakado K, Maeda M, et al. Radiofrequency ablation combined with bone cement injection for the treatment of bone malignancies. J Vasc Interv Radiol, 2004, 15(7):707～712.

[108] Nibu K, Sugasawa M, Asai M, et al. Results of multimodality therapy for squamous cell carcinoma of maxillary sinus. Cancer, 2002, 94(5):1476～1482.

[109] Nieder E, Elson RA, Engelbrecht E, et al. The saddle prosthesis for salvage of the destroyed acetabulum. J Bone Joint Surg Br, 1990, 72:1014～1022.

[110] No author. Recommendations for the reporting of soft tissue sarcomas. Association of directors of anatomic and surgical pathology. Hum Pathol, 1999,

30: 3～7.

[111] Okada K, Hasegawa T, Yokoyama R. Rosette-forming epithelioid osteosarcoma: a histologic subtype with highly aggressive clinical behavior. Hum-Pathol, 2001, 32(7):726～733.

[112] Olerud C, Jonsson HJ, Lofberg AM, et al. Embolization of spinal metastases reduces peroperative blood loss. 21 patients operated on for renal cell carcinoma. Acta Orthop Scand, 1993, 64(1):9 ～12.

[113] Ozaki T, Flege S, Liljenqvist U, et al. Osteosarcoma of the spine: experience of the Cooperative Osteosarcoma Study Group. Cancer, 2002, 94(4): 1069～1077.

[114] Ozaki T, Hoffmann C, Hillmann A, et al. Implantation of hemipelvic prosthesis after resection of sarcoma. Clin Orthop Relat Res, 2002, 396:197～205.

[115] Ozaki T, Liljenqvist U, Halm H, et al. Giant cell tumor of the spine. Clin Orthop, 2002 , 401:194～201.

[116] Ozaki T, Liljenqvist U, Hillmann A. Osteoid osteoma and osteoblastoma of the spine: experiences with 22 patients. Clin-Orthop, 2002, 397:394～402.

[117] Ozaki T, Hillmann A, Bettin D, et al. High complication rates with pelvic allografts. Acta Orthop Scand, 1996, 67:333～338.

[118] O'Connor MI, Sim FH. Salvage of the limb in the treatment of malignant pelvic tumors. J Bone Joint Surg Am, 1989, 71:481～494.

[119] Pirzkall A, Carol M, Lohr F, et al. Comparion of intensity-modulated radiotherapy with conventional conventional conformal radiotherapy for complex-shaped tumors. J Radiat Oncol Biol Phys, 2000, 48:1371.

[120] Rha SY, Chung HC, Gong SJ, et al. Combined preoperative chemotherapy with intra-arterial cisplatin and continuous intravenous adriamycin for high grade osteosarcoma. Oncol Rep, 1999, 6(3): 631 ～637.

[121] Rosenberg SA. Prospective randomized trials demonstrating the efficacy of adjuvant chemotherapy in adult patients with soft tissue sarcomas. Cancer Treat Rev, 1984, 9:1067.

[122] Sanki A, Kam PC, Thompson JF. Long-term results of hyperthermic, isolated limb perfusion for melanoma: a reflection of tumor biology. Ann Surg, 2007, 245(4):591～596.

[123] Satcher RL, O'Donnell RJ, Johnston JO. Reconstruction of the Pelvis After Resection of Tumors About the Acetabulum. Clin Orthop Relat Res, 2003, 409:209～217.

[124] Schmitt G, Warnbersie A. Review of the clinical results of fast neutron therapy. Radiother Oncol, 1990, 17:47.

[125] Schwarz R, Krull A, Heyer D, et al. Present results of neutron therapy, the German experience. Acta Oncol, 1994, 33:281～287.

[126] Sindelar WF, Kinsella TJ, Chen PW, et al. Intraoperative radiotherapy in retroperitoneal sarcomas: Final Results of a prospective, randomized, Clinical trial. Arch Surg, 1993, 1238:402～410.

[127] Suzer T, Coskun E, Tahta K, et al. Intramedullary spinal tuberculoma presenting as a conus tumor: a case report and review of the literature. Eur Spine J, 1998, 7(2):168～171.

[128] T. Tsuboyama, J. Toguchida, Y. Kotoura, *et al*. Intra-operative radiation therapy for osteosarcoma in the extremities. International Orthopaedics (SICOT), 2000, 24:202～207.

[129] Tomita K, Kawahara N, Baba H, et al: Total en bloc spondylectomy: A New surgical technique for primary malignant vertebral tumors. Spine, 1997, 22:324～333.

[130] Tomita K, Kawahara N, Kobayashi T, et al. Surgical strategy for spinal metastases. Spine, 2001, 26(3):298～306.

[131] Tomita K, Kawahara N, Takahashi K, et al. Total en bloc spondylectomy for malignant vertebral tumors. Orthop Trans , 1994, 18:1166.

[132] Tuncali K, Morrison PR, Winalski CS, et al. MRI-guided percutaneous cryotherapy for soft-tissue and bone metastases: initial experience. AJR Am J Roentgenol, 2007, 189(1):232～239.

[133] Wambersie A, Richard F, Breteau N. Development of fast neutron therapy worldwide. Radiobiological, clinical and technical aspects. Acta Oncol, 1994, 33:261～274.

[134] Wanebo HJ, Temple WJ, Popp MB, et al. Combination reginal therapy for extremity sarcoma. Arch Surg, 1990, 125:355.

[135] Wang YN, Zhu WQ, Shen ZZ, et al. Treatment of locally recurrent soft tissue sarcomas of the retroperitoneum: Report of 30 cases. J Surg Oncol, 1994, 56:213～216.

[136] Weinstein J N. Differential diagnosis and sugical treat-

ment of primary benign and malignant neoplasm. In: Frymoyer JW, ed. The adult spine: principles and practice. New York: Raven Press, 1991.

[137] Wilkins RM, Prithard DJ, Burgert EO, et al. Ewing's Sarcoma of bone: experience with 140 patients. Cancer, 1986, 58:2551～2555.

[138] Wolfson AH, Bonedetto PW, Manaymneh W, et al. Does a radiation dose-response relation exist concerning survival of patients who have soft tissue sarcomas of the extremities: radiation dose-relation for soft tissue sarcomas. AmJ Clin Oncol, 1998, 2: 270～274.

[139] Wuisman P, Enneking WF. Prognosis for patients who have osteosarcoma with skip metastasis. J Bone Joint Surg, 1990, 72A:60～68.

[140] Wuisman P, Lieshout O, Sugihara-S, et al. Total sacrectomy and reconstruction: oncologic and functional outcome. Clin-Orthop, 2000, 381:192～203.

[141] Wunder JS, Bull SB, Aneliunas V, et al. MDR1 gene expression and outcome in osteosarcoma: A prospective, multicenter study. J Clin Oncol, 2000, 18:2685～2694.

[142] Wunder JS, Paulian G, Huvos AG, et al. The histological response to chemotherapy as a predictor of the oncological outcome of operative treatment of Ewing sarcoma. J Bone Joint Surg, 1998, 80A: 1020～1033.

[143] Wurtz LD, Peabody TD, Simon MA. Delay in the diagnosis and treatment of primary bone sarcoma of the pelvis. J Bone Joint Surg Am, 1999, 81(3):317～325.

第九篇

骨与关节感染性疾病

骨与关节感染性疾病 38

38.1 骨与关节结核

38.1.1 总论

结核病是一种古老的传染性疾病。常见临床表现为咳嗽、咯痰、咯血、胸痛、发热、乏力、食欲减退等局部及全身症状。结核病可发于身体的各个部位，如肺结核、肠结核、肾结核、骨结核、中枢神经系统结核、子宫内膜结核，等等。肺外结核多继发于肺结核，骨与关节结核是结核病最常见的部位之一，半数以上的骨关节结核患者为青壮年，女性略多于男性。近年来肺结核在全球各地死灰复燃，结核病的发病人数超过乙肝上升到第1位。根据世界卫生组织的最新研究报告指出，全球每年有超过800万肺结核新增病例，每年大约有200万人死于结核，其中95%来自发展中国家，亚洲的肺结核发病率约占全世界发病率的70%。截至2003年，全球肺结核发病率仍以每年大约1%的速度增长。结核病已跃升为人类头号杀手。究其原因，主要是交通更为便利，社会流动人口增大等诸多生物学和社会学因素，加之近20年来世界许多地区政策上的忽视，使得肺结核防治系统遭到破坏甚至消失；艾滋病患者感染肺结核的概率是常人的30倍，随着艾滋病在全球蔓延，肺结核病患者也在快速增加；因结核杆菌的基因突变、抗结核药物研制相对滞后，多种抗药性结核病菌株的产生，增加了肺结核防治的难度。中国属于肺结核发病率最高的10个国家之一，结核病疫情仍然十分严重，其流行趋势及特点存在“五多一高”：结核菌感染人数多，全国已有4亿人感染了结核菌，其中10%的人将发生结核病；现患肺结核病患者多，全国有500万肺结核病患者，占全球患者总数的1/4，其中传染性肺结核病患者200万；结核病死亡人数多，因结核病每年死亡人数约有15万；耐药结核病患者多，耐药率高达46%，被世界卫生组织列入特别引起警示的国家和地区之一；农村结核病患者多，结核病患者80%在农村；传染性肺结核病疫情居高不下，10年来，传染性肺结核患病率无明显改变。因此，结核病被卫生部列为全国重点控制的重大疾病之一。

(1) 病因

1882年，德国科学家首次发现结核杆菌，并将其分为人型、牛型、鸟型和鼠型4型，其中人型菌是人类结核病的主要病原体，极少数为牛型结核杆菌。结核菌经呼吸道或消化道，罕见情况下可从外伤处直接侵入人体，在呼吸道或消化道形成原发结核灶。结核菌从初染原发灶，进入淋巴、血行播散到全身各脏器，特别是网状内皮系统包括骨关节，多数播散灶被人体中吞噬细胞所消灭，而少数播散灶潜伏下来，当机体抵抗力较强时，病菌被控制或消灭；一旦人体抵抗力降低，诸如糖尿病、硅沉着病(矽肺)、营养吸收不良、慢性肾衰竭、应用免疫抑制剂等，初染播散潜伏在骨关节中的结核菌可繁殖形成病灶，并出现临床症状。全身粟粒性结核和结核性胸膜炎等患者，结核杆菌由原发病灶经血液侵入关节或骨骼引起骨关节结核也比较常见。一般而言病程缓慢，偶有急性发作。

(2) 病理

骨关节结核大多发生在负重大、活动多、易于遭受慢性劳损的部位，尤其好发于脊柱的胸椎腰椎等部位，约占50%以上；其次好发部位为负重关节，如髋关节、膝关节、踝关节等，上肢关节如肩、肘和腕关节较少见。由于机体和局部组织对结核菌反应不同，骨关节结核病变发展演化也各不相同，一般可有渗出、增殖、坏死3种基本病理表现，可同时存在于病变部位，不同的病变阶段可以一种病理表现为主。

根据病变初起部位和进展情况可将骨关节结核分为骨结核、滑膜结核和全关节结核。

1) 骨结核　结核病灶仅限于骨组织，按其发病部位，可分如下：

(i) 松质骨结核：多见于脊柱、骨盆、腕骨、跗骨和管状骨两端的松质骨，分为中心型和边缘型两种。松质骨中心型结核病灶特点是血供相对较少，结核杆菌产生的毒素及其代谢产物进一步导致局部血液循环障碍，骨组织的浸润和坏死，与周围活骨分离后形成死骨，吸收或排出后形成空洞。松质骨边缘型结核病灶血供丰富，病变组织易被吸收，一般没有死骨形成，仅遗留局限性骨质缺损。

(ii) 皮质骨结核：结核病灶多自髓腔开始，以局限性溶骨性破坏为主，一般不形成大块死骨。儿童与青少年的骨干结核可有大量的骨膜新骨形成，成人则新生骨很少，而老年人仅见溶骨性改变。

(iii) 干骺端结核：干骺端介于松质骨和皮质骨之间，因而其病变兼有松质骨结核和皮质骨结核的特点，既可有死骨形成，也可有骨膜性新骨形成。

2) 滑膜结核　多发生于滑膜较多的关节，如膝、髋、踝、肘等关节，也可发生于腱鞘和滑囊等处。

病变仅限于关节滑膜，进展缓慢。滑膜感染结核后，其表层充血，水肿，浆液渗出和单核细胞浸润，关节液增多，常呈混浊。以后滑膜由浅红色变为暗红色，表面粗糙，晚期则纤维组织增生而肥厚变硬。如病变逐渐扩散，关节软骨及骨质均受破坏，进而形成全关节结核。

3）全关节结核　单纯骨结核或单纯滑膜结核进一步发展，除骨与滑膜病变外，关节软骨也发生破坏或被剥离，而发展为全关节结核。关节软骨再生能力很差，一旦破坏，即使病变停止，缺损处也只能被纤维组织修复，失去其原有的光滑面，使关节发生纤维性或骨性强直，从而丧失关节功能。发展成全关节结核后，全身或局部症状均较显著。可有寒性脓肿形成，经组织间隙向他处扩散，有的自行穿破或误被切开，引起继发性感染，窦道经久不愈。

（3）临床表现

骨关节结核起病多较缓慢，全身症状轻重不一，多表现为午后低热、倦怠、盗汗、食欲减退和消瘦等，少数患者可无全身症状。当寒性脓肿侵入新的肌肉间隙、椎旁脓肿穿入胸腔等病情恶化时，可突然出现高热等全身症状。局部表现如下。

1）功能障碍　局部症状发展缓慢，早期多为偶然的关节疼痛，通常患者的关节功能障碍比患部疼痛出现更早。为了减轻患部的疼痛，各关节常被迫处于特殊的位置，如肩关节下垂，肘关节半屈曲位，髋关节屈曲位，踝关节足下垂位。颈椎结核常用两手托下颌，胸椎或腰椎结核者肌肉保护性痉挛，致使出现弯腰困难而小心下蹲拾物等特有的姿势。

2）肿胀　四肢关节结核局部肿胀易于发现，皮肤颜色通常表现正常，局部稍有热感。关节肿胀逐渐增大，肢体的肌肉萎缩，患病关节多呈梭形。寒性脓肿如穿破可合并感染使症状加重，形成窦道伤口长期不愈。

3）疼痛　初期局部疼痛多不明显，待病变发展刺激或压迫其邻近的神经根，如胸椎结核的出现肋间神经痛；腰椎结核刺激或压迫腰丛神经引起腰腿痛；单纯骨结核或滑膜结核发展为全关节结核时疼痛加重，才引起患者注意。为了减轻疼痛，患部肌肉一直处于痉挛状态，借以起保护作用。当患者体位改变时，尤其是在夜间熟睡失去肌肉痉挛的保护时，疼痛更加明显，小儿常常表现夜啼等。

4）畸形　因活动时疼痛而有肌痉挛，致使关节的自动和被动活动受限，持久性肌痉挛可引起关节挛缩或变形，患肢因废用而肌肉萎缩。随着病变发展，骨关节或脊椎骨质破坏或骨骺生长影响，上述特有的姿势持续不变且进一步发展，关节活动进一步受限，形成关节畸形、病理性脱臼或肢体短缩等，在脊椎结核因骨质破坏椎体塌陷及脓肿、肉芽组织形成，多出现成角后凸畸形并可使脊髓受压而发生截瘫。

（4）诊断

诊断主要应根据病史、临床表现、影像学检查、实验室检查、结核菌检查以及病理学检查等结果综合分析。多数就诊者临床症状已经比较明显，早期诊断十分困难。

1）病史与临床表现　起病一般隐匿，具体日期无法明确。绝大多数局限于单个关节。着重了解患者有无午后低热、疲乏、消瘦、盗汗等结核中毒症状。既往结核病史或与结核患者的密切接触史能为诊断提供有力佐证。体检可以发现上述符合骨关节结核的局部症状和体征。

2）影像学检查　目前临床常用的影像学检查有常规X线片、CT、MRI、放射性核素骨扫描和B超检查等。

（i）X线平片：常规X线摄片是首选的经济简便的基本影像学手段。松质骨中心型结核在早期可见骨质密度增加和骨小梁模糊的磨砂玻璃样改变；稍晚可见死骨游离，死骨一般呈椭圆形，密度比正常骨质稍高；死骨吸收后局部可见骨空洞，空洞壁骨质稍致密。松质骨边缘型结核可见溶骨性破坏、缺损边缘稍致密，局部无死骨或仅有少量死骨。皮质骨结核可见不同程度的髓腔内溶骨性破坏和骨膜性新骨形成。干骺部结核则兼具松质骨结核和皮质骨结核的特点。长期混合感染则骨质明显硬化。单纯滑膜结核仅见骨质疏松和软组织肿胀。早期全关节结核除骨质疏松和软组织肿胀外，尚可看到软骨下骨板小部分破坏或模糊，但X线所显示的破坏范围常比实际病变要少。晚期全关节结核则软骨下骨板大部分破坏消失，关节间隙狭窄或消失，以及关节畸形或强直。除上述骨和关节的改变外，有时尚能见到寒性脓肿的影像，若脓肿壁出现不规则的钙化斑块，可诊断骨关节结核。

（ii）CT检查：CT扫描具有较高的分辨率，能分辨骨、关节软骨、关节囊、肌腱、韧带等，特别是能显示骨骼细微结构的改变。尤其适合显示脊柱结核早期较小、较轻微骨质破坏及对椎管内的侵犯，而早期诊断对治疗及预后均非常重要，因此在常规X线检查不能确诊或需要确定椎管内是否有病变累及时，应做CT进一步检查。优点：①能显示椎体不同部位和程度的骨质疏松或骨皮质的溶骨性、虫蚀状骨质破坏，直观而清楚显示破坏区的肉芽组织和死骨碎片。②清楚显示附件结构及其轻微骨质破坏。③能判定椎旁软组织肿块为脓肿或肉芽组织，清楚显示椎管内的压迫程度和范围。

(iii) MRI检查：对骨骼周围软组织以及脊髓等分辨率比CT高，选择适当的序列可以清楚显示关节软骨、肌肉、韧带、椎间盘、脊髓等正常结构和病变范围，对早期诊断帮助较大。

(iv) 放射性核素骨扫描：在血供丰富成骨活跃区域，局部核素浓聚，反之核素稀疏。该检查反映骨骼病变比X线平片出现早，但是不如MRI敏感。溶骨性改变为主的骨关节结核或者使用激素的患者可能呈阴性。

3) 实验室检查

(i) 血沉：多数患者血沉加速，较敏感但无特异性，血沉正常也不能完全排除结核病。血沉增快是结核病活动期的一种表现，血沉下降常提示病变获得控制。

(ii) 免疫学方法：最常用的是基于体内迟发型超敏反应的皮肤实验(TST)，即以机体注射的PPD(结核菌纯化蛋白衍生物)是否产生变态反应来判断机体曾否感染过结核分枝杆菌而作为一项辅助诊断，但是结果无法区分活动性结核或是过去感染过以及接种过卡介苗(BCG)等其他情况，对儿童骨关节结核的诊断有一定价值，对成人则一般意义不大，试验阴性也不能完全除外活动性结核包括骨关节结核；另外一个常用的方法就是检测血清的ELISA法。由于目前为止用于临床检测的抗原特异性和敏感性都不是很理想，所以这种方法也受到了一定程度的限制。

(iii) 结核菌涂片与培养：骨关节病灶中结核菌量比开放性空洞型肺结核少，脓液的结核杆菌培养阳性率一般为50%～70%，需4～8周。涂片的阳性率也不高。

(iv) 病理组织学检查：单纯滑膜结核或椎体结核难以确诊，尤其是与肿瘤难以鉴别时，可以采用穿刺法或切开法获得标本进行活检。穿刺或切取部位须在病变典型区域，比如滑膜的肉芽组织和骨骼的囊性变部位，必须取得足够的标本量。

(v) 其他：到目前为止，通过实验室检查对结核进行早期快速诊断仍有很大困难。随着分子生物学技术的发展，基因诊断技术因具有较高的敏感性、特异性而日益显示其优越性。目前用于结核分枝杆菌诊断的方法主要有PCR、DNA指纹技术、分子杂交和基因芯片等。但是这些技术目前仍在研究探索阶段，尚未普遍应用。

(5) 鉴别诊断

1) 类风湿关节炎　类风湿关节炎为多数关节受累，多侵犯手足小关节，表现为对称性关节肿胀疼痛，病情时好时坏，无脓肿死骨或窦道形成。血清类风湿因子多数阳性。关节抽液多为草黄色，培养无细菌生长。

2) 化脓性关节炎　化脓性关节炎全身症状严重，常有败血症现象，发病急剧，高热，白细胞数增高，局部红肿热痛的急性炎症表现明显，关节破坏和修复过程均较快。关节抽液普通细菌培养有助于鉴别。

3) 慢性化脓性骨髓炎　与结核不易鉴别，必须依靠细菌学和病理学检查明确诊断。

4) 骨肿瘤　椎体中心型和椎体附件结核应与椎体肿瘤相鉴别。骨干结核须与尤文肉瘤相鉴别。后者病情发展迅速，疼痛剧烈，局部常有较大肿块，伴皮温升高和静脉怒张。

5) 强直性脊柱炎　绝大多数强直性脊柱炎最早的发病部位在骶髂关节，以后逐渐上行，脊柱各向活动受限，病变可自行缓解，反复发作。约90%的患者HLA-B27阳性。X线摄片可见双侧骶髂关节软骨下骨缘模糊，骨质糜烂，尤其在髂骨一侧，是其诊断特征。

6) 色素绒毛结节性滑膜炎　受累关节也有明显肿胀，关节活动受限。但病程较长，无全身症状，血沉正常，无溃破窦道。关节穿刺液为咖啡色。

(6) 治疗

1) 全身治疗

(i) 常规抗结核药物治疗：骨与关节结核的治疗应在全身治疗的基础上兼顾病变局部的治疗。在保证充分休息、充足营养和全身支持疗法的同时合理应用抗结核药物。应遵循早期、规律、全程、适量和联用的用药原则。一些早期诊断及时治疗的病例有可能单用药物治愈。国际防结核联合会(IUAT)及WHO推荐了6种抗结核药物作为一线用药：异烟肼(INH)、利福平(RFP)、吡嗪酰胺(PZA)、链霉素(SM)、乙胺丁醇(EMB)与氨硫脲(TB1)。主张联合治疗,即在一线药物中挑选3种,小剂量并长期应用,其中1种药物必须是能杀灭结核菌的。单味药物和短期应用会增加细菌的抗药性。

异烟肼是最有效的杀菌剂,用药2天内可杀死大量细菌。它毒性低,口服方便,且价格低廉。成人剂量为每日3~5 mg/kg体重。主要的不良反应为肝损害,原有肝炎或酗酒者更易出现肝损害。周围性神经病变并不多见,合用维生素B_6每日10 mg有助于减少不良反应。

利福平和吡嗪酰胺是最有效的灭菌剂,特别是针对周期性、暴发性生长的菌种。利福平每日10 mg/kg体重的剂量足以杀灭结核分枝杆菌。它的主要不良反应为胃肠道反应和轻度的黄疸。吡嗪酰胺也是杀菌剂,它的剂量为每日20~25 mg/kg体重。

乙胺丁醇是抑菌剂。最常见的不良反应为球后视神经炎,表现为视力模糊、中央盲点和红绿色盲。不良反应的发生与剂量有关。在治疗期间需测试视力与色觉。剂量为每日15~25 mg/kg体重,疗程为2~3个月。

链霉素也是杀菌剂,它必须注射,剂量是每日15~20 mg/kg体重,最大量为每日1 g,累计总剂量不可超过120 g。它的不良反应为肾毒性与听神经毒性反应,对老人与婴幼儿尤为严重,目前已不主张常规应用。

Mitchison等将结核杆菌分成4种类型:A类代谢旺盛,持续繁殖,数量最多的菌种,易于被异烟肼、利福平和链霉素杀死;B类代谢缓慢,生成量较少的细菌,易于被吡嗪酰胺杀死;C类呈周期性繁殖,易于被利福平杀死;D类则处于休眠状态,如果免疫力充足,不至于发病。

因此,异烟肼、利福平和吡嗪酰胺3种药物联合使用,可以同时作用于A、B、C 3类不同代谢状态的菌群,兼有杀菌和灭菌的作用。目前推荐的剂量为异烟肼每日300 mg,利福平每日450~600 mg,吡嗪酰胺每日20~30 mg/kg体重。同时每日给予维生素B_6 10 mg,也可以是异烟肼、利福平和乙胺丁醇的组合,乙胺丁醇的剂量为每日750 mg。

按疗程的长短分为短程疗法与标准化疗法。凡用药不超过9个月的称为短程疗法。Hannachi等(1979)首先报道其疗效满意,但并未被广泛采纳,一般认为短程治疗不适用于肺外结核病,特别是骨结核。目前主张骨关节结核的疗程不得少于12个月,必要时可延长至18个月,如果对异烟肼产生耐药,利福平与乙胺丁醇也可以使用12个月之久。

我国骨关节结核化学疗法的标准方案为异烟肼、利福平、乙胺丁醇和链霉素联合应用。由于链霉素对第Ⅷ对脑神经毒性作用强烈,现已不将链霉素作为首选药物,特别是儿童。如果应用,亦作为强化治疗,限时3个月。其他3种药物剂量为异烟肼每日300 mg,利福平每日450 mg,乙胺丁醇每日750 mg,12~18个月为1个疗程,必要时可延长至24个月。

(ii) 多重耐药或极度耐药结核病的化学治疗:多重耐药结核病(MDR-TB)指的是致病结核菌至少同时耐异烟肼和利福平。据报道,全世界约有2/3的结核病患者处于多重耐药结核病的危险之中。全球流行病学调查(2000)了包括我国2个省在内的58个国家,显示MDR-TB存在,因此骨关节MDR-TB的增多在所难免。20世纪80年代前后检测骨关节结核病灶中,没有耐2种药或4种药的菌株存在。至2005年,耐2种药物菌株检出率明显增加,耐4种药物菌株的检出率竟然高达24%。对3种以上的二线抗结核药物耐药的结核分枝杆菌引起的结核病称为极度耐药结核病(XDR-TB),WHO和美国CDC于2006年在其联合调查报告中首次阐述该病。MDR-TB或XDR-TB感染在治疗过程中短期内不会察觉,但在手术后会在术后近期内(2~4个月)迅速恶化,寒性脓肿迅速增大,出现窦道,甚至发生瘫痪。因此建议骨科医师在做骨关节结核病病灶清除术时,多做细菌培养和药物敏感试验。

目前骨关节结核的诊断主要取决于综合性临床诊断,即临床表现、实验室检查和影像学表现,接受手术治疗的病例才会有病理学诊断,很少有人会想到取病灶清除物做细菌学检查。在病理学诊断与临床诊断不符合时容易发生医疗纠纷。骨关节结核病灶中氧分压低,寒性脓肿中偏向碱性的环境均不利于结核菌的繁殖生长,因此从骨关节病灶中检出结核菌的阳性率不高,但也在50%~71%之间。BACTEC TB-460检测技术可以进行快速结核杆菌培养、菌种鉴定和药物敏感试验。还可鉴别出非结核分枝杆菌(MOTT),这是MOTT病的病原体,其临床表现酷似骨关节结核,对抗结核药物具有天然抗药性,目前发病率有上升的趋势。因此强调有条件的医疗单位在做病灶清除术时常规做病原学检测。

MDR-TB的化疗原则：①根据用药史和药物敏感试验制订个体化治疗方案；②掌握患者药物不良反应史；③坚持联合用药原则，方案中至少包括2种敏感或未曾使用过的抗结核药物，强化期最好联合用5种药物，巩固期至少有3种药物，有艾滋病者至少6种药联合；④外科手术后至少持续同一种治疗方案18个月；⑤实施每日给药和直视监督下给药治疗(DOT)，有条件的患者强化期可住院治疗。

可供选择的化学药物(即二线抗结核药物)中，氧氟沙星(OFLX)、左氧氟沙星(LVFX)、乙硫异烟胺(PTH)、对氨基水杨酸(PAS)、对氨基水杨酸异烟肼(Pa)、阿米卡星(AK)和卷曲霉素(CPM)为首选药物，环丙沙星(CPFX)和环丝氨酸(CYC)为次选药物，利福布汀(RFB)、司氟沙星(SPFX)、克拉霉素(CTM)和氯法齐明(CFM)则为正在研究和开发的药物。

中国防结核协会推荐的MDR-TB化疗方案必须以药物敏感试验和以往用药史为基础，以个体化调整为原则。

(iii) 抗结核药所致的肝损害的处理：肝损害是抗结核药物的主要不良反应，也是停药的常见原因，其损害机制还不甚清楚，一般认为是中毒或过敏所致。世界卫生组织所推荐的异烟肼、利福平和吡嗪酰胺的3种药物联合治疗方法有效率可达97%，但这3种药物对肝脏都有不同程度的损害。3种药物联合应用所产生的肝损害比单独应用或两种药物联合应用发生率更高，严重性更大，甚至是致命性的。

抗结核药物引起的肝损害在治疗上尚无统一的结论。一般认为轻至中度氨基转移酶升高，不伴有肝炎者，不需停药。出现下列情况中任何一种，应立即停药：①血清氨基转移酶水平达到或超过正常值5倍；②血清氨基转移酶水平升高，伴有肝炎表现；③血清胆红素水平升高。有人认为慢性肝病患者有中度肝损害者亦需立即停药。停药后积极保肝治疗，并密切监测肝功能。

停药后一般选择肝损害比较轻或没有肝损害的药物，如乙胺丁醇、链霉素或氧氟沙星，这些药物治疗效果不甚好，可以使结核病加重，还可能出现这些药物的其他毒性反应。因此这些药物只能短程应用，待肝功能恢复后应尽早恢复应用一线抗结核药物。肝功能恢复至正常，或至少氨基转移酶下降50%才能恢复应用抗结核药物。要一个接着一个恢复使用，开始用小剂量，并密切监测肝功能变化与临床情况，每周测肝功能1次，如有恶化，立即停止抗结核药物。如果停药后4周内肝功能没有改善，则不宜再恢复使用此类抗结核药物。

2) 局部治疗　骨关节结核的治疗以药物治疗为主，局部治疗也必不可少。包括局部制动、脓肿穿刺、局部注射抗结核药物以及手术清除病灶等。

(i) 局部制动：通过卧床休息、石膏固定或牵引等方法，可以减轻肌肉痉挛，缓解患处疼痛，预防和矫正关节畸形。

(ii) 脓肿穿刺：对全身情况不允许进行病灶清除，或者表浅的寒性脓肿或关节大量积液可采用粗针头作潜行穿刺抽液，可以减轻局部胀痛缓解中毒症状，必要时可以重复进行。穿刺点应在脓肿范围以外的最高点，于皮下潜行一段距离之后再进入脓腔，以免穿刺后针孔流脓形成窦道。如有窦道形成，可于局部放置引流管，但是不作局部抗生素灌流冲洗以免将细菌带入内部，引起深部感染。

(iii) 局部注药：适用于早期单纯滑膜结核和手、足等短骨结核。常用异烟肼0.2～0.3 g或链霉素0.5～1.0 g，每周1次腔内注射，3个月为1个疗程。

(iv) 病灶清除术：虽然对于是否应当手术干预结核病灶至今仍存在不同观点，但是现在大多数学者赞同在抗结核药物治疗有效的基础上，必要时应施行骨关节结核病灶清除术。手术可以明确诊断，减轻全身中毒症状，显著缩短疗程，防止病变发展或复发，保留部分或全部关节功能，预防或矫正关节畸形，明显提高治愈率。为了防止术后结核病灶的播散，术前必须使用足量的抗结核药物，通常至少2周，对于处于活动期的脊柱或髋关节结核等，目前有人主张用药延长至4～6周。但对于不完全截瘫进展为完全截瘫，骨结核即将穿入关节腔形成全关节结核可能者，应酌情提前手术。

一般来说，病灶清除术的适应证：①病灶内存在大量死骨；②病灶内或周围存在难以自行吸收的较大脓肿；③窦道经久不愈；④单纯滑膜结核或骨结核即将进展为全关节结核；⑤出现脊髓压迫症状。

手术干预的禁忌证：①身体其他部位的原发或继发结核病灶处于活动期；②血沉＞50 mm/h，全身中毒症状明显，用药后无改善；③界限不清的单纯性骨结核；④患者年龄过小；⑤全身状况差，不能耐受手术者；⑥有明显混合感染尚未控制者。

3）治愈标准 ①全身状况良好，体温正常，食欲可；②病灶局部无压痛、脓肿、窦道，肌肉无痉挛，活动无疼痛；③血沉反复检查正常或接近正常；④影像学检查脓肿消失，骨质疏松好转，骨小梁恢复，病灶边缘清晰；⑤治疗结束，每3个月复查一次，连续3次病变静止无变化，随访3年无复发。

38.1.2 脊柱结核

脊椎结核在全身骨关节结核中发病率最高，约占骨关节结核总数的一半，其中以儿童和青少年发生为最多。所有脊椎均可受累，以往以腰椎结核最多，近年来以胸椎为多见，腰椎次之，其次是骶椎和颈椎等。椎体结核占绝大多数，单纯附件结核少见。

（1）病变类型

脊椎结核病变常累及一个或两个相邻的椎体，偶见跳跃型病变。根据初始病灶所在的位置，脊柱结核一般可分为如下。

1）中心型 结核原发病灶位于椎体中心。小儿因椎体周边软骨成分多，其中心骨化部分小，故病变为中心型。病变发展后骨化中心可有塌陷，早期椎间隙尚在。中心型结核病变以骨坏死为主，常见死骨形成。成人中心型结核有时可长期局限于单个椎体之内，椎间盘不受累，易与肿瘤相混淆。

2）边缘型 发生在较大儿童或成人，起于椎体上缘或下缘的骨骺，病变常迅速破坏椎间软组织，使椎间隙狭窄或消失，上下椎体相连。椎体后缘的病变容易造成脊髓或神经根受压。

3）骨膜下型 位于椎前韧带下，常扩散累及上下邻近脊椎。

4）附件结核 单纯横突、椎板、椎弓根或棘突结核，少见。

颈椎结核脓肿可出现在颈椎前使咽后壁隆起，可引起吞咽或呼吸困难。胸椎结核常形成椎前和椎旁脓肿，也可出现在后纵隔区或沿肋间向胸壁发展。腰椎结核脓肿常至盆腔，形成腰肌脓肿，沿髂腰肌向下蔓延到腹股沟或股内侧，从股骨后达大粗隆，沿阔筋膜张肌和髂胫束至股外侧下部，或向后蔓延到腰三角区，形成所谓寒性脓肿。椎体病变因循环障碍及结核感染，有骨质破坏及坏死，有干酪样改变和脓肿形成，椎体因病变和承重而发生塌陷，使脊柱弯曲，腰背部可出现"驼峰"畸形。由于椎体塌陷，死骨、肉芽组织和脓肿形成，可使脊髓受压或血供受累而发生截瘫。

（2）临床表现及诊断

1）疼痛 主要在脊椎病变部位，起病时疼痛隐匿，随病变发展而加剧，主诉背（腰）部疼痛及放散痛，休息后可减轻或暂时消失，承重、行走和脊柱活动时疼痛加剧。可伴有贫血、食欲不振、午后低热、盗汗、体重减轻等全身症状。

2）脊柱活动受限 脊柱活动受限是椎旁肌肉痉挛引起，是机体的一种保护机制。儿童因熟睡后肌肉松弛，腰部稍动即引起疼痛，出现"夜啼"。颈椎结核患者常用两手托住头部，腰椎结核患者腰部僵直如板，不敢弯腰，改为屈髋、屈膝拾取地上物品，称为拾物试验阳性。

3）脊柱畸形和寒性脓肿 晚期常有背部畸形和寒性脓肿，有时是促使患者就医的原因。位置深在的寒性脓肿早期不易发现。

4）截瘫 未经适当治疗的患者，晚期有脊髓受压，出现部分或完全截瘫，为危害患者的严重并发症。

5）影像学检查 X线检查可显示不规则的骨质破坏，椎间隙变窄或消失，椎体塌陷、空洞、死骨和寒性脓肿阴影等征象。CT检查可见椎体中前部呈典型的碎裂型破坏，椎体前缘或中心骨破坏呈溶骨型，可见椎旁脓肿，脓肿内斑点、小片状钙化。MRI对脊柱结核的早期发现有重要意义。MRI可清晰显示椎旁软组织的轻微肿胀，早期的受累椎体骨破坏在T1加权像呈低信号或等信号，T2加权像呈高信号。Gd-DTPA增强扫描时可见骨破坏区周围有边缘性强化，椎旁脓肿呈环形强化。截瘫患者可显示脊髓受压的平面，影像增强后可区分椎管内脓液或结核性肉芽组织及其延伸节段，有助于确定手术减压范围。检查时应注意有无其他病灶，如肺结核、生殖泌尿系结核等。

目前脊柱结核的诊断仍以临床症状、体征和影像学证据为主。典型者诊断不难，非典型者CT及MRI有助于鉴别诊断。但对于早期或不伴脓肿的脊柱结核有时难以与肿瘤、类肿瘤、非结核性脊柱感染等形成的骨破坏区分。细菌学和病理学检查是确诊结核的重要手段。

（3）治疗

脊柱结核是全身结核的一部分，以非手术治疗为主。通过支持疗法、局部制动和药物疗法等手段，必要时手术清除病灶、融合脊椎，早日恢复患者的健康。

1）非手术疗法

(i) 全身支持：加强营养，增强机体抗病能力。

(ii) 局部制动　卧床使病变脊椎不承重，是防止病变发展、严重畸形和截瘫的必要措施。在病灶活动期必须坚持卧床，否则病变的椎体在承重情况下，将加速破坏、塌陷，形成严重畸形，甚至发生脊髓受压造成截瘫。在发育较快的儿童，尤其易于出现严重驼背畸形及截瘫。卧床期间可适当进行四肢运动和背部肌肉收缩活动。

(iii) 抗结核药物的应用。

(iv) 病变愈合后逐步增加活动，要防止脊柱过多承重，以免病情反复。

2）手术疗法　在适当情况下应采用手术疗法，以达到治愈病灶，缩短疗程和恢复机体功能的目的。根据病情选用脊柱融合、病灶清除、脓肿切除或刮除、窦道切除等手术。一般有明显椎体破坏和寒性脓肿或大块死骨，多采用病灶清除和脊椎融合术；如病灶局限，骨质破坏少，亦可只采用脊椎融合术。对小儿患者手术要慎重，一般以非手术疗法为主，但必须坚持卧床，防止承重走路，必要时采用脊椎融合术及病灶清除术。

需要手术的绝对指征：①因病骨与病变的髓核组织突出于椎管内产生神经症状；②巨大的椎旁寒性脓肿；③在抗结核药物治疗期间神经症状加重；④在抗结核药物治疗过程中脊柱后凸或不稳定加重。

手术的相对指征：①需要切取组织做病理学检查；②有神经症状不能耐受长期卧床；③疼痛剧烈，有机械性压迫者；④脊柱不稳定，自行融合无望且有疼痛者。

抗结核药物治疗可以有效地控制病情，并在某种程度上防止脊柱后凸的进展，但在一些椎体结核病例，特别是原有生理性后凸的部位如胸椎和颈胸椎交界处的脊柱结核特别是多个脊椎受累者，其后凸程度是相当严重的，这些病例就要考虑外科干预。

对脊柱结核的外科干预已由单纯的后路稳定化手术发展至前路手术，并使用了内固定器械。脊柱结核的病灶几乎全部集中在前方，因此主张前路手术，可以清除脓液、干酪样坏死组织与病骨等一切致压物质而达到脊髓充分减压并做自体骨移植，一般取自髂嵴，不宜采用异体骨或人工替代物。前路手术使脊柱后凸发生率从38.9%减少至17%。

经肋横突切除途径做病灶清除术已日渐减少，但对引流脓肿比较方便。

经后路安装金属内固定器已渐渐增多，由于技术上进步与熟练，又不进入病灶，术后感染的发生率不会升高。内固定器只是替代了石膏外固定，它可以使患者早期活动，适用于不宜久卧床褥者。后路稳定手术兼做椎板减压手术会破坏原有的后方稳定性，会加重脊柱的后凸，甚至产生内固定物崩溃，因此兼做椎板切除术不可取。

经前路安装金属内固定器的报道亦日渐增多，并取得短期随访的良好结果，但也不乏因窦道形成、畸形加重的不良反应，因此必须掌握好手术指征，特别要重视病原学检查。

脊柱结核并发神经症状者需前路减压手术，据Watts报道，即使延迟至9个月时手术仍可取得不全性恢复。Ho报道延迟至1年手术很难完全恢复，如果迟延至2年时很难有实质性恢复，因此主张及早手术。迟发性截瘫都是一些高度脊柱后凸的病例，致压原因为脊柱前方有成锐角的骨嵴与瘢痕组织的缩窄，还可能有脊髓前血管的阻塞所致脊髓变性，使手术十分艰难，效果不佳，瘫痪甚至死亡的发生率都很高。

38.1.3 肩关节结核

(1) 病理

通常起源于肱骨头，也可发生在关节盂或滑膜。可形成脓肿向肱二头肌沟、喙突或腋下扩散，穿破后形成窦道。

(2) 临床表现及诊断

起病缓慢，早期仅有局部疼痛和关节活动轻度受限。随病情进展，出现肩关节外展外旋时疼痛，伴局部肿胀和关节周围肌肉萎缩。X线片显示单纯滑膜结核仅为关节肿胀，关节周围骨质疏松。肱骨或肩胛骨结核可见骨质破坏、死骨或空洞等。全关节结核表现为关节间隙狭窄、骨质破坏、肩关节脱位或半脱位。

(3) 治疗

大多数肩关节结核经非手术治疗可以治愈。保守治疗包括应用抗结核药物，休息和支持疗法，肩关节制动，关节腔内抽液并注射抗结核药物等。保守治疗无效者可考虑手术。对单纯滑膜结核保守治疗无效者，可行肩关节滑膜切除术。对早期全关节结核可行肩关节病灶清除术。对晚期全关节结核者，多需病灶清除及关节融合术，术后用肩“人”字石膏固定肩关节于功能位3个月，如有窦道则只作病灶清除及外固定。

38.1.4 肘关节结核

(1) 病理

为上肢结核最常见的部位，多见于成人，儿童少见。单纯骨结核多见于尺骨鹰嘴，其次为肱骨内外髁。单纯滑膜结核少见。中心型松质骨结核多见，常伴死骨形成，易扩散为全关节结核。肘关节表浅，脓肿易于形成窦道并发混合感染。如无适当处理，关节常僵硬于半伸直位，严重地影响上肢功能。

(2) 临床表现及诊断

早期症状为肘部肿胀疼痛，屈伸活动受影响，继而前臂旋转功能受限，肿胀以肘关节前后方明显，关节周围肌肉萎缩。病情稳定后关节常僵硬于半伸直位，晚期可有窦道形成。X线检查可见关节肿胀、间隙狭窄、骨质破坏等。注意与类风湿关节炎、创伤性关节炎、化脓性关节炎等相鉴别。

(3) 治疗

对早期单纯骨结核应及时作病灶清除，植骨充填空腔。单纯滑膜结核大多可经非手术治疗治愈。若保守治疗3个月无效，则作滑膜切除，伤愈后及时活动以保存关节的活动度。如为早期全关节结核，宜作关节清理滑膜切除术，尽量保存关节的活动度。晚期全关节结核者，根据患者的职业和生活要求，可采用关节融合术或关节成形术。

38.1.5 髋关节结核

髋关节结核占骨关节结核的20%～30%，儿童发病多见，亦可见于成人。

(1) 病理

髋关节结核可分为单纯滑膜结核、单纯骨结核和全关节结核。初起病灶以单纯骨结核为多见，滑膜结核较少。骨型病灶多起于髋臼或股骨头，逐渐扩大，穿入关节，形成全关节结核。滑膜型病灶，也可扩散破坏关节软骨、股骨头、颈和髋臼，成为全关节结核。病灶常有干酪样坏死组织和寒性脓肿形成，并可向腹股沟区或大粗隆处穿破，引起窦道和合并感染。由于股骨头、髋臼进行性破坏和屈曲、内收痉挛，可使关节发生病理性脱位。病变静止后，有纤维组织增生，使关节形成纤维性强直或骨性强直，常呈内收和屈曲畸形。病变自愈的病程很长，且不可避免地发生广泛破坏和畸形。

(2) 临床表现及诊断

1) 疼痛　起病缓慢，症状隐匿。早期为髋部和膝部疼痛(沿闭孔神经向膝部放散)。最早出现的症状之一可能是肢体僵硬，晨起明显，活动后改善，久之跛行，引起患者及家属重视。检查时病变的髋关节有活动受限和疼痛，疼痛随病变的发展日趋严重，活动时加重。

2) 肌肉痉挛、萎缩　由于疼痛引起的肌肉痉挛，有防止肢体活动的保护作用。儿童常有夜啼，长期痉挛和废用的结果使肌肉萎缩，股四头肌萎缩尤为明显。

3) 畸形　由于肌痉挛的结果，髋关节有屈曲、内收挛缩畸形，托马征(Thomas)阳性，并可引起髋关节半脱位或全脱位，肢体相对地变短。由于疼痛、骨质破坏，导致畸形和肢体变短。

4) 压痛　髋关节前部和外侧有明显压痛。膝关节检查无异常。

5) 窦道形成　晚期常有窦道形成，大多在大粗隆或股内侧，关节合并感染。

6) 影像学检查　早期应摄双侧髋关节X线片进行对比。可见闭孔内肌和闭孔外肌肿胀，关节积液及滑膜增厚。早期可见股骨头及髋臼骨质疏松，以后因软骨破坏关节间隙变窄，骨质可有不规则破坏，有死骨或空洞，甚至股骨头、颈完全破坏，但少有新骨形成，可有病理性脱位。CT能早期发现髋臼、股骨头、股骨颈等处骨型结核病灶。MRI可见髋关节结核的炎症感染表现，受累部位的细胞成分和水量增多，在T1加权像上骨髓信号强度减低，T2加权像上信号增强。

诊断要点：要结合病史、全身和局部症状、血沉、影像学等情况进行分析。注意与化脓性关节炎、类风湿关节炎、一过性髋关节滑膜炎、股骨头坏死等相鉴别。

(3) 治疗

1) 首先要着重全身治疗，改善全身情况，增强机体的抵抗力。

2) 应用抗结核药物　在结核病灶活动期和手术前、后，应用抗结核药物。

3) 牵引　可纠正肌肉痉挛引起的关节畸形，用持续皮肤牵引，早期纠正部分或全部屈曲挛缩，用牵引法保持关节面分离，以防粘连。

4) 手术治疗　对软骨与骨结构保持完整的早期髋关节结核病例，不主张手术干预。必要时手术仅限于活检与关节腔内减压目的。在单纯型骨结核，应手术清除结核病灶，以免病灶穿入关节形成关节结核。全关节结核由于关节病变广泛，非手术疗法很难治愈，且不可避免会发生关节强硬和畸形，在全身情况改善后，应争取早期手术治疗，有严重骨损毁者可做关节融合术。融合后会带来生活与工作上不便，必须根据患者的职业、文化背景、个人愿望与家庭情况决定。股骨头已完全毁坏者，可考虑大粗隆-髂翼融合术。对髋关节结核需做融合术者允许做标准的内固定手术。

骨水泥型与非骨水泥型的全髋关节置换术同样适用于髋关节结核，最长随访期为13年，复发率为5%左右。

目前有人主张采用分期手术治疗，即对已有软骨与骨损害的髋关节病例先施行病灶清除术，接着使用规范化抗结核药物治疗。待临床表现与实验室检查证实病变稳定时再进行二期手术。二期手术方法视年龄而定:年轻的做融合术，年长的做非骨水泥型全髋置换术。

38.1.6 膝关节结核

膝关节滑膜面积大，松质骨区体积大，承重强度高，运动损伤多发，结核发病率也较高，仅次于脊椎和髋关节结核。

(1) 病理

初起时大多为滑膜型，病程较长，可持续数月或更长时间。随着滑膜结核性肉芽侵入关节软骨及软骨下松质骨，发展为全关节结核。骨型病灶多在胫骨上端或股骨下端，可分为中心型和边缘型两种。前者易出现死骨，后者常见于干骺端，死骨少见。两者均可扩散为全关节结核。受累关节滑膜肥厚充血，颜色稍灰暗，呈半透明状，有的部分显示豆渣或豆腐乳样，可有积液和粘连，肉芽组织蔓延至软骨面上，有的可因摩擦而脱落，露出骨面。如骨骺破坏，可引起肢体短缩畸形。由于膝关节周围缺少肌肉覆盖，肌肉萎缩，肿胀明显，关节呈梭形肿大。脓肿较易穿破形成窦道，病程很长，很难自愈，多需手术治疗。

(2) 临床表现及诊断

起病缓慢，通常为单关节发病。早期症状不明显，单纯滑膜结核早期为弥漫性关节肿胀，仅有关节胀痛，往往发病较长时间后才就诊，部分患者初诊时已是全关节结核。单纯骨结核症状更隐匿，病情进展后，逐渐出现患处肿胀疼痛，至全关节结核时出现肌肉萎缩，关节间隙狭窄，骨质破坏，活动受限，伴有疼痛和压痛。晚期由于疼痛而有肌肉痉挛，导致膝关节屈曲挛缩和内、外翻畸形。常有窦道形成，合并感染。由于疼痛和畸形，患者跛行明显。

诊断应根据临床表现、体温、血沉、X线检查，必要时及时做活体组织检查以确定诊断。尽力争取早期确诊，有时周围淋巴结也有结核病变，取病变处做活检对诊断膝关节结核有一定意义。应与创伤性、化脓性以及类风湿关节炎等相鉴别。

(3) 治疗

1) 支持疗法和抗结核药物治疗　改善全身健康状况。

2) 单纯滑膜结核　关节内注射链霉素1g，或者注入异烟肼0.2g，每周1次，3个月为1个疗程。如经药物治疗半年效果不理想，滑膜增生明显伴关节肿胀疼痛者，可考虑手术切除滑膜。术后继续抗结核药物治疗。

3) 单纯骨结核　应及早去除病灶，以免向关节扩散。

4) 早期全关节结核　通常抗结核药物足以控制病情，一般不主张对早期膝关节结核病例施行滑膜切除术。在没有明显的骨与软骨毁坏时，早期病例的手术仅限于活检与引流脓性液体。有骨软骨破坏的患者，施行病灶清除术，术后不做外固定，主张早期活动。对有关节畸形的患者，强调使用外固定。

5) 晚期全关节结核　后期病例关节间隙与骨结构损毁严重，同时存在软组织平衡问题，对于该类年轻的患者，仍主张做病灶清除及关节融合术。在彻底清除病灶后融合膝关节于功能位。对年龄较大的患者，在抗结核药物控制下做膝关节置换术已有报道。抗结核药物使用至少3个月，还要从临床表现与实验室检查证实结核菌已杀灭，手术后还要继续规范化的抗结核治疗。术后结核复发率大约在1/7。目前不主张对活动期膝关节结核行快速性膝关节置换手术，而采用在充分化疗后分期手术。

38.1.7 踝关节结核

踝关节结核较为少见，患者多为青壮年和10岁以下儿童。滑膜结核多见于儿童，距骨或胫骨远端结核容易扩散至滑膜形成全关节结核。踝关节周围没有肌肉覆盖，软组织较少，脓肿常破溃合并感染，形成窦道。

多数发病缓慢，常有踝关节扭伤史。全身症状一般不明显，踝关节局部早期疼痛不明显，单纯内踝或外踝骨结核可有固定压痛点，晚期滑膜结核或全关节结核则关节广泛肿胀，疼痛明显，踝部活动受限。久之小腿肌肉可有萎缩，晚期多有足下垂和内翻畸形及窦道形成。

X线在单纯滑膜结核可见邻近骨质疏松和软组织肿胀。单纯骨结核可见骨质破坏，全关节结核可见软骨下骨质模糊，晚期关节间隙狭窄，骨皮质菲薄，关节畸形。

单纯滑膜结核可在关节腔内注入异烟肼0.2g，每周1次，3个月为1个疗程。单纯骨结核应行病灶清除术，无并发感染者可采用自体松质骨植骨填充空腔。早期全关节结核应及早施行病灶清除术以尽量保留部分关节功能。晚期全关节结核者应施行病灶清除术并同时将踝关节融合于90°～95°功能位。

38.1.8 跗骨跖骨结核

距骨、跟骨结核较多，跟骨结核占全部跗骨结核的一半以上。跖骨和趾骨结核较少，舟骨、骰骨和楔状骨结核则少见。发病率可能与承载负荷大小或外伤史有关。跟骨或距骨结核向踝关节穿破可形成踝关节结核。跗骨结核易扩散形成多处结核，常因穿破而合并感染形成窦道。

跗骨和跖骨结核在相应解剖部位有局限性肿胀和压痛，晚期足背肿胀，负重和足内外翻活动可引起疼痛，影响行走。检查局部有压痛。足部常有跖屈外翻或内翻畸形，X线有时因为跗骨和跖骨之间的相互遮挡难以发现松质骨破坏，需行CT检查并与对侧比较才能发现细小的骨质破坏和软组织肿胀。应与平足、类风湿关节炎及其跟骨炎、舟状骨无菌性坏死以及跟骨肿瘤等相鉴别。

对没有明显死骨的患者可采用非手术治疗。对于非手术治疗无效，或死骨明显，脓肿即将溃破者一般通过手术清除病灶，必要时融合关节。如病灶在骨质内，无合并感染者应在清除后植骨。如有合并感染，应按慢性骨髓炎处理方法清除病灶，伤口愈合后，必要时二期融合关节。在个别跖骨或趾骨结核患者，可作病骨切除。切除病变时要考虑足骨的再排列，通过计划截骨及植骨尽量保留足部功能。

38.1.9 肌肉结核

肌肉结核分为侵蚀性和血源性两种。侵蚀性肌肉结核继发于骨关节结核，很常见，通常为邻近组织的结核蔓延而来，如腰大肌脓肿、三角肌脓肿、臀大肌脓肿等，易于诊断，治疗以原发病灶为主。血源性肌肉结核罕见，全身任何肌肉都可累及，但以股四头肌和腓肠肌为多见。半数以上的患者常合并肺结核或其他部位的结核，一般发病缓慢，局部症状主要是缓慢增大的散在的肌肉内包块，可随肌肉收缩沿肌纤维方向移动。疼痛和功能障碍轻微，触诊少有波动感。晚期肿块可以相互融合，脓肿破溃形成窦道。X线可见受累肌肉内有块状阴影，有时可见不规则钙化影。

由于血源性肌肉结核极为少见，因而诊断困难。容易与肿瘤、包囊虫病、化脓性肌炎等相混淆。明确诊断依赖肿块穿刺或切取活检。对单发病变可做手术切除以根除病灶并明确诊断；对多发病变可保守治疗。脓肿巨大者定期抽脓同时注入抗结核药物，迁延不愈的重点病灶也可手术治疗。

38.1.10 腱鞘结核

与肌肉结核一样，腱鞘结核也分为侵蚀性和血源性两种。侵蚀性腱鞘结核相对多一些，由邻近骨关节结核蔓延引起，如肩关节结核引起肱二头肌长头腱鞘结核。血源性腱鞘结核少见，多发生于腕部，其次为手指。病理过程与关节滑膜结核类似。受累滑膜充血、水肿，渗出增加。渗液中的纤维素块经肌腱的反复滑动塑形可变为大量的瓜子仁样的米粒体，肌腱组织被侵蚀破坏导致断裂甚至消失。

发病缓慢，全身症状不明显。受累腱鞘沿途肿胀，局部地区受韧带或支持带的约束形成特有的葫芦状。肌腱活动时有明显的捻发音。早期轻微疼痛，功能受限不明显，脓肿形成或窦道出现时疼痛加重伴肌腱粘连或断裂，功能受限。

根据病史和典型体征腱鞘结核的诊断并不困难。应与腱鞘囊肿、关节疝、狭窄性腱鞘炎、类风湿腱鞘炎、化脓性腱鞘炎、腱鞘肿瘤（如黄色瘤、滑膜瘤、血管瘤等）相鉴别。确诊依据细菌培养和切取活检。

早期可采用全身和局部抗结核药物治疗，局部制动。保守无效者可做病灶清除术，包括局部滑膜切除，松解粘连的肌腱，切除侵蚀破坏的肌腱，二期修复重建等。

38.1.11 滑囊结核

滑囊结核也可分为血源性和侵蚀性两种。侵蚀性滑囊结核较常见，症状和治疗均以原发病灶为主。血源性滑囊结核常见于股骨大粗隆滑囊。早期表现为局部肿胀，疼痛不明显。肿块边界较清楚，可有波动感和轻压痛。X线片除显示局部软组织肿胀外其他无异常。应与肿瘤作鉴别诊断。通过局部穿刺、细菌培养或切取活检确立诊断。确诊后可采取全身及局部抗结核药物治疗，无效者可手术切除病变的滑囊。

38.2 病毒感染所致骨关节病

病毒性感染所引起的关节炎临床并非少见，其发病机制目前尚不十分清楚，有以下几种可能因素。首先是病毒对组织细胞的直接损伤，其次病毒感染会改变宿主细胞的抗原性，从而诱发自身抗原抗体反应；也有可能由感染引起的炎症因子引起继发性的局部及全身的病理反应，或者病毒直接作用于机体免疫系统导致免疫功能紊乱。

病毒性关节炎是非特异性的关节炎，起病急骤，在病毒感染的早期发生，常常伴有特征性的皮疹。一般病程较短，关节破坏少，复发少。乙型肝炎病毒、风疹病毒、腮腺炎病毒、腺病毒，甚至人类免疫缺陷病毒等都有可能引起这类病毒性关节炎。

38.2.1 病毒性肝炎性关节炎

有很多种肝炎病毒均能引起病毒性肝炎，一般分为甲型、乙型、丙型、丁型和戊型肝炎，其中以乙型肝炎病毒引起的病毒性关节炎为多见。通常是青壮年患者，在病毒性肝炎的前驱期或发病初期，突然出现比较剧烈的关节肿胀疼痛。以掌指关节及近节指间关节肿痛最为常见，其次常见于膝关节，也可累及腕关节、踝关节、肩关节或肘关节，常为对称性，有时也可以单关节发作或呈游走性关节炎，甚至表现为腱鞘炎或滑囊炎。受累关节红肿，皮温升高，疼痛明显，伴有晨僵。常见荨麻疹或瘙痒性皮疹，好发于小腿，有时可以在足部出现血管神经性水肿。关节症状多在数周内缓解，少数患者症状持续数月。此类关节炎一般不产生关节骨质或软骨破坏，痊愈后一般不会遗留畸形。

病毒性肝炎引起关节炎可能与免疫复合物的形成有关。机体遭受肝炎病毒入侵后即产生针对病毒表面抗原的抗体，在一定条件下，抗原抗体结合形成免疫复合物，并沉积在关节滑膜中，诱发机体的免疫反应，从而表现为急性炎症，引起受累关节肿胀疼痛。随着疾病的进展，抗体逐渐增多后，免疫复合物减少并消失，关节炎和皮疹也随之消退。

患者有肝炎病史，或者与肝炎患者的密切接触史或输注血液及血制品史，关节炎起病急骤，以对称性受累为主，尤其是手部小关节受累多见，受累关节表现为红肿热痛，或腱鞘、滑囊炎症，伴有皮肤荨麻疹或皮下结节。实验室检查可发现血液及关节液中HBsAg阳性，血清ALT升高，滑液中白细胞增高，补体C3、C4等下降，尿常规可有镜下血尿和红细胞管型等，综合以上各项，病毒性肝炎性关节炎的诊断不难确立。

积极治疗病毒性肝炎，给予保肝药物以及抗病毒药物等，注意适当休息。由肝炎病毒引起的关节炎病程为自限性，主要为对症治疗，适当选用非甾体类抗炎药物可以减轻关节肿胀和疼痛。

38.2.2 流行性腮腺炎病毒性关节炎

流行性腮腺炎是由腮腺炎病毒引起的急性、全身性感染，本病好发于儿童，亦可见于成人。临床特征为发热及腮腺非化脓性肿痛，并可侵犯各种腺组织或神经系统及肝、肾、心脏、关节等器官。从患者唾液、脑脊液、血、尿、脑和其组织中均可分离出病毒，通过直接接触、飞沫、唾液污染食具和玩具等途径传播；本病一年四季都可流行，以晚冬、早春多见。通常潜伏期为12～22天。约1/3的腮腺炎患者可以没有腮腺肿大，这种亚临床型的存在，造成诊断、预防和隔离方面的困难。

腮腺炎病毒为一种单链RNA病毒。该病毒仅有一个血清型，因与副流感病毒有共同抗原，故有轻度交叉反应。腮腺炎病毒经口、鼻侵入机体后，在上呼吸道上皮细胞内繁殖，引起局部炎症和免疫反应，如淋巴细胞浸润、血管通透性增加及IgA分泌等。然后，增殖后的病毒进入血液循环，发生病毒血症，播散入不同器官，如腮腺、中枢神经系统等。在这些器官中病毒再度繁殖并再次侵入血液循环，散布至第1次未曾侵入的其他器官，引起炎症，临床呈现不同器官相继出现病变的症状。病理变化特征是腮腺的非化脓性炎症，包括间质水肿、点状出血、淋巴细胞浸润和坏死等。因脉管上皮细胞水肿、坏死，腺管中充满坏死细胞和渗出物而常致阻塞，唾液淀粉酶排出受阻而使血和尿中淀粉酶增加。其他器官如胰腺、睾丸等亦可发生类似的病理改变。

腮腺炎合并关节炎多见于30岁左右的成年男性。关节炎通常起始于腮腺炎发病后1～3周，一般在发病10天左右。最常见的表现为游走性多关节炎，主要累及膝、肩、肘、髋关节以及手指各小关节，出现关节肿胀疼痛伴晨僵。少数患者仅表现关节症状而无腮腺炎症状。

实验室检查可见外周血白细胞计数正常或稍低，后期淋巴细胞相对增多。有并发症时白细胞计数可增高伴核左移，血沉明显增高。类风湿因子一过性低滴度阳性，久之转阴。90%患者的血清淀粉酶有轻度和中度增高，有助诊断。淀粉酶增高程度往往与腮腺肿胀程度成正比。中和抗体试验，低滴度如1∶2提示特异免疫反应。中和抗体特异性强，但不作常规应用。早期及恢复期双份血清测定补体结合及血凝抑制抗体有显著增长者可确诊(效价4倍以上)。国外采用酶联免疫吸附法及间接荧光免疫检测IgM抗体，可作早期诊断。早期患者可在唾液、尿、血、脑脊液中分离到病毒。

根据以上流行病学特点及临床表现，结合实验室检查结果，可以明确诊断。本病是一种自限性疾病，抗病毒药物无效，主要为对症治疗。患者应卧床休息，适当补充水分和营养，饮食须根据患者咀嚼能力决定，不给予酸性食品。可给解热止痛药、睾丸局部冰敷并用睾丸托支持。糖皮质激素疗效不肯定。严重呕吐者应补充水分及电解质。对关节炎主要以非甾体类抗炎药物对症治疗。

38.2.3　风疹病毒性关节炎

风疹是儿童时期常见的一种较轻的出疹性传染病。春冬两季发病较多，传染性强。任何年龄都可以得风疹，5岁以内的小儿患病最多。感染风疹病毒的患者中1/3的人会出现关节肿胀疼痛。有时接种风疹疫苗后也可出现关节炎的表现。罹患风疹病毒性关节炎的成人比儿童多，女性比男性多。风疹是由风疹病毒引起的。风疹病毒属于被膜病毒，为单链RNA病毒。在电镜下观察呈球形，直径50～70 nm，中心为核糖核酸和衣壳，外有脂蛋白膜。病原体由口鼻及眼部的分泌物直接传给他人，或通过呼吸道飞沫散播传染。由于该病毒对关节组织的亲和性，可侵袭滑膜造成关节损伤，其免疫复合物也可能参与了关节炎的发病过程。潜伏期一般10天左右，前驱期很短，症状不严重，一般为咳嗽、喷嚏、流涕、咽痛等轻微的上呼吸道炎症，体温38℃左右，发热当天即可出现皮疹。见于头面部，第2天见于躯干及四肢，为淡红色斑丘疹。手掌面以及足底大多无疹，皮疹2～3天消退，无脱屑或色素沉着。耳后及枕部淋巴结肿大，可在出疹前一天出现，持续2～7天。关节炎常在发疹期间或发疹后期出现，偶尔可早于皮疹出现。主要受累关节为手指小关节、腕关节、膝关节、踝关节、足部以及肘关节。最常见的症状是关节疼痛，伴有关节周围软组织肿胀和晨僵。关节炎症状一般持续10天左右。接种减毒疫苗后出现的关节炎通常于接种后10天左右发作，受累关节与自然感染风疹病毒后出现的关节炎部位相似，膝关节受累更常见，可伴有肌肉疼痛和感觉异常。有时还可出现类似腕管综合征的手部麻木、刺痛和手臂疼痛，或者膝关节和腘窝部剧烈疼痛，使患者处于强迫屈膝位。

如果患者在2～3周内与风疹患者有接触史，既往已接受过麻疹活疫苗接种，临床上出现呼吸道轻度炎症，低热，伴有特殊的斑丘疹，以及耳后、枕部及颈后淋巴结肿大，即可初步诊断为风疹。如有条件测定血清中风疹IgM抗体为阳性，咽拭子标本或尿或脏器活检标本中分离到风疹病毒，或恢复期血清风疹IgG抗体滴度较急性期有4倍以上升高或恢复期抗体阳转，即可确诊。

本病预后良好，并发症少，恢复快。不论发病时症状轻重，大多对风疹病毒获得终身免疫。本病药物无特殊治疗，要注意隔离。在发热期间，应卧床休息，给予流质、半流质饮食，适当选用非甾体类抗炎药物对症处理关节炎症状。

38.3　寄生虫感染所致骨关节病

38.3.1　骨包虫病

包虫病是棘球绦虫的幼虫(棘球蚴)寄生于人或羊、牛等多种动物体内的一种人畜共患寄生虫病。骨包虫病是指棘球蚴寄生于骨骼中所产生的临床症状。全世界各地均有包虫病。在我国多流行于畜牧地区。患者以农牧民多见，严重危害健康甚至危及生命。近年来随着一些家庭养宠物增多，青少年、儿童与犬类等动物接触增多，居民及儿童患包虫病的人数有明显增长趋势，临床上应当引起足够重视。

我国最常见棘球绦虫叫细粒棘球绦虫。它寄生在犬、狼、狐等哺乳动物的小肠，虫卵随着狗的粪便排出。人进食被虫卵污染的食物后，卵壳被消化，卵里的六钩蚴在小肠内被释放，穿过肠壁进入血管，随血流由门静脉入肝脏，约有75%的六钩蚴停留在肝脏，其余的再通过右心入肺，又有15%左右在肺内停留。少部分的六钩蚴进入全身循环，在骨、脑以及其他部位产生病灶。由于包囊虫在骨内生长缓慢，要10～20年后才产生症状。

包虫囊肿可分为两种类型，一类为单房型囊肿，多发生于软组织内，多呈球形，有完整囊壁，内含澄清囊液和可以分化为头节的子囊、孙囊。囊肿在增大过程中随时可破裂导致变态反应及继发性感染。另一类为骨型囊肿，少数棘球蚴由血流带至松质骨或骨髓腔中生长发育，因而骨盆及脊椎骨病变较多见，长骨病变则大多由干骺端开始。由于包虫受坚硬骨质的限制，因此只能沿髓腔或骨质薄弱部位浸润破坏，在骨内发展大小不等的多房性囊肿。其外围没有纤维包膜，内面也没有典型的生发层。随着囊肿逐渐增大，骨皮质因受压而变薄或扩张，髓腔变宽，但新生骨很少，易出现病理性骨折。囊肿继续侵蚀破坏，最后可穿破皮质，侵犯周围软组织，导致溃破并继发骨髓炎。在脊柱则可压迫脊髓产生截瘫。

包虫在人体寄生的部位，以肝脏最为多见，肺脏次之。也可见于腹腔、盆腔、脾、脑、骨等部位，骨包虫病的发病率占全部包囊虫病的1%～2%，常合并有肝、肺等其他部位的包虫囊肿。包虫对人体所产生的直接危害，主要是机械性损害和毒素作用。所引起的症状因大小、部位而异。

骨包虫病临床症状可分为几个阶段。早期阶段六钩蚴随血流沉着在骨组织中缓慢生长，可以长期没有症状。随着病变进展，骨质破坏，局部骨质稀疏，患者开始出现局部的疼痛、肿胀及活动障碍，肢体麻木、跛行或肌肉萎缩。当囊肿破坏大量骨组织时，疼痛等症状更加明显，受累骨骼出现畸形、扩张，皮质菲薄，患者往往在出现病理性骨折后才来就诊。脊椎骨的囊肿可出现脊髓、神经根或马尾压迫，甚至截瘫。到晚期囊肿穿破骨皮质，形成巨大软组织包块，上述症状进一步加剧。皮肤或空腔脏器溃破者可继发细菌感染形成慢性骨髓炎，窦道经久不愈。

X线及CT检查可见溶骨性病变。初期可见局限性的虫蛀样不规则的吸收和骨质稀疏区，继而骨纹理破坏出现圆形囊状透光区，多个透光区相连形如葡萄状，在囊泡之间的骨纹理比较紊乱，有时可蔓延至整个骨干。早期骨的外形保持正常，病灶周围无骨膜反应或新骨形成，可资鉴别。当病变进展，骨质缺损区扩大，骨皮质厚薄不均，骨干可呈轻度扩张，扁平骨扩张相对明显。长骨可发生病理性骨折，并出现软组织肿块。脊柱受累时在早期显示为溶骨性破坏，常见于椎体前部而无椎间盘受累，包囊可向两侧椎旁软组织中突出，形成假性椎旁脓肿，须与脊柱结核相鉴别。晚期则可产生椎体压缩性骨折。合并继发感染时囊壁会产生钙化。

实验室检查：①包囊液皮内试验。采用无菌稀释的囊液作为抗原，注入患者皮内，检查局部过敏反应产生的红晕，阳性率可达95%以上，不但有诊断价值，还可以作为治疗效果的参考，但在牧区工作的人亦可以为阳性。②包虫补体结合试验。这是目前临床上比较常用的血清学试验，检测人体对于包虫囊肿所产生的免疫反应，阳性率约为90%。③嗜酸性粒细胞计数增高可供诊断参考。

诊断依据：患者有流行区生活史，特别是与犬类等密切接触史，具有典型的临床表现及影像学表现，CT及X线可见多囊状骨质破坏，无骨膜反应或新生骨。实验室检查可明确诊断。但由于本病少见，漏诊率高。病变初期的表现应与骨巨细胞瘤、神经纤维瘤、骨肉瘤等相鉴别。脊柱病变应与椎体血管瘤、椎体结核等相鉴别。

外科手术仍是现今治疗包虫病的主要有效方法。彻底切除病骨是治疗的原则，可将病骨段完全切除后进行同种异体骨段移植或自体骨移植。病变部位完全切除有困难时，可采用刮除术，彻底清除病灶组织后，腔内先行灭活后再植骨填充骨缺损。Fontann介绍在刮除囊壁后用20%的苯酚甘油涂擦囊腔灭活，10 min后再用90%乙醇冲洗，置引流管缝合。手术后第4天开始，每日经引流管注入20%～30%高渗氯化钠溶液，效果甚好。但要注意囊液外渗有引起过敏性休克的危险，子囊有向周围组织播散种植的可能，而且术后继发感染的可能性很大，有时只能考虑截肢或关节离断术。脊柱及骨盆的包虫病治疗更加困难，应争取尽早手术，脊髓受压合并截瘫者应在彻底清除病灶的同时施行减压术解除压迫。一些化学药物对包虫病有一定疗效，需在专科医师指导下服用。也可用于手术前、后的外科补充治疗。

38.3.2 丝虫病性关节炎

丝虫病是丝虫寄生于淋巴系统、皮下组织、腹腔、胸腔、心血管等部位所致的疾病。该病流行于世界各地，以热带及亚热带地区为多见。在我国分布很广，在山东、河南、江苏、浙江、福建、台湾、广东、广西、湖南及湖北等省区均有流行。蚊虫(淡色库蚊和致倦库蚊)为本病主要传播媒介，早期以淋巴管炎及淋巴结炎为主，晚期则以淋巴回流障碍为主，出现淋巴管扩张及象皮肿等。我国流行的为班氏丝虫和马来丝虫两种，前者主要由库蚊传播；后者由中华按蚊传播。

丝虫的微丝蚴和成虫均可引起病变，但对人体造成严重危害者是成虫所致的病变。成虫主要引起淋巴结及淋巴管的病变，死虫常引起剧烈的组织反应，导致急性淋巴管炎和淋巴结炎。淋巴管炎多发生在较大的淋巴管，以下肢、精索、附睾、腹腔内淋巴管及乳腺等处较多见。淋巴结炎多见于腹股沟、腘窝及腋窝等处，淋巴结显著肿大。长期反复感染的丝虫性淋巴管炎和淋巴结炎可引起淋巴系统的回流障碍，从而导致淋巴窦及淋巴管扩张，造成组织水肿，并可出现乳糜尿、睾丸鞘膜积液等。晚期由于病变皮肤及皮下组织明显增厚、粗糙、肥大而下垂，皮皱加深，称为象皮肿。四肢关节也可出现丝虫病性关节炎，以膝关节受累为多见，其次为踝关节，小关节多不受侵及。关节出现肿胀，一般疼痛不明显，多为单侧性的，往往呈良性经过，持续时间短。但有时也可在一般丝虫病症状出现后骤然开始肿胀、疼痛。急性期时膝关节渗液、肿痛、发热、活动受限，常伴体温升高。通常1～2周后可缓解，但可反复发作而进入慢性期。发作时疼痛减轻，关节滑膜增厚，形成慢性关节炎。X线显示关节骨骼正常，可见关节周围组织肿胀，关节间隙增宽。淋巴管造影可见淋巴管阻塞与曲张。滑膜液检查呈奶黄色，状如脓液但培养无细菌生长，脂质的含量高于血液。实验室检查白细胞正常或增多，深夜血涂片部分患者可查到微丝蚴。患者常伴有腹股沟淋巴结肿大、压痛及象皮腿、阴囊水肿等。

根据流行季节丝虫病流行区居住史、临床表现以及病原学检查、血清免疫学检查等予以诊断。患者一般有较长期流行区居住史，有不对称性肢体淋巴水肿、象皮肿、鞘膜积液、乳糜尿以及阴囊或女性乳房肿大，或有反复发作的非细菌感染性肢体(或阴囊、女性乳房)淋巴结炎、淋巴管炎(或精索炎、睾丸炎、附睾炎)，局部疼痛、触痛、肿胀、温热感，或有丹毒样皮炎，症状持续超过3天，伴有发热、头痛、不适等全身症状。夜间采血检查微丝蚴阳性，间接荧光抗体试验或酶联免疫吸附试验检测抗体阳性，在尿、淋巴液、鞘膜积液(或其他抽出液)内查见微丝蚴，在淋巴管、淋巴结内查见成虫，或在病理组织切片查见丝虫断面，即可确立丝虫病的诊断。丝虫性关节炎的诊断标准是在丝虫病的基础上，有上述持续性关节炎症，血沉正常或中度升高，嗜酸性粒细胞中度升高，血或(和)滑膜液中抗“O”滴度正常。由于丝虫性关节炎病程较短，易被误诊为风湿热等，需结合丝虫病的诊断予以鉴别。

乙胺嗪(海群生)是治疗丝虫病的有效药物。对丝虫病性关节炎采取对症治疗，口服非甾体类抗炎药物可明显缓解渗液疼痛等症状。对下肢急性淋巴结、淋巴管炎(流火)患者，口服消炎镇痛药亦可明显减轻急性症状或制止发作。合并细菌感染者需给予抗菌治疗。对慢性丝虫病的肢体淋巴水肿、象皮肿，可对患肢采用辐射热或微波透热烘疗后用弹力绷带包扎。每天1次，前者每次1 h，20次为1个疗程，休息半个月，进行下1个疗程；后者每次30 min，15次为1个疗程，休息2个月，进行下1个疗程。在烘疗和休息期间，白天均需用弹力绷带持续包扎患肢，治疗2～3个疗程。

38.4 真菌感染所致骨关节病

除了在免疫功能低下的AIDS患者等真菌感染可表现为全身性疾病，在骨髓内广泛扩散外，由血源性播散引起的真菌性关节炎少见，一般为真菌经由局部血管淋巴管或病骨直接蔓延扩展所引发，表现为局灶性的关节炎或骨髓炎，与骨关节结核在许多方面有相似之处，容易误诊，贻误治疗，给患者带来功能障碍甚至残疾，应当引起足够重视。

38.4.1 孢子丝菌病性关节病

孢子丝菌病(sporotrichosis)是由腐生性真菌申克孢子丝菌引起的一种感染。申克孢子丝菌存在于土壤、腐木或森林植被中，有时动物皮毛或家畜的疮面也可寄生此种真菌。通常由于皮肤破损后，申克孢子丝菌通过淋巴管沿皮下组织播散，形成慢性肉芽肿性真菌病。农民、园艺工人、伐木工人和其他野外工作者最常受感染。本病的临床特点是结节、脓肿和溃疡。重要的病理改变是在增生的表皮、毛囊漏斗部及真皮上部可见灶性坏死及脓肿，炎性肉芽肿可呈典型的“三带结构”，中央为慢性化脓带，中间为结核样带，外周为梅毒样带，真菌在组织内的寄生形态包括星状体、游离孢子、吞噬孢子、雪茄形孢子，多见于坏死、脓肿区域和组织细胞，特别是多核巨细胞的胞质内有菌丝生长。

患者通常有皮肤或黏膜破损史，接触了带菌的土壤、腐木或花草等，真菌通过皮肤、黏膜、上呼吸道或消化道而入侵。淋巴皮肤感染最常见。感染主要发生于暴露部位，多见于面部及上肢，以累及一只手和一条手臂为特征。皮损为无痛性的暗红色浸润性斑丘疹或缓慢扩展的皮下结节，斑块表面可呈轻度疣状增生，挤压有少许分泌物，皮下结节无压痛，最终可发生坏死形成溃疡。典型的表现是数日或数周后，淋巴引流区域开始缓慢进行性的肿大，形成可活动的皮下结节，不治疗可出现皮肤发红坏死，形成溃疡和细菌性继发感染，但一般不会伴有明显的全身感染症状或体征。少数情况下真菌可自行播散，引起皮肤及内脏的损害，成为系统性孢子丝菌病，还可累及生殖器官、肝、脾、肾以及中枢神经系统等。罕见情况下可引起慢性肺炎，表现为局限性浸润或空洞形成。骨与关节是皮肤以外感染孢子丝菌的常见部位，关节的感染可以是单个关节也可以是多个关节受累。表现为关节肿胀积液、持续性疼痛及活动受限，症状可持续相当长时间。此种关节感染过半数的病例发生于膝关节、腕关节、肘关节、踝关节以及手部的小关节。足部的关节感染则非常少见。从活动性感染部位或关节液及滑膜组织取材培养可提供确诊依据。然而临床上患者常常延误治疗，主要因为该病少见，而症状与其他常见的关节病相仿，需要与类风湿关节炎、色素沉着绒毛结节性滑膜炎以及结核等相鉴别。

以往采用碘化钾饱和溶液长程疗法，但疗效差，且常常出现碘中毒或变态反应。现在以口服伊曲康唑为首选治疗，其长期疗效有待临床进一步观察。静脉注射两性霉素 B 可成功治疗大多数全身感染，但常有复发，须反复治疗。伴有继发感染的还应使用抗菌药物。关节感染久治不愈者可行滑膜切除术。有学者报道对孢子丝菌感染破坏的膝关节可在应用伊曲康唑的同时行人工全膝置换并取得成功，随访 2.5 年关节功能良好。

38.4.2 骨放线菌病

骨放线菌病(actinomycosis of bone)是一种主要由厌氧放线菌引起的人以及牛、猪等其他动物的一种非接触性慢性传染病，是一种少见的深部真菌病。放线菌为丝状真菌，常呈放射状排列，为革兰阳性厌氧性真菌，已发现 5 种类型，最常见的致病菌为伊氏放线菌，通常存在于土壤中，在正常人牙龈、龋齿或扁桃体隐窝内也可发现。感染多为内源性，当局部组织受损伤时或组织黏膜缺氧及抵抗力低下的状况下，真菌可能乘机侵入附近的健康组织内发病。该病以特异性肉芽肿和多发性交通性慢性小脓肿，易产生多个窦道，脓液中含有硫黄颗粒样的特殊菌块为特征。病理表现为慢性肉芽肿性改变，内有多数小脓疡，以中性粒细胞和嗜酸性粒细胞浸润为主，急性炎症和慢性炎症并存。周围有肉芽组织包绕组成颗粒，其内可见革兰染色阳性的细长分支的放线菌菌体，直径一般$<1\ \mu m$。病菌在病灶脓液中呈现特殊结构，形成肉眼可见的黄色小菌块，称为“菌芝”或“硫黄颗粒”。

放线菌病最常见于成年男性。骨骼的病变多数为继发性的。首先累及骨膜，进而侵犯骨皮质，最后侵入骨髓腔。骨病灶的表现为破坏与增生并存的炎性改变，在下颌骨一般仅为明显的不规则、边缘不整齐的溶骨性破坏和骨硬化，导致下颌骨增大变厚，没有新生骨或死骨形成。在脊柱则常累及椎体附件及肋骨头，新生骨较多，椎间盘多不受累，椎体塌陷少见。病变可沿前纵韧带向上下多个椎体蔓延。但患者可能仅表现为轻度的腰背部疼痛及压痛，伴脊柱活动轻度受限。X 线可见受累椎体存在蜂窝状疏松透明区，边缘为增生硬化带。

本病在诊断上并不困难，临床上具有化脓性慢性肉芽肿块，继之破溃，流出混有“硫黄样颗粒”的脓液，并形成多数瘘管的特征，有助于诊断。下颌骨或椎体受侵犯后的临床表现与椎体及附件的 X 线改变也具有其特点。实验室检查，通过硫黄样颗粒压片直接镜检可找到呈放射状排列的菌丝体，革兰染色可见其中心菌体为紫色，周围放射状菌丝呈红色，可以确诊。如同时进行厌氧菌培养，可根据菌落和生理学特征来鉴定致病菌种。

早期诊断早期治疗非常重要。胸腹部或脊柱等深部病灶若不能早期明确诊断和治疗，预后较差。

放线菌对青霉素、链霉素、四环素、林可霉素和磺胺类等药物均敏感。青霉素是首选的主要治疗药物，剂量要大，疗程要长，需连续2个月以上。对青霉素过敏的患者，可选用林可霉素、氯霉素、链霉素、四环素等，磺胺类和碘化物可作为辅助治疗。有时存在混合感染，应根据脓液培养加药敏结果选用抗生素。手术治疗为切开引流及坏死组织切除。尽可能敞开病灶与空气接触。手术前后应给予大剂量的抗生素，全身情况差者注意支持治疗。对面颈部的放线菌病，必要时可考虑应用X线照射。预防本病主要在于重视口腔卫生，特别对龋齿和扁桃体炎要及时处理。拔牙后应用抗生素，及早医治口腔感染，对预防放线菌的发生有积极的意义。

38.5 变态反应性关节病——松毛虫性骨关节病

松毛虫性骨关节病是指人体直接接触松毛虫活体、尸体、虫毛或接触虫毛污染过的柴草、衣服及水等引起的骨关节病。在我国已发现约40种松毛虫，其中以马尾松毛虫分布最广、危害也最大。本病在我国南方省份如福建、广东、湖北、湖南、浙江林区均有流行，夏秋季节松毛虫多发时为流行高峰期，常呈局部地区爆发流行。

松毛虫的毒毛及毒腺细胞分泌的毒素是致病的主要因素。其发病机制尚不清楚，可能与中毒、变态反应和感染有关。成熟期的松毛虫的胸节有发达的中空毒毛，每根毒毛的毛窝均有毒腺细胞，分泌毒液进入毒毛管腔。即便死虫跌落地面或水中，也极易致病。松毛虫盛发季节，如在虫区砍柴、割草或在污染的水田中割稻等劳动中，接触了松毛虫活体、尸体、毒毛或污染的衣物、柴草、水等均可发病。松毛虫的毒毛及毒腺细胞分泌的毒素与皮肤接触后进入人体内，可引起过敏类免疫性炎症反应，主要侵犯皮肤及骨关节。

本病骨与关节的病理变化是无菌性炎症表现，受累的骨关节首先出现反应性水肿、充血，滑膜有少量的血性黏稠渗出液，表面粗糙，未见明显的炎性细胞浸润。病变继续发展时，则关节滑膜明显增厚，有的可达数厘米，与周围增厚的结缔组织粘连，并有炎性细胞浸润。若滑膜及软组织肥厚继续加重，可挤压局部皮肤，影响血供，造成坏死，形成窦道。也可因关节的软骨面粗糙，缺乏血供，软骨下骨破坏被肉芽组织充填。关节间隙变窄，骨膜增厚，形成纤维性关节强直或骨性强直。

患者多在接触松毛虫后数小时至数天后发病，出现发热、畏寒、头痛、头昏、乏力、食欲减退等全身症状，多于2～3天后渐消退。以全身症状轻、局部表现重为其特点。区域性淋巴结可肿大，有压痛但能活动，不破溃，常于起病后10～20天逐渐消退。皮炎型患者局部症状出现在身体暴露部位，常见为手、腕、足、踝等处。表现为局部灼热、奇痒和疼痛。皮温升高、潮红，出现斑丘疹、风团疹、水泡及脓疱、皮下结节等，以不同类型的斑丘疹为主。有的似荨麻疹，指缝间可有水泡、脓疱。局部搔抓可使病变扩大或继发感染。皮炎经治疗后，一般于2～5日内逐渐消退。肿块型者常见于四肢、腰椎椎旁、臀部、会阴。局部硬结、疼痛、边界不明显，以单发多见。肿块渐大，于10～30天达高峰，随后液化有波动。局部穿刺为黄绿色黏稠的胶状液或血性液体。穿刺液培养常无细菌生长。骨关节炎型常见于四肢的手、腕、足、踝、膝等关节，表现为受累关节局部红肿热痛和功能障碍。疼痛呈持续性刺痛，有时阵发性加剧，夜间尤重，关节活动时疼痛加重。红肿可以反复发作，以单关节受累多见，但有1/3患者为多关节同时或先后发病。若病变呈慢性，可逐渐强直，少数患者可出现难愈的窦道及瘘管，甚至并发化脓性关节炎。骨关节炎型发病率高，占30%～90%，危害大，若治疗不当，病情常迁延数月或数年，常遗留功能障碍，甚至不同程度的残疾。

根据患者接触松毛虫或其污染物史，具备比较典型的临床症状和体征，应考虑本病的诊断。实验室检查可发现有嗜酸性粒细胞增高，血沉增快，心电图示心肌损害等。急性期X线表现不明显，随后出现关节周围密度增高影，皮下脂肪透明度减低，软组织肿胀，关节囊肿大。病后1个月左右方可观察到骨关节改变，邻近的软组织出现钙化及骨化影。早期骨质疏松，继而骨质边缘模糊，呈虫蚀样破坏，常见于肌腱、韧带附着的骨突区，如股骨的粗隆、尺骨鹰嘴、桡骨茎突，一般无死骨形成。多数病例在骨破坏区有单层细条状骨膜反应，有的呈骨刺样或呈花边状。慢性期由于软骨及其下骨质的破坏导致关节间隙狭窄，关节面不平，骨质增生、硬化，趋向关节自行融合导致关节强直。

本病以预防为主，尽量避免在松毛虫多发季节进入林区或田间。在接触松毛虫及其污染物后立即肥皂水清洗，30％氨水外敷。治疗应采用拔除毒毛与药物治疗相结合的办法。急性期以抗过敏、止痛、消炎和制动为主。若有继发性感染，应加用抗生素。对全身或局部发痒者可用10％的葡萄糖酸钙静脉注射，口服抗过敏药如氯苯那敏（扑尔敏）等。局部病灶处可用0.5％～1％普鲁卡因加泼尼松龙作病灶周围封闭；或封闭加蜈蚣、白芷、蛋清外敷，每日1次，并兼用抗过敏、止痛、消炎的药物。受累关节用支具保持于功能位。一般早期及时治疗，1个月左右可完全恢复。但部分病例经长期非手术治疗后，急性症状明显好转，但仍留有疼痛、肿胀、变形，关节破坏严重，窦道迁延不愈，关节畸形强直于非功能位，丧失劳动能力，可根据病情施行病灶清除、关节滑膜切除、截骨矫形、关节融合、人工关节置换术等，痊愈后病变一般不会复发。

（王毅超）

38.6 骨与关节梅毒

38.6.1 概述

骨与关节梅毒是全身梅毒感染在骨与关节的表现。由梅毒螺旋体随血流至骨与关节发生的病变。先天性梅毒的早期均可产生骨与关节病变。后天梅毒除第1期不侵犯骨与关节外，第2和第3期均可产生骨膜、骨、髓腔以及关节的炎症。

38.6.2 病因

骨与关节梅毒是全身梅毒感染在骨与关节的表现。由梅毒螺旋体随血流至骨与关节发生的病变。

38.6.3 病理改变

梅毒螺旋体随血流至骨组织，滞留于干骺端，产生非化脓性炎性病变。如果机体抵抗力强，病原体即被消灭，炎症消退；如果机体抵抗力不足，组织即进一步被破坏、坏死，产生树胶样肿。在骨质被侵犯的同时，炎症刺激骨膜，并产生新骨。炎症也可穿破组织产生瘘管及继发感染。晚期先天性梅毒或偶发于后天的梅毒第3期，可波及关节。前者表现为无痛性关节大量积液，常为双侧对称，关节液清晰；后者长骨的树胶肿病变如发生在骨端，则该关节出现反应性积液，关节活动受限，也可穿透入关节成为树胶肿性关节炎，也有发生继发感染形成化脓性关节炎。在不同的阶段还有一些特殊的情况。

38.6.4 临床及X线表现

(1) 先天性早期梅毒

病理改变除骨膜炎及骨髓炎外，在长骨生长较快的部分，如桡骨、胫骨和股骨，可发生骨软骨炎或干骺端炎，严重损害了软骨的钙化和骨化。此后，骨化过程进一步障碍，炎性病变堆积在骺板上。在骺板与钙化软骨交接处的肉芽组织非常脆弱，容易发生骨骺分离。

临床可见新生儿肢体近关节处肿胀、压痛，患儿烦躁，不愿活动肢体，呈“假性瘫痪”。常伴有梅毒性角膜炎、皮肤病变、黏膜损害等。在出生早期即有症状，也可在6个月后发生。血清试验阳性，X线表现为干骺端变宽，在其远端有宽阔的钙化软骨区，而下方为一条由肉芽组织及纤维、骨样组织组成的透亮区。由于软骨细胞不能同步转变成骨，故骨骺线不规则，呈锯齿状，有时可见骨骺分离现象。在干骺端周围及骨干可见片状的骨膜增生。应与佝偻病、坏血病相区别。

(2) 先天性后期梅毒

病理改变与后天的梅毒第3期相似。其主要特征为胫骨、股骨及颅骨显著的成骨变化。如胫骨前侧骨膜增厚，造成所谓的“马刀胫”。严重的骨膜下感染可以侵蚀皮质，但树胶肿造成的骨髓炎较少见。

一般在4岁之后发现，临床上可见马鞍鼻、马刀胫、间质性骨膜炎、神经性耳聋、Hutchinson齿。X线表现为成骨性骨密度增加，尤以胫骨的表现最为典型。另外，患儿可以有梅毒性指炎，表现为指骨及腕骨肿大，指骨呈梭形密度增加，表面有树胶肿性破坏，但不痛。8岁以上的儿童可出现双侧膝关节无痛形积液，称为Clutton关节，常为自发性及间隙性，局部炎症不显著，即使多次发作也不损坏关节，关节液内有大量单核细胞，X线表现为阴性。

(3) 后天自得梅毒

骨的病理改变发生在梅毒的第2、3期。在感染后1～2年，可发生骨梅毒。如因输血引起感染者，6周后就可以出现骨与关节症状。主要表现为骨与关节的疼痛，有时相当剧烈，为钻骨样，常为间歇性，活动时稍好，休息及晚间反而加重，局部皮肤有肿胀及压痛，有马刀胫。第3期患者常出现皮肤溃疡及瘘管。血清学试验阳性，但在第3期梅毒少数患者可阴性。自得梅毒也可以产生关节痛及反应性关节积液，有非树胶肿关节炎及树胶肿性关节炎两类，前者好发于膝、肘、肩关节，仅为关节积液经驱梅治疗后可消失；后者为滑膜炎症、充血、细胞浸润，开始不影响关节软骨，但后期可破坏关节，晚期患者产生 Charcot 关节。本期梅毒的X线表现为广泛的成骨性密度增加，皮质增厚，呈花边样或层状排列。有时髓腔不能分辨。树胶肿性病变表现为虫蛀状的破坏，有局限性的透光区，死骨少见。本期梅毒应与类风湿关节炎、结核性病变相鉴别(早期)，应与慢性硬化性骨髓炎及骨肉瘤等相鉴别(晚期)。

38.6.5 治疗

全身性驱梅治疗。少数患者可能需作局部病灶清除。长管骨骨膜炎有剧烈疼痛者，在压痛区作一纵向切开和切去一条骨皮质直达髓腔，以减少张力，疼痛就很快消失。抗生素的应用可提高疗效。但对有些畸形及 Charcot 关节等很难治疗。

38.7 淋病性关节炎

38.7.1 概述

淋病是淋病奈瑟菌(也称淋球菌)引起的泌尿生殖系统的化脓性感染，好发于青壮年，为我国性传播疾病中发病率最高的疾病。初发者常好发于尿道，即淋病性尿道炎。病情进一步扩散时，还可损害生殖系统和全身其他器官，引起泌尿生殖器的慢性炎症。

38.7.2 病因

淋病患者由于失治、误治，淋病奈瑟菌通过血液流动，全身播散，引起较严重的全身症状，这就叫播散性淋病。一般全身症状包括发热、寒战、不适和食欲不振。播散性淋病是最严重的淋病，对人体的破坏性大，危害很大。播散性淋病常见有淋菌性关节炎、淋菌性败血症。

38.7.3 病理改变

淋菌性关节炎是淋菌性菌血症的并发症之一。所谓淋菌性菌血症，即淋病奈瑟菌进入血液，并在血液中大量繁殖。在菌血症阶段可以是多发性关节炎，表现为大小关节疼痛、红肿，甚至于关节腔出现脓液，在关节周围出现脓性皮疹，取皮疹作淋病奈瑟菌培养为阳性。皮疹数量不多(少于30个)，为红斑、紫癜、丘疹、水疱和坏死性脓疱等。在菌血症后可为局限性大关节炎，可导致骨质破坏，引起纤维化、骨关节僵直。关节腔液检查有淋病奈瑟菌存在。腱鞘炎好发于四肢远端伸、屈肌腱的鞘膜，局部红肿、触痛，活动受限。

38.7.4 临床及X线表现

淋病奈瑟菌进入血液，即淋菌性菌血症。淋病奈瑟菌在血液中大量繁殖，在菌血症阶段可以并发关节炎，表现为一个或数个化脓性关节炎。一般不对称，很少累及髋、肩和脊柱关节。大小关节疼痛、红肿，甚至于关节腔出现脓液，关节液化验有淋病奈瑟菌存在，可导致骨质破坏引起纤维化，骨关节强直。在关节周围可出现脓性皮疹，取皮疹作淋病奈瑟菌培养为阳性。在菌血症后可为局限性大关节炎，可导致骨质破坏，引起纤维化、骨关节僵直。

Reiter综合征与淋病性关节炎均可伴随泌尿生殖系统受累的症状，有急性关节炎以及皮肤黏膜受累的表现，有时发病很相似，易混淆。但 Reiter 综合征常有尿道炎、关节炎、眼炎及独特的皮肤黏膜表现——即溃疡破溃后所形成的皮肤角化。淋病性关节炎的皮损以斑丘疹为主，可伴有脓疮或水疱，无皮肤角化的表现，不伴漩涡状龟头炎。尿道分泌物和部分患者的关节液中可培养出淋病奈瑟菌。两者最主要的鉴别是：淋病性关节炎见于有不洁性行为者，对青霉素的治疗反应良好，起效较快，但 Reiter 综合征的关节炎应用青霉素治疗无效。

38.7.5 治疗

由于淋病奈瑟菌对抗生素敏感，急性感染无并发症者，只要用药及时、足量，合理应用抗生素，则见效快、治愈率高。在治疗时应注意以下几点：①首选大观霉素(淋必治)，次选青霉素类，再选其他抗生素类。②用药剂量要大，时间要足够，方法要科学。③治疗要彻底，即症状全部消失，尿液澄清，前列腺液或宫颈分泌物涂片淋菌阴性。④夫妻双方或性伴侣同查同治。对于合并有关节炎患者，在膝关节可给予行关节穿刺抽液、理疗和大剂量应用青霉素治疗2周。

38.8 布氏杆菌骨关节病

38.8.1 概述

布氏杆菌骨髓炎为全身性布氏杆菌感染在骨与关节的并发症。任何骨均可受累,以脊柱最多,关节病变常侵犯大关节,以髋关节最为常见。

38.8.2 病因

由直接接触动物传染布氏杆菌所致。常分为3种:①流产布氏杆菌,生长在牛身上,是感染人体最常见者;②乙型猪布氏杆菌,常产生化脓性骨髓炎,特别是椎体。③乙型马耳他布氏杆菌,产生严重的全身症状及神经系统紊乱,如周围神经炎、脑神经麻痹、脑膜炎等。本病在牧区多见,胃肠道及损伤的皮肤、黏膜都是传染的入口。男、女性别之比为3∶1。患者大多在30岁以上(虽然布氏杆菌病在儿童多见)。有30%～40%的患者由关节病变,往往在急性全身症状消退后才逐渐出现局部症状。

38.8.3 病理改变

首先在骨髓中发展成为局限性上皮样结节,最常受累的部位是椎体,尤其是腰椎。病变进展成感染性肉芽肿,镜下可见上皮样细胞和类似朗汉斯巨细胞,周围绕以淋巴细胞及单核细胞,少数病例有坏死及干酪样物质,脓肿的发生率较结核少见(12.5%),并有坚韧的纤维囊,偶有死骨形成。早期和广泛的新骨形成是一特征性表现,椎间盘常被破坏而发生骨性融合。

38.8.4 临床及X线表现

最早的症状是疼痛,有或无发热,肝脾淋巴结肿大,白细胞减少,贫血,消瘦,盗汗等。腰椎病变常可产生坐骨神经痛,伴肌肉痉挛及腰部活动受限,局部可有压痛及叩痛,活动时加剧。可在髂窝处扪及脓肿,偶有脊髓压迫症者。

(1) X线表现

与化脓性感染相似,常在发病后1～6个月发生,在脊柱可见椎间隙狭窄,相邻椎体上、下缘骨质破坏,但伴有明显的骨质增生是特征性的。破坏逐渐被致密的不规则的新骨代替,椎体边缘产生大骨赘,前纵韧带钙化,椎体融合。小关节有炎症性改变,先为间隙增宽,后变狭窄,最后融合。常可见椎旁脓肿。在骶髂关节,常为双侧性,骨质稀疏,关节间隙变窄,关节面模糊,不规则破坏,周围硬化,死骨少见,最后融合。

(2) 实验室检查

血清布氏杆菌凝集试验滴定值增高。

38.8.5 诊断与鉴别诊断

诊断依据:①流行地区及接触牛羊史。②间歇性高热(波状热),多汗,头痛,脾大,贫血及乏力等全身布氏杆菌感染症状。③骨与关节疼痛,活动受限及相应的X线表现。④布氏杆菌凝集试验,在1∶80以上即有临床意义,治疗后即会下降。应与化脓性骨髓炎、结核及类风湿关节炎等相鉴别。

38.8.6 治疗

全身性治疗同布氏杆菌感染。抗生素应用至少4～6周,局部应用外固定。脓肿可先抽吸,如不能彻底可考虑手术引流。有脊髓压迫者,应即时减压及病灶清除。

38.8.7 预后

本病有自愈的趋势,但治疗后可缩短疗程。

38.9 沙门菌骨关节病

38.9.1 概述

沙门杆菌感染,偶可造成骨与关节病变。任何年龄均可得病,10岁以下者占40%。常为多发性病变,全身症状较严重。

38.9.2 病因和病理改变

本病好发于镰状细胞贫血症患者,可能是贫血及"自身脾切除"降低了对沙门菌的抵抗力,也可能由于红细胞携带氧的能力降低,在肠壁上产生小的梗死,使细菌容易在该处进入血液而扩散。

38.9.3 临床及X线表现

潜伏期长短不一。病变部位的疼痛为主要症状,有时可形成脓肿,溃破后产生窦道。患者往往伴有溶血性贫血、网状红细胞增多、脾大、骨髓内红细胞增生，易发现镰状细胞。

(1) X线表现

大多为多发性，依次为肋骨、脊柱及四肢。在长骨表现为整个骨干的多发性破坏，有广泛的骨膜下新骨形成及不规则的硬化。这可能是由于镰状细胞性贫血患者的骨哈佛系统增宽所致。感染可通过皮质或髓腔继续扩散。在椎体则表现为增白，椎间隙狭窄及椎体早期融合。在关节表现为关节炎及关节脓肿。

(2) 实验室检查

如前述的血浆变化外，应当做副伤寒丙的血清凝集试验，如滴定在1∶40以上，即有诊断价值，但阴性反应并不能除外本病的可能性。

(3) 诊断

有沙门杆菌感染史，好发于小儿，病变多为多发性及有镰状细胞性贫血等，副伤寒丙的血清凝集反应阳性，更有参考价值。从脓肿中培养出沙门菌才能确诊。

38.9.4 治疗

全身治疗同沙门菌感染，有时需作脓肿引流或病灶清除。

38.10 细菌性痢疾骨关节病

38.10.1 临床及X线表现

菌痢并发关节炎较少见。主要在病程2周左右，以膝关节、肘关节和踝关节多见。表现为红肿和渗出，症状为关节红肿、疼痛，行动不便，可在数周内自行消失。关节液培养无菌生长，而志贺菌凝集抗体可为阳性，血清抗"O"正常，可视为一种变态反应所致，激素治疗可缓解。

38.10.2 治疗

目前治疗痢疾的药物逐渐增多，如复方磺胺甲噁唑片(复方新诺明)、诺氟沙星(氟哌酸)、青霉素、呋喃唑酮(痢特灵)、小檗碱(黄连素)等。能口服的尽量口服，一方面口服药物可直接到达肠道，更好地发挥药物的作用，另外，口服比肌内和静脉滴注更安全、无痛苦。其他治疗可根据病情需要而定，如有失水、高热者可输液，有中毒症状者应对症抢救。

38.11 骨雅司病

38.11.1 概述

雅司(Yaws)是由于螺旋体引起的感染性肉芽肿性病变。临床表现如梅毒，但不是性病，无遗传性，也不侵犯内脏及中枢神经系统，有时可累及骨与关节。

38.11.2 病因

雅司螺旋体通过表皮的破口侵入体内而发病，本病为热带传染病，青年及儿童易受感染。在我国除台湾及华南有个别发生外，极少见。

38.11.3 病理改变

与梅毒相似，分3期。第1期(母雅司)不侵犯骨与关节；第2期(雅司疹期)1.5～3个月后，可表现为滑膜炎，大、小关节均可受累，并不破坏关节，但可并发骨膜炎。第3期(晚期)有10%～20%并发骨关节病变。多见于胫腓骨、尺桡骨及肱骨等。除骨膜增生外，也可引起肉芽肿性或树胶肿性破坏。产生马刀胫、多发性指骨炎、甲床炎等。关节病变以肘、髋及骶髂关节多见，皮肤上可见多处结节。

38.11.4 临床及X线表现

患者有雅司的全身表现，在骨与关节受累处则表现为局部的疼痛及压痛。

(1) X线表现

与梅毒相似，有时难以区别。第2期雅司主要表现为骨膜炎。骨膜增生可以为局限性或沿长骨干相当大范围内，有骨膜下新生骨沉着，而致骨膨胀，皮质增厚，无骨破坏表现，通常在1年后逐渐消退。第3期的骨病变常在皮肤结节密集处明显。骨膜增生可以非常明显，在胫骨也有"马刀胫"表现。骨皮质可以广泛的稀疏，伴有多发性的小的圆形或卵圆形吸收区，2～3 cm直径不等，边缘清楚。有的破坏相当严重，以致发生病理性骨折。

(2) 实验室检查

华康反应阳性。

38.11.5 诊断与鉴别诊断

主要应与梅毒相鉴别。雅司发病年龄小，早期出现肉芽肿样皮肤反应,皮肤症状容易消失或缓解,不留瘢痕或仅留下纸样的瘢痕。但X线表现两者相似,最好能在分泌物中找到雅司螺旋体。

38.11.6 治疗

同梅毒的治疗。本病预后良好,第2期病变,可痊愈。但第3期骨树胶肿性破坏难消失。

38.12 莱姆病性骨关节病

38.12.1 概述

莱姆病(Lyme disease)是一种全身性、慢性炎性蜱媒螺旋体病,疾病初期常以慢性游走性红斑为特征。病变常是播散性,引起心脏、神经或关节病变。1975年,本病成批地集中发生于美国康涅狄格州Lyme镇的儿童中,因而得名。

38.12.2 病因

1948年,Lenhoff在慢性游走性红斑患者的皮肤病变组织标本中发现螺旋体。1981年美国微生物学家Burgdorfer在从达敏蜱分离的螺旋体可能为莱姆病的致病因子,并将该螺旋体命名为Burgdorfer疏螺旋体。此后,从少数莱姆病患者的血液、脑脊液和皮疹标本检出螺旋体,其特征与Burgdorfer疏螺旋体相似。从莱姆病性骨关节病患者的滑膜和滑膜液,从莱姆虹膜炎患者因失明而摘除的眼球组织,以及因全心炎死亡患者的心肌组织中均发现Burgdorfer疏螺旋体。类似的螺旋体亦从瑞士的蓖籽蜱分离出。Burgdorfer螺旋体属疏螺旋体属,菌体长11～38 μm,鞭毛7～11条,微量需氧,是过氧化酶阴性菌。从患者的血液或其他标本取得原始分离物困难。

38.12.3 病理改变

感染的蜱叮咬宿主时将Burgdorfer螺旋体注入皮肤,在局部孵育后可向表皮移行,在叮咬局部形成慢性游走性红斑。螺旋体还可经淋巴管进入局部淋巴结及经血行播散到眼、心脏、神经系统、关节、网状内皮系统等,继而再播散到皮肤引起各种病变。

除感染因子作用外,还有其他因素参与莱姆病发病。免疫系统可能发挥以下作用:①由螺旋体抗原、抗体和补体形成的免疫复合物沉积在患者的关节内,嗜中性粒细胞吞噬免疫复合物并释放多种酶,从而引起关节炎,造成对关节软骨及骨的破坏。②巨噬细胞产生IL-1,参与机体的免疫调节及发挥非特异性防御作用。脂多糖是促进IL-1释放的强力刺激物,它存在于所有革兰阴性菌的细胞壁外膜。Burgdorfer疏螺旋体为革兰阴性菌,经过培养已提取到脂多糖。将提取的脂多糖注射受试者,在注射皮肤处出现慢性游走性红斑样皮疹;给兔静脉注射提取的脂多糖,在几小时内出现发热。培养的巨噬细胞在加入Burgdorfer疏螺旋体时可分泌大量的IL-1。给兔体内分别注射IL-1,提取的脂多糖和Burgdorfer疏螺旋体,并取注射部位皮肤活检均显示急性炎症反应。在培养的莱姆病的患者的滑膜细胞加入提纯的螺旋体脂多糖或螺旋体后,可释放IL-1。实验结果提示,莱姆病患者的发热、慢性游走性红斑及关节炎都与IL-1的释放有关。

38.12.4 临床及X线表现

莱姆病通常以皮肤慢性游走性红斑为首发症状(第1期),有的患者伴发神经系统或心脏病变(第2期)以及关节炎(第3期)。慢性游走性红斑是本病的特征性皮肤表现,见于75%的患者。一般发生在蜱叮咬后3～32天。有些患者在慢性游走性红斑出现后几天,螺旋体经血行播散常再发生继发性慢性游走性红斑。早期皮肤表现常伴随严重头痛、轻度颈强、发热、寒战、肌痛、关节痛、极度不适和倦怠。少见的全身表现包括全身淋巴结肿大、脾大、肝大、咽痛、刺激性咳嗽、蛋白尿、睾丸肿大、结膜炎、虹膜炎或全眼炎。未经治疗的患者早期症状亦可在几周内好转或消失。大约15%的患者在皮疹同时或消退后1～6周出现神经系统症状(亦可发作在无皮疹史者)。以上表现可单独或联合出现。最近有报道Burgdorfer疏螺旋体可引起中枢神经系统慢性感染,表现为器质性精神综合征或多发性硬化样综合征。发病后数周内大约8%的患者发生心脏受累。在疾病早期出现的肌肉骨骼症状典型表现为关节、肌腱、滑囊或肌肉的游走性疼痛,一般无关节肿胀,持续几小时或几天消失。大约60%的患者在发病几周至2年出现关节病变,典型表现为大关节,尤其膝关节间断发作的单关节炎,其他有肩、肘、腕、髋、踝及四肢小关节炎。以单关节或少数关节受累居多,少数病例发展为对称性多关节炎,症状持续几周、几个月,甚至数年。10%的患者因关节炎反复发作可转为慢性关节炎,引起软骨和骨的糜烂。少数病例可发生骨髓炎、脂膜炎或肌炎。莱姆病的眼部病变不常见。

38.12.5 诊断与鉴别诊断

临床诊断主要依靠典型的慢性游走性红斑和流行病学史。找到 Burgdorfer 疏螺旋体是特异性诊断。但是,从患者液体或其他标本检出螺旋体的阳性率极低,此项检查不能作为临床诊断的常规试验。测定血清抗 Burgdorfer 疏螺旋体抗体已成为临床诊断莱姆病的必备试验。美国疾病控制中心提出诊断莱姆病的标准如下:在流行区,慢性游走性红斑(单个红斑的直径必须至少为 5 cm,并应由医师检查后确定)或抗 Burgdorfer 疏螺旋体抗体滴度≥1∶256,以及 1 个或 1 个以上器官系统受累;在非流行区,慢性游走性红斑及抗 Burgdorfer 疏螺旋体抗体滴度≥1∶256,或慢性游走性红斑及 1 个或 1 个以上器官系统受累,或抗体滴度≥1∶256 及 1 个或 1 个以上器官系统受累。符合以上条件的任何 1 条者可诊断为莱姆病。

根据莱姆病发病的季节性和地区发生,早期出现慢性游走性红斑,关节炎持续时间一般少于 6 周,血清类风湿因子阴性,特异性抗 Burgdorfer 疏螺旋体抗体阳性,以及对抗生素治疗有效等特点,可以将莱姆病和幼年型类风湿关节炎加以鉴别。

成人莱姆病关节炎主要累及大关节,呈对称性分布,无晨僵,骨侵蚀少见,类风湿因子阴性及 HLA-DR4 频率增高。这些特点和类风湿关节炎的四肢大小关节受累,呈对称性分布,有晨僵、骨糜烂、类风湿因子阳性等特点,可以进行鉴别。

莱姆病和梅毒均有皮肤、心脏、神经和关节病变,以及由于疏螺旋体属和梅毒密螺旋体属之间有共同抗原性,梅毒患者亦可出现抗莱姆病螺旋体的交叉反应性抗体。然而,梅毒血清试验阴性结果有助于莱姆病和梅毒的鉴别。

38.12.6 治疗

选用适当的抗生素,及时治疗早期莱姆病可迅速控制症状和防止晚期病变。早期慢性游走性红斑在成人首选药物是四环素。疾病后期通常需要经胃肠外的抗生素治疗。对莱姆病关节以多西环素(强力霉素)或以阿莫西林(羟氨苄青霉素),并用丙磺舒或以青霉素静脉点滴,疗程 4～21 天。50%关节炎患者经过治疗可获治愈。关节腔内注射类固醇制剂不仅对关节炎无益,还可导致抗生素治疗的失败。严重的关节炎对抗生素治疗无反应者,滑膜切除可能成功。对无症状的血清抗体阳性者不需要治疗。

(施德源)

38.13 骨与关节化脓性炎症

38.13.1 化脓性骨髓炎

(1) 概述

化脓性骨髓炎是由化脓性细菌引起的伴有骨破坏的炎症,范围累及骨髓、骨松质、骨皮质、骨膜及周围软组织。发病多见于青春期以前的幼儿、少年和老年人。

最常见致病菌是金黄色葡萄球菌,但在不同的环境下,不同的群体中易感染的致病菌可有很大差异(表 38-1)。

表 38-1 不同群体易感染的致病菌

临床诊断	病 原 菌
外伤后感染	金葡菌、革兰阴性杆菌、厌氧菌
人工关节或其他骨植入物感染	凝固酶阴性葡萄球菌、金葡菌、链球菌、革兰阴性杆菌
院内感染	肠杆菌、铜绿假单胞菌
脊柱旁占位感染	金葡菌、革兰阴性杆菌
糖尿病患者感染	链球菌、厌氧菌
镰刀状病者感染	沙门菌、肺炎双球菌
免疫力低下者感染	白念珠菌

1) 致病菌特质　根据近年来各国学者的研究发现骨髓炎致病菌具有以下一些特质。

(i) 共存能力:在一些外伤后或术后骨髓炎的培养中显示出多种病原菌共存于同一病灶,呈双峰形繁殖高峰。早期病灶组织切片和培养可找到多种致病菌,它们对抗生素有不同的敏感性。经过几周治疗后再培养则出现第 2 个峰值,常为一种毒力较强的病原菌。另外有的学者发现一些毒力较低的链球菌产生的毒素在其他致病微生物共存的情况下可导致骨组织严重的炎症反应。

(ii) 黏附能力:许多病原菌能生成一些特定的蛋白,以助其黏附于细胞外基质蛋白或生物材料上。这种能力对于细菌在宿主组织和内植入生物材料上的早期繁衍起到决定性的作用。金黄色葡萄球菌表面拥有许多不同的黏合蛋白，每一种相对应黏附宿主特定的一种蛋白物质，如纤维蛋白原、胶原蛋白、弹性蛋白、冯威勒布兰德因子等。这对金葡菌的血源性传播起到极其重要的作用。

(iii) 攻击能力：金黄色葡萄球菌可以分泌外毒素，直接攻击宿主细胞以利细菌侵袭和渗透，同时可以释放多种水解酶，降解宿主细胞外基质。

(iv) 保护能力：在电子显微镜扫描下可清晰看见骨感染灶表面整个覆盖着一层由侵袭细菌生长的生物薄膜，这层由多糖体组成的黏液状阴离子薄膜保护着细菌不受抗生素渗透及骨表面离子的影响。这就可以解释人工关节置换术后尽管应用了抗生素预防仍易发生骨髓炎的现象。

(v) 生存能力：细菌具有一种自我调控能力，当外界环境对其生存产生某种威胁时，可自行调节进入一种静息保护状态，类似于动物的冬眠。而在宿主全身和局部抗感染能力下降时，病原菌就重新焕发活力导致骨髓炎死灰复燃。能抑制细胞复制和细胞壁形成的抗生素对于静息保护状态的细菌无能为力，这造成了慢性骨髓炎难以根治和反复发作的特点。

(vi) 应变能力：金黄色葡萄球菌可以在菌血症时促使宿主的上皮细胞和内皮细胞通过细胞的摄粒作用将其摄入到细胞内，并经过 DNA 的刻录同化产生细菌的变异株，造成宿主免疫系统识别错误。同时将变异后的优良基因保留和传播给下一代，以利于菌落的繁殖。

2) 骨髓炎的分类　最早于 1970 年由瑞士的 Waldvogel 提出的，随后被广泛地应用于临床。

(i) 根据骨髓炎发病机制分类：①相邻组织的感染累及骨组织，经常是外伤、骨科手术、关节置换术后感染等。任何年龄段任何部位均可发病。②局部供血不足导致的骨髓炎，多发于糖尿病患者，常见于足部。由于糖尿病可引起小血管的病变，造成骨与周围软组织的缺血，同时糖尿病也可引起周围神经的病变，造成局部失神经支配和自主神经功能紊乱，加重骨与周围软组织的营养障碍。另外，糖尿病导致细胞表面和细胞外蛋白异常糖化，使细胞膜上的蛋白质改变，故而降低了免疫系统的功能。如白细胞的趋化性、吞噬性和对病原体的氧化功能均大大减弱，T 淋巴细胞的体液免疫功能也被抑制。这些都加剧了局部病原菌的繁衍，最终导致足坏疽。③血源性骨髓炎，病原菌经血液传播，滞留于轻微撞伤的骨组织中随后蔓延扩展。

(ii) 根据骨髓炎病程的长短分类：Waldvogel 又根据骨髓炎病程的长短将疾病分为急性和慢性两种。急性骨髓炎病程持续数天到数周。但病程达到 10 天以上就可以出现骨坏死并向慢性骨髓炎方向发展。慢性骨髓炎病程持续数月甚至数年。表现为病原菌在病灶内长期存在，同一区域的炎症反复发作伴发热，并有死骨和窦道形成。1990 年 Cierny 提出症状持续 3 个月以上为慢性骨髓炎。1997 年 Hear 和 Waldvogel 提出骨髓炎症状持续 10 天以上就称为慢性。

(iii) 根据骨髓炎的解剖部位分类：1990 年 Cierny 和 Mader 提出新的骨髓炎分类法。根据病变的解剖部位分为 4 种类型。根据宿主的生理情况分为 3 种类型，互相又组合成 12 种类型。这种方法分类详细，有利于骨科医师的临床治疗，尤其对长骨的慢性骨髓炎更有指导意义，是目前应用比较广泛的一种分类法。

病灶类型（图 38-1）。①髓腔内（medullary）：病灶仅局限于骨髓腔内骨表面，如髓内针感染或急性血源性骨髓炎早期。②浅表层（superficial）：病灶局限于骨膜和骨皮质表面，如骨相邻的软组织感染或开放性损伤后骨外露感染。③单侧骨组织受累（localized）：若死骨形成，行手术切除也不影响骨结构的稳定。④整段骨组织受累（diffuse）：手术清创后可出现骨缺损，骨结构不稳定。

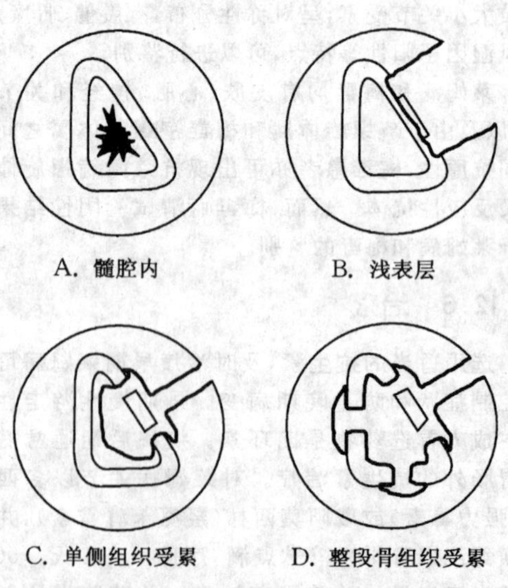

图 38-1　骨髓炎病灶类型示意图

宿主类型。①正常宿主:对感染可产生正常生理反应。②生理缺陷者:系统性缺陷,如营养不良,肝肾衰竭,2 型糖尿病,慢性缺氧,免疫系统疾病,恶性肿瘤,年幼或年迈,免疫功能缺陷。局部缺陷,如淋巴水肿,动脉炎,静脉闭塞或瓣膜功能不全,局部辐射组织纤维化,大片的瘢痕,神经性疾病。系统性和局部缺陷并存。③生理条件极差者:需采取的治疗措施对患者造成的不利影响比疾病本身造成的危害更大。

从细菌入侵人体到形成化脓性骨髓炎的病理演变是有一个过程的(图 38-2)。

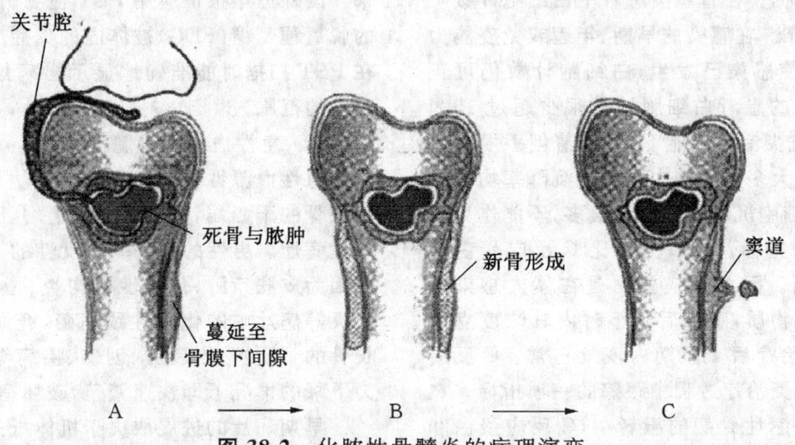

图 38-2 化脓性骨髓炎的病理演变

一般血源性骨髓炎好发于长骨的干骺端,因为干骺端含有丰富的血窦,当血液流经时流速缓慢。病原菌容易滞留,并且干骺端邻近关节部位易损伤,造成局部抵抗力的下降,更有利于病原菌的繁殖。

细菌抗原的存在和局部组织的损伤,促发了机体一连串自身的细胞免疫和体液免疫反应,多形细胞向病灶趋化迁移,多种致炎因子,如白细胞介素(IL-1B, IL-6, IL-8)、LTB4、肿瘤坏死因子(TNF-α)等被释放,进一步促使免疫球蛋白和吞噬细胞活性增强,以抵抗入侵的病原体。但炎症反应的同时也导致了局部组织的水肿和骨小梁骨基质的损坏,病灶局部压力增高,血管受到挤压引起痉挛或血栓形成,甚至血管闭塞造成局部骨组织的缺血坏死,梗死灶周边反应性充血,破骨细胞活动增强,引起该区域骨量丢失、骨质疏松。坏死的骨组织及周围在炎症反应中自主性死亡的吞噬细胞、被降解的坏死组织等都是病原菌很好的培养基,而它们共同形成的死腔又使得抗生素无法有效抵达,自体免疫的机制无法有效抗击缺血区域中的病原体,这些都为病原体的繁殖创造了有利的条件。

干骺端局部的脓肿可在髓腔内上下扩散导致骨髓组织及骨内膜血管的梗死,进而阻断来自骨内膜供应骨皮质的血供。干骺端脓肿形成,局部压力增高更容易通过干骺端多孔的皮质,经哈弗管或其他腔隙系统向阻力最小的骨膜下扩展,形成骨膜下脓肿。骨膜下脓肿穿破可引起软组织脓肿。脓肿还可进一步穿破皮肤则形成窦道。骨膜下脓肿达到一定压力也有可能经骨皮质上的腔隙向骨髓腔内扩散。如此往复使得局部骨皮质来自外膜和骨内膜的血供均被阻断,变成死骨。另外,长期脓液刺激掀起的骨膜又促使骨膜下新骨生成,逐步形成包壳。某些部位的干骺端包壳在关节囊内,脓肿可直接穿破骨膜进入关节腔。成人骺板封闭,而婴幼儿骺板尚未发育形成,病灶也可直接蔓延到关节腔引起化脓性关节炎。

化脓性骨髓炎的诊断至关重要,只有早期明确诊断,才能及时控制感染,防止迁延成为慢性。

致病病原体的检测是最主要和最直接的诊断依据。血培养在血源性骨髓炎菌血症时期及严重感染导致的败血症时期能获得阳性结果。脓肿穿刺、脓液培养和药物敏感试验,可明确病原菌并指导治疗。但必须注意实施分层穿刺,穿刺时由皮下、骨膜下到骨髓腔,从浅入深,逐层抽吸。防止由于鲁莽操作将浅表感染扩散到骨髓腔内。病灶的活组织检查应根据病灶部位和患者的条件,在局部麻醉或全身麻醉下进行。为了准确检测,需要从病灶深层 5 个不同部位取样、活检,分别在有氧和无氧条件下培养。如果常规培养阴性还需进行分枝杆菌培养和真菌培养。活检术中快速冷冻组织切片,见大量白细胞浸润，高倍镜视野下见超过5个中性粒细胞都是判断感染的有力证据。从开放性伤口或窦道直接取标本培养结果相当不可靠，因为开放性伤口容易污染，检测到的微生物可能不是真正的病原体。

实验室的检测为化脓性骨髓炎的诊断和治疗跟踪提供重要的依据。在骨髓炎患者中白细胞计数可增高，但不很可靠。在感染的早期、年迈或免疫能力低下的患者，即使感染已发生，白细胞计数仍可正常。慢性骨髓炎的患者白细胞计数很少超过15×10^9/L，有效的抗炎治疗后能下降，但清创手术后会出现急剧升高。大多数病例中血细胞沉降率均明显升高，但影响血细胞沉降率的因素很多，不能作为骨髓炎治疗跟踪的指标。与以上相比C反应蛋白浓度的检测较准确。因C反应蛋白是在体内感染条件下肝脏生成的物质，感染后几小时内其浓度立即增加，获得足够治疗后1星期内恢复正常。C反应蛋白可作为骨髓炎治疗过程中跟踪的一项指标。在一些转移性或代谢性骨病的患者中，C反应蛋白和血细胞沉降率也会高于正常，但这些疾病可同时伴有血钙、磷和碱性磷酸酶的升高，而骨髓炎一般不会引起以上指标的异常。传统的X线在诊断和跟踪中都是必要的。X线片中可见到软组织的肿胀、骨破坏和骨膜反应，以及关节间隙变宽或变窄。但只有当骨损失达到30%～50%时，X线才能显示，所以一般骨髓炎发病10～21天后X线才能见到骨溶解病灶。B超检查对于显示骨髓炎引起的骨膜下脓肿、软组织脓肿非常敏感，并能帮助脓肿穿刺的定位。CT和MRI均具有高清晰度，可显示骨质破坏、骨膜反应、关节损坏及软组织累及，比X线反应更早。CT对于骨皮质和周围软组织的界定清晰，易于鉴别死骨。CT三维成像可显示死骨、死腔的大小，脓肿的部位和范围，有助于确定手术的方式和范围。MRI对于软组织的检测比CT更清晰，同时可显示早期骨组织水肿，有利于骨髓炎的早期诊断，尤其是较难诊断的脊椎骨髓炎和糖尿病患者的足部骨髓炎。但MRI不能用于治疗的跟踪，因为骨髓水肿即使在感染控制后仍能持续几个月。放射性核素骨扫描，比较常用的是^{99m}Tc标记锝亚甲基双磷酸盐(^{99m}Tc-MDP)，它可以在新陈代谢增强的骨组织内浓聚，感染后48 h即有表现，有助于早期骨髓炎的诊断，但难以与肿瘤和软组织感染引起的浓聚相鉴别。枸橼酸^{67}镓(^{67}Ga)能与转移蛋白连接经血液到达感染部位。如果局部有多形白细胞，巨型吞噬细胞聚集则显示浓聚现象。^{111}碘(^{111}I)或^{99m}锝(^{99m}Tc)标记的白细胞能高清晰地显示感染部位。尤其碘半衰期长，跟踪扫描长达48 h，可检测出轻度的感染灶。但是神经源性关节病、痛风、外伤、肿瘤及外科手术均可能导致放射性核素显像假阳性的结果。国外近年报道应用PET检测病灶，因为氟标记的脱氧葡萄糖(FDG)被体内的炎症反应细胞吞噬后在PET扫描时能准确地显示出病灶的部位和炎症反应的范围。

(2) 急性血源性骨髓炎

急性血源性骨髓炎好发于婴幼儿、青少年，多见于长骨的干骺端，尤其是胫骨上端、股骨下端。常为单发病灶。男性的发病率是女性的2倍。发病主要是因为皮肤疖肿、化脓性甲沟炎、指头炎、咽喉扁桃体炎等病灶内的化脓性致病菌，经血液循环滞留于长骨的干骺端，当疲劳、创伤、疾病等引起全身抵抗力下降的情况下即快速繁殖，破坏宿主组织。

早期病灶的进展取决于机体抵抗力和细菌毒力的较量。当机体抵抗力强，细菌毒力弱时，局部感染被控制，迅速痊愈；当机体抵抗力和细菌毒力均弱时，感染开始就进入慢性骨髓炎的病程；当机体抵抗力弱而细菌毒力强时，感染蔓延扩散。

儿童与成人骨髓炎的病理演变是有差异的。儿童因为有骺板屏障，干骺端的感染不易引起化脓性关节炎，但是儿童骨膜厚，皮质薄，骨膜与骨皮质之间接触疏松，干骺端的脓液易穿破骨皮质引起骨膜下积脓，大片骨膜掀起易造成大块骨坏死。成人无骺板屏障，干骺端感染可直接蔓延引起化脓性关节炎。成人的骨膜薄，骨膜下脓肿易穿破骨膜形成软组织脓肿和窦道，得以引流，同时骨膜与皮质连接较紧密，血供易保留，所以骨坏死的程度较轻。

急性骨髓炎要求在起病5天内明确诊断，采取有效的治疗措施防止病程迁延为慢性。

诊断主要依据临床表现、病原菌的检测和实验室检测3方面来判断。

临床表现包括病史中的年龄、发病部位、时间，是否存在身体其他部位的感染原发灶，包括寒战高热、惊厥、烦躁和呕吐等全身毒血症状，也包括病灶局部的一些症状和体征。随着病灶由深部的髓腔内向浅表的骨膜下和软组织扩展直到穿破皮肤形成窦道，疼痛逐步减轻，深部时剧痛到窦道形成时疼痛缓解，体温下降。而局部的红肿热痛、皮温增高则随着病灶发展，越表浅越明显。

病原菌的检测，通过病灶局部穿刺，脓液细菌培养来取得。但穿刺必须注意由浅入深分层进行，抽取的脓液需同时送需氧菌和厌氧菌培养并做药敏试验。

实验室检测，包括白细胞计数和分类、血细胞沉降率、C反应蛋白、X线、CT、MRI、放射性核素扫描、PET等。

急性骨髓炎的治疗，主要从全身和局部两方面着手。

全身治疗包括支持疗法和合理的抗生素应用。通过调整患者体内的水、电解质平衡，酸碱平衡，纠正贫血、低蛋白血症等提高自身抗感染的能力。同时，通过即时选择足量的敏感抗生素，有效地达到控制炎症的目的。

表38-2为2004年*Lancet*发表的急性骨髓炎常见致病菌适宜选择的有效抗生素。

表 38-2 急性骨髓炎常见致病菌及其抗生素的选择

致病菌	首选抗生素	备选抗生素
对青霉素敏感的金黄色葡萄球菌	青霉素V(苯甲氧青霉素) 1 200万～2 000万 u/d	头孢唑啉 1 g/q 6 h 克林霉素 600 mg/q 6 h 万古霉素 1 g/q 12 h
抗青霉素金黄色葡萄球菌	头孢唑啉 2 g/q 8 h	第2代头孢类药物(如头孢呋辛) 克林霉素 600 mg/q 6 h 万古霉素 1 g/q 12 h 环丙沙星 250 mg/q 12 h 左氧氟沙星＋利福平
链球菌	青霉素V(苯甲氧青霉素)1 200万～2 000万 u/d	克林霉素 600 mg/q 6 h 红霉素 500 mg/q 6 h 万古霉素 1 g/q 12 h
革兰阴性杆菌	环丙沙星 400～750 mg/q 12 h	第3代头孢类药物(如头孢曲松)2 g/d
铜绿假单胞菌 沙门菌	哌拉西林 2～4 g/q 4 h 加用氨基糖苷类	头孢吡肟 2 g/q 12 h 或头孢曲松 2 g/qd＋喹诺酮或氨基糖苷类(视敏感性而定，一日1次给药)
厌氧菌	克林霉素 600 mg/q 6 h	氨苄西林-舒巴坦 2 g/q 8 h 甲硝唑 500 mg/q 8 h(革兰阴性厌氧菌)
厌氧菌、需氧菌混合感染	氨苄西林-舒巴坦 2～3 g/q 6 h	亚胺培南 500 mg/q 6 h

一般单纯急性骨髓炎可按照以上选择用药。人工关节感染引起的骨髓炎要再加用利福平。肝肾功能不全者需适当减量。

用药时间持续到感染控制体温正常后2～3周，尽可能静脉给药。小儿急性血源性骨髓炎短期静脉给药，再改口服数周。

克林霉素对骨组织有很强的渗透力，往往作为长时期用药，可单独应用，也可协同应用。环丙沙星是近几年逐步流行的口服药，对肠道杆菌非常敏感。头孢曲松血浆浓度中的10%～20%可抵达骨组织内，所以静脉给药血浓度高，作用强。另外，头孢曲松的半衰期长，每日只需给药1次，可用于门诊治疗。

局部治疗主要是局部制动和引流。在病程早期，给予积极的全身治疗的同时，为使局部得到有效的保护和休息，防止关节挛缩畸形和病理性骨折，可用石膏、夹板、牵引加以制动。

局部引流通过手术进行。一般有效足量的抗生素持续治疗2～3天，局部症状未减轻甚至有加重者，可考虑手术引流。如果局部病灶范围较小，渗液量少的，只需在病灶表面骨皮质上钻孔减低髓腔内压力。如果病灶范围大、渗液多、髓腔内压力很高的就要在病灶表面皮质上开窗掀起一块方形或长方形的骨块，大小以不影响骨稳定性为宜。吸出髓腔内坏死组织和炎性渗液，并分别用过氧化氢、生理盐水、抗生素溶液冲洗，切忌在上下段髓腔内搔刮，避免人为造成感染的扩散。根据病灶感染严重程度，可以采取病灶部位放置引流管，闭合切口后用持续负压引流，或者病灶部位置多根引流管，一根持续冲洗，其余的持续负压引流，甚至切口敞开引流。待局部感染控制后再行二期关闭伤口(图 38-3、38-4)。

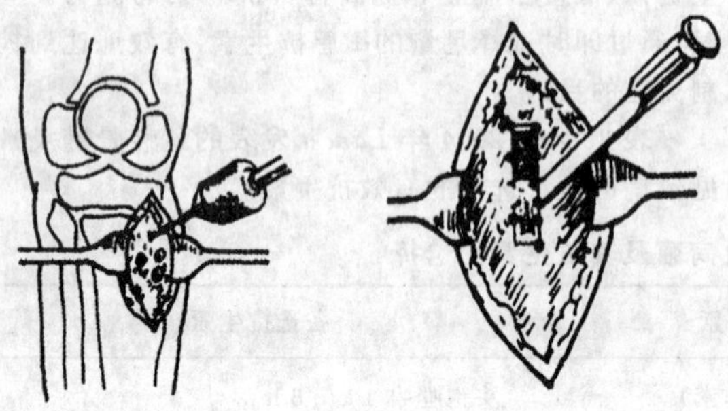

图 38-3 急性血源性骨髓炎切开引流术示意图

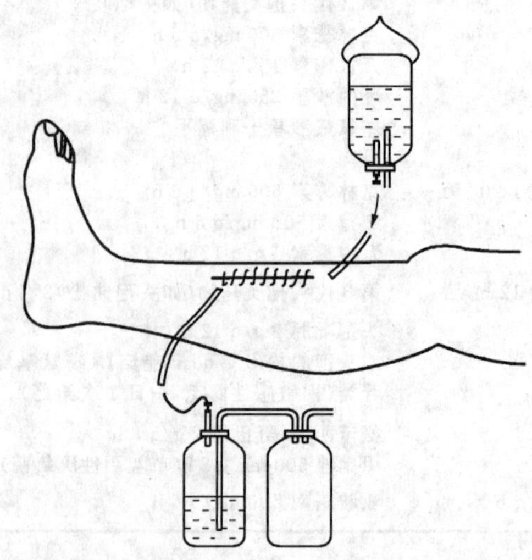

图 38-4 骨髓炎病灶清除闭式冲洗引流疗法

(3) 慢性骨髓炎

慢性骨髓炎多见于成年人，大多数是急性骨髓炎迁延演变而来，少数为低毒性细菌感染，起病就表现为慢性，也有的婴幼儿时期经菌血症潜伏在干骺端的病原菌，在成年后全身抵抗力减弱的情况下发作致病。

慢性骨髓炎的病理特点为同一病灶内骨坏死与新骨形成同时存在。病灶局部可见大量的多形细胞、淋巴细胞、组织细胞浸润。

病灶内较小的死骨，可以通过窦道排除体外或者被宿主的破骨细胞和肉芽组织内的间充质细胞分泌的蛋白水解酶分解后吸收。较大的可能长期存留于体内作为细菌繁衍的基地，引起反复发作的炎症，也可能在感染有效控制后被骨组织爬行替代而复活。

感染局部骨皮质被破坏后，脓液刺激骨外膜，生成新生骨，进一步形成包壳，包壳常为不规则形，表面多孔。死腔内的脓液经包壳的孔又可蔓延到软组织，在周围脓液的刺激下，包壳逐渐增厚成为不规则的新骨体。骨内膜生成的新生骨向内逐渐封闭骨髓腔。

慢性骨髓炎由于骨质严重溶解破坏和增生可导致骨骼发育障碍、骨关节变形、病理性骨折，以及窦道周围皮肤癌变。

慢性骨髓炎的诊断主要依据是同一部位反复发作的红肿热痛，数月或数年一次，发作间歇期无症状；有经久不愈的窦道和排脓或排死骨史，周围皮肤色素沉着，局部骨骼畸形增粗；窦道造影可显示死腔；普通 X 线摄片可见骨破坏增生、畸形，髓腔闭塞等；CT、MRI 能清晰显示死骨、死腔及病灶的界限范围与周围血管神经的关系等。

慢性骨髓炎的特点是复发性，一般的抗感染治疗容易失败。所以治疗时除了选择抗生素要敏感、足量外，还要适当延长治疗期，通常清创手术后要继续抗生素治疗 4～6 周。如果条件许可，可同时行高压氧舱治疗。高压氧不但能提高病灶局部的抗感染能力和组织愈合能力，还能抑制金黄色葡萄球菌的繁衍。

慢性骨髓炎治疗的关键环节是病灶局部的彻底清创和消灭死腔。

清创必须做到彻底地切除死骨、感染骨组织与周围的炎性肉芽坏死组织，以及血供极差的瘢痕组织，直至骨与软组织创面渗血，肌肉组织有弹性。感染严重的可采用多次清创，直至创面组织的细菌培养阴性。清创中闭塞的骨髓腔必须打通，但不强求切除窦道，只要病灶清除彻底，窦道自行闭合。包壳如果已承担起肢体的支撑和稳固作用也不必将其全部切除。手术过程中尽量用刀锐性切割，避免剥离骨膜，避免电刀烧灼以减少组织血供的损伤；尽量不用可吸收缝线，减少致病微生物的滋生环境；用高速磨钻、电钻、电锯修整骨面时必须注水降温，减少骨组织被高温损伤。打通闭塞髓腔于骨表面开槽时宽不超过 1 cm，长不超过 9 cm，以保持骨的稳定性。

彻底清创后局部必然留下空腔，根据空腔范围大小和周围组织的条件可设计相应的手术方法将其消灭。

蝶形手术(图 38-5)适用于髓腔内范围不很大，较表浅，周围有丰厚的肌肉组织的病灶。可直接切除一侧的骨皮质使邻近的肌肉组织与空腔底部粘连消灭空腔。但是切除的皮质不能超过骨周径的30%，否则将影响骨的强度和稳定。

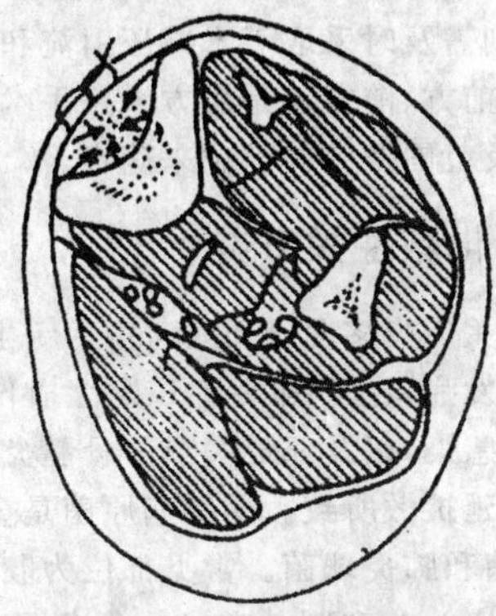

图 38-5　蝶形手术示意图

骨水泥串珠(图 38-6)是指由带有高浓度抗生素的多孔骨水泥做成珍珠项链状，每串 20 颗。因为骨水泥在凝固过程中会发热，影响抗生素的效价，所以掺和的抗生素必须耐热，目前只有庆大霉素和头孢呋辛钠(西力欣)符合条件。串珠颗缓慢释放抗生素，在局部持续一个高浓度的抗生素环境抑制病原菌生长，但 2 周后浓度迅速下降。如果空腔不大，一串就能填塞的，可以在闭合切口时将一颗串珠留于皮肤外，待 2 周后每日拔出 2～3 颗直至完全拔出，这样原先空腔就由逐步生成的新鲜肉芽组织填充。如果空腔较大需要两串以上填塞的，则填塞后立即闭合切口，待 2 周后切开取出串珠，同时局部植骨消灭空腔。

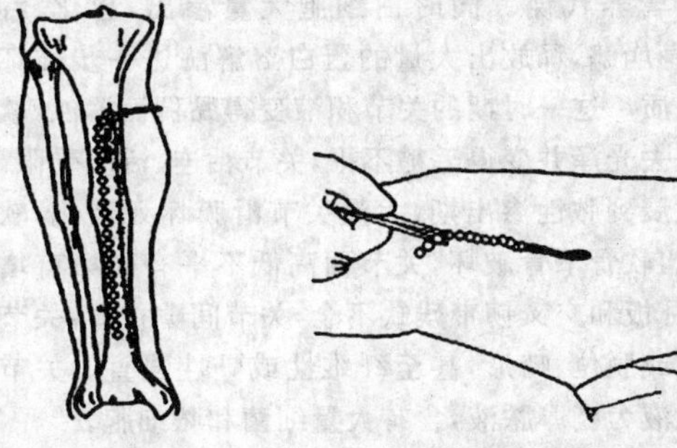

图 38-6　骨水泥串珠的应用示意图

持续冲洗引流适用于感染比较严重、炎性渗出比较多的病灶。可在彻底清创后空腔内放置 2～3 根引流管，一根持续冲洗，其余的持续负压吸引。冲洗液为配置的敏感的抗生素溶液，每日 5 000～6 000 ml。必须准确记录，统计每日冲洗和引流的液体量。如果入水量大于出水量，说明负压吸引不通畅，液体滞留体内容易引起组织水肿，影响感染的控制。如果出水液大于入水量说明局部炎症尚未控制，炎性渗液仍较多。一般持续冲洗 2 周左右，如果冲洗量、负压吸引量基本平衡，引流液清亮不混浊，则可暂停冲洗，全都改为负压吸引，然后根据引流量的多少逐根拔除引流管。

带血管蒂的肌瓣和肌皮瓣局部转位是目前应用最广泛的填塞空腔的方法(图 38-7)。因转位组织具备良好的血供，抗感染能力强、愈合快，所以疗效好。但受到血管蒂长短的限制，应用范围有很大的局限性。如果病灶附近没有肌瓣可利用的，则采用游离血管蒂的肌瓣或肌皮瓣移植，只要将转移组织的血管蒂与任何受区的血管相吻合。可供游离的肌瓣很多，有腓肠肌、股薄肌、阔筋膜张肌、背阔肌等等。

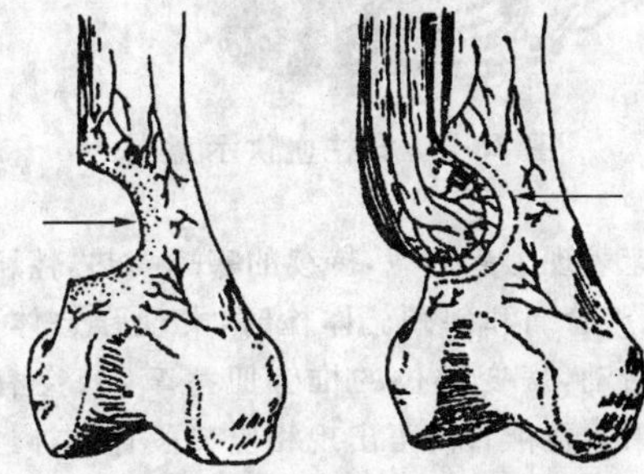

图 38-7　肌瓣填塞空腔示意图

对于清创后出现大块骨缺损，可在应用外固定支架固定保证骨的稳定的情况下行骨移植。根据缺损的情况选择松质骨粒填塞或大块游离骨移植。如果局部无条件一期闭合创面的，可选择 Papinean 技术松质骨粒移植，即开放型植骨。待移植颗粒骨成活，表面肉芽组织生长后再二期闭合创面。但 Papinean 技术的缺点是可能有部分移植骨会被丢失，且愈合时间长。为了缩短骨愈合时间和骨固定时间，还可以行吻合血管的游离骨移植。常用的是带腓骨动静脉的腓骨瓣和带旋髂深动静脉的髂骨瓣。

(4) 脊椎化脓性骨髓炎

脊椎化脓性骨髓炎大多数是化脓性细菌经血液循环抵达椎体引起的感染,少数是局部外伤及穿刺或椎间盘手术后感染所致。常见于腰椎、胸椎,颈椎较少累及。好发于50岁以上的人群,尤其是吸毒和糖尿病或肾功能不全的患者。

脊柱的血供丰富,直接来源于主动脉,呈节段性分布(图 38-8),相邻椎体前后缘有丰富的网状血管交叉,椎体内分布有丰富的静脉窦,血流缓慢,细菌易滞留、易扩散到相邻的椎体和椎间盘,甚至蔓延到脑脊膜。

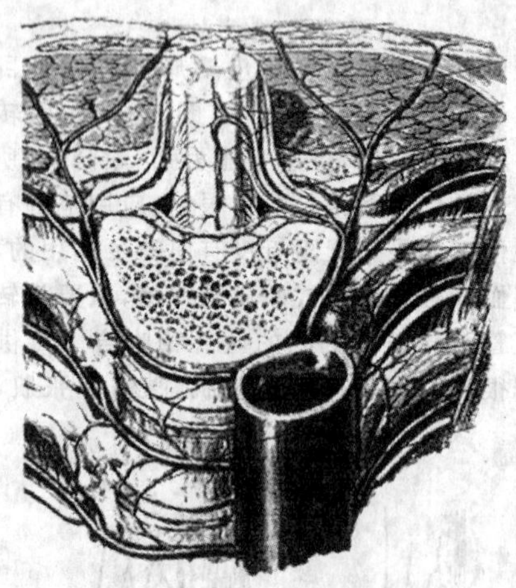

图 38-8 脊柱血供示意图

临床表现为起病急,持续的寒战高热,伴剧烈的腰背痛、胸背痛和斜颈。体检时,发现强迫体位,抵抗脊柱活动,病变部位的椎旁肌痉挛,棘突有叩击痛。如果累及椎管内可出现相应节段脊髓神经刺激或压迫,可出现相应的症状和体征。

实验室检测白细胞计数明显增高,血沉、C反应蛋白增高,血培养阳性,X线摄片能见椎体破坏和病灶周围骨质增生。椎间隙变窄,椎体前缘骨桥形成。CT能了解病灶内有无死骨死腔,椎管有无侵犯。MRI能发现早期椎体内水肿的病灶,有无椎旁脓肿和咽后壁脓肿,以及相邻椎体上下椎板和后缘破坏情况,椎间盘有无累积,椎间隙有无狭窄,脊髓神经有无受压等。放射性核素骨扫描能发现相应椎体异常浓聚。如果以上从常规到特殊的逐步深化的检查仍无法确定诊断时,可以在X线定位下行椎体穿刺活检,取得的脓液和坏死组织,分别送需氧菌、厌氧菌和真菌、分枝杆菌培养。如果培养仍不能明确的,需要行手术切开病灶送病理活检。

治疗同急性化脓性骨髓炎,在纠正水、电解质平衡,提高免疫能力的前提下,及时静脉给予足量敏感的抗生素,治疗期间绝对卧床休息或用石膏床、石膏背心固定。如果在治疗过程中感染不能控制反而加重,或者椎旁脓肿较大,或者出现脊髓神经刺激、压迫症状等,则需及时采取手术减压引流和病灶清除。采用椎体侧前方、前方还是后方入路手术,需根据病变节段、累及范围及脓肿部位来确定。

38.13.2 化脓性关节炎

化脓性关节炎多见于儿童,甚至新生儿。常为败血症的并发症,也可因关节开放性损伤、穿刺、手术造成直接感染,以及邻近关节的骨髓炎、周围的软组织感染蔓延扩散所致。易感病原菌是金黄色葡萄球菌、链球菌和肺炎球菌。常见部位为髋关节、膝关节、肘关节、肩关节和踝关节。一般累及单个关节,偶尔也有表现为多关节受侵犯。

正常关节表面均覆盖着一层光滑的透明软骨,它是维持关节活动的重要结构。透明软骨除含有少量的软骨细胞外,主要由基质构成,其中无血管分布。基质的主要成分是胶原蛋白和水。胶原蛋白主要作用是维持软骨的弹性。而占基质75%的水则通过与关节滑液的直接交换作用来供应软骨的营养和帮助代谢产物的排出。

化脓性关节炎的病理演变过程可分为浆液性渗出、浆液纤维蛋白渗出和脓性渗出3个时期。在浆液性渗出期,由于炎症刺激,关节滑膜充血、水肿、浆液性渗出,关节腔内大量积液,为稀薄、淡黄色,且含有大量白细胞,但无关节软骨破坏。在浆液纤维蛋白渗出期,由于滑膜血管通透性增高,血浆中的纤维蛋白大量渗出沉积覆盖于关节软骨表面,直接影响软骨的营养代谢。同时白细胞大量渗出、趋化、吞噬,自身崩解,释放出大量的蛋白溶解酶进一步破坏软骨基质。这一时期的关节积液变得黏稠而浑浊,软骨面失去光泽并变得毛糙不平,关节粘连、活动受限。感染发展到脓性渗出期,大量关节滑膜坏死液化,软骨剥脱,软骨下骨破坏,关节面高低不平有破坏有增生,半月板和交叉韧带残缺不全,关节间隙狭窄,关节半脱位或脱位、畸形,甚至纤维性或骨性强直。关节腔内积液为稠厚脓液,含有大量细菌和脓细胞。

化脓性关节炎的诊断主要根据全身和局部的临

床症状和体征，以及实验室的检查结果而确定。临床表现为急骤发病，寒战高热，小儿惊厥、烦躁，食欲锐减等全身不适和局部关节部位红肿热痛，皮温增高，关节腔积液，关节功能障碍。关节功能受影响在病变早期是由于炎症刺激关节周围的韧带肌肉，自体不自主地采取保护性放松体位以减轻痛苦。以后随着病程的进展肌肉韧带和关节囊挛缩，关节出现半脱位或脱位，甚至纤维性僵直或骨性强直从而影响关节的功能。实验室检查，外周血象中白细胞计数明显增高，血培养可能发现病原菌。X线摄片，病变早期可见关节积液，间隙增宽，邻近关节的骨质疏松；病变中期可见关节间隙狭窄，关节面不平整，骨质破坏，关节半脱位；病变晚期则表现为关节畸形，结构紊乱，有的区域破坏，有的区域增生硬化，甚至骨性强直。检查中最简单易行直接有效的方法是关节穿刺。可以从关节积液外观的色泽是否浑浊黏稠，常规涂片有否大量的白细胞、脓细胞和细菌，初步判断是否为化脓菌感染。而穿刺液的细菌培养能明确致病菌，药物敏感试验能找到敏感有效的抗生素，以利于提高疗效。但关节穿刺成功与否与穿刺的定位直接有关，常用的关节穿刺点见图 38-9。

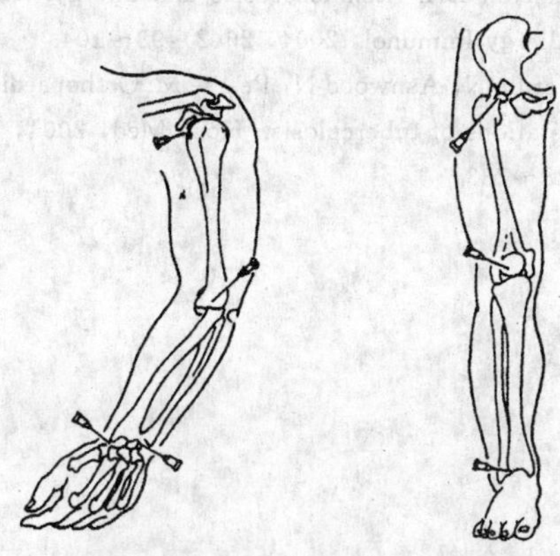

图 38-9 常用的关节穿刺点

化脓性关节炎需与一些常见的关节肿痛疾病相鉴别。结核性关节炎，起病缓慢，有低热、乏力、午后潮红等结核毒性症状，而无急性炎症的表现。关节穿刺液培养抗酸杆菌阳性。风湿性关节炎常为多发的游走性对称性大关节肿痛，关节液清亮无细菌，血清抗链球菌溶血素“O”为阳性。类风湿关节炎是多发的对称性大小关节肿痛，类风湿因子阳性。创伤性关节炎有外伤史，活动时疼痛明显，有弹响，休息能缓解，无全身毒血症状。痛风性关节炎常夜间突发，反复发作，病程有自限性，血尿酸明显增高。

在化脓性关节炎的治疗中除了必需的支持治疗和应用敏感足量抗生素治疗外，局部的治疗尤其重要。局部治疗需根据病变处于急性期还是恢复期，制订不同的治疗重点，采用不同的治疗措施。急性期早期为了使感染关节得到良好的休息，防止感染蔓延扩散，也为了减轻周围肌肉痉挛性疼痛，减少软骨面破坏，防止关节畸形和脱位的发生，需要用石膏、夹板或持续牵引，限制关节活动。同时，进行关节穿刺和冲洗。每日或隔日冲洗1次，先尽量吸出脓液，再用生理盐水冲洗，最后注入抗生素。也可穿刺置管持续冲洗闭式负压引流，其目的是吸出关节渗出液中的纤维蛋白、蛋白溶解酶等有害物质并使关节腔内保持对致病菌有威慑力的抗生素浓度。但如果关节腔内脓液稠厚，有较多坏死组织和大块的纤维蛋白凝聚物则因为穿刺针头太细易堵塞致引流不畅，此时必须采用关节切开引流。髋关节因位置深穿刺冲洗不方便且股骨头、颈完全处于关节腔内，一旦关节内感染、积脓，浸泡在脓液中极易造成股骨头破坏，软骨剥脱，所以可较积极地采用切开引流。切口大小和入路选择要合适，能保证在直视下将关节内彻底清理干净。关节清理后根据情况可选择暂时开放性引流还是闭合或持续冲洗负压引流。

恢复期的目的是尽量改善关节的功能和矫正畸形，可以在医师指导下有序地进行关节功能锻炼，改善关节的活动度和肌肉的力量。对轻度的关节畸形可以用持续牵引的方法加以矫正。对严重的畸形和功能障碍需要手术矫形，可根据患者的条件和要求选择截骨矫形、关节融合以及人工关节置换手术。但是人工关节置换必须在感染控制一年后进行，否则易引起感染的死灰复燃。

（孙静娟）

参考文献

[1] 杨庆铭. 骨与关节结核治疗的进展. 国家级继续医学教育项目教材骨科学分册. 北京：中华医学电子音像出版社，2006.

[2] 施桂英. 关节炎概要. 北京：中国医药科技出版社，2004.

[3] 过邦辅. 矫形外科学. 北京：科学技术文献出版

社,2004.

[4] 胥少汀,葛宝丰,徐印坎.实用骨科学.北京:人民军医出版社,2005.

[5] 王澍寰.临床骨科学.上海:上海科学技术出版社,2005.

[6] 吴启秋,潘毓萱,毕志强,等.骨关节结核病灶中耐多药结核分枝杆菌对疗效的影响.中华骨科杂志,2005,25(7):431~433.

[7] Aggarwal A, Dhammi I. Clinical and radiological presentation of tuberculosis of the elbow. Acta Orthop Belg, 2006, 72(3):282~287.

[8] Childs SG. Reactive arthritis. Immune-mediated synovitis or joint infection. Orthop Nurs, 2004, 23(4):267~273.

[9] Christodoulou AG, Givissis P, Karataglis D, et al. Treatment of tuberculous spondylitis with anterior stabilization and titanium cage. Clin Orthop Relat Res, 2006, 444:60~65.

[10] Dalton PA, Munckhof WJ, Walters DW. Scedosporium prolificans: an uncommon cause of septic arthritis. ANZ J Surg, 2006, 76(7):661~663.

[11] De Backer AI, Mortele KJ, Vanhoenacker FM, et al. Imaging of extraspinal musculoskeletal tuberculosis. Eur J Radiol, 2006, 57(1):119~130.

[12] Griffith JF, Kumta SM, Leung PC, et al. Imaging of musculoskeletal tuberculosis: a new look at an old disease. Clin Orthop Relat Res, 2002, 398:32~39.

[13] Kobayashi N, Fraser TG, Bauer TW, et al. The use of real-time polymerase chain reaction for rapid diagnosis of skeletal tuberculosis. Arch Pathol Lab Med, 2006, 130(7):1053~1056.

[14] Kumar S, Agarwal A, Arora A. Skeletal tuberculosis following fracture fixation. A report of five cases. J Bone Joint Surg Am, 2006, 88(5):1101~1106.

[15] Malaviya AN, Kotwal PP. Arthritis associated with tuberculosis. Best Pract Res Clin Rheumatol, 2003, 17(2):319~343.

[16] Masuko-Hongo K, Kato T, Nishioka K. Virus-associated arthritis. Best Pract Res Clin Rheumatol, 2003, 17(2):309~318.

[17] Palazzi C, Olivieri I, Cacciatore P, et al. Management of hepatitis C virus-related arthritis. Expert Opin Pharmacother, 2005, 6(1):27~34.

[18] Peng SL. Rheumatic manifestations of parasitic diseases. Semin Arthritis Rheum, 2002, 31(4):228~247.

[19] Rashid M, Sarwar SU, Haq EU, et al. Tuberculous tenosynovitis: a cause of Carpal Tunnel Syndrome. J Pak Med Assoc, 2006, 56(3):116~118.

[20] Swanson AN, Pappou IP, Cammisa FP, et al. Chronic infections of the spine: surgical indications and treatments. Clin Orthop Relat Res, 2006, 444:100~106.

[21] Vuitton DA. Echinococcosis and allergy. Clin Rev Allergy Immunol, 2004, 26(2):93~104.

[22] Wardle N, Ashwood N, Pearse M. Orthopaedic manifestations of tuberculosis. Hosp Med, 2004, 65(4):228~233.

第十篇

非创伤性骨与关节疾病

非创伤性骨与关节疾病 

39.1 骨关节炎

骨关节炎是一种慢性关节疾病，是力学和生物学因素共同作用下导致软骨细胞、细胞外基质、软骨下骨质三者降解和合成失衡的结果。主要病理变化是软骨变性及软骨下骨骨质病变为主。其特征是关节软骨发生原发性或继发性退行性变，并在关节边缘有骨赘形成。

39.1.1 分类

(1) 原发性骨关节炎

这是指人体关节常年应力不均而发生退行性变的骨关节病，多见于老年人，随着年龄增长，结缔组织易发生退行性变。软骨的变化最为显著，基质的基本成分减少，这样就将胶原纤维直接暴露在外在压力下而变得脆弱。软骨可因承受不均应力而出现破坏。原发性骨关节炎无明显的局部致病因素。可能与下列因素有关。

1）年龄　55～65岁时约有85％的患者X线检查可发现骨关节炎的表现。

2）性别　54岁之前，男女患者比例相同。其后，女性关节退变进程及范围比男性更严重，更广泛。

3）遗传　有明显的遗传因素，由单一常染色体传递，男性呈隐性遗传，女呈显性遗传。

4）肥胖　退变性关节炎在肥胖患者发病率增加1倍，并且主要发生在负重关节。

（2）继发性骨关节炎

由创伤、畸形和疾病都能造成软骨的损害，引起骨关节炎。并不一定发生于老年人。以下疾病均可引起骨关节炎。

1）关节的先天性疾病　如先天性髋关节脱位，髋臼发育不良。

2）关节面的后天性不平等　如儿童时期的扁平髋、股骨头滑脱。

3）损伤或机械性磨损　关节内骨折后对位不良，以致关节面凹凸不平。膝关节半月板破裂、习惯性关节脱位，使关节软骨遭受不协调的摩擦。另外，职业病引起的关节劳损也会引起关节炎。上述关节炎也称创伤性关节炎。关节外畸形引起的关节对合不良，如膝内、外翻等。关节不稳定，如韧带、关节囊松弛损伤等。

4）医源性因素　如全身或局部使用激素会使合成代谢降低，糖蛋白丧失，引起局灶性软骨软化或早期骨关节炎。化疗药也会引起关节软骨病变。

5）某些关节疾病也会促使软骨损伤　如感染、血友病等。

本章节主要是讨论原发性骨关节炎。

39.1.2　病因

发病原因有二，分述如下。

（1）关节软骨病变

关节软骨的存在为关节活动提供了一个抗摩擦、低阻力的润滑面，使关节能承受相当大的压应力和剪切力。

正常的关节软骨是由软骨细胞和基质组成。其纵切面在显微镜下可分为4层：①表层或切线层；②移行层；③辐射层；④软骨基质钙化层。在辐射层与软骨基质钙化层之间有一条波浪形的潮线，软骨细胞少，基质多。软骨基质由胶原纤维（15％～20％）、蛋白黏多糖（2％～10％）、水分（70％～75％）组成。基质内的胶原纤维和蛋白黏多糖由软骨细胞分泌。软骨的胶原纤维是由Ⅱ型胶原组成。各种原因引起的关节炎，关节软骨表面失去原有的光滑度而变得粗糙，这种变化多半由于长期磨损、撕裂、腐蚀的结果。关节软骨表面被磨损后，胶原纤维暴露，形成绒毛状的纤丝。

关节软骨除在发育期骨骺外，其全部的营养必须先穿出滑膜血管丛，通过滑膜到滑液，关节活动时，关节软骨在未受压应力处，滑液被吸入软骨内，滑液的代谢产物通过未受压的关节软骨面排入关节腔内，称为自身施压液体润滑系统。长期关节固定制动，血凝块覆盖于关节软骨面，炎症产物纤维蛋白覆盖于关节软骨面均可影响滑液进入关节软骨内，引起关节软骨的变性。关节软骨变性过程中，基质中的胶原纤维失去正常结构，软骨细胞体积变小、固缩、碎裂、坏死，同时关节边缘部分软骨细胞表现出代谢性增强。

关节软骨变性发展为骨关节炎的机制目前还不清楚，基本过程可能如下：关节软骨承受的压应力增高，引起软骨组织中水分减少，软骨细胞失水后发生固缩、碎裂、坏死。坏死细胞释放出的某些酶类，破坏基质中的胶原纤维结构，造成关节软骨的腐蚀与缺损及软骨下骨质暴露或缺陷。由于不断摩擦显露的骨面硬化而光滑，呈象牙样骨。外围由于压应力小于正常，发生骨萎缩。负重处还会出现微细的骨小梁骨折，引起黏液样和纤维蛋白退变，出现囊腔样病变。另外，在关节边缘的软骨细胞增生活跃，软骨基质中的钙盐沉积增多，出现骨质增生。剥脱的软骨碎片会附着于滑膜，刺激滑膜，使之增生肥厚，渗出更多的滑液，软骨碎片也会浮动于滑液内，关节囊逐渐纤维变性和增厚。远侧指间的纤维关节囊内有小的黏液样变性组织突出，骨化后形成Heberden结节。

（2）透明质酸合成减少

滑膜中的滑膜A细胞及单核巨噬细胞的细胞膜合成透明质酸后，进入滑膜基质，关节运动时进入滑液，分布于软骨和韧带表面，其在关节组织中的半衰期为1～2天，由滑膜淋巴系统回流，回流动力为关节活动。

透明质酸属于酸性黏多糖，高度亲水性。完全水化后，分子相连呈网状，对大分子的扩散起阻碍作用，同时限制小分子的扩散速度，此即所谓透明质酸的屏障作用。另外，透明质酸溶液高度的黏弹性质，使其还具有减轻关节振动和润滑关节的作用。

透明质酸减少后，其黏弹性下降，减弱了对关节的机械保护作用。其分子屏障作用减弱，使关节内的炎症介质和组织破坏产物可以迅速扩散，加重滑膜的炎症反应，加重软骨的破坏。减弱了对滑膜细胞和胶原纤维支架的支持和稳定作用。减弱了对痛觉感受器膜的稳定和抑制作用，关节疼痛加剧，活动减弱，滑液回流障碍，炎症介质和代谢产物代谢障碍，刺激滑膜渗出，又进一步减低透明质酸的浓度，造成恶性循环。透明质酸减少也会使A细胞合成透明质酸的功能减弱。

39.1.3 临床表现及诊断

原发性骨关节炎常见于50岁以后，女性略多于男性。最常受累的是膝、髋、手指、腰椎、颈椎关节。起病缓慢，患者无全身症状。由于游离体的机械障碍、软骨下骨折、软骨碎屑刺激滑膜或其他因素引起酸胀、疼痛。其程度与X线表现不呈正比。在承重时酸胀痛加重，可随休息而减轻；姿势改变时可有酸胀感或暂时性僵硬，经过短时间活动后症状可以减轻，但过度活动后会引起酸胀和运动受限。低气压会使滑膜肿胀加重而致酸胀痛加重。除了关节疼痛外，骨关节炎的患者还常感关节僵硬，但此种关节僵硬与类风湿关节炎的晨僵有所区别，后者可以在患者醒来以后感到关节僵硬，并持续几小时，而骨关节炎患者，晨僵常常持续不超过30 min。骨关节炎患者的这种胶凝状感觉不仅可以在起床时很显著，而且在任何一段时间不活动后均可出现。温热和水杨酸盐制剂，对缓解关节疼痛和僵硬疗效最好。

若无并发症，原发性骨关节炎的血细胞成分计数及形态均正常，血细胞沉降率很少超过每小时30 mm。关节液检查清亮透明微黄，性粘不形成凝块；细胞计数正常，主要由单核细胞构成；糖浓度与血液相同，蛋白含量不超过55 g/L；偶见红细胞、软骨碎片和胶原纤维碎片。

X线检查：骨关节炎早期X线检查正常。稍后关节缘出现骨赘，逐渐出现关节间隙狭窄。最后关节间隙明显变窄，软骨下骨受压，硬化骨囊性变形成。根据影像学诊断标准可以将骨关节炎分为以下5级。

0级 正常；

1级 关节间隙可疑变窄，可能有骨赘；

2级 有明显的骨赘，关节间隙轻度变窄；

3级 中等量骨赘，关节间隙变窄明显，软骨下骨质轻度破坏改变，范围较小；

4级 大量骨赘形成，可波及软骨面，关节间隙明显变窄，硬化改变极为明显，关节肥大及明显畸形。

39.1.4 预防

关节软骨随着年龄的增长而老化，是不可逆转的。但可以通过适当的控制体重，减轻负重关节的负荷；对儿童的各种畸形及时矫正；关节内或邻近关节骨折的准确复位，可以延缓关节炎的进程和减轻其退行性变的程度。

39.1.5 治疗

骨关节炎治疗的主要目的是减轻症状，延缓关节结构改变，维持关节功能，提高生活质量。美国风湿病学会(ACR)提出的金字塔方案，包括非药物治疗、药物治疗、手术治疗，对于骨关节炎患者的治疗，应该按照该方案由低到高进行(图39-1)。

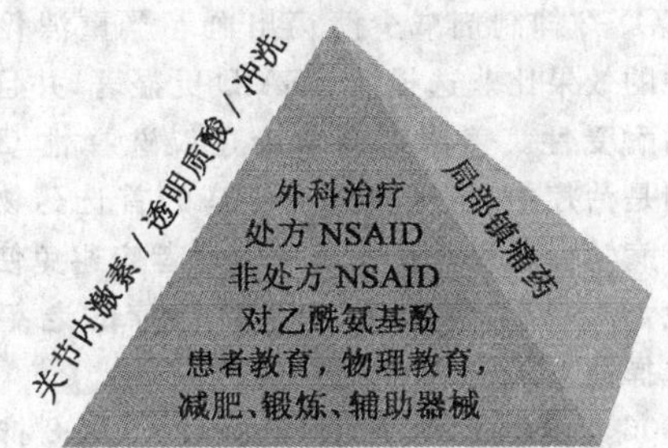

图39-1 金字塔方案示意图

(1) 非药物治疗

休息，减少受累关节的压力和剪力，使滑膜炎症消退，在个别关节的急性发作过程，最好让患病关节制动休息。运动，保持适当的运动，防止关节囊挛缩，可采用扶拐行走。洗热水澡、局部热敷和适度按摩以及皮肤牵引可缓解疼痛。

(2) 药物治疗

1) 局部镇痛药 如辣椒辣素能使疼痛相关的神经递质——P物质耗竭而起镇痛作用。非阿片类镇痛药，如对乙酰氨基酚、对乙酰氨基酚(醋氨酚)，是骨关节炎的一线镇痛药。阿片类镇痛药，如丙氧酚、可待因、羟考酮及曲马朵等，可短期使用(＜2周)。

2) 非甾体类抗炎药物(NSAID) 常用药物为对乙酰氨基酚，不仅可以缓解关节疼痛，减轻局部肿胀，还有助于关节功能的恢复，注意该药有肝脏损害可能。传统的NSIAD在发挥良好的抗炎止痛作用的同时，其不良反应以胃肠道不良反应最为常见，必须对患者的胃肠道进行评估，特别考虑上消化道出血的危险因子是否存在。上消化道危险因素有：①年龄≥65岁；②其他内科疾病；③正在口服肾上腺皮质激素；④有消化道溃疡病史；⑤正在用抗凝剂。少数人有肝、肾损害，药物性变态反应，粒细胞减少、再障及神经系统不良反应等。故急性期连续服用不应超过10天或加入米索前列醇以减轻胃肠道反应，并口服黏膜保护药，如雷尼替丁、奥美拉唑等。2006年欧盟EMEA等指出非选择性NSAID与血栓事件绝对风险的小幅升高可能有关，在大剂量使用时可能关联更大。应用对乙酰氨基酚疗效欠佳者可加用或改用最小有效剂量的NSAID。

COX-2非甾体类抗炎药物：常用药物有塞莱昔布、美洛昔康。这类药物镇痛作用强，而胃肠道不良反应小。众多Ⅰ级证据及SUCCESS研究均证实选择性COX-2抑制剂减少溃疡出血等严重消化道不良事件的效果比非选择性NSAID更显著，并且提高患者的耐受性。美国疼痛学会建议选择性COX-2抑制剂是治疗中、重度关节炎疼痛的首选药物。美国老年病学会建议需长期镇痛治疗者应避免使用非选择性NASAID，需选用NSAID治疗的老年人应首选选择性COX-2抑制剂。

2006年美国FDA声明，选择性COX-2抑制剂与非选择性NSAID均存在心血管不良反应，尤其在长期大量使用时。但NSAID类药物仍是重要选择，只要小剂量短疗程服用，其总效益仍大于风险。

3) 肾上腺皮质激素 肾上腺皮质激素干扰参与炎症的一些基因转录过程，从而影响细胞因子、炎症介质和NO合成酶等活性。但应用不当，可产生不良反应，如抑制软骨细胞合成蛋白多糖，加速关节软骨退变，诱发糖尿病、痛风等疾病，所以，治疗时应禁忌全身应用，可行关节腔注射，适用于关节疼痛伴关节积液者，2次注射间隔时间不少于3个月，1年内限注2～3次。

4) 透明质酸(HA) 关节腔内注射透明质酸钠，可恢复滑液和关节组织基质流变学内环境稳定性，恢复或改善关节滑液黏弹性，减轻关节震动和滑膜炎症，防止关节软骨的破坏，消除症状，改善关节功能。目前，已成为骨关节炎治疗的重要手段之一，广泛用于临床。对早期骨关节炎疗效最佳。几丁聚糖具有较高的黏弹性，生物相容性良好，体内可降解，有广泛的生物学活性。可用于关节内注射治疗骨关节炎。

5) 软骨保护药物 常用的有硫酸氨基葡萄糖、多硫酸聚氨基葡萄糖、戊聚糖多硫酸钠、聚氨葡萄糖多肽复合物等，以硫酸氨基葡萄糖(维骨力)为代表。作用机制：直接补充软骨基质，减缓软骨降解，促进软骨细胞代谢活性，产生生理需要的蛋白多糖；抑制胶原酶、磷脂酶A2和超氧化物自由基的产生，防止软骨损伤，保护关节软骨。所以，此类药物不仅可减轻疼痛、改善关节功能，中断治疗后还可延迟并阻止病变发展，使症状得到继续改善。

(3) 手术治疗

1) 关节镜 骨关节炎经药物等保守治疗6周无明显改善后，关节镜下清理术可以用来治疗膝关节骨关节炎。这种手术只是用来去除机械性刺激，减少患者的不适感觉，而不是用正常的透明软骨去修复和替代磨损的关节软骨。手术主要去除所有软骨松软的碎块，去除骨赘和引起关节交锁的游离体，去除或修剪在关节活动时引起碰撞、刺激膝关节的滑膜，清理撕裂的半月板。一组209例病例分析报道，76%的患者治疗效果满意。

2) 截骨术 胫骨高位截骨术，适用于胫股关节内侧室骨关节炎伴膝内翻畸形，董健等报道，对28例(40膝)膝内侧室骨关节炎患者采用小切口开放楔形胫骨高位截骨术治疗，术后随访12～55个月(平均30个月)，通过X线片及膝关节功能评定，其优良率为90%，小切口开放楔形胫骨高位截骨术治疗膝内侧室骨关节炎符合生物力学，可降低胫骨后倾角度减小髌骨低位胫骨骨量丢失等问题的发生率，延缓骨关节炎的发展，早中期疗效满意；股骨粗隆间截骨术，适用于关节力线缺陷所致髋关节炎的中、青年患者；手、足骨关节炎如拇指腕掌关节骨关节炎，行大多角骨切除；足骨关节炎，作跖趾骨部分截骨。

3) 人工关节置换术 全髋关节置换术是临床应用最广的手术之一，适用于60岁以上的髋关节炎患者，伴有疼痛，关节活动受限，影响日常生活，且非手术治疗无法缓解症状，应考虑行全髋关节置换术。对于较年轻的患者，如果存在以下情况也应考虑全髋关节置换术：①不可耐受的髋部疼痛或者因强直而活动严重受限，患者学习、工作及婚姻问题均不易解决；②髋关节的畸形引起其他关节的并发畸形；③由于髋关节的活动范围减小，不能进行剧烈活动，患者虽然年轻，但其生理年龄老化，再加上社会因素的影响，对于这类患者应尽早行全髋关节置换术。术后随访优良率在90%以上；全膝关节置换术疗效与全髋置换相似，一般来说，对于55岁以下的骨关节炎病例可采用抗炎药物、滑膜切除或关节镜下关节清理，灌注冲洗，胫骨高位截骨等治疗而不行置换术。若患者年龄在50岁以上，经其他治疗方法无效或复发而患者迫切要求手术者，则考虑进行全髁型人工膝关节置换；膝关节单髁置换术适用于一侧胫股关节室骨关节炎；肩、肘、腕关节为非负重关节，必要时也可施关节置换术；踝关节置换临床应用中由于假体松动发展快，故施行不多。掌指及跖趾关节置换因小关节周围缺乏强有力的软组织赖以维持关节的稳定，故并发症较多。虽然人工关节置换术应用很广，但必须严格掌握适应证，不可过宽。近来关节置换后的翻修率明显上升，须加提防。

(4) 组织工程学技术修复关节软骨缺损

随着组织工程学和分子生物学的进展，软骨细胞通过体外组织工程化培养，移植治疗关节软骨缺损成为一种有效的方法并已见到曙光。

理想的软骨细胞工程种子细胞应具备以下特点：取材方便，对机体损伤少；在体外培养中具有较强的增殖传代能力并保持良好的生物学活性；植入体内能高质量的修复关节软骨缺损并能保持良好的远期疗效。软骨细胞、间充质干细胞、胚胎干细胞、滑膜细胞或转基因细胞等均可作为种子细胞。它们可来源于自体，也可来源于同种异体甚至异种细胞。

由于软骨组织工程目前难以解决长期随访后的退变问题，所以仍处于动物实验阶段。有待研究的进一步深化。

39.2　类风湿关节炎

39.2.1　概述

类风湿关节炎(rheumatoid arthritis, RA)是一种慢性、全身性、自身免疫性综合征，其特点是外周关节的非特异性、对称性炎症，关节滑膜的慢性炎症、增生，形成血管翳，侵犯关节软骨、软骨下骨、韧带和肌腱等，造成关节软骨、骨和关节囊破坏，最终导致关节畸形和功能丧失，部分患者伴有不同程度的全身表现。

我国RA的发病率为0.32%～0.36%，女性发病率较男性高2～3倍，各年龄组人群均可发病，但25～50岁为本病的好发年龄，女性高发年龄为40～55岁。欧美国家该病的发病率明显高于我国。

39.2.2　病因学

对于类风湿关节炎的发病原因，至今还不是很清楚，但学术界普遍认为与遗传和感染因素有关。RA相关基因位于HLA-DRβ1位点上，而在整个发病机制中，免疫功能异常可能是最重要的。在免疫异常中可有免疫系统异常、抗原识别能力下降、体液免疫紊乱、细胞免疫紊乱等。当抗原进入人体后经巨噬细胞类细胞吞噬、消化、浓缩后与其他细胞的HLA-DR分子结合成复合物，若此复合物被其他T细胞受体识别，则该Th细胞被活化。浸润滑膜组织的淋巴细胞主要是Th细胞，它们能产生致炎症的细胞因子、生长因子及各种介质，使B淋巴细胞激活分化为浆细胞，分泌大量免疫球蛋白，包括类风湿因子和其他抗体，同时使关节出现炎症反应和破坏。在RA全身组织损伤中以滑膜受累为最早期表现，巨噬细胞和相关细胞因子(如肿瘤坏死因子、粒细胞巨噬细胞集落刺激因子)在受累的滑膜中也很丰富。黏附分子的增强促使炎症细胞在滑膜组织中迁移和滞留。免疫球蛋白和RF形成的免疫复合物，经补体激活后可以诱发炎症。由此可见，RA是由免疫介导的反应，但原始的抗原至今仍未明确。

39.2.3　临床表现

类风湿关节炎为全身性疾病，通常隐匿发病，起病缓慢，但偶尔也可急性发病。早期受累关节出现疼痛、肿胀、皮肤潮红、关节压痛和活动受限，一般对称发作。典型病例为手部小关节、腕、足、肘及踝关节呈对称受累，但首发症状可出现在任何关节。关节畸形可发展迅速，最重可出现严重的屈曲挛缩，功能完全丧失。其临床症状和体征特点如下。

1) 关节疼痛和肿胀　最先出现关节疼痛，开始可为酸痛，随着关节肿胀逐步明显，疼痛也趋于严重。本病早期即有关节局部痛感，尤其是活动期，患者常主诉开始活动关节时疼痛加重，活动一段时间后疼痛及活动障碍及明显好转。关节痛与气候、气压、气温变化有相关关系。

2）晨僵现象　在早晨睡醒刚开始活动时，出现关节僵硬或全身发紧，活动一段时间后症状会有所改善或消失，此现象多超过 30 min。

3）关节畸形　晚期关节活动受限并出现不同程度的畸形，手指和掌指关节常呈梭形肿胀、钮孔畸形、鹅颈畸形，腕关节常强直于尺偏位，腕关节融合。肘关节半屈曲固定及前臂旋转功能消失。膝关节呈内、外翻畸形，髋关节则多强直在屈曲内收位。如出现在足趾，则呈现爪状趾畸形。

4）关节外表现　腕关节滑膜炎常可引致腕管综合征的发生。10%～30%患者可出现类风湿结节，通常出现在皮下易摩擦的部位（如鹰嘴附近和前臂伸侧表面的皮肤），在其他皮肤受压的部位也可能见到。其他关节外表现可有干燥综合征、淋巴结病变等。急性期的某些患者可有发热，多为 38 ℃以下的低热。

39.2.4　实验室检查及影像学检查

1）实验室检查　大多数（90%）患者血细胞沉降率增快，尤其是在急性期。血红蛋白含量略低于正常，晚期病例则可出现轻度贫血，多为正色素、正细胞性贫血，血红蛋白含量大多在 80～100 g/L 之间，有 60%～80%的患者血液中可检测出 IgM 类风湿因子（RF），高滴度的 RF 提示预后不良并且常常与疾病进展、类风湿结节、血管炎和肺部病变有关。典型的类风湿患者还可出现抗链球菌溶血素“O”试验阳性。在受损关节中抽出的关节液多混浊但无细菌，黏滞度降低，无结晶物。

2）影像学检查　在发病前几个月内 X 线检查仅能看到软组织肿胀。随后出现关节周围骨质疏松、关节间隙变窄（关节软骨受累）及边缘侵蚀。X 线检查的恶化率与临床恶化率一样，变异很大。但侵蚀作为骨破坏的征象可发生在第 1 年。一般将 RA 的 X 线改变分为 4 期（表 39-1）。

表 39-1　类风湿关节炎 X 线进展的分期

分　期	X线表现
Ⅰ期（早期）	（1）X 线检查无破坏性改变 （2）可见骨质疏松
Ⅱ期（中期）	（1）骨质疏松，可有轻度的软骨破坏。有或没有轻度的软骨下骨质破坏 （2）可见关节活动受限，但无关节畸形 （3）邻近肌肉萎缩 （4）有关节外软组织病损，如结节和腱鞘炎
Ⅲ期（严重期）	（1）骨质疏松加上软骨或骨质破坏 （2）关节畸形，如半脱位、尺侧偏斜、无纤维性或骨性强直 （3）广泛的肌萎缩 （4）有关节外软组织病损，如结节和腱鞘炎
Ⅳ期（末期）	（1）纤维性或骨性强直 （2）Ⅲ期标准内各条

39.2.5　诊断与鉴别诊断

（1）诊断

美国风湿病学会 1987 年所制订的诊断类风湿性关节炎标准，凡出现下列任何 4 种情况，即可判定罹患类风湿关节炎。

1）晨僵持续时间＞1 h，病程＞6 周。

2）观察到的 3 个或 3 个以上关节部位的软组织肿胀（关节炎）。

3）腕、掌指和近端指间关节肿胀（关节炎）＞6 周。

4）呈现对称性关节肿胀（关节炎）的外显表征，即身体两侧相同关节同时或先后发病。

5）类风湿结节。

6）血液抗体的检查：类风湿因子呈阳性反应、血细胞沉降率异常、抗核抗体也呈阳性反应。

7）X 线检查：可以发现关节的骨质侵蚀、关节变形、关节处有骨质疏松、关节软骨减少、关节腔变窄。

（2）鉴别诊断

诊断类风湿关节炎必须排除以下疾病引起的关节炎。

1）骨关节炎　该病为退行性骨关节病，发病年龄多在 40 岁以上，主要累及膝关节、脊柱等负重关节，活动时关节痛加重，可有关节肿胀、积液。常因累及近端或远端的指间关节被误诊为 RA。骨关节炎通常血细胞沉降率正常，RF 阴性或低滴度阳性，滑液中白细胞＜(1～2)×10^9/L。X 线示关节间隙狭窄、关节边缘唇样增生。

2) 晶体性关节炎　晶体性关节炎又称痛风性关节炎，有时一些慢性痛风患者可以符合 RA 的诊断标准。但痛风性关节炎好发于中老年男性，好发部位是单侧第一跖趾关节或跗关节，也可发生于其他关节，急性发作时血清尿酸水平通常会增高，滑液检查可观察到针状或杆状阴性双折光尿酸盐结晶。

3) 银屑病关节炎　关节受累常呈非对称性和毁坏性，骨质疏松不明显，RF 阴性。在缺乏特征性指甲或皮损时很难鉴别。

4) 强直性脊柱炎　好发于男性，主要累及脊柱关节，有明确的炎性腰背痛。

39.2.6 治疗

(1) 非手术治疗

近年来，RA 的治疗已经取得了重大进展，美国风湿病学会(ACR)在其权威杂志 *Arthritis Rheum* 上发表了 2002 版新修订的 RA 治疗指南。

2002 版治疗指南指出，RA 治疗的最终目标是防止和控制关节破坏，阻止功能丧失及减轻疼痛。在治疗之前，应对患者的初始情况进行评估，记录疾病活动的症状、功能状态、疾病活动的客观证据、机械性关节损害、关节外表现以及影像学破坏情况。同时应该评估疾病的活动性，如果晨僵时间和疲劳时间延长、关节检查发现活动性滑膜炎，提示病情活动。有时，仅进行关节检查不足以反映疾病活动和关节破坏的情况，应定期监测血细胞沉降率(ESR)和 C 反应蛋白(CRP)水平、检查关节功能状态，并进行受累关节的影像学检查。ACR 制订了 RA 的病情改善及临床缓解的标准。影像学的某些新进展(如 Sharp 评分)也被用于预后评估(*Arthritis Rheum*, 2002, 46:328)。

RA 的治疗包括非药物治疗和药物治疗。NSAID 是治疗 RA 的初始和基本药物，但不能改变疾病的进程或关节破坏，因此，不能单独用于 RA 治疗。选择性 COX-2 抑制剂同传统的 NSAID 相比，能显著降低严重胃肠道不良反应发生率，但此类药物无防止血小板黏附和聚集的作用，视合并症状可加用抗血小板药物，如小剂量阿司匹林。虽然 NSAID 相关的消化道症状可用 H_2 受体拮抗剂治疗，但并不推荐常规应用 H_2 受体拮抗剂来防止 NSAID 导致的胃肠疾患。

羟氯喹(HCQ)、柳氮磺吡啶(SSZ)、甲氨蝶呤(MTX)、来氟米特以及肿瘤坏死因子(TNF-α)拮抗剂依他西普特(etanercept)和英利昔单抗(infliximab)也可用于治疗 RA。新的治疗指南推荐 MTX＋SSZ＋HCQ 三联方案。新上市的来氟米特以及生物制剂 TNF-α 拮抗剂的治疗前景被看好。口服小剂量糖皮质激素(＜10 mg/d，或等效剂量的其他药物)，以及局部注射糖皮质激素，对于病情活动的 RA 患者缓解症状非常有效。新近的研究证据表明，小剂量糖皮质激素能减缓关节破坏的进度，因此糖皮质激素具有缓解病情的潜能。然而，全身使用小剂量糖皮质激素的同时，必须时刻权衡其不良反应。RA 患者具有糖皮质激素治疗以外的易患骨质疏松的危险因素。服用低至 5 mg/d 的糖皮质激素仍有增加骨质疏松的危险，因此服用糖皮质激素期间应该定期测量骨密度以评估骨量丢失情况。接受糖皮质激素治疗的患者应给予钙(1 500 mg/d，包括饮食和钙制剂)和维生素 D(400～800 IU/d)治疗，应在糖皮质激素治疗开始时给予。

(2) 手术治疗

对于疼痛无法忍受、关节活动范围受限以及因关节结构破坏导致的功能受限，可以考虑手术治疗。

1) 鹅颈畸形　鹅颈畸形是指远端指间关节的屈曲和近端指间关节的过伸畸形伴掌指关节的屈曲。这些畸形是由于肌肉的不平衡所致，可通过固定原发或继发的畸形而得到被动矫正。矫正鹅颈畸形需要切除近端指间关节的滑膜，游离侧副韧带，松解近节指间关节以远的皮肤。Nalebuff 等将鹅颈畸形分为 4 型：1 型畸形伸展性尚可，需行皮肤固定，近节指间关节的伸肌腱固定，近节指间关节融合和尺侧副韧带的重建；2 型畸形由内在肌紧张引起，需要行手内在肌松解术结合 1 型畸形的一些方法进行矫正；3 型畸形不能满意的屈曲，但影像学上无明显的关节破坏，这些畸形需行关节复位，侧方支持带移位和背侧皮肤松解；4 型畸形影像学上可见到明显的关节面破坏和近节指间关节的僵硬，通常需行近节指间关节融合或可在环指和小指植入 Swanson 近节指间关节假体。

2) 滑膜切除术　滑膜切除也可在一定程度上缓解症状。膜切除后可以再生。有人观察了类风湿关节炎患者滑膜切除术后 1～52 个月各时期滑膜再生情况，发现患者从手术后的第 1 个月开始就有滑膜的再生，但再生的滑膜与原来的滑膜不同，它含有较多的纤维组织，细胞较少，几乎无血管和淋巴管。

由于滑膜切除并不能改变类风湿关节炎的自然病程，术后仍有可能复发。另外，该手术一般只解决手术关节的疼痛、肿胀和功能问题，仅属综合治疗中的一个部分。因此，施行滑膜切除的同时及手术前后，还必须应用其他疗法。随着关节镜技术的日益成熟，目前国内已有多家单位报道了关节镜下行滑膜切除术，取得了良好的疗效。

39.3 强直性脊柱炎

39.3.1 概述

强直性脊柱炎（ankylosing spondylitis，AS）是一种主要累及中轴骨骼的慢性炎症性疾病，本病的显著特点是骶髂关节炎。以脊柱炎为主要病变者称原发性AS，伴发反应性关节炎、银屑病、炎症性肠病等则称继发性AS。

影像学骶髂关节炎是本病的特征性标志，其在本病诊断中具有十分重要的地位。AS曾被认为在男性多见。现有报道认为，本病在男女性的分布上几乎相等，只不过女性发病常较缓慢，病情较轻。发病年龄在15～30岁，发病率在我国约为0.4%。

39.3.2 病因学

对强直性脊柱炎的发病原因一直存在争论，最主要的几个理论如下。

1）遗传　遗传因素在AS的发病中起作用。AS的HLA-B27阳性率高达96%，其直系亲属HLA-B27阳性率高达58%，而普通人群仅为6%。

2）感染　本病也可因前列腺炎、溃疡性结肠炎或盆腔感染，经淋巴途径播散到骶髂关节，再经脊椎静脉丛播散到脊柱可能引起本病。

3）自身免疫　60%的AS患者血中补体增高，血中存在免疫复合物。IgA、IgG、IgM和C4水平均增高。

39.3.3 临床表现

AS好发于16～25岁的青年，起病隐匿，进展缓慢。早期的症状可为下腰痛和僵硬，可伴乏力、食欲减退、消瘦和低热等。起初的疼痛为间歇性，后疼痛变为持续性。晚期炎症疼痛消失，脊柱大部强直，可发展至严重畸形。女性患者周围关节侵犯较常见，进展较慢，脊椎畸形较轻。

1）骶髂关节　最早为骶髂关节炎，后发展至腰骶部、胸椎及颈椎。下腰痛和僵硬常可累及臀部、大腿，但无神经系统体征。AS下腰痛可从一侧转至另一侧，直腿抬高试验阴性。直接按压骶髂关节或将其伸展，可引起疼痛。有时只有骶髂关节炎的X线表现而无症状或体征。

2）腰椎　下腰痛和活动受限多是腰椎受累和骶髂关节炎所致。早期为弥漫性肌肉疼痛，以后集中于腰骶椎部。腰部前屈、后伸、侧弯和旋转均受限。腰椎棘突压痛、腰背椎旁肌痉挛，后期有腰背肌萎缩。

3）胸廓胸椎　腰椎受累后波及胸椎。可有胸背痛、前胸痛和侧胸痛。胸部扩张受限，胸痛为吸气性，可因咳嗽、喷嚏加重。主要由于肋椎关节、肋骨肋软骨连接处、胸骨柄关节和胸锁关节受累。胸廓扩张度较正常人降低50%以上。

4）颈椎　早期可为颈椎炎，由胸腰椎病变上行而来，可发生颈胸椎后凸畸形，头常固定于前屈位，颈后伸、侧弯、旋转可受限。可有颈椎部疼痛，沿颈部向头部放射。神经根痛可放射至头和臂。有颈部肌肉痉挛，最后肌肉萎缩。

5）后期脊柱改变　颈部固定于前屈位，胸椎后凸畸形，胸廓固定，髋和膝关节屈曲挛缩是AS后期特征性姿势。此期炎症疼痛消失，但可发生骨折，一般为多发性。

6）脊柱外病变　AS可出现周围关节的受累。最常累及肩和髋，受累率40%，极少累及手。关节活动受限较疼痛为重，早期即可出现活动受限，随着疾病进展，软骨退变，关节周围结构纤维化，关节强直。AS还可影响多系统，伴发各种疾病，多在AS发病后出现，也可在发病之前出现。如主动脉瓣关闭不全、虹膜炎、肺纤维化、慢性前列腺炎或侵犯马尾神经引发相应症状。

39.3.4 实验室检查及影像学检查

（1）实验室检查

有82%的活动期AS患者有血细胞沉降率加快，50%以上的患者血清CRP增高，42%的患者存在轻度低色素性贫血。RF阳性率不高。40%～73%的患者IgG、IgA和IgM增高。HLA-B27阳性率96%。HLA-B27检测不能作为确诊AS的常规和确诊指标，因为慢性腰腿痛是一种极常见的症状。据统计，每

1 000 人中有 100 人左右患慢性腰痛，其中 40～80 人 HLA-B27 阳性，而 AS 患者仅为 2 例。因此在缺乏肯定的骶髂关节炎的情况下，即使存在 AS 的临床症状和体征，同时具有 HLA-B27 阳性，也不能确诊为 AS。

(2) 影像学检查

X 线检查具有诊断意义。AS 最早的变化发生在骶髂关节。该处的 X 线片显示软骨下骨缘模糊，骨质糜烂，关节间隙模糊，骨密度增高及关节融合。通常按 X 线片骶髂关节炎的病变程度分为 5 级：0 级为正常，Ⅰ级为可疑，Ⅱ级有轻度骶髂关节炎，Ⅲ级有中度骶髂关节炎，Ⅳ级为关节融合强直。对于临床可疑病例，而 X 线片尚未提示明确的或Ⅱ级以上的双侧骶髂关节炎改变者，应该采用 CT 检查。CT 检查假阳性率低，但由于骶髂关节解剖学的上部为韧带，因其附着引起影像学上的关节间隙不规则和增宽，可影响诊断。另外，类似于关节间隙狭窄和糜烂的骶髂关节髂骨部分的软骨下老化，不应视为异常。MRI 对了解软骨病变优于 CT，但在判断骶髂关节炎时易出现假阳性结果，并非常规检查项目。MRI 可使炎性腰背痛患者确诊为脊柱关节病或强直性脊柱炎的时间提前，尤其对判断药物治疗对炎性病变的改善极有价值。脊柱的 X 线片表现有椎体骨疏松和方形变，椎小关节模糊，椎旁韧带钙化以及骨桥形成。晚期广泛而严重的骨化性骨桥表现称为“竹节样脊柱”。耻骨联合、坐骨结节和肌腱附着点（如跟骨）的骨质糜烂，伴邻近骨折的反应性硬化及绒毛状改变，可出现新骨形成。

39.3.5 诊断与鉴别诊断

(1) 诊断标准

近年来有不同标准，但现仍沿用 1966 年纽约标准或 1984 年修订的纽约标准。但是，对一些暂时不符合上述标准者，可参考欧洲脊柱关节病初步诊断标准，符合者也可列入此类进行诊断和治疗，并随访观察。

1) 纽约标准(1966)　有 X 线片证实的双侧或单侧骶髂关节炎（按 0～Ⅳ级分级），并分别附加以下临床表现的 1 条或 2 条：腰椎在前屈、侧屈和后伸的 3 个方向运动均受限；腰背痛史或现有症状；胸廓扩展范围小于 2.5 cm。根据以上几点，诊断肯定的 AS 要求有：X 线片证实的Ⅲ～Ⅳ级双侧骶髂关节炎，并附加上述临床表现中的至少 1 条；或者 X 线证实的Ⅲ～Ⅳ级单侧骶髂关节炎或Ⅱ级双侧骶髂关节炎，并分别附加上述临床表现的 1 条或 2 条。

2) 修订的纽约标准(1984)　①下腰背痛的病程至少持续 3 个月，疼痛随活动改善，但休息不减轻；②腰椎在前后和侧屈方向活动受限；③胸廓扩展范围小于同年龄和性别的正常值；④双侧骶髂关节炎Ⅱ～Ⅳ级，或单侧骶髂关节Ⅲ～Ⅳ级。如果患者具备，并分别附加 1～3 条中的任何 1 条可确诊为 AS。

3) 欧洲脊柱关节病研究组标准　炎性脊柱痛或非对称性以下肢关节为主的滑膜炎，并附加以下项目中的任何一项，即：①阳性家族史；②银屑病；③炎性肠病；④关节炎前 1 个月内的尿道炎、宫颈炎或急性腹泻；⑤双侧臀部交替疼痛；⑥肌腱末端病；⑦骶髂关节炎。

(2) 鉴别诊断

1) 类风湿关节炎(RA)　AS 在男性多发而 RA 在女性居多；AS 无一例外均有骶髂关节受累，RA 则很少有骶髂关节病变；AS 为全脊柱自上而下地受累，RA 只侵犯颈椎；外周关节炎在 AS 为少数关节、非对称性，且以下肢关节为主；在 RA 则为多关节、对称性和四肢大小关节均可发病；AS 无 RA 可见的类风湿结节；AS 的 RF 阴性，而 RA 的阳性率占 60%～95%；AS 以 HLA-B27 阳性居多，而 RA 则与 HLA-DR4 相关。AS 与 RA 发生在同一患者的概率为 1/10 万～1/20 万。

2) 腰椎间盘突出　腰椎间盘突出是引起腰背痛的常见原因之一。该病限于脊柱，无疲劳感、消瘦、发热等全身表现，与 AS 不同，活动后往往加重，休息后减轻。所有实验室检查包括血细胞沉降率均正常。它和 AS 的主要区别可通过 CT、MRI 或椎管造影检查得到确诊。

3) 结核　对于单侧骶髂关节病变要注意同结核或其他感染性关节炎相鉴别。

4) 弥漫性特发性骨肥厚(DISH)综合征　该病发病多在 50 岁以上男性，患者也有脊椎痛、僵硬感以及逐渐加重的脊柱运动受限。其临床表现和 X 线所见常与 AS 相似。但是，该病 X 线可见韧带钙化，常累及颈椎和低位胸椎，经常可见连接至少 4 节椎体前外侧的流注形钙化与骨化，而骶髂关节和脊椎骨突关节无侵蚀，晨起僵硬感不加重，血细胞沉降率正常及 HLA-B27 阴性。根据以上特点可将该病和 AS 相鉴别。

5) 髂骨致密性骨炎　本病多见于青年女性，其主要表现为慢性腰骶部疼痛和发僵。临床检查除腰部肌肉紧张外无其他异常。诊断主要依靠 X 线前后位平片，典型表现为在髂骨沿骶髂关节之中下2/3部位有明显的骨硬化区域，呈三角形者尖端向上，密度均匀，不侵犯骶髂关节面，无关节狭窄或破坏，不同于AS。

39.3.6 治疗

AS尚无根治的方法。患者如能及时诊断及合理治疗，可以达到控制症状并改善预后。应通过非药物治疗、药物治疗和手术治疗等综合治疗，缓解疼痛和僵硬，控制和减轻炎症，保持良好的姿势，防止脊柱或关节变形，必要时校正关节畸形，以达到改善和提高患者生活质量的目的。

(1) 非药物治疗

对患者和家属的教育是AS治疗计划中不可缺少的一部分，有助于患者主动参与治疗并与医师的合作。长期计划还应包括患者的社会心理需要和康复计划。患者应不间断的进行体育锻炼，以取得和维持脊柱关节的正常位置，增强椎旁肌肉，增加肺活量，其重要性不亚于药物治疗，站立时应保持挺胸、收腹和双眼平视前方，坐位时也应保持胸部直立。应睡硬板床，多取仰卧位，低枕，一旦累及胸椎和颈椎应停用枕头。避免促进屈曲畸形的体位，定期测量身高，对疼痛性关节炎或其他软组织选择必要的物理治疗。

(2) 药物治疗

1) 非甾体类抗炎药物　该类药物可迅速改善患者腰背部疼痛和发僵，减轻关节肿胀和疼痛及增加活动范围，可作为各期AS患者的首选对症治疗。NSAID种类繁多，但对AS疗效大致相当。吲哚美辛对AS的疗效显著，但不良反应较多。如年轻患者无胃肠、肝、肾及其他器官疾病或禁忌证，吲哚美辛可作为首选药物。NSAID通常需要使用2个月左右，待症状完全控制后减少剂量，以最小有效量巩固一段时间，再考虑停药，过快停药可引起症状反复。如一种药物治疗2～4周后疗效不明显，应该用其他不同类别的NSAID，在用药过程中还应注意监测药物不良反应。

2) 柳氮磺胺吡啶　本品可改善AS的关节疼痛、肿胀和发僵，并可降低血清IgA水平及其他实验室活动性指标，特别适用于改善AS的外周关节炎症状，通常推荐用量为每日2.0 g，分2～3次口服。本药通常在使用4～6周后起效，为增加患者耐受性，一般以0.25 g，每日3次开始，以后每周递增0.25 g，直至1.0 g，每日2次，可根据疗效调整剂量和疗程，维持1～3年。磺胺过敏者禁用。

3) 甲氨蝶呤　活动性AS患者经柳氮磺胺吡啶及NSAID治疗无效时，可采用甲氨蝶呤。但对比观察发现，本药只对外周关节炎、腰背痛和发僵及虹膜炎等表现，以及血沉和C反应蛋白水平有改善作用，而对中轴关节的放射线病变无改善证据。通常以7.5～15 mg，个别重症患者可酌情增加剂量，口服或注射，每周1次，疗程半年至3年不等。可以同时并用一种NSAID。

4) 糖皮质激素　少数病例即使使用大剂量抗炎药仍不能控制症状时，在CT指导下行皮质类固醇骶髂关节注射，部分患者可改善症状，疗效可持续3个月左右。本病伴发的长期单关节(如膝关节)积液，可用长效皮质激素关节腔注射。重复注射间隔3～4周，一般不超过2～3次，糖皮质激素口服治疗不能阻止本病发展，还会因长期治疗带来不良反应。

5) 其他药物　一些男性难治性AS应用沙利度胺(反应停)后，临床症状和血沉及C反应蛋白均明显改善。初始剂量50 mg/d，每10天递增50 mg，至200 mg/d维持，国外有用300 mg/d维持。用量不足疗效不佳，而停药则易迅速复发。不良反应有嗜睡、口渴、血细胞下降、肝酶增高、镜下血尿及指端麻刺感。

(3) 外科治疗

髋关节受累引起的关节间隙狭窄、强直和畸形，是本病致残的主要原因。为了改善患者的关节功能和生活质量，人工全髋关节置换术是最佳选择。置换术后绝大多数患者的关节痛得到控制，部分患者的功能恢复正常或接近正常，置入关节的寿命90%达10年以上。应强调指出的是，本病在临床上表现的轻重程度差异较大，有的患者病情反复持续进展，有的长期处于相对静止状态，可以正常工作和生活。但是，发病年龄较小，髋关节受累较早，反复发作虹膜睫状体炎和继发性淀粉样变性，诊断延迟，治疗不及时和不合理，以及不坚持长期功能锻炼者预后差。

39.4 血友病性关节炎

39.4.1 概述

血友病性关节病(hemophilic arthritis)是由于遗传性血浆凝血因子Ⅷ和Ⅸ缺陷，引起滑膜炎、骨质破坏、关节运动障碍的出血性关节病。

血友病是一种X连锁的遗传性疾病，以凝血障碍及出血为主要临床表现。根据血浆凝血因子缺乏的不同，血友病分为甲、乙及丙型3型。血友病甲为Ⅷ因子缺乏，血友病乙为Ⅸ因子缺乏，血友病丙则为Ⅺ因子缺乏。血友病的发病率为5/10万～10/10万人，其中以血友病甲最多见，约占85%。血友病丙多为轻度出血，且关节及肌肉出血甚少。血友病性关节炎主要见于血友病甲和血友病乙，尤其多见于血友病甲，血友病丙少见。本病主要是男性发病，有阳性家族史者占50%左右。临床主要表现为关节积血和慢性滑膜炎，反复的关节积血和慢性滑膜炎导致骨质破坏和关节功能丧失，形成慢性关节炎，甚至关节畸形。关节出血越早，症状越重，预后越差。继发于慢性滑膜炎的关节面损害出现在童年早期，而在青少年晚期进展为严重的关节病。膝关节、肘关节、踝关节、髋关节和肩关节是最常受累的关节。随着纯化凝血因子浓缩物和预防慢性滑膜炎的手术的发展，对血友病性关节病的处理也有了相应的发展。应用释放β粒子的放射性胶体，如^{188}Re-硫化铼的放射性滑膜切除术可有效地减少关节腔内出血的发生率，解决了慢性滑膜炎的问题。控制血友病性关节炎的最常见外科手术有滑膜切除术、关节清创术、关节融合术和关节置换术。血友病性关节炎晚期的感染和关节纤维化会给关节置换带来不小的复杂性。晚期感染的发生率高可能与经常性的静脉输注凝血因子以及免疫抑制有关。

39.4.2 病因和发病机制

血友病甲和血友病乙由于缺乏Ⅷ因子和Ⅸ因子，可影响内源性系统中的凝血酶原转变为凝血酶，使纤维蛋白原无法形成纤维蛋白而致出血。而且由于正常关节的滑膜组织中缺乏组织因子，不能通过外源性凝血系统的代偿功能止血。因此，血友病患者最突出的临床表现是关节滑膜出血。

反复的关节腔出血，红细胞破坏释放出的铁沉积在滑膜组织并被滑膜下巨噬细胞吞噬，同时也沉积于软骨，通过铁对滑膜和软骨的直接和间接作用，促使滑膜增殖和纤维化。也使软骨受侵蚀，并最后导致骨质破坏和关节功能丧失。

39.4.3 临床表现

血友病甲和血友病乙的临床表现相同，主要表现为关节和肌肉的出血，两者之比约为5∶1。患者一般在学会行走的时候便开始出现关节内的出血，4～5岁可反复发作关节出血。体内各个关节均可发生出血，其中发病率最高的关节依次是膝关节、肘关节和踝关节，可能是这些铰链关节比髋关节和肩关节抗旋转能力差。出血前往往有创伤或较多的活动，关节出血早期表现为局部疼痛、肿胀，根据关节血肿的临床进程，可分为3期。

1）急性关节炎期　关节出血早期，因新鲜出血，使局部发红、肿胀、热感，伴关节活动受限。检查关节局部出现波动感或浮髌征阳性。出血如停止，则积血在数日内逐渐吸收，关节症状消失，可不留痕迹，关节功能恢复。

2）慢性关节炎期　由于关节腔内反复出血，新旧血液交杂，造成关节持续性肿胀，临床表现时轻时重，迁延不断，多则数月或数年。也可因关节血肿压迫或废用性肌萎缩，致使关节临近骨质缺血、退变和疏松。

3）关节畸形期　由于出血时间长，陈旧性关节积血、血块机化，滑膜逐渐增厚并使关节软骨受损，以致关节僵硬、强直及畸形。最后也可能成为骨性融合，造成永久残疾。

血友病除关节血肿外，还可在此基础上或单独发生血友病性假性肿瘤，其表现为骨质囊性破坏性缺损，这是本病在骨骼上的一种继发性改变。

少数患者可在关节穿刺或其他关节手术后，出现关节出血并继发细菌感染，好发于单侧膝关节，常伴局部疼痛，肿胀明显及发热。大约3%的血友病患者在病程中出现感染性关节炎。故对高热持续不退、外周血白细胞明显增高及经治疗后出血症状改善，而关节症状加重者，应考虑出现感染性关节炎的可能，致病菌多为金黄色葡萄球菌、肺炎链球菌及流感嗜血杆菌。

39.4.4 实验室检查及影像学检查

（1）实验室检查

1）筛查　本病患者激活的部分凝血酶时间（APTT）延长、白陶土凝血活酶时间延长及凝血时间（CT）延长。

2）鉴别因子Ⅷ和因子Ⅸ缺乏　须做部分凝血活酶时间纠正试验。

3）因子Ⅷ和因子Ⅸ的比活性测定　正常的新鲜冷冻血浆，其Ⅷ:C为1 000 u/L，即100%。严重的血友病甲，其混合血浆的Ⅷ:C为10 u/L，即1%。

Ⅷ:C的正常范围为50%～200%。FⅧ:C<1%为重型,常有反复的关节和肌肉出血。FⅧ:C≥5%为轻型,仅在外伤或手术时才有出血现象;FⅧ:C>1%且<5%为中型,出血程度介于轻型和重型之间。

(2) 影像学检查

X线可见滑膜增生和充血表现,股骨的髁间窝增宽,慢性充血可导致骨骺的增大,尤其是内侧髁。次级骨小梁被再吸收形成骨内的条索。有时还可见到因含铁血黄素在软组织中沉积出现密度增高。还可出现骨骺出现过早,生长太大,过早融合。

患肢与健侧比较,关节周围软组织肿胀,股四头肌萎缩。关节内有渗血或积血,骨质脱钙,长度增加,关节间隙变窄,髁间切迹加深。滑膜增殖和色素沉积在MRI上显示更清楚。含铁血黄素在不规则的滑膜内表现为T2加权低信号空白。关节软骨和半月板均受侵袭,与退行性变一样,也可见关节下囊性变(图39-2)。

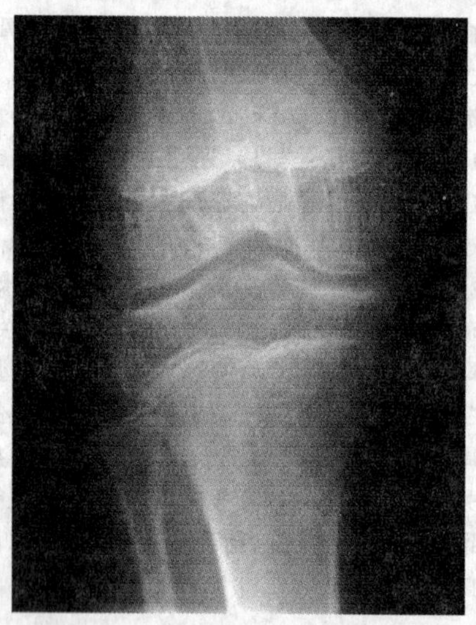

图39-2 血友病性骨关节炎关节后下囊性变

39.4.5 诊断与鉴别诊断

(1) 诊断

血友病性关节炎诊断要点如下:①男性患者,关节出血或持续性关节肿胀为主要临床表现。②有阳性家族史。③APTT延长,纠正试验显示因子Ⅷ或因子Ⅸ缺乏,Ⅷ:C或Ⅸ:C明显降低。

(2) 鉴别诊断

1) 急性风湿性关节炎　血友病关节炎急性期的关节红肿热痛以及功能障碍应与风湿性关节炎相鉴别,后者常继发于咽炎,以急性发热和游走性大关节炎为特点,血细胞沉降率、C反应蛋白和抗"O"增高,以往无出血倾向及APTT正常,以资鉴别。

2) 类风湿关节炎　类风湿关节炎为慢性进行性对称性和破坏性关节炎,四肢大小关节受累、血清类风湿因子阳性,无出血倾向,可与血友病关节炎相鉴别。

3) 关节型过敏性紫癜　过敏性紫癜的特点是下肢广泛紫癜,血小板及激活的凝血酶时间和白陶土凝血活酶时间正常。

血友病性关节炎为单关节发病伴全身中毒症状,白细胞增高,血培养和关节滑膜细菌培养阳性及抗感染治疗有效。

39.4.6 治疗

(1) 一般治疗

教育患者了解血友病知识,避免外伤和过度活动,预防出血。在急性期关节出血几周至几个月,仍应定期预防性输入凝血因子,防止关节反复出血。

(2) 急性关节积血的处理

1) 替代治疗　急性关节出血的治疗应立即给予凝血因子替代治疗;严重的出血可能需要连续数天的替代治疗。

2) 受累关节制动　出血早期应采取绷带压迫止血,将出血关节的肢体抬高和固定在功能位,但通常不要超过2天,在制动期间可能需重新给予凝血因子。

3) 关节穿刺　关节穿刺的适应证为关节的肿胀疼痛对凝血因子替代疗法和镇痛剂无反应,或累及皮肤或神经血管束。如果存在凝血因子Ⅷ抑制因子或邻近皮肤有感染,则为关节穿刺的绝对禁忌证。在积极补充凝血因子的前提下,于症状开始的24 h内进行关节腔穿刺,尽量抽出关节积血,使关节腔减压,减轻疼痛。必须注意无菌操作,防止继发感染。如怀疑并发感染,则应及时穿刺引流,将引流液作细菌培养,以明确诊断,缓解症状。

(3) 药物治疗

1) NSAID　双氯芬酸、舒林酸等NSAID一般不影响血小板功能,使用安全,对关节疼痛后肿胀者可选用。

2) 青霉胺　青霉胺具有一定的免疫抑制和抗炎作用,还可以减少单核细胞的滑膜浸润,使滑膜增厚减轻,减少关节再次出血,尽管对血友病本身无治疗作用,但对血友病关节炎有一定疗效。本品起效慢,每日剂量不宜>0.375g/d,安全性大且疗效好。

3) 补充疗法 补充相应的凝血因子,严重出血者易用抗血友病球蛋白浓缩制剂(如冷沉淀物)及高浓度的浓缩物,控制关节腔出血。

4) DDAVP DDAVP是人工合成的抗利尿激素类似物,可动员体内储存的因子Ⅷ的作用。主要用于血友病甲患者。

5) 抗纤溶制剂 可以6-氨基已酸、对氨基苯甲酸等与补充疗法共用,阻止已形成的血凝块溶解。

(4) 手术治疗

1) 关节镜 以滑膜增厚的关节肿胀者可行滑膜切除术。切除滑膜后控制症状并减少出血次数。

2) 人工关节置换 关节强直、畸形及功能丧失者可考虑人工关节置换,但必须在积极补充凝血因子的前提下,以确保手术安全。

(5) 放射性核素治疗

近期有用^{165}Dy的氢氧化铁大聚合物关节内注射报道,该聚合物的半衰期短,最大组织穿透仅5~7 mm,从关节腔渗漏量少。^{90}Y已成功用于滑膜切除,但其从关节腔渗漏,引起正常组织损伤的问题尚待解决。

39.5 神经性关节病

39.5.1 概述

神经性关节病首先由Charcot于1868年描述,故又称Charcot关节,这是继发于中枢神经或周围神经深感觉神经而引起的关节病变。由于神经营养性障碍,使关节出现慢性进行性无痛性破坏。

39.5.2 病因学

神经性关节病的常见病因有脊柱梅毒、脊髓空洞症以及糖尿病,其次为外伤性截瘫、周围神经损伤、脊柱裂、脑脊膜膨出、麻风及雅斯病。

脊柱梅毒的来源可分为母婴传播的先天性梅毒(又称胎传梅毒)和接触传染的后天性梅毒(属于性传播疾病)。

先天性梅毒主要见于四肢长管状骨,而在脊柱上较为少见。成人梅毒也多见于四肢长管状骨,也可发现脊柱梅毒,多见于颈椎和腰椎。病椎致密硬化,椎间隙不规则狭窄,椎旁广泛钙化,且有巨大骨刺形成。脊髓后角受累的中枢神经系统梅毒所引起的神经性关节病也可有椎间盘变性,软骨部分消失,并在软骨缺损处形成大量象牙样硬化骨,四周有骨赘,可表现为增生性脊柱炎的特征。

39.5.3 临床表现

本病多见于40~60岁的男性,男女性之比约为3:1。四肢和脊柱的关节可出现痛觉消失,单关节受累的患者占2/3。病变的部位随着发病原因的改变而不同:脊髓空洞症患者常可发生在上肢大关节;脊髓梅毒患者常见于下肢大关节和跗跖关节,下肢以膝、足、踝、髋为多见,上肢则见于肘和肩。

起病缓慢,初起时特点为疼痛或仅有轻度疼痛,与X线片上的骨破坏程度不相符合。检查时发现关节可有超越正常的活动范围,膝和肘可显示过伸的状态。创伤后关节内可有大量积液出现,关节周围软组织水肿,局部皮温略有增高。关节液呈黄色,黏稠,易凝固,主要为淋巴细胞。后期关节肿胀可消退,但反复发作,使关节囊更松弛,畸形加重。若病变发生于下肢和脊椎,可出现行走不稳或跛行。

体检可发现关节肿大,关节囊肥厚,并有关节腔积液,关节内有许多游离体和多处骨质增生,触诊关节好像布袋内装满许多碎石块。关节活动正常,但无明显压痛。

根据原发病变的不同,可有一系列临床特征。如因脊髓梅毒所致,除感觉、位置觉和振动觉均消失,以及膝、踝等反射减弱或消失外,还表现为对光反射消失而调节反应仍存在的阿-罗瞳孔、共济失调、闪电样疼痛和内脏危象,且华康反应阳性(现在已较少使用),特异性梅毒血清试验可显示阳性。若为脊髓空洞症所致,则有浅感觉分离,表现为痛觉和温度觉消失而触觉仍存在,以及上肢无力和萎缩、腱反射减弱或消失、皮肤粗糙增厚等神经营养性变化。

39.5.4 影像学检查

早期由于关节内积液,X线片显示软组织肿胀,表现为关节间隙增宽,软组织密度增加,但关节面仍清晰,有时可出现骨质疏松。

晚期则表现为关节面破坏,关节间隙变窄,关节边缘有骨赘形成。由于关节内有游离体,关节内外有钙质沉积,又有骨质破坏和关节轮廓扩大、变形,所以关节结构非常紊乱，骨质密度增高区和密度降低区并存，有时尚可出现半脱位和脱位。脊柱病变表现为脊柱滑脱、后凸或侧凸畸形，椎旁软组织出现散在钙化阴影，椎体破坏和增生并存，结构紊乱。CT和MRI检查也可见到相应的变化。

39.5.5 治疗

急性期，局部制动、休息，防止反复创伤；适当使用牵引、石膏、夹板、支架固定；抽吸关节液。待急性期后，可允许适当活动。及时治疗原发性疾病，如梅毒、麻风、糖尿病。手术创伤由于受累关节缺乏营养神经支配而愈合困难，所以一般尽量不行手术，而用支架、足托、矫形鞋治疗。对于严重膝关节或踝关节病变者，可考虑行关节融合手术。

39.6 银屑病性关节炎

39.6.1 概述

银屑病性关节炎(psoriasis arthritis, PsA)是一种与银屑病相关的炎性关节病。本病病程长，易复发，疾病晚期造成关节强直及致残。银屑病性关节炎是发生在银屑病患者的一种血清类风湿因子阴性关节炎，具有独立于其他炎性关节病的异质性，临床具有银屑病皮疹，关节及周围组织炎症，部分患者可有骶髂关节炎和(或)脊柱炎，病情迁延反复且与HLA-B27有关，故该病被列入血清类风湿因子阴性脊柱关节病。

39.6.2 病因学

银屑病性关节炎病因仍不清楚，遗传、免疫和环境因子被认为是参与发病的重要因素。

(1) 遗传因素

银屑病有家族聚集性，40%以上的银屑病患者有皮肤或关节病家族史，银屑病患者一级亲属患病率8%～23%，比一般人群高出40%。异卵双生子共患率达15%～30%，而单卵双生子达65%～72%。PsA在双生子是否与此相似尚不清楚。

通过遗传学研究，目前已证实银屑病是一个多基因疾病，在染色体6p21.3(PSORS1)、17q(PSORS2)、4q(PSORS3)、1cen-q21(PSORS4)、3q21(PSORS5)、19p(PSORS6)、1p(PSORS7)以及4q31(PSORS9)发现了相应的易感区域。6号染色体短臂MHC区域HLA-B2、B13、B17以及HLA-CW6与PsA密切相关。最近，用分子DNA技术测定发现，HLA-CW0602在银屑病关节炎患者的频率明显高于对照组，该基因可能直接参与了疾病的发病过程，并可能与病情严重性相关。

(2) 环境因素

寒冷、潮湿、季节变换、精神紧张、抑郁、内分泌紊乱、创伤等，已被认为是在具有遗传倾向的个体中诱发银屑病性关节炎的重要环境因素。

(3) 感染

大量研究证实，点滴状银屑病与上呼吸道链球菌感染有关。有学者在19例PsA的患者中有7例的外周血中发现链球菌A的16S rRNA阳性，其中2例B组链球菌26S rRNA也出现阳性，1例关节滑液检测阳性，而17例RA患者无一例阳性。免疫学研究也证实PsA患者外周血T细胞对A组链球菌抗原存在增生反应。但目前关于链球菌对PsA的因果关系尚未明确。尚不清楚是链球菌感染直接触发了PsA还是由于银屑病皮肤屏障的破坏导致链球菌易进入机体所致的一种反应性关节炎。

人类免疫缺陷病毒(HIV)感染与银屑病和PsA明显相关。在非洲赞比亚一般人群的HIV感染率为30%左右，PsA患者则高达96%。在北美HIV患者中的PsA的患病率为0.4%～2%，也明显高于普通人群，HIV感染可能直接触发了PsA，或者导致其他感染触发PsA，也可能由于HIV导致$CD4^+$细胞数量下降介导了PsA的免疫发病机制。还有学者观察到肌内注射γ-干扰素的患者可诱发产生银屑病关节炎，γ-干扰素是一强诱导HIV-Ⅱ类抗原表达剂，因此认为HIV-Ⅱ类分子可能参与银屑病关节炎的启动。

(4) 免疫异常

1) 细胞免疫异常　研究证实T淋巴细胞及其分泌的细胞因子在银屑病和PsA的发病过程中起核心作用。Costello等发现在PsA关节病滑膜组织中主要含有大量$CD8^+$ T淋巴细胞，伴随有部分$CD4^+$ T细胞，这些细胞中的大多数是表达CD45RO和HLA-DR抗原的激活的记忆T细胞，能够在体外表现出在自身抗原驱动下增殖的特征。许多学者进一步证实在银屑病皮疹的病变滑膜中均存在着上述致病性T淋巴细胞克隆。

2) 体液免疫异常　在PsA患者血清中出现抗核抗体、类风湿因子、抗皮肤抗原抗体及免疫复合物，支持体液免疫机制过度活跃。在银屑病和PsA患者的血清中也发现抗上皮角蛋白和抗细胞角蛋白18抗体，但这些抗体在疾病发生、发展中的作用仍不清楚。另外。已证实PsA患者补体激活产物C3b、C4d或B6水平增加，提示补体参与发病。

(5) 炎症性细胞因子

银屑病皮疹和病变滑膜的细胞因子表达存在明显异常，尤其是促炎因子如TNF-α、IL-1β的表达明显增加。与骨关节炎相比，PsA患者皮疹组织和病变滑膜组织中TNF-α、IL-1、IL-5和IL-10的表达明显增加。使用抑制TNF-α的生物制剂可以显著改善银屑病皮疹和关节损伤，进一步支持TNF-α等促炎因子在PsA发病中的作用。

39.6.3 临床表现

PsA的许多临床表现与其他血清阴性脊柱关节病相似，许多表现以及家族史甚至相互重叠，提示这是一组具有共同特征的异质疾病。

(1) 关节表现

PsA关节表现具有很大的个体差异，从孤立的单关节炎到广泛的残毁性关节炎，从外周关节到脊柱中轴关节均可有不同程度的受累。依据其关节受累表现的不同，可将其归入不同的临床类型。目前临床应用最为广泛的是Moll和Wright于1973年提出的标准。该标准将关节表现分为5个基本类型。①少关节或单关节炎型：通常只发生在1个或2～3个关节，以手足的远端或近端指(趾)间关节及跖趾关节多见，受累的指(趾)可呈典型的腊肠形，有时发展为对称的多关节型，与类风湿关节炎难以区别。②远端指间关节炎型：此型为典型的银屑病关节炎，几乎总是伴发邻近的银屑病指甲病变。③残毁性关节炎型：受侵犯的跖骨、掌骨或指(趾)骨发展到严重的骨溶解，指节常发生套叠及短缩畸形，病变关节可发生强直，患者发病年龄多在20～30岁，常伴有发热、体重下降及严重而广泛的皮肤病变，以及经常伴发骶髂关节炎。④多关节炎型：主要累及手和足的小关节，腕、踝、膝和肘关节，有的患者呈对称分布，此型受侵犯的关节数目不及类风湿关节炎多，畸形程度也比类风湿关节炎轻。有些患者血清学检查也可出现类风湿因子阳性。⑤脊柱病型：骶髂关节受累见于20%～40%的银屑病关节炎患者，以韧带骨赘为表现的脊柱炎见于40%的银屑病型关节炎，韧带骨赘可发生在无骶髂关节炎者，并可累及脊柱的任何部分，可引起脊柱的融合，个别颈椎受累者可引起寰枢关节半脱位。

(2) 皮肤病变

银屑病关节炎主要依靠存在的银屑病与其他炎性关节病鉴别。在大多数病例中，银屑病出现在关节炎发病前数年。15%～20%的病例，银屑病发生在关节炎出现之后，关节炎的严重程度可与皮肤损害平行，严重的关节炎通常伴有比较广泛的皮疹，但有时银屑病的皮疹也可以只是在不易察觉部位的一小块皮损。

(3) 指甲病变

指甲异常是银屑病关节炎的特征，见于80%的患者，而在无关节炎的银屑病患者只占15%，最常见的指甲病变是顶针样凹陷，甲脱离，甲下角化过度、增厚、横嵴及变色，远端关节和邻近的指甲多同时受累。

(4) 关节外表现

20%的患者可出现结膜炎，7%可出现虹膜炎，还有一些患者会出现主动脉瓣关闭不全、上肺纤维化、淀粉样变性和发热等情况。

39.6.4 实验室检查及影像学检查

本病缺乏特异性的试验，类风湿因子的阳性率不超过正常的人群，比较有意义的检查是X线片，其变化包括：①手和足的小关节骨性强直，指间关节破坏伴关节间隙变宽，末节指骨基底的骨性增生及末节指骨吸收。②近端指骨变尖和远端指骨骨性增生两者兼有的变化，造成“带帽铅笔”样畸形。③长骨骨干“绒毛状”骨膜炎。④骶髂关节炎多为单侧。⑤伴有骨桥的不典型脊柱炎。

39.6.5 诊断与鉴别诊断

有银屑病或银屑病指甲病变以及血清类风湿因子阴性外周关节炎，伴或不伴脊柱受累都可确诊为银屑病关节炎。有关节炎而无皮疹的患者，确诊比较困难，须排除其他疾病后方可诊断。

对于仅有远端指间关节受累的银屑病关节炎需与骨关节炎相鉴别，指甲病变有助于区别。本病的多关节炎型需与类风湿关节炎相鉴别，前者的对称性不如后者强，且大约一半的患者呈非对称性分布；前者的关节触痛程度及关节腔积液量均不及类风湿关节炎明显；另外，远端指间关节、腊肠指(趾)和肌腱末端炎都是前者不同于后者的特征；而血清类风湿因子阳性则可有助于类风湿关节炎的诊断。

39.6.6 治疗

本病的治疗应包括休息、锻炼、理疗和对患者宣传教育，对于轻度或中度活动型关节炎采用非甾体类抗炎药物治疗，包括双氯酚酸、布洛芬、萘丁美酮和美洛昔康，都有不错的疗效。COX-2 抑制剂，例如塞来昔布等药物对控制关节的炎症症状也有很好的疗效。可以按患者的个体情况选用。但关节炎或腱鞘炎可行局部的肾上腺皮质激素注射，药物包括曲安奈德和倍他米松磷酸二钠（得宝松）等。治疗皮肤病变有助于控制关节炎，可与皮肤病医师合作，不饱和乙基酯脂类及1，25-二羟维生素 D_3 对银屑病关节炎的皮肤和关节病变均有帮助。

对于多关节进行性加重的银屑病关节炎患者，应及早应用慢作用药物治疗，如抗疟药物、金制剂、青霉胺、柳氮磺吡啶、甲氨蝶呤和环孢素。金制剂和抗炎药物并用有中度的疗效。甲氨蝶呤被确定为银屑病关节炎的一种有效治疗将近 40 年，它可使皮肤和关节病变均得到改善，在治疗 2～8 周后，患者的疗效可达 42%～95%。目前多采用每周 1 次给药的方法，初次剂量 5 mg，每周以 2.5 mg 递增，直至每周 15～25 mg，待病情好转后将甲氨蝶呤逐渐递减至最小有效剂量维持，疗程一般 3～5 个月甚至更长。治疗期间观察药物对骨髓、肝脏和肺的影响，定期做有关检查，并戒烟、戒酒。银屑病关节炎的关节成形术和关节融合术的适应证同类风湿关节炎。

本病不主张使用肾上腺皮质激素的全身治疗，因为一方面对关节炎无效，另一方面还可能加重皮肤的损害。

39.7 痛风

39.7.1 概述

痛风是尿酸代谢障碍所引起的疾病。临床上以屡次发生急性关节炎，血清尿酸过多，尿酸盐沉积在软组织内形成痛风石，尿酸性泌尿系结石及少见的痛风性肾病为特征。

痛风分为原发性和继发性。原发者多，有家族史，由于内源性尿酸增多，肾脏排泄尿酸的能力也降低。继发性痛风多见于血液病、恶性肿瘤和肾脏病。少数患者由于代谢性疾病如次别嘌呤-咖啡因酶、磷酸核糖基转移酶缺乏时的高尿酸血症也是继发性痛风的一种。

当血尿酸超过 475.8 μmol/L(8 mg%)时，尿酸盐可在组织中沉积。主要沉积在关节软骨、软骨下骨质及关节囊等处，也可沉积于肾脏、皮下组织及其他组织中，引起组织破坏和炎症反应。尿酸盐沉积过多形成痛风石。急性发作时关节液多，并含有少量的尿酸盐晶体。发生症状的主要原因是微结晶滑膜炎。早期急性发作后关节功能可以完全恢复正常。至晚期关节结构变形后，将残留永久性功能障碍。

39.7.2 临床表现

发病开始可以累及包括第一跖趾关节在内的2～3 个关节。第一跖趾关节为本病的多发关节。其次为足背、足跟及踝关节。近年来由于抗癌治疗开展，继发性痛风有增加趋势。原发性痛风分为 4 期。

1）无症状期 时间较长，仅血尿酸增高，约 1/3 的患者以后有症状。

2）急性关节炎期 多在夜间突然发病，受累关节剧痛，首发关节常累及第一跖趾关节，关节红肿热痛，可持续 3～13 天。饮酒、暴食、手术刺激及精神紧张均可成为发作诱因。

3）间歇期 数月或数年，随病情反复发作间期变短，病期延长，病变关节增多，逐渐变成慢性。

4）慢性关节炎期 由急性转为慢性关节炎期，平均 11 年左右，关节出现僵硬、畸形、活动受限。晚期患者有高血压、肾动脉硬化等其他脏器的病变。

39.7.3 辅助检查

血尿酸增高，痛风石穿刺可吸出含尿酸盐的粉末，关节液内找到尿酸炎结晶时可以确诊。

X 线检查示关节软骨下骨的穿凿样破坏及局部的骨质疏松、腐蚀或皮质断裂，关节间隙狭窄和边缘性骨质增生，痛风结石可以为钙化影。

39.7.4 治疗

无症状期和间歇期应节制饮食。禁食富含嘌呤和核酸的食物，如海鲜、动物的内脏（肝肾脑及鱼子）、豆腐、扁豆等，禁忌饮酒，避免精神刺激、受凉和过劳等。但临床上少数患者即使不吃海鲜和豆制品，痛风仍然会发作，主要是因为体内尿酸的来源中内源性嘌呤占了 90%以上。

急性发作期应卧床休息，垫高患肢，局部可冷敷，并大量饮水，尿量每日＞2 000 ml。以往在急性期还口服秋水仙碱，疗效满意，但毒副作用大，可能会影响肾功能。用法：秋水仙碱 1 mg 每 2 h 一次至症状控制或出现不良反应，如恶心、呕吐、腹泻等。以后 0.5 mg 每日 3 次，1～2 天后疼痛可完全消失，症状缓解后可间断服用秋水仙碱 0.5 mg，每日 3 次。可以口服解热镇痛药控制急性发作，如上述药物不能控制症状，可以使用皮质激素。任何降低尿酸的药物无解热镇痛作用，对急性发作的关节炎无益，反而会加重症状或延长症状持续时间，因而不易使用。

间歇期和慢性期可用降低尿酸的药物：第 1 类为排尿酸的药物，主要通过干扰肾小管吸收滤过的尿酸盐，增加尿酸的排泄发挥降低血尿酸的作用，主要药物有丙磺舒（羧苯磺胺），该药有胃肠道不良反应，易引起皮疹、头痛、灼热，长期服用虽可使关节炎得到根本好转，但患者如合并有肾脏疾病应慎用；第 2 类药为抑制尿酸形成的药物如别嘌呤醇，能抑制黄嘌呤氧化酶，阻止尿酸形成，迅速降低血尿酸浓度，降低尿中的尿酸排泄量，抑制痛风石和肾结石形成，并使痛风石溶化。

局部痛风石大而影响功能或破溃经久不愈的，可手术刮除。对于关节功能受限者，有时可选择关节成形术，或人工关节置换术。

39.8 大骨节病

39.8.1 概述

这是我国的一种地方病，是一种表现为关节肥大性改变的疾患。主要分布于我国东北、西北、内蒙古、河南等地的山谷潮湿寒冷地区，在平原则少见。在我国西北又名“柳拐子病”，由于患者发育障碍呈侏儒状，步态不稳而呈摇摆状而得名。

病因是由于摄入带有致病真菌寄生的小麦和玉米制成的面粉所引起，是一种慢性中毒。近年我国科学工作者发现病区的小麦和玉米受间孢镰刀菌污染严重，间孢镰刀菌在小麦和玉米中产生大量的 T-2 毒素，该毒素经口摄入后，在肝脏代谢为 HT-2，作用于软骨组织。

大骨节病涉及全身多个骨关节，病理改变的范围较广泛，但主要病变部位是在四肢管状骨的骺板和关节软骨，其中以踝关节、膝关节、肘关节、腕关节和指骨的软骨病变最显著，而肩关节和脊椎的病变较少。其病理改变，主要侵及骨端软骨，骺板破坏明显，然后累及关节软骨。骺板软骨及关节软骨内发生明显的营养不良性变化，骺板弯曲、厚薄不均、软骨组织细胞排列不齐，骨髓毛细血管长入骺板软骨并将它分割成软骨岛，软骨带钙化出现横向骨小梁，软骨基质减少或消失。附近的软骨细胞增生成团。由于骺板软骨被破坏，使骨的纵向生长受阻，骨骺早期融合，长骨过早停止生长，因而患骨短缩。关节软骨可有类似病变。关节软骨面软骨软化、溃疡、脱落成游离体，关节面不平边缘骨赘形成。滑膜绒毛增生，脱落也形成游离体，髓腔内有坏死灶和囊腔。由于受机械应力的影响，骨端粗大变形。

39.8.2 临床表现

发病呈地域性，四季发病，春季多见，6～18 岁年龄段好发，成年后也可患病。多隐性发病，病程分 4 期。①前驱期：症状轻、疲乏、关节不灵活，趾、指、小腿隐痛和痉挛。手腕、肘、膝、踝关节压痛，活动可闻捻发音，手指末节屈曲食指明显。②早期：关节疼痛、不灵活和疲乏感逐渐加重。手指、膝、踝关节逐渐增粗，关节伸曲不便。关节活动时都可听到捻发样摩擦音。肌肉轻度萎缩。轻度扁平足。③中期：体力更差，疼痛运动受限更著，扁平足较重。④晚期：身材矮小，四肢短缩，关节粗大，挛缩畸形，肘关节运动受限最明显。膝屈曲步态呈鸭子样步态。肌肉萎缩，扁平足进一步严重，劳动力明显减低。

39.8.3 影像学检查

X 线检查的主要征象为生长期中的骺板因变性而发生骨骺的早期融合。骺软骨和干骺端的变化依 X 线表现可分为 3 期：早期骨骺凹凸不平，有时见游离体；中期骺板提前闭合，骨骺碎裂，干骺端融合；晚期骨端增粗，关节面凹凸不平、边缘增生、游离体、骨干变短和各种畸形。X 线改变以指骨出现最早。

39.8.4 治疗

治疗重点在预防。主食大米可阻断病因。禁用激素类药物治疗，否则病情将迅速加重。硒是人体必需的一种微量元素。病区 3～16 岁少年儿童应服用亚硒酸钠药片。对早期患者使用维生素 A，可制止病变进展，效果显著。对中期病例治疗目标为止痛和保持关节活动功能。对晚期关节有严重畸形的患者，可行手术治疗。

（董　健　方涛林）

参考文献

[1] 方卫纲,曾学军,李梦涛,等.关于痛风诊治决策的调查及相关因素分析.中华医学杂志,2006, 86(27): 1901～1905.

[2] 李文敬,孙希志,曹导源主编.实用风湿病学.第2版.济南:山东科学技术出版社,2001.

[3] 李培勇,陈刚,张立颖,等.血友病关节炎的[188]Re-硫化铼放射性滑膜切除研究.中华血液学杂志,2002, 23(3):151～152.

[4] 张江林,黄烽,刘湘源,等.银屑病关节炎临床特点与HLA-B27的相关性研究.中华风湿病学杂志,1999, 3(2):87～89.

[5] 类风湿性关节炎的治疗指南.继续医学教育,2005.

[6] 胥少汀,葛宝丰,徐印钦主编.实用骨科学.第3版.北京:人民军医出版社,2005.

[7] 徐刚要,张宝弟,吕晓亚.陕西省大骨节病防治总结报告.地方病通报,2005, 20(1):64～65.

[8] Coughlin MJ. Rheumatoid forefoot reconstruction: a long-term follow-up study. J Bone Joint Surg, 2000, 82A:322.

[9] Harris, Edward. D. Kelley's textbook of rheumatology. 7th ed. Saunders, 2004.

[10] Jernberg ET, Simkin P, Kravette M, et al. The posterior tibial tendon and the tarsal sinus in rheumatoid flat foot: magnetic resonance imaging of 40 feet, J Rheumatol, 1999, 26:289.

[11] Khan M A. An overview of clinical spectrum and heterogeneity of spondyloarthropathies. Rheum Dis Clin North Am, 1992, 18(1):431～437.

[12] Koopman, William J. Arthritis, Allied Conditions. A Textbook of Rheumatology. 15th ed. lippincott williams & wilkins, 2004.

第十一篇

代谢性骨病

代谢性骨病

骨是人体内一种坚硬的结缔组织，由骨细胞系和骨基质组成。骨细胞系又分为骨细胞、成骨细胞和破骨细胞3种。骨基质，即骨的细胞间质，分无机质和有机质两种成分。无机质主要为无机盐，有机质主要为Ⅰ型胶原蛋白和具有生物活性的非胶原蛋白组成。在人的一生中，骨组织始终处于骨改建过程中。骨改建过程包括骨吸收、骨形成和静止阶段。一方面骨吸收时，破骨细胞清除旧骨的矿物质，同时启动成骨细胞的骨形成，成骨细胞先形成类骨质，再矿化形成新骨。这种骨改建和钙代谢的过程受多种激素和细胞活性因子以及钙离子的调节。它们之间相互协调，维持血钙平衡，保证骨代谢的正常进行。当这一平衡受到破坏或激素分泌发生紊乱时就会引起代谢性骨病。

代谢性骨病内容广泛。主要和甲状旁腺素、降钙素、维生素 D_3、雌激素以及钙磷代谢有关。所以甲状腺功能亢进、甲状旁腺功能亢进、慢性肾功能不全、维生素 D_3 缺乏性疾病都会在骨骼系统有所表现。本章主要介绍和骨科比较密切的骨质疏松症、骨质软化症、软骨不发生和软骨发育不全。

40.1 骨质疏松症

40.1.1 定义

骨质疏松症是一种慢性进展性疾病，以骨量减少，骨显微结构破坏，骨强度下降，从而导致骨脆性增加，骨折危险度上升为特征。骨质疏松症分为原发性骨质疏松症和继发性骨质疏松症两类。原发性骨质疏松症是伴随着增龄过程的骨量丢失，在男性往往伴有性功能的下降，其中的骨骼改建单位的激活率正常，但是骨吸收陷凹的填充不完全。继发性骨质疏松症是由一系列慢性疾病、药物，以及营养不良引起的骨量丢失。其骨骼改建单位的激活率在开始时常常提高，因此在任何时间点上有很多骨骼参与了改建。

40.1.2 诊断

在1994年以前，诊断骨质疏松症需要有明确的脆性骨折。1994年WHO根据骨密度(BMD)对绝经后白人妇女建立了一套诊断骨质疏松症和骨质软化症的诊断标准。①正常：髋部BMD比青年女性平均参考值低，但不到1SD(*T*值>-1.0)。②骨质软化症：髋部BMD比青年女性平均参考值低1～2.5SD(-2.5<*T*值<-1.0)。③骨质疏松症：髋部BMD比青年女性平均参考值低2.5SD或2.5SD以上(*T*值<-2.5)。④严重骨质疏松症或明确的骨质疏松症：髋部BMD比青年女性平均参考值低2.5SD以上并伴有至少一处脆性骨折。

尽管有很多技术可用于测量BMD，但髋关节的双能X线测量(DXA)是诊断骨质疏松症的金标准。有很多专家推荐使用腰椎、股骨颈或髋部、桡骨远端1/3的DXAT值作为诊断骨质疏松症的依据。其他部位如转子、Ward三角区、腰椎侧位、跟骨、全身的骨密度测定或者使用其他技术如跟骨超声测量，定量CT或MRI等测得的骨密度也有利于骨折风险的评估，但不用于骨质疏松症的诊断。如果不同部位测得的骨密度差异较大，常常采用最低的骨密度值。

双能X线骨密度测定法无创、准确、重复性好，并能够预示长期和短期的骨折风险。结果除了*T*值、*Z*值外，还以密度值g/cm^2表示。*T*值表示与正常同性别青年人群的骨密度平均值相差的SD值，用于正常骨密度、骨质疏松症、绝经后妇女和50岁以上男性骨量减少的诊断。*Z*值表示与同年龄同性别对照人群的骨密度平均值相差的SD值。*Z*值低于1SD甚至2SD以上提示导致骨质疏松症的继发因素存在。*Z*值主要用于评估绝经前女性和50岁以前男性的骨量减少。*Z*值在2SD之内表示在可允许的变化范围，超过2SD的变化属于异常。

40.1.3 骨密度普查

1) 美国骨质疏松基金会推荐的骨密度筛查细则 ①无论有无其他危险因素，所有65岁以上的妇女都应检查。②对于65岁以下的绝经后妇女，需具备一个以上的下列骨质疏松危险因素。③不论年龄大小，发生过骨折的所有绝经后妇女。

2) 主要危险因素 ①成年人骨折史。②直系亲属脆性骨折史。③低体重(<58 kg)。④吸烟。⑤口服类固醇药物治疗超过3个月。⑥其他危险因素。⑦视力下降。⑧早年雌激素缺乏(年龄<45岁)。⑨痴呆。⑩健康差，身体虚弱。⑪近期有跌倒史。⑫低钙摄入。⑬缺乏锻炼。⑭乙醇摄入过量，每天饮酒超过2次。

3) 高风险患者SCSI BMD测定指导原则 ①发生过脆性骨折的任何男性和女性(自发性骨折或站立高度以下跌倒后骨折史)。②剂量>5 mg/d的泼尼松，类固醇治疗超过3个月的男性和女性患者。③X线上已显示骨软化或椎体骨折的男性和女性。④年龄>65岁的所有妇女。⑤年龄<65岁绝经后妇女。至少具有下列一项危险因素：①低体重(<54.4 kg或体重指数<20)。②骨折家族史(45岁以上直系亲属骨折史)。③没有使用激素替代治疗(HRT)。④吸烟，每天1包。⑤40岁以前就绝经。⑥激素替代治疗超过10年。⑦患与骨丢失相关的慢性病男女患者。⑧无月经超过1年的绝经前妇女。⑨男性性功能低下超过5年的患者。⑩长期卧床的男性或女性，卧床休息或轮椅限制超过1年。⑪接受过实质性器官或异体骨髓移植的男女患者。

40.1.4 实验室检查

30%～60%的男性骨质疏松症患者都有继发因素，常见的有性功能减退、类固醇激素的应用和酗酒。绝经期妇女中50%患者可找到继发因素，常见的有雌激素水平下降、应用类固醇激素、甲状腺激素过多以及抗惊厥治疗。绝经后妇女的继发性骨质疏松大大下降。

新诊断骨质疏松症患者ICSI实验室检查指导原则如下。

1) *Z*值>1.0(继发性骨质疏松症的可能性很小) ①肌酐：除外继发于肾衰竭的甲状旁腺功能亢进。②肝功能：慢性肝病和胆源性疾病是骨质疏松症的危险因素。③血清钙：甲旁亢患者升高，吸收不良或维生素D缺乏的患者降低。④碱性磷酸酶：Paget病患者，长期制动，骨折急性期或其他骨病升高。⑤血清磷：骨质软化症患者降低。⑥甲状腺功能(促甲状腺素和甲状腺素):甲旁亢患者伴有骨丢失。⑦血细胞沉降率和C反应蛋白:提示可能有炎症性疾病。⑧血常规。⑨尿钙。⑩血清25-羟维生素D_3:有无维生素D缺乏。⑪血清PTH:筛查甲状旁腺功能亢进症。

2) Z值低于1.0 ①查血清睾酮:可筛查男性性功能障碍。②查血清雌二醇。

40.1.5 预防和治疗骨量丢失的非处方药物治疗

(1) 钙和维生素D

老年人的钙吸收能力下降。另外,老年人的血清1,25-$(OH)_2D_3$水平也降低,日照减少,皮肤产生维生素D的能力也下降。因此,如果日照和摄入不足的话,老年人都应考虑补充维生素D和钙。

补充钙可以防止骨量丢失甚至可以轻度提高骨密度,有些研究还认为钙可以降低骨折风险。但是对骨质疏松症的患者,补充钙应被看做为骨质疏松症药物治疗的辅助手段,而不应作为单一治疗。建议妇女绝经前每天摄入元素钙1 000 mg,绝经后增加至1 500 mg。男性65岁以前每天摄入元素钙1 000 mg,65岁后增加至1 500 mg。

钙摄入主要来自于食物。这些食物包括酸奶酪(每杯含400 mg)、牛奶(每杯含300 mg)、高钙橙汁(每杯含300 mg)、乳酪、罐装带骨大麻哈鱼。对食物中钙摄入不足可通过补钙来达到正常的钙摄入。市场上有许多钙制剂,最常用的是碳酸钙和柠檬酸钙。选择时主要要考虑它的吸收性、方便性和费用。消化道在元素钙每次500 mg剂量时吸收最好。碳酸钙含40%元素钙,需要胃酸以助消化和吸收,是最廉价的选择。每次服用剂量不要超过500 mg元素钙,并且和进餐一起服用。柠檬酸钙中元素钙含量21%,无须胃酸帮助消化,生物利用度比碳酸钙好,价也更贵。在一次服用不超过500 mg元素钙时,柠檬酸钙无须和食物一起服用。对胃酸缺乏(口服制酸剂)或有肾结石的患者应优先选用柠檬酸钙。钙制剂的常见不良反应有便秘、胃胀和产气。而柠檬酸钙少见这些不良反应。钙会影响一些药物的吸收(左旋甲状腺素片、血管紧张素转化酶抑制剂等),在服用这些药物前后数小时内应避免口服钙制剂。

补充维生素D可以防止骨量丢失和降低椎体和其他部位的骨折危险性。最近的荟萃分析显示口服维生素D 700~800 IU/d有降低髋部和非椎体骨折的风险。而每天口服400 IU就没有这种作用。足量摄入维生素D对维持血循环内促进钙吸收的1,25-双羟维生素D_3水平是必需的。因此,对食物摄入不足的人应联合补充钙制剂和维生素D。维生素D的食物来源包括添加维生素D的牛奶和橙汁、谷类、蛋黄、海水鱼、肝脏。有些钙制剂和多种维生素片也含有维生素D。对50岁以上的人建议每天补充400~600 IU维生素D,也有推荐用800 IU。

(2) 负重训练

负重训练可以有效地维持甚至提高绝经后妇女腰椎和髋部的骨密度,但是对减少骨折风险似乎没用。训练方法包括行走,轻、中度的有氧锻炼,对抗练习。经常的锻炼可以增加肌肉的质量和力量,有助于改善身体的平衡性和协调性。虚弱的老年人经过锻炼后其跌倒的危险性可以下降25%。

(3) 预防跌倒

随机临床研究支持对老年人进行跌倒风险评估并对高风险的老年人采取适当的措施加以干预。跌倒危险因素为视力不良、认知障碍、步态不稳或平衡差、神经肌肉和肌肉骨骼系统疾病、肌力低下、体位性低血压、服药过多,以及生活环境中的危险。干预措施有提高肌肉力量和身体平衡的体质锻炼、助行器、预防和治疗低血压、避免一些影响脑功能和步态平衡的药物。去除家中生活环境中的一些致跌倒的危险因素也很有作用,如防滑鞋,地毯下安放防滑垫,去除地板上不用的杂物和垫子,浴盆、淋浴房、卫生间内安装扶手,坚实的楼梯栏杆和夜灯照明。最近的研究显示补充维生素D可以降低20%的跌倒风险。

40.1.6 药物预防和治疗

骨质疏松症采取药物治疗的指征是否等同于它的诊断标准仍有争议。NOF制订的骨质疏松症药物治疗指征是:①患者T值<-2.0。②患者T值<-1.5,但存在发生过骨折,直系亲属有脆性骨折史,体重<57 kg,吸烟,口服激素治疗超过3个月等骨折危险因素。③患者有椎体和髋部骨折史。

药物治疗应首选美国FDA推荐的药物。有双膦酸盐[阿仑膦酸钠(alendronate)、利塞膦酸钠(risedronate)、伊班膦酸钠(ibandronate)]、雷洛昔芬、降钙素鼻喷剂和特立帕肽(teriparatide)。FDA

已经撤销了雌激素或激素治疗骨质疏松症的适应证,但仍保留着雌激素对某些特殊的绝经后妇女预防骨质疏松症的作用。

骨质疏松症药物治疗的目标不只限于提高骨密度,还在于降低骨折风险。目前治疗骨质疏松症的药物有两类:一是抑制骨质吸收,另一是促进骨质形成。除了特立帕肽,其余都属抑制骨质吸收药物。这些药物抑制骨质吸收的作用远大于提高骨形成的作用,从而抑制骨转化和骨量丢失。而促骨形成药物的刺激骨质的形成作用比抑制骨质吸收要强的多。

目前仅有少量研究一对一地比较这些抑制骨质吸收药物在提高骨密度方面的作用,还没有研究一对一地比较它们在预防骨折方面的作用。短期的临床研究显示阿仑膦酸钠在提高骨密度方面优于降钙素和雷洛昔芬,略优于利塞膦酸钠。最近的文献还显示这些抑制骨质吸收的药物(包括双膦酸盐、雷洛昔芬、降钙素和雌激素)能降低 30%~50%的椎体骨折风险,降低髋部骨折风险的只有双膦酸盐。鉴于双膦酸盐具有降低骨质疏松症患者髋部骨折的风险,许多专家推荐双膦酸盐作为骨质疏松症(T值<−2.5 或广泛椎体骨折)治疗的一线药物。

(1) 双膦酸盐

双膦酸盐通过抑制破骨细胞的活性来阻止骨质的吸收,是目前最强的口服抗骨质吸收药。获美国 FDA 批准用于骨质疏松症预防和治疗的双膦酸盐药物有 3 种:阿仑膦酸钠、利塞膦酸钠和伊班膦酸钠。临床试用强烈支持这 3 种药物能够预防绝经后骨质疏松症妇女骨折的发生。有资料显示这 3 种药物能够使髋部和脊柱骨折发生率降低 50%~60%。除了预防绝经后妇女骨质疏松性骨折外,阿仑膦酸钠还可预防男性骨质疏松性骨折。

对口服双膦酸盐的患者来说,早上第一件事就是用一杯(250 ml)白开水服下药片,等待 30 min 才能吃早餐、喝其他饮料和药物。患者也不能在这 30 min 内(服用伊班膦酸钠为 60 min)躺下,以防止食管损伤。如果出现食管损伤(吞咽困难、疼痛,胸骨后疼痛,新发心前区疼痛或加重)或肌肉骨骼疼痛,最好停药。罕见并发症有下颌骨坏死和眼炎。一般来说,患者对一种双膦酸盐不能耐受,对另一种也不能耐受。口服双膦酸盐的禁忌证有低钙血症,过敏,肾功能不全(肌酐清除率<30~35 ml/min),以及食管刺激或狭窄。对吞咽困难和胃食管反流的患者,接受胃短路手术和长期抗凝治疗的患者应慎用双膦酸盐。

(2) 雷洛昔芬

雷洛昔芬是一种选择性雌激素受体激动剂,已允许在临床应用于骨质疏松症的预防与治疗,剂量 60 mg/d。雷洛昔芬可使椎体骨折的发生率降低 50%,还没有资料显示可以预防髋部骨折。

雷洛昔芬选择性地和雌激素受体结合后,在骨和脂质代谢方面发挥雌激素激动剂作用,在乳房和子宫上发挥拮抗剂作用。正由于这种雌激素受体的选择性结合,雷洛昔芬可以降低发生乳腺癌的风险和预防心血管疾病的作用。雷洛昔芬还可以降低总的和低密度脂蛋白胆固醇,而对高密度脂蛋白胆固醇没有影响。常见的不良反应有静脉血栓形成的风险和增加血管收缩症状。应用雷洛昔芬的禁忌证有静脉血栓形成史的患者和绝经前妇女或正在应用雌激素替代治疗的患者。尽管雷洛昔芬有降低乳腺癌发生的作用,乳腺癌患者仍不推荐使用。

(3) 降钙素

鲨鱼降钙素鼻喷剂治疗骨质疏松症已经被美国 FDA 认可,每天 200 IU,两侧鼻孔交替使用。降钙素通过抑制破骨细胞骨吸收以达到防止骨质丢失和椎体骨折,但没有预防非椎体和髋部骨折的作用。降钙素还可以减少椎体急性或亚急性骨折引起的疼痛。除了药物过敏外,降钙素的应用没有禁忌证。不良反应有鼻炎和其他鼻部症状,发生率约 12%。

(4) 雌激素

激素预防和治疗骨质疏松症还有争议。美国 NIH 资助的一项研究显示单独应用雌激素或合用孕激素可以抑制骨转换,减少骨质吸收和骨折的发生率。激素的联合应用可以减少发生严重并发症如冠心病、脑卒中、静脉血栓形成,以及乳腺癌的风险。单用雌激素治疗被认为有增加脑卒中和静脉血栓形成的风险,但不见得会增加冠心病和侵袭性乳腺癌的发生率。在美国,雌激素只用于骨质疏松症的预防,不用于治疗。重修的 FDA 指导允许非雌激素类药物可用于骨质疏松症的预防,并且剂量要小,疗程尽量缩短。然而有部分专家仍然相信雌激素是治疗手术后绝经引起的年轻妇女的骨质疏松症的一线药物。另外,还有部分专家建议在妇女绝经的初期短期应用联合激素(5~7 年)以预防骨质疏松症和脸部潮热。

(5) 特立帕肽

人重组甲状旁腺激素类似物具有强大的促骨形成作用。特立帕肽为含甲状旁腺素N末端34个氨基酸残基的人重组甲状旁腺激素，是第1个用来治疗骨质疏松症的促成骨药物。FDA批准用于伴有严重骨量丢失和高骨折风险的骨质疏松症绝经后妇女和具有高骨折风险的男性原发性骨质疏松症。该药物具有提高骨密度，使椎体骨折率下降65%和非椎体骨折率下降53%的作用，况且这种作用在停药后还能持续18个月。特立帕肽有望和其他抗骨质吸收药物合用或序贯应用，但目前还没有得到许可。

特立帕肽用法是每天皮下注射20 μg，最长目前持续2年。不良反应有头晕、恶心、关节痛、小腿肌肉痉挛，偶发血钙升高。注射后高血钙症还不至于严重到要监测血钙的地步。特立帕肽可以增加大鼠骨肉瘤的发生，所以有骨肿瘤病史、Paget病、不明原因的高血钙症、骨放射史和18岁以下的患者最好不用。最佳适应证是伴有严重骨量丢失和具有骨质疏松性骨折的绝经后妇女和男性；或T值＜－3.5的具有极高骨折风险的患者。还有是不能耐受双膦酸盐的患者。

联合治疗：到目前为止，没有足够的资料证明联合用药治疗对降低骨质疏松性骨折有作用。与激素治疗合用，阿仑膦酸钠和降钙素在提高骨密度方面有协同作用。特立帕肽和阿仑膦酸钠合用在提高骨密度上没有单一应用特立帕肽的作用大。特立帕肽和雷洛昔芬合用有增强骨形成，而且两者序贯应用也没有妨碍特立帕肽的增加骨密度的作用。然而阿仑膦酸钠的应用具有妨碍随后的特立帕肽的增加骨密度的作用，尤其是开始的6个月。目前，联合药物治疗仅限于严重骨质疏松症的治疗。

40.1.7 药物治疗后的随访

正常情况下，绝经后期妇女腰椎骨密度平均每年大约下降1%。治疗后，骨量丢失应明显减慢。DXA仪也没有足够的精度来检测到短期内BMD的微小变化。所以至少间隔2年作一次BMD测定来显示BMD治疗前后的变化，同时也可排除仪器的误差。

另一类随访指标是骨转换的生化标记。这类指标在骨质疏松症治疗之后较BMD变化迅速，一般在3～6个月就有变化。一类是和骨形成有关，如碱性磷酸酶、骨钙素Ⅰ型胶原前肽；另一类是和骨吸收有关，包括尿钙、抗酒石酸酸性磷酸酶、骨唾液蛋白(sialoprotein)、Ⅰ型胶原交链端肽、吡啶代谢产物。但是这些指标存在着巨大的个体差异和日常波动，限制了它们的临床应用。

40.1.8 椎体成形术

(1) 历史

椎体成形术(verteboplasty, VP)是一种新型的脊柱微创外科介入疗法，其实质是通过向椎体注入凝固性材料以达到减轻疼痛和增加椎体稳定性的目的。1984年Galibert和Deramond在法国Amiens首次在患有侵袭性血管瘤的C_2椎体内注入医用骨水泥，术后疼痛症状缓解。1987年作者报道了7例类似操作并将其命名为椎体成形术，由于该手术经皮穿刺操作，故又称为经皮椎体成形术(percuteneous verteboplasty, PVP)。后来有学者把这种治疗方法的适应证扩大到其他肿瘤(骨髓瘤、椎体转移性肿瘤)和骨质疏松症引起的椎体压缩性骨折。但在20世纪90年代早期，欧洲的学者主要关注VP在椎体肿瘤性病变，如椎体血管瘤、骨髓瘤和肿瘤转移病灶上的应用，对VP治疗骨质疏松椎体压缩性骨折研究不多。1993年Dion和Jensen在弗吉尼亚大学对1例乳腺癌椎体转移的患者进行了美国第1例椎体成形术。从此，椎体成形术在美国逐步流行开来，并广泛应用于保守治疗无效的骨质疏松性椎体压缩性骨折的治疗中。国内在20世纪末和21世纪初开展这项手术。近年来，VP作为一种很有前途的治疗方法，其发展十分迅速，手术量逐年上升，保守治疗无效的骨质疏松性压缩性骨折已经成为主要的适应证。

(2) 适应证和禁忌证

椎体成形术问世以来，其适应证从早期的椎体血管瘤，到后来的骨髓瘤、骨转移和骨质疏松性椎体压缩骨折，有了很大的拓宽。目前，椎体成形术还被应用于压缩性骨折高危患者的预防性治疗和脊柱外科内固定手术前后稳定椎体的辅助治疗等。近年来，学者们从大量临床实践中总结了一些经验，对VP的适应证和禁忌证进行了深入的探讨。

适应证包括：①有疼痛症状的原发或继发性椎体压缩性骨折。②有疼痛症状的继发于良性或恶性肿瘤(如血管瘤、多发性骨髓瘤和转移病变等)的椎体广泛溶解或侵犯。③有疼痛症状的与骨坏死(Kummell病)有关的椎体骨折。④证实楔形畸形有移动的不稳定压缩性骨折。

绝对禁忌证包括：①所治椎体骨髓炎。②非骨质疏松性椎体急性创伤性骨折。③无法纠正的凝血功能障碍和出血倾向。④对操作所用药品器械有过敏反应。⑤椎体后壁不完整。

相对禁忌证包括：①神经根性痛或病变超出椎体的疼痛，由与椎体塌陷无关的压迫引起。②骨折块后移导致椎管占位。③肿瘤突入硬膜外间隙伴显著椎管占位。④严重的椎体塌陷，椎体高度压缩超过70%以上。⑤一次治疗3个以上椎体。

（3）体检和影像学检查的价值

多发椎体压缩骨折的患者仅凭体检和X线平片是难以明确疼痛椎体的。压痛往往不能准确指明患椎。而平片则较难与愈合的陈旧压缩性骨折相鉴别。因而对于那些复杂的患者有必要术前行MRI检查来帮助判断目标椎体。Do等认为MRI对明确脊柱肿瘤的部位和侵犯程度，以及判断椎体压缩性骨折的病程有帮助。骨折时期不同，骨髓信号特征性改变不同。30天内的急性和亚急性骨折，T1加权为低信号，T2加权和STIR序列为高信号。Cuenod等发现42%的患者在T2加权影像上骨折终板下有高信号带。此外，终板下还可以发现亚急性积血。在使用钆对照剂后有可能变成等信号改变。骨折将近1个月时，绝大多数压缩椎体T1和T2加权信号等同于正常骨髓。完全愈合椎体骨髓信号恢复，有时因为显著硬化而在T1和T2加权时成低信号。这些硬化椎体成形时监视操作困难，效果不佳。Do等认为Kummell病MRI显示上终板有液性物质积聚，T1加权低信号，T2加权显著高信号。该MRI影像上缺乏骨髓炎或脓肿常见的椎体周围炎性改变信号。骨扫描对于判断有问题的椎体压缩性骨折可能也有帮助，还可帮助判断急性骨折和骨折愈合的部位，特别是多发性椎体骨折的患者。Maynard等认为骨折部位示踪剂摄取增加高度预示VP有好的治疗效果。在他们研究的28例患者中有26例疼痛缓解。骨扫描对于诊断椎体压缩性骨折非常敏感，阴性结果同MRI阴性影像一样提示该椎体术后疼痛缓解的可能较低。然而，当椎体压缩性骨折有效治疗后骨扫描还会长期呈阳性表现。Mathis等主张尽可能选择MRI，不能行MRI检查时才考虑骨扫描。因为MRI除了能提供翔实的解剖结构，还能同时反映椎管狭窄等影响椎体成形术患者筛选的异常情况。有时肿瘤性和骨质疏松性椎体压缩性骨折之间在MRI和骨扫描上无法鉴别时，可在灌注骨水泥前先行活检。CT主要用来明确椎体后壁及椎弓根破坏情况，以及椎体及椎弓根解剖情况以指导操作。

（4）操作技术

1）灌注入路　颈椎病变通常用小号穿刺针，经外侧或前外侧入路穿刺入椎体，灌注骨水泥。C_1～C_3颈椎可以经口咽入路，C_3～C_7颈椎通常采用前外侧入路。T_5或T_6以上胸椎椎体因其解剖结构和位置操作难度大，一般可以用13G或16G的小号穿刺针，采用经椎弓根或椎弓根旁入路。CT或联合使用X线透视可以减少并发症，便于操作。在胸腰椎，由于经椎弓根注入途径可以明显减少针道骨水泥渗漏和气胸的危险，因此已经取代后外侧途径而被广泛应用。椎弓根旁后外侧入路常经过椎间孔，易使神经根损伤，特别是骨水泥沿针道渗漏时。但在下腰椎或椎弓根遭破坏的情况下可以考虑后外侧椎旁入路灌注。在S_1和S_2水平，大多数情况下采用经椎弓根入路，有时也采用经骶骨翼入路。

2）骨水泥　聚甲基丙烯酸甲酯（polymethylmethacrylate，PMMA）是目前临床广泛应用的黏合材料，也是椎体成形术最常用的骨水泥。PMMA优点：骨科医师熟悉；黏稠度较低，容易操作，容易灌注；可以添加造影剂；可以快速提供必要的强度和刚度；价格不贵等。缺点：没有骨传导和诱导性能；组织相容性差；不可吸收性，不能为正常骨组织所代替，而且还会抑制成骨反应；聚合时产热高；水泥渗漏时可能会对周围组织带来不可逆的损伤；单体毒性，当渗漏到血液中可能会引起全身毒性反应；本身X线不透射性差，不具备放射不透明性，需要另外添加造影剂等；刚度过大等。

3）剂量的选择　骨水泥灌注剂量最早受到学者们的关注。从临床角度看，多少骨水泥剂量就能达到良好的疗效尚未有系统的研究。早期人们热衷于灌注剂量最大化，临床上一般是在透视下观察到水泥渗漏或到达椎体外壁时即停止注射。这样水泥的注入量是比较大的，通常8～10 ml，甚至更多。同其他的骨科器械用来帮助骨折愈合一样，椎体成形术的目的也是在骨折愈合的过程中为椎体提供稳定性。从这个意义上讲，椎体成形术应该被看作是一种骨折修复技术，而不是简单的灌注充填。研究表明，疼痛缓解并不与灌注的骨水泥量相关，而是同椎体内骨水泥的分布有关，特别是骨折平面。Kallmes等比较了大剂量3 ml以上和小剂量3 ml以下的VP临床效果，结果并无显著差异。作者认为不应该追求完全填充,后者会使渗漏的概率大大增加。Murphy 等发现随着剂量加大,骨水泥渗漏的危险也加大。Belkoff 等研究中发现 8 ml 灌注渗漏率是 6 ml 的 3 倍。此外,过量的骨水泥可能增加椎体刚度导致相邻椎体骨折。

适宜的剂量并非是简单的定量。即使剂量相同,骨水泥产品的不同、固液比不同、是否添加造影剂或抗生素以及个体椎体大小差异等都会影响灌注效果。在骨水泥条件既定下,个体化选择灌注剂量是一种不错的研究方向。术前定量 CT 和骨密度数据以及计算机有限元分析将起着决定性的作用。Tack 等发现 PMMA 骨水泥量和 CT 所测骨小梁间隙面积之间有较强相关性,通过 CT 扫描和有限元分析可以预先估计骨水泥灌注量,达到个体化治疗目的。

4) 止痛假说　目前尚不知道疼痛缓解是否继发于力学稳定、化学毒性或神经组织热坏死效应。最为直觉的解释包括单纯的骨折机械稳定,即骨水泥稳定了椎体,使小关节减轻负荷。然而另外的观点包括 PMMA 的局部化学、血管和热效应作用于周围组织神经末梢产生的麻醉效果。目前主要有 3 种假说:①椎体内的微小骨折在水泥注入后得到了固定,减少了微小骨折断端之间相对运动;②水泥承担了部分负荷,也就减少了松质骨所承受的负荷;③松质骨中的感觉神经末梢由于骨水泥单体聚合时放热或单体所具有的细胞毒性所破坏。

(5) 临床疗效

椎体成形术的出现,使得骨质疏松性压缩骨折有了一个新的治疗方法。椎体成形术能明显缓解背部疼痛,还可以避免受治椎体再次发生骨折。该技术创伤小,即刻效果明显,已经得到广泛应用。骨质疏松性压缩性骨折也成为目前临床上椎体成形术应用最多的适应证。许多研究表明椎体成形术短期效果明确。1997 年 Jensen 等报道 29 人 47 例对止痛药物无效的患者椎体成形术,术后有 26 例症状改善,缓解率达 90%。Lin 等报道了 Johns Hopkins 医院的经验。他们在 19 个月内进行 75 人 97 次 112 个椎体成形术,骨折病程从 6 周到 10 年,所有病例都对保守治疗无效。结果表明,完全或大部缓解 97 次中有 91 次,4 例稍有改善,2 例无变化,没有发生症状加重患者。中长期的随访也显示椎体成形术的疗效持续或进一步改善。Alvarez 等对 260 人 423 例椎体成形术随访 12 个月,患者 VAS 评分从 8.9 分下降到 2.7 分。Winking 等对 38 例患者行椎体成形术,随访 12 个月,VAS 评分从 7 分下降到 2.6 分,Oswestry 下腰痛功能(Oswestry low back pain disability,OLBPD)评分术后 92%有改善。Perez-Higueras 等随访 13 例椎体成形术患者平均达 65 个月,5 年 VAS 评分由 90.7 分下降到 21.5 分,疗效肯定。

(6) 并发症

尽管椎体成形术被广泛应用于临床,但其并发症不容忽视。近来,美国 FDA 在其网站上对于 PMMA 高外渗率所致不良反应提出了警告。

Nussbaum 汇总了 1999 年至 2003 年 6 月 27 日的 FDA 公布的椎体成形术并发症相关报道。共有 19 例不良反应报道,其中有 11 例明确与经椎弓根椎体成形术相关,5 例后外侧入路,3 例入路不明。经椎弓根入路共有 3 例死亡,但与骨水泥渗漏无关。瘫痪 1 例,心跳骤停 2 例,过敏或血压下降 2 例,骨水泥栓子 2 例,器械破裂 5 例,后三者皆无临床症状。外侧入路有 4 例死亡,1 例由于患者对骨水泥过敏,1 例针管穿破椎体后壁骨水泥渗漏压迫脊髓,另 2 例则为一次多节段椎体成形术(8 节和 11 节)。另外有 1 例器械破裂。

1) 与骨水泥渗漏无关的并发症

(i) 局部疼痛:最常见的并发症是皮肤穿刺点局部疼痛,可能是擦伤或血肿。局部疼痛可以在术后几小时或几天内加重,但多在 72 h 内缓解。疼痛程度可能与骨水泥灌注的量有关。小的擦伤应用药物可以缓解,或在套管取出后按压切口可以减少擦伤。恶性病变术后皮肤疼痛更常见些,但不需要特殊处理。Kaufmann 等提出皮下通道内的骨水泥沉积可能是局部疼痛的原因,并提出灌注后针尖变向朝上终板前进稍许可以断开骨水泥柱,避免骨水泥残留于皮下通道。

(ii) 肋骨骨折:骨质疏松症的老年患者由于体位关系会发生肋骨骨折。Jensen 等报道 29 人 47 个椎体 VP 术后发生 2 例肋骨骨折。而 Peters 等报道显示 42 例患者中发生 2 例。

(iii) 其他:在上中胸椎行 VP 时有发生气胸的可能,但少有报道。感染也比较少见。Chiras 报道了 1 例免疫抑制的患者术后发生继发性感染。Yu 等报道了 1 例 T_{12} 骨质疏松性压缩性骨折行 VP 术后 1 个月发现有严重的化脓性脊柱炎。Walker 等报道了 2 例 VP 术后感染发生骨髓炎,经病灶清除内固定后缓解。作者认为对于有感染史的患者应慎重选择 VP 手术。Kallmes 等发现 250 例患者中有 1 例表皮葡萄球菌感染，该患者使用多种免疫抑制药物。

2）与骨水泥渗漏有关的并发症 许多并发症主要是由骨水泥的渗漏引起，渗漏至不同的部位会有不同的症状：①渗漏至椎旁组织，最常见，常无临床表现。如果椎体皮质已有破损或穿刺造成破坏，骨水泥可能会渗漏至椎体旁软组织。有时尽管侧位片上针尖尚在椎体内，但可能已经穿刺过度针尖在椎体外。②渗漏至椎间隙，并不少见。椎间盘渗漏通常无症状，但长期存在可能会引起相邻椎体生物力学性能的改变。特别是在骨质疏松症患者和椎体严重压缩性骨折，有可能增加相邻椎体骨折的发生率。有报道在椎体严重压缩性骨折的患者，术后有 35% 发生骨水泥椎间盘渗漏。并且作者发现渗漏的发生和压缩性骨折椎体的形状无关。③渗漏至椎旁静脉导致临床症状的很少，但已有发生肺栓塞和脑栓塞的报道。这类并发症一旦发生，后果可能相当严重。④渗漏至硬膜外或椎间孔。当椎体后部骨质有缺损时，此类泄漏的发生率超过 50%。但很少患者有症状，只有很少患者由于脊髓或神经根受压而需要手术减压。除了皮质破坏，骨水泥渗漏主要与灌注剂量、灌注压力和穿刺部位等有关。Ryu 等回顾了 159 人 347 个椎体 VP，CT 发现渗漏到硬膜外间隙的发生率为 26.5%。研究中同时发现 T_7 以上比 T_7 以下椎体发生渗漏显著增高，灌注剂量越大，渗漏率越高。穿刺针尖位置和静脉回流情况与渗漏则无明显关联。

3）预防措施 美国介入放射学会业务委员会要求 VP 并发症发生率对于骨质疏松症患者应控制在 2%以下，肿瘤患者控制在 10%以下。控制并发症发生关键在于减少骨水泥渗漏。因此如何防止骨水泥的渗漏是 VP 面临的主要问题。目前临床上有很多方法减少渗漏，如术前仔细估计骨质破坏的程度、术中良好的监视设备、注入水泥前先行静脉造影、采用尽可能粗的穿刺针并增加水泥的黏滞度、采用侧方注射的穿刺针等。但即使如此，渗漏发生率仍然很高，幸运的是，绝大部分渗漏并不产生临床症状。因此一般认为无症状的渗漏不应归于并发症。Laredo 等主张针尖要避免置于破坏的终板下方或椎体中央富于血管的部位。在严重压缩的椎体中针尖要尽可能靠前，使骨水泥灌注的时候自前向后弥散。而对于有真空和裂隙现象的压缩骨折则针尖应尽可能进入或靠近空隙处，这样才能达到良好的临床效果。经椎弓根入路在胸腰椎要避免破坏椎弓根内侧皮质，特别是上胸椎，一旦破坏 PMMA 就容易外渗。椎体穿刺时要防止针尖断裂。Jang 等建议，骨水泥聚合至糊状时灌注比液态状能减少渗漏，特别当灌注血管丰富的肿瘤椎体时；高质量的 X 线透视和 PMMA 添加造影剂有助于预防栓塞；多节段灌注易造成肺栓塞，应特别谨慎选择；若发现针尖进入血管，应调整位置或用凝胶海绵封堵。Do 等认为灌注前填塞明胶海绵或先灌注部分封闭血管再穿刺灌注可以减少骨水泥的渗漏。Aebli 等认为经单侧椎弓根入路灌注骨水泥时，经对侧椎弓根钻孔减压可能会减少渗漏引起的并发症。

40.1.9 椎体后凸成形术

椎体后凸成形术（kyphoplasty，KP）是在 VP 基础上辅以气囊治疗椎体压缩性骨折。1994 年美国 Kyphon 公司首先研制成功可扩张球囊（inflatable bone tamp，IBP）。1998 年 Reiley 在美国加州用 IBP 完成了第 1 例椎体后凸成形术。1998 年 Kyphon 公司的可扩张球囊获得美国 FDA 的认可，被批准应用于骨折复位和（或）在松质骨内造成空腔。目前 IBP 的球囊直径有 15 mm 和 20 mm 两种，能在 T_5～L_5 进行操作。

KP 常采用经椎弓根入路，胸椎可采用经肋骨头与椎弓根之间入路，腰椎也可采用经后外侧入路。经双侧椎弓根入路可使骨折复位效果更好，经后外侧入路可行单侧 KP。一般 KP 操作步骤包括：皮肤作小切口；透视下以 11G 穿刺针经椎弓根或旁椎弓根入路至骨折椎体；取出穿刺针，置入操作管道，建立到达椎体后部的工作通道；把 4.19 mm 的套管针插入管道或用手钻将椎体内通道扩大；导入 IBP，置于塌陷终板下方，以便在抬高终板的同时减少对两侧及后方的挤压；透视监测下，通过压力注射器用造影剂逐步扩张 IBP，并密切注意压力值；扩张满意后将 IBP 复原后撤出，调配灌注剂，透视监测下注入椎体空腔，充填量一般比 IBP 最后扩张的容积多1～2 ml，以使灌注剂与周围松质骨交错结合。Carrino 认为停止扩张的指标包括：压缩性骨折恰当的复位已完成；IBP 压力读数达到 1 517 kPa（220 bf/in^2）；X 线透视显示 IBP 与椎体皮质接触；IBP 膨胀达到最大容积，直径 15 mm 的球囊为 4 ml，20 mm 的为 6 ml。术者应警惕球囊破裂，造影剂外漏。对于大多数急性骨折，椎体双侧球囊撑开后应一侧保留另侧灌注，以免复位丢失。也有学者认为经单侧椎弓根入路同样能较好完成 KP，疗效满意（图 40-1）。

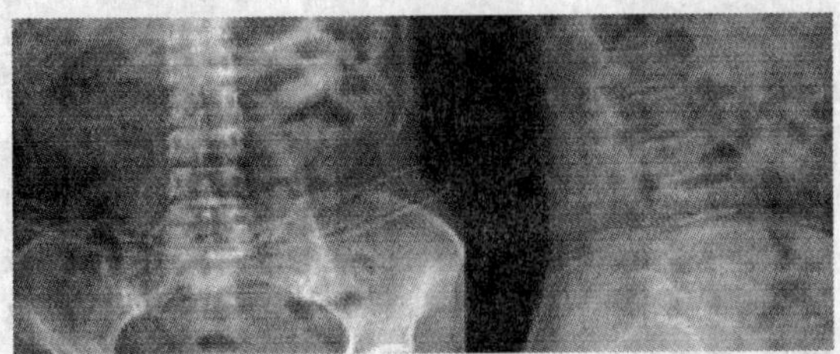

A. 患者女性，71 岁，X 线示 L_3 腰椎压缩性骨折

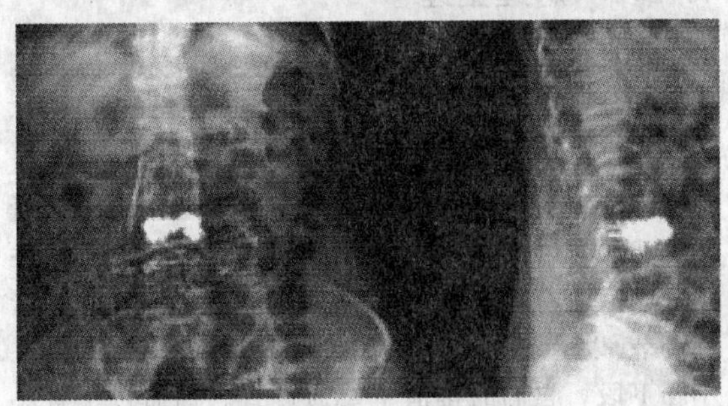

B. 椎体成形术后 X 线表现

图 40-1 腰椎压缩性骨折行椎体成形术的 X 线表现

恢复椎体高度，矫正后凸畸形和减少骨水泥渗漏被认为是 KP 优于椎体成形术（VP）的最重要的方面。Belkoff 等通过离体实验比较了 KP 和 VP 的成形效果，结果显示 KP 能恢复 97% 丢失椎体的高度，而 VP 仅能恢复 30%。两种成形方法都能显著增强椎体的抗压强度。此外，仅 KP 组能恢复椎体的刚度。作者认为与 VP 相比，KP 可在患椎内形成空腔，恢复椎体高度，矫正后凸畸形。在椎体高度恢复方面也存在争议。Belkoff 等报道相对 VP，KP 能显著恢复椎体高度。VP 也能较好恢复高度，但不如 KP。前述的 KP 临床报道也提示 KP 在恢复椎体高度方面的能力显著。Lieberman 等认为 VP 灌注时骨水泥较稀，容易产生渗漏。而 KP 灌注时因有空腔，骨水泥可以在较黏稠时轻松注入。Phillips 等离体实验表明相比 VP，KP 所致经血管和皮质骨水泥渗漏发生率较低。作者认为 VP 灌注时压力较高，而 KP 灌注时由于空腔的存在而压力较低，减少了骨水泥的渗漏。此外，KP 术中椎体内空腔形成的同时松质骨也受到压实作用，一定程度上阻挡了骨水泥渗漏至血管内或椎体外。

（费琴明）

40.2 骨质软化症

骨质软化症（osteomalacia）与佝偻病（rickets）有着相同的病因和病理变化，都是以骨基质钙盐沉着障碍为病理基础的慢性全身性疾病，其特点为骨质钙化不良，骨样组织增加，骨质软化，因而脊柱、骨盆及下肢长骨可能产生各种压力畸形和不全骨折。骨质软化症见于骨骺板已闭合的成年人，因而其骨骼的纵向生长发育已不受阻碍，因此表现出症状少，诊断亦比较困难。而佝偻病则多见于婴幼儿或儿童，其骨骺板尚未闭合，各种骨骼畸形多见，诊断比较容易。

40.2.1 病因和发病机制

骨质软化症源于饮食中维生素 D 及钙、磷等矿物质和蛋白质缺乏，致钙磷代谢障碍，类骨组织钙化不良造成骨骼病变，骨的分解代谢和合成代谢仍按正常规律进行，但所产生的骨样组织不能正常钙化和骨化，因而骨质变软，强度降低。妊娠妇女对维生素 D 有较高的需要量，若其营养补充很差时可发生此病，多孕多产而营养补充差者更易发生此症，产褥期日光照射不足也是重要原因。我国随着经济水平的日益提高以及优生优育观念的普及，目前此类患者已相当少见。除营养障碍外，肠道疾病、胃切除术后、肝胰疾病和长期服用抗惊厥药物等影响脂溶性维生素 D 和钙磷的吸收亦可致维生素 D 缺乏，发生继发性骨质软化症。

维生素 D 为脂溶性类固醇衍生物，以维生素 D_2（麦角钙化醇）尤其以维生素 D_3（胆钙化醇）较为重要，两者代谢和功能类同。维生素 D 可来自食物，维生素 D_2 的前身物质麦角固醇存在于植物和谷物中，在体内外经紫外线照射后可转化为人体能吸收的维生素 D_2；维生素 D_3 主要存在于肝、奶和蛋黄中，以鱼肝油含量最多。食物来源的维生素 D 在小肠以乳糜微粒形式吸收，与胆汁酸盐的作用有关。维生素 D 的另一重要来源为体内合成，日光中紫外线使表皮基底细胞内的维生素 D_2 前身麦角固醇和大量存在的维生素 D_3 前身 7-脱氢胆固醇（在体内由胆固醇脱氢而成）转化为维生素 D_2 和维生素 D_3。维生素 D_2 和维生素 D_3 为非活性物质，可与血浆中的 α_1-球蛋白结合贮存于脂肪组织中。血液中维生素 D_2 和维生素 D_3 经肝细胞线粒体中 25-羟化酶的作用，转化为25-羟维生素D_2(25-OHD_2)和25-羟维生素D_3(25-OHD_3)后才具有活性。以后又经肾小管上皮α_1-羟化酶进一步羟化为1,25-二羟维生素D_2[1,25-$(OH)_2D_2$]和1,25-二羟维生素D_3[1,25-$(OH)_2D_3$],活性大大提高,而有类似于激素的作用。1,25-$(OH)_2D$受其自身合成的反馈调节,血浆中1,25-$(OH)_2D$浓度升高可抑制肝内25-羟化酶的作用,使25-OHD和1,25-$(OH)_2D$形成减少;反之,则增加。它还受血清钙、磷浓度和甲状旁腺激素以及降钙素的调节。低血钙时,甲状旁腺激素分泌增加,使肾α_1-羟化酶活性增高,1,25-$(OH)_2D$合成增加;高血钙时则相反。低血磷时亦可增加1,25$(OH)_2D$的合成。

维生素D通过对小肠、肾和骨3个靶器官的作用,维持和调节血浆钙和磷的水平,它对骺板软骨和类骨组织的钙化是必不可少的。①1,25-$(OH)_2D$明确地促进小肠黏膜上皮对钙磷的吸收。目前认为是通过受体-基因介导作用(receptor-gene mediated function)实现的,1,25-$(OH)_2D$与受体结合形成的复合物促进mRNA转录和合成特异的钙磷输送蛋白,从而增加钙磷的吸收。②1,25-$(OH)_2D$可促进肾近曲小管对钙磷的重吸收,但其作用较弱且尚不完全明确,需与甲状旁腺激素协同作用。③1,25-$(OH)_2D$对骨有两种相反的作用。一方面,骨是人体的钙库,当血钙降低时,1,25-$(OH)_2D$与甲状旁腺激素协同作用,从骨回吸收钙磷,维持血浆钙磷的正常浓度。其机制是很可能通过破骨细胞的作用,使骨盐溶解。亦有证据表明,它们可能通过抑制骨母细胞合成Ⅰ型胶原,使骨重建暂停,骨盐被回吸收。另一方面,1,25-$(OH)_2D$促进骺板软骨和类骨组织的钙化,这与它和甲状旁腺激素维持钙、磷在血浆中的饱和状态有关,有利于骨盐的沉积。亦有人认为1,25-$(OH)_2D$可增加类骨组织中钙结合蛋白,即骨钙蛋白(osteocalcin)和骨联蛋白(osteonectin)的合成有关,它们使类骨周围组织液中的钙和磷与类骨中的Ⅰ型胶原分子结合,类骨因此而钙化。

维生素D缺乏,主要是1,25-$(OH)_2D_3$缺乏时,钙磷从肠道吸收减少,导致血钙磷下降,而促使甲状旁腺激素分泌增加,从而骨质脱钙,使血钙维持正常,但肾小管对磷的重吸收减少,使尿磷增加而血磷减少。这样,维生素D缺乏时,血钙在正常或偏低水平,而血磷减少。结果使钙磷浓度积降低,钙磷不能在骨基质中充分沉积,导致类骨组织大量堆积,造成佝偻病或骨质软化症。

严重的肝损害时,肝细胞25-羟化酶合成障碍,维生素D羟化不足,而引起肝性佝偻病。慢性肾功能不全时,肾小管合成α_1-羟化酶不足,而使1,25-$(OH)_2D$减少,钙磷吸收减少,又因肾小球滤过功能下降,磷酸盐潴留,以致血磷偏高,血钙则减少。另外,肾小管分泌H^+和重碳酸盐重吸收障碍,亦使钙排出增加。上述改变促使甲状旁腺分泌增加,骨质脱钙,钙盐沉积障碍,而引起肾性佝偻病。

40.2.2 病理生理学

佝偻病和骨质软化症的病理生理变化为体内钙、磷的贮存量减少,骨组织并未减少,但骨样组织不能骨化。体内总的贮钙量大约1 kg,约1 g在血浆及细胞外液中,其他的大多在骨内。体内总的贮磷量500~600 g,主要在软组织及体液中维持pH。钙在肠道内吸收有赖于维生素D、甲状旁腺激素和降钙素的调节,以上消化道部位吸收最多,磷的吸收主要在小肠下段。它们的排泄主要通过肾。钙通过了肾小球的过滤,但在近端与远端肾小管内能被高效再吸收,再吸收率受维生素D与甲状旁腺激素影响。

维生素D有两种,即D_2(骨化醇,calciferol)和D_3(胆酰骨化醇,cholecaliferol),它们都是脂溶性醇。D_2的前身是麦角固醇(ergosterol),存在于食物中;D_3的前身为7-去氢胆固醇,存在于人体皮肤内。两种前身物质并不具有抗佝偻病性能,但经过波长为230~313的紫外线照射后,就变成具有活性的D_2与D_3。骨质软化症的病理生理变化主要表现在与之相关的两个方面。

(1) 代谢失常

由于维生素摄入不足或日光曝晒不足,难以在体内形成D_2与D_3,减少了钙的吸收与在骨内的沉积。摄入的钙仅少量被吸收,其余的都经过粪便排出,体内贮钙量减少,有低血钙与低尿钙。低血钙至一定水平,由于负性反馈机制使甲状旁腺激素增加,动用了骨中的钙使血钙回升,还使肠道吸收钙增加,肾小管再吸收钙亦增加,而磷的再吸收却减少,因此尿磷增高,形成低血磷症。骨的吸收明显增加,而骨的生成亦增加,企图造成平衡。然而骨内的代谢仍处于负平衡,钙磷的不足,妨碍了新生骨的骨化。

(2) 骨骼异常

骨骼小、轻、畸形,含钙、磷量低于正常,不能有效地变为骨样组织。镜检可见皮质骨孔增多,密度降低，皮质内有大的管道，哈弗管变得不规则。骨小梁总数亦减少。骨小梁有薄条钙化骨包绕着一层未钙化的骨样组织所组成，这种骨缝是骨质软化症的主要表现，有助于诊断与估计治疗效果。骨缝一般发现于一根骨小梁中，也可以多个发生，或发生于大块皮质骨与松质骨内，如果骨缝变宽，就可以在X线片上看到，即所谓Losser线或Milkman假骨折。

40.2.3 病理变化

骨质软化症的基本特点为骨样组织大量取代正常骨组织，因成人骨骼发育已停止，故其改变限于膜性化骨的钙化障碍，致过量的类骨组织堆积在骨的表面，大量致密骨被不成熟骨样组织所替代，松质骨的骨小梁也变得稀少而纤细，骨质变软，骨强度大为减弱，在应力作用下可产生各种压力畸形及病理性骨折，常见的有骨盆畸形、脊柱侧突及长骨弯曲等。骨盆畸形表现为骨盆的前后径及左右径均变短，耻骨联合处变尖而向前突出，呈鸟喙状，称为喙状骨盆。

40.2.4 临床表现

临床表现模糊，可多年没有症状。较早的主诉多为骨骼的自发性疼痛和压痛，疼痛范围广泛，但以腰痛和下肢疼痛最显著，重者在脊柱、骨盆及四肢的近端部位均有疼痛及压痛，最严重者在床上翻身也很困难。全身肌肉软弱无力多见，甚至行动时呈鸭步，少数患者可发生手足抽搐。轻微外伤即可出现病理性骨折，多见于股骨颈、转子间、耻骨支和肋骨。晚期患者在脊柱及下肢可见各种压力畸形，如驼背、侧弯、髋内翻、膝内翻、膝外翻及长骨弯曲。由于肌肉无力和下肢弯曲，患者行走困难。

40.2.5 X线表现

骨质软化症的X线表现有三大特点，即广泛的骨质疏松、压力畸形，以及Looser线。长骨与扁骨的密度普遍性降低，皮质变薄，骨小梁数量减少。成人骨质软化症常有脊椎病变。长期骨质软化症可有继发性甲状旁腺功能亢进，表现为指骨皮质及锁骨远端的侵蚀。但与原发性甲旁亢不同的是，本病不发生骨膜下骨皮质吸收，因而牙周的骨硬板并不消失。长期骨质软化症者可有多发性病理性骨折所致畸形。椎体压缩性骨折可以使脊椎曲度改变成驼背。股骨颈骨折可以发生髋内翻。骨盆骨折可以使髂骨形态扭转，使骨盆不对称，大大影响女性产道。

Looser线亦称Milkman假骨折，表现为横形的骨密度降低区，常为对称性，多见于长骨的凹面，如股骨颈内缘、耻骨支、肋骨、锁骨及肩胛骨的腋缘。只有少数人可见到Looser线，见到此线有助于诊断。关于此线的成因，Albright认为系应力所造成的不全骨折，已由骨样组织骨痂所连接；Milkman则认为系骨营养血管周围骨质吸收较多之故。Looser线可持续存在数月至数年，在其两端可见骨膜下骨质隆起，治疗生效后，此线即愈合消失。

40.2.6 实验室检查

(1) 钙

血钙正常或轻度下降，但少见有低于1.88 mmol/L (7.5 mg%)的，血钙维持于相对高水平是由于慢性缺钙引起甲状旁腺功能活跃之故。进正常饮食而尿钙减少具有意义。成人24 h尿钙在200 mg以下，儿童尿钙每日在3 mg/kg以下，都应该引起注意。

(2) 磷

血磷大多下降，由于肾小管再吸收磷障碍所致的骨质软化症其血磷更低。尿磷一般无变化。肾小管再吸收磷的百分比测定意义较大，凡<80%的可认为有意义。

(3) 血清碱性磷酸酶

佝偻病和少数骨质软化症血清碱性磷酸酶增高，活动性病例碱性磷酸酶可很高，经治疗后可逐渐下降。

(4) 胆酰骨化醇

测定血浆中胆酰骨化醇有助诊断，其他有关的生化检查可能作出病因学诊断。

(5) 骨活组织检查

取髂骨活检，发现有宽阔的骨样组织缝环绕着骨小梁即可诊断，还可了解治疗效果。此为有创检查，一般不常用。

40.2.7 诊断与鉴别诊断

根据怀孕、哺乳、营养缺乏和长期不见阳光的病史，以及X线片和实验室所见，本病不难诊断，但仍须与以下疾病相鉴别。

(1) 骨质疏松症

常见于绝经后妇女和老年人，系成骨细胞活力减退，骨基质分泌不足，单位体积内骨量减少所致。骨质疏松性病理性骨折多见于胸腰椎、腕部及髋部，骨骼畸形少见，血磷、血钙及碱性磷酸酶正常。通常仔细的病史询问即可以作出鉴别诊断。

(2) 泛发性纤维性骨炎

因甲状旁腺功能亢进,甲状旁腺素(PTH)分泌过多,以致骨吸收加速、骨组织减少所致。成骨细胞的代偿性活动使碱性磷酸酶升高,因而血钙升高,血磷降低,骨中常见虫蚀样或多发囊肿样改变。X线片可见骨膜下骨质吸收和牙硬板消失。

(3) 类风湿关节炎

病变先从指、趾、腕、肘等小关节开始。早期多为受累关节的肿痛,晨僵明显,晚期可见典型的类风湿关节炎的畸形。严重病例因长期卧床,不见阳光,也可能继发全身骨质疏松,长期服用皮质类固醇治疗的患者,也可继发骨质疏松。病史可资鉴别。

40.2.8 治疗

骨质软化症的治疗必须针对病因,补充维生素D和钙、磷等营养物质。

(1) 维生素D

每日口服维生素D 1 000～2 000 IU,病变治愈后,可减至每日800 IU。慢性腹泻患者可采用肌内注射。

(2) 钙制剂

乳酸钙或葡萄糖酸钙每日3次,每次0.5 g。口服钙制剂时必须合用维生素D制剂才能由肠道吸收,总剂量为每天1～1.5 g。如果维生素D补充量足够,每天吸收钙量可以高达0.5 g。老年患者和肾功能不良者长期用钙剂可以产生高血钙和异位钙化灶。静脉注射钙剂可以不必合用维生素D而完全吸收,但长期应用是危险的,多次暂时性高血钙可以产生肾结石、血管钙化和心律不齐。所以除非有低血钙抽搐,一般不必静脉注射钙剂。

在治疗过程中必须密切注意有无维生素D过量,观察的指标是血清钙和尿钙排泄量。血钙高至2.75 mmol/L(11 mg%),成人24 h尿钙量超过了350 mg,提示可能会发生肾结石和软组织异位钙化,特别是血磷已趋正常者更应注意。

对骨与软骨的情况有无好转可根据血清碱性磷酸酶值,以及腕部和膝部X线片。对全身代谢情况有无好转可根据血磷情况。如果碱性磷酸酶和血磷已趋于正常,X线片显示骨骼愈合情况良好,而临床上又并未发现有不良反应,说明治疗情况良好。

(3) 营养支持

食物以动物肝脏、脂肪、蛋类、乳类、海货为佳,宜多进行户外活动、多晒太阳,并积极治疗慢性腹泻等其他内科相关情况。

(邵云潮)

40.3 软骨不发生

1952年,Macro Fraccaro第1个描述了软骨不发生(achondrogenesis)。后来这个病名主要定义那些严重的软骨发育异常新生儿,通常死产或生后短期成活。到70年代,研究者已将软骨不发生包括一批不同类型的对新生儿致死性的软骨发育异常。通过组织学和放射学分类为Ⅰ型(Fraccaro-Houston-Harris型)、Ⅱ型(Langer-Saldino型)。

1983年,Whitley和Gorlin制订了一个新的放射学分类(Ⅰ～Ⅳ型)。在这个分类中,Ⅰ型和Ⅱ型有着相同的股骨周径指数(股骨长度除以股骨宽度),为1.0～2.8。Ⅰ型特征为多发肋骨骨折。Ⅱ型没有。Ⅲ型无肋骨骨折,有刺戟状髂骨,蘑菇柄的长骨,指数为2.8～4.9。Ⅳ型无肋骨骨折,有刻痕的髂骨,发育良好的股骨,指数为4.9～8.0。但股骨周径指数法后来被放弃,现在建议原Ⅲ型相当于Ⅱ型,Ⅳ型相当于轻度Ⅱ型。

1988年,根据令人信服的组织学证据,将Ⅰ型分为ⅠA型,软骨基质正常,包含有软骨细胞的ⅠB型则软骨基质不正常。ⅠB型是一个独立分型,与变形性发育不良硫酸盐转移子(diastrophic dysplasia sulfate transporter, DDST)基因的变异相关,近年来在ⅠB型患者中,一系列DDST基因的变异被鉴定。

Ⅱ型胶原结构的变化会导致Ⅱ型软骨不发生,是Ⅱ型胶原软骨发育不良疾病谱中最严重的。不同的基因变异编码的Ⅱ型胶原(COL2A1)可引起像其他Ⅱ型胶原疾病(如软骨发育欠全、脊柱-骨骺发育不全等)类似的Ⅱ型软骨不发生。Ⅱ型软骨不发生包括Whitley和Gorlin分类Ⅳ型,软骨细胞内的空泡结构中均有异常Ⅱ型胶原累积,这提示Ⅱ型胶原分泌异常。

40.3.1 发病率

男女发病率相等,各人种无差异,十分罕见,估计总的发病率为1/40 000(美国)。

40.3.2 诊断

(1) Ⅰ型

发育:致死性的矮小新生儿,平均体重1 200 g。

颅面部特征:不合比例的大头,软颅骨,前额倾斜,面部突起,鼻梁扁平偶有深沟,小鼻子常鼻孔前倾,长人中,颌退缩,下嘴唇与下巴下缘距离加长,常出现双下巴。

短颈,桶状胸,肺发育不良,有动脉导管未闭、室缺、房缺,腹部隆起,严重短肢畸形,鳍状附肢。

(2) Ⅱ型

平均体重为 2 100 g,面部、胸腹部特征与Ⅰ型类似,但先天性心脏病不如Ⅰ型多见,且短肢畸形亦不如Ⅰ型严重。

40.3.3 遗传学

ⅠA型为常染色体异常,但基因位点不明,ⅠB型为常染色体 5q32-q33 上的 DDST 基因异常所致,而Ⅱ型为常染色体 12q13.1-q13.3 上 COL2A1 基因异常所致。

40.3.4 特殊检查

(1) 超声产前诊断

如果分子学诊断不能实施,有经验的超声医师最早可以在 12~14 周辨认出不同类型的成软骨不全。产前超声发现包括羊水过多,胎儿积水(fetal hydrops),头颅过大,颈部水肿,胸部细小,尾部残留,肢体短小,椎体和肢体长管骨骨化不良(导致长度测量困难)等。如超声提示骨骼极低回声及颅骨矿化不良,肢体短小,肋骨骨折则强烈提示Ⅰ型软骨不发生。

(2) 分子学产前诊断

在孕早、中期有可能通过绒毛膜 DNA 或氨基细胞 DNA 分析诊断ⅠB型和Ⅱ型软骨不发生。在ⅠB型中,DDST 的等位基因都必须被鉴定,理论上绒毛膜与硫酸盐的结合也可作为诊断依据。Ⅱ型成软骨不全中,因为有 COL2A1 基因的新变异,所以如果家族中无症状携带者被确定,产前诊断也可进行。

(3) 遗传学咨询

ⅠA型和ⅠB型的复发率为 25%;Ⅱ型为基因新变异,家族中有无症状携带者;在孕早期和孕中期可通过超声和分子学检查作产前诊断。

40.3.5 治疗

治疗为支持性的,没有有效措施。

40.3.6 预后

绝大多数为致死性。Ⅰ型比Ⅱ型死胎的机会更多见。

(王晓峰)

40.4 软骨发育不全

软骨发育不全(achondroplasia),又称胎儿型软骨营养障碍,软骨营养障碍性侏儒等。是一种由于软骨内骨化缺陷的先天性发育异常,主要影响长骨,临床表现为特殊类型的侏儒-短肢型侏儒。出生时就很明显,智力及体力发育良好,发病率为 1/25 000,无种族和性别差别。

在正常胎儿发育时期和孩童时期,除鼻和耳朵等少数部位外,软骨会正常发育成骨。而软骨发育不全患者却在发育过程中出现异常,特别是长骨生长板处的软骨细胞转变成骨细胞的速度很慢,导致了长骨短缩的发生。这不同于前述的软骨不发生。

在侏儒症中,软骨发育不全是最常见的。患者四肢短小,而躯干长度又接近正常。通常,头颅较大、前额突出和塌鼻梁也是其特征。有时,大头颅是脑积水的表现,往往需要手术治疗。还有手短,手指粗短,中指和无名指之间分离(三叉手)等特征。大多数软骨发育不全患者最终可以达到 1.0~1.1 m 的高度。

40.4.1 发病率

发病率为 1/25 000,无种族和性别差别。

40.4.2 诊断

(1) 症状

1) 侏儒　本病是侏儒的最常见原因。胎儿娩出时即可见其身体长度正常而肢体较短,这种差别随发育逐渐明显,肢体近端如肱骨及股骨比远端骨更短。成熟男性平均身高为 131±5.6 cm,女性为 124±5.9 cm。患儿两手只能碰到股骨下粗隆的下方,而不像正常人那样可以达到大腿下 1/3。

2) 头颅增大　有的患者有轻度脑积水,前额突出、马鞍鼻、扁平鼻、厚嘴唇、舌伸出(在婴儿)。

3) 其他　胸椎后突,腰椎前突,以后者为明显。胸腔扁而小,肋骨异常的短。手指粗而短,分开,常可见第 4、5 指为一组,第 2、3 指为一组,拇指为一组,似“三叉手”。有的患者的伸肘动作轻度受限。下肢呈弓形,走路有滚动步态(rolling)。智力发展正常,牙齿好,肌力亦强,性功能正常。

(2) X线表现

长骨粗短，干骺端呈喇叭状。腰椎椎弓根距自上而下逐渐变小或基本相等。头颅大，颅底窄。

40.4.3 鉴别诊断

根据以上症状，一般不难诊断。但非典型的病例，需与其他原因所引起的侏儒相鉴别。①软骨发育欠全(hypochondroplasia)。侏儒表现不太明显，头颅正常。②软骨-外胚层发育不全(chondro-ectodermal dysplasia)。即 Ellis van-Creveld 综合征，为短肢型侏儒，伴有胸部畸形和心脏病变、并指、指甲牙齿发育不良。肢体缩短的部位常发生在远段骨骼。③脊柱-骨骺发育不全(spondylo-epiphyseal dysplasia)。亦为短肢型侏儒，常有近端大关节的破坏，颅骨正常，脊椎椎体变扁，椎体骨化中心互相吻合，胸廓发育不良。④佝偻病及克汀病。佝偻病有典型的临床及X线表现，容易区别；而克汀病常伴有智力发育不良。

40.4.4 遗传咨询

1994年 Wasmuth 等发现软骨发育不全症是位于4号染色体上的纤维母细胞生长因子3号受体基因(fibroblastgrowthfactorreceptor-3gene，FGFR3)突变所造成的。此突变为显性遗传，出现的机制不明。

如果父母亲仅一方患病，另一方未患病，那么他们的小孩患病的概率是50%；如果父母双方均患病，那么他们的小孩有50%的概率患这种病，25%的概率不患病，还有25%的概率出现严重的、导致早死的骨骼异常。不患病的小孩将完全不会有该病的影响。然而，超过80%的病例可以不是通过遗传得来的，而是由形成胚胎的卵细胞或精细胞内的新突变所引起的，其父母身材可以是正常的。新突变后的个体可以把这种疾病传递给他们的后代。

40.4.5 治疗

对病因无特殊疗法。目前，没有方法能使患病小孩的骨骼发育正常化。少数医疗中心正在评估人类生长激素对这类患儿的作用。矫形手术能使一些患者的身高增加，但可能有许多并发症。这类手术通常只在一些有经验的中心开展。少数患者，由于枕大孔变小而发生脑积水。椎管狭窄的发生率可达40%，大部分在腰椎。偶有在颈椎或胸椎，对神经根或脊髓产生压迫作用，需作椎板切除术减压，或做椎间孔扩大术。偶有因下肢畸形而作截骨者。

40.4.6 预防

大多数病例是由未患病父母发生了不能预测的基因突变所引起的，遗传咨询可以帮助患病成人进行选择性生育。

(王晓峰)

参考文献

[1] 洪毅，李想. 骨质疏松椎体压缩性骨折治疗进展. 中国康复理论与实践，2004，10(10)：582～583.

[2] 程晓光. 骨密度测量和骨质疏松诊断. 国外医学·内分泌学分册. 2005，25(5)：308～310.

[3] Aebli N，Krebs J，Davis G，et al. Fat embolism and acute hypotension during vertebroplasty：an experimental study in sheep. Spine，2002，27(5)：460～466.

[4] Belkoff SM，Mathis JM，Fenton DC，et al. An ex vivo biomechanical evaluation of an inflatable bone tamp used in the treatment of compression fractures. Spine，2001，26：151～156.

[5] Do HM. Intraosseous venography during percutaneous vertebroplasty：is it needed? Am J Neuroradiol，2002，23(4)：508～509.

[6] Galibert P，Deramond H，Rosat P，et al. Preliminary note on the treatment of vertebral angioma by percutaneous acrylic vertebroplasty，Neurochirurgie，1987，33(2)：166～168.

[7] Heini PF，Berlemann U. Bone substitutes in vertebroplasty. Eur Spine J，2001，10(Suppl 2)：S205～213.

[8] Jensen ME，Evans AJ，Mathis JM，et al. Percutaneous polymethylmethacrylate vertebroplasty in the treatment of osteoporotic vertebral body compression fractures：technical aspects. AJNR Am J Neuroradiol，1997，18(10)：1897～1904.

[9] Lieberman IH，Dudeney S，Reinhardt MK，et al. Initial outcome and efficacy of "kyphoplasty" in the treatment of painful osteoporotic vertebral compression fractures. Spine，2001，26(14)：1631～1638.

[10] Liebschner MAK，Rosenberg WS，Keareny TM. Effects of bone cement volume and distribution on vertebral stiffness after vertebroplasty. Spine，2001，26：1547～1554.

[11] Mauck KF，Clarke BL. Diagnosis，screening，prevention，and treatment of osteoporosis. Mayo Clin Proc，2006，81(5)：662～672.

第十二篇
周围神经外科

周围神经外科概论 41

41.1 周围神经的解剖生理

周围神经由3种神经纤维组成，即运动、感觉和交感神经纤维3种。运动神经纤维的细胞体位于脊髓前角，其终末器官是肌肉内的运动终板。感觉神经纤维的细胞体位于背根神经节，其纤维远端止于皮肤的游离神经末梢，或各种特化的感受器，分司痛、温、触、张力等不同感觉。突触前交感神经纤维的细胞体位于脊髓前角，属传出纤维；节后交感神经纤维起源于交感神经节神经元，支配皮肤、血管和毛囊，支配汗腺分泌、血管舒缩和立毛肌收缩等。

神经纤维有有髓纤维和无髓纤维两种。周围神经轴突均有神经膜细胞包绕，有髓纤维的轴突每条分别由一个神经膜细胞包绕，其细胞膜反复折叠形成板层结构的髓鞘。无髓纤维由数条轴突组成，被一个神经膜细胞包绕。神经膜细胞外还有仅在电镜下能识别的双层基底膜，单根有髓纤维和单个无髓纤维组均被这种双层基底膜所包绕(图 41-1)。感觉神经和运动神经均含有髓纤维和无髓纤维，其比例为4∶1。节后交感神经纤维为无髓纤维。

由一个神经膜细胞包绕的一段轴突称为结间体，结间体之间有一段较短距离，即神经膜细胞突起之间，轴突无髓鞘，称为郎飞结(node of Ranvier)。不同粗细的神经纤维结间体长度不同，纤维越粗，结间体越长。神经纤维的传导是沿郎飞结呈跳跃式传导的，因此神经纤维越粗，神经传导速度越快(图 41-2)。

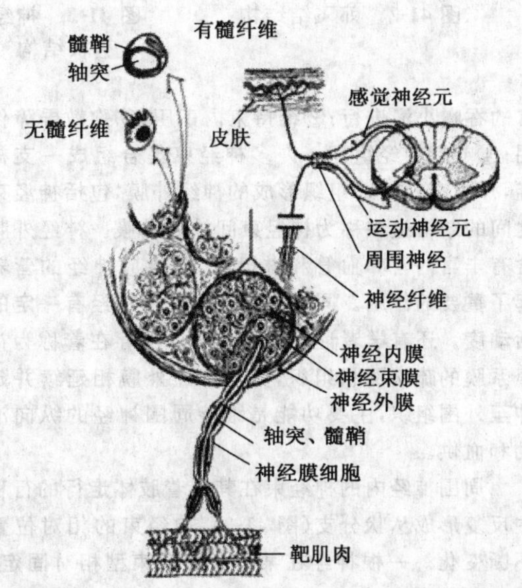

图 41-1 神经元、周围神经、靶器官解剖示意图

周围神经的支持组织有结缔组织形成的神经内膜、神经束膜和神经外膜。神经内膜是包绕神经膜细胞和轴突的一层结缔组织，含有胶原纤维、成纤维细胞和血管。若干条神经纤维聚集成一个神经束，由神经束膜包绕。该膜为两层结构：外层为致密的结缔组织，内层为复层扁平鳞状细胞。神经束膜由四大功能：①主动转运物质，是由鳞状细胞胞质内丰

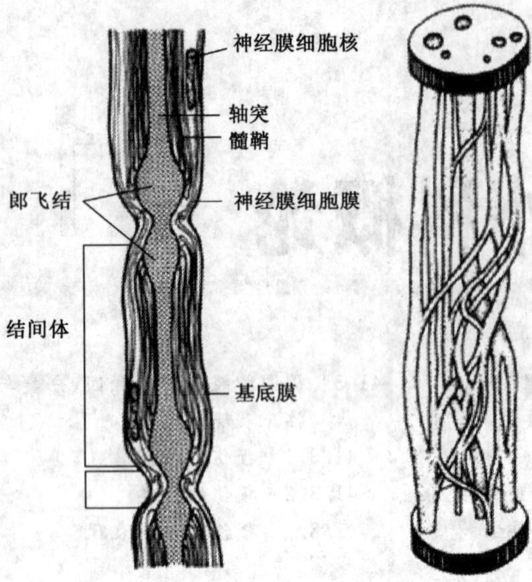

图 41-2　郎飞结结构　　**图 41-3**　神经丛状结构

富的吞噬小泡进行；②维持束内正压；③弥散屏障作用；④支持神经组织。许多神经束集合组成一支神经，外由疏松结缔组织形成的神经外膜，包括神经束之间的结缔组织称为神经束间神经外膜。神经外膜含有丰富的营养血管和淋巴管，对供应神经的营养起了重要的作用。同时它的存在允许神经有一定的活动度。还有学者证实了在神经外围存在着称为神经系膜的疏松网状组织，其与神经外膜相延续并延伸至外围组织，主要功能是维持周围神经的纵向滑动和血供。

周围神经内的神经束在其沿着肢体走行的行程中反复形成丛状分支(图 41-3)，神经束的相对位置不断变化。一根神经在某一断面其束型相对固定，而相隔数毫米其神经束型已发生变化。Sunderland 曾详细绘制了一些神经的不同断面的神经束型图，他的经典图解说明神经束排列连续相同的最大距离一般为 15 mm，实际上超过数毫米其束型就已经不同了。对周围神经的显微解剖及拓扑学研究发现，神经在肢体近端丛状分支多，这些束间结构的变化有利于运动纤维和感觉纤维相互归类分支。而在肢体远端，神经束在神经干内走行较长一段距离才发出分支与其他束合并，其逆向无损伤分离长度可达数厘米至十数厘米。周围神经的血液供应由神经外血供系统和神经内血供系统组成。神经外血供由神经外的神经营养血管组成，来源于邻近的动脉干或其肌肉、骨膜分支，通过神经系膜与神经相连，呈节段性供血。这些营养血管进入神经鞘膜后分上行支和下行支，互相吻合，并与神经内血供系统互相吻合。神经内血供系统由广泛纵行于神经外膜、神经束膜和神经内膜的血管丛和其交通支组成。在神经外膜和神经束膜里有较大的血管，而在神经内膜里发现仅有毛细血管。神经外膜血管丛有许多纵向行走的小动脉和小静脉，相互间形成不同方向的吻合，与神经束膜血管及内膜血管网间也有无数交通支；神经束膜血管丛有纵行、斜行和垂直的血管，与神经内膜血管丛有广泛的交通；神经内膜血管丛为毛细血管网，相互间及与神经束膜血管丛之间常呈“U”形交通。由于神经内部的血供非常广泛，可以游离神经一个较大范围血运仍能保证，一般游离长度<8 cm 时神经的血供不受影响。但当神经游离长度太大，>14 cm 时神经的血供就无法保障。

轴浆运输：在周围神经有物质沿轴突转运到细胞体和从细胞体转运出来。目前已确认顺行运输(即从近向远运输)有快速转运和慢速转运系统，而逆行运输(即从远向近运输)则仅有快速转运系统。慢速顺行转运系统运送构成细胞支架的物质，如微管蛋白、神经丝、微管、微丝和肌动蛋白，其速度 1～6 mm/d；而快速顺行转运系统传送神经递质囊泡和其他起功能作用的物质囊泡，其速度超过 410 mm/d。逆行转运系统从轴突末梢运输再循环的神经递质囊泡，据推测靶器官的营养因子及神经趋化因子也是通过逆向轴浆流转运的。逆行运输的速度是恒定的，不超过 240 mm/d。轴浆运输的机制目前有两种解释：一是沿滑面内质网的连续系统运动；二是以微管作为运输丝、依赖 ATP 代谢沿轴突运输。轴浆运输的意义在于维持神经纤维的结构和神经递质的转运功能，以及营养因子的传递。

血-神经屏障：周围神经存在着功能上与血-脑屏障相似的屏障系统，其主要由两个结构组成，神经内膜的微血管的内皮细胞和神经束膜的内层。神经内膜毛细血管的内皮细胞与神经外膜及神经束膜的毛细血管内皮细胞不同，其细胞间连接紧密，仅能透过单糖而对许多物质为非通透性。神经束膜的最重要功能之一就是弥散屏障作用，它将神经纤维与周围组织液隔离，对维持周围神经纤维的内环境的稳定性起了非常重要的作用。当周围神经缺血或外伤时，血-神经屏障首先在神经内膜微血管的内皮细胞部位发生渗漏，渗出液进入神经内膜空间，造成神经内膜水肿。随着神经内膜液压的增大，神经束内水肿加重，管壁通透性增加，血浆渗入神经束内后由于神经束膜的屏障作用而积聚，水肿长时间难以消退，最终导致纤维化或神经内瘢痕形成。

41.2 周围神经的变性与再生

神经Ⅰ度损伤可以不出现组织形态学上的改变，仅表现为神经传导功能障碍；或仅出现轻度的组织形态学改变，即脱髓鞘改变。Ⅱ度以上的损伤均出现神经纤维的变性以及效应器官病变，只是有程度上的不同(图 41-4)。

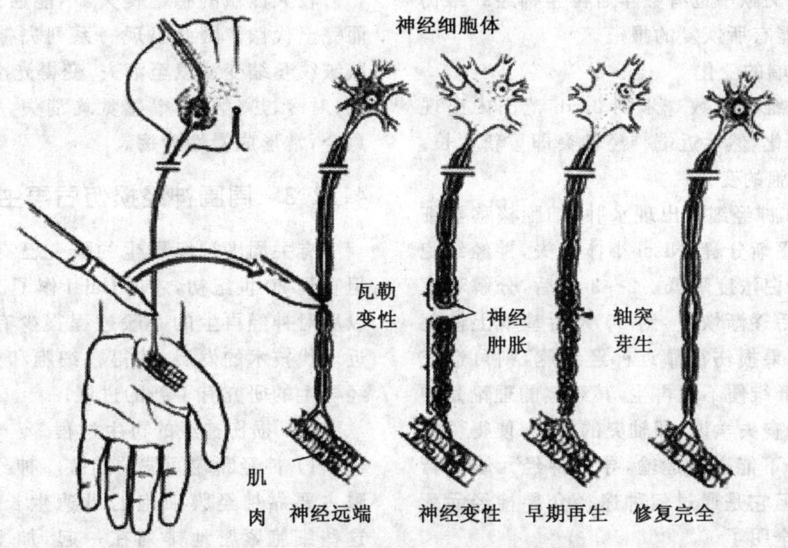

图 41-4 神经损伤后神经变性修复示意图

41.2.1 脱髓鞘改变

实验研究表明，在一定的压力下，神经受压后，轴突出现肿胀、空泡，受压部分水肿，淋巴细胞和巨噬细胞浸润，局部髓鞘呈颗粒状裂解。以后受压处的髓鞘碎片被吞噬细胞吞噬，局部轴突变细、裸露。这一过程称为脱髓鞘改变。这种由损伤引起的髓鞘裂解，范围比较局限，不像周围神经系统炎症或中毒性疾患时累及的范围那样广泛。

压迫造成的脱髓鞘改变可能有两个原因：一是由压力直接造成局部神经改变，使轴突和髓鞘发生相对移动，郎飞结一侧的髓鞘可以套入对侧的髓鞘中，这种套入幅度过大，可以使髓鞘破裂，从而发生脱髓鞘改变；另一原因是压迫造成局部血流不畅，组织缺血。缺血不但使神经传导由于得不到局部能量供应而发生阻滞，也可使局部髓鞘因缺血而坏死。显然，造成前者的外力机制是压力较大，造成后者的压力机制是压迫时间较长。

裸露段的轴突可由邻近神经膜细胞增殖形成新的髓鞘而重新包裹，这一再髓鞘化的过程约需 10 天。新形成的髓鞘，其节间距较短。在原来两个郎飞结的结间段，可形成数个为较薄髓鞘包裹的结间体。然而，神经传导功能的恢复要迟至 1～3 个月，其原因尚不清楚。

41.2.2 周围神经损伤后变性

Ⅱ度以上的神经损伤都可造成神经变性，所涉及的病理演变过程基本相同，可以一并叙述。神经变性的组织学改变可以分为 3 个方面，即损伤远端神经的变性、损伤处的变化以及损伤近端神经和细胞体的变化。

(1) 神经远端的变化

断裂后远端神经轴突在数小时即出收缩、分节及断裂，3 天后传导功能完全丧失，并出现一系列 Wallerian 变性。轴突崩解的碎片由神经膜细胞和吞噬细胞清除。其后，神经膜细胞开始分裂，在原来的神经内膜管内形成纵行排列的细胞柱，称为 Bungner 带。在损伤后 2～3 周，远端神经变成一外被神经内膜包绕的神经膜细胞带，等待近端神经纤维再生时，再生轴突即可沿此神经膜空管生长。如无再生的神经纤维长入管内，则半年后管腔将逐渐萎缩而关闭。但文献中也有数年后再生神经纤维仍长入管腔，而功能有所恢复的报道。

(2) 神经近端的变化

近端神经纤维在约数毫米到 2 cm 范围内出现与远端同样的变化，然后近端神经轴突即重新生长。

(3) 神经细胞的变化

损伤后 24 h 神经细胞出现水肿，细胞核移至细胞周边，染色质逐渐分解，Nissl 小体消失，神经细胞内核糖核苷酸蛋白浓度降低。2～3 周后，分解程度达到最高峰，然后逐渐恢复，约 80 天后基本上恢复到原来状态。如果损伤很靠近神经细胞，则可造成细胞凋亡，神经纤维便不能再生，其经典的理论是神经元的营养因子丧失学说，即轴突的损伤，使得靶源性神经营养因子不能逆向运输，导致神经元缺失营养因子而死亡，但它是通过何种途径介导神经元死亡，目前尚未完全明了。

(4) 神经运动终板的变化

伤后 3 个月内终板没有变化，3 个月以后终板开始退化，到 2～3 年后几乎完全消失不见。神经终板消失后，即使神经再生，对肌肉也不能起任何作用，故神经损伤后的修复手术不应拖延过久。

(5) 神经支配肌肉的变化

神经中断后，其支配的肌肉即失去收缩功能，肌张力消失。伤后第 1 周，尽管神经经历了变性，但肌肉几乎无组织学的改变。伤后第 2 周开始，瘫痪的肌肉开始出现颤动，这是一种幅度小而频率快的肌纤维自主性颤动，称为纤维性颤动。纤维性颤动的原因是由于肌肉失去了神经对其的抑制作用。纤颤的后果是大大加速了肌肉本身能量的消耗，加快了肌肉的萎缩。随着肌肉的萎缩，肌鞘厚度逐渐增加，肌肉周围纤维组织沉积，这种改变会影响再生神经与肌纤维重新建立终板联系，也会妨碍肌肉的收缩功能。肌肉萎缩的晚期，纤维性颤动消失。一般来说，肌肉失神经支配 1 年，功能恢复效果就很差，失神经支配达 2 年，就更难恢复功能。

(6) 皮肤感觉的改变

所有皮肤感觉神经都有重叠支配区，无重叠支配的区域有些神经较大，有些神经较小，称为该神经的绝对支配区。绝对支配区较小的神经如桡神经和隐神经等，损伤后的感觉缺失区很小。而且邻近神经末梢还会发芽进行代偿支配。因此，较小的感觉缺失区往往会因此而恢复感觉，不能误认为是该神经本身的功能恢复。

较大区域的感觉丧失，不能通过邻近神经发芽而完全代偿。因此出现一系列失神经改变，包括皮肤皱纹萎缩变浅以至消失，变得光滑无张力；皮温降低；对冷、热、触、痛等感觉均消失，容易受伤而不易愈合，常形成慢性溃疡。

41.2.3 周围神经损伤后再生

有关周围神经再生的研究已有 200 多年历史。但直到 20 世纪初，才由 Cajal 作了比较详尽的研究，以后对神经再生的一般过程很少有新发现。然而，近现代技术的发展，使得在细胞和分子水平上对神经再生的研究有了新的进展。

(1) 损伤神经的再生过程

1) 神经断端间隙的连接　神经断端之间的空隙主要靠神经膜细胞的迅速生长及分裂来填充，这些细胞紧密地排列在一起，加上成纤维细胞的支持，形成神经两断端之间的牢固支架。一般估计神经断端距离在 2 mm 左右者可依赖上述神经膜细胞及成纤维细胞连接起来。

2) 轴突再生　神经断端连接后约 10 天，或在近端神经变性停止以后，神经轴突尖端出现新生芽胞，并向前伸展。此种纤维如能顺利越过断端的连接组织进入远端神经膜空管内，则能继续生长，如不能进入远端神经膜空管，并被阻塞于断端间隙，则扭曲成团，有的被吸收，有的形成损伤性神经纤维瘤。因此，神经断端连接处总可以看到比较粗大一些的神经瘤，如果是小的梭形的神经瘤，常为较多神经顺利通过生长，夹有少许纤维结缔组织的结果；而大的圆形的神经纤维瘤，常表示纤维通过不多，是被阻塞的轴突及纤维结缔组织混杂在一起的后果，并表明再生及功能恢复的预后不佳。此后，神经纤维继续增粗成熟，神经髓鞘继之生长，使神经纤维逐渐恢复传导作用。

在动物实验中，神经纤维的生长速度为每天 3～4 mm，神经髓鞘的生长速度为每天 2～2.5 mm。

人体内因为组织对损伤的反应不同，组织的生物化学特性各异，以及机体的代谢差别，故临床估计时，一般以每天 1～1.5 mm 计算。

由于再生的神经纤维起初尚无髓鞘包裹，所以在神经再生的早期，如叩击损伤神经的远端，可能出现麻痛的异常感觉，称为弹叩现象，或 Tinel 征。待髓鞘形成，弹叩现象即消失。

3）神经肌肉交界的重新调整　神经轴突抵达末梢运动感觉器官后即出现一系列调整的变化，运动神经末梢到达肌肉供应点时，这种调整更为明显。此时神经末梢广泛分支，神经鞘膜与肌肉纤维膜连接起来，神经纤维进入肌肉组织，有的刺激原来的肌肉终板重新活跃起来，有的建立新的接触点。这一调整阶段常比较缓慢，一般需2～3个月。只有待神经与肌肉的关系重新调整好以后，神经冲动才能在肌肉上起到作用，肌肉的随意运动才能恢复。

（2）神经膜细胞在神经再生中的作用

传统认为，神经膜细胞在神经损伤后，在远端增生并形成神经膜细胞索带，接纳再生轴突长入，起机械性引导轴突生长的作用，并形成新的髓鞘。近年来，随着对神经膜细胞研究的不断深入，发现神经膜细胞对神经再生具有更为重要的作用。

1）吞噬作用　帮助巨噬细胞清除退变的髓鞘碎屑。神经损伤局部的巨噬细胞来自于损伤区域周围的血管，它们进入神经损伤处，刺激神经膜细胞增生，协助神经膜细胞吞噬轴突和髓鞘的溃变残余物和碎屑，而髓鞘碎屑的清除则主要由巨噬细胞来完成。

2）生成基底膜　所有神经膜细胞均由一层基膜所包裹，这层基膜形成一个跨越郎飞结的连续管状覆盖物，主要成分包括层粘连蛋白（laminin, LN）、纤维粘连蛋白（fibronectin, FN）、Ⅳ型胶原（collagen Ⅳ）、硫酸肝素蛋白多糖（HSPG）、内皮粘连素（entactin）、乙酰胆碱酯酶、Ⅴ型胶原等。

3）形成髓鞘　周围神经表面的髓鞘来源于神经膜细胞的表面膜，其形成过程甚为复杂，是轴突周转的大分子成分自我组配的动态过程。一个神经膜细胞要和一个轴突发生联系，必须进行一轮或一轮以上的有丝分裂。轴突的粗细是神经膜细胞能否形成髓鞘的决定因素之一，比 1 μm 细的纤维极少髓鞘化，而髓鞘板层的数目也与轴突的直径呈正比。

4）对再生神经的趋化作用　神经膜细胞体外培养时发现，在生长的感觉神经细胞一侧加入神经膜细胞后，会出现轴突集中向神经膜细胞生长的现象。实验证实从神经膜细胞膜上提取出的一种 37 000 的蛋白诱导了轴突再生的方向。神经再生过程中这种趋化性是否出现取决于神经远端是否存在，同时这种趋化作用明显受到距离的影响。两神经断端相距 6～10 mm 时，这种趋化作用表现的很明显；>10 mm，神经近端的生长会受到影响；在相距 20 mm 中，如果加入一小块取自远端的神经，近端的轴突就会成功的长向远端。

5）神经营养作用　神经膜细胞能合成和分泌神经营养因子（NTFs）、神经生长因子（NGF）、促神经突起生长因子（NPFs）、BDNF、CNTF、NT3、基膜素和纤维粘连蛋白等几十种活性物质来营养神经，加快神经轴突的生长。

6）释放细胞表面黏附分子（CAM）　黏附分子位于细胞表面，在发育和再生过程中与神经元的迁移、轴突成束化以及轴突的生长路线密切相关。其中，神经膜细胞分泌的神经细胞营养因子（neurotrophic factor）、促轴突生长因子（neurite promoting factor）、诱神经生长因子（neurotropic factor）等，对周围神经的再生具有非常重要的作用，而且诱神经生长因子还对轴突生长的方向具有趋化作用（chemotactic effect）。在神经断端再生室、神经代用品（肌肉、静脉或人工管）中应用神经膜细胞植入，或注入神经膜细胞的提取液，在动物实验中取得了明显的效果，但临床实际应用尚需进行大量工作。

（3）神经生长因子对周围神经再生的诱导作用

神经生长因子（nerve growth factor, NGF），是由神经膜细胞及神经末梢及效应器分泌的体液因子，并逆行运输到神经元，对交感、感觉神经细胞的生长发育，轴浆流的形成，轴突再生等起促进作用。

1）营养因子　第 1 个被发现的神经营养因子是神经生长因子（NGF），并由此产生了神经营养因子的概念。与 NGF 同属于神经营养因子家族的有：脑源性神经营养因子（BDNF）、神经营养因子-3（NT-3）和神经营养因子-4/5（NT-4/5）。胶质细胞来源的神经营养因子（GDNF）则属于 TGF-β 超家族的一个成员，对部分背根神经节细胞、运动神经元和自主神经元发挥作用。睫状神经营养因子（CNTF）存在于正常神经的神经膜细胞胞质中，对运动神经元有效的神经营养因子;胶质生长因子(GGF)对神经膜细胞有特异性作用,属于 Neuregulins 家族,在发育中 GGF 刺激神经膜细胞前体细胞的增殖分化、维持神经膜细胞的存活和促进运动终板的发生;在成体 GGF 增加神经膜细胞的活性和促进增殖。白细胞抑制因子(LIF)是最新发现的与周围神经存活有关的生长因子。尽管许多实验均证实,在神经再生中各种神经营养因子有其特异的作用,但越来越多的证据说明:神经元的存活和神经纤维的再生过程中有多种神经营养因子的协同作用或一系列顺序作用参与的结果。

2) 营养因子的给药方式　神经营养因子是治疗中枢神经系统疾病、神经元疾病和周围神经损伤的最有应用前途的药物。目前研究的给药途径主要包括鞘内微渗透泵、皮下或腹膜腔内注射等给药途径。另外,更倾向于未来的治疗策略是在神经组织内转入目标基因或活性细胞,或者是将转染了生长因子 cDNA 的病毒、质粒直接注射到神经干内,从而发挥修复神经损伤的作用。目前合成的生物制品已有 20 余种,进行了不少实验研究并开始应用于临床,但至今没有一种通过国家药检,也没有可靠的双盲试验证实其疗效,因此临床实际应用尚需进一步的研究和探讨。

41.3 周围神经损伤的原因、分类与临床表现

41.3.1 损伤的原因

周围神经损伤的常见原因,根据致伤性质的不同分为如下。

(1) 机械性损伤

1) 切割伤　较常见,可完全断裂或部分断裂,断面较整齐。需作探查或同时作神经缝合术。

2) 挤压伤　可以造成局部神经损伤。损伤程度随压迫的强度、时间而异,轻者仅引起神经麻痹,重者可造成神经脱髓鞘改变甚或压迫神经引起远端神经的变性。

3) 牵拉伤　暴力牵拉可引起神经内不同程度的损伤,甚至撕裂。轻者表现为神经麻痹或轴突中断。重者出现神经束断裂,束间、束内广泛出血、水肿,日后可引起大段神经瘢痕化,不能恢复。其修复困难,预后不佳。

4) 骨折脱位引起的神经损伤

(i) 神经挤压伤:一般引起神经麻痹、传导功能丧失,而神经的连续性仍完整。如肱骨内髁骨折可以挤压尺神经、下肢石膏管型塑形不良可以压迫腓总神经等,这类损伤多能自行恢复。若挤压力较大,时间过久,也可引起神经纤维断裂,虽仍可望获得恢复,但时间较长。

(ii) 神经挫伤:较小而钝的骨折端暴力撞击,一般不引起神经结构的损害,仅出现暂时性功能障碍。如腕月状骨脱位撞击正中神经,会引起正中神经麻痹等。如果在骨折复位时手法粗暴,会使骨折端挫伤神经,导致神经结构上的损害。如肱骨干骨折,复位手法粗暴会引起桡神经轴突甚至内膜、束膜断裂,形成束间、束内瘢痕,如不行手术松解则无法恢复功能。更严重者,由于锐利的骨折端在外伤时或粗暴的手法复位时刺伤神经,可使神经干部分断裂甚至完全断裂。如髋关节脱位、骨盆骨折时可引起坐骨神经断裂。

(iii) 晚期骨折部位骨痂形成:可以逐渐压迫神经引起迟发性神经损伤。常见的有肱骨干骨折引起的桡神经迟发性瘫痪。

(iv) 神经慢性擦伤:这是由于骨折畸形愈合,如肱骨髁上骨折后并发肘外翻引起尺神经受牵拉和慢性擦伤,导致神经麻痹。

5) 火器伤　火器伤多发生于战争中,其特点是致伤因为速率高,除可直接使神经断裂外,也可对神经造成震荡伤。神经损伤范围往往较肉眼观察到的大。日后形成广泛瘢痕,均宜及早手术治疗。

6) 产伤　可以发生于母亲或婴儿。孕妇由于难产,胎儿头部抵压坐骨神经或使用产钳时压伤母亲坐骨神经,而造成神经麻痹,但一般均可在 2～3 个月内自行恢复。发生于婴儿的多数是臂丛神经麻痹。这是由于助产过程技术上错误引起占多数,如过度向侧方牵拉头部以娩出肩部引起,也可以与产程过长、胎儿过重有关。病婴大多数可在 5 天到 5 个月内自行恢复。若 3 个月内肱二头肌瘫痪未见开始恢复者,多数是严重病婴,应及早手术探查。手术发现多数是上干及中干撕裂伤,可以进行神经移植移位修复而获得良好效果,而下干多数是根性撕脱,预后较差。

(2) 冻伤

轻度冻伤仅造成神经内水肿,严重冻伤可造成整根神经硬化,以致不能恢复。

(3) 电灼伤

常见于工业事故。电击可造成神经灼伤，损伤程度随电击强度、时间而异。轻者只引起神经传导阻滞，严重者可使整根神经遭毁灭。

(4) 缺血性损伤

神经营养血管阻断或神经内微血管受压导致血流中断时，可使神经缺血缺氧。缺血时间短者，神经仅发生暂时性传导阻滞；持续时间长者，神经内微血管通透性改变，神经内水肿，微环境紊乱，进而使轴突毁损、退变以及瘢痕形成。一般认为急性缺血超过 8 h，神经内就不可避免地日后有瘢痕形成，发生器质性改变，其功能不可能完全恢复。

(5) 其他

除上述原因以外，其他还有一些因素，如放射线、超声波、紫外线和离子辐射等，也可造成神经损伤。

41.3.2 损伤的分类

周围神经损伤后，对其结构和功能的损害程度，目前常用的有两种分类方法。

(1) Seddon(1943)分类法

1) 神经震荡(neurapraxia)　神经受伤轻微，如轻度牵拉、短时间压迫、邻近震荡的波及等。神经可发生肿胀，但无明显的组织结构改变，不会发生变性。表现为暂时失去传导功能，常以运动麻痹为主，感觉功能仅部分丧失。在数日内常可恢复，而且是在整个神经支配区域均匀一致地恢复。

2) 轴突中断(axonotmesis)　神经受伤较重，多为钝性损伤。可因牵拉、骨折、药物刺激、长时间压迫、寒冷或缺血等引起。神经轴突中断或严重破坏，损伤的远侧段可发生华勒变性。但其周围的支持结构，尤其是内膜管仍保持完整。因此近端再生轴突能够沿原来的远侧端长到终末器官，日后可自然恢复。

3) 神经断裂(neurotmesis)　神经受伤严重，神经束甚至整个神经干完全离断，多见于开放性损伤、暴力牵拉、神经缺血、化学性破坏等。神经损伤后，远段发生华勒变性，神经失去连续性。因此必须将两神经断端对合，方能使再生轴突顺利长入远侧段，恢复终末器官的功能。

(2) Sunderland(1951)5 度分类法

1) 第 1 度　仅神经传导功能丧失，神经轴突仍保持完整或有部分脱髓鞘改变。

2) 第 2 度　神经轴突中断，损伤的远端发生华勒变性。但神经内膜管仍完整，从近端长出的再生轴突可沿原来的神经通道长到终末器官，功能恢复比较完全。

3) 第 3 度　神经束内神经纤维中断，但束膜仍保存连续性。一般出血不多，瘢痕形成较少。损伤远端的神经纤维发生华勒变性。从近端长出的再生轴突，可沿束膜长到远侧端，找寻退变后的神经膜细胞带，长入其中并到达终末器官，功能恢复较好。若束内出血较多，形成较多束内瘢痕，亦会妨碍再生轴突通过，影响功能恢复。

4) 第 4 度　部分神经束中断，神经外膜仍完整，外膜内可出血，形成小血肿，日后可形成束间瘢痕。中断的远端神经纤维发生华勒变性，从近端长出轴突每因束间瘢痕所阻，无法长入远端的神经膜细胞带，难以恢复其功能。只有未损伤的神经束恢复部分功能。

5) 第 5 度　神经完全离断，断端出血、水肿，日后形成瘢痕。神经远侧发生华勒变性，从近端长出的轴突，难以穿过断端间的瘢痕，神经功能无法恢复。

上述两种分类方法，前一种比较简单，但对不完全离断损伤的分类比较笼统；后者比较详尽，适合临床的应用。Machinnon 和 Dellon 把在单条神经中同时有各种不同程度损伤者归为第 6 度损伤。第 1、2 度及部分第 3 度神经损伤，神经外膜和束膜仍然完整，局部瘢痕很少，一般不需手术，通过神经轴突再生，功能可自行恢复。但部分 3 度神经损伤的束内瘢痕较多，妨碍新生轴突通过，会影响功能恢复；即使手术亦难作束内松解术，只能作瘢痕局部的神经束切除，再行神经束对端缝合或束间神经束移植术方能恢复功能。至于 4 度神经损伤的部分神经束中断，束间瘢痕较多，神经无法完全恢复功能，需要作神经内松解术。5 度神经损伤，神经完全断裂，如不作神经对端缝合，无法恢复功能。

41.3.3 损伤的临床表现

(1) 损伤部位

伤部如有伤口，如为火器伤应检查为盲管或贯通，有无骨折或脱位。

(2) 肢体姿势改变

如桡神经伤的腕下垂，尺神经伤的"爪状指"(第 4、5 指的 MP 关节过伸，指间关节屈曲)，正中神经伤的"猿手"(即鱼际肌瘫痪,致拇指与其他四指平行),腓总神经伤的足下垂。

(3) 运动功能检查

周围神经损伤后,肌肉发生弛缓性瘫痪,肌张力消失,肌肉逐渐萎缩,并被纤维组织代替。这个过程的长短与其体积大小有关,肌肉越小,变性越快。所以正中神经和尺神经损伤修复后,手内在肌的恢复往往很差。肌肉功能恢复是神经再生完成的标志之一,因此,必须对神经支配的主要肌肉进行肌力测定,一般用以下6级法。

M_0:无收缩;

M_1:稍有收缩;

M_2:关节有动作,在不对抗地心引力的方向,能主动向一定方向活动到该关节完全活动度;

M_3:在对抗地心引力时,达到该关节完全活动度,但不能对抗阻力;

M_4:能对抗阻力达到关节完全活动度,但肌力较对侧差;

M_5:正常。

(4) 感觉功能检查

神经的感觉纤维在皮肤上有一定分布区,根据感觉异常的范围可判断是何种神经损伤。相邻的感觉神经分布区有重叠支配现象,神经损伤后数日内感觉消失范围逐渐缩小,并不能说明已有恢复,而是邻近神经的代替功能有限度的扩大,最后只有该神经单独的分布区无任何感觉恢复。正中神经的示指末端指腹、尺神经的小指末节指腹等都是绝对支配区。感觉(S)检查一般检查触觉、痛觉及两点区别试验,检查时可与健侧皮肤对比。实体觉与浅触觉为精细感觉,痛觉与深触觉为粗感觉,神经修复后,粗感觉的恢复较早也较好。检查手指的精细感觉时,可作两点区别试验和取物试验,并闭目用手触摸辨识物体。触觉不良时,不易做到。感觉功能障碍的评估有两种方法。

Highet将感觉能力恢复情况分为以下5级。

S_5:所支配区域两点辨别觉恢复正常;

S_4:所支配区域具有浅部痛觉和触觉,感觉过敏消失;

S_3:所支配区域具有浅部痛觉和触觉;

S_2:所支配区域具有深部皮肤感觉;

S_1:无感觉。

英国医学研究院则分为以下6级(Seddon,1975)。

S_4:完全性恢复;

S_{3+}:所支配区域两点辨别觉部分恢复;

S_3:表浅皮肤痛觉和触觉恢复,感觉过敏消失;

S_2:支配区表浅痛觉和触觉部分恢复;

S_1:支配区深部皮肤痛觉恢复;

S_0:感觉无恢复。

(5) Tinel征

又称神经干叩击试验,神经损伤后或损伤神经修复后,在相应平面轻叩神经,其分布区会出现放射痛和过电感,这是神经轴突再生较髓鞘快、神经轴突外露、被叩击时出现的过敏现象。这一体征对神经损伤的诊断和神经再生的过程有较大的判断意义。随着再生过程的不断进展,可在远侧相应部位叩击诱发此过敏现象。

(6) 反射

根据神经和肌肉的受损情况,出现腱反射减退或消失。

(7) 营养改变

神经损伤后,其支配区皮肤温度低、无汗、光滑、萎缩、指甲起嵴,呈爪状弯曲。坐骨神经损伤后,易发生足底压迫性溃疡及冻伤。无汗或少汗区一般与感觉消失的范围符合。可作出汗试验,常用的方法有:①碘-淀粉试验:在手指掌侧涂2%碘溶液,干后涂抹一层淀粉,然后用灯烤,饮热水并适当运动使患者出汗,出汗区变为蓝色。②茚三酮指印试验:在发汗后将患指或趾置于干净纸上按一指印,用铅笔画出手指或足趾范围,将纸浸于茚三酮溶液中后取出烤干。如有汗液,可在指印处显示紫色点状指纹(用硝酸溶液浸泡固定可长期保存),因汗中含有多种氨基酸,遇茚三酮后变为紫色。多次检查对比,可观察神经恢复情况。

(徐建光)

参考文献

[1] 顾玉东. 健侧颈$_7$移位20年. 中华手外科杂志, 2006, (4): 193～194.

[2] 顾玉东. 臂丛神经的临床解剖及其意义. 临床解剖学杂志, 1987, 5: 288.

[3] 顾玉东. 臂丛神经根性撕脱伤治疗近期进展. 中华显微外科杂志, 2006, (6): 401～402.

[4] 顾玉东. 臂丛根性撕脱伤的术式与原则. 中华手外科杂志, 2004, (2): 65～67.

[5] 顾玉东, 张高孟, 陈德松, 等. 健侧颈$_7$神经移位治疗臂丛根性撕脱伤. 中华医学杂志, 1989, 69: 563～565.

[6] 徐建光,胡韵楠. 同侧颈$_7$神经根选择性束组移位术的临床应用. 中华手外科杂志,1999,15(3):151～153.

[7] 徐建光,胡韵楠. 同侧颈$_7$神经根选择性移位术治疗臂丛上干根性撕脱伤. 中华创伤骨科杂志,2000,(1):28～30.

[8] 徐建光,胡韵楠. 颈$_7$神经根的组化研究及其临床意义. 中国临床解剖杂志,1996,14(4):243～245.

[9] Gu YD. Cervical Nerve root transfer from contranl-eteral normal side for treatment of Brachial Plexus Roots avulsions. Chinese Med J, 1991, 104:208.

[10] Gu YD. Functional motor innervation of brachial plexus. An intraoperative electrophysiological study. J Hand Surg, 1997, 22:258～260.

42 常见的周围神经损伤

42.1 臂丛神经损伤

42.1.1 解剖学概要

臂丛神经由 $C_5 \sim T_1$ 神经根前支所组成。C_5、C_6组成上干、C_7 组成中干，C_8、T_1 组成下干。每干又分前后两支，上干与中干前支组成外侧束，下干前支组成内侧束，3 个干的后支组成后束。外侧束分出胸前外侧神经支配胸大肌锁骨部，其终末支为肌皮神经及正中神经外侧头。内侧束其起始部分出胸前内侧神经支配胸大肌胸肋部，其终末分为尺神经及正中神经内侧头。后束分出胸背神经支配背阔肌、肩胛下神经支配大圆肌及肩胛下肌，终末支为腋神经及桡神经。

42.1.2 损伤原因及机制

臂丛损伤最常见的原因为对撞伤，主要见于肩部被高速运动物体击伤，如车祸及重物坠肩；牵拉伤主要由上肢被机器皮带卷入所致；挤压伤常见于肩锁部被挤压或锁骨骨折后的骨痂压迫。其他原因尚有产伤（见下节）、切割伤（如刀刺及手术误伤）及枪弹伤。车祸及重物坠肩产生的头肩分离暴力常致上干损伤，而运输皮带对上肢水平位的牵拉常使在椎间孔处缺乏韧带及筋膜加固的 C_8、T_1 发生下干根性撕脱伤。上述致伤原因在暴力严重或持续时间长时可累及全臂丛。

42.1.3 临床表现与诊断

出现上肢 6 根神经（正中、尺、桡、肌皮、腋及前臂内侧皮神经）中的任何两根神经的联合损伤（非切割伤）即可诊断为臂丛损伤。以锁骨为界可将臂丛分为上、下两部。锁骨上部主要为根干部，而锁骨下部主要为束支部。临床上区分此两部主要依据胸大肌及背阔肌的状况：此二肌受累为锁骨上部损伤，未受累为锁骨下部损伤。锁骨上部损伤又依据冈上、冈下肌是否受累，区分 C_5、C_6 根部与上干；依据有无 Horner 征（瞳孔缩小、眼睑变狭、眼球内陷、半脸不出汗）区分为 C_8、T_1 根部与下干。对根部损伤又区分为节前损伤（又称根性撕脱伤）与节后损伤：出现斜方肌萎缩而导致的耸肩受限及 Horner 征分别提示为上干或下干根性撕脱伤。神经-肌电图检查有助于明确诊断及程度的判断（此为周围神经损伤辅助诊断的基本手段之一），并可鉴别节前与节后损伤：若体感诱发电位（SSEP）及感觉神经动作电位（SNAP）均消失为节后损伤，SSEP 消失，而 SNAP 存在为节前损伤。臂丛根干部损伤主要分为下述 3 类。

1）臂丛上干根性损伤（累及 C_5、C_6） 主要表现为腋神经及肩胛上神经麻痹致肩关节不能外展及上举，肌皮神经麻痹致肘关节不能屈曲。

2）臂丛下干根性损伤（累及 C_8、T_1） 主要表现为正中神经麻痹致手指与拇指不能屈曲及对掌，尺神经麻痹致小指处外展位而不能内收，手指不能内收与外展。

3）全臂丛根性损伤（累及 C_5～T_1） 即上干与下干损伤的联合症状，并出现中干损伤的主要症状一桡神经麻痹，上肢呈全软瘫。除上臂内侧外，上肢感觉均丧失。

42.1.4 治疗

节后闭合性损伤可先行保守治疗 3 个月，若无效则采用神经移植等治疗。对节前损伤应争取尽早施行神经移位术。通常认为神经修复手术的施行应尽可能在伤后 1 年内进行，最长不超过 2 年（此时间界限为周围神经损伤修复的一般原则）。

（1）臂丛神经锁骨上显露

适用于根干部探查。自胸锁乳突肌内缘至斜方肌前缘作锁骨上横切口，切开颈阔肌，结扎或牵开颈外静脉。将肩胛舌骨肌切断后两端缝线牵开，也可不切断该肌而向上牵开。向深层分离，切断结扎或向上牵开颈横动静脉。于前中斜角肌之间找到臂丛根干部。膈神经位于前斜角肌内表面（但产瘫时其位于肌外缘），应注意保护。

对于臂丛上干根性撕脱伤，目前常采用 Oberlin 手术（尺神经一束移位于肌皮神经的肱二头肌支）或膈神经移位于上干前股（或通过移植神经至肌皮神经）恢复屈肘，副神经移位于肩胛上神经、肱三头肌长头支移位于腋神经前支恢复肩外展和外旋功能；也可采用同侧 C_7 神经根移位于上干、副神经移位于肩胛上神经的方案。对于臂丛下干根性撕脱伤，采用 3～6 肋间神经移位于内侧束或肌皮神经肱肌支移位于正中神经后 1/3 束组以恢复屈指，前者还能改善手尺侧感觉；也可行健侧 C_7 神经根移位（通过带血管蒂尺神经桥接）至正中神经后 1/3 束组。对于全臂丛根性撕脱伤，采用膈神经移位于上干前股（或肌皮神经），副神经移位于肩胛上神经，肋间神经移位于胸背神经和桡神经的肱三头肌支，健侧 C_7 神经根通过带血管蒂尺神经桥接移位于正中神经。

（2）臂丛神经锁骨下显露

适用于束支部探查。采用胸臂皮肤切口：上至锁骨中点，下至臂上端。沿胸大肌和三角肌间隙找到头静脉。结扎头静脉和三角肌之间的分支，将头静脉和胸大肌一起牵向内侧。再沿胸大肌下缘切开腋筋膜，以手指于胸大肌深面分离，必要时可切断胸大肌和胸小肌（术后需缝回）。此时，臂丛束支部、上肢神经的近端，以及锁骨下和腋部血管均可显露。

对于原始损伤（或手术）后 2 年以上患者，考虑行功能重建手术(此手术时机为周围神经损伤后功能重建的一般原则,具体方法见下述单根神经损伤的治疗)。

42.2 分娩性臂丛神经麻痹

又称产瘫,主要是指在分娩过程中胎儿的一侧或双侧臂丛神经因受到头肩分离暴力作用而发生的牵拉性损伤。临床上曾长期盛行保守治疗的观点。近20年来广泛开展的显微神经修复技术使产瘫的预后得到了很大的改善。目前手术已成为产瘫治疗的主要手段之一。

42.2.1 临床表现

传统的Erb-Duchenne(上干型)、Klumpke(下干型)和Seeligmueller(全臂丛型)分型已由根据产瘫病理解剖特点的Narakas 4型分类法所取代。Narakas 1型:C_5、C_6 神经根损伤。表现为典型的Erb麻痹即肩外展、屈肘不能。通常第1个月内开始自行恢复,4~6个月可完全康复,但约10%患儿遗有不同程度的肩关节功能障碍。Narakas 2型:C_5~C_7 损伤。表现为肩外展、屈肘、伸腕不能。大多数病例从1个月后开始恢复,约65%可达到完全正常,但剩余病例可遗有不同程度的肩关节功能障碍。Narakas 3型:C_5~T_1 损伤。表现为全上肢瘫痪(但可有些屈指),但无Horner征。此型仅一半以下患者可完全自行恢复,多数遗有肩、肘或前臂旋转障碍,约25%患者的伸腕伸指功能不能恢复。Narakas 4型:C_5~T_1 损伤伴Horner征。除全上肢瘫痪外,尚有上睑下垂、瞳孔缩小、眼球内陷、半脸无汗等睫状交感神经受损表现。该型无自行完全恢复可能,且至少2%患儿由于合并脊髓损伤而出现行走发育迟延、步态不稳及患足变小。上述1~4型的患肢在发育过程中可遗有不到2%~20%的短缩,通常6岁以后明显。脊髓造影结合CT扫描对神经根节前损伤有诊断价值,神经-肌电图检查可发现神经损伤的系列表现。

由于产瘫损伤机制及病程演变与成人臂丛损伤不同,患儿上肢各关节常会出现各种后遗症而造成继发性损害。

肩关节后遗症中最常见的是内旋挛缩畸形,其进行性进展将造成肩关节的后脱位和喙突肩峰过长、真假关节盂形成等继发性病变。检查发现患儿主动肩外展及外旋受限,患肢处于肩内收内旋、肘关节屈曲、前臂旋前、腕关节及各指屈曲位,即"索小费"动作。肩(内收位)被动外旋小于正常侧一半。肩关节标准正位及腋窝轴位片(必要时辅以关节造影、CT或MRI)可明确脱位的类型及关节的继发性改变。另一种常见的肩外展及外旋障碍是大圆肌、背阔肌在主动肩外展时的同步收缩,其结果是抵消肩外展与外旋的力量。这类患儿中的相当部分可伴有大圆肌及背阔肌的明显挛缩,此时发现肩关节呈内收为主的畸形,被动外展患肢时可发现肩关节下部有牵制感伴下盂肱角(inferior glenoid-humeral angle)的明显缩小(正常外展时该角度至少150°,此时该角度甚至仅为30°)。此外,尚有少数肩关节外旋挛缩畸形:检查发现患肢主动肩外展及外旋功能通常较佳,但肩内旋明显受限:患手不能主动碰及腹部、健侧肩部及背部;若将患肩被动内旋,则出现明显的翼状肩胛。X线检查可发现肩关节前脱位等骨关节病变的证据。

肘关节最常见的后遗症是由于肱二头肌与肱三头肌肌力恢复不平衡而导致的屈曲畸形。前臂旋转障碍很常见:上臂丛神经根(C_5~C_7)损伤后常由于旋后恢复不佳而出现旋前位畸形;全臂丛神经根损伤时常表现为旋后固定畸形且同时出现桡骨小头前脱位。

手部后遗症通常分为两类:第1类继发于C_5~C_7为主的损伤,主要表现为垂腕垂指畸形,而屈指屈腕基本正常。第2类常继发于全臂丛神经根损伤,其C_5~C_7功能可不同程度恢复,但C_8、T_1呈明显障碍:可表现为屈指肌及手内肌肌力减退,也可表现为腕以下的功能全部受损。

42.2.2 诊断

根据出生时巨大儿体重(>4 000 g)、臀位分娩或产钳助产等病史,生后一侧上肢呈部分(或全部)软瘫,以及神经-肌电图的检查结果,产瘫的诊断一般不难,但尚需与脑瘫及骨关节损伤等相鉴别:前者出生时常有颅内缺氧及出血史,神经系统后遗症除可表现为单瘫外,还可表现为四肢瘫、偏瘫、截瘫等,其麻痹肌群常呈肌张力增高、腱反射亢进等上运动神经元受损表现,神经-肌电图大多正常;而后者因肩关节脱位、锁骨骨折、肱骨近端骨骺分离等常仅表现为肩关节功能障碍而没有屈肘障碍,检查发现肩部被动活动也受限。出生后2周在X线片上可发现锁骨或肱骨上段显示的骨痂等骨关节异常。有时产瘫与上述两种损伤可同时存在。

42.2.3 治疗

(1) 非手术治疗

从产瘫诊断后即教会父母作患肢各关节的被动活动,有助于预防各种挛缩的发生。操作者双手握住患儿肘部作肩关节(内收位)被动外旋及上举,可预防或减轻肩关节内旋挛缩;一手将患手上举,另一手将翘起的肩胛骨下角向下压,可预防或减轻大圆肌及背阔肌挛缩;一手将患手置于对侧肩部,另一手将翘起的肩胛骨脊柱缘向肋骨方向推压,可预防或减轻肩关节外旋挛缩。电刺激有促进神经再生的作用,应常规使用。

(2) 臂丛神经探查手术

1) 指征 Gilbert 和 Tassin(1984)对 44 例采用保守治疗的病例从出生起连续观察 5 年,结果发现:所有完全康复的患儿,其肱二头肌和三角肌在 1 个月时已开始收缩,到第 2 个月时收缩已达正常;若肱二头肌和三角肌不能在 3 个月时开始收缩、5 个月时达 M_3,则最后肩关节功能达不到 Mallet Ⅳ级(良好)。由于三角肌功能的检查易受胸大肌影响,故他们将“3 个月时无肱二头肌收缩”作为探查臂丛的手术指征。虽然对此仍有争议,但目前许多产瘫中心均倾向于采用此标准,这是由于早期手术不仅疗效较确切,且可避免(随时间延长)已恢复动作的术后丧失。由于产瘫时神经-肌电图的检查结果常较实际恢复乐观,故其在确定手术时机上的价值已受到愈来愈多的怀疑。

2) 手术原则 对有传导的创伤性神经瘤,过去常采用神经松解术,但实践证明其疗效不确定。因此,目前多主张予以神经瘤切除及臂丛重建。神经根撕脱作丛内或丛外神经移位。

对于 1～5 岁的患儿,若行神经瘤切除可能造成已恢复动作的不可逆丧失,故此时可选择创伤较小的神经移位术,如肋间神经→肌皮神经等。虽然膈神经移位术对成人安全可靠,但应避免用于 3 岁以下幼儿。对于 3～10 岁儿童,也不能并用膈神经和肋间神经移位而只能选择其中一种作为动力神经,以免发生肺功能受损甚至呼吸衰竭。

(3) 继发性畸形的手术治疗

目前主张 2 岁(或神经手术 2 年)以后即可行肩肘功能重建,手功能重建则在 4 岁以后,但关节的挛缩畸形应尽早解除。

1) 肩关节 对单纯性肩关节内旋畸形行肩胛下肌起点剥离或止点肌腱上 1/3 切断松解,对后(半)脱位行肩胛下肌止点肌腱“Z”形延长的前路松解复位术,术中若发现肱骨头后倾>30°,则同时(或 2 期)行肱骨内旋截骨,从而在不损害原有肩内旋功能的前提下获得肩外展及外旋功能的改善。对 5 岁以上的全脱位患者,还需从后路加做骨移植(以改善关节盂包容)、背阔肌大圆肌止点移位于肩袖和肩峰楔状切除成形等手术。肩外展及外旋障碍若非上述阻力因素引起的,行背阔肌大圆肌止点移位术(大圆肌也可仅作腱切断)。

原发性肩关节外旋挛缩合并前脱位(但无肱骨头畸形),行切开松解复位,即将挛缩的冈下肌与小圆肌的腱性部分在不同平面切断,作交叉延长修复以松解挛缩并使关节复位,该手术通常 1 岁以内有效;对脱位合并肱骨头畸形(常在 4 岁以后)行肱骨内旋截骨术。

2) 肘关节 屈肘功能重建动力肌的选择原则:若屈肘完全丧失,行背阔肌或胸大肌移位;若有一定的屈肘动作(M_2～M_3),作胸小肌移位或屈肌群起点上移(Steindler);若肱三头肌与肱二头肌有明显的同步收缩,将肱三头肌前移至肱二头肌止点。

伸肘肌完全瘫痪很少见,而且不一定需要治疗,但较弱的肱三头肌与较强的肱二头肌所导致的屈肘位畸形可进行性发展并产生骨性畸形,应长期应用夜间伸肘位夹板。如果肘关节欠伸≥60°则需进行手术矫正。方法有肱二头肌腱膜及肱肌止点腱鞘切开松解和肱骨远端楔形截骨、交叉克氏针固定。前者不能同时作肱二头肌止点自身延长,否则可能丧失主动屈肘;后者术时年龄需 12 岁以上,对合并肘外翻或肩内旋畸形可考虑一并纠正。

前臂旋前位畸形通常对功能及外形影响较小而无需手术,但旋后位畸形因对两者的损害均较大而需手术矫正。手术原则:如被动活动尚好,行肱二头肌止点改道(即止点移向桡骨后外侧)以改善前臂旋前;若被动活动差但桡骨小头无脱位,在上述手术的同时松解前臂骨间膜;对存在桡骨小头脱位的固定性旋后畸形,则行桡骨远端 1/3 旋转截骨矫形。也有观点认为桡骨截骨矫形是对前臂旋后位畸形唯一可靠的手术方法。桡骨旋转截骨术的年龄以 5 岁以上为宜;垂腕畸形是绝对手术禁忌证;随着年龄的增长,旋后畸形可能复发而需再次截骨矫正。

3) 腕与手　由于产瘫所致的垂腕垂指多发生于上中干为主的损伤，故动力肌宜选用指浅屈肌等以下干为主支配的肌肉以重建伸腕伸指功能。有时除轻微屈指外患手几成瘫痪状态，此时的功能重建取决于是否有主动伸腕：若无主动伸腕且无肌腱移位可能，则12岁以后行腕关节功能位及第一、第二掌骨间植骨的拇对掌位融合以恢复一些对捏动作；若有主动伸腕，行屈拇屈指腱固定以获得一些功能。此类手术疗效并不理想，但较术前手基本处于无功能状态，手术仍有一定的意义。

42.3 腋神经损伤

42.3.1 解剖学概要

腋神经于喙突水平从后束上缘发出，是后束中较小的一个终支。由 C_5、C_6 神经纤维组成，经上干后股进入后束上缘。该神经在腋动脉后方、肩胛下肌前面下行，与旋肱后动脉一起通过四边孔，在三角肌后缘中点紧靠肱骨外科颈后面走行，分支支配三角肌、小圆肌，其感觉支为臂外侧皮神经，支配三角肌区皮肤。

42.3.2 临床表现与诊断

腋神经损伤通常是肩部骨折与脱位的并发症，也可由枪弹伤、刀刺伤、拳击伤或腋杖使用不当所致。引起臂丛神经损伤的暴力有时可引起四边孔肌肉的强力收缩而使腋神经同时断裂。腋神经损伤后感觉障碍不明显。因此，三角肌萎缩导致肩外展受限通常是腋神经损伤的唯一表现。由于冈上、下肌的收缩及肩胛骨的旋转使患者仍有一定的主动肩外展，故三角肌区的望诊(方肩)及触诊(无收缩)尤为重要。腋神经损伤合并肩袖撕裂并不少见。有报道腋神经修复后三角肌腹恢复饱满，肌电图示三角肌神经再支配良好，但仍无肩外展功能。作进一步检查则发现合并有肩袖撕裂。故目前有主张术前行肩关节的内镜检查(急性期)、CT增强扫描或MRI检查(后期)以除外肩袖撕裂。

42.3.3 治疗

由肩部骨关节损伤引起的腋神经损伤多可自行恢复。开放性损伤或3个月保守治疗无效的闭合性损伤则行神经探查术(此手术时机为周围神经损伤修复的一般原则)。

若暴力作用在腋前，采用锁骨下臂丛神经探查切口，切断胸大肌止点以利于腋神经的广泛暴露(但需缝回)，外旋肩关节可直接追踪腋神经进入四边孔。如果暴力作用在腋后，则以后入路探查：在腋后皱襞近端5 cm开始，沿三角肌后缘向远端延伸，止于肱骨三角肌粗隆的后缘。将三角肌后缘向外牵拉，暴露出冈下肌、小圆肌、大圆肌及肱三头肌长头，在四边孔处即可找到穿出的腋神经。小圆肌支的发出点更靠近侧。如果神经在四边孔内损伤或需长段神经移植，则需前后路同时暴露腋神经。神经暴露后根据伤情行神经松解、直接吻合或移植修复。对于陈旧性损伤或神经修复效果不佳，则考虑行功能重建手术。肩外展功能重建术包括肌肉移位及肩关节融合两大类。手术的前提条件是手、前臂及肘部功能基本正常，或经手术后已恢复有用功能。

(1) 斜方肌移位术

1) Bateman法　此法因操作简便而常用。侧卧位，患肢向上。自锁骨外1/3经肩峰沿肩胛冈作弧形切口，在肩峰处向下作纵形切口成"T"字形。肩部皮瓣掀起后显露斜方肌。在肩峰处纵形劈开三角肌，分离肩峰及肩胛冈下面的软组织，于斜方肌在肩胛冈(近肩峰)止点处作斜形截骨并切除锁骨外侧端2 cm，注意保护喙锁韧带。在肩胛冈上游离斜方肌止点至其前缘上端副神经穿入处(其远端仍与肩峰及部分肩胛冈相连)。将肩峰及肩胛冈的深面及肱骨大结节远端的肱骨区域凿成粗糙面，在肩外展90°位将斜方肌远端的截骨片以2～3枚螺丝钉固定于肱骨大结节远端。若无适合的重建外旋或内旋的肌移位，则固定点可适当靠前或后移。斜方肌张力调整的适宜位置为上肢自然下垂到30°～45°。术后肩肱石膏固定肩关节于外展90°、前屈20°位6周，改成可调节支架继续制动上肢在此位置4周。此后开始主动功能锻炼并使肢体缓慢放下。

2) Mayer法　体位及切口同上。将斜方肌从锁骨、肩峰及肩胛冈外侧8～10 cm的止点剥离，保护前缘上端穿入的副神经。显露整块三角肌及止点处的骨质。切开骨膜后凿一2 cm×1 cm的骨槽并钻两个小孔。取10 cm×20 cm阔筋膜，剪成大小两块，从底面及表面包裹斜方肌。上肢外展90°，将大块阔筋膜的游离端边缘缝合于三角肌的前后缘，远端通过粗尼龙丝穿入两个骨孔并固定于凿开的骨槽内。也可不开骨槽而将阔筋膜远端与三角肌止点编织缝合。张力调节及术后处理同 Bateman 法。

3）注意事项 肩关节周围肌肉严重麻痹致脱位或半脱位者，不宜施行本手术。

（2）肩关节融合术

肩关节周围肌肉广泛麻痹致关节的脱位或半脱位，但肘、前臂、手功能基本正常，前锯肌及斜方肌收缩有力，可行肩关节融合术以使固定的肩关节通过肩胛骨外旋达到一定的外展功能。

1）津下健哉法 患者取半侧卧位。经肩关节侧方作"T"形切口，切断三角肌起点附着，纵形分离三角肌，显露肩关节囊。使肩关节脱位后切除肱骨头和关节盂的软骨。外展肩关节并紧密对接盂肱关节面后，以 2 枚松质骨螺丝钉由肱骨头向关节盂方向穿入，并在关节间隙内置入碎骨片。用骨凿切除肩峰下面及肱骨大结节的骨皮质，显露骨松质，然后在此两骨间植入取自髂骨的植骨块（1.0 cm×2.0 cm×2.0 cm），用一枚松质骨螺丝钉固定。肩关节融合的角度为外展 60°～70°，前屈 30°～40°、旋转中立位至内旋 30°位。术后石膏固定至 1.5 个月后开始功能锻炼，并辅以肩关节支具直至关节牢固融合。

2）注意事项 ①儿童及从事桌面工作者外展角度宜大，妇女及体力劳动者外展角度宜小。②儿童手术年龄不低于 12 岁。

42.4 肌皮神经损伤

42.4.1 解剖学概要

肌皮神经由 C_5～C_7 神经根纤维组成，在喙突水平由臂丛外侧束发出，穿出喙肱肌后于肱二头肌和肱骨间下降，沿途发支支配喙肱肌、肱二头肌及肱肌。其终末支在肘部于肱二头肌与肱桡肌间隙穿出，分布于前臂外侧皮肤，称前臂外侧皮神经。肌皮神经的变异约为 15%：可有 2～3 支起源于臂丛外侧束，或由外侧束和正中神经分别发出，或缺如而由正中神经本干发出。

42.4.2 临床表现与诊断

肌皮神经损伤最常见的原因为刀刺伤，也可为撞击伤，少数可为肩关节前脱位或肱骨外科颈骨折的并发症。在腋部损伤时常合并臂丛神经损伤。肌皮神经损伤后患者肱二头肌萎缩，屈肘明显受限，但由于肱桡肌的代偿，患者仍能完成屈肘，此时应注意触诊肱二头肌肌腹有无收缩，以作鉴别诊断。因前臂外侧皮神经的分布区域有交叉支配，故肌皮神经损伤的感觉障碍不明显。

42.4.3 治疗

肌皮神经损伤所造成的功能丧失较全身其他主要周围神经损伤为小，因此，在某些情况下（如老年人）也可不作手术治疗。

手术作锁骨下臂丛探查切口，切断胸大肌止点，在喙肱肌内侧可找到肌皮神经，根据缺损情况进行直接修复或神经电缆式移植修复。有效病例通常于术后 4～9 个月开始恢复，总体疗效满意。对于神经损伤后晚期病例或神经修复效果不佳者，可行屈肘功能重建手术。

（1）背阔肌移位术（Hovnanian 法）

取患肢向上的侧卧位。于腋后线腋窝顶点与髂后上棘的连线（约相当于背阔肌外缘）为中线向两侧设计肌皮瓣，最大切取面积可达 50 cm×24 cm。切口"Z"字形通过腋窝并于上臂内侧向肘部延长。在腋窝及前缘上端切口内找到胸背神经血管蒂后，沿该肌前缘肌肉深面向远端分离肌皮瓣，在所需长度切取部分腰背筋膜，再沿该肌后缘肌肉深层向近端分离肌皮瓣至腱性处。在此过程中切断结扎胸背血管与胸外侧血管的交通支。缝合供区切口，若不能直接缝合则作游离植皮。改体位为仰卧，患肢外展放于小桌上。将以神经血管蒂与躯体相连的背阔肌肌皮瓣放入上臂切口，肌肉缝成圆筒状，将起点筋膜与肱桡肌或肱二头肌止点作编织缝合。缝合后的适宜张力为肘关节自然屈曲 45°。术毕屈肘 90°位石膏托固定，6 周后拆除并开始在三角吊带保护下活动，9 周后进行不受限制的主动及被动功能锻炼。

Schottstaedt 法操作步骤基本同上，其差别在于切断背阔肌止点并将其通过胸大肌下与喙突作腱-骨固定，即双蒂法。

注意事项：①单蒂背阔肌移位操作简单，疗效肯定，临床经常使用。双蒂背阔肌移位的动力肌呈直线，更有利于肌力的发挥。故当背阔肌有损伤史或肌力相对较弱时，宜采用双蒂移位。②切取肌肉时应进行结扎，以免术后血肿。

(2) 胸大肌移位术

1) Clark 法(胸大肌胸肋部移位) 仰卧位。切口起自喙突,沿胸大肌三角肌沟到胸大肌止点,再沿胸大肌外侧缘向下至第7肋骨水平。另作肘部"S"形切口。分离皮瓣后沿胸骨和上肋软骨、腹直肌鞘前层,切断胸大肌胸肋部起点并在锁骨部和胸肋部间隙作钝性分离直至掀起整个胸肋部肌肉,注意保护胸前内侧神经血管蒂,该神经血管蒂约在喙突垂直线与第3肋骨交界处入肌。于腋部切口与肘部切口之间作一宽大的皮下隧道,以容纳已卷成筒状的胸大肌胸肋部。起点与肱桡肌或肱二头肌止点缝合,可切断其肱骨止点并缝至喙突(Schottstaedt 改良)。张力调节及术后处理同背阔肌移位。

2) Brooks 和 Seddon 法(胸大肌止点移位) 切口起自胸大肌三角肌沟远端,止于上臂近1/3与中1/3之交界,肘部另作"S"形切口。尽可能贴近骨面切下胸大肌止点并向胸壁分离。向外上牵开三角肌显露肱二头肌长头,于肱二头肌沟近端切断,游离长头肌腱及相应肌腹至止点,切断结扎进入长头肌腹内的血管。将肱二头肌长头肌腱与肌腹通过远侧切口抽出再放回原处:肌腱端穿过胸大肌止点并返回下段,拉紧后与胸大肌止点及远端自身作编织缝合。张力调节及术后处理同背阔肌移位。

Birch(1998)对此手术作了改良:于胸大肌止点作短切口,显露、切断、游离胸大肌,肘部另作切口显露肱二头肌止点。取掌长肌腱或趾长伸肌腱作为移植材料于皮下桥接胸大肌止点与肱二头肌止点。

3) 注意事项 ①Brooks 和 Seddon 法适用于锁骨部或胸肋部肌力尚不够强大以至于不能分别单独用作动力肌,若胸肋部力量较弱而锁骨部力量强大,可仅以锁骨部为动力。②若肩周肌肉严重麻痹,术后将产生肩部与屈肘的同步运动。因此,应二期行肩关节融合术。③胸大肌移位对胸部外形影响较大,故对女性患者应慎用。

(3) 屈肌群起点上移术

该手术由 Steindler 于1918年提出,后经 Bunnell、Mayer 及 Green 等改良,使之起点更移向外侧,以纠正术后前臂旋前畸形。

1) Bunnell 改良法 仰卧,患肢外展。以肱骨内上髁为中心在其后作弧形切口,近端达内上髁上7.5 cm,远端沿旋前圆肌内缘达前臂中段。保护内侧的尺神经及后外侧的正中神经。切开分离尺侧屈腕肌两个头之间的腱膜组织,切断旋前圆肌、桡侧屈腕肌、掌长肌、指浅屈肌及尺侧屈腕肌在肱骨内上髁的共同起点,向远端游离4 cm,将取之大腿的阔筋膜(3 cm×7 cm)包裹延长屈肌群起点后,在屈肘45°位将旋前圆肌-屈肌总起点上移至内上髁上5 cm的肱骨外侧骨面(要避免对正中神经造成卡压),采用钢丝抽出法将其固定在凿出的粗糙骨面上,钢丝通过钻出的肱骨骨洞用纽扣固定在臂后侧。尺神经作皮下前置。术后石膏托制动固定上肢于屈肘90°、前臂旋转中立位,余术后处理同背阔肌移位术。

2) Mayer 和 Green 改良法 该法基本同上,其区别在于:切取旋前圆肌-屈肌群总起点时连同一部分肱骨内上髁切下,向上游离5 cm后,通过一个螺丝钉固定于肱骨下端掌侧偏外的相应骨面上。

3) 注意事项 此手术失败的主要原因是过高估计前臂屈肌群的力量。可通过"Steindler 效应"对肌力加以判断:将患肢前屈后与躯体成90°位并适当旋转以消除重力的影响,若此时患者能通过屈指、屈腕及前臂旋前动作而屈肘,表明此上移的前臂屈肌群力量足够。否则,应选择其他手术。

(4) 肱三头肌移位术(Carroll 法)

仰卧,患肢放于胸前。由上臂后正中切口显露肱三头肌止点,游离保护尺神经和桡神经。将肱三头肌止点切断后游离至上臂下1/4交界处,再于肘前外侧切口显露肱二头肌止点,将肱三头肌止点通过前外侧皮下隧道缝合于肱二头肌止点处肌腱。张力调节及术后处理同背阔肌移位。

注意事项:肩外展功能较好者慎用该手术。

42.5 正中神经损伤

42.5.1 解剖学概要

正中神经由 $C_5 \sim T_1$ 神经根的纤维组成。臂丛内、外侧束分别发出内、外侧根,在腋血管的前方组成正中神经。在上臂,正中神经与肱动脉伴行,无分支。在肘窝附近,正中神经位于肱二头肌腱膜深面,向下经过旋前圆肌两头之间,再穿行于指浅屈肌腱弓的深面。在此区域,正中神经依次发出旋前圆肌支、桡侧腕屈肌支、掌长肌支、指浅屈肌支及前骨间神经,最后者支配拇长屈肌、示中指指深屈肌及旋前方肌。在前臂,正中神经位于指浅屈肌桡侧和掌长肌腱深面,经腕管进入手内。在腕上桡侧正中神经本干发出掌皮支分布于掌中部及鱼际的皮肤,但有时缺如。在手部的腕横韧带远侧,正中神经发出外侧支和内侧支:外侧支较小,其先发一粗短的返支,支配拇短展肌、拇指对掌肌、拇短屈肌浅头,又发3支指掌侧固有神经分布于拇指和示指桡侧皮肤,后者发1～2支至第一蚓状肌;内侧支较大,分为2支指掌侧总神经,到掌骨头处各分为两条指掌侧固有神经,分布于示、中、环指相邻缘皮肤。与第二蚓状肌伴行的指掌侧总神经发支支配该肌;至中、环指的指掌侧总神经有交通支与尺神经分支相连,间或支配第三蚓状肌。因此,中、环指相邻缘皮肤常受双重神经支配。

约15%的正中神经与尺神经在前臂有交通支沟通,即Martin-Gruber变异。该变异主要有4种形式,即前骨间神经交通支到尺神经、正中神经干交通支到尺神经、正中神经干交通支到尺神经深支、正中神经和尺神经各发交通支会合下行支配环小指的指深屈肌。

42.5.2 病因及损伤机制

正中神经损伤部位多发生在腕部或前臂,上臂或腋部的损伤较少见。切割伤最为常见,主要见于玻璃或刀割伤,或前臂手术时误伤;牵拉伤大部分由上肢卷入机器所致;前臂骨折、外伤瘢痕挛缩及Volkmann挛缩常导致正中神经的挤压伤;另外尚有枪弹伤或药物误注入神经干内致伤。

42.5.3 临床表现与诊断

正中神经在不同部位损伤,有其相应的症状与体征。

(1) 感觉障碍

正中神经在腕部及以上损伤时,手的桡侧半出现感觉障碍。示指远端的感觉功能不会被邻近神经代偿,为正中神经的绝对支配区。

(2) 拇对掌受限

拇指处于手掌桡侧,不能主动掌侧外展以完成对掌并存在大鱼际肌萎缩,称为"猿掌"。某些正中神经完全断伤者,拇指掌侧外展不完全消失甚至正常,为尺神经的异常支配(Riche-Cannieu变异)。

(3) 指屈曲受限

若正中神经在肘以上受伤,除上述症状外,指浅屈肌、拇长屈肌及示指指深屈肌麻痹,致使拇、示指不能主动屈曲。此外,尚有旋前圆肌、旋前方肌、桡侧腕屈肌、掌长肌的麻痹。

42.5.4 治疗

根据受损情况作神经松解、缝合或移植修复。

正中神经的显露(根据需要选择长度):切口从胸大肌止点处开始,沿腋前壁和肱二头肌内侧沟到肘关节,弯曲跨过后于前臂掌侧"S"形切口到腕部,腕管部则通过沿腕中部的鱼际纹作切开。在上臂,将肱动、静脉牵向内侧,可见位于外侧的正中神经。在上臂中下1/3交界处,正中神经从肱动脉的后方跨过,走向动脉的内侧,偶尔也有从前方跨过者。在肘部,切开与前臂屈肌群起点筋膜相连的肱二头肌腱膜,可见正中神经位于肱动脉的内侧。在前臂,沿旋前圆肌近端向桡远侧作深筋膜切开,追踪正中神经穿入旋前圆肌深面。随后,在正中神经穿出指浅屈肌处,向近端纵形劈开指浅屈肌的肌纤维并分别向外侧及近端牵开桡侧屈腕肌和旋前圆肌,即可显露正中神经。正中神经在腕部较表浅,在桡侧屈腕肌腱与掌长肌腱之间分离即可显露掌长肌腱后外侧的正中神经。

对于陈旧性损伤或神经修复效果不佳,则考虑行功能重建手术。

(1) 拇对掌功能重建术

拇对掌重建方法有肌腱移位或骨性手术。前者要从移位肌腱的动力、方向及止点三方面选择合适的方法,后者主要适用于骨关节病变或无合适动力肌选择的拇对掌功能重建。

1) 环指指浅屈肌腱移位术(Brand法) 于手掌远侧掌横纹处作横切口,切开鞘管显露环指指浅屈肌腱;于拇指掌指关节桡背侧作"S"形切口显露拇短展肌止点及拇长伸肌腱;在腕横纹近侧5 cm处作小横切口,将在手掌横切口内切断的环指指浅屈肌腱从前臂切口抽出。距豌豆骨桡侧以远6 mm处作纵切口,逐层分离进入掌中间隙,于此间隙内向前臂切口作皮下隧道,将环指指浅屈肌腱断端经此引入掌侧纵切口内,再通过另一皮下隧道从拇指桡背侧切口抽出,此隧道位于钩骨钩的浅面,其疏松脂肪组织中的纤维间隔(掌中隔)作为滑车。将指浅屈肌腱远端劈成两股,在腕关节处于掌屈40°～50°、拇对掌位,将一股缝于拇指掌指关节尺侧关节囊,另一股缝于拇短展肌止点及拇长伸肌腱(拇长伸肌腱吻合口须在拇短展肌吻合口远端)。当腕关节作被动背伸时拇指能充分对掌表示张力合适。术后用石膏托固定拇指于屈腕、充分掌侧外展位,3～4周后解除制动进行功能锻炼。

注意事项:动力肌止点可固定至拇指近节指骨基底背尺侧(骨洞穿入);可将远端纵形一半尺侧腕屈肌腱环绕自身缝合作为动力肌的滑车(Riordan 法)。

2) 尺侧腕伸肌移位术(华山医院法) 于前臂背尺侧远 1/3 处作 8 cm 纵切口,显露、游离尺侧腕伸肌腱作止点切断并向近端充分游离后备用。于腕掌侧正中及前臂作 3 个小横切口切取 10～12 cm 掌长肌腱供移植用。于拇指掌指关节桡掌侧作"S"形切口、尺侧作纵切口并钻一骨洞通向桡侧,在拇指、腕掌侧及前臂背尺侧切口间作皮下隧道,将经游离肌腱移植后延长的尺侧腕伸肌腱绕过尺骨下段,经腕掌侧切口后从拇指桡掌侧切口引出,再经拇长伸肌腱浅面引入拇指尺侧切口,最后经由骨孔向桡侧穿出后与骨膜及周边软组织缝合。张力调节及术后处理同 Brand 法。

注意事项:动力肌也可与切断的拇短伸肌腱远端缝合而无需肌腱移植;若有拇长伸肌麻痹,可将该肌于腱腹交界处切断,其远端从拇指掌指关节背侧近端切口抽出,再通过掌侧皮下隧道与尺侧腕伸肌缝合以同时恢复对掌与伸拇。

3) 示指固有伸肌腱移位术(Burkhalter 法) 于示指掌指关节背侧弧形切口显露示指固有伸肌腱止点及伸肌腱帽,切断该腱止点。于腕背韧带近端 2 cm 的前臂背尺侧作纵切口,将连同部分腱帽组织的肌腱止点从此切口抽出(必要时在手背中部加作切口)。再于豌豆骨区域作小切口,将示指固有伸肌腱通过前臂尺侧皮下隧道于此小切口抽出。止点建立、张力调节及术后处理同 Brand 法。也可将动力肌止点固定至拇指近节指骨基底背尺侧。

注意事项:示指固有伸肌止点处腱帽须作间断缝合修复。

4) 掌长肌腱移位术(Camitz 法) 沿手掌近侧横纹作"S"形切口止于近侧腕横纹,显露掌长肌腱及掌腱膜,剥离掀起食中指方向的掌腱膜,于远侧掌横纹处切断并向近端游离,将掌腱膜卷成条状。于拇指近端桡背侧作"S"形切口显露拇短展肌和拇长伸肌腱,将掌腱膜断端通过皮下隧道缝合于拇短展肌止点及拇长伸肌腱。张力调节及术后处理同 Brand 法。

注意事项:该法尤适合于腕管综合征引起的正中神经部分麻痹,可于神经松解手术同时进行。

5) 拇对掌位第一、二掌骨间植骨 于手背拇、示指之间作纵弧形切口,显露第一、二掌骨相邻面,在被动外展位于上述两骨近 1/3 部凿孔,取一带有皮质骨和松质骨的游离髂骨块,两端修尖后插入两骨并再用一根克氏针固定,使拇指能与其他手指对合。术后石膏固定对掌位 8～12 周直至骨愈合。

注意事项:若合并拇指腕掌关节不稳定及创伤性关节炎应同时融合第一腕掌关节;单纯融合第一腕掌关节不能有效维持拇指对掌位。

(2) 拇、示、中指屈指功能重建术

高位正中神经损伤致拇长屈肌、示指的屈指深肌麻痹者,在作拇对掌功能重建术的同时,行屈拇屈指功能重建术。通常将肱桡肌移位至拇长屈肌腱、示指的指深屈肌腱与中环小指的屈指深肌腱作侧侧缝合。

42.6 尺神经损伤

42.6.1 解剖学概要

尺神经由 C_7～T_1 神经根纤维组成,是臂丛内侧束的主要延续支。在上臂,尺神经无分支。它先位于肱动脉内侧,随后在下 1/3 处穿过内侧肌间隔而转到后侧。在肘后,尺神经位于肱骨内上髁与鹰嘴突之间的尺神经沟内,表面有一层坚厚的筋膜覆盖,在此其发出尺侧腕屈肌支及指深屈肌尺侧半肌支。在前臂,尺神经穿尺侧腕屈肌二头之间,位于尺侧屈腕肌与指深屈肌之间,于腕上 5 cm 处发出手背支,分布于手背尺侧和尺侧二个半指背面皮肤。在腕部,尺神经位于尺侧腕屈肌腱深面,经豌豆骨桡侧进入手掌。腕部尺神经分为两支:浅支发出小支到掌短肌后,再分为 2 支,尺侧支即小指尺侧的指掌侧固有神经,桡侧支为至环小指的指掌侧总神经,其再分为 2 条指掌侧固有神经分布于小指桡侧和环指尺侧。尺神经浅支支配手掌尺侧和尺侧一个半指掌侧的皮肤感觉。尺神经的绝对支配区为小指掌背侧区域。深支从小指展肌与小指短屈肌之间进入手掌深部,在骨间肌浅面沿掌深弓到达手掌桡侧,沿途发支支配小指展肌、小指短屈肌、小指对掌肌、全部骨间肌、第三蚓状肌、第四蚓状肌、拇收肌、拇短屈肌深头。

42.6.2 病因及损伤机制

切割伤最为常见,常为腕部玻璃切割及刀伤引起;挤压伤为直接暴力致伤,可伴神经缺损;牵拉伤常由于肱骨内髁、尺桡骨及掌骨骨折对尺神经的牵拉所致。

42.6.3 临床表现与诊断

尺神经在腕部损伤时，除拇短展肌、拇指对掌肌、拇短屈肌浅头及第一、第二蚓状肌外的所有手内肌均萎缩，环小指外观呈爪状(掌指关节过伸指间关节屈曲)，此两指的指关节在掌指关节平伸时不能主动伸直。患者握力减弱、持物不稳、精细动作明显受损，手指夹力减弱或消失。手尺侧(掌侧)感觉障碍。偶尔这个部位尺神经损伤时，手内肌功能无明显受损，为正中神经在前臂进入尺神经的交通支支配手内肌的缘故，即 Martin-Gruber 变异。尺神经在肘以上损伤时，还伴有尺侧腕屈肌及环小指指深屈肌的麻痹和手尺侧(掌背侧)的感觉消失，但由于无环小指指深屈肌的牵拉，爪形手畸形反而不明显。

在尺神经支配肌肉中，只能对其中 3 块即尺侧腕屈肌、小指展肌及第一背侧骨间肌的功能进行准确地测定，通常通过望诊及触诊等判断其肌腹或肌腱的功能状态。感觉检查应着重于小指中远节的部位，此区域针刺感的消失强烈提示尺神经完全损伤。有关特征性体征如下。①Froment 征：正常拇、示指用力相捏时，由于手内肌的协同作用，拇指指间关节及掌指关节均呈微屈曲位。尺神经损伤后，拇短屈肌深头及拇收肌萎缩致拇指掌指关节屈曲减弱，故拇示指用力相捏时，拇指呈掌指关节过伸、指间关节过屈，此即为 Froment 征阳性。②Warterng 征：小指不能内收即为阳性。③Fowler 征：在爪形手畸形时，用手指压住近节指骨背侧使掌指关节平伸，若此时爪形手消失即为阳性，这说明伸指肌在掌指关节稳定时可伸直指间关节，是行静止性手内肌功能重建术(Zancolli 手术)的依据。

由于手内肌失神经支配后萎缩较快，故对神经探查修复应持积极态度。通常腕部损伤应争取在 6 个月以内、肘部损伤应在 3 个月以内修复，才有可能获得较满意的运动功能恢复。

尺神经臂部显露同正中神经。肘及前臂部显露：于肱骨内上髁与尺骨鹰嘴之间作弧形切口，沿尺侧腕屈肌桡侧向腕部作直线延长。肘部分离皮下时注意保护臂内侧及前臂内侧皮神经，切开深筋膜后即可显露肘管内的尺神经。追踪到前臂，分离尺侧腕屈肌与指浅屈肌间隙，即可显露前臂段尺神经及尺血管。腕掌部显露：于腕部沿尺侧腕屈肌腱至小鱼际肌桡侧作“S”形切口，切开腕掌部深筋膜、掌短肌、腕掌侧横韧带及尺侧腕屈肌腱扩张部后，即可显露尺神经。尺神经修复时，较其他神经容易克服缺损，如肘部尺神经损伤可将尺神经从肘管内移位到肘前皮下吻合、腕部尺神经深支损伤可充分游离远近端并从尺侧切开腕横韧带后，在腕管内吻合。

对于晚期或神经修复手术疗效不佳者，则行蚓状肌功能重建等手术。

(1) 桡侧腕短伸肌移位术(Brand 法)

该手术临床上常用。在腕背第二掌骨基底部作短横切口，切断桡侧腕短伸肌腱止点，再于前臂背桡侧距第一切口 8～9 cm 处作纵切口，将切断的动力肌腱抽出。取跖肌腱或趾长伸肌腱等作移植肌腱，将其中点部与桡侧腕短伸肌腱缝合，移植肌腱两端再分别劈成两股。将四股移植肌腱的末端通过皮下隧道引入腕背横切口，使近端吻合口位于完整的皮肤下。于中环小指近节桡侧、示指近节尺侧作切口显露侧束，将四股移植肌腱通过掌骨间隙及蚓状肌管引入手指切口内，于腕关节背伸 30°、掌指关节屈曲 70°、指间关节伸直位，先后与示、小、中、环指的侧束在最大张力条件下作编织缝合。术后用石膏双托维持此位置 3 周。

注意事项：①Brand 认为动力肌分束与示指尺侧的侧束缝合可增加拇、示指捏力。②移植肌腱必须从掌深横韧带的掌侧通过，其长度必须足够。

(2) 指浅屈肌移位术(改良 Bunnell 法)

于环指近节桡侧部作纵切口，暴露腱鞘后于外侧切开，在近侧指间关节水平切断指浅屈肌腱。于远侧掌横纹尺侧作横切口，将切断的指浅屈肌腱抽出并分成四股(合并正中神经损伤或第一、第二蚓状肌功能较弱时，下同)。于示、中、小指近节桡侧作切口，分别显露桡侧侧束。将环指指浅屈肌腱的四股末端分别通过蚓状肌管引至第二至第五指的桡侧切口，在掌指关节屈曲 80°～90°、指间关节伸直、腕屈曲 30°位时将指浅屈肌腱束与侧束作编织缝合。术后将石膏托维持此固定位置 3 周后开始功能锻炼。

注意事项：该术有导致“鹅颈”畸形的可能，故较适合有一定关节挛缩的病例。若术前 Fowler 试验阳性，可将环指屈指浅肌腱的四股末端在掌指关节屈曲 45°位分别固定于四指的 A2 滑车，从而预防可能出现的近侧指间关节过伸畸形。

(3) Zancolli 套索法

沿远侧掌横纹作切口，显露第二至第五指腱鞘入口处，在其远侧处横切腱鞘，牵出指浅屈肌腱并予以切断，将其翻转后套住 A1 滑车，在掌指关节屈曲45°位作自身缝合。术后屈腕 30°、屈掌指关节 60°石膏托固定，3 周后开始功能锻炼。

注意事项：该手术的优点是操作简单，但术前 Fowler 试验阳性是手术的必要条件。

(4) 示、小指固有伸肌移位术(Fowler 法)

于示、小指掌指关节背侧切口作小横切口，显露并切断示、小指固有伸肌腱止点，分别劈成两股，于腕关节背尺侧作横切口，将两根动力肌腱抽出。在第二至第五指近节桡侧作纵切口，显露侧束。将四股动力肌腱的末端通过掌骨间隙及蚓状肌管引入指切口与侧束作编织缝合。张力调节及术后处理同 Brand 法。

注意事项：①同 Brand 法的“②”。②切断肌腱止点时，可将连同的部分腱帽组织一起切取以增加动力肌腱长度，否则有可能不够缝合。③腱帽处的缺损必须修复。

(5) 掌指关节囊掌板成形术(Zancolli 法)

沿手掌远侧横纹作切口，分离保护第二至第五指屈肌腱两旁的血管神经束，在掌指关节水平纵向切开腱鞘，牵开指浅屈、深肌腱，显露掌指关节掌侧关节囊及掌板。将关节囊及掌板切除一块椭圆形组织，用张力缝线关闭缺损以使掌指关节形成 30°屈曲，必要时各掌指关节插入克氏针以维持此位置。也可在掌板作一蒂在远端的“U”形瓣，在掌指关节屈曲 30°位把“U”形瓣拉向近侧，用钢丝抽出法固定于掌骨颈凿出的骨孔内。术后石膏托固定腕关节及掌指关节于功能位，6 周后拆除固定并开始功能锻炼(克氏针 3 周后拔除)。

注意事项：①手内肌功能重建应首先考虑动力型手术，若无合适动力肌选择再考虑行此静止型手术。②术前 Fowler 试验阳性是行静止型手内肌功能重建手术的先决条件。③术后应避免掌指关节用力伸直以防爪形手复发。

(6) 示指固有伸肌移位重建拇内收功能(Brown 法)

于示指掌指关节背侧弧形切口显露示指固有伸肌腱止点及伸肌腱帽，切断连着部分腱帽组织的肌腱止点。于腕背远端第三、第四掌骨间隙作横切口，将切断的示指固有伸肌腱抽出。在拇指掌指关节尺侧作横切口并显露拇收肌止点，将示指固有伸肌腱通过第三、第四掌骨间的骨间肌，在拇收肌的背面沿着其横行肌纤维到达止点，在腕关节平伸、拇指靠近示指(略偏于示指的掌侧)的位置，与拇收肌止点作编织缝合。术后石膏托固定拇指于腕背伸 40°、拇内收外展的中立位，3 周后开始功能锻炼。

注意事项：示指固有伸肌止点处腱帽须作间断缝合修复。

42.7 桡神经损伤

42.7.1 解剖学概要

桡神经由 $C_5 \sim T_1$ 神经根纤维构成，系臂丛后束的延续。桡神经出腋窝后从上臂内侧随肱深动脉经肱三头肌长头与内侧头之间进入肱骨肌管(该管由肱管桡神经沟与肱三头肌组成)。在管内，它贴附骨面并旋向外下，在臂中、下 1/3 交界处穿过外侧肌间隔到肱肌和肱桡肌之间，分为浅、深两支后进入前臂。桡神经在腋部(腋臂角)发出肱三头肌长头的肌支，在上臂先后发支支配肱三头肌内外侧头、肱桡肌、桡侧腕长伸肌。在前臂，浅支位于肱桡肌深面，与桡动脉伴行。它主要是感觉神经，分布于手背桡侧皮肤和桡侧两个半手指的背面，但不包括示、中指末二节背面的皮肤。深支又名后骨间神经，经过肱桡肌深面到前臂背面，穿过旋后肌后，在浅深两层伸肌群间下降。在旋后肌以上，深支先后发支支配桡侧腕短伸肌及旋后肌；在旋后肌以下先后发支到指总伸肌、小指固有伸肌、尺侧腕伸肌、拇长展肌、拇短伸肌、拇长伸肌及示指固有伸肌。

42.7.2 病因及损伤机制

由于桡神经在上臂很贴近肱骨，在前臂靠近桡骨，因此，肱骨中段或髁上骨折、桡骨小头脱位及骨折、孟氏骨折等可分别牵拉或压迫桡神经主干或分支而造成其损伤；上肢外展过久、头长时间枕在上臂、腋臂角处石膏支架及腋姿放置不当、酒后长时间侧卧(周末综合征)均可造成桡神经主干损伤；医源性损伤常发生于行肱骨钢板内固定术或钢板取出术时(主干)以及行桡骨小头切除术时(深支)。

42.7.3 临床表现与诊断

桡神经深支在前臂上 1/3 部损伤，拇指掌指和指间关节以及其他四指的掌指关节不能主动伸直，拇指不能桡侧外展。桡神经在肱骨中下段损伤者，尚有垂腕、肱桡肌瘫痪和手背桡侧感觉消失。由于支配肱三头肌的肌支均在肱骨上段水平，故肱骨中段骨折所致的桡神经损伤不累及肱三头肌。桡神经在腋部损伤除上述症状外，还因肱三头肌瘫痪而致伸肘不能。

42.7.4 治疗

闭合性损伤经保守治疗及伸腕伸指支架的保护大多数能完全恢复，若保守治疗无效或开放性损伤则行手术治疗。

1）桡神经臂部显露　切口从三角肌后缘中上1/3交界处开始，沿肱三头肌外侧头内缘向下，于上臂中点斜向下外，再沿肱桡肌前缘向下至肘关节前横纹上3 cm。暴露肱三头肌的长头、外侧头、肱桡肌和肱肌。将肱三头肌外侧头向外牵开，长头向内牵开，桡神经上部位于外侧头深面的桡神经沟内。再沿肱三头肌外侧头外缘于肱桡肌及肱肌之间切开分离，即可暴露桡神经的中下部。

2）桡神经肘部显露　以肘关节为中心作肘外侧"S"形切口。暴露肱二头肌、肱桡肌和肱肌。沿肱桡肌内侧缘分离，结扎桡动脉至肱桡肌上之扇形动脉，可见桡神经分为深浅两支。深支进入旋后肌管，并可见横跨在深支表面的旋后肌起始部的Froshe弓。浅支在旋后肌浅面、肱桡肌深面向下行走。

3）桡神经深支显露　切口线位于肱骨外上髁至腕背中点连线近2/3段。在肱桡肌和桡侧腕伸肌之间分离，即可显露深支近端；在指总伸肌与桡侧伸腕肌之间分离，可显露旋后肌下缘及深支远端；于神经浅面切断旋后肌浅层，可全部显露桡神经深支。桡神经暴露后根据受损情况作神经粘连松解、神经缝合或神经移植术。

由于桡神经支配肌均为手外在肌，不涉及手的精细动作，故神经修复效果较好。晚期桡神经损伤可行功能重建手术。

4）伸腕伸指功能重建术　于前臂屈侧中下段作起自近侧腕横纹尺侧和凸向桡侧的长弧形切口，显露尺侧腕屈肌腱及掌长肌腱并尽量向近端游离，止点切断备用。于前臂背侧中下段作起自Lister结节和凸向尺侧的长弧形切口，止于前臂中段偏屈侧，显露旋前圆肌止点、桡侧腕长(短)伸肌腱、指总伸肌腱及拇长伸肌腱。于拇指掌指关节背侧近端作2 cm纵切口显露拇长伸肌腱。将旋前圆肌止点连同部分骨膜切下，拇长伸肌腱在腱、腹交界处切断并从拇指背侧切口内抽出，再通过背侧皮下(腕背韧带浅层)引入背侧切口，掌长肌腱及尺侧腕屈肌腱分别通过桡侧及尺侧皮下隧道引入背侧切口。放松止血带止血后作如下缝接：在腕伸位旋前圆肌止点与桡侧腕短伸肌腱、尺侧屈腕肌腱与指总伸肌腱分别作端侧编织缝合，缝合后腕关节若能维持10°～20°背伸、掌指关节伸直位，表明张力合适。伸拇重建采用Riordan法，即在腕平伸及拇指充分桡侧外展位，拇长伸肌腱与掌长肌腱在腕桡侧的鼻咽窝区域在最大张力条件下作端端编织缝合，其力线应与拇指掌骨纵轴平行(此力线使拇指兼有桡侧外展及伸直功能)。术后石膏托固定手于腕背伸45°、掌指关节伸直、拇指伸直与桡侧外展位，5周后开始功能锻炼。

注意事项：①低位桡神经(后骨间神经)损伤时因桡侧腕长(短)伸肌功能保留而使腕关节呈桡偏趋势，若将尺侧腕屈肌切断将加剧桡偏。此时应采用Brand法，即桡侧腕屈肌移位于指总伸肌，掌长肌至拇长伸肌。②若仅行伸指伸拇重建则术后固定3周。③某些情况下(如产瘫)指浅屈肌也可作为伸腕伸指的动力肌。

42.8 指神经损伤

42.8.1 解剖学概要

见上述正中、尺、桡神经损伤的相关描述。

42.8.2 病因及损伤机制

指神经损伤最常见的原因是切割伤，也可见于碾压伤和撕脱伤。指神经伤后，其近端不可避免地会产生创伤性神经瘤，少数患者出现顽固性的疼痛。痛性神经瘤产生的原因与神经断端处在有张力、血供差的瘢痕床、及无髓和细的有髓神经纤维比例增高有关。

42.8.3 临床表现与诊断

指神经损伤后，其相应的支配区域出现麻木，查体发现刺痛消失或减退，两点辨别功能障碍，Tinel征阳性。一般诊断无困难。痛性神经瘤主要见于截指残端，呈灼性神经痛的表现。

42.8.4 治疗

指总或指掌侧固有神经断伤后均应行手术修

复。手术时根据神经缺损状况采用神经直接修复或神经移植。由于感觉神经断裂后其末梢仍不断受到外界的各种刺激，故变性程度较运动神经为轻，因此，指神经的修复时限可大大延长，通常数年后仍有修复机会。

痛性神经瘤的治疗：首次手术常单纯作神经瘤切除并将残端埋入正常软组织内。对复发患者，可作残端埋入肌肉或骨髓腔内，或作神经移植以恢复轴浆流的流动平衡。

Birch(1998)分析了27例指神经的修复效果，发现37%的患者恢复了正常的两点辨别觉，但仅27%的患者对手术疗效的自我评价为"优"。患者的感觉过敏现象可持续达两年。因此，他认为指神经修复后的功能恢复是一个缓慢的过程，且难以恢复到正常水平。

42.9 腓总神经损伤

42.9.1 解剖学概要

腓总神经由 L_4、L_5 及 S_1、S_2 神经根纤维组成，在腘窝之上从坐骨神经分出后，沿股二头肌内缘下行，经过腓肠肌外侧头的表面，到达腓骨小头后面，绕过腓骨颈外侧后分成腓浅与腓深两神经。腓浅神经在腓骨之前走行于腓骨长短肌之间并支配此两肌，其终末支穿前肌间隔下行于趾长伸肌的外侧，至小腿中下1/3交界处穿深筋膜浅出，成为皮支，分布于小腿下外侧和足背，以及除小趾外侧半的其余各趾背皮肤。腓深神经在小腿前方下行，穿前肌间隔和趾长伸肌，在胫前动脉的外侧，继而在其前侧和内侧向下，经过小腿横韧带与小腿十字韧带深面到达足背，终末支分布于拇趾与第二趾背相对缘的皮肤。腓深神经在小腿上半发支至胫前肌、趾长伸肌与拇长伸肌；在小腿下半发支至腓骨第三肌；在足背发支至背侧骨间肌、趾短伸肌与拇短伸肌。

42.9.2 临床表现与诊断

腓总神经损伤是下肢最常见的神经损伤。当坐骨神经受伤时，腓总神经受损表现亦多于胫神经。常见于火器伤，腘窝附近的创伤或手术误伤，腓骨小头骨折以及石膏压迫伤等。

(1) 腓深神经损伤

腓深神经支配踝关节背屈肌与趾伸肌，因此，神经断伤后，即出现足下垂、踝关节与足趾不能背屈。当足底放在地上时，不能举起足的前部和足趾。拇趾和第二趾背面相对缘的皮肤感觉缺失。当腓浅神经正常时，由于腓骨长、短肌的作用，足可趋向外翻，当行路时更为明显。当腓深神经在胫前肌与趾长伸肌分支以下伤时，除幺趾不能背伸外，其他足部运动均无障碍，皮肤感觉缺失范围同上。

(2) 腓浅神经损伤

由于腓浅神经支配的腓骨长、短肌的瘫痪，导致足不能外翻，当踝关节背屈时，足即呈内翻姿势，小腿外侧肌肉萎缩。皮肤感觉障碍限于小腿外侧下2/3及大部足背皮肤，由于邻近皮神经能够迅速代偿，故某些病例仅是皮肤感觉减退。

(3) 腓总神经损伤

其症状与腓浅、腓深两神经同时损伤相同。特点为：足呈马蹄内翻样畸形，即足下垂和足内翻；足趾不能背伸，长久后可产生"爪形足"，即跖趾关节背伸，趾关节屈曲；皮肤感觉缺失范围限于小腿外侧与足背，亦可因邻近皮神经代偿而仅出现感觉减退；胫前肌及小腿外侧肌萎缩。

42.9.3 治疗

由于腓总神经含较多运动纤维，故修复效果多较满意。

切口自股后腓骨头上方8 cm处沿股二头肌内缘向外下，转到腓骨颈前下，切开筋膜，分别于股二头肌内侧深部及腓骨颈处游离出腓总神经，两端会师暴露全部腓总神经。小腿部腓深神经的显露：沿胫骨前肌外缘切开，于胫骨前肌与幺长伸肌之间显露胫前动静脉，腓深神经位于动脉外侧。根据伤情行神经松解、缝合或移植修复。对晚期腓总神经损伤，则行功能重建术。

1）胫后肌前移重建伸足背功能　于足背内缘舟骨结节处作3 cm纵切口，显露胫后肌腱，将其止点连同骨膜一起切下。于小腿下1/3内侧、胫骨后缘后方作6 cm"S"形切口，切开深筋膜，显露并游离胫后肌腱，保护该肌后面的胫神经血管束。将胫后肌远端由此切口抽出。于足背正中外侧楔状骨部位作3 cm纵切口，显露楔状骨，剥离骨膜后用手钻向足底方向钻一骨洞，在足背与小腿切口之间作皮下隧道，将胫后肌腱经此隧道引入足背切口，在足背屈80°位，用抽出钢丝法将胫后肌腱固定于外侧楔状骨的骨洞内。术后用短腿石膏托固定上述位，6周后去除石膏和拔除钢丝，行功能锻炼。

2）注意事项 胫后肌腱也可经骨间膜孔转移。

42.10 胫神经损伤

42.10.1 解剖学概要

胫神经由 L_4、L_5 和 $S_1 \sim S_3$ 神经根纤维组成，在腘窝以上与腓总神经分开后继续下行，隐于腓肠肌两头之间，过比目鱼肌腱弓深面之后，在此肌与胫后肌之间与胫后动脉伴行，降至内踝后面，于分裂韧带的深方分为足底内、外侧神经（至足底、趾背远侧的皮肤和足底肌）及跟内侧支。胫神经在腘窝发运动支支配腓肠肌、跖肌、比目鱼肌、腘肌与胫骨后肌；在小腿上端发运动支到比目鱼肌、胫骨后肌、趾长屈肌与𧿹长屈肌。在足底，除𧿹收肌与𧿹短屈肌由足底内侧神经支配外，其余足底肌均由足底外侧神经支配。此外，胫神经在腘窝发出腓肠内侧皮神经，沿筋膜深面下行，到小腿中部穿出筋膜，与来自腓总神经的腓肠外侧皮神经吻合，称为腓肠神经，继续下降到外踝后面，发出跟外侧支（分布于足跟的外侧面）后绕外踝下面到足背，称足背外侧皮神经，分布于足背外侧缘。

42.10.2 临床表现与诊断

胫神经损伤较少见。若胫神经在腘窝或以上损伤时，由于小腿后侧与足底肌肉全部麻痹，踝及足趾不能跖屈，踝内翻力弱（因胫骨前肌力尚好，故内翻不完全丧失），呈"钩状足"畸形：患者步行缓慢，足跟提起困难，不能以足尖站立。由于足底肌肉萎缩导致足弓加深，使足的轮廓发生改变。跟腱反射消失。皮肤感觉缺失范围包括足底、趾背远端、足跟内外侧、小腿后侧。可有足底溃疡。

若胫神经在小腿上端损伤，除腓肠肌、比目鱼肌外，小腿后侧与足部的肌肉均发生麻痹，因而除踝关节能够跖屈与感觉障碍主要限于足底皮肤外，其余与上述类同。胫神经若在小腿中段（小腿肌支发出处）以下损伤，主要表现为足底皮肤感觉缺失，间或产生爪形足，即跖趾关节背伸，趾关节屈曲，此因骨间肌麻痹后，足趾的伸屈肌失去平衡所致。

42.10.3 治疗

足底感觉很重要，即使有部分恢复也有助于防治溃疡、冻伤和烫伤，因此，应尽可能设法恢复神经功能。

1）腘窝处显露 由腘窝内上方半腱肌、半膜肌处作"S"形切口转向腘窝外下方腓肠肌外侧头处，于小隐静脉汇入腘静脉处纵形切开深筋膜，必要时结扎小隐静脉。在切口上部沿股二头肌与半腱肌、半膜肌之间分离，在下部沿腓肠肌两个头之间分离。腓总神经沿股二头肌后缘下行，应注意保护。胫神经较表浅，位于腘静脉外后侧。腘动脉较深，位于静脉前内侧。

2）小腿部显露 沿腓肠肌内缘纵形切开，将切口前方的大隐静脉及隐神经向前牵开，沿腓肠肌内缘切开致密的深筋膜，显露深面的比目鱼肌，再沿其内缘切开。向后牵开比目鱼肌与腓肠肌，显露血管神经束：胫神经在外侧，胫后动脉位内侧，胫后静脉紧贴动脉深面。剪开血管神经鞘，游离出胫神经。

3）踝部显露 于跟腱和内踝连线中点作绕内踝切口，切断屈肌支持带，于胫后动脉与拇长屈肌之间游离出胫神经。该神经于屈肌支持带下方深处分为足底内、外侧神经，应注意保护。

42.11 坐骨神经损伤

42.11.1 解剖学概要

坐骨神经由 L_4、L_5 及 $S_1 \sim S_3$ 神经根前支纤维组成。自梨状肌下经坐骨大孔离开骨盆后，位于臀大肌的深面，经股骨大粗隆与坐骨结节之间降到股后，在臀大肌下缘与股二头肌长头之间的夹角处，其位置较表浅，仅有皮肤和筋膜覆盖。继之，坐骨神经行于股二头肌与半腱肌、半膜肌之间，至股后中下1/3交界处分为胫神经与腓总神经。坐骨神经在臀部无分支，在股后，从其内侧（胫神经成分）分支至内收肌、半腱肌、半膜肌与股二头肌长头；从其外侧（腓总神经成分）分支到股二头肌短头。

42.11.2 临床表现与诊断

坐骨神经损伤常见于火器伤、药物注射伤或暴力直接损伤，因髋关节脱位或骨折引起者较少见。损伤部位多在股部或臀部，骨盆内较少见。坐骨神经部分损伤较常见，但在损伤早期，小腿常常呈完全性麻痹，约2周后可逐渐恢复部分功能。因此，明确诊断需待此时之后才能肯定。由于坐骨神经部分损伤多以累及腓总神经成分为主(少数也可以胫神经为主),故临床表现常与腓总神经损伤类同。此外,股二头肌常常麻痹,而半腱肌、半膜肌很少受累。小腿和足底常有灼性神经痛。

坐骨神经完全断伤时,其临床表现类似于胫、腓神经联合损伤:由于小腿肌肉完全麻痹,致踝关节与趾关节无自主活动,踝关节可随患肢移动呈现摇摆样运动;足下垂呈"马蹄内翻样"畸形;小腿肌肉迅速发生萎缩,呈纺锤状;跟腱反射消失。膝关节屈肌虽然大部麻痹,但因股神经支配的缝匠肌和闭孔神经支配的股薄肌尚正常,故膝关节尚能屈曲。膝关节伸肌因非坐骨神经支配,故伸膝正常。患者行走困难,呈特殊的"跨跃步态",即举步时,髋关节过度屈曲,以使下垂之足离开地面。小腿皮肤感觉除内侧外可全部缺失,但常因邻近皮神经的代偿而仅表现为感觉减退,可有足底溃疡。股后皮神经与坐骨神经伴行,故亦可同时受伤而使股后皮肤感觉障碍。当受伤部位在臀部时,有时可累及臀下神经,因臀部下垂,臀皱襞变浅,可影响髋关节后伸。

42.11.3 治疗

如为火器伤,早期只作清创术,待伤口愈合后3～4周,再行神经探查;若为药物注射性损伤,应早期切开减压,生理盐水反复冲洗或后期行神经松解术;由髋关节脱位或骨盆骨折所致的坐骨神经损伤多为压迫性,早期应行复位解除压迫,2～3个月后再决定是否行神经探查手术。

(1) 臀部及股上部的坐骨神经显露

切口自髂后上棘下外5 cm处斜向下外,经股骨大粗隆内侧2 cm处弧形向内至臀皱襞远侧中点处,再沿股后正中线向下至所需长度。切开臀筋膜,分开臀大肌至股骨大粗隆处,纵形切开股部筋膜至臀皱襞处。切断臀大肌外侧附着于髂胫束及股骨的腱性纤维,将臀大肌连同其血管翻起,即可显露坐骨神经。切断梨状肌可以显露其深面的坐骨神经;咬除部分骶骨或髂骨,可显露出骨盆处的坐骨神经。

(2) 股部坐骨神经显露

沿股后正中线作切口,可从臀皱襞至腘窝上。纵形切开深筋膜,注意保护股后皮神经。沿股二头肌与半腱肌之间向深部分离,可显露坐骨神经。该神经自股上部起由内侧发出支配半腱肌、半膜肌和股二头肌长头的肌支,股二头肌短头由腓总神经支配。手术时应注意保护。

对晚期坐骨神经损伤,可考虑行肌腱移位术或关节融合术。

42.12 反射性交感神经营养不良

反射性交感神经营养不良(reflex sympathetic dystrophy)是一组以肢体疼痛、肿胀、僵直、皮色改变、多汗及骨质疏松为特征的临床综合征。它常是周围神经损伤后的并发症(约占30%),也可继发于某些脏器疾病。同义名称有灼性神经痛、Sudeck萎缩、肩手综合征、Leriche损伤后疼痛综合征等,但目前广泛接受将反射性交感神经营养不良作为该组综合征的统称。

42.12.1 病因和发病机制

(1) 缺氧

缺氧可使有髓神经纤维产生脱髓鞘改变,外露的神经纤维失去绝缘性,使组织代谢产物(儿茶酚胺等)、局部瘢痕的绞窄刺激均直接作用到轴索上,产生灼性神经痛。轴浆中的线粒体须靠氧代谢。实验表明如用氮化钠或氰化物造成缺氧,轴浆快速运输在15 min内即停止并产生传导异常。有氧时,快纤维传导时间快、定位准、范围适度;缺氧时,快传导受阻,出现需氧量少的慢纤维传导,后者所传导的痛觉时间长、定位模糊,性质如烧灼性。

(2) 交感神经短路

损伤区域的交感神经传导出现短路,即对缺氧耐受力强的交感神经其传出纤维发放的冲动直接作用于感觉传入纤维,使之产生放射性的传入冲动,产生疼痛等一系列症状。

(3) 对脊髓中间神经元的异常反馈

脊髓的中间(联合)神经元,可把同一节段的传入冲动传给感觉或运动神经元,还能使之与邻近节段或远距离节段之间建立起广泛的互相联系的神经网,从而使脊髓各节段神经元之间的活动能相互联系。异常的反馈作用可使中间神经元的调控紊乱,产生定位模糊的灼性神经痛。

(4) 动脉周围炎

与神经伴行动脉的直接或间接损伤可导致动脉外膜炎症,使其表面分布的交感神经节后纤维传导短路,引起灼性神经痛。

(5) 大脑皮质因素

大脑皮质对疼痛的持续性刺激可产生"再教育

后”兴奋灶，使灼性神经痛顽固不退。

尽管目前确切的病因尚不明确，但 Lankford 认为每一例患者均必须具备 3 个发病条件，即持续性的疼痛刺激、特殊的素质(如内在性的交感神经活动过激或呈不安全感及焦虑的个性)以及交感神经的异常反射。

42.12.2 临床表现

该病以 20～40 岁男性多见，儿童极少。按易引起疼痛等症状的次序排列，受损神经依次为臂丛神经、坐骨神经、正中神经、胫神经、指神经等。神经损伤则以部分性为多见。疼痛是本病的主要表现，约 1/3 在伤后立即出现，但通常发生在伤后 1 周以内。它是一种难言的烧灼样痛，超越神经所支配的感觉范围，并且容易受到患者的情绪及周围环境的影响，较轻微的触碰、遇热，或肢体的活动均可加剧疼痛，而阴湿寒冷的气候或夜间可使疼痛缓解。通常将病程分为早(急性)、中、晚 3 个阶段，急性期的主要症状是疼痛及交感神经活动过激，后者再现为红肿、潮热、多汗及一定程度的肢体僵直；中期通常从第 3 个月开始，持续半年左右。此期肢体变得苍白和干燥，僵直程度增加，并出现营养性改变，疼痛在安静时可有所缓解；晚期可持续数月至数年，其特征为肢体僵直、厥冷及营养障碍。患者疼痛程度表现不一，皮肤有毛发脱落或过度生长，常伴骨质疏松。

42.12.3 诊断

出现严重灼性神经痛的症状时，则诊断明确。如有疑问可作诊断性交感神经节阻滞：如在疼痛手部，可局麻封闭第 2、第 3 胸交感神经节；如疼痛在足部，则可封闭第 2、第 3 腰交感神经节。若封闭后症状明显好转，则可除外其他神经疾患。Lankford 将本征按其症状严重程度的递增分为 5 种类型。

1) 轻型灼性神经痛(minor causalgia)　继发于纯感觉神经损伤，最常见于正中神经的掌皮支损伤，其次为桡浅神经。

2) 轻型创伤性营养不良(minor traumatic dystrophy)　常发生于轻度压榨伤、扭伤、骨折而不是重要神经的损伤。

3) 肩手综合征(shoulder-hand syndrome)　常继发于颈、胸、肩部损伤或脏器病变如颈椎间盘突出、心肌梗死、胃溃疡、卒中或肺上沟癌(Pancoast 癌)。

4) 重型创伤性营养不良(mayor traumatic dystrophy)　通常发生于肢体的严重挤压伤以及 Colles 骨折。

5) 重型灼性神经痛　主要发生于肢体混合性神经损伤后(如正中及坐骨神经)。

42.12.4 治疗

目前尚缺乏令人满意的治疗方法。可酌情采取下列措施以缓解症状。

(1) 保守治疗

适用于起病 6 个月以内的患者。对于能忍受轻微主动活动者，单纯的理疗、体疗、口服镇静与镇痛药(地西泮、卡马西平、解热镇痛等药)有助于症状的缓解。目前最受推荐的治疗手段是交感神经节阻滞结合肢体各关节的适度物理治疗(激光、电刺激、主被动活动)。Kleinert 对一组药物及物理治疗无效的患者采用一次或多次星状神经节阻滞，80%的病例疼痛得到缓解，19%仅获得暂时缓解而最终需行交感神经切除术。Leffert 和 Todd 报道一组(29 例)顽固性灼性神经痛病例经持续性星状神经节阻滞(平均 7 天)，有 27 例疼痛减轻，活动改善。

(2) 手术治疗

适用于保守治疗无效或病程超过 6 个月者。

1) 痛性神经瘤　快刀切除神经瘤让其回缩到血运丰富的软组织内。对于神经瘤切除后复发者，将断端神经分成两束，作端端吻合并于吻合口近端 5～10 mm 处另作一个吻合口以形成一段移植神经，从而有利于轴浆的流动平衡。

2) 主要周围神经损伤　对于主要周围神经损伤引起的灼性神经痛，可酌情行神经松解、神经移植等手术，并将神经置于血供丰富的软组织中。

3) 臂丛根性撕脱伤　臂丛根性撕脱伤引起的灼性神经痛常很顽固，有效的神经移位手术是根治灼性神经痛的最有效的方法。此外，神经根部的彻底松解以阻断有害性神经冲动的传入也有助于症状的缓解。

4) 血管手术　对与神经伴行主要血管的损伤应作修复。对顽固性疼痛患者可在行神经手术的同时，再作神经伴行血管(如指动脉)的外膜剥离以阻断交感神经的短路传导。

5) 交感神经切除术　适用于对交感神经阻滞有效但经数次治疗仍无长期缓解的患者。对于上肢的灼性神经痛，可作 $T_2 \sim T_4$ 交感神经节及相应交感干的切除，对于下肢灼性神经痛则行 L_2、L_3 交感神经节及相应交感干切除。其他尚有中枢尾状核埋置电极等手术。

（陈　亮　顾玉东）

参考文献

[1] 韦加宁．手部神经不可逆损伤的功能重建．见：顾玉东，王澍寰，侍德主编．手外科手术学．上海：上海医科大学出版社，1999．538～569．

[2] 顾玉东主编．臂丛神经损伤与疾病的诊治．第2版．上海：复旦大学出版社，2001．108～133．

[3] 顾玉东，陈德松，史其林，等．腕管综合征128例分析．中华手外科杂志，2006，22(5)：283～285．

[4] Birch R，Bonney G，Wynn Parry CB. Surgical disorders of the peripheral nerves. London：Churchill Livingstone，1998. 157～233.

[5] Canale ST. Campbell's operative orthopaedics. 9th ed. Mosby，1998. 3548～3591；3827～3894；3971～4052.

[6] Green DP，Hotchkiss RN，Pederson WC. Green's operative hand surgery. New York：Churchill Livingstone，1999. 1481～1542.

43 周围神经卡压综合征

43.1 概述

周围神经卡压综合征，是指周围神经在肢体行程中任何一处受到卡压而出现的感觉或运动功能障碍，或是指周围神经在通过某些狭小的解剖学管道或增厚的腱组织(如骨性纤维性隧道、或是腱弓)时，受机械性压迫而产生的以疼痛或以所支配肌肉麻痹为主的症候群。

目前对周围神经卡压综合征的命名尚不统一。现有的名称多种，如周围神经卡(嵌)压综合征、周围神经卡(嵌)压症、嵌压性神经病等等。但国内学者对此综合征基本达成共识的命名是周围神经卡(嵌)压综合征或卡(嵌)压综合征。

周围神经卡压综合征的发病机制，是神经受慢性卡压的过程。所产生的渐进性病理变化主要有：缺血、缺氧、神经血管通透性增加、神经束膜下和内膜水肿、局部电解质浓度改变、神经纤维脱髓鞘改变等。如压迫因素未解除，缺血、缺氧与神经水肿形成恶性循环，可促使神经外膜增厚，神经纤维组织增生，瘢痕形成，从而成为轴突生长、延伸的障碍，严重者可引起神经纤维变性。致病因素多与形成慢性卡压的因素有关，如粘连、纤维带、筋膜增厚、囊肿、骨痂等等。至于骨折、脱位对神经直接刺伤、压迫而引起的神经损害，是骨折的并发症，不是周围神经卡压综合征。陈旧性脱位(如月骨、舟骨脱位)，骨纤维管道容积缩小、压力增高而压迫神经；神经在陈旧性骨折、脱位的突出部位受到慢性摩擦、牵拉；骨折愈合过程中，骨痂对神经的挤压、摩擦，甚至将神经包围、缩窄；骨折畸形愈合造成对神经的迟发性神经炎(如肱骨髁上骨折肘外翻对尺神经的慢性牵拉)等都可使周围神经受压而导致周围神经卡压综合征。

周围神经卡压综合征的治疗，凡症状较轻者均应行非手术疗法，有些病例可自行恢复，治疗方法包括口服或肌内注射神经营养性和消除神经水肿的药物，神经卡压局部的制动、物理治疗或外敷消炎止痛药物或中药外敷。即使有些病程较长的病例，也应先行非手术治疗。如症状较重，经 4～6 周保守治疗无效者可行手术探查。手术的目的主要是彻底去除卡压因素，并作神经外松解。至于是否需要作神经内松解，目前尚存在不同意见。Rydevik(1976)认为，神经内松解术本身可能导致神经内微血管损伤，形成新的瘢痕，将干扰神经的传导功能，不主张作神经内松解。Gentili 等则认为神经内松解不会对神经的组织学和电生理产生不利影响，应行神经内松解。对于症状严重、肌麻痹时间较长者，术前肌电图检查发现神经传导速度减缓、潜伏期延长，或出现纤颤电位；术中发现嵌压段神经变细、苍白，或触及硬结以及神经外膜增厚、瘢痕化者就必须行神经内松解术。

术后疗效与病程长短、受卡压的神经病变有密切关系。一般来说，疼痛症状缓解较快，甚至术后即刻消失；运动功能障碍需4～14周恢复；肌肉萎缩则需1年以后逐渐恢复，但也有3年后仍然不恢复者。手术后症状恢复不完全或有复发的病例，可能与手术松解不彻底有关，应再次行手术探查。

43.2 上肢周围神经卡压综合征

43.2.1 胸廓出口综合征

胸廓出口位于第1肋上方，由C形的第1肋，包括部分胸骨和第1胸椎部分组成。因为胸廓出口综合征（thoracic outlet syndrome, TOS）是源于臂丛神经在根干部受压而产生的一系列症状的疾病，而臂丛神经受压的主要原因是前、中、小斜角肌的神经面的腱性纤维的压迫，第7颈椎横突过长，颈肋的变异也是由于起于或止于这些骨性变异使得斜小肌间隙变小及前、中、小斜角肌起止的腱性纤维质地和位置变化更容易产生对臂丛神经的压迫，所以由第1肋与前、中、小斜角肌组成的间隙是真正的胸廓出口，间隙中的结构包括臂丛神经、锁骨下动脉及邻近的锁骨下静脉。但是胸廓出口在解剖学上并没有这一名词，所以近年来有人认为用“胸廓出口综合征”在解剖学上是一个错误，Skandalakis(2001)认为可能用“颈腋综合征”更妥（cervicoaxillary syndrome, Cas)。Willshire于1860年描述了该病的临床表现；1861年Coote切除了第7颈椎横突来治疗TOS；1904年Murphy切除第1肋治疗TOS。1927年Adson又称之为前斜角肌综合征（haffzinger syndrome)，1945年Telford和Mottershead则明确的称颈臂连接处压迫症，包括这个综合征不同的临床表现。1945年Wright认为是过度外展综合征；同年Whit等注意到从颈肋到第1肋先天性畸形。以后又有人称该病为颈肩臂综合征，1956年Peter正式提出胸廓出口综合征这一病名，该病名虽不确切，但已被国际上大多数医师所接受。

根据临床表现的不同，可将胸廓出口综合征细分为7种类型，这些类型都可同时存在头颈、肩背部疼痛和不适，分述如下。

(i) 臂丛上干受压型：即C_5、C_6神经根卡压型，表现为颈肩部酸痛和不适，可向肩肘部放射，患肢无力，可伴有头晕、耳鸣等症。

(ii) 臂丛下干受压型：即臂丛下干、C_8和T_1神经根的受压，主要表现为手及前臂尺侧麻痛、手部肌肉萎缩。

(iii) 全臂丛受压型：表现为上、中、下干均有受压的临床表现，大多数患者有颈肩部疼痛、不适和手麻痛，发病前3个月内可能有过病毒感染史，并表现为发热、全身疼痛，最后局限在患肢疼痛与不适。部分患者可能有外伤史，伤后逐渐出现上肢无力，整个上肢感觉减退。

(iv) 交感神经刺激型：交感神经纤维受压，除上肢酸痛外，还常有雷诺现象，表现为肢体苍白、发绀、怕冷，亦有患者表现为双手大量出汗。

(v) 锁骨下动、静脉受压型：表现为肢体易疲劳、乏力，桡动脉搏动明显减弱，双手下垂时肢体充血，呈潮红色，甚至呈紫红色，少数患者可出现肢体水肿。

(vi) 椎动脉受压型：有椎动脉血供不足的症状，如偏头痛、头晕、眼涩、咽部异物感；可能同时存在颈丛卡压的症状，患者面部麻木，耳周皮肤感觉减退。

(vii) 假性心绞痛型：以心前区刺痛、左肩部不适为主要表现。目前已认识到，心前区刺痛是由于胸长神经受到刺激所致，特别是起源于C_5神经根的胸长神经支，常和肩背神经合干，一并穿过中斜角肌的起始部腱性纤维，特别容易受压。

现将临床常见的上干型和下干型胸廓出口综合征分述如下。

(1) 上干型胸廓出口综合征

臂丛神经上干位于前、中斜角肌肌腹之间，无卡压的基础，而C_5、C_6神经根在出椎间孔处被交叉的前、中斜角肌腱性起始纤维包绕，才是卡压的基础，所以将上干型胸廓出口综合征称为C_5、C_6神经根卡压。上干型胸廓出口综合征诊断困难，常常误将这类胸廓出口综合征归纳到神经根型颈椎病中。随着对颈肩痛的深入研究，人们发现C_5、C_6神经根卡压不仅可独立存在，还可合并C_5、C_6；以及C_6、C_7脊臂受压型颈椎病，也可合并下干型胸廓出口综合征。

1）应用解剖（图 43-1）

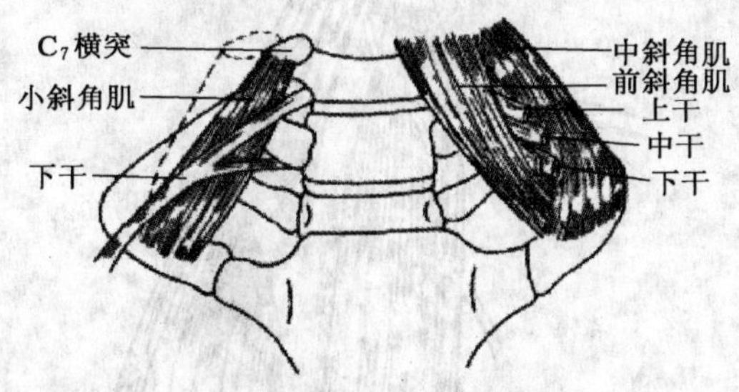

图 43-1 斜角肌与臂丛神经的解剖学关系

（i）前斜角肌的起点：前斜角肌在 C_3～C_6 颈椎横突的前后结节均有起点，特别是在 C_3、C_4；横突的后结节的起点，独立形成一条肌束，从 C_5 神经根下方由后上向前下汇入前斜角肌肌腹。

（ii）中斜角肌的起点：中斜角肌起源于第 2～6 或第 2～7 颈椎横突的前、后结节。

2）上干型胸廓出口综合征的临床表现

（i）病史及症状

既往史：大多数患者均有较长的颈肩痛病史，并作为颈肩病或肩周炎治疗。

主要症状：本病的主要表现为颈肩部酸痛和不适，可向肩肘部放射，患肢无力，可伴有头晕、耳鸣等症。急性发病者占 55%，慢性发病约占 45%，疼痛与体位关系密切，95%的患者呈间断性发作。

（ii）检查和体征

体格检查方法：观察体形、姿势、双肩的对称性及患侧上肢是否有肌萎缩，仔细检查颈部、肩部是否有压痛点，检查上肢的肌力、肌张力、感觉及尺桡动脉搏动的情况，常规做 Adson、Wright、Roos 试验。

体征：胸锁乳突肌后缘中点压痛，肩胛骨内上角内侧有压痛。三角肌区及上臂外侧感觉减退，前臂内侧感觉迟钝，肌力减弱，主要为冈上肌、冈下肌、三角肌及肱二头肌，并出现肌萎缩征。

（iii）特殊试验

Adson 试验：15%～20%阳性。

Roos 试验：阳性率与前者相似。

Wright 试验：80%患者出现阳性结果。

3）上干型胸廓出口综合征的特殊检查

（i）肌电图检查：仅少数患者出现阳性结果，如三角肌、冈上肌、冈下肌、肱二头肌呈单纯相，三角肌、冈上肌和冈下肌有纤颤电位。

（ii）放射学检查：颈椎 X 线平片可见颈椎椎体有明显增生性改变及椎间隙狭窄，颈椎生理弧度消失、变直和横突过长；10%的病例可有颈肋和椎体前缘骨质增生，呈鸟嘴样。

（iii）MRI 检查：少数患者可有颈椎间盘膨出，但大多数病例可无异常所见。

（iv）诊断性治疗

颈部痛点封闭：临床上多用醋酸曲安奈德 2 ml 加 0.5%丁哌卡因 2 ml 的混合液做颈部痛点封闭。对准痛点相应的横突进针，抵达骨性组织后回抽无血时缓慢推入药物。压痛点注射 1 mim 后，令患者起立，再次检查三角肌肌力。封闭后显著好转者可确诊。

颈椎牵引试验：检查者一手托住患者的下颌。一手托住患者的枕部逐渐向上牵引，用 5～10 kg 的力量持续向上牵引 1 mim，此时令患者颈肩部尽量放松：或用 5 kg 的力量做颈椎牵引 10 mim，牵引后立即检查。全部患者的肩外展力量均有增加，感觉减退亦有好转，但其效果仅能维持 1～2 h。

4）上干型胸廓出口综合征的诊断　对颈肩部及上肢有酸痛、乏力及肌肉萎缩，合并下述情况之一者，要考虑本病的可能性：①肩部肌肉萎缩，肩外展肌肌力减弱，肩及上臂外侧感觉改变。②前臂内侧感觉明显改变。③锁骨下动脉或静脉有受压征象。④颈椎片可见颈肋或第 7 颈椎横突过长。⑤肌电图检查提示上干的分支传导速度慢。⑥排除颈椎病等其他疾患。

5）上干型胸廓出口综合征的鉴别诊断　主要是与 C_5、C_6 神经根型颈椎病相鉴别。常规用 0.5%丁哌卡因 2 ml 加曲安奈德 2 ml，于颈外侧压痛点（常在胸锁乳突肌的后缘中点）对颈椎横突穿刺，回抽无血后缓缓注入，若 l min 后患者感觉肌力明显改善或完全恢复正常，可证实 C_5、C_6 神经根受压是在椎间孔外，是肌性的，而不是骨性的。

6）上干型胸廓出口综合征的治疗

（i）保守治疗

颈部局部封闭治疗：在颈部压痛最明显处局部封闭，如用曲安奈德，则每隔 1～2 周注射 1 次，4 次为 1 个疗程；如用地塞米松棕榈酸酯（利美达松）1 ml 加 0.5%布比卡因 2 ml，则每个月局部封闭 1 次，连续 3～4 次。

颈椎牵引：牵引重量在 5～7 kg，以患者感到舒适为度，每日 30 min，连续 1 个月。

非手术疗法无效者，则需做手术治疗。

(ii) 手术治疗(图 43-2～43-7)

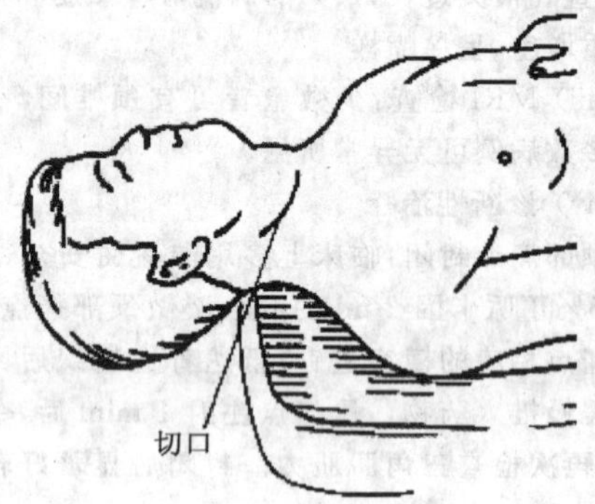

图 43-2 作颈根部弧形手术切口

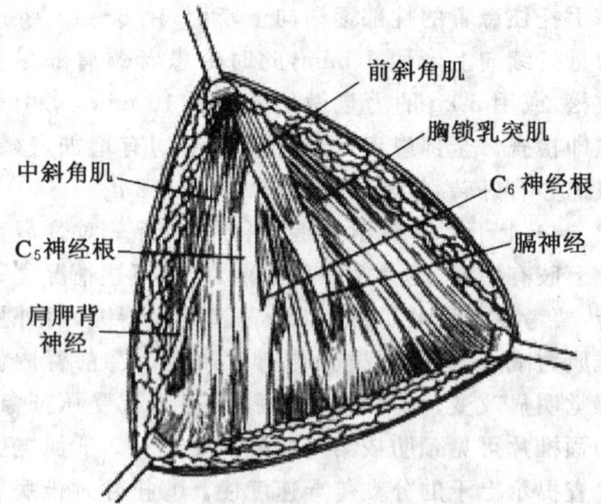

图 43-3 暴露前中斜角肌

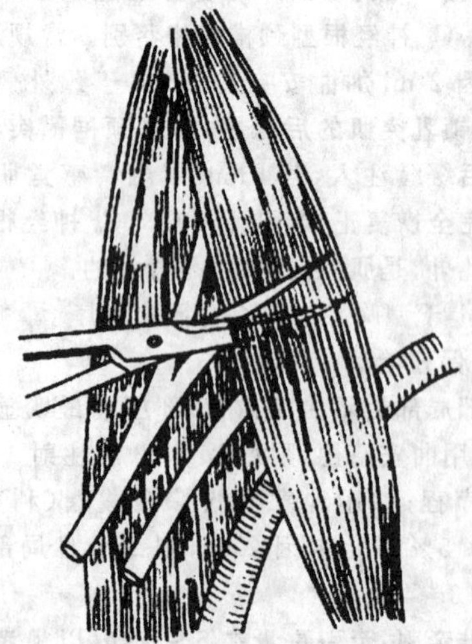

图 43-4 切断前斜角肌

图 43-5 切断中斜角肌

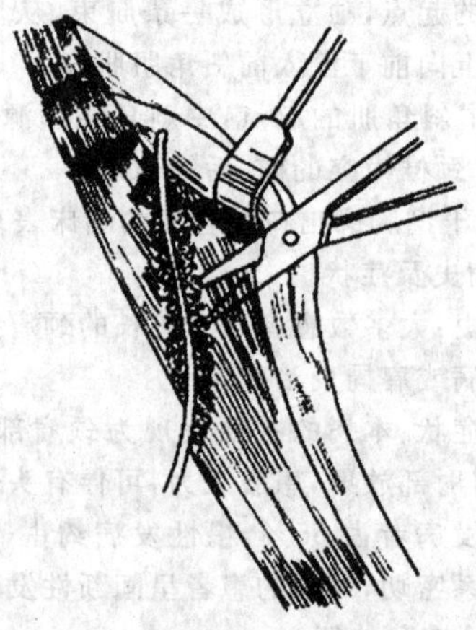

图 43-6 切断肩胛背神经浅层的中斜角肌及 C_5 神经根旁的中斜角肌起始部分

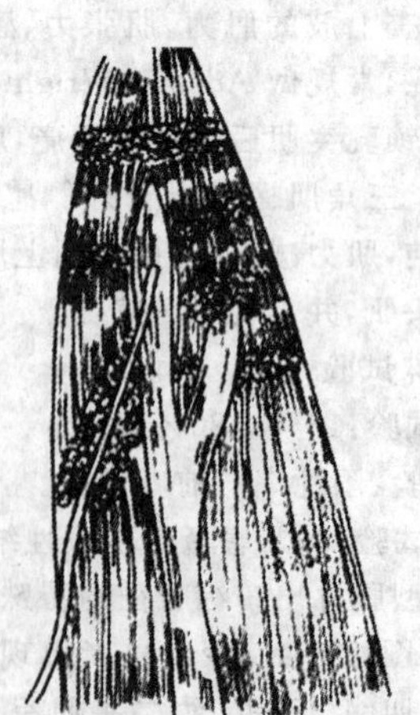

图 43-7 C_5、C_6 神经根得到松解

手术指征：①颈、肩及背部疼痛严重，已影响工作、休息，经保守治疗无效者；②肩外展肌肌力、屈肘肌肌力明显降低或肩外展动作不能完成者，以及肩部肌肉萎缩者。

上述两点均应排除颈椎椎管内病变及侧隐窝内的颈椎椎间盘突出。

术式选择：①对严重颈肩背痛影响休息和工作、上肢感觉明显减退，且伴肩外展肌肌力降低，外展仅达45°～60°，肩部三角肌萎缩及曾经保守治疗月余无效者，可选择前、中斜角肌和小斜角肌切断术。对C_5神经根被致密的纤维组织包绕者，可行C_5神经根松解术直至C_5椎间孔处。术中用醋酸曲安奈德5ml注入C_5～T_1神经根，上、中、下干部的神经外膜下，以及被切断的肌肉组织断端（术前在相同体位标记好颈部压痛点，术中发现此点正好在C_5神经根处）。②手术时机可选择在颈肩部疼痛最严重时，疗效一般较佳，且复发率低。

（2）胸廓出口综合征

下干型臂丛神经受压症是典型的胸廓出口综合征（TOS），主要表现为手及前臂尺侧麻痛、手部肌肉萎缩。

1）应用解剖　小斜角肌与臂丛下干、C_8和T_1神经根的关系（图43-8），当C_7横突过长时，小斜角肌起点外移，C_8、T_1神经根和下干则要爬越得更高。如C_7横突过长，增加了胸廓出口综合征的发病可能。

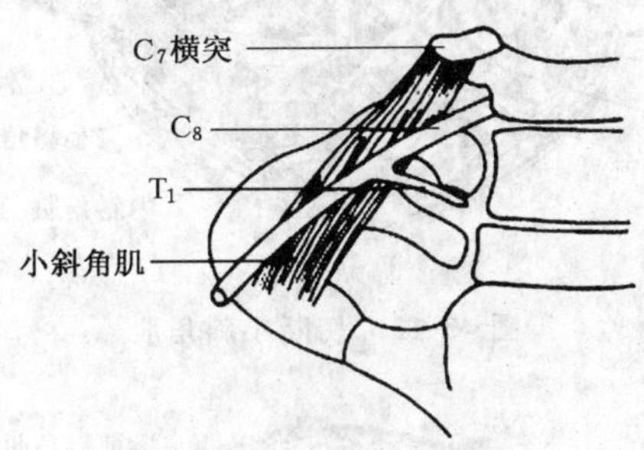

图43-8　小斜角肌的起止点

小斜角肌起于第7颈椎横突，少数还在第6颈椎横突后结节有起点，止于第1肋内侧缘。小斜角肌和第1肋成13°的角度，覆盖于第1肋的后弓部，其前缘即神经面是腱性组织，十分坚硬，C_8和T_1神经根必须跨过小斜角肌的腱性部分才能进入前、中斜角肌间隙。当颈肋存在时，部分小斜角肌可止于颈肋，使整个小斜角肌向前、向外移位，从臂丛神经的下方把整个臂丛神经推向前外侧，小斜角肌的存在可能是下干型胸廓出口综合征的主要原因。

2）胸廓出口综合征的临床表现　典型的胸廓出口综合征是臂丛神经下干受压型，常见于中年妇女，男女性之比为1∶3，20～40岁者占80%以上，主要表现为患侧上肢酸痛、不适、无力、怕冷，手部麻木。体检时可发现患肢肌力稍差，手尺侧特别是前臂内侧针刺痛觉明显改变，同时还可能存在大、小鱼际肌萎缩。

特殊检查如下。

（i）肩外展试验（Wright test）：患者坐位，检查者扪及患者腕部桡动脉搏动后，慢慢使前臂旋后，外展90°～100°，屈肘90°，桡动脉搏动消失或减弱为阳性。此项检查阳性率很高，但存在一定的假阳性。

（ii）斜角肌挤压试验（Adson test）：患者坐位，检查者扪及患者腕部桡动脉搏动后，使其肩外展30°，略后伸，并令患者头颈后伸，逐渐转向患侧，桡动脉搏动减弱或消失为阳性。此检查阳性率很低，但常常有诊断价值。

（iii）锁骨上叩击试验（Moslege test）：令患者头偏向健侧，叩击患侧颈部，出现手指发麻或触电样感为阳性。

（iv）锁骨上压迫试验：检查者用同侧手扪及患者的腕部桡动脉搏动后，用对侧拇指压迫其锁骨上窝处，桡动脉搏动消失为阳性。90%的正常人在压迫锁骨上时桡动脉搏动亦消失。但是如果压迫点距锁骨上缘2～3 cm，桡动脉搏动亦消失，则说明锁骨上动脉抬高明显，较有诊断价值。

（v）Roos试验：为活动的肩外展试验，即令患者双上肢放在肩外展试验的位置上用力握拳，再完全松开，每秒钟一次，45 s内就不能坚持者为阳性。

（vi）肋锁挤压试验：患者站立位，双上肢伸直后伸，脚跟抬起，桡动脉搏动消失、明显减弱为阳性。

（vii）电生理检查：电生理检查在胸廓出口综合征的早期无特殊诊断价值，可能会出现F波延长，其他常无异常发现。晚期以尺神经运动传导速度在锁骨部减慢有较大的诊断价值。

3）胸廓出口综合征的治疗

（i）保守治疗：对早期胸廓出口综合征患者，可通过休息和适当的体位来治疗。即患者应避免重体力劳动，将双上肢交叉抱于胸前并略抬双肩的体位，有利于使臂丛神经处于放松位。对颈部不适显著者可给予颈部压痛明显点局部封闭。用醋酸曲安奈德2 ml加0.5%丁哌卡因2 ml封闭痛点，每周1次，连续4～6次。同时可给予神经营养药物，如维生素 B_1、维生素 B_6 及甲巯咪唑（他巴唑）等药物。颈椎牵引对部分患者有较好的疗效，在牵引体位时颈部肌肉放松，可减轻臂丛神经的压力。

(ii) 手术治疗

手术指征：①患肢及颈部不适影响工作、生活，且患者亦有要求时，可予手术治疗。②患肢肌力下降，有肌肉萎缩，或上肢有运动障碍者。③手部感觉明显减退，针刺痛觉明显减退甚至丧失者。

手术方法：①前、中、小斜角肌切断术（图43-9～图43-13）：适用于无骨性压迫因素的所有胸廓出口综合征患者。将前、中、小斜角肌切断后，臂丛神经下方、上方及两侧的压力全部减弱，甚至消除。②颈肋切除术：在颈椎X线片上有颈肋者，术中常常可见前、中、小斜角肌的止点或有部分止点附着其上，将前、中、小斜角肌切断后，切除颈肋。③C_7 横突切除术：如X线片见 C_7 横突长于 T_1 横突，应将之切除部分。过长的 C_7 横突导致胸廓出口综合征的原因是附着在横突后下方的腱性部分，特别是小斜角肌的肌起点随着横突的向外延伸而外移，从臂丛神经的后下方对臂丛神经产生压迫。骨性结构本身对神经并无影响，切断肌肉起点，游离 C_7 横突即已消除了对神经的压迫。术中未发现臂丛神经被过长的第7颈椎横突压迫时，可不予切除，以免创面渗血，造成术后对神经根的刺激。④第1肋切除术；经颈部切除第1肋前，均应先切断前、中斜角肌的止点，然后才在骨膜下切除第1肋。因此，对无明显骨性压迫、无明显斜角肌异常和无异常束带压迫臂丛神经者可将第1肋骨切除。Roos很早就开始经腋路切除第1肋治疗胸廓出口综合征，且该法（简称Roos法）至今仍在临床上应用。切除了第1肋，前、中、小斜角肌均失去了止点，自下而上完全解除臂丛神经的压力，效果较好。

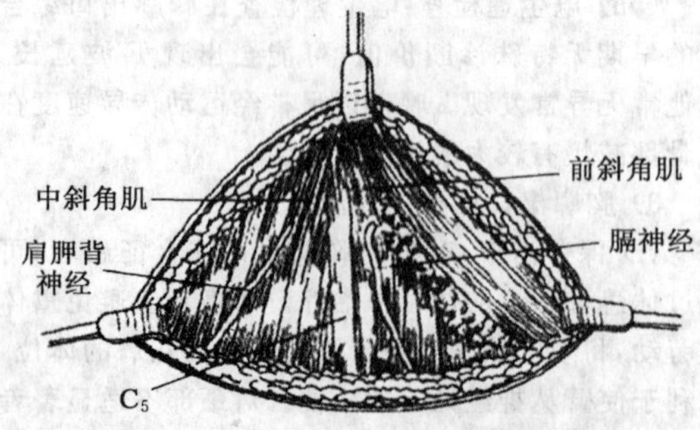

图 43-9　颈部横行切口，暴露前斜角肌、C_5 神经根和臂丛神经

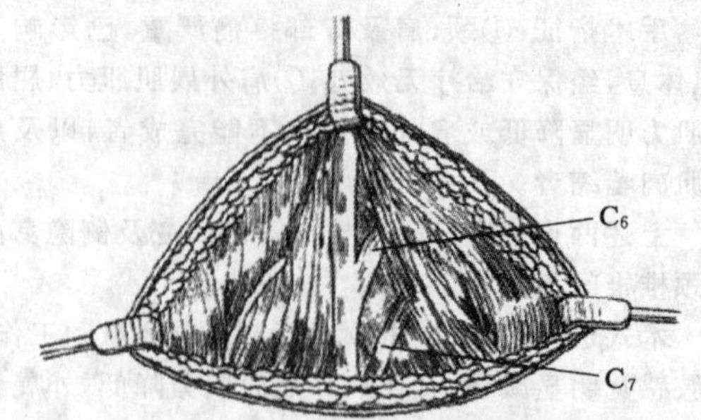

图 43-10　在上干内侧分离，显露 C_6 和 C_7 神经根

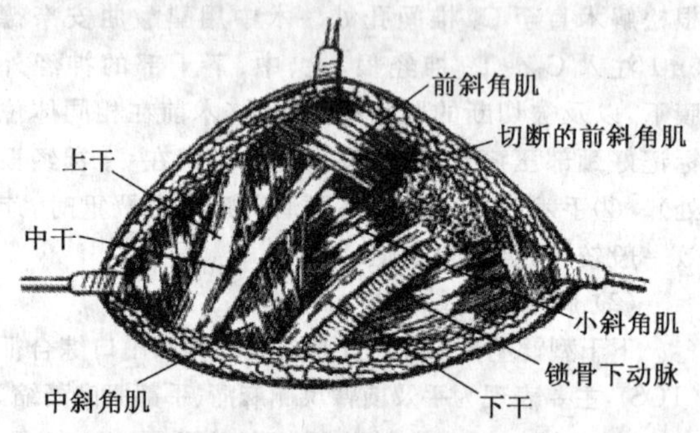

图 43-11　切断前斜角肌，显露 C_7 神经根、臂丛神经下干

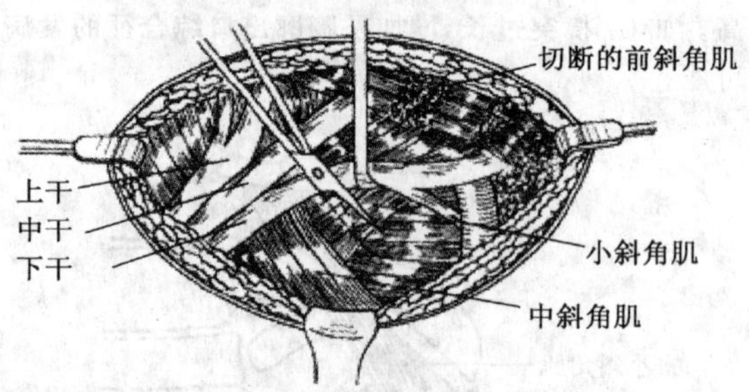

图 43-12　切断小斜角肌

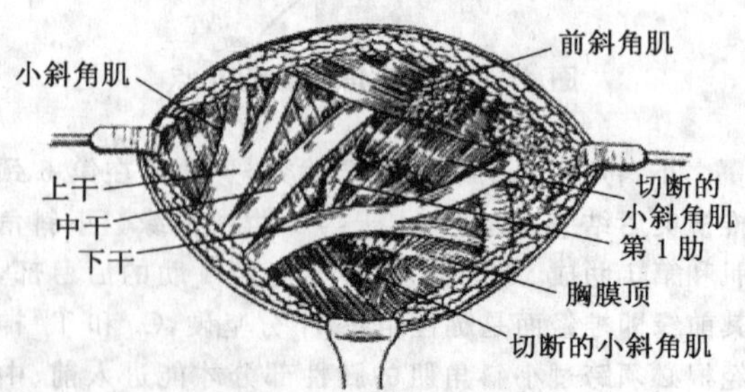

图 43-13　小斜角肌切断后，臂丛神经下干完全松弛

手术并发症：①臂丛神经损伤。在做颈部切口切断中斜角肌时，需将臂丛神经拉向内侧，如用力不当，可能损伤臂丛神经上干，致术后肩外展、屈肘功能障碍。②气胸。在切断下干下方的束带时很容易分破胸腔顶部胸膜，特别是切断 Sibson 筋膜时，更容易将胸膜剪破。术中如发现胸膜剪破，应将之修补，并立即抽气。如漏气较多，或怀疑损伤脏层胸膜，应做胸腔引流。③乳糜漏及淋巴积液。左侧胸廓出口综合征手术治疗有并发乳糜漏的可能，造成乳糜液聚集在伤口内。不一定是直接损伤胸导管，损伤开口于胸导管的小淋巴管也可能造成乳糜积液。④血肿。胸廓出口综合征术后如并发血肿，危害很大，是造成症状复发甚至加重的主要原因，因伤口内血肿总是包绕被解剖的神经根部，一旦机化将对整个臂丛神经产生新的压迫，症状可能比术前还要严重。

43.2.2 肩胛上神经卡压综合征

肩胛上神经卡压是最常见的肩部疼痛原因。占所有肩痛患者的 1%～2%。Ewald 早在 1909 年报道了创伤后肩胛上"神经炎"，Foster 于 1926 年报道了肩胛上神经病变。Parsonage 和 Turner 在 1948 年报道的 136 例患者中的 4 例肩痛是肩胛上神经卡压症所致。Kopell 和 Thompson 于 1959 年详细报道了肩胛上神经在肩胛上切迹处的卡压所致的症状和体征，并将该病命名为肩胛上神经卡压综合征(suprascapular nerve entrapment, SNE)。

(1) 应用解剖

肩胛上神经来源于臂丛 C_5 神经根，偶尔来源于 C_6 神经根。肩胛上神经与肩胛上动脉和静脉穿过肩胛上横韧带下方的肩胛上切迹进入肩胛上窝。肩胛上神经穿过肩胛上切迹后，发出 1 或 2 支分支支配到冈上肌及发出小关节支支配盂肱关节、喙肩韧带和肩锁关节。随后，肩胛上神经继续绕过肩胛冈盂切迹达冈下窝，并发出分支支配冈下肌。

(2) 肩胛上神经卡压症的病因和病理

肩胛上神经卡压可因肩胛骨骨折或盂肱关节损伤等急性损伤所致。肩关节脱位也可损伤肩胛上神经。肩部前屈，特别是肩胛骨固定时的前屈，使肩胛上神经活动度下降，易于损伤。肿瘤、肱盂关节结节样囊肿，以及肩胛上切迹纤维化等，均是肩胛上神经卡压的主要原因。肩袖损伤时的牵拉也可致肩胛上神经损伤。各种局部脂肪瘤和结节均可压迫肩胛上神经的主干或肩胛下神经分支，引起卡压。

(3) 肩胛上神经卡压症的临床表现

1) 症状　肩周区弥散钝痛，位于肩后外侧部，可向颈后及臂部放射，但放射痛常位于上臂后侧。肩外展、外旋无力，进行性病例可有冈上肌萎缩。无明显的肌萎缩。

2) 病史　创伤或劳损史，肩部以锐痛为主，肩部活动时可加重。疼痛可为持续性，严重者影响睡眠。无明显的肌萎缩。抬臂困难或患侧手不能达对侧肩部。有些患者除有肩部疼痛外无其他症状，疼痛可持续数年。

3) 体征　肩胛上切迹部压痛或位于锁骨与肩胛冈三角间区的压痛是肩胛上神经卡压，斜方肌区也可有压痛。如肩胛切迹处卡压，压痛点在肩胛切迹处，肩外展、外旋肌力减弱；冈上肌、冈下肌萎缩；肩锁关节压痛。如肩胛冈盂切迹处卡压，则疼痛较肩胛上切迹处卡压轻，压痛位于冈盂切迹处，冈下肌萎缩。

(4) 肩胛上神经卡压症的诊断

仔细询问病史以及系统的物理检查及肌电检查来确诊。以下辅助检查有助于诊断。

1) 肩胛骨牵拉试验　令患者将患侧手放置于对侧肩部，并使肘部处于水平位。使患侧肘部向健侧牵拉，可刺激卡压的肩胛上神经，诱发肩部疼痛。

2) 利多卡因注射试验　于肩胛上切迹压痛点注射 1% 的利多卡因。如果症状迅速缓解，有助于肩胛上神经卡压综合征的诊断。

3) 肌电图检查　肌电图检查和神经传导速度检查有助于肩胛上神经卡压综合征的诊断。诱发电位潜伏期延长。冈上肌肌电可出现正向波、纤颤波以及运动电位减少或消失。

4) X 线检查　使肩胛骨在后前位 X 线片上向尾部倾斜 15°～30°，以检查肩胛上切迹的形态，有助于诊断。

(5) 肩胛上神经卡压症的鉴别诊断

本病应与肩关节疾病如肩袖损伤、肩周炎、肩部撞击综合征，以及臂丛神经炎、颈椎间盘疾病、盂肱关节炎、肩锁关节疾病等相鉴别。B 超、CT、MRI 检查有助于鉴别诊断。

(6) 肩胛上神经卡压症的治疗

1) 保守治疗　保守治疗如休息、理疗、止痛药物的应用，以及局部封闭治疗也可选用。对以创伤或牵拉引起的肩胛上神经损伤，早期可保守治疗。如为明确的慢性卡压，应早期手术治疗，进行神经松解及肩胛上切迹扩大术。

2）手术疗法　肩胛上神经卡压的治疗仍以手术松解为主。肩胛上神经卡压松解术常采用3种入路：后入路、前入路和颈部入路。后入路是最常用的手术入路，手术步骤如下。

(i) 麻醉与切口：①麻醉。全身麻醉，取侧卧位。②切口。从肩峰开始，沿肩胛冈向内侧延长至肩胛骨的脊柱缘，长约10 cm。

(ii) 手术步骤：游离切口上侧皮缘，切开深筋膜，辨明斜方肌止点。沿切口方向切断该肌止点。找到斜方肌与冈上肌的肌间隙做钝性分离，向下分离达肩胛骨的上界，继续向外侧分离，找到肩胛上神经和肩胛上血管。将肩胛上血管向外侧牵开，充分显露肩胛上神经可能存在的卡压因素，如肩胛上横韧带及各种纤维束带等，并对卡压因素进行松解。将肩胛上神经游离、牵开，用骨凿对肩胛上切迹进行扩大。术后将肢体远端悬吊，并尽早进行功能锻炼。

43.2.3　肱骨肌管综合征

桡神经在由肱三头肌与肱骨桡神经沟组成的肱骨肌管内受到卡压而出现以伸腕、伸拇、伸指功能障碍为主的症候群，称为肱骨肌管综合征（humeromuscular tunnel syndrome），或上臂桡神经卡压综合征。

(1) 应用解剖

肱骨肌管上口在大圆肌下方2～3 cm处，桡神经与肱深动脉由此进入管内，管道内侧为肱三头肌内侧头，外侧为肱三头肌外侧头，底为肱骨桡神经沟，表面为肱三头肌长头。桡神经出肱骨肌管后，穿出外侧肌间隔，在肱骨外上髁上方2～3 cm处发出

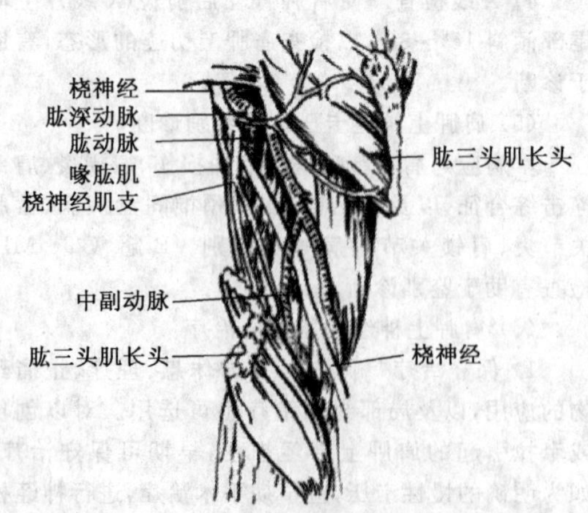

图 43-14　肱骨肌管解剖示意图

至肱桡肌及桡侧腕长伸肌的肌支，尔后又由桡神经深支发出肌支支配指总伸肌、小指固有伸肌和尺侧腕伸肌，以及拇长伸肌、拇长屈肌和示指固有伸肌（图43-14）。

(2) 病因

1）机械性压迫　如止血带使用时间过长，或小夹板绑扎过紧。

2）局部软组织挫伤，血肿形成　损伤后发生炎症反应，致水肿、纤维组织增生、瘢痕压迫。

3）骨痂　肱骨中下段骨折后骨痂过量生长，甚至形成“骨桥”，横跨压迫桡神经。

4）摩擦　肱骨中段骨折后畸形愈合，桡神经在骨突部反复摩擦。

(3) 临床表现

1）症状　疼痛，疼痛部位在桡神经沟处最剧烈，可向肩、肘部放射。伸腕、伸拇、伸指功能障碍。轻者肌力减弱，重者功能完全丧失。

2）体征　肩峰与肱骨外上髁连线中点叩痛。肱骨肌管综合征患者桡神经支配的前臂诸肌均可出现不同程度的肌力减弱或麻痹，应做如下仔细检查。

(i) 肱桡肌：其作用为协助肘关节屈曲，并使前臂由旋前或旋后位转到中立位。检查法：前臂在中立位下抗阻力屈肘，可在肘外侧触知该肌的收缩力量。

(ii) 桡侧腕伸肌：其作用为伸腕、轻度屈肘。检查法：前臂旋前，向桡侧抗阻力伸腕，可在肱桡肌尺侧触知桡侧腕伸肌肌力。

(iii) 尺侧腕伸肌：其作用为伸腕。检查法：前臂旋前，向尺侧抗阻力伸腕，可触知尺侧腕伸肌肌力。

(iv) 拇长伸肌：其作用为伸、展拇指掌指关节，伸拇指指间关节。检查法：固定腕关节，拇指末节抗阻力伸直时，可触知该肌腱的力量。

(v) 拇短伸肌：其作用为伸、展拇指掌指关节，伸拇指指间关节。检查法：固定腕关节，拇指掌指关节抗阻力伸直，可触知该肌腱的力量。

(vi) 拇长展肌：其作用为伸、展拇指腕掌关节，并有轻度桡偏屈腕功能。检查法：固定腕关节，拇指与手掌垂直方向外展，可在腕关节桡侧触知该肌腱的力量。

(vii) 指总伸肌：其作用为伸第2～5指掌指关节。检查法：腕关节中立位，抗阻力伸直第2～5指掌指关节，在前臂背侧可触知该肌的收缩力量。

(viii) 示指固有伸肌:其作用参与伸直示指,并有轻度内收示指功能。检查法:单独抗阻力伸直示指,以辨别该肌的肌力。

(ix) 小指固有伸肌:其作用参与伸直小指并有轻度外展小指功能。检查法:单独抗阻力伸直小指,可判断该肌的肌力。

(4) 诊断与鉴别诊断

根据症状和体征可确诊。肱骨肌管综合征主要应和骨间背侧神经损伤相鉴别。前者 3 块伸腕肌均麻痹,后者尺侧腕伸肌不受损害,伸腕力量不受影响。

(5) 治疗

症状较轻者可保守治疗。伸肌麻痹经 4~6 周保守治疗无效者应行手术。手术的目的是探查桡神经是否在肱骨肌管内受压,若受压可予以松解。

1) 手术切口　在三角肌止点与肱骨外髁连线的上、中 1/3 交界处,即桡神经沟的体表投影线设计手术切口,从三角肌止点斜形走向肘横纹外侧端(图 43-15)。

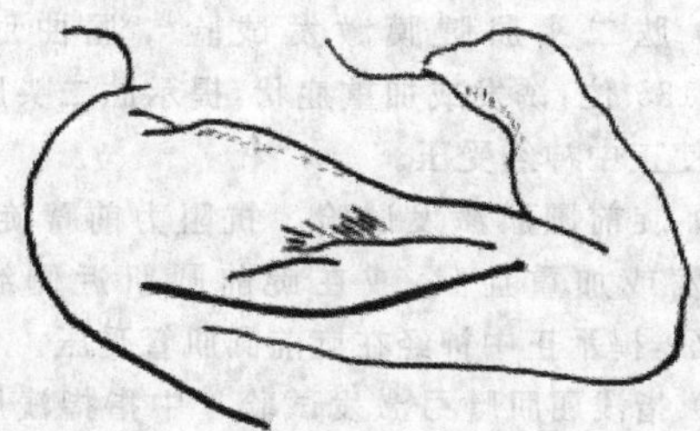

图 43-15　肱骨肌管综合征手术切口

2) 切开皮肤、皮下组织及深筋膜,可见臂下外侧皮神经,将肱三头肌长头与外侧头分开,即可暴露桡神经与伴行的桡侧副动静脉(图 43-16)。

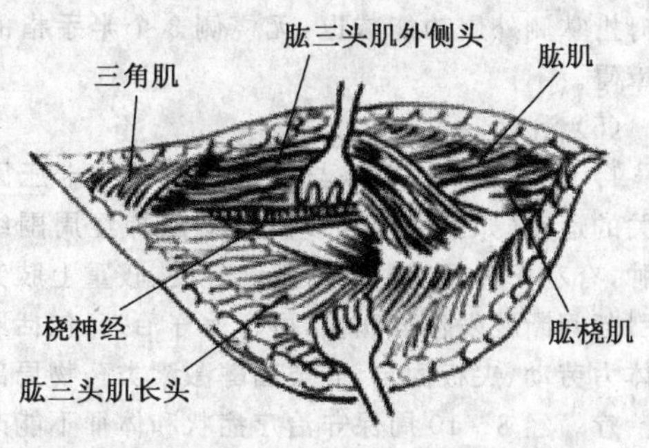

图 43-16　桡神经与伴行血管的显露

3) 打开肱骨肌管后,仔细检查与清除卡压桡神经的各种因素,如发现桡神经卡压范围向下延伸,则应在肱三头肌外侧头下方肱桡肌与肱肌之间作分离,进一步探查桡神经下段的情况。

4) 神经松解后,可在外膜下注射醋酸泼尼松龙。术后肘关节屈曲 90°,三角巾固定 3 周。

43.2.4　旋前圆肌综合征

正中神经从肘部至前臂的行程中,须经过几个腱性结构,很容易产生神经嵌压症状。临床上根据不同的症状和体征,分别称之为旋前圆肌综合征及骨间掌侧神经综合征。

Seyffarth(1951)首次报道因旋前圆肌压迫而产生正中神经感觉和运动功能障碍,称之为旋前圆肌综合征(pronator teres syndrome)。

(1) 应用解剖

正中神经在上臂位于肱动脉外侧,至喙肱肌止点附近跨越动脉而居其内。在肘前区正中神经浅面为肱二头肌腱膜,外侧为肱二头肌腱及肱动静脉,后面为肱肌、旋前圆肌肱头。正中神经在肘部以及进入前臂这一段行程中,易引起受压的有如下解剖结构。

1) 肱二头肌腱膜　横跨肘前区,在正中神经浅面,如腱膜增厚或紧张,可造成对正中神经的压迫。

2) 肱肌　起于肱骨前面远侧 1/2 及肌间隔,以腱性止于尺骨冠突。如肱肌肥厚,可将正中神经向前方挤压,增加肱二头肌腱膜的紧张度。

3) 旋前圆肌　起点有两个头,肱头亦称浅头,以肌性为主,起于肱骨内上髁稍上方及屈肌总腱;尺头亦称深头,以腱性为主,起于尺骨冠突内侧,或起于骨间膜,以锐角与肱头相连,形成腱弓结构。正中神经穿过两头之间时易受腱弓(或纤维弓)的卡压(图 43-17)。

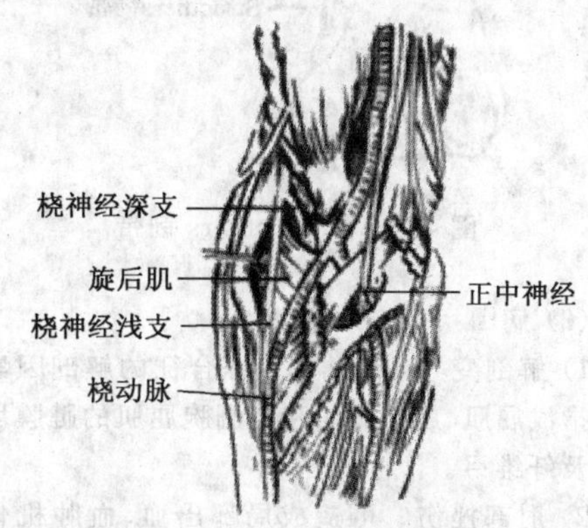

图 43-17　正中神经穿过旋前圆肌腱弓

4）指浅屈肌　为前臂浅层最大的一块肌肉，位于旋前圆肌、桡侧腕屈肌、掌长肌的深面。起点有肱头、尺侧头和桡侧头3个头。起于肱头的腱性部分由内向外斜形下行，与尺侧头形成一腱弓，是正中神经潜在受压的形态学基础（图43-18）。

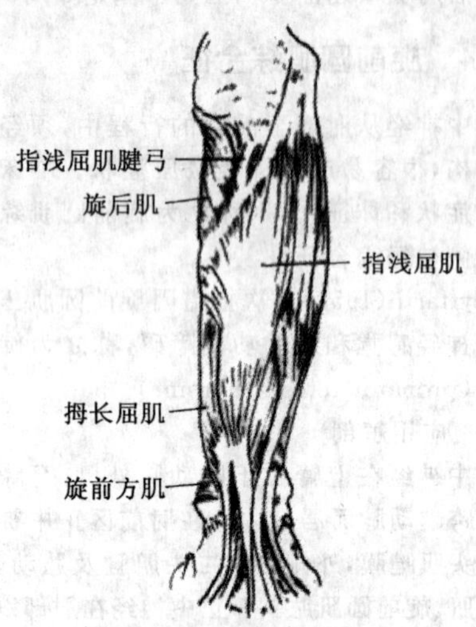

图 43-18　指浅屈肌腱弓

5）Structhers 韧带　是由髁上突连于肱骨内上髁的一条纤维束，正中神经和一条伴行动脉穿过其中。髁上突是一种少见的变异，由此引起的旋前圆肌综合征较少见（图43-19）。

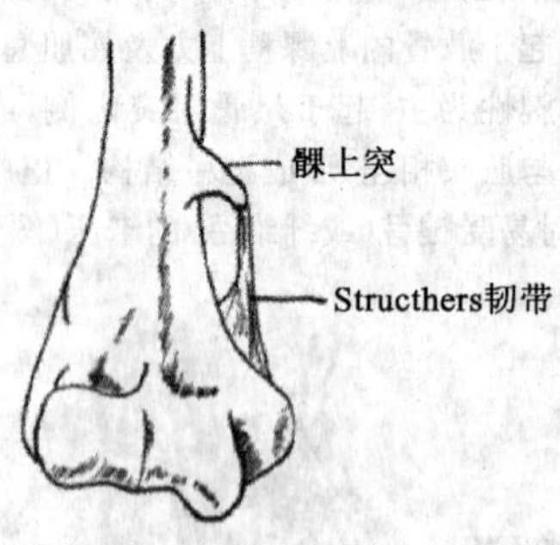

图 43-19　Structhers 韧带

（2）病因

1）解剖变异　旋前圆肌综合征的解剖因素，主要是指浅屈肌、旋前圆肌和桡侧腕屈肌的腱膜增厚、腱束及纤维弓。

2）肘部挫伤　可造成局部出血、血肿机化、瘢痕粘连与压迫。

3）慢性劳损　前臂经常作旋前、旋后动作，局部发生纤维织炎，炎性细胞及纤维素性物质渗出，使受压部位的肌、筋膜及腱膜增厚，致神经受压与粘连。

（3）临床表现

1）疼痛　常局限在肘部，呈酸痛、刺痛，亦可放散至前臂。作前臂旋前或旋后动作时，症状加重。

2）压痛点　在肘前及旋前圆肌附近。

3）运动功能障碍　拇指与示指乏力、动作不协调、握物困难。大鱼际肌萎缩，拇指掌侧外展和对掌功能受限。拇长屈肌和示指、中指指深屈肌肌力减弱。拇指与示指对捏力降低，对指捏握征（pinchgrip syndrome）阳性。

4）感觉功能障碍　桡侧三指半和手掌桡侧半麻木、感觉减退。前臂反复旋前可诱发或加重麻木。

5）Tinel 征　可在前臂上2/3中间偏内侧引出Tinel征。

（4）诊断与鉴别诊断

根据病史、症状和体征，诊断并不困难。下述正中神经激发试验可确定正中神经受卡压的部位。

1）肱二头肌腱膜激发试验　屈曲肘关节120°～135°位，诱发或加重症状，提示肱二头肌腱膜紧张，使正中神经受压。

2）旋前圆肌激发试验　抗阻力前臂旋前、屈腕，诱发或加重症状，或在旋前圆肌近侧缘引出Tinel征，提示正中神经在旋前圆肌管受压。

3）指浅屈肌腱弓激发试验　中指指浅屈肌抗阻力屈曲，诱发或加重症状，提示正中神经在指浅屈肌平面受压。

4）肌电图检查　正中神经前臂段运动或感觉传导速度减慢。

本病需与骨间前神经综合征相鉴别。骨间前神经综合征表现为拇、示指肌无力，但无大鱼际肌萎缩和拇指掌侧外展功能减退，无桡侧3个半手指的感觉障碍。

（5）治疗

1）保守治疗　暂停与引起正中神经卡压因素有关的运动（如打网球），以减轻受压神经周围组织水肿，有利于神经功能的恢复。轻度、较重上肢劳动后引起间断性发作的病例，可行保守治疗，包括避免重体力劳动、夹板固定、非类固醇激素类药物局部封闭治疗。经8～10周保守治疗症状和体征不能改善者，应考虑手术治疗。

2) 手术治疗

(i) 切口：从肘上 3 cm 开始，紧靠肱二头肌内侧，经肘关节弯向前臂，作一弧形切口(图 43-20)。

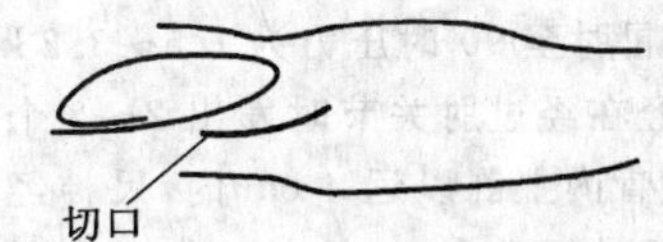

图 43-20 旋前圆肌综合征手术切口

(ii) 探查正中神经：切开皮肤及浅筋膜后，首先观察肱二头肌腱膜是否紧张、肥厚，然后切开肱二头肌腱膜，在肱动静脉内侧找到正中神经，用橡皮片轻轻牵拉，探查正中神经有无受变异的解剖结构压迫，观察神经的粗细、表面颜色、血管状况及质地，穿过旋前圆肌两头及指浅屈肌腱弓时有无嵌压。

(iii) 神经松解：分离粘连、切除瘢痕、切断束带与腱性卡压。如有其他压迫因素均需解除。松解术中要保护神经分支，切勿损伤切断。

(iv) 束间松解：如发现神经肿胀、质地变硬，应切开神经外膜，仔细检查束间病变并进行束间松解。

(v) 术后处理：肘关节屈曲 60°～90°，石膏外固定 3 周。

43.2.5 旋后肌综合征

旋后肌综合征(supinator syndrome)是指桡神经的骨间背侧神经穿过旋后肌管时受到卡压，出现以伸拇、伸指麻痹为主的症候群。

(1) 应用解剖

旋后肌为一短而扁的肌肉，紧贴桡骨上的 1/3。由于骨间背侧神经横穿其间，而将该肌分为深浅两层，其浅层纤维在神经穿入处围成一弓状，Frohse (1908)描述了此腱弓并指出这是引起骨间背侧神经卡压的解剖因素。Spinner(1968)将此弓称为 Frohse 弓。其形状似椭圆形或半月形(图 43-21、43-22)。骨间背侧神经经 Frohse 弓穿越旋后肌浅深两层中行走的一段裂隙即为旋后肌管，实际上它并非真性管道，旋后肌深层肌纤维就是该管的后壁，浅层肌纤维含有腱性部分或仅为腱膜组织而组成该管前壁。管长约 4 cm。肌管上口即 Frohse 弓，管下口为旋后肌浅层肌纤维的远侧游离缘，是骨间背侧神经穿出之处，也可是旋后肌下腱弓。

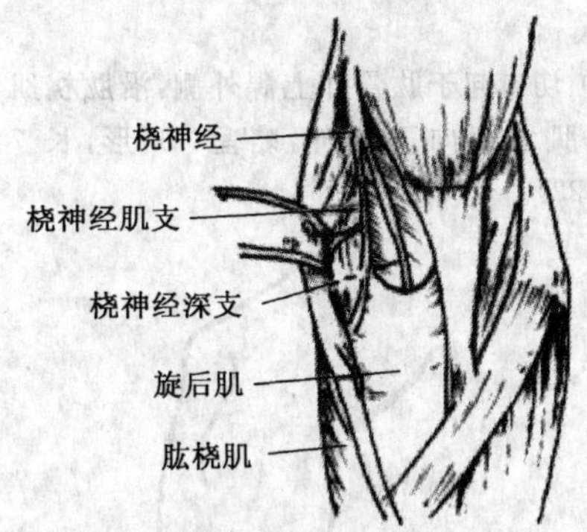

图 43-21 旋后肌腱弓

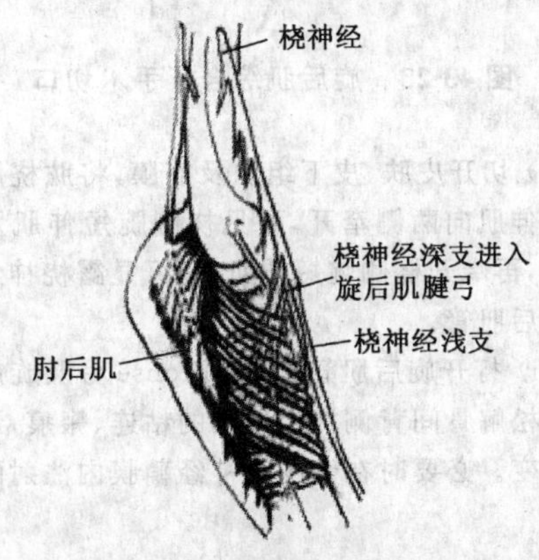

图 43-22 旋后肌腱弓桡神经走行

(2) 临床表现

1) 既往史 追溯病史，患者数月或数年，甚至 10 余年前肘部有受伤史。

2) 症状 从肘外侧疼痛开始，而后出现手部无力，动作不灵活，症状逐渐加重，伸指、伸拇功能可以完全丧失，前臂伸肌群肌肉萎缩。

3) 体检 ①伸腕力弱且桡偏。因桡侧腕长伸肌未受累，支配该肌的神经在 Frohse 弓前已发出。②拇指伸、展及手指伸直功能受限或完全丧失。③压痛点相当于 Frohse 弓部位，并从此处沿骨间后神经走向可引出 Tinel 征(即叩击前臂伸侧正中可引起手指麻痛或感觉异常)。④无感觉障碍。

4) 肌电图检查 骨间背侧神经所支配肌肉可出现纤颤电位或正相电位。

(3) 治疗

1) 保守治疗 避免重体力劳动、夹板固定、非类固醇激素类药物局部封闭治疗。

2) 手术治疗 非手术治疗 4～6 周后，无效者应行手术。

(i) 切口起于肱骨外上髁外侧，沿肱桡肌与桡侧腕长伸肌之间向下延伸，略呈“S”形，长 7～8 cm(图 43-23)。

图 43-23 旋后肌综合征手术切口

(ii) 切开皮肤、皮下组织及筋膜，将肱桡肌与桡侧腕长伸肌向两侧牵开，可见桡侧腕短伸肌及桡返动静脉，再牵开桡侧腕短伸肌，即可显露桡神经深支穿入旋后肌管。

(iii) 打开旋后肌管(包括 Frohse 弓及旋后肌下腱弓)，松解骨间背侧神经周围的粘连、瘢痕，切除占位性病变。必要时在卡压段神经鞘膜内注射醋酸泼尼松龙。

43.2.6 肘管综合征

肘管综合征(cubital tunnel syndrome)是指尺神经在肘部被卡压引起的症状和体征。1957 年，Osborne 首先报道了此病并称之为迟发性尺神经炎。1958 年，Feined 和 Stratford 称此病为肘管综合征。

(1) 应用解剖

肘管是一个位于肱骨内上髁后方的骨性纤维性管道。由尺神经沟及尺侧腕屈肌起于肱骨和尺骨的弓状韧带围成。弓状韧带是尺神经在肘管内受压的重要解剖因素。尺侧腕屈肌的肱头起于肱骨内上髁伸肌总腱，尺头起于鹰嘴内侧缘及尺骨后缘，两头之间以腱膜联结，形成一弓状坚韧的游离缘，即称弓状韧带。其平均宽度为 9.56±2.23 cm，上缘中点平均厚度为 0.46±0.16 cm。有人将此韧带分为：①腱膜肥厚型，其上缘平均厚度为 1.84 cm；②索带型，平均厚度为 4.08 cm。肘管的大小随着肘关节的屈伸而有所变化：伸肘时，弓形韧带松弛，肘管的容积变大；屈肘至 90°时，弓形韧带紧张，而每屈曲 45°肱骨内上髁和尺骨鹰嘴间的距离就会加宽 0.5 cm；另外，在加宽 0.5 cm 状态下屈肘时，肘内侧韧带隆起也使肘管的容积减小，因而尺神经易受压迫。有人测定，肘关节伸直时肘管内的压力为 0.93 kPa，屈肘至 90°时压力为 1.5～3.2 kPa。

尺神经在经过肘关节时发出 2～3 个细支至肘关节；在肱骨内上髁以远 4 cm 内，尺神经发出支配尺侧腕屈肌的运动支，一般有 2 支，它们从肌肉的深面进入。支配环、小指指深屈肌的分支在尺侧腕屈肌支稍远侧，从肌肉的前面进入并支配此两肌肉。

(2) 病因

构成尺神经受压的因素，是肘管狭窄、管内容物增加。常见的原因如下。

1) 慢性损伤　肱骨内、外髁骨折和髁上骨折以及桡骨头骨折都可因畸形愈合产生肘外翻或其他畸形，使提携角增大、尺神经相对缩短，从而使尺神经受到牵拉、压迫和摩擦。肘管内软组织损伤、韧带撕裂、毛细血管破裂、血肿机化，可使肘管进一步狭窄。

2) 肘关节风湿或类风湿关节炎　风湿或类风湿病变侵及肘关节滑膜，使之增生肥厚，晚期引起肘关节变形、骨赘增生，从而亦可引起肘管容积减小。

3) 肿块　如腱鞘囊肿、脂肪瘤等，但较少见。

4) 先天性因素　如先天性肘外翻、尺神经沟变浅而致的尺神经反复脱位、异常的滑车上肌、粗大的肱三头肌内侧头、Struthers 弓形组织等均可使尺神经受压。

5) 骨质增生　老年性骨质增生形成的骨赘，可对尺神经产生压迫与摩擦。

6) 其他　长期屈肘工作，医源性因素引起的卡压，枕肘睡眠引起的“睡眠瘫”。

(3) 临床表现

多见于中年人，尤以屈肘工作者如键盘操作、乐器演奏者，投掷运动员，以及枕肘睡眠者。常见的临床表现如下。

1) 疼痛　酸痛或刺痛，可从尺神经沟起，沿前臂尺侧向环、小指放射。

2) 麻木　前臂及手掌尺侧、小指及环指一半麻木不适。屈肘或直接压迫试验，可加重麻木或刺痛。

3) 肌力减退，肌肉萎缩　手部乏力，动作笨拙，握物不紧，甚至滑落。病程长者出现肌肉萎缩，如尺侧腕屈肌萎缩，前臂尺侧明显凹陷；手内肌萎缩，呈“爪形手”畸形，小指内收功能障碍，呈外展位。Froment 征阳性。

4）肘部 Tinel 征　叩痛点与尺神经受压的部位是一致的。

5）肌电图检查　轻度肘管综合征，能诱发出感觉神经动作电位，经肘的尺神经传导速度减慢，有重要的诊断价值。据统计，患肢较健侧传导速度平均减慢 23.05 m/s。

Clark 提出双侧对比的 7 点检查，有助于识别体征：①指腹的感觉，检查者用示指尖轻叩双手相应的指腹，健侧感觉明显而患侧感觉迟钝；②小鱼际肌有无萎缩；③手指外展功能，主要是小指展肌的肌力；④环、小指指深屈肌肌力；⑤肘以下前臂上部肌肉萎缩，较重者前臂尺侧凹陷；⑥肘下 3 cm 处有尺神经的 Tinel 征；⑦尺神经沟内尺神经的压痛。

Osborne(1982)对肘管综合征进行分级，以评价尺神经受损的程度，该分类法比较系统全面，可供参考(表 43-1)。

表 43-1　Osborne 肘管综合征分类法

分　级	感　觉	运　动
仅有主观症状	麻木刺痛，小鱼际肌不适	手指乏力，不协调
早期客观体征	触、压觉减弱和异常，轻触觉及痛觉减退，两点分辨觉异常	手内肌轻度萎缩，环、小指分离乏力，轻度“爪形手”
中期客观体征	尺神经分布区明显感觉缺失，出汗减少，皮肤干燥	手内肌明显萎缩、乏力，明显“爪形手”
晚期症状(相当于神经切断)	完全性感觉减退，发汗功能丧失	所有内在肌麻痹，环、小指屈肌肌力减弱

(4) 辅助检查

1）肌电图检查　对尺神经卡压的具体部位没有确定或诊断不清楚的患者进行肌电图检查是有帮助的，可表现为尺神经传导速度减慢、潜伏期延长，尺神经支配的肌肉有失神经的自发电位出现。

2）X 线片　可发现肘关节周围的骨性改变。应对怀疑或诊断为肘管综合征的患者常规应用。

(5) 鉴别诊断

需与肘管综合征鉴别的疾病很多，包括其他部位的尺神经卡压、全身性疾病及肉芽肿样疾病，如颈椎病(神经根型)、胸廓出口综合征、糖尿病、麻风、肘关节结核等。

1）颈椎病(神经根型)　低位颈神经根卡压极易与本病相混淆，但颈椎病的疼痛、麻木以颈肩背部为主，疼痛向上臂且前臂内侧放射，椎间孔挤压试验多能诱发疼痛。另外，颈椎 X 线片及 CT 片上可见相应椎间隙狭窄、骨赘增生等改变。

2）Guyon 管综合征　为尺神经的手掌支在腕部的 Guyon 管受压引起，表现为小鱼际肌、骨间肌、蚓状肌萎缩，“爪形手”，但支配小指短展肌的肌支多在 Guyon 管近侧发出，故功能多正常，部分患者尺神经手掌支的浅支也不受累而无手部感觉障碍。

3）胸廓出口综合征　参见“43.2.1”。

4）麻风　尺神经多受累，尺神经异常粗大，手部感觉障碍区不出汗。

(6) 治疗

1）保守治疗　适用于患病的早期、症状较轻者。可调整臂部的姿势、防止肘关节长时间过度屈曲，避免枕肘睡眠，带护肘。非甾体类抗炎镇痛药物可缓解疼痛与麻木，但不提倡肘管内类固醇激素封闭。

2）手术治疗　手术的方法可分为局部减压和神经前置两大类。局部减压分肘管原位切开减压和内上髁切除，因分别有尺神经前脱位、术后复发、肘关节不稳等缺点，现已很少应用。尺神经前置包括皮下、肌间、肌下前置 3 种。肌间前置因术后并发症少而应用最为广泛。

(i) 适应证：适用于保守治疗 4～6 周无效，或有手内在肌萎缩的患者。

(ii) 手术关键：松解压迫、去除病变、前移尺神经。

(iii) 切口：采取肘后经尺神经沟的弧形切口。

(iv) 尺神经减压：切开肘部深筋膜后，从肱骨内上髁与肱三头肌内侧头之间切开腱膜，即可暴露尺神经与伴行的尺侧下副动静脉。小心将尺神经从尺神经沟中分离出来。占位性病变，如常见的腱鞘囊肿、脂肪瘤等，应予切除；骨赘压迫，应予凿除；神经粘连，应予松解；弓状韧带卡压，应予切断，并切除一部分，直至尺神经穿出尺侧腕屈肌无任何卡压。

(v) 尺神经前移：单行肘管切开减压并不能解决屈肘时对尺神经的牵拉与磨损，所以还必须使尺神经前移。手术要点：①妥善处理尺神经的分支。

尺神经在进肘管前发出一关节支，必须切断，以免妨碍神经前移。进入肘管时，有 2～3 支进入尺侧腕屈肌，出肘管后有 1 支至指深屈肌。这些分支应予保护。②前移的部位。一般将尺神经越过肱骨内上髁、前臂屈肌总腱，至肱肌浅面。因此，在肱骨内上髁上方 4～5 cm 处，切开并切除部分臂内侧肌间隔及旋前圆肌起点处筋膜，造成一容纳尺神经的宽敞通道。③防止尺神经回滑。可在肱骨内上髁下方取一片带蒂肌膜翻转与肱二头肌腱膜缝合 3～4 针，以防止尺神经滑回尺神经沟内，但不宜缝合过紧，避免成新的卡压束带。

43.2.7 腕管综合征

腕管综合征（carpal tunnel syndrome）由 Paget 于 1853 年首先描述此病。系临床上最常见，也是认识最早的周围神经卡压性损伤。由于腕管内压力增高，导致该段正中神经受压，而产生神经传导障碍的症状和体征。

(1) 应用解剖

腕管是由腕骨沟和桥架其上的腕横韧带共同构成的骨纤维性管道。有 9 条肌腱和正中神经从中通过。腕管的桡侧为舟骨及大多角骨，尺侧为豌豆骨和钩骨，底部为舟骨、月骨、头状骨及小多角骨。腕骨上覆盖滑膜。腕横韧带（屈肌支持带）横跨在腕管的掌侧，宽 1.5～2.0 cm，厚 0.2～0.35 cm。其桡侧部分为两层，附着于舟骨结节及大多角结节，构成腕桡侧管，通过桡侧腕屈肌腱及腱滑液鞘。其尺侧部附着于豌豆骨及钩骨的钩突，构成腕尺侧管的底部，有尺动脉和尺神经通过（图 43-24）。

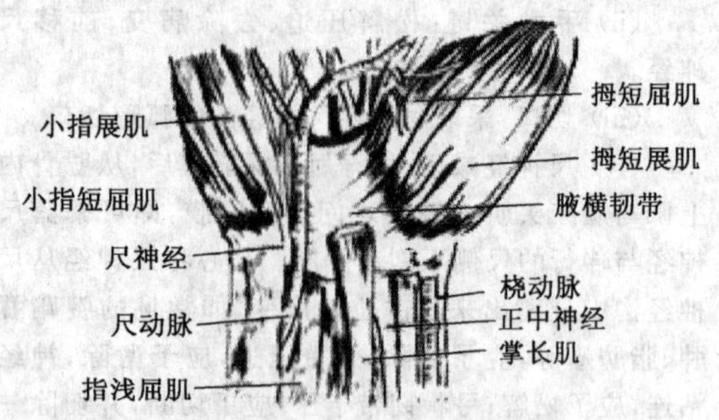

图 43-24 腕管局部解剖

腕管的中央部比较狭窄，管内穿过 9 条肌腱分别被屈肌总腱鞘和拇长屈肌腱鞘包绕。正中神经位于屈肌腱浅面、腕横韧带下方，在管内无分支，出腕管后分桡侧和尺侧两部分。桡侧部发出的正中神经返支表浅，与桡动脉掌浅支伴行，通常经桡屈肌支持带远侧缘反向进入大鱼际肌群，支配拇短展肌、拇短屈肌、拇对掌肌、拇收肌及第一、二蚓状肌，桡侧另有 3 条指掌总神经。尺侧部分发出 2 条指掌总神经。与同名动脉伴行，至掌骨头处，各分为 2 支指掌侧固有神经，司桡侧 3 个半指掌侧及中、远指节背侧的皮肤感觉（图 43-25）。此外，正中神经富含交感神经纤维。因此，腕管综合征可以出现感觉、运动及交感神经功能受损的症状和体征。

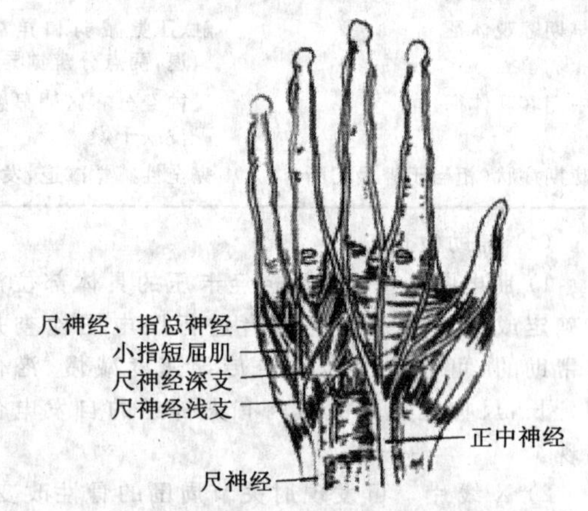

图 43-25 正中神经在手掌面的分布

(2) 病因　引起腕管综合征的原因很多，大致可分为 3 类。

1) 局部因素　①引起腕管容积减小的因素：如 Colles 骨折、Smith 骨折、舟骨骨折及月骨脱位后畸形愈合，以及肢端肥大症等。②引起腕管内容物增加的因素：如脂肪瘤、纤维瘤、腱鞘囊肿、腕管内肌肉位置异常（指浅屈肌肌腹过低、蚓状肌肌腹过高）、非特异性滑膜炎、血肿。

2) 全身性因素　①引起神经变性的因素：如糖尿病、乙醇中毒、感染、痛风等。②改变体液平衡的因素：如妊娠、口服避孕药、长期血液透析、甲状腺功能低下。

3) 姿势因素　从事体力劳动者和家庭主妇、计算机操作人员、扶拐杖走路的残疾人，手指及腕关节反复屈伸，手用力过度过频，可引发腕横韧带增厚和慢性炎症，造成正中神经反复牵拉，与腕横韧带、肌腱产生摩擦，可出现腕管综合征。

(3) 临床表现

按照正中神经受压的时间，可将本病分为早期、中期和晚期；依病变的轻重，又可分为轻度型、中度型与重度型。神经受压时间越长，病变越重，症状和体征越明显。因此，分期与分型是一致的。

1) 早期(轻度型) ①病史：病期不超过1年，拇、示、中指间歇性麻木或麻痛。②体征：不明显。③肌电图检查：正中神经传导速度减慢，腕、手肌肉的潜伏期延长1～2 ms。

2) 中期(中度型) ①病史：病期1年左右，或超过1年。桡侧三指持久麻痛、感觉异常。②体征：大鱼际肌无力，但无萎缩。Tinel征阳性，Phalen征阳性(即腕过度掌屈或背伸1 min，出现手部麻木或麻痛感)。③肌电图检查：正中神经传导速度，腕、手肌肉的潜伏期延长常超过4.5～5.0 ms。

3) 晚期(重度型) ①病史：病期较长，可超过数年。手指麻木疼痛，以夜间为甚。麻痛范围常累及前臂，甚至达肩、肘部。持物无力，有端杯滑落史。②体征：桡侧三指轻触觉减退，两点分辨觉大于健侧。大鱼际肌轻度萎缩。③肌电图检查：大鱼际肌群呈失神经支配电位。

(4) 腕管综合征的特殊检查

1) 感觉检查 是诊断腕管综合征的关键部分，简单易行的是两点辨别觉检查。这是一种神经支配密度试验，可检测出周围感受器区的神经支配，对早期轻度的神经卡压诊断价值很小，对严重或慢性腕管综合征很有帮助。

2) 肌力检查 拇短展肌和拇对掌肌肌力减弱是神经卡压的晚期表现。

3) 神经激惹试验 ①屈腕试验(Phalen征)：令患者腕自然下垂、掌屈、肘关节伸直，持续1 mim后引起神经支配区麻木即为阳性。阳性率约为71%。②腕部叩击试验(Tinel征)：用叩诊锤叩打患者腕部屈面或腕横韧带时，在其桡侧的某个手指出现麻木即为阳性。阳性率约94%。③止血带试验：在患者患侧上臂缚一血压计的气囊，然后充气，加压至收缩压以上，若在1 min内出现桡侧的某手指麻木或疼痛为阳性。阳性率约为70%。

4) 电生理检查 ①神经传导速度测定：从腕掌近侧腕横纹至拇短展肌的正常时间间隔<5 ms，而在腕管综合征时其神经传导时间延长。②肌肉电位测定：可见大鱼际正中神经所支配的肌肉有失神经改变。

5) X线、CT及MRI检查

通过腕部X线片可了解腕部诸骨的情况。腕部MRI和CT检查可提供有用的临床信息，可用以了解腕管内情况，但不作为常规检查。

(5) 诊断与鉴别诊断

根据病史及体征，诊断本病并不困难，有时需与下列疾病相鉴别。

1) 旋前圆肌综合征 腕管部诱发Tinel征、Phalen征均为阴性。

2) 颈椎病 除手部症状外，尚有上肢感觉障碍及颈肩部疼痛。颈部X线片或CT扫描均有助于鉴别诊断。

3) 神经损伤 腕部正中神经挫伤或部分断裂，与神经损伤急性嵌压的鉴别较难。详细询问病史和细致的检查有助于鉴别。

(6) 治疗

1) 保守治疗 保守治疗适用于早期症状较轻的患者。有下列方法可以采用。

(i) 夹板固定：用前臂至指掌侧夹板(塑料或石膏)，固定腕关节背伸15°～30°位4周。

(ii) 激素治疗：主要采用类固醇腕管内注射。注射方法：类固醇0.75 ml+1%利多卡因0.75 ml，在远侧腕横纹近端1 cm处、掌长肌与桡侧腕屈肌之间进针，针头与前臂成45°～60°角，针进1 cm即穿过腕横韧带，再进针1 cm后注射药物。如引发正中神经感觉异常，应稍退针，避免药物直接注射至正中神经内(图43-26)。注射毕，应用前臂掌侧夹板于中立位固定3周。

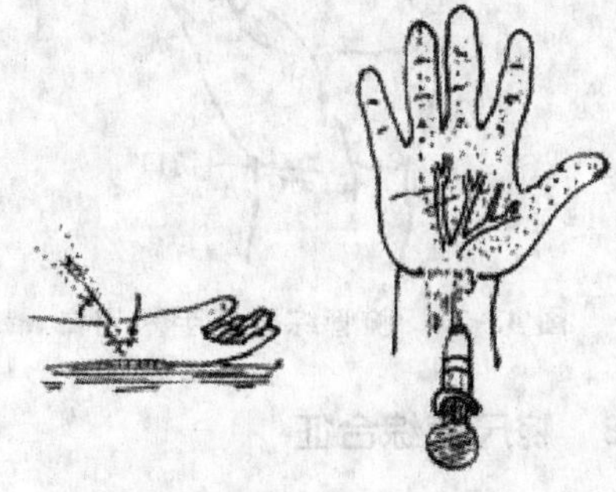

图43-26 腕管综合征的注射疗法

腕管内激素注射可减轻腕管内水肿、屈肌腱腱鞘炎及神经充血、水肿。有统计表明，此疗法对轻度或中度患者的有效率达90%，其中有10%患者的症状可得到永久缓解。

（iii）理疗：超短波及透热疗法等，可促进腕管内慢性炎症消退和水肿的吸收。

（2）手术治疗

（i）适应证：①症状较重，疼痛持续，难以忍受者；②拇短展肌出现萎缩，手部肌力减弱，握物无力；③腕部有明显肿块；④经非手术疗法无效或复发者。

（ii）手术方法：①将腕横韧带切开，然后根据具体病变作相应处理。如对慢性滑膜炎，应将水肿、增生、肥厚的滑膜切除；对腱鞘巨细胞瘤，应将腕管内外的病变彻底切除。②神经松解术：将正中神经与周围肌腱的粘连、瘢痕分开，切除瘢痕化的神经外膜。如术中发现受压段神经变细、变硬、苍白，应作束间松解。方法：纵向切开神经外膜，显露神经束，用显微器械分开束间粘连，切除束间瘢痕。

（iii）手术注意事项：①手术切口的选择必须考虑。有足够长度，以便松解手术全过程都能在直视下操作；避免损伤正中神经掌皮支；避免术后症状复发或松解不完善。切口的设计，远端应起于掌中部，沿大鱼际纹经腕横纹，止于掌长肌腱上 4～5 cm 的尺侧缘(图 43-27)。②松解要彻底。术野暴露应清晰，病变切除应彻底，以扩大腕管容积。腕横韧带较厚实时，应切除一部分。神经松解要充分，范围要够长。如鱼际肌萎缩时，应探查返支是否受卡压。③勿损伤正中神经的分支，尤其是返支。

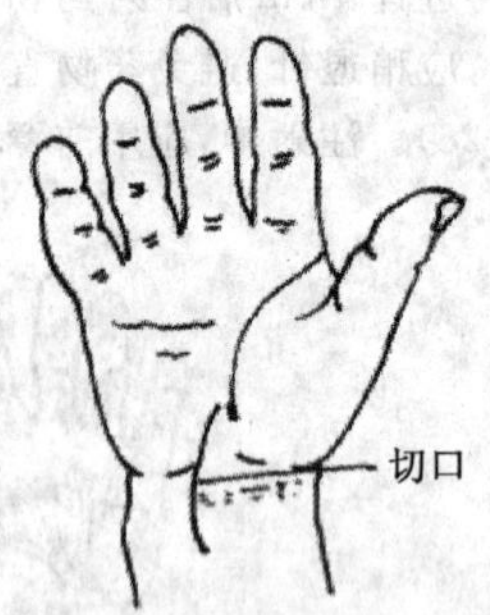

图 43-27 腕管综合征手术切口

43.2.8 腕尺管综合征

1861 年 Guyon 描述腕尺管是腕横韧带(屈肌支持带)的尺侧端与其浅面的腕掌侧韧带围成的骨纤维性管道，管内有尺神经、血管通过。故这一解剖结构又称 Guyon 管。Dupont 于 1965 年首次报道尺神经在腕尺管卡压而产生手的运动和感觉功能障碍、内在肌萎缩症候群，称之为腕尺管综合征(Guyon tunnel syndrome)。

（1）应用解剖

腕尺管是个三角形的骨纤维性管道，内侧壁是豌豆骨和尺侧腕屈肌腱，底部为屈肌支持带浅面及豆钩韧带、豆掌韧带，顶部为腕掌侧韧带、掌短肌。尺管的长度是指豌豆骨近端至小鱼际腱弓远侧端的长度，平均为 21 cm。其管径在不同平面有所差异。尺管入口，在豌豆骨近端，宽度约为 6.95 cm，高度约为 7.2 cm。尺管出口为小鱼际腱弓(小指短屈肌起于豌豆管和钩骨突时所形成的一个腱弓)，是尺动脉和尺神经深支穿出之处，平均宽度为 7.2 cm，平均高度为 2.7 cm，其宽度大于血管神经束横径，高度则与血管神经束几乎相等(图 43-28)。

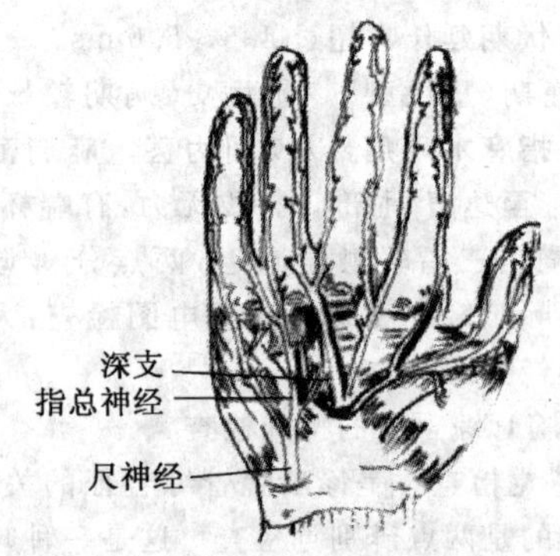

图 43-28 尺神经在手部的分布

根据尺神经在管内行走与分支的关系，将该管分为 3 区：从尺管入口至尺神经分支以近部分为第 1 区。分出深、浅支至小鱼际腱弓为第 2 区，深支在钩骨钩突水平弯向桡侧，在小指屈肌展肌之间行走；尺神经深支支配所有骨间掌侧肌，以及第一、第二骨间背侧肌和第三蚓状肌。神经进入肌肉的部位位于掌骨中 1/3 处。第三、第四骨间背侧神经由掌骨的近 1/3 处进入肌肉。第四蚓状肌由掌骨远端 1/3 处进入肌肉。浅支行走部分为第 3 区，浅支向第四指蹼行进，分支支配掌尺侧环指尺侧半和小指掌侧感觉。

（2）病因

1）骨折是导致腕尺管综合征的主要因素。腕尺侧骨折，特别是钩骨骨折，约 14%的患者可出现尺神经卡压。骨折片压迫、神经牵拉或瘢痕压迫等均可导致神经病变。

2）解剖变异　①异常肌肉，如掌短肌肥大；②覆盖尺侧远端的掌腱膜增厚；③腕掌侧韧带肥厚。

3）尺管内占位病变　如腱鞘囊肿。

4）慢性劳损　腕掌部的劳损、挫伤，致尺管内小血管出血、结缔组织增生瘢痕化，可压迫尺神经的滋养动脉，或使管内尺神经受压。

5）尺动脉栓塞　可单纯引起感觉障碍，占尺管综合征的7%。

6）其他　类风湿性肌腱膜囊炎，特别是尺侧腕屈肌和指浅屈肌腱滑囊炎。

(3) 临床表现　根据尺管解剖分区，临床将尺管综合征分为3型：混合型、感觉障碍型和运动障碍型。

1）病史　常以环指、小指麻木和手内肌无力为患者的主诉，手部尺侧摔伤史、长期使用工具、类风湿、骨性关节炎等病史对诊断具有参考价值。

2）体检　腕钩骨区压痛或肿块：1区和2区卡压最常见的原因为钩骨钩骨折，因此，此类患者常有钩骨附近的压痛。Tinel征：腕尺管区Tinel征阳性对诊断具有一定的价值。运动和感觉检查：小指及环指尺侧半掌面感觉异常和手内肌萎缩。

3）X线、MRI及肌电图检查　对临床诊断具有一定的参考价值。

(4) 鉴别诊断　由于尺神经手背支在进入腕尺管前即发出，故尺管综合征仅表现为尺侧一个半手指掌侧感觉减退；若手指背侧感觉同时减退则说明尺神经手背支亦受累，神经卡压部位应在肘部而非腕部。若患者同时有前臂内侧皮肤感觉减退，说明前臂内侧皮神经受累，则以胸廓出口综合征可能较大。

(5) 治疗　病程在1个月以上，经保守治疗无效者，应行手术治疗。

1）切口　经尺管间“Z”形切口。从腕横纹近侧2 cm起始，沿尺侧腕屈肌，经豌豆骨桡侧缘弯向鱼际纹，长约5 cm(图43-29)。

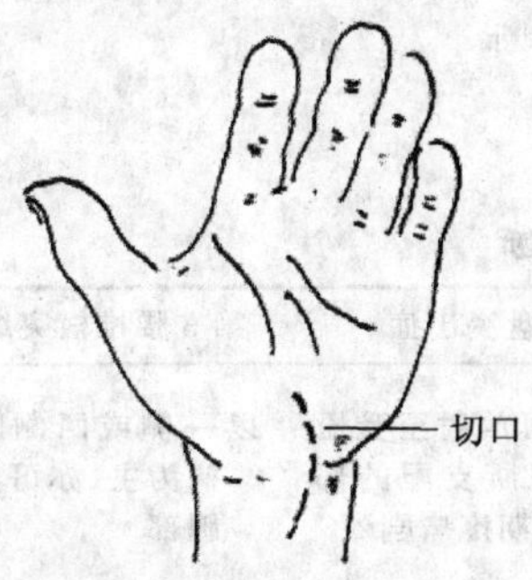

图 43-29　腕尺管综合征手术切口

2）显露尺神经及其深浅支　切开皮肤、皮下组织，在尺侧腕屈肌桡侧缘可见尺神经、尺动静脉，再切开小鱼际脂肪、腕掌侧韧带及掌短肌，充分显露尺管内3个分区的尺神经。

3）松解粘连　彻底松解从尺管入口至小鱼际腱弓神经及其分支的粘连、卡压带；如有腱鞘囊肿等占位性病变，应予摘除，如神经苍白、质硬或瘢痕压迫过紧者，可行神经束间松解。

43.3　下肢周围神经卡压综合征

43.3.1　臀上皮神经卡压综合征

臀上皮神经损伤与卡压是引起下腰部及臀区疼痛的常见原因之一。有学者认为引发腰腿痛的原因源自臀上皮神经者占40%～60%。实质上是臀上皮神经在其出椎间孔至进入臀部行程中受到卡压，而引起相应部位的疼痛及放射痛。

(1) 应用解剖

腰背部的脊神经根出椎间孔后分为前后两支，前支构成腰骶神经丛，而后支经骨纤维孔至横突间肌内侧缘分为内侧支与外侧支(图43-30)L_1～L_3后外侧支组成臀上皮神经。

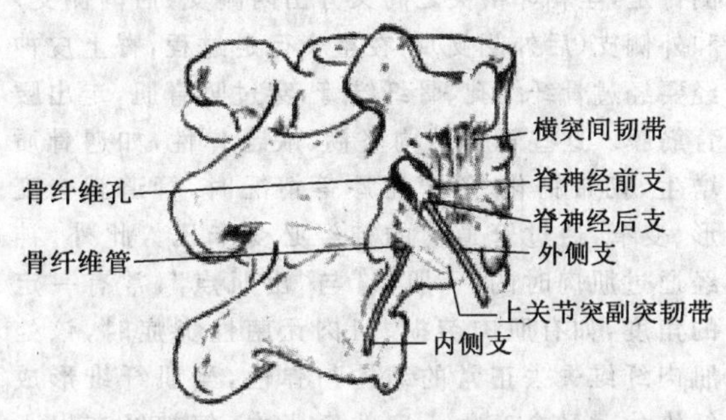

图 43-30　脊神经在骨纤维孔的关系

脊神经后支及其分出的内、外侧支在各自的行程中，都要经过各节段的骨纤维孔、骨纤维管及筋膜裂隙。骨纤维孔又称脊神经后支骨纤维孔。该孔位于椎间孔的后外方，与椎间孔的方向垂直(图43-31)。具体表面投影相当于同序数腰椎棘突外侧、下位椎骨横突上缘与横突间韧带连线上。骨纤维性管道：又称腰神经后内侧支骨纤维性管道。该管位于腰椎乳突与副乳突之间的骨沟处，自外上斜向内下，由前、后、上、下4壁构成。前壁为乳突副乳突间沟，后壁为上关节突副突韧带，上壁为乳突，下壁为副突，管的前、上、下壁为骨质，后壁为韧带，有时韧带骨化，形成完全的骨管。

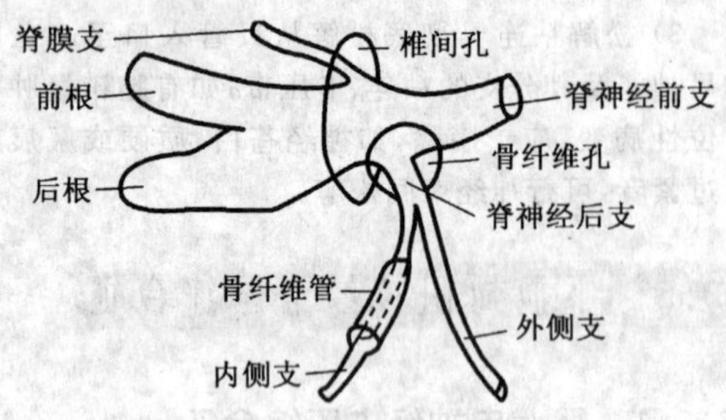

图 43-31 骨纤维孔、管及椎间孔示意图

T_{12}～L_3 脊神经后支在通过各自的骨纤维孔和肌纤维管后在竖脊肌外缘与髂嵴的交点处穿出腰背筋膜，进入臀部时走行到由竖脊肌及腰背筋膜附着于髂嵴上缘所形成的扁圆形骨性纤维性管道。臀上皮神经走出这一骨性纤维管道后继续在筋膜下行走，直达大腿后下方。

(2) 病因与发病机制

1) 解剖因素　臀上皮神经由 T_{11}～L_3 脊神经后支组成，脊神经后支出椎间孔后即绕上关节突外侧行走，至相邻横突之间又分出内侧支(后内侧支)和外侧支(后外侧支)。在整个行走过程，臀上皮神经要经过骨纤维孔、骨纤维管，穿过竖脊肌，走出腰背筋膜。这些管道结构坚韧、缺乏弹性，如遇骨质增生、韧带钙化、筋膜肥厚等情况时，管道就会变形、变窄，通过管道内的神经必受卡压。此外，神经通过肌肉时的"入肌点"与"出肌点"，常有一定的角度，如有肌肉劳损、肌肉无菌性炎症时，该处肌肉纤维失去正常的结构与弹性，当肌纤维形成纤维化时又会产生一定的牵张力，使神经在出入肌点处受到卡压而出现下腰部至大腿后部的疼痛。

2) 慢性劳损　腰部是躯干最为灵活的部位，如用力不当，失去均衡时，可引起腰部肌肉、筋膜的损伤、出血；反复的损伤，导致损伤部位水肿、充血、结缔组织增生，臀上皮神经在损伤部位经过时可引起卡压和粘连。

3) 脂肪疝出　1996 年李传夫仔细观察 138 支臀上皮神经穿出臀筋膜的解剖形态，将其分为两型：狭窄裂隙型与卵圆孔隙型。因此，某些肥胖者，尤其是臀部脂肪堆积较多的中年妇女，其脂肪球较大，在紧张的臀筋膜下脂肪所占据的空间很小，一旦臀部压力突然增高，脂肪组织即向臀筋膜薄弱的裂隙处疝出，形成脂肪疝对神经的卡压。

4) 上位腰椎后关节突紊乱　腰椎小关节排列是由上一腰椎的下关节突与下一腰椎的上关节突组成，上关节突在外，其关节面略呈朝后方的中线位；下关节突在内，其关节面向外略朝前，小关节突形成半冠状位、半矢状位，其关节面几乎成为垂直位。因此，人体在站立位负重、扭腰时用力不当，可使小关节突发生错位，造成横突间韧带与脊神经袖系韧带之间的压力增加，以致 L_1～L_3 脊神经后支受压。

(3) 临床表现

1) 病史　患者从事体力劳动或家务繁忙，常有腰部扭伤史，或长时间围坐牌桌史。

2) 症状　较长时间的下腰部及臀部疼痛。早期疼痛较轻，时间较短，患者并不注意。待症状较重，腰部活动不灵便，胸背部不能挺直，臀部不能平坐，且有麻木感。

3) 体检　常在髂嵴中点下方或下外方有明确压痛点，而且扪压时疼痛可向大腿后侧放射。同时有腰痛症状者亦可在 L_1～L_3 棘突旁出现明显压痛点，并可放射至臀部。

4) 局限性结节　在髂嵴中下方常可扪及一条索状、活动的痛性结节。

(4) 鉴别诊断

见表 43-2。

表 43-2　臀上皮神经卡压症的鉴别诊断

鉴别要点	臀上皮神经卡压症	梨状肌综合征	腰椎间盘突出症	第 3 腰椎横突综合征
疼痛	以臀部疼痛为主，可放射至大腿后侧	臀中区疼痛，可沿坐骨神经放射	腰痛为主，可放射至受压的神经根所支配的部位。急性期疼痛剧烈	以一侧或两侧腰部疼痛为主，亦可涉及大腿部

（续表）

鉴别要点	臀上皮神经卡压症	梨状肌综合征	腰椎间盘突出症	第3腰椎横突综合征
阳性体征	髂嵴中下方压痛，常可扪到条索状的痛性结节	在臀中部可扪到肥厚、疼痛的臀中肌。髋关节内收、内旋受限、抗阻力疼痛	腰骶三角区压痛明显，Laseque 征阳性，㧟趾背伸肌力减弱，$L_4 \sim L_5$ 或 $L_5 \sim S_1$ 皮肤感觉减退	一侧或两侧 L_3 横突尖处压痛明显。髋关节外展受限，抗阻力疼痛
辅助检查	无帮助	肌电图检查可发现坐骨神经呈纤颤电位，传导速度延长	CT 及 MRI 均能明确椎间盘突出的部位	腰椎 X 线平片可见第 3 腰椎横突较长

（5）治疗

1）非手术疗法　①口服非甾体类抗炎药，加上局部外用药物如双氯芬酸搽剂等。②理疗，如红外线、超短波、热疗等。③手法治疗，如按摩、推拿以及手法弹拨、顺向按压等法。④局部封闭治疗，常用药物为醋酸泼尼松龙、倍他米松磷酸钠（得宝松）等，每周1次，可连续注射3～4次。注射部位：在髂嵴中下方，臀上皮神经进入骨纤维管道入口处，此处压痛明显或有痛性结节。如腰部尚有疼痛，可在患侧 $L_1 \sim L_2$ 及 $L_2 \sim L_3$ 小关节突周围再注射1次。

2）手术疗法

(i) 适应证：非手术疗法无效或反复发作以及坚决要求手术者。

(ii) 麻醉：一般采用 0.5% 或 1% 利多卡因局部浸润麻醉。高龄患者或对疼痛较敏感者采用硬膜外阻滞麻醉。

(iii) 体位：俯卧位或侧俯卧位。

(iv) 切口：以痛性结节为中心作短弧形切口。

(v) 术中处理：①结节或条索状物，与周围组织无粘连或少粘连者，可以较完整地切除；②界限不清与臀上皮神经粘连的结缔组织，须仔细与神经分离后再将粘连的结缔组织（可能还夹杂少许肌纤维）切除；③在臀上皮神经穿出臀筋膜的裂隙存在纤维脂肪团块，须将纤维脂肪团块切除，如与神经有紧密关系者，应仔细分离，勿损伤神经。

43.3.2 腓总神经卡压综合征

腓总神经卡压综合征系腓总神经在行经腘窝、绕过腓骨颈进入腓骨长肌后受到各种因素的卡压而出现一系列腓总神经损伤的症状。

（1）应用解剖

坐骨神经于大腿下1/3处分为胫神经和腓总神经两终支，腓总神经于腘窝上外侧沿股二头肌肌腱的内缘下行，并且约有1/3被该肌所覆盖，达股二头肌肌腱与腓肠肌外侧头之间，然后便越过腓肠肌外侧头的后面而贴近膝关节纤维性关节囊，进而在腓骨头后面于腓骨长肌的深侧绕过腓骨颈，在此处与骨膜紧贴，进而再进入肌腓骨上管之中（肌腓骨上管位于小腿上1/3，在腓骨的外侧面与起自腓骨的腓骨长、短肌之间）。腓总神经于此处分为腓浅神经与腓深神经两终支。腓总神经的神经纤维来源于 $L_4 \sim S_2$ 神经根。腓总神经在行走过程中还发出皮支和关节支，皮支即腓肠外侧皮神经，分布于小腿外侧顶的皮肤；关节支至膝关节，腓浅神经穿过腓骨长肌起始部，在腓骨长、短肌和趾长伸肌间下行，分出肌支支配腓骨长、短肌，然后至小腿下1/3处浅出为皮支，分布于小腿下外侧、足背和趾背皮肤，其浅出处较为薄弱。具有引起肌疝的潜在因素，易引起卡压。腓深神经穿过腓骨长肌和趾长伸肌起始部，伴胫前动脉，先在胫骨前肌和趾长伸肌间，后在胫骨前肌与㧟长伸肌间下行至足背，支配小腿肌前群、足背肌，司第一趾间隙背面的皮肤感觉（图43-32）。

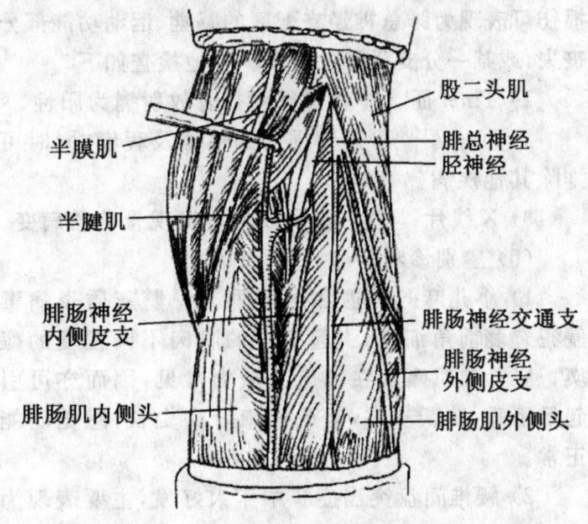

图 43-32　腓总神经解剖及其毗邻结构

由于腓总神经在绕腓骨颈处位置固定且不移动，位于皮下，其深面又为坚韧的腓骨，因而此处最易引起卡压。

(2) 病因

1) 外伤　最为常见，多见于腓骨头、颈处骨折，胫骨外侧平台骨折，足内翻损伤，腘窝外侧软组织损伤等。

2) 慢性损伤　多见于长时间蹲位、盘膝而坐、跪地、足内翻畸形等，这些情况都可使腓骨长肌过度紧张，致其起始部的腱性组织卡压腓总神经。

3) 医源性因素　在临床上亦较为常见，如石膏、夹板压迫等。

4) 肿物　腓骨头、颈处的肿瘤，如骨巨细胞瘤、骨软骨瘤、血管瘤等；股二头肌肌腱、腓骨长肌起始部的腱鞘囊肿。

5) 其他　不明原因的卡压。

(3) 临床表现

慢性损伤的患者开始时主诉小腿外侧疼痛，行走时加重，休息后减轻，随后渐出现小腿酸胀无力、易于疲劳，小腿外侧及足背感觉减退或消失。胫骨前肌、趾长伸肌、 长伸肌以及腓骨长、短肌不同程度的麻痹可引起足下垂并且轻度内翻。急性卡压的患者多在一次局部压迫后出现小腿侧及足背感觉障碍、足下垂。

(4) 检查

腓总神经卡压引起完全性损伤的患者，可见足下垂，行走时呈跨跃步态，小腿外侧及足背感觉障碍，伸 、伸趾、足背伸、足内外翻障碍，小腿前外侧肌群萎缩。腓总神经卡压引起的不完全损伤或某一分支损伤可表现为腓总神经支配区的感觉、运动功能部分丧失，或某一分支受压的表现。其他检查如下。

1) Tinel 征　腓骨颈部叩打有放射痛为阳性。

2) 肌电图　可了解损伤的部位及程度，同时可排除其他疾病。

3) X 线片　膝关节 X 线片可发现骨骼的病变。

(5) 鉴别诊断

1) 小儿麻痹后遗症足下垂　脊髓灰质炎病毒侵犯脊髓前角细胞，引起支配的肌肉不同程度的瘫痪。胫骨前肌瘫痪在临床上最为常见，因而亦可引起足下垂、跨跃步态，但此病患者病史长，感觉功能正常。

2) 腰椎间盘突出症　中年人好发，主要表现为腰痛伴下肢放射性痛。此病亦可表现为小腿外侧及足背感觉障碍，但足下垂少见，腰椎 CT 或椎管造影检查可鉴别。

(6) 治疗

1) 保守疗法　①去除卡压因素：石膏包扎过紧，牵引过度、肿块压迫等致病因素应立即解除。②局部封闭：可用糖皮质激素悬混液在腓管周围注射。③营养神经药物：可用甲钴胺或神经生长因子肌内注射。④应用消炎镇痛药物。⑤矫正支具固定踝关节于外翻位。

2) 手术治疗　对外在压迫因素解除后观察 1 个月神经功能无恢复及保守治疗无效者，应及早手术治疗。行腓总神经探查松解术。

手术步骤：①体位。侧俯卧位。②手术切口。从腘窝上端起沿股二头肌腱内侧缘斜向腓骨颈下方。手术探查重点是探查腓总神经在腘窝处是否受筋膜压迫；在腘窝外侧沟内行进是否受股二头肌腱的压迫；在腓管内是否受骨片、囊肿、赘生物等的挤压。原因探查明确后，作出相应的处理：松解紧张的筋膜、肌腱，去除骨片，切除肿物，并将神经从卡压处松解出来，进一步观察神经受损程度，发现神经增粗、变细、外膜增厚、神经表面的营养血管消失、模糊者应切开神经外膜；如发现神经束瘢痕化、明显挫伤或断裂时应行神经修复，如腓总神经已完全变性、纤维化，则需行病变段神经切除神经移植术。对晚期患者，如踝关节功能正常，无骨性改变，可行肌腱移位术，如胫骨后肌替代趾长伸肌；如踝关节已有骨性改变，则需行骨性手术，如关节融合术。

43.3.3 梨状肌综合征

梨状肌及其周围软组织的急性和慢性损伤、无菌性炎症等因素，使坐骨神经、股后皮神经受卡压而引起臀部及大腿后侧疼痛，称为梨状肌综合征。由 Yeoman(1928) 首先命名，Freiberg(1937) 首次采用切断梨状肌手术取得良好疗效。

(1) 应用解剖

梨状肌呈三角形，似梨样外观，故名。其内宽外窄，起自骨盆的第 2～4 骶骨前孔的侧方，之后，肌束通过坐骨大孔走出盆腔，略呈水平状抵达臀部，止于股骨大粗隆上缘后部。约有 1/4 的人的梨状肌可出现异常走行。梨状肌将坐骨大孔分为上方的梨状肌上孔和下方的梨状肌下孔。梨状肌上孔：介于坐骨大切迹与梨状肌上缘之间，有臀上神经、臀上动脉和臀上静脉穿出。梨状肌下孔：位于坐骨棘、骶棘韧带及梨状肌下缘之间，除臀下神经、动脉及静脉通过外，尚有坐骨神经、股后皮神经及阴部神经等穿出。

梨状肌由 S_1、S_2 骶神经支配，其收缩时，参与髋关节外旋及外展活动。梨状肌可能引起症状的解剖结构如下。

1) 毗邻　前内侧与骶丛、盆腔相邻，后内侧紧贴骶髂关节囊，在股骨大转子肌腱性止点下方有数个滑囊。

2) 肌与肌腱形态　坐骨神经往往穿过梨状肌肌腹和腱性部分，因而梨状肌腹及其肌腱就会出现各种形态的变异，如一肌腹二肌腱、不完全二肌腹一肌腱以及完全的二肌腹二肌腱等类型。

3) 梨状肌与坐骨神经出骨盆的关系　可分为 3 种类型。①正常型：坐骨神经以总干穿出梨状肌下孔，约占 66.3%；②高分支型：坐骨神经在骨盆内已分出胫神经和腓总神经，出骨盆时胫神经从梨状肌下孔穿出，腓总神经穿过梨状肌腹或肌腱，约占 27.3%；③其他类型：如坐骨神经干穿过梨状肌或梨状肌上缘，胫神经穿过梨状肌等，约占 6.4%。

(2) 病因

1) 解剖变异　坐骨神经与梨状肌的变异，易使坐骨神经总干或其分支受嵌压，尤其是坐骨神经穿过梨状肌肌腹或肌腱者更易受压。

2) 外伤与劳损　臀部、骨盆及髋关节等部位的直接外伤，或体力劳动者经常肩扛重物、负重行走致腰部扭伤、髋关节外旋外展过度等等因素使梨状肌猛烈收缩或过度牵拉而造成急性损伤；梨状肌慢性劳损等都会引起梨状肌、孖肌及其筋膜水肿、肥厚或肌肉内血肿、纤维化而压迫坐骨神经。

3) 寒冷、潮湿　长期在寒冷、潮湿环境生活、工作者，梨状肌常受累而发生痉挛、肿胀、充血、增厚，与周围组织发生粘连，引起坐骨神经的牵拉与压迫。

4) 滑囊炎　梨状肌肌腱止点与髋关节的关节囊之间有大小不等的滑膜囊。如滑膜囊发炎时，炎性渗出物质可直接刺激神经或刺激梨状肌痉挛，而引起坐骨神经痛。

5) 盆腔疾患　骶髂关节炎以及女性卵巢炎等疾患均可累及梨状肌充血、水肿、增厚，致梨状肌下孔狭窄。

(3) 临床表现

1) 症状　臀部和大腿后侧、外侧以及小腿内侧的疼痛，亦可放射至足底，伴有麻木、触觉减退。疼痛程度与病变轻重、患者耐痛阈有关。重者痛难忍受。

2) 体征　①臀部压痛：以股骨大转子顶端至骶骨缘的中 1/3 较为明显。有时可触及肿胀的梨状肌轮廓；或触及痛性、条索状梨状肌束。②梨状肌紧张试验：患者仰卧位，将患肢伸直作髋关节内收、内旋动作，使梨状肌处于紧张状态，如患者出现坐骨神经痛，再迅速将患肢外展、外旋，疼痛旋即缓解，即为阳性。③直腿抬高试验：患者仰卧伸髋伸膝位，检查者将患肢足跟部托起，逐渐上抬，患者即感到臀部酸痛串至小腿后侧，抬高至 60°时疼痛最明显，超过 60°后疼痛减轻。④Thiele 试验：患者仰卧位，将患肢伸直作内收、内旋动作，并交叉于对侧肢体上，如引发患肢疼痛或加重疼痛者，即为阳性。⑤下肢外展、外旋对抗试验：患者仰卧位，屈髋屈膝 90°，嘱患者用力作髋外展、外旋动作，检查者双手置于患者双膝外侧并施以对抗力量，如患者髋外展外旋的肌力减弱，并出现疼痛，即为阳性。

(4) 鉴别诊断

1) 腰椎间盘突出症　有明显的患病诱因，典型的坐骨神经放射痛及神经根压迫的定位体征。

2) 腰椎椎管狭窄症　常伴椎间盘突出症，典型的间歇性跛行。X 线片及 CT 检查均可明确诊断。

3) 腰椎管内神经鞘膜瘤　尤其是侵犯 L_4～L_5、L_5～S_1 神经根的鞘膜瘤，疼痛较剧烈，通常为持续性，以夜间为剧，与腰椎间盘脱出症颇为相似，且发病早期往往出现膀胱直肠症状。对个别难以鉴别者，可行 MRI、CT 检查，或选用不良反应较小的造影剂如碘海醇(omnipaque)、甲泛葡胺(amipaque)或氧气等行脊髓造影检查。

4) 盆腔疾患　以女性多见。盆腔疾患所引起的骶丛神经受压，除了坐骨神经受刺激并出现症状与体征外，臀上神经、股神经、闭孔神经、股外侧皮神经及阴部内神经等也可同时被波及。因此，症状更广泛，与骶丛神经分布相一致，一般不难鉴别。

5) 其他　应与风湿病、局部肌纤维组织炎，髋部伤患、癔症和局部肿瘤等区别。尤其是肿瘤，易因 X 线片显示欠佳而贻误诊断。因此，对疑诊者，应于清洁灌肠后摄片，以除外病变。

(5) 治疗　主要是非手术治疗，其目的在于缓解梨状肌痉挛，促进炎症吸收；解除神经压迫，改善血液循环。

1) 物理治疗　急性期可行紫外线或超短波直流电离子透入等治疗。慢性期可行蜡疗、泥疗或拔火罐等疗法。超声治疗亦有较好效果。由外伤引起疼痛者采用脉冲式超声治疗为好，由风寒引起者以连续式超声治疗较佳。

2）局部封闭　曲安奈德 40 mg 局部封闭，每周 1 次，可连续封闭 3～4 次。注射部位：髂后上棘至尾骨尖中点与股骨大转子连线的中内 1/3、压痛最明显处。

3）推拿或穴位按摩　祖国医学运用推拿、按摩治疗的经验很丰富，手法各家不一，在此不一一赘述。

4）手术治疗　非手术治疗 4 周以上效果不佳者应考虑手术治疗。手术采取侧俯卧位或俯卧位，连续硬膜外麻醉下进行。

切口：由髂后上棘下方 3～5 cm 起至股骨大转子上方，然后弯向臀下皱襞中点（图 43-33）。

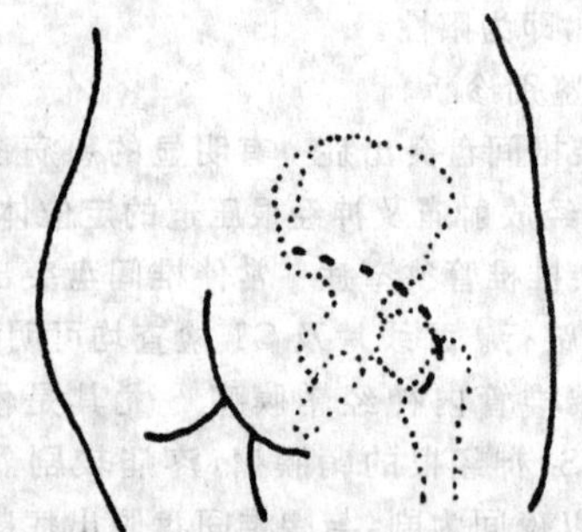

图 43-33　梨状肌综合征手术切口

显露梨状肌及坐骨神经：沿切口切开臀筋膜，从臀大肌边缘分离，至大转子处将臀大肌止点切断，将该肌向上方翻开，便可充分显露坐骨神经及梨状肌。

探查梨状肌、松解坐骨神经：首先探查梨状肌是否肿胀、变异，与坐骨神经关系是属何种类型；其次探查坐骨神经受卡压的关键部位，卡压的主要因素（瘢痕粘连、腱性嵌压或滑囊压迫）。针对不同的卡压因素，采取相应的措施，如梨状肌肥厚、变异或腱性卡压时，即切该肌、腱；如系瘢痕粘连则松解切除瘢痕；如发现坐骨神经鞘膜肥厚、质地较硬时，应按显微外科原则进行神经松解，松解后在周围注射曲安奈德 40 mg。

43.3.4　前跗管综合征

腓深神经在足背伸肌下支持带下方的骨纤维管道内受卡压而出现的症状，称为前跗管综合征。

（1）应用解剖

伸肌上支持带（又称小腿横韧带）：位于踝关节稍上方，由小腿前下部深筋膜增厚而成，横向附着于胫、腓骨前缘。

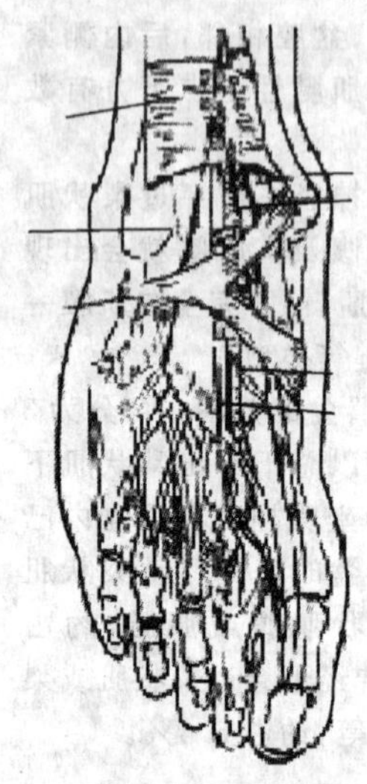

43-34　足背部解剖

伸肌下支持带（又称小腿十字韧带）：位于伸肌上支持带远侧，呈横卧式“Y”形。其左侧为外侧束，起于跟骨外侧面的前方，至趾长伸肌腱内侧缘时分成上、下两支，称之为内侧束上支和内侧束下支，上支止于内踝，下支向内下方行走与足底腱膜相续（图 43-34）。

伸肌下支持带向深部发出两个纤维纵隔，形成 3 个骨性纤维管道：外侧管道包容趾长伸肌腱及第三腓骨肌腱；中间管道包容幺长伸肌腱、足背动静脉及腓深神经；内侧管道包容胫骨前肌腱。中间骨纤维管即为前跗管。徐杰、苗华（1991）通过 64 例男性成人足部标本进行观测，发现伸肌下支持带形成的骨纤维管与上述描述不一致。

腓深神经在前跗管上、中部分时位于足背动脉内侧，在前跗管下部时位于足背动脉外侧，少数位于足背动脉浅面。在幺长伸肌与幺短伸肌之间下行，至距骨头后上方分为内、外两终支（亦有在距骨头前下方或平距骨头处分为两终支）。

腓深神经在足背有 4 处横径大于直径，呈扁状，其中神经本干两处：①前跗管内；②距骨头表面。外侧支一处，即位于幺短伸肌与骰骨之间。另一处为内侧支位于幺短伸肌至第一、第二跖骨底时。外侧支行于幺短伸肌深面，发出肌支支配该肌后，继续前行至第一趾内侧缘并有分支至跖趾关节；内侧支经第一骨间背侧肌表面，分布于第一至第二趾相对缘的皮肤。

（2）病因

1）扭伤　踝关节易扭伤，尤其是穿高跟鞋的妇女。踝关节扭伤时在前跗管内的腓深神经则最易受卡压。

2）骨折、脱位　距骨头颈部骨折时，移位的骨折片易压迫至腓深神经。距骨脱位时也易将腓深神经卡压在距骨与伸肌下支持带之间。

3）腱鞘疾患 乂长伸肌腱与趾长伸肌腱的腱鞘发炎、腱鞘结核或腱鞘巨细胞瘤时，腱鞘肿胀、增粗，占据了前跗管的容积而使腓深神经受压。

4）血管疾患 下肢静脉曲张、静脉栓塞，足背的静脉更易充盈、扩张或增加许多代偿性的静脉属支，有些横跨在腓深神经之上；动脉粥样硬化或闭塞性脉管炎患者，足背动脉变粗、变硬，而且脉管炎的管壁周围有炎性渗出物，可刺激结缔组织增生。

（3）临床表现

1）症状 足部第一至第二趾背的麻木、疼痛。疼痛为间歇性，当踝关节在跖屈位时，疼痛加重。病程较长者，患者行走无力，间歇性跛行，足背肌肉萎缩。

2）体格检查 第一至第二跖骨背侧及乂趾、第二趾相对缘的皮肤痛觉、轻度触觉减退或消失，乂趾背伸肌力减弱，趾短伸肌不同程度萎缩。将乂趾跖趾关节及趾间关节置于跖屈位时，可引起患部疼痛。在足背中内方伸肌下支持带处可引出 Tinel 征，并向第一趾蹼放射，在踝关节跖屈位时更为明显。

3）肌电图检查 显示趾短伸肌失神经电位，自主活动性差，腓深神经内、外侧支的传导速度减慢，潜伏期延长。

（4）诊断及鉴别诊断

1）腰椎间盘突出症 尤其是 $L_4 \sim L_5$ 椎间盘突出时，可出现足背感觉减退，乂趾背伸肌力减弱，应与本症仔细鉴别，腰椎间盘突出症的疼痛范围广，直腿抬高试验阳性，腰部的影像学检查可明确标示椎间盘突出的部位。

2）血管闭塞性脉管炎和动脉粥样硬化 足背动脉搏动较弱的老年患者应警惕，应作彩色超声波检查腘窝以下的动静脉。

3）糖尿病性末梢神经炎 患者血糖较高。

（5）治疗

1）保守治疗 早期采取踝关节中立位固定，局部理疗、超短波治疗或局部封闭治疗，但慎勿注入足背动静脉内。

2）手术治疗 ①麻醉：硬膜外或腓总神经阻滞麻醉。②手术切口：以足背前方足背动脉外侧作一弧形切口。③手术步骤：切开皮肤、皮下组织，再将伸肌下支持带切开，牵开乂长伸肌腱，在足背动脉内侧或外侧分离出腓深神经主干及其内、外侧终支，仔细探查神经受卡压的各种因素。去除神经卡压的因素（如局限性肿物，筋膜、关节囊增厚等）后，如发现神经增粗、变硬、神经鞘膜增厚等现象时，应切开神经鞘膜，松解粘连，周围注射曲安奈德或倍他米松磷酸钠。④术后踝关节中立位固定 3～4 周。

43.3.5 踝管综合征

踝管是内踝与跟骨之间的一骨纤维性管道，管道内含有胫骨后肌、趾长屈肌腱、乂长屈肌腱、胫后动静脉以及胫神经。当踝管内存在占位性病变或其他因素，使胫神经受卡压而出现一系列症状者，称为踝管综合征。在文献上亦曾称为跗管综合征（tarsal tunnel syndrome）。

（1）应用解剖

由内踝后方至跟骨内侧面的屈肌支持带（又称分裂韧带）与距骨、跟骨、关节囊、三角韧带等结构而围成的骨纤维性管道称为踝管。踝管的上口为内踝后上方至跟骨内面的后上缘；踝管的下口为内踝后下方至跟骨结节内侧突。踝管长 2.0～2.5 cm，深度约 7.0 cm。

踝管表面（也是顶部）的屈肌支持带（即分裂韧带），发出纤维隔分别与距骨、跟骨及三角韧带连接，从而将踝管分为 4 区。按前后的排列次序，第 1 区内通过的是胫骨后肌腱。第 2 区内通过的是趾长屈肌腱。第 3 区内通过的是胫后动、静脉和胫神经，此区的血管神经束为筋膜鞘包绕，连于屈肌支持韧带与跟骨载距突。胫后动静脉和胫神经在趾长屈肌与小腿三头肌之间进入踝管内时，胫后血管位于前内方，胫后神经位于后外方，胫后动静脉在踝管内分为足底内、外侧动静脉者，约占 84%，胫神经在踝管内分为足底内、外侧神经者约占 80%。第 4 区内通过的是乂长屈肌腱。踝管内的纤维隔也是胫后肌腱，趾长屈肌腱和乂长屈肌腱的纤维鞘和腱滑液鞘的组成部分（图 43-35）。

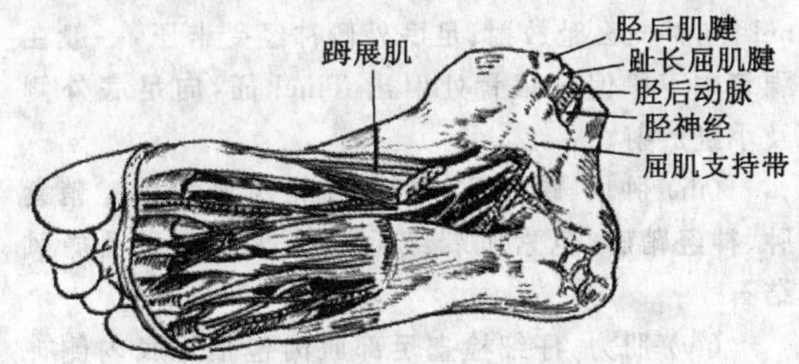

图 43-35 踝管的结构与内容

（2）病因

1）外伤 踝关节扭伤（包括韧带撕裂）的发生率高，也是本症常见的病因之一。此外，内踝、距骨、跟骨骨折后血肿机化、瘢痕形成，或骨折复位不佳、骨片压迫踝管内的神经。

2）炎症 踝关节滑膜炎、踝管内长肌腱滑液鞘炎以及邻近的滑囊炎。

3）骨性关节炎 骨性关节炎往往在受累关节引起骨质增生。如足踝部发生骨性关节炎，内踝、距骨及跟骨载距突等部位的增生骨质，可直接压迫神经或引起踝管内的压力增高，间接压迫神经。

4）类风湿关节炎 急性期时踝关节滑膜充血、水肿、炎性液体渗出，致踝管容量增加，压力上升。

5）足部畸形 扁平足、外翻足等畸形长期未获治疗，可使距骨外旋、跟骨外翻，以致踝管容积减少，压力增加。

（3）临床表现

1）症状 内踝及足底疼痛和麻木。疼痛为阵发性针刺痛，部分患者以足底内侧及内侧 3 个半趾的麻木和知觉减退为主要症状，另有一些患者以足底外侧及第四至第五趾的麻木或知觉减退为主要症状，亦有伴足跟部疼痛或麻木。偶有患者主诉足趾肿胀、发绀等症状。

2）体检 首先观察足部形态、畸形，足趾皮肤色泽，有无肿胀。接着再作如下检查：

(i) 感觉：仔细检查双侧踝关节以下足内外侧、足底、足跟以及足趾痛觉、轻度触觉、二点辨别觉的差异。根据感觉减退的程度、受累的范围，可判断神经卡压的部位、受卡压的具体神经。

(ii) Tinel 征：从踝管上口开始逐渐向下叩击，观察是否能引出 Tinel 征，在何部位出现 Tinel 征并向何处放射。胫神经总干受卡压，一般在踝管上口至踝管中下 1/3 处可引出 Tinel 征，并向全足底放射；足底内侧神经受卡压，一般在踝管中段引出 Tinel 征，并向𧿹趾放射；足底外侧神经受卡压，一般在踝管中下段偏向跟骨处引出 Tinel 征，向足底外侧及小趾放射。

(iii) 肿块：踝管及邻近部位常见肿块为腱鞘囊肿、神经鞘瘤、色素沉着绒毛结节性滑膜炎及痛风结石。

(iv) 肌力：仔细检查足部肌肉包括足底内侧神经支配的𧿹展肌、𧿹短屈肌、趾短屈肌、第一蚓状肌，足底外侧神经支配的跖方肌及小趾展肌的肌力及萎缩情况。

3）X 线检查 拍摄正、侧位片或加斜位片，观察距骨、跟骨，尤其是在距下关节及跟骨载距突处有无骨疣、骨刺，舟骨是否存在副舟骨以及足部的其他骨性疾患。

4）肌电图检查 可出现胫神经及其两大终支（足底内、外侧神经）的感觉传导功能障碍及所支配的肌肉有不同程度的失神经电位。

（4）治疗

1）保守治疗 休息，减少踝关节的负重，穿稳定踝关节的特制鞋；也可采用理疗，或采用踝管局部封闭治疗。

2）手术疗法 ①手术指征：以踝管内或邻近部位的肿物、骨赘或骨痂形成为卡压的主要因素者为最佳手术指征。②切口：始于内踝上缘与跟腱之间，并向足底内侧弯曲的弧形切口，长 6～8 cm。③手术步骤：切开皮肤、皮下组织及屈肌支持带，在趾长肌腱与𧿹长肌腱之间显露胫后血管、神经束。探查神经血管束内是否存在肿物；然后再探查踝管内的滑膜是否增厚，距跟关节上有无骨赘或骨痂形成并作相应的处理。④松解神经：探查胫神经主干和胫神经的两大终支，即足底内、外侧神经。根据患者的主诉及术前的体检，如系足底内侧或外侧神经受卡压者，应循该神经的行走径路仔细探查，必要时须切断𧿹短展肌，以期发现在此肌下方存在的卡压因素。去除卡压因素后，发现神经质地较硬，或呈条索状，或其表面微细血管模糊、消失者，应行神经外膜切开松解。⑤固定：术后用短腿石膏托将踝关节固定 3 周。

43.3.6 Morton 跖头痛

Morton 跖头痛亦称 Morton 病，是指位于两跖骨头之间的趾底总神经被卡压所引起的临床症状和体征。1845 年，Morton 首先对趾底总神经神经瘤的临床表现作了描述。但当时未能被大家接受。直到 1867 年，Morton 报道了 15 个病例并提出了产生这一临床表现的原因和手术治疗的方法，才引起人们的注意，因而将趾底总神经瘤称为 Morton 跖头痛。此病最多发生于第三、第四趾间隙，其次为第二、第三趾间隙，其他趾间隙较为少见。

（1）临床解剖

趾底总神经位于两跖骨头端之间，它们是由足底内侧神经或足底外侧神经的分支构成的，其纤维成分来自 L_4～S_2 神经根。趾底总神经的主要功能是司趾皮肤感觉。第三、第四趾底总神经和其他趾底总神经不同，是由足底内侧神经和足底外侧神经的分支共同构成的。每一趾底总神经在跖趾关节处又分为两趾底固有神经，司相邻两足趾底面的皮肤感觉。

趾底总神经在从足底经过跖骨间深横韧带的下方，然后分叉为两趾底固定神经行向足趾。此时，由于跖骨间深横韧带的边缘较硬，通常要形成一定的角度。从这一解剖关系可以看出，在此处此神经容易被卡压（图 43-36）。

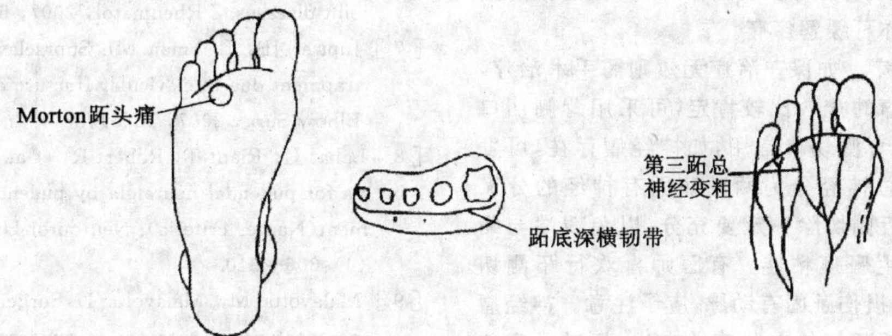

图 43-36　Morton 跖头痛部位及病理变化

(2) Morton 跖头痛的病因及发病机制

1）穿高跟鞋　为最常见的发病原因，穿高跟鞋可使前足负重增加，跖趾关节过度背伸，前足跖骨间深横韧带松弛，横弓塌陷，第二至第四跖骨头下沉，正好对位于此处的趾底总神经过度压迫，产生趾底总神经神经瘤。另外，由于足横弓的塌陷，跖骨头的下沉，可压迫跖骨头处与趾底总神经相邻的趾总动脉，引起动脉阻塞，趾神经缺血、缺氧、纤维化。

2）幺外翻　可致足横弓增宽、塌陷，跖骨头下沉，引起趾间总神经卡压。

3）外伤　跖骨颈骨折、跖趾关节脱位等可压迫刺激相应的中间总神经。

4）先天性因素　如平底足、横弓变浅或消失、先天性第一跖骨缩短，可使第一跖骨头受压面积增大，压迫第一、第二趾底总神经产生症状。

(3) Morton 跖头痛的临床表现

多发于女性，常为单侧发病，患者主诉足趾的疼痛及相应的趾蹼间隙麻木，站立、行走时加重，休息后脱去鞋子轻轻活动前足可减轻，疼痛的部位通常在受累的跖骨头区域，疼痛的性质可为钝痛、刺痛或烧灼痛。检查时，侧向挤压诸跖骨头，或从背侧和跖侧挤压疑有趾底总神经瘤的相邻跖骨头间隙可产生疼痛，并向相邻的两足趾放射，最常受累的部位为第三趾蹼间隙，因为此处位置最低，趾底总神经最易被卡压。检查者用拇指和示指分别置于疑有神经瘤的趾蹼间隙背侧和跖侧，前后来回按压有时可触及神经瘤在跖骨间深横韧带上来回滑动，若存在一个增大的跖骨间滑囊或一个异常增大的趾底总神经瘤，受累的两足趾间隙可变宽。检查感觉时可发现受累的趾蹼间隙感觉减退或消失。

(4) Morton 跖头痛的辅助检查

1）诊断性局部封闭　用 0.5％利多卡因 1 ml 注射至受累的趾间隙，如疼痛消失则为阳性。

2）EMG 检查　对诊断此病无多大帮助。

3）X 线检查　可发现足部骨质改变，如第一跖骨缩短、第二跖骨颈疲劳骨折等。

(5) Morton 跖头痛的鉴别诊断

1）跖骨头骨软骨病　亦称为 Fieberg 病，好发于青少年，女性多见。常发生在第二跖骨头，表现为受累的跖趾关节疼痛，站立行走时加重，跖骨头处有压痛，背侧软组织肿胀。急性症状消退后可扪及跖骨头增大，跖趾关节活动受限。X 线片可表现为受累的跖骨骨骺远端不规则且增亮，跖骨头呈月牙形、凹陷和密度增加，并有一些小圆形的透亮区。

2）跖趾关节处胼胝　亦可表现为跖趾关节处疼痛，活动、行走后加重。可见跖趾关节处的足底侧皮肤异常增厚、变硬，可有触痛，而受累的趾蹼间隙皮肤感觉正常。

3）第二跖骨颈疲劳骨折　常为长途行军引起，或见于长跑运动员，表现为第二跖骨头颈处疼痛，行走活动后加重，休息后减轻，但跖蹼间处的皮肤感觉正常，早期 X 线片多正常，晚期第二跖骨颈周围有骨膜反应及骨痂形成。

(6) Morton 跖头痛的治疗

1) 保守治疗　穿宽松舒适的平底鞋，以便跖趾关节能充分屈曲，足趾能充分活动。把跖骨头垫高可缓解症状，但放置的位置必须准确，太靠前则加重疼痛，太靠后则没有效果。另外，局部类固醇激素如泼尼龙等封闭亦可缓解疼痛。

2) 手术治疗　如保守治疗无效则需手术治疗，手术切除神经瘤的疗效比较肯定，可采用背侧切口或跖侧切口，以背侧切口常用，如神经瘤存在，可发现其位于趾底总神经分为两趾底固有神经的分叉处。神经瘤的近侧切除一定要充分，以免残端与跖间深横韧带发生瘢痕粘连。有医师喜欢行跖侧切口，但此切口易损伤趾固有动脉，应予注意。神经瘤切除后足趾相邻两侧的皮肤感觉丧失，但对足底的运动没有影响。

(张　键)

参考文献

[1] Caliandro P, Foschini M, Pazzaglia C, et. al. IN-RATIO: A new test to increase diagnostic sensitivity in ulnar nerve entrapment at elbow. Clin Neurophysiol, 2008, 119(7):1600～1606.

[2] Cherniack M, Brammer AJ, Lundstrom R, et al. Syndromes from segmental vibration and nerve entrapment: observations on case definitions for carpal tunnel syndrome. Int Arch Occup Environ Health, 2008, 81(5):661～669.

[3] Dimitriou C, Natsis K. Accessory abductor digiti minimi muscle causing ulnar nerve entrapment at the Guyon's canal: a case report. Clin Anat, 2007, 20(8):974～975.

[4] Hosseini H, Agneskirchner JD, Tröger M, et al. Arthroscopic release of the superior transverse ligament and SLAP refixation in a case of suprascapular nerve entrapment. Arthroscopy, 2007, 23(10):1134～1134.

[5] Hugon S, Daubresse F, Depierreux L. Radial nerve entrapment in a humeral fracture callus. Acta Orthop Belg, 2008, 74(1):118～121.

[6] Hurst JM, Aldridge JM. Median nerve entrapment in a pediatric both-bone forearm fracture: recognition and management. Kerschbaumer F, Kerschbaumer GY. Peripheral nerve entrapment syndrome of the upper extremities in cases of inflammatory, rheumatic joint diseases. Z Rheumatol, 2007, 66(1):9～12.

[7] Jupiter JB, Leibman MI. Supraclavicular nerve entrapment due to clavicular fracture callus. J Shoulder Elbow Surg, 2007, 16(5):3～4.

[8] Labat JJ, Riant T, Robert R, et al. Diagnostic criteria for pudendal neuralgia by pudendal nerve entrapment(Nantes criteria). Neurourol Urodyn, 2008, 27(4):306～310.

[9] Malavolta M, Malavolta L. Surgery for superficial peroneal nerve entrapment syndrome. Oper Orthop Traumatol, 2007, 19(5～6):502～510.

[10] Perez HR. Equinus deformity as a factor in forefoot nerve entrapment. J Am Podiatr Med Assoc, 2007, 97(2):171～172.

[11] Rigaud J, Labat JJ, Riant T, et al. Obturator nerve entrapment: diagnosis and laparoscopic treatment: technical case report. Neurosurgery, 2007, 61(1):E175.

[12] Safaz I, Alaca R, Bozlar U, Yalar E. Bilateral sciatic nerve entrapment due to heterotopic ossification in a traumatic brain-injured patient. Am J Phys Med Rehabil, 2008, 87(1):65～67.

[13] Sedy J, Popeney C, Ansell V, et al. Pudendal nerve entrapment as an etiology of chronic perineal pain: diagnosis and treatment. Neurourol Urodynam 26: 820～823. Neurourol Urodyn. 2008, 27(1):96; author reply 96.

[14] Semmler A, von Falkenhausen M, Schröder R. Suprascapular nerve entrapment by a spinoglenoid cyst. Neurology, 2008, 70(11):890.

[15] Sevinç TT, Kalac A, Doramac Y, Yanat AN. Bilateral superficial peroneal nerve entrapment secondary to anorexia nervosa: a case report. J Brachial Plex Peripher Nerve Inj, 2008, 3(1):12.

[16] Spinner RJ. Outcomes for peripheral nerve entrapment syndromes. Clin Neurosurg, 2006, 53:285～294.

第十三篇

运动医学新进展

44 运动医学新进展

运动医学(sports medicine)是一门多学科交叉的临床学科。它一方面研究体育运动对人体健康的影响,另一方面用现代医学的方法和理论,研究和治疗运动引起的创伤和疾病,达到最大运动能力的恢复,保障人类健康。

运动医学的发展正迅速拓展它的学科领域,向骨科、康复医学、心血管、内分泌、神经、药学、营养、力学、生理学、心理学、遗传学等诸学科渗透。由于运动损伤的特殊性以及运动人群对早期康复和重返运动的迫切要求,微创外科成为运动损伤治疗的重要工具。典型的例子是,关节镜微创技术已经成为运动创伤治疗的重要手段,并不断创造出新的、疗效更好的手术方式和更积极、有效的康复措施。由此,派生出一门新的交叉学科——骨科运动医学(orthopaedic sports medicine)和运动康复(sports rehabilitation)。

骨科运动医学(orthopaedic sports medicine),也称骨科运动创伤或运动创伤学(orthopaedic sports injury or sports traumatology),是现代骨科学的一个重要分支,是继手外科、关节置换外科、脊柱外科后又一门学科。

美国骨科运动医学学会(the American Orthopaedic Society for Sports Medicine, AOSSM)是全世界最早(1972)成立的骨科运动医学专业权威组织,有许多世界著名的骨关节病专家参与。AOSSM创始主席Stewart MT指出,"我们不仅是医师和外科医师,我们更是全世界所有运动员的同事。"现代骨科运动医学的治疗范围已经扩大,主要诊治与运动有关或影响运动的骨与关节、肌肉、肌腱、韧带、软骨、滑膜等创伤,这些也是普通老百姓的常见伤病,如膝、肩、踝、肘、髋、腕等关节运动损伤和关节不稳,包括半月板损伤、交叉韧带损伤、肌腱损伤与肌腱病、骨骼肌损伤、侧副韧带损伤、髌股关节损伤与不稳、软骨与骨软骨损伤、滑膜病变、肩袖损伤、肩关节不稳、关节盂唇损伤、肩峰撞击症、踝关节反复扭伤等;按体育项目又可以分为足球踝、网球肘、骑马髋、跳跃膝、排球肩、击剑腕、举重肘、网球腿等等。运动创伤的治疗宗旨是以最小的创伤、达到最大的疗效、最佳功能恢复与尽可能早的运动回归。

一名合格的骨科运动医学医师应具备坚实的临床骨科基础,同时具备运动医学、康复医学和生物力学知识,以尽快恢复伤者运动能力为第一选择,能够对创伤预后做出正确判断,并在手术和非手术之间做出合理选择;合格的骨科运动创伤医师,首先必须是一名优秀的关节镜微创外科专家,同时也是肌腱病和骨骼肌损伤的治疗能手,熟悉体育运动,了解运动医学规律,能熟练选择和制订运动康复程序,善于发现临床问题并开展骨关节运动损伤相关研究。

骨科运动医学近年来的飞速发展，得益于以下3方面的推动：①骨科运动医学临床研究的广泛开展，促进了临床应用和技术提高；②关节镜微创技术和设备的进步；③运动康复理论和实践的不断丰富和应用。尤其在最近15年，以关节镜下交叉韧带重建和半月板缝合为特色的骨科运动医学所取得的成就，已经向世人展示了这个领域最具活力和令人鼓舞的成就；积极的康复措施，使得前交叉韧带重建术后重返运动的时间，由一年缩短到半年。现在，关节镜下肩袖修复和关节不稳功能重建技术的深入，更体现了运动医学微创化趋势的巨大发展前景，传统的开放手术已经从教科书上消失、废弃。本文就近年来运动创伤的最新进展简要介绍如下。

44.1 膝关节

44.1.1 前交叉韧带

前交叉韧带损伤是目前膝关节中最受关注的焦点之一。研究者对手术时机、移植物选择、固定方式选择、手术技巧及翻修等各方面的问题进行了深入的研究。目的是使重建的前交叉韧带更好、更持久地控制和防止膝关节反复的轴移，维持膝关节稳定性。

前交叉韧带损伤后，两周内进行重建手术可能引起术后关节僵硬，股四头肌抑制和康复延迟。但在急性期过后，应尽早接受手术。因为，研究显示前交叉韧带撕裂后6个月，半月板撕裂的危险性增加；伤后1年，软骨损伤可能性增大。

重建前交叉韧带最常用的仍是自体骨-腱-骨和腘绳肌肌腱。后者由于取材简便，术后取材部位并发症少而受到广泛推崇。但是，尽管取腱后腘绳肌肌腱存在再生现象，但在术后2年仍存在屈膝肌力、扭矩及做功下降。最近一项13年的随访显示异体骨-腱-骨重建前交叉韧带的功能评分和稳定性都非常好。这项研究可能促进异体移植物更广泛的应用。但对于其他异体移植物如胫前肌腱等的应用还处于探讨之中。然而，通过组织工程获得的交叉韧带可能是将来比较理想的移植物，但强度和无菌技术可能是面临的直接困难。人工韧带在沉寂多年，在克服了滑膜炎和强度的缺点后，又在欧洲大陆卷土重来。从2004年开始，中国大陆部分医院也已开始使用LARS人工韧带重建前(后)交叉韧带损伤，近期随访比较，临床疗效满意，早期功能恢复较自体肌腱移植重建明显占优。2～4年随访未发现滑膜炎及关节松弛等不良反应。尤其适用于运动员及急性韧带损伤患者。但人工韧带在骨道内的愈合问题尚需长期观察。

很显然，固定方式和前交叉韧带重建的临床结果关系密切。操作简单又固定牢靠的固定方式一直是手术医师的追求目标。横杆系统减少了术后股骨骨道增宽，相对于Endo-button而言固定更接近股骨隧道关节面，而手术方式又较挤压螺钉简单安全，逐渐得到了临床的广泛应用。一项16个月的研究显示横杆固定腘绳肌在临床疗效上和自体骨-腱-骨重建无显著性差异。然而在另一项研究中，可吸收横杆系统存在16%变形或断裂，尽管对临床结果没有影响，但还需要更长时间的随访来明确。胫骨侧固定是腘绳肌肌腱重建前交叉韧带中固定较弱的，这往往导致术后胫骨侧隧道扩大。生物力学实验显示挤压螺钉合并垫圈系统的双重固定可能可以弥补这一弱点，减少了潜在的手术失败风险。

是否需要进行双束重建的争论一直没有结论。Seon JK等的研究结果提示双束重建可以更好地重建正常的胫股运动。但没有观察到对临床结果的影响。Yamamoto Y等的研究也显示尽管双束重建可以更精确地重建膝关节伸屈时的运动学，但并没有显示更好的临床疗效。显然，还需要更多的研究来证明双束重建的优越性，更长时间来证实它的安全性。

44.1.2 半月板

半月板作为膝关节稳定结构的重要性一直受到重视，在交叉韧带重建术后，术中若进行半月板切除，更容易出现关节松弛和重建韧带再撕裂。这些研究结果强调了半月板作为次要关节稳定结构的重要性，也提示我们手术中应尽可能保留半月板。

半月板缝合的疗效已经经过多项临床研究的证实，最近一项历时5～7年的随访研究显示缝合半月板可以获得良好的临床疗效。半月板缝合的金标准还是内-外垂直缝合。全内半月板缝合可以减少手术时间，避免额外切口，降低手术难度以及减少神经血管并发症。半月板箭的疗效并不理想，一项6年的临床随访发现半月板箭疗效不如经典的内-外缝合。此外，半月板箭还可能导致软骨损伤，甚至这种损伤在半月板箭取出后仍然存在。新一代的全内缝合装置可以减少这种风险并在临床上显示良好的效果。RapidLoc 和 FasT-Fix 等在早期随访中都显示了 90%以上的成功率。但是,还需要更长时间随访来明确全内缝合的长期疗效。

实验显示垂直缝合可以更好地承受压力负荷,但水平缝合可以更好地抵抗剪切力,也更容易操作。实验提示在半月板缝合中需要同时进行两种缝合才能更好地获得缝合部位的稳定性。有研究者提出采用斜向缝合能结合垂直缝合和水平缝合的优点。

半月板移植仍然只局限于不多的适应证。其疗效随时间可能减退。

尽管人工半月板替代物可能有较好的发展前景,但目前仍处于实验阶段。

44.1.3 后交叉韧带和后外侧角

轻度的后交叉韧带损伤最佳治疗还是非手术治疗。对于需要重建的后交叉韧带损伤,早期重建可以得到更好的效果。但双束和单束重建的意见并未统一。目前,只有在后交叉韧带 3 部分(后内术、前外束、半月板股骨韧带)全部撕裂时才进行双束重建,这种情况往往存在于后交叉韧带损伤的慢性期,之前有过严重损伤(后交叉韧带和后外侧角同时损伤、膝关节脱位等)的病史,并在此基础上逐渐形成膝关节严重松弛的患者。

无论单束还是双束重建,隧道位置是手术成功的关键。外-内技术可以减小移植物和股骨隧道间角度。而外侧入路可以减小韧带和胫骨隧道之间的应力。镶嵌技术也可以用来减少韧带和胫骨侧的磨损。但 2 年的随访结果显示镶嵌技术和隧道技术在临床疗效上没有显著性差异。

后交叉韧带损伤合并后外侧结构损伤时,无论单束还是双束都不能控制旋转或内翻不稳定。必须同时进行后外侧结构的治疗。加强修补仍是 2 周内后外侧结构急性损伤的最佳选择。但更多的后外侧角损伤需要应用重建而非简单的修补来治疗。重建后外侧角可以重建接近正常的膝关节动力学和分担后交叉移植物的负荷。更多的研究开始关注解剖位重建后外侧结构。重建还必须重视后外侧结构的张力控制,生物力学显示外侧副韧带、腘腓韧带和腘肌腱的张力分别是 295、298 和 700 N。外侧副韧带在伸直位时张力最大,而腘肌腱和腘腓韧带在屈曲时最紧张。

44.1.4 软骨

目前的治疗方法中,自体软骨移植是最好的方法之一,特别是年轻、症状较短的患者,采用自体软骨细胞培养加基膜修复损伤软骨的技术已经开发成熟,并应用于临床。带软骨下骨块的马赛克软骨移植方法也已获得 90%的成功率。

如果自体移植不可行,微骨折仍是可以选择的简易方法。随着组织工程技术的发展,更多的软骨损伤将得到修复。

44.1.5 髌股关节

对于髌骨关节不稳,随着微创技术的进步,以及非手术治疗的高复发率,越来越多的学者建议手术治疗。手术治疗髌骨不稳的相对指征包括:保守治疗失败,骨软骨骨折(游离体),复发性不稳,以及 Merchant 位 X 线片显示复位后仍然存在明显排列紊乱。

髌骨习惯性脱位保守治疗无效的可以多种手术方式治疗:首先应进行内侧髌股韧带的修复与重建,单独的或合并其他操作的内侧髌股韧带修补或重建可以减少复发,改进膝关节评分。在实验研究中,内侧髌股韧带重建比胫骨结节移位能更好地重塑髌股活动轨迹。此外,长期随访的研究显示 Roux-Elmslie-Trillat 技术治疗髌骨脱位或半脱位在 26 年随访后仍能取得很好的疗效。

当选择手术治疗髌骨不稳时,大多数学者建议进行适度的近端软组织重排。复杂的手术例如 Insall 等描述的广泛的切开重建已经被摒弃,通过微创直接解剖修复内侧支持带和髌股内侧韧带的方法现已成为更好的修复方法。关节镜下辅助重建髌股内侧韧带是最常用的技术。

合并发育畸形的慢性非创伤性髌骨不稳病例,如果 Q 角不超过 20°,并且内侧髌股韧带完整,可以选用近端的内侧支持带皱缩合并挛缩的外侧支持带松解对于骨骼未发育成熟的患者,不论其发育不良的严重程度,均建议采用软组织手术而不是骨性手术以避免损害生长板。对于症状轻的患者,可采用内侧支持带紧缩。严重病例或紧缩失败者,可采用内侧髌股韧带重建。在内侧髌股韧带松弛伴有严重复发性不稳的病例中可考虑重建内侧髌股韧带。

通过术前查体、MRI、关节镜检,综合判断内侧髌股韧带损伤部位。根据损伤部位不同决定重建方式。内侧髌股韧带损伤处在髌骨内侧止点的，取髌骨内侧旁纵行切口 2～3 cm，将缝合锚钉植入髌骨内上 1/2 处，以缝线缝合固定内侧髌骨韧带断端；内侧髌股韧带损伤位于股骨止点处，取内收肌结节处纵行切口，将缝合锚钉植入股骨内收肌结节，缝合固定韧带断端；如内侧髌股韧带损伤位于韧带中段的，取自内收肌结节至髌骨中点的横形切口，于胫骨内上方分离股薄肌腱并取材，将股薄肌腱折叠两股编织后，两端以缝合锚钉或挤压螺钉固定于内收肌结节和髌骨内侧。在韧带断端缝合最终固定前，缝线预打结，自膝前髌上外侧入口再次关节镜下观察髌骨轨迹和膝屈伸中髌股关节的动态匹配关系，根据情况调整缝合的张力，避免重建韧带的张力不足或张力过度，确认髌骨轨迹和髌股关节动态匹配恢复满意后，最后完成打结充分固定。

外侧支持带及股外侧肌松解可以减少复发率，提高膝关节功能。但单纯外侧支持带松解疗效不确切，不稳的复发率较高。单纯的外侧松解并不能纠正内侧支持带的解剖异常，大多数学者认为这不是治疗真正的髌骨不稳或排列不齐（半脱位）的有效方法。

在内侧髌股韧带修复的同时，是否进行髌骨外侧支持带松解仍存在争议。许多学者在内侧修复时常规进行外侧支持带松解，而有些学者认为附加外侧支持带松解并无优势，或根据外侧支持带松紧而行的个体化选择。笔者的意见是根据术中的外侧支持带的松紧程度决定是否进行外出支持带松解。如果外侧支持带紧张，可考虑松解手术。对于髌骨内侧推移试验明显阳性、髌骨外侧支持带紧张的，进行关节镜下外侧支持带松解术。

开放性髌骨重排术包括近端重排列和远端重排列术。对伴有严重的排列紊乱，复发性不稳，*Q* 角过大，或先前行近端软组织重排失败的患者需要进行远端骨性重排手术。近端重排列手术纠正髌骨侧方移位，如外侧支持带的松解、内侧支持带的紧缩、内侧髌股韧带的修复重建和股四头肌内侧头的加强术等；远端重排列可以纠正髌骨在三维空间的异常对位，有髌韧带内移、胫骨结节前内移、髌韧带紧缩术等。上述手术方式可以通过改变力线，减少髌骨的移位趋势达到治疗的目的。髌骨重排列术多是根据纠正 *Q* 角的异常而设计的；但应注意的是，*Q* 角是正常存在的解剖特征，应避免 *Q* 角的矫枉过正，造成髌股关节运动轨迹的异常，导致手术失败。

术后康复十分重要。术后治疗包括完全伸直位支具固定 1 周，随后物理治疗 2～3 个月。1 周后支具解锁使患者开始一定范围内的活动训练，但支具继续应用 3～4 周直到股四头肌肌力恢复。患者在 4 周内不允许屈曲超过 90°，但可以在支具的保护下短暂的完全负重。

髌股关节疼痛的治疗仍然以物理治疗为主，各种物理治疗的综合方案如 McConnell 方案等能较好地缓解疼痛。这些治疗方案强调稳定髌骨活动轨迹，增强动态稳定性，不仅对膝关节进行康复，同时还需要对髋关节肌力进行增强。近年有医师主张谨慎的手术治疗，手术治疗包括软骨病灶清理、髌骨软骨面微骨折，再加髌骨远端或近端的重排列术。研究证实，通过髌骨远端或近端的重排列术如胫骨结节抬高术，可以使髌股习惯性接触区病灶得到旷置，避开了对原有病灶的挤压，起到局部减压作用，有效缓解疼痛。

44.2 肩关节

肩关节是近年来运动医学中发展最迅猛的领域。新的理念、手术设备、固定锚钉和手术技巧的提高促进了关节镜下手术的推广。

44.2.1 肩袖

肩袖损伤的诊断主要依靠病史、正规的体检，X 线、超声波或 MRI、关节造影等可以为诊断提供依据，关节镜检查可以作为确诊的依据。目前，临床术前诊断正确率已经达到 90%～95%。不同的损伤类型有不同的治疗方法和预后。

由于肩袖损伤治疗技术难度较大和疗效不确切，国际上一直有两种不同观点，保守治疗或手术治疗。最近的文献研究已开始明显支持采用积极的手术治疗。已经报道的结果一致显示，手术患者的疼痛缓解率达到 85%～95%以上，肌肉力量恢复程度更高。而非手术治疗组的疼痛缓解率仅在 50%左右，长期随访肌力没有恢复，甚至降低。

越来越多的研究证明手术治疗在肩袖损伤的治疗中占有重要地位。手术的目的包括修补撕裂的肩袖重建力偶平衡，清除不稳定的撕裂缘，扩大间隙去除撞击因素等。肩袖损伤后应尽早进行修补手术，研究显示在肩袖损伤后 12 周即可出现肩袖肌肉容量减小，脂肪变性以及肌肉僵硬，这些病理改变将增加手术难度。肩袖修补是目前较为成熟的肩关节镜下手术之一。

肩峰下间隙的狭窄导致的肩峰下撞击症，与肩袖损伤的密切关系，早已得到普遍重视。因此肩峰成形减压已经成为肩袖损伤正规化手术治疗的一部分。然而 Lee 等认为肩袖损伤是退变性疾病，不一定继发于撞击。Goldberg 等对 27 例全厚肩袖损伤者，在行修补术同时未做肩峰成形术，术后随访疗效满意。

近来喙突下间隙狭窄导致的喙突下撞击症(subcoracoid impingement)逐渐引起人们的关注，喙突下撞击的存在可能成为肩袖损伤患者疼痛的病理机制，未经处理者可以导致肩袖手术的失败。据报道在肩袖损伤的患者中，CT 检查发现有约 26%存在喙突下间隙的狭窄。Suenaga 等报道 216 例肩袖修补术中有 11 例(5.1%)因并发喙突下撞击而致手术失败。因此术前详细的体格检查，结合影像学资料，术中镜下观察，充分评估是否存在喙突下撞击，有无必要进行喙突后外侧成形，对提高手术的成功率至关重要。

并非所有的肩袖撕裂都必须修补，也不是所有的修补术都必须将裂口完全修复。因此掌握力偶平衡原则成为正确设计手术方案的前提。

对于部分厚度损伤，过去多采用肩峰成形和损伤肩袖清理术。但越来越多的学者认为应该对部分厚度损伤的情况进行充分评估，预测损伤是否会进一步发展。>50%厚度的损伤应该修补，有研究证明滑囊面损伤较关节面预后差，需手术修补。

对于有功能的损伤肩袖，年龄>60 岁，肩关节功能要求不高的患者，在保守治疗无效的情况下，行局部病灶清理术，清除不稳定的撕裂缘，并结合间歇减压术，可以获得缓解疼痛的满意疗效。

肩袖损伤修补术有开放手术、微切口、关节镜辅助下微切口和全关节镜下修补等多种方式。对于术式的选择除满足微创化的趋势以外，还应根据医生的技术优势和具体的损伤情况来决定。

开放性肩袖修补曾经作为外科治疗的标准。开放性肩袖修补平均有 87%的疼痛缓解率。现代肩袖修复技术，包括微切口和全关节镜修复，其疼痛缓解率在 80%～92%。

一些研究已经测量了手术修复后肩关节的肌力改变，使用 Cybex 机器，对肩袖手术患者的术前、术后 6 个月和 12 个月的肌肉力量进行测定，发现修补术后外展、外旋和前屈肌力明显增加。Rokito 等对 42 例肩袖修补术后患者，每隔 3 个月测量等动肌力，注意到小到中撕裂，到一年左右，肌力基本恢复，而大撕裂，肌力恢复慢，且难以预测。一年以后的肌力恢复如何取决于原始撕裂的大小。

有关撕裂大小对手术修补效果的影响，已经有一些报道。研究表明撕裂口大小直接与关节主动活动度有关，如外展和上举，同时也与屈曲、外展和外旋的力量有关。与大或巨大撕裂相比，中小(<3 cm)撕裂手术后结果明显好。因此在进行肩袖修补之前记录撕裂口大小，对最终的预后评定有重要价值。对开放和微切口肩袖修补术来说，可直接用尺测量裂口大小。关节镜下测量肩袖撕裂尺寸有一定困难，可以使用有刻度的探针，从后方入口测量前后径，从外侧入口测量内外径。撕裂大小也可以通过观察肩袖裂口边缘的位置来进行估测，如果撕裂缘在关节面软骨边缘的外侧，这是一小撕裂，通常直径<1 cm。如果裂口缘已经暴露了肱骨头，但没有扩展到关节盂，是中型撕裂(>1 cm 到<3 cm 之间)；如果撕裂扩展到关节盂，为大撕裂(3～5 cm)；如果裂口回缩到关节盂内侧，为巨大撕裂(>5 cm)。

部分巨大撕裂肩袖，撕裂缘回缩，术中难以完全修补。有很多方法尝试进行局部裂口的闭合，如自体或异体筋膜组织、小圆肌或冈下肌肌腱转位(transposition)等。Burkart 等认为满足肩袖力偶平衡是治疗的根本目的，因此部分修复巨大撕裂，使其变为有功能的损伤肩袖，在理论上可行的，并且也通过实践证明获得满意疗效。

无论哪种手术，将撕裂的肩袖稳固的缝合至解剖位足印区是最重要的。不断有新的缝合技术用来达到这一目的。双排缝合被认为可以增加肩袖残端与足印区的接触面积，MRI 显示术后 3 年结构完整性更好，但临床疗效没有显著性差异。体外实验显示关节镜下使用双缝线铆钉比开放骨道修补提供更稳定的初始固定。双锚钉的褥式缝合技术也可以分散应力和提供更多的固定点，增加腱-足印之间的接触面积和压力，有利于腱骨愈合。

如何更简单的在镜下打结方式与技术是避免术后肩袖再撕裂的关键。

虽然对于肩袖损伤的研究广泛而深入，但仍然有很多新的问题在临床实践中被发现，也不断有新的理论的被提出，结合生物力学、组织工程促进腱骨愈合、关节镜外科的研究成果，将进一步提高肩袖损伤的疗效。

44.2.2 肩关节

目前,肩关节不稳的分类主要采用 Masten 分类法,它是根据肩关节不稳的发病机制和相应的治疗方式,将肩关节不稳分为两型。①TUBS 型:指的是有明确肩部外伤史(trauma),单侧(unilateral)不稳定,合并 Bankart 损伤,需手术治疗。②AMBRI 型:无明显创伤史(atraumatic),多向(multidirectional)不稳定,好发于双侧(bilateral)肩关节,增强肩袖肌群力量的一系列康复(rehabilitation)治疗效果明显,将松弛关节囊前下部上移重叠缝合(implication)的手术方法有一定疗效。这种分类方法简单,医生可以根据分类制订出相应的治疗方案。

关节镜手术主要用于治疗创伤性关节不稳和有症状的非创伤性多向不稳。关节镜下手术禁忌证主要包括严重的骨缺损导致"倒梨形"肩盂,啮合性 Hill-Sachs 损伤,严重而难修复的关节囊撕裂或破裂等。因而对于肩关节不稳的关节镜手术治疗,应该在结合病史、症状、体征、影像学证据的术前评估基础上,在关节镜下进一步细致观察评估,从而决定手术方式并判断预后。

关节镜下评估很重要,首先对盂肱关节进行全面的评估,重点观察肩关节前下盂唇、上盂唇、后下盂唇和肩胛盂的连续性。在创伤性前方不稳中,可从前上外入路更清晰地评估前方盂唇的完整性,判断盂唇损伤的类型,特别需要警惕 ALPSA 损伤,以利于盂唇修复的完整性。在多向不稳中,重点是不要遗漏后下盂唇的 Kim 损伤。

在创伤性不稳中,当未能发现 Bankart 损伤时,应设法观察盂肱韧带的肱骨止点,判断是否存在 HAGL 损伤而导致不稳。

创伤性肩关节不稳中,还应通过前上外入路评估肩胛盂形态,通过标记刻度的探针测量肩盂前方的缺损程度。如肩胛盂下缘骨折缺损大于 25%,则肩盂呈"倒梨形",关节镜下盂唇修补手术疗效欠佳。

关节镜下关节囊缝合时,如果发现盂肱韧带自肱骨止点撕脱的 HAGL 损伤,可以将锚钉植入肱骨的关节囊止点,再缝合关节囊。然而此技术难度较大,也可以进行开放修复。

对于肩袖间隙明显增大,体检有典型 Sulcus 征的患者,可以考虑行肩袖间隙闭合术。必要时进行前方关节囊纵向的重叠缝合。多向不稳病例,应以缝线修补闭合后方入路。

关节囊热挛缩术(关节镜下关节囊射频挛缩技术)是随着近年来射频设备开发而出现的一种新的治疗手段,通过射频头进行横向、纵向的关节囊热挛缩,以达到降低关节容积的目的。理论上对于治疗肩关节不稳定有一定疗效,然而较多临床医生认为关节囊热挛缩术治疗肩关节不稳效果并不理想。

关节镜下肩关节不稳定重建的疗效已经得到很大的改善。关节镜下盂唇缝合可以减少住院时间,费用更低,肩胛下肌损伤更少,术后疼痛更少,活动度丧失更少。即使在高运动量或对抗性运动员中也可以取得和开放重建类似的效果。越来越多的肩关节不稳定手术将通过关节镜来完成。但相对于创伤性肩关节不稳定来说,过度使用导致的肩关节不稳定关节镜疗效可能较差。此外,多向不稳仍以开放手术为宜。

44.2.3 肩锁关节

一直以来锁骨远端切除被用以治疗严重的肩锁关节疼痛。研究显示关节镜下远端锁骨切除可以获得比开放手术更好的疗效。而另一项研究显示经过 6 年随访,切除肩峰内缘骨赘和部分切除肩锁关节软骨并不增加肩锁关节不稳定,而且可以获得和开放或关节镜下锁骨切除相似的疗效。相对于锁骨远端切除而言,这种手术方式创伤更小,具有更大的优势。

44.2.4 肱二头肌长头腱

对于顽固性肱二头肌腱病的患者,可以用手术治疗。对于年老或活动要求不高的患者,可以在关节镜下行肱二头肌长头腱切除术,对于要求高的患者,需要行腱固定术。

腱固定术是常用的治疗肱二头肌长头腱撕裂、脱位或严重腱病的手术,采用关节镜下进行腱固定术的临床疗效比较理想。在腱固定术中采用缝线锚钉、悬吊装置或挤压螺钉对疗效并没有明显影响。腱固定的远期临床效果是比较理想的。

44.3 髋关节

在所有与运动相关的损伤中,累及髋部的约占 2.5%,而在青少年运动员中这个数字增至 5%～

9%。年轻和中年患者髋痛的诊断仍是一项挑战。近10年来，随着影像学技术和关节内病变治疗技术的进步，髋痛可以得到更加明确的诊断和更有效的治疗。近来在髋关节病变的确切诊断和治疗方面取得了很大的进展，在关节镜下治疗髋关节内和关节外病变的范围不断扩展。髋关节镜手术是今后几年运动医学领域中的热点。髋关节镜技术的发展使手术医师可以微创的方式进入髋关节中，发现并处理以往所没有认识到的疾病，如盂唇损伤、股髋撞击症等。

盂唇损伤是最常见的髋关节疼痛原因，在接受关节镜手术的髋关节内弹响的患者中，80%为髋臼盂唇撕裂所致。髋臼盂唇的撕裂改变了关节的生物力学特性。运动员在运动过程中应力作用于撕裂的盂唇部位往往会引起疼痛。盂唇损伤的患者通常会有机械性症状，如卡阻、弹响或交锁。运动员可能会有微妙的发现，包括经休息后仍不缓解的钝性的、活动引发的局部疼痛。报道最多的创伤性盂唇撕裂的原因是过伸和外旋的髋关节受到向外的应力。然而，其特殊的激发因素往往并不明确。按腹股沟拉伤、肌肉劳损或髋部挫伤保守治疗无效后患者才会寻求进一步的评估。

盂唇损伤的机制可以是创伤性和急性的，也可以是慢性和退行性的。髋关节撞击的慢性负荷作用于前上部盂唇并导致髋臼相应部位的盂唇退行性损伤。区域不同盂唇损伤的部位也不同。在亚洲人群中，撕裂更多见于后部，而且与过度屈曲和蹲有关。70%以上的患者可以通过髋关节镜下盂唇成形获得良好的疗效。但盂唇切除可能导致髋关节稳定性下降。目前，研究者已经开始进行关节镜下盂唇修补来减少这种不稳，提高手术疗效。

股骨髋臼撞击症是相对较新的诊断，髋关节镜微创技术使我们认识到髋痛的另一种常见病症——“股髋撞击症”，也有人称为“髋关节撞击症”。股髋撞击是一种股骨颈的结构异常，会导致慢性髋痛和继发性髋臼盂唇退行性撕裂。股骨颈与盂唇之间反复撞击造成的细微损伤会引起盂唇前上1/4的退行性损伤。撞击常常发生于关节活动范围的极端。这种机械性撞击来源于股骨颈的“手枪把”畸形或髋臼后倾。

“股髋撞击症”的发生，除了一部分为先天性解剖异常外，大多数患者还伴有急性和慢性关节损伤史。类似损伤在足球、滑冰、滑雪、舞蹈、体操、瑜伽、健身搁腿、盘腿久坐、健身房劈叉拉韧带等运动项目中都经常见到。临床症状主要表现为髋部疼痛，在变换髋部姿势时有弹响声，或者关节突然卡住的感觉。患侧髋部力量下降，急速奔跑或单腿支撑困难。严重的患者甚至不能侧卧。由于“股髋撞击症”在骨科运动医学界还是个比较新颖的名词，在髋关节镜未开展前，大部分医生对此病缺乏认识和相关经验，难以明确诊断，因而误诊误治情况非常多见，最容易被误诊为“股骨头坏死”、“滑膜炎”、“坐骨神经痛”、“腰椎间盘突出”等。

当患者髋关节处于屈曲位时，内旋和内收都会减小，而且往往伴有疼痛。如果髋关节软骨盂唇损伤或破碎，则关节会引起“交锁”和“弹响”，长期的股髋撞击会导致髋关节“退化”和“骨关节炎”，后期需要进行“髋关节置换”。因此，“股髋撞击症”应得到及时诊治。

髋关节镜外科的进步，不但有助于“股髋撞击症”的诊断，更使其治疗迎刃而解。通过去除引起撞击的骨赘，修补损伤盂唇，促进损伤关节软骨修复等手术步骤。手术创伤小，术后患者恢复快，可早期扶拐下地行走，一般不影响生活自理。因为没有损伤相关结构，很少残留后遗症。

除了上述“股髋撞击症”，关节镜也可以处理其他髋关节内疾病，如关节内的“游离体”、“圆韧带损伤”、“关节软骨损伤”，甚至可以用于早中期股骨头坏死的治疗，通过关节镜下判断股骨头的形态、关节软骨的质量，能够充分评估病情和判断预后，施行关节镜下股骨头钻孔减压，也是治疗早期股骨头坏死的一种有效手段。

髋关节不稳远比肩关节不稳少见，但是会引起显著的功能障碍。在活动范围的极端，特别是屈曲时，稳定性主要由盂唇提供。盂唇撕裂或缺损时，大部分应力通过关节囊传导。

创伤性髋关节脱位可引起关节囊的增厚和临床上的髋关节松弛。

在髋关节反复旋转并轴向负荷的运动中可能出现髋关节不稳，如高尔夫、花样滑冰、足球、体操、芭蕾舞和棒球。运动员常见的损伤形式是盂唇退变伴有细微的髋关节旋转不稳。盂唇清理和关节囊热挛缩已经能够成功地治疗这类损伤。

类风湿关节炎也是一种会累及髋关节的常见的炎症性关节疾病。关节镜下滑膜切除术已经作为一种治疗手段，目的是改善症状和延缓病程的发展。

44.4 踝关节

慢性踝关节不稳分为功能性不稳和机械性不稳。功能性不稳是患者主观不敢用力造成的“打软腿”。为避免与踝关节假性不稳混淆，功能性不稳可以理解为真性动态不稳。

动态不稳的定义是指踝关节动态稳定结构的薄弱，正常负重下，在稳定韧带限制的范围内，踝关节发生半脱位。这可能是由原发性的神经肌肉或者腱的问题引起的，或者是由于下肢对线不良导致动态稳定结构相对薄弱。动态不稳很难在临床设施上得到证明，主要是排他性的诊断，即排除假性不稳和器质性韧带松弛。

器质性不稳以前被定义为踝关节具有客观证明的高活动度，可以在应力位X线片上得到证实。现在可以更准确地认为是真性静态不稳或者踝关节静态韧带稳定结构的薄弱。目前，如同膝关节交叉韧带损伤和肩关节盂肱不稳一样，静态踝关节不稳也是靠临床检查得出的。

踝关节扭伤是最常见的运动损伤，首次损伤后必须进行正规的康复治疗来防止慢性踝关节不稳定的形成，踝关节周围肌力训练和本体平衡感觉的训练是康复方案的关键。研究显示，平衡感训练可以减少50%的再扭伤率。

慢性踝关节不稳需要进行手术来重建外侧稳定性。Brostrom外侧踝关节重建术仍是标准手术方式，但更多的人开始使用自体或异体移植物来重建距腓前韧带。

大量的不同手术方式被用于外侧不稳的治疗，据文献报道超过80种。这些手术方式大致被分为非解剖重建、解剖重建以及加强术式。我们很难说哪种重建的方式最好，但我们要学会选择最合适的。

典型的非解剖重建包括通过全部或部分腓骨短肌腱进行肌腱固定术，在踝关节外侧面创建一个“勒马缰绳”，3种最常见的手术有Watson-Jones术式、Evans术式和Chrisman-Snook术式。这3种术式的多项生物力学研究显示，在产生不同程度的稳定性和减少活动范围的同时，会导致踝关节和距下关节运动学发生变化。长期的跟踪报道证明，与解剖重建相比，这3种手术会增加主观不稳复发率、前抽屉试验客观的松弛、X线显示退行性变等的发生率。结果，这3种术式现在已经被淘汰，取而代之的是比较可行的解剖重建。

解剖重建被分为直接修复[前距腓韧带(ATEL)和跟腓韧带(CFL)的紧缩术]及韧带解剖重建(用肌腱加强ATFL和CFL)。原则上，我们应当选用最简单、解剖上差异最小、能达到手术目的的手术方式。直接修复早期的强度依靠缝线，而晚期的强度依靠足够的软组织愈合，这导致一些特殊的情况下不宜使用直接修复。特别是术后早期或晚期受到高于平均的应力的特殊情况。比如，希望早期重返运动(如职业运动员)，要求立即进行康复，有潜在的受到过度的应力的因素。相对而言，体型较大或肥胖的患者，具有高度内翻危险的精英运动员，还有存在神经和腓骨肌肉损伤的患者，他们经过成功的修复之后，后期可能承受过度应力。对于这些患者，我们推荐使用高强度的组织和坚强的骨的固定来进行韧带重建。

踝关节外侧韧带的直接修复由Brostrom在1966年描述。手术包括找出拉伸的ATFL和CFL，在中部切断，紧缩，然后在中间直接修复。1980年，Gould等发明了改良的Brostrom手术，他加强了直接修复，主要是松解伸肌支持带外侧面的近端，将之固定在腓骨的前面，覆盖在Brostrom手术的上面。这个就是著名的Brostrom-Gould术式，是直接修复最常用的术式。

还有其他的改良Brostrom术式。附加的加强组织的方法主要是解决外侧修复组织不足的问题。作为加强的替代方法。Brostrom-Gould外侧韧带直接修复：①切断ATFL和CFL，缩短，以及直接缝合。②下屈肌支持带的外侧部分被拉到修复好的ATFL的上面，缝合到腓骨前面的骨膜上。

44.5 肘关节

肘关节镜的应用范围在逐步扩大，关节镜下肘关节滑膜清扫或肘关节粘连松解可以减少术后关节僵硬的可能，并且可以具有和开放手术相当的长期疗效。

对于顽固性的网球肘而言，可以采用关节镜下清理桡侧伸腕短肌腱病变组织并松解其止点，同时治疗并发的关节内病变。而另一项研究显示在清理桡侧伸腕短肌腱病变组织后，将其以锚钉重新固定在外侧髁上可以获得更好的疗效。

44.6 腕关节

对于腕关节疾病的认识也在不断的发展。研究显示腕关节桡背侧不明原因疼痛往往存在舟月骨间韧带损伤，关节镜下清理可以获得良好的疗效。

三角纤维软骨损伤是腕关节中最常见的损伤之一，采用关节镜下清理可以取得良好的疗效。但越来越多的医师倾向于进行三角纤维软骨缝合。

44.7 腱病

随着军事训练和体育运动强度加大，发生在肌肉肌腱附着于骨或软骨止点处的疼痛性疾病日益增多，这是肌肉肌腱过度使用，反复强烈牵拉引起的肌腱胶原纤维的退行性病变，英文为 tendinosis 或 tendinopathy，中文译成“腱病”。这类疾病不仅在竞技运动员中经常发生，并且在军训士兵、娱乐体育和手工劳动的人群中也有较高发病率，并且极难治愈。常见发病部位有肱骨外髁、肱骨内髁、肩袖、跟腱、髌骨上下止点等。主要表现为局部疼痛、压痛、腱增粗或质地变硬，运动疼痛和功能障碍。X 线表现为腱或腱止点处增粗或钙化。

首先必须与传统概念中的肌腱炎（tendinitis）和腱围炎（paratendinitis）相鉴别。以往诊断为跟腱炎、髌腱炎、肩周炎、肱骨外上髁炎等的肌腱疾病，事实上大部分并非单一的炎症，而合并有胶原组织的变性，应当改称为“腱病”。越来越多的迹象表明，用治疗肌腱炎的方法治疗腱病常常无效。

根据对外科肌腱病理标本的观察，无论在跟腱、髌腱、肩袖，还是在肱骨内外上髁，肉眼病理结果相当一致，“腱病”标本外观呈灰暗、微棕黄色变性、腱实质生鱼肉样变性、变软或硬化。而正常腱组织呈白色、有光泽、坚实有弹性。光镜下：腱病的胶原连续性中断，胶原结构松散，出现玻璃样变，潮标上移或钙化。偏光显微镜下正常胶原呈黄色反光，病变胶原变成绿色无光泽，结构无序。病变组织中腱基质、血管和细胞成分增加，而这些细胞主要来源于成纤维细胞和成肌纤维细胞，没有炎症细胞。

腱病一直以来是运动医学研究的热点之一。尽管其确切的发病机制尚未明确，但近年来基于循证医学发展，各种保守治疗可以较好地改善腱病的疼痛症状，其中以冲击波治疗和离心性肌肉训练疗效最佳。此外，研究显示一些药物的局部应用也可以减轻腱病的症状。只有对于正规保守治疗无效的患者，才建议采用手术清理病变的腱组织。今后的研究将着眼于进一步深入研究腱病的发病机制以及发展疗效更好的保守治疗方法。

（陈世益）

参考文献

[1] Chhabra A, Kline AJ, Harner CD. Single-bundle versus double－bundle posterior cruciate ligament reconstruction: scientific rationale and surgical technique. Instr Course Lect, 2006, 55:497～507.

[2] Cook JL, Fox DB, Malaviya P, et al. Long-term outcome for large meniscal defects treated with small intestinal submucosa in a dog model. Am J Sports Med, 2006, 34:32～42.

[3] Giannoni P, Cancedda R. Articular chondrocyte culturing for cell-based cartilage repair: needs and perspectives. Cells Tissues Organs, 2006, 184(1):1～15.

[4] Jerosch J, Schunck J. Arthroscopic treatment of lateral epicondylitis: Indication, technique and early results. Knee Surg Sports Traumatol Arthrosc, 2006, 14(4):379～382.

[5] Kaeding CC, Pedroza AD, Powers BC. Surgical treatment of chronic patellar tendinosis: a systematic review. Clin Orthop Relat Res, 2007, 455:102～106.

[6] Kim SH, Yoo JC. Arthroscopic biceps tenodesis using interference screw: end-tunnel technique. Arthroscopy, 2005, 21(11):1405～1409.

[7] Kocabey Y, Taser O, Nyland J, et al. Pullout strength of meniscal repair after cyclic loading: comparison of vertical, horizontal, and oblique suture techniques. Knee Surg Sports Traumatol Arthrosc, 2006, 14(10):998～1003.

[8] Lozano J, Ma CB, Cannon WD. All-inside meniscus repair: a systematic review. Clin Orthop Relat Res, 2007, 455:134～141.

[9] Majewski M, Stoll R, Widmer H, et al. Midterm and longterm results after arthroscopic suture repair of isolated, longitudinal, vertical meniscal tears in stable knees. Am J Sports Med, 2006, 34:1072～1076.

[10] Markolf KL, Feeley BT, Jackson SR, et al. Biomechanical studies of double-bundle posterior cruciate ligament reconstructions. J Bone Joint Surg Am, 2006, 88:1788～1794.

[11] Mazzocca AD, Arciero RA, Bicos J. Evaluation and

treatment of acromioclavicular joint injuries. Am J Sports Med, 2007, 35(2):316～329.

[12] Millett PJ, Mazzocca A, Guanche CA. Mattress double anchor footprint repair: a novel, arthroscopic rotator cuff repair technique. Arthroscopy. 2004, 20:875～879.

[13] Ostermeier S, Stukenborg-Colsman C, Hurschler C, et al. In vitro investigation of the effect of medial patellofemoral ligament reconstruction and medial tibial tuberosity transfer on lateral patellar stability. Arthroscopy, 2006, 22:308～319.

[14] O'Connor DP, Laughlin MS, Woods GW. Factors related to additional knee injuries after anterior cruciate ligament injury. Arthroscopy, 2005, 21:431～438.

[15] Petrigliano FA, McAllister DR, Wu BM. Tissue engineering for anterior cruciate ligament reconstruction: a review of current strategies. Arthroscopy, 2006, 22(4):441～451.

[16] Quinby JS, Golish SR, Hart JA, et al. All-inside meniscal repair using a new flexible, tensionable device. Am J Sports Med, 2006, 34:1281～1286.

[17] Safran O, Derwin KA, Powell K, et al. Changes in rotator cuff muscle volume, fat content, and passive mechanics after chronic detachment in a canine model. J Bone Joint Surg Am, 2005, 87:2662～2670.

[18] Salmon LJ, Russell VJ, Refshauge K, et al. Long-term outcome of endoscopic anterior cruciate ligament reconstruction with patellar tendon autograft: minimum 13-year review. Am J Sports Med, 2006, 34:721～732.

[19] Shelbourne KD, Muthukaruppan Y. Subjective results of nonoperatively treated, acute, isolated posterior cruciate ligament injuries. Arthroscopy. 2005, 21:457～461.

[20] Verma NN, Dunn W, Adler RS, et al. All-arthroscopic versus mini-open rotator cuff repair: a retrospective review with minimum 2-year follow-up. Arthroscopy, 2006, 22:587～594.

第十四篇

骨科的康复医学

骨科康复医学概论及原则 45

康复医学作为一门临床学科，其内容广泛，包括运动功能的康复、神经功能康复、语言功能康复、视觉和听觉功能康复、内脏器官功能（如心血管及呼吸功能）康复、作业康复、饮食与营养康复以及针对不同人群的老年人和残疾儿童的康复等等。本章仅简要阐述骨科患者康复医学的一些基本概念及其原则。

45.1　康复医学的基本概念

（1）康复（rehabilitation）的定义

在医学领域，康复即指人体功能的复原，也就是说对各种先天或后天的疾病以及创伤所造成的肢体、内脏及精神上的障碍、受限、残缺，采用以训练为主，辅以必要的教育、心理、辅助支具的应用和环境的改造、适应等综合措施，使患者恢复其正常功能；对无法恢复的功能，则采取必要的补偿办法，尽可能使其具有独立的生活能力，重返社会。

（2）康复医学（rehabilitation medicine）的定义

是应用医学方法为康复服务的专业性学科。作为独立学科，康复医学有其相应的理论基础和功能测评方法。其最终目的在于加速人体伤、病、残后的康复进程，预防或减轻其后遗功能障碍程度。为达此目的，应在病理变化稳定、一般情况许可下，尽早开始康复治疗。对有残缺的患者，重点放在促进发展代偿功能所必需的生理过程。

（3）医疗康复（medical rehabilitation）的定义

属临床医学范畴，即应用临床医学方法改善其功能，或为以后功能康复创造条件。如骨科医师为小儿麻痹后遗症或某些骨关节功能障碍患者施行矫形手术，使患者功能获得改善。并为其以后的功能康复提供条件。

世界卫生组织（WHO）的医疗专家委员会曾就康复进行过专门解释，并不断加以补充和说明。1969年对“康复”的解释限定为综合和协同地将医学、社会、教育及职业措施应用于残疾者，对他（她）们进行训练和再训练。以恢复其功能至最高可能的水平。1981年又将康复定义为：应用所有措施，旨在减轻残疾和残障程度，使他（她）们有可能不受歧视的成为社会的整体。康复的目的不仅要训练残疾人适应环境，而且要他（她）们作为一个整体介入最接近的环境和社会，平等地参与社会活动。因此，残疾者本人、家庭及他（她）们生活的社区都必须包含在康复计划中，以最彻底地落实有关康复的服务。1994年，著名康复专家 Hellendar 在 1981 年 WHO 的医疗康复专家委员会所解释内容的基础上作了补充。即康复应包括所有措施，以减少残疾的影响，使残疾者达到自立，成为社会的整体，有较好的生活质量(quality of life)，能实现其抱负。并指出：康复不仅仅是对残疾人的训练，还应包括社会大系统所采取的各种措施，如对环境的改造及保障残疾者的人权。

总之，从康复总体概念看，它是多措施的综合协同应用，是不可分割的整体。其最终目的是为了减轻残疾人的残疾程度，重返社会，过尽可能接近正常人的生活。

(4) 骨科康复医学

骨科康复医学仅为康复医学学科的一部分。骨科康复医学的主要任务是采取各种措施如肌力训练、物理治疗、应用矫形器或假肢等，帮助患者残疾肢体运动功能的康复。骨科康复医学的最终目的是尽最大可能，使残疾患者达到或接近正常人生活，并能融入社会。

45.2 康复医学的发生、发展及现状

在我国，康复医学的思想和方法早有记载，1797 年 Amiot 的《中国科学史》中提到，公元前 1 000 多年就有《功夫》一书，其内容主要为姿势治疗和呼吸练习，该书被译为 *Kong-fou*，有的学者主张译为《康复》；汉代张仲景《金匮要略》一书提出“导引吐纳，针灸膏摩”等方法防治疾病；张衡的《温泉赋》中也提到用温泉治病；汉末名医华佗则模仿动物的动态，编成“五禽戏”用以治疗疾病，健身延年。到了隋、唐、清时期，康复医学有了发展，不仅康复治疗方法更加丰富，而且还有对各类病症的具体康复治疗记载，其中最具代表性的为隋代巢元方编纂的《诸病源候论》，书中对各种疾病如痹症、风痹手足不遂等的“养生方引导法”，并指出了康复治疗的适应证和禁忌证，该书可视为中国第 1 部康复医学专著。随后，李时珍的《本草纲目》等书中均有不少关于康复医学的内容。

在西方，运动疗法源于希腊，古希腊的神庙中就有运动疗法的壁画。但最早有关康复概念和运动疗法描述的著作出自公元前 5 世纪 Herodicus 和他的学生 Hippocrates，他们认为，应用自然因子如日光、海水、矿泉等有镇静、止痛、消炎等作用；运动可以增强肌力，促进体质，恢复和改善精神，并能推迟衰老。公元 2 世纪后，Caelus Aurelianus 首次提出瘫痪患者使用滑轮悬挂肢体进行康复治疗，并提倡创伤后早期运动，以加速创伤愈合。1780 年，Tissot 敦促骨科医师用运动促进伤后关节、肌肉功能的恢复，并分析了工艺操作的动作，使作业治疗有了进一步发展。19 世纪，瑞典的 Ling 使运动治疗系统化，采用肌力抗阻练习，并对运动负荷、重复次数进行了定量。Zander 在此基础上发展了一系列用杠杆、滑轮及重锤摆动的器械等康复治疗措施。19 世纪 40 年代，直流电和感应电开始用于治疗，并有离子透入疗法。1891 年，俄国的 Minlin 开始使用白炽灯治疗。1892 年 Dasonval 创用高频电疗。1896 年，丹麦的 Finsen 使用炭棒弧光灯，促进了光疗的开展。

到了 20 世纪，随着社会、经济的发展，康复医学也有了很大发展，特别是基础医学研究的不断深入，为康复医学的开展创造了条件。20 世纪 50 年代，由于 Rusk 等人的努力，使康复医学开始成为一门独立的学科。康复(rehabilitation)一词是西班牙学者 Torro 于 1864 年在他的著作中首先提出。1917 年，美国陆军建立“身体功能恢复和康复部”，1921 年 Law 医师第 1 次在学术会议上提出“战争受害者的康复问题”。1947 年，美国成立物理医学和康复学会，从此，康复作为专业医学名词开始使用。而在英国，著名骨科专家 Robert Jones 在第一次世界大战期间开设了康复车间，帮助伤兵进行职业训练。第二次世界大战时，Watson Jones 在英国空军设立康复中心，经过治疗，77% 的伤员重新回到战斗岗位。Leithauser 于1938 年大力提倡手术后早期起床活动，被认为是 20 世纪医学实践中重大变革之一。

20 世纪中叶，随着康复中心的大量建立，康复医学已自成体系，其间，包括医学工程、心理及语言治疗也都纷纷加入到康复医学的行列。1970 年，国际康复医学学会(IRMA)的成立，标志着康复医学学科已经进一步完善和成熟。在我国，康复医学的发展相对滞后，但 20 世纪 80 年代后，由于政府的重视，康复医学发展迅速，各地相继成立了许多康复医学中心，建立了社区康复设施，康复医学活动及研究正在逐步加强，学术气氛日益浓厚。

45.3 我国康复医学的未来

随着社会的进步、人们生活的改善及医疗卫生事业的发展，更重要的是政府对残疾事业的重视，康

复医学的未来有着美好的发展前景。①社会的需求:随着人们的生活水平、生活条件的逐步改善,人的平均寿命延长,随之而来的人口老龄化、老年病的比例也在同步增长,与此同时,人们已不再仅仅满足于对基本生活的需求,对物质文化生活的要求也在不断提高,因此,患者的就医要求不仅仅是满足于单纯的治病,而是希望其功能得到满意的恢复,这就为康复医学的发展创造了社会基础。②学科的发展:1983 年,在我国卫生部的领导下,将各种康复疗法汇总形成综合的康复医学科,成立了"中国康复医学研究会",1988 年更名为"中国康复医学会",各地也相应成立了分会并开展学术活动、培养学术队伍、建立康复基地。此后,各地医疗卫生单位陆续建立各种形式的康复医疗机构,并开展康复治疗工作。近几年来,各地社区康复也在陆续组建之中。③政府的重视:中国政府对残疾人事业十分重视,卫生部、民政部、中国残疾人联合会及中国残疾人福利基金会都相应支持着各自的康复事业。1984 年,卫生部要求各地高等院校开设康复医学课程。民政部以关心残疾人生活,帮助解决他们的工作、家庭等问题,为残疾人服务,如建立为数众多的假肢厂、伤残学校、盲聋学校、儿童及老人福利院等。并于 1987 成立民政系统康复学会。1988 年成立的中国残疾人联合会则以帮助残疾人解决医疗问题,如开展截瘫治疗、小儿麻痹后遗症矫治、聋哑儿童早期语言训练等,之后又扩展到社区康复、精神病康复、脑性瘫痪康复、弱智儿童康复等。1990 年,第 7 届全国人民代表大会通过了《中华人民共和国残疾人保障法》,使残疾人的康复、教育、就业、文化生活、福利、环境和法律责任纳入法制轨道,为我国康复事业的发展奠定了坚实的法制基础。④社会对康复事业的关爱:我国残疾人事业蓬勃发展,不仅受到政府的高度重视,也受到社会各界人们的关爱,各种关心关爱残疾人的无障碍设施已深入到社区。近几年,在历届残疾人国际运动会上,中国残疾运动员获得优异成绩;中国残疾人艺术团出访世界各国演出获得高度评价,这其中无不与中国康复事业的发展息息相关。相信,有政府的重视,有社会的关心,又有人们对康复医学的需求,中国康复事业有着美好的发展前景。

45.4 骨科康复

骨科病患的康复属运动系统功能障碍康复范畴。运动系统由两大部分组成,即骨与关节和骨骼肌。与其他器官一样,神经系统对其起着支配、传导和调控作用。对运动系统的康复研究涉及广泛的医学基础,如人体生物力学、人体运动学、运动障碍学、运动生理学、运动病理学、运动生物化学、运动心理学及运动营养学等。

45.4.1 骨科康复的基础

运动生理学、运动病理学及生物力学是运动系统康复的重要理论基础,这对运动系统创伤和疾病的预防、治疗、康复极为重要。在对运动系统的康复训练中,这些基础理论起着重要指导作用。

(1)骨组织的生理特性

骨组织是构成人体及维持人体姿态的框架,其具有一定的强度和刚度。骨干主要承受应力,在外力作用下,如果超过其强度和刚度的承受载荷,即可发生骨折。另外,有些疾病则可破坏骨的强度和刚度,如骨肿瘤或肿瘤样病变、骨髓炎、老年性退变性骨质疏松等。研究表明,适当的应力刺激有助于防止骨质疏松,也可促进骨折愈合。

(2)关节的生理特性

关节是人体产生各种运动的器官。关节运动主要为屈伸、旋转、外展、内收。根据其运动轴心可分为 3 种类型。

1) 单轴关节　包括:①滑车关节,如指间关节、肱尺关节,只能作屈伸运动;②圆柱关节,如近、远端尺桡关节,只能作旋转运动。

2) 双轴关节　包括:①椭圆关节,如桡腕关节可作屈伸、内收、外展及环转运动。②鞍状关节,如拇指腕掌关节,可作屈伸、外展、内收,也能作环转运动。

3) 三轴关节　其活动自由度最大,可作多方向运动。包括:①球窝关节,如肩关节。②杵臼关节,如髋关节。另外有些平面关节,如肩锁关节、腕骨和跗骨间关节,其关节活动度小。关节功能取决于其活动度和稳定性,一般而言,活动度大的其稳定性较差,如上肢;稳定性大的其活动度则较小,这也是人体为了适应其功能的需要。上肢要干活,需要有灵活的关节,而下肢要负重,则需要其较好的稳定性。这对康复治疗有重要指导意义。有些因素可影响关节的活动度和稳定性,如关节囊的松紧度与厚薄;关节韧带的强弱,关节周围肌力的强弱及舒缩度。骨骼和韧带对关节的静态稳定起主要作用,而肌肉拉力则对动态稳定起重要作用。

(3) 骨骼肌的生理特性

大部分骨骼肌其两端分别通过腱膜或肌腱起止于关节近远两侧骨骼上。骨骼肌由多数肌纤维组成,一个运动神经元的轴突末梢分支支配数量不等的肌纤维,当给予运动神经元有效刺激,肌纤维则产生动作电位并同步收缩,从而带动关节的活动。肌肉的收缩形式有等长收缩和等张收缩两种。等长收缩是指当肌肉收缩力与阻力相等时,肌肉长度不变,也不引起关节运动。等张收缩则是指当肌力大于阻力时产生的加速度运动和小于阻力时产生的减速运动。等张收缩可引起明显的关节运动,因此也称为动力收缩。等张收缩按其收缩形式又分为向心收缩和离心收缩。向心收缩即指当肌肉收缩时其起止点相互靠近,而离心收缩则指当肌肉收缩时,其肌力低于阻力,使原先缩短的肌肉被动地延长。了解等长收缩和等张收缩的原理对关节功能的康复训练有着重要指导意义。

在肌肉收缩运动中,肢体的每一动作都需要一组肌群参与协同作用。这种协同作用除神经系统的支配,还由以下几种肌肉特性所决定:①原动肌(agonist),即直接完成动作的肌群。其中起主要作用者称主动肌,协助完成者或仅在动作某一阶段起作用者称副动肌,如在屈肘过程中,肱二头肌、肱肌为主动肌,而肱桡肌、旋前圆肌为副动肌。②拮抗肌(antagonist),即与原动肌相反的肌群,如在屈肘过程中,肱三头肌和肘肌即是肱二头肌和肱肌的拮抗肌。③固定肌(fixator)为充分发挥原动肌在运动中的作用,必须将肌肉相对固定的一端所附着的骨骼或更近的一连串骨骼充分固定,参与这种固定的肌群称固定肌,如上臂贴胸屈肘位作腕关节屈伸负重活动时,参与固定肩、肘关节的肌群即为固定肌。④中和肌(neutralizator)其作用为抵消原动肌收缩时一部分不需要的动作,如扩胸运动时,斜方肌、菱形肌为原动肌,但斜方肌收缩使肩胛骨下角外旋,而菱形肌收缩使肩胛骨下角内旋,两者相互抵消,因而又互为中和肌。在各种运动中,除原动肌外,副动肌、固定肌、中和肌均称为协同肌。

(4) 韧带、肌腱的生理特性

韧带和肌腱均为纤维组织,主要由胶原纤维构成。

1) 韧带　韧带具有黏弹性(viscoelasticity)和塑性延长(plastic elongation)特性。其黏弹性在牵拉载荷的应力作用下具有以下力学特征。①非线性应力-应变关系:当受到拉伸载荷时韧带纤维被拉直,当载荷不断增加时,纤维被延长并不断增加阻抗,这对关节的稳定起保护作用。②应力松弛(stress relaxation):当韧带受载荷牵伸延长时,如其长度维持不变,则张力会因牵伸而逐步下降,称为应力松弛。③蠕变(creep):当载荷达到一定程度并维持之,韧带可以缓慢地继续延长,这种现象称为蠕变。

与弹性延长相比,韧带的塑性延长是指在牵伸载荷去除后,韧带表现为持久的延长,而弹性延长则可回缩。

2) 肌腱　由于血供较差,易变性,从而使其强度下降,在受到急性和慢性损伤时易断裂。

在康复训练时,了解韧带、肌腱的上述特性,对改善关节柔韧性,矫治关节的纤维性强直同样具有重要意义。

45.4.2 骨科残疾患者的功能检查

在对骨科残疾患者的康复治疗前,必须先对其残疾肢体进行检查,并作详细记录,这对治疗前后的疗效评估十分重要。必要时还需进行心血管系统、呼吸系统及全身一般情况的检查,以了解是否能耐受康复治疗。

(1) 肌力检查

包括手法肌力测试、等长肌力测试、等速肌力测试。

1) 手法肌力测试　由 Lovett 于 1916 年首先提出。优点:①无需特殊器械,可随时随地进行。②全身各主要肌肉群均可测试。缺点是评价粗略。

2) 等长肌力测试　适用于 3 级以上肌力,其定量资料较精确。

3) 等速肌力测试　应用等速测试仪,如Cybex、Biodex 等仪器。这些仪器可实时提供测试结果,如肌力、肌肉做功量、肌肉爆发力和耐力等。该测试被认为是肌肉功能评价及肌肉力学特性研究的最佳方法,缺点是只适用于 4 级以上肌力患者。

(2) 关节活动度检查

关节活动度检查比较复杂,如前所述,人体关节有单轴、双轴及三轴关节,活动度不一,如肩关节为三轴关节,检查时应包括前屈、后伸、内收、外展、内旋、外旋。关节活动度检查一般应用通用量角器。也有使用方盘量角器,其使用方便,精确度较高,尤其对腕、踝关节屈伸的测量。

(3) 神经、肌电图检查

神经肌电图检查是用以检查神经、肌细胞在各种功能状态下的生物电活动，属临床电生理学检查方法，对康复治疗前、中、后判断治疗效果均有重要指导意义，尤其对肌萎缩、肌无力及瘫痪患者的康复治疗极为重要。

(4) 步态检查

步态检查是对下肢疾病患者的常见观察、检查方法，各种步态可反映各种不同疾病，如短腿步态，患者往往表现跛行；关节不稳步态，如先天性髋关节脱位，患者表现为鸭步；肌痉挛步态，由于上运动神经元受损，下肢内收肌痉挛，表现为剪刀步；因跟腱挛缩足跟不能着地，表现为马蹄足；臀肌挛缩症，下蹲时双膝、双踝不能并拢，行走时往往表现为跨栏步，等等，这对骨科临床的矫正术和骨科康复治疗均具重要指导意义。

45.5 骨科康复治疗原则

及早进行、循序渐进、因人而异，这是骨科患者康复治疗的基本原则。及早进行指在患者病情许可情况下，及早进行康复治疗；循序渐进指康复治疗不能超之过急，应视病情及进展情况设计适当的治疗方案，逐步改善治疗效果；因人而异指针对每个不同患者制订个性化的康复治疗计划，由于患者病情不一，伤残程度不同，康复治疗不能千篇一律。

45.5.1 骨科四肢伤病患者的术后康复治疗

四肢伤病种类繁多，难以一言概之，在此仅以四肢骨折内固定术后及人工关节置换术后的康复治疗作一概述。

(1) 四肢骨折内固定术后的康复治疗原则

1) 术后早期　康复训练的目的是促进肢体的血液循环，消除肿胀，防止肌萎缩。其主要方法是鼓励患者患肢作肌肉舒缩活动，若内固定坚强，也可作患肢关节的主动活动。

2) 术后中期　肢体肿胀逐步消退，应加强肌肉舒缩力度，并在医护人员指导下或借助康复器(CPM)活动患肢关节，进行功能锻炼，防止关节僵硬。

3) 术后后期　骨折达到临床愈合，应加强关节活动，训练肌力，在自主活动不能达到满意恢复效果时，可到康复科借助康复器训练关节活动度，并可作等长或等张训练，测试肌力。

对于四肢骨折未行内固定手术而采用石膏、夹板、支具或外固定支架制动的患者，制动期间仍应积极鼓励患者作肌肉舒缩训练，以防肌肉萎缩而导致肌无力。

(2) 人工关节置换术后的肢体康复原则

此处人工关节置换术是指人工全髋关节和人工全膝关节置换术，这类手术在术后早期往往关节周围会有渗血及积血，因此，术后 2～3 天内以静卧为主，以免增加出血，但仍应鼓励患者作患肢肌肉舒缩活动，以防肌萎缩，待负压吸引装置去除后，应在医护人员帮助下，或借助 CPM 机作适当的关节活动，防止关节粘连，并有利于肢体肿胀的消退。近年来，不少学者主张让人工关节置换术患者早期离床活动，以促进关节活动度的恢复和全身脏器功能的康复。如前所述，1938 年 Leithauser 大力提倡大手术后早期起床活动，被认为是 20 世纪医学实践中的重大变革之一。

至于人工肩关节和人工肘关节的术后康复训练与下肢不同，下肢的主要功能是负重，而上肢的主要功能为活动，上肢的活动度比下肢大得多，尤其是肩关节，人们在各种作业中需要有一双灵活的上肢。因此，上肢的功能训练主要是关节的活动度及强有力的肌力。

45.5.2 下胸椎及腰椎手术后的康复原则

下段脊柱疾患有两种情况，即不伴有神经损害者和伴有神经损害者。对无神经损害者，术后应积极鼓励患者加强腰背肌锻炼，尤其是做了脊柱内固定或伴有椎体间融合手术者，术后应早期在床上进行腰背肌锻炼，以防肌萎缩、肌无力，这对提高手术疗效十分重要。对有坚强内固定的患者，术后可配戴支具早期离床活动。而对伴有骨折或脱位患者，可适当延长卧床时间，但仍应锻炼腰背肌，上肢应加强活动，防止并发症的发生。对瘫痪患者，除加强护理预防压疮形成外，也应鼓励作上肢主动活动，预防并发症。在适当时候还应鼓励和帮助患者离床，坐上轮椅车，进行户外锻炼，使其能重返社会，切忌长期卧床。

45.6 骨科康复治疗措施

骨科患者康复治疗的主要措施包括运动治疗、物理治疗及支具的应用等。

45.6.1 运动治疗

主要包括肌力训练、关节活动度训练及耐力训练等。①肌力训练可防止废用性肌萎缩。创伤患者由于疼痛而减少活动,或由于治疗所必需的制动而引起肢体肌肉萎缩,从而出现肌无力。因此,及时采取适当肌力训练是防止肌萎缩的最主要也是最有效的方法。肌力训练包括等长训练、等张训练和等速训练,应根据患者不同情况及不同阶段,由康复医师开出不同的训练处方,循序渐进,逐步增加运动速度和强度。②关节活动度训练是防止关节内外粘连、关节周围肌肉及韧带挛缩、恢复关节活动功能的主要治疗措施。关节活动度训练有主动训练与被动训练之分,主动训练是积极有效的办法,应鼓励患者多作主动训练,但有些患者由于疼痛惧怕训练,或由于关节已挛缩使主动训练受阻,此时应辅以被动训练。被动训练可由康复治疗师帮助进行,也可应用仪器或器械协助进行,如将残疾肢体置于 CPM 机上进行训练等。有时也可采用助力训练,即借助健肢或应用绳索和滑轮等简单器械进行。另外,也可采用关节牵引法进行持续被动训练。③耐力训练则是指能否坚持持续进行工作能力的训练。耐力训练主要包括两方面:一是肌肉耐力;二是全身耐力。肌肉耐力训练主要通过等长收缩、等张收缩和等速收缩训练,属无氧运动。全身耐力训练是依靠心肺功能提供氧气的训练,属有氧运动。

45.6.2 物理治疗

是康复治疗重要手段之一,物理治疗方法较多,有电疗法、光疗法、磁疗法、水疗法、传导热疗法、冷冻疗法及超声波疗法。这些均属狭义的物理疗法,广义的物理疗法还包括运动疗法。

1) 电疗法　包括直流电疗法;直流电加药物离子透入;低频、中频、高频、超高频和特高频电疗法。此外,还有高压电场、射频、静电及电离空气疗法等。

2) 光疗法　有红外线、可见光线如红光或蓝光、紫外线、激光等。

3) 磁疗法　有中频磁、高频磁疗法,还有静磁场、脉动磁、低频交变磁等疗法。

4) 水疗法　有淋浴、盆浴、药浴、水中运动等。

5) 超声波疗法　包括超声药物透入、超声雾化等。

6) 传导热疗法　包括蜡疗、泥疗、沙疗、蒸汽疗法及热敷等。

45.6.3 骨科支具的应用

骨科支具是骨科患者康复治疗中不可缺少的重要组成部分。20 世纪 80 年代后,随着工程学、生物力学、材料学的发展,骨科支具有了很大的发展和改进。骨科支具大致分 3 种,即固定支具、矫形支具和假肢。在许多论著中已将固定支具与矫形支具合并,统称为矫形器,本章为表述方便,根据其不同功能,仍将其分开。

(1) 骨科固定支具

根据不同部位、不同要求,骨科固定支具种类繁多。现代的骨科固定支具具有坚固、轻巧、美观、配戴舒适、透气性好、使用方便等特性。制作精良的固定支具有替代传统石膏固定的作用。骨科支具的另一优点是可量身订制,根据各个不同部位和不同需要,制作不同的固定支具。按照不同部位骨科固定支具大致可分脊柱固定支具、上肢固定支具和下肢固定支具。为促进关节活动的康复,防止传统石膏跨关节固定造成的关节僵硬,有些固定支具还设计了可帮助关节活动的类型,这种支具活动度可调控,对关节损伤患者尤为适用。

(2) 矫形支具

有脊柱、上肢和下肢矫形支具。这里所说的矫形支具是指用于矫正人体畸形的矫形器,有多种类型,区别于固定支具的脊柱矫形器是纠正或减轻儿童脊柱侧弯的重要支具。脊柱侧弯矫形支具也有多种类型,而且常有改进产品出现。如"米罗窝克基"矫形器,是把颈椎撑起来,矫形效果好,但不美观;"波士顿"矫形器则是在凸侧处加推力垫,矫形效果较差;日本研制的 OMC 矫形器及德国研制的"色努"矫形器均在上述基础作了进一步改进。配戴矫形支具常常需要根据畸形矫正情况给予更换。

上肢和下肢矫形支具与固定支具不同,其不但起到固定作用,还能达到矫正畸形目的。其典型的矫形支具如小儿先天性髋关节脱位矫形支具及矫形鞋,可用于治疗马蹄足、马蹄内翻足、足下垂等。

(3) 假肢

是用来替代缺失肢体的部分功能,弥补外观缺陷的装置。假肢种类颇多,有上肢假肢和下肢假肢之分。上肢假肢不仅要求完美的外观,还力求有灵活的关节。下肢假肢除了要求有活动的关节外,更需材料的坚固,以适应负重功能及行走时的抗磨损。

假肢工程是多学科的综合工程，与医学、工程学、高分子化学、生物力学、电子学、材料学及计算机科学有密切关系。随着科学技术的发展，目前假肢的制作不仅外观越加精美，其功能也有很大改进。从假肢的种类讲有肌电假肢、电动假肢、气动假肢、声控假肢，当然还有普及型的机械假肢等。假肢装配后通过其残肢来控制，因此残肢的条件、肌力训练及装配后的功能锻炼都需要医务人员的密切配合才能完成。同样，佩带假肢也常需要根据残肢的情况及假肢的使用情况及时更换，以达到舒适、实用。

(黄煌渊)

参考文献

[1] 中国康复医学研究会. 康复医学. 北京：人民卫生出版社，1984.

[2] 卓大宏主编. 中国康复医学. 北京：华夏出版社，1990.

[3] 周士枋，曲绵域主编. 实用运动医学. 北京：科技出版社，1996.

[4] 周士枋，范振华主编. 实用康复医学. 南京：江苏东南大学出版社，1998.

[5] 赵辉三主编. 假肢与矫形器学. 北京：华夏出版社，2005.

[6] Delisa JA. Rehabilitation medicine, principle and practice. 2th ed. Philadelphia: JB Lippincott Co. 1993.

[7] Kottke, Lehman. Krusen's handbook of physical medicine and rehabilitation. 4th ed. Philadelphia: WB Saunders, 1990.

[8] Rotbberg JS. The rehabilitation team: future direction. Arch Phys Med Rehabil, 1981, 62:407～409.

46 骨科康复各论

46.1 人工关节术后的康复

46.1.1 人工全髋关节置换术后的康复

人工全髋关节置换(total hip replacement, THR),在现代人工关节置换外科和相关的康复医学的基础研究和临床研究,已经取得令人瞩目的成就。医务人员为解除千万的关节疾病患者的病痛做出了卓越的贡献。人工全髋关节置换术和人工全膝关节置换术已经被认为是疗效肯定的治疗方法,被认为是治疗终末期严重关节炎最有效、最成功的手术。随着新技术新材料的产生,人们对关节生物力学研究的不断深入,人工关节假体理念不断更新,新型计算机导航技术在手术中精确定位的应用,显示了人工关节置换手术有着相当令人乐观的前景。术后康复治疗技术也随之获得相应的发展,人们对人工关节置换术后康复治疗的基础和临床研究方面也更加重视。

(1) 髋关节的功能解剖及生物力学特点

1) 髋关节的基础解剖结构　髋关节是连接躯干和下肢的稳定而多轴性杵臼关节。髋关节由股骨头、髋臼和股骨颈组成,下方与股骨相连,颈干交界处内外侧有大小转子,股骨头为 2/3 球状体。髋臼关节面为环形以紧抱股骨头,髋臼通过股骨头向股骨颈传导的应力大小和作用力的方向。髋关节囊和关节囊周围多条韧带加强和稳固髋关节,维持正常关节运动和人体姿势。髋关节正常关节活动度屈曲 0°～140°,后伸 0°～10°,内收、外展各 0°～45°,内旋、外旋各 0°～45°。

髋关节周围重点肌肉群:①大腿屈肌群　髂腰肌、耻骨肌,还包括股直肌、缝匠肌、阔筋膜张肌、骨薄肌、臀小肌、臀中肌的前部肌束；②大腿伸肌群 主要由臀大肌组成，协助肌包括股二头肌、半腱肌、半膜肌及大收肌；臀中肌、臀小肌后部肌束；③大腿外展肌群 主要是臀中肌、臀小肌、阔筋膜张肌、梨状肌、缝匠肌；④大腿内收肌群 主要有大收肌、长收肌、短收肌、耻骨肌、骨薄肌；⑤大腿内旋肌群 臀中肌、臀小肌前部肌束以及阔筋膜张肌；⑥大腿外旋肌群 臀中肌、臀小肌后部肌束、梨状肌、闭孔内肌、闭孔外肌、臀大肌、缝匠肌、耻骨肌、股方肌、股二头肌长头、髂腰肌等。

2）髋关节的生物力学特点 ①股骨头负重区：此区为几何扇形体，中心夹角约65°，股骨头重心位于此半球状头的几何中心处。②前倾角：股骨颈轴与额状面形成一个锐角，称为前倾角，是股骨干两个重要的角度关系之一。在矢状面上，股骨颈的长轴线与股骨干的纵轴线也不在一个平面上，成人为12°～15°，平均13.14°。男性为12.20°，女性为13.22°。前倾角的力学意义在于使头臼互相适应，以维持髋关节稳定和保持人体直立姿势。前倾角测量：$\alpha = \sin^{-1}(P/0.4D)$，$P$为X线平片上的钢丝环最大直径($D$)和在直径的1/5处垂直线与弧相交两点间的距离。前倾角增大常与外翻合并存在，使髋关节不稳定，容易发生脱位。在坐起、上下楼、前倾提重物等动作时，髋关节承受的力更大，容易使人工关节股骨柄产生扭曲，或柄体断裂。③颈干角或内倾角：成人正常颈干角范围110°～140°，平均为127°，儿童颈干角较大，为150°～160°，颈干角是使股骨干向骨盆外侧偏置，增加髋关节大幅度活动，并使身体力量传到至基地部较宽处。若大于正常为髋外翻，此时股骨头所承受的压力增加，而股骨颈承受的剪切力减小；小于正常为髋内翻，此时股骨头、颈部的压力分布正好与髋外翻相反。④股骨距：是股骨干后内侧皮质的延伸，位于股骨颈与股骨干连接部的后内方，是直立负重时压应力最大的部位。⑤双足站立负重，髋关节支撑人体的头、躯干和上肢，占人体重量的62%，其重心在两股骨头中心连线中点。每侧髋关节支持人体重量的31%，应力垂直作用在髋关节上。⑥单足站立负重，负重一侧髋关节支持头、躯干、双上肢和对侧下肢，约为体重的81%。该重心通过负重足与地面垂直。但重量中心偏离髋关节，使骨盆倾斜。⑦步行时单腿负重，在步行时，两侧髋关节交替支撑头、躯干、双上肢和摆动的对侧下肢。步行单腿负重时该髋关节受到以上部位体重的作用外，还有加速度产生的惯性力矩对髋关节作用。使股骨内收，股骨头受到三维空间合力的作用。跑步过程中髋关节承受的压力是1/3体重或5倍于体重的重量，股骨头和髋臼之间的不均衡会使某些区域压力成倍增加。⑧步行和日常生活中髋关节所承受不同的压力，股骨头和髋臼之间的压力增加和变化与控制髋关节活动的周围肌肉有关。步行过程中，每一次跨步髋关节的平均活动范围40°～50°(30°～40°屈曲和5°～10°伸展)，负重行走时髋臼的压力值分2个阶段：在脚跟着地时和脚尖离地时达到最大值。压力就分布在关节的连接处，髋臼窝的前缘和后缘。给髋关节施加的压力越大，股骨头在髋臼内的下陷范围越大。

（2）康复评定

1）临床评定 ①体格检查 术前评定做髋关节功能的局部检查，脊柱与关节形态、关节活动范围、神经肌肉运动情况；②髋关节功能评定标准：Harris 髋关节评分表(1969)、Charnley髋关节功能评分(1972)、改良Aubigne-Postel临床评估标准、视觉评估(VAS)；③肌力评定：测试肌肉或肌群、对抗重力或外在阻力完成运动的能力。神经系统功能：注意肢体有无神经功能障碍。

2）X线诊断 ①标准的X线片包括含双侧髋关节的骨盆正位片和患髋蛙式位片。要与健侧进行对比。从骨盆X线片观察周围骨组织的情况，包括髂骨、坐骨、耻骨、骶骨和骶髂关节的情况。X线片也是评价和诊断骨水泥固定的假体松动主要依据；②CT和MRI检查：由于CT能够清楚地显示关节内的骨赘和剥脱骨碎片，也显示骨质改变的情况。MRI轴位像可以在很大程度上补充矢状位、冠状位和三维影像的不足。单侧或双侧对比关节造影联合CT检查可显示透X线的游离体。高分辨率的MRI提高了辨别髋关节内部组织病理改变的可能性。髋关节的关节囊顺应性较差，关节周围软组织丰厚，在MRI图像中显示的关节积液对诊断很有帮助；③核素骨扫描：核素骨扫描(ECT)反映了骨的代谢情况，一般用于股骨头缺血性坏死、感染、骨关节炎、应力骨折、肿瘤和营养不良性骨病。骨扫描可以反映周围骨组织的情况。

3）髋关节康复功能评定 ①HHS评分(Harris hip score)：Harris髋关节评分是髋关节评分中最常用的临床评估手段，用来评估髋关节炎的程度和全髋置换手术的效果。该评分包括了量化疼痛、功能和物理检查发现。患者的功能评估包括行走能力、支撑能力、上下楼梯的能力、坐的耐力、使用交通工具的能力和穿鞋袜的能力。物理检查包括跛行和活动度。满分100分。②Harris髋关节等级评分系统:该系统根据分值大小将髋关节功能分为4级。<70分,差;70～79分,一般;80～89分,好;90～100分,很好。③HOOS评分:即髋关节残疾及骨关节炎结果评分系统(hip disability and osteoarthritis outcome score, HOOS),把每个部分的总分加起来套入计算公式,即可得出相应部分的分数。100分是没有问题,0分的问题最严重。

(3) 康复治疗

1) 术前康复教育与基础训练 ①术前心理准备,减少对手术的恐惧和精神压力。②指导患者术前、术后康复注意事项、正确转移训练要点,正确使用助行器\拐杖使用方法,术后生活活动注意事项。③关节活动度训练,髋部肌肉力量训练意义。④对术后早期卧床排便的康复护理。学习卧位翻身法,以减少双侧切口受压。可采用3点式和4点式:即患者头颈向后仰,枕部加双肘部3点同时床上用力,挺胸收腹使腰背及躯干抬离床面,减少肩胛骨皮肤受压;患者两肩背部加足部4点同时蹬床面,两手心朝上托住双侧髋部,腹部往上挺,用力抬起臀部,避免骶尾部皮肤受压。每次5～10 min,每日3次。⑤鼓励患者术后深呼吸和咳嗽训练,两上肢作伸展扩胸运动,进行排痰等肺功能训练。⑥注意皮肤护理,准备手术。

2) 术后康复治疗方法 术后康复治疗要考虑人工全髋关节手术的固定方式。①骨水泥是固定人工关节假体的理想材料和重要方法,骨水泥有很好的生物相容性。假体的松动率和翻修率均低于非骨水泥型假体。骨水泥型人工关节假体特别适用于老年患者和合并骨质疏松的患者。②非骨水泥固定:非骨水泥固定又称为"生物学固定",主要是人工假体的表面多为金属多孔结构。临床上人们预期会有大量骨组织长入人工关节表面间隙内,但实际上真正长入组织的面积很有限。非骨水泥固定全髋关节置换术适应证基本类似骨水泥固定的全髋关节置换术的适应证,一般不适合>65岁的患者和有骨质疏松的患者。通常认为非骨水泥固定型全髓关节置换术术后过早负重训练可能增加假体界面的微动,不利于骨长入固定,建议术后应该避免完全负重至少6周。由于术后早期负重训练被限制,增加了卧床时间,术后并发症增多,影响术后功能恢复。近年来假体设计在进一步完善和固定技术的提高,特别是多孔表面及羟基磷灰石涂层型假体在临床上的广泛应用,有人主张术后第1天,在不引起疼痛的情况下在室内步行,每日2～3次,每次10～50步,以后逐日增加行走距离。第6周后改用手杖。而对照组术后第3周开始扶双拐或借助步行器患肢部分负重,刚开始为体重的30%～70%,以后每日增加负重量,至术后6周改用手杖或单拐完全负重。通过临床试验证实术后即时负重训练,X线片显示骨长入良好,故认为并不影响临床效果,还降低术后并发症。我们认为最好能根据病人全身和局部手术的具体情况,康复医师和治疗师要与手术医师沟通,遵照手术医师的意见,调整康复计划,再确定是积极还是相对保守的治疗计划,更符合循证医学的要求。

3) 术后康复计划 治疗分4个阶段:①早期康复训练阶段,术后0～2周;②中期康复训练阶段,术后3～12周;③肌力强化训练阶段,术后3～6个月;④运动功能训练阶段,>3～6个月。

(i) 术后0～1周

康复治疗目标:控制疼痛和出血、减轻水肿,保护创伤部位,防止下肢深静脉血栓和关节粘连,维持关节活动度。

基本治疗:①疼痛控制。进行VAS评估,如果VAS≥5,使用选择性药物镇痛方法缓解疼痛。②髋部冰袋冷敷,每次15～20 min,2～4 h一次。如用冷疗循环装置,15 ℃低温局部持续冷敷。③体位摆放。术后患者仰卧位,患侧肢体常规置于髋关节外展中立位:外展30°位;根据人工假体柄和臼置入的角度将患髋置于外展外旋位:外展30°、外旋15°位。髋关节外展内旋位:外展30°、内旋15°位。④注意事项。如果健侧卧位:注意保持患侧肢体上述体位,将特制的梯形软枕放于患者双腿之间。患侧髋膝关节伸屈角度为0°～70°。防止髋过度内收、屈曲,会导致髋脱位。

术后第1天:①呼吸训练。深吸气、深呼气和有效的咳嗽咳痰训练。两上肢作伸展扩胸运动,进行肺功能训练。每个动作重复10次。每日2～3次。②踝泵运动。踝关节主动背屈与跖屈,使下肢肌肉等长收缩,挤压深部血管,促进血液循环,预防下肢深部静脉血栓形成。15次/h。每个动作保持5～10 s左右,再放松,每组10～15次。③肌力训练。

股四头肌、腘绳肌和臀大、臀中肌肉等长收缩训练。④关节活动度训练。上肢肌力练习:上肢肌肉力量训练,为较好地使用拐杖作准备。髋关节伸直练习:屈曲对侧髋、膝关节,术侧髋关节做主动伸直动作,充分伸展屈髋肌及关节囊前部。髋关节屈曲、屈曲膝关节,向臀部滑动足跟练习,髋关节屈曲必须<70°。仰卧位,患侧髋关节轻度外展20°～30°,髋关节无旋转,每次保持5～15 min;每个动作保持10 s左右,每组20次。⑤负重训练。通常骨水泥固定假体与非骨水泥固定型假体的术后负重时间,负重量都有明显不同。负重时间和负荷量,要具体情况具体分析,个体有别。骨水泥固定型假体术后第1天患者即可借助步行器或双拐离床负重,床边站立、部分负重行走和上下阶梯。逐日增加行走距离,每日3次,1周后改用健侧拐杖或手杖。非骨水泥固定型假体术后第1天患者即用助行器或双拐离床,但是不负重。通常持续用拐杖,在术后第6周开始逐渐负重。我们对非骨水泥固定型假体基本是在第3周开始患侧足负重为体重25%,第4周负重50%;第6周负重75%;第8周为100%负重。大粗隆截骨或结构植骨,用双拐12周,逐渐负重。⑥步行训练。术后24 h后,可以在康复治疗师的指导下持助行器下地行走。患者站稳后健腿先向前迈进,助行器或拐杖随后前移,患腿随后或同时前迈,患者要挺胸,双目平视前方,避免盯住脚下迈步。术后第1天,步行距离可5～10 m,第2天可以加倍。助步器行走能保持平衡和稳定后,可鼓励换为持双拐行走。⑦卧位到坐位训练。先将健腿屈曲,臀部向上抬起移动,将健侧下肢移动至床沿,用双肘支撑坐起,屈健腿伸患腿,将患肢移至小腿能自然垂于床边。坐起时膝关节要低于髋关节,上身不要前倾。⑧坐位到站位点地训练。健腿点地,患侧上肢拄拐,下肢触地,利用健腿和双手的支撑力挺髋站立。

(ii) 术后1～2周

康复目标:继续改善关节活动度,减少疼痛和水肿,增进肌力。

基本治疗:①肌力练习。将膝关节伸直,助力下做下肢抬高,角度小于30°,15～20次为1组。每天3次。②负重训练。骨水泥固定型假体仍借助步行器或双拐离床负重,部分负重行走。非骨水泥固定型假体患者也用助行器或双拐离床,但是不负重。继续第1周治疗项目。

(iii) 术后2～3周

康复目标:增强肌力,保持ROM,本体感觉训练,步态训练。

基本治疗:①肌力练习。加强髋关节外展肌群外展肌力训练,股四头肌等长收缩、等张收缩和小腿肌肉的抗阻力练习。20～30下/次,每天3次。②负重训练。用拐行走,平衡杠内做患侧少量负重站立练习,时间15 min。

(iv) 术后3～4周以后

康复目标:增强肌力、本体感觉训练,髋关节控制训练,改善步态。

基本治疗:①肌力训练。臀中肌、臀小肌肌力训练:取仰卧或站立位,患腿分别置于髋关节外展10°～30°,每个动作运动量为:保持3～5 s为1次,重复15～20次。髂腰肌、股四头肌收缩:将患肢伸直,直腿抬高15°、60°,保持5～10 s再回到原位为1次,在不同角度各重复10～20次。臀大肌、股二头肌收缩训练:取仰卧位,患腿伸直向下用力压床,保持5～10 s为1次,10～20次。或取俯卧,使患腿膝关节处于伸展位,将腿抬高,治疗者施加阻力于患腿的大腿和小腿上,保持5～10 s为1次,重复10～20次。②关节活动度。患侧髋关节屈曲、外展、后伸训练。③负重训练。增加抗阻力的主动关节运动,如功率自行车、沙袋练习、上下阶梯等。功率自行车练习,上车时患肢支撑,健侧先跨上车。坐椅高度以屈髋<90°。时间15～20 min。髋关节的抗阻力运动训练:术后2个月后可进行抗阻力的髋关节主动训练。

(4) 髋关节置换术后常见并发症

1) 术后脱位和脱位处理　术后人工假体脱位的原因:同一关节既往有手术史,手术部位肌肉瘫痪、神经支配功能丧失,假体之间撞击,手术入路和假体位置放置不当,关节周围软组织张力差,术后康复治疗或活动时下肢体位不当。脱位处理:假体植入位置错误者,应移出假体,整复后反复脱位或整复失败者,考虑重新手术固定。假体位置无错误,麻醉下手法复位。术后髋关节固定在屈曲20°、外展20°～30°位;如为后侧脱位者应将下肢放置在轻度外旋位;若为前方不稳定则放置在内旋位。术后避免过度内收屈髋的动作;如有关节不稳定者,适当延长外固定时间。

2) 疼痛　人工髋关节置换术后能明显缓解髋关节的疼痛,术后几个月出现疼痛是常见的并发症。

急性疼痛通常有重要的生物学反应。慢性疼痛指疼痛持续时间超过1个月。关节外来源肌肉骨骼痛多为转子滑膜炎、髂耻骨滑膜炎、坐骨结节滑膜炎、臀肌综合征引起。髋臼的松动或异位骨化表现为臀部或腹股沟区的疼痛,改变体位,如从坐位到站起,或刚开始行走时的疼痛;大腿部疼痛在非骨水泥假体置换的发生率较骨水泥假体高,多发生在患肢负重初期,一般不影响关节活动。

3)假体松动　假体松动是骨与假体界面之间存在超出由于弹性模量差异引起的位移以外的活动,称之为假体松动。与假体松动相关的因素。①机械因素中假体—骨或骨水泥、骨界面的微动,假体磨损和假体对周围应力的遮挡作用都参与了松动形成的重要环节。②体重或负重:体重超过80 kg的单侧髋关节置换者已经肯定有不利影响。③手术原因:如假体植入位置不当,尤其是髋臼的位置或髋臼发育不良者,髋臼假体外展角过大可造成应力分布不均,会导致假体磨损增加。此外,股骨端长度保留不够,初始固定不良者,假体因素,骨水泥使用不当,骨缺损,也容易造成假体松动。④骨溶解:假体的磨损产生大量的颗粒物质所诱发系列的生物反应,使假体周围骨溶解,最终导致假体无菌性松动。⑤年龄:通常关节置换术适合年龄60岁以上老人。年龄过大、原发病致残严重、骨质疏松、手术创伤等导致股骨上端骨与骨体分离而发生松动。

4)深静脉血栓形成　静脉血栓是髋关节术后最严重的并发症之一。其中最主要、最致命的是继发肺栓塞,或者极可能发展成远期下肢深静脉功能不全。若没有行预防性治疗,文献报道40%～60%的病人可以发生深静脉血栓,骨水泥固定型假体者比非骨水泥者发生率高,全麻较局麻的患者发生率高。早期康复运动训练能有效促进下肢循环,较少深静脉血栓形成。

5)异位骨化　髋关节置换术后异位骨化的发生率在5%～81%(髋关节翻修术后)。通常在术后3个月内的发生率较高。将髋关节X线正位上观测到的异位骨化分为4级。Ⅰ级:髋关节周围组织内骨岛形成;Ⅱ级:从骨盆或者股骨近端延伸出的骨刺离对位骨表面至少1 cm;Ⅲ级:髋关节周围发生弥漫性骨化;Ⅳ级:股骨和骨盆之间发生桥梁状连续性骨化,出现骨性强直。Ⅰ级和Ⅱ级骨化对髋关节功能影响不大,Ⅲ级和Ⅳ级可导致髋关节强直和疼痛。导致异位骨化的危险因素:性别:男性是女性的2倍;高发病种有活动期强直性脊柱炎和类风湿关节炎、短期内迅速进展的骨性关节炎和特发性骨骼肥厚症、手术使软组织损伤和出血。

(5)注意事项

1)正确的翻身方法　向术侧翻身时,应伸直术侧髋关节,保持旋转中立位;向健侧翻身时,也应伸直术侧髋关节,两腿之间夹软枕,防止髋关节内收引起假体脱位,同时伸直同侧上肢以便用手掌托位髋关节后方,防止髋关节后伸外旋引起假体脱位。

2)正确的下床方法　患者先保持坐立位移至患侧床边,健腿先离床并使足部着地,患肢外展屈髋离床并使足部着地,再扶助行器站起。上床时,按相反程序进行。

3)正确的穿袜方法　坐在床沿双足着地,伸直健侧膝关节,术侧髋关节外展外旋,膝关节屈曲,用足跟沿健侧下肢前方向近端滑动,然后适当弯腰,伸直双上肢达到患足穿袜的目的。

4)正确使用拐杖　使用骨水泥固定型假体的患者,在术后需持续使用双拐4～6周,改用健侧单拐3～4周。使用非骨水泥固定型假体的患者,使用双拐8周,然后改用健侧单拐4周。

5)正确的上下楼梯法　在上下楼梯时,坚持上楼时健侧先上、下楼时术侧先下。

46.1.2　人工全膝关节置换术后的康复

康复治疗在人工全膝关节置换术后的功能恢复中,占有非常重要的作用。人工全膝关节置换术后必须做康复训练,才能确保手术后治疗效果。在我国早期置换手术后缺少康复治疗的配合,使术后膝关节功能恢复有明显负性影响。随着手术技术、假体材料与结构改进、手术器械的进步、康复技术和规范治疗操作的实施,使我国人工全膝关节置换的相关技术获得较快的发展。

人工膝关节技术发展比人工髋关节较晚。20世纪70年代之后相继出现全髁型假体,如胫骨假体金属托及标准组合式假体的设计,经过不断设计改进,最终成为目前人工膝关节置换术的标准设计。人们也逐渐认识到人工膝关节置换术的成功在很大程度上取决于外科技术和器械的正确操作、患者的依从性以及术前与术后康复治疗计划及相关技术的正确实施。TKR术前、术后进行康复治疗,最大限度改善假体膝关节功能,围术期的问题处理和术后康复训练直接影响手术效果。

(1) 膝关节的功能解剖及生物力学

膝关节的重要稳定结构是:①膝关节的静力性稳定结构如韧带、关节囊、半月板等。②膝关节的动力性稳定结构如膝关节周围肌肉和腱膜。下肢重要的肌肉有股四头肌和腘绳肌。膝部前方、后方与旋转稳定性由上述结构共同维持和完成。③人工关节置换术的长期疗效有赖于下肢正常力线的恢复。膝关节的康复过程涉及较多的力学问题。研究发现术后股骨假体的轴向旋转对线与髌股关节运动力学密切相关。内旋假体会明显增加髌股关节的外侧接触压力,使假体适度外旋,则能减小 Q 角,降低股四头肌的外侧矢量,获得较好的髌骨轨迹。但是过度外旋也可促使髌骨发生内侧脱位和髌股关节内侧接触压的增加。有报告在一些膝内翻患者中,可产生股骨假体内旋。如果膝关节线水平下降,侧副韧带和交叉韧带失去正常功能,出现运动方面的问题。④胫股关节的吻合度关系到人工膝关节的磨损。早期的全髁型假体,采用胫股关节几何形态的设计,假体有较大的限制性,增加了假体、骨、骨水泥之间的剪切压力,易产生磨损和松动。然而假体采用关节形成面低吻合设计,具有较小的限制性,易产生边缘负重,发生聚乙烯后内缘磨损。运动磨损后聚乙烯最低厚度不能保证,会增加假体磨损及破裂,无法延长假体使用寿命。固定技术应保护股骨近端,软骨下骨是胫骨近端骨质最强的部分,随着向远端延伸,胫骨近端面积减少,强度也随之下降。保护胫骨近端可以防止假体松动。

(2) 康复评定

1) 膝关节活动范围、周径、肌力评定　①正常膝关节活动范围 0°～145°。术前测定双下肢,如髋、膝、踝及双足的活动范围。观察术膝有无关节畸形、力线异常、屈曲挛缩,手术中会通过后关节囊松解,甚至腓肠肌、腘绳肌、腘窝筋膜的彻底松解,就要注意术后发生神经、血管牵拉伤,康复治疗时要综合考虑具体情况;②术前与术后在恢复各阶段应记录下肢周径测量数据;③采用徒手肌力检查法,术前与术后记录肌力情况。

2) 手术情况　①了解膝关节手术入路、骨质切除量、软组织情况、假体位置、假体类型、是否使用骨水泥、假体固定方式、关节对合情况、术中关节活动范围及关节稳定性等。②局部软组织情况评定:类风湿关节炎、骨关节炎的患者多伴有皮肤抵抗力低,愈合能力差,皮肤与关节周围组织血管炎。长期使用非甾体类抗炎药物的患者可能增加术中、术后出血。③手术并发症:血栓形成、伤口感染、关节不稳定、神经损伤、假体松动、磨损、变形及断裂等。④原发疾病的诊断、病程、发展经过、治疗及效果等。

3) 评定量表　通用膝关节评分体系。美国纽约特种外科医院(HSS) Insall 和 Ranawat 提出总分为 100 分的膝关节评分量表。其中 6 项为得分项目,1 项为减分项目,共分为 7 个项目:①疾病 30 分;②功能 22 分;③活动度 18 分;④肌力 10 分;⑤屈膝畸形 10 分;⑥稳定性 10 分;⑦减分项目:是否需要支具、内外翻畸形和伸直滞缺程度。将临床疗效分成:优(＞85 分)、良(70～85 分)、中(60～69 分)和差(＜59 分)。

4) X 线片评定　①常规膝关节正位、侧位和髌骨轴位相 X 线片;②正位相包括负重位和非负重位;③髋关节和踝关节负重正位 X 线片;④屈膝 30° 侧位 X 线片。X 线片重点了解局部骨质情况及假体位置,包括平台假体的倾斜、髌股关节及胫股关节对合情况。

(3) 康复治疗

教育患者了解自身情况和康复治疗的重要性:要求患者了解术后康复基本程序、注意事项、正确预计康复治疗目标,正确对待康复过程中可能遇到的问题,缓解心理压力,建立较好的依从性。监测术后全身和局部伤口情况、关节引流物的颜色和流出量,进一步修订康复程序,增减训练项目。术后第 1 天即可在医生及康复师的指导下开始进行康复锻炼,包括关节活动度、肌力的早期训练。通常康复程序分为 4 个阶段,直至出院后,要求坚持有规律的完成家庭康复训练计划。

1) 康复原则　①因人而异:根据每个患者的全身情况、关节病变程度、主观要求、手术操作、假体类型、固定方式等情况,采用不同方式,适量训练;②全面训练:患者大多数为高龄体弱者,全面评估身体状况,关注心肺功能;③循序渐进:要考虑膝关节本身及周围组织病变的关系,不能急于求成,避免治疗不当发生再损伤。

2) 康复目标　根据患者个体情况制定,力求客观,最终努力恢复正常日常生活活动,最大程度地减轻疼痛症状。

3)术前康复训练　多数全膝关节置换者为高龄患者,多有骨关节炎或有不同程度的膝关节运动功能障碍,故康复计划的实施应从术前就开始。术前详细询问病情，全面查体，特别注意患者心肺功能、感染、对高龄有严重并发症的患者要注意观察。术前尽可能将关节活动度获得最大程度改善，指导患者使用步行器或拐杖；进行深呼吸和咳嗽技巧的训练；指导患肢肌力训练；指导肥胖患者减肥。

4）术后康复训练

(i) 术后第1天～1周

康复目标：控制疼痛、肿胀、预防血栓形成，防止感染。

基本治疗：①日常生活活动指导。呼吸道护理，做深呼吸和咳痰训练。下肢穿弹力袜，抬高患肢，冰敷，控制出血，减轻水肿。②踝泵运动：即踝关节背屈-跖屈每小时15次，踝关节和足趾关节主动屈伸活动。③使用下肢肢体循环治疗仪，循环充气与放气，通过压力促进下肢肌肉收缩的挤压作用，预防下肢深静脉血栓。④采用有效的镇痛措施：镇痛泵或非甾体类药物，减轻疼痛及炎症反应。必要时佩戴膝关节支具。

关节活动度训练：术后立即固定在完全伸直位。术后第2天开始缓慢膝部屈曲训练：①滑板训练患者仰卧位，患侧下肢顺墙面或木板向下滑行，逐渐增加膝部屈曲度。②膝屈曲/伸展训练：仰卧位，患侧足由床面向臀部缓慢滑行屈曲。再主动活动髌股关节。③使用CPM治疗，术后2周膝关节活动度达到90°。

负重训练：要根据具体情况控制性负重。术后第2天开始下地扶助行器站立，部分负重。骨水泥性假体可以术后2～4天下地，非骨水泥性假体的负荷时间不同，通常要6周后才可负重；也有人认为改良的假体术后可以尽早负重，我们主张要与手术医生讨论具体下地负荷行走的时间。

肌力训练：被动或者鼓励主动作直腿抬高，多角度的下肢直腿抬高，10～15次，2～3次/天。股四头肌和腘绳肌的等长收缩运动，维持肌纤维之间的活动度及减轻肌肉痉挛和疼痛。

(ii) 术后1～2周

康复目标：膝关节活动范围达到0°～90°。促进体能恢复。消除疼痛、减轻炎症，防止血栓。能独立完成日常生活活动。

基本治疗：继续上述运动训练项目。采用各种物理治疗控制疼痛和肿胀。运动训练后冷敷。采用电刺激肌肉或生物反馈治疗，减缓肌肉萎缩。开始本体感觉训练。

关节活动度训练：①主动、被动活动髌股关节，膝关节主、被动屈伸，ROM训练。膝屈曲挛缩的患者，注意加强关节活动度的训练。②膝关节连续被动活动(CPM)使用：每次连续活动30 min或1 h，每天2～3次。每天增加屈曲活动范围10°，1～2周后达到90°膝关节屈曲。CPM可有效地增加膝关节屈曲度，减轻疼痛，减少深静脉血栓。

负重训练：扶助行器站立，逐渐增加行走距离，鼓励患者使用双拐行走。年龄过高，步态不稳者可用助行器。

肌力训练：继续股四头肌、腘绳肌等长收缩，直腿抬高训练。患者坐于床边，将膝部屈曲，保持3～5 s，然后再将小腿伸直抬高，保持3～5 s，重复10～15次。

本体感觉训练：开始本体感觉训练。盲视下关节角度重复训练，各种平衡训练，双侧关节感知训练。

(iii) 术后2～4周

康复目标：控制肿胀，增加关节活动范围，增加肌力，注意膝关节本体感觉训练。

基本治疗：ROM和肌力练习，继续上述运动训练项目。采用各种物理治疗如磁疗、脉冲短波、激光、低频调制中频电和超声波等，继续控制肿胀，减轻疼痛。采用电刺激肌肉或生物反馈治疗，减缓肌肉萎缩。

关节活动度训练：①坐于轮椅内，术侧足触地，将双手轻轻地向前方推动轮椅，使膝关节被动屈曲，保持5～10 s，也可以是患者能够耐受的更长时间，然后恢复原位置，再重复；②卧俯位，膝关节主动屈曲训练；③屈膝训练：患者坐在床边，主动屈膝，健侧足帮助患肢下压屈曲，保持5～10 s，或者更长时间，然后放松，再重复以上动作。

负重训练：扶拐或助行器行走，部分或完全负重。增加步行活动及上下楼梯的训练。

肌力训练：①下肢进行多角度(15°、60°、90°)的直腿抬高训练，增加渐进性抗阻训练、主动辅助和主动关节屈伸运动；②进行终末伸膝训练，加强腘绳肌肌力训练；③股四头肌训练：坐在床边，主动伸膝，健侧足帮助患肢上抬尽量完全伸直膝部，保持5～10 s，然后放松，重复以上动作。

本体感觉训练：盲视下关节角度重复训练，在各种平衡训练用具下训练，双侧关节感知训练。

(iv) 术后4～6周

康复目标：恢复正常关节活动度，注意负重能力、行走步态、平衡能力训练。

基本治疗：采用各种物理治疗如磁疗、脉冲短波、激光、低频调制中频电和超声波等控制水肿和瘢痕。增加器械训练。采用电刺激肌肉或生物反馈治疗，减缓肌肉萎缩。训练后局部肿痛者给以冷敷。

关节活动度训练：①采用低强度的长时间牵张或收缩-放松运动方式，以持续增加膝关节 ROM。②固定式自行车练习，开始时坐垫抬高，逐渐降低坐垫高度，以增加膝关节屈曲角度。

负重训练：术后第 3～4 周开始在固定功率自行车上，增加脚踏阻力训练。术后 3 周在步行器上进行训练，纠正异常步态。最初的步态训练及平衡训练，先在平行杠内进行，将重心逐渐完全转移到术膝，逐渐过渡到扶拐行走。3 周后去助行器，使用拐杖行走。

肌力训练：股四头肌和腘绳肌的多角度等长运动，轻度的负荷训练，改善患肢的功能，其他关节及肌群的关节肌力训练；仰卧位直腿抬高练习，过渡到训练设备上作腘绳肌、股四头肌肌力训练。如专用肌肉训练仪，或固定式自行车训练。

本体感觉训练：盲视下关节角度重复训练，踏板训练、平行木训练、各种平衡板训练等。

(v) 术后 6～12 周

康复目标：关节活动范围基本正常，保持正常步态，继续增强膝关节周围肌力、膝部稳定性和功能控制能力。

基本治疗：有针对性地适当选用物理治疗项目，纠正不良姿势。

关节活动度训练：关节活动度终末端训练，保持完全关节活动度。如果 12 周仍不能完全达到康复计划的 ROM 标准，将要采用绷带牵拉帮助完成达到 ROM，每次 15～30 min，每天 2～3 次。

负重训练：增加步行活动距离和上下阶梯。进行膝关节微蹲。病人站立位，背靠墙，缓慢屈曲膝关节，屈曲控制在 30°～45°范围，保持 10 s，然后再向上移动使身体抬高，恢复站立位，重复以上动作。

肌力训练：①微蹲训练：双足站立，膝关节微屈，保持 5～10 s，回到原位。或者术侧下肢向前半步，小弓箭步，使膝关节微屈，保持 5～10 s，术侧足收回置于原开始位。训练膝关节周围肌肉的控制能力；②仰卧位、俯卧位、侧卧位下的直腿抬高练习，以增强下肢肌力。骑固定式功率自行车及水中运动。

维持性康复训练：患者出院后继续督促进行康复训练，定期复查，直至获得较满意的效果，使患者的肌力及 ROM 均达到最大恢复水平。通常需要终生维持康复锻炼，保持膝关节功能不减退，延长假体使用年限。

(4) 注意事项

1) 引流问题　膝关节置换术后，如果放置了引流管，通常在 24 h 内拔出。注意引流液性质、颜色、亮度和引流量，如液性混浊或脓性分泌物，应作细菌培养和药物敏感测试，立即报告手术医师，及时处理。

2) 伤口情况　伤口不愈合的常见原因是局部继发感染。术后早期伤口的无菌消毒，及时更换敷料，保持干燥很重要。若有感染征兆，应及时处理。

3) 负重问题　负重的时间和负重多少量，应该与外科医生商议后确定。术后允许立即负重，也可以选择保护性负重，即术后 6～12 周渐进阶梯性负重，以保护骨折处的愈合或非骨水泥固定假体的骨质等组织长入。

4) 防止深静脉血栓　术后穿戴加压弹力长袜，早期就开始下肢肌肉等长收缩训练，按照医嘱要求做踝泵运动，是防止深静脉血栓的有效方法，必要时应用肝素等抗凝药物预防深静脉血栓形成。一旦发生深静脉血栓，请血管外科医生协助处理。

5) 假体松动　TKR 术后无菌性假体松动发生率为 3%～5%。导致假体松动的主要原因是感染、肢体对线不佳、股骨和胫骨平台假体对线不良、一侧胫骨平台松动下沉所致。康复治疗中注意加强肌力强度训练，保持膝关节稳定性。要避免跑、跳、背重物等，对骨质缺损和骨质疏松患者更应注意。关节不稳在全膝关节置换术后发生率 7%～20%，除假体问题外，通常由于膝关节周围韧带功能不全和肌力不足造成。因此修复和保存重要韧带，会弥补韧带功能不足造成的不稳定。此外，每种假体都有屈曲限值，在关节活动度训练时如超过该限值会有关节不稳定的不良结果。

46.1.3 人工全肩关节置换术后康复

人工肩关节置换从 20 世纪 50 年代开始研究及

临床应用。人工全肩关节置换(total shoulder arthroplasty, TSA)通常用于严重的肩关节和肱骨近端骨折和肿瘤治疗。尽管存在关节功能不足的缺陷,但是假体的前景依然被认可,在设计和材料方面的不断改进,促进了人工肩关节外科的进步。目前应用数量较多的是人工肱骨假体,较常见的置换手术有人工肱骨头置换、肩关节表面置换和全肩关节置换术。外科技术的进步,大大促进康复技术的发展。肩关节置换术后功能康复成为肩关节外科医生和康复医学科治疗人员最关注的问题。手术后早期康复训练,仍然被认为是解决功能问题最有效的措施。康复治疗方法依各种手术方法的不同而有区别。

(1) 临床功能解剖与生物力学特点

肩关节是人体活动范围最大、最不稳定的关节。肩部是由3个关节组成:盂肱关节、胸锁关节和肩锁关节,另有两个接合部,肩胛胸廓间和喙突肩峰下接合部。在神经肌肉的控制和韧带、关节囊的制约下完成各种协调动作。肩关节也是特殊的解剖结构:它是一个较大的肱骨与较小的肩胛盂所组成,肩关节的关节活动度比任何关节活动度都大。

肱骨的特点是肱骨干的倾斜度(inclination)平均为130°。由于肩胛骨的位置关系,肱骨头必须向后转,才能与肩盂相吻合构成关节,肱骨头的平均后转度为17.9°。肱骨髓腔的中线,即肱骨假体干中线与肱骨头最高边缘的交点为关键点,与指导假体插入位置有关。肩关节的稳定性主要取决于肩关节周围软组织特别是肩袖肌肉的完整性。肩袖又称旋转袖、肌腱袖,系由盂肱关节囊周围的冈上肌、肩胛下肌、冈下肌及小圆肌组成,是增强盂肱关节稳定的重要结构。冈上肌是肩关节运动的重要肌肉,其主要作用是使臂外展,并使肱骨头稳定于关节盂内。肩袖及肩周韧带受损,会导致肩关节不稳定,易发生肩关节半脱位或全脱位,或肩峰下撞击征等并发症。盂肱韧带(glenohumeral ligament, GHL)是最重要的静力性稳定结构。盂肱韧带处于紧张状态,限制肩关节活动范围的极限位置,起到重要的肩关节稳定作用。

在肩关节最大活动度范围中,盂肱韧带处于相对较松弛的状态。此时对肩关节稳定起重要作用的主要为动力性稳定结构及肩盂、盂唇等。盂肱韧带是重要的肩关节前方静力性稳定结构,主要由盂肱韧带上韧带(superior glenohumeral ligament, SGHL)、盂肱中韧带(middle glenohumeral ligament, MGHL)、盂肱下韧带(inferior glenohumeral ligament, IGHL)三部分组成。SGHL和喙肱韧带一起维持盂肱关节上方的稳定。MGHL和IGHL共同维持肩关节的前方稳定性,而以IGHL的作用最重要。IGHL分为前束(AB-IGHL)和后束(PB-IGHL)。在肩关节外展增加时,肩胛下肌与MGHL紧张,外展45°时,MGHL和AB-IGHL处于紧张度增加,肩关节保持前方稳定。随着肩关节外展角度的增加,IGHL,尤其前束对肩关节的前方稳定起重要作用。

康复训练有利于肩关节本体感觉的恢复。肩关节本体感觉受体位于关节囊、韧带、肌肉和皮肤上的本体感受器,可感知肩关节的位置和运动,通过反馈作用调节肌肉运动,从而维持肩关节的稳定。在笔者临床实践中感受到所有肩关节损伤或者术后,尤其人工全肩关节置换术后的功能恢复过程中,注重肩关节本体感觉的恢复性训练会取得更好的治疗效果。

(2) 康复评定

1) 肩关节关节活动度测量　正常肩关节活动度:前屈0°～180°,外展0°～180°,后伸0°～45°。肩关节中立位:上肢自然下垂于体侧,肩胛骨轴线于身体冠状面约呈30°夹角,关节盂朝向前外,肱骨处于轻度内收或外展位(<10°)。肩关节休息位:在外伤或手术后,肩关节固定于上肢外展60°、前屈30°、屈肘90°的位置,以利于组织修复。

2) 肌情况评定　分为肌肉萎缩程度评定(1°～5°)、肌力分级及测量(0～5级)、疼痛评定。

3) 肩关节X线测量　①肩关节CE角(shoulder center edge, SCE):自肱骨头中心至关节盂下缘连线和与肱骨头中心垂线所成之角。SCE角表明肱骨头自盂腔的移位程度。②盂角(glenoid angle, GA):盂角即关节盂上下缘连线与水平线所成之夹角。与SCE相反,GA随臂外展增大而降低。肩胛骨外旋时关节盂上倾,盂角变小。GA越小,盂肱关节越稳定。③肩CE角和盂角是评估肱骨头和关节盂关系,即检查盂肱关节在外展运动中稳定性的两个指标,若肱骨头外移,即盂肱关节不稳。

4) 肩疼痛弧　是指疼痛在肩外展60°～120°范围内发生,称此范围为肩疼痛弧。

5) SST肩关节问卷(simple shoulder test,

SST) SST 问卷有 12 个问题，内容简单易理解。SST 问卷提供了一个实用的确定的评估方法，评定治疗前后不同阶段的肩关节功能和肩周结构的功能改变。SST 问卷能显示治疗前后肩关节功能评定的可重复性。该问卷能够反映出在不同阶段的功能恢复的进步。

6) NEER 评定系统 为疼痛 35 分，功能 30 分，活动能力 25 分，解剖 10 分。评分标准：90～100 分优秀，80～89 分满意，70～79 分不满意，＜70 分失败。

7) 美国加州大学肩评分表(UCLA) 这是临床较常用的肩关节功能评定量表。分为 5 个项目：疼痛、功能、主动前屈、前屈肌力测定(徒手)、病人满意度。最高分为 35 分，＞27 分为好/优秀，＜27 分为失败/差。

(3) 康复治疗

术后实施个性化、系统性康复治疗，能够促进肩关节功能尽早恢复。但围术期康复治疗具有较大的风险，早期康复治疗的实施须强调结合患者局部损伤的情况，具体手术方法等来确定。在进行康复训练的同时须密切注意观察患者心肺功能的改变，做到因人而异和循序渐进。

1) 第Ⅰ阶段(术后 0～3 周)

康复目标：消肿镇痛，保护局部组织，防止粘连。

治疗项目：①支具应用。术后患肢使用肩关节支具，或者前臂吊带休息位固定，上肢外展 60°、前屈 30°、屈肘 90°。②关节活动度训练。术后第 1 天，开始患侧肘关节、腕关节及手指关节的主动屈伸练习，每次 5～10 次，每天 2～3 次。逐渐进行肩关节松弛和无张力的状态下的钟摆运动，以不引起疼痛为宜。每次 5～10 次，每天 2～3 次。1～2 周开始肩关节被动运动和仰卧位的被动前屈上举及外旋运动，逐渐加大肩关节运动幅度，每次 5～10 次，每天 2～3 次。③肌力训练。术后 1 天开始进行前臂肌肉的等长收缩练习，同时手的主动握力训练，每次 5～10 次，每天 2～3 次；逐渐开始肩周肌等长收缩练习。④治疗后冰敷 15～20 min，可以止痛、消肿。⑤呼吸功能训练。指导患者做深呼吸、有效咳嗽。

2) 第Ⅱ阶段(术后 3～6 周)

康复目标：预防肩关节及周围组织粘连，改善肩关节活动范围，防止肩周肌萎缩。

治疗项目：①支具应用。3 周时去除肩关节支具，继续前臂吊带 4～6 周。②关节活动度训练。继续肩关节摆动训练和划圈训练。每次练习 20～30 次，每天 2～3 次；上肢主动关节活动度训练，采用滑轮、棍棒、滑车等器具辅助训练。③肌力训练。术后 3～4 周，开始增加前臂肌和肩周肌等长收缩训练，主动助力训练 逐渐抗阻力训练，以不引起疼痛为宜；用健侧手、墙壁作为阻力，进行不同角度肩周肌肌力等长收缩训练。每次练习 20～30 下，每天 2～3 次。④术后 4～6 周，开始进行肩周肌闭链练习，由于闭链练习是主动肌群和拮抗肌群同时收缩，减少关节的剪切力，闭链训练可从肩外展 45°或肩前屈 60°开始，如手触桌子、墙壁或体操球进行抗阻训练。⑤肩胛带运动每次练习 20～30 次，每天 2～3 次。⑥治疗后冰敷15～20 min，控制肿胀、缓解疼痛。

3) 第Ⅲ阶段(术后 6～12 周)

康复目标：加强肩关节周围肌肉力量及本体感觉训练，恢复正常关节活动范围。

治疗项目：①支具应用。可除掉肩前臂吊带固定。②关节活动度。术后 6～8 周，加强主动活动训练。可以用肩滑轮、肩梯及肩关节训练器械辅助上举训练，逐步开始肩关节主动活动度训练，屈曲、外旋、内收、内旋训练。每次 30～40 次，每天 2 次。③肌力训练。术后 6～8 周，三角肌和肩袖的创伤基本愈合，开始逐渐做三角肌和冈下肌的主动练习，并逐渐过渡到抗阻肌力练习以及牵拉练习。每次 20～30 次，每天 2～3 次；肌力训练应强调高重复，低负荷和循序渐进的原则。④日常生活活动(ADL)训练。应用患肢进行日常生活训练，进行姿势矫正教育，促进肩关节周围组织协调性的恢复。⑤本体感觉训练。采用盲视下关节活动度训练、小型球患肢远端挤压，触及桌子、墙壁等方式，增加肩部神经肌肉控制能力。

4) 第Ⅳ阶段(术后 12～24 周)

康复目标：肩关节活动范围达到正常，逐渐恢复肌力，恢复运动能力。

治疗项目：①支具应用。完全不用支具。②关节活动度。术后 12～16 周，继续加强肩关节各个方向主动活动，前屈＞140°，外旋＞45°。每次 20～30 次，每天 2～3 次。注意保持正常的肩胛骨运动。应注意避免过度内外旋，防止肩关节不稳定或脱位。术后 24 周，逐步使肩关节活动基本恢复到正常范围。③肌力训练。术后 12～16 周，继续加强肩周肌肌力的渐进性抗阻训练、技巧训练、姿势矫正训练。每次 30～40 次，每天 2～3 次。术后 16～20 周，加强三角肌和肩袖肌在肩胛骨平面训练，促进肩关节的稳定。分别进行肩前屈、后伸、外展、内收、内旋、外旋和提肩胛肌肌力抗阻训练，加强肩关节的神经肌肉控制能力的训练。④运动功能恢复训练。术后12～18周，当肩关节活动范围及肩周肌肌力基本达到正常后，强调日常生活活动中进行肩关节灵活性和协调性训练。

(4) 人工全肩关节置换术的并发症

最常见的并发症：假体松动、盂肱关节不稳定、肩袖损伤、假体周围骨折、异位骨化、神经损伤、感染、三角肌损伤等。尽管有较多并发症，人们从不断积累经验和研究中获得改进。

1) 假体松动　假体松动是全肩关节置换术后最常见的并发症，也是翻修的主要原因。X线片上的诊断依据是：假体下沉或周围透亮区完整并且超过2 mm。通常X线片上松动较普遍，而临床松动相对较少。关节盂假体的松动与疼痛相关，而肱骨假体松动与疼痛无关。全肩关节置换术后肱骨头假体上移与肩袖撕裂的程度有明显的关系。

2) 肩袖损伤　肩袖止点的重建是人工全肩关节置换术中的重要步骤，也直接影响到术后康复。若重建位置不准确，将导致肩袖肌肉力学关系的紊乱，发生撞击征。因此强调手术操作注意解剖关系，肩袖止点要有良好重建，早期康复训练要注意保护，不要损伤新缝合的肩袖。

3) 感染　感染是肩关节假体置换术后最严重的并发症，深部感染往往带来灾难性后果。可导致关节置换术失败。做好预防感染的发生很重要，主要是从术前就注意增强体质，提高抗感染能力，及时防治原发病灶，术前作好皮肤准备及抗生素的应用，严格执行消毒隔离制度，杜绝感染的发生。

4) 异位骨化　外伤和术后局部出血是发生异位骨化的重要因素。反复手法复位、延迟的手术治疗、肱骨近端骨折、肩关节脱位、严重软组织损伤等。术后康复训练不可采用强制性的被动手法治疗的方法，减少异位骨化发生的机会。

5) 肩关节不稳定　人工关节置换术后改变和影响肩关节表面的对合性，盂肱韧带的完整性、三角肌和肩袖肌肉的协同收缩作用，以及影响关节囊、盂唇结构以及骨性结构的互相作用，这些部位出现问题，都会导致肩关节不稳定。这种精确平衡状态任何破坏都将导致肩关节不稳定。上方不稳定多发于三角肌的强力收缩与肩袖肌肉力量不平衡，如冈上肌力弱，肩袖止点重建失败。下方不稳定当肩关节外展90°以上水平活动性丧失，多因假体置入过深而导致肱骨长度减少，三角肌力弱而造成。前方不稳定包括假体后倾不足，肩胛下肌重建后断裂或者三角肌前方部分功能丧失。后方不稳定的因素包括假体后倾过大，软组织张力不平衡，以及关节盂磨损。

46.2 关节镜修复重建手术后的康复评定与治疗

随着关节微创外科技术的迅速发展，在国内已经开展肩、肘、腕、髋、膝、踝、指等部位的微创手术，尤其是膝关节的微创诊断和治疗的新技术发展很快。与传统切开手术相比，关节镜微创手术具有切口小、操作精确、疼痛少、恢复快等优点。在围术期的康复治疗也成为整体治疗中非常重要的内容。由于关节微创手术材料与方式在不断的改进，对于关节围术期康复治疗技术也随之发生较大的变化。微创手术的诸多优点与康复医学治疗的特殊优势相结合，将会大大提高关节微创治疗的临床疗效。下面将介绍部分关节微创手术围术期康复评价与训练的基本方法。

46.2.1 关节围术期康复治疗的基本程序

关节围术期康复治疗的基本内容，是以手术方式和不同关节的功能要求而确定。通常有以下程序。

(1) 制订康复目标

依据患者的关节损伤程度与手术治疗情况，通过康复评定、综合与客观分析来预测可以达到的治疗结果，并且包括患者自身要求或希望达到的治疗结果。

(2) 制订康复计划

关节镜手术之前即开始每个患者整体康复计划的设计与实施，一般分为4～5个治疗阶段，每个阶段的间隔时间长短依患者情况确定。

1) 术前康复治疗阶段　患者入院后由康复医师与治疗师为其做术前全身情况和关节功能评估。全面了解患者全身情况、关节损伤情况和心理状态，进行术前康复知识教育。针对存在的问题，术前就开始康复治疗，使关节的肿胀减至最小程度，最大限度地改善关节活动度。开始股四头肌、腘绳肌肌力训练，学习助行器或拐杖的使用方法，注意皮肤护理,做好手术前的准备。

2) 术后早期康复治疗阶段 术后0～2周。康复目标:减轻疼痛和水肿,防止下肢深静脉血栓,恢复正常关节活动范围。要求康复治疗人员必须了解关节镜外科程序,熟悉手术的类型、手术操作方法、手术的固定方式、固定材料的性质、移植物的类型、移植物部位、缝合线强度和上止血带的时间等。术后早期指导患者床旁治疗。

3) 保护期康复治疗阶段 术后2～12周。康复目标:逐渐达到和继续保持正常关节活动度(ROM)。减缓肌肉萎缩,恢复膝周肌肉运动协调性,逐步提高肌力。开始早期本体感觉训练。

4) 肌力强化训练阶段 术后3～6个月。康复目标:以获得正常关节活动度(ROM)、恢复肌力为主的运动训练和平衡功能训练。进行增加关节负荷的方式:弹力带、沙袋、功率自行车、平板跑台、踏板、阶梯训练、水疗、专用股四头肌训练仪、等速功能训练器械等。

5) 运动功能恢复训练阶段 4～6个月。康复目标:以最大程度地增强肌肉耐力,逐步恢复运动,开始职业性或者竞技性运动训练。根据不同阶段的康复目的,制订相应的训练措施。

(3) 出院后家庭康复

患者出院时应该为其制订家庭治疗计划,指导院外继续治疗,交代注意事项。定期随访,根据复查存在问题及时修正治疗计划。

46.2.2 关节功能康复评定

康复评定是康复治疗的基本内容之一。有关关节功能评定方法有多种,主要是应用各种监测仪器、量表和测量评估方法,针对损伤和手术关节的功能、受损害的性质、程度、肌力、感觉、运动协调性和心理状态、还有周围组织的影响、病情可能的变化趋势等作出科学判定,作为制订正确康复计划的依据。同时,在各治疗阶段,需要作出阶段评定,判断康复治疗的疗效,修订康复治疗计划。

(1) 韧带损伤程度分类法

根据1968年美国运动医学委员会《运动损伤标准的命名法》手册发表的分类方法,将韧带损伤分为3种不同程度的损伤:Ⅰ度(轻度):限于极少韧带纤维撕裂,局部疼痛;Ⅱ度(中度):有多数韧带纤维的撕裂,较多功能丧失和明显关节反应;Ⅲ度(重度):为韧带完全撕裂,伴明显不稳定。

(2) 膝关节应力试验不稳定程度分类

不稳定(+):关节面分离＜5 mm;不稳定(++):关节面分离5～10 mm;不稳定(+++):关节面分离10 mm或＞10 mm。

(3) Lysholm膝关节评分量表

Lysholm(1985)膝关节评分方法,主要用于膝关节损伤后的关节功能评测。主要内容有8个方面,以0～100分计算:①跛行(0～5分);②负重(0～5分);③是否有绞锁(0～15分);④关节不稳(0～25分);⑤疼痛(0～25分);⑥肿胀(0～10分);⑦上下阶梯(0～10分);⑧下蹲(0～5分)。

(4) KT-1000或KT-2000膝关节功能评定

KT2000或KT1000是一种用以判定膝关节前后向稳定性的关节测量仪。该膝关节测量仪(美国MEDmetric公司)由主机和图像描记系统组成,是通过标准作用力,判定胫骨髁前移、后移的仪器,通过测量胫骨股骨间的移动距离,来量化膝关节的松弛程度,可以定量判断膝部前后向的稳定性。KT-2000测量仪:两个传感器(即髌骨、胫骨垫板)分别置于髌骨和胫骨结节上,绑带要将测量仪牢牢捆绑于小腿及足踝,这样显示仪显示的数字即为两传感器之间移动的相对距离。常规操作提拉手柄,用记录仪记录15P、20P、30P拉力负荷时的图形($1P = 0.4536$ kg),用标尺测出胫骨、股骨间的相对移动距离,取其平均数作为前交叉韧带松弛度在KT-2000的表达值。检测时,通过大腿支架的升降,使膝关节屈曲保持在20°～30°,同时记录屈曲实际角度。若髌骨高位或髌骨外移时,则将膝关节屈曲40°,保证髌骨、股骨接触面相吻合。操作时要考虑运动对膝关节松弛度可能存在的影响,受试前不能有剧烈的下肢活动。

随着现代诊断技术的临床应用,KT-2000等辅助诊断设备被用于进一步确定前交叉韧带(ACL)、后交叉韧带(PCL)损伤程度,能够有效地提高ACL、PCL损伤早期诊断率。也通常用于术后韧带的稳定程度进行评估,指导康复训练和调整训练计划。KT-2000或KT-1000具有量化膝关节交叉韧带的松弛度、无需麻醉和无创的特点,在诊断膝关节交叉韧带损伤时有较高的准确率和可重复性,操作时应该注意采用正确的方式,每次测量结果均会大致相同。该仪器对于膝关节交叉韧带损伤诊断方面具有价值。

(5) 膝关节功能评分表(百分法)

见表46-1。

表 46-1 膝关节功能评分表 (百分法)

症 状	分 值(分)	症 状	分 值(分)
疼痛		步行	
无	25	正常,无跛行	10
剧烈运动痛	20	偶见跛行	8
轻量运动痛	15	持续跛行	5
一般活动(步行)痛	10	跛行需手杖或拐支撑	2
负重站立痛,休息后可减轻	5	重度跛行	0
持续疼痛,休息不能缓解	0		
不稳定感		关节屈曲动度	
无打软腿	25	正常,下蹲无影响	10
剧烈运动时出现	20	＞90°,下蹲略感困难	6
轻量运动时出现	15	＜90°,下蹲困难	2
日常活动偶然出现	10	屈曲受限,不能下蹲	0
日常活动经常出现	5		
持续出现,行走受影响			
上下楼梯		肿胀	
不受影响	10	无	10
上楼梯受影响	8	剧烈活动后出现	6
下楼梯受影响	5	日常活动后出现	2
需扶手支持	2	持续肿胀	0
不能	0		
		交锁	
		无交锁	10
		偶有交锁	6
		经常交锁	2
		查体交锁	0

(6) 单腿交叉跳下肢功能评测

选择距离为 10 m 以上的空间,防滑地面。用色彩明显的标记带在地上,呈直线,以表明步行测试的起点和终点,两点之间的距离为 10 m。患者听到“开始”的口令后,从起点单腿跳,在直线两侧交替呈“之”字跳往终点。在换另一腿单腿跳回起点。评测者用秒表记录从“开始”口令至患者到达终点的时间。再重复 3 次,计算平均值。测评结果应进行健侧与患侧比较,并将测量结果和特殊状况在病历记录中注明。

(7) 肢体周径测定

评价肢体有无肌肉萎缩、肿胀及其程度。下肢通常测量大腿周径:大腿中央和髌骨上缘 10 cm、15 cm 处。小腿周径:小腿最粗的部分和内、外踝上方最细部分,通常设置在髌骨下缘以下 10 cm、15 cm。其他关节也如此,先确定所测关节的最明确的骨性标记,再确定肌腹中心点的距离,双侧对称一致,测量结果要具有可重复性。

(8) 关节活动度(ROM)测定

关节活动范围(ROM)的测量是评定关节功能的基本方法。ROM 包括主动活动范围和被动活动范围。主动的关节活动范围指作用于关节的肌肉随意收缩使关节产生运动时所通过的运动弧;被动的关节活动范围指由外力使关节运动时所通过的运动弧。以判定关节活动范围受限的程度,确定关节活动受限的特点,找到运动受限的原因,有针对性地制定或者修改康复治疗方案。

关节活动度测量方法:按照操作规范要求,将需要被检查部位摆放在正确体位。被检查关节须充分暴露,并且确定骨性标志。在测量时,应熟练掌握各关节测量时固定臂、移动臂和轴心摆放的具体规定。将量角器的轴心与关节的运动轴对齐,固定臂与构成关节的近端骨长轴平行，移动臂与构成关节的远端骨长轴平行，为保证测量数据的准确性和可重复性，要保持体位的固定和双侧对称性。记录起始位置和终止位置的角度。

如果患者存在关节活动受限时，就先测量主动关节活动度，然后测量被动关节活动度。在测量被动运动关节时，要求检测者手法要轻柔和缓，速度缓慢均匀；如果关节活动时伴有疼痛和痉挛，应该避免做快速运动，避免诱发疼痛和痉挛。关节被动活动时，对出现问题作全面分析，应该判断关节活动度受限的原因。将关节活动范围的检查结果进行健侧与患侧比较，并将测量结果记录在病历中。

(9) 肌力评定

肌肉功能评定是关节镜术后康复评定的重要内容。肌力测定是指被测试者在主动运动时肌肉或肌群力量测定。肌力测定的原则是注意使待测试肌肉或肢体处在规范体位下做规范化的运动，观察肢体对抗重力和阻力下完成运动的能力。常用的方法分为徒手肌力检查和器械肌力检查两类。

1) 徒手肌力测定(manual muscle testing，MMT) 在 1916 年由 Lovett 提出。检查目的是根据受检查肌肉或肌群的功能，判断肌肉受损情况和神经损伤平面等。受检者根据检查者的要求采取特定体位，受检者分别在去除重力、抵抗重力或抵抗阻力的状况下做指定动作，使动作达到最大的关节活动范围。按标准完成检查项目。根据肌肉运动能力和抵抗阻力的能力情况评定该肌肉或肌群的力量。按照肌力分级标准来评定受检肌肉或肌群的肌力级别。

评定分级标准：通常采用 6 级分级法，即 0 级、1 级、2 级、3 级、4 级、5 级。每一级还可以用“＋”和“－”号进一步细分。分级的标准是依据测试者通过触摸肌腹，观察肌肉有无收缩活动，抵抗重力及阻力的能力，判定肌力大小。MMT 只能表明肌力的大小，不能表明肌肉的耐力，存在测试者主观评定的误差。

2) 简单器械肌力检查方法

(i) 握力检查：手部的握力通过握力计测定。握力的大小以握力指数评定，其公式为：握力指数＝握力(kg)/体重(kg)×100。握力指数正常值＞50。测试时姿势为上肢下垂于体侧，用力握 2～3 次，取最大值。

(ii) 捏力检查：拇指与其他手指间的捏力大小用捏力计测定。检查时，受检者用拇指和其他手指的指腹捏压力计的两臂，从捏力计上直接读数。捏力正常时约为握力的 30％。

(iii) 背肌力量：可用拉力计测定。背肌力以拉力指数评定。

(iv) 四肢肌肌力检查：可以采用手持测力计检查四肢肌力，它与徒手肌力检查法互为补充，用于精确测量 4 级和 5 级肌力。

3) 等速肌力测定　等速肌力测定是关节术后康复评定中一种重要方法。等速肌力测定是指运动的角速度相对恒定并对一种适应性阻力而进行的运动，在专门的等速装置进行。等速肌力测定所使用的仪器有 Cybex、Biodex、Kin-com 等，该设备具有安全、评价结果可靠和重复性好的特点。该项测定是应用等速运动技术和测试设备定量测定 3 级或 3 级以上肌力及肌肉功能，被认为是目前能够精确定量测定肌力的仪器。

(i) 等速肌力测定主要特点：①等速运动为预先设定角度和不能加速的动力性运动，可达到关节最大运动幅度，可以全面刺激肌肉中的各类型的肌纤维，全面地训练肌肉和绘图记录及提供数据；②提供肌力、肌肉作功量和功率输出、肌肉爆发力和耐力、向心收缩力、离心收缩力等数据；③能控制运动量，较安全；④具有运动速度恒定特点。无论受检者用多大的力量，肢体的运动始终在设定的速度下进行。受检者的主观用力只能使肌肉张力增高。在等速运动过程中，等速运动仪器提供一种与肌肉实际收缩力相匹配的顺应性阻力。阻力大小随肌肉收缩力的大小而变化，即肌肉张力增高，阻力随之增大，反之亦然。在检测中，顺应性阻力使肢体在整个关节活动范围内的每一瞬间或角度均承受相应的最大阻力，从而使肌肉在每一关节角度上均产生最大的张力和力矩输出；⑤等速运动测力系统不但可以精确测定全关节活动范围内肌肉每一瞬间的最大力量，而且还能够同时测定主动肌和拮抗肌在每一瞬间的最大力量。

(ii) 等速肌力测定基本方法：进行不同速度的肌肉等速向心性收缩测试，也可以进行离心性收缩与等长收缩力测定。首先规定运动角速度。将受检者的肢体按照操作要求固定，使肢体运动带动仪器操作杆绕轴运动，肌肉力以力矩的形式显示。向心性测试中由于运动速度不同肌肉力矩的输出就不同。通常将＜90°/s 为慢速，90°～180°/s 为中速，＞180 m/s 为快速。肌肉关节的病变情况在等速肌力测试的力矩曲线上亦可得到反映，通过对力矩曲线特征性变化进行分析，有助于临床诊断。如膝关节骨性关节炎患者力矩曲线常表现为中段伸肌力矩曲线下降，出现切迹、不光滑或呈双峰样改变，而屈肌力矩曲线表现正常。其他如前交叉韧带损伤、半月板损伤、髌骨半脱位、肩周炎等在运动时肌力的影响也可以反映出来。

(iii) 等速肌力测定主要参数与应用：等速运动肌力测试系统可测得肌肉输出的力矩值并得到力矩曲线。此外，可同时获得肌肉做功能力、爆发力及耐力等数据。①峰力矩(peak torque, *PT*)：为力矩曲线的最高点代表的力矩值，即全关节运动范围内某一肌群在工作过程中瞬间所达到的最高力矩输出值，单位为牛顿/米(N/m)。峰力矩值是反映肌肉力量最常用、可信度最好的指标。每千克体重的峰力矩(×100%)称峰力矩体重比(peak/BW)，是重要的指标之一。由不同速度的峰力矩值派生出的指标可以从不同角度反映肌肉功能状况，如耐力、伸屈肌比值等。②总功(total work, TW)：指某肌群1次或一定次数重复运动做功之和，为力矩曲线下的面积之和。单位是焦耳(J)。③耐力比(enduranceratio)：是肌肉重复连续收缩的耐力指标。为快速测试中重复运动，后5次和最初5次运动的做功量或力矩之比。亦可以采用时间下降百分比来衡量，即达到峰力矩的时间与力矩下降50%时的时间之比。该指标反映肌肉耐力或疲劳性。耐力比＝(最后20%收缩的峰力矩平均值/最初20%收缩的峰力矩平均值)×100%。④平均功率(average power, AP)：为最大功率除以做功的时间，即反映某一肌群在单位时间内的做功能力。单位是瓦(W)。⑤拮抗肌力矩比值或伸屈肌力矩比值(flexion: exlension)、左右同名肌比值：拮抗肌力矩比值为主动肌和拮抗肌峰力矩值之比，多采用慢速测试的峰力矩比值。反映互为拮抗的肌群的力量平衡情况。左右同名肌比值为双侧同名肌峰力矩值之比，反映同名肌力量的对称性。肌力平衡明显失调可影响关节的稳定性，为潜在的关节损伤因素。⑥关节活动范围及峰力矩关节角度：测试中除记录关节运动的范围、起止角度，重力效应力矩和确定力矩达到最大值时的关节角度，也是肌肉运动产生最大力量时的最佳角度。

等速运动测试系统对运动中的肌肉功能进行测试，可较为准确和全面地提供反映肌肉功能的多项定量指标。临床上以测试膝关节伸屈肌群最常用。该仪器也可用于静态的肌力检查，如等长性肌收缩峰力矩和离心性肌收缩力矩等。该仪器具有测试参数全面、精确、客观等优点，已被认为是肌肉功能评价和肌肉力学特性研究最佳方法。缺点是该仪器操作复杂，不同型号仪器测试结果差异较大，无可比性。

(10) 其他评定方法

1) 影像学诊断

(i) 膝关节前交叉韧带(ACL)损伤普通X线平片：患者主动收缩股四头肌将膝关节达到最大伸直位，拍摄双膝X线片，用髁间窝顶点线的延长线与胫骨平台相交点到胫骨平台前缘的距离表示胫骨前移的距离。同时采用髁间窝顶点线的延长线与胫骨平台相交点 *B* 到胫骨平台前缘 *A* 的距离 *AB*，与胫骨平台的前后长度 *AC* 的比值的百分数来表示胫骨相对于胫骨向前移位的程度。拍摄膝关节标准前后位和侧位X线片，以及髌骨轴位。显示ACL韧带在胫骨隆突部附着区或侧副韧带上的撕脱骨折块。

(ii) 应力X线片：膝关节0°位加以内、外翻应力拍片，测量内外侧间隙，在屈膝90°位拍摄前后应力片，以胫骨髁后缘切线为基线进行测量。也可将下肢置于支架上，以重量悬垂进行被动应力摄像检查，或主动收缩应力摄像检查。可判断不稳定的程度。

(iii) 磁共振成像(MRI)检查：MRI诊断ACL断裂的准确性达95%以上。在矢状位上完整的ACL影像，应将下肢外旋15°～20°，早期MRI检查对获得明确诊断有价值。

2) 超声检查　高分辨超声对急性膝关节前交叉韧带断裂有诊断价值。指征分为直接征象和间接征象。准确率达到88%～95%，对部分纤维束断裂，超声检查准确性较差。

方法：患者仰卧位，屈膝90°，屈髋45°，足中立位，探头置于髌腱前方并向外侧旋转20°～30°，沿ACL走行方向进行纵断扫查，正常ACL在纵断面扫描时呈均匀低回声状态，双侧形态、厚度相同，在腘窝处横切时，股骨外侧髁ACL起始处滑膜呈光滑线状回声，滑膜周围无异常回声。如果膝关节ACL出现肿胀、回声不均、连续回声中断及低或无回声暗区等声像图改变，提示ACL损伤。超声检查的方法正逐步开始应用在肩关节和其他关节损伤的检查。

46.2.3 关节镜术后康复训练的基本方法

关节镜下修复重建手术后康复治疗的基本原则：循序渐进、个体有别、提高功能、早期预防、早期康复、全面康复。对肩关节不稳定的微创手术围术期康复治疗原则，以及康复治疗计划的制定，也可以作为其他肩部手术后康复治疗参考。如肩前撞击症、肩袖损伤、肩部盂唇损伤、肩周炎的具体操作方法依据损伤部位、手术方式的不同会有区别，尤其要结合组织恢复的不同阶段，按照关节解剖、运动力学的特点加以修正。术后基本康复方法介绍如下。

(1) 肩关节不稳定关节镜术后康复治疗

肩关节不稳定是常见职业损伤和运动损伤，也是临床常见疾病，是近年来国内外创伤与康复研究的热点。肩关节不稳定分为前方、后方、下方和多方向不稳定，以前方不稳定更为多见。临床表现为肩部疼痛和功能障碍。在临床常误诊为"肩周炎"、"肱二头肌腱鞘炎"等。

1) 肩关节前不稳定的损伤机制　肩关节前侧的静力性稳定结构包括：前盂唇，前关节囊，盂肱上韧带，盂肱中韧带和盂肱下韧带。盂唇由致密纤维结缔组织组成，为肩胛盂透明软骨的延续。盂唇的前部、前下部松散地附着于肩胛骨。盂肱上、中、下韧带在肩关节的活动范围中，交替松弛、紧张，以适应肩关节大范围的活动。上臂外展90°时，肩关节前后方向平均位移 20 mm。肩关节的运动范围最大，但稳定性较差。

2) 肩关节前不稳定的发病原因　①创伤性：有外伤史，往往引起肩关节的脱位或者半脱位，导致前盂唇撕脱，前关节囊撕裂、撕脱，甚至盂缘骨折；②非创伤性：反复过度使用肩部或者用力不当，如投掷运动等肩部大范围的体育项目和某些职业因素，引起盂唇撕脱、关节囊撕裂、盂缘骨折或肩韧带、肌肉损伤，导致关节不稳定；③某些职业因素：比如运动员或需要经常抬举肩关节的工作，容易牵拉或者碰撞损伤。

3) 康复治疗要点　根据肩关节前不稳定的损伤与发病机制，提倡肌肉力量训练。康复治疗的要点是：①加强对损伤的静力性稳定结构的保护，如关节囊、关节盂和韧带等；②增加动力性稳定结构的强度，如肌肉力量强度；③加强盂肱关节的神经肌肉控制能力；④建立肩周肌-肩袖-关节囊韧带的运动协调关系。

早期治疗的原则是使损伤的前关节囊、前盂唇处于松弛位，便于损伤的创面贴合。损伤较重者用支具固定患臂，制动 3 周左右，注意保持损伤部位相对静止，促使损伤部位的愈合。在损伤早期的训练时，注意避免肩关节前方关节囊、盂唇、韧带等静力性稳定结构被过度牵拉。减少前关节囊承受过多应力。同时，加强肩周肌力的训练，改善三角肌和肩袖的张力，以加强动力性稳定结构，代偿稳定关节，并促进肩关节前方关节囊、韧带和前盂唇的血液循环，为损伤组织的愈合提供条件。患者临床症状轻，关节无明显松动者，可以暂时不选择手术，首先选用康复治疗。康复治疗分为 4 个阶段。

(i) 制动康复训练阶段：术后即刻用肩关节支具固定肩部，保护手术修复部位不受牵拉。术后第 1 天开始肩关节活动度基础训练，如钟摆运动、画圈运动等，暂时取下肩支具，训练结束再用支具固定，按要求恢复功能位。仰卧位时肩下垫软枕，侧卧位是患肢下放置抱枕，垫枕的高度以感觉舒适为度。尽早开始肩周肌、上肢肌的等长收缩、肩胛骨的早期活动，也包括腕、肘关节和手部的主动伸屈活动。上臂肌收缩对血管的挤压作用，可促进静脉回流，消除肩部肿胀，减轻疼痛。每天训练 2～3 次。运动量的多少根据个体具体情况和耐受程度而定。

(ii) 保护性康复训练阶段：增加肩部运动的强度和范围，逐渐达正常肩部活动度。患肩侧上肢做多方向肩梯或爬墙练习，在＞100°范围内被动前屈，逐渐至在＞100°范围内主动前屈。在 90°范围内被动外展，逐渐至在＞100°范围内主动外展。主动后伸：在肩胛平面以下做肩部主动运动。外展与后伸要控制在无痛状态下进行。开始弹力带抗阻力训练。术后早期应避免抗阻力的练习，因为挤压会使肩袖缺血。应将上肢置于外展中立位，减小肩袖受到应力。早期应限制外旋和后伸、牵拉或挤压前关节囊均会延迟愈合或重复损伤。在此阶段逐渐加强外旋和后伸训练，加大伸展练习的强度。损伤较重或训练不足的患者往往存在不同程度外旋及后伸受限，这是肩部损伤后康复的难点。

(iii) 肌力强度康复训练阶段：手术部位组织基本愈合，但不能承受过重负荷。本阶段治疗重点是逐渐加强肌肉力量训练，肩关节的本体感觉训练，关节活动度也将达到正常范围。加强肩胛肌、肩周肌力训练，指、腕、肘的主动训练及抗阻力训练。动力性稳定结构的训练是肩关节前不稳定康复训练的关键，以致代偿静力稳定结构作用不足，保护静力性稳定结构并使之愈合。加强肩袖的肌腱控制力度，从而增加关节稳定，保持肩关节在运动中的协调一致。注意训练肱二头肌长头腱的肌力。肩外展 90°极度外旋时，肱二头肌长头腱控制肱骨头的向前水平移动。肩袖使肱骨头在关节盂中保持动力性稳定，加之有健全的神经肌肉控制力和肌肉耐受性可以减少不稳定和对静力性稳定结构过度牵拉。

(iv) 运动功能康复训练阶段：有针对性的肩部协调性和肌肉力量强度训练，专业项目训练，比如抓举、投掷等肩部活动等。加大弹力带训练、其他器械强度训练。

4) 各阶段训练的时间　一般为2～4周。根据个体差别，临床症状的轻、重和病程中出现问题，来决定各阶段训练的时间。注意循序渐进，个体有别，适时调整运动量。在具体实施时应注意对损伤较重者，应延长第1、第2阶段的治疗时间，即给予低负荷、高重复训练，保障局部愈合。如患者在训练中自行增大关节活动范围和运动量，急于求成，往往造成局部损伤加重，不利于损伤部位的愈合。

5) 物理治疗：

(i) 超短波电疗：伤后24 h进行，采用无热量，局部对置，每次15 min，每天1～2次，每疗程5～10天，术后局部肿胀者可酌情增加疗程。

(ii) 脉冲短波：局部对置，采用无热量，每次15 min，每天1～2次，每疗程5～10天，术后局部肿胀者可酌情增加疗程。

(iii) 脉冲磁疗：局部对置或并置，每次20～30 min，每天1～2次；每疗程5～10天。

(iv) 中频电疗：可在手术后早期开始进行，电极放置按照治疗要求选择部位，通常在主要的治疗肢体的运动肌肉体表，电流刺激肌肉收缩，防止肌肉萎缩，促进组织血液循环，消除肿胀，缓解疼痛。方法是将电极在局部并置或对置，耐受量，每次20～30 min，每天1次。

(v) 毫米波疗法：患部放置，每次20～30 min，每天1～2次。

(vi) 半导体激光：患部或穴位照射，按照常规选择剂量：每次3～15 min，每天1次。

6) 康复治疗适应范围　康复治疗适用于肩关节损伤与术后早期的恢复。创伤性肩关节前不稳定的康复治疗适用于伤后早期患者。我们近年来收治肩关节损伤患者中创伤后治疗时间平均15周。绝大多数病例获得满意的临床效果。肩关节稳定结构创伤早期的新鲜创面，松弛位固定条件下易于愈合。再则肩周动力性稳定结构肌力正常，能够发挥代偿稳定的作用，以保证肩部的稳定功能。但是对于病程长者，通常患者发病均在6个月以上，往往愈合较慢，肩周肌肉废用性萎缩，康复治疗效果会比较差。所以，通常先采用康复治疗，若康复治疗无效再改用手术治疗。根据笔者对治疗的初步体会：发病3个月，应争取康复治疗痊愈。只要方法得当，患者密切配合，持之以恒，效果比较肯定。6个月以上者取决于肌肉萎缩程度、局部损伤程度、自觉症状的耐受程度。三角肌、冈上肌、冈下肌萎缩轻者，仍能取得明显效果，否则可考虑手术治疗。气碘双重造影CT检查是手术指征的重要依据。明显关节囊松弛，甚至破裂，盂唇撕脱，应尽早手术治疗。对于年龄较大，患者不愿手术或者有手术禁忌证，也可行康复治疗，一般要坚持3个月以上，可以减轻症状，改善功能。

(2) 肘关节镜术后康复

肘关节损伤较为常见，常常表现为特点各异的损伤，包括肘部肌腱、关节囊、韧带损伤，肘关节不稳定及复杂骨折等问题。此外，运动员在长期训练过程中经常重复某种运动，或者职业要求、日常生活中的不良姿势，反复重复某种动作，对韧带和骨性结构都有较大受力，将有可能损伤肘部相关的肌腱及关节周围组织结构，导致肌腱或关节囊充血、水肿，加重疼痛，甚至出现运动障碍。肘关节本身解剖特点比较特殊，即由肱尺关节、肱桡关节、桡尺近侧关节3个关节组成，共用一个关节腔，加之关节内外软组织相互关系扣锁较为紧密，关节间隙较窄，创伤后容易出现肘关节功能障碍。肘关节镜手术后功能康复训练由于损伤和局部手术处理方式不同，康复治疗方式也有区别。

肘关节镜下手术后，康复治疗目的主要是恢复正常肘关节伸展、屈曲、前臂旋转功能；维持肘部功能的稳定性，预防局部组织粘连、挛缩和关节僵硬等并发症。要尽早开始功能训练，辅助手法牵引、推拿、理疗和药物治疗。

1) 术前康复指导　术前与患者交谈是一个重要环节。首先是让患者了解手术与肘部术后主动参与康复治疗的重要意义。只有认真按照治疗要求训练，才能有效避免术后并发症，收到良好治疗效果。第二是教育患者坚持循序渐进，不能急于求成。否则治疗过程中可能会出现以下问题：肘关节损伤易产生肘部骨化性肌炎，出现疼痛。加大负荷或加快治疗进度的错误训练方法，不利于功能恢复。要使患者消除疑虑，减缓心理压力，积极配合，尽可能减少术后康复过程中的并发症。

2) 肘关节术后康复程序

第 1 阶段:制动康复训练阶段　康复治疗目标是减轻疼痛与炎症反应。

患肢肘关节支具屈曲 90°位和前臂中立位固定制动。保护手术修复部位不受牵拉。术后康复训练时去除支具。采用冷疗装置 15℃低温循环水持续冷敷;若采用冰敷,冰敷时间为 15～30 min/2 h。局部冷敷的时间取决于冷敷的方式,注意避免冻伤皮肤。术后开始轻柔按压手部。术后第 1 天开始肩、腕、握拳的手部各关节活动度基础训练,上肢肌肉的等长收缩训练,5 s/次,然后放松肌肉,再重复收缩,相同的方法重复 15～20 次,每天 3～5 次。在患者耐受范围内开始进行肘关节全范围训练,不要再小范围内重复伸屈练习,屈曲尽量达到＞100°左右,进行主动或辅助运动,注意不能引发疼痛。术后 7～10 天,逐渐增加肘关节主动、辅助运动及被动训练量。在患肢放置垫枕,适当抬高上肢,促进血液循环,缓解肢体水肿。视患者术后躯体反应状况,及时给予非甾体类的消炎镇痛剂,减轻疼痛和局部反应。

第 2 阶段:保护性康复训练阶段　康复治疗目标是增加肘关节活动范围、肌肉力量及耐力训练。

支具固定在屈曲位。可以进行肘关节日常生活活动的训练,如用患手刷牙、洗脸、吃饭、写字等。避免外翻应力,继续加大肘关节活动范围,采用肘部训练器训练。肌力训练可增加弹力带训练项目,避免大运动量抗阻力肌肉力量训练。辅助及被动手法治疗要选用适度手法和力量,以免引起局部出血,造成新的损伤。在尺桡关节、肱桡关节、肱尺关节的内侧部位的损伤,容易出现瘀血和血肿机化,产生异位骨化。

第 3 阶段:肌力强度康复训练阶段　康复治疗目标是关节活动度达到正常范围。继续加强关节活动度训练。通常在此阶段肌肉、肌腱、关节囊和韧带等组织内会出现纤维性改变,加重关节周围组织粘连。如果单纯的主动功能锻炼不能达到恢复肘关节的活动范围,有关节伸屈受限问题的患者,可采用关节松动手法。肘关节的被动牵拉主张给予持续的力量,肘关节主动与被动活动的幅度和强度以患者的耐受力为度。此阶段手术部位组织基本愈合,但不能承受过重负荷。本阶段治疗重点是逐渐加强肌肉力量训练。

第 4 阶段:运动功能康复训练阶段。康复治疗目标是进行有针对性的肩、肘部协调性和肌肉力量强度训练,恢复正常生活活动。

开始运动、职业相关的专业项目训练,比如抓举、投掷等肩部活动等。加大弹力带训练、其他器械强度训练。术后 8～12 周开始循序渐进地进行上举投掷训练。3～6 个月逐渐恢复正常运动,如果有骨折,或者做自体或异体韧带重建,其投掷运动的负荷量仍然需要适当控制,通常需要更长的时间恢复才能正常运动。

各阶段训练的时间一般为 2～4 周。根据个体差别,临床症状的轻、重和病程中出现问题,来决定各阶段训练的时间。注意循序渐进,个体有别,适时调整运动量。持续被动关节活动装置(CPM)要早期应用。36～72 h 后开始关节活动度(ROM)的连续被动运动(CMP);关于滑膜关节早期活动可以促进关节滑液流动,有利于软骨修复的报道很多。CPM 的早期应用有利于关节功能的恢复,也有避免肌肉萎缩、缓解疼痛和肿胀的作用。

3) 物理治疗

(i) 磁场疗法:患部痛区电磁法或旋磁法,单极法或对置法,每次 15～20 min,每天 1 次,疗程视病情而定。

(ii) 石蜡疗法:患部刷蜡法,55℃,每次 30～40 min,每天 1 次,疗程视病情而定。可加强血液循环、减轻疼痛、缓解肌痉挛、松解粘连及软化瘢痕。

(iii) 音频电疗:软化瘢痕,松解粘连。

(iv) 超短波疗法:患部对置法,无热量至微热量,每次 10～15 min,每天 1 次,6～10 次为 1 个疗程。

(v) 红外线:用于早期缓解疼痛,促进血液循环,软化组织,防止挛缩。每次 15～20 min,5～10 次为 1 个疗程。

(vi) 超声波疗法:患部接触移动法,0.4～1.0 W/cm^2,每次 3～5 min,每 1～2 天 1 次,5～10 次为 1 个疗程。

(3) 膝关节前交叉韧带重建术后康复

由于现代微创手术在手术设备、韧带移植件材料、内固定材料和操作技术都在不断改进和发展,关节镜下膝前交叉韧带(ACL)重建手术后康复计划,要根据患者的具体情况及其康复目标来设计,并在实施过程中不断修正与完善。要获得 ACL 重建手术最终成功,重要的是取决于 ACL 重建镜下手术操作程序的准确性;设计康复运动程序的科学性;患者配合治疗的依从性。在术后早期,移植韧带所承受的应力，会对移植韧带的固定、重塑和成熟产生生物学作用。术后要求既要尽早地进行关节伸屈运动，防止关节粘连和挛缩，又要保护移植韧带在膝关节运动时不受牵拉。因此，康复计划的设计与实施，是依据膝部运动解剖与生物力学特点，有针对性地解决膝关节运动功能，肌萎缩，股胫骨相对滑动和滚动对移植韧带的牵拉等问题。

术后肌力强度恢复训练采用开链训练（open chain）和闭链训练（close chain）对胫骨和 ACL 的牵拉作用不同。开链训练以股四头肌收缩为主要特点，当伸膝时股四头肌收缩即产生胫骨前移。显然，股四头肌的等张或等长收缩都会增加 ACL 的张力，所以早期使用开链训练对新韧带会有一定的危险性。也有人认为早期运动训练的负荷量只要加以控制，新移植的韧带就可以耐受。闭链训练即足踏在训练器或地上进行关节周围肌肉肌力训练，类似膝关节日常生理负荷的状态。运动范围有限，关节屈伸活动时，主动肌、协同肌与拮抗肌协调收缩和松弛，控制胫骨髁前后方向的移动，避免对移植韧带造成剪切应力和纵向拉力，维持关节稳定。故在早期使用闭链训练被认为是比较安全的方法。多数人推荐在移植韧带基本成熟（术后 4～6 个月）后，可以采用开链训练来加大肌力训练的效率。移植自体或同种异体韧带需要更长时间才能恢复正常张力，既往的生物力学试验报道认为应该在 8～12 个月才能完全恢复，因此主张逐渐恢复到正常运动。目前有更加积极的方式，使参与正常运动的时间大大提前。

1）自体肌腱移植 ACL 重建术后康复治疗　目前韧带愈合的临床判定仍然被认为有很大的主观性，在康复治疗进度上各家差异很大，故被认为激进与保守康复治疗对治疗结果都有不同影响。因为移植材料的改进，使用人工韧带可以在较短时间里恢复运动，然而移植自体或同种异体韧带则需要更多时间才能恢复到正常的张力。运动员恢复正常运动的时间较普通患者早许多。普通患者则仍然需要更迟时间逐渐恢复到正常运动。保守的方法能够获得膝关节较好的稳定性，但是易产生膝前疼痛、膝关节伸直受限、股四头肌无力、膝关节僵直等症状。

我们认为手术方式与个体不同，不能用统一的模式来规范手术后的康复治疗，术后康复治疗进度要依据手术方式、材料质量、患者个体情况区别对待。自体、同种异体和人工韧带的应用，术后康复程序的进度也有区别。

近年来提倡更积极的康复计划，术后即使术膝保持与正常膝一致的伸直，或过伸 5°。在 6～12 周即开始 Cybex 测试。积极的康复计划能够预防膝关节伸直并发症。也有人主张将积极的康复方法用于常规的 ACL 重建术后，而保守的康复方法用于复杂的或复合性损伤的病例。

（i）镜下 ACL 重建术后康复训练：本计划适合于单纯 ACL 损伤，不伴有其他组织的损伤和修复。

第 1 阶段：术后 0～2 周，制动康复训练阶段。

康复目标是减轻疼痛、水肿与炎症反应。①手术后配戴保护性支具，与未受累肢体对称的完全被动伸直，即伸直为 0°。②冰敷：每次 15～20 min，每天 3～5 次。③穿压力套或者弹力袜，帮助消肿。④用助行器或拐杖作步行练习，逐渐负重。第 1 天患足可以负重 25%～50%体重。第 2 周逐渐达到完全负重。有人认为早期负荷对新移植韧带的影响不大，常规的运动量新的韧带可以耐受。所以有的外科医师主张在 1 周内可以完全负重。有人不主张下肢远端过早负荷训练，因为存在损伤的风险。笔者认为如果膝部运动后出现肿胀、疼痛加重，要减少负荷量。⑤早期运动：尽早开始踝泵运动、下肢肌肉的等长收缩、直腿抬高、髌骨活动、滑板运动等。在完成直腿抬高动作可以带支具或者不带支具，通常要求患者先收缩下肢伸侧和屈侧的肌肉后再抬高下肢，以固定胫骨，防止牵拉新移植的韧带。

1 周内开始闭链运动，膝部伸展、屈曲在 0°～100°范围内。患膝在支具屈曲 15°位保护下，完全负重步行。也有的外科医师主张不用支具，可以在术后 1 周内完全负重。我们认为要时时监控患者膝部症状反应，如果局部肿胀、疼痛或关节松动度增加，要及时制动和减少负荷。

第 2 阶段：术后 3～4 周，保护性康复训练阶段。康复目标主要是增加关节活动范围、本体感觉训练、肌肉力量及耐力训练。①睡觉时去除支具。行走时要用支具保护患膝。此阶段膝关节可以完全伸展与屈曲，并有较好的步态，或无辅助装置成为正常步态模式。②肌肉电刺激，生物反馈治疗进行肌肉刺激训练。③闭链运动训练：膝部微蹲训练要控制屈曲度数，站立位，患肢戴支具，双足分开与肩同宽。开始缓慢进行 15°～45°微蹲，由双腿过渡到单腿。固定脚踏车训练，开始 15 min，逐渐增加到 30 min。④抗阻模式，最初训练时座位适当抬高，只要保持 15°屈曲。渐渐恢复正常高度，适量增加阻力。还有上下阶梯训练、柔韧性训练，有条件可以开始水疗计划，建议 20～ 30 min 水中慢跑。⑤关节活动度训练，被动活动 15°～ 90°，本体感受器训练，用平衡板、平衡木、踏板训练。向正面、后向、侧向踏板训练。⑥肌力训练可以进行弹力带训练。坐位、站立位，将弹力带环绕踝部，缓慢向后方拉绳，在最大限度范围坚持 3～5 s，返回原位，然后重复 15～20 次，每天 2 遍。继续直腿抬高、夹球等练习，此练习可以增加股四头肌和内收肌肌力，缓解肌肉萎缩，在较大负荷训练中应注意限制膝关节完全伸直，由此避免早期膝关节伸展运动时，股四头肌主动收缩对胫骨牵拉的负面作用，保护新移植的韧带。在移植韧带基本成熟后，采用大幅度的开链训练，以加大肌力训练的效率。如有水肿、疼痛、不适者可用冰敷 15～20 min。每 2 h 冷敷 1 次。另外，要控制运动或较少运动量。

第 3 阶段：术后 6～8 周，强化肌力恢复训练阶段。康复目标是将关节活动度保持在正常范围，加大肌力训练强度。

增强肌力，恢复训练强度，股四头肌力量训练，腓肠肌肌力训练，保持 10 s，重复 15～20 次；负重达 100%体重。继续进行肌力训练，加大抗阻量；继续进行本体感觉训练，使用平行木、蹦床、平衡板的下肢协调性和稳定性训练，继续功率自行车训练，双下肢均匀负重，正常步态行走。第 8 周加强开链运动，达到一定的肌力后再加负荷训练。

第 4 阶段：术后 8～12 周，运动功能康复训练阶段。康复目标是有针对性地进行膝关节协调性和肌肉力量训练，开始运动、职业相关的专业项目训练。

继续闭链运动训练：固定脚踏车运动是要减低座位高度，提高膝部的屈曲范围，每次 30 min，每天 1 次。进行微蹲练习，双腿或单腿屈曲，膝关节为 15°～30°微蹲，保持 3～5 s，然后恢复到原来站立位姿势，再重复该动作 15～20 次。逐渐增加微蹲的运动量。

注意早期开始本体感觉训练，踏板训练，向前、向侧方、向后方踏上踏板，然后退回原位，再反复此动作 20～30 次，促进膝关节本体感觉恢复，促进下肢远端的运动协调性。可以开始等速运动训练时伸展阻碍在 15°。第 14 周开始抗阻强化训练。第 16 周增加跑步的动作(向前、向后和突然停止)；可以做一些膝关节有旋转的动作，继续平衡功能训练。术后早期训练基本动作每项 15 次，每周递加运动量为每个动作加做 5 次，每天 3 次。抗阻力训练期进度取决于患者恢复程度，即每个动作 20～30 次，重复 3 次。保持全关节活动度，双足 100%负重，恢复正常步态。

(ii) 镜下 ACL 重建术后康复：鼓励手术后患者尽早运动，尽早完成全关节活动范围内的运动和尽早负重，防止术后由于制动时间过久，导致关节粘连，使关节活动受到限制。可是对于损伤程度较重的病例，在康复治疗方面有些例外。本治疗计划只在特殊病例使用。本计划将限制部分运动在手术后的进度，只适用于特殊 ACL 损伤和复合损伤的康复。如同时伴有内侧副韧带损伤修复、半月板修复手术、骨软骨面骨折、PCL 重建手术、合并其他骨折等。本治疗计划在实施中，应该依据患者的具体情况而及时修改。只要及时针对问题，修正计划，对康复治疗进程中出现的问题及时作出对策，并不会给患者遗留功能方面的遗憾，相反将在最短的时间内达到最好的治疗效果。

第 1 阶段：术后 0～2 周，制动康复训练阶段。康复目标是减轻疼痛、水肿与炎症反应，负重为 0。

手术后第 1 天，配戴保护性支具，或者特殊 ACL 保护性支具。支具卡锁在伸展与屈曲为 30°/30°位固定，以后每周逐渐扩大支具卡锁度数，加大关节活动范围。负重训练：患足负重为 0，扶双拐下地行走。同时伴有半月板缝合、内侧副韧带重建手术者 2 周内患足不得负重。从第 2 周后开始以负重体重的 25%。术后第 1 天开始开始踝泵运动、推动髌骨活动训练 。肌力训练：股四头肌、腘绳肌等长收缩，卧位膝关节缓慢伸屈活动 0°～50°。直腿抬高的完成必须在治疗师的指导下，使股四头肌和腘绳肌联合收缩，胫骨移位为 0 的状态下完成。

第 2 阶段：术后第 3～4 周 ，保护性康复训练阶段。康复目标主要是增加关节活动范围、本体感觉训练、肌肉力量及耐力训练。

开始限制数量的直腿抬高练习，继续在支具限制内膝关节的伸展与屈曲练习；继续负重限制，仍用双拐，逐渐 50%～100%负重。有的 3 周后去双拐，允许完全负重，但是半月板缝合修复、骨折除外。使用支具，支具调整在 20°伸展位，伸展不得超过 20°，屈曲度数不受限制。关节活动屈曲角度可达 0°～100°，对合并 PCL 重建的病例，在术后 2～3 周才开始主动运动。采用支具使用技术，保持使用支具 6～8 周。在安全范围内及时调整支具所控制的关节活动度。第4周睡觉时去支具。肌力训练在早期多采用闭链运动训练。第4周开始固定功率自行车训练，车座位调整适度，不得太高，如果膝关节完全伸直，将会牵拉新移植件。座位太低则屈曲角度过大，不能完成运动。开始本体感觉训练，平衡木、平衡板或踏板练习。

第3阶段：术后6～8周，强化肌力恢复训练阶段。康复目标是将关节活动度增加在较大范围，加大肌力训练强度。

保持以上训练项目，保持100%负重。第6～8周逐渐开始和加大开链运动负荷。达到一定的肌力、膝关节可以完全伸展；可应用肌肉电刺激-生物反馈治疗。加强开链运动，增加微蹲的动作训练，继续本体感觉的训练。

第4阶段：术后8～12周，运动功能康复训练阶段。康复目标是有针对性的膝关节协调性和肌肉力量强度训练。

开始等速运动训练和阶梯训练，限制伸展在45°，控制下肢负荷重量。职业相关的专业项目训练。开始等速训练，以耐受量控制和增加强度及持续时间。逐渐增加下肢灵活性训练，跑步动作（向前、向后和突然停止）和膝关节旋转动作。缓慢抗阻训练，以耐受量增加抗阻训练量。加强腘绳肌锻炼，继续阶梯训练、平衡功能训练。去双拐行走，达到正常步态，逐渐恢复完全正常运动。

(4) 交叉韧带止点撕脱骨折术后康复

交叉韧带止点撕脱骨折是一种特殊类型的关节内骨折，用关节镜微创手术有较好疗效。由于伴有骨折的情况比较复杂，术后运动治疗方案的实施，根据患者局部损伤程度、手术方式、内固定材料特性和内固定方式会有一定差别。手术内固定的方式很多，如螺钉和缝线内固定等，每一种方法各有优缺点，对关节运动受力情况会有一定的差异，治疗时关节活动度训练要考虑韧带固定部位的受力和韧带对应力的耐受程度。力学实验观察到如果ACL股骨附着点是完好的，ACL股骨端和胫骨的附着点的间距变化就反映了局部受力和骨折块的移位情况。在加载 <60 N的应力，在股骨端和胫骨的ACL附着点的间距变化的差距无明显统计学意义。但是加载 >90 N的应力，缝线内固定，钢丝反向、正向内固定，螺钉内固定方式的差异均有统计学意义。术后康复方案介绍如下。

第1阶段：术后第1～2周，制动康复训练阶段。膝在支具固定下保持制动状态。用卡盘式膝关节支具0°位固定，即支具将膝关节固定于完全伸直位。做下肢等长肌肉收缩训练。此阶段治疗重点是消除水肿与疼痛，控制关节活动度，抬高下肢，局部用冰敷或低温循环水冷敷。患肢负重为0。术后第2天，在支具完全伸直位保护下，扶双拐可行患肢无负重步行。肌力训练：股四头肌、腘绳肌等长收缩，髌骨活动，膝关节缓慢伸屈活动0°～50°。直腿抬高的完成必须在治疗师的指导下，使股四头肌和腘绳肌联合收缩，胫骨移位为0°的状态下完成。

第2阶段：术后第3～4周，保护性康复训练阶段。用卡盘式支具限制膝关节活动，扶双拐可行患肢无负重步行，即患肢行走负重仍然为0。在支具伸直15°位保护下，第4周开始扶双拐行足尖踩地负重，约25%体重负荷。肌力训练直腿抬高距离床面30°、60°主动运动。膝关节伸屈活动0°～120°范围。开始固定功率自行车训练。

第3阶段：术后5～6周，强化肌力恢复训练阶段。戴支具保护患肢，在休息时必须锁定于完全伸直位。夜间睡觉去除支具。负重肌力训练：在支具保护下，行半足踩地行走，也可以开始扶双拐或单拐行半足、大半足踩地负重行走。也有的人主张完全负重，是否可以完全负重行走，要依据ACL在骨折处对所受应力的耐受情况来确定。肌力训练加大闭链运动训练量，如固定功率自行车。可以增加直腿抬高训练量，被动活动0°～130°。

第4阶段：术后8～12周，根据手术方式不同，非负重状态下满关节活动度，负重控制膝关节屈曲 $<90°$，视患肢恢复情况，有针对性的膝关节协调性和肌肉力量强度训练，开始运动、职业相关的专业项目训练。

第5阶段：术后12周以上，运动功能康复训练阶段。根据患者局部恢复情况，去双拐双足完全负重。逐渐开始运动功能康复训练。

(5) 膝关节后交叉韧带修复术后康复

膝关节后交叉韧带（PCL）损伤或重建手术后，合理的康复训练对于获得治疗成功至关重要。康复治疗的重点是减少渗出，缓解疼痛，并增强肌力和关节内外稳定结构，维持膝关节的稳定功能。

在急性PCL撕裂，通常并不立即选择手术，保守治疗往往针对急性损伤症状，给予冷敷、加压包扎、抬高肢体和制动处理。通过股四头肌、腘绳肌肌力训练，可以增加膝部的稳定性；但是在急性PCL

撕裂,同时伴有 MCL、ACL、LCL 重度损伤的病例,主张尽早选择手术修复所有损伤的韧带。对于完全断离的 PCL,膝向后方移位 10～15 mm,还有急性 PCL 撕裂,伴有小碎骨片,胫骨后向移位 10～15 mm,主张选择手术治疗,术后再进行康复训练。如果伴有大的碎骨片,选择开放手术复位。

慢性 PCL 撕裂,可以先选择康复治疗,进行股四头肌、腘绳肌肌力训练,临床症状如慢性疼痛、关节不稳定症状好转,再逐渐增加运动量。连续康复治疗 3～6 个月后症状无改善,则应考虑选择手术重建 PCL。对于慢性 PCL 撕裂,胫骨后向移位虽然＜10 mm,但同时伴有半月板损伤,无其他韧带损伤,需要首先选择手术修复 PCL 和半月板,再进行康复训练。正常膝关节限制胫骨后移的结构主要是后交叉韧带(PCL),其次是外侧副韧带、腘绳肌和弓形韧带、内侧副韧带。PCL 损伤占所有膝韧带损伤的 3%～20%,其中 30%是单独损伤,70%是合并其他韧带损伤。

1) 镜下重建 PCL 术后康复治疗 PCL 的康复进程与 ACL 重建术大致相同。康复程序的设计在 PCL 损伤后的康复在各时间段增加膝关节的屈曲度、各康复阶段负重量等方面有较大差异。这与手术操作技术、移植件的取材、固定物的选择以及患者膝关节的损伤程度等相关。

本治疗计划可用于单纯 PCL 重建手术的病例。

第 1 阶段:术后 0～ 2 周,制动康复训练阶段。康复目标是减轻疼痛、水肿与炎症反应。

术后第 1 天,适当选用非甾体类抗炎药,控制炎症反应和缓解疼痛。冰敷:每次 15～20 min,每 2 h 冷敷 1 次。穿压力套或者弹力袜,帮助消肿。开始踝泵、髌骨活动、下肢肌肉等长收缩、直腿抬高等训练。关节活动度训练:术后即刻用膝支具锁定术肢在完全伸直位。术后第 1 天开始下肢关节活动度训练,控制角度的适量的膝关节伸展训练。第 2 周主动关节活动度训练时为伸屈 0°/30°,在膝部 0°～60°范围开链股四头肌肌力训练。开始做腘绳肌肌力训练,被动活动应在俯卧位进行,以防止胫骨因重力向后塌陷。下肢肌肉力量训练,在 4～6 周后开始闭链训练,以避免腘绳肌训练时增加新移植韧带向后应力。负荷训练:部分负重,用助行器或拐杖作步行练习,患足负重为 0。第 2 周开始患足可以负重 25%体重,第 3 周后逐渐增加负荷,以后逐渐达到完全负重。开始平衡及本体感觉训练。

第 2 阶段:术后第 3～6 周,保护性康复训练阶段。康复目标主要是增加关节活动范围、本体感觉、肌肉力量及耐力。

第 1 周支具控制关节活动度伸屈为 0°/60°,逐渐增加至正常。第 4 周开始膝关节活动度为 0°～60°,每周屈曲度增加 10°～15°。第 8 周放开支具,第 8～12 周后去支具行走。负荷训练:单纯 PCL 损伤从第 2 周开始足尖踩地,逐渐过渡到完全负重。在允许的范围内做抗阻压膝训练,下肢内收外展,以及做髋关节训练。增加负重,本体感觉训练在常规的范围内完成,还可开始双足的自行车非抗阻训练。上下阶梯训练:行走和上下阶梯时,在 PCL 保护性支具在 0°～60°的控制下,开始上下阶梯训练。

第 3 阶段:术后 6～8 周,强化肌力恢复训练阶段。康复目标是将关节活动度保持在正常范围,加大肌力训练强度。

继续关节活动度训练,关节活动度将达到正常范围。增强肌力强度恢复训练,股四头肌力量训练,腓肠肌肌腱训练,保持 10 s,重复 15～20 次;负重达 100%体重。增加抗阻训练,继续增加其他抗阻训练的强度。复合损伤的负重要依据具体情况确定,通常晚于单纯 PCL 损伤。术后负荷训练应在第 6 周负重 25%体重,第 7 周为 50%,第 8 周为 75%体重,完全负重应在第 9 周。

第 4 阶段:术后 8～12 周,运动功能康复训练阶段。康复目标是有针对性的膝关节协调性和肌肉力量强度。

开始运动、职业相关的专业项目初级训练。继续上述的所有训练项目。增加横向的训练,如侧踏步、倒退步、侧向上踏板训练等。继续本体感觉训练,带 PCL 支具进行项目训练。增加功率自行车抗阻训练。第 16 周后,开始小负荷的慢跑步来改善力量素质和增加心肺功能耐力训练,对专业运动员有针对性地做运动练习,逐渐恢复最大的负荷的力量项目。发展力量和更好适应运动科目。坚持整套康复计划,通过增加负荷、跑步、平衡训练及灵活性训练,增加肌肉训练来满足机体需要的力量。

2) 镜下重建 PCL 术后康复计划 本康复计划适用于复合型损伤的 PCL 重建手术后,关节活动度和下肢负重时间的判断,以患者情况进行适当调整。运动员治疗进度采用更积极的方法。

第 1 阶段:最大限度的保护(0～8 周)。康复目标是保护移植韧带,控制水肿和炎症反应,在控制范围内做 ROM 训练。第 1 天开始踝泵运动训练、髌骨活动和直腿抬高等基础训练，第 4 周开始闭链运动训练。第 5 周进行水疗，第 8 周完全伸屈 0°～100°。早期就开始进行本体感觉训练 。

第 2 阶段：一般程度保护（8～12 周）。康复目标是恢复全 ROM 活动范围 0°～130°，避免移植物过度牵拉。继续直腿抬高、柔韧性训练和水疗。继续闭链运动训练，增加关节活动度。开始开链运动训练，屈曲 15°～100°。加强本体感觉训练，柔韧性训练，继续闭链运动训练、阶梯训练和固定脚踏车训练。

第 3 阶段：最小限度的保护（3～8 个月）。康复目标是恢复正常关节活动度，达到 100％负重；恢复正常步态和平衡功能。避免对移植物牵拉应力，增强肌力、耐力训练。第 4 个月进行快步/慢跑训练。

第 4 阶段：完全恢复运动能力（8～12 个月）。康复目标是保持患肢的肌力、耐力和本体感觉达到更高水平。保持正常步态。继续肌力、耐力、本体感觉和步态的训练。

3）物理治疗

（i）超短波疗法：患膝对置，有肿胀者选择无热量。每次 10～15 min，每日 1 次，促进组织渗出液吸收。关节无肿胀者可采用微热量，每次 15 min，10～20 次为 1 个疗程。禁忌证：有出血倾向的疾病、结核病活动期、恶性肿瘤、体内金属异物。

（ii）毫米波疗法：适用于关节疾病的各种类型和各个阶段，无明显不良反应，消炎镇痛作用较好。放置在痛点、手术皮肤切口区、神经反射节段区辐射，每次 15～30 min，每日 1～2 次。无明显禁忌证。

（iii）等幅中频正弦（音频）电疗法：对皮肤创伤和手术切口区进行早期瘢痕预防性治疗，可以预防或减缓瘢痕增生。将电极并置在病变两侧或关节部位对置，每次 20～30 min，每日 1 次。禁忌证：急性化脓性炎症，体内较大金属异物。

（iv）超声波疗法与超声药物透入疗法：①关节区直接接触移动法，在治疗时采用 0.5～1.25 W/cm²，每次5～8 min，10～15 次为 1 个疗程。下肢疼痛或水肿，在腹股沟股动脉区和腰交感神经节区用超声波移动法，剂量 0.5～1.25 W /cm²，每区 5～10 min，每日 1 次，15 次为 1 个疗程。②超声波药物导入疗法。将辨证施治的中药煎剂煎煮各加水 7 000 ml，药液温度为 38～40℃，将药液放入塑料桶中，患肢浸泡在药液中，用超声探头通过水的媒介，距离体表 1～2 cm，以 10 cm/min 速度，声强剂量 0.5～2 W/cm²，连续波，沿患肢受累部位移动，每次 20 min，每日 1 次，20 次为 1 个疗程。③瘢痕治疗，在每 40 ml 耦合剂中加入曲安奈德（康宁克通 A）40 mg 或 10％碘化钾 40 ml，采用移动法。禁忌证：结核病、出血倾向部位、恶性肿瘤。

（v）磁场疗法：将两个磁头分别放置在关节两侧，0.6～0.8 T，每次 20 min，每日 1 次，10～20 次为 1 个疗程。

（vi）冷疗法：①冰袋内盛 80～100 ml 的冰镇水进行局部冷疗法，放置在局部 10～20 min，每日 3～4 次；或将制冰机中碎冰放入塑料袋或橡胶袋中，持续局部直接冷敷 15～20 min，每日 3～4 次。②冰块按摩：用冰块按摩急性损伤部位，作环形缓慢移动 5～10 min，可缓解水肿，减轻肌肉痉痛。③冷热交替治疗：将肢体在冷水中浸泡 5 min，又在热水中浸泡 5 min，如此循环，分别在冷热水中浸泡各 3 次，约 30 min。或者先热敷 10～15 min，然后做肢体运动训练，训练结束时冰敷 1～20 min。冷热交替治疗主要针对术后伤口已经愈合的患者。热作用使血管扩张，血流加速，肌肉僵硬缓解，肌肉组织松弛，利于做运动训练。训练结束时冰敷，可以镇痛，防止关节肿胀。注意控制时间和温度，过长时间或温度过低时易损伤皮肤，造成组织冻伤。

（6）膝关节半月板损伤与缝合修复术后康复

膝关节半月板是人体的重要结构，具有传导负荷、缓冲外力、吸收震荡、维持关节的稳定、辅助营养、润滑关节和本体感觉等重要功能。随着临床诊疗技术的发展，对膝关节半月板损伤和术后康复问题已引起广泛重视。根据半月板的解剖结构特点，证明负荷对半月板愈合的影响是重要的。在半月板缝合后的早期康复训练中，运动有助于滑液分布于关节软骨的各个部位，提供营养成分，润滑关节，减少摩擦力。术后早期负荷，应力的刺激有利于促进保留的半月板游离缘加速再塑形，以发挥半月板的正常功能。

由于半月板血运缺乏区和非血运区的修复目前仍存在某些问题，在半月板由纤维性愈合至纤维软骨性愈合的过程中，需要经过数月甚至更长的时间才能完成。如果在此期间，半月板愈合的组织及其周围组织强度均低于正常纤维软骨，过度活动或承受过大的负荷都将影响损伤部位的愈合，甚至导致不愈合。压力负荷实验结果表明半月板缝合治疗失败多在反复负重下发生，因此在康复治疗过程中要把握肢体负荷时间和运动量。

半月板镜下修复手术后，用膝关节可调节支具固定，制动6～8周，此期间康复训练是最重要的治疗手段。严格按照半月板缝合术后康复治疗计划进行治疗，控制关节活动，渐进性进行负重训练，将获得较满意的治疗效果。

1）关节镜下半月板缝合修复术后的康复

第1阶段：术后0～2周，制动康复训练阶段。康复治疗目标是减轻疼痛、水肿与炎症反应。

术后第1天开始进行踝泵运动、股四头肌和腘绳肌的等长收缩、髌骨活动、直腿抬高训练，每次15～20下，每日2～3次，下地患肢无负重行走，即控制术肢负重为0%体重负重。开始进行主动的膝关节伸屈训练，限制在0°～90°，避免膝屈曲 ＞90°下进行闭链运动和屈曲下进行开链运动训练。每次练习15～20次，每日2～3次。尽可能控制膝关节肿胀和疼痛。缝合修复术后需待半月板愈合并达到一定强度时，才能进行正常的关节运动与负荷，必须科学地掌握手术后关节动与静的辩证关系。避免缝合的半月板因为负荷、牵拉或者挤压吻合部位，影响愈合。早期活动可以促进滑液循环，有利于局部愈合。

第2阶段：术后3～5周，保护性康复训练阶段。康复治疗目标主要是增加关节活动范围、肌肉力量及耐力。

开始逐渐负重行走，负荷为25%～50%体重负重，达到完全伸展。增加肌力练习，加强不同角度的直腿抬高训练，下肢弹力带训练，踝部增加负荷进行抗阻训练，每次练习20～30次，每日2次。平卧位滑板训练，屈膝可以达到100°以上。但是控制下蹲，膝部屈曲应＜90°。用拐杖负荷行走负重75%体重。开始功率自行车训练。

第3阶段：术后6～8周，肌力强度康复训练阶段。康复治疗目标是使关节活动度达到正常范围。去拐杖负重达75%～100%体重。

无辅助装置向正常步态模式过渡。继续进行肌力加大抗阻量；进行本体感觉训练、下肢协调性和稳定性训练，继续功率自行车训练，双下肢均匀负重，正常步态行走。

第4阶段：术后8～12周，运动功能康复训练阶段。康复治疗目标是有针对性的增强膝关节协调性和肌肉力量强度。

2）开始运动、职业相关的专业项目训练　继续闭链运动训练：固定脚踏车运动提高屈曲范围。开始微蹲、踏板训练，从0°～60°开始，促进下肢远端训练，下蹲负荷将膝部控制屈曲不得大于90°。注意早期开始本体感觉训练。术后3个月开始进行正常运动训练，继续避免运动对半月板的高压应力，避免闭链运动时剪切力。继续开链腘绳肌训练和本体感觉训练。逐渐完全恢复正常运动。运动训练：如慢跑、加速向前跑、切向运动等。缓慢运动逐渐加速，在监控下进行。避免在高负荷下很快恢复剧烈的切向和旋转活动，防止再损伤。

(7) 膝关节半月板切除术后康复

关节镜下半月板部分或全部切除术后康复治疗与缝合术后康复治疗进度有很大不同。有很多的患者在术后2～3周后即可参加正常工作。关节镜下半月板部分或全部切除术后当天即开始标准的膝关节功能练习：踝关节交替屈曲与背屈运动，防止并发症。在不同角度作伸屈肌等长收缩。主动运动和膝关节最大范围的伸屈练习，增加ROM。加弹力带或沙袋抗阻直腿抬高，强化肌力训练。术后第1天下地负荷25%体重，于第2～3周内逐渐增加肌力强化训练的强度，并依患者个体情况逐渐过渡到完全负重。适时进行协调性和稳定性训练，以达到正常步态行走。使膝关节屈伸角度达到正常范围。坚持康复训练，直到完全恢复正常功能，患者可以正常进行日常活动，参加正常运动。

(8) 踝关节镜术后康复

踝关节损伤属于最常见的关节损伤之一。踝关节本身解剖的特殊性，如关节负荷较重，关节周围支持组织少，关节韧带解剖的结构弱点等原因，若行走、跑步时地面不平或上下阶梯时不慎，会导致踝部过度内翻、外翻、足跖屈内翻，产生踝关节韧带损伤，重者甚至产生骨折。这种损伤占运动损伤的20%～40%。有报道显示在运动员中有70%的篮球运动员容易罹患此损伤，其中70%～80%有反复损伤，常常由于对此类损伤初期的临床诊断不准确，非手术或者术后康复治疗还没有足够重视，或者缺少相应的康复技术，没有针对特殊问题采取及时处理，许多患者在治疗上存在不够完全，使其踝部损伤的恢复遗留各种问题，功能恢复不理想。有的患者在诊断不明的情况下负荷行走，并且忍受长期的疼痛，不同程度地存在关节周围支持组织薄弱现象，存在踝关节不稳定，容易反复扭伤，导致踝部重复损伤，继发关节僵直或创伤性关节炎，引起踝关节的功能障碍。

近年来，踝关节镜治疗被越来越多地用于踝关节损伤的治疗，如关节软骨损伤修复术、滑膜炎滑膜清理术、踝关节侧副韧带断裂修复、关节内游离体摘除术、踝关节撞击综合征、骨突和纤维化切除术等。踝关节镜手术后，康复治疗对于关节功能的恢复有重要的作用。治疗医师在术前和术后要先进行术前踝关节功能评定和阶段疗效评定。内容包括：疼痛性质与程度、踝关节的稳定性、行走能力、跑步能力、活动范围测量等。在每个治疗阶段进行疗效评定，内容包括对局部损伤程度、疼痛、踝关节的稳定性、关节活动范围、行走能力、跑步运动能力测量等。根据手术方式和损伤局部解剖的力学要求，制订手术后康复治疗计划。踝关节镜术后强调踝关节功能全面训练，尤其着重于关节本体感觉、肌腱与韧带的紧张度、关节周围肌肉的力量、关节周围组织的柔韧性和协调性训练等，防止再损伤。物理治疗也可以大大提高治疗效率，更有效地解决组织水肿、局部疼痛、炎症反应，促进愈合，帮助加速恢复。

踝关节镜术后的康复治疗程序被划分成4个阶段：①术后早期康复治疗阶段；②早期保护性康复治疗阶段；③功能恢复阶段；④运动恢复康复治疗阶段。每个阶段期间为2～3周，临床根据外科医师和康复医师的意见可有所不同。

用评分系统可以将临床问题进行功能性和客观性的评定。通常在临床上将踝关节急性损伤分为3级。根据患者对疼痛、肿胀和行走的困难程度的评价，每项给0～3分（0=3D无，1=3D轻度，2=3D中度，3=3D严重），再计算总分：Ⅰ级为0～3分，Ⅱ级为4～6分，Ⅲ级为7～9分。也有学者将踝关节韧带损伤分为3度。Ⅰ度（轻）损伤：韧带松弛，无明显撕裂，局部无肿胀、压痛，踝关节功能正常或轻度丧失，没有不稳定；Ⅱ度（中）损伤：韧带部分撕裂，局部有中度的疼痛、肿胀、压痛，踝关节功能部分丧失，有轻度或中度的不稳定；Ⅲ度（重）损伤：韧带完全断裂，局部有明显的疼痛、淤血、压痛，踝关节功能完全丧失、不稳定。

1）第1阶段 术后早期康复治疗阶段。康复治疗目标是减轻肿胀，控制出血，减轻炎症反应，缓解疼痛。

急性损伤、手术后或韧带重建术后的早期，使用拐杖，行走为0%体重负重。给予局部冰敷、踝关节支具、内外踝弹性绷带“8”字加压包扎，相对固定制动。抬高患肢，控制肿胀。韧带修复术后用支具固定，相对制动，或者持续应用踝关节支持带固定。女性不穿高跟鞋，将鞋跟外侧加垫圈，使外侧高于内侧1～1.5 cm，足处于轻度外翻，限制踝关节的反复内翻动作。①直腿抬高运动：重复多角度直腿抬高，每次保持3～5 s，恢复原位置；重复15～20次，每天2～3次。②踝周肌肉等长收缩训练：在不增加受损韧带张力情况下，进行踝周肌肉等长练习。下肢伸直，做肌肉的等长收缩，每次3～5 s，然后放松肌肉，恢复原状态，再重复以上动作，15～20次。③踝泵训练：在术后不会增加受损局部的张力条件下，进行此项训练。患者取卧位或者坐位，尽力背屈踝部或跖屈，使踝关节运动角度接近最大正常范围，保持3～5 s，然后放松，重复15～20次。④负重训练：手术后早期视受力部位情况而确定，控制负荷。

2）第2阶段 早期保护性康复治疗阶段。康复治疗目标是预防肌肉萎缩和关节周围软组织挛缩，增加肌力。①负重训练：手术后早期制动和控制负荷是必要的。踝关节损伤或手术后负重要依损伤类型、手术方式、骨折部位、固定材料、固定技术、损伤局部愈合影响等情况而定。早期扶拐行走，非负重区的较小骨损伤后可以较早时间内负重行走。负重区骨损伤推迟负重时间，至少2～3周负重0%体重，3～4周负重25%～50%；4～6周负重75%；6～8周负重100%。负重区有软骨损伤则在修复手术后推迟负重时间。可采用下蹲运动，开始时可扶固定物体，逐渐下蹲，膝屈曲45°，患者站立位，双足分开同肩宽，双足跟不离地面，缓慢的下蹲练习，保持3～5 s，然后立起，回到原位，每次10～30下，每日3次。②根据踝部手术情况选择适当时间开始踝泵运动，不引发疼痛为适度，感觉下肢伸侧与屈侧肌肉收缩紧张，踝关节运动角度接近最大正常范围，保持3～5 s，然后放松，重复15～20次。③踝关节活动度训练：选坐位屈膝，足底平踏着地面，抬足尖，最大范围背屈，持续3～5 s，然后恢复原位，足底平踏着地。重复15～20次。也可选坐位屈膝，足底平踏着地面，提足跟，持续3～5 s，恢复原位，足底平踏着地，重复15～20次；或者仰卧位腘绳肌收缩结合踝关节运动，持续3～5 s，然后恢复原位，重复15～20次。或者采用踝关节踏板训练。坐位踝关节踏板背伸活动度训练，最初踏板斜度要小，控制在不感觉疼痛为适度，负荷应小于体重的1/4；在术后允许负重时，开始站立位负重训练，足站立在踝关节踏板（45°角）上，持续5 min，每天1～2次，每周增加斜板角度，逐渐增加站立时间。

3）第3阶段　关节功能恢复阶段。康复治疗目标的重点是恢复日常运动功能和本体感觉。①器械训练：立式踏步器的应用（坐位蹬踩）小腿肌力练习。②踏车训练：最初为5～15 s，逐渐增加为15～30 s。③踝关节辅助被动牵张手法治疗：对于存在关节活动度受限患者，确认为非骨性阻挡时，用牵张手法和关节松动手法，增加关节活动范围。加强关节的灵活性训练。④行走训练：对内固定、外固定患者分别在术后4周、6周，扶拐部分负重行走，可进行缓慢、渐进性着地负重行走训练。依据不同手术术后康复治疗的生物力学要求确定负荷量。⑤踝关节力量柔韧性训练：关节柔韧性关系到关节囊、关节软骨、韧带弹性和伸展性改变，神经系统对肌肉支配收缩和放松调节，对抗肌之间的协调性。踝关节柔韧性主要是提高小腿三头肌伸展与弹性。⑥提踵练习：以足趾部支撑，提起足踵，到最大范围，保持直立3～5 s站立姿势，然后缓慢放下，重复以上动作15次。⑦踝关节主动和被动牵拉练习：下肢伸直，足背做对抗性主动牵拉运动。⑧踝部弹力带训练：各方向主动弹力带抗阻训练。⑨下蹲运动：逐渐下蹲，膝屈曲45°，每次10～30下，每日3次。患者站立位，双足分开同肩宽，双足跟不离地面，缓慢的下蹲练习，保持3～5 s，然后立起，回到原位，保持10次，每日1～2次。⑩踝关节踏板训练：开始给予较小角度踝部斜板站立，依据患者耐受情况，保持5～15 min；逐渐增加踏板的倾斜度，即加大踝关节背屈关节活动度。术后4周开始自行车训练。术后8周以后上下楼梯，12周行走上坡下蹲训练、踝踏板训练。

4）第4阶段　运动恢复康复治疗阶段。康复治疗目标的重点是恢复日常运动功能、恢复专业运动基础训练和平衡功能，有正常步态。①柔韧性训练：受试者坐姿，髋、膝关节屈曲近100°，脚与小腿垂直呈中立位姿势。左右两侧踝关节从中立位姿势开始的最大背屈度，测量活动度。②本体感觉训练：闭上双眼进行踝关节活动度训练，灵活性训练踏板-前后左右4组；功率车（闭眼）；蹦床单足站立训练。③在恢复正常ROM、肌力和功能及肿胀消除，可采取功能性活动，如直线匀速跑、“8”字形跑和跑动中的急停训练。④强化肌力与平衡训练，如负重提踵，用足尖走跳、踏板负重运动、弹力带训练等以增强下肢整体肌力。踝关节本体感觉减退被认为可以导致踝关节的再损伤，然而踝关节损伤也可以导致关节本体感觉减退。所以应该注意早期就开始相关项目的训练。

5）物理治疗　超短波治疗。患部对置，无热量，每次10～15 min，每日1次。还可使用超声波、音频电疗、脉冲磁疗、毫米波、热水浴、活血化淤中药足浴、冷敷等。

需要强调：①选择合适的鞋子有利于保护踝关节。高筒鞋、柔软的支持性鞋底、支具性鞋、合理的选择治疗性鞋垫等能够明显地提高踝部的本体感觉，增加关节稳定性，另外可以改变足底受力，保护踝部损伤部位，防止踝关节再扭伤。②急性踝部损伤和手术后，早期就开始运动训练和本体感觉训练，防止关节粘连和不稳。③姿势摆动、弹跳、踝关节的灵活性训练，可以有效训练踝部稳定和增加关节支持力度，提高对高处坠落时踝部组织的保护性反应。

（王惠芳）

46.3 四肢骨折的康复治疗

46.3.1 概述

骨的完整性或连续性的中断或丧失称为骨折。骨折常见于日常生活、工作、交通及运动中的意外事故及战伤，可为单纯肢体骨折或为开放性、粉碎性骨折，或为伴有其他脏器损伤的复合伤。骨折最常见的部位在四肢，四肢骨折多由直接暴力或间接暴力引起，如车祸、摔伤或钝器打伤等。骨折常见的临床表现为受伤部位的局部组织肿胀、疼痛、功能障碍、伤肢畸形、反常活动、骨摩擦音和骨摩擦感。骨折的愈合时间较长，临床上主要分为4期。①肉芽修复期：伤后2～3周内完成；②原始骨痂期：伤后6～10周内完成；③成熟骨板期：伤后8～12周内完成，此期也为临床愈合期；④塑形期：达到正常骨骼的结构，这一过程需要2～4年才能完成。由于骨折可直接导致与其相关的肌肉、肌腱、血管、神经及关节的损伤，或者由于骨折部位局部组织持续肿胀，骨折部位的长时间固定等因素，骨折后容易产生肢体废用性肌萎缩、关节及周围组织粘连或挛缩以及周围神经损伤等并发症。因此，在骨折愈合的不同时期进行物理治疗和康复训练有非常重要的临床意义。物理治疗在骨折早期可以促进局部组织血肿吸收，减轻疼痛，促进骨痂生长。恢复期对骨痂生长缓慢者物理治疗有刺激骨痂生长的作用,同时还可以治疗骨折部位的组织粘连、瘢痕形成及周围神经损伤。康复训练可以防止骨折后肢体废用性肌萎缩、关节粘连或挛缩等并发症产生,使肢体的功能恢复正常。

46.3.2 骨折康复治疗原则和目的

复位、固定和功能训练是四肢骨折后康复治疗的基本原则。通过手法或手术方法对移位的骨折,或关节进行复位,使其恢复正常的解剖结构关系是骨折治疗的最基本的手段,而其后的固定、功能训练均在此基础上进行。因此正确的手法或手术复位对骨折的愈合及肢体功能恢复具有重要意义。固定是维持已复位的骨折或关节的正常解剖位置,为骨折端提供稳定的愈合环境并保持复位的结果,同时也为患肢早期的肌肉及关节活动提供必要的条件。固定的方法主要有外固定和内固定。外固定包括小夹板固定、外固定架固定、石膏固定、牵引等;内固定包括使用各种不同类型的内固定物(如钢板、螺钉、钢丝、髓内针、动力髁、动力髋等)所进行的固定。临床上根据骨折的部位和类型选择固定的方式。通常内固定作用较外固定更为可靠,可使患肢能够较早地进行功能训练。

现代骨折治疗学非常强调尽早进行患肢的功能训练。因为功能训练可以避免因长时间固定,尤其是外固定导致的患肢肌肉废用性萎缩,关节内骨折或关节附近的骨折产生的关节及周围组织粘连和关节挛缩等并发症,而且还能促进骨折早期局部组织肿胀的消退,改善局部血液循环,促进骨折的愈合,使患肢功能尽早恢复正常。骨折康复治疗的目的主要是通过有计划、有目的的康复训练和物理治疗,促进骨折局部组织血肿吸收,消除肿胀,减轻疼痛,促进骨痂生长,预防和治疗废用性肌肉萎缩,防止关节及周围组织粘连和挛缩,使患肢的功能早日得到恢复。骨折的康复计划应根据骨折的部位、类型、固定方式及患者的全身状况等影响骨折愈合的因素,科学的、合理的及个性化的制订康复治疗计划,并在治疗过程中根据具体情况不断加以修正,以更加适合患肢康复治疗过程的需要。

46.3.3 骨折的康复评定

骨折康复评定包括:①骨折愈合的评定。注意观察骨折是否对位对线,骨痂形成是否正常、有无不愈合、延迟愈合或畸形愈合等情况。此外,还应注意伤口有无感染,局部血管和神经组织有无损伤,关节有无粘连、挛缩及骨化性肌炎等并发症的发生。②肢体长度和肢体周径的评定。③肌力的评定。④关节活动度的评定。⑤运动功能和感觉功能的评定。⑥日常生活活动能力的评定:上肢注重评定个人卫生、进食、穿衣、写字和使用生活用具的能力。上肢注重评定负重、站立、行走和步态。

46.3.4 骨折康复治疗的分期及基本方法

骨折的愈合过程一般分为 4 个阶段。第 1 阶段:骨折发生后 1～2 周内,骨折局部组织血肿、水肿、炎症反应。血肿及水肿吸收后,纤维组织增生,逐渐形成纤维连接。第 2 阶段:骨痂形成期,纤维连接处成骨细胞增殖,钙质沉着,原始骨痂逐步形成。第 3 阶段:骨痂成熟期,原始骨痂进行吸收及重建,骨骼内部排列及外部轮廓更接近正常,机械强度逐渐增加,达到临床愈合。第 4 阶段:骨骼结构根据人体运动的力学原则重新改造,最终达到正常骨骼的结构。骨折康复治疗计划是根据临床骨折的愈合过程制订的。通常分为早期康复治疗和恢复期康复治疗。

(1) 骨折早期康复治疗

骨折早期是指骨折在愈合中,外固定未去除。康复治疗目的:促进局部组织血液循环,消除局部肿胀,减轻疼痛,预防废用性肌肉萎缩,防止关节及周围组织粘连,促进骨痂生长,预防骨质疏松。

1) 患肢功能位治疗　创伤早期抬高患肢,肢体的远端必须高于近端。近端要高于心脏平面,以促进患肢静脉血及淋巴液的回流,消除局部组织水肿。同时尽可能将关节固定在功能位上,预防不正确的关节位置的固定导致关节功能障碍。

2) 被动运动　骨折复位、固定后,应尽早对骨折部位的近端和远端未被固定的关节,进行正常范围内的被动运动或助力运动,以保持其关节的正常活动范围,防止关节及周围组织粘连挛缩。同时对骨折部位远端肢体进行轻柔按摩,以促进远端肢体静脉血回流,消除肢体肿胀,减轻疼痛,缓解肌肉痉挛。近年来,临床研究结果表明:骨折术后早期对患肢进行持续性被动活动治疗可以明显消除肿胀,缓解疼痛,改善关节活动范围,松解粘连,防止关节及周围组织粘连和挛缩。持续性被动活动(CPM)是利用机械或电动活动装置,使手术肢体在术后能进行早期、持续性、无疼痛范围内的被动活动的临床治疗方法。CPM 治疗可以促进关节及周围软组织的血液循环，加快关节液的分泌和吸收，促进关节软骨的修复和再生，促进伤口愈合和损伤软组织的修复。

3)主动运动　患肢骨折部位肌肉的等长收缩练习，可以预防废用性肌萎缩，同时肌肉收缩可使骨折端挤压而有利于骨折愈合。关节的主动运动可以在固定后 2～3 周进行，每日定时取下外固定装置，在康复治疗师帮助和指导下进行关节不负重的主动运动(无痛范围内)，并逐渐增大关节活动范围和活动次数。正常情况下，治疗后将关节置于功能位，继续维持固定。早期关节的主动运动可促进关节软骨的修复，减轻关节内粘连。此外，除患肢外应尽可能保持全身的正常活动，以改善全身营养状况，预防压疮及呼吸系统、泌尿系统感染等并发症的发生。

4) 物理治疗　骨折早期的物理治疗常采用紫外线、磁疗、超短波或短波、低中频电疗及超声波疗法等治疗。紫外线对骨折愈合有良好的作用，其作用机制一般认为通过皮肤表层接受紫外线照射后形成的维生素 D_3，促进钙、磷的代谢和吸收，为骨痂形成提供物质基础，同时紫外线照射后皮肤内产生的生物活性物质如组胺或组胺类物质的作用，可以引起骨折局部或相应反射区血管扩张，血管通透性增加，有助于改善骨折局部组织血液循环。常采用骨折局部照射法，Ⅰ、Ⅱ级红斑量，每日或隔日 1 次，8～12 次为 1 个疗程。超短波或短波疗法有促进血肿吸收、消除炎症和促进骨痂生长的作用。通常采用局部对置法，无热量 10～15 min，每日 1 次，10 次为 1 个疗程，磁疗对骨折局部或患肢的肿胀有明显的消肿作用，同时由于磁场有较好的镇痛作用，因此可以缓解骨折后的疼痛。可用动磁场法或磁片体外贴敷于骨折局部。对于骨痂生长缓慢者，由于小剂量的超声波有刺激骨痂生长的作用。因此在骨折局部可采用超声波治疗，移动法，剂量为 0.5～0.75 W/cm^2，每次 8～10 分钟。每日 1 次，10 次为 1 个疗程。此外可使用低中频电刺激预防废用性肌萎缩。

5) 心理治疗　针对患者可能存在的恐惧、忧虑、抑郁等心理状态进行耐心疏导，使其建立起康复信心，积极配合康复治疗。

(2) 骨折恢复期康复治疗

此期骨折已基本愈合，固定物已去除。

康复治疗目的：促进骨折愈合，预防和治疗关节粘连、僵硬，恢复关节正常活动度，预防和治疗肌肉萎缩，增强肌肉力量，促进肢体运动功能及生活、工作能力得到最大限度的恢复。

1) 恢复关节活动度的训练

(i) 主动运动：刚去除外固定后，对关节的运动应先采用主动助力运动，主要通过滑轮、棍棒及特殊的器械由患者的健肢对患肢的运动施加助力，也可以由治疗师或他人施加助力，治疗以不引起关节明显疼痛为宜。随着关节活动范围的增大，逐渐减少助力，开始进行关节各方向的主动运动，可以温和地牵拉关节及周围粘连、挛缩的组织，改善关节活动度。关节活动的范围及治疗次数可逐渐增加，但不能引起关节的明显肿胀和疼痛。

(ii) 被动运动：对有较严重的关节及周围组织粘连、挛缩且用主动运动和助力运动无效时，可使用被动运动进行治疗。根据关节的解剖结构和功能，对关节进行各个方向和范围的被动运动，动作应平稳、缓和、有节奏，不要引起明显疼痛和肌肉痉挛。切忌治疗时动作暴力，引起组织撕脱和骨化性肌炎等附加损伤。

(iii) 关节功能牵引：持续或间断牵引关节及周围粘连、挛缩的纤维组织是恢复关节活动度的有效方法。关节功能牵引是治疗关节活动障碍的最常用的方法之一。牵引前，关节局部可进行蜡疗、短波、红外线等治疗。温热治疗结束后，开始进行关节功能牵引治疗。具体方法：适当的固定关节近端后，在关节远端按治疗方向(屈、伸、内收、外展、内外旋转)用适当重量作持续或间断牵引，在治疗过程中应经常作关节活动度测定，评定治疗效果。根据实际功能恢复程度，进一步调整治疗方案，牵引重量的大小以引起适度紧张疼痛感觉但能忍受，不引起肌肉痉挛为宜。每次牵引时间 15～20 min，每日可多次进行治疗。关节功能牵引适用于各种较严重的关节挛缩强直。

2) 恢复肌力的训练　根据对患肢肌力水平测定的结果，选择肌力训练方式。肌力 0～1 级时，主要是被动运动、助力运动、低频脉冲电刺激、水疗、按摩等。肌力 2～3 级时，采用主动助力运动、主动运动、水中运动等。肌力达到 4 级或以上时，应进行肌肉的渐进性抗阻训练。在进行肌力训练时，应科学的制订训练计划，根据肌肉疲劳和超量恢复的原理正确掌握运动量和训练节奏。在训练过程中，注意心血管系统的反应。通常当肌肉出现明显疲劳时，才能达到增强肌力的目的，然而，过度或频繁的训练不利于增强肌力，甚至容易引起肌肉的劳损。此外肌力训练应注意与关节活动训练配合进行，如果关节活动度恢复较快，肌力增长过慢，容易造成关节不稳引起关节慢性损伤和关节积液。肌力训练应在无痛的运动范围内进行，若关节内有损伤或其他原因所致运动达一定幅度时有疼痛，则应减小运动幅度。受累的肌肉应按关节运动方向依次进行练习。肌力的恢复是运动功能恢复的重要基础，对保持关节的稳定性、防止关节退行性变、下肢负重等有重要意义。

3）物理治疗　低、中频电刺激，可以预防和治疗废用性肌萎缩。短波、红外线、蜡疗等各种热疗可以改善局部血液循环，加快骨折愈合。音频电疗法、磁疗、超声波疗法、红外线及蜡疗红外线、蜡疗有软化瘢痕，松解粘连的作用。

4）运动能力及灵活性的训练　由于关节内或其附近的骨折常伴有肌腱、韧带和关节囊的损伤，因此对患肢本体感觉功能有一定的影响，导致肢体协调能力、平衡能力及运动能力下降。所以在进行肌力和关节活动度训练的同时，应逐渐增加闭链运动训练、平衡训练。注意强调动作的精确性、复杂性。从静态到动态和动态中速度变化的练习及防止倾倒的与恢复的练习。

5）日常生活活动能力训练　日常生活活动能力（ADL）的训练是骨折恢复期康复训练的重点。上肢功能训练包括进餐、穿衣、梳洗、书写及工艺操作等各种日常生活动作和使用各种工具的能力的训练。下肢训练包括站立、行走、上下楼梯、踏自行车、跑步等训练。目的是通过运动疗法和作业疗法使肢体运动功能得到最大的恢复。

46.3.5　常见四肢骨折的康复治疗

（1）上肢骨折的康复治疗

1）锁骨骨折　锁骨是连接上肢与躯干之间唯一的骨性支撑装置，呈“S”形。近端与胸骨柄形成胸锁关节，远端与肩峰形成肩锁关节。锁骨骨折多为间接暴力引起，好发的部位在锁骨的中外 1/3 处。临床根据骨折类型、移位程度选择相应的治疗。康复计划也是依照临床治疗的情况而制订。锁骨骨折复位、固定后应尽早进行物理治疗，如紫外线照射有加速骨折愈合的作用。超短波或短波有促进骨痂生长的作用。但如骨折局部有金属固定物应慎用超短波或短波治疗。对无移位骨折的常用三角巾或颈腕吊带悬吊固定。有移位的骨折需复位后用“8”字绷带固定或采用手术内固定。即日开始肘、腕关节主动屈伸运动及手指的主动运动。逐渐增加耸肩及肩后伸运动。1 周后，在悬吊带内作肩关节前后、左右摆动的主动助力运动（无痛范围内），避免作肩关节前屈运动。以后逐渐增加肩带肌的等长收缩练习。骨折愈合后，去除固定 1～2 天，开始进行肩关节前屈和内收的放松摆动练习；肩关节外展、后伸的主动助力运动训练。肩关节的主动运动以不引起明显疼痛为宜。3～4 天后，进行肩关节各方向和各轴位的主动运动、助力运动和肩带肌的抗阻训练。1 周后逐渐增大肩关节活动范围的训练，但应避免肩关节过多和过大范围的前屈运动。4 周后，开始作肩关节各个方向活动度及增强肩带肌肌力的训练。6～8 周后，尽量使肩关节功能恢复正常。

2）肩关节前脱位伴肱骨大结节撕脱骨折　肩关节复位后用肩前臂吊带固定，即日开始作肘关节和腕关节的主动屈伸训练和手指的主动活动。同时给予无热量超短波或短波治疗，有消肿止痛、改善局部组织循环、加快组织愈合的作用。1 周后，在肩前臂吊带内作肩关节各个方向摆动练习，并逐渐扩大摆动幅度，以不引起疼痛为宜。3 周后，开始进行肩关节各个方向的主动练习和肩带肌的抗阻训练。4 周后，去除肩前臂吊带固定，进行肩关节各个方向活动和肩带肌肌力的抗阻训练。如有肩关节前下方不稳或半脱位，应注意增加肩前屈、内收肌力训练。逐渐增加肩关节的上举和外展活动，以免使肩关节前方关节囊过于松弛。

3）肱骨外科颈骨折　肱骨外科颈为肱骨大结节、小结节移行为肱骨干的交界部位，有臂丛神经、腋血管在内侧经过，因此骨折后容易合并神经血管损伤。暴力作用是肱骨外科颈骨折的主要原因。由于暴力作用的大小、方向及肢体的姿势和位置的不同，所产生的骨折情况也不同。临床上分为：无移位骨折、外展型骨折、内收型骨折和粉碎型骨折。骨折无移位时，可采用肩吊带支具或三角巾将上肢悬挂固定。即日开始进行上肢肌肉的等长收缩练习和腕关节及手指的主动活动。3～4 天后，骨折无移位患者可进行肩关节的钟摆式功能训练（无痛范围内）。以后逐渐增加在肩吊带支具内作主动肘关节的屈伸及前臂旋转练习。5～6 天后，站立位，在肩吊带支具内作肩关节前后、内外摆动练习（在无痛范围内）和肘关节屈伸的静力性抗阻练习。2～3 周，开始进行站立位肩关节的钟摆练习、耸肩等运动；上肢肌肉的静力性抗阻训练，并逐步加大运动幅度和运动量。8～12周，临床骨折愈合后，应逐渐加强肩关节、肘关节及腕关节的主动活动训练；上肢肌力训练和上肢的本体感觉训练。使上肢功能较快的恢复正常。骨折有移位时，进行内固定或外固定手术后第2天，可进行腕关节屈伸练习和手指主动运动。术后3～4天后可进行肘部屈伸肌群的等长收缩练习和静力性抗阻训练。2～3周后可选择性的进行肩带肌静力性收缩练习，在无痛范围内进行肩关节摆动练习，但外展型骨折禁止做静力性肩外展活动，内收型骨折禁止做静力性肩内收活动。外固定去除后或术后第6～8周，可以逐渐增加肩关节各个方向活动度练习和肩带肌肌力练习。使肩关节活动尽快恢复正常范围。8～12周可以积极地进行肩关节、肘关节及腕关节的主动活动训练，上肢肌力训练和上肢的本体感觉训练，使上肢功能较快地恢复正常。

4）肱骨干骨折　肱骨干骨折是由直接暴力或间接暴力引起。骨折的类型和损伤程度与暴力作用的大小、方向、骨折的部位和肌肉牵拉的方向等因素有关。临床常分为：横形骨折、粉碎性骨折、斜形骨折和螺旋形骨折。其中直接暴力作用所致的骨折多为横形骨折或粉碎性骨折。间接暴力作用所致的骨折多为斜形骨折和螺旋形骨折。由于肱骨干中下1/3段后外侧有桡神经通过，因此肱骨干中下段骨折容易引起桡神经损伤。大多数肱骨干横形或斜形骨折可采用非手术方法治疗。手法复位、外固定后，用肩前臂吊带悬吊患肢。即日开始进行腕关节和手指的主动屈伸练习，同时骨折局部可进行物理治疗如超短波、磁疗、紫外线等，以促进骨折局部组织血液循环、消肿止痛、加快组织愈合。2～3周后，逐渐开始肩关节的外展和内收的主动活动训练，肘关节、腕关节的主动屈伸活动。治疗量和治疗次数逐渐增加，以不引起明显疼痛为宜。6～8周如骨折对位、对线及愈合情况良好，可加大肩关节、肘关节、腕关节的主动活动范围，增加肩关节的内旋和外旋活动，加强上肢肌肌力抗阻训练，使患肢功能尽快恢复正常。对于骨折有分离移位、反复手法复位失败，骨折端对位对线不良及合并有血管神经损伤的肱骨干骨折应进行手术复位、内固定。肱骨干近端骨折切开复位内固定术后，用吊带悬吊患肢1～2周，并进行腕部和手指主动活动。伤口拆线后，内固定牢固时，上肢可进行轻微的摆动训练。4～6周后可逐渐开始肩关节的被动前屈、外展和内收的活动（无痛范围内）。增加肘关节、腕关节和手指的主动活动范围。6～8周后骨折对位、对线及愈合情况良好，逐步增大肩关节各个方向的活动范围，加强肩周肌力的抗阻训练，使上肢关节活动范围及肌力基本达到正常。肱骨远端骨折康复治疗方法与肱骨近端骨折基本相同，但由于可能对肘关节的功能产生影响，因此术后1周如果伤口愈合满意，可定期取下石膏托，轻柔地进行肘关节主动或被动活动，训练后继续用石膏托固定。术后3周去除石膏托，用吊带悬吊上臂固定，并进行肘关节主动和被动活动训练，但应避免粗暴动作，防止肘关节周围出血和纤维化，引起骨化性肌炎等并发症。肱骨干骨折髓内钉固定术后，骨折愈合时间需要12周或更长，因此根据具体情况适当推迟功能训练时间。

5）肱骨髁上骨折　肱骨髁上骨折是指肱骨干与肱骨髁的交界处发生骨折。临床上多发生于10岁以下儿童。根据暴力的不同和骨折移位的方向分为屈曲型和伸直型。由于肱骨髁上骨折容易使神经血管（如肱动脉、正中神经、尺神经、桡神经等）受到损伤，因此在临床处理时应注意观察有无神经血管损伤的情况发生。手法复位外固定或手术复位后3～4天，抬高患肢，进行手指及腕关节主动屈伸活动，以减轻水肿。站立位肩关节的钟摆练习、耸肩等活动，1周后增加肩关节主动屈伸及外展运动，逐步加大运动幅度，2～3周后开始肩关节旋转练习。肌力训练时，伸展型肱骨髁上骨折可进行肱二头肌、旋前圆肌静力性抗阻训练，尽量避免肱三头肌和旋后肌的主动收缩练习。屈曲型骨折可以进行肱三头肌静力性收缩，暂缓肱二头肌和旋前圆肌的运动练习。4～6周后可进行肘关节主动屈伸活动、前臂旋转的肌力训练。伸展型可增加肱三头肌抗阻练习和肘关节屈曲牵引；屈曲型可增加肱二头肌抗阻肌力练习和肘关节伸直牵引。

6）肱骨外髁骨折　肱骨外髁骨折是常见的儿童骨折之一，属关节内骨折。骨折后容易引起肘关节关节囊、韧带组织的损伤，导致肘关节功能障碍。因此骨科临床治疗要求解剖复位并尽早进行康复治疗。手法复位或手术后，上肢悬吊固定或石膏固定肘关节。2～3天后开始手指轻微的活动，避免作前臂旋前、握拳及伸屈腕关节活动。术后1周可逐渐增加腕、掌及手指的主动活动和肩关节主动运动。3周后每天定时去除外固定，在基本不负重状态下，由治疗师完成肘关节屈伸主动助力练习，次数和动作幅度可逐渐增加，以不引起明显疼痛为宜。外固定去除后，应系统进行肘关节活动度、前臂旋转、增强肌力的训练。

7）尺桡骨干双骨折　尺骨和桡骨组成前臂骨，中间有结构特殊的骨间膜连接，尺桡骨近端为尺桡上关节、远端为尺桡下关节。由于尺、桡骨干肌肉附着点较多且分散，当骨折发生时，由于肌肉的牵拉作用使尺桡骨干双骨折易发生多种移位，如成角、重叠、旋转及侧方移位等，因此骨科临床治疗时除要求骨折对位、对线良好外，还应注意防止畸形和旋转。旋转是前臂最重要的功能之一，是手部灵活动作基础。骨折后早期康复治疗对前臂功能恢复非常重要。骨折复位、固定后，用前臂吊带悬挂于胸前。1周后可以开始肩关节主动屈伸及外展活动和手的主动活动，术后2周可进行前臂及上臂肌肉等长收缩练习，轻微的肘关节屈伸练习，但不宜做旋转活动。4～6周后开始进行肘关节、腕关节屈伸练习，前臂旋转活动练习及上臂、前臂肌的肌力训练。用手推墙，可使骨折端产生纵轴挤压力，有利于骨折愈合。注重恢复前臂旋转活动，配合热疗进行前臂旋转牵引疗效较好。

8）桡骨下端骨折　桡骨下端骨折是指距桡骨下端关节面3 cm以内的骨折。在桡骨下端，桡骨茎突尺侧与尺骨小头桡侧构成尺桡下关节，与尺桡上关节一起组成前臂旋转活动的解剖基础。尺、桡骨下端与腕骨近侧共同形成腕关节。因此，桡骨下端骨折容易引起腕关节功能障碍，早期康复治疗可以促进骨折愈合，防止腕关节功能障碍。骨折复位、固定后，即可开始肩关节各个方向的主动运动，肘关节屈伸及手指主动练习。1～2周开始进行屈腕肌静力性收缩练习，腕掌支撑练习，但应避免腕关节背伸和桡侧偏斜活动。3周可进行腕关节活动训练，屈指、对指、对掌的抗阻训练。逐渐增加前臂旋转活动练习。6～8周进行腕关节屈伸练习和尺、桡偏及前臂旋转活动练习以及前臂各组肌群肌力练习。

（2）下肢骨折的康复治疗

1）股骨颈骨折　股骨头、颈及髋臼共同构成髋关节，是躯干与下肢的重要连接装置和承重结构。股骨颈骨折常发生在中老年人，女性多于男性。常与骨质疏松导致骨质量下降有关。明确骨折的部位、类型、移位情况对选择治疗方法非常重要。无明显移位、外展型或嵌入型等稳定性骨折，可采用下肢皮肤牵引，穿防旋鞋，卧床6～8周。伤后2～3天开始进行股四头肌等长收缩练习和踝关节、足趾的主动屈伸练习，但应注意避免患肢内收，以免发生骨折移位。同时可采用无热量短波、超短波、紫外线和磁疗等物理治疗，达到消肿止痛、改善局部组织血液循环、促进骨折愈合的目的。6～8周后，可逐步进行床上的起坐练习，但禁止盘腿而坐。3个月后骨折基本愈合，逐渐进行借助双拐患肢不负重行走训练。6个月后，骨折完全愈合，逐渐去拐行走。有移位的骨折手术内固定后2～3天可以进行踝关节主动运动和股四头肌静力性收缩练习。2周后开始髋关节和膝关节的主动助力屈伸练习，逐渐增大活动范围及活动量。但以不引起明显疼痛为宜。3周后开始髋关节和膝关节的主动屈伸运动，逐渐增大主动运动幅度及次数。4周后牵引去除，开始床边坐、小腿下垂或踏在小凳上练习。避免患肢外展、外旋的不良姿势体位。术后3个月逐渐增加下肢内收、外展、坐起、躺下等主动训练，尽可能使髋关节、膝关节的主动活动范围达到正常。加强髋部肌力抗阻训练。逐渐开始患肢不负重的双拐三点步行或温水浴中行走练习。4个月后开始作提踵练习、半蹲起立练习、平行杠双下肢负重站立、双下肢交替负重、缓慢的原地踏步等练习，逐步开始从患肢部分负重的双腋拐杖四点步行到用健侧上肢持单拐步行练习，患侧上肢持单拐步行及患手持手杖步行，再逐步提高下肢行走功能。股骨颈骨折愈合后，患肢在较长期内不宜过多、过长时间的负重，持手杖步行，避免患肢过早的充分负重，防止发生股骨头无菌性坏死等并发症。

2）股骨干骨折　股骨是人体最粗、最长、承受应力最大的管状骨。由于股骨附近血管丰富，骨折时出血较多，血肿机化、吸收形成的大量纤维组织产生粘连，使膝关节功能受损，股骨中、下段骨折易引起股中间肌粘连。骨折部位越靠近膝关节，对膝关节功能的影响也就越大。早期可采用短波、超短波、磁疗、紫外线及毫米波等物理治疗，可促进血肿吸收，减少粘连。股骨干骨折手术复位内固定后，即日开始踝关节主动运动，3～4天后开始股四头肌等长收缩练习，髌骨被动活动，主动压膝训练。同时可以在床上进行健肢的主动运动、腰腹肌训练和呼吸功能训练，术后2～3周逐步开始作患肢不负重站立行走练习。

股骨干骨折后作持续牵引治疗时，早期除在床上作健肢的主动运动、腰腹肌训练和呼吸功能训练外，还可进行踝关节、足趾主动活动和髌骨的被动活动。骨折未达到骨性愈合前，禁止作直腿抬高运动。4周后在牵引架上或通过滑轮作膝关节主动助力屈伸运动。屈膝运动的幅度和次数根据骨折端的稳固程度而定，通常采用被动运动增加其活动范围，同时进行踝关节的主动运动训练。6～8周后可进行髋、膝、踝关节的主动屈伸练习，逐渐增加股四头肌、腘绳肌抗阻训练及阻力自行车等张抗阻运动来增加肌力。借助拐杖或助行器逐渐开始下肢负重及站立行走练习，但负重量应根据骨折固定的坚固程度和骨折愈合情况而定。

3）髌骨骨折 髌骨是人体最大的籽骨，髌骨与其周围的韧带、腱膜共同形成伸膝装置，在膝关节活动中有重要的生物力学功能。髌骨骨折会引起髌骨腱膜和关节囊有不同程度的损伤，容易引起伸膝功能障碍。对于无移位的髌骨骨折早期冷敷加压包扎，减少局部组织出血。保持膝关节伸直位，用石膏托或支具固定4～6周，即可开始进行踝关节主动运动和股四头肌静力性收缩，但需要注意观察骨折端移位的情况，因为过多过早的股四头肌收缩，容易产生分离移位。有移位的髌骨骨折作环形钢丝内固定后，膝关节伸直位用石膏托或支具固定4～6周。术后2～3天开始进行患肢髋关节、踝关节的主动运动。1周后开始腘绳肌静力性收缩训练。术后3～4周可借助双拐作患肢不负重步行。去除固定后，开始膝关节主动屈伸训练，并逐渐增大关节运动幅度。可进行腘绳肌抗阻训练，5～6周开始屈膝牵引。术后3个月可以进行股四头肌抗阻训练。髌骨横形骨折作张力钢丝固定后，康复治疗方法基本同上，但由于减少了骨折面分离的危险，膝关节主动屈伸训练和股四头肌力训练可提前进行。髌骨部分或全部切除术后的患者，康复治疗方法同上。但治疗进程可明显加快。此外，髌骨骨折内固定术后早期可以进行CPM治疗，以预防关节粘连和强直，促进骨折修复。

4）胫骨平台骨折 胫骨平台是膝关节重要的负荷结构。胫骨平台骨折通常是由间接暴力或直接暴力引起，由于胫骨平台骨折是典型的关节内骨折。可伴有半月板及关节韧带损伤，这些损伤可以导致关节内粘连及挛缩造成膝关节活动严重障碍。因此，骨折后的临床处理与预后将对膝关节功能产生重大影响。胫骨平台骨折的治疗以恢复关节面的平整和韧带的完整性，保持膝关节正常活动为目的。胫骨平台轻度压缩性骨折，膝关节伸直位支具或护膝保护性固定2～4周。1～2天，可开始进行股四头肌静力性收缩练习和踝关节、足趾的主动运动。1周后继续加强股四头肌静力性收缩训练，每周2～3次，去支具作膝关节主动助力屈伸练习，在支具保护下进行部分负重的行走练习。8周后膝关节主动屈伸活动应达到正常或接近正常范围。

胫骨平台骨折分裂并伴有韧带损伤或韧带止点撕脱骨折，手术内固定后，膝关节伸直位支具或前后石膏托夹板固定。术后2～3天开始作健肢的主动运动、腰腹肌训练和呼吸训练。进行股四头肌等长收缩练习和踝关节的主动屈伸练习。术后1周为预防关节粘连及促使关节软骨修复，可应用CPM使膝关节在无痛范围内进行被动屈伸练习。术后2周每日1次或隔日1次，去支具在医师保护下进行膝关节的主动助力屈伸运动，训练结束后，继续膝关节伸直位固定。术后3周逐渐增加股四头肌静力性抗阻训练，每日1次，去支具在医师保护下进行膝关节的主动屈伸运动并逐渐扩大活动范围。术后4～6周去除牵引或外固定后，开始进行膝关节主动屈伸运动，尽量使屈膝达90°或以上。逐渐开始股四头肌、腘绳肌抗阻训练。术后3～4个月使膝关节主动屈伸活动达到正常范围。借助拐杖进行患肢不负重的站立、行走练习，以后逐步到部分负重和完全负重的站立、行走练习。

5）胫腓骨干骨折 胫腓骨由于部位的关系，容易遭受直接暴力损伤，是长管骨最常发生骨折的部位。胫骨是人体承重的重要骨骼，胫骨中下段血液供应不足，易发生骨折延缓愈合或不愈合。腓骨有支持胫骨和增强踝关节稳定性的作用。当骨折部位在踝关节附近时，容易造成踝关节的功能障碍。

胫腓骨干骨折治疗目的是恢复小腿的长度、对线和负重功能。治疗重点是胫骨的复位和固定。骨折复位、固定术后2～3天骨折局部组织可以给予适当的物理治疗（如紫外线、超声波、磁疗、短波、超短波和毫米波等）。其目的在于消肿止痛，促进骨痂形成，防止肌肉萎缩，预防和治疗感染，促进肢体功能恢复。若骨折处有金属内固定者应慎用短波、超短波疗法。康复训练可以在骨折复位、固定术后即日开始进行股四头肌静力性收缩练习和足趾的主动活动。术后3～5天逐渐增加在膝关节支具或石膏托固定下,作患肢直腿抬高训练。术后2周可以开始髋、膝关节主动屈伸训练,逐渐增加静力性踝屈伸肌练习。术后6～8周去除外固定后,可以进行踝关节各个方向的主动运动(在无痛范围内),持拐患肢不负重的行走训练。8～10周逐渐增加踝关节主动屈伸和内、外翻抗阻练习,并可增大踝关节屈伸活动度的功能牵引,同时开始患肢部分负重的站立与步行练习,逐步过渡到去拐行走。因为早期负重可促使骨痂生长,并可较快地恢复行走功能。

6) 踝部骨折　踝关节是由胫骨远端、腓骨远端和距骨体构成的人体负重的主要关节之一。踝部骨折大多是由间接暴力引起。由于间接暴力的大小、作用方向、足踝所处的位置姿势的不同,踝部骨折的损伤较复杂。因此,踝部骨折的治疗原则是在深入研究损伤特点的基础上,以恢复踝关节的结构及稳定性为原则。康复治疗是根据损伤特点和临床治疗方法来制订康复治疗计划。

踝部骨折的早期处理:确定骨折后,立即将足、踝关节及小腿的下1/3加压包扎止血,并用长夹板固定。无移位的和无胫腓下关节分离的单纯内踝或外踝骨折,踝关节支具或石膏固定后2～3天可以开始足趾的主动活动,同时给予物理治疗,如无热量短波、超短波及小剂量的超声波或磁疗,目的是消肿止痛、改善局部组织血液循环、促进骨折愈合。2～4周后可以进行患侧髋、膝关节主动屈伸练习,股四头肌及踝部肌静力性收缩练习,以防止废用性肌萎缩。术后6～8周踝部骨折初步愈合时,开始踝关节主动屈伸训练和足趾的主动活动,要求伸踝时要同时伸趾,屈踝时要同时屈趾。并增加踝关节内翻和外翻训练,但以不引起明显疼痛为宜。以后逐步进行踝关节的静力性牵拉练习,并配合短波、蜡疗及红外线等温热治疗以增强疗效,尽快使踝关节活动达到正常活动范围。同时进行踝两侧肌肉力量的练习及恢复本体感觉的练习,增强踝关节的稳定性。术后8～10周可开始踝关节负重、站位蹲起、提踵等训练,逐步使其运动功能恢复到正常。有移位的骨折合并有肌腱韧带损伤的患者,复位、内固定术后,踝关节支具或石膏固定8～12周,康复治疗程序与无移位的单纯内踝或外踝骨折基本相同。但康复治疗进程应根据骨折愈合情况适当的延缓。注意有金属内固定的骨折慎用短波、超短波治疗。

(崔　芳)

46.4 脊柱脊髓损伤的康复

脊髓损伤患者康复是在1940年后由Guttmann提出,以后在美、英等国逐渐开展起来的。自1940年以来,由于临床医学的进步和康复医学的发展,脊髓损伤患者的死亡率逐渐下降。80年代以后,在发达国家由于现场急救技术的普及与改进,使高位四肢瘫(C_4以上)的存活率提高;同时由于开始应用现代康复工程技术,如气控电动轮椅、声控电脑、环境控制系统等,使高位四肢瘫的康复取得了实质性进展。目前我国高位四肢瘫的存活率仍低,急救成功后多因早期并发症主要是呼吸系统并发症死亡。研究结果证实,脊髓损伤患者应尽早进入脊髓损伤中心或康复中心治疗与康复,其并发症少、住院时间短、治疗费用较低,治疗和康复效果更好。目前除澳大利亚和瑞士外,大多数发达国家的脊髓损伤患者首诊仍在综合医院。在英国和美国,首诊进入脊髓损伤中心或脊柱中心治疗的脊髓损伤患者尚不到50%。

目前,我国脊髓损伤患者绝大多数首诊在基层综合医院,我国尚缺少专科康复中心且短期内不可能建立很多康复中心。临床医师、康复医师应正确认识脊髓损伤,特别是完全性脊髓损伤至今尚无有效方法治愈的现实,不盲目追求"恢复";掌握脊髓损伤的分类诊断标准和处理原则,重视院前急救和康复的重要性,正确、及时地进行临床处理和开展早期康复,正确认识外科手术治疗的意义和局限性,不盲目开展不正确或不必要的外科手术,并在治疗的同时对患者及家属进行相关康复教育,避免患者在相当长时间内期待寻找"特效"方法及家属盲目等待脊髓损伤"恢复",以达到脊髓损伤全面康复的目标。

46.4.1 脊柱脊髓损伤的康复评定

康复评定是康复治疗的基础,康复评定类似临床医学中的疾病诊断,但不是确定疾病的性质和类型,而是确定功能障碍的性质与程度。脊髓损伤早期处理中包括急救与临床治疗,因此早期康复评定中也包括了与功能障碍相关的临床内容。同时早期康复评定应根据病情,必要时在床旁进行。中后期的评定主要通过问诊、检查和辅助检查,需要根据患者脊柱骨折及脊髓损伤的处理情况、全身情况、现有残疾及并发症,精神、心理、智力状况以及年龄、性别、社会经济背景等,对患者的残疾状况进行综合评定。并且治疗过程中需要反复评估，及时了解是否按预期康复目标进展，据此及时修正和补充康复目标及治疗程序。

(1) 康复评定的内容

1) 脊柱脊髓功能评定　一般应包括脊柱骨折类型与脊柱稳定性及脊柱矫形器评定；根据美国脊柱损伤委员会(ASIA)标准对脊髓损伤的水平与程度，进行肌力评分与感觉评分和功能独立性评定(functional independence measure, FIM)。

功能独立性测量法是近年来最常用的标准化日常生活活动(activity of daily living, ADL)评分法，很多报道反映它有较高的准确性和可靠性，甚至它的得分与患者所需治疗时间也有显著的相关。因此，通过计算得分就大致知道治疗需要花费多少时间。但也有报道它对脊髓损伤患者治疗后的进步察觉不明显，FIM包括6个方面，每个方面又分2～6项，共18项，每项根据实际完成情况分为4个功能等级(1～4分)，完全依赖为18分。1987年被修订为7点测量，分为1级(完全辅助)至7级(完全独立)，这可增加变化的敏感度，对测量干预的效果是重要的。总分从18分至126分，已证实在这样一个范围均无丢失可信度。

FIM评估分为7级6类18项。每项满分7分，共计126分。每项最高7分，最低1分。包括自我护理、括约肌控制、移动能力、行动能力、交流、社会认知(表46-2)。

根据评分情况，可作如下分级。

126分：完全独立；

108～125分：基本上独立；

90～107分：极轻度依赖或有条件的独立；

72～89分：轻度依赖；

54～71分：中度依赖；

36～53分：重度依赖；

19～35分：极重度依赖；

18分：完全依赖。

表46-2　脊柱脊髓FIM评估表

	评估次数			
	1	2	3	4
评估内容	年　月　日	年　月　日	年　月　日	年　月　日
(1) 自我护理				
进餐				
梳洗				
洗澡				
穿上衣				
穿下衣				
如厕				
(2) 括约肌控制				
膀胱控制				
直肠控制				
(3) 转移能力				
床-椅				
如厕				
入浴				
(4) 行进能力				
平地(步行/轮椅)				
上下楼梯				
(5) 交流				
理解				
表达				
(6) 社会认知				
社会交往				
解决问题				
记忆				

附:FIM 评定内容

(1) 自我护理

1) 进食 包括使用合适的器具将食物送进嘴里、咀嚼和咽下。不包括食物准备。例如,清洗和准备食物、烹调、备餐、切割食物等。由于使用勺子比筷子简单,因此患者不一定要使用筷子,关键在于尽可能独立完成进食活动。

7 分:可以独立完成进食过程,操作时间合理、安全。

6 分:需要假肢或辅助具(改制的食具等)进食,或进食时间过长,或不安全(呛噎)。用胃管的患者可以自己独立由胃管进食,并进行胃管护理。

5 分:需要他人监护、提示或诱导,或他人帮助切割食物、开瓶盖、倒水、拿支具或矫形器等。

4 分:可完成>75%进食过程,偶尔需要他人帮助,需戴支具或矫形器等完成进食。

3 分:可完成 50%~74%进食过程,经常需要他人帮助,需戴支具或矫形器等完成进食。

2 分:可完成 25%~49%进食过程,可以主动配合他人喂食。

1 分:可完成<25%进食过程,主要由他人帮助喂食或通过胃管进食。

分解评分:1~4 分的评定也可采用分解方式,例如将进食过程分解为夹取食物、送入口中、咀嚼、吞咽 4 项,每项 1 分。全部可以实现为 5 分,1 项不能独立完成为 4 分,2 项为 3 分,3 项为 2 分,4 项为 1 分。以下项目也可以参照类似方式分解。

2) 梳洗 包括口腔护理(刷牙)、梳理头发、洗手洗脸、剃须(男性)或化妆(女性)。本项包括开关水龙头、调节水温,以及使用其他卫生设备,涂布牙膏、开瓶盖等。

7 分:可以安全操作所有动作,并完成上述活动的个人准备。

6 分:需要特制设备,包括支具、假肢等帮助活动,或操作时间过长,或不安全。

5 分:需要他人监护、提示或诱导,或准备卫生设备。

4 分:偶尔需要由他人帮助将毛巾放到患者手中或帮助完成一项活动。

3 分:经常需要由他人帮助将毛巾放到患者手中或帮助完成一项以上的活动。

2 分:可以主动配合他人完成梳洗活动。

1 分:不能主动配合他人完成梳洗活动。

分解评分:分解为口腔卫生、梳头、洗手/脸,剃须或化妆 4 项,每项 1 分。

3) 洗澡 包括洗澡的全过程(洗、冲、擦干),洗颈部以下部位(背部除外),洗澡方式可为盆浴、淋浴或擦浴。如果患者不能行动,但自己可以在床上独立进行擦浴,仍然可以得 7 分。

7 分:完全独立、安全地完成全过程,可以为盆浴、淋浴或擦浴。

6 分:需要特殊的设备完成(假肢、支具、辅助具等),或时间过长,或不安全。

5 分:需要他人监护、提示或诱导,或帮助放水、调节水温、准备浴具、准备支具等。

4 分:偶尔需要由他人帮助将毛巾放到患者手中,或帮助完成 1~2 个部位的洗澡。

3 分:经常需要由他人帮助将毛巾放到患者手中,或帮助完成 2 个以上部位的洗澡。

2 分:需要他人帮助洗澡,但可以主动配合。

1 分:需要他人帮助洗澡,但不能主动配合。

分解评分:分解为洗两上肢、两下肢、胸部、臀部和会阴部 4 项,每项 1 分。

4) 穿上衣 包括穿脱上衣(腰部以上)及穿脱上肢假肢或支具。

7 分:完全独立穿脱上衣,包括从常用的地方(衣柜、抽屉)取衣服,处理胸罩,穿脱套头或前开睡衣;处理纽扣、拉链、搭襻,穿脱假肢、支具(如果有);操作安全、时间合理。

6 分:需要特殊辅助具穿脱。例如尼龙搭襻、假肢、支具,或穿脱时间过长。

5 分:需要他人监护、提示或诱导,或由他人准备上身/上肢假肢、支具,或由他人取衣服或准备穿脱设备。

4 分:偶尔需要他人帮助处理纽扣、拉链、搭襻等。

3 分:经常需要他人帮助处理纽扣、拉链、搭襻等。

2 分:需要他人帮助穿衣,但可以主动配合。

1 分:需要他人帮助穿衣,但不能有效地主动配合。

分解评分:分解为套入上肢,套入头部或胸部,处理纽扣/拉链,处理胸罩或内衣 4 项,每项 1 分。也可参考穿衣的数量和难度评估。

5) 穿下衣 包括穿脱下衣(腰部以下)及穿脱假肢、支具。

7分：完全独立穿脱下衣，包括从常用的地方（衣柜、抽屉）取衣服，处理内裤、裤、裙、腰带、袜和鞋；处理纽扣、拉链、搭襻，穿脱假肢、支具（如果有）；操作安全。

6分：需要特殊辅助具穿脱衣服。例如，尼龙搭襻、假肢、支具，或穿脱时间过长。

5分：需要他人监护、提示或诱导，或由他人准备上身/上肢假肢、支具、取衣服，或由他人准备穿脱设备。

4分：偶尔需要他人帮助处理纽扣、拉链、搭襻等。

3分：经常需要他人帮助处理纽扣、拉链、搭襻等。

2分：需要他人帮助穿衣，但可以主动配合。

1分：需要他人帮助穿衣，但不能有效地主动配合。

分解评分：分解为套入下肢、套入腰部、处理纽扣/拉链、处理鞋袜4项，每项1分。也可参考穿衣的数量和难度评估。

6）如厕　包括维持阴部卫生和如厕（厕或便盆）前后的衣服整理。如果大便和小便所需帮助的水平不同，则记录最低分。导尿管处理不属于此项范围。

7分：大小便后可独立清洁会阴，更换卫生巾（需要时），调整衣服，操作安全。

6分：如厕时需要特殊的设备，包括假肢/支具，操作时间过长，或不安全。

5分：需要他人监护、提示或诱导，或准备辅助具，或开卫生巾包装盒等。

4分：偶尔需要他人在进行上述动作时帮助身体稳定或平衡。

3分：经常需要他人在进行上述动作时帮助身体稳定或平衡。

2分：需要他人帮助，但可以主动配合。

1分：需要他人帮助，但不能主动配合。

分解评分：分解为脱裤、取卫生纸或卫生巾、擦拭会阴部、穿裤4项，每项1分，参考完成的时间。

（2）括约肌控制

包括膀胱控制及直肠的主动控制。必要时可使用括约肌控制设备或药物。评分应从两方面考虑：需要帮助的程度和发生尿或大便失禁的频率。

1）膀胱控制　帮助程度：指患者能否独立排尿，是否需要帮助，是否需要借助导尿管或药物解决排尿及需要帮助的程度。尿失禁频率：指单位时间发生尿失禁的次数。患者需要帮助的水平和尿失禁的程度一般非常接近，尿失禁越多，需要的帮助就越多。但有时也可不一致，这时应选择最低得分填在表内。

7分：患者可完全自主地控制膀胱，从无尿失禁。

6分：患者无尿失禁，但需要尿壶、便盆、导管、尿垫、尿布、集尿装置、集尿替代品，或使用药物控制。如果使用导尿管，患者可自己独立消毒并插入导管。如果患者采用膀胱造瘘，必须能够独立处理造瘘口和排尿过程。如果患者使用辅助具，必须能够自己组装和应用器具，可独立倒尿，装、脱、清洁尿袋。

5分：需要他人监护、提示或诱导，帮助准备排尿器具、倒尿具和清洁尿具；由于不能及时得到尿盆或如厕，可偶尔发生尿失禁（<1次/月）。

4分：需要最低限度接触性帮助，以维持外部装置（导尿管、集尿器或膀胱造瘘）。患者可处理75%的排尿过程，可偶尔发生尿失禁（<1次/周）。

3分：需要中等度接触性帮助，以维持外部装置。患者可处理50%～74%的排尿过程，可偶尔发生尿失禁（<1次/天）。

2分：尽管得到协助，但患者仍然经常发生尿失禁，或几乎每天均有失禁，无论是否有导尿管或膀胱造瘘装置，仍必须戴尿布或其他尿垫类物品。患者可处理25%～49%的排尿过程。

1分：尽管得到协助，但患者仍然经常发生尿失禁，或几乎每天均有尿失禁，无论是否有导尿管或膀胱造瘘装置，仍必须戴尿布或其他尿垫类物品，患者可处理<25%的排尿过程。

2）直肠控制　包括能否完全随意地控制排便，必要时可使用控制排便所使用的器具或药物。评分原则基本与膀胱控制同，可根据需要帮助的程度和失禁的程度评判。

7分：可完全自主地排便。

6分：排便时需要便盆、手指刺激，或通便剂、润滑剂、灌肠或其他药物。如果患者有直肠造瘘，患者可自己处理排便和造瘘口，无需他人帮助。

5分：需要监护、提示或诱导，由他人帮助准备排便器具，可偶尔发生大便失禁（<1次/月）。

4分：需要最低限度接触性帮助，以保证排便满意，可使用排便药物或外用器具，患者可处理>75%的排便过程，可偶尔发生大便失禁（<1次/周）。

3 分：需要中等度接触性帮助，以保证排便满意，可使用排便药物或外用器具，患者可处理 50%～74%的排便过程，可偶尔发生大便失禁(＜1 次/天)。

2 分：尽管给予最大接触性帮助，但患者仍频繁发生大便失禁，几乎每天均有；尽管有直肠造瘘，但仍然必须使用尿布或其他尿垫类物品。患者可处理 25%～49%的排便过程。

1 分：尽管给予最大接触性帮助，但患者仍频繁发生大便失禁，几乎每天均有；尽管有直肠造瘘，但仍然必须使用尿布或其他尿垫类物品。患者可处理＜25%的排便过程。

(3) 转移能力

1) 床/椅/轮椅

7 分：行走为主者能独立完成床椅转移、坐立转移(即坐下到站起的全过程)。用轮椅者能独立完成床椅转移，锁住车闸，抬起脚蹬板，使用适合的助具或辅助设备，如扶手、滑板、支具、拐杖等，并返回原位。操作安全。

6 分：需要辅助器具如滑板、提升器、手柄、特殊的椅、支具或拐的帮助，或花费时间过长。用于转移的假肢和支具也属于此类。

5 分：需要他人监护、提示或诱导、准备(滑板、去除足板等)。

4 分：偶尔需要他人在转移过程中帮助平衡。

3 分：经常需要他人在转移过程中帮助平衡。

2 分：需要他人帮助转移，但可以主动配合。

1 分：需要他人帮助转移，但不能主动配合。

2) 用厕

7 分：行走者能独立走入卫生间、坐厕、起立，不用任何帮助。用轮椅者能独立进入卫生间，并能自己完成刹车、去除侧板、抬起足蹬，不用器具完成轮椅至坐厕转移。时间合理，活动安全。

6 分：患者需要适应或辅助器具，如滑板、提升器、手柄、特殊的椅、支具或拐的帮助，或花费时间过长。用于转移的假肢和支具也属于此类。

5 分：需要他人监护、提示或诱导、准备(滑板、去除足板等)

4 分：偶尔需要他人在转移过程中帮助平衡。

3 分：经常需要他人在转移过程中帮助平衡。

2 分：需要他人帮助转移，但可以主动配合。

1 分：需要他人帮助转移，但不能主动配合。

3) 入浴

7 分：行走者能独立进入浴室，进入浴缸或淋浴，不用任何帮助。用轮椅者能独立进入浴室，并能自己完成刹车、去除侧板、抬起足蹬，不用器具完成轮椅至入浴转移。活动安全。

6 分：患者需要适应或辅助器具，如滑板、提升器、手柄、特殊的椅、支具或拐的帮助，或花费时间过长。用于转移的假肢和支具也属于此类。

5 分：需要他人监护、提示或诱导、准备(滑板、去除足板等)。

4 分：偶尔需要他人在转移过程中帮助平衡。

3 分：经常需要他人在转移过程中帮助平衡。

2 分：需要他人帮助转移，但可以主动配合。

1 分：需要他人帮助转移，但不能主动配合。

(4) 行进能力

1) 步行/轮椅　首先确定是行走还是用轮椅。有些患者既可行走也可用轮椅，评估时以其主要的活动方式进行评分。用轮椅或辅助具者最高评分不超过 6 分。如果出院时患者改换移动方式，则应根据出院时的方式重新评估入院时得分。

7 分：行走者能独立行走 50 m 距离，不用任何器具。时间合理，活动安全。

6 分：行走者能独立行走 50 m 距离，但要使用拐杖、下肢假肢或支具、矫形鞋、步行器等辅助装置完成行走。用轮椅者能独立操作轮椅(手动或电动)移动 50 m 距离(包括拐弯、接近椅子或床，爬 3%的坡度及过门坎，开关门)，或时间过长，活动不安全。

5 分：有两种评估标准：①在他人监护、提示或诱导下，独立行走或用轮椅移动不少于 50 m。②家庭行走：行走者能独立行走较短距离(17～49 m)，不用任何器具；或独立操作轮椅(手动或电动)17～49 m，不需要提示，但时间过长，或安全性不好。

4 分：需要最低限度接触性帮助，移动至少 50 m。患者用力＞75%。

3 分：需要中度接触性帮助，移动至少 50 m。患者用力 50%～74%。

2 分：最大限度接触性帮助，移动至少 17 m。患者用力 25%～49%，至少需要 1 人帮助。

1 分：患者用力＜25%，至少需要 2 人帮助，不能行走，用轮椅至多 17 m。

2) 上下楼梯　患者必须能走路才能考虑上下楼。能否独立上下一层楼(一层包括 12～14 级台阶)及需要帮助的程度。是否需拐杖和一些辅助装置上下楼。

7 分：可以独立上下一层楼以上，无需任何辅助，时间合理，活动安全。

6分：可以独立上下一层楼以上，但需要扶手、手杖或其他支持，活动时间过长或有安全问题。

5分：有两种评估标准：①在他人监护、提示或诱导下，独立上下一层楼。②家庭步行：可独立上下4～6级台阶(用或不用辅助器具)，或上下7～11级台阶，无需他人监护、提示或诱导，但活动时间过长或安全性不好。

4分：偶尔需要他人接触性帮助上下楼梯及平衡。

3分：经常需要他人接触性帮助上下楼梯及平衡。

2分：上下楼梯不到7～12级，需要1人帮助步行。

1分：上下楼梯不到4～6级，或需要2人以上帮助步行。

4分～1分：根据他人帮助程度判定。

(5) 交流

1) 理解　指听觉或视觉理解，即是否能理解口头或视觉交流(即书面、身体语言、姿势等)。评估患者最常用的交流方式(听或视)。如果两种交流方式同等，则将二者结合进行评估。

7分：完全独立，患者能理解复杂、抽象内容，理解口头和书写语言。

6分：在绝大多数情况下，患者对复杂、抽象内容的理解只有轻度困难，不需要特殊准备，只需要听力或视力辅助具，或需要额外的时间来理解有关信息。

5分：准备提示。患者在90%以上的日常活动中，无理解和交流障碍。需要提示或交流障碍。需要提示或准备(减慢说话速度、使用重复、强调特别的词或短语、暂停、视觉或姿势提示)的机会少于10%。

4分：最低限度提示。在基本日常生活的75%～90%的情况下，可以理解和会话。

3分：中度提示。在基本日常生活的50%～74%的情况下，可以理解和会话。

2分：最大限度提示。在基本日常生活的25%～49%的情况下，可以理解和会话，能理解简单、常用的口语表达(如喂、你好)或姿势(如再见、谢谢)，50%以上的情况下，需要敦促。

1分：完全依赖。在基本日常生活的＜25%的情况下，可以理解和会话，或不能理解简单、常用的口语表达(如喂、你好)或姿势(如再见、谢谢)，或在准备或敦促下仍然不能适当反应。

2) 表达　包括能否用口语或非口语语言(包括符号、文字)清楚地表达复杂、抽象的意思。评估最常用的表达方式(口语/非口语)，如果两种都用，则将两者结合进行评估。

7分：可清晰流利地表达复杂、抽象的意思。

6分：绝大多数情况下，患者可清晰流利地表达复杂、抽象的意思，只有轻度困难。无需提示，但需要增强交流的装置或系统(如扩音设备等)。

5分：准备提示。患者在90%以上的时间里，可表达日常活动的基本需要和意见。需要敦促(经常重复)的机会少于10%。

4分：最低限度提示。患者在75%～90%的时间里，可表达日常生活活动的基本需要和意见。

3分：中度提示。患者在50%～74%的时间里，可表达日常生活活动的基本需要和意见。

2分：最大限度提示。患者在25%～49%的时间里，可表达日常生活活动的基本需要和意见。

1分：患者在＜25%的时间里，可表达日常生活活动的基本需要和意见，或在敦促的条件下，仍然完全不能或经常不能适当表达基本需要。

(6) 社会及认知

1) 社会交往　指在治疗、社会活动中参与并与他人(如医务人员、家庭成员、病友、朋友)友好相处的能力，反映个人如何处理个人需求和他人需求，能否恰当地控制情绪，接受批评，认识自己的所说所为对他人的影响，情绪是否稳定(包括有无乱发脾气、喧哗、言语粗鲁、哭笑无常、身体攻击、沉默寡言、昼夜颠倒等现象)。

7分：完全独立处理社会交往，无需药物控制。

6分：在绝大多数情况下可以与医务人员、家庭成员、病友、朋友等友好相处，仅偶尔失控。无须监护，但需要较多的时间适应社会环境，或需要药物控制。

5分：只在应激或不熟悉的条件下需要监护(即监督、语言控制、提示或诱导)，需要监护的情况不超过10%。但需要鼓励以提高参与的积极性。

4分：轻度导向。患者可恰当参与社会交往75%～90%的时间。

3分：中度导向。患者可恰当参与社会交往50%～74%的时间。

2分：高度导向。患者可恰当参与社会交往

25%～49%的时间。由于社会行为不当，可能需要管制。

1分：完全依赖。患者可恰当参与社会交往不超过25%的时间，或完全不能参与社会交往。由于社会行为不当，可能需要管制。

2）解决问题　主要指解决日常问题的能力，即合理、安全、适时地解决日常生活事务、家庭杂事、工作琐事、个人财务、社会事务问题的能力，并可主动实施、结束和自我修正。

7分：患者可明确是否存在问题，作出适当的决定，启动并按步骤解决复杂的问题，直到任务完成，如有错误，可自行纠正。

6分：绝大部分情况下，患者可明确是否存在问题，作出适当的决定，启动并按步骤解决复杂的问题，直到任务完成，如有错误，可自行纠正，所需时间可较长。

5分：在应激或不熟悉的条件下需要指导（提示或诱导），需要指导的情况不超过10%的时间。

4分：在75%～90%的日常时间里，患者可解决常规问题。

3分：在50%～74%的日常时间里，患者可解决常规问题。

2分：在25%～49%的日常时间里，患者可解决常规问题。一半时间患者需要指导来启动、计划或完成简单的日常活动。可需要管制以保证安全。

1分：不超过25%的日常时间里，患者可解决一般问题。几乎任何时候患者均需要导向，或完全不能有效解决问题。可能需要一对一的指导来完成简单的日常活动。可需要管制以保证安全。

3）记忆　包括：在单位或社会环境下，患者执行日常活动时的认知和记忆技能。记忆包括贮存和调出信息的能力。特别是口头和视觉内容的记忆。记忆功能的标志，包括：能否认识常见的人或物，记得每日的生活活动常规，执行他人的请求而无须重复提示。记忆障碍影响学习和执行任务。

7分：患者可认识熟人，记忆日常的生活活动，执行他人的请求而无须重复提示。

6分：患者对认识熟人、记忆日常生活活动常规只有轻度困难，对他人的请求有反应。但需要自我提示，或环境提示、敦促或辅助物。

5分：患者在应激或不熟悉的环境下，需要敦促（即提示、重复、提醒），但不超过10%的日常时间。

4分：最低限度敦促。在75%～90%的日常时间里，患者可认识和记忆。

3分：中度敦促。在50%～74%的日常时间里，患者可认识和记忆。

2分：高度敦促。在25%～49%的日常时间里，患者可认识和记忆。

1分：完全帮助。在<25%的日常时间里，患者可认识和记忆，或不能有效地认识或记忆。

2）躯体功能评定　包括关节功能评定、肌肉功能评定、上肢功能评定、下肢功能评定、自助具与步行矫形器的评定、泌尿与性功能评定、心肺功能等的评定。

3）心理功能评定　一般包括心理状态评定、性格评定、疼痛行为评定，此项评定应由心理治疗师主持。

4）社会功能评定　一般包括社会生活能力评定、就业能力评定、独立能力评定等。在一般临床综合医院中，应由康复科医师主持。就业能力评定可在康复结束时进行。

完整的就业前评定应包括医学、心理、教育、社会、环境、文化和职业等相互联系的因素在内，因为这些因素都可影响就业。完善的职业评定需要熟知患者及就业情况的职业顾问的协助。职业评定可以通过实际或模仿的劳动过程进行，主要评定劳动技能，如手的技能。评定机构可以是康复中心、职业康复中心、特殊学校、医院或其他部门。

其他如体能评定、劳动耐受评定、感觉运动评定等对选择职业也是很重要的。如双下肢完全瘫痪的患者，有时可能需要作坐耐受评定来了解他耐受坐位工作的能力。

(2) 康复评定的形式

康复评定应由主管医师（骨科、神经外科）或康复科医师主持，由护士、物理治疗师、作业治疗师，必要时请心理治疗师等参加，以康复治疗小组会诊方式进行。会议上，对患者的临床资料和康复评价内容进行讨论，确定康复目标，制订康复计划，并由主管医师或康复医师开出康复处方。康复目标应包括阶段目标和总体目标或基本目标。康复治疗计划是根据康复目标和患者的总体情况，确定各种康复治疗措施的顺序安排。在实施过程中，可根据患者的情况调整康复目标和修改康复计划。

在脊髓损伤早期康复评定中，脊柱稳定性的评定有重要意义。脊柱不稳定的患者或处于急性不稳定期的患者，应在床旁评定和床旁训练；在任何原因造成不稳定期的评定及康复治疗中，应加强主管医师、作业治疗师、物理治疗师和护士的联系与沟通，必要时调整训练内容与安排。

(3) 综合医院中的康复评定

目前，脊髓损伤首诊大多在综合医院骨科或神经外科。在综合医院急救或手术后，如何进行康复评定和康复治疗是一个现实的问题。由于我国目前正规的康复中心或脊髓损伤中心很少，因此必须利用而且应该充分利用综合医院的康复医疗资源，利用患者在综合医院内的住院时间，及时开展早期康复。目前很多脊髓损伤患者在综合医院急救或手术后，基本上处于卧床状态，等待恢复，或者被转入疗养性质的机构之中，不仅错过了早期康复的时间，而且浪费了资源。

建议在综合医院目前可试用“多科会诊”方式展开评定和治疗。由主管骨科医师或神经外科医师主持，根据需要请康复科、泌尿科医师会诊，并请责任护士参加，进行早期康复评定，制订康复目标和康复计划。在康复治疗计划确定后，由相应科室医师负责落实康复治疗计划，并由责任护士协调实施康复治疗计划。

46.4.2 脊髓损伤的康复治疗

(1) 脊髓损伤的康复治疗分期

脊髓损伤康复分期可分为早期康复及中后期康复。早期康复阶段包括卧床期和初期即轮椅活动期。中后期康复是在巩固和加强早期康复训练效果的基础上，对有可能恢复步行的患者进行站立和步行训练，对不能恢复步行的患者加强残存肌力和全身耐力的训练及熟练掌握轮椅生活技巧。又有人将早期康复分为急性不稳定期和急性稳定期。急性不稳定期相当于卧床期，急性稳定期相当于轮椅活动期。应根据各期的特点制订康复训练内容。

急性不稳定期也就是急性脊柱脊髓损伤后 2～4 周之内。此时，脊柱稳定性因外伤而遭到破坏，或虽经手术内固定或外固定制动，但时间尚短，尚不完全稳定或刚刚稳定。同时，50%左右的患者因合并有胸腹部、颅脑及四肢的复合伤，以及脊髓损伤特别是高位脊髓损伤造成了多器官系统障碍，均可造成重要生命体征的不稳定。脊柱和病情的相对不稳定是这一时期的特点，患者需要卧床和必要的制动。但是，这一时期也是开展早期康复的重要时期。

急性稳定期，在急性不稳定期结束后的 4～8 周。此期患者经过内固定或外固定支架的应用，重建了脊柱稳定性。危及生命的复合伤得到了处理或控制，脊髓损伤引起的病理生理改变进入相对稳定的阶段。脊髓休克期多已结束，脊髓损伤的水平和程度基本确定。患者应逐步离床乘轮椅进入物理治疗室或作业治疗室进行评价与训练。

(2) 脊髓损伤的康复治疗原则

1) 早期干预　脊柱脊髓损伤的康复治疗应从受伤现场开始，应从伤后第 1 天开始，即早期康复。脊髓损伤后，脊柱稳定性受到破坏，各种复合伤也可造成生命指征的不稳定。因此，脊髓损伤的早期要对患者进行急救处理、药物治疗及外科治疗等一系列临床处理。同时，脊髓损伤后立即引起了全身多系统功能障碍，进行早期康复治疗及预防各种早期并发症对患者的预后有重要意义。特别是当脊柱稳定性得到确定和临床上的重要问题得以解决之后，康复就成为唯一重要的事情。美国脊髓损伤康复统计资料显示：由于开展早期康复，脊髓损伤患者住院时间和医疗经费有逐年下降的趋势。

2) 保持脊柱的稳定性　脊柱的稳定性对患者而言是至关重要的，无论是损伤早期的急救还是在后期的康复治疗过程中，都要以不破坏、维持或改善脊柱的稳定性为原则，最大限度地减少神经功能的受损。

3) 患者主动参与　在脊髓损伤急救和早期手术、药物治疗时期，主管医师应对确定和实施治疗方案负责，患者应配合医师的治疗，医师相对处于主导地位。同时，医师应向患者说明治疗的目的不仅是为了早日恢复也是为了早日康复。从早期康复开始，患者应成为康复治疗小组工作的中心(client-centered)，而不是以治疗人员为中心(therapist-centered)。这是因为康复治疗方案应在患者参加下制订，并且在听取和理解患者的意见基础上，在治疗医师的指导下由患者主动来完成。在整个康复治疗过程中，患者都是重要的主动参加者，而不是被动的接受者。当然，这并不意味着医师或治疗师放弃其责任，这种责任应体现在康复过程中与患者的交流、讨论与教育过程之中。

从康复治疗的早期开始，医师或治疗师必须将自己的工作重点放在向患者提供医学康复知识与信息上，而不是对患者做出医疗决定上。患者如没有理解康复治疗方案，就不能积极主动实施康复训练，而常规被动就难以达到康复目标。

4）康复教育是脊髓损伤康复的关键　脊髓损伤是可造成终生残障的严重损伤。现代临床医学和康复医学的发展，使脊髓损伤患者的生存时间明显延长。脊髓损伤患者学习和掌握如何在带有残疾的状态下生活，学习有关脊髓损伤的基本问题及自己解决问题的方法，了解如何在自己现实的家庭和社区的条件下进行康复训练，有利于降低再次入院率，更有利于患者出院后长期保持独立生活能力和回归社会。

脊髓损伤患者学习和教育的过程是一个从受伤时候开始持续其整个一生的动态过程。在住院期间，脊髓损伤患者不仅要接受各种康复治疗，而且在康复教育中向作业治疗师、物理治疗师和护士学习最基本的康复训练和康复护理的方法。通过康复教育，不仅使身体功能或技能得到改善，而且也促进了独立思考和自我管理能力的增强。在康复教育过程中，脊髓损伤患者不是一个被动的接受者，而是一个积极主动的参加者，即不仅能主动提出存在的问题，也能与康复治疗小组一起探讨解决问题的方法，并尽可能自己解决问题。康复教育使患者不仅提高了在住院期间的康复效果，而且在结束医院的康复治疗后，患者能在家庭或社区中继续进行康复训练，并可以指导其他人员如何对他进行康复护理。

(3) 脊髓损伤水平与康复目标

脊髓损伤患者因损伤的水平、损伤的程度的不同，每个患者其具体的康复目标是不同的。确定每一个脊髓损伤患者具体的康复目标，主要依据其脊髓损伤的分类诊断，同时参考患者的年龄、体质，有无其他并发症等情况。但是从康复医学的基本观点出发，脊髓损伤患者的基本康复目标又是一致的。康复医学的目的是利用以医学为主的多种手段，设法使患者受限或丧失的功能和能力恢复到可能达到的最大限度，以便他们能重返社会，过一种接近正常或比较正常的生活。根据脊髓损伤的处理原则，脊髓损伤患者的康复基本目标主要包括两个方面：增加患者的独立能力（independence）；使患者能回归社会，并进行创造性生活（productive life）。

对于完全性脊髓损伤，脊髓损伤水平确定后康复目标基本确定（表 46-3）。对于不完全损伤来说，则需根据残存肌力功能情况修正上述康复目标。由此也可以看出确定脊髓损伤水平的重要意义。

表 46-3　脊髓损伤康复基本目标

脊髓损伤水平	基本康复目标	需用支具轮椅种类
$C_1 \sim C_3$	ADL 完全依赖，需 24 h 护理	依赖人工通气机，电动轮椅，环境控制系统
C_4	ADL 完全依赖	电动轮椅，环境控制系统
C_5	桌上动作自立，其他依靠帮助	电动轮椅，平地可用手动轮椅
C_6	ADL 部分自立，需中等量帮助	手动电动轮椅，可用多种自助具
C_7	ADL 基本自立，移乘轮椅活动	手动轮椅、残疾人专用汽车
$C_8 \sim T_4$	ADL 自立，轮椅活动，支具站立	同上，骨盆长支具，双拐
$T_5 \sim T_8$	同上，可应用支具治疗性步行	同上
$T_9 \sim T_{12}$	同上，长下肢支具治疗性步行	轮椅，长下肢支具，双拐
L_1	同上，家庭内支具功能性步行	同上
L_2	同上，社区内支具功能性步行	同上
L_3	同上，肘拐社区内支具功能步行，可不需轮椅	短下肢支具
L_4	同上，可驾驶汽车	同上
$L_5 \sim S_1$	无拐、足托功能步行及驾驶汽车	足托或短下肢支具

注：ADL，标准化日常生活活动。

环境控制系统是指严重瘫痪的患者，利用本身的残存功能，独立地操作周围环境的各种家用电器和居家设备，从而对患者的日常生活和职业活动进行全面帮助的计算机辅助系统。包括：①中央处理单元，接受信息，处理命令；②视觉显示器，显示正在发生的情况；③控制开关，由患者通过开关发出命令；④周围装置，患者由中央处理单元发出命令，通过这些命令，操纵电话、内部通信联络系统、床、门、电灯、收录机、电视、报警器等电子设备。

轮椅应用要求能随意操纵轮椅，能用手支撑改变姿势及作减除一侧或两侧臀部压力的动作，并能独立完成轮椅与床、轮椅与便器之间的转移。家庭内功能性步行要求能独立安全地行走，不用笨重的步行器，不需高度集中注意力，不引起上肢肌肉及心血管系统过度劳累，有一定的耐力和速度能连续步行 5 min 并走过 500 m 距离。不能达到以上条件的步行被认为不能满足日常行动要求，但定期进行有保持健康、防止并发症的作用，故称为治疗性步行。社区内功能性步行要求能一下子步行 900 m，能上下楼梯，并能耐受终日穿戴必要的支具。

(4) 脊髓损伤的康复治疗

1) 急性不稳定期的康复　美国著名脊髓损伤专家 Apple 指出：在尽快稳定病情的基础上，在 ICU 内即应开始康复。我国的专家也认为，早期的康复训练如呼吸功能训练、膀胱功能训练，不仅对于预防早期严重并发症和稳定病情有重要意义，而且为今后的康复打下了良好基础。在急性不稳定期，康复训练必须注意其脊柱与病情相对不稳定的特点。因此，应进行床旁康复训练。在进行关节活动度(ROM)训练和肌力增强训练时，应注意避免影响脊柱的稳定，控制肢体活动的范围与强度，并应循序渐进。物理治疗师和作业治疗师应了解病情，明确知道哪些训练是不能进行的，应注意观察训练过程中病情的变化。

在此期临床治疗与康复治疗是同时进行的，也是互相配合的。如脊髓损伤患者易发生肺部感染等呼吸系统并发症，而在治疗肺部感染的同时进行呼吸功能训练是十分有益的。近年来，颈椎高位截瘫的早期存活率明显提高，与呼吸功能康复有关。在急性不稳定期，康复训练每日 1～2 次，训练强度不宜过量。早期康复训练的主要内容如下。

(i) ROM 练习：瘫痪肢体的被动活动，即 ROM 练习应在入院后首日开始进行。ROM 练习将有助于保持关节活动度，防止关节畸形，促进肢体血液循环，防止肌肉短缩和挛缩。同时可预防因挛缩引起的关节疼痛、异常体位、压疮和生活自理困难等。

进行 ROM 训练时应注意：在脊柱仍不稳定时，对影响脊柱稳定的肩、髋关节应限制活动。对颈椎不稳定者，肩关节外展不应超过 90°；对胸腰椎不稳定者，髋关节屈曲不宜超过 90°。由于患者没有感觉，应避免过度过猛的活动，以防关节软组织的过度牵张损伤。特别注意的是，C_6～C_7 损伤的患者在腕关节背伸时应保持手指屈曲，在手指伸直时必须同时屈腕。从而通过保持屈肌腱的紧张达到背伸腕的抓握功能，并可以防止手内在肌的过度牵张。然而，这一训练在 ROM 训练中和康复教育中多被忽视，从而患者失去通过屈肌腱的紧张达到的抓握功能或不得不进行腱固定术。

(ii) 肌力训练：在保持脊柱稳定的原则下，所有能主动运动的肌肉都应当运动，使在急性期过程中不发生肌肉萎缩或肌力下降。急性期应强调双侧上肢肌群的活动，避免脊柱的不对称及旋转。另外，为避免某些肌群的肌力训练对骨折部位产生影响，在损伤后前几周，四肢瘫的患者应避免进行肩胛及肩部肌肉的抗阻训练，截瘫患者应避免进行髋部及躯干肌肉的抗阻训练。

(iii) 呼吸功能训练：包括胸式呼吸(胸腰段损伤)、腹式呼吸训练(颈段损伤)及体位排痰训练等。胸廓被动运动训练，每日 2 次，适度压迫胸骨使肋骨活动，防止肋椎关节或肋横突关节粘连，但有肋骨骨折等胸部损伤者禁用。

(iv) 膀胱功能训练：在急救阶段，因需要输液难以控制入量应使用留置尿管。在停止静脉补液之后，开始间歇导尿和自主排尿或反射排尿训练。

(v) 体位和体位变换：脊髓损伤造成患者肢体运动功能障碍，患者不仅在急性期，而且在恢复期每日的平均卧床时间均明显增加。每日卧床时间的明显延长可能给患者带来一系列问题。而卧床时的正确体位和体位变换对预防压疮，预防肢体挛缩和畸形，减少痉挛和保持关节活动度有重要的意义。因此，体位变换是脊髓损伤患者生活的一个重要问题。

正确体位如下。①下肢体位：仰卧位时可选择髋关节伸直位(可轻度外展)，膝关节伸直位(膝下不得垫枕，以免影响静脉回流)，踝关节背伸位(应用垫枕)及足趾伸展位。侧卧位时可选择髋关节 20°屈曲位，膝关节屈曲 60°左右，踝关节背伸和足趾伸直位。②上肢体位：仰卧位时肩关节外展 90°，肘关节伸直，手前臂旋后位。侧卧位时，下侧肩关节前屈 90°，肘关节屈 90°，上侧肢体的肩、肘关节伸直位，手及前臂中立位。俯卧位时肩关节外展 90°，肘关节屈曲 90°，手前臂旋前位。体位的保持必要时需用各种大小不同的枕垫，为防止各骨突部位发生压疮，应在骨突附近而不是在骨突处应用枕垫。

体位变换：正确变换体位是防止压疮、防止关节挛缩的重要环节。变换体位时注意如下。①定时变换：在急性期应每 2 h 按顺序更换体位一次，在恢复期可以每 3～4 h 更换体位一次。目前，尽管应用各种间断充气的减压床垫有利于预防压疮，但不能代替体位变换。②轴向翻身：在急性期，脊柱不稳定或刚刚稳定时，变换体位必须注意维持脊柱的稳定。2～3 人进行轴向翻身，不要将患者在床上拖动以防皮肤擦伤。

2）急性稳定期的康复 此时临床主要治疗已基本结束，患者脊椎与病情均已稳定，康复成为首位的任务。在强化急性不稳定期的有关训练的基础上（如 ROM 训练和肌力加强训练，膀胱功能训练，呼吸道处理），增加斜床站立和坐位平衡训练、转移或移乘训练（床-轮椅，平台-轮椅）、轮椅训练和 ADL 训练等。

由于每个患者的年龄、体质不同，脊髓损伤水平与程度不同，因此训练的内容、强度均有区别。但本时期应强化康复训练内容，每日康复训练时间总量应在 2 h 左右。在训练过程中注意监护心肺功能改变。在此期间，对需用下肢支具者，应进行测量并制作，以准备配戴使用训练。从急性不稳定期，即卧床期，过渡到急性稳定期，即轮椅活动期，训练时应注意脊柱稳定性的确定和直立性低血压的防治。

(i) 体位变换：①损伤稳定后，提倡患者仰卧，侧卧及俯卧位变换，并逐步增加俯卧位的耐力。这种体位可有效地预防身体后部的压疮和髋、膝屈肌紧张的产生，并可有效地促进膀胱排空。②卧位坐位变换：逐步从卧位转向半卧位或坐位，倾斜的高度每日逐渐增加，以无头晕等低血压不适症状为度，循序渐进。下肢可使用弹性绷带，同时可使用腹带，以增加回心血量。从平卧到直立位大约需 1 周的适应期，有条件的可以采用斜床站立训练，原则同上。

(ii) 轮椅练习：包括上下轮椅（移乘）练习及操纵轮椅的练习，移乘包括轮椅与床、椅、便桶之间的转移。自轮椅上床时一般先将轮椅斜对床沿刹住，以靠近床的一手支床，另一手支轮椅扶手撑起身体移至床上，自床上转移至轮椅则按相反顺序进行。操纵轮椅包括驱动轮椅作进、退、拐弯、前轮翘起练习及跨门槛练习等。练习上台阶时，先使身体稍后仰，重心稍后移，握住轮圈使前轮提起，转动后轮使前轮落在台阶上，然后使身体稍前倾，重心前移，转动后轮升上台阶。下台阶的动作顺序与此相同。

注意每坐 30 min，必须用上肢撑起躯干或侧倾躯干，使臀部离开椅面减轻压力 1 次，以免坐骨结节发生压疮。

(iii) 标准化日常生活活动（ADL）练习：当患者仍躺在床上时，简单的 ADL 即应开始，如借助棱镜式望远镜、翻书页器等设备可增加四肢瘫患者的阅读能力，在倾斜台上安装托盘有助于这些患者在站位下活动上肢及平视电视能力。适用于自我照顾的 ADL 装置此时也可推荐给患者使用，如供进食用的万能袖套、洗澡用的长柄刷等。尽可能达到初步生活自理（C_6 以下：能进食，洗漱，穿衣；C_8 以下：能进食，洗漱，穿衣，排便）。

3）中后期的康复训练 当患者生命体征稳定，脊柱的稳固性好，并能离床坐在轮椅上 2 h 及以上时，即可开始中后期的系统康复。此时应根据患者脊柱骨折及脊髓损伤的处理情况、当前全身情况、现有残疾及并发症，以及精神、心理智力状况、年龄、性别、社会经济背景等，对患者的残疾状况进行综合评定，根据评估情况制订进一步的康复目标及康复方案，并反复评估，边评估边治疗，及时进行职业评定，以决定患者今后的去向，如回归原工作、调换工作、回归家庭或疗养院等，并提出相关注意事项。具体训练内容如下。

(i) 肌力加强训练：目的是对未完全瘫痪的肌肉施以充分的训练，恢复实用肌肉的功能。肌力训练的内容取决于损伤的程度、时间和损伤的平面。从总体来说，脊髓损伤者为了应用轮椅、拐杖和助行器，在卧位、坐位时均要重视锻炼肩带肌力，包括上肢支撑力训练、肱三头肌和肱二头肌训练和握力训练；对于采用低靠背轮椅者，还需要进行腰背肌锻炼；为了步态训练，应进行腹肌、髂腰肌、腰背肌、股四头肌、内收肌等训练，卧位时可用举重、支撑，坐位时可利用倒立架、支撑架等。肌力 2 级时以助力运动为主，配合功能性电刺激和无负荷的器械训练；肌力 3～4 级时，以主动抗阻训练为主，除采用徒手抗阻训练外，还可利用哑铃、拉力器等，争取肌力的最大恢复。肌力训练的训练强度和时间视患者体力和健康状况而定。

(ii) 垫上（床上）训练：包括翻身训练，牵伸训练，垫上移动训练，负重及移行训练等。掌握此项活动应遵循以下原则：技能从简单到复杂；将整个项目分解成为简单动作，完成后再合成整体动作；使用上肢、手活动和健存肌肉替代来加强无力或乏力肌肉；肌群应在发挥它们功能性作用的姿势下进行活动。

翻身：主要为改善床上的活动度，为床上独立的体位变化作准备，便于穿脱裤子。如有可能，患者在盖有被子和毯子时，也能达到独立的翻身活动。方法如下：①头颈屈曲旋转，仰卧到俯卧；②头颈伸展旋转，从俯卧到仰卧；③当从仰卧到俯卧位时，两臂伸展上举对称性摆动，头从一侧转向一侧，然后顺势将双手快速摆向正准备翻过的一边，躯干和两髋部跟进。④两踝交叉也将促进翻身，以向左侧翻身为例：他人帮助下先将右腿放在左腿上，当向左侧翻身时，右侧髋、膝屈曲移过左腿，将会促进躯干向左侧翻身。⑤从仰卧到俯卧位的移动过程中，在一侧的骨盆或肩胛下放置枕头，帮助最初的旋转，初开始训练时用两个枕头，逐渐减少到一个，直到一个都不要。⑥最初翻身遇到困难时，可先从侧卧位开始训练；为了促进俯卧向仰卧位转移，枕头可放在胸部或(和)骨盆下面，枕头的数量和高度应逐渐减少，直到取消。

牵伸训练：对肌肉和关节的牵张是康复治疗过程中必须始终进行的项目，包括腘绳肌的牵张、内收肌和跟腱的牵张。腘绳肌牵张是为了使患者直腿抬高能大于 90°，以实现独立坐；内收肌牵张是为了避免内收肌痉挛而造成会阴部清洁困难；跟腱牵张是为了保证跟腱不发生挛缩，以进行步行训练。

垫上移动：垫上移动是转移训练内容的一部分，旨在提高患者的体位变换能力。包括在他人帮助下或者独立完成床上侧向转移、翻身、卧坐转移、坐位横向和纵向转移等。转移训练还包括坐站转移、床轮椅转移和椅轮椅的转移等，在转移时可以借助一些辅助具，例如滑板。转移训练时必须注意保护，预防患者摔倒。

负重训练：为了进一步改善床上活动度，并为坐起、站立和行走做准备。可通过挤压关节改善稳定性，促进近端肌肉张力的保持。根据患者的不同情况可选用肘胸位、手膝位、四点跪位和膝跪位负重的练习。开始的练习侧重于维持这种体位，然后可进行重心向一侧的偏移和该体位下的移动练习。

肘胸位是为进行四点跪位和坐位做准备，在此体位下，头颈控制，肩胛盂和肱肌的近端稳定性通过共同收缩得到加强；手膝位是低位截瘫患者从轮椅上站起来或借助拐杖，双侧膝踝足支具进行行走所需要的体位；四点跪位适用于下胸段以下截瘫的患者，有利于增加下躯干和两侧髋部骨骼肌的控制能力；膝跪位则有助于促进直立平衡的控制，作为借助拐杖和双侧膝踝支具行走的过渡形式。

(iii) 轮椅训练：如前所述。

(iv) 步行训练

治疗性站立、行走：治疗性站立及行走是预防肺炎、压疮、尿路感染等并发症，维持脊柱、骨盆及下肢的应力负荷，防止骨脱钙的重要及有效手段。对改善心理状态也有重要作用。如骨科情况允许，无其他禁忌情况，应尽早开始，并坚持进行。每日累计站立时间宜在 3 h 以上。治疗性站立一般在倾斜床或斜板上开始，逐渐增加倾斜度直至垂直位，并逐步延长站立时间。可在倾斜床上作上肢运动及进行作业治疗。如发生姿位性低血压，可适当减慢斜度的增加，使机体有更多时间进行姿位适应。适应过于迟缓时则采取必要的治疗措施，适应良好时可进一步带支架在平行杆或学步车内作站立练习。

治疗性步行一般带适当支架，在平行杆或步行器内进行。先作站立平衡练习，站立姿势训练，再进行步行练习。熟练及适应良好时也可练习扶拐步行。

怕麻烦、劳累、缺乏家属协助、体力过弱、大小便管理不善等都可使患者放弃站立和行走练习，为此应采取相应的对策，包括加深患者及其家属对站立行走练习的作用的认识，创造必要的环境条件，置备必要的辅助设备，循序渐进地进行练习，并利用有功能的上肢及腹背肌进行有氧训练以改善体力。

功能性室内步行、功能性社区内步行训练：功能性步行对脊髓损伤(SCI)患者上肢和腹背肌力，平衡和协调功能，以及耐力或有氧能力提出更高要求。通过一系列训练有计划地满足这些要求，再在这一基础上进行步行训练，才能较好、较快地重建步行功能。为此宜按下述步骤顺序进行训练，前面的步骤为后面步骤打下基础。相邻的训练步骤可以重叠同时进行。

卧位训练：在床上或体操垫上进行，以增强上肢肌力和躯干肌肌力，其目的是增强有关肌肉力量和耐力以减轻扶拐步行的劳累程度，并增强上肢各关节和躯干的稳定性及负重能力，增强操纵骨盆以带动下肢步行的能力，减少因劳损引起疼痛的机会，从而为功能性步行创造必要条件。

坐位练习：包括在椅上坐稳、坐直及保持平衡的练习，在坐位作各种上肢运动及躯干运动的练习，撑起全身或一侧骨盆以减除臀部压力的练习。

站立练习：从坐位站起，从地上站起及卧倒的练习和站立平衡练习，能较好地站稳时，进一步作以下练习：站位平衡训练，重心转移训练和髋、膝、踝关节控制能力的训练。

原地踏步练习：腰背及腹部有一定肌力能操纵骨盆时，可作原地踏步练习，为四点式步行作准备。

步行练习：在原地踏步练习较熟练时则自然过渡到迈步行走，开始练习步行时，关键在于培养正确的步态，而不宜片面追求步行距离和速度。因此要求步行节奏缓慢稳定，步幅及步速左右均匀对称，眼视数米远处，身体勿过于前倾以减少上肢负荷及降低步行能耗。开始时在平行杆内行走，继而在步行器内行走，较熟练时练习扶双拐步行。建立良好步态后才能逐步延长步行距离以增强耐力，并适度地提高步行速度。

腰腹肌有力，能完成原地踏步动作者可采用四点式步法，一般是左拐→右腿→右拐→左腿依次向前一步。

腰腹肌严重瘫痪时，无法进行原地踏步练习，也不能作四点式步行。这类患者只能在站立练习的基础上进行三点式步行练习，即双拐依次或同时向前移动一步，然后在拐杖支撑下使两下肢同时向前摆动一步，一般是摆到双拐后方，称摆至步，熟练者也可摆至双拐前方以增加步幅，称摆过步/摆越步。

上下台阶及阶梯练习：上下台阶时可两拐先同时或依次上或下，然后两足依次（四点步）或同时上或下（三点步）。屈髋肌及伸膝肌有一定力量时可作上下楼梯练习。练习上下楼梯时也可把双拐交由一手把持，另一手抓住阶梯扶手作上、下行动。

站立行走练习时的保护：进行站立行走练习时作适当保护十分重要。一方面要严防患者跌倒尤其是向后跌倒，另一方面使患者有充分的安全感。按照上述步骤作循序渐进的练习有利于保障安全。在站立、步行练习未达熟练程度时必须有专人作专门的保护。可在患者腰部扎一便于抓握的腰带，护者位于患者侧面或后方，用一手抓住患者的腰带，平时不用力，在患者开始失去平衡时及时加以纠正。

（v）ADL训练：在患者病情逐渐稳定之后，根据患者日常生活、家庭生活、社会和职业生活的需要，选择有目的的活动进行治疗和训练，能明显改善患者身体和心理上的功能障碍。基本日常生活活动可按一定的顺序训练：吃饭→洗漱→转移→如厕→脱衣→穿衣，这是儿童学习ADL的顺序，可作为参考。根据患者的具体情况，制订适合本人的训练程序，教给他一些技巧和方法，必要时为患者配置辅助器具。四肢瘫患者通常需各种支具或特殊的装置才能完成穿衣、进食、个人清洁卫生和利用家庭电器设备等活动。作业治疗师就需根据患者上肢功能状况，制作不同的支具，如万能袖带（套在手掌上，可握匙、笔、按键杆等）、带支撑把的匙或叉子以及粗柄匙等，并教会其使用；根据患者的经济情况，选用头控、颌控、手控电动转椅，选用气控、颌控、手控的环境控制系统来完成开关电灯和窗帘，看电视，打电话等，以提高患者的生活质量。另外，作业治疗师应根据患者在院内训练的情况，指导完成患者住房的改造，以利于患者回归社会和家庭。

（vi）文体治疗：选择患者力所能及的一些文娱体育活动，对患者进行功能恢复训练，如轮椅篮球、网球、台球、乒乓球、射箭、标枪、击剑、轮椅竞速、游泳等，一方面恢复其功能，一方面使患者得到娱乐。文体活动的好处在于可以增加患者运动系统的活动，从而提高其功能和改善体质，增加耐力；从心理上增强患者的自信心和自尊心，增强患者内在的价值感，增进与家人、朋友的关系。除此之外，参加文体活动可以分散他们对自身残疾的注意，加上许多文体活动可和健全人一起进行，对他们重返社会，积极参与社会活动都有好处。因此，在脊髓损伤康复中应积极开展文体活动。

（vii）功能性电刺激（functional electrical stimulation，FES）：FES是用电流刺激丧失功能的器官或肢体，以所产生的即时效应来代替或纠正器官或肢体的功能的康复治疗方法。对于脊髓损伤的瘫痪患者，上运动神经元发生病损，而下运动神经元是完好的，不仅通路存在，而且有应激功能，但失去了来自上运动神经元的运动信号，不能产生正常的随意肌肉收缩运动。这时给予恰当的刺激，就可以产生相应的肌肉收缩，以补偿所丧失的肢体运动。应用FES治疗可克服肢体不动的危害，使肢体产生功能性活动。脊髓损伤后易于产生深静脉血栓，电刺激小腿肌肉可减少发生的危险，并能产生下肢功能性活动，如站立和行走，但它并不能取代轮椅。

46.4.3 脊髓损伤患者辅助器具的应用

近年来，脊髓损伤的诊断、治疗取得了一定的进展，但完全性脊髓损伤仍难以恢复，不完全脊髓损伤仍会残留功能障碍。现代生物力学、生物工程学的发展，使截瘫患者应用的辅助器具有了明显进步。

正确地确定适应证、选择相应的矫形器或支具和合理安装使用其他辅助器具，不仅可以改善患者的生活自理能力，而且有利于患者心理和体质的全面康复，对患者早日开始自理的、创造性的生活有重要的意义。因此，辅助器具的应用是脊髓损伤康复治疗的重要组成部分。脊髓损伤的水平不同，其康复目标不同，所需要的辅助器具也不完全相同(表 46-4)。脊髓损伤的程度不同，其残存的肌力不同，所需要的辅助器具也不相同。同时，患者的年龄、体质及生活环境和经济条件也是影响选择辅助器具的重要因素。医师应根据患者的具体情况作出适当的选择。一般来说，四肢瘫患者主要应用上肢支具和自助具及轻型轮椅，截瘫患者主要应用下肢支具和助行器及标准轮椅。

表 46-4 不同脊柱损伤水平患者可能需要的辅助器具

辅助器具	C_4	C_5	C_6	$C_7 \sim C_8$	$T_1 \sim T_{10}$	$T_{11} \sim T_{12}$	$L_1 \sim L_3$	$L_4 \sim L_5$
电动轮椅	+	+	(+)					
轻型轮椅		(+)	+	+	+	(+)		
标准轮椅					(+)	+	+	+
上肢夹板	+	+	+					
ADL 自助具	+	+	+	+				
轮椅用滑板		+	+	(+)				
助步器							+	+
腋拐					+		+	
AFO 支具							+	+
KAFO 支具					+	+	+	
环境控制	+							

注：+ 需要；(+)可能需要；ADL：标准化日常生活活动；AFO：踝足矫形器；KAFO：膝踝足矫形器。

(1) 上肢支具(矫形器)及自助具

1) 手部夹板 手部夹板对颈髓损伤患者是必需的，而且应在入院后 48 h 内提供。但是，目前国内对四肢瘫患者早期应用手部夹板的重要性认识不足，使很多患者发生手部畸形而影响了康复效果。

(i) 手部夹板应用的目的：保持手部的正常位置以防止畸形，保持手指的功能位，拇指对掌及掌弓正常解剖功能位；维持手的握持位置，为 $C_6 \sim C_7$ 水平损伤患者提供依靠伸腕时腱固定的抓握功能；保持被动的全关节活动度；为今后进行肌腱转移或应用动态手部夹板提供可行的条件。

(ii) 应用方法：支具夹板应在卧床时期持续配戴，洗漱和进行关节活动度训练时可摘下。每日至少取下 2 次进行皮肤检查，观察有无压红或水肿。如发现手部夹板不合适或损坏应及时更换。

2) 自助器 自助器是指能提高患者的自身能力，使其能较省力、省时地完成一些原来无法完成的日常生活活动，从而增加生活独立性的辅助装置。

自助器与矫形器的区别在于前者只用于改善功能，后者则以稳定、支持和矫正畸形为主。有时，自助器也需要在矫形器的配合下使用。自助器的使用是患者全面康复过程的一部分。因此，无论是暂时还是长期使用，均应与其他康复手段密切配合，以期达到最佳的康复效果。

自助器分为进食自助器、书写自助器，还有阅读、穿衣等各种自助器，患者也可根据自己需要设计自助器。

(2) 下肢支具

矫形器(支具)的基本功能主要包括稳定与支持功能，助动功能，矫正功能和保护功能。脊髓损伤患者应用的下肢矫形器又称为截瘫矫形器，是用于辅助截瘫患者站立及行走的支具。目前，截瘫矫形器主要可分为两种类型：无助动功能步行矫形器和助动功能步行矫形器或往复式步行矫形器。

配用适当的下肢矫形器为很多截瘫患者站立步行所必需。通常下腰椎平面损伤有踝关节不稳者需用踝足矫形器(AFO)；上腰椎，或胸腰段脊髓损伤，有膝关节及髋关节不稳，但腰、腹肌功能存在，尚能控制骨盆者可用膝踝足矫形器(KAFO)；下胸椎水平损伤,腰腹肌受损时须用带骨盆带的髋膝踝矫形器(HKAFO)。KAFO与HKAFO的踝关节宜固定在背屈10°的位置,使站立时下肢稍前倾,以便利用髋过伸姿位保持髋部稳定及平衡。支具的各节段应牢固固定于各节段肢体,使应力分散,防止压疮形成。AFO、KAFO、HKAFO均为无助动功能的矫形器。

交替步支架(reciprocating gait orthosis, RGO):即在髋膝踝足矫形器两侧髋关节的股骨一端向前后各设置一短轴,用刹车钢绳将两侧的前轴与后轴分别连接,如此一侧髋屈及伸时可使对侧髋伸及屈,以方便胸椎损伤患者两侧交替迈步,作四点式步行。

复合支架(hybrid orthosis):是20世纪80年代开始发展的一种支架与经皮功能性电刺激(TENS)相结合的一系列装置。最简单的是AFO加小腿三头肌功能性电刺激装置,用电刺激产生抗重力及推进力,可连续步行数百米。较复杂的是标准KAFO加股四头肌功能性电刺激装置,对用足着地时地面反作用力启动电刺激以稳定膝关节。最复杂的是HKAFO或RGO加股四头肌及臀肌功能性电刺激,可用于胸椎段截瘫,以减少步行能耗并提高步行速度。也有人试制重建捏握能力的上肢复合支架。较复杂的复合支架尚在实验阶段,缺点是造价贵,不易固定,此外肌肉耐疲劳程度难以确定。

46.4.4 肌痉挛的处理

肌痉挛是截瘫康复中经常遇到的问题。颈及上胸段脊髓损伤者肌痉挛发生率明显高于下胸及腰骶段损伤者。轻度的伸肌痉挛可能有助于站立和行走,明显的肌痉挛则限制关节活动,增加运动困难,特别是内收肌痉挛,可严重妨碍功能锻炼及会阴部护理。治疗的理想目的是将肌张力降至Ashworth分级0~1级,即仅有轻度肌张力增高。要达到此目的有时很不容易。肌痉挛常用治疗方法如下。

(1) 去除诱发因素

包括伤害性刺激如感染、压疮、疼痛、深静脉血栓等,防止过度用力、疲劳等,去除精神紧张性因素如焦虑等。

(2) 理疗

持续地牵张肌肉和放松练习可降低肌痉挛,牵拉可主动也可被动运动;局部热疗或作冰袋冷敷,也可使痉挛肌肉有一时性放松,治疗同时进行肌肉牵张效果更好。功能性电刺激及适当的经皮神经电刺激也可降低肌痉挛。

(3) 按摩

是常用的传统方法。深入而持续较长时间的肌肉按摩,可降低肌张力,便于运动锻炼,但其效果只能维持数十分钟。

(4) 药物治疗

1) 巴氯芬(baclofen,商品名枢芬) 近来使用较多。其作用为对传入脊髓的神经终末的突触前阻滞,降低中间神经元传导,阻止冲动传向靶肌肉。起始量为5 mg,每日3~4次,最大剂量每日80 mg。20世纪80年代起有人用体内植入巴氯芬泵经导管将巴氯芬输入鞘内,以控制较严重的肌痉挛。鞘内输入量每日100~1 200 μg,视需要而定。有报道称使痉挛肌的肌张力降至Ashworth分级1~2级,所需要的巴氯芬量在1年内逐步增加,以后则保持稳定。

2) 中枢性降压药可乐定(clonidine) 有降低肌痉挛的作用。口服时易引起低血压。有人报道用贴胶法经皮输入可乐定,用药量每贴0.1 mg以上,无低血压反应。

3) A型肉毒杆菌毒素 为肉毒杆菌产生的一种大分子蛋白毒素。局部注射后使乙酰胆碱释放障碍,从而引起持久的肌肉松弛。一次注射可缓解肌痉挛3~4个月。最好先在肌电图下找到神经放电最强部位,采用多点注射法。注射位点、剂量根据肌肉大小、数量、痉挛程度及治疗反应而定。注射后起效时间为3~7天。主要局部不良反应是肌肉无力,多轻微而短暂,随时间延长可逐渐减弱。

(5) 手术治疗

个别严重肌痉挛及挛缩如内收肌严重痉挛病例恢复无望者,可行内收肌切断术、闭孔神经切除术或脊神经根切断术等破坏性手术,使痉挛性瘫痪转变为软瘫。

46.4.5 膀胱功能的恢复与重建

脊髓损伤造成神经源性膀胱,其表现在脊髓休克期为无力性膀胱,此时排尿反射消失,尿潴留。休克期过后,排尿中枢(S_2~S_4)及其下方损伤时即核型及核下型损伤时出现自律性膀胱,可有微弱的逼尿肌收缩但无排尿反射;S_2~S_4以上损伤即核上型损伤时,有不随意的反射性排尿,尿量不等,称自动膀胱或反射性膀胱。神经源性膀胱的治疗目标在于调节逼尿肌与括约肌功能,使排尿间隔在2 h以上,残余尿少于100 ml。每次排尿量宜调节在500 ml

左右，因膀胱经常充盈不足易使膀胱挛缩成小膀胱；膀胱过于膨胀则易引起肾盂积水及逆行性感染。常用的神经源性膀胱的治疗措施如下。

(1) 排尿训练

圆锥以上脊髓不完全损伤，排尿的低级反射弧完整但有排尿困难者，应作排尿意识训练。尽量采取站立或坐位的正常排尿姿位；在习惯的便所内，或开放水龙头制造流水声，也可进行耻骨上轻叩法以诱导排尿反射。必要时可按压下腹部帮助排尿及减少残余尿，但括约肌张力过高时不宜使用过大压力，以免使尿液向肾盂反流。

应培养定时排尿习惯，使用保留导尿管时每4～6 h开放导尿管排尿1次。如无禁忌证，每日摄水量应达2 500～3 000 ml，以利用较大量的尿液冲洗泌尿道，降低尿路感染及结石的危险。为清除膀胱内沉渣，防止导尿管堵塞，减少感染机会，应定期进行膀胱冲洗，常用冲洗液有生理盐水、0.2%呋喃西林等。使用保留导尿管易引起睾丸炎、附睾炎甚至造成尿道皮肤瘘，现多主张作间歇导尿，可教会患者自行操作。在清洁导尿期间，进水量可以减到每日1 800 ml，每日4次间断导尿，每次导尿量控制在300～400 ml。

(2) 泌尿外科手术

膀胱括约肌持续紧张致排尿困难或残余尿明显增加时，可作膀胱括约肌切断术；尿路结石形成时，有时需行手术取出结石。

(3) 电刺激帮助排尿

近来有很多研究在用常规方法结果不满意时试用电刺激改善排尿功能。使用较成功的是骶前神经电刺激。其法是作骶骨椎板切除术，在S_2～S_4神经前根上安置膜外袖套状神经刺激电极，皮下埋植导线及刺激器，用无线电发射器经皮进行操纵。

对尿失禁者，有专家报道经皮刺激胫前神经、腓总神经、股四头肌，或经直肠或阴道刺激盆底肌，可改善括约肌功能，抑制逼尿肌，控制漏尿。

(4) 药物应用

胆碱能制剂可增强逼尿肌张力，减少膀胱容量，适用于逼尿肌无力者；平滑肌松弛剂适用于逼尿肌痉挛者；目前临床常口服阿米替林治疗尿失禁患者效果较好，但易导致睡眠增多，可临睡前服用。剂量宜从小到大，逐步增加。如患者肌张力过高，可应用骨骼肌松弛剂如巴氯芬等，既可治疗骨骼肌痉挛，也可抑制阴部神经反射而减低尿道外括约肌张力，减少残余尿量。

46.4.6 脊髓损伤患者的心理康复

脊髓损伤患者由于身体的残障，形成了与其他人不同的特殊群体心理。由于在损伤部位以下会出现感知觉的全部或部分丧失，使个体对躯体的感受与控制发生困难，并由此引发一系列的心理问题。患者常有孤独感、自卑感、敏感、情绪反应强烈且不稳定，脊髓损伤患者常常可能表现出倔强和自我克制，有较大的忍受能力。

心理康复是现代康复的重要组成部分，它可以使残疾的影响降到最低限度，通过心理评定与心理治疗，可使患者具备较好的心理状态，帮助患者树立信心，积极配合临床治疗并接受其他康复治疗；适当诱导，使患者逐步认识到自己的状况，并尽可能通过改善、代偿或替代的方式增强实际活动能力，通过功能的改善和环境条件的改变而重返家庭和社会。目前脊髓损伤的康复以提高脊髓损伤患者素质和生活质量作为主要目标之一。因此，需要调节患者的心理与情绪状态，结合调整他们周围的环境和社会条件，减轻他们的心理压力，以利于他们重返社会。

46.4.7 脊髓损伤患者的无障碍环境

在截瘫患者的全面康复过程中，社会康复是一个很重要的方面，其中家庭环境和社区环境的无障碍，是截瘫者十分关心的社会康复问题。

无障碍环境是残疾人参与社会生活的基本条件，无障碍环境包括物质环境无障碍、信息和交流的无障碍。物质环境无障碍主要是要求城市道路、公共建筑物和居住区的规划、设计、建设应方便残疾人使用和通行，如铺设盲道、坡道，设置交通音响信号装置等；信息和交流的无障碍主要是要求公共传播媒介应使听力语言残疾人士和视力残疾人士无障碍地获得信息，进行交流，包括影视字幕、盲文、手语等。

截瘫患者是重度残疾人，日常生活起居有很多障碍和困难，需要家庭成员和社会各界给予特殊的关照。

如果截瘫者曾经在康复机构接受康复治疗和训练，住院期间在专家的指导下，借助仪器和器材恢复和强化肢体的功能，同时也学会一些科学的训练方法，出院后要坚持训练才能巩固康复疗效，进一步维持和恢复身体的功能，减少并发症。应购置或制作站立台、长短支具、防压疮坐垫、腰围、坐便器椅、可摇性病床，以利于截瘫患者在无障碍的家庭中生活。

建筑要求：应住在有电梯的楼内或将住房调到

1层，在房前修一条供轮椅使用的坡道，坡面宽度不得小于120 cm，坡度不得大于1∶20；过道和走廊至少宽90 cm，门的宽度不小于120 cm，开启净宽不得小于80 cm，门内外应留有1.50 m×1.50 m以上平坦的轮椅回转面积；用品用具的悬挂高度应使其伸手可以方便拿到，墙壁上的电源插座距地板不应少于40 cm；厕所应有坐式马桶，高38～56 cm；浴室内需要3.2 m^2 的面积以便于使用轮椅。

（潘惠娟）

参考文献

[1] 王予彬，王惠芳，李国平．膝关节功能评估表的临床研究．中国康复医学杂志，2005，20(2)：103～104.

[2] 王予彬，王惠芳，李国平．膝关节骨性关节炎镜下半月板损伤特征与微创治疗的临床研究．中国微创外科杂志，2006，6(12)：903～905.

[3] 王予彬，王惠芳．关节镜手术与康复．北京：人民卫生出版社，2007.11.

[4] 王惠芳，王予彬．膝半月板关节镜下修复与移植重建术后的康复．中华物理医学与康复杂志，2002，24：7.

[5] 曲绵域，于长隆．实用运动医学．第4版．北京：北京大学医学出版社，2003．623～625；647～648.

[6] 吕厚山．人工关节外科学．北京：科学出版社，1998.

[7] 杨述华，邱贵兴．关节置换外科学．北京：清华大学出版社，2005.9.

[8] 张元平，李凯，郭飞．膝关节周围骨折术后功能康复方法的研究进展．第四军医大学学报，2006，26(19)：1814～1815.

[9] 陈峥嵘主译，关节镜外科学，第2版．上海：复旦大学出版社，2001.

[10] 范振华．骨科康复医学．上海：上海医科大学出版社，1999．279～302.

[11] 范振华，周士枋．实用康复医学．南京：东南大学出版社，1998．578～586.

[12] 卓大宏．中国康复医学．第2版．北京：华夏出版社，2003．880～970.

[13] 胥少汀，葛宝丰，许印坎．实用骨科学．第3版．北京：人民军医出版社，2005．330～342；402～449；691～692；723～800.

[14] 高凯，王予彬，王惠芳．前交叉韧带损伤与重建术后的等速肌力评价．中国康复医学杂志，2006．20(5)：467～469.

[15] Dauty M, Tortellier L, Rochcongar P. IsokineLic and anterior cruciate ligament reconstruction with hamstrings or patella tendon graft Int J Sports Med, 2005, 267:599.

[16] Fitzgerald GK, Axe MJ, Snyder Mackler L. The efficacy of perturbation training in nonoperative anterior cruciate ligament rehabilitation programs for physical active individuals. Phys Ther, 2000, 80:128～140.

[17] Goodyear Smith F, Arroll B. Rehabilitation after arthroscopic meniscectomy: a critical review of the clinical trials. Int orthop, 2001, 24:350～353.

[18] Hiemstra L, W ebber S, MacDonald P, et al. Knee strength deficits after hamstring tendon and patellar tendon anterior cruciate ligament reconstruction. Med Sci Sports Exerc, 2000, 32(8):1472.

[19] Jackson RW, Dieterichs C. The result of arthroscopic lavage and debridement of osteoarthritic knees based on the severity of degene ration. Arth roscopy, 2003, 19:13～20.

[20] Marco Di Monaco, Fulvia vallero, Roberto Di Monaco, et al. Functional recovery after concomitant fractures of both hip and upper limb in elderly people. J Rehab Med, 2003, 4:195～197.

[21] Noyes FR, Barbe Westin SD. Revision anterior cruciate surgery with use of bonc patellar tendon bone autogenous grafts. J Bonc Joint Surg Am, 2001, 83A: 1131～1143.

[22] Torry M, Decker M, Jockel, et al. Comparison of tibial rotation strength in patient's status after anterior cruciate ligament reconstruction with hamstring versus patellar tendon autogrefts. Clin J Sport Med, 2004, 14(6):325.

[23] Witvrou WE, Bellemans J, Verdon KR. Patellar tendon vs doubled semitendinosus and gracilis tendon for anterior cruciate ligament reconstruction. Inter Ortho, 2001, 25(5):308.

第十五篇

骨科常见问题

骨愈合 47

47.1 骨愈合概论

近 30 年来,尽管骨折治疗技术有很大进步,骨折延迟愈合和不愈合仍时有发生。正常骨愈合是一个复杂的生理过程,其间发生的许多细胞和分子水平现象并不十分明确;促进骨愈合的手段很多,其作用机制也有待进一步深入研究。在骨愈合这个研究领域中还有许多工作要做。

骨移植是修复骨损伤尤其是节段性骨缺损的重要手段,骨传导作用是首先认识到的移植骨修复骨损伤的机制。无论是游离的自体骨还是冷冻、冻干或化学保存的异体骨移植,供骨在受体内都不能存活,而主要是起支架作用,引导受体的血管、细胞通过爬行替代的方式形成新骨,而供骨最终被吸收。以后认识到单用骨传导理论尚不足以解释骨移植的修复机制,在移植骨提供支架的前提下,新骨的形成主要是依赖多种细胞因子的协同作用,通过诱导成骨的机制进行的。

骨传导和骨诱导在骨愈合过程中是两个相互独立而又紧密联系的作用机制。20 世纪 60 年代,Urist 发现脱钙骨基质具有显著的成骨活性,并从中提取了具有高效诱导骨活性的骨形态发生蛋白(BMP),为骨诱导理论提供了明确的实验基础。这在骨愈合乃至骨科发展史上都是一个重要的里程碑。这一发现的科学意义不仅在于发现了 BMP 这种能诱导间充质细胞向成骨细胞分化的活性蛋白,更在实践中带动了转化生长因子-β(TGF-β)超家族、胰岛素样生长因子(IGF)、血小板衍生生长因子(PDGF)等骨相关生长因子的大量基础研究和应用性研究。30 多年来至少发现了 30 种 BMP,研制、开发 BMP 承载缓释系统修复骨损伤尤其是大段骨缺损,一直是骨科应用研究领域的热点。国内外动物实验及临床试用都取得了大量令人鼓舞的成果。

骨折治疗从原始的闭合复位 + 外固定单一模式,发展到闭合复位 + 外/内固定、切开(半开放)复位 + 内/外固定等多种模式,从单一、机械法向复合、生物法方向发展,日趋精确、微创化。骨折复位可借助电视 X 线机、电子内镜等现代手段进行。总之,现代内外固定方法和技术,尽可能避免对骨折局部自然修复环境的干扰,有利于骨折愈合。

组织工程学是运用生命科学和工程学的基本原理,研制能恢复、维持或改善病损组织器官功能的生物替代物,它可能给骨损伤的治疗带来革命性的变化。此外，随着遗传学、分子生物学技术的发展而诞生的基因治疗技术在骨愈合中的应用也得到了广泛研究。

47.2 骨愈合机制

骨愈合机制非常复杂，涉及细胞生物学、生物化学、生物力学、矿物学和内分泌学等学科。

47.2.1 骨愈合的组织学和细胞学机制

骨折修复最少需要 4 个方面来启动愈合全过程，包括细胞募集、骨诱导、调控和骨传导。细胞募集是指全身骨原细胞或诱导性前成骨细胞到达骨折部位；骨诱导指骨折局部细胞群之间也发生信息传导，从而刺激各自成骨能力；随后这些多分化潜能的细胞群开始被调控或活化；最后一步是骨传导，胶原和羟基磷灰石表面上重建成一个具有生物力学优点的三维骨结构。

骨折愈合是一个连续的过程，为便于描述而分成不同的期，各期间并无截然可分的界限。目前多数学者建议将骨折愈合过程分为血肿机化演进期、原始骨痂形成期和骨痂改造塑形期。

(1) 血肿机化演进期

骨折后骨的连续性中断，骨膜被撕裂，经骨膜进入骨的血管及哈弗管断裂，导致出血，内、外凝血系统均被激活，骨折断端及其周围形成血肿。此时局部毛细血管出现扩张，炎性细胞（如中性粒细胞、淋巴细胞、单核细胞和巨噬细胞）向血肿区迁移，骨折进入了炎症期。在炎症期，新生的毛细血管和成纤维细胞可长入血肿内，巨噬细胞和其他的游走细胞可逐渐清除血凝块，血肿渐渐被机化形成肉芽组织。

(2) 原始骨痂形成期

骨折作为一种损伤启动了骨的修复机制，促使部分原始细胞分化、增殖，进而使骨组织得以修复。其中由骨膜及骨髓的原始细胞增殖而来的称为定向性骨原细胞（determined osteoprogenitor cell，DOPC），可以直接发生膜内成骨。这种细胞存在于骨髓基质、骨内膜、骨外膜生发层及前板软骨基质中；由骨折周围间充质细胞增殖而来的称为诱导性骨原细胞（inducible osteoprogenitor cell，IOPC）。这些细胞在某些诱导因子的作用下发生软骨内化骨。骨痂软骨的扩大通过间充质细胞转化和软骨细胞增殖两种途径进行，并形成新的细胞外基质。

(3) 骨痂改造塑形期

骨痂中的骨生长循贴附性成骨和软骨内化骨两条途径进行。来源于骨膜的成骨细胞在骨折所造成的骨膜剥离处增殖和分泌骨基质，发生膜内成骨。而在软骨骨痂内，软骨细胞肥大并逐渐向成骨细胞方向转化，软骨基质逐渐被钙化，骨痂软骨转化成为骨组织，即软骨内化骨过程。骨痂形成后，改建即开始。目前认为在骨组织中所有成骨细胞和破骨细胞均属于一种称为基本多细胞单位（basic multicellular unit，BMU）的暂时性结构。在骨改建过程中，破骨细胞以骨吸收方式开掘隧道穿通骨质，而成骨细胞和毛细血管则紧随其后，形成一束新骨或柱状骨单位（哈佛系统），这样，骨折端坏死的旧骨逐渐为新生骨组织所代替。在改建期，骨痂体积逐渐缩小，骨折部位的成角畸形逐渐减少或吸收。骨改建受到包括力学因素在内的多方面影响，以适应正常生理条件为目的而改变新生骨的排列。

47.2.2 骨愈合分子生物学机制

细胞外基质（extracellular matrix，ECM）是骨与软骨的重要组成部分，主要由胶原和多种基质蛋白组成，ECM 的代谢与骨折愈合过程有密切联系。骨折后 ECM 的产生受相应基因的调节。骨折后血管侵入骨膜，坏死组织降解产物对淋巴细胞、单核细胞有趋化作用，与未分化间充质细胞一起构成骨断端间肉芽组织，这是骨折愈合必需的内环境。此后，间充质细胞分化成软骨细胞、成骨细胞，后者又合成、分泌某些 ECM。

在软骨修复阶段，成纤维细胞生成 ECM 增多，软骨以小岛形式存在于纤维间质、骨折裂缝和断端周围，代替肉芽组织填充于断端之间，形成骨生成的支架。此阶段以软骨基质和Ⅱ型胶原 mRNA 的迅速增加为其特征。Ⅰ型胶原 mRNA 表达也增加，但不如Ⅱ型胶原明显。Ⅸ型胶原覆盖于Ⅱ型胶原组成的胶原纤维表面，与Ⅱ型胶原同时表达。进入骨修复阶段，肉芽组织被逐渐吸收，软骨基质钙化，软骨连接逐渐被骨连接所替代，同时Ⅱ、Ⅲ型胶原表达减少或消失，而Ⅰ型胶原表达上升，软骨转变为编织骨时达高峰。

骨折愈合过程中，生长因子、细胞因子和 ECM 发生复杂的相互作用，促使骨折局部未分化间充质细胞迁移、增殖和分化。在众多生长因子中，BMP 备受瞩目。BMP 具有独特诱导成骨活性，主要诱导未分化间充质细胞分化形成软骨和骨，在膜内与软骨内成骨过程中均具有重要作用。TGF-β可刺激骨膜间充质细胞增殖、分化，促进成骨与成软骨细胞增生，刺激Ⅰ型胶原合成。成纤维细胞生长因子(fibroblast growth factor，FGF)在骨愈合早期刺激成骨细胞增生，合成胶原，同时促进毛细血管向骨断端和移植物中生长。PDGF可刺激软骨细胞和成骨细胞增殖，促进骨痂中软骨形成和膜内化骨。

骨折愈合过程与其他组织有很大不同，这是骨组织的再生而不是简单的瘢痕愈合。骨愈合实际上是在蛋白分子介导下的细胞反应，因此对骨折愈合的认识仅停留在细胞水平是不够的，需要对其分子生物学机制进行深入的研究，这样才能更好地理解骨折愈合的生理过程，并应用于临床以促进骨折修复。正常骨组织中含有大量骨诱导活性物质，包括BMP、TGF-β、FGF和IGF等。这些生长因子在骨髓发育、骨折修复中起重要的调节作用。研究表明，骨折后形成的血肿是这些细胞因子的主要来源，因此血肿在启动骨修复的机制中有重要作用。

近年来研究表明，多种骨生长因子在骨愈合和改建过程通过调控细胞的活动起着十分重要的作用。生长因子通过其各自的机制，始终严格调控着骨吸收和骨形成之间的平衡。它们共同作用刺激骨细胞的活性，参与调节骨改建和修复的一系列过程。这些因子包括骨形态发生蛋白、转化生长因子-β、胰岛素样生长因子、成纤维细胞生长因子、血小板衍生生长因子、表皮生长因子等。

(1) 骨形态发生蛋白

骨形态发生蛋白(bone morphogenetic protein，BMP)是广泛存在于骨基质中的一种酸性糖蛋白，目前共发现12种亚型，其中BMP2、BMP7的成骨能力最强，BMP无种属特异性。它能够在体内、体外诱导血管周围游走的间充质细胞或骨髓基质干细胞转化为软骨细胞和骨细胞。在骨愈合时，损伤骨所释放出的BMP能够刺激并诱导骨髓基质干细胞分化为成骨细胞，修复骨缺损。

(2) 转化生长因子-β

转化生长因子-β(transforming growth factor-β，TGF-β)是一族具有多种功能的蛋白多肽，广泛存在于动物正常组织细胞以及转化细胞中，在骨和血小板中的含量最丰富。TGF-β具有促进细胞增殖、调节细胞分化、促进细胞外基质合成等作用。从骨组织中分离出来的TGF-β_1和TGF-β_2都可促进骨膜间充质细胞的增殖和分化，促进成软骨细胞的增殖，以及细胞外基质如胶原、透明质酸和蛋白聚糖的合成，还可以诱导间充质细胞转变为软骨细胞。TGF-β的作用有种群特异性，与其剂量有关。

(3) 胰岛素样生长因子

胰岛素样生长因子(insulin-like growth factor，IGF)家族由两种相关多肽组成，即IGF-Ⅰ和IGF-Ⅱ。IGF-Ⅰ对骨的促生长作用主要是通过促进骨前软骨板的成骨而实现的。因此，IGF-Ⅰ对骨的纵向生长具有重要作用。IGF-Ⅱ对骨生长刺激作用比IGF-Ⅰ弱，但也有促进作用。

(4) 成纤维细胞生长因子

成纤维细胞生长因子(fibroblast growth factors，FGF)是一种对中胚层和神经外胚层细胞具有促有丝分裂作用的多肽生长因子，在人体组织中广泛存在，对胚胎发育及骨软骨的修复起重要的作用。FGF能促进软骨前体细胞的分化及软骨细胞的增殖和成熟，增加异体骨基质诱导成骨的量，使新骨的替代加快。FGF是毛细血管增殖刺激剂，能够促进毛细血管向断端内以及骨移植物中长入，使骨修复早期的组织中软骨岛数量增多，并使骨折断端骨痂血管重建的时间提前。

(5) 血小板衍生生长因子

血小板衍生生长因子(platelet-derived growth factor，PDGF)在创伤愈合中起重要作用，称作“创伤因子”，它可以促使成骨细胞由不成熟向成熟型分化，诱导成熟的成骨细胞合成Ⅰ型胶原，加快骨组织的形成。同时它还是一个强力趋化因子，对成骨细胞有强烈的趋化作用。

(6) 表皮生长因子

表皮生长因子(epidermal growth factor，EGF)对成纤维细胞和内皮细胞具有促有丝分裂作用，诱导内皮发育并促进血管生成。

(7) 其他细胞因子

此外，来源于造血细胞系细胞的一些因子也可影响骨的重建，如白细胞介素-1、白细胞介素-3、白细胞介素-6(IL-1、IL-3、IL-6)，粒细胞集落刺激因子(G-CSF)和粒细胞-白细胞集落刺激因子(GM-CSF)等。

骨折愈合过程有多种生长因子参与，不同的因子在骨折愈合不同阶段的表达存在明显差异，而各种因子之间如何相互作用，彼此进行调控，协同完成骨折的修复，这是一个复杂的过程，目前所知甚少。

此外，软骨内成骨是骨折愈合的重要方式，但对成熟骨基质如何形成及软骨细胞如何消失却不甚了解。有学者提出假说，认为软骨细胞的消失是一种细胞凋亡现象，而并非是软骨细胞向成骨细胞的分化，然而目前尚缺乏有力的证据。对骨愈合相关分子生物学指标的检测，也可用以研究各种因素对骨折愈合的影响。总之，开展大量的基础研究工作，明确骨折愈合过程中的分子调控机制与细胞学改变，对于最终指导骨折的临床治疗具有重大的科学意义。

47.2.3 骨愈合的生物力学机制

骨痂形成、骨缺损的连接并不是骨愈合的终结，骨改建也是其中的重要环节。人们早就认识到力学作用对骨骼发育、骨量维持及骨重建会产生非常重要的生物学作用。Wolff 定律用数学定律表述骨对机械负荷变化产生的反应，认为骨的形态和功能上的变化，必将引起骨内部组织结构的某种确定的变化，同样也会引起骨外部结构的次级变化。Wolff 定律的细胞及分子生物学机制目前仍不清楚，旨在阐释这些机制的研究正在广泛进行，其研究成果将对促进骨折愈合、防治骨质疏松症产生极大推动作用。

关于力学因素如何影响骨折愈合，Hankemeier 通过对胶原蛋白、骨钙蛋白和巨噬细胞特异性表面抗原 mRNA 表达的检测，探讨了骨折的稳定性对成骨细胞及巨噬细胞趋化的作用，认为骨折的稳定程度影响了细胞生物学特性，从而对骨痂的形成产生影响。Le 等也进行了相似的研究，认为力学对骨髓基质细胞向成骨细胞分化有显著作用。

47.3 促进骨愈合的生物物理方法

为促进骨折愈合，可对其施以物理刺激以激发骨的再生修复功能。传统的物理因子包括电刺激、电磁刺激和激光等，最近在应用超声和体外冲击波治疗骨折方面也取得一些进展。

47.3.1 直流电

直流电促进骨生长的机制，一般认为电解作用在阴极生成 OH 根，出现低 O_2 张力和高 pH 的细胞微环境，有利于向成软骨细胞和成骨细胞分化和钙化。临床经验表明电刺激对肥大性骨不连有效，但对萎缩性及有骨缝骨不连的作用有限，也不能纠正畸形或短缩，因此它仅限于没有畸形、骨缝或短缩的骨干肥大性骨不连。因此，这种方法没有被广泛接受。

47.3.2 电磁场

电磁场可激活细胞内的环磷酸腺苷系统，后者又激活细胞内的各种酶，进而推动骨或软骨细胞的成骨活动。近年来细胞水平的研究着重探讨电磁场对信号转换通路和生长因子的影响，有人提出电磁刺激的持久效应是由生长因子介导的。

47.3.3 低强度激光

低强度激光有促进骨损伤修复的作用，He-Ne 激光和 CO_2 激光的应用均有报道。骨折部位经适当剂量激光照射后，局部毛细血管形成增加，细胞反应活跃，钙盐沉积增加。目前认为，激光照射能有效激活骨形成有关原始细胞，促其分裂、增殖，产生成软骨细胞、成骨细胞等。但激光照射如何改善骨折部位的细胞微环境，是否能产生特殊介质，有待进一步研究。

47.3.4 低强度脉冲超声波

低强度脉冲超声波(low intensity pulsed ultrasound, LIPUS)对骨折愈合的促进作用日益受到关注。据报道，LIPUS 可使与骨、软骨形成相关的某些蛋白表达量增加，提高骨矿质含量、骨密度及骨的生物力学性能(峰值扭矩和刚度)，加速整个软骨内化骨过程。离体研究表明，超声引起细胞膜的构形变化，改变其对离子的通透性和第二信使活动，而第二信使活动的变化推动正常基因表达，促进硫酸软骨素、蛋白多糖和Ⅱ型胶原的合成，导致整个骨折修复过程的加速。目前需分离培养人原代骨系细胞作为 LIPUS 之靶细胞，深入研究其对细胞生物学行为的影响。低强度脉冲超声波能明显加速上下肢的骨折愈合，可能在骨折愈合的不同阶段均有促进骨折愈合作用，其作用机制不是单一的。

47.3.5 体外冲击波

体外冲击波(extracorporeal shock wave, ESW)从 20 世纪 80 年代起用于泌尿系结石碎石治疗，近年来其应用范围已扩展到骨科领域作为治疗骨不连、骨延迟连接、跟骨痛、钙化性肌腱炎、股骨头无菌性坏死等的手段，但目前还处于临床试用阶段。产生冲击波的方法有3种，即电动液压法、电磁法和压电法，都是通过电能转变为机械能而实现。ESW的作用机制主要是其产生的气穴现象，为冲击波的张力波表现。ESW在其聚焦点产生两种基本效应，即直接生成的机械作用(初始效应)和因气穴作用引起的机械作用(继发效应)，但其生物学作用机制尚不清楚。骨不连和延迟连接之主要目的在于刺激或加速骨组织的愈合过程。ESW也可用于新鲜骨折的治疗，特别是开放、粉碎性骨折或因手术破坏局部血循环而被列为高危骨不连者。据认为冲击波可在骨不连部位产生血肿和微小创伤或微小骨折，这样就导致新血管形成，增加成骨细胞和成纤维细胞活性，从而促进骨折修复。冲击波作用于细胞培养时，发现其虽有短时间的细胞破坏作用，但3～8天后即出现细胞生长促进现象。ESW治疗也是骨折骨不连的一种可供选择的方法，明显的优点是这种治疗是非侵入性的，大多数患者可以在门诊进行。

47.4 临床骨愈合治疗中棘手的问题

目前在骨关节病损的临床治疗中，尚有许多与骨愈合有关的较棘手的问题，如严重多发性(特别是难愈部位)骨折、感染性骨缺损、大段骨缺损、股骨头缺血性坏死及伴有严重骨质疏松性骨折的治疗等。

47.4.1 骨不连的治疗

骨折的骨不连还没有一个公认的概念，从临床经验中我们知道各种类型的骨折都将在一定的时期内完成修复，如果骨折愈合时间超过一般愈合时间，就称为延迟愈合。通常骨折在6～8个月后还没愈合就称为骨不连。当骨折愈合的修复序列中断时，就会发生骨不连，骨折间隙内经常包含纤维组织及数量不等的软骨组织，临床上在骨折部位往往有移位和疼痛。很多不利的力学因素都可影响骨不连的发生，包括过度活动、骨折端间隙太大和缺乏血供等。根据X线及组织学的表现将骨不连区分为肥大性、萎缩性以及滑膜假关节形成。肥大性骨不连表现为血管化减少及大量骨痂的形成，在X线上为马蹄形或象足形；萎缩性骨不连典型表现为在充满纤维组织的骨缝周围几乎没有骨痂形成；滑膜性假关节是在骨折处形成一个充满液体的滑膜腔。坚强固定可以最大限度减少肉芽组织及外骨痂生成，也可以延缓骨折断端渗出各种骨形态发生物质和生长因子，生长因子可能在坚强固定中不发挥显著作用。在骨髓腔钻孔及打钉会引起骨质的额外损伤，但可增加成骨活性。骨折血肿中骨髓活性对骨的再连接有确定性作用，而且它可因骨间隙过大、感染或大面积软组织损伤所阻断，因为这些因素刺激了巨噬细胞及其介质的活化，从而抑制成骨。

高能量外伤引起的开放性骨折，其断端常发生血供丧失，主要由于骨软组织膜的损失，营养血管的破坏和多段或粉碎的游离骨片，另一个原因是骨折后切开复位内固定时过多地剥离了骨膜并且损伤了骨及软组织的血供。

不是每次感染都会引起骨不连，但与非感染性骨不连相比，感染使患者更易发生骨不连，主要因素有化脓所致皮质骨坏死产生的死骨片，溶骨感染性肉芽组织所形成的骨缝和内固定物松动所致的骨折端移位。全身性因素如年老、恶病质和营养不良、类固醇或抗凝剂、消炎药物、烧伤和放射线可能也起作用，但不是引起骨不连的始发因素。发现一些全身性因素(化疗、饮酒、吸烟)导致的骨折血肿内成骨干细胞的减少而影响了骨愈合。

存在于骨折细胞间隙的巨噬细胞和成纤维细胞产生的胶原酶是骨不连发生的主要因素，另外与周围骨和骨膜中的周围神经相比，骨不连组织中的数量要相对少一些，神经组织的缺失改变了调节局部骨张力的本体感觉信号，从而对骨折愈合造成不利影响。尽管骨不连和假关节间接地反映了不同程度的骨折愈合，但两者的外科处理是不同的。骨不连的发生因素可分为全身或局部因素，尽管一般认为全身性疾病在骨不连发生中作用很小，但因为与骨折愈合相关，所以人们还是把相当的精力重新投入全身性因素的研究中。性别、年龄、是否多处骨折、患者体内激素情况都可影响骨折愈合。开放性骨折中，广泛软组织损伤、高能量性骨折、感染、血供中断、放疗、两骨折端缺乏接触、断端活动、骨质本身缺损都是骨不连的局部易患因素。骨损伤部位细胞外基质(ECM)可发生蛋白水解，单核-巨噬细胞活化。活化的巨噬细胞释放FGF-β，刺激内皮细胞活化纤维蛋白溶解酶原和胶原酶原。血小板的α颗粒则刺激多形核白细胞、淋巴细胞、单核细胞和巨噬细胞。同时，骨折端出血凝集成血肿，达到由血小板活化形成的出凝血平衡状态。血小板同时释放PDGF、TGF-β和FGF-β。pH和氧张力的降低促进了多形核白细胞清除小颗粒的代谢产物，而巨噬细胞清除大颗粒的代谢产物，并且释放生长因子，招募细胞，启动组织再生。

在开始了解任何治疗方法前，我们必须先知道治疗骨不连的目的。很明显首要目的是达到骨折愈合，但这并非是唯一目的，因为对大多数患者来说，相邻关节僵硬使肢体缺乏功能，骨不连愈合也不是最终的满意结果。治疗的重点应该是让肢体尽可能恢复全部功能。可通过切开复位内固定纠正短缩、成角和旋转畸形来达到。当骨折稳定后，僵硬的关节可以活动，关节切除和关节松解可缓解限制活动的挛缩。可通过理疗和 CPM 来保持或增加活动，这样大部分患者可拥有一个几乎没有畸形、骨不连达到愈合的有功能肢体。骨折不同方法治疗的愈合过程体现了生物学与力学的关系，用石膏管形进行保守治疗会导致骨周围大量骨痂的形成及骨内膜骨痂的生成，遵循初始骨化的原则，加压钢板坚强固定接骨术抑制外周骨痂的形成，促进骨内骨痂生成，而应用髓内钉会产生大量外周骨痂而抑制了骨内膜骨痂的生成。

肥大性象足形骨痂表明有血供的骨不连断端发生移位，嵌入的组织主要是纤维软骨，除非有明显的对线不良，否则没必要切除骨不连组织或其末端，而且不需要植骨；当稳定的内固定或偶尔使用外固定支架控制断端活动，骨不连会迅速愈合，术中去除骨不连端皮质可以加速愈合。萎缩性骨不连常发生于开放性骨折或以前的手术操作导致软组织膜剥离，或是受到了损伤。但许多闭合性肱骨骨不连患者从没做过手术，并且血供很好，也发生了萎缩，这些骨质缺血或重新血管化很慢或很少，如果对线良好并且没有骨缝，通过加压钢板固定、断端剔造和植骨可重新促进骨愈合；如果对线不良或有骨缝，必须切除瘢痕组织，除了断端剔造和固定外，还需植骨。在骨折不愈合的治疗期间，骨科医师偶尔会碰到无痛的骨不连患者，一般是有功能的肥大性骨不连，正常活动时没有症状，但受到应力刺激时会感到不适，只要功能不受影响，这种骨不连可以接受。如果没有明显畸形，选择外固定或内固定均可，通常无须植骨。

47.4.2 感染性(开放性)骨损伤的治疗

传统的做法是先清创(病灶清除)，待伤口闭合、感染控制 3～6 个月后，再二期植骨修复。一期植骨因有较高感染率而被视为禁忌，其结果是致残时间长、后期治疗困难。因此，在消灭创面、控制感染的同时，一期固定、植骨促进骨愈合是解决该问题的研究方向。

对开放性、感染性骨损伤的固定，应首选外固定架已达成共识；能否将内固定用于初期治疗，尚有争议。一般认为，开放骨折使用内固定会增加感染的危险。但是近年来有人主张联合应用外固定器和有限内固定，可显著提高治疗效果，这一方面尚需通过更多的临床实践加以论证。

将抗生素复合到缓释载体内局部用药，可增加局部有效浓度而提高疗效，减少全身毒副作用，因而在骨关节感染的治疗中日益受到重视。研究开发其他生物高分子材料、钙磷生物活性陶瓷等局部抗生素缓释系统，也是进一步探索的方向。

感染性骨不连往往骨折端血供差，软组织覆盖不足以及内固定松动。治疗这些问题需要积极的方法，包括稳定、清创、局部治疗、缺损修补来控制感染，达到负荷状态下保持骨折端稳定，尽可能重建骨解剖结构。需全身应用敏感抗生素或局部运用缓释抗生素的甲基丙烯酸酯珠粒。通过局部或远处皮瓣转移和植骨来重建软组织和骨缺损。如果有肿胀、压痛、发红或发热，提示活动性感染或未引流的脓肿，就应该切开排脓，或放置灌洗引流，直至创口相对稳定。如果不停地流脓，愈合会延长并且更难，必须在引流基础上，进行更进一步的和更频繁的清创来解决感染。感染性骨不连的治疗目的是治愈骨不连，去除感染，并且获得一个有功能的肢体。在开始这种治疗前，必须先了解达到这些目的所需的手术程序，包括死骨切除术、清创术、植皮和植骨、长期的外固定和不负重的制动。如果有广泛的软组织和骨缺损、神经血管损伤或曾有过多次失败的治疗，可考虑行截肢术。

47.4.3 骨质疏松性骨折的治疗

骨质疏松症以全身性骨量减少和骨微观结构退变为特征。骨密度虽不能全面反映人体骨骼的质量，但仍是当前预测骨质疏松骨折的主要指标，骨骼不同部位松质骨和皮质骨构成比例不同，其骨丢失和骨折发生率也不同，临床上是否需要进行多个部位的骨密度测量获取更多的信息，以加强对骨折的预测能力，对此仍有争议。目前多数人的意见是应尽量进行多部位的骨密度测量并进行综合评价。但骨密度测量有局限性，需注意绝经、各种疾病和药物治疗对不同部位骨密度的影响。

从抑制骨吸收和促进骨生成两个方面增加骨量是防治骨质疏松性骨折的一个关键问题,目前欠缺前瞻性、随机、双盲的研究来确定某种药物的效果。单纯抑制骨吸收过程常不能弥补已丢失的骨量,双磷酸盐、降钙素和选择性激素受体调节剂可降低骨质疏松患者椎体骨折的发生率,但在减少股骨近端骨折方面效果较差,提示进一步的研究应重视在抑制骨吸收的同时促进骨形成作用。

骨质疏松患者骨折后骨愈合延迟、内固定和人工关节易发生松动,这是骨质疏松性骨折治疗中必须解决的难题,增加骨量促进骨折愈合是其治疗的主要目标。然而迄今所采取的防止人工关节或内固定松动的措施,如在其表面制作羟基磷灰石涂层,或在周围加用双磷酸盐类药物,尚不能有效防止术后松动。考虑到骨质疏松性骨折主要发生在几个特定部位,在全身系统治疗的基础上,选择高度怀疑有骨折危险的特定部位(如股骨颈)预防性地附加局部治疗有其合理性。如可采用非介入物理治疗或介入性微创外科治疗(如经皮局部注射生长因子),或采用局部基因治疗提高所需细胞因子的水平或开发与某些生长因子作用相似的小分子量物质等,均为有希望的探索性途径。

47.4.4 股骨头缺血性坏死的治疗

股骨头缺血性坏死迄今仍是骨科领域一个棘手问题,主要困难在于病因复杂、发病机制尚不十分清楚。在未明确各种发病机制之前,要有效去除病因、取得满意疗效是十分困难的,这方面仍需加强基础研究。

由于病因复杂、机制不清,现有治疗方法难以取得满意的疗效。目前治疗方法可归纳为:①非手术治疗。包括牵引及理疗、高压氧舱治疗、应用干扰素及促血管生成因子、内服及局部外用活血化瘀中草药等,主要适用于儿童和早期病变及作为辅助治疗方法。②手术治疗。对Ⅰ、Ⅱ期及部分Ⅲ期病变,目的是降低骨内压、改善股骨头血供、促进坏死区域的新骨形成及改变股骨头负重面。近期采用微创手术设计特殊器械,经股骨转子部进入,彻底刮除病灶坏死骨后,植入复合有骨生长因子的骨移植材料有很好的应用前景。手术治疗虽有一定疗效,但因新骨形成和爬行替代需要一定时间,下肢不负重时间较长,因此需与其他辅助治疗包括各种促进骨愈合的治疗方法及功能支具(负荷或部分负荷)联合应用。人工关节主要适用于晚期病变的中老年患者,是否适合于年轻患者尚有争议。

47.5 骨愈合的康复

骨折治疗的最终目的不仅是达到骨愈合,更重要的是恢复肢体功能。因此,康复治疗是骨折治疗不可缺少的重要组成部分。内固定学会(AO/ASIF)将肌肉及骨折部位邻近关节的早期、主动、无痛活动列为内固定治疗的4项原则之一。充分、主动、无痛的活动使骨筋和软组织的正常血运得以迅速恢复,还可增加滑液对关节软骨的营养;加之部分负重有利于重新达成骨吸收与骨生成之间的平衡,大大减少创伤后骨萎缩的发生。

骨折康复治疗中一个重要发展是持续被动活动器(continual passive motion, CPM)和现代功能支具的应用。在邻近关节的骨折或关节内骨折,使用CPM可术后早期安全有效地进行无痛活动。现代功能支具兼有传统小夹板和石膏的优点,既服帖、稳定,又利于关节活动,使肢体功能活动逐渐由被动过渡到主动,由不负重到部分负重,再到完全负重,这样的过渡更为安全。骨折的康复治疗在国际上已受到广泛重视并日益普及,治疗过程包括治疗前骨科和康复科医师共同制订治疗计划,治疗中同时查房诊治,实施治疗计划,以及近期远期随访,有的还实行职业训练,其理疗、体疗设备先进。但国内起步较晚,尚未充分认识其重要性,这方面的工作亟待加强。

(周建平)

参考文献

[1] 胡蕴玉.骨诱导及骨愈合分子生物学研究进展.中华骨科杂志,1997, 17(1):17.

[2] Castro FP, Barrack RL. Core decompression and conservative treatment for avascular necrosis of the femoral head: a meta-analysis. Am J Orthop, 2000, 29: 187~194.

[3] Drescher W, Schneider T, Becker C, et al. Selective reduction of bone blood flow by short-term treatment of high-dose methylprednisolone: An experimental study in pigs. Bone Joint Surg(Br), 2001, 83(B): 274~277.

[4] Einhorn TA. Enhencement of fracture healing. J Bone Joint Surg, 1995, 77(A):940~952.

[5] Frigg R, Appenzeller A, Christensen R, et al. The development of the distal femur Less Invasive Stabilization System(LISS). Injury, 2001, 32 (Suppl 3): SC24~31.

[6] Hamanish C, Kawabata T, Y oshii T, et al. Bone mineral density changes in distracted callus stimulated by pulsed direct electrical current. Clin Orthop, 1995, 312:247~252.

[7] Hulth A. Current concepts in fracture healing. Clin Orthop, 1989, 249:265~284.

[8] Krettek C, Muller M, Miclar T. Evolution of minimally invasive plate osteosynthesis (MIPO) in the femur. Injury, 2001, 32 (Suppl 3):SC14~23.

[9] Le AX, Miclau T, Hu D, et al. Molecular aspects of healing in stabilized and nonstabilized fractures. J Orthop Res, 2001, 19:78~84.

[10] Lee FYH, Choi VW, Behrens FF, et al. Programmed removal of chondrocytes during endochondral fracture healing. J Orthop Res, 1998, 16:144~150.

[11] Liu Z, Luyten FP, Lammens J, et al. Molecular signaling in bone fracture liealing and distraction osteogenesis. His-tol Histopathol, 1999, 14:587~595.

[12] Mizuno K, Mineo K, Tachibana T, et al. The osteogenetic potential of fracture hematoma. J Bone Joint Surg(Br), 1990, 72B(5):822~828.

[13] Mont MA, Hungerford DS. Current concepts review. Non-traumatic avascular necrosis of the femoral head. J Bone Joint Surg (Am), 1995, 77: 459 ~474.

[14] Ogden JA, Alvarez RG, Levitt R, et al. Shock wave therapy(ortho tripsy) in musculoskeletal disorders. Clin Orthop, 2001, 387:22~40.

[15] Postacchini F, Gumina S, Perugia F, et al. Early fracture callus in the diaphysis of human long bones. Clin Orthop, 1995, 310:218~228.

[16] Rodan GA, Martin TJ. Therapeutic approaches to bone diseases. Science, 2000, 289:1508~1514.

[17] Rozbruch SR, Muller U, Gautier E, et al. The evolution of femoral shaft plating technique. Clin Orthop, 1998, 354:195~208.

[18] Shimazaki A, Inui K, Azuma Y, et al. Lowintensity pulsed ultrasound accelerates bone maturation in distraction osteogenesis in rabbits. J Bone Joint Surg (Br), 2000, 82(B):1077~1082.

[19] Wang D, Hu YY, Zhao GY, et al. Preparation and assessment of heterotopic osteoinduction of TCP/rh-BMP-2 com-posite. Chin J Traumatol, 1999, 2: 13 ~16.

[20] Yasunaga Y, Hisatome T, Ikuta Y, et al. A histological study of the necrotic area after trans trochanteric anterior ro-tational osteotomy for osteonecrosis of the femoral head. J Bone Joint Surg (Br), 2001, 83:167~170.

48 骨质疏松与内固定

骨质疏松患者需要内固定治疗最常见的原因是脊柱和四肢的骨质疏松性骨折，另一个重要原因是需要进行内固定治疗的脊柱各种退行性疾病如椎管狭窄、腰椎滑脱等。

骨质疏松性骨折最常见于髋部骨折、脊椎骨折和腕部远端骨折，其他常见部位还有肱骨近端骨折和胫骨平台等。在美国，1995 年即有 45 万例患者因骨质疏松性骨折被收住入院治疗，直接医疗费用超过 140 万美元。随着我国逐渐进入老龄化社会，骨质疏松性骨折的比例也在不断提高。我国 2002 年的调查统计，骨质疏松患者股骨颈骨折的发生率 60～70 岁女性为 35%，男性为 14%；70 岁以上女性高达 62.1%，男性为 22.6%。

目前对于骨质疏松性骨折最主要的治疗方法仍是内固定治疗，以尽量解剖复位，早期进行功能活动。脊柱内固定中最常用的是后路椎弓根螺钉内固定系统。

对骨质疏松患者进行内固定治疗的困难之处在于：①疏松骨的骨质量差，无法为金属内植物提供可靠的锚定点，螺钉容易发生松动滑出，造成内固定的失败。一项研究表明在肱骨近端骨折的老年患者中，超过 50% 由于在肱骨头中的螺钉松动或滑出而导致仅获得可或差的功能(图 48-1)。②骨质疏松患者的粉碎性骨折多见，骨小梁压缩严重，复位后往往存在较明显的骨缺损，复位容易丢失。例如，桡骨远端骨折和肱骨近端骨折。③骨折愈合时间长，负重时间晚，而患者绝大多数为高龄，不允许长期制动。④患者的骨质脆性大，再骨折发生率高。因此，目前采用各种方法来加强内固定治疗的效果。

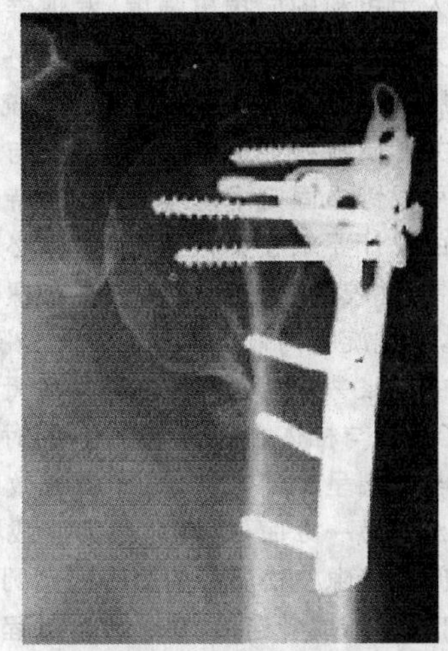

图 48-1 肱骨近端骨折术后，螺钉松动导致固定失败

48.1 内固定方式的技术和改进

总的来说，可滑动钉板系统、髓内钉、抗滑钢板和张力带较坚强的传统钢板固定更适用于伴有骨质疏松而需要内固定治疗的患者。在复位时注意动作轻柔，勿使用暴力，慎用持骨钳等器械，避免造成骨折粉碎的加重。采用生物学固定的理念，尽可能保护骨折区域的软组织和血供，避免不必要的软组织剥离。

48.1.1 螺钉

在疏松骨质中的螺钉，影响其稳定性最主要的因素是骨的骨质量。螺钉直径较大，一般会具有较高的稳定性。但是当骨盐含量＜0.4 g/cm² 时，直径对螺钉抓持力的影响就会消失。

打入松质骨中螺钉的放置方向应尽可能与松质骨的骨小梁相平行，这样将会获得更好的抗拔出力。更重要的是，如果有可能，尽量将螺钉固定在皮质骨上。在质量较差的骨骼中，1 枚直径较小的皮质骨螺钉可能比直径较大的松质骨螺钉具有更强的抓持力。在轴向拔出试验中，F-max 主要取决于椎弓根螺钉螺纹和周围松质骨之间的抗剪切应力的大小。骨质疏松时骨密度的降低在松质骨比密质骨累及更早且更显著。这样导致骨质疏松患者的 F-max 显著降低。

Kwok 在人尸体脊柱标本上比较柱形螺钉和锥形螺钉旋入力矩和轴向拔出强度，发现锥形螺钉能增加旋入力矩，而柱形钉无此作用。

利用膨胀椎弓根螺钉脊柱内固定系统治疗胸腰椎骨折合并骨质疏松症，从手术方法上与以往的脊柱后路椎弓根钉内固定术基本相同，其特殊性在于螺钉本身的设计要求在置入螺钉时，务必在螺钉中间放置内钉，并咬住第一圈螺纹。膨胀螺钉正确置入椎体后，通过旋紧内钉使螺钉前方充分膨胀，螺钉通过前方的膨胀一方面使椎体内的松质骨向周围压实，增加了螺钉与椎体之间的把持力，同时由于其膨胀后前端与尾端呈倒圆锥状，这样就有效地防止了螺钉的拔出。另一方面，螺钉前部膨胀成分支状后通过分支间的缝隙使松质骨向膨胀的倒圆锥内部进入，使螺钉内外形成骨连接，在骨愈合过程中增加了椎体与螺钉之间的把持力。

在严重骨质疏松症患者中，可以使用骨水泥(PMMA)或磷酸钙骨水泥(calcium phosphate cement，CPC)等来加强螺钉的固定。

48.1.2 钢板

骨折粉碎的程度和骨折部位的间隙会直接影响到钢板固定的强度。骨折处的皮质骨相接触将会明显降低钢板的应力。钢板螺钉的数目和放置方式也会影响到应力钢板和各枚螺钉上的分布。在骨折形态不变的前提下，螺钉的跨度较螺钉的数目更为重要。Ellis 等认为应在骨折部位的两端各放置 3 枚螺钉，及在钢板的两端钉孔各放置 1 枚，中间再置入螺钉对钢板所承受的应力并无多大影响。在粉碎严重的骨折，骨折部位两侧增加螺钉的数目会降低钢板自身的应力。

在骨质疏松性骨折中应采用较长且钉孔间距较大的钢板。在疏松性骨折中，钢板不应用来桥接，而应起到类似张力带的作用。这需要有皮质骨之间的接触，尤其是钢板对侧的皮质骨接触。在处理严重粉碎的骨折时，如果钢板对侧无法获得稳定的皮质骨接触，则需要考虑采用双钢板固定，或者将骨折缩短以获得足够的皮质骨接触。所采用的第 2 块钢板尽可能作为抗滑钢板来放置，特别是在短斜形以及螺旋形骨折中，以阻止可能发生的骨折再移位。

随着骨折研究的深入，AO 组织设计出成角锁定钢板，改变了传统加压钢板的固定模式。锁定螺钉将骨质承载的力量转移到接骨板上，同时锁定固定螺钉可通过双皮质和锁定螺钉之间非平行固定的方法，改善骨质疏松性骨折的受力和负荷。成角锁定钢板的螺钉通过锁定孔以不同角度与钢板锁定在一起，形成了一个牢固的内固定支架。螺钉与钢板锁定后，不会再发生螺钉相对于钢板的滑移退出，从而确保了成角稳定性。而由于骨折块被稳定地固定在钉板锁扣时的位置，可以维持骨折的初期复位，减少了复位丢失的危险性。螺钉牢固地锁扣于接骨板上，不会对骨膜产生额外的压力，降低了接骨板对骨膜的血供破坏。

48.1.3 髓内钉

髓内钉的放置位置较钢板更靠近骨的机械力线，所承受的弯曲力较小，发生疲劳断裂的情况也更少。髓内钉的弱点在于锁定螺钉在疏松的骨骼中可能会松动。这种情况特别可能发生在股骨远端，导致远端骨块的位置改变，产生旋转畸形或膝关节内外翻等后果。

针对这种情况,我们可以采取的措施:①髓内钉远端锁定螺钉的方向置于不同的平面;②在股骨内侧螺钉穿出处安放松质骨螺母和垫圈。近来 AO 对髓内钉的交锁钉采用螺旋桨设计,较以往的交锁钉,具有成角稳定性以及更大的固定接触面积(图 48-2)。该设计已经用于股骨远端髓内钉、肱骨近端髓内钉等。

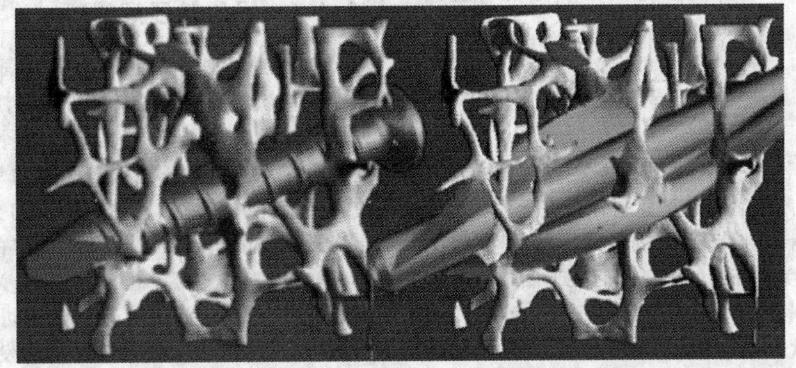

图 48-2 螺旋刀和螺钉交锁的对照显示,螺旋刀的固定表面积明显更大

48.1.4 张力带固定

张力带固定技术在骨质疏松性骨折的治疗中也发挥着重要的作用,常用在肱骨近端骨折和内踝骨折中,尤其是在粉碎严重或疏松明显的患者中。张力带放置在韧带或肌腱附着处的软组织内,能提供比骨质更好的锚定点。在有张力的骨折中,也可以作为钢板螺钉固定的补充,起着中和张力的作用。

48.2 骨水泥及类似材料的使用

(1) 加强螺钉

在严重骨质疏松患者中,可以用来加强螺钉的固定。Matsuda 在骨质疏松患者肱骨骨折时采用骨水泥强化螺钉,随访结果发现其治疗效果与非骨质疏松年轻患者治疗效果相近。在脊柱固定中,使用 PMMA 和磷酸钙骨水泥强化骨质疏松的椎体都可以显著增加螺钉的初始稳定性,提高椎体的强度和螺钉拔出力。

(2) 注射型填充物

作为注射型填充物,用于椎体成形术或后凸成形术中,固化后可以增加椎体的稳定性,能够缓解患者疼痛,便于早期活动。还可以用于填充骨质的缺损。

(3) 材料的种类

1) 甲基丙烯酸甲酯　甲基丙烯酸甲酯(PMMA)可以深入到松质骨的组织中,完成聚合反应后能够形成骨水泥、骨、螺钉坚固的复合体,增强螺钉的稳定性。但是 PMMA 在固化时会释放出有毒的单体,其中心温度可以达到 80~100 ℃,容易对周围组织造成热损伤,特别是如果发生渗漏和溢出,可能损伤周围的神经血管等重要组织。另外,PMMA 与骨的黏合力较差,在长期负荷下可能会出现螺钉松动的情况。

2) 复合骨水泥　复合骨水泥多为丙烯酸骨水泥结合陶瓷的复合物,产品如 Cortoss(Orthovia)、Hydroxyapatite composite resin(Kuraray)等。虽然基本性质同 PMMA,但它有生物活性,具有一定的骨诱导性。

3) 磷酸钙类骨水泥　磷酸钙类骨水泥优点:①组织相容性好,人体对其不发生炎症反应,也不会产生纤维性包裹;②可以缓慢地被吸收并被替换为自体骨,这种吸收与替换的比例约为 1∶1,因此在整个替换过程中不会有明显的植入物体积减小;③凝固时不会放热,对周围组织损伤小;④与自体松质骨移植相比,它可以立即提供所需要的强度。

磷酸骨水泥是一种脆性材料,即在超过其最大负载能力的负荷下易发生碎裂而不是变形,这可能是它潜在的缺点,但一般认为出现这种情况的机会很少。Bai 等比较了磷酸钙骨水泥(α-BSM)和 PM-

MA(simplex)的成形效果。结果发现两者之间无明显差异，且强度皆高于完整对照组。

国内毛克亚等采用碳酸化羟基磷灰石水泥(CHC)，观察到螺钉拔出力随手术后时间的延长而逐渐升高，在CHC-骨界面出现CHC降解和骨长入的情况。

48.3 植骨

在骨质疏松性骨折中，骨质压缩是很常见的。在对靠近关节的塌陷性骨折或干骺端骨折进行手术治疗时，如肱骨近端骨折、胫骨平台塌陷骨折等，需要将关节面抬起以恢复关节面的匹配。然后在干骺端的骨质缺损区进行结构性植骨，最好是带皮质骨的髂骨块植骨，能够对关节软骨下的结构起到支持的作用，增强内固定的稳定性，减少复位丢失的发生率。植骨的类型包括自体骨、同种异体骨、异种骨、人工骨。

48.3.1 自体骨移植

最好的取材部位是髂嵴，自体骨中的松质骨具有骨诱导、骨传导、骨形成作用，能够促进骨愈合，皮质骨能够提供足够的强度。并且无免疫排异反应、安全性高。缺点是骨的来源有限，术后可能发生供区疼痛、骨折等并发症。

48.3.2 同种异体骨移植

可减少创伤，供骨量大，有不同规格和类型可供选择。同种异体骨容易诱发宿主产生免疫排异反应。因此，目前临床上多采用经冷冻、冻干或经过化学处理的同种异体骨，其细胞成分多已坏死，仅具有骨传导作用。发生感染的概率较自体骨大。

48.3.3 异种骨移植

免疫排异反应严重，生物相容性差，临床上已很少使用。

48.3.4 人工骨

包括羟基磷灰石(hydroxyapatite, HA)和磷酸三钙(tricalcium phosphate, TCP)及硫酸钙(calcium sulfate)等，它们具有良好的生物相容性，为骨的修复提供支架。例如美国Wright公司的OSTEO-SET，内含具有高纯度晶体结构的硫酸钙，植入体内吸收速率稳定，与新骨替代相适应。并含有BMP，增加了其骨诱导功能。

48.4 四肢内固定

48.4.1 股骨转子间骨折

DHS通过股骨颈的拉力螺钉固定骨折近端，另一端为板状结构固定骨折远端，具有静力加压与动力加压的双重功效，能保持良好的股骨颈干角，允许早期部分或完全负重。髋螺钉和滑动钢板的动态滑动使得负荷能够在骨折所在平面均匀分布。一个证据是滑动钢板的长度对整个系统固定的稳定性影响很小。髋螺钉的长度应位于股骨头关节面下方5～12 mm较宜，因为此区域骨质致密，拧入螺钉后把持力好，如超过12 mm，松动及切割的发生率将会增加。髋螺钉在股骨头和颈中的理想位置仍有争议。Baumgaertenr认为头钉放入股骨颈中心最为合适，不易发生螺钉的切割。还有学者认为股骨颈内上方的骨质较为稀疏，髋螺钉置入股骨头颈中下1/3偏后较为理想。

对于反转子间骨折、严重粉碎性骨折、大小转子均累及的骨折以及骨折线延伸到转子下区域的骨折，由于股骨颈内后侧的皮质缺损，负荷不能通过股骨距传递，内植物上应力增大，增加了失败断裂的可能，因此不建议使用DHS。由于严重骨质疏松症患者的骨骼质量较差，髋螺钉抓持的骨质较少，发生切割股骨头而导致失败的可能性较大，有学者主张对严重骨质疏松症患者慎用DHS。

髓内系统中的Gamma钉、股骨近端交锁髓内钉(PFN)、股骨重建钉(reconstruction nail)。髓内固定术中及术后并发股骨干骨折的发生率较DNS高，原因是患者在负重后，应力传导至髓内钉远端，集中于远端主钉尾部及锁钉与主钉的交界处。长期应力下易产生该部位的骨折。

Gamma钉的拉力螺钉只有1枚，控制股骨近端旋转的能力较差。股骨近端髓内钉与Gamma钉相比，它最重要的改进是在股骨近端的拉力螺钉上方增加了一枚直径为6.5 mm的螺钉，增加抗旋转稳定性。股骨颈内双钉的平均力臂较Gamma钉减少，抗拉及抗压能力亦有提高。另外，PFN的髓内钉外翻角度减少，远端交锁孔与主钉远端距离较长，可减少股骨干应力集中，这些均大大降低了并发症的发生。Russell-Taylor重建钉是第2代交锁髓内钉，股骨近端两枚螺钉直径为6.5 mm，平行进入股骨颈方向，较适合于治疗股骨干合并股骨颈骨折及转子间骨折。髓内钉系统较DHS更适用于不稳定的转子间骨折。但在扩孔和髓内钉插入以前必须将骨折复位，避免损伤周围骨皮质以及骨折处的进一步碎裂。

骨质疏松严重的患者常见不稳定的粉碎性股骨粗隆间骨折，内固定难以达到坚强的程度，出现髋内翻畸形甚至骨折延迟愈合、不愈合的发生率高达36%～54%。因此有些学者主张对具有严重骨质疏松的高龄不稳定转子间骨折患者可以行人工股骨头置换治疗。大多数学者主张将骨折块复位，用钢丝捆绑固定，使用常规假体，也有使用特制加长人工股骨柄的报道。

48.4.2 股骨颈骨折

对于股骨颈骨折，只要患者的身体情况允许，手术治疗是首选。固定的方法较多，包括三翼钉、斯氏针等，目前最常用的是闭合复位3枚空心加压螺纹钉固定，操作简便，固定较牢靠，适用于骨折移位不明显的患者。螺钉的安放位置对维持骨折的稳定性至关重要。但需要面对伴随的骨折不愈合和股骨头缺血性坏死等情况。随着股骨头坏死的进展，螺钉有松动滑出、穿入关节内以及断裂等风险，由此带来20%左右的二次手术概率。

Tidermark等对102例平均80岁股骨颈骨折移位的高龄患者随机分为中空加压螺钉内固定组(IF)和全髋置换组(THR)，术后4、12、24个月随访结果显示：术后24个月IF组和THR组并发症发生率分别为36%和4%、需要再次手术分别为42%和4%。因此，对于高龄股骨颈患者，关节置换手术治疗较为适宜，尤其是对头下型骨折的患者。

与股骨转子间骨折相比，股骨颈骨折患者的平均年龄相对较低，如行人工股骨头置换术，需要考虑到髋臼磨损、人工股骨头中心性脱位等问题。因此，目前人工股骨头置换仅适用于年龄相对较大、预期寿命5年左右，活动能力不高、身体状况不佳且不能承受全髋手术的患者。对身体情况能够承受的患者，特别是预期寿命较长，活动较多的患者，尽可能采用全髋置换术。

48.4.3 腕部骨折

腕部骨折的发生率仅次于脊柱压缩性骨折和髋部骨折，居第3位。桡骨远端为松质骨结构，多数骨折涉及桡腕关节面，致使腕关节丧失稳定性。严重粉碎的桡骨远端骨折采用常规的外固定很难维持良好的复位，经常因关节面不平、桡骨远端短缩以及尺偏角、掌倾角减少等继发导致腕关节痛和活动受限等并发症。对于OP所致的此类患者，常可采用闭合手法复位、经皮穿针或外固定，然后将骨水泥注入松质骨缺损，但必须仔细操作以免骨水泥渗漏。

为避免钢板对伸肌腱的刺激和磨损，防止伸肌腱断裂和脱位，在不影响复位和固定的情况下，应尽量采用桡掌侧入路。置于掌侧的小斜“T”形、“T”形钢板，并不能起到坚强固定的作用，主要适用于掌侧移位的剪力性骨折伴桡腕关节半脱位的患者。

带锁螺钉和固定角度钢板的引入，使医师可以在掌侧应用带锁定的钢板固定背侧移位的或粉碎的骨折。钉板之间通过螺纹锁定，骨折端的稳定源于板钉之间的成角稳定，而不是钢板与骨面之间的摩擦力。钢板有掌倾角，与掌侧骨面的表面解剖一致。因此能够获得并保持更好的骨折对线，手术技术较背侧钢板简单，对肌腱的影响较小，还可以进行早期腕部功能锻炼。生物力学研究表明，在负荷传导方面，掌侧固定角度钢板所获得的稳定性可以与正常桡骨相媲美，优于任何一种传统的掌侧或背侧钢板。

有学者认为老年患者随着岁数的增加，对腕关节功能的要求降低，而手术的风险却增加，因而对于是否有必要切开，恢复解剖复位仍有争议。

48.4.4 肱骨近端骨折

对于Neer分型3或4部分的骨质疏松性肱骨近端骨折，进行内固定手术治疗是具有挑战性的，即使是经验丰富的医师，所获得的术后结果也常不令人满意。因为在这类骨折，肱骨头大多数情况下仅为空壳，骨质缺损严重，钢板螺钉无法获得良好的抓持力，导致内固定失败的概率很大。此外，传统的钢板体积较大，可产生肩峰撞击症，影响肩外展功能。

Hawkins等认识到附着在肱骨上的肌腱组织比肱骨头的疏松性骨折能提供更高的抗拔出力，因此在用拉力螺钉或髓内钉获得初步稳定性后，采用2个张力带装置进行固定。第1个张力带穿过冈上肌肌腱下方，第2个张力带穿过肱骨结节，“8”字钢丝的远端均穿过肱骨干上的钻孔。这种方法利用了坚强的肩袖肌腱附着处，允许术后的早期活动。

国际内固定研究学会(AO/ASIF)最新研发的

LPHP钢板于2001年用于临床(图48-3)。该系统主要的生物力学特点为成角稳定性,通过带锁螺钉与钢板的稳定来对骨折块整体进行加压,无须对钢板进行精确地塑形。肱骨头端多枚成角锁定螺钉因向不同方向交叉形成较好的锚合力和抗拔出力,起到了内固定支架作用,降低了骨折复位丢失的危险性。由于LPHP钢板不与骨膜接触,可保护骨膜,从而保护了骨折断端的血运。Bjorkenheim等认为,LPHP治疗老年性肱骨近端严重三、四部分骨折是切开复位内固定中的首选方法。最近推出的新型钢板PHILOS,钢板的近端部分较LPHP钢板稍长,与LPHP钢板相比,它在肱骨头处有额外的两枚斜向螺钉(图48-4)。

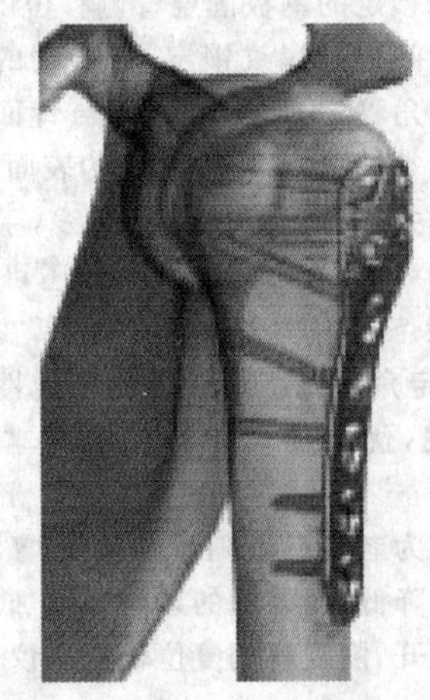

图48-3 AO的LPHP锁定钢板用于肱骨近端骨折

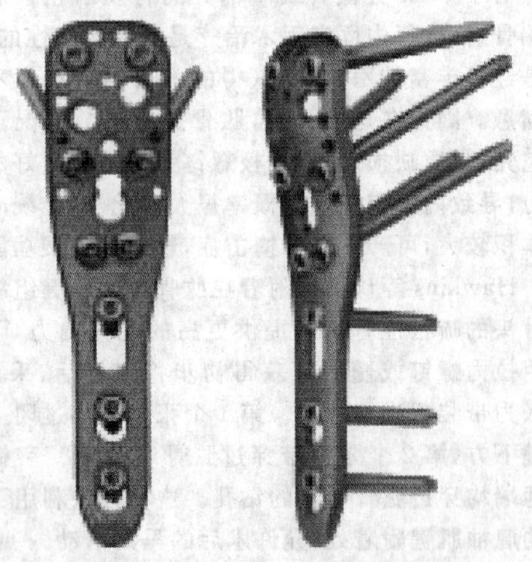

图48-4 AO的PHILOS钢板

人工肱骨头置换术主要适应证应当是老年性肱骨近端严重粉碎性三、四部分骨折,无法进行内固定,肱骨头的血供严重破坏极易发生肱骨头坏死的病例。

48.4.5 胫骨平台骨折

Schatzker Ⅱ型骨折即胫骨外侧平台劈裂伴塌陷骨折是骨质疏松症患者最常发生的胫骨平台骨折类型。当关节面塌陷>5 mm或者内外翻角度>5°时,需要进行手术治疗。骨折既有关节面塌陷,又有矢状面的劈裂,骨折后的剪切移位倾向性很大,因此平台骨折内固定应提供较强的把持力。单纯使用拉力螺钉无法对剪应力提供足够的支持力。目前使用的空心螺钉加支持钢板固定能够起到一定的支撑骨质作用,但由于无法通过骨折块之间加压来对抗其剪应力、压应力,在骨质疏松症患者中,固定并不坚强,容易发生关节面再塌陷。如果是在胫骨平台粉碎性骨折,螺钉加压固定本身就可能造成关节面移位。AO推出的胫骨近端锁定加压钢板(图48-5),钢板近端经预弯符合解剖结构,其螺钉与钢板锁定,形成坚固的内固定支架,即使是对骨质疏松症患者,也能够提供良好的固定稳定性。

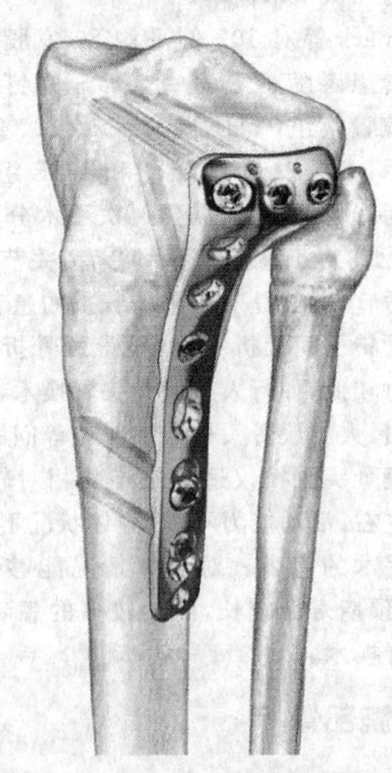

图48-5 AO公司用于胫骨近端骨折的锁定钢板

对关节面复位后在干骺端遗留的骨质缺损应植骨填充。使用自体骨是首选，一般认为使用松质骨植骨，有报道认为松质骨植骨后的强度不足以支持上方的关节面骨质，发生关节面塌陷的概率较高，主张先填入少量松质骨颗粒后再用全层自体髂骨块支撑，并使塌陷关节面略高于原平台高度，以防止术后填充骨的吸收。Bucholz 等报道使用羟基磷灰石或磷酸钙骨水泥等填充缺损获得成功。

48.5 脊柱内固定

48.5.1 椎体成形术和后凸成形术

脊柱压缩性骨折是骨质疏松症患者常见的骨折，容易引起腰腿痛。对长期慢性疼痛药物缓解不明显，或后凸畸形明显者，可以考虑进行微创的操作。

椎体成形术（vertebroplasty，VP）是一种新型的脊柱外科介入疗法，是通过经皮穿刺，向椎体注入凝固性材料以达到减轻疼痛和增加椎体稳定性的目的。一般认为，VP 适用于常规保守治疗 4～6 周以上持续疼痛的椎体骨折患者。手术入路优先考虑经椎弓根入路，在下腰椎或椎弓根破坏的椎体可以考虑后外侧椎旁入路灌注。椎体成形术能够明显缓解疼痛，还可以避免经治疗的椎体再次发生骨折。缺点是由于填充物在高压下注入，容易发生渗漏及骨水泥单体进入血液循环，也不能纠正压缩畸形。

后凸成形术（kyphoplasty，KP）是在 VP 基础上，沿导管放入可膨胀球囊。恢复椎体高度被认为是 KP 优于 VP 的最重要的方面。Belkoff 等通过离体实验比较了 KP 和 VP 的成形效果，结果显示 KP 能恢复 97%丢失高度，而 VP 仅能恢复 30%。两种成形方法都能显著增强椎体的抗压强度。KP 操作步骤包括：皮肤作小切口；透视下以 11 号穿刺针经椎弓根或旁椎弓根入路至骨折椎体；取出穿刺针，置入操作管道，建立到达椎体后部的工作通道；把 4.19 mm的套管针插入管道或用手钻将椎体内通道扩大；导入的球囊置于塌陷终板下方，以便在抬高终板的同时减少对两侧及后方的挤压；透视监测下，通过压力注射器用造影剂逐步扩张 IBP 球囊，并密切注意压力值；扩张满意后将球囊复原后撤出，调配灌注剂，透视监测下注入椎体空腔，充填量一般比球囊最后扩张的容积多 1～2 ml，以使灌注剂与周围松质骨交错结合。后凸成形术的填充物渗漏率低，但球囊的膨胀定向性较差，还有发生球囊破裂的风险。Lieberman ioae 等报道 30 例 70 椎 KP，气囊平均扩张 2.6 ml，平均压力 130 psi。其中 14 例气囊破裂，破裂口多为“针尖样”，多为被尖锐骨质刺破所致。另外，Sky 可扩张器也在临床上广泛使用，它具有可控定向扩张的特点，填充物的渗漏也较少。

48.5.2 椎弓根螺钉内固定系统

椎弓根螺钉内固定系统是目前在临床上应用最多的经后路脊柱内固定的方法。研究表明骨密度（bone mineral density，BMD）与螺钉的轴向拔出力具有显著相关性，BMD 每降低 10 mg/cm^3，螺钉最大拔出力会降低 60 N。

在骨质疏松椎体，螺钉无法获得足够的稳定性，容易出现螺钉松动、脱出等情况，从而导致固定失败。适当加大椎弓根钉直径 1～2 mm 可以提高固定的稳定性。但试图仅靠增大螺钉的直径以提高稳定性的想法会受到椎弓根解剖学条件的严格限制。而且采用较大直径的椎弓根螺钉还增加了神经根损伤和椎弓根骨折的风险。Strempel 认为螺钉外径最大不应超过椎弓根外径的 80%。

横连接装置连接后可明显增加螺钉稳定性，使螺钉拔出过程中抗拔出不仅来自包绕螺钉的骨质，而且来自螺钉间形成的四边形范围骨质，并能分散界面应力。但使用 1 个横连接和 2 个横连接之间并没有统计学差异。Hasegawa 等通过椎弓根钉头尾方向位移试验证实，用椎板钩在同一平面加强椎弓根钉固定可显著改善固定刚度，且不受骨质疏松的影响。椎板下钢丝固定由于每根钢丝均可顺次重复收紧，固定节段和点增多，因此可以提高矫正的效果，也应用于中、重度骨质疏松的固定。

Polly 等发现将螺钉取出后再重新置入时，抗扭转强度会减少 34%。因此手术操作时应尽可能做到一步成功，把握不大时宁可多次透视以明确椎弓根螺钉的位置和方向。对于严重的骨质疏松症患者可以使用 PMMA 等骨水泥材料加强椎弓根螺钉的稳定性。然而在持续载荷情况下，随着时间延长，骨水泥的机械力学稳定性将逐渐减弱，可能会断裂导致远期的植入物松动。而且 PMMA 不可吸收、有一定毒性，若溢出有可能对周围组织造成热损伤，而且今后在该手术区域可能进行的再次手术将会十分困难。磷酸钙骨水泥固化后能够形成微孔样结构，有利于新骨长入，本身能在体内进行生物降解，是负载 rhBMP-2 的良好载体。将携载 rhBMP-2 的磷酸钙骨水泥注入椎体进行强化治疗骨质疏松及其并发的椎体塌陷和压缩性骨折，将是治疗脊柱骨质疏松的一个方向。

(张光健　杨　轶)

参考文献

[1] 毛克亚，郝立波，唐佩福，等. 松质骨螺钉骨水泥强化的生物力学和组织学研究. 中华创伤骨科杂志，2005，7：133～136.

[2] 汤旭日，王秋根，张秋林，等. 胫骨平台骨折术后高度丢失的原因及对策. 中华创伤骨科杂志，2004，6：260～263.

[3] 梁加利. 老年人桡骨远端骨折后手术处理的目标. 中华创伤骨科杂志，2006，8：201～202.

[4] 梁雨田，唐佩福，郭义柱，等. 高龄患者非稳定性股骨粗隆间骨折人工股骨头置换临床研究. 中华医学杂志，2005，85：3260～3262.

[5] Aronson J, Cornell CN. Bone healing and grafting. In Beaty JH, ed. Orthopaedic Knowledge Update 6: Home Study Syllabus. Rosemont, IL. American Academy of Orthopaedic Surgeons, 1999. 25～35.

[6] Bai B, Jazrawi LM, Kummer FJ, et al. The use of an injectable, biodegradable calcium phosphate bone substitute for the prophylactic augmentation of osteoporotic vertebrae and the management of vertebral compression fractures. Spine, 1999, 24(15): 1521～1526.

[7] Belkoff SM, Mathis JM, Deramond H, et al. An ex vivo biomechanical evaluation of a hydroxyapatite cement for use with kyphoplasty. AJNR Am J Neuroradiol, 2001, 22(6): 1212～1216.

[8] Bjorkenheim JM, Pajarinen J, Savolainen V. Internal fixation of proximal humeral fractures with a locking compression plate: a retrospective evaluation of 72 patients followed for a minimum of 1 year. Acta Orthop Scand, 2004, 75: 741～745.

[9] Ellis T, Bourgeault CA, Kyle RF. Screw position affects dynamic compression plate strain in an in vitro fracture model. J Orthop Trauma, 2001, 5: 333～337.

[10] Hidaka N, Yamano Y, Kadoya Y, et al. ōCalium Phosphate bone cement for treatment of distal radius fractures: a preliminary report. J Orthop Sci, 2002, 7: 182～187.

[11] Kummer FJ, Koval KJ, Kauffman JI. Improving the distal fixation of intramedullary nails in osteoporotic bone. Bull Hosp Jt Dis, 1997, 56: 88～90.

[12] Leung F, Zhu L, Ho H, et al. Palmar plate fixation of AO type C2 fracture of distal radius using a blocking compression plate-a biomechanical study in a cadaveric model. J Hand Surg (Br), 2003, 28: 263 ～266.

[13] Li NH, Ou PZ, Zhu HM, et al. Prevalence rate of osteoporosis in the mid-aged and elderly in selected parts of China. Chin Med J, 2002, 115: 773～775.

[14] Lieberman IH, Dudeney S, Reinhardt MK, et al. Initial outcome and efficacy of "kyphoplasty" in the treatment of painful osteoporotic vertebral compression fractures. Spine, 2001, 26(14): 1631～1638.

[15] Matsuda M, Kiyoshige Y, Takagi M, et al. Intramedullary bone-cement fixation for proximal humeral fracture in elderly patients. Acta Orthop Scand, 1999, 70: 283～285.

[16] McLoughlin SW, Wheeler DL, Rider J, et al. Biomechanical evaluation of the dynamic hip screw with two-and four-hole side plates. J Orthop Trauma 2000, 14: 318～323.

[17] Musgrave DS, Idler RS. Volar fixation of dorsally displaced distal radius fractures using the 2. 4 mm locking compression plates. J Hand Surg (Am), 2005, 30: 743～749.

[18] Robinson CM, Page RM, Hill RM, et al. Primary hemiarthroplasty for treatment of proximal humeral fractures. J Bone Joint Surg Am, 2003, 85: 1215～1223.

[19] Suzuki T, Abe E, Okuyama K, ea al. Improving the pullout strength of pedicle screws by screw coupling. J Spinal Disord, 2001, 14: 399～403.

[20] Tidermark J, Ponzer S, Svensson O. et al. Internal fixation compared with total hip replacement for displaced femoral neck fractures in the elderly: a randomized, controlled trial. J Bone Joint Surg (Br), 2003, 85(3): 380.

[21] Ulrich B, Thomas S, Christion K. Reduction and fixation of displaced intracapsular fracture of the proximal femur. Clin Orthop, 2002, 21 (399): 59～71.

人工关节置换术后松动及对策

人工关节置换术后的松动是威胁假体寿命主要并发症之一，是假体失用的主要标准，并成为翻修术的主要原因。虽然随着假体设计、假体材料、外科技术以及骨水泥技术等的不断改进，初次全髋关节置换术后的假体松动率已明显降低，但远期松动仍是人工关节置换术失败的最主要原因。以往的研究表明，出现松动的大多都是年轻、男性、超重或体力活动多的患者。但是由于人群年龄结构的改变和初次髋关节置换例数的增加，松动毫无疑问在将来将占据越来越重要的位置。

49.1 假体松动的原因和机制

当假体固定界面承受的负荷超过其界面结合强度时，即可引起假体松动。一般而言，术后 5 年以内发生的松动称为近期松动，5～10 年内发生的松动称为中期松动，10 年以上发生的松动称为远期松动。近年来，由于人工关节置换术后假体生存时间的延长，已有学者将远期松动的时间界定为术后 15 年以上发生的松动。

人工关节置换术后引起假体松动的原因是多方面的，概括起来主要有以下几个方面：生物力学因素、生物性因素、患者相关性因素、外科技术方面的因素、其他因素。以上几个因素的共同作用导致假体的远期松动。随着外科技术的成熟和发展，其中前 3 个因素已成为松动的主要原因。下面将这几个因素逐一加以详细论述。

49.1.1 生物力学因素

Jasty 等通过尸检发现在骨水泥与骨界面形成纤维结缔组织前，假体与骨水泥界面之间已发生了固定失败，这说明骨水泥固定假体松动的初始原因是机械性的。假体与骨水泥分离以及骨水泥的断裂发生于临床松动之前，而骨水泥与骨之间形成纤维膜则是机体对这些机械起始因素产生的碎屑所作的生理反应。因此，在考虑引起假体松动的因素时，首先应分析松动的生物力学机制。

(1) 作用于界面的应力

主要包括体重、活动度、摩擦扭力矩和假体撞击等。超重、活动量大的患者，假体松动率要高于普通患者。研究表明，慢速行走时，髋关节承受了 4.5～5 倍自身体重的力，而快速行走时，髋关节受力增加到体重 7.1～7.6 倍。因此，即使体重增加不大，作用在髋关节上的应力也成倍增加。人工关节在年龄较轻的患者中假体松动发生率较高，主要原因可能就和上述因素有关，同时这类患者的假体磨损也更加严重。

摩擦扭力矩产生在负荷关节的活动过程中，大小与关节面材料及制作工艺有关。摩擦扭力矩可传递到臼杯、股骨柄、假体周围骨水泥、骨水泥和骨组织的界面，产生假体扭转效应，造成股骨柄、臼杯移位和骨水泥内的裂隙形成。因此，摩擦扭力矩的增加，可以引起假体松动。假体设计缺陷，或安置位置有误，或关节极度活动时，可出现股骨颈与髋臼假体边缘的撞击，这也可造成假体固定界面松动。

(2) 界面结合强度

非骨水泥固定的界面结合强度，取决于假体固定面的范围、分布以及与其结合的周围骨组织完好情况。而骨水泥固定型假体，其结合强度还受到周围骨水泥强度、骨水泥与骨组织的均匀接触程度等因素的影响。

在影响假体界面结合强度的所有可能因素中，周围骨组织的完整性受到破坏是造成假体松动最重要的原因。在插入假体、骨水泥时，即使操作非常小心，有时仍然会造成与假体或骨水泥接触的松质骨有薄层坏死。随后，坏死骨组织被吸收，在新的应力环境下周围骨组织发生骨结构重塑，骨组织与骨水泥或假体的间隙逐渐为纤维组织、纤维软骨组织和骨组织替代。这3种成分的比例受许多因素制约，包括作用于假体的应力大小和方向、假体和骨组织间隙大小、周围骨组织的营养状况、有无感染、骨水泥自由单体释放所致的毒性反应、骨水泥聚合的热损伤等。在骨组织重塑过程中，如果界面受到的应力较小，不超过界面组织的弹性限度，那么随着重塑过程的进展，最后这些组织强度增加，参与承重。反之，则会造成组织的进一步损害，最终导致假体松动。另一方面，如果应力分布不均，造成局部区域(最易发生在股骨弯柄的外侧和远端)应力过分集中，首先将导致局限性骨坏死，最终也将导致假体松动。

(3) 界面微动

界面微动指与假体松动有直接关系、发生在假体-骨组织或骨水泥-骨组织界面之间的微动(micromotion)和移动(migration)，股骨假体微动可有3个面上移位向(内-外向、前-后向、上-下向移位)和3个旋转移位向(内翻-外翻、前倾-后倾和股骨纵轴内旋-外旋移位)。关节置换术早期，生理负荷下，几乎所有股骨侧假体均可出现少量相对移位，这种位移不随负荷的接触而恢复，这实际上反映假体早期发生的进一步入床过程，达到最后的相对稳定状态，即假体与骨界面之间活动量已局限于负荷与非负荷时两者弹性变量差异之间，不再进一步导致假体移位的发生。由于假体与骨组织弹性模量的不相同，两者受同一负荷变形量不尽一致，加之假体与骨匹配不完善，造成界面之间不同程度的界面微动。

低水平的界面微动(0～50 μm)假体与骨组织接触面将形成骨组织。Pilliar 动物实验证明微量活动(＜28 μm)骨长人假体表面不受影响。Harris 证实微动在 50～100 μm，骨形成量与微动量成反比。Soballe 证实如微动＞150 μm 可使骨生长受到抑制，促使纤维形成，难以达到骨整合。微动对骨整合的作用，间接反映了力学环境对骨代谢的影响，间充质细胞在受到压应力时，可分化为成骨细胞，促进骨代谢向骨形成转换，受到张应力或剪切力时，又可向纤维细胞转换，形成纤维组织。因此，界面越紧贴，接触压应力越大，界面处骨形成也就越活跃，反之亦然。

对于生物型假体，Roberts 等提出 3 个最终影响界面的因素，究竟是纤维组织形成还是假体表面与骨组织直接对合，这包括：①微创伤手术操作和假体与骨植入床紧密匹配；②术后需要最初 3～6 个月，以便假体达到稳定状态；③假体材料必须要有良好的生物相容性和机械特性。此外，还有一些学者提出了假体材料特性、假体设计影响假体的稳定和入床时间，假体材料与界面骨组织弹性模量不同，以及骨与假体界面连接与否也可影响假体相对运动。

(4) 应力遮挡

应力遮挡影响的是骨组织的自然重建过程，不同于病理性的骨溶解。当植入粗柄或表面有大面积多孔涂层覆盖的假体后，负重应力将主要通过假体柄传导到股骨远端，使股骨近端骨组织承受的负荷量明显减少，骨应变减弱，造成骨改建的负平衡，最终出现骨质疏松和骨结构削弱。虽然对于应力遮挡中骨丢失的作用还有争论，但骨量丢失最终会导致翻修手术的操作困难。

股骨假体周围骨的应力遮挡程度与界面的结合特性、假体柄的刚度、假体近端微孔涂层的范围密切相关。假体的刚度又与假体材料的弹性模量和假体柄的粗细有关。Morscher 等随访了 5.5 年共 627 个非骨水泥固定的等弹性假体，无一例发生无菌性松动，认为等弹性假体可以减少或消除应力遮挡所致的骨吸收和假体松动。Engh 等研究发现股骨柄的直径越大，近端微孔涂层范围越广，则应力遮挡越严重，骨吸收越明显。与非骨水泥固定假体相比，骨水泥固定股骨柄相对较小。因此，因应力遮挡所致的骨吸收较少。Harris 认为应力遮挡主要会导致以下并发症：多孔涂层末端部位的应力集中，使得此处皮质骨密度增高，骨长入发生，而近端骨质疏松，这样最终悬臂力量会导致股骨假体骨折，涂层脱落，大腿痛和晚期的股骨假体松动；应力遮挡导致的近端骨质疏松容易使假体周围成病理性骨折并会增加翻修手术的复杂性；应力遮挡部位的骨质更容易发生骨溶解。然而，Engh 等对 208 例髋使用广泛多孔涂层的 AML 柄假体进行了平均 13.9 年的随访，发现应力遮挡组无假体松动、骨折及涂层脱落发生。假体翻修率在应力遮挡组为 13%，而在没有应力遮挡组为 21%，15 年的假体生存率前者为 93%，后者为 77%。Engh 等通过尸检发现当出现应力遮挡时已经有骨长入假体；不仅多孔涂层末端部位可发生骨长入固定，近端也可发生。因此，Engh 等认为应力遮挡并没有影响假体的生存率，并且认为骨溶解和假体的磨损对假体生存的影响更为重要。

产生应力遮挡原因中，假体周围机械性受力起到主要作用。近年来，除了在假体材料、假体设计等方面加以改进，以减少不利的机械力学环境之外，药物治疗方面也有很多尝试，尽管效果还有待进一步研究。目前治疗主要为增加活性维生素 D_3 抑制破骨细胞、骨吸收，改善骨重建。常用药物包括降钙素（密盖息）或戊二磷酸盐类药物阿伦磷酸（福善美）等。

49.1.2 生物性因素

生物性因素主要是指存在于关节内和关节周围的磨损碎屑导致假体周围骨溶解。研究表明，金属、聚乙烯和骨水泥磨损碎屑在假体远期松动的发生中起着十分关键的作用。各种材料的磨损颗粒都可继发各种吞噬细胞反应，虽然这些细胞不直接进行骨吸收，但它们在吞噬颗粒物质后，可分泌多种与骨吸收有关的分子，如白细胞介素-1、肿瘤坏死因子、前列腺素 E_2 和胶原酶等，通过各种途径刺激破骨细胞进行骨吸收，引起假体周围骨溶解，破坏界面的结合强度，从而造成假体的远期松动。这些分子既可单独作用，也可协同作用，相互间有密切的联系。

（1）人工髋关节假体发生磨损的主要部位

①头-臼界面金属头与聚乙烯假体之间磨损最常见。Amstuty 报道，Charnley 假体、聚乙烯假体线性磨损平均每年 0.1～0.2 mm，相当于每年释放 $20\times10^6\sim40\times10^9$ 直径 $<10\ \mu m$ 的磨损颗粒。不同金属材料股骨头与聚乙烯假体磨损率不相同，钴铬合金、不锈钢、钛合金与聚乙烯假体磨损率依次递增。聚乙烯抗磨损能力差，近期已发展金属对金属或金属对陶瓷以及金属对高交联聚乙烯组合假体，金属对金属假体的磨损率仅为金属对聚乙烯假体磨损的1/40，每年约 0.005 mm，陶瓷对陶瓷磨损性能也较好。②柄-骨水泥界面：界面微动构成两者之间相互磨损。骨水泥填充时，假体柄表面存在空泡，混有血迹，或负荷时骨水泥蠕变，均可使两者间产生裂隙，出现微动、磨损。③骨水泥-骨组织界面：界面微动必将产生磨损，骨形成减少并由纤维膜所替代，而磨损颗粒必将进一步诱发局部骨溶解和假体松动的加剧。④假体涂层表面-骨界面：界面微动必将产生磨损，以及假体表面处理后，其表面与基底材料弹性模量不一致，负荷时表面与基底层之间出现微动，反复受力可造成表面金属颗粒或金属小珠、金属丝网或离子喷涂层剥脱。⑤假体各部件之间磨损：髋臼金属杯内侧面与聚乙烯假体外表面之间磨损，臼杯螺钉孔与固定螺钉之间磨损，股骨头假体与股骨颈假体界面的磨损。上述各部分之间磨损均可产生磨损颗粒，诱导骨溶解的产生。

（2）假体磨损种类及类型

1）磨损类型　①Ⅰ型磨损：两个负重关节面发生功能活动时出现的磨损。如头-臼磨损。②Ⅱ型磨损：一个负重关节面与另一个非关节负重面之间磨损，如股骨头穿透聚乙烯假体，与骨水泥、金属或骨组织之间发生磨损。③Ⅲ型磨损（3 体磨损）：两个关节面之间夹有第 3 体颗粒（金属或骨水泥颗粒、骨块等）磨损。④Ⅳ型磨损：指两个非负重关节面之间磨损，如臼杯与骨之间的磨损。

2）磨损机制　①黏附磨损：指接触点连接强度大于材料固有强度时对假体表面产生拉脱破坏。②摩擦磨损：指不光整表面，若干尖端对材料表面的擦痕损伤。③疲劳磨损：指周期性应力作用下，对材料表面或更深层结构断裂或分层。④上述 3 种磨损均属机械性的，而另一种更为独特性是金属材料腐蚀磨损，这是由于金属对金属相互接触，产生机械性磨损以外，还可产生一系列电化学反应，使局部体液中存在大量金属氧化物、金属氯化物、氢氧化物及磷酸盐，构成腐蚀磨损的主要颗粒物质。

(3) 细胞学改变

人工关节假体失败、松动、假体周围可出现肉芽肿为特征的组织反应，它是机体细胞与颗粒物质相互作用的结果，根据参与反应的颗粒性质和细胞类型，肉芽肿可分为两大类，即免疫性肉芽肿和非免疫性肉芽肿。

1) 免疫性肉芽肿　这是机体针对诸如细菌、病毒或真菌等病原物质所形成的慢性炎症反应，该肉芽肿除了包括有单核巨噬细胞、成纤维细胞，以及多核巨细胞外，还含有T淋巴细胞、B淋巴细胞及浆细胞，表现出迟发性高敏状态。假体磨损颗粒能否导致免疫性肉芽肿，目前看法尚不一致。一些研究者指出，非骨水泥型金属假体与骨水泥型金属对金属假体的周围肉芽肿中确实存在淋巴细胞，这一现象，连同组织细胞坏死，可能与机体对钴或钛合金的高度敏感有关，形成免疫性肉芽肿，但多数学者对假体颗粒物质诱发机体高敏状态持否定态度。

2) 非免疫性肉芽肿　主要有单核/巨噬细胞、成纤维细胞和由巨噬细胞融合形成的多核巨细胞表型特征的细胞所组成，这种肉芽肿都在机体与不溶解性无机物质颗粒反应时出现。目前已知有两大类因素影响肉芽肿性组织反应。

(i) 与假体磨损颗粒物质及其性质有关的肉芽肿性组织反应：假体磨损颗粒物质的大小、形状、表面结构、亲水性及组成决定了生物反应中的细胞行为，其中以颗粒大小具有重要意义。Wahl证实，直径50～250 μm的颗粒在促使细胞增殖与诱导多核细胞形成具有重要意义，而直径$<50\ \mu$m的颗粒则更具有刺激颗粒与细胞表面的接触或进入细胞的能力。Goodman也证实，$<10\ \mu$m聚乙烯颗粒可被单核细胞吞噬，$<30\ \mu$m的颗粒可被多核细胞吞噬，而$>30\ \mu$m常不能被细胞吞噬，而是由多核巨细胞所包绕，而对某一具体患者而言，假体周围软组织中颗粒直径变化甚大，大颗粒具有刺激细胞增殖和肉芽肿形成，而小颗粒则促使细胞活化，进而释放致炎物质，而各种颗粒含量的高低不同，构成了各种临床表现的差异。磨损颗粒的形成和不同理化性质也直接影响细胞分泌功能，表面粗糙的PMMA小颗粒与光滑颗粒相比，前者可诱导产生更多的前列腺素E_2(PGE_2)，而HA颗粒几乎不刺激巨噬细胞分泌细胞因子，从以上现象似乎可得出以下结论，即不同表面形态与理化性质的不同颗粒物质对细胞的作用也有不同差异。金属颗粒的离子释放性质与细胞生物学行为有关，大量金属离子对细胞有明显的毒性作用，不同金属所释放的离子的细胞毒性作用也不一致，与钛合金相比，钴合金在溶液中腐蚀性更大，毒性更大。经钴铬合金腐蚀过的溶液加入单核/巨噬细胞或成纤维细胞，细胞的成活率明显下降。

(ii) 与机体本身参与的反应细胞有关的肉芽肿性组织反应：机体细胞是肉芽肿反应的另一重要因素。假体磨损颗粒主要引起非免疫性肉芽肿，参与细胞主要有单核/巨噬细胞、成纤维细胞与多核巨细胞，上述3种细胞有独立吞噬颗粒能力，但它们与颗粒发生反应的程度和作用不尽相同。单核/巨噬细胞在与颗粒物质反应过程中起着主要信息传递作用，它能产生较成纤维细胞数量更多、含量更丰富的前致炎物质，这些物质多数作用于成纤维细胞，以促使其合成细胞外基质大分子物质并参与肉芽肿对异体磨损颗粒的隔离。除前致炎物质外，单核/巨噬细胞还是各种中等分子大小蛋白酶和细胞因子的重要来源，通过分泌多种因子，单核/巨噬细胞调节其他细胞的分化、成熟和功能活动，已知IL-1β具有刺激骨髓内干细胞向破骨细胞或单核/巨噬细胞的分泌与成熟，IL-1β和TNF一方面可直接刺激破骨细胞的骨吸收作用，另一方面还能刺激成骨细胞、成纤维细胞释放细胞因子，间接影响破骨细胞骨吸收。

(4) 生化改变

大量体外细胞培养，假体旁取出组织培养及近期有关免疫组化原位杂交分析资料均显示假体松动与细胞-颗粒相互作用中所产生的3大类物质有关，它们分别是各种骨吸收性细胞因子、PGE_2和金属蛋白酶(如胶原酶)。Dorr, Chiba, Spector等的研究均显示假体松动培养上清液中含大量PGE_2、各种炎性介质、各种细胞因子，如IL-1、TNF、IL-6含量增加。

细胞因子、PGE_2、胶原酶等炎性物质在生物反应中相互协同，但各自有其独特作用，Jiranek运用免疫组化及mRNA原位杂交(点击)技术，发现细胞因子IL-1在巨噬细胞与成纤维细胞表面上均可出现，然而IL-1的mRNA仅存在激活的巨噬细胞内，而T淋巴细胞和成纤维细胞中缺乏，提示IL-1主要产生于巨噬细胞，成纤维细胞不合成IL-1，但能被来自巨噬细胞的IL-1所激活。Wright, Goodman认为，除了成纤维细胞外，IL-1 还能激活骨细胞，这些细胞激活后可释放更多的具有骨吸收作用的细胞因子 IL-1，还具有刺激单核/巨噬系干细胞（CFU-GM）向成熟巨噬细胞与破骨细胞转换的功能。肿瘤坏死因子（TNF）是巨噬细胞分泌的另一种细胞因子，其主要靶细胞为破骨细胞和成骨细胞，TNF-α 事实上也是破骨细胞激活因子，对破骨细胞性骨吸收具有直接调节作用。另外，TNF 还可激活成骨细胞、成纤维细胞释放诸如 IL-6、PGE_2 等其他骨吸收因子。IL-6 主要来自成骨细胞，该因子与骨吸收活动密切相关。有人报道，骨溶解周围局部组织中 IL-6 含量明显增加，IL-6 可能刺激破骨细胞增殖来促进骨吸收活动，IL-6 单独对骨代谢作用较小，可能有赖于其他细胞因子或介质协同完成。PGE_2 是一种重要介质，单核/巨噬细胞、成纤维细胞与成骨细胞等多种细胞被激活后均可分泌这一炎性介质，PGE_2 通过影响细胞内信使物质 cAMP 的合成来调节炎性细胞的功能。一些研究已证实，PGE_2 升高可伴有局部骨吸收的增加。

（5）免疫改变

假体松动形成过程中，免疫系统是否参与这一过程，资料意见不一。Albarova 认为，PMMA 颗粒具有刺激淋巴细胞增殖能力，如将颗粒与患者皮肤直接接触出现阳性反应，提示机体对磨损颗粒呈高敏状态，可能与假体松动有关。金属元素离子 Fe^{3+}、Co^{2+} 还能阻滞 T 淋巴细胞表面抗原 CD_2 的表达，Fe^{3+}、Co^{2+} 对表面抗原 CD_2 表达已知，提示两者能干扰 T 淋巴细胞能力，造成免疫系统功能紊乱，假体周围肉芽肿虽有少量淋巴细胞浸润，但淋巴细胞缺乏被激活的免疫组化的证据，一些免疫缺陷性动物体内实验显示，颗粒植入同样可形成炎性肉芽肿。淋巴细胞不是磨损颗粒诱导机体炎症反应肉芽肿形成的必要条件。

49.1.3 患者相关因素

资料分析显示，不同性别、不同年龄与术前诊断，非感染性的假体松动发生率是不同的。除了年龄与诊断外，性别的差异反映在 THR 翻修手术率也不相同。骨关节病变，男性与女性相比，前者非感染性假体松动而需要翻修手术明显增高。这可能与假体的负荷因素有关，越年轻，活动量越大，发生假体失败需要翻修手术病例数越高，这可能是机械性原因，男性年轻患者更容易发生机械性失败。类风湿关节炎病例，性别与年龄对发生假体松动没有明显差异，类风湿关节炎病例髋臼假体失败危险性较高，这可能与骨的质量有关。髋关节骨折病例，对年轻男性病例来说，其结果似乎是灾难性的，男性髋关节骨折病例常伴有“骨软化”（osteomalacia）高发生率，这些病例常容易发生无菌性假体松动，而髋关节骨折老年患者较少发生假体松动，这可能与老年人活动量低且体重轻有关。

49.1.4 外科技术

（1）与股骨假体植入有关的技术问题

1）骨床准备股骨颈内侧面稀疏的松质骨没有被刮除，使骨水泥不能与致密松质骨或骨皮质相接触，得不到坚强地支撑，骨水泥容易遭到较大的张力而出现断裂。理论上讲，在柄体内上 1/3 处和远下 1/3 处其周围骨水泥的厚度应至少在 3 mm 以上。因此，如果髓腔内残存的松质骨过多，会引起假体周围骨水泥层因缺乏足够的厚度而造成薄层骨水泥碎裂现象，进而影响假体固定效果，出现松动。相反，如果松质骨去除较多，致密松质骨保留不够，则没有足够的松质骨微间隙供骨水泥嵌合而达到良好的微内锁固定。

2）骨水泥填塞过迟，失去流动性能或未加压，渗入到骨小梁间隙中的骨水泥不足；骨水泥量不足，使骨水泥出现分层；骨水泥与骨床之间有许多血液、破碎组织，阻止骨水泥与骨床的接触；搅拌骨水泥时，混入许多气泡、血块或碎屑，影响骨水泥强度等，这些因素不仅能造成假体不同程度的固定失败，而且也影响骨水泥本身强度，承载应力时，容易发生界面松动及骨水泥断裂现象。

3）假体插入　在假体插入股骨髓腔过程中，有许多环节可影响假体界面的结合强度。包括股骨柄内翻位插入，柄穿透股骨皮质，骨水泥聚合过程中假体的来回晃动，柄体未能完全入位，近端裸露范围过大，缺乏骨组织支撑等。

（2）与髋臼假体植入有关的技术问题

与股骨侧相比，髋臼侧骨水泥的使用难度相对较大。突出的问题在于，骨水泥填塞髋臼后，如加压不足，达不到骨水泥与骨组织间紧密结合的效果。但加压过大，髋臼的形状又很容易使骨水泥从髋臼缘处外溢，同时使得髋臼假体底部与髋臼骨组织直接接触，髋臼假体外围骨水泥分布不均，影响应力分布。另外，如果髋臼打磨深度不够或髋臼后上壁有缺损，会使髋臼假体后上方缺乏必要的骨组织支撑，或在植入过程中发生髋臼假体的旋转。髋臼植入位置不合适，造成股骨颈与髋臼缘撞击。

49.1.5 其他因素

除上述力学、生物学、外科技术等因素的影响，感染、疾病、药物及全身情况对于人工关节的长期稳定性的影响也十分重要。这些因素可以影响骨细胞的类型和代谢。例如，某些疾病可造成骨主细胞的减少、吸收，髓腔的增大和血管分布的减少，进而影响骨再生，激素和抗肿瘤药物也可抑制骨再生，影响假体结合界面的强度。

49.2 无菌性松动的诊断及治疗

49.2.1 诊断步骤

松动的诊断建立在一个标准的诊断模式上，即病史-查体-影像学。其中临床症状和体征最重要，但同时应注意到，由于患者对痛觉的敏感程度不同，临床症状并不一定与影像学的表现一致，而且，最常见的情况是松动的某些X线表现往往在症状起始前出现。结合症状仔细复习患者的X线片，常常会发现患者无症状时遗漏的或被认为不重要的征象，所以，不能忽视定期的影像随访。每次随访患者时，都应阅读X线片，并按特定分区观察和记录假体的柄、骨水泥、骨质以及它们之间界面的变化。根据Gruen的描述，股骨假体及其相关的界面被分为14个区；另据DeLee-Charnley的方法，髋臼假体及其周围的界面可分为Ⅰ～Ⅲ个区(图49-1)。患者在定期随访时所拍的前后位、侧位X线片必须包括完整的假体柄和股骨内骨水泥团，必须仔细阅读并与以前的X线片相互对照，及早发现假体松动、柄折断、大转子异常或感染的表现。同时应注意，欲比较术后不同时间拍摄的X线片，拍片的技术、肢体的摆放应该标准化。Goodman等发现，少至20°的肢体旋转即可引起股骨假体位置的显著变化，这种变化有可能被错误地解释成假体移位，也可能会掩盖假体位置的真正变化。

以往曾主张对疑难病例应用三维骨扫描辅助诊断，但后来由于其提供了过多的假阳性诊断。因此，许多学者提出应该严格评价其特异性和敏感性。关节闪烁扫描术能提供更具体的结果，但是由于其具有侵入性而且较复杂，仅应用于少数特殊病例。国外学者还没有在核医学对诊断假体松动是否有益处这一问题上达成一致。

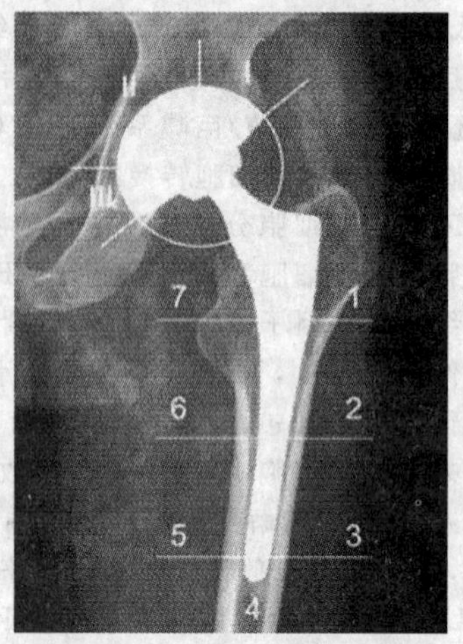

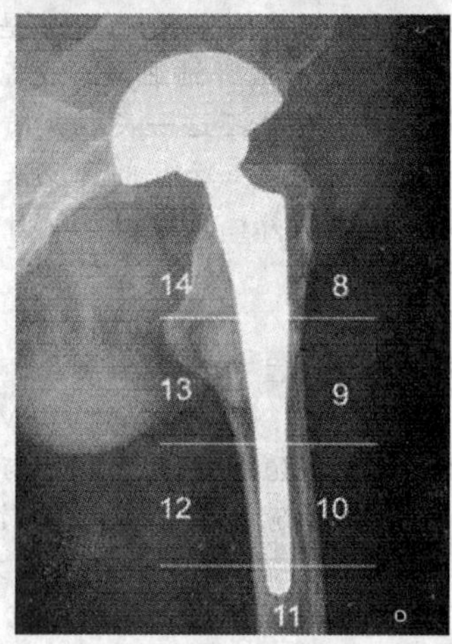

图49-1 假体及其相关的界面分区

Katzer等对假体松动的早期诊断提出了一个流程图以及一些相关的辅助检查(表49-1)。诊断松动还存在其他次要的检查方法，这些仅用于特殊的诊断不明确的病例(表49-2)。

表49-1 假体松动的早期诊断流程

(1) 病史
(2) 临床查体
(3) 正侧位X线片
(4) 必要时放射性核素骨扫描
(5) 实验室检查：血沉、白细胞计数、C反应蛋白
(6) 必要时关节抽吸

表 49-2 假体松动的次要的临床诊断程序

(1) 骨吸收指标(如尿中的Ⅰ型胶原交联氨基末端肽NTX)
(2) 骨形成指标(如血浆骨钙素)
(3) 数字放射片分析
(4) X线实体透视检查
(5) CT
(6) 关节造影
(7) 白细胞核素扫描
(8) 振动法(vibration methods)

(1) 病史

疼痛是导致患者就医的主要原因,除了必需的临床检查,应摄X线片,片子应包括正侧位假体的全貌以及相邻骨结构。但疼痛对评价松动的程度来说并不可靠。虽然广泛的臼杯的松动不产生或产生很少的症状,但是柄的松动常有明显的疼痛。当影像学和临床查体模棱两可时,可通过详细询问病史和查体来与其他许多引起疼痛的因素进行鉴别(表49-3)。大腿痛常常出现在使用远端固定的直径较大、圆柱状的非骨水泥柄患者中。

表 49-3 人工关节置换术后疼痛鉴别诊断

(1) 肌硬结
(2) 腱端炎
(3) 神经激惹(感觉异常性肌痛,髂腹股沟综合征)
(4) 异位骨化
(5) 滑囊炎
(6) 根性或假根性障碍
(7) 腹股沟疝
(8) 原发性肿瘤和转移

没有假体松动的股骨部的骨溶解常表现为钝性的环行区域疼痛、休息时疼痛或近端股部的疼痛。但是如果开始行走和承重时疼痛或站立和行走时大腿疼痛则提示柄松动,而没有松动的髋臼周围骨溶解常没有明显的症状。

典型的疼痛可能放射到腹股沟(臼杯松动)、臀部和同侧膝(柄松动),这常致使患者被误诊为膝关节的疾病并采取错误的治疗的措施。同时患者能行走的距离和时间逐渐缩短,并伴有不牢靠感、易摔感和腿不受控制感。新出现的双下肢不等长提示臼杯的移位或柄下沉导致的松动进展。

(2) 临床检查

临床诊断松动的方法虽然较令人满意,但缺乏特异性。步态的异常(跛行)也可能由其他因素,比如老龄、整体健康状况、合并疾病、软组织损伤、神经损伤等所致。仅仅临床检查并不能区分假体杯的松动、柄的松动或两者同时的松动。松动通常引起负重时疼痛,疼痛可发生于大腿或腹股沟区,休息后减轻,髋部旋转时加重,可出现先前没有的Trendenlen-burg征或避痛步态,有时会自愿使肢体缩短并转向外侧。通常受累肢体的疼痛能被摇动、挤压或旋转所引发。疼痛性的运动受限能通过临床检查与机械性的受限(如骨化或软组织嵌在植入假体之间)相区分。撞击和肢体不等长也能被临床检查证实。检查结果应根据标准方法记录,最好的选择是应用现有的广泛接受的评分系统。例如,Harris髋关节功能评分或Merled' Aubigné and Postel评分系统。这是保证在不同时间的结果具有可比性的唯一的方法。

(3) 影像学检查

评价骨水泥、非骨水泥和混合假体的标准大致相同。在X线片上,早期松动必须与无松动的假体周围骨溶解相区分,虽然后者同样也提示了假体固定的提前失败的危险性。没有点焊现象出现的传统X线片并没有提供非骨水泥假体骨性整合的证据,它们仅仅能提示骨性整合的失败,因此看起来牢固固定的假体可能事实上是松动的。在X线片上磨损颗粒仍不可见。另一个影响影像评估的问题是,在比较不同的X线片时它们通常不是以标准方法拍摄的,可能缺少冠状面或矢状面的平片,投射可能失准,下肢可能处于不同角度的旋转位,而且暴露和局部距离也可能有差异,因此对术后患者的随访平片应统一标准。

目前,国际上仍没有一个统一的假体松动X线评定标准,现在临床上使用的许多评定方法各有利弊。局部骨溶解和透亮线在关节置换预后中的意义在不同的具体实例中难以评价。但是,在松动的诊断中,一个基于11条标准的评价已被证实是成功的。其中最重要的就是“＞2 mm原则”,即当骨溶解、透亮线、臼杯的移位或假体柄的下沉在术后2年超过2 mm或持续进展时翻修的概率大约为50%。下面列出5个诊断标准。

1) 假体及其相关的界面

(i) 线性骨溶解:线性骨溶解在X线片上表现为假体-骨、假体-水泥或水泥-骨界面上的透亮线。如果患者并不疼痛,溶解线并不必然提示松动,仅需定期随访。对一个使用骨水泥或非骨水泥假体柄的患者(后者往往存在一条硬化线)来说,不完整的、非进展的、< 2 mm 的溶解线并不少见。不管透亮线位于什么地方,诊断应基于其最宽线的宽度。

值得注意的是,Poss 和 Comadoll 研究表明,对于骨水泥柄来讲并非所有骨皮质与骨水泥套之间的间隙或透亮线都表示松动,在术后短期内拍摄的 X 线片上,此界面的透亮区可能由术中未完全去除的松质骨所形成。另外,与年龄相关的髓腔正常扩大及伴随的骨皮质变薄,看上去类似于骨-骨水泥界面透亮区的进行性增宽。这些原因引起的典型透亮带没有在股骨假体松动时所见的环绕硬化线,鉴别这两种情况在临床上是重要的。而对于非骨水泥假体,如假体周围有过多的硬化线形成但没有进行性的移位发生,则可认为假体由稳定的纤维长入固定。这些硬化线以平行方式围绕假体的柄,由宽达 1 mm 的透亮线将两者隔开;股骨皮质没有局部增厚的征象,说明周围的骨壳发挥了均匀的负载功能。

虽然股骨假体松动常发生于柄-骨水泥界面,髋臼假体的松动却很少发生于臼杯-骨水泥界面。与股骨假体的松动相比,髋臼假体的松动更像是一个生物过程,而不是一个机械过程。如果 3 个分区都存在 > 2 mm 的透亮区,明确表明髋臼假体已发生松动,对这一点意见是一致的(图 49-2)。如果在 1 个或 2 个分区内存在某种程度的透亮区,假体是否松动应根据透亮区的宽度是否进行性增加,以及髋部是否有疼痛来确定。

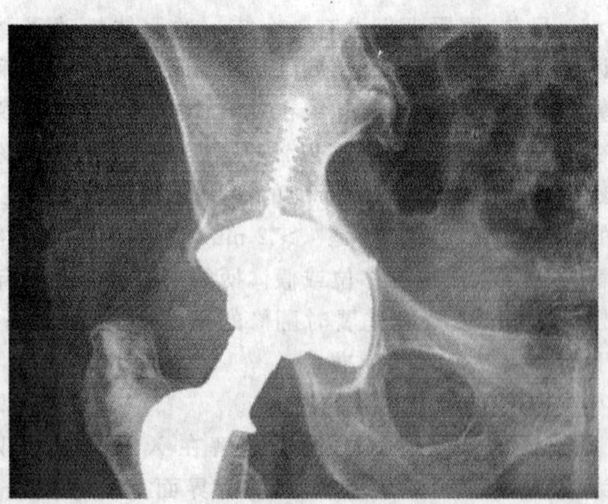

图 49-2 >2 mm 透亮线超过 DeLee-Charnley 3 个分区,髋臼定义为明确松动

因此,在前后位或侧位片,植入物周缘 > 2 mm 的透亮线超过 14 个 Gruen 分区(柄)或 3 个 DeLee-Charnley 分区(臼杯)中任意一个总体分区的 1/3 应充分怀疑松动。而对少数患者,即使 X 线片看起来是正常的,可能松动已经以柄周的微动和分离的形式开始了。

(ii) 膨胀性骨溶解:骨溶解表现为环形,椭圆形或水泡形的与假体或水泥膜相通的透光区。必须区分单发和多发、独立和融合型的骨溶解。另外,部分骨溶解必须与覆盖一个或多个 Gruen 或 DeLee-Charnley 分区的完全骨溶解相区分。骨溶解也可在假体仍牢固固定的患者中发生。并且这种情况下临床发现与 X 线片并不相符。

在臼杯周围,< 1 mm 的溶解区很常见而且并不提示臼杯松动。但当溶解区 > 2 mm 并覆盖一个或多个 DeLee-Charnley 分区需要怀疑早期臼杯的松动。

在最初的 6 个月柄周形成这样的区域,如果没有进展,就不是病理性的,即后续的下沉很少发生并且大多数病例没有疼痛。因此,最重要的因素是溶解区域的扩大。孤立的 > 2 mm 的溶解区对早期松动一定的预测价值,当融合的溶解区域出现则更有意义。把这种在 X 线片溶解区的不同数量组与 X 线片无明显异常的对照组相比,表明溶解区越多,松动越可能发生。Katzer 等对骨溶解假体的治疗提出一流程图(图 49-3)。

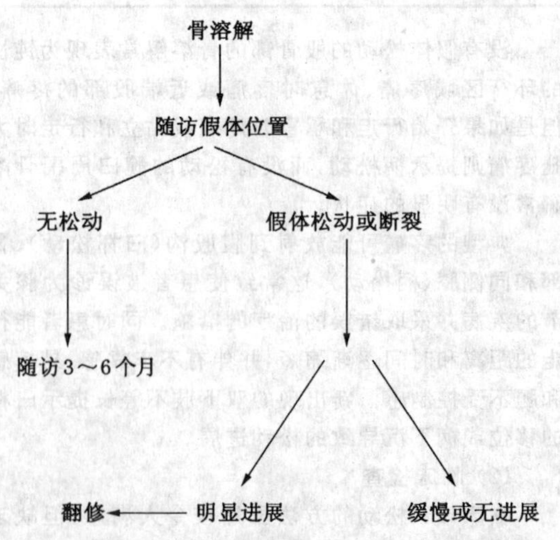

图 49-3 假体周围骨溶解的治疗流程

(iii) 股骨距和假体肩部的骨吸收：在股骨距的吸收经常在非骨水泥柄中看到，这并不提示松动。"剥离"(debonding)，在骨水泥假体肩部外侧界面一条薄的透亮线常在一些应用抛光表面的假体柄(如 Charnley、Exeter 假体)时遇到，也不能被当成松动。只有当这条线达到 2 mm 宽时才有提示早期松动的意义。骨水泥的蠕变形和放射伪影能出现这种影像表现。所以松动的诊断还应结合临床症状和假体是否下沉。

2) 假体及位置

(i) 假体柄的垂直下沉：假体柄的垂直下沉最好通过一系列由可比技术投射出的放射片来观察，也被称为是股骨假体分析(Einzel-Bild-Rontgen-Analyse-femoral component analysis，EBRA-FCA)。大转子尖和假体头中心的垂直距离或假体领下缘和小转子的上缘的距离常被作为一个参考值(图 49-4)。在最初的 2 年下沉 1.5～2.0 mm(临界值)，对柄的早期松动有一定的预测价值。

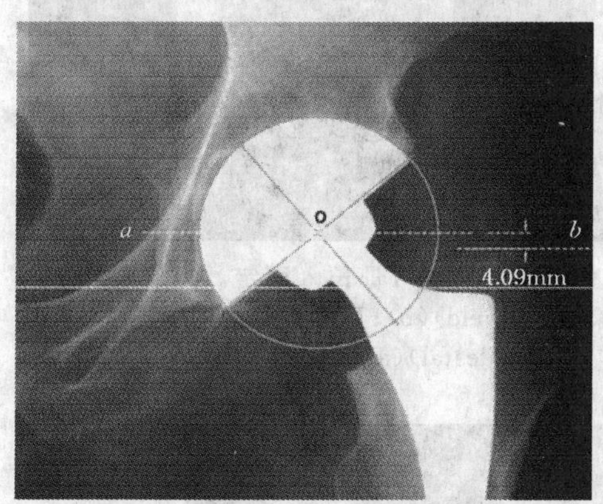

图 49-4 股骨假体的垂直下沉距离

a、*b* 分别为通过旋转中心和大转子最高点并与双侧泪滴最低点连线平行的直线，两者间的垂直距离在初始片与最新随访片间的变化即为股骨假体的垂直下沉距离

当然，现在已清楚的是下沉越早开始，越严重，相对应的松动越早发生并引起疼痛。但是，似乎假体移位有不同的方式，而且非骨水泥假体普遍比骨水泥假体有更严重的初始下沉。下沉的速度加快是松动开始的最可靠的征象。因此，间隔 3～6 个月的定期随访是必要的。

(ii) 柄的移位：逐渐增大的假体柄的内翻或外翻移位和头偏心方向的移位以及柄旋转方向的改变(尤其是后倾方向上的)，往往明确提示松动(图 49-5)。假体周围骨折首先提示潜在的或未被诊断的松动。

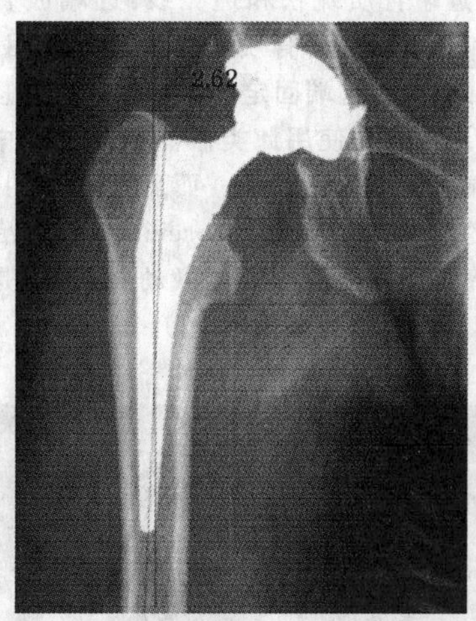

图 49-5 假体柄的位置

通过正位片上测量假体柄长轴与股骨长轴间角度来确定，夹角≤3°为中心固定，＞3°为内翻或外翻固定。本髋夹角＝2.62°，为中心固定

(iii) 臼杯的移位：在 X 线片中，臼杯的位置由经过泪滴点的一条垂直线和一条水平线做参照。患者术后片中臼杯中心与两条线的垂直距离能作为其特异性地显示臼杯移位的参照(图 49-6)。任何投射误差往往以假体头作为参照。＞2 mm 的骨溶解线和臼杯位置的改变(内移、倾斜度和前倾角的变化)以及承重移植骨的吸收或髋臼假体的一部分已穿透髂骨内侧皮质或皮质已发生骨折，也明确提示松动。

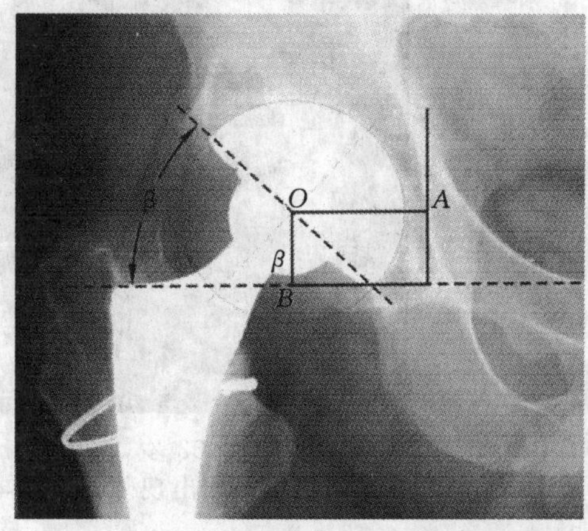

图 49-6 髋臼假体的位置测量示意图

O：髋臼杯开口上下缘顶点的中心；*OA*：水平距离；*OB*：垂直距离；*β*：髋臼外展角

3）假体周围骨质的改变

（i）近端骨质疏松和透亮线：近端股骨表现为去矿化和骨皮质变薄骨质减少是缺乏牢固固定（松动）导致的，或由远端固定假体产生的近端应力遮挡所致（图 49-7），在使用此类假体柄的患者中也常可看到近端股骨细的透亮线。而后期出现的假体-骨界面间的缝隙（imminent loosening）和对治疗不起效的疼痛可能是由假体近端微动所致，这是翻修的指征。

（ii）股骨的重塑：特定假体设计所致远端应力传导，假体硬度不均和骨或假体松动产生的微动都会导致骨膜下新骨形成（图 49-8）（基座现象）。由于骨承受的高水平的机械应力，基座可能融入杵状增厚的皮质中，这种现象被认为是正常的。当在远端固定的假体柄尖周围出现髓内的硬化线，而且硬化线与柄之间存在间隙，并不提示好的骨的整合，而是表明一个频繁的柄尖的疼痛性振动或松动的开始（图 49-9）。

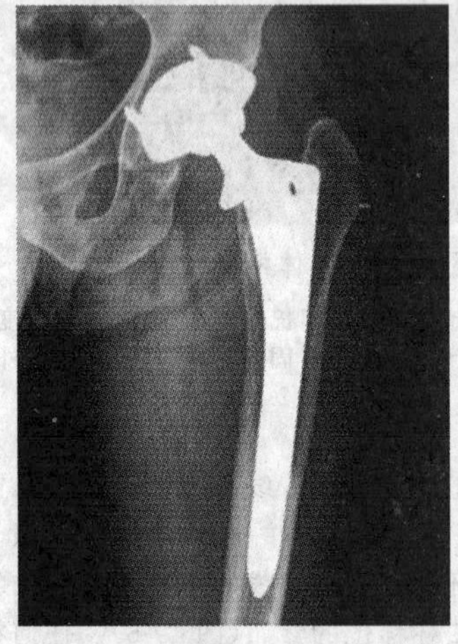

图 49-7 远端固定的 AML 柄，术后 1.5 年出现近端应力遮挡

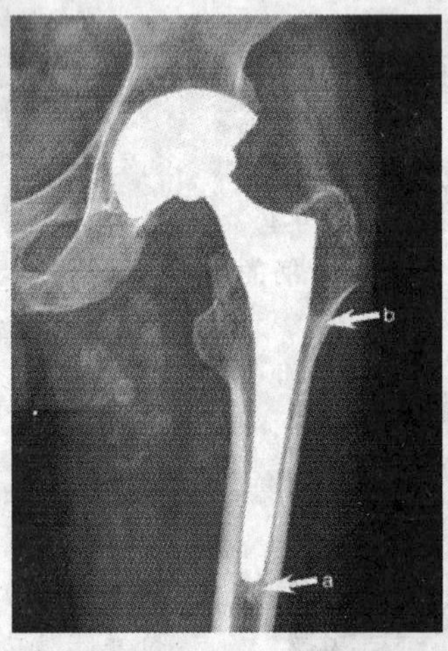

图 49-8 男性，53 岁，术后 7.5 年，骨长入固定。正位近端（右图）可见“点焊”现象（spot-weld）（b）；正侧位均可见远端骨性基座（pedestal）（a）形成

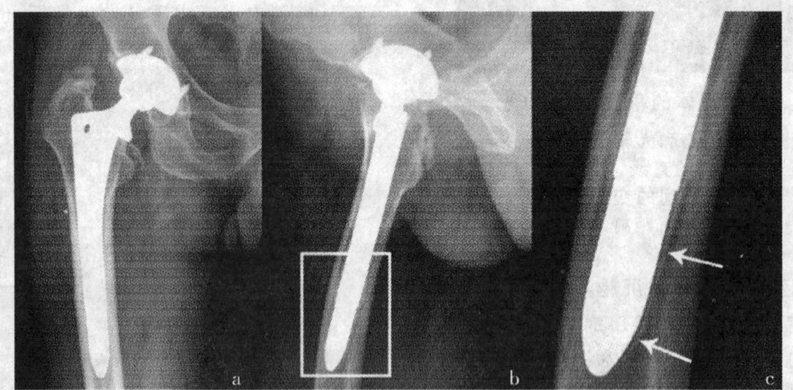

图 49-9 男性，53 岁，术后 7.1 年，骨长入固定，轻度大腿痛。远端放大（c），可见柄远端出现硬化线并与柄之间有间隙形成，表明一个频繁的柄尖的疼痛性振动

点焊(spolt-weld):桥接于骨内膜与假体多孔表面之间的新生骨组织(见图 49-8)。Engh 认为对于生物固定的假体,点焊的出现是骨长入该部位的重要证据。并认为此种现象的出现,表明由假体承载的体重优先由这些部位传导至骨,由于这些部位的局部应力增加导致新骨形成。对这些部位的组织学检测也证明了这一观点。点焊现象出现的同时,常伴随其近端皮质骨的吸收,这主要是由于坚硬的内置物所导致的应力遮挡所致。但当假体与骨之间的弹性模量相近或无区别时,上述两种现象的敏感性就会下降。如当在髓腔比较窄且骨皮质较厚的年轻患者中使用直径较小的假体柄时,常不能观察到上述两种现象的出现。这两种骨重塑的现象的出现同时也受假体设计的影响,Engh 研究表明对于直的无锥度的柄这种影像学上的改变出现的概率要高于锥形柄。

(iii) 异位骨化:除去其他众多的原因和个人体质,异位骨化(Brooker 分级 1～4 或 ARCQ 分级 0～3)也可提示过多的微动和假体周围感染,这两者都将导致松动。

4) 骨水泥套的质量　在任意 Gruen 或 DeLee-Charnley 区中不完整、不均一或直径 <2 mm 厚的骨水泥套;早期的骨和水泥界面上的放射透亮线和柄尖缺乏骨水泥的环绕都暗示骨水泥假体的早期松动将发生。骨水泥套的断裂则表明柄或臼杯的松动已在进展中。

5) 植入物损伤和其他固定材料的断裂　柄的折断通常由于假体的近端松动而远端仍牢固固定。当非骨水泥臼杯或定做的植入物松动时,额外的固定螺钉往往会断裂。薄的聚乙烯内衬伴随着假体头的逐渐离心移位提示过度的磨损是松动的原因。

一般而言,发生临床松动的病例,绝大多数都有明显的 X 线改变,但也有极少数患者虽有明显的临床症状或甚至经翻修手术证实假体已发生松动,而 X 线片上却无松动征象;相反许多 X 线片上被诊断为松动的患者却无明显的临床症状,特别是有些股骨假体可通过假体柄或假体柄和骨水泥在髓腔内的位移,重新获得稳定,而变得不再松动,因而可无临床症状。已有许多学者报道骨水泥固定的抛光假体在术后的 1～2 年之内常出现 1～2 mm 的下沉,以后下沉不再继续发展,假体也不会因此发生松动而导致翻修。故松动的诊断仍应以临床症状为主要依据,而在 X 线片上诊断为松动却没有临床症状的患者,应是重点跟踪随访的对象,因为这类患者很可能在随后的几年之内出现临床症状。

确定症状是由松动引起还是由其他因素引起可能很困难,许多情况下难以确定在股骨或髋臼骨水泥周围形成的透亮区是代表一种非进行性的表现,还是表示松动,抑或是隐匿性感染的结果。无菌性松动通常只能通过一段时间的观察,根据患者的症状是否进展、透亮带是否有进行性变化来确定。基于标准的诊断模式(病史→查体→影像学)对出院后的患者应进行定期的临床及影像随访,可使医师早期发现假体松动的证据,及时对松动的假体进行翻修,保留骨储备,从而避免了大量骨丢失所致的翻修困难。

49.2.2　无菌性松动的防治

预防假体松动应该从引起假体松动的原因入手。针对不同的原因,采取不同的预防措施。

(1) 改进外科技术

假体松动是由于假体固定界面承受的负荷超过其界面结合强度而引起,因此,通过改进外科技术,获得假体-骨水泥-骨组织或假体-骨组织界面间的最大结合力,同时减少作用在界面上的应力强度,可以避免或延缓部分假体松动。①非骨水泥假体的固定是通过压配或(和)骨长入来实现的,因此选择合适的假体尤为重要,特别是股骨假体只有与髓腔紧密配合,才能达到最大的初始界面固定强度,为骨长入提供良好的稳定环境。因此,骨质疏松或髓腔较宽大的患者不宜采用非骨水泥固定。②骨水泥假体除了假体本身的设计因素外,影响假体-骨水泥-骨界面结合强度的最重要因素便是骨水泥技术。早期骨水泥固定型假体失败率较高的一个重要原因便是与当时骨水泥固定技术落后有关。随着第 2 代甚至第 3 代骨水泥技术的应用和推广,加上骨科医师对骨水泥使用技术的经验累积,骨水泥假体的远期松动发生率有了较大程度的减少。③其他可通过控制体重、减少大运动量活动等,达到减少界面应力强度的目的,也有利于减少松动的发生。

(2) 减少应力遮挡

非骨水泥固定假体的直径相对较大,应力遮挡效应表现得也更加明显。手术过程中扩髓腔应以适当为原则,否则扩髓腔不够将不能达到假体与髓腔的密切配合,相反过度扩髓将导致选择过大的假体产生过大的应力遮挡效应。假体材料应选择弹性模量更接近于骨的材料。目前用作股骨假体的材料主要为钛合金和钴-铬合金,钛合金的弹性模量更接近于股骨的弹性模量,因此理论上讲非骨水泥股骨假体选用钛合金更为合理一些。目前,也有一些学者正研究用等弹性材料制作股骨假体,以期减小或避免应力遮挡效应。Engh的研究表明广泛涂层股骨假体的应力遮挡效应要大于仅近端涂层的假体,因此多数学者认为股骨假体的涂层范围应以近端1/3～1/2为宜。只有翻修手术时,由于股骨近端骨质情况较差或有骨缺损,才考虑使用全长表面涂层假体。

(3) 减少磨损颗粒的产生

目前,已采用了许多方法来降低磨损,第2代金属对金属的全髋关节假体、陶瓷对陶瓷关节面、高交联聚乙烯内衬可明显减少磨损颗粒的产生。除了通过以上工艺上的改进可达到减少磨损颗粒的发生外,手术中如果完善手术技巧,同样可以减少磨损的发生。首先安装假体前应将用于假体附着的股骨和髋臼骨面上的碎骨渣、软骨渣、软组织及血凝块等彻底清除干净,避免这些颗粒对假体和骨水泥产生新的损害。其次,安装假体时应保护好假体的关节面,避免产生划痕。关节面上即使非常小的划痕,也会明显加速关节面的磨损。最后安装完假体后关节复位前,应将关节内及其周围的所有碎屑全部清除干净,否则这些碎屑进入关节后会造成“三体”磨损,进一步加速关节面的磨损。尽管人们采用许多办法来降低磨损碎屑的产生,但要完全杜绝磨损颗粒的产生是不可能的。因此,只有进一步了解磨损颗粒诱导骨吸收的详细机制,才有可能针对某个中间环节进行干预,以防骨溶解的发生。

(4) 预防或治疗骨质疏松

施行全髋关节置换术的患者绝大多数为老龄患者,一方面随着年龄的增高,骨质疏松的发生率越来越高,而且程度越来越严重,尤其是女性患者;另一方面,假体周围的骨吸收也可以看成是发生在局部的“骨质疏松”。因此,综合、规律、长期和系统应用抗骨质疏松症药物预防或治疗骨质疏松症,可以延缓假体松动的发生。

(5) 假体松动的治疗

对于已发生假体松动的患者究竟采用哪种治疗方法,应结合患者的一般状况、对功能的要求情况以及疼痛的严重程度等多方面的因素,制订相应的治疗措施。出现以下两种情况时,考虑保守治疗:①疼痛不重,经休息后明显缓解或消失;②患者年龄较大,身体条件较差,难以耐受复杂的翻修手术者,使用外支撑或应用非甾体类抗炎药物治疗,可起到缓解疼痛的作用。否则,目前解决假体松动的唯一办法仍然是进行翻修手术。

49.3 感染性松动的诊断及治疗

关节置换的术后感染通常是灾难性的。患肢出现疼痛、活动障碍,治疗常需将假体与骨水泥一起取出,花费巨大,报道的死亡率在7%～62%。20世纪70年代,全髋关节置换术后的感染率高达11%。将巨大的异物埋入体内、手术时伤口内留有巨大的死腔,以及此手术常用于年老体弱患者是发生感染的诱发因素。Gristina和Costerton认为带金属植入物的患者感染率较高且难以根治的部分原因,可能是由于细菌在生物材料表面的生物膜中生长所造成,此时细菌被阻隔于机体的防御系统和抗生素之外而不能被杀灭,除非将假体取出,否则感染灶很难清除。所幸的是,随着我们对病例选择的深入理解,手术室环境的改善,手术技术的提高,以及预防性抗生素的应用,已经大大降低了这种毁灭性并发症的发生率,发病率为0.06%～1.2%。

(1) 诊断

对所有怀疑有假体松动的患者,都应考虑到感染的可能。当怀疑感染时,应检查炎症的实验室指标(例如,血细胞沉降率、白细胞计数、C反应蛋白),也需在严格无菌的条件下做关节穿刺抽吸,抽吸液应做微生物检查。为了避免一个假性结果,关节穿刺应提前2周停用任何非特异的抗生素治疗。相对后期出现的松动来说,在术后的第1年出现的松动常由于感染(持续、间断的CRP升高)引起,假体周围轻度感染和未被充分治疗的感染易被微生物检查漏诊,而C反应蛋白检测是一较敏感指标。

同时应仔细阅读X线片,判断有无假体松动。出现花边状新生骨时,应怀疑存在感染。出现局限性扇形的内膜处骨侵蚀,或在术后早期假体周围即出现的并呈渐进性发展的透亮线时,同样应怀疑存在感染,但上述发现不能可靠地鉴别无菌性松动和感染性松动。骨膜新生骨形成高度提示感染的存在,可惜这一表现并不常见(图49-10),放射性核素扫描可提供更有意义的资料，111 铟标记的白细胞扫描似乎比先前研究的方法更为可靠。

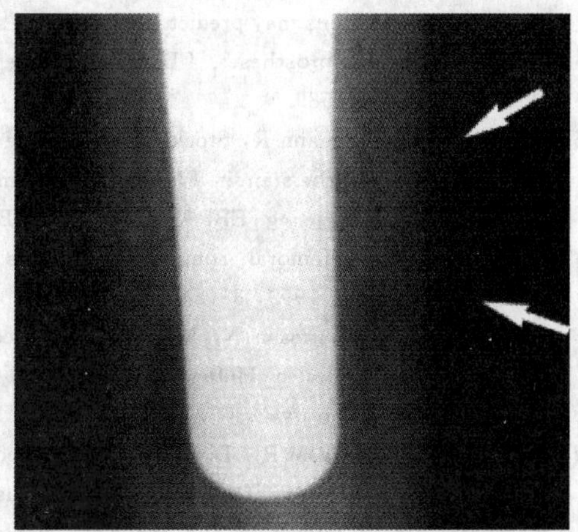

图 49-10 出现感染时的骨膜新生骨形成

74 岁，女性，术后持续疼痛 18 个月。影像示假体柄尖端出现局灶性骨溶解和淡淡的骨膜增厚（箭头所示），关节穿刺液中分离出金黄色葡萄球菌

如果病史、X 线片、实验室检查都提示有感染，可行关节穿刺确定诊断，并吸取液体进行培养。穿出浑浊液体或脓性分泌物即可确诊，但仍应进行需氧菌和厌氧菌培养及抗生素敏感试验。必要时可将培养物保存以便进行进一步的细菌敏感性研究。穿刺时，可同时进行关节造影检查，显示未发现的脓腔和窦道。

(2) 治疗

几乎所有发生深部迟发性感染的患者都需要进行清创、取出假体和骨水泥、静脉使用抗生素。如病史显示感染已存在数周或数月，手术可以推迟数日，待关节液的培养和敏感性试验结果已出、合适的抗生素已选定后再进行。但如果患者病情严重、中毒症状明显，手术就不能耽搁，应该尽快安排手术探查关节，以减轻毒血症，避免进一步的组织破坏。由于手术中可能失血较多，或者患者可能由于长期迁延性感染已经存在贫血，所以应准备几个单位的血。

对于关节置换术感染后行翻修手术仍有争议。患者的功能障碍情况、致病菌的种类、清创是否彻底、局部或远隔部位感染控制情况，都是决定翻修手术时要考虑的因素。一期翻修只应用于低毒性致病菌感染、已经彻底清创、有合适抗生素可以掺入骨水泥并可进行静脉使用抗生素的患者。大多数学者主张分期或延迟施行翻修手术，在初次病灶清除时可放入含抗生素的骨水泥假体，骨水泥假体是手术中在简易股骨假体和全聚乙烯臼的外面加骨水泥塑形而成，这种定制的假体与髓腔之间密切匹配，但并不追求骨水泥嵌入，以减小二次手术时取出的难度。在二次手术的间歇期间，这种关节占位器可以保持肢体的长度，改善对肢体的控制和患者的活动。一般情况下，对这种患者应至少静脉使用抗生素治疗 6 周，对低毒致病菌感染的翻修术可在 3 个月后进行；但对高毒、耐药菌株感染或多种细菌感染，一般将手术推迟约 1 年。在行翻修手术之前，要反复进行放射性核素扫描、血细胞沉降率检查及穿刺培养。

（裴福兴　张　晖）

参考文献

[1] Adam F, Hammer DS, Pfautsch S, et al. Early failure of a press-fit carbon fiber hip prosthesis with a smooth surface. J Arthroplasty, 2002, 17(2):217～223.

[2] Brooker AF, Bowerman JW, Robinson RA, et al. Ectopic ossification following total hip replacement. Incidence and a method of classification. J Bone Joint Surg Am, 1973, 55:1629～1632.

[3] Buchholz HW, Elson RA, Heinert K. Antibiotic-loaded acrylic cement: current concepts, Clin Orthop, 1984, 190:96.

[4] Buchholz HW, von Foerster G, Heinert K. Management of infected prostheses. Orthopedics, 1984, 7:1620.

[5] Chambers IR, Fender D, McCaskie AW, et al. Radiological features predictive of aseptic loosening in cemented Charnley femoral stems. J Bone Joint Surg Br, 2001, 83(6):838～842.

[6] Comadoll JL, Sherman RE, Gustilo RB, et al. Radiographic changes in bone dimensions in asymptomatic cemented total hip arthroplasties, J Bone Joint Surg, 1988, 70(A):433.

[7] Dorr LD, Wan Z, Longjohn DB, et al. Total hip arthroplasty with use of the Metasul metal-on-metal articulation: Four to seven-year results. J Bone Joint Surg, 2000, 82(A):789～798.

[8] Engh CA. Porous coated hip replacment: The factor, governing bone ingrowth, stress shielding and clinical results. J Bone Joint Sing, 1987, 69(A): 45.

[9] Engh CA, Bobyn JD. The influence of stem size and extent of porous coating on femoral bone resorption after primary cementless hip arthroplasty. Clin Orthop, 1988, 231:7.

[10] Engh CA, Hooten JP, Zettl-Schaffer KF, et al. Evaluation of bone ingrowth in proximally and extensively porous-coated anatomic medullary locking prostheses retrieved at autopsy. J Bone Joint Surg, 1995, 77(A):903～910.

[11] Engh CA, O'Connor D, Jasty M, et al. Quantification of implant micromotion, strain shielding, and bone resorption with porous-coated anatomic medullary locking prostheses. Clin Orthop, 1992, 285: 13～29.

[12] Fitzgerald RH Jr. Total hip arthroplasty sepsis. Prevention and diagnosis. Orthop Clin North Am, 1992, 23:259～264.

[13] Garvin KL, Evans BG, Salvati EA, et al. Palacos gentamicin for the treatment of deep periprosthetic hip infections, Clin Orthop, 1994,298:97.

[14] Goodman SB, Huene DS, Imrie S. Preoperative templating for the equalization of leg lengths in total hip arthroplasty, Contemp Orthop, 1992, 24:703.

[15] Gristina AG, Costerton JW. Bacterial adherence to biomaterials and tissue: the significance of its role in clinical sepsis, J Bone Joint Surg, 1985, 67(A):264.

[16] Hamadouche M, Boutin P, Daussange H, et al. Alumina-on-lumina total hip arthroplasty. J Bone Joint Surg, 2002, 84(A):69～77.

[17] Haraguchi K, Sugano N, Nishii T, et al. Analysis of survivorship after total hip arthroplasty using a ceramic head. Clin Orthop Rel Res, 2000, 391:198～209.

[18] Harris WH. Early loosening of the femoral component at the cement-prosthesis interface after total hip replacement. J Bone Joint Surg Br, 1997, 79(2):313.

[19] Harris WH. Will stress-shielding limit the longevity of cemented femoral components of total hip replacement? Clin Orthop,1992, 274:120～123.

[20] Jones CP, Kelley SS. Cementless fixation of the femoral stem. Curr Opin Orthop, 2001,12:52～56.

[21] Katzer A, Loehr JF. Frühlockerung von Hü ftgelenkendoprothesen. Deutsches Artzeblatt, 2003, 12:621～626.

[22] Katzer A, Loehr JF. Early loosening of hip replacements: causes, course and diagnosis. J Orthopaed Traumatol, 2003, 3:105～116.

[23] Katzer A, Mittelstädt H, von Foerster G. Treatment of periprosthetic fractures of the femur. Eur J Trauma, 2002, 28(1):79.

[24] Kobayashi A, Donnelly WJ, Scott G, et al. Early radiological observations may predict the long-term survival of femoral hip prostheses. J Bone Joint Surg Br, 1997, 79(4):583～589.

[25] Krismer M, Biedermann R, Stockl B, et al. The pediction of failure of the stem in THR by measurement of early migration using EBRA-FCA. Einzel-Bild-Roentgen Analyse-femoral component analysis. J Bone Joint Surg Br, 1999, 81(2):273～280.

[26] Lichtinger TK, Schürmann N, Müller RT. Frühlockerungen eineszementierten Hüftendoprothesenstiels aus Titan. Der Unfallchirurg, 2000, 103:956～969.

[27] Maher SA, Prendergast PJ. Discriminating the loosening behaviour of cemented hip prostheses using measurements of migration and inducible displacement. J Biomech, 2002, 35:257～265.

[28] Manaster BJ. Total hip arthroplasty: imaging evaluation. J South Orthop Assoc, 2001, 7(2):95～108.

[29] McDonald DJ, Fitzgerald RH Jr, Ilstrup DM. Two-stage reconstruction of a total hip arthroplasty because of infection, J Bone Joint Surg, 1989, 71(A):828,

[30] McKellop H, Shen FW, Lu B, et al. Development of an extremely wear-resistant ultra high molecular weight polyethylene for total hip replacements. Orthop Res, 1999, 17:157～167.

[31] Merkel KD, Brown ML. Comparison of indium-labeled leukocyte imaging, J Bone Joint Surg, 1985, 67A:465.

[32] Muratoglu OK, Bragdon CR, O'Connor DO, et al. A novel method of crosslinking UHMWPE to improve wear, reduce oxidation and retain mechanical properties. J Arthroplasty, 2001, 16:149～160.

[33] Poss R, Staehlin P, Larson M. Femoral expansion in total hip arthroplasty. J Arthroplasty, 1987, 2:259.

[34] Schöll E, Eggli S, Ganz R. Osteolysis in cemented titanium alloy hip prosthesis. J Arthroplasty, 2000, 15(5):570～575.

[35] Schöll E, Eggli S, Ganz R. Osteolysis in cemented titanium alloy hip prosthesis. J Arthroplasty, 2000, 15(5):570～575.

[36] Siebold R, Scheller G, Schreiner U, et al. Langzeitergebnisse mitdem zementfreien CLS-Schaft von Spotorno. Orthopäde, 2001, 30:317～322.

[37] Trnka HJ, Zenz P, Zembsch A, et al. Stable bone integration with and without short-term indomethacin

prophylaxis. Arch Orthop Trauma Surg，1999，119：456～460.

[38] Wilson PD Jr，Amstutz HC，Czerniecki A，et al. Total hip replacement with fixation by acrylic cement. A preliminary study of 100 consecutive McKee-Farrar prosthetic replacements. J Bone Joint Surg Am，1972，54：207～236.

[39] Witzleb WC，Menschikowski M. Harnkonzentrationen von Kollagenabbauprodukten bei Endoprothesenlockerungen. Z Orthop，2001，139：240～244.

50 脊柱内固定的指征、技术及策略

脊柱外科的原则并没有一个统一的定论，一般认为应主要包括以下几方面：①尽早解除神经组织的压迫状态；②恢复脊柱三维排列；③永久与即刻稳定脊柱；④保护脊髓及周围软组织；⑤尽量保留脊柱的运动功能；⑥早期无痛恢复脊柱脊髓功能。

在20世纪中叶以前脊柱外科医师所能做的主要是解除神经组织压迫和植骨融合，由于当时只有钢丝、螺钉等简单的内固定，只能依靠牵引和石膏等外固定方法，达到部分恢复脊柱序列及临时与长期稳定脊柱的目的。患者需要长时间卧床，痛苦增加，而且治疗效果并不满意。随着生物力学和材料技术的巨大进步，脊柱内固定自20世纪60年代以后进入了蓬勃发展的时代，目前已经出现了令人眼花缭乱的内固定物，但不论何种内固定物其所起的作用是一样的，即恢复并维持脊柱的三维序列，达到即刻与永久稳定脊柱的目的。同时在设计使用内固定时应注意保护脊柱脊髓周围的软组织和运动功能。

内固定发展到今日，从设计理念上可以分为两大类：融合技术与非融合动态固定技术。脊柱是一个多关节的复合体，有关节就会产生不稳定和疼痛，为了达到持久的稳定必须牺牲一部分运动功能，否则可能产生内固定的失败、脊柱序列的丢失和疼痛等一系列问题。目前绝大部分内固定技术是基于融合脊柱病变节段的原理开发的，以牺牲关节的活动换取稳定和无痛，这虽是无奈的选择但确实是行之有效的手段。目前的金标准仍是融合固定原理，固定是为了促进融合，只有融合才能达到无痛的永久的稳定。近20年来，正如髋、膝关节手术所经历的历程，人们在逐步开发非融合动态固定技术，希望在解决问题的同时保留脊柱的运动功能。但是目前这类技术仍在发展阶段，没有一个明确的方向和技术原则，也许需要另一个10年才能有比较成熟的技术规范。因此，本章节主要介绍融合固定技术，对非融合动态固定技术只做简单的介绍。

脊柱融合固定技术按照AO组织生物力学原理主要分以下几类：支撑，如颈椎前路钢板；中和，如胸腰椎侧方钢板；张力带，如胸腰椎椎弓根螺钉系统；拉力螺钉，如齿突螺钉。在这些内固定技术中必须牢记内固定只是矫正畸形、恢复脊柱序列并暂时维持序列以促进融合，要达到永久稳定，脊柱的融合才是最重要的步骤。

非融合技术主要包括人工椎间盘、人工小关节、动态固定技术等。

50.1　上颈椎

上颈椎主要指枕骨、寰椎、枢椎复合体，先天性畸形、创伤、肿瘤、炎症等会引起枕寰枢复合体稳定性的丧失，这时就需要使用内固定恢复其正常的序列和稳定性。目前主要使用的上颈椎内固定包括枕颈固定、寰枢椎固定、解剖型固定等3类。

50.1.1　枕颈固定

枕颈固定是一种牺牲头颈部旋转、屈伸功能的技术，主要用于不能复位的、陈旧性的寰枢椎骨折脱位所造成的枕颈部不稳，枕颈部先天性畸形，如齿突发育不良、颅底凹陷、Chiari畸形需要行枕大孔减压，枕颈部椎管内肿瘤需行后路减压肿瘤摘除，以及寰枢椎椎体肿瘤或结核、感染、类风湿关节炎造成神经压迫或稳定性丧失需要重建枕颈复合体的稳定性。其缺点是由于需要固定枕骨、C_2、C_3甚至C_4，而颈部70%的旋转功能是寰枢椎完成的，因而枕颈固定后头颈部的旋转、屈伸活动基本丧失。此外，对于发育中的儿童不主张使用枕颈固定，可以施行外固定保护下的枕颈融合，如头颈胸石膏、Halo架等。在枕颈固定技术方面，板棒螺钉系统内固定术较钢丝内固定提供了更为坚强的内固定，使术后外固定的要求不再那么苛刻。板棒螺钉内固定无需像钢丝那样穿越椎管进行椎骨后结构结扎；对植骨块的大小、形状、强度的要求降低，甚至可以采用碎骨植骨术。由于可以对内固定材料进行改良及塑形，对局部有大块骨缺损或者广泛性减压的患者，仍可进行内固定。

目前枕颈固定常用的为螺钉加板棒系统，如Synthes公司的Cervifix和Starloc，Sofamor公司的Vertax，Depuy公司的Summit，Styker公司的Oasys等。其设计大同小异，主要包括枕骨板和颈椎棒两部分，枕骨板通过4枚左右双皮质螺钉固定于骨质最厚的枕骨隆突下近枕骨中线部位，C_2采用椎弓根螺钉，C_3、C_4（如果用必要的话）采用侧块螺钉固定（图50-1）。目前主流的设计均是万向头螺钉、上方置棒、带钉棒锁紧帽。

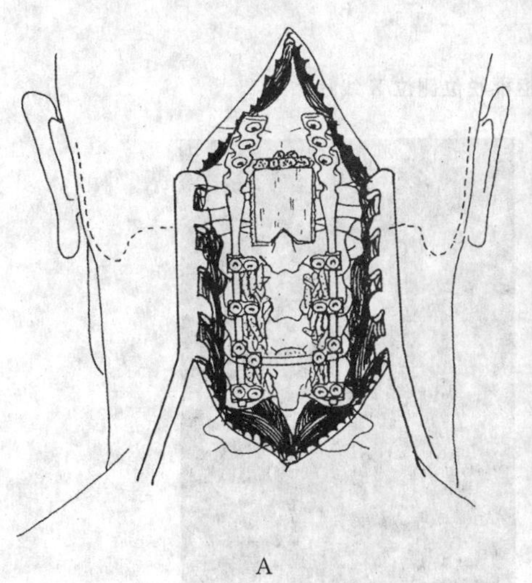

A

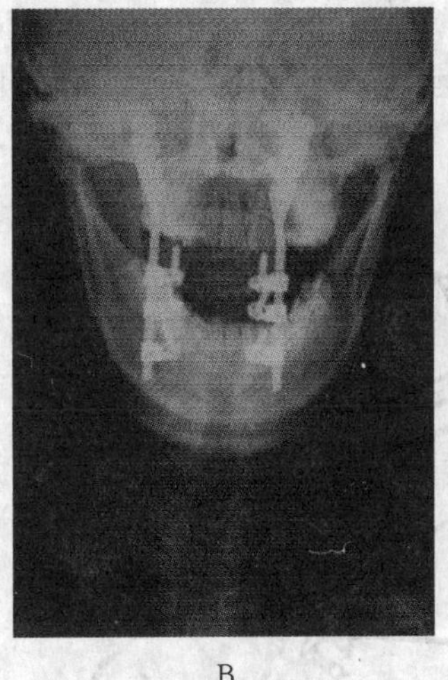

B

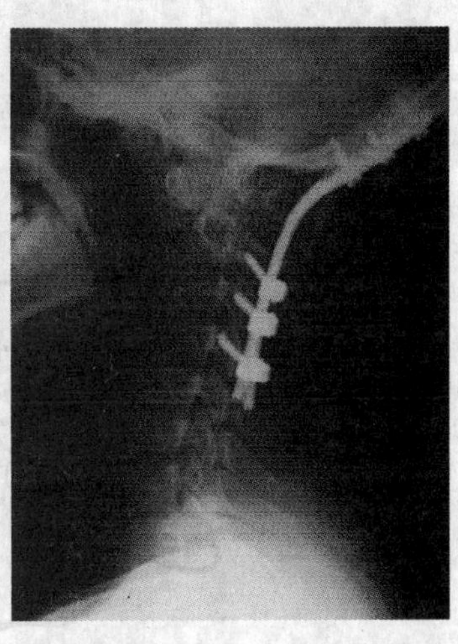

C

图50-1　枕颈固定

A. Cervifix固定植骨融合术示意图　B. Cervifix枕颈固定植骨融合寰椎后弓减压术治疗陈旧性寰枢椎脱位术后正位X线片　C. 术后侧位X线片

使用枕颈固定时注意，要将枕颈部固定于一个合适的位置，也即能够保证眼睛能够平视前方，因此在术中布放体位时注意设计好头颈部的角度。术中枕骨螺钉一般为双皮质固定，钻孔时如果出现脑脊液漏将枕骨螺钉拧入钉孔可以起到填堵的作用。还有很重要的一点就是在枕骨和颈椎之间植骨床的准备和大量的植骨，最好是自体大块髂骨，以确保枕颈部的永久融合和稳定，否则融合失败导致的内固定失败并不罕见。

50.1.2 寰枢椎固定

寰枢椎固定主要针对寰枢椎不稳，包括寰椎横韧带断裂、齿突骨折等创伤，齿突发育不良等先天性畸形。常用的寰枢椎固定方式包括如下。

(1) 钢丝或钛缆

钢丝或钛缆配合大块植骨块使用，固定寰椎后弓和枢椎棘突椎板之间。常用的为 Brooks 或 Gallie 法及其各种改良方法(图 50-2、50-3)。前提条件是寰枢椎后结构完整，寰枢椎复位相对理想。对脱位 $C_1 \sim C_2$ 进行牵引复位，使其达到解剖复位或者接近解剖复位，是寰枢椎融合的重要前提。$C_1 \sim C_2$ 平面椎管的宽度，特别是寰椎后弓内侧缘到脊髓硬膜之间的有效间隙，影响到椎板下穿钢丝的安全性和成

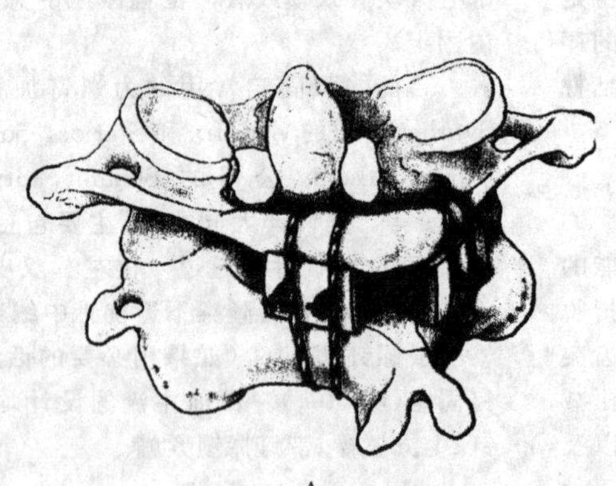

A

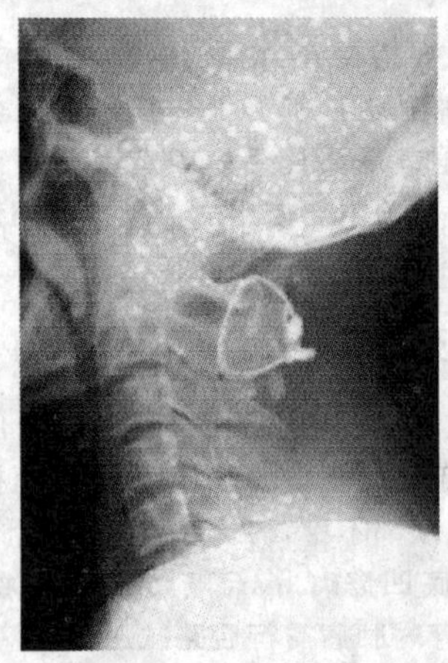

B

图 50-2 Brooks 法

A. 示意图 B. 钛缆 Brooks 法固定治疗寰枢椎脱位侧位 X 线片

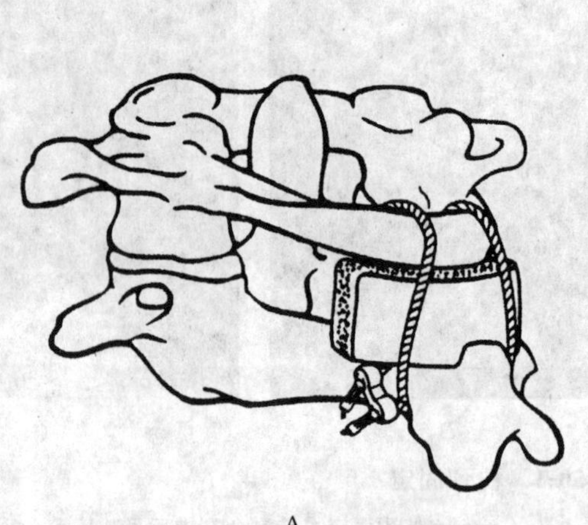

A

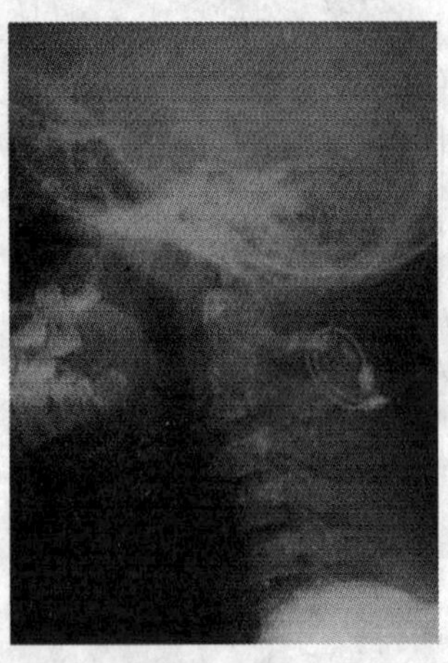

B

图 50-3 Gallies 法

A. 示意图 B. 钛缆 Gallie 法固定治疗寰枢椎脱位侧位 X 线片

功率，寰枢椎复位极大地减少损伤脊髓的可能。寰椎后弓的完整性是手术固定的基本条件，通过影像检查排除后弓骨折及先天性畸形后弓缺如的可能。由于钢丝或钛缆只固定了寰枢椎后结构，因而抗屈伸和左右侧屈活动尚可，抗旋转能力较差，一般术后建议辅以外固定。其优点是操作较简便，由于寰枢椎代偿间隙较大，安全性较好，尤以 Gallie 法使用更广泛。

Atlas 钛缆由 Sofamor 公司开发设计。Atlas 钛缆由 7 条线构成，每条线又由 7 股线构成，即每根线缆包含 49 根线，其柔韧度和强度均比单股钢丝更好，并可控制钢缆的锁定张力。线缆一端有一个固定夹，经过退火处理软化，能被模锻成环绕线缆的形状，纵使受到能拉断线缆的拉力作用，固定夹也不会滑落，其头端有 20°的角度可调。Songer 钛缆为 Depuy 公司产品，线缆结构与 Atlas 钛缆相似，锁紧扣设计略有差别，该钛缆系一端制成小套圈结构，可容钛缆穿过，收紧钛缆后采用固定夹垫圈在其游离端用收紧钳扣紧。其收紧钳的应用比 Atlas 钛缆相对简捷。钛缆直径 1.0 mm，长度 464 mm。

(2) 椎板夹

其适应证和优缺点与钢丝钛缆类似，唯使用时更加简便和安全。所有的钢丝固定技术包括了从寰椎椎弓下穿过一根钢丝，而后穿过枢椎棘突的 Gallie 法或者继续从枢椎椎板下穿过的 Brooks 法。而 Halifax 和 Apofix 是采用椎板钩勾住 C_1 及 C_2 椎板后连接固定的一种固定方法，它减少了穿钢丝过程中损伤脊髓的可能。

Apofix 是美国 Sofamor 公司产品，是使用椎板夹来固定的一套颈椎后路内固定系统，适合于颈椎后路手术内固定。它由上、下椎板钩和中间的连接套筒组成，通过内外套筒相嵌插来进行连接。结构简单，无需螺母、螺钉等任何锁紧装置。使用时通过加压钳将上、下椎板钩向中间加压来完成复位，最后在套筒连接部进行直接夹紧挤压使其变形锁紧，再将上、下椎板钩连接成为一整体装置。植入方便，夹紧牢固(图 50-4)。Halifax 由相对的一对椎板钩组成，中间由加压螺杆连接，安放于相邻椎板间，通过拧动螺母对椎板钩进行加压固定。与 Apofix 一样可单侧使用，但更多的是双侧使用；可用于下颈椎，但更多的是用于上颈椎。

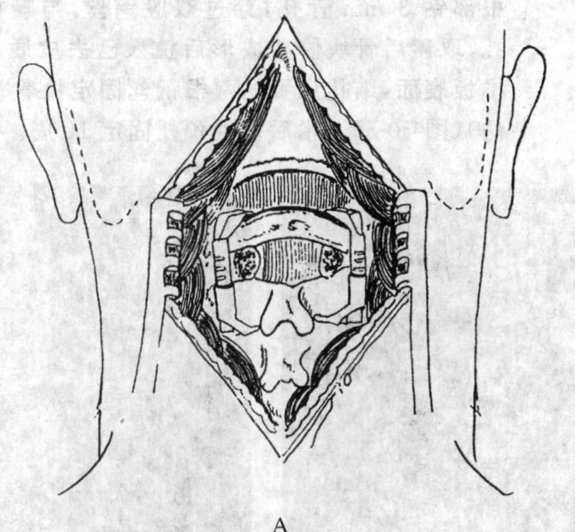

A

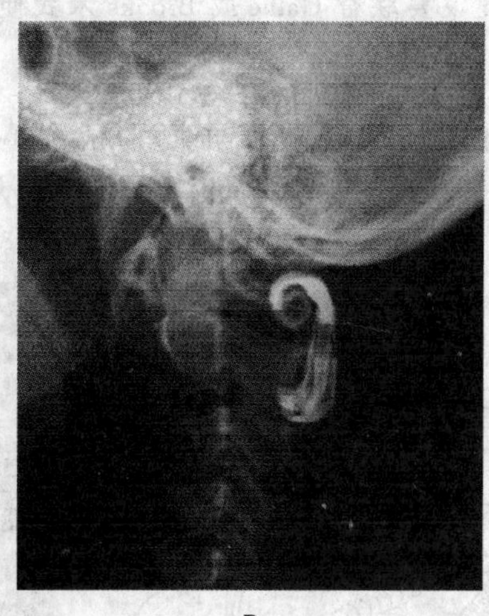

B

图 50-4 椎板夹

A. Apofix 椎板夹示意图 B. Apofix 椎板夹固定治疗齿突骨折侧位 X 线片

椎板钩内固定系统由两根平行放置的椎板钩组成，由于其纵向加压作用使寰椎后弓、植骨块及枢椎椎板连成一体。在颈椎前屈时椎板钩具有抗张力作用，颈椎过伸时植骨块起到抗压缩力作用，且椎板钩抗寰枢椎轴向旋转强度与抗向前平移强度均要优于 Gallie 法钢丝内固定。Apofix 较 Halifax 结构更为简单，操作方便。因而椎板钩加压内固定受到一些学者的推荐。但椎板钩也存在一些缺点，如单侧挂钩缺乏抗旋转能力,存在疲劳性松动的可能,又由于椎板钩需占据一部分椎管空间,对体型较小的患者脊髓受累的危险性增加。此外,对于齿突骨折的病例,在椎板钩加压时要适度,防止过分加压形成寰枢椎后脱位造成新的压迫。有学者报道其并发症发生率高达31%。Moskovilh等报道一组自体植骨椎板挂钩加压内固定病例,12周内时愈合率为80%。5例不愈合均为术中使用安装内固定不正确所致。因此,应在严格手术适应证范围内,熟悉内固定方法的前提下使用Apofix和Halifax椎板钩加压内固定系统。

(3) 后路寰枢椎经关节螺钉固定

后路寰枢椎经关节螺钉固定(posterior atlanto-axial transarticular screw fixation, Magerl技术)是法国医师Magerl于1987年首先使用的技术。适应证同前。使用1枚螺钉穿过C_1～C_2关节间隙,终止于寰椎侧块。这项技术可以用于寰枢椎后结构不完整时,但要求寰枢椎复位要比较理想。其力学强度较钢丝钛缆或椎板夹更强,尤其是抗扭转力矩更优秀,可以消除寰枢椎间的活动,促进植骨融合,被认为是寰枢椎固定融合的金标准,一般建议要联合Gallie或Brooks术式使用。缺点是技术要求高,危险性大。

为了方便术中螺钉的置入,应在维持C_1～C_2复位的前提下尽量屈曲头部,并采用Mayfield骨钳固定头颅,X线透视C_1～C_2复位情况,如果有C_1～C_2前脱位,可升高固定钳使颈部后伸C_1～C_2复位。有时要维持C_1～C_2复位必须过度仰伸头颈部,不利于施行Magerl技术,此时可在C_7附近打两个皮下隧道,避免术中过多的显露下颈椎。

做枕颈部后正中切口,显露出C_1后弓及C_2椎板,并沿着C_2椎板上缘剥离,暴露出寰枢关节囊并将其切开。注意保护枕大神经,其从C_1～C_2椎板间隙穿出跨越C_1～C_2关节囊后分布于枕后部。防止寰枢关节外侧静脉窦损伤,如有出血,可采用明胶海绵堵塞或者双极电凝止血。切除C_1～C_2关节间隙软骨,可直视下看到螺钉穿过该关节间隙进入寰椎侧块,并在关节间隙植骨融合,增加其稳定性。螺钉的进针点位于C_2椎弓根矢状面轴线上,在双C臂机透视监测下,对着寰椎前弓逐渐向前钻入克氏针导针,看到导针穿过进入C_1～C_2关节间隙进入寰椎侧块,直至完全穿过对侧皮质骨层。测量骨孔深度后采用直径3.5 mm的丝锥攻丝。为消除寰椎前脱位,可留置该丝锥,起临时固定作用,再对另一侧进行同样的操作。最后在双侧各插入一枚直径为3.5 mm或4.0 mm的皮质骨螺钉进行固定。不建议使用空心螺钉,有断裂可能。如果寰椎后弓完整,可采用钢丝或者钛缆结扎寰椎后弓,再在枢椎棘突根部钻3 mm骨孔,穿过双股钢丝,与寰椎钢丝结扎,取髂后骨块修剪成形后植入已去皮质的寰枢椎椎板表面,结扎预置的两根钢丝固定植骨块(Gallie法)(图50-5)。术后硬性颈托固定10周。

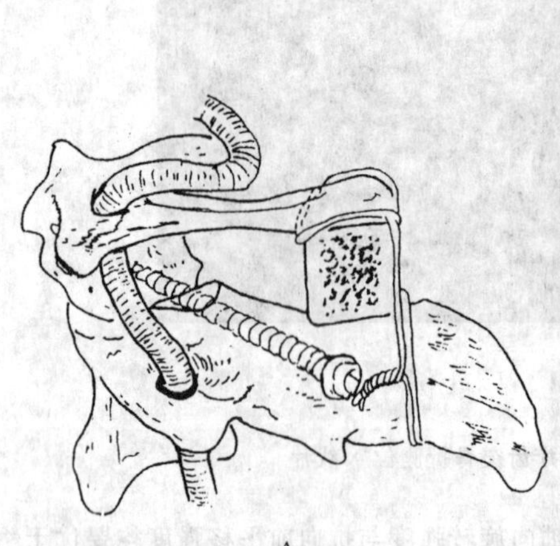
A

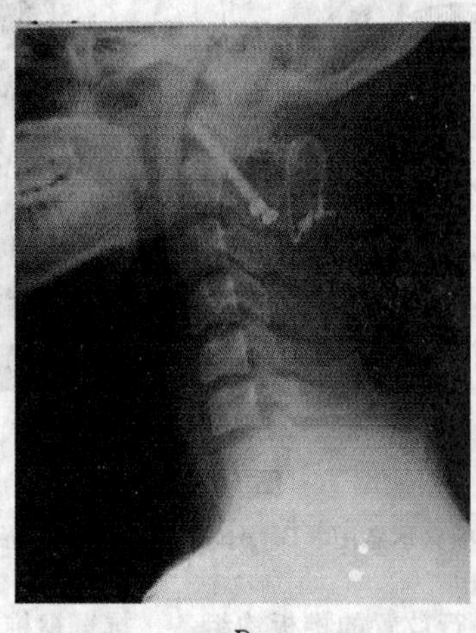
B

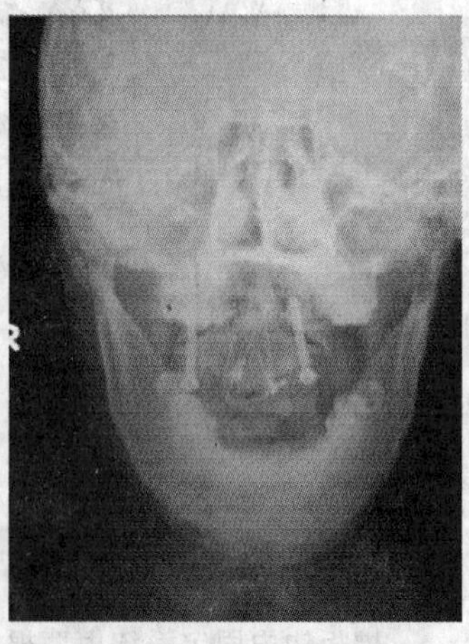

C

图50-5 后路寰枢椎经关节螺钉固定合并Gallie术

A. 矢状面示意图 B. 后路寰枢椎经关节螺钉固定合并Gallie术治疗齿突骨折术后侧位X线片 C. 术后张口位X线片

(4) 寰枢椎椎弓根螺钉固定(Harms 技术)

1994 年印度医师 Geol 使用 $C_1 \sim C_2$ 钉板系统治疗上颈椎疾患。2001 年德国医师 Harms 将之改进为万向钉棒系统,在临床上取得满意效果,因此文献中也常称之为 Harms 技术。其最大优点在于可以通过寰椎螺钉进行矢状面、冠状面和旋转上的三维复位,而不要求术前寰枢椎的解剖复位;缺点是解剖结构复杂,对技术要求极高。寰椎螺钉固定技术主要包括寰椎侧块螺钉与椎弓根螺钉两大类,两者的主要区别在于进钉位置不同因而螺钉长度也不同。寰椎侧块螺钉进钉点位置在寰椎后弓下缘与侧块后缘的移行处下缘中点,进钉方向为矢状正中或略偏内。椎弓根螺钉则是由寰椎后弓和后弓峡部至寰椎侧块内的技术,进钉点为枢椎侧块内外缘的中点做垂线,与寰椎后弓上缘交点的正下方 3.0 mm 处,螺钉内倾 10°,上倾 5°,钉长约 30 mm (图 50-6)。其长度大于侧块螺钉,另外不需显露寰枢椎侧块关节后方粗大的静脉丛和 C_2 神经根,但前提是寰椎后弓应有足够的厚度。寰椎螺钉钉道起始部多为皮质骨,寰椎前弓前方有颈内动脉上行,寰椎侧块前方为咽后壁,还有舌下神经通过,解剖复杂,危险性极大。

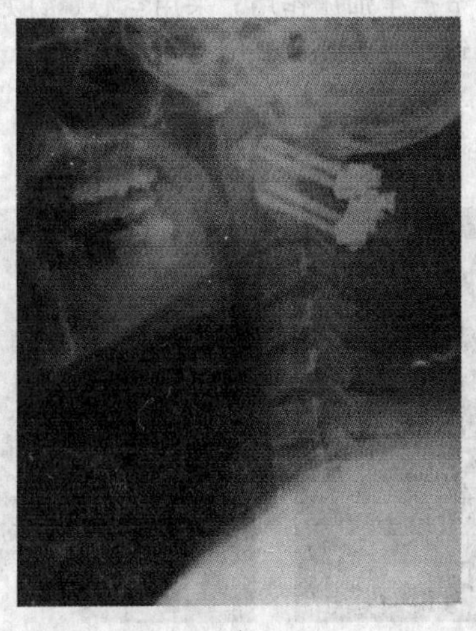

A

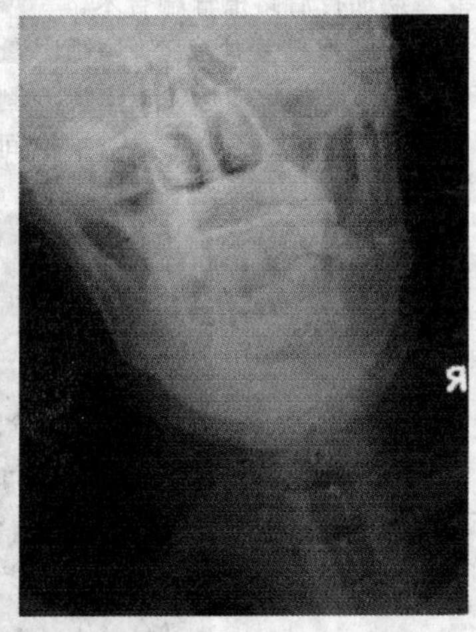

B

图 50-6 寰枢椎椎弓根螺钉固定

A. 寰枢椎椎弓根螺钉固定治疗齿突骨折术后侧位 X 线片 B. 术后正位 X 线片

(5) 前路寰枢椎经关节螺钉固定

前路寰枢椎经关节螺钉固定(anterior atlanto-axial facet screw fixation)术是一种典型的补救性技术,它适用于那些无法行寰枢椎后路固定的复杂患者。前路寰枢椎经关节螺钉能提供坚强的内固定,然而在前路固定的同时往往难以行植骨促进融合,因此需要用刮匙刮除寰枢椎关节面的软骨及软骨下皮质骨以促进寰枢椎间的融合。

1) 适应证 ①寰枢椎后路融合固定失败;②寰枢椎后部结构破坏,如寰枢椎后部骨折、肿瘤等;③用于寰枢椎不稳行后路(植骨)内固定术的辅助手术;④寰枢椎不稳者只有当颈椎极度后伸时寰椎才能复位而难以行后路内固定术的病例;⑤脊柱畸形、外伤及其他原因导致无法在俯卧位下行后路手术的寰枢椎不稳病例。

2) 优点

(i) 可获得良好的即刻稳定性:前路寰枢椎经关节螺钉固定技术获得的稳定性是由以下 3 个方面来保证的:①螺钉由枢椎体底部经枢椎的上关节突进入寰椎侧块,在枢椎内走行路径长,有足够多骨质稳定螺钉;②两枚螺钉方向从前向后,从内向外,所夹平面形成一顶点向下、底向后上的三角形,从力学原则上保证了寰枢椎-内固定物复合体具有良好的抗前后剪切应力和旋转力矩的能力;③拉力螺钉原则的运用使寰枢关节面之间产生加压作用,有助于早日达到骨性融合。

(ii) 操作比较容易:寰椎侧块比齿突的横截面大 1 倍以上,向侧块内穿螺钉比向齿突内容易得多。螺钉在侧块的任何部位穿入都能起到固定作用,对螺钉穿入的位置精度要求不高。

(iii) 相对安全：所有寰枢椎手术都面临着脊髓或椎动脉损伤的风险，而此手术的风险是较小的。螺钉在椎体和侧块中由内向外的走行方向远离椎管，螺钉向内穿入椎管损伤脊髓的可能性很小。但如螺钉过于偏外或偏后有可能损伤经过寰椎横突孔及椎动脉沟处的椎动脉。因此，钻孔时一定要行正侧位X线透视观察，及时纠正偏差。

3) 缺点　①对上段颈髓的前方致压因素解除作用不如经前路齿突切除减压等直接彻底；②只能使寰椎在复位的位置上得到非骨性稳定，不便于同时做植骨融合，常需同时或二期加行后路植骨融合术。

4) 固定技术　保持寰枢椎复位状态，颈部尽量后仰。沿正中剪开 $C_2\sim C_3$ 椎前筋膜后，骨膜下剥离。切除少量 C_3 椎体前上缘及部分 $C_2\sim C_3$ 椎间盘，暴露 C_2 椎体前下缘约 3 mm。手术时根据术前测量的外偏标准角和后倾标准角，应用微型斜角电钻，取 C_2 椎体前下缘中点偏左 1～2 mm 处为入点，向外约 25°向后约 25°往左寰椎侧块外上角方向钻入。应用X线透视机动态观察或C臂机多次摄像观察，正位观钻入方向应为内界线与外界线的平分线，不可偏出该范围。侧位观钻头应沿枢椎椎体的纵轴进入，后偏不可超过后界线。钻头经枢椎椎体，穿过寰枢关节内侧部分，进入寰椎侧块中部。位置满意后测深，应用直径 3.0 mm 的丝锥攻丝，拧入合适长度带部分螺纹的松质骨螺丝钉，在寰枢椎间关节产生加压作用。采用空心螺钉亦可。一般采用螺钉直径为 3.5 mm，长度 35～45 mm 不等，应以术前X线片测量结果为基础适当调整。同法固定右侧寰枢椎经关节螺钉(图 50-7)。

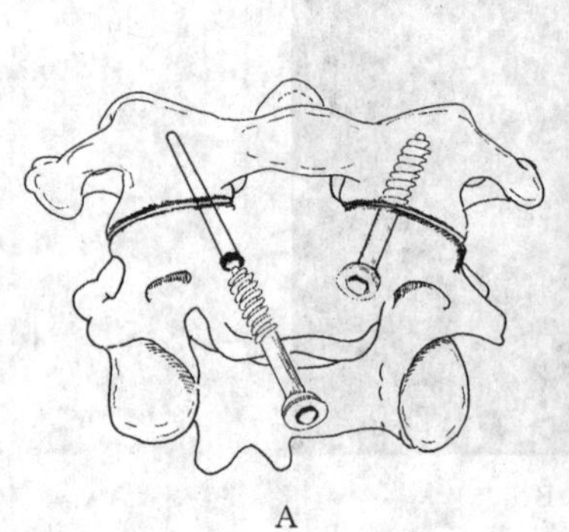

A

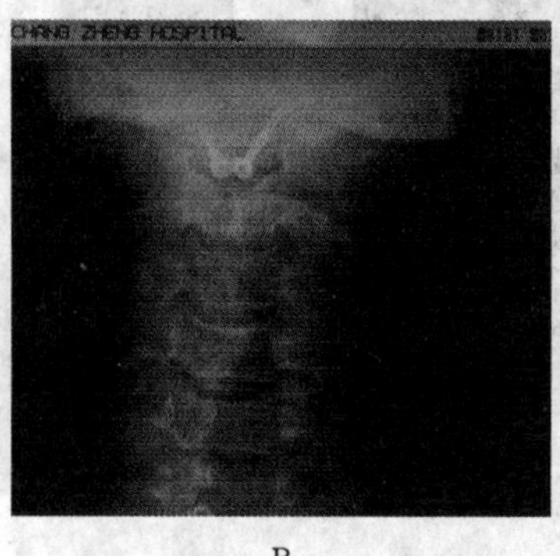

B

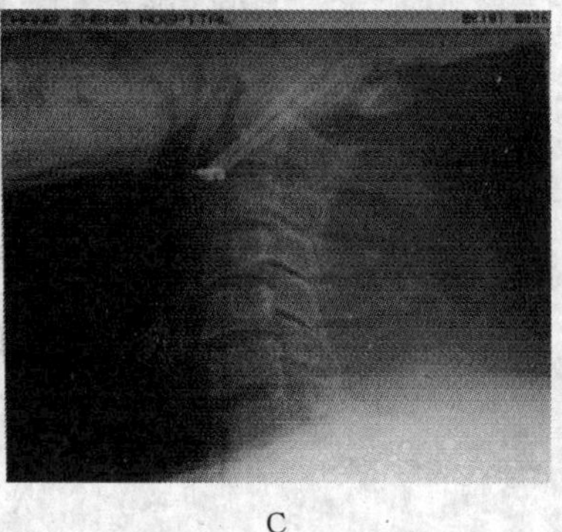

C

图 50-7　前路寰枢椎经关节螺钉固定

A. 示意图　B. 前路寰枢椎经关节螺钉固定治疗齿突骨折术后正位X线片　C. 术后侧位X线片

(6) 前路寰枢椎 Harms 钢板固定

在枕颈部外科领域内有很多疾患可导致上段颈脊髓及延髓受到压迫，而其中有相当多的患者其致压物来源于延脊髓腹侧，尤其是齿突等病变组织压迫延脊髓腹侧，此时需要行前路经口腔途径切除齿突等致压物。同时寰椎前弓、枢椎及齿突的肿瘤、炎症等病变也常需前路经口腔行病灶清除术。但传统的经口腔齿突等病变切除术无法同时提供前路稳定，常需二期行后路枕颈固定，因为单纯经口腔齿突切除术后不能纠正寰枢椎间的不稳，而不稳的存在必然将导致延脊髓的进一步损伤。如能在前路齿突等病灶切除的同时进行前路寰枢椎间稳定术则可避免二期的后路融合固定术，以减少患者的创伤及经济负担，德国医师 Harms 设计的前路寰枢椎 Harms 钢板固定技术如下。

1) 优点　①直接显露致压部位：经口前路手术易于显露，直达颅颈交界区腹侧，可直接解除上段颈脊髓的前方致压因素、松解粘连、解除关节交锁，而达到复位与彻底减压的双重目的。此外，对于上述寰枢椎不稳者，如由于脊柱畸形、胸廓外伤及其他原因导致无法在俯卧位下行后路固定手术者，更具有明显的优越性。②可靠有效地获得即刻稳定性：单独经口腔行齿突切除术，不另行内固定术是无效的，因为不稳的因素并没有消除，持续失稳可引起进行性颈脊髓病变。寰枢椎钢板内固定是目前最有效、最直接的寰枢椎固定方法，它将寰椎侧块与枢椎椎体连接起来，有助于前方的安全和保护。钢板及多枚螺钉可靠的经前方固定寰枢关节，限制寰枢椎之间的各方向移动，尤其是矢状面上的位移，提供了良好的即刻稳定。

2）缺点　①该手术操作危险性较大，手术技巧要求较高，专业性强。术野太深有碍操作，难于关闭硬膜，内固定与融合困难。②手术切口污染加上术后护理难度高，手术并发感染、失稳和脑脊液漏以及死亡率相对较高。③部分病例需加行同时或二期的单纯后路植骨融合术。

3）手术技术　经口腔行齿突切除术完成后，应仔细切除寰枢椎侧块的关节表面，并使骨面毛糙。专用 Harms 钢板呈"工"字形，固定点上部可在寰椎侧块，也可在颅底的枕骨髁或斜坡，下部可放置于枢椎椎体或其两侧部分（图 50-8）。根据不同放置部位采取相应的螺钉长度和方向，术中应结合应用 X 线透视机动态观察或 C 臂机多次摄像观察。

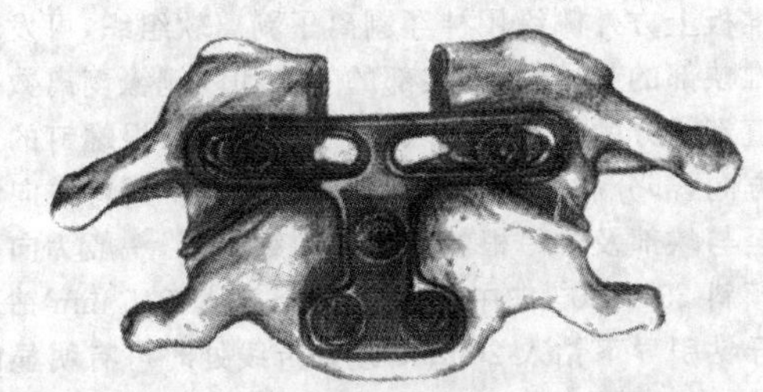

图 50-8　前路寰枢椎 Harms 钢板固定示意图

50.1.3　解剖型固定

（1）前路齿突螺钉固定

前路齿突螺钉固定在临床常用于治疗不稳定的Ⅱ型齿突骨折。对于不稳定的齿突骨折临床上还有许多其他的内固定方法，但这些寰枢椎固定技术在起到稳定寰枢椎的同时牺牲了寰枢椎间所有的生理运动功能。而前路齿突螺钉固定技术与其他固定技术不同，它直接对骨折的齿突进行解剖复位并起到有效固定。它最大的优点就是解剖重建齿突，最大限度地保留了寰枢椎间的正常生理活动范围。

1）适应证　①无移位或成角的新鲜 AndersonⅡ型齿突横形骨折。②AndersonⅡ型齿突骨折的患者具 Halo 支架外固定的反指征如头颅胸部创伤、多发性骨折、多发伤等不能或不愿耐受 Halo 架，要求手术治疗者。③AndersonⅡ型齿突骨折患者年龄＞40 岁、骨折原始移位＞4 mm，成角＞20°等，具有明显的骨折不愈合倾向；Halo 外固定支架不能有效维持骨折端对线对位。④部分 Anderson 浅Ⅲ型齿突骨折或不稳定的Ⅲ型齿突骨折。⑤外固定后骨折明显无愈合倾向，3 个月以内的陈旧性上述类型齿突骨折。

2）禁忌证　①严重骨质疏松；②严重粉碎性骨折；③齿突游离小骨；④伤后＞3 个月骨折不愈合或畸形愈合；⑤伴有黄韧带断裂；⑥胸部较厚、桶状胸或短颈的患者；⑦年幼及齿突较细小者，其齿突无法容纳单枚螺钉；⑧脊柱后凸畸形及颈椎强直者；⑨骨折无法复位对位者；⑩Ⅱ型齿突骨折线由后上斜向前下的骨折，即 Roy-CamilleⅠ型骨折。

3）优点　①能保存寰枢关节大部分运动功能；②无须直接暴露齿突，不干扰齿突血运，有利于骨折愈合，手术创伤小；③骨折端加压固定牢固，术后要求的外固定强度和时间减少；④可用于伴有寰枢椎后弓损伤而不能行后路寰枢融合术者。

4）缺点　①不可用于齿突骨折移位或成角以及齿突病理性骨折；②对齿突骨折不连或延迟愈合疗效不肯定；③对齿突小者具有技术困难；④存在损伤延脊髓、螺钉断裂、变形或退出移位等可能。

5）手术技术　显露 C_2 椎体下缘，用磨钻于 C_2 椎体前下缘正中打磨一直径约 6 mm、深约 3 mm 的凹槽。在特殊套筒导向下，可用电钻钻入单枚或两枚直径 1.2 mm 的克氏针，钻入过程中不能推压克氏针，以免引起骨折块分离，其中一枚可用于固定骨折端，控制旋转；另一枚则用于导入中空螺钉。应用单枚螺钉固定，冠状位居齿突正中，矢状位则向后 15°，克氏针尾端向下角度要足够，以免穿入脊髓，长度要适合，以防进入颅内。若允许两枚中空螺钉固定，则冠状位螺钉与齿突中线呈 5°，矢状位向后 15°。C 臂机监视下确认克氏针贯穿齿突尖部，位置达到要求。螺钉通常有两种：标准拉力螺钉系统和中空螺钉系统。中空螺钉系统植钉时首先用 3.5 mm 钻头在 C_2 椎体的前下缘作成 5 mm 深的入点，以利于螺钉置入，根据测量，选择合适长度、直径为 3.5 mm 的 Synthes 公司的齿突自攻中空螺钉，常用的还有 UCSS（Sofamor 公司），应用中空螺钉起子将螺钉旋入。标准拉力螺钉系统植钉时首先用直径 2.5 mm 的长钻头沿 C_2 椎体的前下缘进入，在矢状面钻头稍向后偏斜以使钻头可以进入齿突顶部的后半部，取出钻头，近段钻孔用直径 3.5 mm 的钻头扩大，测深、攻丝后选取合适长度的 3.5 mm 皮质骨螺钉旋入（图 50-9）。

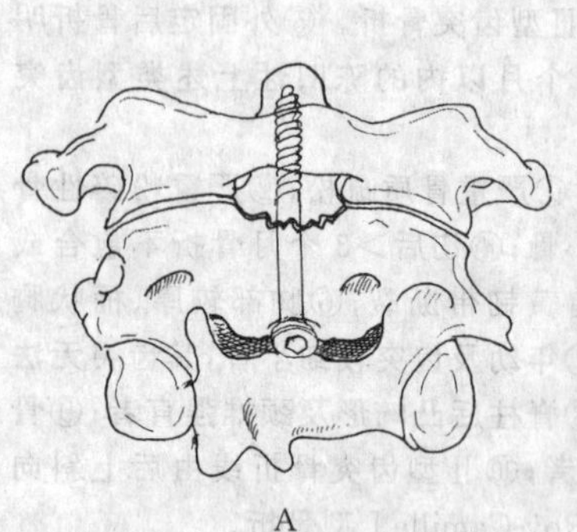
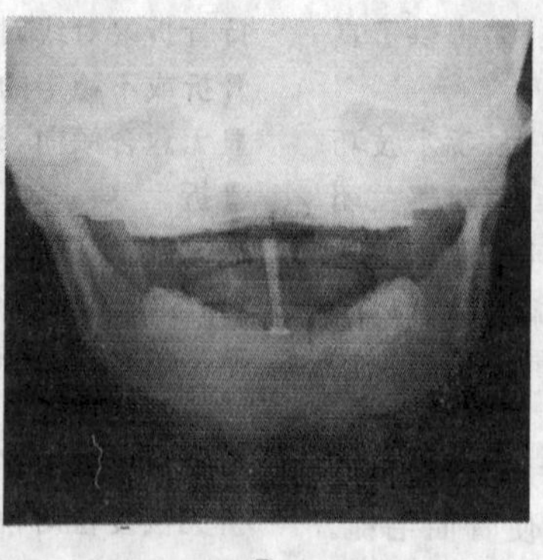
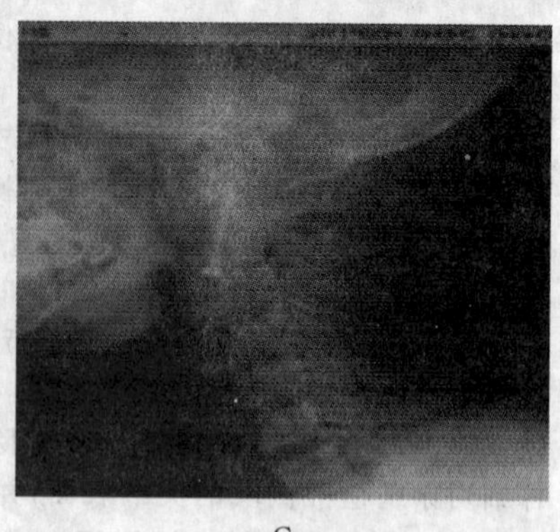

A B C

图 50-9 前路齿突螺钉固定

A. 示意图 B. 单枚齿突螺钉固定治疗齿突骨折术后张口位 X 线片 C. 术后侧位 X 线片

(2) 枢椎椎弓根螺钉固定

枢椎椎弓根螺钉固定技术是指螺钉从枢椎后部侧块进入，螺钉向前、上、内侧经过枢椎峡部及椎弓根两个解剖区域，并进入枢椎椎体，起到固定的作用。枢椎椎弓根螺钉实际上经过了上述两个解剖区域，但为了便于交流，临床上统一称为椎弓根螺钉。在临床上枢椎椎弓根螺钉固定有两个主要的用途：①在正常椎弓根置入皮质骨螺钉起到固定的作用，主要用于枕颈部、颈椎后路稳定性的重建，如枕颈固定时可在枢椎置入椎弓根螺钉起到固定的作用等；②用于治疗 Hangman 骨折，此时选用的是枢椎椎弓根拉力螺钉固定。

本节主要介绍治疗 Hangman 骨折的枢椎椎弓根拉力螺钉固定技术，而正常枢椎椎弓根螺钉的置入技术与其相似，唯一的区别是后者近端钉道无需扩孔，直接攻丝后即可拧入螺钉，无需应用拉力螺钉的固定技术。

应用枢椎侧方椎弓根拉力螺钉治疗枢椎椎弓骨折可使骨折断端达到解剖复位，加压固定确切，且无生理功能的破坏，所以 Judet 称之为“生理性重建手术”，并为不少学者所提倡。应用椎弓根拉力螺钉治疗 Hangman 骨折还具有创伤小和康复早的特点。手术虽有一定的难度，但患者无需再行牵引，拆线后即可在石膏固定下行走，大大缩短了治疗时间，对患者的康复锻炼负面影响较小。

1）适应证 枢椎椎弓根拉力螺钉治疗 Hangman 骨折尽管有诸多优点，但并不适用于所有的 Levine-Edwards 分型的骨折。其适应证为：①枢椎椎弓断端经牵引可复位但不稳定的 Hangman 骨折；②骨折线最好与固定螺钉的方向垂直；③C_2～C_3 椎间盘和韧带基本完整；④C_2～C_3 小关节无脱位；⑤枢椎椎体骨质质量好。

2）手术技术 以枢椎侧块中点为进钉点，沿枢椎椎板上方外侧缘用神经剥离子剥离软组织，可发现枢椎峡部的起始部，沿峡部的上缘和内侧缘剥离数毫米直到前方的椎弓根区域，则可了解椎弓根螺钉的进钉方向，部分病例尚可探及骨折断端。将进钉方向调整至与峡部及椎弓根的上缘及内缘平行，一般为向头端倾斜 25°～30°，向中线倾斜 30°～35°。2.5 mm 钻头在导钻引导下钻入 20 mm，经骨折线处时可有明显的手感。经透视确定方向与深度，一直钻至枢椎椎体皮质下。骨折线远侧用丝攻、近侧用 3.5 mm 钻头扩孔。根据测深器测量的深度选取相应长度的螺钉加压固定，长度一般为 30 mm(图 50-10)。

50.2 下颈椎后路内固定

钢丝及钉板是颈椎后路固定最常用的两种方法，尽管两者都能提供获得融合所需要的足够稳定性，但许多学者仍认为后路钉板技术更具有生物力学优势。

50.2.1 下颈椎钢丝固定

中、下段颈椎的创伤和退行性疾病手术不提倡常规采用椎板下钢丝技术。因为这一区域的脊髓与椎管之比较大，脊髓损伤的危险性较高。因此，中、下颈椎常用各种棘突钢丝固定技术。这些技术采用 1～2 根钢丝，或环绕棘突，或是穿孔固定，在一定程度上有效固定了颈椎。在这些技术中，松质骨植骨可有效提高融合率。但是当后路椎板或者棘突骨折或缺失的患者，由于没有附着点，这些技术则不适用。

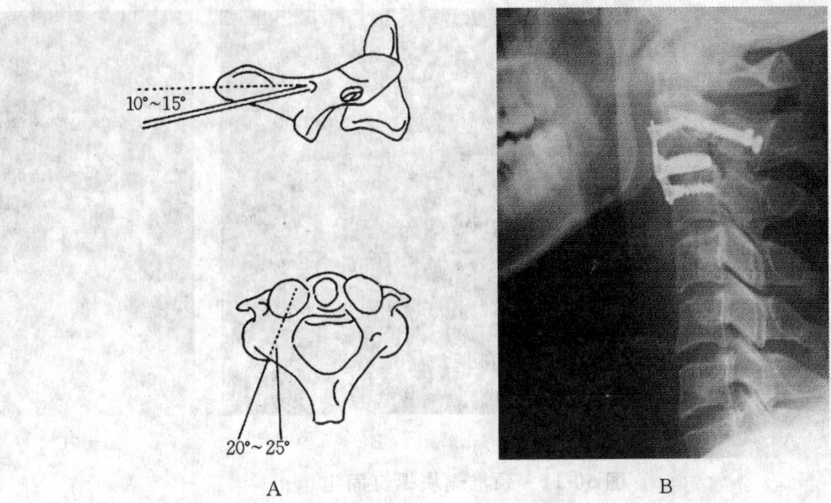

图 50-10 枢椎椎弓根螺钉固定

A. 枢椎椎弓根螺钉固定示意图 B. 枢椎椎弓根螺钉固定联合前路 C_2～C_3 椎间融合固定治疗 Hangman 骨折

颈椎的关节突钢丝固定术可固定颈椎旋转不稳。清除固定节段的关节突软骨，关节突间置入剥离子或其他类似的器械。小型的直角形气钻在下关节突的中点钻洞，方向为向前直向上关节突。剥离子或其他薄片状器械可插入穿透上、下关节突间。然后由浅入深经此洞穿过一钢丝，环绕下一节段的棘突进行固定。两侧固定可提供该节段的旋转稳定。

50.2.2 颈椎侧块螺钉固定

颈椎侧块螺钉技术是颈椎后路固定的良好方法，与其他方法相比，具有良好的生物力学优势，能提高融合率并具有较高的固定刚度。但同任何其他固定技术一样，其同样也有一个学习曲线。详细了解解剖及精确的侧块置钉，可以尽可能减少严重并发症的发生。除了解剖因素的限制而不能使用外，颈椎侧块螺钉技术可用于大多数下颈椎后路固定病例，且能获得良好的预期效果。

1）适应证　包括前路手术后不融合，颈椎损伤且后部骨性结构相对完整者，椎板切除术后出现颈椎后凸畸形或其他畸形者，亦可作为前路手术后的补充手段。

2）禁忌证　包括侧块损伤，小关节、椎动脉或神经根解剖变异等。

3）固定方法　文献中侧块螺钉植入方法有多种，Roy-Camille 法最早出现，螺钉在颈椎侧块后壁中点矢状位垂直进入，在冠状面向外侧倾斜 10°；Magerl 技术螺钉在矢状位平行于关节突关节，冠状面向外倾斜 25°；而 An 技术是 Magerl 技术的改良，螺钉的入点位于侧块中心偏内 1 mm，向外倾斜 30°，头端倾斜 15°（图 50-11）。一般采用双皮质螺钉固定，穿透侧块前壁，但要注意避开脊髓、椎动脉、神经根且不要损伤颈椎小关节面。

50.2.3 颈椎椎弓根螺钉固定

由于颈椎椎弓根细小、变异较大且周围均为重要结构，因此椎弓根螺钉的使用受到很大限制，直到 1994 年才由 Abumi 报道，其使用的是经过改良的 Steffee 钢板。

颈椎椎弓根螺钉适应证为颈椎创伤，包括三柱损伤，以及退变性颈椎疾病、肿瘤、感染等需行广泛椎板切除减压者。但当椎弓根和椎体损伤时无法使用。

由于颈椎椎弓根的解剖不同于腰椎，因此置钉方法也不尽相同。Abumi 报道入钉点为关节突背面中线外缘与上关节面下缘交点处，用磨钻钻至可直视椎弓根，使用神经牵开器探到椎弓根的内壁，术中透视证实，依术前 CT 测量内倾 30°～40°平行椎体上终板将螺钉置入椎体 2/3 处，术中不用钻头，以防损伤周围结构。Jeanneret 报道入钉点在上关节面下缘 3 mm 的中点处，内倾 45°，瞄向椎体上 1/3 进钉（图 50-12）。尽管采用了很多方法，体外实验发现椎弓根的穿透率仍较高。Jeanneret 在尸体颈椎上置入 33 枚螺钉，其中 10 个对椎弓根有轻微损伤。

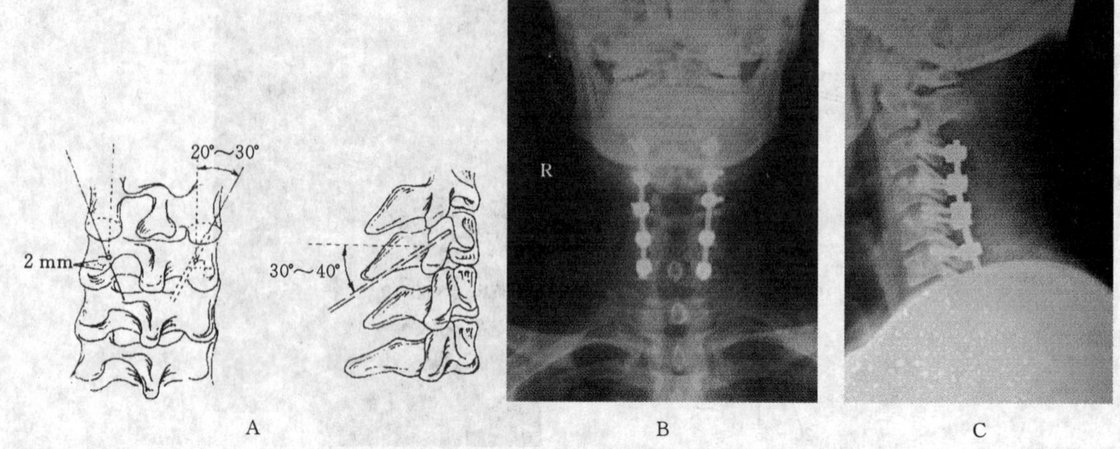

图 50-11　颈椎侧块螺钉固定

A. 颈椎侧块螺钉的进钉点及进钉方向示意图　B. 颈椎侧块螺钉固定全椎板减压治疗颈椎后纵韧带骨化症术后正位 X 线片　C. 术后侧位 X 线片

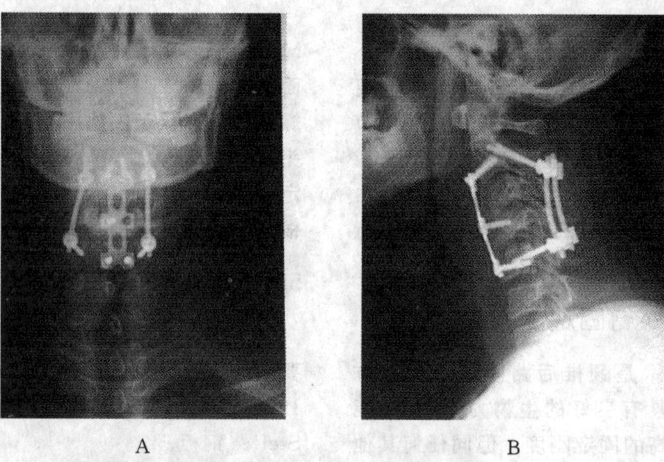

图 50-12　颈椎椎弓根螺钉固定

A. 颈椎椎弓根螺钉固定联合前路减压髂骨植骨钢板固定治疗 C_3～C_4 结核术后正位 X 线片　B. 术后侧位 X 线片

Jones 在直视下操作颈椎椎弓根螺钉，发现其穿透率为 13%，认为以 3.5 mm 或 2.7 mm 皮质骨螺钉为宜，4.0 mm 螺钉太粗。Miller 用实验评价 Jeanneret 法和直视法，发现 Jeanneret 法的穿透率为 47.37%，直视法为 25%，建议使用颈椎椎弓根螺钉时切除部分椎板，在直视下操作，不使用钻头，且螺钉直径不宜>3 mm。鉴于其危险性比较大，颈椎椎弓根螺钉不宜常规应用，只用于颈椎严重骨性创伤或毁损及其他内固定无法使用时。

颈椎椎弓根螺钉的力学性能在所有颈椎内固定中是最强的。Kotani 评价了 7 种颈椎内固定，发现对于颈椎单节段后柱不稳，所有后路内固定均可达到完整颈椎的稳定性，但对于两节段三柱不稳，一般内固定的旋转稳定性不足，椎弓根螺钉则有明显的优越性。Jones 用生物力学实验发现侧块螺钉钉道短，易松钉和脱钉，尤其是 C_6 和 C_7 侧块较小时更甚，而椎弓根螺钉的拔出强度要明显优于侧块螺钉。

50.3　颈椎前路钢板

颈椎前路钢板属于 AO 生物力学原则中支撑钢板的典型代表，不仅能使局部的椎体固定，与颈椎后路固定相比固定节段较少，同时保持颈椎功能的灵活性，并且为颈前路椎体间植骨融合，特别是多节段植骨融合，提供了一个必要的血管内向性生长、促进骨融合的局部稳定环境。由于充分提供牢固的体内固定，逐渐减少对外固定的依赖，甚至摆脱外固定，避免体外固定带来的痛苦和麻烦。

颈椎前路钢板主要用于颈椎前路创伤、退变、肿瘤、炎症行颈椎椎体切除或椎间盘切除术后重建颈椎的稳定性，维持外科重建的颈椎生理弧度，有利于植骨融合。

自 1964 年 AO 学派的 Böhler 首先报道了钢板螺钉内固定在颈椎前路手术中的应用以来，颈椎前路钢板系统从此获得了较大的发展，先后出现了 Orozco(1970)、Caspar(1985)、AO(1986)、Aebi(1991)、Spine Tech(1996)等钢板。目前的钢板设计一般要求低切迹、窄、薄；同时钢板中间有视窗，可以看见植骨块；有植骨螺钉固定孔；带自锁装置。

现代的前路固定系统根据其力学机制一般分为 5 类：

1）非限制型（nonrigid/non-constrained/traditional） 如 Caspar 钢板、非自锁型颈前路 Peak 钢板等。由于一般要采用双皮质螺钉固定，有损伤脊髓的危险，现已很少使用。

2）限制型（rigid/constrained） 如 AO 颈前路带锁钢板 CSLP、Orion 钢板等。此类钢板固定坚强，但操作较繁琐。

3）变角限制型（variable angle rigid） 如 AO 颈前路变角带锁钢板 CSLP-VA、Peak 多轴向自锁钢板等。此类钢板由于固定时螺钉角度相对钢板可以调整，操作相对简便。

4）变角半限制型（variable angle semi-rigid） 如 Codman 钢板、Slimloc 钢板、Zephir 钢板、Reflex 钢板等。半限制型钢板的主要指固定后螺钉与钢板间存在成角微动，在植骨块部分吸收后高度降低时仍能保持植骨块与相邻固定椎之间界面的紧密接触，有利于植骨的融合。

5）动力型（dynamized） 如 DOC-VCSS 系统、ABC 钢板等。此类钢板设计的目的也是为了促进植骨愈合，不同的是其螺钉与钢板间是平行位移，而不是成角位移。优点是融合率高，缺点是恢复的椎间高度容易丢失。

固定技术：选用的钛板应跨越整个椎体融合节段，并尽可能采用最短的钛板，避免影响邻近椎间盘的活动。钛板本身具有一定的前曲弧度，一般适合大部分患者，如有需要可进一步折弯钛板。放置钛板，用钻孔导向器固定钛板，选择合适的固定钻头或可变深度钻头进行钻孔，钻孔深度一般不超过 15 mm。典型的螺钉植入角度为朝向内侧 5°～10°，上方的螺钉和下方的螺钉朝头端及尾端分别为 7.5°左右（图 50-13）。应避免上方的螺钉过大角度植入（如＞16°），这样会使螺钉锁紧机制受到影响。用可变深度的丝攻攻丝，如用自攻螺钉则不必攻丝。选择合适的螺钉植入椎体，并逐个拧紧所有螺钉。C 臂机透视后，如满意则锁紧锁定装置。

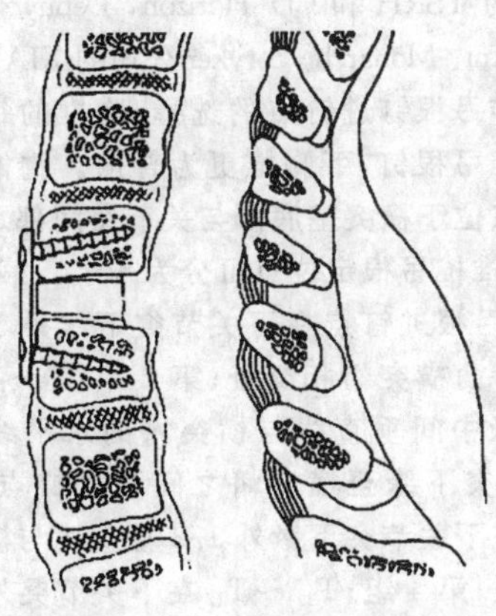
A

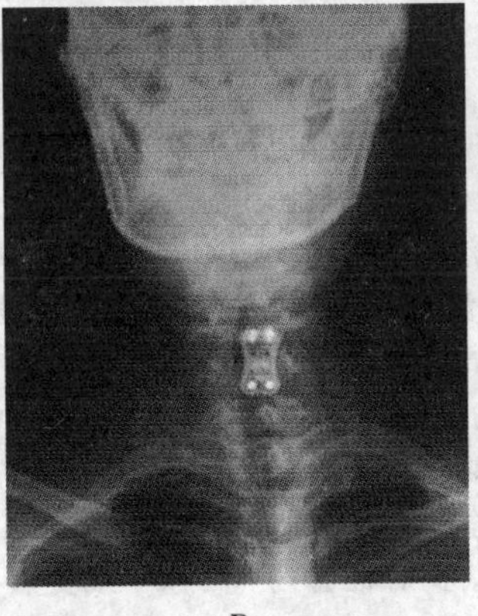
B

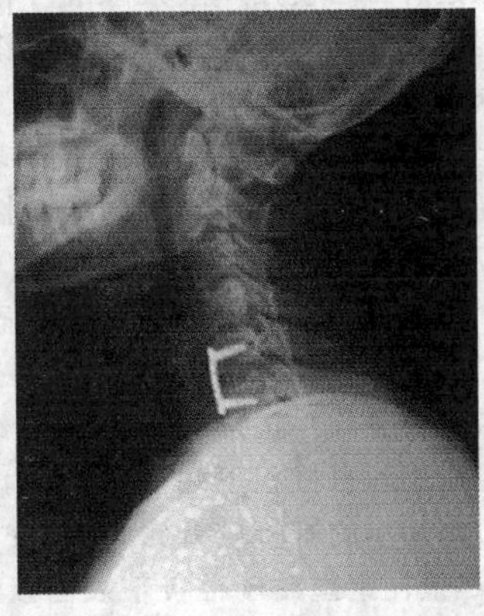
C

图 50-13 颈椎前路钢板固定

A. 颈椎前路钢板固定相邻节段植骨融合矢状面示意图

B. C_5-C_6 间隙减压 Cage 植骨颈椎前路钢板固定治疗颈椎间盘突出症术后正位 X 线片 C. 术后侧位 X 线片

50.4 胸腰椎后路固定

胸腰椎后路固定装置有很多,但分解开来主要有以下5种。它们不同的组合形成特点不同、千变万化的内固定系统。①丝:如用钢、钛、碳纤维等材料成品的丝、缆固定患部棘突、横突,穿过棘突根部的钻孔,或行椎板下固定等。通常为辅助固定用。②钉:最常采用的是后路经椎弓根螺钉,另外还有固定椎间小关节的小关节螺钉及用于峡部固定的螺钉。③钩:如椎弓根钩、椎板钩和横突钩,都是钩挂在骨质坚硬部位起固定作用,主要用于畸形的矫正术。④板:主要用于脊柱前路的内固定材料,后路固定中亦可应用,但因其固定强度及可调性等不及棒系统,已渐渐少用。⑤棒:支撑棒需承载负荷,需较粗壮。加压棒只承受拉力,则不应太粗。

50.4.1 丝

棘突钢丝包括18号双股钢丝以及环襻形Winsconsin钢丝,从棘突根部钻孔固定。用巾钳或扩孔器扩大钻孔,从棘突一侧孔穿过钢丝;环襻形钢丝底部的金属扣子,其上有洞以便于侧钢丝穿过。然后相反方向收紧钢丝,使得纽扣紧贴在棘突底部。两侧闭合的环形钢形可以将内固定棒固定于任一节段。

椎板下钢丝可用于脊柱的任一节段。根据解剖部位位置、大小以及后部结构的强度可以选用16、18或20号钢丝,Depuy公司的Isola系统有各种钢丝可供选择。可使用单股或双股环襻形钢丝,后者由于强度高更常用。如果应用单股钢丝,必须在钢丝的末端弯曲成180°钝头避免锐利。然后,根据椎板的上、下端宽度距离将钢丝弯成半环状的直径,以便于通过椎板下。在所弯成的半弧性钢丝交界处,将其反折弯曲成90°,以便于所余的钢丝在脊柱上操作。在放置椎板下钢丝时,需要显露椎板间隙。除了要切除重叠的胸椎棘突外,每一节段椎板间的黄韧带也要去除。正常情况下,去除约1 cm的黄韧带就足以钢丝自椎板下端通过,上端取出。去除黄韧带可以用小的椎板咬骨钳,比较安全。在通过时候,应尽量使钢丝贴于椎板下表面以减少对椎管内组织的压迫。通过椎板后见到钢丝弯曲的头部时,用针持夹住头端,同时松弛椎管内钢丝。然后用大针持夹住,仔细在椎板上下移动钢丝使之贴在椎板下通过。钢丝应从椎板上方拔出,而不应当在椎板下端向上推送。如果应用双股钢丝时,可以将钢丝断开,分置于椎板的左右两侧。通过后,钢丝在椎板上松松地拧紧以防止不慎推向椎管内。然后,将钢丝捆绑于棒上,顺时针方向拧紧钢丝,使棒固定于椎板上。

50.4.2 钉

椎弓根钉不用依靠棘突、椎板或小关节作为联结点,可以维持椎体上下节段的运动,并且椎弓根钉固定非常确实,并可以根据临床需要,在椎体间施予张力、压力、扭转、向前或向后的力量。因此,椎弓根钉固定日益受到重视。经椎弓根螺钉器械的优点很多,具体如下:①螺钉经后柱经椎弓根直达椎体,两侧同时固定脊柱三柱,可实现三维固定,固定效果确实。②可以矫正脊柱的各向移位,有利于矫正脊柱的畸形。③为节段性固定,只固定最少的损伤节段,避免长段脊柱融合,手术创伤小,对周围节段影响小。④经椎弓根操作,如操作得当,器械不侵入椎管,不干扰脊髓和神经,相对安全。⑤可同时进行其他操作,如脊髓探查、脊髓侧前方减压、植骨等。

但是椎弓根钉固定技术需要经过一定训练才能掌握,否则出现并发症的危险性较高。而且,椎弓根螺钉固定属于张力带固定,尽管很坚强,仍然要注意植骨融合,否则长时间后内固定发生疲劳失败的概率较高。

常见的产品有Synthes公司的USS和Clic'X, Sofamor公司的TSRH和CD-Horizon, Depuy公司的Isola、Mossmiami、Monarch, Stryker公司的XIA等。

胸腰椎椎弓根钉进钉点的选择:胸椎的每一节段均可应用椎弓根钉,下胸椎更为普遍。胸椎椎弓根钉的进钉点位于横突基底部与关节突间部之间连线或内侧,胸椎椎弓根定位点可分为4组。第1组:T_1～T_2的椎弓根进钉点在下关节突下线外1/3的垂线与横突背面横突嵴相交处;第2组:T_3～T_8在下关节突下缘中间垂直线与横突嵴的水平线相交处,其下关节突下缘至横突嵴之间为进钉点;第3组:T_9～T_{10}在下关节突下缘外1/3垂直线与横突嵴水平线交点处;第4组:T_{11}～T_{12}在下关节突外缘垂直线与横突嵴的相交点或副突处。进钉角度向内倾斜15°,在矢状面上向下倾斜约10°,用咬骨钳或钻头穿透外层骨皮质,然后放置克氏针或椎弓根开路器透视定位,最后放置椎弓根钉(图50-14)。胸椎椎弓根钉的直径从头端向尾端逐渐增加，且随个体差异而不同。上胸椎常用直径 4.5 mm 的椎弓根钉，中、下胸椎最常用直径在 5.5～6.5 mm 的椎弓根钉。

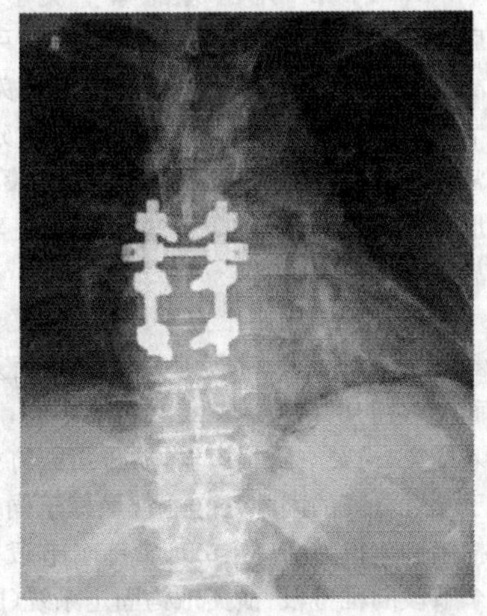

A

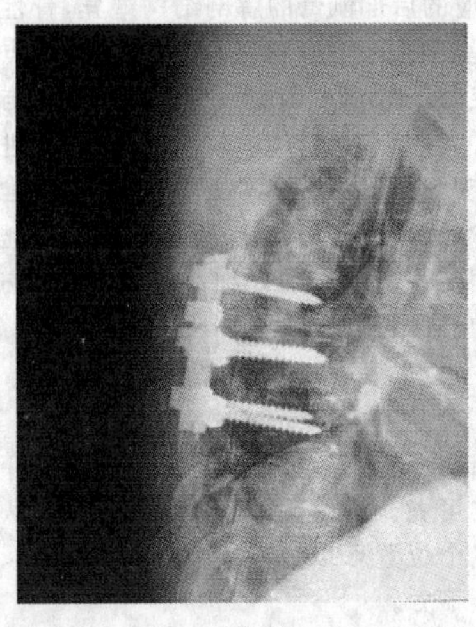

B

图 50-14 胸椎椎弓根钉固定

A. 胸椎椎弓根钉固定治疗 T_6～T_8 椎管内肿瘤术后正位 X 线片　B. 术后侧位 X 线片

腰椎椎弓根螺钉技术是公认的常用手术方法。精确放置螺钉需要充分的解剖暴露，包括整个横突及其外侧端，椎弓峡部以及横突与上关节突交界处(图 50-15)。螺钉进钉点在横突与上关节突交界的斜坡处。正常情况下正好在关节突间部的外侧，应予确认。定点后，先在皮质骨上钻出一个小洞，然后用椎弓根探子钻进椎弓根的松质骨中，感觉平滑并能继续进入，没有任何突破感或抵抗感。重要的是置入椎弓根钉时要了解椎弓根和椎体的矢状位、冠状位的方向。这个定位可以通过术前或术中 X 线片或透视，以及椎弓根探子的手感来确定。一旦椎弓根探子进入椎体，可用探子触及椎体底部以及内侧、外侧、上、下椎弓根壁 5 个方位的骨性壁标志，以确定是否在骨中。丝攻攻丝后，放入适当直径以及长度的螺钉。

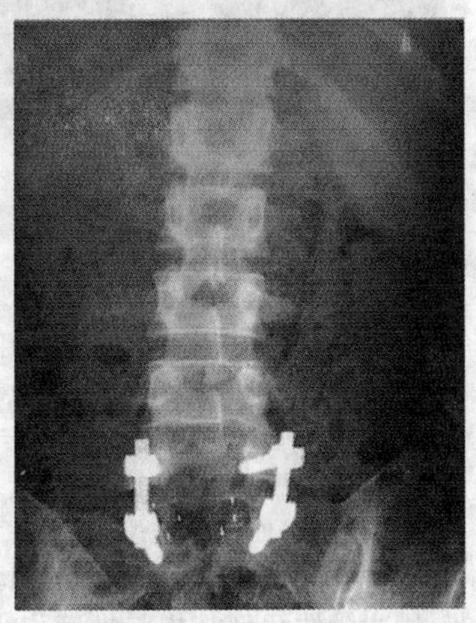

A

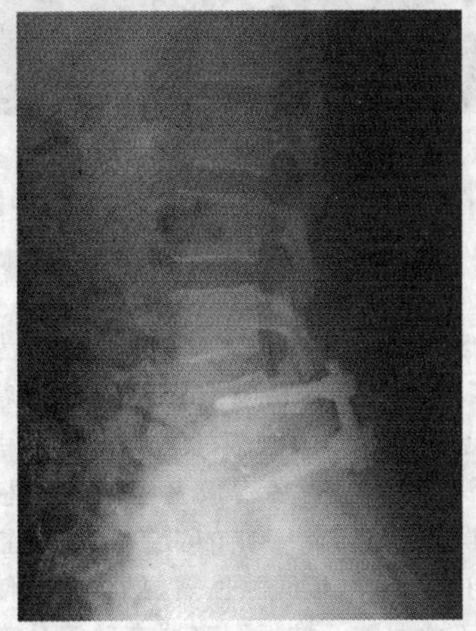

B

图 50-15 腰骶椎椎弓根钉固定

A. 腰骶椎椎弓根钉固定联合后路腰椎间 Cage 植骨融合治疗 L_5 峡部裂伴滑脱术后正位 X 线片　B. 术后侧位 X 线片

骶骨螺钉的放置，最常用的为 S_1 的椎弓根置入。虽然 S_1 椎弓根螺钉与腰椎弓根螺钉放置技术相似，但因为相应的后部骶骨的解剖结构差异，骨性标志的确定还是不同的。S_1 椎弓根螺钉进钉位点恰在骶骨关节突外侧的下方，在第一背侧骶骨孔与上关节突之间。S_1 螺钉可与 S_1 软骨终板平行进入，或者是在穿破 S_1 软骨终板，使螺钉头在腰骶椎间盘内。如果 S_1 螺钉平行于软骨终板，则建议穿透骶骨前壁增加固定强度。必须仔细小心，不要损伤位于骶骨前的神经血管结构。

50.4.3 钩

脊柱后侧结构可应用各种固定钩，它减少了穿钢丝损伤脊髓的可能。虽然钩的种类形状各异，从解剖学上只有 4 个位置可以放置钩：椎弓根、横突、椎板上方及椎板下方。

椎弓根钩适于 $T_1 \sim T_{10}$。在放置前，需要处理关节突。用骨凿在下关节突下方部分开槽，大小为 5 mm×5 mm。用刮匙刮除上关节突的关节软骨后，椎弓根试模确定关节突间的椎弓根位置。仔细小心放置胸椎椎弓根试模或钩，避免粗心使得上关节突骨折，继而进入椎管的侧方部分。椎弓根钩通常不能用于 T_{10} 以下，因为在这节段以下，关节突的形状多为矢状位。椎弓的钩端最终坐落的位置应紧靠椎弓根下面。

高位胸椎横突上方可放置各类的爪钩。在充分暴露此区域后，用剥离器剥离横突深面及下位肋骨的后面，穿过肋横韧带。剥离时需要小心，不要将剥离器推入横突，横突本身很脆弱，易骨折。将横突钩的钩端置于上述分离的间隙处。通常最好于同一节段组合使用横突钩与椎弓根钩，或间隔一个节段并形成 1 个或 2 个节段的椎弓根-横突爪钩固定系统(图 50-16)。

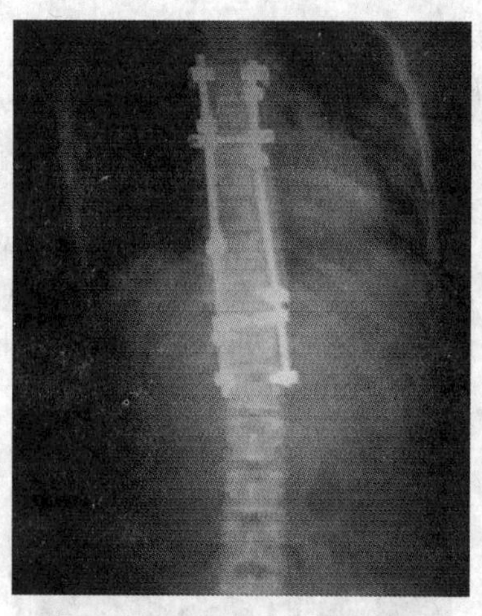

A

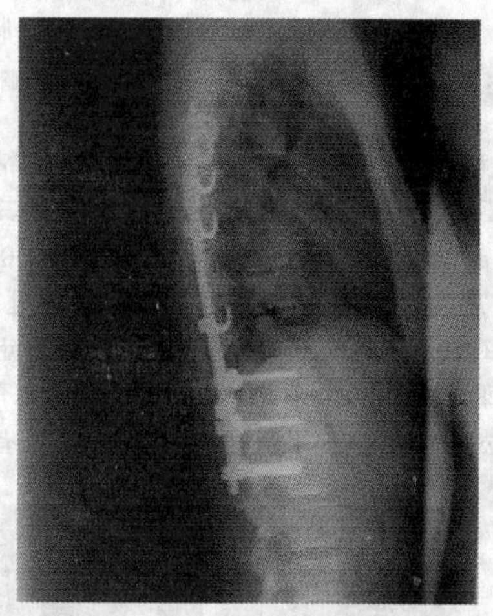

B

图 50-16 钩钉固定

A. 钩钉组合固定治疗特发性脊柱侧弯术后正位 X 线片 B. 术后侧位 X 线片

胸椎和腰椎区域常用椎板上缘钩及下缘钩。为便于操作，需要了解黄韧带在相应椎板的解剖附着点。黄韧带直接起于下一节段椎板的上缘止于上一节段椎板下方的深面。这样，在椎板上缘放置椎板上钩时，需要在椎板间隙切除一侧的黄韧带。放置椎板下钩，在黄韧带与下椎板间隙也需要处理，以使下钩钩端可以放于此间隙。椎板剥离器有助于分离椎板下方内面与黄韧带之间的间隙。用中号至大号刮匙进行分离间隙的起始阶段。椎板下钩一般用于 T_{11} 水平以下。在 T_{11} 以上应当使用钩端向上的椎弓根钩。依照椎板下缘特殊角度放置椎板下钩是关键，这就意味着钩顶端需要有一定的朝向下方的斜度，因为下椎板有一个向上的斜度，从而使椎板钩与椎板下缘区域处于最佳位置。

整个脊柱节段均可用椎板上钩。在颈椎以及胸椎，因为骨性解剖结构与椎管均小，常用薄钩端的钩。在下胸椎以及腰椎部分，因为椎板较厚，可用正常厚度的椎板钩或薄一些的椎板钩。任何节段的操作都要小心以免在放入椎板钩时或之后，钩端突入椎管造成医源性的脊髓神经压迫。医师在同一节段两侧椎板安放椎板钩时，最好选用薄钩端椎板钩以减少脊柱椎管内的金属压迫。

在这 4 种解剖位置上，爪钳形结构是后路器械对后柱上、下两端的最佳固定。爪钳结构由 2 个方向相反，钩端相对的钩子组成。可用于同一节段或相邻的节段。在胸椎的相同或相邻节段，椎弓根钩可与横突钩或椎板上钩并用，产生椎弓根-横突或者椎弓根-椎板爪钳形固定。同样，在胸腰椎和腰椎节段常用椎板上钩与椎板下钩组合可形成椎板-椎板爪钳形固定。在脊柱后结构对钩进行适当的组合并用，对钳形结构有效的产生加压力，可完成稳定的后柱固定。

50.5 胸腰椎前路固定

胸腰椎前路固定技术已经使用几十年了，按 AO 理论属于中和钢板的固定原理，主要用于胸腰椎侧弯的矫正，亦适用于胸腰椎前方不稳、肿瘤、炎症、创伤、椎间盘退变及脊柱后路固定融合手术失败后翻修等。在过去十几年内，前路固定技术有了很大的进展，包括用更加坚固的棒替代有螺纹的、易弯曲的棒；顶端开口或顶端拧紧的内植物，使得内固定安装更简单和限制更少；提出矢状面对线概念，避免器械性后凸畸形等。

前路内固定系统可分为两大类：一类为钢板螺钉结构，常见的有 Sofamor 公司的 Z-plate，Depuy 公司的 Profile 等；另一类为钢棒螺钉结构，常见的有 Synthes 公司的 Ventrofix，Sofamor 公司的 CD-Horizon，Depuy 公司的 Kaneda 和前路 Mossmiami 等。钉板结构切迹低，操作简便；钉棒结构，尤其是双棒结构，则抗扭转力矩更强。

对前路内固定植入物的选择应遵循如下原则：①有光滑的低结构侧面，可以避免相邻脏器及大血管的磨损和侵蚀；②结构简单，植入方便，可以节省操作时间，减少出血，降低手术风险；③稳固的钉板钉棒结构，可在一定程度上避免植入松质骨中的螺钉脱出椎体，进而导致手术失败。

由上可见，较为理想的选择，应为组织相容性好，不影响 CT 与 MRI 扫描；具有光滑的低侧面，安全可靠；结构简单，植入方便、迅速、可调整；螺钉与钢板及螺钉与骨组织界面均可锁定，并可一次完成；可对结构性植骨块或植骨融合器进行加压，从而提高植骨融合率。

固定技术：因为椎体主要为松质骨，为防止螺钉沉入椎体，在使用钉棒系统时要在固定椎体上打入垫片。注意将垫片上叶片插入椎体骨质中，不能穿入椎体上下的椎间隙。通过垫片上的孔向椎体钻孔后，入钉点一般为距椎体后、上缘各 8～10 mm 处。用椎体测径器测出椎体左右径，选出合适长度的螺钉。在拧螺钉时因靠后方的钉邻近椎管，进钉方向需向前成角 10°～15°，以免误入椎管，前方的螺钉则垂直椎体，拧紧螺钉至钉头紧靠椎体骨皮质（图 50-17、50-18）。取长度适当的钛棒放入螺钉孔内，通过加压钳对两端椎体加压，使植骨处更牢固。锁紧螺帽，使棒与螺钉紧密固定。选择合适的横向连接器，连接两棒，使固定更坚强。

50.6 脊柱融合器

当脊柱椎间盘或椎体出现退变、损伤、病变等需要切除时，必须将病变节段上下方椎体之间重建并融合起来，防止产生不稳定。此外，重建椎体或椎体之间融合还可以恢复脊柱前柱的高度，恢复脊柱生理弧度；且由于位于脊柱负重的轴线上，融合效率更高。传统的支撑植骨融合方式为植入自体三面皮质骨髂骨、肋骨、腓骨条等。近来针对自体植骨存在的一些问题，又开发出许多脊柱融合器，使用这些融合器较单纯结构性植骨块植骨的优势在于：许多时候可不必取骨，从而避免了取骨区的并发症；有更强的支撑作用，可更好地恢复脊柱的前柱高度和生理弧度；有防滑防脱出结构，可有效地减少内植物脱出的并发症；可能有较高的植骨融合机会。但脊柱融合器较单纯结构性植骨块植骨也有些不足，如增加经济负担，有可能塌陷、沉降，另外是否增加植骨融合率也存在争议。

脊柱融合器主要包括椎间融合器、钛网及人工椎体等三大类。

50.6.1 椎间融合器

经过多年的发展，椎间融合器（Cage）已成为有众多成员的大家族。分为圆柱形和方盒形。①圆柱形 Cage：为质硬、中空、周边带孔的圆柱形物，有不锈钢、钛合金、聚醚醚酮（PEEK）等多种材料，尚有用异体骨制成的，其表面为螺纹结构。植入的 Cage

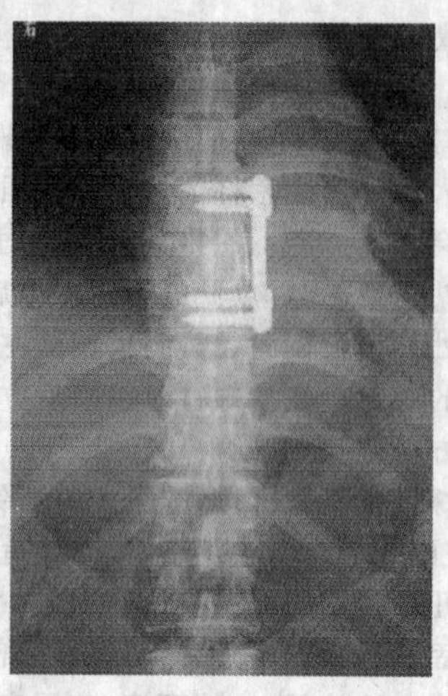

A

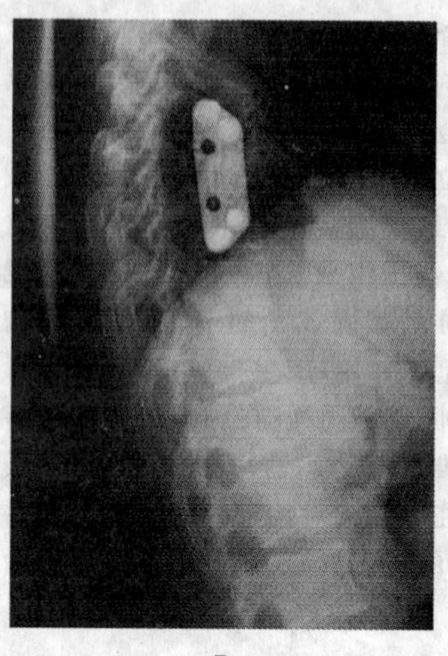

B

图 50-17 胸椎前路钢板固定

A. 胸椎前路钢板固定治疗 T_7 椎体结核术后正位 X 线片 B. 术后侧位 X 线片

A

B

图 50-18 腰椎前路钉棒固定

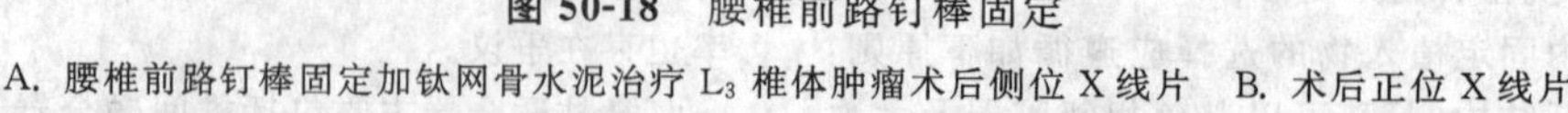

A. 腰椎前路钉棒固定加钛网骨水泥治疗 L_3 椎体肿瘤术后侧位 X 线片 B. 术后正位 X 线片

具有将椎体撑开的作用，以恢复椎间高度；周边孔可以让内部放入的碎骨能够与椎体融合；表面的螺纹能够旋入椎体，具有抗剪切及旋转作用，能独立的即刻维持脊柱的稳定性。②方盒形 Cage：为中空、周边带孔的方柱形物，其表面有棘状突起或倒齿，以利植入后稳定。此种 Cage 在植入时不需将椎体软骨下骨去除，几乎避免了融合后的椎体沉降。但方盒形 Cage 即刻稳定性较圆柱形 Cage 差，一般建议附加其他挡板或内固定。法国 SCIENT'X 公司最近研制出带钛板颈椎 Cage，此种 Cage 由柱形 Cage 演变而来，它的主体为方柱形 Cage，前缘分别向上下延伸并带有孔，以便用螺钉固定于椎体上，这样就具有部分钛板的功能，增加了颈椎的稳定性，促进了椎间融合，是较合理的椎间融合器。

(1) 颈椎 Cage

1) 颈椎圆柱形 Cage 20 世纪 80 年代,国外开始研究并应用于临床,90 年代国内应用较多。为中空的螺纹笼状结构,具有足够的刚度和强度以及良好的生物相容性,不影响 CT、MRI 检查。能够旋入上下椎体,获得即刻稳定性,设计理念上为能够撑开并维持椎间隙的高度,具有撑开效应,解除神经根的压迫;而椎体间沿承重轴的融合,可以使病变节段达到稳定;另外不需在患者身体其他部位取自体骨进行植骨。但此类 Cage 只能在用环锯减压时使用,其减压范围有限;且术后随访时发现很容易发生沉降,导致椎间隙塌陷,因而近来已很少使用。常见的有 TFC(threaded fusion cage)、Spinetech 公司的 BAK、Sofamor 公司的颈椎前路螺纹融合器(interfixtm threaded fusion device)等。

使用方法:颈椎圆柱形 Cage 一般要配合环锯使用。颈椎前路手术环锯减压完成后,使用比环锯略大一号的 Cage 螺纹刀在减压槽周边攻出螺纹,将合适大小的 Cage 中填入减压取下的碎骨,依攻好的螺纹旋入减压槽即可(图 50-19)。

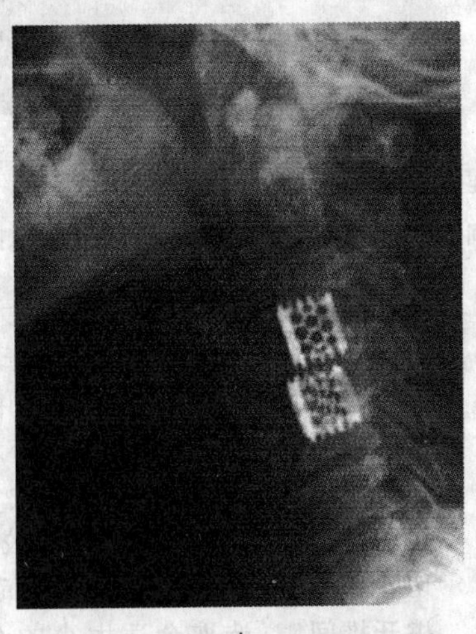
A

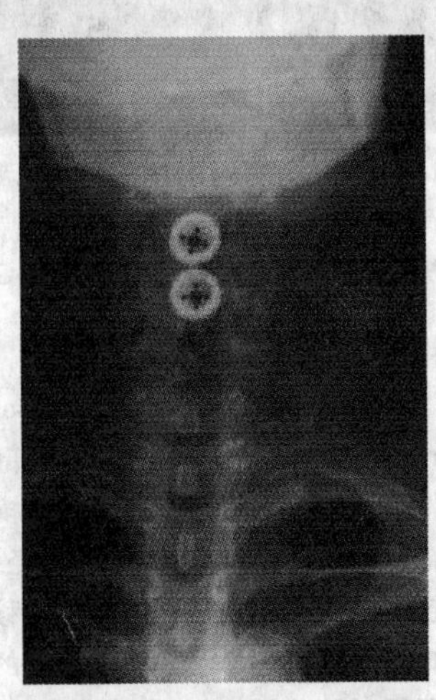
B

图 50-19 颈椎圆形 Cage 固定

A. 颈椎圆形 Cage 固定治疗 C_3-C_4 椎间盘突出症术后侧位 X 线片 B. 术后正位 X 线片

2) 颈椎方盒形 Cage 应用于单纯椎间盘切除术后的椎间隙重建,其形态设计与椎间隙和相邻椎体面相吻合,表面采用不同形状的防滑设计,既可防止 Cage 移位,又可使重建的椎间隙获得即刻稳定,克服了带螺纹圆柱状 Cage 的螺纹切割椎体松质骨而易导致下沉的缺点,是目前较受推崇的符合脊柱微创外科理念的一种植入物。临床应用中较具代表性的分别为 Synthes 公司的 Syncage-C、Depuy 公司的 CFRP Cage 和 Styker 公司的 Solis。因减压时仅行椎间盘切除,局部无可回收利用之骨质,往往需要切取少量的自体髂骨填充 Cage 作为植骨融合。因此,每种 Cage 的操作工具中均配有专用取骨器械,切口小,创伤轻微,供骨区并发症也非常少见。当然也可以使用人工骨或异体骨填充 Cage。

使用方法:用 Smith-Robinson 法切除椎间盘后,适当撑开椎间隙,用试模量取合适高度的 Cage,将充填骨质的 Cage 击入椎间隙即可(图 50-20)。可以附加或不附加颈椎前路钢板固定。注意使用 Cage 时,椎间隙不要过分撑开,否则患者术后易出现小关节的松动从而产生肩部疼痛。

(2) 腰椎 Cage

1) 腰椎前路 Cage 椎间融合术主要用于椎盘突出症合并椎节失稳者,可通过腰椎前路或后路融合之,其融合率是最高的。前路腰椎椎间融合(ALIF)术式不能用于伴有椎管狭窄者和髓核脱出者。前路椎间融合一般不能单独达到生物力学稳定性,常需附加后路的椎弓根螺钉固定和后外侧植骨融合术。其优点是不进入椎管,不产生椎管内瘢痕,出血少;缺点是需要两个手术入路。目前临床较常用的胸腰椎前路 Cage 也包括圆柱形和方盒形两种。

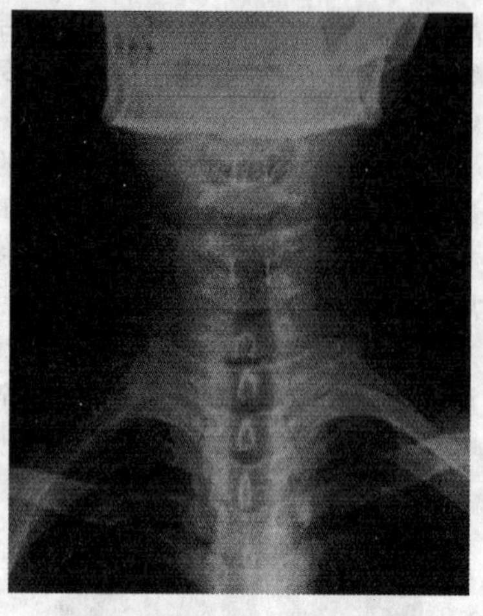

A

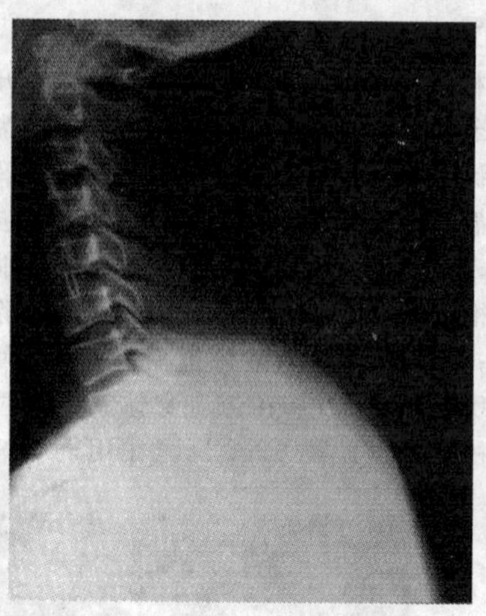

B

图 50-20 颈椎方形 Cage 固定

A. 颈椎方形 Cage 固定治疗 C_3-C_4 和 C_5-C_6 椎间盘突出症术后正位 X 线片 B. 术后侧位 X 线片

圆柱形者如 BAK，由于沉降明显，已不大使用。方盒形 Cage 常见的为 Depuy 公司的 CFRP Cage、Synthes 公司的 Syncage-L 等。模拟终板的解剖型设计，可完全恢复腰椎椎间高度；而前高后低的楔形设计也有助于恢复脊柱前凸，从而扩大椎间神经孔。上下表面的齿状突起可减少 Cage 植入体内后的移动和错位。保留完整的骨终板，以及上下表面孔洞的排列方式和较大的表面积对防止 Cage 向相邻终板沉降起到重要作用并可将应力传导至强度较高的椎体周边骨。多孔设计，以最大程度提供融合的接触面和植骨量，促进骨融合。前后及侧方大空心孔设计有利于随访中融合率的辨别，也有利于骨融合。Cage 上一般有 3 个夹持位置，分别与椎体中线成 0°、45°、90°，可用于前方入路、侧前方入路手术需要。

使用方法：可以从前方或侧前方植入 Cage。在前路完成椎间盘切除后，用绞刀和终板刮刀彻底切除软骨终板，用试模测量椎间高度和深度，适当撑开椎间隙，选取合适大小的 Cage，击入椎间隙，并用一个挡片固定在上方椎体上，防止 Cage 滑出（图 50-21）。

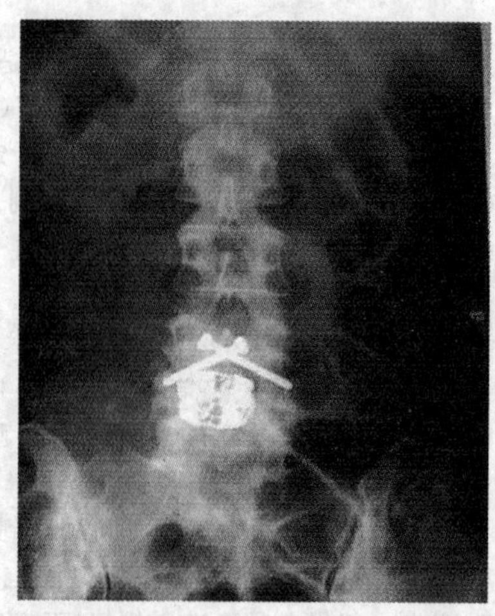

A

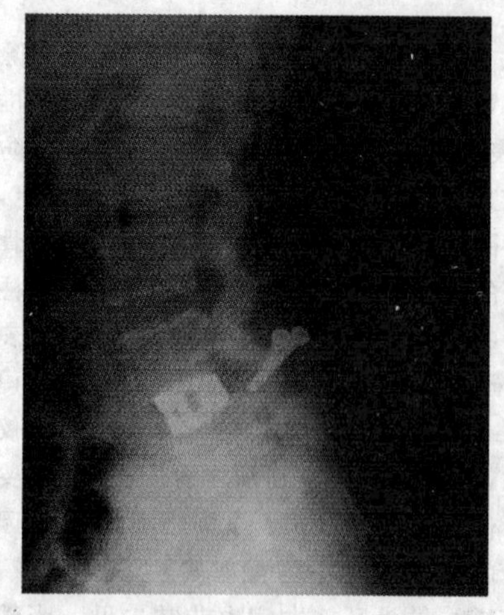

B

图 50-21 腰椎前路 Cage 固定

A. 腰椎前路 Cage 固定联合后路经椎板关节突螺钉固定治疗 L_4～L_5 不稳术后正位 X 线片 B. 术后侧位 X 线片

2）腰椎后路 Cage　后路腰椎椎间融合术(PLIF)即在全椎板切除术的基础上，先摘除突出或脱出之髓核，而后再行椎体间植骨融合术。主要用于同时伴有椎节不稳定的髓核突(脱)出者，也可用于伴有椎管狭窄者。其优点是能在一个切口内完成360°融合；缺点是对神经根牵拉较大，双侧小关节去除较多，术中出血较多。常用的 Cage 有 DePuy 公司的 CFRP Cage、Sofamor 公司的 Telamon、Stryker 公司的 OIC 等。

使用方法：椎板减压完成后，将硬膜囊及脊神经根牵向一侧，注意双侧小关节一定要充分去除，否则容易造成神经根过度牵拉。之后用尖刀片在纤维环后方开一个平均约 1 cm×1.5 cm 大小的窗口，用髓核钳或者刮匙进行椎间盘切除。在椎间盘中央髓核大部分取出后，再用绞刀撑开椎间隙，在骨终板间去除椎间盘组织。在这些绞刀侧方有沟槽面，可以从软骨终板切除椎间盘组织，刀顶端很钝从而避免穿透前方纤维环。开始用 8 mm 的绞刀，平行进入椎体软骨终板间，180°翻转几次，以使刀的沟槽切割处从软骨终板上切除椎间盘组织。然后每次更换增加 1 mm 大小的绞刀，当绞刀能与软骨终板垂直时，在椎体间软骨终板间有紧张的触感，提示纤维环得到牵张。然后使用终板刮刀切除软骨终板，但不要破坏骨性终板。在使用这些扩张器时，务必将硬膜囊和神经根拉开，因其接触硬膜容易造成损伤。也要避免将扩张器置入上、下骨性终板。这在 L_5～S_1 间隙处于前凸位置很容易发生。因为腰椎前凸，操作时最好不要用力将扩张器柄向下靠近脊柱导致扩张器偏向 L_5 下方。再将测量好的腰椎后路 Cage，垂直高度 8～12 mm，宽度一般为 8～12 mm，纵向长度为 20～25 mm，在牵引下插入椎间隙，或轻轻叩入。其表面应低于椎管前壁 2～3 mm，并检查 Cage 是否稳定，切勿造成 Cage 向椎管内方向滑脱而引起马尾或神经根损伤的后果。适当加压，防止 Cage 滑出。一般要附加椎弓根螺钉固定和后外侧植骨融合术。

还有一种经椎间孔腰椎椎间融合术(TLIF)，即通过切除一侧小关节突达到椎间盘外侧，摘除椎间盘后施行椎体间融合，其优点是只破坏一侧小关节，对神经根几乎没有牵拉。常用的有 DePuy 公司的 Devex。

50.6.2　钛网

为圆柱形或类圆柱形的中空钛质网状结构，作为骨移植物或骨水泥的装载器，主要用于填充椎体减压术后的缺损区，也有用于充填椎间隙者(titanium mesh cage，TMC)，可以重建脊柱的完整性和稳定性。在颈椎一般只用于前路手术，在胸腰椎多用于前路手术，有时也可通过侧后方植入椎体或椎间隙。其即刻稳定性不够，在前路使用时经常与前路钢板联合应用，避免钛网移位可能导致的脊髓损伤或脏器损伤等严重并发症。但是长期随访发现钛网主要存在的问题是会沉降入上下方椎体，造成椎体高度的丢失。目前国内临床上常用的钛网有两种。

1）外科钛网(surgical titanium mesh)　为 DePuy 公司产品。根据应力承载原则设计，材质为医用纯钛，不影响 CT 和 MRI 检查，生物相容性好，力学强度较高。有圆形、卵圆形、扁形等各种形状，各种大小的型号。其网状结构呈菱形，壁厚为 1 mm，直径为 10、12、14、16 mm，可修剪成所需的高度和形状，可容纳植骨材料空间大，有利于植骨愈合，钛网两端可加终板垫片，防止钛网下沉。还配有钛网末端加强环。

2）Pyramesh　为 Sofamor 公司产品，与上述的外科钛网主要区别是其网状结构呈三角形，壁厚为 1.7 mm。由于此类钛网壁较厚，强度较高，应力遮挡效应明显，易沉降；且可容纳植骨材料空间小，金属所占比例太大，植骨愈合效果也受到相应影响。

使用方法：将病椎切除，一般要保留椎体对侧壁和后壁，病椎上下方相邻的椎间盘，包括软骨终板也要清理干净。适当撑开上下邻椎之间的距离，测量合适的钛网高度。选择的钛网直径尽可能大，以便增加植骨量和支撑面积，有利于植骨愈合。最好选择带垫片的钛网，减少沉降。击入钛网时注意与脊髓要保留一定间隙(图 50-22)。透视钛网位置合适后在上下邻椎适当加压，防止钛网脱出或移位。

50.6.3　人工椎体

早在 1969 年，Hamdi 即首次报道椎体肿瘤切除后用假体替代切除后的椎体，此后人工椎体逐渐发展起来。目前，人工椎体种类繁多，主要可分为支撑型、撑开固定型及可调固定型三大类。

1）支撑型　此类人工椎体无特殊的固定系统，固定依赖于其内填充的骨水泥或嵌入上下椎体。因此，大多需要辅以其他内固定系统以达到术后的即刻稳定性。

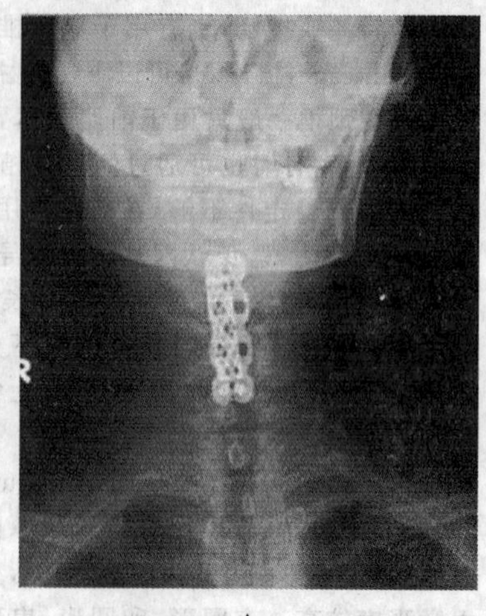

A

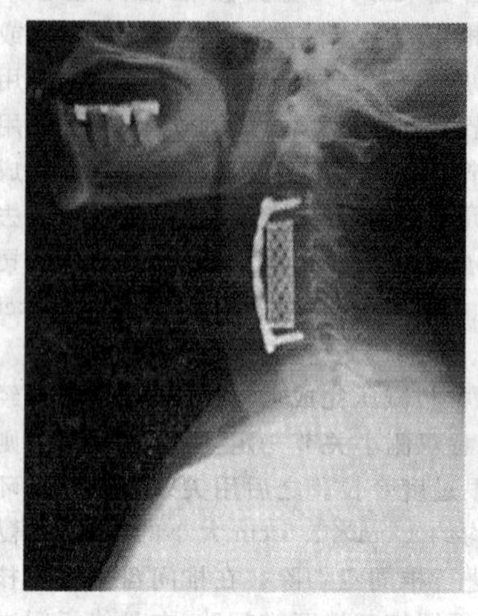

B

图 50-22 颈椎钛网固定

A. 颈椎钛网加前路钢板治疗颈椎病术后正位 X 线片 B. 术后侧位 X 线片

2）撑开固定型 其有尖刺状突起或螺钉与上下椎体相固定。但此类人工椎体长度固定，手术时对人工椎体的选择较严格。

3）可调固定型 此类人工椎体在与上下椎体形成固定的同时，可以调节人工椎体的长度，达到理想的恢复椎体高度的目的。此类人工椎体以钛质合金制成，其中空结构可填充松质骨以达到骨性融合。这是目前比较理想的人工椎体。目前临床常用的 Synthes 公司的 Synex 胸腰椎人工椎体和 Styker 公司的 Modul'ICS 人工椎体。

人工椎体的使用方法与钛网类似，其优点是高度可调，使用方便；缺点是壁厚，植骨量较钛网小（图 50-23）。

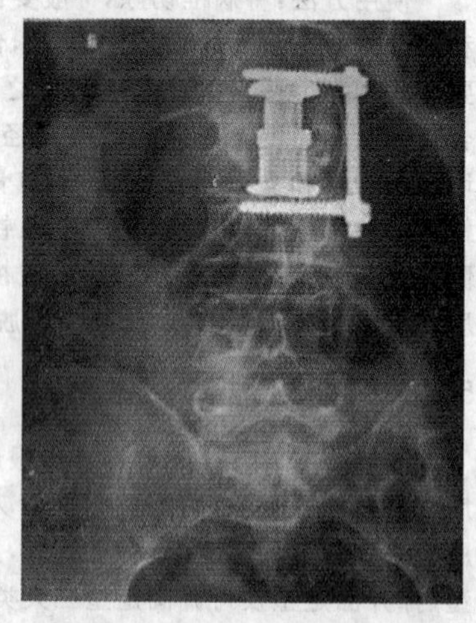

A

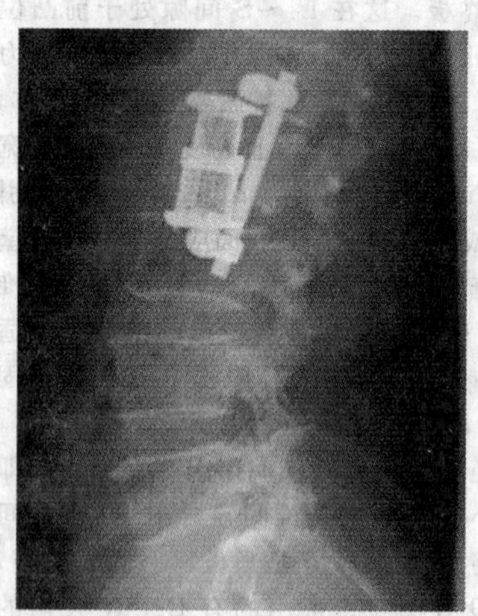

B

图 50-23 腰椎人工椎体

A. 腰椎人工椎体加前路单棒固定治疗 L_2 椎体肿瘤术后正位 X 线片 B. 术后侧位 X 线片

50.7 动态固定

动态固定主要用于处理椎间盘病变造成的问题。椎间融合术对于许多病例是成功的，因为在这些病例中，支撑体重的某一退变椎间盘的不稳定是导致脊柱活动时疼痛的根本原因。因此，当这些节段被融合以后，由于局部不再活动，疼痛症状便得以消除。但是，某一节段融合后将导致其相邻节段的应力和活动度增加，这将加速这些相邻节段的退变。因此，椎体融合术的内在问题是它融合病变节段的同时丧失了该节段的生理性运动。而人工椎间盘则恰恰相反，它提供椎体间的正常运动，因此能够减少相邻节段的应力和活动度，从而延缓相邻节段椎间盘的退变进程。

过去40年来，人们设计出各种各样的人工椎间盘，但其中大部分都没有得到生产。目前，基本上有4种类型的动力稳定系统脱胎于人工椎间盘技术。

50.7.1 全椎间盘置换

人工椎间盘置换作为一种新的治疗方法，其概念的出现和临床初步尝试已有40余年的历史，这期间出现了不同外形、不同材料和不同设计的人工椎间盘，研究基本方向：保留、恢复和维持脊柱节段的正常生理功能，缓解椎间盘退行性病变及其所导致的疼痛，并延缓相邻节段椎间盘的退变。人工椎间盘的研究从开始到现在主要集中在腰椎方面，而在颈椎方面投入的努力较少，在胸椎方面则几乎没有开展。这主要是因为胸椎椎间盘病变比较少见，而且结构相对腰椎和颈椎来说比较稳定。这项技术要求患者拥有正常的关节突关节以及完整的后部韧带和肌肉。此外，除了与骨性终板接触的高硬度植入物，还有一些软质的植入物，通常由蕴涵板层结构的弹性材料或充满液体或基质的纤维囊构成。目前常见的腰椎产品有 Charité Ⅲ型人工椎间盘(DePuy Spine，Raynham，MA)、Prodisc 人工椎间盘(Synthes 公司)、Maverick 人工椎间盘(Sofamor 公司)，颈椎产品主要有 Bryan 人工椎间盘(Sofamor 公司)和 Prodisc-C 颈椎间盘(Synthes 公司)。

目前，人工椎间盘的研究虽然已经经历了几十年的发展，一些产品已经进入临床应用前期，早期取得了较好的临床应用效果。但关于人工椎间盘置换的手术适应证尚有许多争议，其使用寿命和远期治疗效果缺乏长期随访资料。因此，虽然人工椎间盘假体也历经数代的改型更新，但由于人体椎间盘及椎体复杂的解剖与生物力学特性，目前还无法等同于四肢的人工关节假体。近些年，国内部分医院陆续开展了人工椎间盘置换术，但存在一定的盲目性，手术指征和适应证掌握的比较混乱，椎间盘假体置换术仍处于临床试验期。

国内外文献显示不同术者掌握适应证的侧重点并不相同。以下是国内外大部分专家基本认同的腰椎人工椎间盘置换的手术适应证：①单节段或多节段退行性椎间盘疾病，其反复发作的腰背痛明显大于腿痛；②椎间盘退变造成的明显腰部活动受限；③腰痛病史超过1年，且已接受正规非手术治疗无效者；④椎间盘退变引起的脊椎不稳或轻度的腰椎滑脱；⑤腰椎融合邻近节段椎间盘退变不稳伴有腰痛；⑥椎间盘髓核摘除术后出现腰背痛综合征或节段性腰椎不稳；⑦椎间盘造影证实为椎间盘源性腰痛。

尽管椎间盘置换的手术适应证并没有统一的标准，但目前在全世界范围内，有关椎间盘置换的禁忌证有一个基本统一的认识。存在以下一些情况的患者通常不宜进行人工椎间盘置换术：①假体支撑椎体节段有退变、代谢性骨病，明显的骨质疏松、骨软化等；②脊柱肿瘤、潜在的局部感染及相关的活动节段有炎症；③按 Meyerding 分型脊柱前移达Ⅱ°或Ⅱ°以上及椎弓崩裂性脊柱滑脱；④因椎管狭窄引起症状的患者；⑤单纯的根性压迫症状，特别是由于突出的椎间盘组织所致；⑥纤维环完全破裂的椎间盘突出症；⑦范围广泛的多节段性椎间盘退变性疾病；⑧以前手术遗留严重的瘢痕及患者脊柱没有足够的顺应性和活动性；⑨存在心理性疾病、过于肥胖以及病态肥胖的患者；⑩蛛网膜炎、关节突关节炎、腹壁疝、既往有髂股静脉炎、曾行腹膜后放射治疗的转移癌。

50.7.2 髓核置换

在行标准椎间盘切除术后采用可以吸收液体的凝胶或充满液体的圆柱状囊袋代替原来的椎间盘髓核以维持椎间高度。人工髓核置换主要用于中和轻度的椎间盘退变，而人工椎间盘置换主要用于更加严重退变性病变。相对而言，人工髓核置换保留了更多的结构，如纤维环、终板和韧带。常见的椎间盘髓核假体均用于腰椎，如椎间盘髓核假体 PDN(图 50-24)，Newcleus 人工髓核，Aquarelle 水凝胶髓核等。

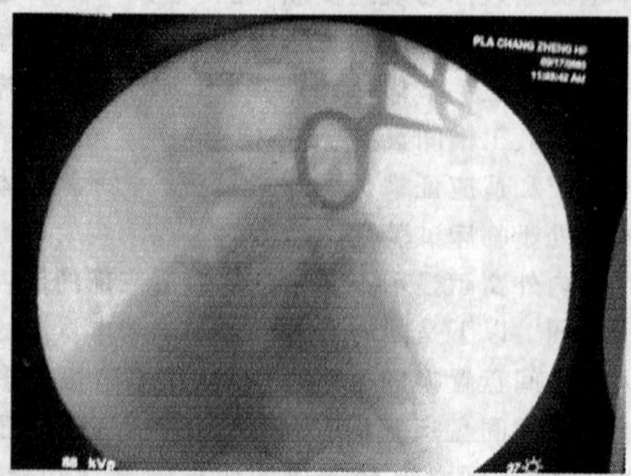

图 50-24 PDN 治疗 L_4～L_5 椎间盘突出症

50.7.3 后路动态固定

目的是增加后柱强度，减少应力遮挡，分散应力，保护植入物。主要包括如下。

1）棘突间撑开装置 可以撑开黄韧带，减轻椎管狭窄，恢复椎间高度，如 Walleis，X-top 系统等。

2）人工韧带装置 一般联合椎弓根钉使用，用弹性材料替代坚硬的金属棒，如 Graft ligment，FASS，Dynasys 等。

3）半固定椎弓根钉 如 SCIENT'X 公司的 ISOBAR TTL Semi-rigid 等。

50.7.4 全腰椎关节置换

将腰椎前后组成结构全部予以置换。目前，上述系统尚未出现于美国 FDA 的试验中，世界其他各地也没有用于临床。

（袁 文 谢 宁）

参考文献

[1] Abumi K, Kaneda K. Pedicle screw fixation for nontraumatic lesions of the cervical spine. Spine, 1997, 22: 18753～18763.

[2] Aebi M, Zuber K, Marchesi D. Treatment of cervical spine injuries with anterior plating. Spine, 1991, 16 (3S): 538～545.

[3] An HS, Gordin R, Renner K. Anatomic considerations for plate screw fixation to the cervical spine. Spine, 1988, 13: 813～816.

[4] Bagby GW. Arthrodesis by the distraction-compression using a stainless steel implant. Orthopaedics, 1988, 11(6): 931～934.

[5] Brooks AL, Jenkins EG. Atlanto-axial arthrodesis by the wedge compression method. J Bone Joint Surg, 1978, 60(A): 279～284.

[6] Caspar W, Barbier DD, Klara PM. Anterior cervical fusion and Caspar plate stabilization for cervical trauma. Neurosurgery, 1989, 25: 25(4): 491～502.

[7] Cotrel Y, Dubousset J, Guillaumat M. New universal instrumentation in spinal surgery. Clinc Orthop, 1988, 19: 291～311.

[8] Delamarter RB, Fribourg DM. Prodisc artificial total lumbar disc replacement: Introduction and early results from the United States clinical trial. Spine, 2003, 28(20S): 167～175.

[9] Dickman CA, Foley Kt, Sonntag VH, et al. Cannulated screws for odontiod screw fixation and atlantoaxial transarticar screw fixation. A technical note. J Neurosurg, 1995, 83: 1095～1100.

[10] Gallie WE. Fractures and dislocations of the cervical spine. Am J Surg, 1939, 46(A): 495～499.

[11] Graziano G, Jaggers C, Lee M, et al. A comparative study of fixation techniques for type Ⅱ fractures of the odontoid process. Spine, 1993, 18(16): 2383～2387.

[12] Grob D, Dvorak J, Panjabi MM, et al. The role of plate and screw fixation in occipitocervical fusion in rheumatoid arthritis. Spine, 1994, 19: 2545～2551.

[13] Grob D, Jeanneret B, Aebi M, etal. Atlantoaxial fusion with transarticular screw-fixation. J Bone Joint Surg, 1991, 73(B): 972～976.

[14] Harms J, Melcher RP. Posterior C1-C2 fusion with polyaxial screw and rod fixation. Spine, 2001, 26 (22): 2467～2471.

[15] Holness RO, Huestis WS, Howes WS, et al. Posterior stabilization with an interlaminar clamp in cervical injuries: Technical note and review of the long term experience with the method. Neurosurgery, 1984, 14: 318～322.

[16] Kaneda K, Abumi K, Fujiya M. Burst fractures with neurologic deficits of the thoracolumbar spine: Results of anterior decompression and stabilization with anterior instrumentation. Spine, 1984, 9: 788～795.

[17] Khodadadyan KC, Kandziora F, Schnake KJ, et al. Transoral atlanto-axial plate fixation in the treatment of a malunited dens fracture and secondary atlanto-axial instability. Chirurg, 2001, 72(11): 1298～1302.

[18] Roy-Camille R, Mazel C. Stabilization of the cervical spine with posterior plate and screw. In Sherk HH, ed. The cervical spine. 2nd ed. Philadelphia: JB Lip-

pincott，1989，(1)：579～580.

[19] Roy-Camille R，Saillant G，Mazel C. Internal fixation of the lumbar spine with pedicle screw plating. Clin Orthop Rel Res，1986，203：7～17.

[20] Samaha C，Lazennec JY，Laporte C，et al. Hangman's fracture：the relationship between asymmetry and instability. J Bone Joint Surg(Br)，2000，82：1046～1052.

[21] Shim CS，Lee SH. Partial disc replacement with the PDN prosthetic disc nucleus device. J Spinal Disorders & Techniques，2003，16(4)：324～330.

[22] Songer MN，Spencer DL，Meyer PR，et al. The use of sublaminar cables to replace Luque wires. Spine，1991，16：418～421.

[23] Steffee AD，Biscup RS，Sitkowski DJ. Segmental spine plates with pedicle screw fixation：A new internal fixation device for disorders of lumbar and thoracolumbar spine. Clinc Orthop，1986，203：45～53.

51 椎体成形术

51.1 历史

椎体成形术(vertebroplasty，VP)是一种新型的脊柱外科介入疗法，其实质是通过向椎体注入凝固性材料以达到减轻疼痛和增加椎体稳定性的目的。1984 年 Deramond 和 Galibert 在法国 Amiens 首次完成了椎体成形术。该患者患有 C_2 椎体侵袭性血管瘤，术后疼痛症状缓解。1987 年作者报道了 7 例类似操作并将其命名为椎体成形术，由于该手术经皮穿刺操作，故称为经皮椎体成形术(percuteneous vertebroplasty，PVP)。不久，Desquenel 将这一技术的适应证扩展到骨质疏松或恶性肿瘤侵犯而继发的椎体塌陷。1988 年 Bascoulergue 等在第 74 届北美放射学年会上报告了 VP 治疗骨质疏松或肿瘤压缩性骨折的疗效。1989 年 Kaemmerlen 等发表了 VP 治疗 20 例脊柱恶性肿瘤患者的临床报告。1989 年 Lapras 等报道了经皮椎体成形术治疗骨质疏松压缩性骨折的临床疗效。1991 年 Debussche-Depriester 等也开展了 VP 治疗骨质疏松压缩性骨折的工作，术后患者疼痛得到明显缓解。但在 90 年代早期，欧洲的学者主要关注 VP 在椎体肿瘤性病变如椎体血管瘤、骨髓瘤和肿瘤转移病灶上的应用，对 VP 治疗骨质疏松椎体压缩性骨折研究不多。1993 年 Dion 和 Jensen 在弗吉尼亚大学对一位乳腺癌椎体转移的患者进行了美国第 1 例椎体成形术。1994 年后，VP 在美国开始逐步得到应用。VP 引入美国之后，首先广泛应用于保守治疗无效的骨质疏松椎体压缩性骨折治疗中。同期，欧洲的学者们也开展了 VP 在骨质疏松方面应用的大量研究工作。近年来，VP 作为一种很有前途的治疗方法，其发展十分迅速，保守治疗无效的骨质疏松压缩性骨折已经成为主要的适应证。1998 年美国犹他州 Sundance 举办了北美首届 VP 培训班。当时只有 10～12 名医师能操作该技术，而现在已有上千名医师从事 VP 的临床工作。近 5 年来，VP 的临床应用显著增加，仅 2001～2002 年间美国的 VP 手术量从 38 000 上升到 48 000，增加了 28%。大量的临床实践产生了许多问题，也带动了 VP 的基础和临床研究，使该项技术日趋完善。

51.2 患者的筛选

51.2.1 适应证和禁忌证

VP问世以来,其适应证从早期的椎体血管瘤,到后来的骨髓瘤、骨转移和骨质疏松椎体压缩性骨折,有了很大的拓宽。目前,VP还被应用于压缩性骨折高危患者的预防性治疗和脊柱外科内固定手术前后稳定椎体的辅助治疗等。近些年来,学者们从大量临床实践中总结了一些经验,对VP的适应证和禁忌证进行了深入的探讨。

一般认为,VP适用于常规保守治疗4～6周以上持续疼痛的椎体骨折患者。椎体良性或恶性肿瘤患者也是不错的候选者。Carrino等认为对于骨质疏松症患者而言,病程1年以内、受累节段1～2个以及没有严重压缩者最适宜VP。对于1年以上病程患者若MRI或骨扫描证实有慢性病灶,对于VP也有良好的反应。

椎体的过度压缩一度被认为属于禁忌证,因为此时穿刺针的置入和骨水泥的注入十分困难。Deramond等认为椎体塌陷不一定完全禁忌,但必须要保留椎体高度的1/3。Lin等认为椎体压缩程度没有限制。也有作者认为不同的脊柱节段有不同的情况,上胸椎压缩50%就可能很难操作,而腰椎即使压缩75%仍可完成操作。这与医生的技术和经验有关。O'Brien等报道6例椎体高度丢失65%～70%的患者经治疗后,5例疗效佳。作者认为VP对于严重的压缩性骨折也是安全和有效的。而对于压缩超过70%的患者,虽然技术难度大,但CT引导穿刺可以协助完成操作。Peh等报道了37例48个严重骨质疏松压缩性骨折椎体,椎体高度不足1/3。其中47%和50%的患者有完全和部分疼痛缓解。虽然骨水泥渗漏至邻近椎间盘(35%)和椎体外软组织(8%),但皆无症状。总的来说,椎体的过度压缩应看作VP的相对禁忌证。

早期大多数学者认为椎体后部严重缺损(常见于溶骨性骨转移患者)是VP的禁忌证。但Deramond等认为椎体后方皮质不需要完整。他们的经验表明,超过50%的椎体肿瘤患者椎体后壁都有一定程度的破坏。但在临床应用中发现即使是严重的溶骨性病变,在椎体和椎管间缺少骨性屏障的患者中,也很少出现严重的神经功能障碍并发症。Lin等认为皮质破坏不构成禁忌证,但肿瘤患者的治疗可能会导致肿瘤的医源性播散。他们认为在手术风险低于期望获得利益时可以决定手术,在椎管减压后可以考虑联合应用VP。对于肿瘤椎体椎弓根破坏者,一般选择经椎弓根旁入路穿刺灌注以减少并发症。Gailloud等认为椎弓根破坏患者也可成功进行VP,并称为椎弓根成形术(pediculoplasty, PP)。2002年有作者报道了两例椎体血管瘤患者行椎弓根成形术,并建议手术需在电透监视下进行,以减少骨水泥渗漏压迫神经或脊髓。2004年Eyheremendy等报道了5例骨质疏松椎体和椎弓根压缩性骨折的患者同时进行VP和PP,患者疼痛得到缓解。

压缩性骨折水平的椎管占位或狭窄一般被认为是禁忌证。但Appel等对26例有椎管内占位的椎体进行VP,20例完全或部分疼痛缓解,未发现有症状的并发症发生。有症状的脊髓受压也是VP的禁忌证,但如果没有脊髓受压仅硬膜受累的椎体肿瘤可以考虑VP。Shimony等随访了50例恶性肿瘤压缩性骨折并伴有硬膜囊受累的患者VP疗效。患者平均随访24个月,结果有41例疼痛改善,26例活动增加。

目前胸腰椎爆裂性骨折常用的治疗是后路短节段椎弓根螺钉固定(short segment pedicle instrumentation, SSPI)。虽然临床应用总的效果良好,但仍存在一些问题,主要是内固定物发生疲劳断裂和去除内固定后后凸畸形重现,发生率在45%以内。一般认为,椎体的高度矫正后产生的空隙使前柱失去支撑作用是造成固定失败的主要原因。还有研究认为,椎间盘组织进入骨折的椎体内部以及继发的椎间隙塌陷是导致内固定物疲劳断裂和去除内固定后后凸畸形复发的重要原因。因此一些学者认为恢复受压塌陷终板的正常位置,重建椎间隙的解剖界限非常重要。为了避免内固定失败,有时需行前外侧入路植骨和内固定,但其创伤较大,会相应增加并发症的发生率。而经椎弓根向椎体内注入松质骨尚未被证实有效。最近的研究显示,VP在这方面具有独特的优势,其创伤小,并可以立即起到稳定脊柱的作用。术中毗邻椎体后路短节段椎弓根螺钉复位固定后,患椎灌注成形可以强化稳定椎体,减少高度矫正丢失和内固定失败率。而且单从后路就可一次解决诸多问题。Mermelstein等通过人尸体标本的生物力学试验表明经椎弓根灌注磷酸钙骨水泥可以重建椎体强度与稳定性，减少内固定失败率并避免矫正度的丢失。研究结果显示椎弓根螺钉的弯曲力矩可以减少 59%，后伸力矩减少 38%，平均刚度增加 40%。Chen 等对 6 例胸腰椎爆裂性骨折行 VP，平均随访 12 个月，VAS 评分从 8.43 下降至 2.40，后凸矫正 1.3°。虽然 4 例患者发现骨水泥渗漏至椎间盘或椎旁组织，但皆没出现临床症状。Cho 等在内固定手术治疗胸腰椎爆裂性骨折同时辅助行 VP。20 例患者平均随访 2 年后，后凸矫正较术后即刻丢失 1°，高度恢复增加 0.13 mm。而不用 VP 的对照组则分别为 7.02°和 6.17 mm。虽然在上述报道中 VP 被证实有一定作用，但爆裂性骨折其皮质破裂，骨水泥渗漏危险大，加之骨块后凸常见，易导致脊髓和神经根受压。目前类似临床报道较少，一些作者主张应慎重选择，VP 在爆裂性骨折中的应用还有待进一步研究。

最近 Barr 和 Uppin 等建议 VP 可用于骨质疏松椎体压缩性骨折的预防性治疗。实验研究证实椎体成形能有效预防性强化椎体。对于压缩性骨折高危患者如既往压缩性骨折造成严重的有症状性后凸和肺功能受累，或者有慢性激素服用史的，预防性 VP 可以考虑。已有研究证实，骨质疏松症患者若已有一个椎体发生压缩性骨折，则其余椎体再次发生压缩性骨折的概率较高。Lindsay 等报道在初发骨折后 1 年内有 25%的患者会再发一次骨折。Barr 等认为，严重的后凸畸形会明显加重已有骨折椎体的相邻椎体所承受的生理应力，因此对这些患者进行预防性治疗是有意义的。在使用脊柱内固定器械前灌注骨质疏松椎体也是有价值的预防性使用。Deramond 等认为当发现无压缩性骨折，但椎体上下相邻椎体皆有疼痛性楔形椎体压缩，那它也应行 VP。如果 MRI 或放射性核素骨扫描显示疼痛压缩椎体邻近的正常形态椎体有与骨髓水肿相关的异常信号或摄取，那两个椎体都应治疗。但对于骨质疏松症患者未发生压缩性骨折的椎体是否要进行预防性治疗的问题尚存在争议。Mathis 等认为无症状的患者没有 VP 的指征。如果能够明确有极高度再发骨折危险的患者和能预测哪一个未骨折的节段将自发骨折，预防性 VP 是合理的。但 Jensen 等认为再发骨折概率较小，也无法预测继发骨折部位，因而预防性 VP 并无理由。美国医疗保险制度目前并不接受预防性 VP。此外，有作者认为在椎体病理性骨折有高度塌陷危险时有指征对无症状患者行 VP 以预防椎体塌陷。也有学者认为没有骨折的疼痛性椎体肿瘤侵犯有指征行 VP，但仍没有足够的证据支持。对于这类患者的筛选，需要骨科、放射科和肿瘤学专家的共同参与。

目前有些学者主张一次常规进行多节段椎体成形。Kallmes 等研究了一次单节段、一次多节段和多次多节段 VP 的效果，结果发现疼痛缓解方面等效，活动受累方面单节段 VP 反而明显。但也有学者认为多发的有症状压缩性骨折椎体应分期处理，一般先处理最痛的椎体，一次不应超过 2～3 个椎体，以免渗漏导致肺栓塞。美国曾报道 2 例 VP 术后死亡，一例一次行 7 节段椎体成形，另一例则为 11 个。Peters 等报道了 1 例患者一次治疗 3 节椎体后系统血压下降，但血流动力学是自限性的，补液可以纠正。由于该患者 6 周前和 6 个月后分别进行的一次两节椎体成形无明显异常反应，提示与 PMMA 的剂量有关。因而作者建议一次灌注 PMMA 椎体成形限制在两节椎体之内。

年轻患者创伤性椎体性压缩骨折并不被认为是 VP 手术指征，因为他们往往不需要特殊处理就会康复，椎体骨水泥灌注的长期效果仍在随访中。但是有一些继发性骨质疏松症的青壮年患者有指征使用 VP，如 SLE、放射性 Langerhans 组织细胞增多症、Paget 病和成骨不全等。

尽管在一些方面还存在争议，但学者们还是归纳总结了获得大多数人认可的适应证和禁忌证。美国放射学会标准提出了 VP 的操作指南，其适应证包括：①有疼痛症状的原发或继发椎体压缩性骨折，对药物治疗无效；②有疼痛症状的继发于良性或恶性肿瘤（如血管瘤、多发性骨髓瘤和转移病变等）的椎体广泛溶解或侵犯；③有疼痛症状的与骨坏死（Kummell 病）有关的椎体骨折；④证实楔形畸形有移动的不稳定压缩性骨折；⑤多发压缩性骨折畸形的患者，其脊柱畸形进一步加重可能导致肺功能受累、胃肠道功能紊乱和身体重心改变；⑥正常椎体慢性创伤性骨折伴骨不连或囊性改变。绝对禁忌证包括：①无症状的稳定椎体；②药物治疗明显改善的患者；③无急性骨折证据的骨质疏松症患者预防性治疗；④所治椎体骨髓炎；⑤非骨质疏松椎体急性创伤性骨折；⑥无法纠正的凝血功能障碍和出血倾向；⑦对操作所用药品器械有过敏反应的。相对禁忌证包括：①神经根性痛或病变超过椎体疼痛，由与椎体塌陷无关的压迫综合征引起，此情况下若行使椎体失稳的操作可术前用 VP；②骨折块后凸导致显著椎管占位；③肿瘤突入硬膜外间隙伴显著椎管占位；④严重的椎体塌陷；⑤没有疼痛的稳定椎体并已知有 2 年以上病程；⑥一次治疗 3 个以上椎体。

51.2.2 体检和影像学检查的价值

体检和影像学检查是术前筛选患者的主要方法，对临床预后有一定的影响。Park 等认为影响 VP 预后的因素包括骨折部位的局限化疼痛，MRI 或骨扫描的近期骨折证据以及严重疼痛。

所有拟行 VP 的患者都应在术前明确疼痛与椎体压缩性骨折有关，因为患者常常合并小关节病变、椎间盘突出或椎管狭窄等，混淆诊断。骨折水平椎体棘突局限性压痛是患者入选的标准之一，特别是疼痛局限于影像学诊断水平的患者。但 Gaughen 等比较了 10 例患处无局部压痛和 90 例患处局部压痛患者的 VP 疗效，结果发现没有显著差异。Kallmes 等认为那些没有局限压痛的患者如 Kummell 病、神经根痛（椎体稳定性差）和髋痛（可能为小关节病变引起）对 VP 也会有良好反应。他们报道一些患者术后原先放射到髋部的椎旁疼痛也得到改善。

多发椎体压缩性骨折的患者仅凭体检和 X 线平片是难以明确疼痛椎体的。在前者，压痛检查往往不能准确指明患椎。而 X 线平片则较难区别陈旧性压缩性骨折。因而对于那些复杂的患者有必要术前行 MRI 检查来帮助判断目标椎体。Do 等认为 MRI 对明确脊柱肿瘤的部位和侵犯程度，以及判断椎体压缩性骨折的病程有帮助。骨折时期不同，骨髓信号特征性改变不同。30 天内的急性和亚急性骨折，T1 加权为低信号，T2 加权和 STIR 序列为高信号。Cuenod 等发现 42% 的患者在 T2 加权影像上骨折终板下有高信号带。此外，终板下还可以发现亚急性积血。在使用钆对照剂后有可能变成等信号改变。骨折将近 1 个月时，绝大多数压缩性椎体 T1 和 T2 加权信号等同于正常骨髓。完全愈合椎体骨髓信号恢复，有时因为显著硬化而在 T1 和 T2 加权时成低信号。这些硬化椎体成形时监视操作困难，效果不佳。Do 等认为 Kummell 病 MRI 显示上终板有液性物质积聚，T1 加权低信号，T2 加权显著高信号。该 MRI 影像上缺乏骨髓炎或脓肿常见的椎体周围炎性改变信号。骨扫描对于判断有问题的椎体压缩性骨折可能也有帮助，还可帮助判断急性骨折和骨折愈合的部位，特别是多发椎体骨折的患者。Maynard 等认为骨折部位示踪剂摄取增加高度预示 VP 有好的治疗效果。在他们的研究中 28 例患者中有 26 例疼痛缓解。骨扫描对于诊断椎体压缩性骨折非常敏感，阴性结果同 MRI 阴性影像一样提示该椎术后疼痛缓解的可能较低。然而，当椎体压缩性骨折有效治疗后骨扫描还会长期呈阳性表现。Mathis 等主张尽可能选择 MRI，不能行 MRI 检查时才考虑骨扫描。因为 MRI 除了能提供翔实的解剖结构，还能同时反映椎管狭窄等影响 VP 患者筛选的异常情况。有时肿瘤性和骨质疏松性椎体压缩性骨折之间在 MRI 和骨扫描上无法鉴别时，可在灌注骨水泥前先行活检。CT 主要用来明确椎体后壁及椎弓根破坏情况，以及椎体及椎弓根解剖情况以指导操作。

51.2.3 时机的选择

起初，VP 治疗时间通常选择在药物支具等保守治疗无效之后。绝大多数的患者都在疼痛发作 6～12 周以后得到 VP 治疗。近些年，越来越多的患者骨折后早期就进行 VP。这些患者往往求助过相关医生，既往对疗效很满意，希望早期就避免使用止痛药物和制动。Cyteval 等建议对几周内甚至几天内如果疼痛剧烈，需住院和注射用麻醉药物者早期行椎体成形。Deramond 等认为 VP 适用于那些由于 1～3 个椎体压缩性骨折而致生活不能自理和持续局部严重背痛（3～4 周）的患者。为防止压疮等并发症，对于 85 岁以上严重局部疼痛超过 1～2 周的患者要尽早使用。Mathis 等则认为如果患者合并肺炎，血栓性静脉炎和对麻醉药物不耐受，VP 应尽早实施。老人长期卧床和喜好活动的患者也应早期治疗。Diamond 等前瞻性研究了 55 例急性骨质疏松压缩性骨折的 VP 疗效，VAS 评分由 19 下降到 9，身体功能由 14 上升到 18，13 例患者停止服用镇痛药物，同保守治疗组相比有显著性差异。但过度的早期治疗势必增加医疗费用。此外，Kaufmann 等研究表明骨折 6 个月后的治疗不大可能获得满意的疗效，那些慢性骨折患者由于长期服药产生药物依赖等原因，VP 的效果并不佳。此外陈旧性骨折继发的小关节突综合征、纤维化和肌肉痉挛等也会掩盖治疗效果。但同时，他们的报道骨折后几年 VP 治疗有时也可以获得症状改善。Brown 等比较了 41 例病史 1 年以上和 49 例 1 年以内的骨质疏松压缩性椎体骨折患者 VP 的疗效，结果发现疼痛完全缓解的人数有显著性差异，病史 2 年以上的患者活动度改善远不及对照组。Yu 等比较了骨折发生 2 周内、2 周～2 个月和 2 个月以上的患者 VP 疗效，结果表明 2 周～2 个月疼痛缓解较佳。作者认为亚急性骨折是较为适宜的手术指征。

对于恶性肿瘤侵犯的患者来说，还不明确 VP 是应该用于放疗前还是用于最大放射剂量治疗之后。Stallmeyer 等认为 VP 不会负面影响放疗的效果。作者同时认为 VP 既然可以造成骨髓组织或 PMMA 栓子进入血液循环，理论上就有可能促进肿瘤的播散，因而一定剂量放疗后行 VP 可能更好一点。但 Mathis 等认为 VP 不会妨碍后续或同期的放疗或化疗的效果。既往研究也表明放疗并不改变 PMMA 的完整性。所以对于肿瘤患者，放疗在 VP 后可作为进一步治疗，能增强疼痛缓解效果且不影响 PMMA 的力学性能。

51.3　操作技术

51.3.1　灌注入路的选择

VP 很少需要在颈椎和上胸椎使用，但当手术有禁忌时可以考虑。颈椎病变通常用小号穿刺针，经外侧或前外侧入路穿刺入椎体，灌注骨水泥。C_1～C_3 可以经口咽行 VP。Tong 等经口咽行 VP 治疗 C_2 椎体血管瘤获得成功。Wetzel 等经颈后向 C_1 侧块灌注 PMMA 治疗骨转移病灶也获得成功。C_3～C_7 通常采用前外侧入路。T_5 或 T_6 以上胸椎椎体因其解剖结构和位置操作难度大，一般可以用 13 号或 16 号的小号穿刺针，采用经椎弓根或椎弓根旁入路。CT 或联合使用电透可以减少并发症，便于操作。Kallmes 等报道其经椎弓根入路灌注成形中上胸椎，疗效颇佳，且无气胸发生。

在胸腰椎，由于经椎弓根注入途径可以明显减少针道骨水泥渗漏和气胸的危险，因此已经取代后外侧途径而被广泛应用。椎弓根旁后外侧入路常经过椎间孔，易使神经根损伤，特别是骨水泥沿针道渗漏时。但在下腰椎或椎弓根破坏的椎体可以考虑后外侧椎旁入路灌注。Sun 等发现经双侧椎弓根灌注椎体的强化效果明显好于后外侧入路。但 Dean 等研究发现经后外侧入路平均灌注 PMMA(CMW3) 4.3 ml，与对照椎体相比也能较好地提高椎体的强度，而且成形椎体比未成形椎体在破坏后抗变能力更强。Sun 等发现在 PMMA 在 20%体积百分比以上时，经双侧椎弓根入路比后外侧入路灌注后椎体刚度和强度要大。在低剂量时两者之间无明显差别(图 51-1)。

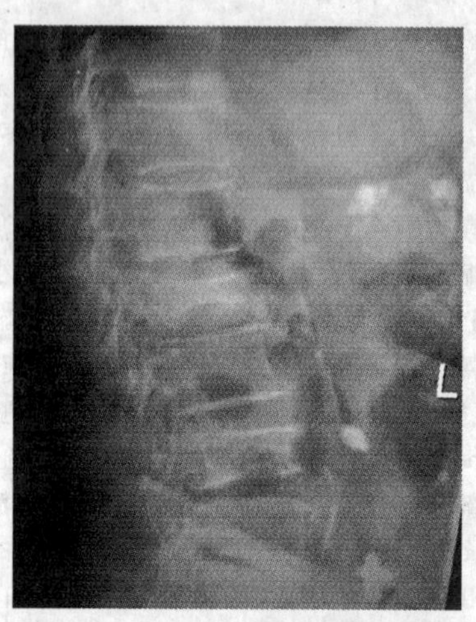

A. L_2 和 L_4 骨折

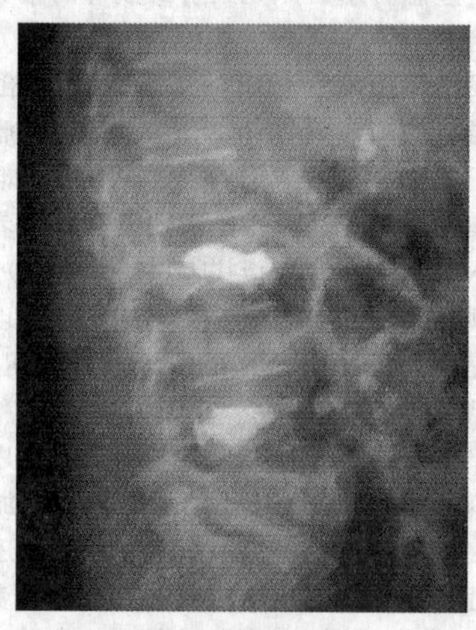

B. VP 手术后

图 51-1　腰椎骨折

目前一般优先考虑经椎弓根入路。由于经双侧椎弓根入路可以使椎体灌注达到最大化，早期作者大多选择经双侧椎弓根灌注骨水泥而不考虑单侧。Laredo 等认为应首选经双侧椎弓根入路，因为该入路可使针尖置于椎体两侧，而经单侧椎弓根入路则不得不放在椎体中央，骨水泥集中于椎体中央易使其渗漏至椎间盘和静脉。但经双侧椎弓根入路延长了操作时间，一侧灌注后影响另一侧灌注监视，干扰判断骨水泥渗漏情况。近来许多学者采纳了经单侧椎弓根入路灌注技术。Higgins 等对离体完整椎体经单侧椎弓根灌注，发现在腰椎 20%体积比的骨水泥能提高 36%的强度，在上胸椎 10%和 20%体积比的骨水泥都能恢复强度。Tohmeh 等生物力学研究则认为单侧注射在刚度恢复上与双侧注射近似，而强度恢复虽然小于双侧，但仍然高于正常椎体的水平，从而认为两者在恢复椎体的机械效能方面效果近似，高度改变上也没有明显差异。但其经单侧椎弓根灌注 6 ml，经双侧共 10 ml，剂量方面有差异，因而估计等剂量灌注时在强度恢复方面应与双侧椎弓根入路相差无几。Hitchon 等经右侧椎弓根向压缩椎体灌注 7～10 ml PMMA和羟基磷灰石(HA，产品名为 Bone Source)后评价脊柱稳定性，结果表明灌注 HA 后在前屈、后伸、右侧屈曲和左向扭转中稳定性和初始无显著性差异，但左侧屈曲和右向扭转不如初始。灌注 PMMA 同 HA 类似，右向扭转与初始无显著差异。两者之间除了右侧屈曲稳定性外皆相似。Kim 等认为通过恰当的操作使针尖达到合适位置，单侧注射同样可以获得满意的双侧分布，而且临床应用发现两者的止痛效果没有统计学差别。Lin 等的经验表明经单侧椎弓根入路有 60%～65%的患者可以达到经双侧椎弓根灌注的效果。Barr 等的研究中有一半的患者经单侧椎弓根入路灌注骨水泥，未发现相关的并发症。经单侧椎弓根入路灌注最大的问题是有可能造成骨水泥的不对称分布。Liebschner 等认为这会造成单侧承重而导致脊柱不稳定，但临床尚未发现由于承重不均而造成对侧骨折的情况。目前多数学者主张优先考虑经单侧椎弓根入路灌注骨水泥，若透视下灌注效果不佳则再加对侧椎弓根入路灌注。

在 S_1 和 S_2 水平，大多数情况下仍采用经椎弓根入路，有时也采用经骶翼入路。

当术中患椎经椎弓根内固定后，经椎弓根的 VP 就很难操作，有时就采用椎弓根旁入路。Mehdizade 等尝试了经相邻椎体穿刺经过椎间盘进入患椎前部灌注成形。作者报道了 1 例患者，用该方法对患椎进行灌注，随访 18 个月后效果良好。Lin 等还提出了类似入路，但作者采用弯曲的 VP 穿刺针经邻近椎体穿刺入患椎。Cook 公司设计了一套共轴系统，带弯曲镍钛诺套管，便于特殊位置放置，适用于上述情况。但需注意避免穿破椎体外侧壁。

51.3.2 骨水泥

尽管有些骨水泥在欧洲经济体成员国和世界其他地区允许应用于 VP，但大多数应用于 VP 的骨水泥超出了其被批准的适用范围，因而术前应得到研究机构审评委员会的批准。在美国，截至 2004 年底仅有两种 PMMA 骨水泥被 FDA 批准用于椎体成形术或后凸成形术(kyphoplasty, KP)。其中 Kyphx HV-R bone cement(Kyphon Inc.)被批准用于 KP，Parallax acrylic resin with traces(Arthrocare Corp.)被批准用于 VP 或 KP。

51.3.2.1 种类的选择

Heini 等认为理想的灌注材料(骨水泥)应该有以下性质：可注射性，容易操作，高度 X 线不透射性，合适的黏性，持久不变的黏度(5～10 min)，固化时间长(约 15 min)，处理温度低，合适持久的力学性能，生物相容性，生物活性，价格低和降解慢等。Sun 等进行有限元模型分析，将骨水泥参数弹性模量和强度分别选择 1%，10%，50%，100%和 150%(标准 2500 MPa 和 113 MPa，体积比 20%)。他们发现骨水泥强度低于 5 MPa(相当于周围松质骨)时，经治椎体强度低于未治椎体。超过 5 MPa 时，经治椎体强度激增强于初始状态，而超过 30 MPa 时，椎体强度不再增加，强度在 47%。当骨水泥弹性模量的强度低于 300 MPa(相当于周围松质骨)，经治椎体刚度低于初始。当高于 300 MPa 时，椎体刚度逐步增加，强度从 120%开始增加。这种现象可能是负荷由松质骨转移至刚度更大的骨水泥，总体上椎体刚度增加所致。较高刚度的骨水泥承担了更多的加载负荷。当弹性模量强度达到 1 300 MPa 时，最大抗压强度可以增加 43%，超过此数值，椎体强度变化不明显。理想的骨水泥可能需要比较合适的弹性模量。他们同时认为理想的骨水泥应该是一种生物可吸收的材料，作为支架提供新骨长入的空间。它应该是两种不同降解率的可吸收材料复合物。其中一种慢降解率的材料提供主要的机械支撑，而快降解率材料为颗粒形式，溶解后使慢降解材料内部产生相通的孔隙。这些颗粒还可以作为药物载体释放 BMP 等成骨因子，诱导骨生成。Mathis 等认为可吸收性和生物活性的骨水泥可能更适合于那些需要预防性 VP 的患者。目前 VP 的灌注材料主要包括聚甲基丙烯酸甲酯、复合骨水泥和磷酸钙骨水泥3类。

(1) PMMA

聚甲基丙烯酸甲酯(polymethylmethacrylate, PMMA)是目前临床广泛应用的黏合材料,也是椎体成形术最常用的骨水泥。常用的PMMA包括:Secour(Parallax Medical)、Codman Cranioplastic(Johnson and Johnson, Bracknell, England)、Osteobond(Zimmer, Warsaw, Ind)、Surgical Simplex P(Stryker-Howmedica, Limerick, Ireland)和Palacos LV40等。PMMA优点:骨科医生熟悉;黏稠度较低,容易操作,容易灌注;可以添加造影剂;可以快速提供必要的强度和刚度;价格不贵等。缺点包括:没有骨传导和诱导性能;组织相容性差;不可吸收性,不能为正常骨组织所代替,而且还会抑制成骨反应;聚合时产热高,骨水泥渗漏时可能会对周围组织带来不可逆的损伤;单体毒性,当渗漏到血液中可能会引起全身毒性反应;本身X线不透射性差,不具备放射不透明性,需要另外添加造影剂等;刚度过大等。

Osteobond和Simplex P聚合快,5~7 min便无法灌注,降低骨水泥储藏和导管的温度可以降低骨水泥的黏稠度以利于操作,冷藏可以延长固化时间。若用Codman产品,建议用慢固化型,操作时间可以达到17~20 min。Secour要求注射前充分反应2~3 min,以免固液分离在注射器内形成栓子。Baroud等实验表明电动振荡搅拌相比手法搅拌能延长操作时间,降低骨水泥的黏稠度,而聚合产热没有明显差异。提示振荡搅拌骨水泥可能更有利于VP的操作。

为了降低骨水泥的黏稠度,提高其可注射性,一些制造商建议骨水泥粉剂中加入更多的单体。Jasper等认为液固比为0.53 ml/g力学测试最佳,而非VP使用时商品液固比一般约0.57 ml/g,比较适宜。英国Medicines and Healthcare products Regulatory Agency 2003年的报道反对随意改变PMMA商品的液固比。他们认为这会导致不可预料的骨水泥成团时间和最终力学性能,增加骨水泥有毒单体的危害和静脉栓塞的危险。Belkoff等实验表明,Simplex P骨水泥当液固比为0.5 ml/g时抗压性能最好,但随着比例增高骨水泥的抗压性能下降。作者认为改变单体和粉剂的比例会降低骨水泥的弹性模量、屈服强度和极限强度,差不多有24%。但Mathis等认为如此的力学性能改变在临床上没有重要性,目前尚无与此相关的并发症报道。Baroud等认为骨水泥的灌注包括导管内的"输送"和椎体内的"浸润"两个过程。研究表明灌注压力的95%用于克服输送过程中骨水泥和导管之间的摩擦力。而骨水泥浸润渗透入椎体松质骨内所需的压力仅占灌注压力的5%。要使前者便于操作,减少推注力量则要求较低的骨水泥黏稠度。而为了达到满意的灌注分布减少渗漏又需要较高的骨水泥黏稠度。这样同时要求具有较高和较低的黏稠度,存在不可调和的矛盾。在不降低黏稠度的前提下,为了降低输送过程中的阻力,可以在灌注导管内壁作材料改进以减少摩擦力。或是控制灌注的压力和速率以调解骨水泥的黏稠度。

PMMA能快速提高椎体的强度,恢复椎体的生物力学性能,这在离体实验中已经得到证实。Belkoff等比较了几种PMMA的灌注效果。结果Simplex P、Osteobond和Cranioplastic都能增加强度,但仅前两者能恢复初始刚度。Simplex P能提供最大的强度和刚度,Cranioplastic最差。PMMA不能附着于骨,但不影响椎体力学。虽然PMMA灌注成形在临床应用中近期效果可靠,但其远期可靠性尚未得到证实。Grados等随访了25例VP患者,平均随访48个月,他们没有发现椎体畸形的加重。Marx等研究了10人20椎VP,平均随访1.3年,16椎在后凸和压缩方面是稳定的,2椎发生中度的中央终板塌陷,但后凸程度没有变化,2椎有进行性塌陷伴后凸畸形增加,其中1椎有明显的PMMA压缩。Molloy等认为PMMA骨水泥疏松至一定程度会累及椎体结构完整性,其周围会发生再骨折。然而,Togawa等对2人4椎PMMA灌注成形后(各1个月和2年)对椎体进行组织学分析,发现骨水泥周围的骨没有广泛的坏死,但有一些与爬行替代有关的针状坏死骨。

(2) 复合骨水泥

复合骨水泥多为丙烯酸骨水泥结合陶瓷的复合物,产品如Cortoss(Orthovia)、Hydroxyapatite composite resin(Kuraray)等。虽然基本性质同PMMA,但它有生物活性,具有骨诱导性。Yamamuro等认为BisGMA酯和PMMA混合和骨连接,有硬化快、产热低和更好的力学性能。载有BMP的骨水泥可促进骨生长,目前尚在研究中。

Cortoss是一种新的合成骨腔填充物,它的成分包括双缩水甘油基-甲基-甲基丙烯酸盐、二苯酚、聚乙烯-乙二醇-二醚-二甲基丙烯酸盐、三四溴(化)乙烯二甲基丙烯酸盐单体和生物活性玻璃陶瓷。有生物活性,容易操作,生物相容性较好,相比 PMMA 有颇为合适和耐久的黏稠度以及较高的 X 线不通透性,而且产热低(63 ℃),容易弥散进入松质骨。其弹性模量接近于骨。Palussiere 等前瞻性研究表明,24 例患者灌注 Cortoss 椎体成形术后随访 6 个月,平均疼痛评分由术前的 69 分降低到 33 分,疼痛缓解率为 46%。

Orthocomp(Orthovita, Malvern, PA)是一种新型的玻璃陶瓷强化复合骨水泥,它有生物活性,基质包括双酚缩水甘油二甲基丙烯酸酯(BisGMA)、双酚乙氧二甲基丙烯酸酯(BisEMA)和三乙二醇二甲基丙烯酸酯(TEGDMA)。同 PMMA 相比,该材料有生物相容性,固化产热低,更好的材料性质,并有较好的 X 线不通透性。虽然该材料不可吸收,但其亲水性表面使骨通过化学键与骨水泥相连接。生物力学实验表明其灌注后椎体强度明显高于初始,刚度也能恢复。Jasper 等对不同骨水泥进行力学性能比较,发现 Orthocomp 的强度和刚度是其他 PMMA 骨水泥的 2 倍左右。Belkoff 等研究表明 Orthocomp 能恢复椎体的强度和刚度。

Lu 等介绍了一种含锶羟基磷灰石粉末(SrHAC)和双酚 A 环氧缩水甘油甲基丙烯酸酯(BisGMA)复合而成的骨水泥。作者选用猪脊柱标本(T_{10}-L_1)进行椎体成形,灌注前述骨水泥。结果发现骨折成形后椎体刚度恢复。在 3 000 和 20 000 次疲劳载荷测试后,成形椎体刚度较完整对照组分别下降7.5%和 5.6%,有显著性差异。平均最大强度为 5 056 N 和 5 301 N。

(3) 磷酸钙类骨水泥

磷酸钙类骨水泥(calcium phosphate cement, CPC)是目前备受关注的新型骨水泥。CPC 又包括许多具体的种类,产品有 Bone Source(Howmedic)、Norian 等。其共同的优点在于:①组织相容性好,人体对其不发生炎症反应,也不会产生纤维性包裹;②可以缓慢地被吸收并被替换为自体骨,这种吸收与替换的比例约为 1∶1,因此在整个替换过程中不会有明显的植入物体积减小;③凝固时不会放热,对周围组织损伤小;④与自体松质骨移植相比,它可以立即提供所需要的强度;⑤CPC 是一类具有微孔结构的材料,因此可以作为药物的载体,从而发挥多种治疗目的。缺点是可塑性差,提供的抗压强度较小,高黏稠度,弥散性差,操作过程不同,吸收性不明,价格高等。

CPC 是一种脆性材料,即在超过其最大负载能力的负荷下易发生碎裂而不是变形,这可能是它潜在的缺点,但一般认为出现这种情况的机会很少。1999 年 Schildhauer 等研究发现羟基磷灰石(norian)灌注成形后,椎体强度可达 11.6～17.7 MPa。在椎体塌陷 25%～70%,能量吸收显著性高于对照组。Hitchon 等比较 PMMA 和 Howmedica 的羟基磷灰石,结果都能显著恢复脊柱稳定性。Belkoff 等体外试验表明 CPC 与 PMMA 在抵抗压力方面差别不大。作者比较了 Bone Source 和 Cranioplastic(含 26%硫酸钡,液固比 0.73 ml/g)性能,结果表明 4 ml 和 6 ml 剂量分别灌注胸椎和腰椎后,Cranioplastic 能显著性提高椎体强度,而 Bone Source 也能恢复强度。两者仅在胸椎灌注时有显著性差异。Bone Source 增加 2 ml 前述结果也无改变。3 组刚度都较初始显著性下降,彼此之间无显著性差异。作者认为尽管 Bone Source 在提高椎体强度方面不如 PMMA,但也能较好恢复椎体初始强度。Lim 等认为 PMMA 能显著增加骨折椎体的强度,而磷酸钙骨水泥 Bone Source 虽不如 PMMA 但也能恢复椎体强度。两者在强化完整椎体强度方面没有明显差异。EBC(experimental brushite cement)也有良好的机械性能和生物行为。Heini 等比较了 PMMA(Palacos E-Flow)和 EBC,结果两者都能显著提高椎体的刚度和最大抗压强度。对于骨质疏松椎体,骨密度越低,强化效果越好。而对于非骨质疏松椎体,相对初始状态没有明显变化。强化效果与灌注程度成比例但相关性很弱。Tomita 等对两组骨质疏松椎体各平均灌注 CPC(α-磷酸三钙)3.9 ml 和PMMA 4.4 ml,结果强度皆高于初始,刚度恢复,两种骨水泥之间无明显差异。Bai 等比较了磷酸钙骨水泥(α-BSM)和 PMMA (Simplex)的成形效果。结果发现两者之间无明显差异,且强度皆高于完整对照组。Biopex 也是一种可注射型的羟基磷灰石,有显著的机械性能,操作时间长。Seino 等离体实验表明灌注 Biopex 成形后椎体的强度与初始无显著性差异。临床研究表明 CPC 灌注成形也有良好的疗效。Matsuyama 等在后路内固定手术治疗压缩性骨折的同时灌注 CPC, 5 例患者术后 VAS 评分从 8.6 分下降到 2.0 分, JOA 评分从 17.8 分增加到 26 分,椎体高度也恢复了正常的 27%。Nakano 等用 CPC 灌注成形治疗压缩和爆裂骨折，随访16例患者6个月，疼痛缓解效果显著，后凸矫正也较明显。

然而，Heini等认为CPC骨水泥生物存在降解导致的问题。即治疗骨质疏松压缩骨折时，骨水泥快速吸收而没有新骨形成会有相反的效应，所诱导的吸收会削弱椎体并促进进一步塌陷。Heini等应用Norian灌注成形，也发现在压力下骨水泥分裂成水相和固相。但Takemasa等用CPC灌注成形，3个月后椎体塌陷没有进展，灌注骨水泥周围没有透亮影。

51.3.2.2 剂量的选择

骨水泥灌注剂量最早受到学者扪的关注。从临床角度看，使用多少骨水泥剂量就能达到良好的疗效尚未有系统的研究。早期人们热衷于灌注剂量最大化，临床上一般是在透视下观察到骨水泥渗漏或到达椎体外壁时即停止注射。这样骨水泥的注入量是比较大的，通常8～10 ml，甚至更多。同其他的骨科器械用来帮助骨折愈合一样，VP的目的也是在骨折愈合的过程中为椎体提供稳定性。从这个意义上讲，VP应该被看作是一种骨折修复技术，而不是简单的灌注充填。研究表明疼痛缓解并不与灌注的骨水泥量相关，而是同椎体内骨水泥的分布有关，特别是骨折平面。Cotten等的研究指出椎体填充的百分比与止痛效果之间没有对应关系。Cortet等研究表明VP在治疗肿瘤性椎体时术后疗效同椎体灌注程度无关。Gangi等也指出疼痛缓解与灌注剂量无关，特别是骨转移，通常1.5 ml就足以缓解患者的疼痛。Kallmes等比较了大剂量3 ml以上和小剂量3 ml以下的VP临床效果，结果并无显著差异。作者认为不应该追求完全填充，后者会使渗漏的概率大大增加。Murphy等发现随着剂量加大，骨水泥渗漏的危险也加大。Belkoff等研究中发现8 ml灌注渗漏率是6 ml的3倍。此外，过量的骨水泥可能增加椎体刚度导致相邻椎体骨折。因而一些学者进行了相关的基础研究来确定适宜的剂量。

椎体成形术的初衷是为了强化椎体，恢复其生物力学性能，剂量的研究也应针对于此。生物力学研究表明仅需少量水泥注入即可使椎体的刚度和强度恢复到正常水平。Belkoff等实验表明2 ml的Simplex 20骨水泥和Orthocomp都能恢复胸椎和腰椎的强度。但要恢复椎体的刚度，则Orthocomp需要4～6 ml，Simplex 20需要4～8 ml。作者同时认为疼痛缓解可能同椎体稳定和阻止骨折部位微动有关，因而椎体机械性能不一定需要恢复到初始，而刚度的恢复与止痛效果的关系可能更密切。Liebschner等对有限元模型分析表明14%体积比(3.5 ml)骨水泥就能恢复刚度。

既然离体实验已经证实仅需少量的骨水泥注入(2～4 ml)即可使椎体的强度和刚度恢复到正常水平，那么临床实际操作中水泥的注入量要远大于此剂量，其术后椎体的刚度和强度必将大大超过正常。椎体强度和刚度过大可能会影响整体脊柱的生物力学性能，诱发相邻椎体新发骨折。但有作者认为椎体的刚度和强度超过正常并不一定无益于患者。考虑到骨质疏松性压缩骨折患者中，椎体的刚度和强度已经较正常为低，似乎应使椎体的刚度和强度恢复到正常骨的水平而不是骨折前的水平。Tohmeh等认为椎体需要强化到正常或低骨折危险水平。

Sun等认为高危险组(100%)强度少于1.6 MPa，低危险组(0%)强度至少2.7 MPa。作者认为VP的力学目标就是要将椎体强度提高到2.7 MPa以上。作者同时发现椎体强度增强到低骨折危险水平需要灌注30%体积量PMMA(7.5 ml)，而强化椎体则仅需15%(3.5 ml)。按此Belkoff等研究中6～8 ml(相当于23%～31%体积比)即可恢复椎体至低骨折风险水平。他们的研究也表明椎体的刚度和强度直接和PMMA灌注剂量成比例。QCT值在0.1 g/cm^{3}以下时，强化作用较明显。骨密度越低，效果越明显。但当>0.1 g/cm^{3}时强化作用不取决于骨密度。这些结果与Ikeuchi和Heini等的研究一致，后者认为强化椎体至少20%体积比的骨水泥量。Kosmopoulos等建立压缩性骨折有限元模型，通过模型分析发现对于中度破坏的椎体(弹性模量丢失19%～33%)，可能需要30%体积比的骨水泥才能恢复其刚度。Molloy等实验表明灌注Simplex 30骨水泥强化椎体恢复椎体的强度和刚度分别需要16.2%和29.8%体积比的量。作者也发现灌注百分比同强度和刚度的恢复之间并无明显的相关性。

适宜的剂量并非是简单的定量。即使剂量相同，骨水泥产品的不同、固液比不同、是否添加造影剂或抗生素以及个体椎体大小差异等都会影响灌注效果。在骨水泥条件既定下，个体化选择灌注剂量是一种不错的研究方向。术前定量CT和骨密度数据以及计算机有限元分析就将起着决定性的作用。Tack等发现PMMA骨水泥量和CT所测骨小梁间隙面积之间有较强相关性，通过CT扫描和有限元分析可以预先估计骨水泥灌注量,达到个体化治疗目的。

51.4 临床疗效

VP应用于临床已经20年,有数以万计的患者受益。尤其在最近5年,VP技术发展迅速,有大量的临床研究报道发表,证实了该技术的临床效用。目前VP主要用于骨质疏松压缩性骨折、椎体血管瘤、多发性骨髓瘤和椎体骨转移等。

VP术后短期的临床效果是明确的,疼痛缓解率可达90%左右。Gangi等1990～2002年,共进行868例VP,平均灌注量2.8 ml,术后6～48 h出现镇痛效果(阿片类药物剂量的减少)。研究中骨质疏松患者满意率达78%,椎体恶性肿瘤患者为83%,血管瘤为73%。Cohen等148人192椎术后患者疼痛缓解,镇痛药物需求下降。一些研究表明中长期随访的疗效也比较好。Hodler等随访152人363椎VP平均8.8个月,有58.5%的患者疼痛消失,27.6%症状改善。Amar等随访81例患者平均14.7个月,有63%的患者镇痛药物需求减量,51%行走活动改善,50%睡眠改善。Mcgraw等前瞻性随访100人156例VP平均21.5个月,即刻疼痛缓解达97%, VAS从89.1分下降到20.2分,疼痛缓解显著。但Nirala等的报道并未显示良好的疗效。他们随访22人31例VP 12个月,仅10人疼痛消失或改善。

51.4.1 止痛假说

治疗的首要目标是减轻疼痛,其次为强化稳定椎体。目前尚不知道疼痛缓解是否继发于力学稳定、化学毒性或神经组织热坏死效应。最为直觉的解释包括单纯的骨折机械稳定,即骨水泥稳定了椎体,使小关节减轻负荷。然而另外的观点包括PMMA的局部化学、血管和热效应作用于周围组织神经末梢产生的麻醉效果。目前主要有3种假说:①椎体内的微小骨折在骨水泥注入后得到了固定,减少了微小骨折断端之间相对运动;②骨水泥承担了部分负荷,也就减少了松质骨所承受的负荷;③松质骨中的感觉神经末梢由于骨水泥单体聚合时放热或单体所具有的细胞毒性所破坏。

目前对于PMMA聚合产热作用则研究较多,但结论不一。Eriksson等认为聚合产生的温度高于50 ℃持续1 min以上会产生骨组织的热坏死。Jefferiss等也认为在50 ℃以上时可以出现骨坏死,而超过45 ℃就可以导致神经损伤。Weill等则认为PMMA聚合时有产热反应,温度在空气中可以高达80 ℃。Belkoff等实验表明椎体成形时椎体前皮质峰值温度可达44～113 ℃,中心则为49～112 ℃,椎管内为39～57 ℃,其超过50 ℃的持续时间分别为0～5.5 min、0～8 min和0～2.5 min。作者认为实验中所测温度足以产生热损伤。但其他作者认为神经组织热坏死效应缓解疼痛无依据。Deromond等报道离体椎体标本内灌注10 ml的PMMA椎管内温度不会超过41 ℃。虽然骨水泥中心温度超过50 ℃,但他们认为脊髓和神经根在操作过程中并非处在危险之中。不过,一旦椎体后壁破坏,骨水泥向后方渗漏,热损伤就值得重视。Verlaan等在山羊腰椎椎体灌注22%体积比的Simplex P骨水泥,骨-骨水泥界面温度最高为44.6 ℃,硬膜外最高和椎间隙分别为37.0 ℃和37.5 ℃。作者认为VP术中的局部温度没有达到已知造成组织坏死的温度。事实上,骨水泥产品不同、添加剂不同等都会使聚合产热程度存在差异。Combs等在Simplex P中混入30%或60%骨水泥质量的硫酸钡,最高温度各为60 ℃或44 ℃。此外,一些新型低产热、无毒性的骨水泥如CPC的临床应用同样可以到达良好的疼痛缓解效果。这并不支持骨水泥聚合产热及细胞毒性破坏假说。

此外如果VP的止痛原理真是由于稳定微骨折和分担正常骨所承受的应力,那么就可能存在止痛效果与骨水泥的填充程度成正比,但事实却非如此。而且VP并不能显著恢复椎体高度,维持脊柱稳定性方面还不够,这可能提示机械稳定并不一定是唯一的原因。因此,VP的止痛机制还有待于进一步研究。

51.4.2 骨质疏松椎体压缩性骨折

椎体压缩性骨折最常见的原因是骨质疏松,包括原发性骨质疏松和激素使用、男性前列腺癌去势治疗和妇科疾病卵巢切除等产生的继发骨质疏松。据统计50岁以上的妇女胸腰椎压缩性骨折的发病率高达26%。研究表明50～54岁人群发病率为每人年500/10万,85岁以上为2 960/10万。年龄标化后男性发病率为每人年81/10万,女性为153/10万。在美国每年超过70万继发于骨质疏松的椎体骨折发生,住院达11.5万。一生中发生椎体压缩性骨折的危险度白种女性为16%,男性为5%。而亚洲人群高一些,黑种人低一些。

绝大多数的骨质疏松椎体压缩性骨折是自发的,Myers等认为将近50%的椎体骨折没有外伤史,日常生活(系鞋带,起身站立和开窗)的负荷已经超过了骨质疏松椎体的抗压极限。因而骨质疏松椎体压缩是老年人尤其是绝经期妇女的常见病。骨质疏松椎体压缩性骨折患者常有慢性疼痛、睡眠障碍、饮食障碍、临床抑郁或焦虑和生活质量的下降。Garfin等认为无论有否疼痛,脊柱畸形对于寿命和生活质量也有显著影响。脊柱畸形患者(如后凸畸形)可以降低肺功能。此外,重要的是这些患者生活不能自理,依赖他人。Kado等认为5年生存率骨质疏松椎体压缩性骨折患者低于髋关节骨折患者。Uthoff等发现年龄标化后骨质疏松椎体压缩性骨折患者比正常人死亡危险度高23%。目前对此疾病主要是强调预防,大多数患者仍为保守治疗,通常包括止痛药物、卧床休息和腰背支具等。而治疗骨质疏松的药物也常常直到出现骨折时才应用。但卧床对老年人具有潜在的危险性,且会加速骨质的吸收。外支撑物虽然有助于减轻疼痛,但也会导致骨质的进一步丢失,并会增加再次骨折的概率。手术仅在有神经压迫症状或后凸畸形严重时才有指征。

VP的出现,使得骨质疏松压缩性骨折有了一个新的治疗方法。VP能明显缓解背部疼痛,还可以避免受治椎体再次发生骨折。该技术创伤小,即刻效果明显,已经得到广泛应用。骨质疏松压缩性骨折也成为目前临床上VP应用最多的适应证。许多研究表明VP短期效果明确。1997年Jensen等报道29人47椎对止痛药物无效的患者VP术后有26人症状改善,缓解率达90%。Lin等报道了Johns Hopkins医院的经验。他们在19个月内进行75人97次112椎VP,骨折病程从6周到10年,所有都对保守治疗无效。完全或大部缓解97次中有91次,4例稍有改善,2例无变化,没有加重患者。Dion等研究包括84人159椎骨质疏松性骨折,术前有98%的患者用止痛药物,术后减少为81%,麻醉药物的使用也大大降低。活动性完好的患者从术前3%增加到术后的35%。有许多患者摆脱了卧床和轮椅。Kobayashi等回顾175人205次250椎VP,术后疼痛缓解,VAS由7.22分下降到2.07分,81.7%原先活动受限的患者恢复活动能力。Lane等对125人236椎VP随访6个月,VAS从8.5分下降到3.9分。Evans等随访245人488椎VP7个月,VAS评分由8.9分下降到3.4分,活动受累的患者由原先的72%减少到28%,患者日常生活自理能力显著改善。Mckiernan等对46人66椎VP随访6个月骨质疏松患者生活质量问卷调查评分(Osteoporosis Quality of Life Questionnaire)明显改善。他们认为疗效同性别、吸烟史、激素使用史、骨密度、活动度或椎体内裂隙存在有关。

中长期的随访也显示VP的疗效持续或进一步改善。Alvarez pooo等对260人423椎VP随访12个月,患者VAS评分从8.9分下降到2.7分。作者同时认为如果椎体高度丢失小于70%、患椎经MRI确诊以及经美国麻醉学会评分在Ⅰ组则预后较佳。Heini等对17人45椎VP进行前瞻性研究,在1年随访中有显著和持续的疼痛缓解,VAS评分从7.53分下降到3.80分。Winking等对38例患者行VP,随访12个月,VAS评分从7分下降到2.6分,Oswestry下背痛不稳定(Oswestry low back pain disability, OLBPD)评分有92%术后改善。Zoarski等对30人54椎骨质疏松椎体骨折,术后29人疼痛即刻缓解。随访15~18个月,VAS评分显著下降,VAS和MGM评分都有显著性改善,2周MODEMS评分显著改善。Legroux-Gerot等对16人21椎VP随访35个月,VAS评分从7.14分下降到3.9分,MGM评分也从3.0分下降到1.6分,NHP评分中仅疼痛项有显著改善。Grados等对25人34椎随访48个月,VAS评分从8.0分下降到3.4分,疼痛缓解显著。Perez-Higueras等长期随访13例VP患者平均达65个月,5年VAS评分由90.7分下降到21.5分,疗效肯定。

VP同其他保守治疗的对照研究尚缺乏。Diamond等前瞻性非随机比较了急性骨质疏松患者VP和保守治疗的疗效。其中55人行VP,24人保守治疗,平均随访215天。结果发现术后24 h疼痛评分和身体功能明显改善,而保守治疗组无明显改变。VAS评分由19分下降到9分,身体功能由14分上升到18分,13例患者停止服用镇痛药物,24%的VP术者停用镇痛药物,与保守治疗组有显著差异。随访6周和6个月两组的临床结果相似。

51.4.3 骨髓瘤和椎体骨转移

恶性肿瘤累及脊柱并不少见,每年约有5%的癌症患者会发生肿瘤脊柱转移。溶骨性骨转移灶和骨髓瘤是脊柱最常见的恶性溶骨性病变，这类恶性病变的主要症状是严重的疼痛和畸形。虽然当病灶为单个时，可采用外科手术行椎体切除加植骨固定，但病灶常为多发而无法手术。目前外科主要是对有脊髓压迫的患者行减压手术。开放手术有可能带来伤口愈合和骨融合的问题，围术期的并发症和死亡率也相对较高。放疗或化疗对于多发病灶较为适宜。据报道放疗止痛有效率可达 90%。但其效果具有滞后性，一般在 10～20 天后才会有疼痛的缓解或消失。更重要的是放疗不具备稳定脊柱的功能，而且还会削弱骨重建的能力。化疗也有相同的问题。据报道骨重建要在放疗后 2～4 个月才会发生，这种骨重建的延迟会增加椎体塌陷的发生率，而这又会导致疼痛和神经压迫症状。

VP 技术的应用使得脊柱恶性肿瘤的治疗又开辟了新的一条途径。VP 的治疗目的只有两个：强化稳定椎体和缓解疼痛。VP 治疗骨转移相对于传统疗法具有明显的优势：①创伤小，患者容易耐受，这对于一般状况较差的肿瘤患者具有重要意义。②止痛效果好，且 VP 起效很快，一般 24 h 内即可有显著的止痛效果。③VP 具有稳定脊柱的作用。Weill 等发现在以稳定脊柱为目的的治疗组中，未发现有受治椎体塌陷的发生。而且 VP 联合后路固定可以在避免行前路固定的情况下达到稳定脊柱的目的。由于溶骨性病灶会使椎体发生塌陷的概率大大增加。因此，Deramond 等建议，无痛的恶性病灶也是 VP 治疗的适应证，以预防椎体塌陷。④VP 可以联合应用放疗。已有研究证明放疗不会影响骨水泥(PMMA)的机械特性，而 VP 也不会影响放疗的效果。⑤即使 VP 术后未行放疗，其肿瘤原位复发率也很低，说明局部具有抗肿瘤的作用。这可能与 PMMA 单体的细胞毒性、单体聚合时放热，以及骨水泥注入后导致肿瘤部分缺血有关。VP 的抗肿瘤作用可能是 PMMA 的局部毒性、热反应和局部缺血。虽然 VP 治疗后还有一定的疼痛复发率，但一般认为这更可能与新病灶的形成有关，而不是由于 VP 治疗失效。

Kaemmerlen 等于 1989 年首次系统报道了脊柱恶性肿瘤患者 VP 治疗情况。在 20 例患者中有 17 例 48 h 内疼痛缓解，止痛药物停用或减少。平均随访 2.8 个月后没有局部疼痛再发。1996 年 Cotten 等随访 37 例骨转移或骨髓瘤患者 6 个月，发现有 36 例患者完全或部分缓解。1997 年 Cortet 等回顾了 37 人 40 椎 VP 治疗骨转移和多发性骨髓瘤患者，术后 48 h36 人有疼痛缓解。6 个月后有 75%的患者疗效持续或进一步改善。Weill 等报道了 33 例肿瘤患者的 VP 治疗效果，其中 24 例有明显改善，7 例中度改善，2 例没有改善。6 个月后改善情况维持的有 73%。平均随访 13 个月经治椎体没有塌陷和移位。Cortet 等报道了有严重或极痛苦的恶性肿瘤患者(McGill-Melzack 评分 4～5 分)VP 疗效。共有 37 人 40 椎行 VP，其中 29 例骨转移，8 例多发性骨髓瘤。包括 5 例颈椎，12 例胸椎和 23 例腰椎。术后 48 h，36 人疼痛减轻，5 人完全缓解，20 人显著缓解，1 人中度缓解，1 人无变化。Alvarez 等随访 21 例椎体恶性肿瘤患者平均 5.6 个月，VAS 评分由 9.1 分下降到 2.8 分，81%的患者表示满意，77%的患者恢复行走能力。Shimony 等随访 50 例恶性肿瘤压缩性骨折并伴有硬膜受累的患者 VP 疗效平均 24 个月，结果 41 例疼痛改善，26 例活动增加。

51.4.4 椎体血管瘤

椎体血管瘤(vertebral angioma，VA)是一种常见的良性病变，2/3 是孤立性的，1/3 是多发性的，绝大多数发生在胸椎。通常没有临床症状，少数 VA 具有侵袭性。侵袭性 VA 可以表现出临床症状或为影像学检查所发现。其症状主要是严重的背痛和脊髓及神经根的压迫症状。Deramond 等根据其临床表现和影像学表现将侵袭性 VA 分为 4 型：Ⅰ型有疼痛而影像学上没有侵袭性的证据；Ⅱ型为无症状的 VA，在影像学上有侵袭性的表现；Ⅲ型有疼痛症状，影像学上也有侵袭性的证据，但没有神经压迫症状；Ⅳ型影像学上有侵袭性表现，临床上有严重的脊髓或神经根压迫症状。Ⅳ型还可以分成急性脊髓和马尾受压以及进行性脊髓病和马尾综合征两个亚型。

Deramond 认为Ⅰ型无需治疗，Ⅱ型可以行 VP 也可以密切随访，Ⅲ型则是比较好的适应证。骨水泥灌注可以缓解疼痛，强化椎体和使肿瘤去血管化。1987 年 Galibert 等最早报道的 VP 就是应用于 C_2 椎体血管瘤。1998 年 Deramond 等报道了 38 例Ⅰ型和 12 例Ⅲ型椎体血管瘤患者治疗效果，缓解率都在 90%以上。Pedachenko 等报道了 15 例侵袭性椎体血管瘤 VP 治疗效果。作者认为 VP 治疗椎体血管瘤高效安全。Feydy、Dousset 和 Kaso 的临床报道也显示VP治疗血管瘤疗效颇佳。

ⅣA型可以联合VP和手术。VP达到止痛和稳定椎体的作用,再行椎板切除或硬膜外肿物切除减压术,这样可以无须行椎体切除术,从而缩小了手术范围。Deramond等的报道表明所有ⅣA型患者神经功能症状缓解。Cortet等报道了3例ⅣA型患者进行VP联合手术减压,效果良好。作者认为血管瘤向后膨隆不是绝对禁忌,骨水泥渗漏造成脊髓受压并不常见。ⅣB型可以单独行VP或联合用乙醇化学切除。Ide等报道了3例脊髓压迫的ⅣB型椎体血管瘤,联合减压手术和VP治疗后效果显著。作者认为椎板切除减压或硬膜外血管瘤切除术前行椎体成形可以减少大出血的危险。Guelbenzu等随访1例椎体血管瘤VP治疗ⅣB型患者,1年后效果完全满意。

51.4.5 Kummell病

1895年,德国医生Kummell首次报道了6例迟发性椎体压缩性骨折。其共同特点为:患者曾有轻微外伤史,数月或数周后疼痛消失,但数月或数年后症状复发、加重并出现脊柱后凸畸形。此后文献中将其称之为Kummell病。多数学者认为,Kummell病系由椎体的缺血性坏死所引起。影像学上最具特征性的征象当属真空现象(vacuum phenomenon)。一些学者尝试VP治疗Kummell病获得成功。1999年Do等应用VP治疗6例Kummell病,疼痛缓解。Jang eopv等应用VP治疗16例因椎体缺血性坏死(Kummell病)而致椎体失稳的患者,平均随访11个月。结果50%的患者有显著性疼痛缓解,38%中度缓解。Peh等报道了18人19椎Kummell病VP治疗,平均随访9.9个月有14人疼痛缓解。Kim等报道了67人70椎患者,VP术后63%的患者完全缓解,33%的患者部分缓解。平均随访16.4个月后,仍有81%的患者疗效好或者非常好。

51.5 并发症

尽管VP被广泛应用于临床,但其并发症不容忽视。在英国VP被归为SERNIP C(SERNIP, the Safety and Efficacy Register of New Interventional Procedures)类操作,即表明其安全性和有效性还未得到证实。它仅能作为伦理委员会所批准的研究来进行临床实践。近来,FDA在其网站上对于PMMA高外渗率所致不良反应提出了警告。

VP的并发症包括暂时的发热、局部疼痛、原有疼痛加重、气胸、脊髓神经损伤、心肺反应、低氧血症、肺栓塞和脂肪栓塞等。VP并发症的发生率取决于原发疾病,骨质疏松性压缩性骨折患者的发生率为1%~3%,血管瘤患者为2%~5%,而恶性肿瘤患者较高为10%。这可能与椎体破坏较多导致渗漏发生率高以及患者的一般状况不好有关。Chiras等研究274例患者VP术后并发症,骨质疏松患者为1.3%,血管瘤患者为2.5%,骨转移患者为10%,常常由操作失误引起。对于骨质疏松压缩性骨折,需要手术的并发症占0%~7%,肿瘤患者为2.7%~5.4%,不需手术的次要并发症则大约10%。作者认为肿瘤患者的并发症较多可能与皮质破坏、硬膜外软组织块、血管丰富和严重的椎体塌陷有关。Cotten等认为严重皮质溶解的患者不要过分灌注以免骨水泥外渗。但有些作者发现即便存在椎体后壁破坏,病理性骨折并发症发生率也并不比骨质疏松压缩性骨折的多。

1998年Deramond报道的VP经验表明早期临床并发症较多一些。在274例患者中有2例术后死亡,3例脊柱转移的患者术后疼痛加重,11例神经根病变。脊髓受压发生于1例椎体后方骨质广泛溶解破坏、肿瘤侵犯硬膜外间隙的患者。随着VP技术的不断成熟,并发症也相应减少。Gangi等研究表明868例患者中仅有3例神经痛。

Nussbaum汇总了1999年至2003年6月27日的FDA公布的VP并发症相关报道。共有19例不良反应报道,其中有11例明确与经椎弓根VP相关,5例后外侧入路VP,3例入路不明。经椎弓根入路共有死亡3例,但与骨水泥渗漏无关。损伤脊髓或脊髓受压致瘫痪1例,心跳骤停2例,过敏或血压下降2例,骨水泥栓子2例,器械破裂5例,后三者皆无临床症状。外侧入路有4例死亡报道。1例由于患者对骨水泥过敏,1例针管穿破椎体后壁骨水泥渗漏压迫脊髓,另2例则为一次多节段VP(8节和11节)。

51.5.1 与骨水泥渗漏无关的并发症

(1) 局部症状

最常见的并发症是皮肤穿刺点局部疼痛,可能是擦伤或血肿。局部疼痛可以在术后几小时或几天内加重,但多在72 h内缓解。疼痛程度可能与骨水泥灌注的量有关。小的擦伤应用药物可以缓解，或在套管取出后按压切口可以减少擦伤。恶性病变术后皮肤疼痛更常见些，但不需要特殊处理。Kaufmann等提出皮下通道内的骨水泥沉积可能是局部疼痛的原因，并提出灌注后针尖变向，朝上终板前进稍许，可以断开骨水泥柱，避免骨水泥残留于皮下通道。

(2) 骨折

骨质疏松的老年患者由于体位关系会发生肋骨骨折。Jensen等报道29人47椎VP术后发生2例肋骨骨折。而Peters等报道显示42例患者中发生2例。

(3) 其他

在上中胸椎行VP时有发生气胸的可能，但少有报道。感染也比较少见。Chiras报道了1例免疫抑制的患者术后发生继发性感染。Yu等报道了1例T_{12}骨质疏松压缩性骨折行VP术后1个月发现有严重的化脓性脊柱炎。Walker等报道了2例VP术后感染发生骨髓炎，经病灶清除内固定后缓解。作者认为对于有感染史的患者应慎重选择VP手术。Kallmes等发现250例患者中有1例表皮葡萄球菌感染，该患者使用多种免疫抑制药物。

51.5.2 与骨水泥渗漏相关的并发症

许多并发症主要是由骨水泥的渗漏引起，渗漏至不同的部位会有不同的症状：①渗漏至椎旁组织，最常见，常无临床表现。如果椎体皮质已有破损或穿刺造成破坏，骨水泥可能会渗漏至椎体旁软组织。有时尽管侧位片上针尖尚在椎体内，但可能已经穿刺过度针尖在椎体外。②渗漏至椎间隙，并不少见。椎间盘渗漏通常无症状，但长期存在可能会引起相邻椎体生物力学性能的改变。特别是在骨质疏松患者和椎体严重压缩性骨折，有可能增加相邻椎体骨折的发生率。Peh等报道在椎体严重压缩性骨折的患者，术后有35%发生骨水泥椎间盘渗漏。并且作者发现渗漏的发生和压缩性骨折椎体的形状无关。③渗漏至椎旁静脉。导致临床症状的很少，但已有发生肺栓塞和脑栓塞的报道。这类并发症一旦发生，后果可能相当严重。④渗漏至硬膜外或椎间孔。当椎体后部骨质有缺损时，此类泄漏的发生率超过50%。但很少患者有症状，只有很少患者由于脊髓或神经根受压而需要手术减压。除了皮质破坏，骨水泥渗漏主要与灌注剂量、灌注压力和穿刺部位等有关。Ryu等回顾了159人347椎VP，CT发现渗漏到硬膜外间隙的发生率为26.5%。研究中同时发现T_7以上比T_7以下椎体发生渗漏显著增高，灌注剂量越大，渗漏率越高。穿刺针尖位置和静脉回流情况与渗漏则无明显关联。Nakano等回顾了55人65椎CPC灌注成形，有23例发现骨水泥渗漏，其中10例为硬膜外渗漏。研究同时表明，高龄、女性、高骨密度值、病程短和单侧椎弓根灌注可能会增加渗漏的危险性。Murphy等发现随着剂量加大，骨水泥渗漏的危险也加大。Belkoff等研究中也发现8 ml灌注渗漏率是6 ml的3倍。Sun等实验也发现20%体积比骨水泥灌注时骨水泥渗漏至椎管比较常见，特别在骨密度较高的椎体。但Mousavi等认为骨水泥灌注程度与渗漏率并无相关性。骨水泥渗漏至硬膜外间隙明显降低了术后即刻疼痛缓解程度。Ryu等术后VAS评分有渗漏者明显低于总体。

一般硬膜外或椎旁渗漏率为30%～70%，但少有症状。Gangi等研究表明868例患者中，硬膜外渗漏有15例，仅3例有神经痛。此外，椎间盘渗漏有15例，静脉渗漏和肺栓塞有2例，椎旁渗漏1例，肋间动脉渗漏1例，皆无症状。Kobayashi等回顾175人205次250椎VP，渗漏率达75.6%，其中硬膜外静脉119例，椎旁静脉42例，椎旁软组织23例，邻近椎间盘73例，但皆无临床症状。

Cortet等报道经治骨质疏松压缩性骨折患者中63%发生骨水泥渗漏，其中仅有18%渗漏至椎管，临床上没有神经后遗症。其另一报道显示经治溶骨性骨髓瘤患者中有72%发生骨水泥渗漏，其中50%渗漏至椎管或椎间孔。Cotten等报道40例恶性椎体肿瘤患者骨水泥渗漏率为72.5%，其中硬膜外渗漏率为37.5%，椎间孔为20%，椎间盘为20%，椎旁软组织52.5%，腰静脉丛5%。

单凭术后平片可能会低估骨水泥渗漏的发生率。Mousavi vqoc等报道26人33椎VP术后CT检查，骨水泥渗漏率高达87.9%。Yeom loci等认为实际发生的骨水泥渗漏可能比平片上所见为多。作者发现CT所发现的渗漏为平片上1.5倍，仅有7%进入椎管内渗漏能借助平片正确诊断出来，而椎基静脉和节段静脉渗漏常常被忽视或低估。

(1) 神经症状

一般情况下，骨水泥渗漏至椎体旁软组织几乎不会产生临床症状。但Cotten和Vasconcelos分别报道VP引起的一过性股神经痛，后者使用NSAID

药物治疗后效果良好。Weill 等也报道了 2 例股神经病，1 例 3 天后缓解，另 1 例 1 个月后手术才缓解症状。

当椎体后壁破坏时，骨水泥很容易进入椎管内压迫脊髓。椎体病理性骨折时，如果残余椎管间隙足够容纳硬膜囊，渗漏的骨水泥有时可以耐受而不产生症状。骨水泥渗漏至椎间孔比较少见，一旦发生多压迫神经根产生疼痛和瘫痪症状。它多由于外侧入路操作不当或骨水泥外溢或骨水泥渗漏至椎间孔静脉时产生，有时经椎弓根入路灌注穿破椎弓根内壁或下壁可以导致骨水泥渗漏至椎间孔和椎管。

Chiras 等认为与神经相关的局部并发症很少见，神经功能障碍或感染的发生率低于 0.5%，神经根性痛为 3.7%。Cotten 等报道 258 例患者发生 1 例脊髓压迫，13 例神经根痛。Lee 报道 1 例 66 岁女性多发骨质疏松性压缩骨折患者，T_{11}、L_1 和 L_2 三节段成形后出现 T_{11} 以下截瘫，CT 提示骨水泥渗漏至椎管造成脊髓压迫。Kaemmerlen 等报道 20 人 27 椎骨折发生 2 例脊髓压迫和疼痛加剧的并发症。

骨水泥渗漏至椎间孔比至椎管内更不容易耐受。在 Cotten 的报道中，15 例骨水泥椎管渗漏的患者都能耐受，而 8 例椎间孔渗漏的患者中有 2 例产生神经根病变。骨水泥的渗漏不仅可能产生压迫而且骨水泥(PMMA)聚合时放热也可能造成神经组织的永久性损伤。尽管骨水泥渗漏有聚合产热损伤神经的可能，但由于后纵韧带的阻挡，静脉血循环和脑脊液的热驱散作用可能会减少热损伤。Kelekis 等建议术中若发现骨水泥渗漏至椎间孔，可立即用 0.2%利多卡因和 200 ml 生理盐水冲洗冷却可以减少神经热损伤。他们报道的 4 例操作效果良好。目前报道药物治疗和手术减压后效果良好，提示这种效应可能并不重要。明显的神经根痛可以通过药物和局封缓解。一些学者建议 VP 应在有条件行减压手术的医院中进行。

(2) 肺栓塞和低血压反应

骨水泥渗漏至静脉并不少见，静脉本身可能并无严重后果，但带来了肺栓塞和脑栓塞的危险，引起全身心血管和肺功能的变化。动物实验证实 PMMA 灌注成形可以引起肺栓塞。Aelbli 等对 6 只母羊的 L_1 椎体单侧灌注 6 ml PMMA，术后即刻出现心率快速下降、静脉压增高和动脉压下降。之后食管后超声发现栓子回声影。灌注后二氧化碳分压增高、pH 下降。病检发现术后羊的肺动脉里有约 3 cm 骨水泥栓子，肺组织切片发现血管内脂肪球和骨髓细胞证实了肺栓塞的可能。研究表明，VP 诱发脂肪栓塞并导致动脉血压变化。同时作者注意到手术和钻孔过程中食管后超声没有发现异常。

临床上也有肺栓塞的报道，值得术者注意。Chen 等报道 1 例 75 岁女性 L_2 和 L_4 成形术后出现致死性肺栓塞，右心房和心室充满栓子。作者认为有可能在灌注骨水泥时骨髓受压增高，其碎屑和脂肪进入腰静脉。最终进入右心和肺，导致全身低血压、肺动脉高压和氧饱和度下降。Yoo 等报道 1 例 68 岁女性 L_5 压缩性骨折患者，术中和术后即刻并没有监测到血管内渗漏。术后第 3 天患者出现发热、咳嗽，胸片和 CT 可见右肺动脉 5 cm 栓子影及肺实变，考虑为肺栓塞相关的急性呼吸窘迫综合征(ARDS)。患者 20 天后死亡。Tozzi 等报道了 1 例 55 岁男性患成骨不全，7 节段椎体 VP 术后出现呼吸窘迫、肾衰竭和右心衰竭。CT 证实左右肺动脉及双肺多发骨水泥影。Scroop 等报道 1 例 78 岁女性术中对 13 个节段椎体行 VP，术后出现血压和氧饱和度急剧下降，CT 提示椎旁和硬膜外静脉骨水泥栓塞及肺栓塞。脑部 CT 也提示脑栓塞。Stricker 等报道 1 例 83 岁女性患有严重骨质疏松性骨折疼痛，同时 4 节段灌注成形后发生肺栓塞，与既往文献不同的是患者表现为高血压、高碳酸血症和丧失意志。肺血管解剖发现几片 PMMA 栓子。高碳酸血症可能是死腔通气显著增加，而高血压则有可能是高碳酸血症引起肾上腺素刺激而致全身血管阻力显著增加。

但还有一些肺栓塞报道虽然有影像学证据支持，但仅有轻度或没有临床不适症状，预后良好。Jang 等回顾 27 例 72 椎恶性脊柱肿瘤患者 VP，术后有 3 例发生肺栓塞。其中 2 例出现轻度的呼吸困难和胸部不适。尽管胸片证实骨水泥栓塞，但通气-灌注扫描无异常。Jensen 等报道了 2 例肺栓塞的 VP 患者，但没有明显的呼吸变化。Bernhard 等报道了 1 例 T_{10} 和 T_{11} 压缩性骨折的患者，术后胸片发现弥散性肺栓塞，但患者无任何不适。Choe 等回顾了 64 人 69 椎 VP，胸片提示 4%存在骨水泥栓塞。肺栓塞患者皆为多发性骨髓瘤，没有临床症状。

有时虽然相关反应在数值上有统计意义，但对患者可能并无大的影响。Kaufmann 等研究了 78 人 142 椎 VP(灌注剂量 3～4 ml)，比较了灌注 PMMA 前中后的心血管数据，平均动脉压和心率没有变化，氧饱和度在 PMMA 注射后有下降，尽管统计学上有意义，但仅从术前的 98.0%下降到97.4%，临床上无意义。

此外，血管丰富的椎体行 VP 术中高压力灌注动脉渗漏可以造成骨水泥动脉渗漏，甚至进入主动脉。

肺栓塞临床表现不一可能与一些因素有关。Choe 等认为栓塞一小部分肺动脉分支并不会导致呼吸症状。既往人工关节置换临床和生物实验表明这种心肺功能反应是时限性的，通常在 24 h 内正常化。在健康人群即便有大的栓子，血流动力学失稳也可在数分钟内恢复，急性肺动脉高压和继发右心衰竭是可逆的。当然，积极处理可以提高患者生存率，特别是一般情况不佳者的生存率。Chen 等研究也提示高龄、严重骨质疏松、既往存在肺动脉高压、心脏舒张功能障碍和灌注骨水泥使其具有致死性脂肪栓塞的高危性。

一些学者根据实验和临床观察推测了肺栓塞的原因。Aelbli 等认为由于骨质疏松椎体骨质多由脂肪替代，因而灌注强化椎体更容易导致脂肪栓塞。若骨折后仅数日行 VP，则脂肪颗粒释放量因骨折血肿形成而减少。作者认为灌注压力导致一些骨水泥，特别是未聚合的骨水泥进入滋养血管。Bernhard 等认为这可能与灌注剂量较大、黏稠度低有关。Tozzi 等认为可能与 3 个因素有关：灌注时 PMMA 没有充分聚合以致渗漏至下腔静脉；针尖位置紧靠基椎静脉；过度灌注促使骨水泥渗漏。但取出的骨水泥栓子形态并不支持聚合不全假说。前述临床报道提示多节段椎体一次灌注成形易诱发肺栓塞，因而多数学者主张一次成形椎体节段应限制在 3 个以下。但 Choe 等认为肺栓塞同治疗的椎体数目无关，而与椎旁骨水泥渗漏有关。作者认为肿瘤椎体好发肺栓塞可能与骨质破坏和血供丰富有关。有些作者建议使用其他骨水泥如 CPC 以减少因 PMMA 单体毒性和热损伤造成的潜在并发症。但灌注其他物质也会迫使骨髓细胞和脂肪颗粒进入循环造成肺栓塞。Aebli 等实验表明，无论灌注 PMMA 或骨蜡一次成形 4 个节段椎体都能引起心血管反应和肺血管脂肪栓塞。

有学者认为肺栓塞的发生与灌注时椎体内压力升高有关。为此，一些学者进行了相关的实验来测试灌注压力。Aebli 等在用母羊进行的动物实验研究中测定了椎体内基础压力为 0～20 mmHg，灌注 PMMA 组为 417.8 mmHg，骨蜡组为 367.8 mmHg。但健康母羊椎体与人体骨质疏松椎体有很大差异，实验的说服力不强。Reidy 等将肿瘤组织人为填塞入椎体建立肿瘤性椎体模型。他们比较了 10 例完整椎体和 7 例肿瘤模拟椎体在椎体成形时椎体内的灌注压力差异（灌注速度为 3 ml/min）。结果显示平均最大压力肿瘤模拟椎体明显高于完整椎体。提示椎体成形时肿瘤椎体诱发肺栓塞的可能性会较高。Baroud 等研究表明椎体皮质的完整性对灌注时椎体内压力有重要影响，但对灌注所需压力无关。作者另一研究表明骨水泥黏稠度和骨髓黏稠度的比值对渗漏有一定影响，比值越小，渗漏可能越大。因而较高的骨水泥黏稠度能减少灌注时的渗漏。对于椎体而言，松质骨多孔性而且孔径大能降低渗漏的发生，因而骨质疏松越严重，骨水泥渗漏率可能越低。对于操作者来说，灌注速率越快，骨水泥粘稠度就会越低，渗漏危险就越大。

还有一些作者认为肺栓塞可能就是脂肪栓塞造成的。Blinc 等在体外测试 PMMA（Palacos R 和 Vertebroplastic TM）对血栓形成的影响。结果发现无论聚合即刻还是 24 h 后骨水泥表面都没有成血栓性。因而，单纯骨水泥栓子不一定能解释所有心血管和呼吸功能改变。在 Aebli 的几项动物实验证实肺血管中有脂肪小球和骨髓细胞。Weill 等报道了 1 例椎体肿瘤患者死于肺栓塞，但影像学上未发现骨水泥栓子。研究提示患者可能主要是脂肪栓塞而不是骨水泥栓塞直接影响呼吸功能。但 Yoo 等研究认为骨水泥栓子和单体诱发了肺栓塞相关的 ARDS。研究根据血生化指标和栓子病理检验排除了脂肪栓塞的可能。综上所述，骨水泥栓子、骨髓碎片、脂肪颗粒和继发血栓可能共同参与了肺栓塞的发病机制。

此外，肺栓塞患者的全身反应除了与肺血管栓塞有关外，还同其他因素有关。Aebli 等认为低氧血症、高碳酸血症和酸毒症的原因可能是肺血管微栓子栓塞所致通气-灌注比值失调和肺分流。肺动脉压力和肺血管阻力无变化可能是栓塞程度较小。但一些研究也表明即便没有发生肺栓塞，VP 也会产生诸如心血管变化等全身反应。全身心血管反应的发病机制可能包括破碎组织、骨髓基质或脂肪导致的肺栓塞、神经反射、骨水泥（特别是单体）直接毒性或血管扩张效应等。类似反应常见于关节置换骨水泥的填塞时。Vasconcelos 等认为骨水泥单体渗漏引起的血管扩张作用、潜在毒性或过敏可能是血压下降的原因。Aebli 等认为平均动脉压的下降与外周血管扩张有关。首先,PMMA 单体导致血管扩张;其次骨髓腔内或脂肪-血小板聚合体释放的血管扩张物质作用;第三交感神经张力的降低。椎体内有许多与交感系统相关的感觉神经纤维,可能有血管调解功能。当灌注时骨内压力增高,交感张力下降,导致系统血管阻力下降。此外,骨水泥渗漏至硬膜外静脉,继发激惹脊髓也可能是原因之一。单体释放入血可能是一个潜在因素,既往关节置换的研究中也发现动脉血中有单体成分。尽管单体峰值时血压下降较明显,但单体浓度和低血压事件之间无明显相关。由于缺乏皮疹、红斑或支气管扩张等过敏症状,因而用过敏反应来解释并不适宜。PMMA 灌注后反射机制参与动脉血压的下降得到 Rudigier 和 Ritter 实验的支持。他们提出反射的产生是由于单体刺激了神经末梢。Ahmed 和 Antonacci 的研究表明椎体内存在可能调控血压的感觉神经末梢。但有作者认为并非只有灌注 PMMA 才会产生全身反应。Breed 等在髓腔内灌注骨蜡也同样引起血压下降。Aebli 等灌注骨蜡成形椎体也会引起心血管功能变化。

(3) 其他

Weill 等报道颈椎 VP 若有局部骨水泥渗漏可导致吞咽困难。Tsai 等报道 1 例 69 岁男性,T_{12} 行 VP,骨水泥灌注 12ml。术后出现严重背痛,X 线提示椎体前皮质破坏,骨水泥移位。

51.5.3 相邻椎体新发骨折

随着骨质疏松椎体压缩性骨折 VP 治疗中长期临床报道的陆续发表,一些学者注意到 VP 术后有新的椎体骨折发生,尤其是相邻椎体发生率较高。但 Jensen 报道 VP 术后有 20%~25%新发椎体骨折,将近有一半骨折并不邻近于经治椎体。Perez-Higueras 的研究表明 23%的患者 5 年后新发椎体骨折,2 例为相邻椎体。Uppin 等回顾性研究了 177 例经 VP 治疗的骨质疏松患者,随访 2 年以上,发现 12.4%的患者有新发椎体骨折。67%的新发骨折位于经治椎体邻近,67%的再发骨折发生于术后 30 天内。另一研究表明平均随访 48 个月后,25 人中有 13 人至少有一个相邻椎体发生新的骨折,相邻椎体新发骨折的优势比为 2.27,而非经治椎体邻近新发骨折的优势比为 1.44。Legroux-Gerot 等长期随访 16 例 VP 患者 35 个月,发现经治椎体邻近新发骨折的优势比为 3.18,而非经治椎体邻近新发骨折的优势比为 2.14。Kallmes 等回顾了 58 例术后再发骨折复诊的病例,其中一半新发骨折毗邻于经治椎体。Peters 的报道 42 例患者中有 4 例在 6 周后就发生相邻椎体的压缩性骨折。Peters 等认为相邻椎体新发骨折的原因可能为:骨质疏松成弥散性,影响多节段椎体;VP 使单一椎体快速强化;绝大多数患者术后疼痛显著改善使其活动量增加;进行性后凸增加了相邻椎体的负荷。原先多发骨质疏松压缩性骨折的患者更容易发生新的骨折。作者主张术后患者应限制额外负重(不超过 1 箱牛奶)并支具保护 6 周。Lin 认为等骨水泥渗漏至椎间盘后增加了相邻椎体压缩性骨折发生的危险性。作者随访 38 例患者 6 个月,发现有椎间盘骨水泥渗漏的相邻椎体有 58%发生骨折,没有骨水泥渗漏的仅有 12%,两者有显著性差异。Kim 等随访 106 人 212 椎 VP,发现有 7.9%新发椎体骨折,1 年无骨折率 93.1%,高度恢复大、胸腰椎结合部位、与经治椎体距离近等增加再发骨折危险性。

椎体刚度的升高可能增加了相邻椎体新发骨折的危险。Baroud 等研究表明松质骨灌注骨水泥后其刚度可以达到初始的 8.5 倍。局部松质骨刚度的变化可能会改变强化椎体所在运动节段的负荷传递,从而导致邻近椎体的骨折发生。作者认为骨水泥强化后引起载荷传递异常而导致了邻近椎体的退行性改变,特别是当骨水泥灌注骨刚度大大超过松质骨时。Berlemann 的实验也证实了这一点。他们对两节段的功能脊柱单元(FSU)的头端椎体进行成形,结果单元整体的极限抗压强度明显低于未成形组。而且灌注剂量越大,强度越低。单元整体强度下降提示尽管椎体成形恢复或提高了本身强度,但相邻椎体的抗压强度反而显著下降,新发骨折的危险性加大。Baroud 的实验表明灌注骨水泥的椎体骨其强度为松质骨的 36 倍。作者认为减少骨水泥的灌注量以降低成形椎体刚度可以使邻近椎体骨折的危险性下降。Tohmeh 等则认为经治椎应力调高效应或负荷移位造成了相邻椎体的力分布改变。Polikeit 等认为椎体强化增加了髓核的压力和相邻椎体终板的偏斜。相邻椎体的应力、应变增加,载荷分布发生改变,高应力应变区承载最大,VP 明显改变了载荷的传递。经单侧椎弓根灌注所产生的应力改变相对双侧椎弓根入路小一些。Baroud 和 Polikeit通过有限元分析研究了PMMA椎体强化使功能脊柱单元的椎间盘负荷转移效应。前者建立的是L_4～L_5模型，后方附件去除，轴向逐步加压。而后者则建立L_2～L_3模型，保留小关节突，在轴向、前屈和侧屈时加载1 000 N负荷。两者都显示椎体强化后椎间盘压力增高，导致相邻终板显著凸向椎体12%～20%。由于通常椎体骨折常常发生于终板或终板附近松质骨区域，因而偏转效应将会导致邻近椎体的骨折。Sun等用非均质骨密度和非线性、各向异性松质骨材料性质的特定标本模型研究应力应变分布。灌注20%体积量PMMA后，他们发现应力主要集中在PMMA的上下方。Baroud等认为坚强的骨水泥起到了“立柱”(upright pillar)的作用，扩大了灌注部位所受应力。应力集中导致了椎间盘压力的增高和相邻椎体终板的显著内凸效应，最终引起相邻椎体的骨折。灌注侧终板内凸减少7%，椎间隙压力增高19%，而相邻椎体内凸增加17%。预防相邻椎体骨折的措施是尽可能减小椎体强化后负荷转移机制带来的变化。Polikeit注意到预防性VP所致负荷转移与灌注剂量(15%～100%)和灌注途径(单侧或双侧)无关。因而解决问题的途径可能要寻求一种新的有理想刚度的材料，弹性模量较小，接近松质骨。

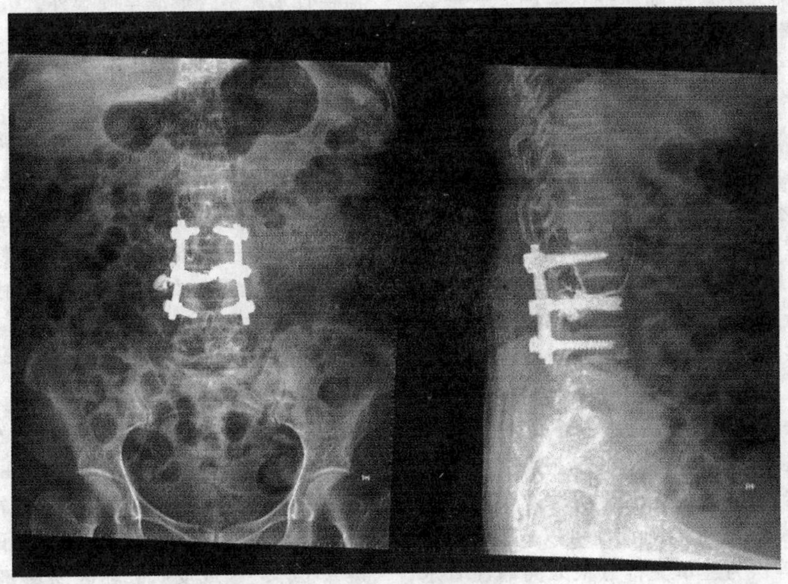

图 51-2 L_3骨折后路固定及VP

VP是否增加相邻椎体骨折的危险尚存在争论。目前没有随机对照前瞻性研究来比较VP和保守治疗骨质疏松椎体压缩性骨折新发骨折的危险。但这些数据应同骨质疏松压缩性骨折的自然病史相比较。Lindsay等评价了骨质疏松椎体压缩性骨折患者1年内新发骨折的情况，他们发现新发骨折率为19.2%。11.5%的单发骨折妇女和24%的双发骨折妇女一年内可能会有新的骨折。因此没有证据表明VP术后椎体再发骨折率升高。Katzman等发现VP后相邻椎体骨折发生率为5%，和对照组相比并无显著性差异。Peters等认为10%的新发骨折发生率尚在未治骨质疏松压缩椎体骨折的新发骨折发生率之内，还不一定能算作并发症。基础研究方面，Ananthakishnan等研究表明中间椎体下方椎间盘骨折后静压力明显下降，VP术后皆有升高，但未能恢复到骨折前。实验提示经治椎相邻椎体骨折可能不是载荷传递异常造成的，与手术无关，而是本身骨质疏松的自然进程或全身其他原因。Jensen等回顾了非系列的既往行VP的多发骨质疏松性骨折患者，发现68%的新发骨折相邻于经治椎体。作者认为骨折聚类趋势可能是骨质疏松自然史的一部分，上述情况只不过是新发骨折的正常分布。他们认为尚无强有力的证据表明VP会导致经治患者比非治患者有更高的新发骨折的危险。

51.5.4 预防措施

美国介入放射学会业务委员会要求VP并发症发生率对于骨质疏松患者应控制在2%以下，肿瘤患者控制在10%以下。控制并发症发生关键在于减少骨水泥渗漏。因此如何防止骨水泥的渗漏是VP面临的主要问题。目前临床上有很多方法减少渗漏，如术前仔细估计骨质破坏的程度、术中良好的监视设备、注入水泥前先行静脉造影、采用尽可能粗的穿刺针并增加水泥的黏滞度、采用侧方注射的穿刺针等。但即使如此，渗漏发生率仍然很高，幸运的是，绝大部分渗漏并不产生临床症状。因此一般认为无症状的渗漏不应归于并发症。Laredo等主张针尖要避免置于破坏的终板下方或椎体中央富于血管的部位。在严重压缩的椎体中针尖要尽可能靠前使骨水泥灌注的时候自前向后弥散。而对于有真空和裂隙现象的压缩性骨折则针尖应尽可能进入或靠近空隙处，这样才能达到良好的临床效果。经椎弓根入路在胸腰椎要避免破坏椎弓根内皮质，特别是上胸椎，一旦破坏PMMA就容易外渗。椎体穿刺时要防止针尖断裂。Jang等建议：骨水泥聚合至糊状时灌注比液态状能减少渗漏，特别当灌注血管丰富的肿瘤椎体时；高质量的电透和PMMA添加造影剂有助于预防栓塞；多节段灌注易造成肺栓塞，应特别谨慎选择；若发现针尖进入血管，应调整位置或用凝胶海绵封堵。Do等认为灌注前填塞明胶海绵或先灌注部分封闭血管再穿刺灌注可以减少骨水泥的渗漏。Aebli等认为经单侧椎弓根入路灌注骨水泥时，经对侧椎弓根钻孔减压可能会减少渗漏引起的并发症。作者对22只母羊进行4个节段的单侧椎弓根入路椎体成形，其中10只经对侧椎弓根钻孔。结果表明平均动脉压、氧分压和pH下降和二氧化碳分压增高，而对侧钻孔组变化程度减轻。肺血管脂肪栓塞程度也由19%降至9%。

(1) 术中监测

只有在高质量的电透引导下VP操作才是安全的。Bernhard等认为术前静脉造影并不能阻止渗漏发生，术中仔细电透监测最为关键。大多数VP在单平面电透下操作就可以保证安全性。也有作者提出在CT监视下或联合CT和电透放置探针和灌注骨水泥。但Laredo等认为如果术者对脊柱的三维结构比较熟悉，联合使用后前位和侧位的电透可以同CT引导一样精确。而且在灌注的时候不需要像CT引导那样移动患者，中断灌注。Lin等认为CT目前不能提供及时反馈和控制灌注剂量。仅在治疗普通透视困难的特殊部位如颈胸结合部时，CT可以作为一种辅助措施。Mathis等也认为CT可以作为电透的一种辅助手段，但增加了操作的复杂性和费用，由于患者的移动无法实时监控。对常规处理没有相应的益处。但在T_4以上操作时有一定作用，能弥补普通电透的一点缺陷。

术中监测可选用C臂机、双翼透视仪、小剂量灌注间断CT监测或联合用CT和透视。有时单平面电透也能提供足够的保障，但需时常放在侧位以监视骨水泥是否渗漏至硬膜外。

(2) 静脉造影

PV术前静脉造影可以帮助指明静脉丛位置和预示PMMA流动特性。在美国一些学者术前常规行静脉造影并认为其对操作有帮助，但在欧洲并不被普遍接受。一些学者认为灌注骨水泥之前行静脉造影对防止骨水泥进入静脉引起栓塞有重要意义。他们主张术前行椎体骨内静脉造影，希望显示椎静脉丛，勾画出椎体的轮廓，明确注射危险部位，确保大体积的骨水泥栓子不进入静脉。Mcgraw等认为静脉造影对判断骨水泥是否通过中线有高度预示价值，因此有助于明确经单侧椎弓根入路穿刺是否足以成形。静脉造影显示双侧骨髓“发红”，提示95%的病例PMMA跨过中线足够灌注另一半椎体；而单侧骨髓“发红”提示97%的患者需要行另一侧椎弓根穿刺灌注。静脉造影也能预示所有的PMMA进入椎体终板或皮质破坏区以及29%的静脉结构。而在那些有骨折裂隙的患者，静脉造影也能帮助骨水泥灌注入裂隙以获得较好的成形效果。Gangi等主张血管丰富区域术前应静脉造影，特别是T_{11}～L_1腰背区。Laredo建议在怀疑有血管高度丰富的病灶如动静脉畸形或有动静脉分流的肿瘤时应术前行静脉造影。有些作者甚至主张在术前作保护性的椎静脉栓塞。

但也有学者认为，静脉造影对有经验的操作者来说并不能提高其安全性。Do等认为静脉造影对于经验丰富的操作者来说不能增加VP的安全性，但对于经验不足者有指导意义。Mathis等认为该方法有不足之处。首先由于造影剂与骨水泥的黏稠度相差很大，并不能由此推测出骨水泥的分布情况；其次，操作者很少会根据静脉造影的结果改变操作技术；第三，有些涉及终板的椎体骨折，造影剂会进入椎间盘并残留，从而可能掩盖骨水泥渗漏的现象。Peh 等建议使用小剂量低浓度的造影剂和用生理盐水反复冲洗静脉造影针来克服肿瘤或组织的造影剂过度残留和裂隙的过度充盈。Tanigawa 等建议用二氧化碳气体作为对比造影剂来术前静脉造影，虽然显影性欠佳，但不会干扰骨水泥灌注监测。有些作者并不认为静脉造影能预测 PMMA 的流向。Deramond 等认为，虽然静脉造影可以显示静脉回流路径，但由于造影剂与骨水泥的黏稠度相差很大，并不能由此推测出骨水泥的分布情况，故推荐只在血管瘤患者中应用。在恶性肿瘤患者中，造影剂会残留于肿瘤组织中。若椎体存在空腔或终板骨折，造影剂很难被清除，从而会影响对注入骨水泥的观察。此外，如果在对比显影效果不好的椎体骨坏死(Kummell 病)或恶性肿瘤的患者中行 VP，术前静脉造影会干扰骨水泥观察。Heini 等不主张术前常规静脉造影。Mcgraw 等也认为目前尚未证实静脉造影能提高安全性。Gaughen 等比较了术前用或不用静脉造影的并发症发生率和疗效，结果并无显著性差异。Vasconcelos 等回顾 137 人 205 椎 VP，认为术前不进行静脉造影也可使操作较为安全。

51.6 后凸成形术

后凸成形术(kyphoplasty, KP)是在 VP 基础上辅以气囊治疗椎体压缩性骨折。KP 缓解疼痛可能同样是由于椎体的稳定。早在 20 世纪 90 年代早期，Mark Reiley 就构想用可扩张球囊治疗压缩骨折以恢复椎体高度和矫正后凸畸形，并开展了一系列研究设计。1994 年可膨胀球囊(inflatable bone tamp, IBP)美国 Kyphon 公司首先研制成功。1998 年Reiley 在美国加州用 IBP 完成了第一例后凸成形术。1998 年 Kyphon 公司的可膨胀气囊获得美国 FDA 的认可，被批准应用于骨折复位和(或)在松质骨内造成空腔。目前 IBP 的球囊直径有 15 mm 和 20 mm 两种，能在 $T_5 \sim L_5$ 进行操作。球囊压力可达到 70～250 psi，撑开的空腔容积平均为 2.6 ml。

KP 常采用经椎弓根入路，胸椎可采用经肋骨头与椎弓根之间入路，腰椎也可采用经后外侧入路。经双侧椎弓根入路可使骨折整复效果更好，经后外侧入路可行单侧 KP。一般 KP 操作步骤包括：皮肤作小切口；透视下以 11 号穿刺针经椎弓根或旁椎弓根入路至骨折椎体；取出穿刺针，置入操作管道，建立到达椎体后部的工作通道；把 4.19 mm 的套管针插入管道或用手钻将椎体内通道扩大；导入 IBP，置于塌陷终板下方，以便在抬高终板的同时减少对两侧及后方的挤压；透视监测下，通过压力注射器用造影剂逐步扩张 IBP，并密切注意压力值；扩张满意后将 IBP 复原后撤出，调配灌注剂，透视监测下注入椎体空腔，充填量一般比 IBP 最后扩张的容积多 1～2 ml，以使灌注剂与周围松质骨交错结合。Carrino 认为停止扩张的指标包括：压缩性骨折恰当的复位已完成；IBP 压力读数达到 220 psi；电透显示 IBP 与椎体皮质接触；IBP 膨胀达到最大容积，直径 15 mm 的球囊为 4 ml，20 mm 为 6 ml。术者应警惕球囊破裂，造影剂外漏。对于大多数急性骨折，椎体双侧球囊撑开后应一侧保留另侧灌注，以免复位丢失。也有作者认为经单侧椎弓根入路同样能较好完成 KP，疗效满意。Steinmann 等通过离体实验比较了经单侧椎弓根或双侧椎弓根 KP 的成形效果，结果显示在椎体平均抗压强度、刚度、高度恢复和左右高度差上均无显著性差异，两者成形效果相似。由于经单侧椎弓根 KP 费用低，操作时间短，器械相关并发症降低，因而作者主张选择经单侧椎弓根入路行 KP。

一些学者对 KP 进行了生物力学研究，结果比较满意。Belkoff 等分别用 Simplex P 和 Bonesource 作为灌注剂，对椎体标本人为造成骨折后进行 KP 治疗，平均各灌注 4.71 ml 和 4.66 ml。结果表明仅灌注 Simplex P 组能恢复椎体强度，两组皆不能恢复椎体刚度。但两组术后都能有效恢复椎体高度，实际恢复高度在 2 mm 左右。Tomita 等通过离体实验比较了磷酸钙骨水泥 Biopex-r 和 Simplex P 的 KP 效果，灌注剂量约 5 ml。结果表明磷酸钙骨水泥也能较好的恢复椎体的抗压强度，但两组皆不能恢复椎体的刚度。在高度恢复方面没有显著性差异。椎体压缩 25%行 KP 后，胸椎能恢复到原先的 90%左右，腰椎能恢复到 80%左右。

在治疗时机选择上，Hardouin 等认为 KP 必须在骨折后早期进行，一般数天之内，至多十余日。对于有持续症状的陈旧性骨折患者，KP 并不能矫正后凸畸形。但也有作者认为病程在 3 个月内的患者也可以获得良好疗效。Crandall 等比较了病程在 10 周以内和 4 个月以上的椎体压缩性骨折患者 KP 的治疗效果。共有 47 人 86 椎，随访 2 周后两组的疼痛缓解率各为 90%和 87%，所有患者的止痛药物用量降低，Oswestry 评分改善。KP 术后椎体平均高度恢复明显，各恢复到正常椎体的 58%～86%和 56%～79%。恢复到正常椎体 89%以上的前组为 60%，后组为 26%，前组相对更易复位。KP 术后局部后凸畸形显著改善。与保守治疗相比，KP 可能在缓解疼痛方面可能优越性并不一定很强，但在矫正后凸畸形，恢复椎体高度方面有着优越的地位。

KP 的临床应用时间不长，目前一些报道表明疗效满意。目前由厂商赞助的椎体压缩性骨折 KP 治疗研究例数已达 1 000 例以上，其中 90%有明显的疼痛改善，能恢复日常活动能力。Garfin 初期 1 439人 2 194 椎多中心研究显示，对于骨质疏松压缩性骨折 3 个月内病程的患者，KP 是一种安全和有效治疗方法，能显著恢复椎体高度。90%的患者 2 周内疼痛缓解，病程 3 个月内的患者椎体高度可以恢复至正常椎体的 92%，而 3 个月以上的则恢复到 84%。Garfin 等报道了 340 人 376 次 603 椎 KP 操作，其中 54 例 76 椎，KP 术后椎体高度恢复前、中、后缘各为 54%，57%和 61%。作者同时发现 3 个月以内压缩性骨折椎体的后凸畸形平均矫正 50%，3 个月以上者椎体高度恢复不明显，但临床疗效仍令人满意。Lieberman 1999 年数个外科中心参加了 KP 的多中心研究。第 1 阶段研究包括 30 人 70 椎 KP，病程平均 5.9 个月，手术前后用 SF-36 评分系统来评价疗效。70%的骨折椎体 KP 术后恢复丢失高度的 47%。SF-36 各项指标明显改善。作者认为 KP 和 VP 在疼痛缓解率方面无明显差异，前者椎体高度可恢复平均 3 mm。Gaitanis 等报道了他们 KP 治疗骨质疏松压缩性骨折和椎体肿瘤的经验。术后有 96.9%的患者疼痛明显缓解，27 例骨质疏松压缩性骨折患者有 24 例后凸矫正，平均 7.6°，椎体高度前、中缘平均恢复 4.3 mm 和 4.8 mm。(图 51-3)

KP 治疗骨质疏松椎体压缩性骨折的疗效比较明确。Theodorou 等报道 15 例平均病程 14 周的骨质疏松压缩性骨折患者 KP 术后疼痛缓解，并持续 6～8 个月。术后椎体高度从术前的原始椎体 78.6%增加到 91.5%，侧位平片上椎体前、中和后部高度恢复平均 3.7 mm、4.7 mm 和 1.5 mm。后凸矫正平均 62.4%。Mitchell 等前瞻性研究了 71 人 89 次 156 椎的 KP 操作。平均随访了 23.8 周后，SF-36 评分各项指标有明显改善。Rhyne 等报道了他们 KP 治疗骨质疏松压缩性骨折的经验。研究中包括 52 人 82 椎，VAS 评分明显改善，由 9.16 分下降至 2.91 分。平均随访 9 个月，高度前中缘各恢复 4.6 mm 和 3.9 mm，后凸畸形矫正 14%。Berlemann 等前瞻性研究了骨质疏松压缩骨折 24 人 27 椎 KP 疗效，术后 23 人疼痛缓解。平均后凸畸形矫正 47.7%。随访 1 年后矫正没有丢失，仅发现 1 例毗邻椎体骨折。研究也表明椎体复位的潜能与术前后凸畸形程度，治疗节段，骨折病程有关，而与患者年龄无关。疼痛缓解与复位程度无关。Phillips 等报道了 29 人 37 次 61 椎 KP 疗效，脊柱后凸畸形平均矫正 8.8°，1 周内患者疼痛明显缓解，大多数患者活动能力改善。随访 1 年，VAS 评分由术前 8.6 分下降至 0.6 分。Ledlie 等回顾了 96 人 133 椎 KP 治疗效果，术后 88.5%的患者疼痛明显缓解。其中 20 人随访 1 年，复查平片显示 KP 能有效恢复椎体高度，椎体前缘高度由原先正常椎体的 66%增加到 85%。Coumans 等报道了他们 KP 治疗 78 人 188 椎的经验，平均随访 18 个月。结果术后 VAS 评分明显改善并持续至 1 年，SF-36 评分的 7 项指标也明显改善。

KP 在脊柱肿瘤方面应用较少，主要用于多发性骨髓瘤椎体压缩性骨折的治疗。Lane 等前瞻性研究了 19 例多发性骨髓瘤患者 KP 疗效。其中 16 例患者术后随访 3 个月 Oswestry 评分明显改善，大部分患者有一定程度的椎体高度恢复。与骨质疏松压缩性骨折对照组相比，前缘高度恢复不如后者。Dudeney 等报道 KP 治疗 18 人 55 椎多发性骨髓瘤，平均病程为 11 个月，平均随访 7.4 个月，SF-36 的相关指标有明显改善。丢失高度的 34%高度得到恢复。

由于 KP 造成椎体空腔，灌注压力较小，可灌注较黏稠的骨水泥，一般认为 KP 的并发症发生率相对 VP 要少。但临床报告并不一致。一项多中心研究表明 KP 主要并发症发生率为 0.2%，仅有 4 例神经损伤。Garfin 等报道了 340 人 376 次 603 椎 KP 操作，并发症发生率为 0.7%。另一研究包括 226 例 KP 手术，有 1%的并发症，包括硬膜血肿、脊髓损伤和暂时性成人呼吸窘迫综合征。而 Coumans 等报道并发症发生率为 8%。Lieberman 等则发现围术期并发症发生率高达 10%。KP 灌注并不能避免骨水泥的渗漏，但大多没有临床症状。一些临床报道显示 KP 术后骨水泥渗漏发生率为 4%～9.8%。

同 VP 一样，KP 似乎也增加相邻椎体新发骨折率。Fribourg 等回顾了 38 人 47 椎 KP，平均随访 8 个月，10 例患者发生 17 椎新发骨折，其中 13 椎骨

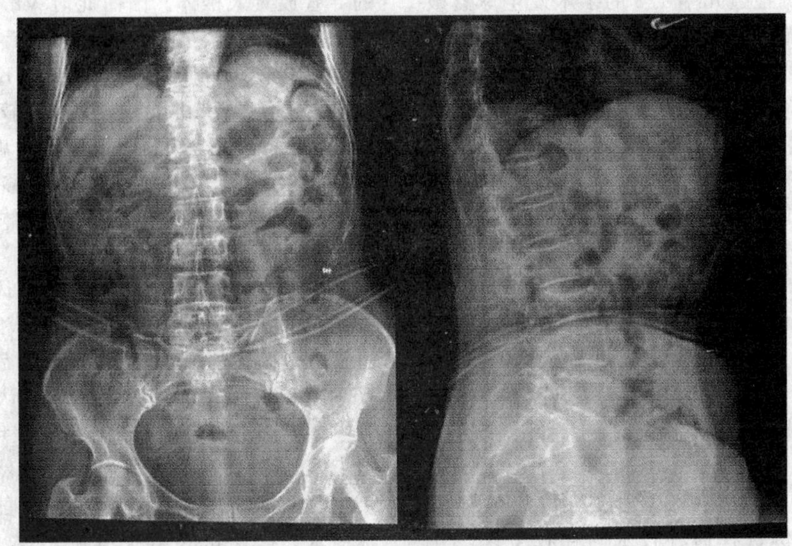

A. L_3 骨折

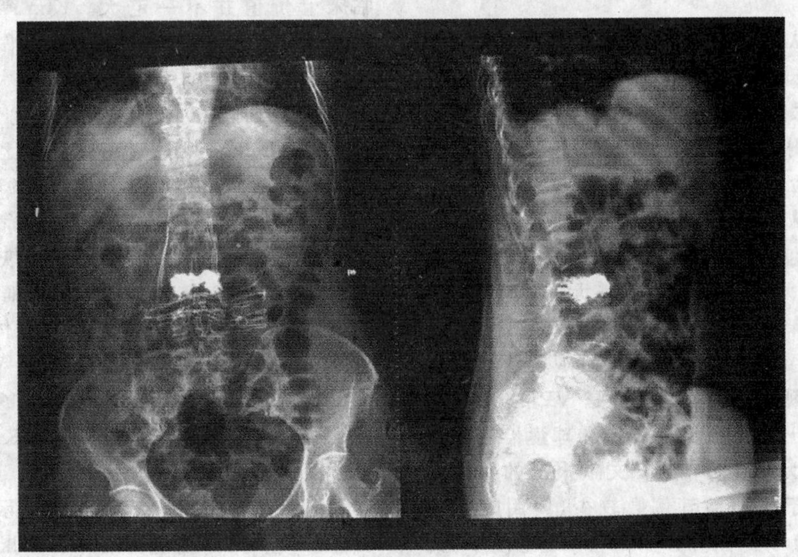

B. KP 手术后

图 51-3　KP 手术

折相邻经治椎体。大多数骨折发生在 2 个月内，且几乎全是相邻椎体骨折。而非相邻椎体骨折发生时间明显较晚。同时作者发现性别、吸烟、服药史、骨折部位和骨折椎体数与新发骨折危险性无关。Hyde 等报道 66 人 96 椎 KP 平均随访 9 个月以上，新发骨折率为 29%，90%为相邻椎体。研究也发现有椎体骨折既往史的患者术后新发骨折率更高些。Harrop 等回顾了 115 人 225 椎 KP，平均随访 11 个月后 26 人发生 34 椎新发骨折，发生率为 15.1%，其中 19 例椎体骨折与经治椎体相邻。作者同时也发现激素使用导致的继发性骨质疏松患者较原发性骨质疏松患者更易发生新骨折。

此外，KP 的并发症还包括球囊的破裂，这是 VP 所没有的。据报道几乎 1/3 的手术发生球囊破裂，但多在完全膨胀后发生，因而无需更换球囊。但造影剂的渗漏可能会给操作带来困难。Lieberman 等报道 30 人 70 椎 KP，气囊平均扩张 2.6 ml，平均压力 130 psi。其中 14 例气囊破裂，大多数在扩张到最后阶段时破裂，3 例在扩张早期破裂者需更换气囊。破裂口多为“针尖样”，多为被尖锐骨质刺破所致，气囊破裂后也较易退出，造影剂泄露一般不会造成不良后果。作者发现气囊扩张早期可出现不对称现象，主要由于周围骨质结构不均匀所致。

51.7 VP 和 KP 的比较

目前 VP 和 KP 都在临床上应用，疗效都不错，但在具体病例选择何种技术上存在争议。介入科的医生往往倾向于 VP，而骨科医生则倾向于 KP。

Mathis 等认为对于有经验技术的医师来说，VP 和 KP 都比较安全有益。他认为 KP 的初期报道大多来源于骨科医生，一些报道似乎仅仅是为了满足厂商的需求，追求比 VP 更高的经济利润，而没有翔实的临床和实验室研究。在影像学界，该技术并没有得到广泛承认。KP 和 VP 的费用相差较大。一套 KP 器械，不包括骨水泥就几乎达 3 400 美元，而 VP 器械包括骨水泥也低于 400 美元。KP 常常需要在手术室全麻下完成，术后需住院观察。而 VP 通常静脉用一些镇静药物即可，术后观察数小时就可出院回家。因而总的费用 KP 是 VP 的 10～20 倍。KP 的缺点还在于复杂的器械和球囊恰当的放置。Kang 等认为尽管目前 KP 文献报道的并发症发生率似乎低于 VP，但其例数较少，使用时间较短，长期效果尚不得而知，与 VP 的可比性不强。Carrion 等则认为对于骨质疏松患者，KP 和 VP 都能较好地缓解疼痛，之间似乎没有差异。KP 对于病程 3～6 个月内的患者在高度恢复上更好一些。在亚急性骨折，椎体数 1～2 个，高度丢失 40%～50%以内的患者，KP 也许有帮助。因为相对急性的骨折有改变脊柱稳定性的可能。而病程在 6 个月以上有慢性疼痛的压缩性骨折患者可能比较适合选择 VP，特别是有严重椎体高度丢失的。扁平椎体不大可能获得高度恢复，必要时最好选择 VP 治疗。当椎体高度小于椎弓根直径时，很难将 IBT 的导管放置入椎体。因而此时 VP 是不错的选择。中段胸椎骨折较腰椎更明显增加后凸畸形，因而适合选择能较显著恢复椎体高度的 KP。VP 操作简捷，费用不贵，麻醉要求不高，比较适合于晚期肿瘤患者、高龄患者和体质虚弱的患者，特别是椎体高度轻微丢失的肿瘤椎体转移的患者。多发性骨髓瘤的患者多有多发性椎体楔形压缩，KP 较为理想。

椎体高度恢复，后凸矫正是椎体压缩性骨折治疗的目的之一。Black 等认为残留椎体畸形使畸形进展的危险增加 5 倍，而新骨折的危险依赖于节段受累数和畸形的严重程度。一般认为，VP 恢复高度有限，远不及 KP。Lim 等研究表明，灌注 PMMA 或 CPC 后椎体高度恢复甚微。虽然一些研究中高度恢复数据统计学上有意义，但可能仍不能满足临床要求。Hiwatashi 等报道了 37 人 85 椎 VP，椎体前缘高度平均增加 2.5 mm，统计学上有意义，但在临床上价值并不一定大。Kim 等回顾了 59 例 Kummell 病椎体手术前后的 X 线平片。VP 术前和术后椎体高度之间无显著性差异。

恢复椎体高度被认为是 KP 优于 VP 的最重要的方面。Belkoff 等通过离体实验比较了 KP 和 VP 的成形效果，结果显示 KP 能恢复 97%丢失高度，而 VP 仅能恢复 30%。两种成形方法都能显著增强椎体的抗压强度。此外，仅 KP 组能恢复椎体的刚度。作者认为与 VP 相比，KP 可在患椎内形成空腔，恢复椎体高度，矫正后凸畸形。在椎体高度恢复方面也存在争议。Belkoff 等报道相对 VP，KP 能显著恢复椎体高度。VP 也能较好恢复高度，但不如 KP。前述的 KP 临床报道也提示 KP 在恢复椎体高度方面的能力显著。

但目前临床报道表明 KP 实际恢复高度多在 3.5 mm 左右，高度能力有限。Belkoff 等将离体椎体置于生理性压力下(111 N 和 222 N)进行 KP，结果也仅能部分恢复椎体高度。此外，仍有一些研究表明 VP 在恢复椎体高度上有良好的作用。Bai 等实验表明灌注 15 ml 的 CPC 和 PMMA 后，压缩性骨折的椎体能恢复完整椎体的 41.6%和 41.2%。Schildhauer 等离体实验表明灌注 CPC 椎体成形高度可恢复丢失高度的 50%。Mckiernan 等随访 41 人65 椎，椎体高度前、中、后缘分别增加 8.4 mm、8.7 mm 和 3.4 mm，丢失高度的 51.7%可以恢复。

作者认为评价高度恢复时应包括前中后高度指数、参照椎体绝对值、参照椎体标准化高度、X线片测量误差矫正、骨质疏松压缩性骨折动态变化和所有数据统计误差等。Jang等应用VP治疗16例因椎体缺血性坏死(Kummell病)而致椎体失稳的患者，平均灌注PMMA4.7 ml。术后平均后凸矫正8.5°，椎体高度恢复7 mm。Teng等比较了53人73椎椎体手术前后的高度，结果发现后凸矫正了4.3°，椎体楔形角度矫正了7.4°，前缘和中心高度恢复了正常椎体的16.7%和14%。作者认为VP能增加骨折椎体的高度，减少椎体楔形和后凸的角度。在那些含气体空隙的椎体恢复情况更好。

Mckiernan等认为楔形骨折若非固定性则存在可变性，过伸位可逆转。椎体高度的恢复主要依据个体椎体骨折的动态活动性。他们研究了41人65椎VP，通过测量站立和仰卧时椎体高度来评价动态不稳。35%的经治椎体存在动态骨折活动，主要集中在胸腰结合部。术后高度增加6%，后凸角度矫正40%。他的报道中44%动态可变，体位过伸后椎体高度从42%增加到70%。而Mathis也认为术前简单牵引也可较好恢复椎体高度。Lee等比较了200例患者经闭合复位再行VP手术前后平片上的患椎侧方高度，结果发现术后能恢复椎体前、中、后缘丢失高度的46.3%、46.7%和35%，后凸矫正43.1%，并认为大多数患者高度恢复和后凸矫正都在50%以上。术后后凸矫正平均8.5°，随访期间没有丢失。因而作者认为VP联合闭合复位能有效地恢复椎体高度。

在骨水泥渗漏方面，KP可能较VP更少发生渗漏。Fourney等回顾性研究了65椎VP和32椎KP治疗脊柱恶性肿瘤的疗效，结果显示疼痛缓解率为84%，VAS评分显著改善并持续到1年随访期。VP骨水泥渗漏率为9.2%，KP没有发现渗漏。作者认为VP和KP都能有效缓解脊柱恶性肿瘤患者的疼痛，骨水泥高黏稠度、有选择的KP操作和小剂量灌注可以减少骨水泥渗漏。Lieberman等认为VP灌注时骨水泥较稀，容易产生渗漏。而KP灌注时因有空腔，骨水泥可以在较黏稠时轻松注入。Phillips等离体实验表明相比VP，KP所致经血管和皮质骨水泥渗漏发生率较低。作者认为VP灌注时压力较高，而KP灌注时由于空腔的存在而压力较低，减少了骨水泥的渗漏。此外，KP术中椎体内空腔形成的同时松质骨也受到压实作用，一定程度上阻挡了骨水泥渗漏至血管内或椎体外。Phillips等通过注射造影剂替代骨水泥来临床比较了VP和KP的骨水泥渗漏情况，结果表明渗漏评分有显著性差异，硬膜外静脉、下腔静脉渗漏和经皮质渗漏率KP要明显低于VP。但有些作者并不认为KP能减少灌注时椎体内压力就优于VP。一些研究也表明椎体内压力同灌注速度、钻孔口径等有关，VP灌注骨水泥时椎体内也没产生高压力。此外，尽管VP的渗漏率相对较高，但大多数并无症状。Mathis等认为KP和VP之间有症状的并发症发生率并无明显差异。

51.8 问题与展望

20年来VP得到了飞速的发展，近期国内也开展了一些基础和临床的研究。尽管VP在北美和欧洲较为普及，美国一些州已经同意VP进入医疗保险制度偿付范围内，但仍不是一项成熟的技术，需要更大样本和规范的随机对照临床试验来验证VP的疗效，特别是同药物和支具等保守治疗作比较。目前，VP的临床问题还是集中在渗漏上，这是VP要成为一项成熟技术所必须解决的一个问题。合理的选择患者、恰当的灌注入路和剂量以及良好的电透监视等可以减少渗漏发生。目前，VP临床操作众说纷纭，没有统一的标准，在适应证、穿刺技术、灌注剂量等方面存在争议，需要相关学者进行探讨，从而制订VP的操作指南。

在减少渗漏、恢复高度和矫正后凸畸形方面KP具有明显的优势，但费用昂贵、球囊易破和应力集中等问题也有待解决。

临床应用中已经发现了PMMA的众多缺点。因此，寻找理想的灌注材料也是今后研究的热点。CPC虽然被认为是一类很有前途的材料，但还没有在临床上广泛应用，需要临床和基础的进一步研究证实其有效性。在骨水泥中负载其他药物有着诱人的前景。例如，负载化疗药物以产生局部的抗肿瘤作用，负载骨诱导因子(如BMP和GF-2等)以加快骨重建，改善骨质疏松的作用。目前这方面的研究将得到进一步拓展。

可以预见，随着技术的不断发展成熟，椎体成形术和后凸成形术必将在脊柱微创外科领域占有重要地位。

(姜晓幸)

参考文献

[1] Aebli N, Krebs J, Davis G, et al. Fat embolism and acute hypotension during vertebroplasty: an experimental study in sheep. Spine, 2002, 27(5):460～466.

[2] Aebli N, Krebs J, Schwenke D, et al. Cardiovascular changes during multiple vertebroplasty with and without vent-hole: an experimental study in sheep. Spine, 2003,28(14):1504～1511.

[3] Aebli N, Krebs J, Schwenke D, et al. Pressurization of vertebral bodies during vertebroplasty causes cardiovascular complications: an experimental study in sheep. Spine, 2003,28(14):1513～1519.

[4] Alvarez L, Perez-Higueras A, Granizo JJ, et al. Predictors of outcomes of percutaneous vertebroplasty for osteoporotic vertebral fractures. Spine, 2005, 30(1): 87～92.

[5] Alvarez L, Perez-Higueras A, Quinones D, et al. Vertebroplasty in the treatment of vertebral tumors: postprocedural outcome and quality of life. Eur Spine J, 2003,12(4):356～360.

[6] Amar AP, Larsen DW, Esnaashari N, et al. Percutaneous transpedicular polymethylmethacrylate vertebroplasty for the treatment of spinal compression fractures. Neurosurgery, 2001, 49(5):1105～1114.

[7] Ananthakrishnan D, Berven S, Deviren V, et al. The effect on anterior column loading due to different vertebral augmentation techniques. Clin Biomech, 2005, 20(1):25～31.

[8] Appel NB, Gilula LA. Percutaneous vertebroplasty in patients with spinal canal compromise. AJR Am J Roentgenol, 2004, 182(4):947～951.

[9] Baroud G, Bohner M, Heini P, et al. Injection biomechanics of bone cements used in vertebroplasty. Biomed Mater Eng, 2004, 14(4):487～504.

[10] Baroud G, Heini P, Nemes J, et al. Biomechanical explanation of adjacent fractures following vertebroplasty. Radiology, 2003, 229(2):606～607.

[11] Baroud G, Matsushita C, Samara M, et al. Influence of oscillatory mixing on the injectability of three acrylic and two calcium-phosphate bone cements for vertebroplasty. J Biomed Mater Res B Appl Biomater, 2004, 68(1):105～111.

[12] Baroud G, Nemes J, Heini P, et al. Load shift of the intervertebral disc after a vertebroplasty: a finite-element study. Eur Spine J, 2003, 12(4):421～426.

[13] Baroud G, Vant C, Giannitsios D, et al. Effect of vertebral shell on injection pressure and intravertebral pressure in vertebroplasty. Spine, 2005, 30(1): 68～74.

[14] Belkoff SM, Jasper LE, Stevens SS. An ex vivo evaluation of an inflatable bone tamp used to reduce fractures within vertebral bodies under load. Spine, 2002, 27(15):1640～1643.

[15] Belkoff SM, Mathis JM, Jasper LE, The biomechanics of vertebroplasty: the effect of cement volume on mechanical behavior. Spine, 2001, 26:1537～1541.

[16] Belkoff SM, Molloy S. Temperature measurement during polymerization of polymethylmethacrylate cement used for vertebroplasty. Spine, 2003, 28(14): 1555～1559.

[17] Belkoff SM, Sanders JC, Jasper LE. The effect of the monomer-to-powder ratio on the material properties of acrylic bone cement. J Biomed Mater Res, 2002, 63(4):396～399.

[18] Berlemann U, Ferguson SJ, Nolte LP, et al. Adjacent vertebral failure after vertebroplasty. A biomechanical investigation. J Bone Joint Surg Br, 2002, 84(5):748～752.

[19] Berlemann U, Franz T, Orler R. Kyphoplasty for treatment of osteoporotic vertebral fractures: a prospective non-randomized study. Eur Spine J, 2004, 13(6):496～501.

[20] Bernhard J, Heini PF, Villiger PM. Asymptomatic diffuse pulmonary embolism caused by acrylic cement: an unusual complication of percutaneous vertebroplasty. Ann Rheum Dis, 2003, 62(1):85～86.

[21] Blinc A, Bozic M, Vengust R, et al. Methyl-methacrylate bone cement surface does not promote platelet aggregation or plasma coagulation in vitro. Thromb Res, 2004, 114(3):179～184.

[22] Brown DB, Gilula LA, Sehgal M, et al. Treatment of chronic symptomatic vertebral compression fractures with percutaneous vertebroplasty. AJR Am J Roentgenol, 2004, 182(2):319～322.

[23] Lee ST, Chen JF. Closed reduction vertebroplasty for the treatment of osteoporotic vertebral compression fractures. Technical note. J Neurosurg Spine, 2004, 100(4):392～396.

[24] Legroux-Gerot I, Lormeau C, Boutry N, et al. Long-term follow-up of vertebral osteoporotic fractures treated by percutaneous vertebroplasty. Clin Rheumatol, 2004, 23(4):310～317.

[25] Lieberman IH, Dudeney S, Reinhardt MK, et al. Initial outcome and efficacy of "kyphoplasty" in the treatment of painful osteoporotic vertebral compression fractures. Spine, 2001, 26(14):1631～1638.

[26] Tanigawa N, Komemushi A, Kariya S, et al. Intraosseous venography with carbon dioxide contrast agent in percutaneous vertebroplasty. AJR Am J Roentgenol, 2005, 184(2):567～570.

[27] Theodorou DJ, Theodorou SJ, Duncan TD, et al. Percutaneous balloon kyphoplasty for the correction of spinal deformity in painful vertebral body compression fractures. Clin Imaging, 2002, 26(1):1～5.

[28] Togawa D, Bauer TW, Lieberman IH, et al. Histologic evaluation of human vertebral bodies after vertebral augmentation with polymethyl methacrylate. Spine, 2003, 28(14):1521～1527.

[29] Tomita S, Kin A, Yazu M, et al. Biomechanical evaluation of kyphoplasty and vertebroplasty with calcium phosphate cement in a simulated osteoporotic compression fracture. J Orthop Sci, 2003, 8(2):192～197.

[30] Tomita S, Molloy S, Abe M, et al. Ex vivo measurement of intravertebral pressure during vertebroplasty. Spine, 2004, 29(7):723～725.

[31] Uppin AA, Hirsch JA, Centenera LV, et al. Occurrence of new vertebral body fracture after percutaneous vertebroplasty in patients with osteoporosis. Radiology, 2003, 226(1):119～124.

[32] Verlaan JJ, Oner FC, Verbout AJ, et al. Temperature elevation after vertebroplasty with polymethylmethacrylate in the goat spine. J Biomed Mater Res B Appl Biomater, 2003, 67(1):581～585.

[33] Walker DH, Mummaneni P, Rodts GE Jr. Infected vertebroplasty. Report of two cases and review of the literature. Neurosurg Focus, 2004, 17(6):E6.

[34] Wetzel SG, Martin JB, Somon T, et al. Painful osteolytic metastasis of the atlas: treatment with percutaneous vertebroplasty. Spine, 2002, 27(22):E493～E495.

[35] Winking M, Stahl JP, Oertel M, et al. Treatment of pain from osteoporotic vertebral collapse by percutaneous PMMA vertebroplasty. Acta Neurochir. 2004; 146(5):469～76.

[36] Yeom JS, Kim WJ, Choy WS, et al. Leakage of cement in percutaneous transpedicular vertebroplasty for painful osteoporotic compression fractures. J Bone Joint Surg (Br), 2003, 85(1):83～89.

[37] Yoo KY, Jeong SW, Yoon W, et al. Acute respiratory distress syndrome associated with pulmonary cement embolism following percutaneous vertebroplasty with polymethylmethacrylate. Spine, 2004, 29(14): E294～E297.

[38] Yu SW, Chen WJ, Lin WC, et al. Serious pyogenic spondylitis following vertebroplasty—a case report. Spine, 2004, 29(10):E209～E211.

[39] Yu SW, Lee PC, Ma CH, et al. Vertebroplasty for the treatment of osteoporotic compression spinal fracture: comparison of remedial action at different stages of injury. J Trauma, 2004, 56(3):629～632.

52 骨折内固定的失败

52.1 内固定的发展

19世纪末、20世纪初内固定技术开始应用于骨科临床治疗。内固定的主要目的，是在骨折的愈合的过程中，允许关节肌肉尽早进行充分、主动、无痛的活动，而不需借助任何外固定，防止"骨折病"的发生。从一开始人们就对内固定治疗有着较大的争议，尽管如此，在现代医学的骨折治疗体系中内固定治疗仍起着重要的作用。特别是在1958年由Muller等发起成立了内固定研究会（简称ASIF或AO）之后为骨科内固定治疗的发展做出了不可磨灭的贡献。在骨折固定原理、加压钢板作用、应力遮挡问题以及骨折Ⅰ期愈合理论等方面做了大量的探索性工作。AO学派师承Danis等的内固定思想及骨折一期愈合理论，旗帜鲜明地倡导和推进骨折内固定治疗与研究，提出了著名的AO四原则，即解剖复位、坚强内固定、无创外科技术、术后早期无痛活动（由于对应力遮挡问题的探讨，后将坚强内固定修正为稳固内固定）。这几乎成了从事骨科临床治疗工作的医师应掌握的首要治疗原则。半个世纪以来随着AO技术的发展与普及，现已形成一个从理论、原则、方法到设备、器材的完整体系，成为当今骨折治疗领域中的重要手段。

AO原则虽然也提倡无创操作的内容，但是为了达到坚强固定和解剖复位的目的，常常以严重损伤骨的血供为代价。从20世纪90年代初开始，AO学者Gerber、Palmar等相继提出了生物学（biologicalosteosynthesis，BO）的新概念，强调骨折治疗要重视骨的生物学特性，不破坏骨生长发育的正常生理环境。其内容主要包括：①远离骨折部位进行复位，以保护骨折局部软组织的附着；②不强求骨折的解剖复位，关节内骨折仍要求解剖复位；③使用低弹性模量的内固定物；④减少内固定物与骨皮质之间的接触面积等。核心宗旨是保护骨的血供。与既往AO追求的无骨痂一期愈合相反，BO认为骨痂的出现为骨折愈合积极的反应。BO并未建立一个确定的内涵，其基本概念是在骨折的复位固定过程中，重视骨的生物学特性，最大限度保护骨折局部的血供，而不干扰骨的生理环境，使骨折的愈合速度更快。

52.2 内固定失败的危害

开放复位内固定术是目前治疗骨折的主要手段之一，然而，任何事物的发展都有正反两个方面，近年来随着内固定手术的增多，内固定失效的例子屡见不鲜，诸如常发生术后骨不连、感染、固定段骨质疏松和去除固定后再骨折等并发症。往往导致医患双方巨大伤害，多数患者需要再次手术，无论是损伤程度还是手术难度均超过首次手术，固定的时间及康复的时间均延长，患者大多会向医院提出索赔要求，医院将蒙受巨大经济损失而医务人员则受到严重的心理创伤和名誉受损。

52.3 内固定失败的原因

内固定是治疗骨折的有效方法之一，虽然近年来内固定质量的改善及设计更趋合理，但与此同时也出现了一系列新的问题，临床使用中因技术问题及个体差异，仍有一部分病例因内固定失效，导致治疗失败，内固定失败的原因大致如下。

52.3.1 违反 AO 技术的应用原则

每种固定均是在应用原则指导下进行及完成的。一般原则限定下的钢板长度、固定螺钉数量、髓内针固定的扩髓等早已为人所熟悉而少有不合要求者，而 AO 技术应用中的若干特殊原则却并非众所周知。①钢板张力侧固定原则：从生物力学角度分析，肢体于负重时或承受载荷时骨干的某一侧承受的应力为张应力，是为张力侧。如承重肢的股骨干，因于单肢负重时，身体的重力必将落于该肢的内侧。因此，股骨的外侧（严格地说，因股骨颈有前倾角，应为后外侧）为张力侧，股骨干骨折用钢板固定时应置于外侧，错置于前侧者钢板极易失效。②钢板对侧骨结构的解剖学稳定原则：AO 学派强调的坚强固定既来自固定物本身的性能和固定技术，同时也必须恢复骨折部骨骼的稳定性，即“骨骼的连续性和力学的完整性”。因此，每当钢板固定的对侧存在缺损时，如粉碎骨折片，或因固定而出现的过大间隙，都需要予以消除，植骨是其重要的手段。否则，即会因不断重复的弯曲应力，致使钢板产生疲劳断裂。这也是经常见到的钢板固定失败的原因。

52.3.2 适应证选择不当

近年来骨折治疗中固定方法进展很快，带锁髓内针、骨外固定架、加压钢板、锁定钢板、解剖钢板日益显示出其独到之处，使我们的骨折固定适应证选择的自由度大为扩展，但是如何合理地选择内固定非常重要。首先是患者本身的情况，在骨折部骨质严重疏松的情况下，显然不应选用一般的内固定。其次应意识到 AO 技术仍有其局限性。经过 20 余年的实践，国内外均在 AO 技术的应用中遇到过若干问题，例如钢板下的骨质疏松，以及后期的内固定遮挡效应导致的去内固定后再骨折等。尽管 AO 技术对许多骨折的治疗取得了满意的效果，但在越来越多的情况下，尤其是高能量损伤导致的骨折，AO 的核心技术——骨折块间的加压固定却难以起到预期的作用。AO 学派早已意识到骨折块间加压技术的适应证是有限的。目前观点上已由既往较单一的从生物力学着眼，转变为从生物学为主，更加强调保护局部血运。在技术上也进行了若干相应的改进，或正在实验研究中。但在临床应用中，对具体骨折缺乏分析，不考虑条件。例如，对蝶形骨折，仍以加压钢板固定。其实，AO 学派早已明确此类骨折只能按照支撑固定的原则，选用支撑钢板进行非加压固定。严重粉碎性骨折更无从加压固定，严重开放性骨折也往往没有条件或不宜采用加压固定。交锁髓内钉内固定术适用于上述长管骨骨干的骨折，对干骺端骨折并不适宜。具体而言，对股骨骨折适用于大转子下 3 cm 股骨膝关节面 5 cm 以上一段骨干，至于大转子下 3 cm 以上部位骨折适于伽玛钉或动力髋等手术，对胫腓骨骨折而言适于胫骨踝关节面 5 cm 以上的骨干骨折，而胫骨近端平台骨折、远端踝部骨折则不适宜。

52.3.3 应用方法上的错误

AO 技术中，各种内固定物应用时均有其固定的、成套的方法与步骤。对方法不熟悉，无故简化或因设备不全勉强使用，都可能使固定物的固定作用变质、失效。

(1) 钢板内固定失效的原因

钢板内固定目前仍然是治疗骨折的主要方法，对横断、短斜形、关节内骨折和一些不能采用髓内钉固定的骨折可以提供牢固的稳定性，因此钢板的使用相对广泛，使用量也相对较大，应用坚强的加压钢板固定可使骨折端产生轴向压力，骨折端间隙缩小到最小限度，骨折经哈弗系统骨内膜造成骨方式达到Ⅰ期愈合。同时由于坚强的内固定，使早期无痛性功能锻炼成为可能，减少了关节僵硬、肌肉萎缩等骨折内固定术后综合征的发生。由于加压钢板所具有的种种优越性，使其得以迅速推广应用，但此种治疗方法除一般内固定的基本要求外，还有其特殊原则要求，如有违误极易造成固定物失效。失效原因分析如下:①钢板有效长度不够,无法抵抗肢体重量及肌肉的收缩力和旋转力。在粉碎性骨折的病例中,粉碎性骨折节段长度可减少钢板有效长度而导致固定失败。因此,对粉碎性骨折的病例,内固定选择时应增加钢板的长度。横断骨折钢板长度至少是骨干直径的4～5倍以上。②钢板螺钉的把持力不够。AO螺钉固定时,与普通螺钉最根本的不同是前者具有充足的把持力。AO松质骨螺钉之所以能使骨折块之间形成加压,是依靠宽螺纹对远侧折块的把持力和借助螺柱滑杆在近侧折块钻孔内的滑移作用而获得的。皮质骨螺钉为非自旋式螺钉,其螺钉与螺纹径的差距较大(常用的皮质骨螺钉4.5 mm,螺柱仅为3.0 mm),必须在钻孔后,先用4.5 mm直径的螺丝攻锥孔,再顺势徐徐旋入螺钉。否则势必将钻孔壁压挤形成无数微骨折,从而使螺钉把持力大大削弱,但是这类错误仍不少见。其次主要是有效螺钉数量不够,达不到至少骨折端每侧螺钉不少于2枚以上,且要有效地固定在主骨的要求。在一些粉碎性骨折病例中发现只有一枚有效螺钉,或螺钉未能超出对侧皮质1～2螺纹,根本满足不了固定强度的需要。③钉孔过小及钉道未能与骨干垂直,在旋入螺钉时易造成螺钉因旋转扭应力过大,而使螺钉变形断裂。而钉孔过大,则易造成螺钉松动或因螺钉把持力下降而拔出,导致固定失败。④骨折钢板螺钉固定后,在钢板固定的对侧存在一定的间隙,或存在部分骨缺损,造成骨折不稳定,增加应力对钢板的作用,也是造成钢板螺钉松动断裂或弯曲的原因之一。⑤钢板放置不合理:未遵循张力带固定原则,在钢板内固定时,加压钢板是偏轴心的内固定,根据张力带固定的机械原理,钢板应置于张力侧,并沿纵轴作压缩固定,可减少应力对钢板作用,才能阻止畸形,降低钢板螺钉断裂和弯曲的发生。同时当负荷增加时,钢板在张力下的预应力将造成骨在轴向的加压,造成骨折端压力增加和均匀分布。如股骨,钢板必须放在外侧偏后,置于前侧则螺钉受到的张力极大,极易断钉。⑥使用动力加压钢板时,只需在最接近骨折部的钉孔行偏心钻孔,旋入螺丝钉,即达加压的目的。如果错误地在第2、第3孔位上偏心钻孔,不仅不能出现明显的加压,而且造成螺丝钉帽不能滑入孔槽,反而减弱其固定作用。动力加压钢板固定是依靠球形螺帽沿钢板钉孔之固定轨道旋转滚动下移,带动加压侧之骨块向骨折部移动,以产生折块间的加压。加压侧之加压螺钉入骨的位置必须准确。因此,在钻孔时需用专门的偏心导钻,如单凭肉眼瞄准,很难不差分毫,如此则极易造成螺钉无法滚动下滑直达底部,螺帽卡在钉孔边缘,不能完成加压。⑦身体不同部位的骨折,因损伤程度及局部肌肉组织力量不同,骨折对钢板螺钉的要求也不相同。传统认为上肢主要为持重及精细活动,肌肉力量相对较弱,可以选择较少的螺钉固定。但生物力学实验和临床实践证实,对于在主要承受扭力负荷的肱骨和前臂,骨折端每侧需要3～4枚螺钉,因为扭转刚度比轴向强度需要更多的螺钉。下肢主要为负重功能,肌肉力量大,对骨折的作用力也大,选择钢板时应在6孔或以上。对于下肢粉碎性骨折,即使粉碎节段过长,也应保持骨折两侧至少有4枚有效固定的螺钉,并对肢体有效的制动,否则应采用适当的外固定或改用其他固定方法。

(2) 髓内钉失效的原因

自1939年德国Kiintscher教授首次使用髓内钉治疗股骨干骨折以来,髓内钉以其手术操作简单、切口小、损伤少、骨折愈合后髓内钉取出方便、术后无需外固定、可早期负重活动、避免局部及全身并发症等诸多优点,赢得了外科界的瞩目,并得到不断发展和广泛应用。目前广泛应用的各种交锁髓内钉都属于第2代髓内钉。其特点是具有锁定能力,由髓内钉、骨和锁定螺钉连接成一体,提供骨折固定的稳定性,适用于粉碎性骨干骨折的治疗,效果比较好,但对干骺端骨折需采用双平面交叉锁定,这使螺钉断裂率增加,治疗效果不佳。第2代髓内钉在美国被认为是治疗股骨骨折的金标准,在使用中仍存在很多问题,如引起骨折畸形愈合或骨不连接;发生跛行、疼痛,导致功能丧失;手术中还有骨和肌肉组织的保护问题。造成失误的主要原因如下。

1) 髓内钉开口错误　如果钉道位置不正或入口扩大,就会造成畸形愈合。股骨近端松质骨是主钉和锁钉得以支撑和固定处,要控制钉道就要保护股骨近端松质骨。在胫腓骨骨折时更容易出现开口错误引起进钉困难,开口错误包括进钉点错误及开口角度错误。临床上错误的开口位置常常为胫骨平台正中下方,从此点进钉常会出现髓内钉抵在胫骨外侧皮质上引起进钉困难。开口角度过大,会导致髓内钉远端抵于胫骨后侧骨皮质上,引起进钉困难;角度过小一则操作困难,二则导致髓内钉远端抵于胫骨前侧骨皮质上,引起进钉困难。临床上常见的为角度过大。正确的开口部位应位于胫骨平台正中下方稍内侧，此处正好有一小的斜面，从此点进钉则正对胫骨髓腔。而正确的开口角度应为向前成 12°角，手术中应尽量屈曲膝关节至 90°或以上，术者站高以保证进钉角度正确无误。股骨骨折时入口应为梨状肌窝稍靠后侧，此点正好对着股骨髓腔，临床上一般采用切开复位不致插钉困难。

2）过于强调闭合插钉增加手术困难　在胫腓骨双重骨折时交锁髓内钉明显显示出其优越性，但是手术者为了不影响骨折部位血液供应，或增加手术感染可能性，往往采用闭合插钉，由于中间骨折部分相对不固定，闭合插钉时有困难，因此不必过分强调闭合插钉。我们对胫腓骨双重骨折插钉困难时切开近侧断端，因近侧断端血液供应相对要好，对骨折愈合影响小，或选择皮肤条件好的断端进行切开，一般只需切开一处即可达到目的。如果开口理想，扩髓满意，均不致闭合插钉非常困难。股骨骨折闭合复位顺行插钉时，临床上应该使用手术牵引床，如果没有手术牵引床不可强求闭合复位插钉，闭合复位插钉往往非常困难，可采用切开复位直视下插钉。

3）钉道控制丧失　Ricci 等研究显示，应用交锁髓内钉固定股骨术后发生力线不正的病例有 9%；如果骨折不稳定或位于股骨的近端、远端，成角畸形发生率增加，股骨近侧 1/3 骨折术后发生力线不正者多达 30%，远侧 1/3 骨折发生者有 10%，而股骨中段 1/3 骨折发生者只有 2%。发生率还与骨折的类型有关，髓内钉固定术后，稳定性股骨骨折 7%病例发生术后力线不正，而不稳定性骨折者则高达 12%。造成畸形愈合的原因有：①进针点选择不佳；②骨折复位不良；③钉道控制丧失；④进钉口扩髓时偏心；⑤髓内钉所受牵制丧失。应用髓内钉固定骨折，首先必须建造一个通向骨髓腔的通道，让髓内钉沿着导针通过钉道到达股骨远端。因此，必须有控制钉道的理念。股骨钉道控制技术包括：①采用第3 代大转子入路进钉，既容易又定位准确；②应用第 3 代隧道扩髓钻保护大转子，防止被扩髓钻破坏；③第3 代髓内钉的复位器远端呈手指状，称为“the finger”，使复位器处在中心位置，能保证力线正确；④确认导针位置在髓腔的中央之后再进行扩髓；⑤应用阻挡螺钉技术。

4）髓内钉尾部留得太长　在股骨骨折时髓内钉尾部太长可引起髋部疼痛，日后行走尤其是髋外旋时钉尾摩擦梨状肌产生疼痛，在胫腓骨骨折髓内钉尾部太长可摩擦髌韧带，当膝关节屈曲时髓内钉尾部还可对髌韧带产生切割作用，引起膝部慢性疼痛或髌韧带强度下降。理想的股骨交锁髓内钉钉尾应平齐梨状肌窝，最多超出不大于 2 cm，否则可能出现髋痛，理想的胫骨交锁髓内钉钉尾应平齐胫骨平台内下方进钉点，上述钉尾包括尾帽的厚度。因此，手术时复位加压结束后应常规检查钉尾露出进钉开口处骨面的长度，如果太长应将髓内钉进一步打入髓腔，减少钉尾露出长度，直到钉尾理想后方可进行远端锁钉锁定。术前选择正确长度的髓内钉是非常必要的。

5）髓内钉尾帽未上或未上好　为了防止髓内钉因长度不够或手术时打入髓腔内过深以致日后取钉困难，交锁髓内钉都设计有尾帽。在一天多台手术或双侧肢体手术等特殊情况下可能尾帽不够，或者术者记忆上尾帽的术者干脆不上尾帽而在钉尾部填以骨蜡，对特殊体质的患者可能引起骨蜡的排异反应，还有尾帽没有与钉尾内螺纹吻合上好，日后尾帽在髋部软组织中刺激周围组织引起疼痛。应在处理钉尾的过程中同时上好尾帽，上尾帽是交锁髓内钉内固定的最后一个手术步骤。

6）锁钉锁定不牢　锁钉必须从进钉侧锁到对侧皮质，如使用带自攻螺纹的锁钉，则进钉侧必须将螺纹拧进骨皮质内，并保证锁钉锁过对侧骨皮质。如使用的锁钉不带自攻螺纹，那么锁钉必须自一侧骨皮质锁过对侧骨皮质。临床上见过锁钉未锁到对侧骨皮质内，而是斜插入髓腔，当然固定不牢。预防措施：使用足够长度的锁钉，并最好在影像增强系统下证实锁钉的位置无误。

7）髓内针型号选择不当　髓内针过细或过度扩髓后，易导致髓内针在髓腔内微动，出现骨折延迟愈合或不愈合。而选择过粗的髓内针则出现插入困难，甚至因强行打入时导致医源性骨折。

52.3.4 感染

作为闭合骨折切开复位内固定，感染是应当可以避免的，但对于开放性骨折，一旦感染，内固定极易失效。其中感染大多发生在 2 个月以内，发生感染的大多是开放性骨折术后的病例，主要与局部皮肤条件差、清创及伤口超过 12 h 以上有关。内固定后一旦发生感染，内固定物并非感染源，但当发生感染后，则有可能影响伤口愈合，一般都会导致固定失效。因此，问题不在于在开放性骨折中是否应该使用内固定，而是如何避免感染，术前、术中、术后的预防感染是极其重要的。

(1) 开放伤口的处理

清创是治疗开放性骨折的基础,彻底清创的原则也是毋庸置疑的。实际上,即使处理时间再早,手段再先进,开放伤口还是污染的。要"彻底"就要权衡得失。越是伤情严重的开放性骨折,全身及局部的条件就越差,清创的难度就越大,时间也越长。此外,在组织辨认不清的情况下扩大清创以期达到"彻底",则难以保证不伤及重要组织。因此在较短时间内将可辨认的异物和不健康的组织清除,并在清创前后采用进行细菌培养及药物敏感试验。上述措施当然不能肯定伤口不发生感染。在清创后对就诊晚、污染重、判断差、病情重的患者,保持伤口开放则十分必要。在 2～3 天内密切观察,需要时反复清创直到伤口可以闭合。这种双重措施,才能最有效地避免伤口感染。对污染严重程度的判断往往很困难.因此在处理上无把握时,宁可放宽保持开放的尺度。为达到一期闭合伤口而扩大清创,或为争取直接缝合而尽量保留皮肤均应视为大忌。

(2) 骨折固定

开放骨折固定早在 20 世纪 60 年代初期前基本以外固定为主,主要是石膏固定。随着内固定显示的明显优势而在 70 年代渐为人所接受,取得了良好的疗效。从外固定到内固定是对开放性骨折治疗的重大改革。80 年代中期以后利用骨外固定技术治疗开放性骨折也较迅速地在国内开展,设计了多种类型的器械。临床医师日渐认识到其独到之处。它大大地充实了治疗开放性骨折的手段。骨折固定是骨折治疗三大原则的中心环节。而固定的目的是:①维持骨折复位;②保持骨折愈合;③进行早期功能锻炼;④肢体早期使用。AO 学派为早期使用肢体进行多种努力,主要依赖折块间的加压固定。但只有少数病例得以实现。

对开放性骨折的固定则有其更为特殊,更需首先满足的目标,即:①消除骨折端对皮肤的威胁,尤其是 A 类;②减少污染扩散的机会;③便于软组织损伤的处理,如神经、血管、肌腱等;④便于伤口的闭合;⑤为晚期处理打好基础。一旦发生感染、坏死、骨折不愈合等,在未出现畸形的条件下,处理要容易得多。开放性骨折不同于闭合骨折之处在于前者伤情复杂,有发生感染和坏死的危险。因此,应力求处理从速,避免增加原有创伤。在骨折固定上,只要能达到上述 5 项前提目标,固定方法越简单越好,切勿盲目追求坚强固定。总之,开放性骨折固定的原则,所强调的当是尽可能少增加原创伤的有效固定,而无需追求坚强固定。内固定和外固定均有其使用价值,彼此相辅相成。结合使用简单的外固定,或分阶段使用。使用内固定的开放骨折,一旦感染则应视其引流情况而对内固定进行取舍。引流通畅,而内固定(如钢板)仍十分稳定者,不急于取出。如内固定已开始松动,或在螺钉穿过之钉道发现有吸收,表明钉道也已有感染,则必须尽快取出,更换骨外固定。

(3) 闭合伤口

主张或反对一期闭合伤口的学者各有其理由。前者认为:除少数情况外,"彻底"清创后必须采用有效的措施闭合伤口或消灭创面,也只有保证伤口能达到一期愈合的,才能视为真正有效的措施。后者则认为:清创后保持开放,有利于清创时残留的不健康组织的感染源引流,而且迟延闭合并不影响疗效。事实上,任何医师都没有绝对把握对任何开放伤口进行一期闭合而完全获得成功。因此,应根据判断,认为无把握的(但不一定是所有处理难度很大的病例),宁可在清创和固定后观察,争取一期延迟或二期闭合。由于显微外科的发展,大大丰富了闭合伤口的手段,但仍应以最简单而有效的方法作为基础,而且大部分伤口可以如此。就一些条件较好的医院而言,大部分开放骨折清创后均可一期闭合,无需把保持开放作为常规。

52.3.5 术后康复失控

近年来一些先进的康复设施被引进国内,如持续被动运动(continuous passive motion, CPM)等功能练习器。但对被动运动概念的转变,及如何掌握主、被动运动的关系,从理论上尚有不甚清楚之处。在应用中也有一些错误的理解。把 CPM 简单地认为是直接改善关节功能的工具,甚至对一些已发生功能障碍的患者,不做任何其他治疗。例如手术松解等,而仅仅依赖 CPM 企图解决问题。实际上,CPM 主要是防止发生功能障碍,维护原有的活动,或是维持通过其他手段所获得恢复的功能,当然在一定程度上也可略加改进。因此,凡无禁忌均应在麻醉未恢复前即开始有限度、渐进地活动。对开放性关节损伤,甚至已存在关节感染,在有其他治疗配合(如灌洗)的情况下,CPM 仍需要进行。Salter 的临床观察及实验研究报道均已证明它对控制感染有重要作用。较多的问题出在术后康复的失控，或指导失误，或监督不力。在安排患者的康复行为上，应根据骨折固定的条件，有选择地循序渐进地进行功能锻炼。在一个时期内，医师过分信任“坚强固定”的力度，让患者过于积极地采取一些超前的步骤，如踩地、行走、弃拐等，从而造成可以避免的内固定失效，骨折再移位甚至畸形愈合或不愈合。另一方面，骨科医师对康复缺乏热情和责任心，任患者自行掌握，既不做指导，更不加监督。当然，这一切的前提是医师应首先熟悉康复和重视康复。

52.3.6 器材质量问题

这是目前广大骨科医师极其关注的问题。尽管国内许多工程人员和厂家为填补这一空白，做了大量工作，并生产出一定质量的有关器材，但众所周知，因质量问题而出现的内固定失效时有发生。目前内固定器材生产厂家繁多，质量良莠不齐。根据有关部门统计，我国内固定器材合格率仅为60%～76.8%。内固定器材长期植入体内，易产生电解作用，而不同材料的内固定器材混用更易产生电解，影响其坚固性，故禁止同一部位植入两种不同生产批号的内固定器材。内固定器植入使正常骨组织的力学环境、电环境及化学环境发生改变，诱发骨质疏松，从而导致内固定器材松动脱落。因此，必须严格把握内固定器材质量关。所选用的内固定器材的生产厂家必须“三证”齐全。还有必要设立监督指导机构，引导产品满足医疗的需要，使患者受益。

52.4 避免内固定失效的对策

52.4.1 沟通

患者入院时，经治医师除详细询问病史、全面体格检查外，还应与患者及家属共同阅读X线片、CT片等，并耐心向其解释骨折所在部位的功能、骨折的特点、类型以及骨折所造成的功能损伤和引起的并发症，使患者及家属对伤情有较为清晰的了解，同时提出治疗方案，并说明治疗过程中可能出现的意外情况及相应对策。综合考虑后确定手术时机。

52.4.2 内固定器材的选择

在全面评估患者伤情和骨折类型的基础上，还应根据患者经济状况，推荐2种或2种以上内固定器材，供患者选择。内固定器材的生产厂家必须取得《生产企业许可证》、《产品注册证》。内固定器材必须质量优良、价格合理。内固定器材上必须要有永久标志、材料、厂名、生产年号，每套产品必须要有单独的《产品合格证》，所提供的安装器械必须与内固定器材配套。

52.4.3 内固定器材的植入

手术者应技术精湛、经验丰富、患者信赖。手术中严格无菌操作，遵循AO技术应用原则，符合张力固定要求，防止内固定器材装轴失位，纠正骨折分离、旋转等移位，尽可能达到解剖复位。术后给予适宜外固定，以弥补内固定力量不足，防止意外暴力所致内固定器材断裂。

52.4.4 出院后随访

一方面是询问患者康复情况，及时发现骨折愈合和内固定材料的异常情况，采取恰当的方法进行干预和调整；另一方面是指导患者功能锻炼及进行护理，告诫其应注意的事项、禁忌与复查时间，以利患者顺利康复。

52.5 小结

避免内固定器失效，减少因内固定器失效对医患双方的伤害是医患双方的共同心愿。只要医患之间相互理解、相互配合，内固定器材选择适当，内固定方法正确，外固定适当，康复期继续履行有效的医疗服务，可最大限度避免因内固定失效而致医患双方的伤害。

（王秋根　蔡晓冰）

参考文献

[1] 王满宜，杨庆铭主译. 骨科治疗的AO原则. 北京：华夏出版社，2003.3.

[2] 王亦璁主编. 骨与关节损伤. 第3版. 北京：人民卫生出版社，2001.10.

[3] Canale ST. Campbell's Operative Orthopaedics. 10th ed. Elseier Pte Ltd, 2005.

[4] Robert Fitzgerald, Herbert Kaufer, et al. Orthopaedics. Mosby. INC, 2002.

53 骨科植入物感染的处理和对策

随着生物医学工程的进步，外科技术的提高，越来越多的骨科植入物例如人工关节、脊柱内固定材料及钢板等内固定材料被广泛运用于人体，不仅迅速保留了人体的功能而且令人难以置信地解除了病痛。然而，医学进步同样带来很高的代价。任何形式的外来物体植入体内都可能带来巨大的感染风险。临床经验表明任何植入物的感染都是灾难性的，通常植入物感染率 1%～8%，约占医院感染的 45%。有统计数据表明，关节置换的感染率分别如下：髋关节 2%、膝关节 2.9%、肘关节 5.3%，骨折总的感染率 3%，开放性骨折的感染率 2.5%～12%，脊柱融合术采用内固定材料的感染率 4%～9.7%。骨科植入物在体内一旦发生感染会带来极大的致病性，严重的导致死亡，至少暂时功能丧失，造成机体缺陷。另外，还需要额外住院和巨大的经济费用。例如，治疗一个感染的全髋关节置换的费用是单纯全髋关节置换术费用的 4～6 倍。并且只有近 1/3 的植入物感染可通过感染控制措施得以预防，而大多数则难以通过无菌技术及环境控制降低感染发生率。植入物感染对抗生素和宿主防御功能有极强的抵抗力，往往最终不得不取出植入物。因此，合理使用植入物，积极妥善处理骨科植入物感染是骨科医师必须面对的一个重要课题。

本章讨论的就是涉及骨科植入物感染尤其是关节假体和脊柱、四肢内固定植入物感染的病理机制、风险、诊断、处理和预防。

53.1 发病机制

感染通常在以下 4 种情况下发生：①细菌的数量超出人体能够清除的能力；②人体局部的防御机制受损；③遭受创伤；④体内有外来植入物。

53.1.1 骨科植入物感染的微生物来源

引起骨科植入物感染的微生物主要是各种条件致病菌，来源于宿主和手术医师的皮肤，大多数感染最容易在手术时因细菌侵入而发生。在植入手术后，血源性传播的感染（例如，通过口腔、胃肠道、泌尿系统等传播)＜50%。骨科植入物相关感染的微生物种类与植入物所用生物材料类型和植入部位有关。凝固酶阴性葡萄球菌特别是表皮葡萄球菌逐渐成为植入物相关感染的主要微生物,已引起医疗界的广泛关注。

53.1.2　细菌黏附机制

细菌黏附是引发植入物感染的重要起始动因。细菌的种类及黏附力,植入物材料的化学组成、表面形貌、能量状态、亲(疏)水性、表面电荷等均是影响细菌黏附的重要因素。当前临床应用的骨科植入物材料并非是从细胞生物学、分子生物学角度设计的,不具有血液及组织相容性,大多数植入物表面有理化活性,能激发炎症和免疫反应,影响正常组织细胞在植入物表面黏附与定植,并形成有利于微生物定植的植入物周围微环境。细菌大量繁殖后可进一步侵犯局部的组织和骨质。

53.1.3　植入物感染微生物种属的适应性相变异与抗生素耐药的形成

医用植入物感染大多是由"生物膜"(biofilm)细菌引起的,骨科植入物也不例外。在植入物存在下,细菌容易黏附。一旦黏附发生,以浮游方式(planktonic form)生长的无致病毒力的细菌即可通过表型相变异(phage variation)转化为有毒力的菌体,在增殖的同时分泌大量多糖黏液样物质(slime),使单个细菌相互黏结形成微菌落,并吸附于植入物表面,最终以生物膜方式生长。生物膜细菌群可对多种抗生素产生耐药、长期存活并在适宜条件下释放出生长迅速的浮游细菌,从而引起感染播散,导致植入部位的慢性迁延性感染。生物膜抵抗抗生素的分子机制概括如下:①生物膜内细菌生长受抑,处于休眠低代谢状态,对许多抗微生物因子不敏感;②细菌胞外多糖黏质层通过偶极对、离子结合或形成络合物等方式对某些抗生素产生理化干扰;③细菌细胞壁成分因黏附而发生变异,诱导产生生物膜中对多种抗生素耐药的特异性表型。此外,抗生素特定的药代动力学和药效动力学特征也限制了它对生物膜细菌的作用。

53.1.4　植入物存在与局部免疫抑制

这是植入物感染发生的重要原因,主要是由于植入材料的生物不相容性所致。缺乏生物相容性的植入物在体内被视为异物,因而免疫系统被激活,白细胞、淋巴细胞和吞噬细胞等聚集在植入物周围组织,引发不同程度的炎症反应。细胞免疫反应的刺激导致超氧化离子和细胞因子介导的组织损伤,同时也启动细胞因子的级联反应,最终在植入物周围形成一个不与正常组织相容的、自我永久化的、免疫功能缺陷的纤维炎症区。该区以炎症细胞的反复浸润、活性氧中间产物的生成、巨噬细胞的耗竭及相邻组织的损伤为特点,是导致植入物感染的重要原因。全关节置换界面的骨质溶解及髓内假体的松动均是这种病变损伤的结果。

53.2　骨科植入物感染的风险

增加关节置换感染的风险因素:植入假体部位以前有手术史,在手术置换时机体存在感染,有类风湿关节炎病史、激素治疗史、糖尿病史、营养不良,高龄患者,使用骨水泥。增加脊柱手术感染的风险因素:术前长期住院、肥胖、抽烟、营养不良、免疫抑制、糖尿病史、其他部位有感染灶、手术部位有放疗史、手术时间过长、手术过于复杂、术前未用抗生素、椎弓根钉的使用等等。

53.3　诊断

53.3.1　人工关节置换术

疼痛常常是大多数关节感染患者的主要临床表现。感染的疼痛是突发的或是钝性的,疼痛可以与肢体的活动相关或无关,发热、局部发烫和发红经常不会发生。如果患者术后持续疼痛,休息时也疼痛,应高度怀疑为关节感染。如果同时出现发热、血细胞沉降率(ESR)和C反应蛋白(CRP)升高(ESR＞30 mm/h, CRP＞10 mg/L),则高度怀疑存在感染的可能。X线示有松动迹象,应停用抗生素3周进行关节穿刺培养检查,其敏感度87%,特异性95%,准确率94%。窦道是人工关节感染的直接证据,但是窦道形成常常是医源性的。^{111}铟标记的白细胞核素成像可以准确反映80%～94%的感染现象。另外,^{99m}Tc单克隆抗体成像检测看起来也是很有希望的一种检测手段。判断感染的金标准仍然是关节冷冻组织活检、组织学检测和培养。

53.3.2 钢板等内固定术

接骨术后的急性感染一般是外源性的，即由来自身体外部的细菌污染而引起的感染。根据细菌学和临床或组织学发现作出感染诊断。临床症状包括发红、疼痛、发热，实验室检查发现白细胞计数、CRP升高。但更常见的是，尽管局部症状明显，但临床体征缺乏相应的实验室检查支持。通常超声波检查容易确定液体的蓄积，到底有否血肿、脓肿，X线检查发现骨间隙增宽提示骨吸收，也提示内置物松动，可能是感染导致骨折不稳定的征兆，而缺乏骨膜新骨形成则可能是骨骼和周围组织没有血液供应的迹象。特别重要的是，一方面要确定骨折连接的进步，另一方面要确定感染的进展。对于细菌学检查我们建议不仅要检查液体或吸出物，而且要取不同感染部位的组织。而迟发性感染多无急性感染的红、肿、热、痛等明显症状，且白细胞计数多在正常范围。CRP参考价值较大，如超过20 mg/L，应考虑感染可能。连续监测血细胞沉降率变化也可以作为诊断依据，并提示治疗效果变化。

53.3.3 脊柱手术

与脊柱融合内固定相关的术后感染从病灶部位来分可分为浅表的或深部的感染。深部感染包括椎间盘炎、硬膜外脓肿、脑膜炎、椎体骨髓炎和腰大肌脓肿。浅表感染常常有表面红肿、渗出。深部感染往往有一定的欺骗性，表面良好，但新出现或进行性的神经症状提示深部有问题，需要紧急处理。从时间来分又可分为早期感染和迟发感染。Wimmer等将发生在术后20周以前的感染称为早期感染，而发生在术后20周以后的感染称为迟发感染。对于早期感染来说，感染的发生多数与患者自身因素、器械消毒和手术无菌操作有关。而迟发感染发生的原因并不明确，Schofferman等将晚期感染归为血源性感染；Richards将迟发感染的原因归为术中细菌种植；而Dubousset等则将迟发感染归为机体对植入物间磨损产物的无菌性炎症反应。综合国内外文献报道及临床经验应依据以下面几方面进行诊断。①局部症状与体征：脊柱内固定融合术后经过一段正常的恢复期之后出现患处疼痛或疼痛加剧。②检验指标：C反应蛋白于术后2周升高，或血细胞沉降率于术后4周升高，具有重要参考价值。③细菌培养：手术中切取组织或穿刺连续培养至少7天，多数可得到阳性结果。④影像学检查：因脊柱后路内固定感染多为椎旁深部软组织感染，并未累及骨组织，因而影像学检查价值不明确。⑤对出现局部症状和体征、检查指标异常、细菌培养阳性的患者应进行手术探查，术后送病理检查以确诊。

53.4 治疗

53.4.1 人工关节置换

一旦发现感染，应立即静脉应用敏感抗生素，继之口服抗生素。应用时间宜较长，一般静脉给药4～6周后再口服至少3个月。而对于感染不能控制、局部瘘管形成并有渗液者应在全身应用抗生素的基础上手术清创。如果清创彻底、术野感染不严重、假体无明显松动者可保留假体，反复局部灌洗引流。当关节假体无法保留时，可彻底清创后立即再植新假体即一期翻修术，也可在假体取出后间隔一定时间再植新假体即二期翻修术。我们认为在下列情况下应取出假体：①经治疗后感染不能控制；②假体出现明显塌陷移位；③骨溶解缺损严重者；④清创术中发现有脓液、渗液黏稠、大量肉芽组织等。拔除假体后，清除感染软组织、骨水泥和死骨，用含抗生素的骨水泥做局部填充，所应用的抗生素由术前细菌培养及药敏试验决定。用骨水泥做局部填充，一方面可避免肢体缩短及软组织瘢痕收缩，减少二期手术的难度；另一方面所含的抗生素可不断缓慢释放，不但可保持病灶周围软组织药物高浓度，而且还能在髓腔中渗透入皮质骨中。一期翻修术疗程短，治疗痛苦少，但其感染清除率低。二期翻修术感染清除率高，但治疗周期长，软组织挛缩增加再植手术难度以及增加治疗痛苦等是其不足。目前认为在临床工作中符合条件的患者尽可能采用一期翻修术，而在一期翻修治疗失败、感染时间长和细菌毒力强时才考虑二期翻修术。

53.4.2 钢板等内固定

20世纪90年代以前，内固定术后一旦发生感染，就要取出内固定物，理由是一旦感染扩散将会发生骨髓炎。但内固定物取出后面临着肢体失去支持，骨折端移位，骨折不愈合、迟延愈合、畸形愈合等问题，为后续治疗带来极大困难。而随着现代骨科技术的发展，保留内固定物治疗内固定术后感染已被证明是可行的。关键是保持引流通畅，并辅以伤口内的持续冲洗。除非明确诊断出感染是由于内固定物电蚀作用造成的或内固定物有明显松动，否则无需取出内固定物。

治疗包括：①清创，彻底清除血肿、坏死的软组织、死的骨碎片和死骨，以及过度生长的肉芽。②积极的引流和必要的外固定。可有两种选择：开放创口和闭合创口。前者治疗特别可靠，但缓慢，它防止脓肿形成，杀菌敷料可减少来自外部的重复感染，接骨板裸露但还稳定，创口深处放一根冲洗管，每天用杀菌溶液冲洗，敷料每天更换，肉芽很好的创口用网状植皮或旋转皮瓣覆盖，创口通常在内置物取出后才完全长好；后者实现创口愈合比较危险，但更直接。不作深部缝合，留置引流管和冲洗管作杀菌溶液的冲洗和引流 2～4 天，甚至不作冲洗，在创口内留置庆大霉素串珠，提高做过清创的区域内的抗菌剂水平。③合理使用抗生素。病菌不明时，建议使用广谱抗生素，随后根据敏感试验，改用特异抗生素替代。要想不取出内置物又能求得骨折连接，治疗一旦开始就应维持 6～12 周，第 2～3 周大多数抗生素必须静脉用药。抗生素给药必须规则、足量，骨骼里才能获得足够高的抗生素浓度。治疗过程中，C 反应蛋白变正常提示药物的有效性。由于细菌会黏附在内置物的表面，要清除它们，目前利福平是唯一的选择，但由于耐药的问题，利福平通常和环丙沙星一起给药。

53.4.3　脊柱内固定

(1) 早期感染

一旦诊断明确应行病灶清除，内固定取出及灌注引流术。

(2) 迟发性感染

目前国内外认为最重要措施是手术取出内固定，同时行病灶清除、灌注引流术。治疗必须迅速、积极，并需要外科根治性清创，层层清除感染组织。在探查深部组织之前需要小心清创大量冲洗表层。在每个组织层面，分别取材细菌培养并记录。清除失去活力的组织和非基本必须的材料是手术的关键。在清创及冲洗期间松动的移植骨应该去除，而仍固定的骨块可以保留。清创后抗生素的应用应根据细菌培养结果选择敏感抗生素；对细菌培养阴性的病例，应选择广谱抗生素。抗生素停用指征为患者无发热，且连续 3 周复查血象、血细胞沉降率、C 反应蛋白均正常。

也有人认为内固定取出不是必要条件，是否取出内固定物目前尚存在争议。多数学者认为通过清创、伤口引流，结合全身和局部应用抗生素，感染得到控制，内固定物可以不取。保留内固定物一方面可以使脊柱稳定性得以维持，避免再次手术；另一方面大大减轻了患者的经济负担。

53.5　预防

53.5.1　患者因素

预防植入物相关的感染的原则在术前就应该改善患者情况。植入手术之前，补充营养，限制术前长期住院，戒烟，控制糖尿病，去除泌尿生殖道感染或其他感染及纠正缺氧都有助于手术成功。

53.5.2　手术因素

(1) 手术室环境

手术室应具有层流设备及空气交换系统。在人体植入物手术中，限制进入手术室的人数对预防术后感染是必须的，非手术人员不允许进入手术间，每个手术间内以≤0.3 人/m² 为宜。参观者通过摄像系统观看手术，手术开始后尽量减少手术间人员走动，避免灰尘悬浮，使之达到Ⅲ～Ⅳ级洁净手术室级别，可控制术后感染。术者手的消毒是预防手术感染的重要措施，有效的外科刷手应该能够把指甲及前臂的微生物刷除，残存皮肤上的微生物菌落数降到最少，抑制微生物快速、反弹性繁殖。骨科内固定、假体置换等手术，手术者手套极易破损，戴双层手套是极有必要的，强调戴手套必须盖住袖口，并防止袖口滑脱和被渗湿造成污染。手术中使用 C 臂机透视，要注意 C 臂机加无菌套，手术野加铺无菌单，每次透视重新更换无菌单。

(2) 手术区皮肤的正确准备

美国疾病预防与控制中心的《外科感染预防指南》建议，择期手术前皮肤准备使用含抗生素的肥皂洗澡。手术前一天备皮刀剃除毛发可使皮肤上皮损伤导致微生物繁殖，显著升高术后感染率，建议术前 30 min 使用剪刀或脱毛剂去除手术区内影响操作的浓密毛发。

(3) 抗生素的使用

切皮前 30 min，经静脉给予首次有效剂量的抗生素。预防用的抗生素应是对植入物感染中分离的细菌敏感,如头孢唑啉就是通常广泛使用的。如果手术时间延长,术中需加用一个剂量的抗生素。抗生素在植入物手术后使用的期限还没有进行前瞻性的研究,通常推荐术后使用48 h,有些是持续到引流管拔除后。

(4) 植入材料表面改性研究

试验研究表明,植入成功或发生植入物感染是受体组织细胞与污染细菌竞争定植植入物界面的结果。因此通过改变骨科植入物表面的理化特性从而增加其生物相容性和生物功能,以利于组织细胞定植,可能将是预防感染发生的重要措施。如在材料表面用等离子喷涂生物陶瓷(如羟基磷灰石),可以大大促进材料与骨的结合,目前已在临床得到广泛应用。

(5) 组织工程研究进展

组织工程的基本原理和方法是将体外培养的组织细胞吸附扩增于一种生物相容性良好并可被人体逐步降解吸收的生物材料上,形成细胞-生物材料复合物。由这些细胞-生物材料复合物替换目前的金属化学材料可以从根本上解决骨科植入物感染问题。但是组织工程这项新技术还处于起步状态,目前仍存在许多关键问题尚待解决,如组织发育结构框架的设计,提供移植细胞的种子细胞库的构建以及促进培养组织器官的脉管形成方法的建立等。

(6) 抗生素骨水泥的应用

近来研究普遍表明,在普通聚甲基丙烯酸甲酯(PMMA)骨水泥中添加抗生素而成的抗生素骨水泥(antibiotic impregnated bone cement)在人工关节置换术后感染的预防和治疗中的应用有不断增多的趋势。向PMMA骨水泥中添加的抗生素需符合以下条件:①抗菌谱广,对革兰阳性菌和革兰阴性菌都有效;②在相对较低的药物浓度下即有抗菌作用;③天然耐药菌株较少;④细菌较难产生抗药性;⑤与蛋白质结合较少;⑥潜在过敏性小;⑦对骨水泥的机械性能影响不大;⑧具有热稳定性和化学稳定性;⑨有良好的水溶性;⑩能从骨水泥中较好地释放。

(7) 万古霉素磷酸钙骨水泥

磷酸钙骨水泥(calcium phosphate cement, CPC),也称羟基磷灰石骨水泥(hydroxyapatite cement, HAC),是一种新型的非陶瓷类人工骨材料,其作为药物缓释材料和PMMA骨水泥比拥有PMMA骨水泥的优点而能避免PMMA骨水泥的缺点:①聚合时大量散热,15 min内绝对温度升高达80 ℃,会严重损伤髓腔内壁细胞和组织,大大降低其抗感染能力。同时高温也会削弱抗生素的活性。②聚合反应释放单体,损害单核巨噬细胞系统的趋化反应、吞噬作用及杀菌活性。③其单体的毒性会引起患者血压下降甚至术中猝死的危险。④材料生物相容性差,植入后引起较大的炎症反应并形成纤维包裹,造成抗生素释放困难。⑤在体内生物不可降解性会使其成为耐药菌株寄生的良好场所。有研究表明,万古霉素磷酸钙骨水泥(vancomycin calcium phosphate cement, VCM-CPC)在人工髋关节置换术后感染二期翻修术中能明显降低感染复发率。CPC在人工髋关节置换术后感染二期翻修术中能否完全替代PMMA骨水泥仍要进行大量的研究,但就作为药物缓释载体,局部抗感染这一方面作者认为CPC可以替代PMMA骨水泥。

(8) 新型抗生素载体的开发

随着非骨水泥型人工假体的广泛应用,抗生素骨水泥表现出它的局限性。因此,有必要寻找新的抗生素载体。这种载体应符合如下条件:①生物相容性良好,可同时作为骨移植、修补材料;②抗生素缓慢地释放于周围组织,其浓度足以杀灭细菌并维持一定时间;③抗生素的生物活性不受影响,如纤维蛋白凝胶(fibrin sealant)就是一种符合上述条件的新型抗生素载体。纤维蛋白凝胶是由冻干人纤维蛋白原复合物(纤维蛋白原、ⅩⅢ因子)与冻干人凝血酶原复合物混合在一起制成的。有研究表明,头孢唑啉钠-人纤维蛋白凝胶对骨感染的防治,特别是非骨水泥人工关节置换术后感染的防治有肯定的作用。

53.6 结论

最近20年骨科手术已经快速扩展。当生物医学材料和外科技术日新月异之时,术后感染仍旧是一个阻碍前进的难题。骨科医师需要洞察感染的易感性并努力降低感染的发生。不幸的是,相关的治疗数据表明,脊柱植入物的感染仍是一个有待解决的问题。虽然有这样的限制,感染处理原则的实际应用提供了一些合适的指导。未来通过改善生物材料,了解生物材料在机体防御中的作用,同时建立标准的治疗原则必然能彻底解决感染问题。

(张 弛 姚振钧)

参考文献

[1] 王茂源，赵建宁，吴苏稼，等. 万古霉素磷酸钙骨水泥在人工髋关节置换术后感染二期翻修术中作用的实验研究. 中华矫形外科杂志，2006，14:443～445.

[2] 卢宏章，朱天岳，柴卫兵，等. 感染后关节的初次人工关节置换术. 中华骨科杂志，2004，24(4):203～206.

[3] 李登敏，陈孟樵，李爱芬，等. 外科手术切口感染的相关因素及其控制. 护士进修杂志，1998，13(1):9.

[4] 张希彦. 骨折内固定后迟发性感染. 中国矫形外科杂志，2005，13(4):316～317.

[5] 张树云. 外科感染的预防. 中国全科医学杂志，1999，2(5):407～409.

[6] 林博文，徐忠世，肖德明，等. 头孢唑啉钠-人纤维蛋白凝胶防治骨科感染的实验研究. 中华创伤杂志，2005，21:192～195.

[7] 郝立波，周勇刚，王岩，等. 全髋关节置换术后感染窦道形成原因的分析. 中国矫形外科杂志，2004，12:888～891.

[8] Aydinli U，Karaem inogullari O，Tiskaya K. Postoperative deep wound infection in instrumented spinal surgery. Acta Orthop Belg，1999，65:182～187.

[9] Bourne RB. Prophylactic Use of Antibiotic Bone Cement. J Arthroplasty，2004，19(Suppl 1):69～72.

[10] Elson RA，Jephcott AE，Mc Gechie DB，et al. Bacterial infection and acrylic cement in the art. J Bone Joint Surg，1977，59(B):452～457.

[11] Garvin KL，Hanssen AD. Infection after total hip arthroplasty. Past，present，and future. J Bone Joint Surg Am，1995，77:1576～1588.

[12] Gristina AG. Implant failure and the incompetent fibro-inflammatory zone. Clin Orthop，1994，298:106.

[13] Kuehn KD，Ege W，Copp U. Acrylic bone cements：composition and properties. Orthop Clin N Am，2005，36:17～28.

[14] Mack D，Rohde H，Dobinsky S. Identification of three essential regulatory gene loci governing expression of staphylococcus epidermidis polysaccharide intercellular adhesin and biofilm formation. Infect Immun，2000，68:3799.

[15] O'Gara JP，Humphreys H. Staphylococcus epidermidis biofilms：importance and implications. J Med Microbiol，2001，50:582.

[16] Pomatouski J. Association of Operating Room Nurse Recommended practices for surgical hand scruff. AORN J，1999，69(4):842.

[17] Randall W，Howard A，Sarah M. Delayed infection after elective spinal instrumentation and fusion. Spine，1997，22:2244～2451.

[18] Ritter MA. Operating room environment. Clinorthop，1999，369:103～109.

[19] Schierholz JM，Beuth J. Implant infections：a haven for opportunistic bacteria. J Hosp Infect，2001，49:87.

[20] Schierholz JM，Beuth J，Pulverer G. Adherent bacteria and activity of antibiotics. J Antimicrob Chemother，1999，43:158.

[21] Schmidt AH，Swiontkowski MF. Pathophysiology of infections after internal fixation of fractures. J Am Acad Orthop Surg，2000，8:285.

[22] Tang L，Eston JW. Inflammatory responses to biomaterials. Am J Clin Pathol，1995，103:466.

[23] Wimmer C，Gluch H. Management of postoperative wound infection in posterior spinal fusion with instrumentation. J Spinal Disord，1996，9:505～508.

54 感染性骨缺损

54.1 概述

感染性骨缺损是骨科临床的一大难题，创伤性骨髓炎是其主要的病因。另外，随着关节置换术的增加，术后感染和关节部的骨缺损也逐渐增加。本章主要讨论创伤性骨髓炎造成的骨缺损。

创伤性骨髓炎主要指因火器伤、开放性骨折或切开复位内固定等对骨折断端或显露处的直接污染、感染而造成的骨髓炎。其中开放性骨折的术后感染是最常见的原因。感染性骨缺损是一个慢性的过程，常因受感染的骨端因无骨膜及血供而造成骨的坏死。另外一个原因是由于皮肤缺损及肢体肿胀，软组织可能难以遮蔽而致使骨外露，或者骨折附近的皮肤、肌肉感染坏死，使得失去血供的骨折端暴露于空气中而干燥坏死，从而造成骨缺损。

54.2 临床特点

1）骨外露　有骨外露和暴露后的骨密质干燥坏死，使邻近的肉芽难以长入。

2）骨缺损　骨缺损的范围可大可小，最长的可超过 9 cm，使治疗更加困难。在骨干，缺损超过周径的 1/4 即可影响骨的强度，需要植骨。

3）窦道形成　有感染性窦道及渗液。

4）软组织覆盖不良　皮肤缺损或肌肉缺损。

54.3 分型

到目前为止，对感染性骨缺损还没有一个完整的分型。以下提供两个类似分型。

(1) 骨折后骨缺损的分型(Salai 分型)

Ⅰ型：骨缺损＜1 cm^2；Ⅱ型：皮质骨缺损＞3 cm^2；Ⅲ型：关节部缺损＞1 cm^2。另外，根据骨折开放或者闭合又将此 3 型分成 A、B 两型，开放骨缺损分别为ⅠA、ⅡA 和ⅢA 型，闭合性骨缺损分别为ⅠB、ⅡB 和ⅢB 型(图 54-1)。

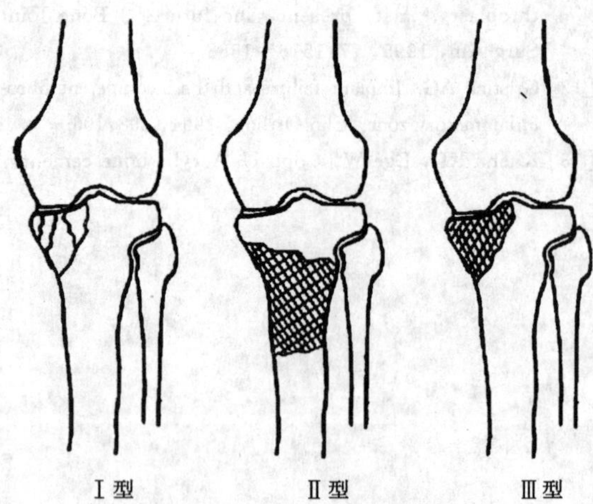

图 54-1　骨折后骨缺损分型

(2) 创伤性骨髓炎分型

以胫骨创伤性骨髓炎为例，见表 54-1。

表 54-1 创伤性骨髓炎分型

分型	特征
Ⅰ型	没有骨缺损,只有骨暴露和软组织覆盖问题
Ⅱ型	有部分骨缺损
Ⅱa 型	没有皮肤缺损和窦道渗液
Ⅱb 型	有皮肤缺损,没有窦道渗液
Ⅱc 型	没有皮肤缺损,有窦道渗液
Ⅱd 型	兼有皮肤缺损和窦道渗液
Ⅲ型	节段性骨缺损,<9 cm,腓骨完整,有或无皮肤缺损
Ⅳ型	节段性骨缺损,>9 cm,腓骨完整,有或无皮肤缺损
Ⅴ型	节段性骨缺损,>9 cm,腓骨不完整,有或无皮肤缺损

54.4 病原学

外伤性骨髓炎的致病菌主要是金黄色葡萄球菌、革兰阴性杆菌、厌氧菌,在骨髓炎章节有详细描述。近年来,耐甲氧西林金黄色葡萄球菌(MRSA)为最常见的致病菌,给治疗带来很大困难。

54.5 治疗

治疗包括抗感染治疗,以及软组织和骨的重建。目前公认的有以下几个基本原则:①合理使用敏感抗生素,消灭致病原。②彻底清除坏死组织。③消灭死腔。④创造良好的软组织覆盖。⑤建立良好的骨稳定性。⑥骨组织的移植和重建。

54.5.1 抗感染治疗

(1) 抗生素的运用

抗生素在感染性骨缺损的治疗中非常重要。但是到目前为止,对骨髓炎的抗生素治疗还没有一个确定的模式。根据 2003 年《中华外科杂志》"应用抗菌药物防治外科感染的指导意见",慢性骨髓炎(包括创伤性骨髓炎)在全身使用抗生素时不推荐经验用药,尽量在彻底手术清创并在获得术中标本细菌培养结果的基础上,进行针对性抗生素治疗;如未能获得培养结果,可联合使用对金黄色葡萄球菌,尤其是对 MRSA 和革兰阴性杆菌有效的药物,可以考虑使用的抗生素包括万古霉素+利福平以及喹诺酮类药物。

另外,抗生素的局部使用也越来越受到重视。许多学者认为,局部运用抗生素比全身运用抗生素具有更多优点。由于骨病变处血运较差和周围瘢痕组织多等特点,血清中抗生素浓度和病灶处浓度并不平行,因而即使全身应用大剂量抗生素,在病灶局部组织中亦难达到有效浓度。比如万古霉素全身使用时局部浓度只有 14.5%,环丙沙星和喹诺酮类药物血清/骨浓度比值也在 8∶1 左右。局部应用抗生素有以下优势:可以准确地在所需部位投药,形成几十倍甚至几百倍于全身应用抗生素时的药物浓度;可以在局部迅速达到峰值药物浓度;虽然局部药物浓度极高,但用药总量及进入血液循环的药量少于全身用药,因而不会对全身重要脏器产生毒副作用;可以直接作用于病变部位,不需血液将药物携带至这一区域。因此,病变局部的缺血不致影响疗效。使用最早最为广泛的是庆大霉素骨水泥串珠。全身用药和局部用药都各有优缺点,虽然很多文献报道局部用药产生了很好的治疗效果,但是循证医学的系统文献综述认为目前还缺乏足够的证据说明哪种方法更好。事实上,很多学者主张同时运用全身和局部抗生素,在局部使用抗生素的同时全身抗生素使用 4～6 周。

(2) 抗菌剂局部给药系统

由抗菌剂和载体两部分组成。

1) 抗菌剂　基于慢性骨髓炎常为多种细菌感染引起而且耐药性金黄色葡萄球菌尤为多见,加之抗菌剂与载体组合的这种特定给药方式,限制了抗菌剂选用范围。局部给药系统的抗菌剂应具有如下特点:①抗菌谱宽,对引起骨髓炎的常见病菌都有效。②为使植入部位药物浓度较高(一般要求达到致病菌 MIC 的数倍或更高),相应地要求其较易溶于水以确保药物可从载体向外扩散。另外,在体内还需有足够的稳定性。③不进入血液循环。④不良反应小。⑤对热稳定以适应制造工艺要求。

基于以上要求,最早应用的抗菌剂为氨基糖苷类,如庆大霉素,其次为少数几种 β-内酰胺类抗菌药物。自 Klemm 首次研制成庆大霉素-聚甲基丙烯酸甲酯珠链以来,庆大霉素珠链临床上被广泛地应用于慢性骨髓炎和软组织感染,其治疗价值得到肯定。但是随着抗生素的广泛应用,致病菌种出现了很大变化,产生了对庆大霉素耐药现象,且庆大霉素具有肾脏毒性。目前有文献报道的可使用的抗生素有头孢呋辛、万古霉素和妥布霉素以及喹诺酮类药物。

头孢呋辛是第2代头孢菌素，具有广谱、低毒、耐青霉素酶等优点，对葡萄球菌和肠道阴性杆菌具有良好效果，但对于铜绿假单胞菌及粪链球菌不敏感。万古霉素在治疗MRSA中起重要作用。喹诺酮类药物抗菌谱广、效力强而毒副作用小。

2）载体　用于抗菌剂局部给药的载体可分为非生物降解型和生物降解型两类。非生物降解型载体的主要代表为聚甲基丙烯酸甲酯（PMMA）骨水泥或串珠，以及羟基磷灰石（HA）。PMMA骨水泥体外释药数据显示氨基糖苷类和喹诺酮类药物的释放浓度都非常高，其峰浓度可分别达到慢性骨髓炎致病菌MIC的100～1 000倍。但是PMMA骨水泥在临床使用中也存在很多缺点，如骨水泥的聚合放热反应使抗生素发生热降解；作为载体，其抗生素洗脱率很低，大约仅占所载抗生素的5%。另外，由于PMMA不能降解，需要再次手术取出。生物降解型载体包括胶原庆大霉素海绵、磷灰石-钙硅石玻璃陶瓷、β-磷酸三钙、硫酸钙、聚乳酸-乙醇酸交酯复合小珠和聚丙交酯以及聚氨基甲酸酯等。胶原庆大霉素海绵在治疗慢性骨感染方面的应用与庆大霉素骨水泥一样广泛，产品上市已达10年之久，其主要缺点是药物释放维持时间很短。β-磷酸三钙、硫酸钙和磷石灰-钙硅石玻璃陶瓷已经在临床使用。聚乳酸-乙醇酸交酯是一种全新的、有前途的可供临床应用的抗菌剂局部给药系统载体。它的主要优点是可生物降解并且有较好的抗菌剂释药动力学性质。对载有克拉霉素、妥布霉素或万古霉素的系统体外研究表明其具有更好的稳定性、分解时间长且药物释放浓度高。对聚氨基甲酸酯则有待进一步研究。

54.5.2 局部手术

包括彻底的清除坏死组织和死骨，消灭死腔。如果缺损较小，软组织条件良好可用蝶形手术，软组织缺损严重则行转移肌瓣或肌皮瓣。对于感染严重的病例可以进行持续冲洗。骨稳定性重建常用外固定支架。具体的内容参见慢性骨髓炎章节。

54.5.3 骨缺损的重建

对于感染性骨缺损的病例，大多同时伴有窦道、渗液或者软组织缺损。对于此类病例，重建非常困难，没有完全固定的模式。早期大多学者都认为手术要分期进行，首先解决骨感染，待伤口愈合后6个月不复发才能进行再次手术植骨。以后人们发现在抗生素的保护下可以进行快速植骨。

（1）自体骨移植

1）快速自体骨植骨　①细菌培养及药物敏感试验：取窦道渗液做细菌培养与药物敏感试验，找出合适的抗生素连续静脉内给药2周。②首次清创术：给药2周后第1次清创手术，清除一切死骨、坏死组织与肉芽组织，伤口内置入庆大霉素-骨水泥串珠及引流管，缝合切口。③手术后继续静脉内给抗生素2周。如果清创是彻底的，引流管引流量会逐日减少，拔去引流管后手术切口会一期愈合，这样便有条件二期植骨。如果伤口不能一期愈合，感染化脓，则一期手术宣告失败。④一期清创手术成功后，术后2周时再切开伤口，取出庆大霉素串珠，做第2次清创手术。取髂骨自体松质骨粒混合抗生素粉剂后充填在骨缺损部位，放置引流管引流。有骨不连时同时行外固定支架固定。术后继续静脉内给抗生素2周，总计6周，停药后再口服抗生素4～6周。⑤如有大面积皮肤缺损者，需在进行第1次清创术时同时行皮瓣转移术。在感染的环境下行血管吻合是危险的，因此主张做就近的带血管蒂皮瓣岛形转移。

2）开放松质骨植骨术　开放松质骨植骨术由1976年Papineau首先提出，因此也称为Papineau技术。此技术的独特之处为植骨区不闭合创面。经典的开放松质骨技术包括3期手术：一期行扩创术，待创面被肉芽组织覆盖后行二期手术。二期手术是以游离皮片植皮来覆盖创面，创面稳定后便可行三期手术。三期手术是将皮片（包括肉芽组织）剥起，将松质骨植入骨缺损处，创面不一期闭合，通过换药的方法使创面愈合。此后，有学者将此方法进一步改进为二期手术法：一期扩创；二期待创面被肉芽组织覆盖后于骨折处植入自体松质骨条并开放创面。甚至有些学者认为可以进行一期手术法，即彻底清创后即刻行植骨术并开放创面。这种植骨法的优点是简单、有效、疗程短。特别是对于那些伴有局部软组织条件不佳的感染性骨折不愈合的病例有其独特的优点。相应伴随的缺点是可能有部分移植骨会被丢失，且愈合时间长，另外由于创面外露，感染不愈合的机会增加，因此有些学者认为此手术失败率很高。获得成功的学者认为开放松质骨植骨要遵循以下几项基本原则：①要根据患者感染时间长短、程度及术中清创的情况而决定分期手术。对于感染时间短、感染累及范围小、软组织条件相对较好和清创彻底的病例，可行一期开放植骨手术。对于感染时间长、症状重、受累范围大、软组织条件相对较差且清创手术中炎性组织及坏死组织难以一次彻底清除的病例，可采取二期手术：一或两次清创术后，待脓性分泌物减少、骨面被肉芽组织完全覆盖后再行开放植骨手术。②要彻底地清创：清除所有坏死组织和死骨，对于有内固定的病例往往要去除内固定，有些患者还需要接受数次清创手术。③要使用外固定支架重建骨的稳定性：手术中根据骨质疏松程度和预期病程的长短选择外固定架的固定方式。对于轻度骨质疏松且预期病程短的患者可选用双臂单边单平面外固定架；对于骨质疏松明显和(或)预期病程长的患者要选用单臂双平面外固定架；对于严重骨质疏松的患者，除使用单臂双平面外固定架固定外，还要辅以石膏托外固定；邻近关节的骨折，可考虑跨关节外固定架和(或)石膏固定。④大量植骨：在骨折端间尽可能将移植的大量自体松质骨填实，避免植骨区内留有死腔。⑤充分开放创面，术后仔细换药：植骨手术后创面应充分敞开，以防死腔形成或者引流不通畅。通过换药，及时去除炎性分泌物，保持伤口引流通畅，维持创面湿润。

3) 吻合血管的游离骨移植　对于缺损部位很大，软组织覆盖不佳的骨缺损可以选用带血管蒂或者肌蒂的游离骨移植。常用的游离骨有带旋髂浅血管蒂的髂骨瓣，带旋髂深血管蒂的髂骨瓣，带臀上血管深支蒂髂骨瓣，带旋股外侧血管升支蒂髂骨瓣，带腰血管蒂的髂骨瓣，带腓血管蒂的腓骨瓣，带血管蒂的肋骨瓣等。以带旋髂深血管蒂的髂骨瓣和带腓血管蒂的腓骨瓣使用最为广泛。

(2) 同种异体骨移植

1880年，苏格兰医师 Willen Macewen 用一段同种异体骨移植治疗一位顽固性骨髓炎导致骨缺损的4岁儿童，开创了同种异体骨移植的先河。同种异体骨移植愈合机制主要依靠骨诱导、骨传导和自身成骨作用，愈合过程是移植骨再血管化、新骨形成、宿主骨床与移植物连接而实现骨掺入过程，其与宿主的愈合主要受移植骨抗原性影响。根据处理方法不同，同种异体骨分为冻干骨、脱矿骨、冷冻骨、冷冻+照射骨、冻干+照射骨、脱蛋白骨等。临床运用较为广泛的是冻干骨以及冻干+照射骨。由于同种异体骨不可避免地会产生不同程度的移植骨免疫排异反应，表现为局部淋巴浸润，移植骨血管增厚，血管长入缓慢，影响新骨形成。同时，局部渗出增加，导致感染加重，因此同种异体骨移植在感染性骨缺损的使用中受到很多限制。20世纪70年代人们在异体骨脱钙处理基础上，制成骨基质胶原、脱钙骨基质，以及抗原自溶同种异体骨，使同种异体骨不但降低抗原性而且加强了骨诱导能力，在大段骨缺损的重建中起到重要作用。

(3) 人工骨移植

人工骨是骨组织工程的产物，理想的骨替代材料(骨支架)应具有以下特性：良好的生物相容性；满足生物力学的要求；可以降解，且降解过程中不会发生塌陷；可作为具有骨诱导和成骨作用的“种植物”的载体。目前可用于移植的人工骨主要分为以下几类。

1) 无机材料　无机材料是应用最多的一类材料，以陶瓷材料为主，分为生物惰性、生物活性和可降解材料。生物惰性材料如氧化铝陶瓷，生物活性材料有羟基磷灰石、玻璃陶瓷、生物活性玻璃等，可降解材料包括β-磷酸三钙和天然珊瑚。生物活性材料的主要优点是生物相容性好，能与骨组织产生化学结合或在体内降解，强度也较高。陶瓷材料主要缺点是脆性较大，其弹性模量难以与正常骨相匹配。

2) 可降解高分子材料　此类材料以聚乳酸和聚乙醇酸为代表，主要用于可降解内固定材料，作为植骨材料多以复合材料的形式出现。

3) 新型人工骨　在感染性骨缺损的治疗中，人工骨往往需要负载抗生素一起使用。目前已经临床使用的新型负载抗生素的人工骨包括自固化磷酸钙(CPC)、硫酸钙、复合珊瑚羟基磷灰石人工骨、纤维蛋白凝胶和纳米复合人工骨。

自固化磷酸钙人工骨是一种新型的非陶瓷类人工骨材料，其操作简便，可任意塑形，也可调成小的载药颗粒，术中制成的颗粒型内部结构含有微孔，具有良好的吸水性，可使药物逐步释放，而小颗粒形状又可增大接触面积，抑菌更为有效。而且自固化磷酸钙无害，固化过程基本不放热，对周围组织无损伤，对药物活性无影响，固化后具有较高的抗压强度，引导成骨能力较强，已被证明是理想的药物载体。其负载的抗生素常用为妥布霉素(7%)和去甲万古霉素(5%)。

硫酸钙的使用虽然有很长历史，但是将其作为载体负载抗生素还是20世纪80年代末开始。典型的代表是负载妥布霉素的硫酸钙颗粒(Osteoset-T),每颗100 mg,含妥布霉素4 mg。硫酸钙具有良好的生物相容性和生物降解性,并具有明显的骨传导作用,通常在植入30～60天内被完全吸收。一期清创后直接将硫酸钙颗粒植于骨缺损部位得到了良好的结果。

4) 纳米材料复合人工骨　纳米技术是指在纳米尺度空间内操纵原子和分子,对材料进行加工,制造具有特定功能的产品或对物质及其结构进行研究,掌握其原子和分子运动规律和特性的一门综合性的技术体系。由于纳米尺寸的晶粒具有很大的表面能,晶体之间的界面区已经大到超常的程度,因此一些通常不易固溶或混溶的组分有可能在纳米尺度上复合,从而形成新型的复合材料,在医学领域具有广阔的应用空间。目前已经合成的纳米复合人工骨有氧化锆-氧化铝纳米化合物形成羟基磷灰石人工骨;磷酸三钙合成纳米骨松质;纳米增强,增韧羟基磷灰石制取多孔仿珊瑚人工骨;纳米羟基磷灰石和胶原合成有机-无机复合人工骨;纳米羟基磷灰石-聚左旋乳酸复合人工骨;羟基磷灰石与聚砜、聚乙烯合成羟基磷灰石多聚体复合人工骨。这些纳米材料人工骨已经有部分产品在临床投入使用,而且具有不可估量的价值。氧化锆-氧化铝纳米化合物有希望成为具有负载功能的骨替代产品,多孔仿珊瑚人工骨具有良好的骨诱导作用,而纳米羟基磷灰石和胶原复合材料则有希望作为非承载骨修复材料。

(4) 成骨因子

自Urist在脱钙骨基质中分离出骨形态发生蛋白(BMP)以来,已经发现有多种细胞因子对成骨过程具有重要的调节作用,可以诱导成骨、促进细胞增殖和胶原合成、促进成骨和血管生长以及在骨吸收改建方面发挥作用。因此,在构建组织工程骨时对成骨因子合理使用或调控成骨细胞的适时适量表达十分重要。成骨因子主要有BMP、转化生长因子-β(TGF-β)、胰岛素样生长因子(IGF)、成纤维细胞生长因子(RGF)、血小板衍生生长因子(PDGF)等。目前研究最多的是BMP和TGF-β。

BMP是广泛存在于骨基质中的一种酸性糖蛋白,无种属特异性,它对不同种属动物的诱导成骨能力相差较大,属于局部性生长因子。它能在体内、体外诱导骨髓基质细胞转化为软骨细胞和成骨细胞。但是BMP在体内迅速降解或随体液扩散,短暂的半衰期,都限制了它在体内发挥成骨作用。因此,BMP的控释技术已经成为目前研究的重点与热点之一。

(张光健　周晓岗)

参考文献

[1]《应用抗菌药物防治外科感染的指导意见》撰写协作组.应用抗菌药物防治外科感染的指导意见:XⅦ-骨与关节感染.中华外科杂志,2005,43(4):270～272.

[2] Dash AK, Cudworth GC. Therapeutic applications of implantable drug delivery systems. J Pharmacol Toxicol Methods, 1998, 40(1):1～12.

[3] Garvin KL, Miyano JA, Robinson D, et al. Polylactide/polyglycolide antibiotic implants in the treatment of osteomyelitis. J Bone Joint Surg, 1994, 76A(10): 1500～1506.

[4] Kanellakopoulou, K. Giamarellos-Bourboulis, EJ. Carrier systems for the local delivery of antibiotics in bone infections. Drugs, 2000, 59(6):1223～1232.

[5] Lin SS, Ueng SW, Liu SJ, et al. Development of a biodegradable antibiotic delivery system. Clin Orthop, 1999, 362:240～250.

[6] Lindeboom JA, Tuk JG, Kroon FH, et al. A randomized prospective controlled trial of antibiotic prophylaxis in intraoral bone grafting procedures: single-dose clindamycin versus 24-hour clindamycin prophylaxis. Mund Kiefer Gesichtschir, 2005, 9(6): 384～388.

[7] Mader JT, Landon GC, Calhoun J. Antimicrobial treatment of osteomyelitis. Clin Orthop, 1993, 295: 87～95.

[8] Mclaren AC. Alternative materials to acrylic bone cement for delivery of depot antibiotics in orthopaedic infections. Clin Orthop, 2004, 427:101～106.

[9] Okubo Y, Bessho K, Fojimura K, et a1. Osteogenesis by recombinant human bone rnorphogenetie protein-2 at skeletal sites. Clin Orthop, 2000, 375(3): 295～301.

[10] Ostermann PA, Seligson D, Henry SL. Formulation of calcium phosphates/poly(d, llactide) blends containing gentamicin for bone implantation. J Control Release, 2000, 68:121～134.

[11] Ostermann PA, Seligson D, Henry SL. Local antibiotic therapy for severe open fractures. A review of 1085 consecutive cases. J Bone Joint Surg, 1995, 77: 93～97.

[12] Papineau U, Alfageme A. Chronic osteomyelitis of

long bone resection and bone with delayed skin closure. J Bone Joint Surg(Br), 1976, 58:138～141.

[13] Petri WH, Wilson TM. Clinical evaluation of antibiotic-supplemented bone allograft. J Oral Pathol Med, 1993, 51(9):982～985.

[14] Rauschmann MA, Wichelhaus TA, Stirnal V, et al. Nanocrystalline hydroxyapatite and calcium sulphate as biodegradable composite carrier material for local delivery of antibiotics in bone infections. Biomaterials, 2005, 26(15):2677～2684.

[15] Salai M, Horoszowski H, Pritsch M, et al. Primary reconstruction of traumatic bony defects using allografts. Arch Orthop Trauma Surg, 1999, 119(7～8):435～439.

[16] Tencer AF, Mooney V, Brown KL, et al. Compressive properties of polymer coated synthetic hydroxyapatite for bone grafting. J Biomed Mater Res. 1985, 19(8):957～969.

[17] Thomas JW, Richard WS, Rena B. Design and evaluation of nanophase alumina for orthopaedic/dental applications. Nano Structured Materials, 1999, 12:983～986.

[18] Uchida M, Kim HM, Kokubo T, et al. Apatite-forming ability of a zirconia/alumina nano-composite induced by chemical treatment. J Biomed Mater Res, 2002, 60(2):277～282.

[19] Urist MR. Bone: formation by autoinduction. Science, 1965, 150:893～899.

[20] van de Belt H, Neut D, Schenk W, et al. Gentamicin release from polymethylmethacrylate bone cements and Staphylococcus aureus biofilm formation. Acta Orthop Scand, 2000, 71:625～629.

[21] Winkler H, Janata O, Berger C. In vitro release of vancomycin and tobramycin from impregnated human and bovine bone grafts. J AOAC, 2000, 46(3):423～428.

55 关节周围创伤性软组织与骨缺损

55.1　关节周围软组织缺损

随着交通工具运行速度的提高，交通事故造成的肢体高能量损伤的发病率有增高的趋势。临床上，常能看到有的患者被汽车撞倒后，又被拖行了一段距离，伤肢在路面上摩擦，结果患肢膝关节，或者踝关节外侧表面的皮肤完全被磨掉，连深面的骨骼也被磨掉相当一部分。对这些伤员，为了保留患肢受伤的关节的功能，清创后完全覆盖创面是最基本的要求。但是，由于骨骼裸露，不可能用游离植皮的方法来实现创面覆盖的目的。在这种情况下，需要应用显微外科技术，游离移植一块或几块皮瓣或肌皮瓣，才能有效地修复覆盖关节的软组织缺损，最大限度地保留受伤关节的功能。

根据缺损组织的性质、部位、程度、形状和大小来选择移植的组织。人体身上，可以用于移植的软组织瓣不下 10 来种，光皮瓣就有肩胛皮瓣、前臂皮瓣、腹股沟皮瓣、大腿外侧皮瓣、小腿内侧皮瓣以及足背皮瓣等。就笔者的临床经验而言，最常用于修复关节周围软组织缺损的是背阔肌肌皮瓣。

背阔肌肌皮瓣是人体能用于游离移植的面积最大的肌皮瓣之一，其血液供应来源于其深面的肌肉。因此，只要背阔肌有正常的血液供应，在它表面的皮肤就会有良好的血运，而不论它的部位、形状和面积如何。背阔肌呈扁平三角形，以腱膜起于下部胸椎、全部腰椎、骶椎的棘突和棘上韧带以及髂嵴后部。肌腹肌纤维向外向上走行，最后附着于肱骨小结节嵴。整个肌腹扁平，它的上缘和前缘在接近止端时逐渐变厚，其前缘上部构成腋窝后襞。背阔肌肌皮瓣的血管蒂为胸背动静脉，它们是肩胛下动静脉的延续。胸背动静脉在肌肉的深面靠近它的前缘下行，于腋皱襞下 6～7 cm 处进入肌肉。在这段行程中，有支配背阔肌的胸背神经和血管束伴行。胸背血管的外径在成人为 3～4 mm，从肩胛下动脉在腋动脉的起点算起，胸背血管可游离的长度达 6～9 cm。切取背阔肌肌皮瓣时，一定要包括肌腹的前缘，因为血管蒂紧靠着它走行，而且手术游离时还可以用它作寻找胸背血管的解剖标志。

临床上，对肢体大关节，例如膝关节、踝关节周围软组织缺损合并骨骼裸露和缺损的急性创伤病例，何时进行修复的问题，还有争议。有人考虑到损伤程度重、范围广，失活组织有时难于完全确定，清创不容易做到彻底；如果创面污染严重，术后感染的可能性大，会危及移植组织的成活；而且，损伤的患者随时可能送达医院，不一定有能够胜任急诊显微外科手术的人员值班；因此主张先行清创，用凡士林纱布覆盖创面、无菌敷料包扎，药物抗感染，3～4 天后再次清创，进行显微外科修复手术。不过，笔者认为，只要手术人员齐备，患者全身情况允许，就应该即时进行急诊显微外科修复手术。既然准备移植游离组织来覆盖创面，对怀疑失活的组织，除了神经等重要结构以外，都应当予以切除。这样一来，清创可以做得很彻底，加上清创前后都对创面进行抑菌处理，术后感染应当不会成为问题。

应用游离组织移植的方法早期修复关节周围的软组织缺损，和其他显微外科手术一样，成功的关键是有效地建立和维持移植组织的血液循环。创面的处理、移植组织的选择和切取，按显微外科手术常规操作，读者可以参考有关书籍，这里只强调一下血运的重建方式。创伤的情况是千变万化的，几乎碰不到两个完全相同的病例。因此，在受区寻找合适的血管与移植组织的血管蒂吻合，重新建立血液循环，必须具体情况具体分析，因地制宜因人而异，选择简捷有效的途径和方法。如图 55-1 所示，一位 21 岁女性患者，被汽车压伤右下肢，致小腿下 1/3 外侧及足背皮肤挫灭，腓骨下段的外侧半，包括外踝顶端磨损后缺失，但踝关节解剖稳定性仍然存在(图 55-1A、B)。清创时，在创口的近侧找到胫前动脉及其伴行静脉。彻底清创后，将切取的背阔肌肌皮瓣顺行放置，填充和覆盖创面。肌皮瓣的血管蒂便和事先游离好的胫前动静脉端-端吻合，建立肌皮瓣的血液循环(图 55-1C、D)。要是在创面内找不到能用于吻合的适当血管，就需要采用就近血管转移的方法来重建移植组织的血液循环。如图 55-2 所示，患者为 19 岁女性，卡车撞倒后又被拖行了一段距离。结果，左大腿前方、髌骨前面大面积皮肤绽开，髌骨外侧1/3、股骨髁和胫骨髁外侧骨质被磨灭，露出的松质骨面黏有路面的砂砾(图 55-2A)。清创时切下因损伤而失活的大片皮肤，修成中厚皮片；切除残存的髌骨，缝合股直肌腱与髌韧带；从股骨和胫骨髁的外侧分别切除一薄层污染的骨质，准备移植一块背阔肌肌皮瓣来覆盖裸露的股直肌腱和髌韧带以及股骨和胫骨的缺损面。可是，清创中在创口内没能找到可供吻合的血管，只好从创面远端沿小腿前外侧延长皮肤切口，约 15 cm 长。暴露并游离出胫前动静脉，在切口远极切断之，结扎其远端。使游离好的胫前血管向近侧返折进入大腿创面。将切取的背阔肌肌皮瓣上下颠倒，放在大腿创面的下部以覆盖上述重要结构，其血管蒂与胫前血管束相遇，分别作端端缝合，从而重建移植肌皮瓣的血液循环(图 55-2B、C)。在这个病例，大腿上部创面内裸露的仅仅是血供丰富的肌肉组织，患者又是成人，不存在肢体生长问题。因此，没有必要移植皮瓣，只需用上述准备好的中厚皮片进行移植，就可以解决这个部分创面的覆盖问题。随访结果证实，尽管膝关节外侧的韧带结构没有刻意修复和重建，关节的稳定性还是恢复得很好，伸屈活动的范围接近正常，患肢负重行走如常(图 55-2D～F)。

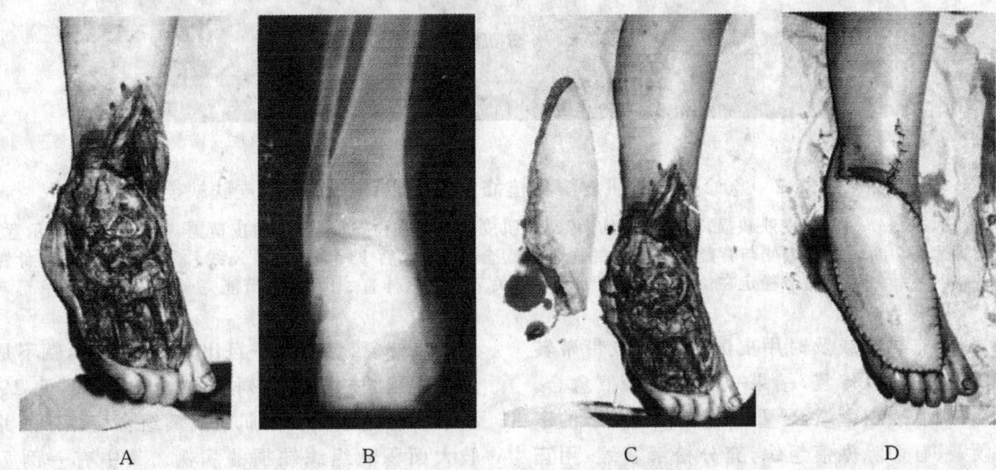

图 55-1 急诊背阔肌肌皮瓣移植修复踝关节外侧皮肤缺损

A. 车祸伤，右踝外侧皮肤挫灭 B. X线片示外踝外侧面缺损 C. 清创后，背阔肌肌皮瓣已取下 D. 背阔肌肌皮瓣移植在位

术后处理的重点是抗感染和全身情况的维持和支持。移植组织血液循环的观察和血管危象的处理，按显微外科术后处理常规。笔者强调，一旦发生并做出血管危象的明确诊断，就应当立即针对可能存在的血管痉挛进行内科治疗，力求予以解除，并严密观察治疗反应。如果效果不佳，就必须创造条件进行手术探查，查明原因，做出相应处理，尽快恢复移植组织的血液循环。

关节周围皮肤软组织外伤性缺损，或外伤清创后发生感染，引起皮肤坏死，导致继发性关节周围软

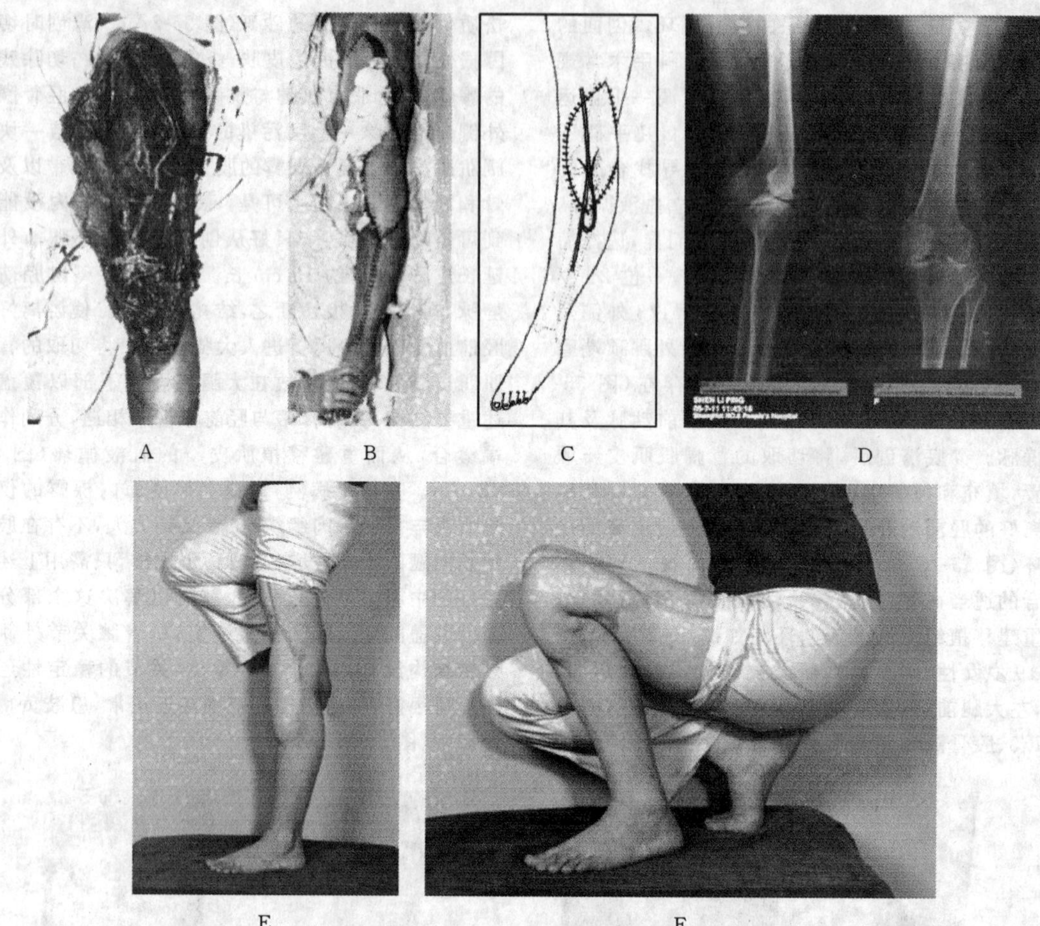

图 55-2 急诊背阔肌肌皮瓣移植修复左大腿膝关节外侧皮肤缺损

A. 车祸伤，左腿外侧广泛皮肤缺损，骨外露 B. 背阔肌肌皮瓣移植在位，近端创面植皮覆盖 C. 血管吻合示意图，胫前血管远端切断后翻到近侧与背阔肌肌皮瓣的血管蒂吻合 D. 术后 13 年随访时 X 线片示髌骨缺如、股骨髁缺损，但关节稳定在位 E. 术后 13 年，膝关节能完全伸直 F. 膝关节能完全屈曲

组织缺损，除非早期或及时用皮瓣的局部或带蒂转移，或游离移植加以修复，结果一般都是瘢痕愈合。到了晚期，瘢痕组织挛缩，严重时造成相应关节的挛缩或僵硬，只有切除瘢痕组织，充分松解挛缩，用正常的皮肤覆盖所遗留的创面，才能改善或恢复关节的功能。

关节周围软组织缺损的修复在儿童病例显得尤为重要，因为儿童的骨骺没有闭合，肢体还有一个生长问题。瘢痕组织的生长不仅不及骨骼的快，而且实际上还阻碍骨骼的生长。因此，儿童关节周围大面积软组织缺损所引起的关节挛缩不仅引起关节的功能障碍，而且导致继发性骨骼畸形，必须及早有效地加以修复。否则，一旦出现骨骼畸形，就不是单纯修复软组织缺损所能矫正得了的。于仲嘉 1988 年报道一组用双侧背阔肌肌皮瓣组合移植修复儿童下肢大面积软组织缺损的病例。其中有一例 7 岁女孩，左侧足背、小腿及踝关节前外侧皮肤因汽车碾轧而撕脱。在当地医院行清创缝合。术后皮肤坏死，经换药、植皮，创面才逐渐愈合。当时，患肢踝关节处于中立位，站立、行走时，足底能够着地。可是，随着时间的推移，瘢痕组织逐渐成熟，牵拉踝关节形成背屈挛缩；伴随身体的生长，踝关节背屈畸形日趋严重。以至于伤后 18 个月再次入院时，患儿虽然还能站立、行走，但是只有足底后部着地，负重受力的部位形成胼胝和压迫性溃疡。X线检查发现跗骨排列已经紊乱，舟状骨几乎和胫骨下端的前面相碰。在伤后不到2年的时间内，畸形已如此严重，要是再不修复踝关节背侧的皮肤软组织缺损，畸形还会继续发展，最终将严重影响患肢的功能，甚至导致截肢。结果，彻底切除瘢痕组织，充分松解所有的挛缩，需要移植两块背阔肌肌皮瓣才能覆盖所形成的巨大创面。应用的是游离组织组合移植的技术：一块背阔肌肌皮瓣的血管蒂与另一块肌皮瓣血管蒂上的旋肩胛血管吻合，使这两块肌皮瓣连接成一个组合体，它们的共同血管蒂为后一块肌皮瓣的肩胛下动、静脉。后者与在小腿创面内找到并游离出来的胫前动脉和大隐静脉吻合，从而建立移植的肌皮瓣的血液循环。手术取得了预期的效果，踝关节功能改善，畸形矫正，而且没有复发。

吻合血管的自体软组织瓣游离移植是修复肢体皮肤软组织缺损的有效和可靠的方法，已经成为临床上常用的治疗手段。许多显微外科的专著都较为详细地介绍了诸多皮瓣、肌皮瓣游离移植的技术，本节不再重复。由于肢体大关节附近都有主要的血管通过，造成关节周围皮肤软组织缺损的损伤往往累及这些血管。当晚期用显微外科技术修复软组织缺损时，可能在创面受区内找不到可以用于和移植组织的血管蒂吻合的血管。在这种情况下，重建移植组织血液循环的方法可以有两种：①在创面以近肢体上显露并游离主干血管，移植一段静脉来桥接肢体主干血管和移植组织的血管蒂。如果受局部条件限制，这个措施不宜或不便实行的话，就应当考虑采用下一种方法。②通过桥式交叉吻合血管的方式来重建移植组织的血液循环。方法是在健侧肢体上，将选定的血管游离6～10 cm或更长；令两侧肢体互相靠拢，缝合彼此接触的两个创面的对应皮肤，形成连接两侧肢体的皮桥；尽远侧切断健侧肢体游离好的血管，结扎其远端，然后把它向近侧返折，通过上述皮桥，送进患肢受区创口内，与安置在那里的移植组织的血管蒂相遇，并作端端吻合。就这样，利用健侧肢体的正常血管为移植在患侧肢体上的移植组织提供血液。术后6～8周，待移植组织成活并与受区的周围组织之间形成足够的侧支循环，切断皮桥及在其间通过的轴型血管，使两侧肢体彼此分开，实现游离移植(肌)皮瓣修复肢体关节周围软组织缺损从而改善肢体功能的治疗目的。

关节损伤的晚期作人工关节置换，几乎可以说是关节功能重建最极端的治疗措施了。因此，手术以后不管发生什么样的并发症，都应当积极稳妥地加以处理。如果手术后切口皮肤发生坏死，不及时处理，人工关节有裸露的危险，就应当考虑进行清创，彻底切除已经坏死和可能会坏死的一切组织，然后移植背阔肌肌皮瓣来覆盖创面，才可望摆脱面临失败的困境，挽救人工关节以至整个肢体。做这种处理，强调果断和及时，侥幸和拖延只会招致更严重的后果。即使创面不是很大，笔者也主张移植背阔肌肌皮瓣，因为肌肉组织血供丰富，抵抗感染的能力强，手术成功的把握更大。

55.2 关节周围骨缺损

肢体外伤导致组成关节的骨骼缺损，在临床上并非罕见。由于关节的骨骼，特别是关节软骨的解剖结构的特殊性，修复是非常困难的。文献上还没有看到有关用自体组织游离移植的方法早期修复肢体大关节部分关节面缺损的报道。笔者也只有通过吻合血管的自体骨移植来修复关节端骨骼缺损的经验，而且实际上只是重建肢体的骨支架，并不能重建具备活动功能的关节。以下介绍一个病例的治疗过程，希望能从中得到一些启迪。

患者为15岁女孩，在一次事故中，左下肢被倒塌的重物压伤，致小腿中下段前外侧大面积皮肤软组织挫灭缺损，胫骨远侧10余厘米长的骨骼缺失，仅内踝残存。腓骨远侧骨骺分离(图55-3A、B)。急诊手术，进行彻底清创，遗下一个10 cm×22 cm大小的创面。以腓动静脉为蒂、从右小腿切取12 cm长的一段腓骨。移至左腿创口内，顺行放置。嵌入近侧胫骨远端和残存的内踝之间，使它的血管蒂朝向前外侧。在近端用2枚螺丝钉将腓骨固定于胫骨上；在远侧用一根克氏针将移植腓骨贯穿固定于内踝上。外踝骨折复位后，用克氏针作髓内固定。踝关节横穿两枚克氏针固定。从右侧背部，以肩胛下血管为蒂切取12 cm×22 cm大小的背阔肌肌皮瓣；游离过程中，在其血管蒂上保留1 cm长的旋肩胛血管(图55-3C)。把取下的肌皮瓣顺行安置在小腿上覆盖创面，分层缝合固定肌皮瓣远侧部。在创口近侧，将移植腓骨之腓动静脉分别与肌皮瓣之旋肩胛动静脉吻合，肌皮瓣之肩胛下动静脉分别与自创面内游离出来的胫前动静脉端端吻合，重建移植的骨与肌皮瓣的血液循环(图 55-3D、E)。创口一期愈合，术后 12 周 X 线证实移植腓骨与胫骨及内踝连接良好；再次手术，于中上 1/3 截断左侧腓骨，其远段之近端内移，向胫骨靠拢，以螺丝钉贯穿固定；同时融合距骨与内、外踝，用螺栓固定。术后 3 个月，融合诸部骨骼牢固连接，患肢恢复负重和行走功能(图 55-3F、G)。

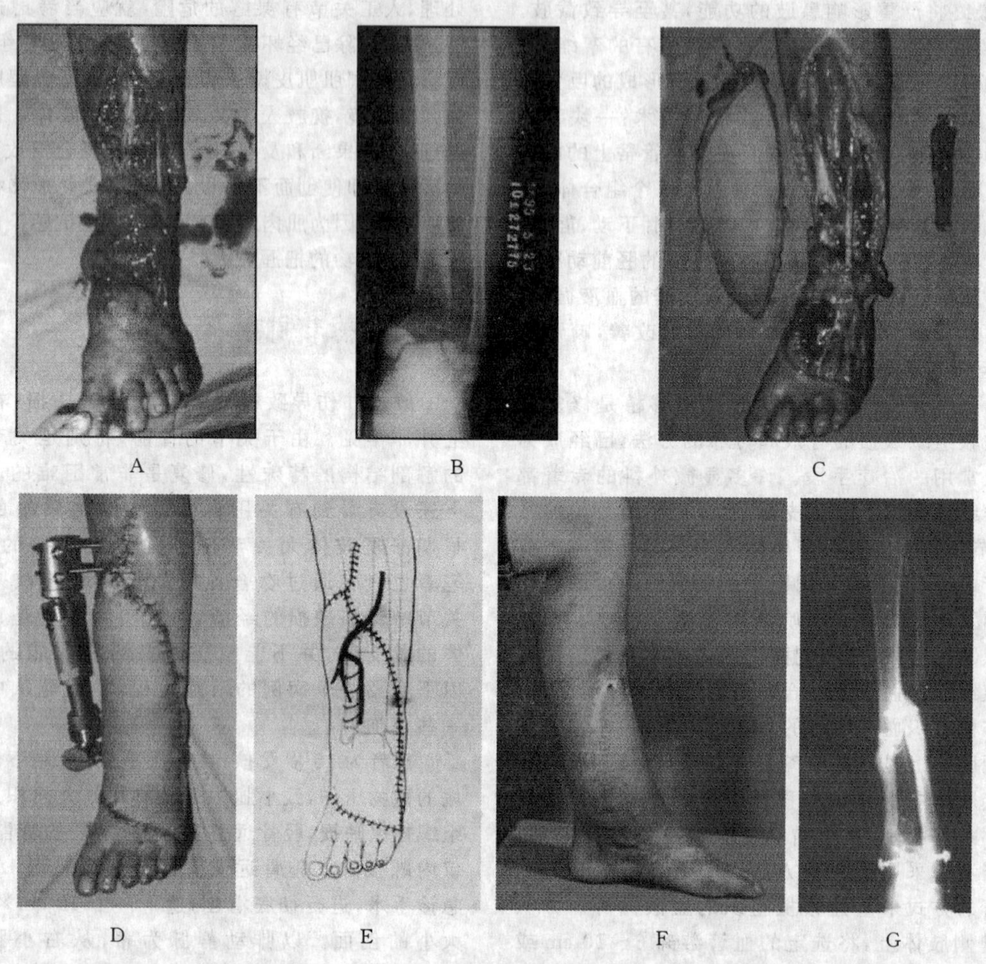

图 55-3　急诊背阔肌肌皮瓣与游离腓骨组合移植修复小腿软组织和胫骨缺损

A. 左小腿重物压伤，前方皮肤软组织缺失　B. 伤后 X 线片示胫骨节段性缺损，腓骨骨折　C. 清创后，背阔肌肌皮瓣与腓骨已经取下　D. 移植手术结束时肢体的外观　E. 血管吻合示意图。腓动静脉与旋肩胛动静脉吻合，肩胛下动静脉与胫前动静脉吻合　F. 修复后小腿外观　G. 修复后小腿 X 线片，示骨支架构成

同样，关节骨骼的晚期缺损如果包含关节软骨，要完全修复几乎是不可能的。如果这种缺损影响关节的活动和稳定，而关节的软组织覆盖和控制关节的肌肉的结构和功能都正常或者是可以修复的，人工关节置换可以是比较理想的治疗选择。应用显微外科技术对关节的骨骼缺损进行晚期修复，现在临床上还只能做到关节的部分重建，而且主要是解决骨骼的支撑和关节畸形的矫正等两个方面的问题。由于临床病例报道还不多，实践经验也有限，笔者希望通过一些具体的病例介绍来阐述治疗设计和手术操作的原理和原则。

临床上有时会遇到一些棘手的病例，或者骨端在原来受伤时就丢失，或者在创伤治疗过程中，为了求得创口的愈合而不恰当地切除裸露的骨骼，导致组成关节的骨骼端缺失，不仅关节的活动功能丧失殆尽，连肢体的支撑和负重功能也无法维持。笔者工作过的医院有过两个病例，都是小腿开放性骨折。由于治疗措施不恰当，一个造成胫骨中上段完全缺失，膝关节没有了，小腿的长度靠完整的腓骨维持着；另一个造成胫骨中下段完全缺失，踝关节结构残缺，小腿的长度同样由腓骨支撑着。这两个病例的共同特点是，构成关节一端的主要骨骼缺损使肢体丧失负重功能，骨骼缺损的长度过大，不适宜做人工关节置换。前者由于损伤情况比较复杂，局部软组织条件差，加上修复后也不再具有能活动的膝关节，将给日后的生活和活动带来诸多不便，患者选择了截肢后安装假肢的治疗方案。后者为年轻女性患者，除了小腿下段因为胫骨缺损容积缩小而显得比较细，外加遗留一长条线状瘢痕以外，整个下肢，包括足部都还比较正常，具备修复的条件；加上有正常的膝关节和脚，尽管修复后不再有能活动的踝关节，肢体的功能还是可能远远超过任何一种设计先进的假肢，因此患者选择了修复的治疗方案。手术时，切除皮肤软组织瘢痕，松解挛缩；在胫骨残端近侧 4 cm 处横形截断腓骨；以腓动、静脉为蒂，从对侧小腿切取长 20 cm 的腓骨，移至患侧小腿创口内，置于胫骨和距骨的内侧；利用这两根腓骨分别在内、外两侧夹住胫骨（近侧）和距骨（远侧），将各自对应的骨皮质弄毛糙，再分别用螺钉和螺栓把它们固定在一起。由于创面不能直接缝合关闭，创口内又有骨骼裸露，需要移植一块背阔肌肌皮瓣来覆盖，因此移植组织血液循环的重建采用了游离组织组合移植的技术：取自健侧的游离腓骨的腓动、静脉分别与背阔肌肌皮瓣血管蒂上的旋肩胛血管吻合，使背阔肌肌皮瓣和游离腓骨构成以背阔肌肌皮瓣的肩胛下动、静脉为共同血管蒂的组合体。由于胫前血管因原发的损伤而闭塞，胫后动、静脉又为瘢痕纤维组织所包绕而不便游离，创口内没有适合于吻合的血管，只能用上面介绍过的桥式交叉吻合血管的方式去重建这个移植组织组合体的血液循环：背阔肌肌皮瓣的肩胛下动、静脉分别和健侧小腿的胫后动、静脉吻合。术后移植组织完全成活，腓骨与胫骨及距骨的融合部在术后 3 个月牢固连接。尽管患肢仅重新获得一个丧失了活动功能的踝关节，但是它完全或很大程度上恢复了负重和行走功能。术后 7 年随访，患者对患肢的外形和功能都深感满意（图 55-4A、B）。

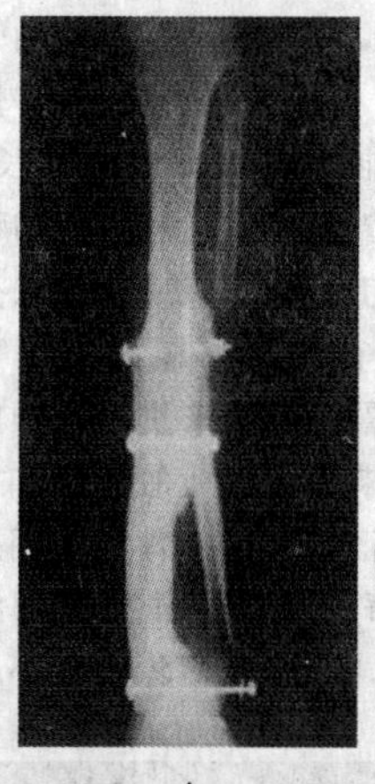

A

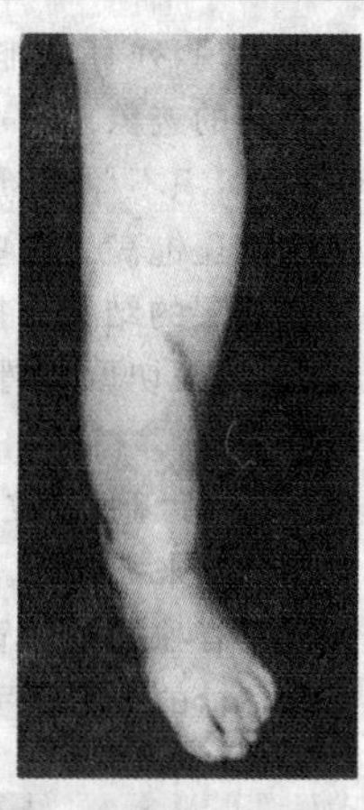

B

图 55-4 桥式交叉吻合血管背阔肌肌皮瓣与游离腓骨组合移植修复小腿皮肤及胫骨下段缺损

A. 修复后 X 线片示移植的腓骨与胫骨及距骨愈合
B. 修复后小腿大体照片，示移植的肌皮瓣生长良好

踝关节是由胫骨、腓骨和距骨组成的，腓骨的下段构成外踝，对踝关节的稳定性有着举足轻重的作用。如果外踝缺损到一定程度，踝穴结构不健全，踝关节的稳定性就会遭到很大的破坏。在儿童病例，情况显得更加复杂；因为儿童的骨骺尚未封闭，还有一个生长问题。要是儿童外踝的缺损包含腓骨远侧骨骺的话，受累的踝关节除了不稳定之外，踝关节的外翻畸形还会随着小孩的生长而日益加重。这样，在重建踝关节的稳定性的时候，新的外踝还必须拥有能正常生长的骨骺，才可望阻止畸形的进一步发展，或者防止它的复发。笔者有过这样的治疗经验。患儿为 7 岁男孩，车祸伤致右小腿开放性骨折，在当地医院行清创治疗，术后发生感染，导致皮肤坏死，创口经漫长时间的换药后逐渐愈合。但是，随着时间的延长，瘢痕组织日益挛缩，踝关节外翻畸形越来越严重，影响行走。遂于伤后 16 个月来院求治。检查发现，右小腿除了有皮肤缺损之外，腓骨远侧4 cm 连同外踝一起缺失（图 55-5A、B）。尽管有外翻畸形，踝关节的伸、屈活动却依然存在，而且活动范围接近正常。从治疗上讲，要既保留踝关节的活动度，又恢复踝关节的稳定性，移植骨骼重建外踝是必须的，而且移植的骨骼还得具有能够生长的骨骺，才能阻止外翻畸形的发展。从这个角度考虑，用带血管的腓骨近端来替代和重建外踝是最理想的。进一步

分析检查发现，残存的腓骨，包括其近侧骨骺的骨质都没有受伤的迹象。而且，小腿前外侧皮肤虽然缺损，但瘢痕组织不厚，小腿前外侧肌群和腓骨长、短肌的肌腹都还饱满。这些情况提示原来的创伤可能没有累及深层的结构。换句话说，腓动、静脉未受损伤，以它们为蒂切取腓骨进行游离移植是完全可能的。最后决定，移植同侧腓骨的近端来重建缺损的外踝，移植一块背阔肌肌皮瓣来覆盖移植的腓骨和瘢痕切除后遗留下来的创面。当然，由于腓骨和背阔肌肌皮瓣各自具有独立的血管蒂，移植时，需要应用游离组织组合移植的技术。手术中，完全切除右侧小腿下段前外侧的瘢痕组织，充分松解挛缩。遗下一个6 cm×18 cm大小的梭形创面。以腓动、静脉为蒂游离包括腓骨头在内的整根腓骨(图55-5C)，颠倒放置，用腓骨近端替代外踝。将腓骨远端修整后以两枚螺丝钉固定在胫骨外侧；把游离时保留在腓骨头上的部分股二头肌腱缝在邻近的组织上，重建踝关节的外侧副韧带；另外用两枚克氏针贯穿腓骨、胫骨和距骨，以增强腓骨的稳定性。以胸背动、静脉为蒂，自左侧背部切取8 cm×18 cm大小的梭形背阔肌肌皮瓣(图55-5D)，顺行移至右小腿覆盖创面。在创口近侧，将背阔肌肌皮瓣的胸背动、静脉分别与

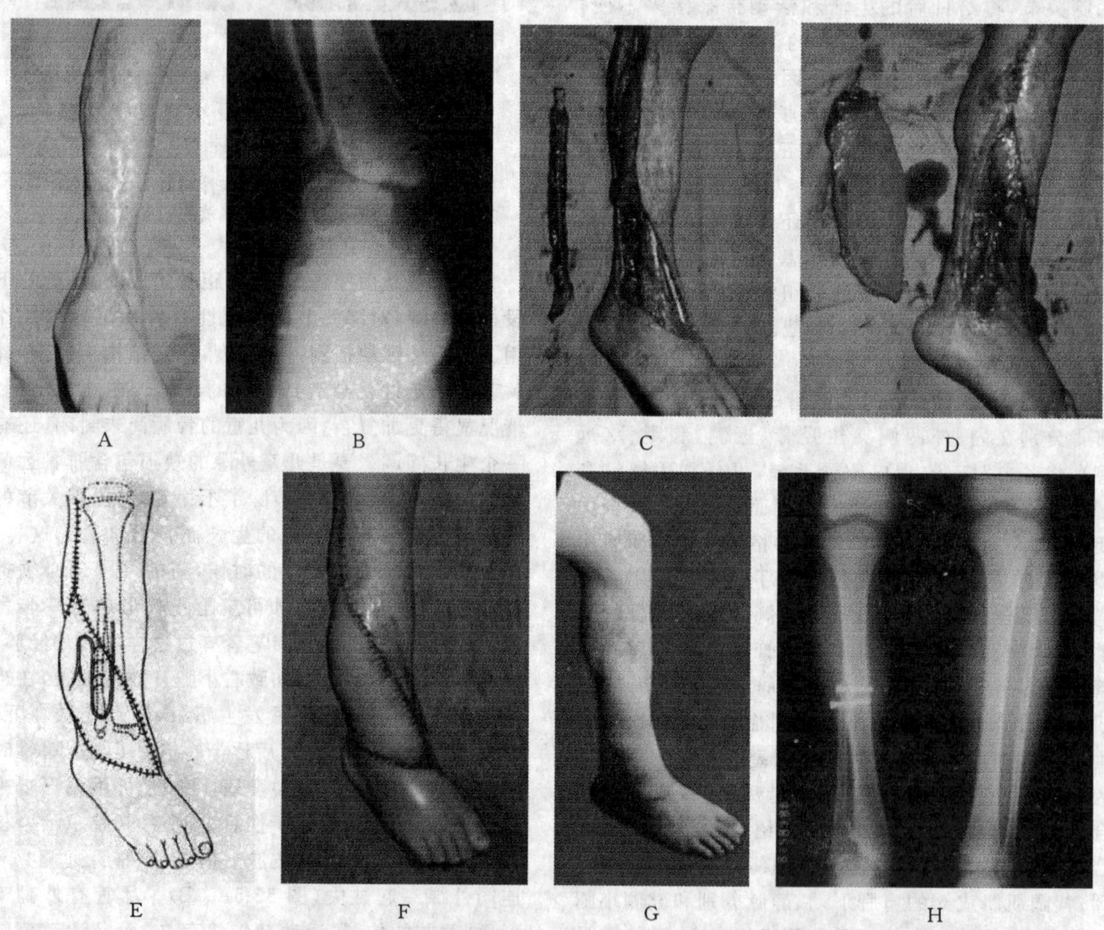

图 55-5 同侧游离腓骨与背阔肌肌皮瓣组合移植修复小腿皮肤缺损并重建外踝

A. 右小腿外伤后踝关节进行性外翻，外侧皮肤缺损后瘢痕挛缩 B. X线片示外踝连同骨骺缺损 C. 术中带血管蒂完全取下腓骨，上下颠倒 D. 腓骨固定在位，背阔肌肌皮瓣取下准备移植 E. 血管吻合示意图：背阔肌肌皮瓣的血管蒂与腓血管的远端吻合，腓血管的近端与胫前动静脉吻合 F. 术毕小腿外观 G. 随访证实移植的腓骨头骨骺(即重建的外踝的骨骺)生长正常，踝关节外翻畸形矫正，没有复发 H. 术后20个月复查，踝关节反而出现轻微的内翻，这可能是因为胫骨远侧骨骺原来也受过伤，其生长速度不及新的外踝的生长速度

移植腓骨的腓动、静脉的远端吻合;在创口远侧,将腓骨的腓动、静脉的近端分别与处于邻近部位、事先游离出来的胫前动、静脉吻合,重建移植组织的血液循环(图 55-5E)。最后,直接缝合皮肤关闭创面(图 55-5F)。术后经过顺利,创口甲级愈合。术后3个月移植腓骨与胫骨融合部牢固愈合,拔除固定外踝的钢针,让患肢自由负重行走。随访证实移植的腓骨头骨骺(即重建的外踝的骨骺)生长正常,踝关节外翻畸形矫正,没有复发(图 55-5G)。术后 20 个月复查,踝关节反而出现轻微的内翻(图 55-5H)。这可能是因为胫骨远侧骨骺原来也受过伤,其生长速度不及新的外踝的生长速度。

人工关节置换术后最严重的并发症之一是由于感染或异物反应等原因而不得不将关节假体取出。如果经过适当的处理,还可以再次安置新的关节假体,人工关节置换术仍能取得满意的治疗效果。不过,要是局部或全身条件不允许再做人工关节置换,那么,关节假体取出以后所遗留的骨骼缺损就成为临床上必须予以妥善解决的难题。Rand 等报道,铰链式人工膝关节拔除后,使残留的股骨与胫骨对接,用外固定支架固定,只有 43%的病例达到骨性愈合,而且这样一来,肢体长度缩短,影响肢体功能。如果要维持肢体的长度,膝关节部位骨骼缺损的长度超过 6 cm,在这种情况下,用吻合血管的自体骨移植是必要的。临床上最常用的有髂骨和腓骨的带血管游离移植,它们具有各自不同的特点和适应证:髂骨含有丰富的松质骨,容易愈合,但是髂骨的骨皮质薄,支撑力不强,而且形态上弯曲,不适合于修复长骨的大段缺损。腓骨呈管状、笔直,富含皮质骨,结构坚强,可切取的长度在成人超过 20 cm,适用于移植修复长管状骨的大段缺损。因此,膝关节假体拔除以后,所遗留的骨缺损最好用移植带血管的游离腓骨来修复。Rasmussen 等报道应用同侧腓骨带蒂转移或游离移植行膝关节融合。手术时用髓内钉固定股骨和胫骨。以腓动、静脉为蒂游离同侧腓骨,如果不切断其血管蒂就能将腓骨移行,越过骨骼缺损部,向股骨和胫骨靠拢,则只需行同侧腓骨带蒂转移。如果做不到这一点,就应当靠近起始部切断腓动、静脉,游离移植同侧腓骨,桥接股骨和胫骨,实现融合膝关节、重建患肢骨支架的治疗目的。考虑到人体下肢的主要功能是负重,对骨支架负荷能力的要求比较高;在成人,骨膜下化骨不如儿童的活跃,成人腓骨移植后不像儿童的腓骨那样,在应力的刺激和作用下会明显增粗。因此,单移植一根腓骨还不足以完全代偿下肢的负重功能。笔者主张,用两根腓骨来桥接股骨和胫骨,以增加修复后肢体负重的能力,并缩短病程。取自健侧的腓骨,只能进行游离移植;而同侧腓骨是进行游离移植,还是只作带蒂转移,依不同的病例可以有不同的选择。一般地说,这个选择只能在手术中根据骨缺损的长度、骨端的位置以及腓骨血管蒂的位置和可游离的长度来最后决定。手术时,在取出关节假体、完成受区的准备之后,就以腓动、静脉为蒂把同侧腓骨完全游离出来。然后,通过牵引维持肢体的理想长度,以不过分牵拉腓血管危及腓骨的血液循环为原则,或者将游离好的腓骨向内向近侧平行移动,靠拢股骨和胫骨;或者以腓血管为轴,将游离好的腓骨旋转 180°,使之上下颠倒,再向内侧或者同时向近侧移动。如果腓骨能与股骨和胫骨接触,这根腓骨只需要作带蒂转移,否则,就只好切断,取下腓骨作游离移植。两根腓骨的排列方式也因人而异,处理的原则是,务必使移植在位的腓骨具有较好的应力分布和传递。如果由于原发病变的原因,进行人工关节置换时需要切除胫骨上段,应用带有一段替代胫骨的金属柄的膝关节假体。在这种情况下,假体拔除后,胫骨缺损比较长,而股骨髁相对比较完整。鉴于股骨髁宽大而胫骨干相对比较细的情况,在近侧,两根腓骨分别插入或开槽后嵌入股骨内、外两个髁的髓腔里;在远侧,两根腓骨分别于内、外两侧夹住胫骨。这样一来,两根腓骨呈“V”形排列。日后负重时,体重经宽大的股骨髁通过腓骨集中传递给胫骨。如果膝关节置换时,切除了股骨下段,应用的假体带有一段替代股骨的金属柄。移植双侧腓骨修复这种膝关节假体拔出后所遗留的骨缺损的时候,两根腓骨的排列方式与上述情形正好相反。因为残存的胫骨髁外形宽大,而股骨干相对比较细,两根腓骨需要排成倒“V”形:在近侧,两根腓骨分别于内、外两侧夹住股骨;在远侧,两根腓骨分别插入或嵌入胫骨的两个髁。日后负重时,体重通过股骨经两根腓骨分散传递给胫骨。骨骼的内固定选用螺丝钉或骨栓。为了加强骨支架的稳定性,笔者经常用一个加长的单侧外固定支架超越移植的腓骨,固定股骨和胫骨。移植腓骨血液循环的重建有两种模式。双侧游离腓骨组合移植时,一根腓骨顺行放置,而另一根颠倒排列。后者的血管蒂与前者的腓动、静脉的远端吻合,前者的血管蒂作为两根腓骨的共同血管蒂,与受区选定的血管吻合,建立它们的血液循环。由于腓动、静脉的外径在 2～3 mm,在膝部创口内,常常很难找到外径与之相当的血管和它们吻合。因此，笔者建议在大腿内侧游离长长的一段大隐静脉，取其远侧一小段作静脉移植，颠倒放置，远端与创口内邻近的股动脉作端侧吻合，近端与两根腓骨的共同血管蒂的动脉端端吻合。如果同侧腓骨只作带蒂转移，重建血液循环时，只需将游离移植的对侧腓骨的安放位置作适当的调整，使其血管蒂与另一腓骨的腓动、静脉的远端靠拢，并与对应的血管作端-端吻合。由于移植的腓骨具有接近正常的血液供应，它们与股骨和胫骨的连接类似于通常骨折的愈合过程。因此，腓骨移植术后的处理与一般长骨干骨折内固定的术后处理是一样的。

（曾炳芳 张长青）

参考文献

[1] 丛海波，孙文学，隋海明. 急诊吻合血管组合皮瓣移植治疗四肢大面积皮肤缺损，中华显微外科杂志，1994，17:243～245.

[2] 曾炳芳，眭述平，姜佩珠，等. 急诊显微外科修复肢体复杂组织缺损. 中华显微外科杂志，1997，20:189～191.

[3] 曾炳芳，眭述平，姜佩珠，等. 膝关节毁损伤的功能重建. 中华创伤骨科杂志，2005，7(12):1104～1107.

[4] Godina M, Early microsurgical reconstruction of complex trauma of extremities. Plast Reconstr Surg 1986，78:285～290.

[5] Yaremmchuk MJ, Brumback RJ, Manson PN, et al, Acute and definitive management of traumatic osteocutaneous defects of the lower extremity. Plast Reconstr Surg, 1987，80:113～119.

[6] Yu Zhong-Jia. Combined transplantation of free tissues. Plast Reconstr Surg, 1987，79:222～233.

56 骨肿瘤的诊断与治疗策略

原发性骨肿瘤是发病率相对较低的一类肿瘤，尤其是恶性骨肿瘤，以骨肉瘤为例，其年发病率只有百万分之十左右。这就意味着在很多医院，即使是三级医院，也缺乏诊治这类疾病的经验。因此，有必要强调这类疾病的诊断与治疗策略，制订规范化的诊疗措施，提高疗效。

56.1 诊断

56.1.1 病史与临床表现

骨肿瘤患者就诊时有两种情况很常见：其一是无意中发现，其二是其他医疗机构发现因处理有困难而转诊过来的。这两种情况都可能意味着病史采集不全面、缺乏重点或受到疏忽。在第1种情况下，应追问病史，特别是有重点地询问局部症状，肢体疼痛情况，包括疼痛的性质、严重程度、疼痛加重和缓解有无特点、缓解疼痛的措施等；对全身症状也应充分重视，力争早期发现转移的迹象。对于后者，除了要做到避免忽视病史采集外，对于已经在外院治疗过的患者，要详细了解采取的治疗措施和治疗后的反应；对于已经接受活检手术的患者，应详细了解活检的类型以及活检手术的入路，因为不当的活检很容易造成肿瘤的医源性播散和转移。体检同样强调全面而有重点，除了局部检查外，也要重视全身情况的了解。在采集病史时需要重点了解的内容包括年龄、肿块生长速度、疼痛、肿块部位、是否有全身症状以及特殊家族史等。

年龄是肿瘤诊断的重要依据，如：骨肉瘤大多发生在10～20岁间，尤文肉瘤5岁前很少见，巨细胞瘤、软骨肉瘤、滑膜肉瘤、纤维肉瘤、恶性纤维组织细胞瘤、脊索瘤、脂肪肉瘤、淋巴瘤、浆细胞瘤以及癌症骨转移等多发生在成年以后，横纹肌肉瘤多发生在婴儿。肿块的生长速度是判断恶性程度以及预后的指标之一，通常生长越快，恶性程度越高，预后越差。如：对于典型骨肉瘤和皮质旁骨肉瘤鉴别有疑问时，如果能追问到从开始出现症状的病史有数年者，则通常为皮质旁骨肉瘤；如果怀疑一个软组织肿块是恶性但又在数年时间保持相对静止，则可能为滑膜肉瘤。肿块部位对诊断也很有帮助，如：同是透明软骨来源的肿瘤，发生在手部短管状骨者为良性软骨瘤，而发生在肱骨、股骨等近躯干的长管骨者，即使病理学上缺乏恶性证据，也要警惕可能为低度恶性软骨肉瘤；软骨母细胞瘤大多数发生在骨骺或生长软骨板周围；如果肿瘤早期就穿透骺板软骨，应考虑血管来源肿瘤；巨细胞瘤通常生长在骨骺或骨突旁，且在生长软骨消失后出现；同一组织来源的肿瘤发生在骨膜或骨旁者恶性程度要低于骨内中心性病变；脊索瘤发生在中轴骨如骶骨、颅底等；其他如滑膜肉瘤大多发生在关节周围，手部很少出现骨与软组织肉瘤等。全身症状中重要的是发热，如：造血组织来源、尤文肉瘤、原始神经外胚瘤等常有发热，如果患者年龄小，应考虑尤文肉瘤。遗传性多发性外生骨疣和神经纤维瘤病通常有家族史。

对于初诊病例，在完成病史采集、体检和初步的辅助检查后，应对该病例进行初步评估，包括初步的诊断、需要进一步采取的检查及治疗手段，重点是应评估本院、本科是否有能力处理该疾患。如果有困难，应转院。

56.1.2 辅助检查

(1) 影像学诊断

1) 常规X线摄片 常规X线摄片目前仍是诊断骨肿瘤最基本、最有价值的手段。虽然近年来CT、MRI及PET等新的检查手段得到了越来越广泛的应用，而且也总结出了在骨肿瘤诊断方面的经验，但是，前人在常规X线平片总结出的对骨肿瘤的诊断、良性和恶性的判断等方面的经验是这些新的方法所无法比拟的，也许要到很多年后才能总结出在MRI检查方面类似的经验。而且，对某些病变，如非骨化性纤维瘤、单纯骨囊肿、骨岛及骨梗死等病变，可不必病理检查，单凭X线摄片就能确诊。

X线平片上重要的影像学征象包括：骨破坏类型，是地图样还是非地图样破坏；边缘是否存在界面；病变是否穿破骨皮质；是否存在硬化带；是否存在膨胀的皮质包壳，如果有，其范围如何。根据这些影像学特点可以对病变进行放射学分级，常用的是Lodwick分级系统。该系统分3级：1级病变表现为良性，病灶边缘清晰，有时欠清晰；2级病变表现为低度恶性，呈侵袭性，病灶可完全穿透骨皮质；3级病变表现为高度恶性，呈现出侵袭性、浸润性和破坏性。

X线平片除了用于诊断局部病变外，还用于诊断有无肺转移。而随着CT的广泛应用，X线分层摄片的价值已经不大了。

2) CT CT的主要价值在于了解局部病变的细节，肺转移的诊断(比平片更敏感)，评估放、化疗的疗效并在随访时及时发现局部复发。对于病变局部，相比X线平片而言，CT能更精确显示：皮质破坏的类型和基质钙化；肿瘤在髓腔内的扩散范围；软组织扩散范围，与主要血管、神经束的关系；肿瘤内容物性质的确定，是液性、实质性还是脂肪性。另外，对于常规X线检查难以明确的部位如脊柱和骨盆，CT也能很好显示。对于肺转移灶的诊断，CT比常规X线更敏感，而且定位更准，不足的地方是假阳性发生率比较高，可通过随访了解结节的变化情况来明确诊断。如怀疑肿瘤为圆细胞肿瘤，特别是怀疑为淋巴瘤者，还要进行腹部扫描以了解腹膜后淋巴结状况。螺旋CT快速扫描配合先进的软件和图像处理技术可以获得逼真的三维重建图像，这对脊柱和骨盆肿瘤的诊断和治疗的选择意义尤其重大，例如骨盆肿瘤切除后需要重建的病例，可以由此定制出很精确的骨盆假体，获得较好的功能恢复。

3) MRI及MRA MRI的价值主要体现在能提供横断面、矢状面和冠状面3个不同切面的扫描图像，在不同组织间具有更好的分辨率，更精确显示肿瘤在软组织和髓腔内的扩散情况(如病灶周围是否存在卫星灶，远离病灶处是否有跳跃转移)，以及精确发现肿瘤侵及神经血管结构、肌肉间室、骺板和关节情况；在诊断肿瘤骨髓内扩散和软组织侵犯情况优于CT，更精确。

MRI检查常规要完成T1加权和T2加权回波序列；另一常用的是脂肪抑制快速回波序列；而短时反转恢复序列(STIR)可更好地显示微小病变和骨髓异常。静脉给予造影剂Gd-DTPA可缩短T1弛豫时间，提高T1加权信号强度，有利于活性瘤组织与坏死组织的鉴别和实质性组织与囊性组织的鉴别。

肿瘤组织的MRI信号特点是：通常T1加权图像为低或中等信号，T2加权图像为高信号；矿化基质如骨化组织在T1和T2加权图像均为低信号；血肿组织在T1和T2加权图像均为高信号；T1和T2弛豫时间的测定有利于确定组织类型。在良性和恶性鉴别方面，MRI信号强度本身不能可靠鉴别良性还是恶性，只能通过病灶边界与健康组织的关系、病变的广泛程度、对周围组织的侵犯情况以及病灶周围组织的反应来鉴别。恶性病变通常病变范围广泛、与周围组织边界不清呈浸润性侵犯周围组织以及存在广泛组织反应。另外，注射造影剂后动态MRI影像也有利于鉴别病变的良性和恶性。但是，要用MRI鉴别肿瘤本身和肿瘤周围反应性水肿组织有困难，它们的鉴别要点是：水肿组织通常是边界欠清楚的，T2加权图像上外观似羽毛状均匀高信号,沿着组织界面扩展,没有质量效应,边缘逐步衰减,而不像肿瘤组织那样有假性包膜。另外,给予Gd-DTPA造影剂进行造影有助于两者的鉴别,肿瘤组织信号有增强,而水肿组织无此改变。

MRI的另一作用是评估术前化疗的疗效,通过测定化疗前后肿瘤的大小、边缘情况、信号强度和增强模式来判断化疗效果。图像处理技术可以比较精确测定肿瘤容积,获得量化指标。但是,在以肿瘤大小变化来评估治疗反应时,应了解的判断标准是:化疗后肿瘤大小如果缩小不明显则表示组织反应不良,而即使肿瘤缩小明显也未必表示预后良好,因为在化疗后肿瘤缩小25%~75%之间,其化疗反应好与差有重叠。因为化疗后肿瘤可能会发生坏死、出血、水肿、肉芽组织形成及纤维化。因此,MRI表现常难以确定。衡量化疗反应良好的比较确切的标志通常是:T2加权图像信号强度降低、伴随肿瘤软组织缩小的边缘强度下降以及T2加权图像均质性提高。MRI造影有利于鉴别残留肿瘤和非肿瘤组织,与非肿瘤组织相比,肿瘤组织因为血供丰富,造影后信号增强明显。但是,化疗后肉芽组织血管丰富、坏死区域新生血管形成以及反应性充血都可以干扰上述判断,而造影后动态MRI则可以消除这些干扰。

肿瘤复发与治疗后慢性改变之间的鉴别是个难题,通常情况下,如果T1加权图像为低信号,在注射造影剂后有增强并且T2加权为高信号则提示有复发,而在治疗后慢性改变的非结节性病灶则T1加权为低到中等强度信号并且T2加权非高信号。但是,静态增强MRI有其不足之处,因为在应用造影剂后化疗后改变也可表现为信号增强,而动态增强MRI检查有助于两者鉴别,复发肿瘤组织表现为早期强化。在骨肉瘤化疗后及应用粒细胞集落刺激因子后黄骨髓向红骨髓的转变在MRI图像上可能类似复发,但是转变的骨髓常表现为双侧均质性,与骨骼肌信号类似,与肿瘤复发信号强度特点不同。如果有假体等植入物存在,则复发更难诊断,因为在磁化系数相差大的界面如植入物和组织界面可产生伪影,铁磁性材料尤其明显。可以通过把患者摆放在最佳位置、转换频率和相位编码梯度方向及采用快速回波序列来减轻伪影。

MRA则能进一步提供肿瘤侵犯血管、神经束的情况并了解外周血管分支和肿瘤新生血管,是相对来说无创的血管造影。另外,注射造影剂扫描后三维重建可以从不同方位观察血管情况,避免常规血管造影时因血管重叠所致的判断困难。

4) ECT 通常应用放射性核素^{99m}Tc标记的磷酸盐进行骨扫描显像。放射性核素全身骨扫描的主要价值是:显示肿瘤活动还是静止;显示全身骨骼的全貌,有无远处转移灶,是否为多发性病变;显示X线片难以发现或根本不能显示和确定的骨肿瘤所在的部位,如骨样骨瘤、小转移灶;显示肿瘤循骨及髓腔的实际扩展范围和跳跃式转移灶;了解邻近软组织肿瘤的骨侵犯,确定手术需切除的骨骼部分;评估肿瘤对放、化疗的反应;作为随访手段,治疗后定期检查有无复发和转移;有时甚至可以发现肺部成骨性肿瘤的转移。对阳性部位应进行影像学检查,平片不能显示者要进行CT或MRI检查,阳性者应进行活检。

5) 血管造影 血管造影可用于确定肿瘤的边缘及其与主要血管的关系,并可以协助肿瘤良性和恶性的判断。恶性肿瘤的血管造影影像特点是:血管密度增高,不规则扭曲、扩张;静脉曲张呈海绵状;造影剂在肿瘤处呈云雾状弥散和间接动静脉分流;病灶有坏死、出血及囊性变时,可出现无血管区。随着CT/CTA和MRI/MRA越来越广泛的应用,常规血管造影的应用已经越来越少了。

6) 其他影像学检查(超声、PET等) 超声检查也是常用的手段,可用于显示软组织肿块,软组织病灶质地是否均匀,是囊性还是实质性肿瘤,是否有囊性变,软组织内是否有卫星灶和跳跃转移,肿块与主要血管的关系;对于怀疑为圆细胞肿瘤如淋巴瘤者应常规腹部超声检查,了解腹膜后淋巴结情况。彩色超声能更清楚显示肿块与血管的关系并能显示肿瘤血供是否丰富。

PET(positron emission tomography)改进了病变的检出率和病变的解剖定位,提高了诊断敏感性,有助于大而复杂结构内病变的检出,如对脊柱、骨盆等部位病变的检查很有优势,对肿瘤良性和恶性的鉴别、远处转移灶的早期发现等具有很大的价值,但是其昂贵的检查费用使其只能在极少数医院才能使用。

(2) 实验室诊断

除了血尿常规、肝功能、肾功能等常规实验室检查外,某些特殊实验室检查有助于疾病的诊断。在一些成骨作用强的肿瘤。比如,成骨型骨肉瘤,血清碱性磷酸酶会升高,而且可作为观察是否复发的指标之一。而尤文肉瘤患者乳酸脱氢酶可能升高。免疫固定电泳M带的发现以及血、尿κ轻链、λ轻链的检测有利于浆细胞瘤的诊断。血清钙与甲状旁腺激素(PTH)的检测有助于甲状旁腺功能亢进的诊断。怀疑肿瘤为神经来源或原始神经外胚瘤时可以检测血和尿儿茶酚胺代谢产物。怀疑为转移性肿瘤者可检测肿瘤标记如 CEA、CA199、PSA 等。

(3) 病理诊断资料的获取

病变组织学资料的获取对诊断和治疗方案的确定至关重要。组织学资料一方面对肿瘤分期是不可或缺的,是确定肿瘤分级的重要依据,另一方面可了解病变确实是肿瘤还是瘤样病变,还是诸如甲状旁腺功能亢进等内分泌疾患所致的骨异常。临床上可用于获取组织学的活组织检查手段通常有穿刺活检术、手术切开活检和冷冻切片快速诊断。

穿刺活检又分细针穿刺即吸取活检和套管针穿刺活检两类。细针穿刺活检一般适用于组织脆、软的病变,如淋巴结活检、骨髓来源的肿瘤侵犯软组织者软组织病灶活检等,穿刺后吸出组织进行涂片检查,因为吸出的是分散的细胞,诊断困难,而且骨肿瘤质地韧或硬,该方法在骨科应用范围不广。套管针穿刺活检通常是在影像设备辅助下,如在超声成像、X 线透视或 CT 引导下,用套管针穿刺取出小块组织进行切片检查,因为有影像引导,对深部病变也能穿刺准确且安全,并可多点穿刺;虽然取出的组织也不大,但是成块,可制成切片,易于诊断;可广泛用于四肢不同深浅病灶、脊柱、骨盆以及肺内病灶的活检;对于存在骨性包壳或骨内病变,可先用环锯开窗,再行活检;该方法需要采用专门的套管针,应对于不同的组织、不同的情况,可选用不同的针;操作者应经适当的培训且对局部解剖要有充分的了解。

手术切开活检包括切取活检和切除活检,切除活检是指切除整个病灶进行组织学检查,切取活检是指切取一小块或多块小块病灶组织进行组织学检查。在选择活检手术方式时不能随意。手术前应该综合临床表现和影像学资料,获得尽可能全面的临床诊断,应包括肿瘤在临床上良性和恶性倾向、肿瘤范围是间室内还是间室外、肿瘤可能的组织学来源以及有无远处或局部跳跃转移等情况,在此基础上选择是切除活检还是切取活检。原则上,只有良性潜隐性病变或部分良性活动性病变才适合接受切除活检手术,其他情况下不要贸然使用,以免手术不彻底或导致医源性播散。开放活检的同时要进行组织细菌培养和药物敏感试验。在进行活检手术时,还需要注意的是活检手术入路的选择,原则上要避免经肌间隙入路,而应选择经单个间室的肌肉组织入路,防止间室外播散,这样即使有手术入路播散,也易于根治或扩大切除。同时,在选择活检手术入路时,也要考虑到后期扩大切除或截肢手术的入路,避免造成扩大手术或截肢手术的入路困难。同理,在进行穿刺活检时,进针入路也要考虑上述情况。

取出的组织最好先冷冻切片或快速石蜡切片检查,以确定取出的组织具有代表性。但是,单靠冷冻切片快速诊断报告就在手术台上立即决定进一步手术方案这种方法的应用要很慎重。因为冷冻切片诊断误差大,单靠显微镜检而缺乏免疫组化等资料时对有些肿瘤很难鉴别;有些肿瘤如骨肉瘤适合术前就要化疗;有些肿瘤如尤文肉瘤、骨髓来源的肿瘤等首选的治疗方法不是手术而是放疗或化疗;这样做还有不利的地方是往往准备不充分。因此,理想的方法应该是等正式病理报告出来后再决定进一步处理方案。

56.1.3 肿瘤分期诊断

骨与软组织肿瘤处理方案的确定是建立在完整的诊断基础上的,具体而言是建立在临床分期诊断的基础上的,不能单凭临床、影像学或组织学任何一方面。肿瘤分期是综合了所有可得到的有关肿瘤的临床表现、生物学行为、影像学表现和组织学资料后归纳出的关于肿瘤的良性和恶性、所在部位及有无转移等情况的诊断,以期为治疗方法,包括手术时机、手术方法、切除范围和是否需要辅助治疗等的选择提供依据,判断预后,以及利于各中心间资料和疗效的交流。

目前临床上得到广泛应用的分期方法是 Enneking 提出的肌肉-骨骼系统肿瘤的 G-T-M 分期系统,被称作 MSTS(musculoskeletal tumor society)分期系统,属于外科分期系统。该分期系统只适用于骨或软组织来源于间充质的肿瘤,包括骨源性、软骨源性、纤维源性、纤维组织细胞性、脉管肿瘤、脂肪源性、肌源性及巨细胞瘤等,不适用于来源于骨髓、网状内皮组织的肿瘤及转移性肿瘤。

Enneking 的这种肿瘤分期法包含 3 个方面的内容:其一为肿瘤的外科分级——G,是结合组织学、临床和影像学资料的分级,而不仅仅是组织学分级。可分为:G0 为良性肿瘤,G1 为低度恶性肿瘤,

G2 为高度恶性肿瘤。其二为肿瘤的解剖部位——T，也分为：T0 为良性囊内间室内肿瘤，有成熟的纤维组织形成的真性包膜或成熟的骨组织完整包裹；T1 为病变——包括原发病灶和反应带——均局限在解剖学间室内，未超过间室的自然屏障，病变无真包膜，但通常有不成熟的假包膜，其内有指状突起或卫星灶；T2 为病变——包括原始病灶本身和反应带——突破原发解剖学间室的自然屏障向间室外扩展，可因肿瘤本身生长侵犯间室外，也可因意外创伤如病理性骨折或不恰当的手术治疗污染多个间室，或者是病变邻近并侵犯大血管神经束，以及病变发生在一些缺乏阻止肿瘤扩散的内在屏障的解剖学部位如腹股沟等部位。其三是转移——M，无转移为 M0，有远处或局部转移为 M1。

综合上述 3 个因素对肿瘤进行分期。良性肿瘤分为 3 期，用阿拉伯数字 1、2、3 表达。1 期——G0T0M0，为良性潜隐性病变；2 期——G0T0M0，为良性活动性病变；3 期——G0T1/T2M0/M1，为良性侵袭性病变。恶性肿瘤也分为 3 期，用罗马数字Ⅰ、Ⅱ、Ⅲ表示。Ⅰ期为低度恶性肿瘤，Ⅱ期为高度恶性肿瘤，不管肿瘤恶性程度如何，只要有转移就是Ⅲ期；恶性肿瘤每期又根据有无间室外侵犯分为 A 和 B 两个亚期，A 表示间室内病变，B 表示病变侵犯间室外；ⅠA 期——G1T1M0，为间室内低度恶性病变，ⅠB 期——G1T2M0，为间室外低度恶性病变；ⅡA 期——G2T1M0，为间室内高度恶性病变，ⅡB 期——G2T2M0，为间室外高度恶性病变；恶性肿瘤不管是哪一级，无论有无间室外扩散，只要有局部或远处转移，就是Ⅲ期。

这样，经全面的检查后，在大多数情况下可获得肿瘤的分期，而治疗方案要因分期而定，简单列表如下（表 56-1、56-2）。

表 56-1 良性骨肿瘤的 GTM 分期与治疗措施的选择

分期	分级	部位	转移	临床进程	治疗措施
1	G0	T0	M0	潜隐性，静止性，有自愈倾向	病损内手术囊内手术
2	G0	T0	M0	进行性发展，膨胀性生长	边缘手术或加辅助治疗
3	G0	T1～T2	M0～M1	具有侵袭性	广泛手术或加辅助治疗

表 56-2 恶性骨肿瘤 GTM 分期与治疗措施的选择

分期	分级	部位	转移	治疗措施
ⅠA	G1	T1	M0	广泛手术，广泛局部切除。保肢
ⅠB	G1	T2	M0	广泛手术/截肢
ⅡA	G2	T1	M0	根治性截肢/关节解脱加辅助治疗。对术前化疗敏感者保肢
ⅡB	G2	T2	M0	根治性截肢/关节解脱加辅助治疗。对术前化疗敏感者保肢
ⅢA	G1～G2	T2	M1	肺转移灶切除，截肢或姑息性加辅助治疗
ⅢB	G1～G2	T2	M1	肺转移灶切除，截肢或姑息性加辅助治疗

56.2 治疗

原发性骨肿瘤的治疗目标是尽可能挽救患者生命或延长患者的无瘤生存期，尽可能保留或重建肢体功能，对晚期患者，应尽可能减轻痛苦，改善生存质量。为达上述目的，骨肿瘤的处理决非骨科医师单方面的事情，需要多科室参与。诊断固然离不开病理科和放射科，在制订治疗方案时，也要与病理科、放射科、化疗科、放疗科、康复科及心理科等多科医师密切合作，最好上述科室的医师能坐下来一起讨论确定治疗计划：是否有手术指征；是否有手术适应证；是否需要化疗或放疗等辅助治疗；如果需要化疗，是否术前就要化疗；选择什么手术方式，保肢手术还是截肢手术；如果选择保肢手术，病灶的切除采取哪种手术方式：是囊内切除/刮除手术、边缘切除手术、广泛切除手术还是根治手术，如果是大块切除，缺损的骨和关节如何重建；如果采取截肢手术，截肢平面如何确定、患者心理上的准备以及假肢的选择等等。上述问题在手术前都应很好考虑。除了这些，详尽、严密的围术期处理也是保障治疗成功的关键。

56.2.1 外科分期与治疗方案的选择

1期良性潜隐性肿瘤:通常是一些肿瘤样病变,常见的有骨囊肿、纤维结构不良、非骨化性纤维瘤、肢端内生软骨瘤、骨软骨瘤、色素沉着绒毛结节性滑膜炎等。这些疾患大多不需要手术治疗,即使要手术,囊内切除就足够了,在有些病例,可能需要边缘切除。

2期良性活动性肿瘤:这些肿瘤常见的是骨样骨瘤、大多数骨母细胞瘤和软骨母细胞瘤、软骨黏液样纤维瘤、动脉瘤样骨囊肿、部分巨细胞瘤,大多可采取边缘切除;如果整块切除有困难,或者手术困难,整块切除后严重影响功能者,可选择囊内切除辅助局部处理,骨内病变可在刮除后局部用石炭酸处理并用骨水泥填塞。

3期良性侵袭性肿瘤:该期肿瘤已经侵犯到囊外甚至间室外,常见的有部分骨母细胞瘤、软骨母细胞瘤、巨细胞瘤、动脉瘤样骨囊肿,宜采用广泛切除;当广泛切除有困难时,可边缘切除辅以放疗等辅助治疗;在一些严重间室外扩散或手术后弥漫性局部复发的病例,可选择高位截肢。

ⅠA期间室内低度恶性肿瘤:常见的有1～2级软骨肉瘤、1～2级骨旁骨肉瘤、脊索瘤、血管外皮瘤等,因为这些肿瘤的假包膜内通常含有卫星灶,因此宜采取广泛切除手术,通常可保全肢体。

ⅠB期间室外低度恶性肿瘤:宜采取广泛切除手术,但间室外扩散增加了手术难度,如不能施行,可采取高位截肢手术。

ⅡA期间室内高度恶性肿瘤:大多数高度恶性肿瘤诊断时通常已经侵犯间室外,符合该期诊断的情况很少,如典型骨肉瘤、尤文肉瘤、3级软骨肉瘤、恶性纤维组织细胞瘤、滑膜肉瘤等,该期肿瘤除了假包膜内含有卫星灶外,很可能有跳跃性转移灶,宜采取包括整个受累间室完整切除的根治手术,如高位超关节截肢或关节解脱手术,并且要联合辅助治疗,如辅助化疗;在敏感、有效的术前辅助化疗的保护下也可采取广泛切除手术,可保全肢体。

ⅡB期间室外高度恶性肿瘤:因病变已扩散到间室外,如希望达根治目的或即使是广泛切除目的,通常需要高位超关节截肢或关节解脱术。同样,如果术前辅助化疗敏感、有效,也可采取保全肢体的广泛或根治切除手术。

需要引起重视的是,新辅助化疗的应用可在化疗后改变肿瘤的分期,从而也会改变手术方案的选择。如果术前化疗敏感,肿瘤坏死率超过90%,肿瘤主体的生长基本停止,其假包膜内的卫星灶甚至跳跃转移灶被杀灭,假包膜可转化为分化良好的成熟骨或纤维组织,使扩大切除或边缘切除得以施行并且切除后局部复发的风险大大降低,这就使保肢手术可行并且效果良好。

Ⅲ期有转移的恶性肿瘤:宜采取联合治疗、姑息治疗、全身化疗,或结合介入化疗,对原发灶采取截肢手术或姑息性切除加放疗等辅助治疗,肺转移灶可行开胸切除术。

56.2.2 手术治疗

对于大多数原发性骨肿瘤而言,手术是主要治疗手段。首先,手术通常是必需的,因为单纯放疗、化疗或生物学治疗对大多数原发病灶不能予以根除,而原发病灶是否有残留或复发往往是决定预后的关键因素;其次,手术通常是可行的,对某一具体的肿瘤,通常可以适用某一具体的手术方式。

根据手术范围即手术切除的界面与肿瘤边缘的关系可把切除手术分成4级:①病灶内手术,或称为囊内手术,为手术时进入肿瘤内,如病灶刮除术;②边缘切除手术,沿着肿瘤的包膜或假包膜完整切除肿瘤,如为恶性肿瘤,假包膜内可能存在的卫星灶或局部跳跃转移灶有残留;③广泛切除手术,手术在间室内解剖,切除界面为肿瘤外"正常组织",将包括反应带的肿瘤连同周边外观为健康的组织做整块切除,但是局部跳跃性转移灶可能残留;④根治性切除,手术在受累间室外正常组织内解剖,把受累间室整块切除,在纵向上,手术解剖应经过或超过受累骨骼的远、近端关节,受累肌肉离断远侧和近侧附着处,在横向上,如果肿瘤未超出骨外,要在骨膜外解剖,软组织间室者要在该间室的筋膜层外解剖,这样就可连同肿瘤主体、卫星灶、区域跳跃转移灶完全切除,局部不再有任何残留,理论上局部不应再有复发。

对于原发病灶的手术治疗可分为两大类:截肢手术和保肢手术。根据手术界面与病灶的关系,截肢手术又可分为经肿瘤解剖截肢、肿瘤旁解剖截肢、广泛性截肢和根治性截肢或关节解脱。保肢手术也分为病灶刮除或成块切除、边缘切除、广泛切除和根治性切除。

(1) 保留肢体手术

与骨肿瘤治疗目的一致,保留肢体手术的首要目的也是治愈疾病,在此前提下第2目标为保留肢体。因此，保肢手术施行的前提是要能保证局部病灶的有效切除。其适应证为：肿瘤位于肢体和（或）中轴骨内、肿瘤边界清楚易于切除、仅有中度软组织扩散（这样切除后保留下来的软组织足以稳定关节）、血管神经束未受累及、无转移或转移灶易于治愈以及患者身体状况良好。而对于那些肿瘤巨大、软组织条件差或肿瘤已经累及到主要神经血管束者不宜接受保肢手术。对于恶性骨肿瘤，以骨肉瘤为例，敏感有效的术前化疗可使肿瘤主体的生长基本停止，其假包膜内的卫星灶甚至跳跃转移灶得以被杀灭，假包膜可转化为分化良好的成熟骨或纤维组织，这样就使得原来只能截肢的病患获得保肢手术的机会。近年来，人工关节的发展，定制型肿瘤假体和模块式假体的应用也使保肢手术变得更为可行。

在施行保肢手术时，当完成病灶切除手术后通常一期完成缺损骨与关节的重建手术，这就要求手术准备很充分，并且主刀医生必须具有施行这类手术的丰富经验，除了需要拥有熟练的手术技能外，还要很好应对手术过程中可能出现的各类意想不到的情况。骨、关节重建通常有瘤段灭活再植、自体带血管游离骨移植、同种异体骨移植以及人工关节置换手术。

（2）截肢手术

尽管保肢手术得到了越来越广泛的应用，但是对有些患者而言，截肢手术仍是最佳选择。截肢手术适用于：切除手术不能完全切除的病灶，例如肿瘤侵犯血管、神经主干；患者不能耐受重建手术；病灶切除后软组织覆盖困难者。

56.2.3 化疗

对于恶性骨肿瘤，尤其是高度恶性骨肿瘤，化疗是治疗不可或缺的一部分，在这些肿瘤，单纯手术治疗效果很差，患者常很快死于转移。对骨肉瘤化疗的研究促进了恶性骨肿瘤化疗的发展。目前已知化疗效果好的代表性病变是骨肉瘤和尤文肉瘤，尤其是采用新辅助化疗（neo-adjuvant chemotherapy）治疗骨肉瘤和尤文肉瘤后，两者的5年生存率获得了很大提高。这种新辅助化疗并非简单的术前、术后化疗，而是在术前对骨肉瘤进行化疗，化疗后对患者进行全面评估，包括疼痛的减轻、肿块缩小、AKP、影像学变化、化疗后肿瘤细胞的坏死率等情况了解化疗的敏感性，并以此为依据制订术后进一步化疗方案。其积极的意义在于：其一，及时杀灭血液和肺部微转移灶，控制远处转移；其二，缩小原发灶瘤体容积，并使边缘清晰，增加切除机会，即增加保肢机会；其三，通过术后肿瘤坏死率测定，判断化疗敏感性，有利于术后化疗的调整，提高化疗效果。其他适宜化疗并且效果较好的病变还包括造血系统肿瘤、恶性纤维组织细胞瘤、纤维肉瘤、恶性神经外皮瘤、恶性巨细胞瘤等。

化疗时应遵循的一般原则是：应联合用药，选用药物需涵盖细胞周期特异性和非特异性，注意药效学和细胞动力学；用药剂量强度要足够；根据患者的具体情况制订最佳化疗方案；遵照既定的方案周期、规则用药；用药过程中及治疗结束后始终注意药物的毒性反应，检测肝、肾、心脏及骨髓造血功能，必要时监测血药浓度。对术前化疗组织反应欠佳者，术后化疗以加入新药为宜，不应草率更换取代尚有一定疗效的药物。用药途径以静脉为主，必要时可选择动脉灌注用药。

有关化疗的具体内容见37.1.4。

56.2.4 放疗

放疗常作为手术治疗的辅助手段，常见的是对于因各种原因导致的手术切除范围不够、可能存在残留等情况，可在术后加用放疗来降低局部复发的风险；也有术前放疗者。但是，在一些情况下，放疗可作为主要的治疗手段，如尤文肉瘤、脊柱等部位的淋巴瘤、骨髓瘤以及椎体血管瘤等。应根据病变的性质、部位和治疗要求选择合适的射线类型和剂量，比如是选择^{60}Co、直线加速器还是深部X射线。与化疗一样，在放疗过程中及治疗结束后也要始终重视放疗的不良反应，术后放疗者应在切口愈合后进行，注意放射区的观察和治疗，放射区周围的关节应适当制动，注意放疗所致的骨脆性增加、软组织血供障碍和瘢痕形成等反应。

有关放疗的具体内容见37.1.5。

56.2.5 局部复发及远处转移灶的治疗

对于局部复发病灶，同样可以进行病变的分期，并根据分期诊断选择恰当的治疗方式，对恶性肿瘤，原则上也应采取综合治疗。对肺转移灶，如果比较局限，宜积极选择开胸切除术。其他部位骨与软组织转移也可视患者全身状况采取手术辅助放、化疗等综合治疗。

56.3 小结

对骨肿瘤进行诊断与治疗时首先要强调的是对病变进行分期，目前应用最广泛的是Enneking提出的MSTS分期系统，应收集临床资料以确定外科分级(G)、肿瘤原发灶部位(T)和有无转移(M)情况。首先应仔细采集病史和进行体格检查，然后对病灶部位和胸部进行常规X线检查，并进行放射性核素骨扫描，同时进行必要的实验室检查，包括血常规、血细胞沉降率、血钙、血磷、碱性磷酸酶、尿素氮、肌酐、血糖和蛋白电泳，如怀疑为转移性肿瘤，还要检查癌胚抗原(CEA)、前列腺特异抗原(PSA)等。在上述一般检查资料基础上，通常可得到初步印象：该病变是否原发于骨，是良性还是恶性。如果是恶性，应进一步对局部病灶进行CT和MRI检查，以确切了解病变在局部解剖间室分布情况，是间室内(T1)还是间室外(T2)；同时要进行的是胸部CT检查和放射性核素全身骨扫描以了解有无转移(M0还是M1)。如果怀疑病变为圆细胞肿瘤，特别是怀疑为淋巴瘤时，应进行腹部CT扫描和骨髓穿刺检查。有时还要进行血管造影检查以了解病灶与大血管的关系并为手术切除作参考。最后是外科分级(G)的确定，为此需要进行活检术。在进行活检手术之前，要与放射科医师和病理科医师一起分析所得到的临床资料，确立初步诊断，讨论活检方法，是细针穿刺活检、套管针穿刺活检还是开放手术活检，不论采取那种方法，都要为其后的切除或截肢手术作考虑，并防治医源性播散，尤其是间室外播散。如果是开放手术活检，一定要同时作细菌培养和药敏试验，最好同时冷冻切片或快速石蜡切片检查以确定所取的组织有代表性。这样在获得组织学资料后，结合临床表现和影像学资料，就可得到病变的外科学分级(G)。

这样，在获得了G、T、M三方面的资料后，就可以对肿瘤进行分期诊断。此时，最好是骨科医生在放射科、病理科、肿瘤放疗科以及肿瘤内科(化疗科)医生协同下一起分析、讨论，确立肿瘤的病理诊断和分期诊断，并依据分期诊断制订最佳的治疗方案。对大多数恶性骨肿瘤应强调综合治疗，视肿瘤的组织学类型、对放疗和化疗的敏感性以及分期诊断，决定以何种治疗方法为主。如果需要外科手术，是采取保留肢体手术还是截肢手术，手术解剖界面是囊内手术、边缘切除/截肢手术、广泛切除/截肢手术还是根治性切除/截肢手术，在手术的基础上是否需要局部辅助治疗。除了手术以外，是否需要辅助放疗、化疗等综合治疗，是否需要术前化疗如骨肉瘤的新辅助化疗。

(姜南春　陈峥嵘)

参考文献

[1] Mario Campanacci 著. 张湘生，张庆译. 骨与软组织肿瘤. 长沙：湖南科学技术出版社，1999.

[2] Berquist TH. Magnetic resonance imaging of primary skeletal neoplasms. Radiol Clin North Am, 1993, 31(2):411～424.

[3] Bloem JL, Kroon HM. Osseous lesions. Radiol Clin North Am, 1993, 31(2):261～278.

[4] Brady AP, Ennis JT, The scintigraphic detection of ossific mediastinal and pulmonary metastases in osteosarcoma. Br J Radiol, 1990, 63(756):978～980.

[5] Cannon, SR. A clinical guide to primary bone tumors. J Bone Joint Surg-Br, 1999, 81-B(4):748.

[6] Enneking WF, Spanier SS, Goodman MA. A system for the surgical staging of musculoskeletal sarcoma. Clin Orthop, 1980, 153:106～120.

[7] Enneking WF. A system of staging musculoskeletal neoplasms. Clin Orthop, 1986, 204:9～24.

[8] Erlemann R, Sciuk J, Bosse A, et al. Response of osteosarcoma and Ewing sarcoma to preoperative chemotherapy: assessment with dynamic and static MR imaging and skeletal scintigraphy. Radiology, 1990, 175(3):791～6.

[9] Fletcher BD. Response of osteosarcoma and Ewing sarcoma to chemotherapy: imaging evaluation. AJR Am J Roentgenol, 1991, 157(4):825～33.

[10] Lodwick GS, Wilson AJ, Farrell C, et al. Determining growth rates of focal lesions of bone from radiographs. Radiology, 1980, 134(3):577～83.

[11] Wolf RE, Enneking WF. The staging and surgery of musculoskeletal neoplasms. Orthop Clin North Am, 1996, 27(3):473～481.

[12] Wuisman P, Enneking WF. Prognosis for patients who have osteosarcoma with skip metastasis. J Bone Joint Surg, 1990, 72A:60～68.

57 痛性营养不良

痛性营养不良是手术和(或)轻微创伤后发生在肢体上的一种并发症。最常用的名称有灼性神经痛、创伤后营养不良、反射性交感神经性营养不良(RSD)、交感反射性肌萎缩、交感性麻痹(Babinsky-Froment)、Sudeck萎缩及营养性周围神经炎。1993年国际疼痛研究会将痛性营养不良命名为"复杂性局部疼痛综合征"(CRPS),并分为CRPS 1型(即RSD),CRPS 2型(神经病变所致灼性神经痛),但这个术语未被广泛使用。对该病的发病机制各种理论保持中立。

这个综合征可以引起严重的病残及顽固性疼痛。在一项800余例痛性营养不良患者的前瞻性研究中,综合征发生在创伤(大多数为骨折)之后的有65%,出现在手术以后的有19%,出现在炎症过程中的有2%,发生在其他刺激因素之后的有4%,而没有发现什么诱因的有10%。文献报道痛性营养不良的发病率:科利斯(Colles)骨折为7%~37%,胫骨干骨折为30%。可能引发痛性营养不良的微小手术的实例为腕管松解和关节镜。

痛性营养不良的鉴别诊断必须排除以下疾病:栓塞性脉管炎、动脉功能不全、感染或炎症、间室综合征、风湿性疾患、神经性疾病。

57.1 病理生理学

灼性神经痛是Weir Mitchell在1864年报道的,他详细描述了美国内战时受枪伤士兵的这种综合征的体征与症状。

痛性营养不良由神经外科医师Leri于1916年提出,他指出交感系统的活动性增加可能与发病机制有关。早在1932年Davis及Pollock的实验研究指出在交感神经末梢产生的物质可刺激传入神经末梢。Lorentede提出"中间神经元池"(internuncial neuron pools)概念,在此基础上进一步的研究有:Livingston(1943)提出用脊髓中的"反射回路"(reverbrating circuits)来解释RSD现象,认为强烈的疼痛刺激启动了脊髓中间神经元池中的反射回路,反射回路一旦建立,它可被正常刺激激发,并在中枢感受为疼痛。

1942年,Sudeck阐述一个完全不同的理论,提出肢体局部对创伤或手术的过度炎症反应是痛性营养不良的发病机制。用^{111}In-免疫球蛋白G闪烁成像法测定,在患急性痛性神经营养不良的肢体,^{111}In-免疫球蛋白G的摄入量高于对侧健肢。这个技术被公认为确认感染和炎症病灶的方法。抗炎药物如皮质激素,以及局部应用自由基清除剂二甲亚砜(DMSO)的治疗作用是另一个支持炎症理论的根据。交感神经反射性萎缩(RSD)患者骨骼肌活检的光学和电子显微镜分析显示出与自由基诱导的改变相吻合的病变。

近来,"输出交感系统兴奋性增加"理论已为儿茶酚胺的α-肾上腺素能受体敏感性升高可能导致痛性营养不良的假说替代。Levine 等从药理学上解释痛觉过敏,认为去甲肾上腺素刺激敏感化了的节后交感神经使之释放前列腺素,后者激发了疼痛。这种完全相反的理论是基于以下报道,痛性营养不良肢体中的去甲肾上腺素及神经肽 Y 的浓度低于健侧,而皮肤中α-肾上腺素能受体高于正常人群。在最近报道的交感阻滞对安慰剂的双盲研究中,没有发现治疗结果有不同,这也是否定交感理论的一个理由。

最后,已经有学者推理,痛性营养不良是各种因素性精神因素触发的。情绪不稳定、压抑、焦虑和生活事件可以引发痛性肌萎缩。但相关文献的评论性综述并没有支持因素性精神因素的证据。

总之,目前病因仍不明,可能与中枢神经系统与周围神经系统有关,也可能与脊神经后根神经节与后角神经元细胞损害有关。

57.2 分型

(1) Ⅰ型 CRPS(或 RSD)

Ⅰ型 CRPS 或 RSD 是一个综合征,通常继发于最初的有害刺激,并且不局限于单一的周围神经分布区,经常与刺激条件不相符。它伴随着明显的水肿,皮肤血流改变,异常的发汗行为,感觉异常和(或)痛觉过敏。患者的常见主诉是对冷痛觉过敏和对机械刺激感觉异常,检查时可发现明显的热痛觉过敏和振动觉异常。

(2) Ⅱ型 CRPS(灼性神经痛)

Ⅱ型 CRPS 或灼性神经痛是一种烧灼痛、感觉异常、痛觉过敏,常发生在手或足部某一主要的外周神经部分损伤后。最常见的伴发Ⅱ型 CRPS 的损伤是正中神经和坐骨神经的损伤。

57.3 临床特征

(1) 部位

最常见的部位是上肢或下肢,也可能双侧同时受累。综合征很少出现在躯干部或面部。

(2) 症状

1) 疼痛　CRPS 伴发的疼痛是最突出和致残的症状。急性期在损伤后数天或数周有时甚至几个月以后,疼痛通常是持续的自发的,但在身体的或心理压力下经常阵发性加重,持续时间大约几周。其严重程度可自轻微不适至剧痛和难以忍受的疼痛,疼痛在夜间最重。疼痛性质可被描述为灼痛、酸痛、撕裂痛、挤压痛、刺痛或刀割样痛。多数患者的疼痛具有多种性质。最初,疼痛可能局限于损伤部位,但后来表现为不沿单一周围神经分布的非解剖性分布。疼痛常被描述为手套或袜子样分布。随着时间的推移,疼痛可扩展为包含整个肢体。也有学者描述以下现象:疼痛扩展范围超出了受影响的肢体末端而至对侧肢体,有时扩展至同侧肢体或整个躯体的一侧。

2) 痛觉过敏　感觉过敏(对刺激敏感性增强)几乎是 CRPS 不变的成分。患者特征性地保护受累的肢体。而且,可表现出痛觉过敏(对轻微的疼痛刺激反应增强),例如轻触床单时也出现疼痛。CRPS 患者也会抱怨对受累肢体冷敷(冰块、氟烷)、振动(音叉)或轻触时会有不愉快或不舒服的感觉,但不是痛苦的感觉。IASP 将上述感觉异常定义为感觉障碍。另外,还有一种迟发性痛觉过敏,是对刺激的迟发性反应过度和感觉遗留。

3) 水肿　在损伤部位及其周围伴随着血管运动神经功能的障碍,出现水肿,可以是凹陷性或非凹陷性。有时尽管水肿并不明显,但常常主诉有肿胀感。

4) 血管舒缩功能与出汗功能障碍　CRPS 患者普遍存在自主神经功能紊乱。它可表现为或者是血管收缩,产生皮肤苍白、发绀和发凉,或者是血管舒张,导致肢端发热、红斑。与对侧肢体相比,受侵袭的肢体温度可能升高或降低,并常见明显的水肿和出汗异常(多汗或少汗)。

5) 关节僵硬　由于关节周围保护性肌痉挛而致使关节僵硬。

6) 运动障碍　早期即可出现握力下降和精巧运动功能降低。由于运动范围的减小,肌肉废用性萎缩而致关节变得僵硬。CRPS 患者经常因为肌肉僵硬不能主动发起动作。不经治疗,肌僵会随着疾病的发展而进一步恶化。其他动力学异常症状和体征包括肌肉痉挛、意向性或姿势性震颤、肌力减弱和运动反射亢进。

7) 局限性骨质疏松　伴随着肌筋膜的肥厚,出现关节挛缩、骨质疏松，一般认为是由于血运不良和废用性萎缩所致。X线检查可有骨质疏松表现。

8）其他 另一组临床发现包括反应性心理紊乱。包括焦虑、抑郁和绝望。

57.4 流行病学

由于CRPS具有不同的临床表现而且经常被误诊，它的真实发病率是未知的。已出版的资料中很少有评估CRPS的流行病学情况。在美国，许多临床研究证实此病的高发人群为中年人，但它在所有的年龄组中都出现，包括儿童。在处于工作年龄的人群中的高发率反映了此病与工作中的损伤有联系。这一疾病影响所有的人种，尽管它表现为在妇女、高加索人和北欧人中高发。

57.5 诊断标准

1）以下5项至少有4项符合 ①无法解释的弥漫性疼痛；②与其他肢体比较皮肤温度不同；③弥漫性水肿；④与其他肢体比较皮肤颜色不同；⑤主动活动范围受限。

2）以上体征和症状在肢体用力后出现或加重。

3）出现以上症状和体征的区域比原来受伤或手术范围更大，并包括最初损伤部位的远处。

痛性营养不良早期，作为交感神经的症状，57%的患者有多汗症，54%的患者头发生长有变化。从发病开始，在患肢可以出现各种神经症状，包括感觉过敏、痛觉过敏、运动失调、震颤、不自主运动、肌肉痉挛及不全麻痹。

在疾病的慢性期，炎症消失后仍可有神经症状。总之，痛性营养不良在急性期以炎性症状和体征为特征，可能会影响一个肢体的所有结构和功能。

57.6 X线及放射性核素骨扫描

1900年，Sudeck描述了痛性营养不良的放射学表现。改变开始表现为局限于手、足的小骨以及前臂、胫骨远侧干骺端内的片状骨质疏松。X线摄片及放射性核素扫描对诊断痛性营养不良的特异性及敏感性都很低，在一项对134例确诊为CRPS患者所进行的回顾性研究中，有38%的患者送往疼痛中心前接受过骨扫描。在这38%患者中，53%扫描结果呈阳性（骨萎缩）。痛性营养不良大多仍只是个临床诊断。

57.7 治疗

现在对CRPS的治疗手段有：神经阻滞（交感神经阻滞、体神经阻滞、静脉内交感神经阻滞、硬膜外阻滞等）、刺激镇痛、药物治疗、理疗、手术治疗、心理治疗等。

57.7.1 神经阻滞治疗

尽管CRPS的发病机制不仅仅局限于交感神经活性增高，应用局麻药行选择性交感神经阻滞仍是主要治疗方法。

(1) 局麻药阻滞

局麻药选择性交感神经链阻滞可被用于治疗CRPS或预测对交感神经切除术的反应。

(2) 星状神经节阻滞

星状神经节阻滞多用于上肢CRPS的诊断和预后。

(3) 腰交感神经节阻滞

腰交感神经节阻滞对下肢CRPS的诊断和预后较硬膜外阻滞优先考虑应用。

(4) 持续椎旁交感神经阻滞

局麻药持续注入可产生长期的疼痛缓解，导管可置入任何交感神经处以阻滞节前（如硬膜外）和节后纤维（如臂丛）和交感神经节。

(5) 躯体神经阻滞

躯体外周神经阻滞，如臂丛、腰丛和硬膜外阻滞也被评价用于治疗CRPS的效果。

(6) 局部静脉阻滞

局部静脉阻滞是将局部麻醉药单独（Bier阻滞）或合用其他药物（交感神经局部静脉阻滞）注入由止血带扎住的闭合的静脉系统。通过药物从静脉血管直接扩散到周围神经而产生麻醉或交感神经阻滞作用。胍乙啶静脉内部阻滞是外周交感神经阻滞的可靠方法。

(7) 硬膜外阻滞

近来有研究报道应用氯胺酮复合局部麻醉药可用于CRPS治疗，氯胺酮1.5 mg/kg用于交感神经节阻滞具有安全、有效、不良反应少的优点，早期应用连续硬膜外阻滞可以提高治疗效果，取得意想不到的效果。

57.7.2 药物治疗

(1) 自由基清除剂治疗

据报道，维生素C作为氧自由基清除剂有预防CRPS的效果。Zollinger等于127次腕部骨折均行保守治疗的123例成人，每日给维生素C500 mg或安慰剂，持续50天，1年后发现维生素C组CRPS发生率7%明显低于安慰剂组22%。这种安全、廉价、简单的方法在预防和处理CRPS中，有明显的应用价值。

甘露醇(mannitol)也是一种氧自由基清除剂，对术后CRPS的发生可能有预防和治疗作用。Veldman和Goris完成的一项前瞻、非随即研究，调查了47例CRPS诊断明确并在受伤肢体行手术的患者，CRPS病程从3个月到13年不等(平均1.5年)，在休息条件下，等待CRPS症状和体征消退，并在术前采用血管扩张剂和交感神经阻滞。24 h静脉滴注10%甘露醇1 000 ml。结果47例患者中6例复发(13%)，提示有预防作用。但没有对照组，故对所得数据的解释有困难。

(2) 扩血管治疗

少数痛性营养不良患者发病时患侧皮肤比健侧冷，这些患者预后差的危险性比较大，而且因为严重并发症而需要截肢的机会更多，必须特别当心。对这群患者要早期、严格用上述自由基清除剂治疗。结合用血管扩张剂，如维拉帕米(每日1～2次，每次240 mg)，酮色林(每日2次，每次20～40 mg)，已酮可可碱(每日2次，400 mg/d)，尽可能改善患肢血液灌注。维拉帕米是公认的药物。使用血管扩张剂后，皮肤温度依然很低时，应早期做交感神经阻滞。

(3) 抗惊厥药

代表性的药物有卡马西平、苯妥因钠、丙戊酸钠。对神经电击样的疼痛有效。国外应用较为广泛的是加巴喷丁(gabapentin)，初始剂量300 mg(老人100 mg)，每日睡前服用，每3～7日增量1次，总量可达每日900～1 200 mg，显示对治疗CRPS疼痛有较好效果。本类药物作用原理不完全清楚。考虑与抑制受损神经元的异常放电或过度兴奋有关。长期应用本类药物会产生肝、肾、胃肠道及造血系统功能异常，故一般主张在密切监测下应用或交替使用。

(4) 解痉药

CRPS患者在运动方面的表现是强直、肌张力障碍性固定姿势、肌力弱、震颤或肌阵挛性反跳。氯苯氨丁酸(baclofen)、特异性γ-氨基丁酸(GABA)受体激动剂，抑制了外周感觉传入脊髓。由于口服巴氯芬(氯苯氨丁酸)有镇静效应且较少穿透入脊髓，因此鞘内注射被用于治疗伴肌张力障碍的CRPS患者。

(5) 抗抑郁药

人们认为抗抑郁药可通过增加中枢疼痛调节系统递质活性(包括降低血清素系统和去甲肾上腺素系统的活性)而发挥镇痛效应。而在慢性长期用药时，其镇痛作用的发挥尚与P物质、促甲素样肽、γ-氨基丁酸的活性变化有关。常用的有阿米替林、丙米嗪、多塞平、马普替林等三(四)环类抗抑郁药。一般成人每日从25 mg起，老年人每日从10 mg起，晚睡前顿服。若效果不明显、无不良反应时，可以每数日增加10～25 mg，在达到每日150 mg后，应维持使用1～2周。如无不良反应可用至每日300 mg以下。当出现口干时，表明药量已足。应密切注意其并发症(抗胆碱、奎尼丁样作用)。

(6) 新兴的药物治疗

使用鲑鱼降钙素，其机制为鲑鱼降钙素是由甲状腺和甲状旁腺内的滤泡旁细胞所分泌的多肽激素，具有抑制破骨细胞的活性以改善局部骨转换的作用，镇痛作用可能还有中枢作用在内。有报道肌内注射降钙素(益钙宁)能抑制骨吸收，防治骨质疏松，并继发地使脑分泌内啡肽产生镇痛作用。

静脉输注骨再吸收强抑制剂二磷酸盐(alendronate)可有效减轻疼痛、肿胀，增加运动范围。

(7) 局部用药

可用的局部治疗有4种：辣椒辣素、可乐定、硝酸甘油软膏和二甲亚砜霜。然而，这些药物的对照研究有限，临床经验很少。

57.7.3 物理治疗

1998年Stantom-Hicks等列出了一个为CRPS患者所广泛应用的物理疗法。该法分为4个步骤，每一步骤应当在2～3周内完成，但是慢性或复杂的病例在治疗3周后若没有进展，则每一步骤都可能需要更长期的时间和加强心理上的治疗。

第1步确定患者的症状和体征，开始与患者在治疗上取得合作。物理治疗从恢复肢体活动开始。通过小幅度活动和触摸受侵袭的肢体来恢复肢体活动，通过冷热交替浸泡和渐进式的皮肤揉擦使感觉恢复正常，不致过分敏感。第2步增加肢体灵活性和活动力量，对可能开始出现的继发性肌筋膜痛进行诊断和治疗。第3步重点为逐渐加大受损肢体的活动范围，持续增强力度，耐受负重和有氧训练。这个阶段为建立持久功能恢复的基础。第4步是使受损害的部位恢复正常功能和最终能重返工作。

另外有报道经皮电刺激 TENS(可以使脊髓 A-α、A-β的刺激增强，从而抑制小直径痛觉传导纤维的活动)以及超声刺激热疗(漩涡、石蜡或辐射热)也有一定的疗效。

57.7.4 心理学方面的治疗

最近 IASP 会议报道建议病程少于2个月的疼痛患者通常并不要求正式的心理学介入，病程超过2个月的 CRPS 患者应接受心理评估(包括心理测验)，以确定和治疗心理性疾病，如焦虑、抑郁或人格紊乱；所有使人病残的因素也必须确定。咨询、行为改变、生物反馈、放松疗法、群体疗法及自我催眠等方法均应被考虑。旨在增加患者动力和处理技巧的种种治疗都是必要的。通常来说，来源于认知行为理论的原则对治疗慢性疼痛是有效的。

57.7.5 注意疼痛激发点治疗

有50%痛性营养不良患者有疼痛激发点。所谓疼痛激发点就是痛性营养不良肢体上的一个特殊疼痛区域，这种疼痛非直接由痛性营养不良所致。比如，腕管综合征、神经瘤、扳机指等，疼痛激发点可能通过神经源性炎症的局部过程诱发、维持或使痛性营养不良恶化。治疗痛性营养不良时，应确定疼痛激发点并给予特殊治疗，包括手术切除神经瘤、局封等。

57.7.6 慢性痛性营养不良治疗

同样按照以上的程序治疗，不过自由基清除剂治疗将使用1个月，只要症状还在继续改善就可以延长。在慢性期可以由麻醉师来治疗严重的疼痛症状。

57.7.7 严重致残的痛性营养不良治疗

有些痛性营养不良病例使用目前已知的任何一种治疗都没有效果。对于这些患者，有必要采取完全不同的途径着手解决其严重的病残。这些途径包括适当的药物镇痛。提供适当的矫形器和轮椅等。

(张 弛 姚振钧)

参考文献

[1] 刘延青. 胍乙啶交感神经阻滞治疗复杂性局部疼痛综合征. 中国疼痛医学杂志，2004，10：13～14.

[2] 杨超，唐昊. 鞘内注射氯苯氨丁酸治疗痉挛型脑瘫. 中国矫形外科杂志，2003，9：632～634.

[3] 吴海青. 氯胺酮在复杂的局部痛综合征治疗中的应用. 岭南急诊医学杂志，2005，10(1)：30～31.

[4] 孟丽红. 鲑鱼降钙素治疗原发性骨质疏松疗效观察. 医药世界，2005，12：66～67.

[5] 宫崎东洋. 反射性交感神经营养不良. 日本医学介绍，2001，22(10)：436.

[6] 缪鸿石. 康复医学理论与实践. 上海：上海科学技术出版社，2000. 1305.

[7] Bentley J，Hameroff S. Diffuse reflex sympathetic dystrophy. Anesthesiology，1980，53：256～257.

[8] Levine JD，Taiwo YO，Collins SD，et al. Noradrenaline hyperalgesia is mediated through interatction with sympathetic postganglionic neurone terminals rather than activation of primary afferent nociceptors. Nature，1986，323(6084)：1580～1601.

[9] Li bin-ben，Wang jing-yong. Complex regional pain syndrome. Clin J Pain，2006，7：179～181.

[10] Lorente de NR. Analysis of the activity of the chain of internuncial neurons. J Neurophysiol，1938，1：2072～2441.

[11] Morley S，Eccleston C，Williams A. Systematic review and meta-analysis of randomized controlled trials of cognitive behaviour therapy and behaviour therapy for chronic pain in adults，excluding headache. Pain，1999，80：1～13.

[12] Rashiq S，Galer BS. Myofascial dysfunction in complex regional pain syndrome，Clin J Pain，1999，15：151～153.

[13] Schwartzman R，Mclellan TL. Reflex sympathetic dystrophy. Arch Neurol，1987，44：555～561.

[14] Stanton-Hicks M，Baron R，Boas R，et al. Complex regional pain syndrome：guidelines for therapy. Clin J Pain，1998，14：155～166.

[15] Veldman PH，Goris RJ. Surgery on extremities with reflex sympathetic dystrophy. Unfallchirurg，1995，98：45～48.

[16] Wasner G，Backonja MM，Baron R. Traumatic neuralgia-complex regional pain syndromes(reflex sympathetic dystrophy and causalgia)：clinical characteristics，pathophysiologic mechanisms and therapy. Neurol Clin，1998，16(4)：851～868.

[17] Zollinger PE，Tuinebreijer WE，Kreis RW，et al. Effect of vitamin C on frequency of reflex sympathetic dystrophy in wrist fractrues：a randomized trail. Lancet，1999，354：2025～2028.

图书在版编目(CIP)数据

现代骨科学 / 陈峥嵘主编．—上海：复旦大学出版社，2010.5

ISBN 978-7-309-06174-1

Ⅰ.现… Ⅱ.陈… Ⅲ.骨科学 Ⅳ.R68

中国版本图书馆 CIP 数据核字（2008）第 107552 号

现代骨科学

陈峥嵘　主编

出品人/贺圣遂　责任编辑/贺　琦

复旦大学出版社有限公司出版发行

上海市国权路 579 号　邮编：200433

网址：fupnet@fudanpress.com　http://www.fudanpress.com

门市零售：86-21-65642857　团体订购：86-21-65100562

外埠邮购：86-21-65109143

江苏省句容市排印厂

开本 787×1092　1/16　印张 68.25　字数 2052 千

2010 年 5 月第 1 版　2010 年 5 月第 1 次印刷

ISBN 978-7-309-06174-1/R·1043

定价：180.00 元

教育部推荐使用大学外语类教材
全国高等学校第二届优秀教材特等奖
国家教委高等学校第二届优秀教材一等奖

第
Third E

大学英语 精读

College English

总主编 董亚

INTENSIVE READIN

学生用书 STUDENT'S BOO

Book 6

主　编　李荫华

第三版

大学英语 精读 第六册 学生用书

外教社

上海外语教育出版社
SHANGHAI FOREIGN LANGUAGE EDUCATION PRESS